ACTUALIZACIÓN TECNOLÓGICA

ESTADÍSTICA

MARIO F. TRIOLA

DECIMOPRIMERA EDICIÓN

Traducción:
Leticia Pineda Ayala
Traductora especialista en Estadística

Revisión técnica:

Linda Margarita Medina Herrera
Departamento de Física y Matemáticas
Escuela de Diseño, Ingeniería y Arquitectura
Instituto Tecnológico y de Estudios Superiores de Monterrey
Campus Ciudad de México, México

Francisco Alberto Piña Salazar
Facultad de Contaduría y Administración
Universidad Nacional Autónoma de México, México

José Pablo Torres Morán
Departamento de Bioestadística
Centro Universitario de Ciencias Biológicas y Agropecuarias (CUCBA)
Universidad de Guadalajara, México

Ernesto Peláez García
Departamento de Matemáticas y Estadística
Universidad ICESI - Cali, Colombia

Irma L. Morales Vargas
Departamento de Ciencias y Tecnología
Universidad Interamericana
Recinto Fajardo, Puerto Rico

José F. Candelaria
Departamento de Matemáticas
Universidad de Puerto Rico
Recinto Arecibo, Puerto Rico

PEARSON

Datos de catalogación bibliográfica

TRIOLA, MARIO F.

Estadística
Decimoprimera edición

PEARSON EDUCACIÓN, México, 2013

ISBN: 978-607-32-1768-2
Área: Matemáticas

Formato: 21.5 × 27.5 cm Páginas: 888

Edición en español
Dirección general: Philip De la Vega
Dirección Educación Superior: Mario Contreras
Editora sponsor: Gabriela López Ballesteros
e-mail: gabriela.lopezballesteros@pearson.com
Editor de desarrollo: Felipe Hernández Carrasco
Supervisor de Producción: Rodrigo Romero Villalobos
Gerencia Editorial Educación Superior Latinoamérica: Marisa de Anta

DECIMOPRIMERA EDICIÓN, 2013

Avenida Antonio Dovalí Jaime No. 70,
Torre B, Piso 6, Colonia Zedec Ed Plaza Santa Fe,
Delegación Álvaro Obregón, México, Distrito Federal, CP 01210

Cámara Nacional de la Industria Editorial Mexicana. Reg. núm. 1031.

ISBN VERSIÓN IMPRESA: 978-607-32-1768-2
ISBN VERSIÓN E-BOOK: 978-607-32-1769-9
ISBN E-CHAPTER: 978-607-32-1770-5

Impreso en México. *Printed in Mexico.*
1 2 3 4 5 6 7 8 9 0 - 15 14 13 12

Se terminó la impresión de esta obra en abril de 2017
en los talleres de Editorial Progreso, S.A. de C.V.
Naranjo Núm. 248, Colonia Santa María la Ribera
Delegación Cuauhtémoc. C. P. 06400, Ciudad de México.

Para

Ginny

Marc, Dushana y Marisa

Scott, Anna, Siena y Kaia

Acerca del autor

Mario F. Triola es profesor emérito de matemáticas en el Dutchess Community College, donde ha impartido la cátedra de estadística durante más de 30 años. Marty es autor de las obras *Essentials of Statistics*, 4a. edición; *Elementary Statistics Using Excel*, 4a. edición; *Elementary Statistics Using the TI-83/84 Plus Calculator*, 3a. edición; también es coautor de los libros *Biostatistics for the Biological and Health Sciences*; *Statistical Reasoning for Everyday Life*, 3a. edición; *Business Statistics* y de *Introduction to Technical Mathematics*, 5a. edición. *Estadística* está disponible actualmente en una edición internacional y se ha traducido a varios idiomas. Marty diseñó el programa de cómputo original STATDISK, y ha escrito diversos manuales y libros de trabajo para educación en estadística basada en tecnología. Ha sido orador en muchas conferencias y universidades. Su trabajo de consultoría incluye el diseño de cañas de pescar y de máquinas tragamonedas para casinos; ha colaborado con abogados en la determinación de probabilidades en casos de demandas de paternidad, en la identificación de desigualdades salariales entre géneros y en el análisis de resultados de elecciones en disputa. También ha utilizado los métodos estadísticos para analizar datos médicos, encuestas de escuelas de medicina y resultados de encuestas para las autoridades de tránsito de la ciudad de Nueva York. Por otro lado, fungió como testigo experto en la Suprema Corte del estado de Nueva York. La Text and Academic Authors Association otorgó a Mario F. Triola un premio de excelencia por su trabajo en el libro *Estadística*.

Contenido abreviado

Contenido

Acerca de esta actualización tecnológica

Desde la primera impresión de *Estadística*, decimoprimera edición, han ocurrido avances tecnológicos importantes. Aunque esta actualización tecnológica incluye los mismos ejemplos, ejercicios y contenido estadístico que la decimoprimera edición original, también incluye actualizaciones que reflejan los siguientes cambios en la tecnología.

STATDISK es un extenso paquete de cómputo estadístico, diseñado específicamente para este libro, y se incluye sin ningún costo con la compra del mismo. La impresión original de la decimoprimera edición de *Estadística* se basó en la versión 11.0 de STATDISK, pero la versión 11.5 incluye importantes mejoras. Esta versión actualizada de STATDISK puede descargarse del sitio Web. (Visite el sitio Web www.pearsonenespañol.com/triola, donde encontrará la versión más reciente de STATDISK). Esta actualización tecnológica contiene cambios que reflejan las características del programa.

Calculadoras TI-83/84 Plus En el sitio Web que complementa este libro se encuentran programas actualizados para la serie de calculadoras TI- 83/84 Plus. Se eliminaron algunos programas que estaban incluidos en la edición original de *Estadística* y se agregaron nuevas aplicaciones. Asimismo, las páginas correspondientes en el libro se editaron para referirse a los programas actualizados.

Videos En la página Web se presentan las tecnologías del futuro mencionadas a lo largo del libro y ejercicios de repaso resueltos. Este es un recurso excelente para los estudiantes que no puedan asistir a una clase o que desean repasar un tema. También es una excelente herramienta para los profesores que imparten enseñanza a distancia, para quienes estudian por su cuenta o cursan programas personalizados.

Minitab 16 La decimoprimera edición original del libro se basó en la versión 15 de Minitab. En esta edición se incluyen actualizaciones para la nueva versión 16 de Minitab. Entre otras mejoras, Minitab 16 incluye el nuevo elemento **Assistant** en el menú, el cual permite abrir nuevas aplicaciones como **Graphical Analysis**, **Hypothesis Tests**, **Regression** y **Control Charts**. Con estas opciones, el usuario recibe más ayuda para seleccionar el procedimiento o la opción correctos, y la presentación de los resultados finales es mucho más amplia.

Excel 2010 En la edición original de *Estadística* se hacía referencia a Excel 2003 y a Excel 2007, ya que Excel 2010 salió a la venta en junio de 2010. Esta edición del libro incluye referencias a Excel 2010 cuando hay diferencias con respecto a las versiones anteriores. Los conjuntos de datos para Excel que se encuentran en el sitio Web también funcionan con Excel 2010.

Prefacio

La estadística tiene un sinnúmero de aplicaciones que van desde los sondeos de opinión hasta los ensayos clínicos en medicina. De hecho, la estadística influye y da forma al mundo que nos rodea. La presente obra ilustra la relación que existe entre la estadística de nuestro mundo y una variedad de aplicaciones reales que dan vida a una teoría abstracta.

La decimoprimera edición tiene varias metas:

- Presentar conjuntos de datos, ejemplos y ejercicios nuevos e interesantes.
- Fomentar el crecimiento personal de los estudiantes a través del pensamiento crítico, el uso de la tecnología, el trabajo colaborativo y el desarrollo de las habilidades de comunicación.
- Incorporar los mejores y más recientes métodos utilizados por los profesionales de la estadística.
- Incluir información que ayude de manera personal a los estudiantes, como la referente a los mejores métodos para conseguir empleo y la importancia de evitar errores en el currículo.
- Ofrecer un vasto conjunto de complementos para mejorar la enseñanza y el aprendizaje.

Este libro refleja las recomendaciones de la American Statistical Association y sus *Pautas para la evaluación de la instrucción de la educación en estadística* (*Guidelines for Assessment and Instruction in Statistics Education*, GAISE). Dichos lineamientos sugieren los siguientes objetivos y estrategias.

1. **Hacer énfasis en la adquisición de conocimientos estadísticos y el desarrollo del pensamiento estadístico** Cada conjunto de ejercicios comienza con la sección de *Conocimientos estadísticos y pensamiento crítico*. Muchos de los ejercicios del libro están diseñados para alentar el pensamiento estadístico, una habilidad que va mucho más allá del uso irreflexivo de procedimientos mecánicos.
2. **Usar datos reales** El 93% de los ejemplos y el 82% de los ejercicios utilizan datos reales.
3. **Destacar la comprensión de conceptos más que la mera adquisición de procedimientos** Los ejercicios y los ejemplos implican la comprensión conceptual, y cada capítulo también incluye un proyecto llamado *De los datos a la decisión*.
4. **Fomentar el aprendizaje activo en el salón de clases** Al final de cada capítulo se proponen varias *Actividades de trabajo en equipo*.
5. **Utilizar la tecnología para desarrollar la comprensión de conceptos y el análisis de datos** A lo largo de todo el libro se presentan los resultados de programas de cómputo. Secciones especiales denominadas *Uso de la tecnología* incluyen instrucciones para el uso de programas estadísticos. En cada capítulo hay un *Proyecto tecnológico*, un *Proyecto de Internet* y un *Proyecto applet*. En el sitio Web www.pearsonenespañol.com/triola se incluye un programa gratuito (STATDISK) diseñado específicamente para el libro, además de los conjuntos de datos del apéndice B con formatos para diferentes tecnologías.
6. **Utilizar evaluaciones para mejorar y valorar el aprendizaje del estudiante** Las herramientas de evaluación se conforman por una gran cantidad de ejercicios en las diferentes secciones, ejercicios de repaso del capítulo, ejercicios de repaso acumulativo, exámenes rápidos, proyectos para actividades y proyectos tecnológicos.

Público/Prerrequisitos

Estadística se escribió para estudiantes de cualquier carrera. Aun cuando el uso del álgebra es mínimo, los estudiantes deben haber cursado al menos una materia de álgebra elemental en la preparatoria o la universidad. En muchos casos se incluyen teorías subyacentes, pero este libro no enfatiza el rigor matemático, una característica que es más adecuada para carreras especializadas en matemáticas.

Cambios en esta edición

- **Ejercicios** Esta decimoprimera edición incluye 2011 ejercicios (13% más que la décima edición), y 87% de ellos son nuevos. El 82% de los ejercicios utilizan datos reales (a diferencia del 53% en la décima edición). Ahora cada capítulo incluye un examen rápido de 10 preguntas.
- **Ejemplos** De los 257 ejemplos de esta edición, el 86% está conformado por material nuevo y el 93% incluye datos reales. Los ejemplos están numerados de manera consecutiva en cada sección.
- **Problemas de los capítulos** Todos los problemas de los capítulos son nuevos.
- **Organización**

  Nuevas secciones 1-2: Pensamiento estadístico; 2-5: Pensamiento crítico: gráficas inadecuadas

  Sección combinada 3-4: Medidas de posición relativa y gráficas de caja

  Nuevos temas en la sección 2-4: Gráficas de barras y gráficas múltiples de barras

  El **glosario** (apéndice C en la décima edición) se trasladó al sitio Web y está disponible en MyStatLab.
- **Ensayos al margen** De 122 ensayos al margen, el 15% corresponde a material nuevo; muchos otros se actualizaron. Algunos temas nuevos son *reproducción aleatoria en el iPod, cuestionamientos sobre la falsificación de datos en las investigaciones de Mendel* y *multas que reciben los conductores foráneos que rebasan el límite de velocidad.*
- **Nuevas características**

  Examen rápido del capítulo Al final de cada capítulo se presenta un examen de 10 reactivos.

ADVERTENCIA

A lo largo del libro, las "advertencias" llaman la atención hacia potenciales errores graves en el manejo de la estadística.

Al final de cada capítulo se incluye un **Proyecto applet**.

Ejercicios

Muchos ejercicios requieren la *interpretación* de los resultados. Se ha puesto gran cuidado en asegurar su utilidad, relevancia y exactitud. Los ejercicios están organizados por orden creciente de dificultad, y se clasifican en dos grupos: **1.** Habilidades y conceptos básicos y **2.** Más allá de lo básico. Estos últimos incluyen conceptos más difíciles, o bien, requieren de mayores conocimientos matemáticos. En algunos casos, tales ejercicios introducen un nuevo concepto.

Datos reales Hemos dedicado cientos de horas a encontrar datos que sean reales, significativos e interesantes para los estudiantes. Además, algunos ejercicios se refieren a los 24 grandes conjuntos de datos incluidos en el apéndice B y se identifican claramente al final de cada sección de ejercicios.

Tecnología

Estadística se puede utilizar sin una tecnología específica. Para los profesores que decidan complementar el curso con tecnología específica, disponemos de materiales descritos en el texto y de algunos otros complementarios.

Tecnología en el libro A lo largo del libro encontrará muchas pantallas de instrumentos tecnológicos. Algunos ejercicios se basan en imágenes de resultados de estos dispositivos. En las situaciones pertinentes, las secciones terminan con el apartado *Uso de la tecnología*, la cual incluye instrucciones para STATDISK, Minitab®, Excel® o la calculadora TI-83/84 Plus®. (A lo largo del libro, el subtítulo "TI-83/84 Plus" se utiliza para identificar una calculadora TI-83 Plus, TI-84 Plus o TI-Nspire con el teclado TI-84 Plus instalado). Los apartados que aparecen al final del capítulo incluyen un *Proyecto tecnológico*, un *Proyecto de Internet* y un *Proyecto applet*.

Complementos tecnológicos

En el sitio Web encontrará:

- El programa estadístico de cómputo **STATDISK**. Algunos temas nuevos son *evaluación de la normalidad*, *gráficas de caja modificadas* y la habilidad para manejar más de nueve columnas de datos.
- Los conjuntos de datos del apéndice B con formatos para Minitab, Excel, SPSS, SAS y JMP, y también en archivos con formato de texto. Además, el sitio Web contiene estos conjuntos de datos en una aplicación para la calculadora TI-83/84 Plus; asimismo, incluye programas complementarios para la calculadora TI-83/84 Plus.
- Conjuntos de datos adicionales, applets y Data Desk XL (DDXL, un programa adicional para Excel).
- También incluye *La estadística en el trabajo*, una serie de entrevistas con profesionales que utilizan la estadística en su actividad laboral cotidiana.
- Contamos con manuales y libros de trabajo separados para STATDISK, Minitab, Excel, SPSS®, SAS® y las calculadoras TI-83/84 Plus y TI-Nspire.
- Disponemos de tarjetas de estudio para diversas tecnologías.
- Los profesores pueden utilizar **diapositivas PowerPoint® para sus clases, preguntas para un aprendizaje activo** y el generador de exámenes computarizado **TestGen**; todos estos materiales se encuentran en el Centro de recursos para el profesor.
- **Videos** que presentan las tecnologías descritas en el libro y los ejercicios de repaso resueltos de cada capítulo.

Flexibilidad para los programas de estudio

La organización de este libro refleja las preferencias de la mayoría de los profesores de estadística, pero con dos variaciones comunes:

- **Cobertura temprana de la correlación y la regresión** Algunos profesores prefieren cubrir los fundamentos de la correlación y de la regresión al inicio del curso. *Las secciones 10-2 (correlación) y 10-3 (regresión) se pueden cubrir antes.* Bastará con cubrir la parte 1 (conceptos básicos) en cada una de las dos secciones.
- **Cobertura mínima de la probabilidad** Algunos profesores prefieren hacer una cobertura amplia de la probabilidad, mientras que otros optan por incluir únicamente conceptos básicos. Aquellos que prefieran una cobertura reducida pueden incluir la sección 4-2 e ignorar las secciones restantes del capítulo 4, ya que no son esenciales para los siguientes capítulos. Muchos profesores prefieren tratar los aspectos fundamentales de la probabilidad junto con los fundamentos de las reglas de la suma y la multiplicación, temas que se pueden cubrir con las secciones 4-1 a 4-4. La sección 4-5 incluye la probabilidad condicional, y las secciones posteriores se refieren a los métodos de simulación y conteo (incluyendo las permutaciones y las combinaciones).

Características distintivas

Hemos tenido mucho cuidado de asegurarnos de que cada capítulo de *Estadística* ayude a los estudiantes a entender los conceptos que se presentan. Las siguientes características se diseñaron para cumplir con ese objetivo:

Características al inicio de los capítulos:

- Cada capítulo comienza con una lista que indica a los estudiantes las secciones que lo integran.

- Para motivar al estudio del material, cada capítulo inicia con un problema.
- La primera sección es un repaso breve de conceptos relevantes que se estudiaron anteriormente, y sirve como presentación de los objetivos del capítulo.

Características al final de los capítulos:

Repaso

Un **Repaso del capítulo** resume los principales temas y conceptos tratados en el capítulo.

Conocimientos estadísticos y pensamiento crítico

Los ejercicios de la sección **Conocimientos estadísticos y pensamiento crítico** se refieren a conceptos estudiados en el capítulo.

Examen rápido del capítulo

Un **Examen rápido del capítulo** incluye 10 preguntas de repaso que requieren respuestas breves.

Ejercicios de repaso

Los **Ejercicios de repaso** permiten practicar los conceptos y procedimientos del capítulo.

Ejercicios de repaso acumulativo

Los **Ejercicios de repaso acumulativo** refuerzan el material previo.

Proyecto tecnológico

Un **Proyecto tecnológico** describe una actividad para el uso de STATDISK, Minitab, Excel o la calculadora TI-83/84 Plus.

Un **Proyecto de Internet** describe una actividad para el uso de Internet.

PROYECTO APPLET

Un **Proyecto applet** describe una actividad para utilizar el applet respectivo incluido en el sitio Web.

De los datos a la decisión es un problema que requiere de pensamiento crítico y trabajo de redacción.

Las **Actividades de trabajo en equipo** fomentan el aprendizaje activo en grupos.

Conjuntos de datos reales El apéndice B incluye versiones impresas de 24 grandes conjuntos de datos, a los cuales se hace referencia a lo largo del libro, incluyendo 8 conjuntos nuevos y 2 actualizados. Estos conjuntos de datos también están disponibles en el sitio Web del libro.

Ensayos al margen El libro incluye 122 ensayos al margen (15% de ellos son nuevos), los cuales ilustran los usos y abusos de la estadística en aplicaciones reales, prácticas e interesantes.

Gráficas de flujo Se incluyen 20 gráficas de flujo que aparecen a lo largo del texto para simplificar y aclarar conceptos y procedimientos más complejos. En MyStatLab y MathXL están disponibles versiones animadas de dichas gráficas de flujo.

Los 20 temas más populares Los temas más importantes de cualquier curso de introducción a la estadística están identificados en el libro con un icono. Los estudiantes que utilicen MyStatLab tienen acceso a recursos adicionales para aprender estos temas con definiciones, animaciones y lecciones en videos.

Tablas de referencia rápida Al final del libro se incluye una tabla de símbolos, para poder consultar con rapidez los símbolos clave.

Los recursos que están en el sitio Web fueron elaborados por Mario F. Triola. Estos son los conjuntos de datos del apéndice B, los cuales vienen almacenados como archivos de texto, hojas de cálculo de Minitab, archivos de SPSS, SAS, JMP, hojas de trabajo de Excel y aplicaciones de la calculadora TI-83/84 Plus. También incluye una sección sobre el teorema de Bayes, entrevistas de *La estadística en el trabajo*, un glosario, programas para la calculadora graficadora TI-83/84 Plus®, el programa estadístico STATDISK (versión 11) y el recurso DDXL de Excel, diseñado para incrementar las capacidades de los programas estadísticos de Excel.

Complementos

Para el estudiante (en inglés)

Conjuntos de datos (del apéndice B) como archivos de texto, hojas de cálculo de Minitab, archivos de SPSS, SAS, JMP, hojas de trabajo de Excel y aplicaciones de la calculadora TI-83/84 Plus.

Teorema de Bayes

Entrevistas que aparecen al final de cada capítulo sobre *La estadística en el trabajo* en inglés.

Glosario en inglés.

Programas para la calculadora graficadora TI-83/84 Plus®.

STATDISK versión 11, programa estadístico.

DDXL de Excel diseñado para incrementar las capacidades de los programas estadísticos de Excel.

Videos que presentan las tecnologías descritas en el libro y los ejercicios de repaso resueltos de cada capítulo.

Los recursos para estudiantes están disponibles en el sitio Web de este libro, www.pearsonenespañol.com/triola.

Para el profesor

Manual de soluciones para el profesor, escrito por Milton Loyer (Penn State University), incluye soluciones a todos los ejercicios y un plan de estudios muestra del curso. (ISBN-13: 978-0-321-57067-3; ISBN-10: 0-321-57067-7).

Sistema de evaluación Además de un banco de exámenes en línea, también existe un generador de exámenes computarizado, el TestGen®, que permite al profesor crear, editar, imprimir y administrar exámenes utilizando un banco de reactivos computarizado que cubre todos los objetivos del libro de texto. TestGen tiene una base algorítmica, lo que permite a los profesores crear múltiples versiones, aunque equivalentes, del mismo reactivo o examen con tan solo hacer clic en un botón. Los profesores también tienen la posibilidad de modificar el banco de reactivos y añadir nuevas preguntas. Los exámenes se pueden imprimir o aplicar en línea. El programa y el banco de exámenes en línea pueden descargarse del catálogo de Pearson Education. (Banco de exámenes ISBN-13: 978-0-321-57087-1; ISBN-10: 0-321-57087-1).

Diapositivas PowerPoint® para las clases Este programa gratuito para presentaciones en clase fue diseñado específicamente para la secuencia y filosofía de *Estadística*. Se incluyen gráficas clave del libro para dar vida a los conceptos estadísticos en el aula. Las diapositivas de PowerPoint para las clases pueden descargarse de MyStatLab y del catálogo en línea de Pearson Education.

Preguntas para un aprendizaje activo Preparadas en PowerPoint®, estas preguntas se elaboraron para utilizarlas con los sistemas de respuesta en el aula. Incluyen varias preguntas de opción múltiple para cada sección del libro, de manera que los profesores puedan evaluar con rapidez el dominio del material en la clase. Las preguntas para un aprendizaje activo están disponibles para descargarse en MyStatLab® y en el catálogo en línea de Pearson Education, www.pearsonhighered.com/irc.

Recursos tecnológicos

- **En el sitio Web www.pearsonenespañol.com/triola se incluyen:**
  - Los conjuntos de datos del apéndice B con formatos para Minitab, SPSS, SAS, Excel, JMP y como archivos de texto. De manera adicional, contiene estos conjuntos de datos como aplicaciones para las calculadoras TI-83/84 Plus, e incluye programas complementarios para estas calculadoras.
  - Programa estadístico de cómputo **STATDISK**. Contiene nuevos temas como *evaluación de la normalidad, gráficas de caja modificadas* y la capacidad para manejar más de nueve columnas de datos.
  - Entrevistas sobre la estadística en el trabajo.
  - Conjuntos de datos adicionales y applets.
  - Los **videos** presentan los procedimientos de solución para todos los ejercicios de repaso de los capítulos.
- Estos **videos** se han ampliado y ahora complementan la mayoría de las secciones del libro, donde el autor presenta muchos de los temas. Incluyen tecnologías que se describen en el libro y los ejercicios de repaso resueltos. Es un recurso excelente para los estudiantes que no puedan asistir a una clase o que desean repasar un tema. También es una excelente herramienta para los profesores que imparten cursos a distancia, para los estudiantes autodidactas o para quienes participan en un programa personalizado.
  - Proyectos de Internet relacionados con cada capítulo del libro, además de los conjuntos de datos del texto.
- **MyMathLab en español** MyMathLab en español incluye un curso en línea específico para este libro, el cual contiene más de 700 ejercicios completamente en español. Es fácil de personalizar e integra elementos multimedia e interactivos al contenido del texto. **MyMathLab en español** da al profesor las herramientas que necesita para poner todo su curso o una parte de él en línea, si sus alumnos trabajan en un laboratorio, o bien, desde casa. (Requiere código de acceso).
  - **Ejercicios interactivos.** Están correlacionados con el libro de texto en el nivel de objetivos; se generan de manera algorítmica para práctica y dominio. La mayoría de los ejercicios son de respuesta abierta y presentan soluciones guiadas, problemas de ejemplo y otras ayudas para el aprendizaje.
  - **Capítulo de orientación.** Introduce al alumno en el uso de la plataforma y en la manera en que debe ingresar sus respuestas.
  - **Plan de estudios personalizado.** Se genera cuando los estudiantes completan un examen o un cuestionario; indica los temas donde el alumno aún no logra dominio, y contiene vínculos a ejercicios tutoriales para mejorar su entendimiento y desempeño.
  - **Ayudas didácticas multimedia.** Como clases en video, *applets* de Java y animaciones; ayudan a los estudiantes a mejorar, independientemente de su nivel de comprensión y desempeño.
  - **Administrador de actividades.** Permite crear tareas, cuestionarios y exámenes en línea, que se clasifican de manera automática. Basta seleccionar una mezcla adecuada de las preguntas en el banco de ejercicios de MyMathLab.
  - **Libro de calificaciones.** Está diseñado específicamente para matemáticas y estadística; de manera automática hace un seguimiento del alumno y brinda al profesor control para calcular las calificaciones finales. También es posible agregarle calificaciones adicionales. (Recurso en español en desarrollo, con costo).
- **MyStatLab™** MyStatLab (que forma parte de la familia de productos MyMathLab® y MathXL®) es un curso en línea específico para el libro y fácil de adaptar, que integra una instrucción multimedia interactiva con el contenido del libro de texto. MyStatLab está fortalecido por CourseCompass™ (el entorno de enseñanza y aprendizaje en línea de Pearson Education) y por MathXL (nuestro sistema de tareas, tutorial y evaluación en línea). MyStatLab le ofrece las herramientas necesarias para impartir todo su curso o una parte de él en línea, ya sea que los estudiantes se encuentren en un ambiente de laboratorio o en su hogar. MyStatLab ofrece un conjunto rico y flexible de materiales para el curso, incluyendo ejercicios de respuesta libre para conseguir práctica y dominio ilimitados. Los estudiantes también pueden utilizar herramientas en línea como conferencias en video, animaciones y un libro de texto multimedia, para mejorar de manera independiente su comprensión y desempeño. Los profesores pueden utilizar los administradores de tareas y exámenes de MyStatLab para seleccionar y asignar ejercicios en línea relacionados directamente con el libro, y también podrán crear y asignar sus propios ejercicios en línea, así como importar exámenes TestGen para agregar flexibilidad. El libro de calificaciones en línea de MyStatLab, diseñado específicamente para matemáticas y estadística, registra automáticamente los resultados de las tareas y los exámenes de los estudiantes, y permite que el profesor determine la forma de calcular las calificaciones finales. Los profesores también pueden añadir calificaciones no obtenidas en línea (con lápiz y papel) al libro de calificaciones. MyStatLab está disponible para usuarios autorizados. Para mayor información, visite nuestro sitio Web en **www.mystatlab.com** o póngase en contacto con su representante de ventas. (Recurso en inglés con costo).

- **MathXL® para Estadística**

  MathXL® para Estadística es un poderoso sistema tutorial, de evaluación y de tareas en línea, que complementa a los libros de texto de estadística de Pearson. Con la herramienta MathXL para Estadística, los profesores pueden crear, editar y asignar tareas en línea, así como exámenes que utilizan ejercicios generados de manera algorítmica, correlacionados con el nivel de los objetivos de este libro. Los profesores también podrán crear y asignar sus propios ejercicios en línea e importar exámenes de TestGen para mayor flexibilidad. Todo el trabajo de los estudiantes se registra en el libro de calificaciones en línea de MathXL. Los alumnos pueden resolver exámenes de capítulos en esta herramienta, y recibir planes de estudio personalizados a partir de sus resultados. El plan de estudio diagnostica debilidades y vincula a los estudiantes directamente con ejercicios tutoriales para los objetivos que necesitan estudiar y reevaluar. Los estudiantes también podrán revisar animaciones y videoclips de Triola directamente a partir de ejercicios seleccionados. MathXL para Estadística está disponible para los usuarios autorizados. Para mayor información, visite nuestra página **www.mathxl.com** o póngase en contacto con su representante de ventas. (Recurso en inglés con costo).

Reconocimientos

Estoy muy agradecido con los miles de profesores y estudiantes de estadística que han contribuido con el éxito de este libro. Quiero expresar mi agradecimiento especial a Mitchel Levy de Broward College, quien hizo amplias sugerencias para esta decimoprimera edición.

La presente edición de *Estadística* constituye un verdadero esfuerzo de equipo, y me considero afortunado por haber contado con el compromiso de trabajo dedicado del equipo de Pearson Arts & Sciences. Estoy muy agradecido con Deirdre Lynch, Elizabeth Bernardi, Chris Cummings, Peggy McMahon, Sara Oliver Gordus, Christina Lepre, Joe Vetere y Beth Anderson. También agradezco a Laura Wheel por su trabajo como editora de desarrollo; y a Marc Triola, doctor en medicina, por su trabajo sobresaliente con el programa STATDISK.

Agradezco a las siguientes personas por su ayuda en la decimoprimera edición:

Revisores de la precisión del texto

David Lund
Kimberley Polly
Dr. Kimberley McHale

Por su ayuda especial y sugerencias, estoy en deuda con Pierre Fabinski de Pace University y Michael Steinberg de Verizon.

Quiero agradecer a las siguientes personas por su ayuda y sugerencias en áreas especiales:

Vincent DiMaso
Rod Elsdon, Chaffey College
David Straayer, Sierra College
Glen Weber, Christopher Newport University

Por su apoyo al evaluar y mejorar el programa STATDISK, expreso mi agradecimiento a:

Justine Baker
Henry Feldman, M.D.
Robert Jackson
Caren McClure
Sr. Eileen Murphy
John Reeder
Carolyn Renier
Cheryl Slayden
Victor Strano
Gary Turner

Me gustaría agradecer las sugerencias de los siguientes revisores y usuarios de las ediciones anteriores de esta obra:

Dan Abbey, Broward Community College
Mary Abkemeier, Fontbonne College
William A. Ahroon, Plattsburgh State
Scott Albert, College of Du Page
Jules Albertini, Ulster County Community College
Tim Allen, Delta College
Raid W. Amin, University of West Florida
Stu Anderson, College of Du Page
Jeff Andrews, TSG Associates, Inc.
Mary Anne Anthony, Rancho Santiago Community College
William Applebaugh, University of Wisconsin—Eau Claire
James Baker, Jefferson Community College
Justine Baker, Peirce College, Philadelphia, PA
David Balueuer, University of Findlay
Anna Bampton, Christopher Newport University
Donald Barrs, Pellissippi State Technical Community College
James Beatty, Burlington County College
Philip M. Beckman, Black Hawk College
Marian Bedee, BGSU, Firelands College
Marla Bell, Kennesaw State University
Don Benbow, Marshalltown Community College
Michelle Benedict, Augusta College
Kathryn Benjamin, Suffolk County Community College
Ronald Bensema, Joliet Junior College
David Bernklau, Long Island University
Maria Betkowski, Middlesex Community College
Shirley Blatchley, Brookdale Community College
Randy Boan, Aims Community College
John Bray, Broward Community College—Central
Denise Brown, Collin County Community College
Patricia Buchanan, Pennsylvania State University
John Buchl, John Wood Community College
Michael Butler, Mt. San Antonio College
Jerome J. Cardell, Brevard Community College
Keith Carroll, Benedictine University
Don Chambless, Auburn University
Rodney Chase, Oakland Community College
Monte Cheney, Central Oregon Community College
Bob Chow, Grossmont College
Philip S. Clarke, Los Angeles Valley College
Darrell Clevidence, Carl Sandburg College
Paul Cox, Ricks College
Susan Cribelli, Aims Community College
Imad Dakka, Oakland Community College
Arthur Daniel, Macomb Community College
Gregory Davis, University of Wisconsin, Green Bay
Tom E. Davis III, Daytona Beach Community College
Charles Deeter, Texas Christian University
Joseph DeMaio, Kennesaw State University
Joe Dennin, Fairfield University

Nirmal Devi, Embry Riddle Aeronautical University
Richard Dilling, Grace College
Rose Dios, New Jersey Institute of Technology
Christopher Donnelly, Macomb Community College
Dennis Doverspike, University of Akron
Paul Duchow, Pasadena City College
Bill Dunn, Las Positas College
Marie Dupuis, Milwaukee Area Technical College
Theresa DuRapau, Our Lady of Holy Cross
Evelyn Dwyer, Walters State Community College
Jane Early, Manatee Community College
Billy Edwards, University of Tennessee—Chattanooga
Wayne Ehler, Anne Arundel Community College
Sharon Emerson-Stonnell, Longwood College
Marcos Enriquez, Moorpark College
Angela Everett, Chattanooga State Technical Community College
P. Teresa Farnum, Franklin Pierce College
Ruth Feigenbaum, Bergen Community College
Vince Ferlini, Keene State College
Maggie Flint, Northeast State Technical Community College
Bob France, Edmonds Community College
Christine Franklin, University of Georgia
Joe Franko, Mount San Antonio College
Richard Fritz, Moraine Valley Community College
Maureen Gallagher, Hartwick College
Joe Gallegos, Salt Lake Community College
Sanford Geraci, Broward Community College
Mahmood Ghamsary, Long Beach City College
Tena Golding, Southeastern Louisiana University
Elizabeth Gray, Southeastern Louisiana University
Jim Graziose, Palm Beach Community College
David Gurney, Southeastern Louisiana University
Francis Hannick, Mankato State University
Sr. Joan Harnett, Molloy College
Kristin Hartford, Long Beach City College
Laura Heath, Palm Beach Community College
Leonard Heath, Pikes Peak Community College
Peter Herron, Suffolk County Community College
Mary Hill, College of Du Page
Laura Hillerbrand, Broward Community College
Larry Howe, Rowan College of New Jersey
Lloyd Jaisingh, Morehead State University
Lauren Johnson, Inver Hills Community College
Martin Johnson, Gavilan College
Roger Johnson, Carleton College
Herb Jolliff, Oregon Institute of Technology
Francis Jones, Huntington College
Toni Kasper, Borough of Manhattan Community College
Alvin Kaumeyer, Pueblo Community College
William Keane, Boston College
Robert Keever, SUNY, Plattsburgh
Alice J. Kelly, Santa Clara University
Dave Kender, Wright State University
Michael Kern, Bismarck State College
Gary King, Ozarks Technical Community College
John Klages, County College of Morris
Marlene Kovaly, Florida Community College at Jacksonville
John Kozarski, Community College of Baltimore County—Catonsville
Tomas Kozubowski, University of Tennessee
Shantra Krishnamachari, Borough of Manhattan Community College
Richard Kulp, David Lipscomb University
Linda Kurz, SUNY College of Technology
Christopher Jay Lacke, Rowan University
Tommy Leavelle, Mississippi College
Tzong-Yow Lee, University of Maryland
R. E. Lentz, Mankato State University
Timothy Lesnick, Grand Valley State University
Mickey Levendusky, Pima County Community College
Dawn Lindquist, College of St. Francis
George Litman, National-Louis University
Benny Lo, Ohlone College
Sergio Loch, Grand View College
Debra Loeffler, Community College of Baltimore County—Catonsville
Tristan Londre, Blue River Community College
Vincent Long, Gaston College
Alma Lopez, South Plains College
Barbara Loughead, National-Louis University
Rhonda Magel, North Dakota State University—Fargo
Gene Majors, Fullerton College
Hossein Mansouri, Texas State Technical College
Virgil Marco, Eastern New Mexico University
Joseph Mazonec, Delta College
Caren McClure, Santa Ana College
Phillip McGill, Illinois Central College
Marjorie McLean, University of Tennessee
Austen Meek, Canada College
Robert Mignone, College of Charleston
Glen Miller, Borough of Manhattan Community College
Kermit Miller, Florida Community College at Jacksonville
Kathleen Mittag, University of Texas—San Antonio
Mitra Moassessi, Santa Monica College
Charlene Moeckel, Polk Community College
Carla Monticelli, Camden County Community College
Theodore Moore, Mohawk Valley Community College
Rick Moscatello, Southeastern Louisiana University
Gerald Mueller, Columbus State Community College
Sandra Murrell, Shelby State Community College
Faye Muse, Asheville-Buncombe Technical Community College
Gale Nash, Western State College
Felix D. Nieves, Antillean Adventist University
Lyn Noble, Florida Community College at Jacksonville—South
Julia Norton, California State University Hayward
DeWayne Nymann, University of Tennessee
Patricia Oakley, Seattle Pacific University
Keith Oberlander, Pasadena City College
Patricia Odell, Bryant College
James O'Donnell, Bergen Community College
Alan Olinksy, Bryant College
Nasser Ordoukhani, Barry University
Michael Oriolo, Herkimer Community College
Jeanne Osborne, Middlesex Community College
Ron Pacheco, Harding University
Lindsay Packer, College of Charleston
Kwadwo Paku, Los Medanos College
Deborah Paschal, Sacramento City College
S. A. Patil, Tennessee Technological University
Robin Pepper, Tri-County Technical College
David C. Perkins, Texas A&M University—Corpus Christi
Anthony Piccolino, Montclair State University
Richard J. Pulskamp, Xavier University
Diann Reischman, Grand Valley State University
Vance Revennaugh, Northwestern College
C. Richard, Southeastern Michigan College
Don Robinson, Illinois State University
Sylvester Roebuck, Jr., Olive Harvey College
Ira Rosenthal, Palm Beach Community College—Eissey Campus
Kenneth Ross, Broward Community College

Charles M. Roy, Camden County College
Kara Ryan, College of Notre Dame
Ali Saadat, University of California—Riverside
Radha Sankaran, Passaic County Community College
Fabio Santos, LaGuardia Community College
Richard Schoenecker, University of Wisconsin, Stevens Point
Nancy Schoeps, University of North Carolina, Charlotte
Jean Schrader, Jamestown Community College
A. L. Schroeder, Long Beach City College
Phyllis Schumacher, Bryant College
Pradipta Seal, Boston University
Sankar Sethuraman, Augusta College
Rosa Seyfried, Harrisburg Area Community College
Calvin Shad, Barstow College
Carole Shapero, Oakton Community College
Adele Shapiro, Palm Beach Community College
Lewis Shoemaker, Millersville University
Joan Sholars, Mt. San Antonio College
Galen Shorack, University of Washington
Teresa Siak, Davidson County Community College
Cheryl Slayden, Pellissippi State Technical Community College
Arthur Smith, Rhode Island College
Marty Smith, East Texas Baptist University
Laura Snook, Blackhawk Community College
Aileen Solomon, Trident Technical College
Sandra Spain, Thomas Nelson Community College
Maria Spinacia, Pasco-Hernandez Community College
Paulette St. Ours, University of New England
W. A. Stanback, Norfolk State University
Carol Stanton, Contra Costra College
Richard Stephens, Western Carolina College
W. E. Stephens, McNeese State University
Terry Stephenson, Spartanburg Methodist College
Consuelo Stewart, Howard Community College
David Stewart, Community College of Baltimore County—Dundalk
Ellen Stutes, Louisiana State University at Eunice
Sr. Loretta Sullivan, University of Detroit Mercy
Tom Sutton, Mohawk College
Sharon Testone, Onondaga Community College
Andrew Thomas, Triton College
Evan Thweatt, American River College
Judith A. Tully, Bunker Hill Community College
Gary Van Velsir, Anne Arundel Community College
Randy Villa, Napa Valley College
Hugh Walker, Chattanooga State Technical Community College
Charles Wall, Trident Technical College
Dave Wallach, University of Findlay
Cheng Wang, Nova Southeastern University
Glen Weber, Christopher Newport College
David Weiner, Beaver College
Sue Welsch, Sierra Nevada College
Roger Willig, Montgomery County Community College
Gail Wiltse, St. John River Community College
Odell Witherspoon, Western Piedmont Community College
Claire Wladis, Borough of Manhattan Community College
Jean Woody, Tulsa Junior College
Carol Yin, LeGrange College
Thomas Zachariah, Loyola Marymount University
Yong Zeng, University of Missouri at Kansas City
Jim Zimmer, Chattanooga State Technical Community College
Elyse Zois, Kean College of New Jersey
Cathleen Zucco-Teveloff, Trinity College
Mark Z. Zuiker, Minnesota State University, Mankato

M.F.T.
LaGrange, Nueva York
Agosto de 2010

Índice de aplicaciones

PC = problema del capítulo
ET = ejemplo en el texto
M = ejemplo al margen
E = ejercicio
MB = más allá de lo básico
R = ejercicio de repaso
RA = ejercicio de repaso acumulativo
DD = de los datos a la decisión
ATE = actividad de trabajo en equipo
PT = proyecto tecnológico
ETr = la estadística del trabajo

Agricultura

Alimentos/bebidas

Ambiente

Biología

Deportes

Derecho

Educación

Encuestas y sondeos de opinión

Entretenimiento

Finanzas

Ingeniería

Interés general

Juegos

Negocios y economía

Personas y psicología

Política

Salud

Tecnología

Temas sociales

Trabajo

Transporte

ACTUALIZACIÓN TECNOLÓGICA

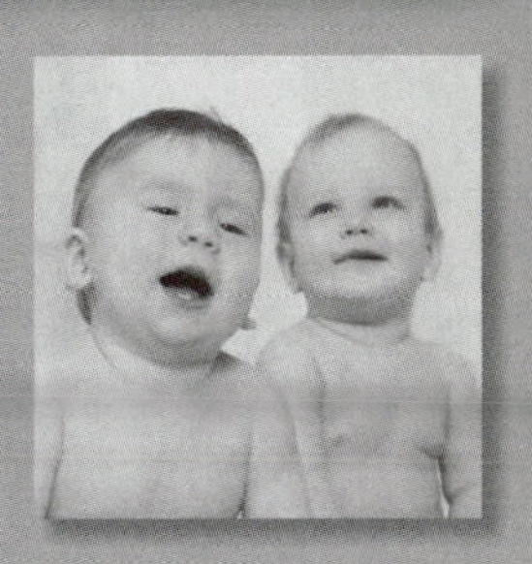

ESTADÍSTICA

MARIO F. TRIOLA

DECIMOPRIMERA EDICIÓN

1 Introducción a la estadística

PROBLEMA DEL CAPÍTULO

¿Por qué resultó tan inexacta la encuesta del *Literary Digest*?

Fundada en 1890, la revista *Literary Digest* era famosa por su éxito en la aplicación de encuestas para predecir quiénes serían los ganadores de las elecciones presidenciales. La revista pronosticó de forma correcta a los ganadores de las elecciones presidenciales de 1916, 1920, 1924, 1928 y 1932. En la contienda presidencial de 1936 entre Alf Landon y Franklin D. Roosevelt, la revista envió 10 millones de papeletas, de las cuales recibió 1,293,669 a favor de Landon y 972,897 a favor de Roosevelt, de manera que todo parecía indicar que Landon conseguiría el 57% de los votos. La cantidad de personas encuestadas fue sumamente grande, si se compara con el de otras encuestas típicas, por lo que parecía que serviría para predecir nuevamente de manera correcta al ganador. James A. Farley, presidente del Democratic National Committee en esa época, elogió la encuesta de la siguiente manera: "Ninguna persona en su sano juicio podría negar la implicación de un muestreo tan grande de la opinión pública como el observado en el sondeo de *The Literary Digest*. Considero tal evidencia concluyente como el deseo que tienen los habitantes de este país por un cambio en el gobierno nacional. La encuesta de *The Literary Digest* es un logro de gran magnitud; se trata de una encuesta realizada de forma justa y adecuada". Pues bien, en las elecciones, Landon recibió 16,679,583 votos, una cifra muy distante de los 27,751,597 que recibió Roosevelt. En lugar de obtener el 57% de los votos, como sugirió la encuesta de *Literary Digest*, Landon obtuvo solamente el 37%. En la figura 1-1 se muestran los resultados de Roosevelt. La revista sufrió un humillante fracaso y pronto salió del mercado.

Durante el mismo proceso electoral de 1936, George Gallup aplicó una encuesta a un número mucho menor de votantes, 50,000, y pronosticó de manera correcta que Roosevelt sería el ganador. ¿Cómo es posible que la encuesta a gran escala de *Literary Digest* se haya equivocado con un margen tan considerable? ¿Qué ocurrió? Después de que aprenda los conceptos básicos de estadística en este capítulo, regresaremos a la encuesta de *Literary Digest* y explicaremos por qué resultó tan inexacta para predecir al ganador de la contienda presidencial de 1936.

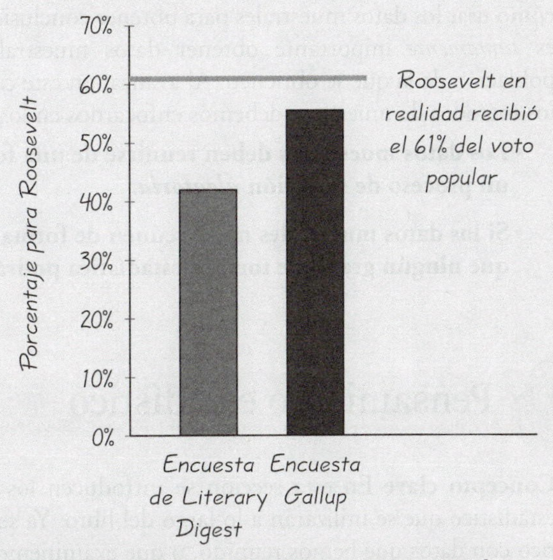

Figura 1-1 Resultados de encuestas para las elecciones donde contendieron Roosevelt y Landon

1-1 Repaso y preámbulo

La primera sección de los capítulos 1 al 14 inicia con un breve repaso de los antecedentes del capítulo, y con la presentación general de su contenido. Este capítulo solo está precedido por el prefacio, por lo que no haremos un repaso. Sin embargo, podemos repasar y definir de manera formal algunos términos estadísticos de uso común. En el problema del capítulo se analizaron las encuestas de *Literary Digest* y de George Gallup, las cuales utilizaron datos muestrales. Las encuestas reúnen datos de una porción perteneciente a un grupo más grande, con la finalidad de conocer algo acerca de este último. Una meta común e importante de la materia de la estadística es la siguiente: aprender acerca de un grupo grande examinando los datos de algunos de sus miembros. En dicho contexto, los términos *muestra* y *población* adquieren relevancia. Las definiciones formales de estos y otros términos básicos se presentan a continuación.

DEFINICIONES

Datos son el conjunto de información recolectada (como mediciones, géneros, respuestas de encuestas).

Estadística es la ciencia que se encarga de planear estudios y experimentos, obtener datos y luego organizar, resumir, presentar, analizar e interpretar la información para extraer conclusiones basadas en los datos.

Población es el conjunto completo de todos los elementos (puntuaciones, personas, mediciones, etcétera) que se someten a estudio. El conjunto es completo porque incluye a *todos* los sujetos que se estudiarán.

Censo es el conjunto de datos de *cada uno* de los miembros de la población.

Muestra es un *subconjunto* de miembros seleccionados de una población.

Por ejemplo, la encuesta de *Literary Digest* incluyó 2.3 millones de participantes, los cuales constituyen una *muestra*, en tanto que la *población* consiste en el conjunto completo de los adultos en edad de votar. Un objetivo importante de este libro es demostrar cómo usar los datos muestrales para obtener conclusiones sobre poblaciones. Veremos que es *sumamente* importante obtener datos muestrales que sean representativos de la población de la que se obtienen. Al avanzar en este capítulo y analizar los tipos de datos y los métodos de muestreo, debemos enfocarnos en los siguientes conceptos clave:

- **Los datos muestrales deben reunirse de una forma adecuada, como a través de un proceso de selección *aleatoria*.**
- **Si los datos muestrales no se reúnen de forma adecuada, resultarán tan inútiles que ningún grado de tortura estadística podrá salvarlos.**

1-2 Pensamiento estadístico

Concepto clave En esta sección se introducen los principios básicos del pensamiento estadístico que se utilizarán a lo largo del libro. Ya sea que realicemos un análisis estadístico con datos que hemos reunido, o que examinemos uno realizado por alguien más, no debemos aceptar a ciegas los cálculos matemáticos; es necesario tomar en cuenta los siguientes factores:

- Contexto de los datos
- Fuente de los datos
- Método de muestreo

- Conclusiones
- Implicaciones prácticas

Para aprender a pensar en términos estadísticos, suelen ser más importantes el sentido común y las consideraciones prácticas que la aplicación irreflexiva de fórmulas y cálculos.

La estadística implica el análisis de datos, por lo que iniciaremos estudiando los datos de la tabla 1-1.

Tabla 1-1 Datos utilizados para análisis

x	56	67	57	60	64
y	53	66	58	61	68

Una vez que el estudiante finaliza el curso de introducción a la estadística, está equipado con muchas herramientas. Sin embargo, en algunos casos, si el estudiante decide comenzar a efectuar cálculos sin tomar en cuenta algunos aspectos generales importantes, estará "equipado peligrosamente". Para analizar de forma adecuada los datos de la tabla 1-1, debemos contar con alguna información adicional. Las siguientes son preguntas fundamentales que se deben plantear para obtener esa información: ¿Cuál es el contexto de los datos? ¿De qué fuente se obtuvieron? ¿Cómo se recabaron? ¿Qué se puede concluir a partir de la información? Con base en conclusiones estadísticas, ¿qué implicaciones prácticas resultan del análisis?

Contexto Los datos, tal como se presentan en la tabla 1-1, carecen de contexto. No se indica qué representan los valores, de dónde provienen ni por qué se recabaron. En el ejemplo 1 se plantea un contexto.

EJEMPLO 1 **Contexto para la tabla 1-1** Los datos de la tabla 1-1 se tomaron del conjunto de datos 3 del apéndice B, y representan los pesos (en kilogramos) de estudiantes de la Universidad de Rutgers, en Nueva Jersey. Los valores *x* son los pesos registrados en el mes de septiembre de su primer año de estudios, y los valores *y* son los pesos correspondientes registrados en abril del siguiente semestre. Por ejemplo, el primer estudiante pesó 56 kg en septiembre y 53 kg en abril. Estos pesos están incluidos en un estudio descrito en el artículo "Changes in Body Weight and Fat Mass of Men and Women in the First Year of College: A Study of the 'Freshman 15'", de Hoffman, Policastro, Quick y Lee, *Journal of American College Health*, vol. 55, núm. 1. El título del artículo nos indica el objetivo del estudio: determinar si los estudiantes universitarios realmente aumentan 15 libras de peso durante el primer año de estudios, de acuerdo con la leyenda llamada "Freshman 15".

La descripción del contexto de los datos incluidos en la tabla 1-1 indica que consisten en datos pareados, es decir, cada par *x-y* de valores está conformado de un peso "antes" y de un peso "después" para cada estudiante específico incluido en el estudio. La comprensión de este contexto afectará directamente el tipo de procedimiento estadístico que se utilice. En este caso, lo importante es determinar si los cambios de peso apoyan o contradicen la creencia de que los estudiantes universitarios suelen aumentar 15 libras de peso durante el primer año. El problema se puede enfocar utilizando los métodos que se presentan más adelante en este libro. (Véase la sección 9-4 sobre datos pareados).

Si los valores de la tabla 1-1 fueran los números impresos en las camisetas de jugadores de basquetbol de Rutgers, y los valores *x* pertenecieran al equipo varonil y los valores *y* al equipo femenil, entonces este contexto sugeriría que no existe un procedimiento

¿Debe usted creer en un estudio estadístico?

En el libro *Statistical Reasoning for Everyday Life*, tercera edición, los autores Jeff Bennett, William Briggs y Mario Triola establecen los siguientes ocho lineamientos para evaluar de forma crítica un estudio estadístico. **1.** Identificar el objetivo del estudio, la población considerada y el tipo de estudio. **2.** Considerar la fuente, especialmente para advertir la posibilidad de un sesgo. **3.** Analizar el procedimiento de muestreo. **4.** Buscar problemas en la definición o medición de las variables de interés. **5.** Tener cuidado con variables confusas que pudieran invalidar las conclusiones. **6.** Considerar el contexto y la redacción de cualquier encuesta. **7.** Verificar que las gráficas representen los datos de forma adecuada y que las conclusiones estén justificadas. **8.** Considerar si las conclusiones logran los objetivos del estudio, si tienen sentido y si poseen un significado práctico.

estadístico significativo que pudiera utilizarse con los datos (debido a que los números no miden ni cuentan algo). *Siempre tome en cuenta el contexto de los datos, ya que este determina el análisis estadístico que debe emplearse.*

Fuente de los datos Es necesario considerar la fuente de los datos y tomar en cuenta si esa fuente es objetiva o si existe alguna razón para pensar que está sesgada.

EJEMPLO 2

Fuente de los datos de la tabla 1-1 Las mediciones de la tabla 1-1 fueron realizadas por investigadores respetables del Departamento de Ciencias de la Nutrición de la Universidad de Rutgers. Los investigadores no tienen razones para distorsionar o modificar los resultados con la finalidad de apoyar alguna postura de beneficio personal; no ganan ni pierden si alteran los resultados. No recibieron un pago de una compañía que pudiera beneficiarse de resultados favorables. Podemos tener la confianza de que estos investigadores son imparciales y de que no alteraron los resultados.

No todos los estudios cuentan con fuentes sin sesgo como esta. Por ejemplo, Kiwi Brands, un fabricante de lustrador para calzado, encargó un estudio que concluyó que el uso de zapatos con raspaduras era la principal razón de que los hombres que solicitaban un empleo no lograran dar una buena impresión. Médicos que reciben financiamiento de compañías farmacéuticas realizan algunos experimentos clínicos con medicamentos, por lo que tendrían una razón para obtener resultados favorables. Algunas revistas profesionales, como el *Journal of the American Medical Association*, ahora exigen que los médicos reporten este tipo de hallazgos en artículos científicos. Debemos permanecer atentos y escépticos ante estudios que provienen de fuentes que podrían estar sesgadas.

Método de muestreo Al reunir datos muestrales para un estudio, el método de muestreo que se elija puede afectar de manera importante la validez de las conclusiones. En las secciones 1-4 y 1-5 analizaremos los métodos de muestreo con mayor detalle. Por ahora, debemos señalar que las muestras de respuesta voluntaria (o muestras autoseleccionadas) a menudo están sesgadas, ya que es más probable que los individuos que tienen un interés especial en el tema decidan participar en el estudio. En una *muestra de respuesta voluntaria,* los propios sujetos deciden participar. Por ejemplo, el programa de televisión *Nightline* de la ABC pidió a los espectadores que llamaran y dieran su opinión sobre si las oficinas centrales de las Naciones Unidas deberían permanecer en Estados Unidos. Luego, los espectadores decidieron si querían llamar para dar su opinión; desde luego, quienes estaban más interesados en el tema tenían mayores probabilidades de hacerlo. Es posible utilizar métodos estadísticos válidos para analizar muestras de respuesta voluntaria, aunque los resultados no son necesariamente válidos. Existen otros métodos, como el muestreo aleatorio, que suelen producir buenos resultados. Véase el análisis sobre las estrategias de muestreo en la sección 1-5.

EJEMPLO 3

Muestreo utilizado para los datos de la tabla 1-1 Los pesos de la tabla 1-1 provienen de la muestra más grande de pesos incluida en el conjunto de datos 3 del apéndice B. Los investigadores obtuvieron los datos de sujetos que participaron como voluntarios en una evaluación de salud realizada en septiembre, durante su primer año de estudios. Los 217 estudiantes que participaron en la evaluación de septiembre fueron invitados para un estudio de seguimiento en primavera; de ellos, 67 aceptaron la invitación para ser pesados de nuevo durante las últimas dos semanas de abril. Se trata de una muestra de respuesta voluntaria. Los investigadores reportaron que "la muestra obtenida no fue aleatoria y podría haber un sesgo de autoselección". Los autores profundizaron en el potencial de sesgo al hacer una lista específica de fuentes potenciales de sesgo; por ejemplo, es posible que "solo aquellos estudiantes que se sintieron suficientemente cómodos con su peso [aceptaran] someterse a medición en ambas ocasiones".

La ética en la estadística

El uso inadecuado de la estadística a menudo implica problemas éticos. Un caso con graves problemas éticos, morales y legales involucra a los investigadores de Tuskegee, Alabama, que negaron el tratamiento de penicilina eficaz a víctimas de sífilis para poder estudiar la enfermedad. Este experimento continuó por un periodo de 27 años.

Inventar resultados es una falta evidente de ética, aunque un problema ético más sutil surge cuando los autores de artículos de revistas científicas omiten información importante acerca del método de muestreo o los resultados de otros conjuntos de datos que no sustentan sus conclusiones. John Bailar era consultor estadístico del *New England Journal of Medicine* cuando, después de revisar miles de artículos médicos, notó que los informes estadísticos a menudo omitían información fundamental; esto provocaba que las conclusiones de los autores parecieran más firmes de lo que deberían.

Algunos principios básicos de ética son los siguientes: **1.** Todos los sujetos de un estudio deben dar su consentimiento informado. **2.** Todos los resultados de los individuos deben ser confidenciales. **3.** El bienestar de los sujetos de estudio siempre debe estar por encima de los beneficios que el estudio brinda a la sociedad.

No todos los estudios y los artículos expresan con tanta claridad el potencial de sesgo. Es muy común encontrar encuestas que utilizan sujetos voluntarios, en los que los informes y las conclusiones no identifican las limitaciones de este tipo de muestras potencialmente sesgadas.

Conclusiones Al obtener conclusiones a partir de un análisis estadístico, es necesario hacer afirmaciones que sean claras para las personas sin conocimientos de estadística y de su terminología. Se debe evitar de manera cuidadosa realizar afirmaciones que no estén justificadas por el análisis estadístico. Por ejemplo, en la sección 10-2 se introduce el concepto de *correlación*, o asociación entre dos variables, como el tabaquismo y la frecuencia del pulso. Un análisis estadístico podría justificar la afirmación de que existe una correlación entre el número de cigarrillos fumados y la frecuencia del pulso, pero no justifica la afirmación de que el número de cigarrillos fumados *causa* que la frecuencia del pulso de un individuo cambie. La correlación no implica causalidad.

EJEMPLO 4

Conclusiones a partir de los datos de la tabla 1-1 La tabla 1-1 incluye los pesos, antes y después, de cinco sujetos tomados del conjunto de datos 3 del apéndice B. El análisis de tales pesos llevó a las conclusiones reportadas en el artículo "Changes in Body Weight and Fat Mass of Men and Women in the First Year of College: A Study of the 'Freshman 15'", de Hoffman, Policastro, Quick y Lee, *Journal of American College Health*, vol. 55, núm. 1. Al analizar los datos de la tabla 1-1, los investigadores concluyeron que los estudiantes aumentan de peso durante el primer año de estudios universitarios. Sin embargo, también comentaron que en el pequeño grupo no aleatorio estudiado, el incremento de peso fue menor que 15 libras, y que esta cantidad no era universal. Concluyeron que la leyenda "Freshman 15" sobre el aumento de peso es un mito.

Implicaciones prácticas Además de plantear conclusiones claras a partir del análisis estadístico, también se debe identificar cualquier implicación práctica de los resultados.

EJEMPLO 5

Implicaciones prácticas de los datos de la tabla 1-1 En su análisis de los datos recolectados para el estudio de "Freshman 15", los investigadores señalan algunas implicaciones prácticas de sus resultados. Ellos afirmaron: "Quizá sea más importante que los estudiantes reconozcan que los cambios aparentemente mínimos e incluso inofensivos en los hábitos alimenticios y de ejercicio podrían producir grandes cambios en el peso y en el contenido de grasa corporal durante un periodo largo". Los estudiantes que inician el primer año de la universidad deben reconocer que las rutinas de alimentación y de ejercicio radicalmente diferentes pueden tener consecuencias graves en la salud.

La *significancia estadística* de un estudio difiere de su *significancia práctica*. Es posible que, con base en los datos muestrales disponibles, se utilicen métodos estadísticos para llegar a la conclusión de que algún tratamiento o hallazgo es eficaz, aunque el sentido común sugiera que no hay una diferencia suficiente debida al tratamiento para justificar que su uso sea práctico.

EJEMPLO 6

Significancia estadística y significancia práctica En una prueba del programa Atkins para perder peso, 40 sujetos registraron una pérdida de peso promedio de 2.1 libras después de someterse al programa durante un año (según

continúa

datos de "Comparison of the Atkins, Ornish, Weight Watchers and Zone Diets for Weight Loss and Heart Disease Risk Reduction", de Dansinger *et al.*, *Journal of the American Medical Association*, vol. 293, núm. 1). Utilizando métodos formales de análisis estadísticos, podemos concluir que la pérdida media de peso de 2.1 es estadísticamente significativa; es decir, con base en criterios estadísticos, parece que la dieta es eficaz. Sin embargo, el sentido común indica que no vale la pena seguir un programa de pérdida de peso que produzca resultados tan insignificantes. Lo más probable es que una persona que inicie un programa de pérdida de peso quiera perder mucho más de 2.1 libras. Aunque la pérdida media de peso de 2.1 es estadísticamente significativa, no tiene una significancia práctica. El análisis estadístico sugiere que el programa es eficaz, pero las consideraciones prácticas sugieren que el programa es básicamente ineficaz.

Significancia estadística La *significancia estadística* es un concepto que se utilizará con gran frecuencia a lo largo de este libro. Como preparación para tales análisis, los ejemplos 7 y 8 ilustran el concepto en un escenario sencillo.

EJEMPLO 7

Significancia estadística El Genetics and IVF Institute en Fairfax, Virginia, desarrolló una técnica llamada MicroSort que, al parecer, incrementa las probabilidades de que una pareja conciba una niña. En una prueba preliminar, los investigadores localizaron a 14 parejas que deseaban tener una hija. Después de utilizar la técnica MicroSort, 13 parejas tuvieron niñas y una pareja tuvo un varón. A partir de estos resultados, se pueden obtener dos conclusiones:

1. La técnica MicroSort no es eficaz y el resultado de 13 niñas en 14 nacimientos se debe al azar.
2. La técnica MicroSort es eficaz y las parejas que la utilicen tendrán más probabilidades de tener hijas, tal como afirma el Genetics and IVF Institute.

Al elegir entre las dos explicaciones posibles de los resultados, los especialistas en estadística consideran la *probabilidad* de obtener los resultados por el azar. Ellos son capaces de determinar que si la técnica MicroSort no tiene efectos, entonces existe una probabilidad en 1000 de obtener resultados similares. Como la probabilidad es tan baja, los especialistas en estadística concluyen que los resultados son estadísticamente significativos, de manera que, al parecer, la técnica es eficaz.

EJEMPLO 8

Significancia estadística Suponga que, en lugar de obtener los resultados del ejemplo 7, las parejas tienen ocho niñas en 14 nacimientos. Podemos ver que 8 niñas es mayor que las 7 niñas que se esperarían con un tratamiento ineficaz. Sin embargo, los especialistas en estadística pueden determinar que si la técnica MicroSort no tiene efecto, entonces existen apenas dos probabilidades en cinco de que resulten 8 niñas en 14 nacimientos. A diferencia de una probabilidad en 1000, como en el ejemplo anterior, dos probabilidades de cinco indican que los resultados podrían *ocurrir fácilmente por el azar*, lo que indicaría que el resultado de 8 niñas en 14 alumbramientos *no es estadísticamente significativo*. Si nacen 8 niñas en 14 alumbramientos, no podríamos concluir que la técnica es eficaz, ya que es muy fácil (dos posibilidades en cinco) obtener esos resultados con un tratamiento ineficaz o sin tratamiento alguno.

¿Qué es el pensamiento estadístico? En general, los especialistas en estadística coinciden en que el pensamiento estadístico es bueno, aunque existen diferentes perspectivas sobre lo que realmente es un pensamiento estadístico. En esta sección describimos el pensamiento estadístico en términos de la capacidad para observar el panorama, para tomar en cuenta factores relevantes como el contexto, la fuente de los datos y el método de muestreo, y también para obtener conclusiones e identificar implicaciones prácticas. El pensamiento estadístico incluye el pensamiento crítico y la capacidad de interpretar los resultados. También podría implicar el hecho de determinar si los resultados son estadísticamente significativos, como en los ejemplos 7 y 8. El pensamiento estadístico va mucho más allá de la simple capacidad de ejecutar cálculos complejos. A través de numerosos ejemplos, ejercicios y análisis, este libro le ayudará a desarrollar las habilidades de pensamiento estadístico que son tan importantes en el mundo actual.

1-2 Destrezas y conceptos básicos

Conocimientos estadísticos y pensamiento crítico

1. Muestra de respuesta voluntaria ¿Qué es una muestra de respuesta voluntaria?

2. Muestra de respuesta voluntaria ¿Por qué una muestra de respuesta voluntaria no suele ser adecuada para un estudio estadístico?

3. Significancia estadística y significancia práctica ¿Qué diferencia existe entre la significancia estadística y la significancia práctica?

4. Contexto de los datos Usted reunió una muestra grande de valores. ¿Por qué es importante entender el *contexto* de los datos?

5. Significancia estadística y significancia práctica En un estudio del programa Weight Watchers para la pérdida de peso, 40 sujetos perdieron en promedio 3.0 libras después de 12 meses (con base en datos de "Comparison of the Atkins, Ornish, Weight Watchers, and Zone Diets for Weight Loss and Heart Disease Risk Reduction", de Dansinger *et al.*, *Journal of the American Medical Association*, vol. 293, núm. 1). Es posible utilizar métodos estadísticos para verificar si la dieta es eficaz. ¿El programa Weight Watchers para perder peso tiene significancia estadística? ¿Tiene significancia práctica? ¿Por qué?

6. Método de muestreo En el estudio del programa Weight Watchers de pérdida de peso para el ejercicio 5, los sujetos se reclutaron utilizando el método descrito de la siguiente forma: "Reclutamos a los candidatos para el estudio en el área de Greater Boston por medio de anuncios en periódicos y publicidad televisiva". ¿Se trata de una muestra de respuesta voluntaria? ¿Por qué?

En los ejercicios 7 a 14, utilice el sentido común para determinar si el acontecimiento descrito es a) imposible, b) posible, pero muy improbable, c) posible y probable.

7. Súper Bowl Los Gigantes de Nueva York derrotaron a los Broncos de Denver en el Súper Bowl con un marcador de 120 a 98.

8. Multa por exceso de velocidad Mientras conducía a su casa en Connecticut, David Letterman fue multado por conducir a 205 millas por hora en una ruta con un límite de velocidad de 55 millas por hora.

9. Semáforos Mientras conducía por la ciudad, Mario Andretti se encontró con tres semáforos consecutivos y todos estaban en verde.

10. Día de Acción de Gracias El año próximo, el Día de Acción de Gracias caerá en lunes.

11. Suprema Corte Todos los magistrados de la Suprema Corte de Estados Unidos tienen la misma fecha de cumpleaños.

12. Calculadoras Cuando los 25 estudiantes de estadística encienden su calculadora TI-84 plus, todas funcionan adecuadamente.

13. Dados de la suerte Steve Wynn lanzó un par de dados y obtuvo un total de 14 puntos.

14. Máquina tragamonedas Wayne Newton obtuvo el premio mayor en la máquina tragamonedas en 10 intentos consecutivos.

En los ejercicios 15 a 18, utilice los datos de la siguiente tabla. Los valores de x son las cantidades de nicotina (en mg) de diferentes cigarrillos mentolados con filtro, no "ligeros", de 100 mm; los valores de y son las cantidades de nicotina (en mg) de diferentes cigarrillos tamaño grande, no mentolados, sin filtro y no "ligeros". (Los valores se obtuvieron del conjunto de datos 4 del apéndice B).

Cantidades de nicotina de cigarrillos mentolados y tamaño grande

x	1.1	0.8	1.0	0.9	0.8
y	1.1	1.7	1.7	1.1	1.1

15. Contexto de los datos Remítase a la tabla de las cantidades de nicotina. ¿Cada valor x está pareado con el valor y correspondiente, como en la tabla 1-1 de la página 5? Es decir, ¿cada valor x está asociado con el correspondiente valor y de alguna forma significativa? Si los valores x y y no están pareados, ¿tiene sentido utilizar la diferencia entre cada valor x y el valor y ubicado en la misma columna?

16. Fuente de los datos La Federal Trade Commission (FTC) obtuvo las cantidades medidas de nicotina de la tabla. ¿Es probable que la fuente de los datos no esté sesgada?

17. Conclusión Observe que la tabla lista cantidades de nicotina medidas a partir de dos tipos diferentes de cigarrillos. A partir de esos datos, ¿qué pregunta se podría responder al realizar un análisis estadístico de los valores?

18. Conclusión Si utilizamos métodos estadísticos adecuados, concluimos que la cantidad promedio (media) de nicotina de los cigarrillos de 100 mm mentolados con filtro, no "ligeros", es menor que la cantidad promedio (media) de nicotina de los cigarrillos tamaño grande, no mentolados, sin filtro y no "ligeros". ¿Podemos concluir que el primer tipo de cigarrillos es seguro? ¿Por qué?

En los ejercicios 19 a 22, utilice los datos de la siguiente tabla. Los valores x son los pesos (en libras) de automóviles; los valores y son las cantidades correspondientes de combustible consumido en carretera (en millas/gal). (Los valores se obtuvieron del conjunto de datos 16 del apéndice B).

Pesos de automóviles y cantidades de combustible consumido en carretera

Pesos (lb)	4035	3315	4115	3650	3565
Consumo de combustible en carretera (mi/gal)	26	31	29	29	30

19. Contexto de los datos Remítase a la tabla con las medidas de los automóviles. ¿Cada valor x está pareado con el valor y correspondiente, como en la tabla 1-1 de la página 5? Es decir, ¿cada valor x está asociado con el correspondiente valor y de alguna forma significativa? Si los valores x y y están pareados, ¿tiene sentido utilizar la diferencia entre cada valor x y el valor y ubicado en la misma columna? ¿Por qué?

20. Conclusión Considerando el contexto de los datos de medición de automóviles, ¿qué pregunta se podría responder al realizar un análisis estadístico de los valores?

21. Fuente de los datos Comente acerca de la fuente de los datos, si le dijeran que los fabricantes de automóviles proporcionaron los valores. ¿Los fabricantes de automóviles tendrían alguna razón para reportar valores que no sean exactos?

22. Conclusión Si se utilizaran métodos estadísticos para concluir que existe una correlación (o relación o asociación) entre los pesos de los automóviles y las cantidades de combustible consumido, ¿podríamos concluir que el hecho de agregar peso a un automóvil provoca que consuma más combustible?

En los ejercicios 23 a 26, dé una conclusión sobre la significancia estadística. No realice ningún cálculo formal. Utilice los resultados presentados o haga juicios subjetivos acerca de estos.

23. Significancia estadística En un estudio del programa Ornish para la pérdida de peso, 40 sujetos perdieron un promedio de 3.3 lb después de 12 meses (con base en datos de "Comparison of the Atkins, Ornish, Weight Watchers, and Zone Diets for Weight Loss and Heart Disease

Risk Reduction", de Dansinger *et al.*, *Journal of the American Medical Association*, vol. 293, núm. 1). Es posible utilizar métodos estadísticos para demostrar que, si esta dieta no tiene efecto alguno, la probabilidad de obtener esos resultados es de aproximadamente 3 en 1000. ¿El programa Ornish para la pérdida de peso tiene significancia estadística? ¿Tiene significancia práctica? ¿Por qué?

24. Experimentos genéticos de Mendel Uno de los famosos experimentos de hibridación con guisantes (o chícharos) de Gregor Mendel produjo 580 vástagos, de los cuales 152 (o el 26%) tuvieron vainas amarillas. Según la teoría de Mendel, el 25% de los guisantes vástagos deberían tener vainas amarillas. ¿Los resultados del experimento difieren del porcentaje establecido por Mendel del 25% en una cantidad estadísticamente significativa?

25. Encuesta sobre el tabaquismo pasivo En una encuesta que aplicó Gallup a 1038 adultos seleccionados al azar, el 85% dijo que el tabaquismo pasivo es un poco dañino o muy dañino, pero un representante de la industria tabacalera afirma que solo el 50% de los adultos creen que el tabaquismo pasivo es un poco dañino o muy dañino. ¿Existe evidencia estadísticamente significativa en contra de la aseveración del representante? ¿Por qué?

26. Cirugía y entablillado Un estudio comparó los procedimientos de cirugía y entablillado para individuos que sufrían del síndrome del túnel carpiano, y encontró que de 73 pacientes tratados con cirugía, la tasa de éxito fue del 92%. De los 83 pacientes tratados con entablillado, la tasa de éxito fue del 72%. Los cálculos realizados con esos resultados demostraron que, si realmente no existe una diferencia entre las tasas de éxito de la cirugía y el entablillado, entonces existe una probabilidad de 1 en 1000 de obtener tasas de éxito como las obtenidas en este estudio.

a) ¿Debemos concluir que la cirugía es mejor que el entablillado para el tratamiento del síndrome del túnel carpiano?

b) ¿El resultado es estadísticamente significativo? ¿Por qué?

c) ¿El resultado tiene significancia práctica?

d) ¿La cirugía debe ser el tratamiento recomendado para el síndrome del túnel carpiano?

1-2 Más allá de lo básico

27. Conclusiones Remítase a las cantidades de combustible consumido en la ciudad y en carretera por los diferentes automóviles del conjunto de datos 16 del apéndice B. Compare las cantidades de combustible consumido en la ciudad con las cantidades consumidas en carretera; después responda las siguientes preguntas sin efectuar cálculos.

a) ¿La conclusión de que las cantidades consumidas en carretera son mayores que las cantidades consumidas en la ciudad parecen estar sustentadas por una significancia estadística?

b) ¿La conclusión de que las cantidades consumidas en carretera son mayores que las cantidades consumidas en la ciudad parecen estar sustentadas por una significancia práctica?

c) ¿Cuál sería una de las implicaciones prácticas de una diferencia sustancial entre las cantidades de combustible consumidas en la ciudad y en carretera?

28. Accidentes de vehículos todo terreno La Associated Press publicó un artículo con el título "Accidentes de vehículos todo terreno causaron la muerte de 704 personas en 2004". El artículo señalaba que se trataba de un nuevo récord y lo comparó con las 617 muertes del año anterior. También se incluyeron otros datos sobre la frecuencia de lesiones. ¿Qué valor importante no se incluyó? ¿Por qué es importante?

1-3 Tipos de datos

Concepto clave Un objetivo de la estadística es realizar inferencias o generalizaciones acerca de una población. Además de los términos *población* y *muestra*, que se definieron al principio de este capítulo, necesitamos conocer el significado de los conceptos *parámetro* y *estadístico*. Estos nuevos términos se utilizan para distinguir entre los casos en que contamos con los datos de una población completa y los casos en los que solo contamos con los datos de una muestra.

Origen de la "estadística"

El término *estadística* se deriva de la palabra latina *status* (que significa "estado"). Los primeros usos de la estadística implicaron la recopilación de datos y la elaboración de gráficas, para describir diversos aspectos de un estado o de un país. En 1662 John Graunt publicó información estadística acerca de los nacimientos y los decesos. Al trabajo de Graunt siguieron estudios de tasas de mortalidad y de enfermedad, tamaño de poblaciones, ingresos y tasas de desempleo. Los hogares, los gobiernos y las empresas se apoyan mucho en datos estadísticos para dirigir sus acciones. Por ejemplo, se reúnen datos de manera cuidadosa y con regularidad para establecer las tasas de desempleo, las tasas de inflación, los índices del consumidor y las tasas de nacimientos y muertes; en tanto que los líderes empresariales utilizan los datos resultantes para tomar decisiones que afectan a futuras contrataciones, los niveles de producción y la expansión hacia nuevos mercados.

También necesitamos reconocer la diferencia entre *datos cuantitativos* y *datos categóricos*, que distinguen entre diferentes tipos de números. Algunos números, como los que aparecen en las playeras de los jugadores de basquetbol, no son cantidades en el sentido de que realmente no miden ni cuentan algo, y no tendría sentido realizar cálculos con ellos. En esta sección se describen distintos tipos de datos, los cuales determinan los métodos estadísticos que se utilizan para el análisis.

En la sección 1-1 definimos los términos *población* y *muestra*. Los siguientes dos términos se utilizan para distinguir entre los casos en que tenemos datos de una población completa y los casos donde solo tenemos datos de una muestra.

DEFINICIONES

Parámetro es una medición numérica que describe algunas características de una *población.*

Estadístico es una medición numérica que describe algunas características de una *muestra.*

EJEMPLO 1

1. **Parámetro:** Hay exactamente 100 senadores en el CIX Congreso de Estados Unidos, y el 55% de ellos son republicanos. La cifra del 55% es un *parámetro* porque está basada en la población de todos los 100 senadores.
2. **Estadística:** En 1936 *Literary Digest* encuestó a 2.3 millones de adultos estadounidenses, y el 57% dijo que votaría por Alf Landon para la presidencia. La cifra del 57% es un *estadístico*, ya que se basa en una muestra y no en la población completa de todos los adultos de Estados Unidos.

Algunos conjuntos de datos consisten en números (como estaturas de 60 y 72 pulgadas), mientras que otros no son numéricos (como los colores de ojos verde y café). Los términos *datos cuantitativos* y *datos categóricos* suelen utilizarse para distinguir entre ambos tipos.

DEFINICIONES

Los **datos cuantitativos** (o **numéricos**) consisten en *números* que representan conteos o mediciones.

Los **datos categóricos** (o **cualitativos** o **de atributo**) consisten en nombres o etiquetas que no son números y que, por lo tanto, no representan conteos ni mediciones.

EJEMPLO 2

1. **Datos cuantitativos:** Las edades (en años) de los participantes en encuestas.
2. **Datos categóricos:** La afiliación a partidos políticos (demócrata, republicano, independiente, otro) de los participantes en encuestas.
3. **Datos categóricos:** Los números 24, 28, 17, 54 y 31 se observan en las playeras del equipo de basquetbol de los Lakers de Los Ángeles. Estos números son sustitutos de los nombres; no cuentan ni miden algo, por lo que son datos categóricos.

Cuando se organizan datos cuantitativos y se elaboran informes sobre ellos, es importante utilizar las unidades adecuadas de medición, como dólares, horas, pies o metros. Al examinar datos estadísticos reportados por otros individuos, debemos observar la información proporcionada considerando las unidades de medida utilizadas, como "todas las cantidades están en *miles de dólares*" o "todos los tiempos están en *centésimas de segundo*" o "todas las unidades están expresadas en *kilogramos*", para interpretar los datos de forma correcta. Ignorar unidades de medida como estas nos llevaría a conclusiones incorrectas. La NASA perdió su Mars Climate Orbiter de $125 millones cuando la sonda se estrelló debido a que el programa de control tenía los datos de aceleración en unidades *inglesas*, pero los operadores consideraron incorrectamente que estaban en unidades *métricas*.

Los datos cuantitativos se describen con mayor detalle distinguiendo entre los tipos *discreto* y *continuo*.

DEFINICIONES

Los **datos discretos** resultan cuando el número de valores posibles es un número finito o un número que "puede contarse" (es decir, el número de valores posibles es 0, 1, 2, etcétera).

Los **datos continuos (numéricos)** resultan de un número infinito de posibles valores, que corresponden a alguna escala continua que cubre un rango de valores sin huecos, interrupciones o saltos.

EJEMPLO 3

1. **Datos discretos:** El número de huevos que ponen las gallinas son datos *discretos* porque representan conteos.
2. **Datos continuos:** Las cantidades de leche que producen las vacas son datos *continuos* porque son mediciones que pueden tomar cualquier valor dentro de un continuo. Durante un año, una vaca produce una cantidad de leche que puede ser cualquier valor entre 0 y 7000 litros. Es posible obtener 5678.1234 litros, porque la vaca no está restringida a cantidades discretas de 0, 1, 2,..., 7000 litros.

Un ejemplo más: los números de latas de bebidas de cola son datos discretos; en tanto que el volumen de la bebida de cola es un dato continuo.

Otra forma común de clasificar los datos consiste en usar cuatro niveles de medición: nominal, ordinal, de intervalo y de razón. Cuando se aplica la estadística a problemas reales, el nivel de medición de los datos es un factor importante para determinar el procedimiento a utilizar. En este libro encontraremos algunas referencias a estos niveles de medición. Sin embargo, lo importante aquí se basa en el sentido común: no hay que efectuar cálculos ni utilizar métodos estadísticos que no sean adecuados para los datos. Por ejemplo, no tendría sentido calcular el promedio de los números del sistema de seguridad social, ya que estos números son datos que se utilizan como identificación, y no representan mediciones o conteos de algo.

DEFINICIÓN

El **nivel de medición nominal** se caracteriza por datos que consisten exclusivamente en nombres, etiquetas o categorías. Los datos no se pueden acomodar en un esquema de orden (como del más bajo al más alto).

Medición de la desobediencia

¿De qué manera se recolectan datos sobre algo que parece que no es mensurable, como el nivel de desobediencia de la gente? El psicólogo Stanley Milgram diseñó el siguiente experimento. Un investigador enseñó a un sujeto voluntario a operar un tablero de control que administraba "descargas eléctricas" cada vez más dolorosas a una tercera persona. En realidad no se aplicaban tales descargas, y la tercera persona era un actor. El voluntario iniciaba con 15 volts y recibía la instrucción de incrementar las descargas en 15 volts cada vez. El nivel de desobediencia era el punto donde el sujeto se negaba a incrementar el voltaje. Fue sorprendente que dos terceras partes de los sujetos obedecieron las órdenes, aun cuando el actor gritaba y fingía sufrir un ataque cardiaco.

EJEMPLO 4 Veamos algunos ejemplos de datos muestrales a nivel de medición nominal.

1. **Sí/no/indeciso:** Respuestas de *sí*, *no* e *indeciso* en una encuesta (como en el problema del capítulo).
2. **Partido político:** La filiación política de los participantes en una encuesta (demócrata, republicano, independiente, otro).

Puesto que los datos nominales carecen de orden y no tienen un significado numérico, no se deben utilizar para realizar cálculos. Números como 1, 2, 3 y 4 en ocasiones se asignan a diferentes categorías (especialmente cuando los datos se codifican para utilizarse en computadoras), pero estos números no tienen un significado computacional real y cualquier promedio que se calcule con ellos carecerá de sentido.

DEFINICIÓN

Los datos están en el **nivel de medición ordinal** cuando pueden acomodarse en algún orden, aunque las diferencias entre los valores de los datos (obtenidas por medio de una resta) no pueden calcularse o carecen de significado.

EJEMPLO 5 Veamos algunos ejemplos de datos muestrales en el nivel de medición ordinal.

1. **Las calificaciones de un curso:** Un profesor universitario asigna calificaciones de A, B, C, D o F. Tales calificaciones se pueden ordenar, aunque no es posible determinar diferencias entre ellas. Por ejemplo, sabemos que A es mayor que B (por lo que hay un orden); pero no podemos restar B de A (de manera que no es posible calcular la diferencia).
2. **Rangos:** El *U.S. News and World Report* clasifica las universidades. Dichas clasificaciones (primer lugar, segundo, tercero, etcétera) determinan un orden. Sin embargo, las diferencias entre los lugares no tienen ningún significado. Por ejemplo, una diferencia "del segundo menos el primero" sugeriría $2 - 1 = 1$, pero esta diferencia de 1 carece de significado porque no es una cantidad exacta que sea comparable con otras diferencias de este tipo. La *diferencia* entre Harvard y Brown no se puede comparar de forma cuantitativa con la *diferencia* entre Yale y Johns Hopkins.

Los datos ordinales brindan información sobre comparaciones relativas, pero no sobre las magnitudes de las diferencias. Por lo general, los datos ordinales no deben utilizarse para realizar cálculos como promedios, aunque en ocasiones esta norma se infringe (como sucede cuando utilizamos calificaciones con letras para calcular una calificación promedio).

DEFINICIÓN

El **nivel de medición de intervalo** se parece al nivel ordinal, pero con la propiedad adicional de que la diferencia entre dos valores de datos cualesquiera tiene un significado. Sin embargo, los datos en este nivel no tienen punto de partida cero *natural* inherente (donde la cantidad que está presente corresponde a *nada*).

EJEMPLO 6 Los siguientes ejemplos ilustran el nivel de medición de intervalo.

1. **Temperaturas:** Las temperaturas corporales de 98.2°F y 98.6°F son ejemplos de datos en el nivel de medición de intervalo. Dichos valores están ordenados, y podemos determinar su diferencia de 0.4°F. Sin embargo, no existe un punto de inicio natural. Pareciera que el valor de 0°F es un punto de inicio; sin embargo, este es arbitrario y no representa la ausencia total de calor.
2. **Años:** Los años 1492 y 1776. (El tiempo no inició en el año 0, por lo que el año 0 es arbitrario y no constituye un punto de partida cero natural que represente "la ausencia de tiempo").

DEFINICIÓN

El **nivel de medición de razón** es similar al nivel de intervalo, pero con la propiedad adicional de que sí tiene un punto de partida cero natural (donde el cero indica que *nada* de la cantidad está presente). Para valores en este nivel, tanto las diferencias como las razones tienen significado.

EJEMPLO 7 Los siguientes son ejemplos de datos en el nivel de medición de razón. Observe la presencia de un valor cero natural, así como el uso de razones que significan "dos veces" y "tres veces".

1. **Distancias:** Las distancias (en km) recorridas por automóviles (0 km representa ninguna distancia recorrida, y 400 km es el doble de 200 km).
2. **Precios:** Los precios de libros de texto universitarios ($0 realmente representa ningún costo, y un libro de $100 cuesta el *doble* que un libro de $50).

Sugerencia: Este nivel de medición se denomina de razón porque el punto de partida cero hace que las razones o los cocientes tengan significado. La siguiente es una prueba sencilla para determinar si los valores se encuentran en un nivel de razón. Considere dos cantidades en las cuales un número es dos veces el otro y pregúntese si "dos veces" sirve para describir correctamente las cantidades. Puesto que una distancia de 400 km es el doble de una distancia de 200 km, entonces la distancia tiene un nivel de razón. Por otro lado, 50°F *no significa que la temperatura sea dos veces* más cálida que 25°F, de modo que las temperaturas Fahrenheit *no* están en el nivel de razón. Para una comparación y un repaso concisos, estudie la tabla 1-2.

Tabla 1-2 Niveles de medición

De razón:	Hay un punto de partida cero natural y las razones tienen significado.	*Ejemplo:* distancias
De intervalo:	Las diferencias tienen un significado, pero no hay punto de partida cero natural, y las razones no tienen significado.	*Ejemplo:* temperaturas corporales en grados Fahrenheit o Celsius
Ordinal:	Las categorías están ordenadas, pero no hay diferencias o estas carecen de significado.	*Ejemplo:* las clasificaciones de las universidades en el *U.S. News and World Report*
Nominal:	Solo categorías. Los datos no pueden acomodarse en un esquema de orden.	*Ejemplo:* el color de los ojos

Sugerencia: Considere las cantidades en que una es el doble de la otra, y pregunte si "dos veces" sirve para describirlas correctamente. De ser así, se aplica el nivel de razón.

1-3 Destrezas y conceptos básicos

Conocimientos estadísticos y pensamiento crítico

1. Parámetro y estadístico ¿Cuál es la diferencia entre un parámetro y un estadístico?

2. Datos cuantitativos y categóricos ¿Cuál es la diferencia entre los datos cuantitativos y los datos categóricos?

3. Datos discretos y continuos ¿Cuál es la diferencia entre los datos discretos y los datos continuos?

4. Identificación de la población Un equipo de investigadores estudió una muestra de 877 ejecutivos encuestados y encontró que el 45% de ellos no contratarían a alguien que tuviera errores de escritura en una solicitud de empleo. ¿El valor del 45% es un estadístico o un parámetro? ¿Cuál es la población? ¿Cuál es una implicación práctica del resultado de esta encuesta?

En los ejercicios 5 a 12, determine si el valor dado es un estadístico o un parámetro.

5. Ingreso y educación En una muestra grande de hogares, el ingreso anual medio por hogar para los individuos graduados de bachillerato es de $19,856 (según datos de la Oficina de Censos de Estados Unidos).

6. Política De los senadores que conforman el Congreso estadounidense actual, el 44% son demócratas.

7. Titanic En un estudio de los 2223 pasajeros del *Titanic*, se encontró que 706 sobrevivieron cuando el transatlántico se hundió.

8. Dispositivos para cruzar las calles En la ciudad de Nueva York hay 3250 dispositivos para cruzar las calles; los peatones tienen que presionar un botón de dichos dispositivos ubicados en las intersecciones de tránsito para controlar las luces del semáforo. Se descubrió que el 77% de los aparatos no funcionan (según datos del artículo "For Exercise in New York Futility, Push Button", de Michael Luo, *New York Times*).

9. Áreas de estados Si se suman las áreas de los 50 estados de EUA, y la suma se divide entre 50, el resultado es de 196,533 kilómetros cuadrados.

10. Tabla periódica El peso atómico promedio (o la media del peso atómico) de todos los elementos de la tabla periódica es de 134.355 unidades de masa atómica unificada.

11. Voltaje El autor midió el voltaje suministrado a su hogar 40 días diferentes, y el valor promedio (o medio) es de 123.7 volts.

12. Ganancias de películas El autor eligió al azar 35 películas y calculó la cantidad de dinero que obtuvieron por las ventas de boletos. El promedio (o la media) es de $123.7 millones.

En los ejercicios 13 a 20, determine si los valores dados provienen de un conjunto de datos discretos o continuos.

13. Dispositivos para cruzar las calles En la ciudad de Nueva York hay 3250 dispositivos para cruzar las calles; los peatones tienen que presionar un botón de dichos dispositivos ubicados en las intersecciones de tránsito para controlar las luces del semáforo. Se descubrió que 2500 de dichos dispositivos no funcionan (según datos del artículo "For Exercise in New York Futility, Push Button", de Michael Luo, *New York Times*).

14. Resultados de encuesta En la encuesta de *Literary Digest,* Landon recibió 16,679,583 votos.

15. Nicotina de cigarrillos La cantidad de nicotina contenida en un cigarrillo Marlboro es de 1.2 mg.

16. Volumen de Coca-Cola El volumen de bebida en una lata de Coca-Cola regular es de 12.3 oz.

17. Selección del género En una prueba de un modelo de selección del género, desarrollado por el Genetics & IVF Institute, 726 parejas usaron el método XSORT y 668 de ellas tuvieron niñas.

18. Presión sanguínea Se elige a una mujer al azar y cuando se mide su presión sanguínea se obtiene una presión sistólica de 61 mm Hg.

19. Peso de automóvil Se elige al azar un Cadillac STS y se encuentra que tiene un peso de 1827.9 kg.

20. Cilindros de automóvil Se selecciona un automóvil al azar en un punto de control de seguridad de tránsito y se descubre que tiene 6 cilindros.

En los ejercicios 21 a 28, determine cuál de los cuatro niveles de medición (nominal, ordinal, de intervalo, de razón) es el más adecuado.

21. Medidas de voltaje de la casa del autor (incluidos en el conjunto de datos 13 del apéndice B).

22. Tipos de películas (drama, comedia, aventura, documental, etcétera).

23. Críticas de películas en una escala de 0 a 4 estrellas.

24. Temperaturas reales (en grados Fahrenheit), como aparecen en el conjunto de datos 11 del apéndice B.

25. Las compañías (Disney, MGM, Warner Brothers, Universal, 20th Century Fox) que produjeron las películas incluidas en el conjunto de datos 7 del apéndice B.

26. Cantidades medidas de gases de invernadero (en toneladas por año) emitidas por los automóviles del conjunto de datos 16 del apéndice B.

27. Años en que se proyectaron las películas, según se indica en el conjunto de datos 9 del apéndice B.

28. Las calificaciones de los automóviles evaluados por Consumer's Union.

En los ejercicios 29 a 32 identifique a) la muestra y b) la población. Además, determine si la muestra parece ser representativa de la población.

29. Encuesta de *USA Today* El periódico *USA Today* publicó una encuesta de salud, y algunos lectores la respondieron y la devolvieron.

30. Encuesta sobre clonación Gallup aplicó una encuesta a 1012 adultos elegidos al azar, la cual reveló que el 9% considera que la clonación de seres humanos debía permitirse.

31. Algunas personas respondieron a la siguiente solicitud: "Marque 1-900-PRO-LIFE para participar en una encuesta telefónica sobre el aborto. ($1.95 el minuto. Llamada promedio: 2 minutos. Debe tener 18 años de edad para participar)".

32. Encuesta de AOL America Online pidió a los suscriptores que respondieran la siguiente pregunta: "¿Qué frase publicitaria le disgusta más?". Se presentó a los participantes una lista con varias frases publicitarias utilizadas para alentar las ventas de automóviles, y la de Volkswagen recibió el 55% de las 33,160 respuestas. Su frase era "Alivia el sufrimiento producido por el gas".

1-3 Más allá de lo básico

33. Interpretación de los incrementos de temperatura En la tira cómica "Born Loser" de Art Samson, Brutus se alegra por un incremento en la temperatura de 1° a 2°. Cuando se le pregunta qué tiene de bueno estar a 2°, él responde que "hace dos veces más calor que en la mañana". Explique por qué Brutus se equivoca nuevamente.

34. Interpretación de encuesta política Para la encuesta descrita en el problema del capítulo, suponga que se preguntó a los participantes por el partido político de su preferencia y que las respuestas se codificaron como 0 (para los demócratas), 1 (para los republicanos), 2 (para los independientes) o 3 (para cualquier otra respuesta). Si se calcula el promedio (o la media) de las cifras y se obtiene 0.95, ¿cómo se interpreta este valor?

35. Escala para calificar los alimentos Un grupo de estudiantes elabora una escala para calificar la calidad de los alimentos en la cafetería, donde 0 representa "neutral: ni buena ni mala". A los alimentos de mala calidad se les asignan números negativos, y a los alimentos de buena calidad se les otorgan números positivos; la magnitud del número corresponde al grado de buena o mala calidad. Los primeros tres alimentos se califican con 2, 4 y −5. ¿Cuál es el nivel de medición de este tipo de calificaciones? Explique su respuesta.

1-4 Pensamiento crítico

Concepto clave Esta sección es la primera de muchas en este libro en que nos enfocamos en el significado de la información obtenida al estudiar datos. El objetivo de esta sección consiste en mejorar nuestras habilidades de interpretar información basada en datos. Es fácil ingresar datos en una computadora y obtener resultados; sin embargo, a menos que los datos se elijan de forma cuidadosa, el resultado podría ser inútil. En lugar de utilizar fórmulas y procedimientos de manera irreflexiva, debemos *pensar de forma cuidadosa* en el contexto de los datos, la fuente de donde se obtuvieron, el método utilizado para recolec-

Datos estadísticos engañosos en el periodismo

El reportero del *New York Times* Daniel Okrant escribió que, a pesar de que cada enunciado de su periódico se revisa para lograr claridad y una buena redacción, "los números, tan extraños para muchos, no reciben ese mismo trato. El periódico no exige una capacitación específica para mejorar las nociones aritméticas elementales, ni cuenta con especialistas que se dediquen a mejorarlas". El periodista cita como ejemplo una nota del *New York Times*, donde se informó que se estima que los neoyorquinos gastan más de $23,000 millones al año en bienes falsificados. Okrant escribe que "un cálculo aritmético rápido habría demostrado que $23,000 millones darían por resultado aproximadamente $8,000 por familia, una cifra evidentemente absurda".

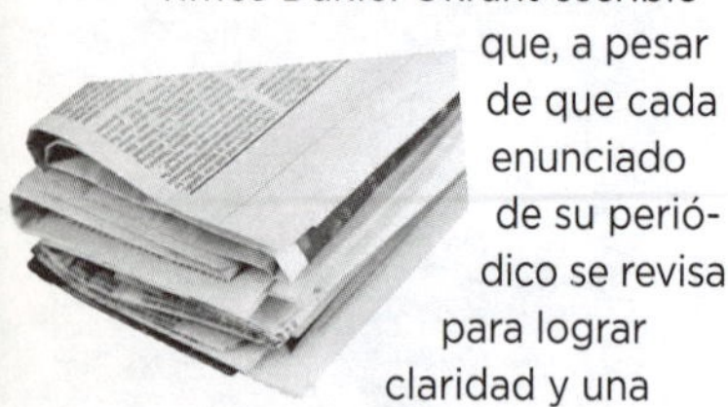

tarlos, las conclusiones obtenidas y las implicaciones prácticas. En esta sección se enseña a utilizar el sentido común para pensar de forma crítica acerca de los datos y estadísticos.

Aunque esta sección está dedicada a los usos incorrectos de la estadística, no se trata de un libro acerca de este tema. En el resto de los capítulos investigaremos los usos significativos de métodos estadísticos válidos. Aprenderemos métodos generales que permiten utilizar datos muestrales para realizar inferencias acerca de poblaciones; aprenderemos acerca de encuestas y tamaños de muestras; y también conoceremos medidas importantes de características básicas de los datos.

Afirmaciones como las siguientes se utilizan con frecuencia para describir el uso inadecuado de la estadística.

- "Existen tres clases de mentiras: mentiras, viles mentiras y estadísticas". —Benjamin Disraeli
- "Las cifras no mienten, los mentirosos suponen". —Atribuida a Mark Twain
- "Algunas personas usan la estadística como un borracho utiliza los postes de alumbrado: como apoyo más que como iluminación". —Historiador Andrew Lang
- "La estadística se puede utilizar para apoyar lo que sea, sobre todo a los especialistas en estadística". —Franklin P. Jones
- Definición de un especialista en estadística: "Un especialista que reúne cifras y luego hace que se extravíen". —*Esar's Comic Dictionary*
- "Existen dos tipos de datos estadísticos: los que se buscan y los que se inventan". —Rex Stout
- "El 58.6% de los datos estadísticos se inventan en el momento". —Anónimo

Por lo general, existen dos situaciones en que la ciencia de la estadística se utiliza como fuente de engaño: **1.** el intento malintencionado por parte de individuos deshonestos y **2.** errores no intencionales por parte de personas que no saben mucho. Sin importar la fuente, como ciudadanos responsables y como empleados profesionales conscientes, deberíamos tener la capacidad básica de distinguir entre conclusiones estadísticas que pueden ser válidas y aquellas que están llenas de errores, independientemente de la fuente.

Gráficas y su uso inadecuado A menudo los datos estadísticos se presentan de forma visual, es decir, en gráficas. Los datos representados gráficamente deben interpretarse de forma cuidadosa; en la sección 2-5 analizaremos el uso de las gráficas. Además de aprender a organizar los datos en gráficas, también examinaremos gráficas engañosas.

Muestras erróneas Algunas muestras son erróneas en el sentido de que el método empleado para recabar los datos arruina la muestra, de modo que es posible que esta se encuentre sesgada, es decir, que no sea representativa de la población de la que se obtuvo. La siguiente definición se refiere a uno de los usos incorrectos de la estadística más comunes y graves.

DEFINICIÓN

Una **muestra de respuesta voluntaria** (o **muestra autoseleccionada**) es aquella a la que los propios sujetos deciden incorporarse.

ADVERTENCIA

No utilice datos de muestras de respuesta voluntaria para obtener conclusiones acerca de una población.

EJEMPLO 1

Muestra de respuesta voluntaria La revista *Newsweek* realizó una encuesta sobre el sitio Web Napster, el cual permitió el libre acceso a la copia de CD musicales. Se planteó la siguiente pregunta a los lectores: "¿Continuaría utilizando Napster si tuviera que pagar una cuota?". Los lectores podían registrar sus respuestas en el sitio Web newsweek.msnbc.com. De las 1873 respuestas recibidas, el 19% contestó que sí, porque esta práctica resulta más barata que comprar los CD. Otro 5% respondió que sí, ya que se sentirían más cómodos utilizando el sitio a cambio de una cuota. Cuando *Newsweek* o alguien más realiza una encuesta por Internet, los propios individuos deciden participar, por lo que constituyen una muestra de respuesta voluntaria. Sin embargo, las personas con opiniones extremas son más proclives a participar, por lo que sus respuestas no son representativas de toda la población.

A continuación se presentan algunos ejemplos de muestras de respuesta voluntaria que, por su naturaleza, tienen graves errores y no deberíamos obtener conclusiones sobre una población con base en muestras sesgadas como estas:

- Encuestas por Internet, donde los sujetos deciden si responden o no.
- Encuestas por correo, donde los sujetos deciden si responden o no.
- Encuestas telefónicas, donde anuncios televisivos, de radio o de periódicos piden al lector que llame voluntariamente a un número especial para registrar su opinión.

Con este tipo de muestras de respuesta voluntaria solo se logran conclusiones válidas sobre el grupo de gente específico que decidió participar; aunque, en este caso, una práctica común consiste en afirmar o extraer conclusiones incorrectas acerca de una población más grande. Desde un punto de vista estadístico, una muestra de este tipo es defectuosa y no debe usarse para hacer afirmaciones generales sobre una población más grande.

EJEMPLO 2 **¿Qué salió mal en la encuesta del *Literary Digest*?** La revista *Literary Digest* realizó su encuesta al enviar 10 millones de papeletas, pero recibió 2.3 millones de respuestas. Los resultados sugirieron de manera incorrecta que Alf Landon ganaría la presidencia. En su encuesta con un número mucho más reducido (50,000 personas), George Gallup logró predecir de forma correcta que Franklin D. Roosevelt ganaría las elecciones. Este caso revela que el tamaño de la muestra no necesariamente la hace eficaz; lo que importa es el *método de muestreo*. Las papeletas de *Literary Digest* fueron enviadas a los suscriptores de la revista, así como a los dueños de automóviles registrados y a los propietarios de teléfonos. En la postrimería de la Gran Depresión, este grupo incluyó una cantidad desproporcionada de individuos adinerados, que eran republicanos. Sin embargo, la verdadera falla de la encuesta de *Literary Digest* es que utilizó una muestra de respuesta voluntaria. Por su parte, Gallup empleó un método que le permitió obtener una muestra representativa con base en factores demográficos. (Gallup modificó sus métodos cuando realizó una predicción incorrecta en la famosa elección entre Dewey y Truman de 1948. Gallup detuvo la encuesta demasiado pronto, y no logró detectar el apoyo tardío que recibió Truman). La encuesta de *Literary Digest* es un ejemplo clásico de las fallas inherentes al uso de muestras de respuesta voluntaria para obtener conclusiones.

Correlación y causalidad Otra forma de malinterpretar datos estadísticos consiste en encontrar una asociación estadística entre dos variables y concluir que una de ellas *causa* (o afecta directamente) a la otra variable. Como mencionamos, es posible que parezca que dos variables, como el tabaquismo y la frecuencia del pulso, estén relacionadas. Esta relación se denomina *correlación*. Sin embargo, incluso si descubrimos que el número de cigarrillos se relaciona con la frecuencia del pulso, no podríamos concluir que una variable causó la otra. En específico, *una correlación no implica causalidad*.

Detección de datos falsos

Un maestro asigna la tarea de registrar los resultados de lanzar una moneda al aire 500 veces. Un estudiante deshonesto decide ahorrar tiempo inventando los resultados, en vez de realmente lanzar una moneda. Como las personas, por lo general, no pueden inventar resultados que en realidad sean aleatorios, con frecuencia identificamos datos falsos como estos. En 500 lanzamientos de una moneda real, es bastante probable que usted obtenga una serie de seis caras o de seis cruces, aunque la gente casi nunca incluye una racha como esa cuando inventa resultados.

Otra forma de detectar datos fabricados consiste en establecer que los resultados violan la ley de Benford: para muchos conjuntos de datos, los primeros dígitos no se distribuyen de manera uniforme, sino que los primeros dígitos de 1, 2,..., 9 ocurren con tasas del 30%, 18%, 12%, 10%, 8%, 7%, 6%, 5% y 5%, respectivamente. (Véase "The Difficulty of Faking Data", de Theodore Hill, *Chance*, vol. 12, núm. 3).

Sesgo de publicación

Hay un "sesgo de publicación" en las revistas científicas, que es la tendencia a publicar resultados positivos (como demostrar que algún tratamiento es eficaz) con mucha mayor frecuencia que resultados negativos (como demostrar que cierto tratamiento no tiene efecto alguno). En el artículo "Registering Clinical Trials" (*Journal of the American Medical Association*, vol. 290, núm. 4), los autores Kay Dickersin y Drummond Rennie afirman que "el resultado de no saber quién realizó tal o cual acción (en este caso, un ensayo clínico) es la pérdida y distorsión de la evidencia, el desperdicio y la duplicación de ensayos, la incapacidad de planeación por parte de las agencias patrocinadoras, y un sistema caótico del que solo ciertos patrocinadores se pueden beneficiar, lo cual invariablemente va en contra de los intereses de quienes se ofrecieron a participar en los ensayos y de los pacientes en general". Los autores del artículo apoyan un proceso donde todos los ensayos clínicos queden registrados en un sistema central.

ADVERTENCIA

No utilice una correlación entre dos variables como justificación para concluir que una de las variables causa la otra.

En los medios de comunicación masiva son muy comunes los reportes de una correlación recién encontrada escritos con una redacción que indica o implica directamente que una de las variables es causa de la otra; pero este tipo de informes son erróneos.

Resultados reportados Cuando se recaban datos de personas, es mejor tomar las medidas en lugar de pedir a los sujetos que reporten resultados. Si se pregunta a la gente cuál es su peso, es muy probable que proporcione su peso *deseado* y no su peso real. Si usted realmente desea obtener datos de peso exactos, es mejor utilizar una báscula y pesar a los individuos.

EJEMPLO 3

Conducta de votación Cuando se entrevistó a 1002 posibles votantes, el 70% de ellos dijeron haber votado en una reciente elección presidencial (con base en datos de ICR Research Group). Sin embargo, los registros de votación indican que solo el 61% de los posibles votantes realmente votaron.

Muestras pequeñas Las conclusiones no se deben basar en muestras demasiado pequeñas.

EJEMPLO 4

Muestra pequeña La organización Children's Defense Fund publicó *Children Out of School in America*, donde se informó que, de los estudiantes de secundaria suspendidos en una región, el 67% fueron suspendidos al menos tres veces. ¡Pero esta cifra está basada en una muestra de tan solo *tres* estudiantes! Los informes en los medios de comunicación no mencionaron que el tamaño de la muestra era muy pequeño. (En los capítulos 7 y 8 veremos que *en ocasiones* podemos hacer algunas inferencias valiosas a partir de muestras pequeñas, pero debemos tener el cuidado de verificar si se satisfacen los requisitos necesarios).

En ocasiones una muestra parecería relativamente grande (como en una encuesta de "2000 adultos estadounidenses elegidos al azar"); no obstante, si se extraen conclusiones sobre subgrupos, como los hombres republicanos de 21 años de edad de Pocatello, este tipo de conclusiones podrían estar basadas en muestras demasiado pequeñas. Aunque es importante tener una muestra que sea lo suficientemente grande, también es importante contar con datos muestrales recabados de manera adecuada. Incluso muestras grandes llegan a ser muestras inadecuadas.

Porcentajes En algunos estudios se citan porcentajes confusos o poco claros. Recuerde que el 100% de alguna cantidad se refiere a la *totalidad* y que, por lo general, no está justificado hacer referencia a porcentajes mayores que el 100%.

EJEMPLO 5

Porcentaje erróneo Al referirse a la pérdida de equipaje, Continental Airlines publicó anuncios que afirmaban que se trataba de un rubro que "mejoraron un 100% durante los últimos seis meses". En un artículo editorial que criticaba este dato estadístico, el *New York Times* interpretó correctamente que la cifra de mejora en un 100% significa que ya no se pierde el equipaje: un logro del que todavía no disfruta Continental Airlines.

Los siguientes son algunos principios clave que se aplican cuando tratamos con porcentajes. Todos estos principios se basan en la noción de que % o "por ciento" realmente significa "dividido entre 100". El primer principio se utilizará con frecuencia en este libro.

- **Porcentaje de:** Para encontrar el *porcentaje* de una cantidad, excluya el símbolo %, divida el valor del porcentaje entre 100, y después multiplique por la cantidad. Este ejemplo muestra que el 6% de 1200 es 72:

$$6\% \text{ de } 1200 \text{ respuestas} = \frac{6}{100} \times 1200 = 72$$

- **Fracción → porcentaje:** Para *convertir una fracción en un porcentaje*, divida el numerador entre el denominador para obtener un número decimal equivalente, después multiplíquelo por 100 y agregue el símbolo %. Este ejemplo muestra que la fracción 3/4 es equivalente al 75%:

$$\frac{3}{4} = 0.75 \rightarrow 0.75 \times 100\% = 75\%$$

- **Decimal → porcentaje:** Para *convertir un número decimal en un porcentaje*, multiplíquelo por 100%. Este ejemplo muestra que 0.250 es equivalente a 25.0%:

$$0.250 \rightarrow 0.250 \times 100\% = 25\%$$

- **Porcentaje → decimal:** Para convertir un porcentaje en un número decimal, elimine el símbolo % y divida entre 100. Este ejemplo muestra que el 85% es equivalente a 0.85:

$$85\% = \frac{85}{100} = 0.85$$

Preguntas que inducen respuestas Si las preguntas de encuesta no se redactan de forma cuidadosa, los resultados de un estudio pueden ser engañosos. Es posible que las preguntas de encuesta estén "cargadas" o redactadas intencionalmente para obtener la respuesta deseada.

EJEMPLO 6

Efecto de la redacción de una pregunta Observe las tasas reales de las respuestas afirmativas para las diferentes formas de redacción de una pregunta:

97% sí: "¿Debería el presidente utilizar su poder de veto para eliminar los desperdicios?".

57% sí: "¿Debería el presidente utilizar su poder de veto o no?".

En *The Superpollster*, David W. Moore describe un experimento en el que se preguntó a diferentes sujetos si estaban de acuerdo con las siguientes afirmaciones:

- Se gasta muy poco dinero en subsidios del Estado.
- Se gasta muy poco dinero en asistencia a los pobres.

Aun cuando los pobres son quienes reciben el subsidio del Estado, solo el 19% estuvo de acuerdo cuando se usaron las palabras "subsidio del Estado", pero el 63% estuvo de acuerdo con la afirmación referente a la "asistencia a los pobres".

Orden de las preguntas En ocasiones las preguntas de una encuesta se sesgan de manera no intencional debido a factores como el orden de los reactivos que se someten a consideración.

EJEMPLO 7 **Efecto del orden de las preguntas** Examine estas preguntas de una encuesta aplicada en Alemania:

- ¿Cree usted que el tránsito vehicular contribuye a la contaminación del aire más o menos que la industria?
- ¿Cree usted que la industria contribuye a la contaminación del aire más o menos que el tránsito vehicular?

Cuando se mencionó primero el tránsito, el 45% culpó a este factor y el 27% a la industria; cuando la industria se mencionó primero, el 24% culpó al tránsito y el 57% culpó a la industria.

Falta de respuesta Existe una *falta de respuesta* cuando alguien rehúsa contestar una pregunta de encuesta o cuando la persona no está disponible. Cuando se plantean preguntas de encuesta a los individuos, algunos se niegan firmemente a responder. La tasa de negativas ha crecido en los últimos años, en parte debido a que muchos vendedores persistentes de los sistemas de telemarketing tratan de vender bienes o servicios, iniciando con un argumento de venta muy similar a los que se utilizan en las encuestas de opinión. En realidad, se trata de "vender bajo el disfraz" de una *encuesta*. En *Lies, Damn Lies, and Statistics*, el autor Michael Wheeler hace la siguiente observación importante:

> Las personas que rehúsan hablar con encuestadores tienden a ser diferentes de las personas que sí hablan con ellos. Algunos sienten temor ante los extraños y otros protegen su privacidad; sin embargo, su negativa a hablar demuestra que la perspectiva que tienen del mundo que les rodea es notablemente diferente de la que tienen las personas que reciben a los encuestadores en sus casas.

Datos faltantes En ocasiones los resultados se ven muy afectados por datos faltantes. A veces faltan datos muestrales por el azar (como los sujetos que abandonan un estudio por razones no relacionadas con el mismo), aunque otras veces faltan algunos datos debido a factores especiales, como los individuos con bajos ingresos que son menos proclives a informar cuánto dinero ganan. Es bien sabido que en el censo de Estados Unidos hay personas faltantes, quienes a menudo pertenecen a los grupos de bajos ingresos o sin hogar. Hace algunos años, las encuestas realizadas por teléfono solían ser inexactas, ya que no incluían a las personas que no tenían dinero suficiente para contar con un teléfono.

Estudios para el propio beneficio En ocasiones los estudios reciben el patrocinio de grupos con intereses específicos. Por ejemplo, Kiwi Brands, un fabricante de lustrador para calzado, encargó un estudio que dio como resultado la siguiente aseveración impresa en algunos periódicos: "De acuerdo con una encuesta nacional aplicada a 250 empleadores profesionales, la razón más común por la que un solicitante de empleo no logró dar una buena impresión fue la de llevar los zapatos desaseados". Debemos ser muy cautos con encuestas como estas, donde el patrocinador puede obtener ganancias monetarias con base en los resultados. En los últimos años ha aumentado la preocupación por la práctica de las empresas farmacéuticas por financiar a médicos que realizan experimentos clínicos e informan sus resultados en revistas de prestigio, como *Journal of the American Medical Association*.

ADVERTENCIA

Al evaluar la validez de un estudio, siempre considere si el patrocinador podría influir en los resultados.

Números precisos "En la actualidad hay 103,215,027 hogares en Estados Unidos". Puesto que esta cifra es muy precisa, mucha gente considera erróneamente que también es *exacta*. En este caso, el número es una estimación y sería mejor decir que el número de hogares es aproximadamente de 103 millones.

Distorsiones deliberadas En el libro *Tainted Truth*, Cynthia Crossen cita un ejemplo de la revista *Corporate Travel*, la cual publicó resultados que mostraban que, entre las compañías de renta de automóviles, Avis fue la ganadora en una encuesta realizada a personas que utilizan dicho servicio. Cuando Hertz solicitó información detallada sobre la encuesta, las respuestas originales desaparecieron y el coordinador de encuesta de la revista renunció. Hertz demandó a Avis (por publicidad falsa basada en la encuesta) y también a la revista; al final se llegó a un acuerdo.

Además de los casos citados, existen muchos otros ejemplos del uso inadecuado de la estadística. Algunos de ellos se encuentran en libros como el clásico de Darrell Huff, *How to Lie with Statistics*; el de Robert Reichard, *The Figure Finaglers*; y el de Cynthia Crossen, *Tainted Truth*. Comprender tales prácticas resultará sumamente útil en la evaluación de los datos estadísticos que se encuentran en situaciones cotidianas.

1-4 Destrezas y conceptos básicos

Conocimientos estadísticos y pensamiento crítico

1. Muestra de respuesta voluntaria ¿Qué es una muestra de respuesta voluntaria, y por qué generalmente no es adecuada para los métodos estadísticos?

2. Muestra de respuesta voluntaria ¿Todas las muestras de respuesta voluntaria son erróneas? ¿Todas las muestras erróneas implican respuestas voluntarias?

3. Correlación y causalidad Con el uso de datos del FBI y de la Oficina de Alcohol, Tabaco y Armas de Fuego (Bureau of Alcohol, Tobacco, and Firearms), métodos estadísticos demostraron que para los diferentes estados de EUA existe una correlación (o asociación) entre el número de armas automáticas registradas y la tasa de homicidios. ¿Podemos concluir que un incremento en el número de armas automáticas registradas causa un aumento de la tasa de homicidios? ¿Podríamos reducir la tasa de homicidios disminuyendo el número de armas automáticas registradas?

4. Número grande de respuestas Las encuestas típicas incluyen entre 500 y 2000 personas. Cuando la autora Shere Hite escribió *Woman and Love: A Cultural Revolution in Progress*, basó sus conclusiones en una muestra relativamente grande de 4500 respuestas, las cuales recibió después de enviar 100,000 cuestionarios por correo a diversos grupos de mujeres. ¿Es probable que sus conclusiones sean válidas, en el sentido de que puedan aplicarse a la población general de mujeres? ¿Por qué?

En los ejercicios 5 a 8, utilice el pensamiento crítico para elaborar una conclusión alternativa o correcta. Por ejemplo, considere un informe de los medios de comunicación masiva de que los automóviles BMW causan que las personas estén más saludables. Veamos una conclusión alternativa: Los conductores de automóviles BMW tienden a ser más adinerados que otros adultos, y una mayor riqueza está relacionada con un mejor estado de la salud.

5. Las personas que se gradúan de la universidad viven más tiempo Con base en un estudio que revela que las personas que se gradúan de la universidad viven más tiempo que quienes no lo logran, un investigador concluye que el hecho de estudiar provoca que la gente viva más tiempo.

6. Venta de canciones Datos publicados por *USA Today* se utilizaron para demostrar que existe una correlación entre el número de veces que se tocan las canciones en las estaciones de radio y el número de ocasiones que se compran las grabaciones de esas piezas musicales. Conclusión: un incremento en el número de veces que se tocan las canciones en las estaciones de radio causa que las ventas aumenten.

7. ¿Perfil racial? Un estudio reveló que en el condado de Orange se expiden más multas por exceso de velocidad a los individuos de grupos minoritarios que a los caucásicos. Conclusión: En el condado de Orange los individuos de grupos minoritarios exceden la velocidad límite más que los caucásicos.

8. Prueba sesgada En el caso judicial *Estados Unidos contra la ciudad de Chicago*, un grupo minoritario falló en el examen para ocupar el cargo de capitán de bomberos en una tasa mucho más alta que el grupo mayoritario. Conclusión: El examen está sesgado y provoca que los miembros del grupo minoritario tengan una tasa de falla mucho más elevada.

En los ejercicios 9 a 20, utilice el pensamiento crítico para indicar lo que se le pide.

9. Discrepancia entre resultados reportados y observados Cuando Harris Interactive *encuestó* a 1013 adultos, el 91% dijo que se lavaba las manos después de utilizar un baño público. Sin embargo, cuando se hizo una *observación* de 6336 adultos, se encontró que en realidad el 82% se lavaba las manos. ¿Cómo se puede explicar esta discrepancia? ¿Qué porcentaje es más probable que indique con exactitud la tasa real de las personas que se lavan las manos en un baño público?

10. Árbol de Navidad El proveedor del servicio de Internet America Online (AOL) realizó una encuesta entre sus usuarios, y les preguntó si preferían un árbol de Navidad real o uno artificial. AOL recibió 7073 respuestas, y 4650 de ellas indicaban preferencia por un árbol real. Puesto que 4650 representa el 66% de las 7073 respuestas, ¿podríamos concluir que alrededor del 66% de las personas que celebra la Navidad prefiere un árbol real? ¿Por qué?

11. El chocolate es un alimento saludable El *New York Times* publicó un artículo que incluía la siguiente afirmación: "Por fin, el chocolate ocupa el lugar que merece en la pirámide alimenticia, junto a sus vecinos de clase alta: el vino tinto, las frutas, los vegetales y el té verde. Varios estudios, reportados en el *Journal of Nutrition*, revelaron que, después de comer chocolates, los sujetos a prueba incrementaron los niveles de antioxidantes en su sangre. El chocolate contiene flavonoides, antioxidantes asociados con la disminución del riesgo de enfermedades cardiacas y accidentes vasculares cerebrales. Mars, Inc., la empresa de dulces, y la Chocolate Manufacturers Association financiaron gran parte de la investigación". ¿Qué es incorrecto en este estudio?

12. Datos del censo Después de la realización del último censo nacional en Estados Unidos, *Poughkeepsie Journal* imprimió el siguiente titular en primera plana: "281,421,906 en Estados Unidos". ¿Qué es incorrecto en ese titular?

13. Números "900" En una encuesta de "Nightline" de la ABC, 186,000 televidentes pagaron 50 centavos, cada uno, para llamar a un número telefónico "900" y dar su opinión acerca de mantener la sede de las Naciones Unidas en Estados Unidos. Los resultados mostraron que el 67% de quienes llamaron estaban a favor de que las Naciones Unidas salieran de Estados Unidos. Interprete los resultados identificando lo que concluiríamos acerca del sentir de la población general, con respecto a mantener la sede de las Naciones Unidas en Estados Unidos.

14. ¿Preguntas que inducen respuestas? El autor recibió una llamada telefónica de quien afirmó estar realizando una encuesta de opinión nacional. Se le preguntó si su opinión sobre el candidato congresista John Sweeney cambiaría si supiera que en 2001 tuvo un accidente automovilístico mientras conducía bajo la influencia del alcohol. ¿Se trata de una pregunta objetiva o de una pregunta diseñada para influir en la opinión de los votantes, a favor de Kirstin Gillibrand, oponente de Sweeney?

15. Cascos para motociclista El Senado del estado de Hawai celebró una audiencia para considerar una ley que obligaba a los motociclistas a usar cascos. Algunos motociclistas testificaron que habían participado en choques donde los cascos resultaron inútiles. ¿Qué grupo importante no fue capaz de testificar? (Véase "A Selection of Selection Anomalies", de Wainer, Palmer y Bradlow en *Chance*, vol. 11, núm. 2).

16. Encuesta a un cliente de Merrill Lynch El autor recibió una encuesta de la empresa de inversiones Merrill Lynch. La encuesta fue diseñada para medir la satisfacción de los clientes, e incluía preguntas específicas para calificar al consultor financiero personal del autor. La portada de la carta incluía la siguiente afirmación: "Sus respuestas son extremadamente valiosas para su consultor financiero, Russell R. Smith, y para Merrill Lynch… Indicaremos su nombre y compartiremos las respuestas con su consultor financiero". ¿Qué es incorrecto en esta encuesta?

17. Promedio de promedios El *Statistical Abstract of the United States* incluye el ingreso promedio per cápita de cada una de las 50 entidades de Estados Unidos. Cuando se suman esos 50 valores y luego se dividen entre 50, el resultado es $29,672.52. ¿Esta cantidad es el ingreso promedio per cápita de todos los individuos de Estados Unidos? ¿Por qué?

18. Pregunta incorrecta El autor realizó una encuesta entre estudiantes, con la siguiente pregunta: "Anote su estatura en pulgadas". Identifique dos problemas importantes en esta pregunta.

19. Encuesta de revista La revista *Good Housekeeping* invitó a las mujeres a visitar su sitio Web para responder una encuesta, y se registraron 1500 respuestas. Cuando se les preguntó si preferían tener más dinero o dormir más, el 88% eligió más dinero y el 11% dormir más. Con base en los resultados, ¿qué podríamos concluir acerca de la población de todas las mujeres?

20. SMSI En una carta al editor del *New York Times*, la ciudadana de Moorestown, New Jersey, Jean Mercer criticó la declaración de que "colocar a los bebés en posición supina ha disminuido las muertes por SMSI". (SMSI son las siglas del síndrome de muerte súbita infantil, y la posición *supina* implica estar acostado sobre la espalda con la cara hacia arriba). Ella sugirió que la siguiente afirmación sería mejor: "Los pediatras aconsejaron la posición supina durante un periodo en el que disminuyeron las tasas de SMSI". ¿Qué es incorrecto al decir que la posición supina ha logrado *disminuir* las muertes por SMSI?

Porcentajes. En los ejercicios 21 a 28, responda las preguntas relacionadas con los porcentajes.

21. Porcentajes

a) Convierta la fracción 5/8 a un porcentaje equivalente.

b) Convierta 23.4% a su equivalente decimal.

c) ¿Cuál es el 37% de 500?

d) Convierta 0.127 a un porcentaje equivalente.

22. Porcentajes

a) ¿Cuál es el 5% de 5020?

b) Convierta 83% a su equivalente decimal.

c) Convierta 0.045 a un porcentaje equivalente.

d) Convierta la fracción 227/773 a un porcentaje equivalente. Exprese la respuesta redondeando a la décima más cercana del porcentaje.

23. Porcentajes en una encuesta Gallup

a) En una encuesta Gallup, aplicada a 734 usuarios de Internet, el 49% reveló que de manera frecuente u ocasional realiza compras en línea. ¿Cuál es el número real de usuarios de Internet que afirmaron que compran en línea de manera frecuente u ocasional?

b) De los 734 usuarios de Internet encuestados por Gallup, 323 dijeron que de manera frecuente u ocasional realizan planes de viaje consultando información en línea. ¿Cuál es el porcentaje de personas que afirmaron que de manera frecuente u ocasional realizan planes de viaje consultando información en línea?

24. Porcentajes en una encuesta Gallup

a) En una encuesta que realizó Gallup con 976 adultos, 68 dijeron que consumen una bebida alcohólica al día. ¿Qué porcentaje de individuos encuestados dijeron que consumen la bebida alcohólica al día?

b) De los 976 adultos encuestados, el 32% dijo que nunca bebe. ¿Cuál es el número real de adultos encuestados que dijeron que nunca beben?

25. Porcentajes en una encuesta de AOL America Online publicó la siguiente pregunta en su sitio Web: "¿Cuánto confía en los pronósticos del clima a largo plazo?". De los usuarios de su sitio Web, 38,410 decidieron responder.

a) De las respuestas recibidas, el 5% indicó "mucho". ¿Cuál es el número real de individuos que respondieron "mucho"?

b) De las respuestas recibidas, 18,053 se pronunciaron por "muy poco o nada". ¿Qué porcentaje de respuestas se pronunciaron por "muy poco o nada"?

c) Puesto que el tamaño de muestra de 38,410 es tan grande, ¿podemos concluir que alrededor del 5% de la población general confía "mucho" en los pronósticos del clima a largo plazo? ¿Por qué?

26. Porcentajes en la publicidad Un artículo del *New York Times* criticó el encabezado de una gráfica que describía un enjuague dental como uno "que reduce la placa dental en más del 300%". ¿Qué es incorrecto en esta afirmación?

27. Porcentajes en los medios de comunicación En el *New York Times Magazine*, un reporte acerca de la disminución de inversión occidental en Kenia incluyó la siguiente afirmación: "Después de años de vuelos diarios, Lufthansa y Air France suspendieron el servicio a los pasajeros. La inversión extranjera cayó 500% durante la década de 1990". ¿Qué es incorrecto en esta afirmación?

28. Porcentajes en la publicidad En un anuncio de Club, un aparato utilizado para reducir el robo de automóviles, se afirmó que "Club reduce las probabilidades de robo de su automóvil en un 400%". ¿Qué es incorrecto en esta afirmación?

1-4 Más allá de lo básico

29. Falsificación de datos En una ocasión, un investigador del Sloan-Kettering Cancer Research Center fue criticado por falsificar datos. Entre sus datos había cifras obtenidas a partir de seis grupos de ratones, con 20 ratones en cada grupo. Los siguientes valores se dieron para el porcentaje de éxito en cada grupo: 53%, 58%, 63%, 46%, 48%, 67%. ¿Cuál es la principal falla en estos valores?

30. ¿Qué está mal en este asunto? El periódico *Newport Chronicle* realizó una encuesta pidiendo a los lectores que llamaran y respondieran esta pregunta: "¿Apoya usted el desarrollo de armas atómicas que podrían matar a millones de personas inocentes?". Se reportó que 20 lectores respondieron, y que el 87% dijo que "no", mientras que el 13% respondió que "sí". Identifique cuatro fallas de esta encuesta.

1-5 Recolección de datos muestrales

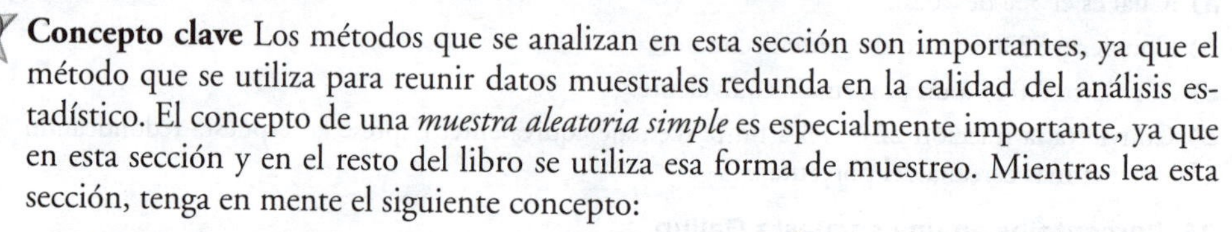

Concepto clave Los métodos que se analizan en esta sección son importantes, ya que el método que se utiliza para reunir datos muestrales redunda en la calidad del análisis estadístico. El concepto de una *muestra aleatoria simple* es especialmente importante, ya que en esta sección y en el resto del libro se utiliza esa forma de muestreo. Mientras lea esta sección, tenga en mente el siguiente concepto:

Si los datos muestrales no se reúnen de forma adecuada, resultarán tan inútiles que ningún grado de tortura estadística podrá salvarlos.

La primera parte de esta sección introduce los fundamentos de la recolección de datos, y la segunda parte refina nuestra comprensión de dos tipos de estudios: los estudios observacionales y los experimentos.

Parte 1: Fundamentos de la recolección de datos

Los métodos estadísticos se rigen por los datos recabados. Por lo regular, obtenemos datos de dos fuentes distintas: los *estudios observacionales* y los *experimentos.*

DEFINICIONES

En un **estudio observacional**, vemos y medimos características específicas, pero no intentamos *modificar* a los sujetos que estamos estudiando.

En un **experimento** aplicamos algunos *tratamientos* y luego procedemos a observar sus efectos sobre los sujetos. (En los experimentos, los sujetos se denominan **unidades experimentales**).

EJEMPLO 1 **Estudio observacional y experimento**

Estudio observacional: Un buen ejemplo de un estudio observacional es aquel en el que se encuesta a los individuos, pero sin aplicarles ningún tratamiento. La encuesta de *Literary Digest* en la que se preguntó a los participantes por quién votarían en la elección presidencial es un estudio observacional. Se interrogó a los individuos en relación con sus preferencias electorales, pero no se les aplicó ningún tipo de tratamiento.

Experimento: En el experimento de salud pública más grande que se haya realizado, un grupo de 200,745 niños recibieron un tratamiento que consistía en la vacuna de Salk, mientras que un grupo de 201,229 niños recibieron un placebo. Las inyecciones de la vacuna de Salk constituyen un tratamiento que modificó a los sujetos, por lo que se trata de un ejemplo de un experimento.

Ya sea que se realice un estudio observacional o un experimento, es importante elegir la muestra de sujetos de forma tal que represente a la población general. En la sección 1-3 vimos que una muestra de respuesta voluntaria es aquella en que los sujetos deciden si responden o no. Aunque las muestras de respuesta voluntaria son muy comunes, sus resultados no suelen ser útiles para hacer inferencias válidas acerca de poblaciones más grandes.

DEFINICIÓN

Una **muestra aleatoria simple** de *n* sujetos se selecciona de manera que cada posible *muestra del mismo tamaño n* tenga la misma posibilidad de ser elegida.

A lo largo de este libro, utilizaremos una variedad de procedimientos estadísticos diferentes, y muchas veces tendremos como requisito reunir una *muestra aleatoria simple*, como se definió anteriormente.

Las siguientes definiciones describen otros dos tipos de muestras.

DEFINICIONES

En una **muestra aleatoria** los miembros de la población se seleccionan de forma que cada *miembro individual* tenga la misma posibilidad de ser elegido.

Una **muestra probabilística** implica seleccionar a miembros de una población de forma que cada miembro tenga una posibilidad conocida (aunque no necesariamente la misma) de ser elegido.

Observe la diferencia entre una muestra aleatoria y una muestra aleatoria simple. Los ejercicios 21 a 26 permitirán que practique para distinguir entre una muestra aleatoria y una muestra aleatoria simple.

Con el muestreo aleatorio esperamos que todos los componentes de la población estén representados (aproximadamente) de manera proporcional. Las muestras aleatorias se seleccionan usando muchos procedimientos diferentes, incluyendo el uso de computadoras para generar números aleatorios. A diferencia de un muestreo descuidado o fortuito, el muestreo aleatorio generalmente requiere de sumo cuidado en su planeación y ejecución.

EJEMPLO 2

Muestreo de senadores Cada uno de los 50 estados de EUA envía dos senadores al Congreso, de manera que hay exactamente 100 senadores. Suponga que se anota el nombre de cada *estado* en una tarjeta separada, que se mezclan las 50 tarjetas en un recipiente y después se selecciona una de ellas. Si consideramos que los dos senadores del estado seleccionado constituyen una muestra, ¿el resultado es una muestra aleatoria? ¿Una muestra aleatoria simple? ¿Una muestra probabilística?

SOLUCIÓN

Se trata de una muestra aleatoria porque cada senador tiene la misma probabilidad (una en 50) de ser elegido. *No* se trata de una muestra aleatoria simple porque no todas las muestras de tamaño 2 tienen la misma probabilidad de ser elegidas. (Por ejemplo, con este diseño muestral sería imposible seleccionar a dos senadores de estados diferentes). Es una muestra probabilística porque cada senador tiene una probabilidad conocida (una en 50) de ser elegido.

Pruebas clínicas frente a estudios observacionales

En un artículo del *New York Times* acerca de la terapia hormonal para las mujeres, la reportera Denise Grady escribió sobre un informe de tratamientos probados en ensayos clínicos controlados aleatorios. La periodista afirmó que "pruebas como esta, donde los pacientes se designan al azar para un tratamiento o un placebo, se consideran el estándar por excelencia en la investigación médica. En cambio, los estudios observacionales, donde los pacientes deciden por sí mismos si toman un fármaco, se consideran menos confiables. [...] Los investigadores consideran que los estudios observacionales tal vez han dado una falsa imagen color de rosa del reemplazo hormonal, ya que las mujeres que optan por recibir los tratamientos son más saludables y tienen mejores hábitos que las mujeres que no lo hacen".

Los efectos Hawthorne y del experimentador

El conocido efecto placebo ocurre cuando un sujeto no tratado cree incorrectamente que está recibiendo un tratamiento real, y reporta una mejoría en sus síntomas. El efecto Hawthorne ocurre cuando, por alguna razón, los sujetos tratados responden de manera diferente por el simple hecho de formar parte del experimento. (Este fenómeno se denominó "efecto Hawthorne" porque se observó por primera vez en un estudio realizado con obreros en la planta Hawthorne, de Western Electric). Ocurre un efecto del experimentador (a veces llamado efecto Rosenthall) cuando el investigador o experimentador influye involuntariamente en los sujetos mediante factores como la expresión facial, el tono de voz o la actitud.

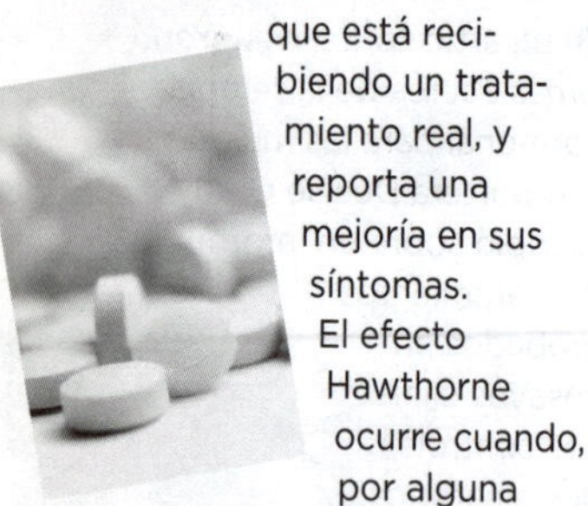

Otros métodos de muestreo Además de las muestras aleatorias y las muestras aleatorias simples, existen otras técnicas de muestreo. Aquí se describen las más comunes. En la figura 1-2 se comparan los distintos métodos de muestreo.

DEFINICIONES

En el **muestreo sistemático**, elegimos algún punto de partida y luego seleccionamos cada *k*-ésimo (por ejemplo, cada quincuagésimo) elemento en la población.

En el **muestreo de conveniencia**, simplemente se utilizan resultados que sean muy fáciles de obtener.

En el **muestreo estratificado** subdividimos a la población en al menos dos subgrupos (o estratos) diferentes, de manera que los sujetos que pertenecen al mismo subgrupo compartan las mismas características (como el género o la categoría de edad), y luego obtenemos una muestra de cada subgrupo (o estrato).

En el **muestreo por conglomerados** primero dividimos el área de la población en secciones (o conglomerados), luego elegimos al azar algunos de estos conglomerados, y después elegimos *a todos* los miembros de los conglomerados seleccionados.

Es fácil confundir el muestreo estratificado y el muestreo por conglomerados, ya que ambos implican la formación de subgrupos. Sin embargo, el muestreo por conglomerados considera a *todos* los miembros de una *muestra* de conglomerados; en tanto que el muestreo estratificado emplea una *muestra* de los miembros de *todos* los estratos. Un ejemplo de muestreo por conglomerados es una encuesta previa a las elecciones, donde se seleccionan aleatoriamente 30 distritos electorales de un número mayor de distritos, y luego se encuesta a todas las personas de cada uno de esos distritos elegidos. Este método es mucho más rápido y mucho menos costoso que elegir a una persona de cada uno de los muchos distritos del área de la población. Los resultados del muestreo estratificado o por conglomerados se ajustan o ponderan para corregir cualquier representación desproporcionada de los grupos.

Para una muestra de tamaño fijo, si usted selecciona al azar sujetos de diferentes estratos, es probable que obtenga resultados más consistentes (y menos variables), que si simplemente selecciona una muestra al azar de la población general. Por tal razón, el muestreo estratificado se utiliza con frecuencia para reducir la variación en los resultados. Muchos de los procedimientos que se analizarán después en este libro tienen como requisito que los datos muestrales formen una *muestra aleatoria simple*, y ni el muestreo estratificado ni el muestreo por conglomerados satisfacen tal requisito.

Muestreo de etapas múltiples Los encuestadores profesionales y los investigadores gubernamentales a menudo recolectan datos utilizando cierta combinación de los métodos básicos de muestreo. Un **diseño de muestreo de etapas múltiples** implica la selección de una muestra en diferentes pasos, los cuales suelen incluir distintos procedimientos de muestreo.

EJEMPLO 3 **Diseño de muestreo de etapas múltiples** Los datos estadísticos del gobierno de Estados Unidos sobre el desempleo se obtienen de hogares encuestados. No es práctico hacer visitas personales a cada miembro de una muestra aleatoria simple, ya que los hogares individuales están distribuidos por todo el país. En vez de ello, la Oficina de Censos (U.S. Census Bureau) y la Oficina de Estadísticas Laborales (Bureau of Labor Statistics) se combinan para realizar una encuesta llamada Current Population Survey, la cual se utiliza para obtener datos que describen factores tales como la tasa de desempleo, la matrícula de universidades y los salarios semanales. La encuesta incorpora un diseño de etapas múltiples, que se describe de manera general a continuación:

1. Todo el país (Estados Unidos) se divide en 2007 regiones diferentes llamadas *unidades muestrales primarias* (UMP). Las unidades muestrales primarias son áreas metropolitanas, grandes condados o grupos de condados más pequeños.

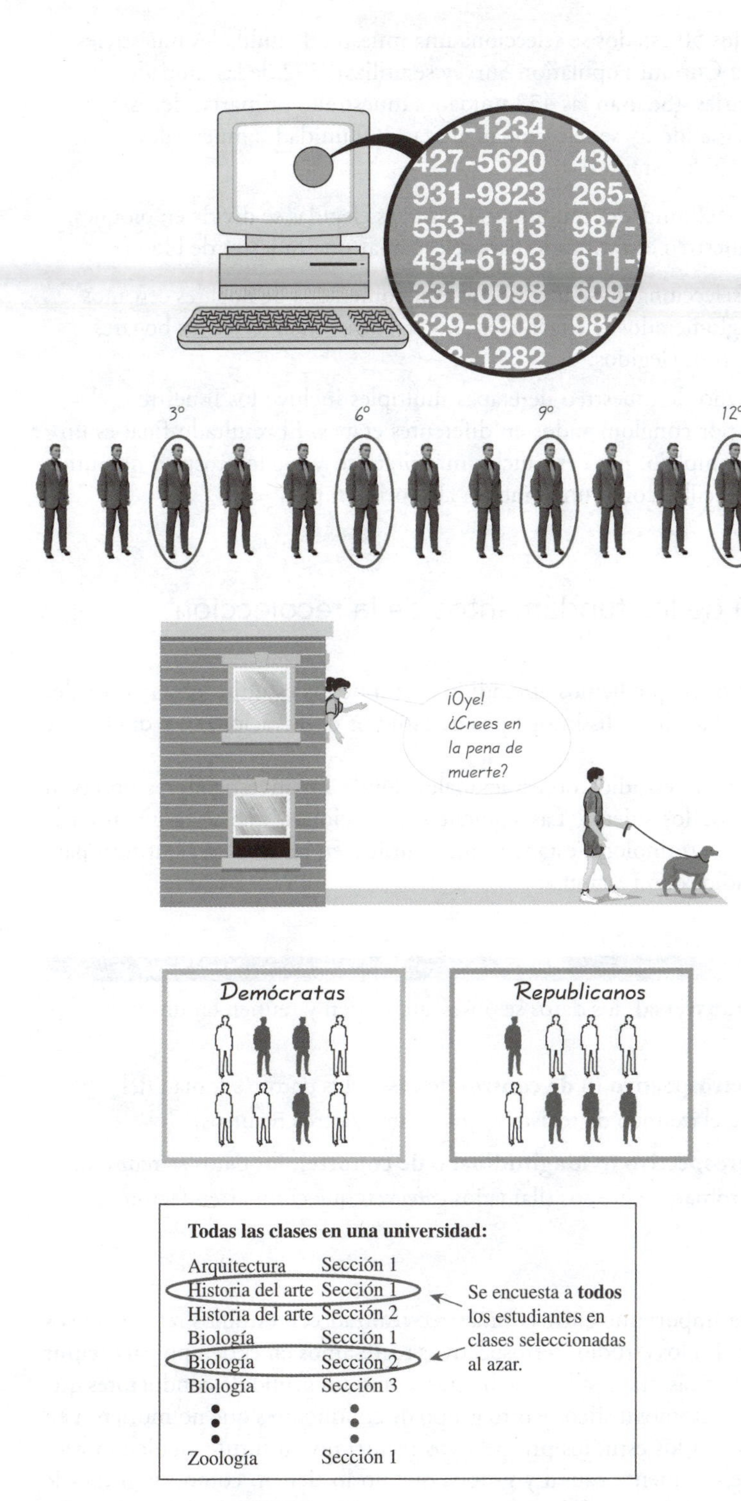

Muestreo aleatorio:
Cada miembro de la población tiene la misma probabilidad de resultar seleccionado. A menudo se usan computadoras para generar números telefónicos aleatorios.

Muestreo aleatorio simple:
Se selecciona una muestra de n sujetos, de manera que cada posible muestra del mismo tamaño n tenga la misma posibilidad de ser elegida.

Muestreo sistemático:
Se selecciona un punto de partida, después se elige cada k-ésimo (por ejemplo, cada quincuagésimo) elemento de la población.

Muestreo de conveniencia:
Se utilizan resultados que son fáciles de obtener.

Muestreo estratificado:
Se subdivide a la población en al menos dos subgrupos (o estratos) diferentes, de manera que los sujetos del mismo subgrupo compartan las mismas características (como el género o la categoría de edad), y después se obtiene una muestra de cada subgrupo.

Muestreo por conglomerados:
Se divide a la población en secciones (o conglomerados), luego se eligen al azar algunos de estos conglomerados, y después se elige a todos los miembros de los conglomerados seleccionados.

Figura 1-2 Procedimientos de muestreo comunes

Estudio nacional prospectivo de los niños

Un buen ejemplo de un estudio prospectivo es el National Children's Study, que comenzó en 2005, en el cual se realiza un seguimiento de 100,000 individuos, desde el nacimiento hasta los 21 años de edad. Los niños son de 96 regiones geográficas diferentes. Su objetivo consiste en mejorar su salud al identificar los efectos de factores ambientales como la dieta, la exposición a sustancias químicas, la vacunación, las películas y la televisión. El estudio incluirá preguntas como estas: ¿De qué manera interactúan los genes y el ambiente para fomentar o prevenir la conducta violenta en los adolescentes? ¿La falta de ejercicio y una dieta inadecuada son las únicas razones del sobrepeso de muchos niños? ¿Las infecciones afectan el progreso del desarrollo, el asma, la obesidad y las enfermedades cardiacas? ¿De qué manera la planeación y construcción de las ciudades y de los vecindarios fomentan o disminuyen las lesiones?

2. En cada uno de los 50 estados se selecciona una muestra de unidades muestrales primarias. Para la Current Population Survey se utilizan 792 de las unidades muestrales primarias. (Se usan las 432 unidades muestrales primarias de las poblaciones más grandes, y se seleccionan al azar 360 unidades muestrales primarias de las 1575 restantes).
3. Cada una de las 792 unidades muestrales primarias elegidas se divide en bloques, y se utiliza un muestreo estratificado para seleccionar una muestra de bloques.
4. En cada bloque seleccionado, se identifican conglomerados de hogares cercanos entre sí. Los conglomerados se eligen al azar, y se entrevista a todos los hogares de los conglomerados elegidos.

Observe que este diseño de muestreo de etapas múltiples incluye los muestreos aleatorio, estratificado y por conglomerados en diferentes etapas. El resultado final es un diseño de muestreo complejo, pero es mucho más práctico y menos costoso que utilizar un diseño más sencillo, como una muestra aleatoria simple.

Parte 2: Más allá de los fundamentos de la recolección de datos

En esta parte refinaremos lo que hemos aprendido acerca de los estudios observacionales y de los experimentos, al analizar distintos tipos de estudios observacionales y diseños de experimentos.

Existen varios tipos de estudios observacionales donde los investigadores observan y miden características de los sujetos. Las siguientes definiciones, que se resumen en la figura 1-3, identifican la terminología estándar que se utiliza en las revistas científicas para diferentes tipos de estudios observacionales.

DEFINICIÓN

En un **estudio transversal**, los datos se observan, miden y reúnen en un solo momento.

En un **estudio retrospectivo** (o **de control de caso**), los datos se toman del pasado (mediante el examen de registros, entrevistas y otros recursos).

En un **estudio prospectivo** (o **longitudinal** o **de cohorte**), los datos se reunirán en el futuro y se toman de grupos (llamados *cohortes*) que comparten factores comunes.

Hay una diferencia importante entre el muestreo realizado en estudios retrospectivos y estudios prospectivos. En los estudios retrospectivos regresamos en el tiempo para reunir datos acerca de características que resultan de interés, como un grupo de conductores que murieron en accidentes automovilísticos y otro grupo de conductores que no murieron en este tipo de accidentes. En los estudios prospectivos recurrimos al futuro siguiendo grupos con un factor potencialmente causal y grupos que no lo tienen, como un grupo de conductores que utilizan teléfonos celulares mientras manejan y un grupo de conductores que no los utilizan en esas circunstancias.

Diseño de experimentos

Ahora estudiaremos el diseño de experimentos, comenzando con el ejemplo de un experimento con un buen diseño. Usaremos el experimento que se mencionó por primera vez en el ejemplo 1, acerca de la prueba de la vacuna de Salk. Después de describir el experimento con mayor detalle, identificaremos las características que lo convierten en un buen diseño.

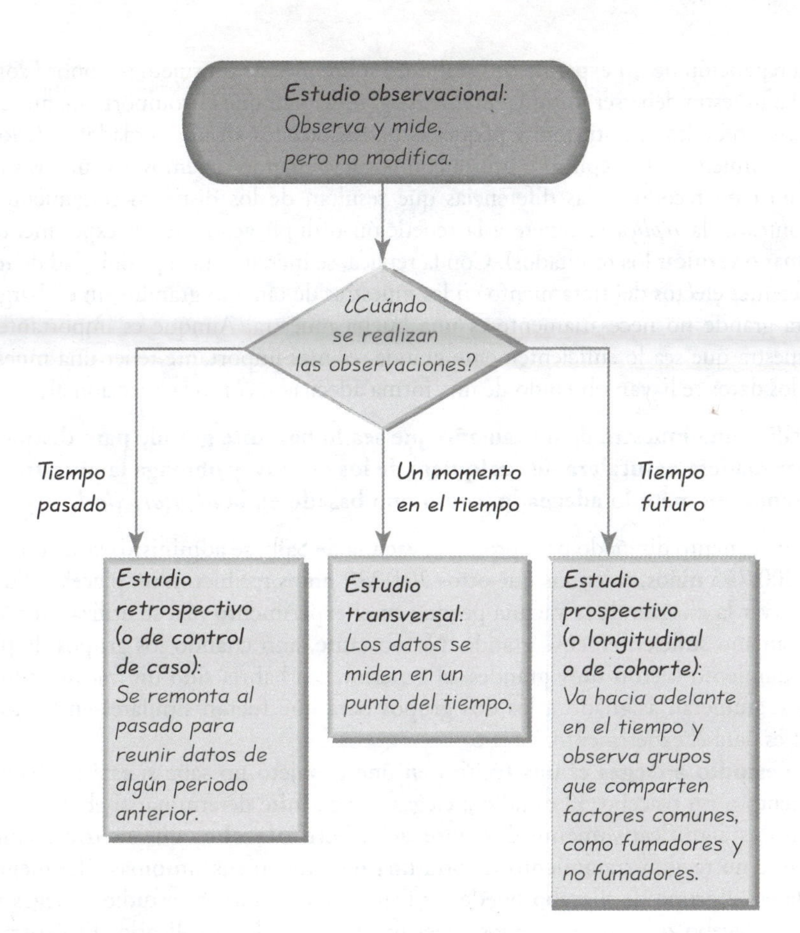

Figura 1-3
Tipos de estudios observacionales

EJEMPLO 4

El experimento de la vacuna de Salk En 1954 se diseñó un experimento masivo con la finalidad de probar la efectividad de la vacuna de Salk para prevenir la poliomielitis, una enfermedad que había causado la muerte o paralizado a miles de niños. En ese experimento, se administró un tratamiento con la vacuna de Salk a un grupo de 200,745 niños, mientras que a un segundo grupo de 201,229 niños se le dio un placebo que no contenía ningún fármaco. Los niños que fueron inyectados no sabían si estaban recibiendo la vacuna de Salk o el placebo, y fueron asignados al grupo de tratamiento o al grupo de placebo mediante un proceso de selección aleatoria, equivalente al lanzamiento de una moneda. De los niños que recibieron la vacuna, 33 desarrollaron posteriormente poliomielitis, aunque de los niños que recibieron el placebo, 115 desarrollaron la enfermedad.

La **aleatorización** se utiliza cuando los sujetos se asignan a diferentes grupos mediante un proceso de selección aleatoria. Los 401,974 niños que participaron en el experimento de la vacuna de Salk fueron asignados al grupo de tratamiento o al grupo de placebo a través de un proceso de selección aleatoria equivalente al lanzamiento de una moneda. En este experimento, sería extremadamente difícil asignar de manera directa a niños a los dos grupos con características similares de edad, estado de salud, género, peso, estatura, dieta, etcétera. Sería muy fácil que hubiera variables importantes que no se tomaran en cuenta. La lógica de la aleatorización es el uso de la probabilidad como una forma de crear dos grupos similares. Aunque parece que no se debería dejar nada al azar en los experimentos, se ha visto que la aleatorización es un método sumamente eficaz para asignar sujetos a los grupos.

La repetición de un experimento realizado sobre más de un sujeto se conoce como **réplica**. La muestra debe ser lo suficientemente grande para que el comportamiento errático característico de las muestras muy pequeñas no disfrace los efectos verdaderos de los diferentes tratamientos. La réplica se utiliza con eficacia cuando tenemos los sujetos suficientes como para reconocer las diferencias que resultan de los distintos tratamientos. (En otro contexto, la *réplica* se refiere a la repetición o duplicación de un experimento para confirmar o verificar los resultados). Con la réplica, se incrementa la posibilidad de reconocer diferentes efectos del tratamiento en las muestras de tamaño grande. Sin embargo, una muestra grande no necesariamente es una buena muestra. Aunque es importante tener una muestra que sea lo suficientemente grande, es más importante tener una muestra en la que los datos se hayan obtenido de una forma adecuada, como la selección aleatoria.

Utilice una muestra de un tamaño que sea lo bastante grande para distinguir la verdadera naturaleza de cualquiera de los efectos, y obtenga la muestra utilizando un método adecuado, como uno basado en la *aleatoriedad*.

En el experimento diseñado para probar la vacuna de Salk, se administró la vacuna real de Salk a 200,745 niños, mientras que otros 201,229 niños recibieron un placebo. Fue posible observar la eficacia de la vacuna porque en el experimento real se utilizaron muestras de un tamaño suficientemente grande. No obstante, aun cuando los grupos de placebo y de tratamiento fueron muy grandes, el experimento habría sido un fracaso si los sujetos no se hubieran asignado a los dos grupos para que fueran similares en los aspectos relevantes para el experimento.

Un **estudio a ciegas** es una técnica en que el sujeto no sabe si está recibiendo un tratamiento o un placebo. El estudio a ciegas nos permite determinar si el efecto del tratamiento es significativamente diferente del **efecto placebo**, que ocurre cuando un sujeto que no recibió tratamiento reporta una mejoría en sus síntomas. (La mejoría reportada en el grupo de placebo puede ser real o imaginaria). El estudio a ciegas reduce el efecto placebo o permite que los investigadores puedan explicarlo. El experimento de la poliomielitis fue un estudio **doble ciego**, lo que quiere decir que el estudio se realizó en dos niveles: **1.** los niños inyectados no sabían si estaban recibiendo la vacuna de Salk o un placebo, y **2.** los médicos que aplicaron las inyecciones y evaluaron los resultados tampoco lo sabían.

Control de los efectos de las variables Los resultados de los experimentos en ocasiones se estropean debido a la *confusión*.

DEFINICIÓN

En un experimento ocurre **confusión** cuando uno no es capaz de distinguir entre los efectos de diferentes factores.

Trate de planear el experimento de manera que no haya lugar para la confusión.

Observe la figura 1-4*a*), donde puede haber confusión si el grupo de tratamiento de mujeres muestra resultados positivos firmes. Como el grupo de tratamiento está formado por mujeres y el grupo de placebo está integrado por hombres, hay confusión debido a que no se puede determinar si los resultados positivos fueron causados por el tratamiento o por el género de los sujetos. Es importante diseñar experimentos para controlar y entender los efectos de las variables (como los tratamientos). El experimento con la vacuna de Salk del ejemplo 4 ilustra un método para controlar el efecto de la variable de tratamiento, ya que utiliza un *diseño experimental completamente aleatorizado*, en el que se utiliza la aleatoriedad para asignar a los sujetos al grupo de tratamiento y al grupo de placebo. El objetivo de este diseño experimental es controlar el efecto del tratamiento, para así reconocer con claridad la diferencia entre el efecto de la vacuna de Salk y el efecto del placebo. El diseño experimental completamente aleatorizado es uno de los siguientes cuatro métodos que se utilizan para controlar los efectos de las variables.

Diseño experimental completamente aleatorizado: Los sujetos se asignan a distintos grupos de tratamiento mediante un proceso de *selección aleatoria*. Observe la figura 1-4*b*).

Diseño de bloques aleatorizados: Un bloque es un conjunto de sujetos que son similares, pero los bloques son diferentes en aspectos que pueden afectar el resultado del experimento. (Al diseñar un experimento para probar la eficacia de un tratamiento con aspirinas para enfermedades cardiacas, podríamos crear un bloque de hombres y un bloque de mujeres, ya que se sabe que el corazón de los hombres se comporta de manera diferente al de las mujeres). Utilice este diseño experimental si está realizando un experimento para someter a prueba uno o más tratamientos diferentes [véase la figura 1-4*c*)]:

1. Forme bloques (o grupos) de sujetos con características similares.
2. Asigne los tratamientos de manera aleatoria a los sujetos dentro de cada bloque.

Diseño rigurosamente controlado: Los sujetos se asignan cuidadosamente a los diferentes grupos de tratamiento, de manera que quienes reciban cada tratamiento sean similares en los aspectos que son relevantes para el experimento. En un experimento para probar la eficacia de la aspirina sobre las enfermedades cardiacas, si el grupo de placebo incluye a un hombre de 27 años de edad, fumador, que consume grandes cantidades de bebidas alcohólicas, sal y grasas, el grupo de tratamiento también debería incluir a una persona con características similares (lo cual, en este caso, sería fácil de conseguir). En ocasiones este método puede ser sumamente difícil de aplicar, y es difícil estar seguros de haber tomado en cuenta todos los factores relevantes.

Diseño de datos pareados: Compara de manera exacta dos grupos de tratamiento (como el grupo de placebo y el de tratamiento) utilizando sujetos ordenados en pares que están relacionados de alguna manera o tienen características similares. Una prueba del dentífrico Crest utilizó datos pareados de gemelos; uno de ellos utilizó Crest y el otro utilizó otro dentífrico. Los datos pareados también podrían consistir en mediciones tomadas al mismo sujeto antes y después de algún tratamiento.

Diseño experimental inadecuado: Tratar a todas las mujeres y no tratar a los hombres. (Problema: No se sabe si los efectos se deben al género o al tratamiento).

Grupo de tratamiento: Mujeres

Se aplica el tratamiento a todas las mujeres.

Grupo de placebo: Hombres

Se aplica un placebo a todos los hombres

a)

Diseño experimental completamente aleatorizado: De manera aleatoria se determina quién recibirá el tratamiento.

b)

Diseño de bloques aleatorizados:
1. Se forma un bloque de mujeres y un bloque de hombres.
2. Dentro de cada bloque se seleccionan al azar los sujetos que recibirán el tratamiento.

c)

Figura 1-4 Control de los efectos de una variable de tratamiento

Resumen Las siguientes son tres consideraciones muy importantes en el diseño de experimentos:

1. Utilice la *aleatorización* para asignar a los sujetos a diferentes grupos.
2. Utilice la *réplica* al repetir el experimento en una cantidad suficiente de sujetos que permita observar los efectos de los tratamientos u otros factores.
3. *Controle los efectos de las variables* al utilizar técnicas como estudios ciegos y el diseño experimental completamente aleatorizado.

Errores de muestreo Sin importar qué tan bien se planee y ejecute el proceso de recolección de muestras, es probable que ocurra algún error en los resultados. Por ejemplo, seleccione a 1000 adultos al azar, pregúnteles si se graduaron de bachillerato y registre el porcentaje de respuestas afirmativas en la muestra. Si usted elige otra muestra de 1000 adultos al azar, es probable que obtenga un porcentaje *diferente* en esa muestra.

DEFINICIONES

Un **error de muestreo** es la diferencia entre el resultado de una muestra y el verdadero resultado de la población; este error es consecuencia de las fluctuaciones por el azar.

Un **error que no es de muestreo** sucede cuando los datos muestrales se obtienen, registran o analizan de forma incorrecta (como cuando se selecciona una muestra sesgada, cuando se emplea un instrumento de medición defectuoso o cuando se registran los datos de forma incorrecta).

Si recolectamos con cuidado una muestra, de manera que sea representativa de la población, entonces podemos utilizar los procedimientos que se describen en este libro para analizar el error muestral; sin embargo, debemos ser muy cuidadosos de no minimizar el error que no es de muestreo.

Un diseño experimental requiere de mayor reflexión y cuidado de lo que se puede describir en una sección relativamente breve. Tomar un curso completo sobre el diseño de experimentos es una buena forma de aprender mucho más acerca de este importante tema.

1-5 Destrezas y conceptos básicos

Conocimientos estadísticos y pensamiento crítico

1. Muestra aleatoria y muestra aleatoria simple ¿Cuál es la diferencia entre una muestra aleatoria y una muestra aleatoria simple?

2. Estudio observacional y experimento ¿Cuál es la diferencia entre un estudio observacional y un experimento?

3. Muestra de conveniencia aleatoria simple Un alumno del autor elaboró una lista de sus amigos adultos y después encuestó a una muestra aleatoria simple de tales sujetos. Aunque se trata de una muestra aleatoria simple, ¿es probable que los resultados sean representativos de la población general de adultos estadounidenses? ¿Por qué?

4. Muestra de conveniencia El autor realizó una encuesta entre los estudiantes de sus clases; les pidió que indicaran si eran zurdos o diestros. ¿Es probable que esta muestra de conveniencia arroje resultados que sean típicos de la población? ¿Es probable que los resultados sean buenos o malos? ¿La calidad de los resultados de esta encuesta refleja la calidad de las muestras de conveniencia en general?

En los ejercicios 5 a 8, determine si la descripción dada corresponde a un estudio observacional o a un experimento.

5. Terapia de contacto Emily Rosa, de 9 años de edad, se convirtió en la autora de un artículo en el *Journal of the American Medical Association*, después de someter a prueba a terapeutas de contacto profesionales. Usando una mampara de cartón, ella colocaba la mano encima de la del terapeuta, quien debía de identificar la mano que Emily había elegido.

6. Encuesta sobre tabaquismo Gallup realizó una encuesta telefónica a 1018 adultos, y el 22% de ellos admitieron haber fumado cigarrillos durante la semana anterior.

7. Tratamiento contra la sífilis En un estudio con graves implicaciones morales y legales, 399 hombres de color con sífilis *no* recibieron un tratamiento que los habría curado. El objetivo del estudio era conocer los efectos de la sífilis en los hombres de color. En un inicio los sujetos fueron tratados con pequeñas cantidades de bismuto, neoarsfenamina y mercurio, aunque esos tratamientos después fueron reemplazados por aspirina.

8. Prueba de la equinácea Un estudio sobre la eficacia de la equinácea incluyó 707 casos de infecciones del tracto respiratorio superior. Se administró equinácea a 337 niños infectados, en tanto que 370 niños infectados recibieron placebos (según datos de "Efficacy and Safety of Echinacea in Treating Upper Respiratory Tract Infections in Children", de Taylor *et al.*, *Journal of the American Medical Association*, vol. 290, núm. 21).

***En los ejercicios 9 a 20 identifique el tipo de muestreo que se utilizó:* aleatorio, sistemático, de conveniencia, estratificado *o* por conglomerados.**

9. Ergonomía Un alumno del autor reunió medidas de la longitud del brazo de sus familiares.

10. Prueba de la equinácea Un estudio sobre la eficacia de la equinácea incluyó infecciones del tracto respiratorio superior. Un grupo de infecciones fue tratado con equinácea, y otro grupo fue tratado con placebos. Los grupos de tratamiento con equinácea y de placebo se determinaron mediante un proceso de asignación aleatoria (según datos de "Efficacy and Safety of Echinacea in Treating Upper Respiratory Tract Infections in Children", de Taylor *et al.*, *Journal of the American Medical Association*, vol. 290, núm. 21).

11. Encuestas de salida El día de la última elección presidencial en Estados Unidos, ABC News organizó una encuesta de salida en la que se eligieron al azar casillas electorales y se entrevistó a todos los votantes luego de salir de estas.

12. Puesto de revisión de sobriedad El autor fue observador en un puesto de revisión de sobriedad de la policía de la ciudad de Poughkeepsie, donde se detenía y entrevistaba a cada quinto conductor. (El autor fue testigo del arresto de un ex alumno).

13. Cata de vinos Una ocasión el autor observó a catadores de vino profesionales mientras trabajaban en una instalación de prueba de Consumer's Union en Yonkers, Nueva York. Suponga que la prueba incluye tres vinos distintos elegidos al azar de cinco bodegas de vino diferentes.

14. Reincidencia El U.S. Department of Corrections reúne datos sobre los prisioneros reincidentes; para ello, selecciona aleatoriamente cinco prisiones federales y encuesta a todos los reclusos.

15. Control de calidad de manufactura Federal-Mogul Company fabrica bujías marca Champion. El procedimiento de control de calidad consiste en probar cada centésima bujía de la línea de producción.

16. Datos de tarjetas de crédito El autor encuestó a todos sus alumnos para obtener datos muestrales que consistían en el número de tarjetas de crédito que posee cada uno.

17. Auditorías fiscales Una ocasión el autor fue sometido a una auditoría fiscal por parte de un representante de la oficina tributaria del Estado de Nueva York, el cual afirmó que el autor había sido elegido al azar para formar parte de una auditoría "estadística". (¿No es una ironía?) El representante era una persona muy agradable y cortés.

18. Planeación del currículo En una investigación de programas universitarios, se seleccionaron al azar 820 estudiantes de la carrera de comunicación, 1463 estudiantes de la carrera de gestión de negocios y 760 estudiantes de la carrera de historia.

19. Estudio de planes de salud Se eligieron al azar seis planes de salud, y se encuestó a todos los miembros para conocer su nivel de satisfacción [con base en un proyecto patrocinado por la corporación Research and Development (RAND) y el Center for Health Care Policy and Evaluation].

20. Encuesta Gallup En una encuesta que realizó Gallup, se llamó a 1003 adultos después de generar al azar sus números telefónicos por medio de una computadora, y 20% de ellos dijeron que revisan las noticias en Internet todos los días.

Muestras aleatorias y muestras aleatorias simples. ***Los ejercicios 21 a 26 se refieren a muestras aleatorias y a muestras aleatorias simples.***

21. Muestreo de píldoras de prescripción En las farmacias se acostumbra surtir las prescripciones tomando una muestra de píldoras de un lote más grande que está almacenado. Un farmacéutico mezcla a conciencia un lote grande de píldoras de Lipitor y luego selecciona 30 de ellas. ¿Este plan de muestreo genera una muestra aleatoria? ¿Una muestra aleatoria simple? Explique.

22. Muestra sistemática Un ingeniero de control de calidad selecciona cada diezmilésimo dulce M&M que se produce. ¿Este plan de muestreo da como resultado una muestra aleatoria? ¿Una muestra aleatoria simple? Explique.

23. Muestra por conglomerados ABC News realiza una encuesta el día de las elecciones al elegir al azar casillas de votación en Nueva York y luego entrevista a todos los votantes cuando estos salen. ¿Este plan de muestreo da como resultado una muestra aleatoria? ¿Una muestra aleatoria simple? Explique.

24. Muestra estratificada Con la finalidad de realizar una prueba de la brecha de género en la forma en que los ciudadanos perciben al presidente actual, Tomkins Company encuesta exactamente a 500 hombres y 500 mujeres seleccionados al azar entre todos los adultos que viven en Estados Unidos. Suponga que el número de hombres y mujeres adultos es el mismo. ¿Este plan de muestreo da como resultado una muestra aleatoria? ¿Una muestra aleatoria simple? Explique.

25. Muestra de conveniencia NBC News estudió las reacciones a las últimas elecciones presidenciales; un reportero encuestó a individuos adultos en un lugar de la ciudad de Nueva York. ¿Este plan de muestreo da como resultado una muestra aleatoria? ¿Una muestra aleatoria simple? Explique.

26. Muestreo de estudiantes Un salón de clases alberga a 36 estudiantes sentados en seis filas diferentes, con seis estudiantes en cada fila. El profesor arroja un dado para elegir una fila, y luego lo arroja nuevamente para elegir un estudiante específico de la fila. El proceso se repite hasta completar una muestra de 6 estudiantes. ¿Este plan de muestreo da como resultado una muestra aleatoria? ¿Una muestra aleatoria simple? Explique.

1-5 Más allá de lo básico

***En los ejercicios 27 a 30 identifique el tipo de estudio observacional* (transversal, retrospectivo o prospectivo).**

27. Víctimas del terrorismo Médicos del Mount Sinai Medical Center estudiaron a residentes de la ciudad de Nueva York con y sin problemas respiratorios. Regresaron en el tiempo para determinar qué tan involucrados estuvieron en los ataques terroristas de la ciudad de Nueva York el 11 septiembre de 2001.

28. Víctimas del terrorismo Médicos del Mount Sinai Medical Center planean estudiar al personal de emergencia que trabajó en el sitio de los ataques terroristas en la ciudad de Nueva York el 11 septiembre de 2001. Planean estudiar durante varios años a estos empleados a partir de ahora.

29. Audiencias televisivas Nielsen Media Research Company utiliza medidores para registrar los hábitos televisivos de alrededor de 5000 hogares, y hoy esos medidores se utilizarán para determinar la proporción de hogares que sintonizan el programa *CBS Evening News*.

30. Investigación de teléfonos celulares Investigadores de la Universidad de Toronto estudiaron 699 accidentes de tránsito en los que participaron conductores con teléfonos celulares (según datos de "Association Between Cellular Telephone Calls and Motor Vehicle Collisions", de Redelmeier y Tibshirani, *New England Journal of Medicine*, vol. 336, núm. 7). Los investigadores encontraron que el uso del teléfono celular incrementa cuatro veces el riesgo de sufrir un accidente.

31. Estudio ciego Un estudio financiado por el National Center for Complementary and Alternative Medicine encontró que la equinácea no representaba un tratamiento eficaz para los resfriados en los niños. El experimento incluyó placebos y tratamientos con equinácea, y se utilizó un estudio ciego. ¿Qué es un estudio ciego y cuál sería su importancia en este experimento?

32. Diseño de muestreo Usted es el encargado de realizar una encuesta laboral a los estudiantes graduados de su universidad. Describa los procedimientos para obtener una muestra de cada tipo: aleatoria, sistemática, de conveniencia, estratificada y por conglomerados.

33. Confusión Mencione un ejemplo (diferente del que aparece en el texto) que ilustre la forma en que ocurre la confusión.

34. Diseño muestral En el artículo "Cardiovascular Effects of Intravenous Triiodothyronine in Patients Undergoing Coronary Artery Bypass Graft Surgery" (*Journal of the American Medical Association*, vol. 275, núm. 9), los autores explican que los pacientes fueron asignados a uno de tres grupos: **1.** un grupo tratado con triyodotironina, **2.** un grupo tratado con una píldora de sal normal y dopamina, y **3.** un grupo de placebo al que se le administró una píldora de sal normal. Los autores resumen el diseño muestral como un "experimento prospectivo, aleatorio, doble ciego y controlado por placebo". Describa el significado de cada uno de estos términos en el contexto de dicho estudio.

Repaso

En lugar de presentar procedimientos estadísticos formales, este capítulo destacó la comprensión general de algunos temas importantes relacionados con el uso de la estadística. Se definieron los siguientes términos, que deben conocerse y entenderse con claridad: *muestra, población, estadístico, parámetro, datos cuantitativos, datos categóricos, muestra de respuesta voluntaria, estudio observacional, experimento* y *muestra aleatoria simple*. En la sección 1-2 se introdujo el pensamiento estadístico y se analizaron temas que implican el contexto de los datos, la fuente de donde se obtienen, los métodos de muestreo, las conclusiones y las implicaciones prácticas. La sección 1-3 trató diferentes tipos de datos; es importante que se comprenda la diferencia entre los datos categóricos y los datos cuantitativos. La sección 1-4 se refirió al uso del pensamiento crítico en el análisis y la evaluación de los resultados estadísticos. En particular, debemos saber que, con fines estadísticos, algunas muestras son poco útiles (como las muestras de respuesta voluntaria). En la sección 1-5 se trataron aspectos importantes que deben tomarse en cuenta al reunir datos muestrales. Ahora que terminó de estudiar este capítulo, usted es capaz de:

- Distinguir entre una población y una muestra, así como entre un parámetro y un estadístico.
- Reconocer la importancia de los métodos de muestreo adecuados en general, y reconocer la importancia de una *muestra aleatoria simple* en particular. Entender que si los datos muestrales no se reúnen de manera adecuada, estos resultarán tan inútiles que ningún grado de tortura estadística podrá salvarlos.

Conocimientos estadísticos y pensamiento crítico

1. Encuesta electoral La revista *Literary Digest* envió por correo 10 millones de papeletas a votantes potenciales, y recibió 2.3 millones de respuestas. Como la muestra es tan grande, ¿sería razonable esperar que fuera representativa de la población de todos los votantes? ¿Por qué?

2. Datos de películas El conjunto de datos 9 del apéndice B incluye una muestra de títulos de películas y su duración (en minutos).

a) ¿La duración es un dato categórico o cuantitativo?

b) ¿La duración es un dato discreto o continuo?

c) ¿Los datos pertenecen a un estudio observacional o a un experimento?

d) ¿Cuál es el nivel de medición de los títulos (nominal, ordinal, de intervalo, de razón)?

e) ¿Cuál es el nivel de medición de la duración (nominal, ordinal, de intervalo, de razón)?

3. Encuesta Gallup La encuesta típica que realiza Gallup implica entrevistas con alrededor de 1000 sujetos. ¿Cómo se deben elegir los sujetos de encuesta para obtener una muestra aleatoria simple?

4. Muestreo La Oficina de Censos de Estados Unidos determinó el tiempo promedio (o la media) que la gente tardaba en trasladarse al trabajo (en minutos) en cada estado y en el Distrito de Columbia en un año reciente. Si se calcula el promedio (o la media) de los 51 valores, se obtiene el resultado de 22.4 minutos. ¿Es este resultado el tiempo promedio (o la media) de traslado al trabajo en Estados Unidos? ¿Por qué?

Examen rápido del capítulo

1. Verdadero o falso: El conjunto de todos los automóviles registrados en Estados Unidos es un ejemplo de una población.

2. ¿Los pesos de motocicletas son datos discretos o continuos?

3. Verdadero o falso: Al elegir cada quinto nombre de una lista se obtiene una muestra aleatoria simple.

4. Verdadero o falso: La edad promedio (o la media) de las personas que responden una encuesta específica es un ejemplo de un parámetro.

5. Se trató a un grupo de sujetos con un fármaco nuevo y luego se realizó una observación. ¿Se trata de un estudio observacional o de un experimento?

6. Verdadero o falso: El color de los ojos es un ejemplo de datos ordinales.

7. Llene el espacio: Un parámetro es una medida numérica que describe alguna característica de ____.

8. ¿La clasificación de las películas G, PG-13 y R corresponde a datos cuantitativos o datos categóricos?

9. ¿Cuál es el nivel de medición de datos consistentes en las categorías de libros de ciencia, literatura, matemáticas e historia (nominal, ordinal, de intervalo, de razón)?

10. Para una encuesta se llama a 500 personas elegidas al azar, y todas ellas responden la primera pregunta. Como los sujetos accedieron a responder, ¿se trata de una muestra de respuesta voluntaria?

Ejercicios de repaso

1. Muestreo El 72% de los estadounidenses aprietan el tubo del dentífrico desde la parte superior. Estos y otros hallazgos un tanto banales están incluidos en *The First Really Important Survey of American Habits*. Los resultados se basan en 7000 respuestas de los 25,000 cuestionarios que se enviaron por correo.

a) ¿Qué es incorrecto en esta encuesta?

b) Como se planteó, el valor del 72% se refiere a todos los estadounidenses; entonces, ¿ese valor del 72% es un estadístico o un parámetro? Explique.

c) ¿La encuesta es un estudio observacional o un experimento?

2. Encuestas Gallup Cuando Gallup y otras organizaciones de encuestas realizan estudios, generalmente se comunican con los sujetos por teléfono. En años recientes, muchos sujetos se han negado a cooperar con las encuestas. ¿Es probable que los resultados de las encuestas sean válidos si se basan únicamente en los sujetos que accedieron a responder? ¿Qué deben hacer las organizaciones que realizan encuestas cuando se enfrentan con una persona que no quiere responder?

3. Identifique el nivel de medición (nominal, ordinal, de intervalo, de razón) utilizado en cada uno de los siguientes casos.

a) Los datos del pulso de las mujeres incluidos en el conjunto de datos 1 del apéndice B.

b) El género de los sujetos incluidos en los datos del estudio "Freshman 15" (conjunto de datos 3 del apéndice B).

c) La temperatura corporal (en grados Fahrenheit) de los sujetos incluidos en el conjunto de datos 2 del apéndice B.

d) La clasificación de un crítico de cine que incluye los enunciados: "debe verla, la recomiendo, no la recomiendo, ni siquiera piense en verla".

4. Identifique el nivel de medición (nominal, ordinal, de intervalo, de razón) utilizado en cada uno de los siguientes casos.

a) El color de ojos de todos los estudiantes de su clase de estadística.

b) La antigüedad (en años) de casas vendidas, según aparecen en el conjunto de datos 23 del apéndice B.

c) Los rangos de edad (menor de 30, 30-49, 50-64, más de 64) registrados como parte de una encuesta del Pew Research Center sobre el calentamiento global.

d) Las temperaturas reales (en grados Fahrenheit) registradas e incluidas en el conjunto de datos 11 del apéndice B.

5. Encuesta de IBM El gigante de las computadoras IBM tiene 329,373 empleados y 637,133 accionistas. Un vicepresidente planea realizar una encuesta para determinar el número de acciones que posee cada socio.

a) ¿El número de acciones que poseen los socios es un dato discreto o continuo?

b) Identifique el nivel de medición (nominal, ordinal, de intervalo, de razón) para el número de acciones que poseen los socios.

c) Si la encuesta se realizara llamando por teléfono a 20 accionistas elegidos al azar en cada una de las 50 entidades de Estados Unidos, ¿qué tipo de muestreo (aleatorio, sistemático, de conveniencia, estratificado, por conglomerados) se estaría utilizando?

d) Si se obtiene una muestra de 1000 socios, y se calcula el número promedio (o la media) de acciones para esta muestra, ¿el resultado es un estadístico o un parámetro?

e) ¿Por qué sería inadecuado conocer la opinión de los accionistas acerca de las prestaciones a los empleados al enviar por correo un cuestionario que los accionistas de IBM deberían responder y devolver?

6. Encuesta de IBM Identifique el tipo de muestreo (aleatorio, sistemático, de conveniencia, estratificado, por conglomerados) que se usa si se obtiene una muestra de los 637,133 accionistas de la forma descrita. Luego, determine si el esquema de muestreo podría generar una muestra que sea representativa de la población de los 637,133 accionistas.

a) Se reúne una lista completa de todos los accionistas y se selecciona cada quingentésimo nombre.

b) En la junta anual de accionistas, se aplica una encuesta a todos los asistentes.

c) Se seleccionan 50 corredores bursátiles al azar, y se aplica una encuesta a cada uno de sus clientes que posea acciones de IBM.

d) Se obtiene un archivo de computadora con todos los accionistas de IBM y se les asignan números consecutivos; luego, se generan números aleatorios por computadora para seleccionar la muestra de accionistas.

e) Se obtienen los códigos postales de los accionistas, y se selecciona al azar a 5 accionistas de cada código postal.

7. Porcentajes

a) El conjunto de datos 9 del apéndice B incluye una muestra de 35 películas, 12 de las cuales tienen la clasificación R. ¿Qué porcentaje de esas 35 películas tiene clasificación R?

b) En un estudio de 4544 estudiantes del quinto al octavo grados, se encontró que el 18% había probado el cigarrillo (según datos de "Relation between Parental Restrictions on Movies and Adolescent Use of Tobacco and Alcohol", de Dalton *et al.*, *Effective Clinical Practice*, vol. 5, núm. 1). ¿Cuántos estudiantes de los 4544 probaron el cigarrillo?

8. JFK

a) Cuando John F. Kennedy resultó electo para ocupar la presidencia, obtuvo el 49.72% de los 68,838,000 votos emitidos. El conjunto de todos esos votos constituye la población. ¿La cifra de 49.72% es un parámetro o un estadístico?

b) En el inciso *a)* se indica el total de votos emitidos en la elección presidencial de 1960. Considere el número total de votos en todas las elecciones presidenciales. ¿Son estos valores discretos o continuos?

c) ¿Cuál es el número de votos que Kennedy recibió cuando ganó las elecciones presidenciales?

9. Porcentajes

a) Las etiquetas de las barras energéticas de proteína U-Turn incluyen la afirmación de que contienen "125% menos grasa que las principales marcas de dulces de chocolate" (según datos de la revista *Consumer Reports*). ¿Cuál es el error en esta afirmación?

b) En una encuesta realizada por el Pew Research Center sobre la conducción de automóviles, el 58% de los 1182 participantes dijeron que les gusta conducir. ¿Cuál es el número real de participantes que afirmaron que les gusta conducir?

c) En una encuesta realizada por el Pew Research Center sobre la conducción de automóviles, 331 de los 1182 participantes dijeron que es aburrido conducir. ¿Cuál es el porcentaje real de participantes que afirmaron que es aburrido conducir?

10. ¿Por qué la discrepancia? Gallup realizó una encuesta dos años antes de una elección presidencial, y reveló que aproximadamente 50% más votantes preferían a Hillary Clinton que a Barack Obama. Los sujetos de la encuesta se eligieron aleatoriamente y se encuestaron por teléfono. Al mismo tiempo, America Online (AOL) llevó a cabo otra encuesta, y esta reveló que el número de personas que preferían a Barack Obama casi duplicaba el número de participantes que preferían a Hillary Clinton. En la encuesta de AOL, usuarios de Internet respondieron a las opciones de voto que se publicaron en su sitio Web. ¿Cómo se podría explicar la gran discrepancia entre las dos encuestas? ¿Cuál encuesta tiene más probabilidades de reflejar la verdadera opinión de los votantes estadounidenses?

Ejercicios de repaso acumulativo

Para los capítulos 2 a 15, estos ejercicios incluyen temas de capítulos anteriores. Para este capítulo, presentamos *ejercicios de calentamiento para calculadora*, con expresiones similares a las que se encuentran a lo largo del texto. Utilice su calculadora para obtener los valores indicados.

1. Nicotina en cigarrillos Remítase a las cantidades de nicotina (en miligramos) de los 25 cigarrillos tamaño grande que se incluyen en el conjunto de datos 4 del apéndice B. ¿Qué valor se obtiene cuando se suman las 25 cantidades y el total se divide entre 25? (Este resultado, llamado *media*, se analiza en el capítulo 3).

2. Duración de películas Remítase a la duración (en minutos) de las 35 películas incluidas en el conjunto de datos 9 del apéndice B. ¿Qué valor se obtiene cuando se suman las 35 cantidades y el total se divide entre 35? (Este resultado, llamado *media*, se analiza en el capítulo 3). Redondee el resultado a una posición decimal.

3. Estatura estandarizada de Shaquille O'Neal La siguiente expresión se utiliza para convertir la estatura de la estrella de basquetbol Shaquille O'Neal a una puntuación estandarizada. Redondee el resultado a dos posiciones decimales.

$$\frac{85 - 80}{3.3}$$

4. Control de calidad para bebidas de cola La siguiente expresión se utiliza para determinar si una muestra de latas de Coca-Cola contienen cantidades cuyo promedio (o media) es menor que 12 oz. Redondee el resultado a dos posiciones decimales.

$$\frac{12.13 - 12.00}{\frac{0.12}{\sqrt{24}}}$$

5. Determinación del tamaño de muestra La siguiente expresión se utiliza para determinar el tamaño de muestra necesario para estimar la proporción de adultos que poseen teléfonos celulares.

$$\left[\frac{1.96 \cdot 0.25}{0.01}\right]^2$$

6. Cascos para motociclista y lesiones La siguiente expresión forma parte de un cálculo utilizado para estudiar la relación entre los colores de los cascos para motociclista y las lesiones. Redondee el resultado a cuatro posiciones decimales.

$$\frac{(491 - 513.174)^2}{513.174}$$

7. Variación de la temperatura corporal La siguiente expresión se utiliza para calcular una medida de variación (varianza) de tres temperaturas corporales.

$$\frac{(98.0 - 98.4)^2 + (98.6 - 98.4)^2 + (98.6 - 98.4)^2}{3 - 1}$$

8. Desviación estándar La siguiente expresión se utiliza para calcular la desviación estándar de tres temperaturas corporales. (La desviación estándar se analiza en la sección 3-3). Redondee el resultado a tres posiciones decimales.

$$\sqrt{\frac{(98.0 - 98.4)^2 + (98.6 - 98.4)^2 + (98.6 - 98.4)^2}{3 - 1}}$$

Notación científica ***En los ejercicios 9 a 12, las expresiones están diseñadas para dar resultados expresados en notación científica. Por ejemplo, el resultado de la pantalla de la calculadora de 1.23E5 puede expresarse como 123,000, y el resultado de 4.56E-4 puede expresarse como 0.000456. Realice la operación que se indica y exprese el resultado como un número ordinario que no esté en notación científica.***

9. 0.4^{12} **10.** 5^{15} **11.** 9^{11} **12.** 0.25^{6}

Proyecto tecnológico

El objetivo de este proyecto consiste en presentar los recursos tecnológicos que usted usará en su curso de estadística. Remítase al conjunto de datos 4 en el apéndice B y use únicamente las cantidades de nicotina (en miligramos) de los 25 cigarrillos de tamaño grande. Utilizando su programa de estadística o la calculadora TI-83/84 Plus, introduzca los 25 valores y luego imprima un listado de ellos.

STATDISK: Haga clic en **Datasets** en la parte superior de la pantalla y seleccione el libro que está utilizando. Elija el conjunto de datos Cigarrillos y luego seleccione **Print Data.**

Minitab: Introduzca los datos en la columna C1, después haga clic en **File** y seleccione **Print Worksheet**.

Excel: Registre los datos en la columna A, después haga clic en **File** y seleccione **Print**.

TI-83/84 Plus: La impresión de la pantalla de la TI-83/84 Plus solo es posible mediante el uso de la conexión a una computadora, y los procedimientos para distintas conexiones varían. Consulte su manual para seguir el procedimiento correcto.

PROYECTO DE INTERNET

El sitio Web de *Estadística*

Visite: **www.pearsonenespañol.com/triola**

En esta sección de cada capítulo, se le pedirá que visite la página principal del sitio Web de este libro de texto. Desde ahí, usted podrá llegar a las páginas que sirven para todos los proyectos de Internet que vienen en la decimoprimera edición de Estadística. Visite este sitio ahora y familiarícese con todas las características a las que puede tener acceso para este libro.

Cada proyecto de Internet incluye actividades como la exploración de conjuntos de datos, la ejecución de modelos de simulación y la investigación de ejemplos de la vida real, que se encuentran en varios sitios Web. Estas actividades le ayudarán a explorar y entender la rica naturaleza de la estadística y su importancia en nuestro mundo. ¡Visite el sitio del libro ahora y disfrute de las exploraciones!

PROYECTO APPLET

El sitio Web contiene applets diseñados para poder visualizar varios conceptos. Abra el archivo Applets y elija **Start**. En el menú, seleccione la opción **Sample from a population**. Utilice la distribución predeterminada de **Uniform**, pero cambie el tamaño de la muestra a $n = 1000$. Ahora elija el botón **Sample** varias veces y comente cuánto cambian los resultados. (Ignore los valores de la media, mediana y desviación estándar, y solo tome en cuenta la forma de la distribución de los datos). ¿Los cambios son más drásticos con una muestra de tamaño $n = 10$? ¿Qué sugiere esto acerca de las muestras en general?

DE LOS DATOS A LA DECISIÓN

Pensamiento crítico

El concepto de "seis grados de separación" surgió de un estudio realizado en 1967 por el psicólogo Stanley Milgram, quien originalmente descubrió que dos residentes de Estados Unidos seleccionados al azar están conectados por un promedio de seis intermediarios. En su primer experimento, Milgram envió 60 cartas a personas de Wichita, Kansas, solicitándoles que reenviaran esas cartas a una mujer específica en Cambridge, Massachusetts. Los sujetos recibieron la instrucción de entregar en mano las cartas a conocidos que, según ellos, podrían ponerse en contacto con la persona indicada, ya fuera directamente o a través de otros conocidos. Participaron 50 de las 60 personas, y tres cartas llegaron a su destino. Dos experimentos posteriores tuvieron tasas más bajas de cumplimiento; pero finalmente Milgram alcanzó una tasa del 35%, y descubrió que cada cadena completa tenía un promedio de alrededor de seis intermediarios. Como consecuencia, los datos originales de Milgram produjeron el concepto "seis grados de separación".

Análisis de los resultados

1. ¿El experimento original de Stanley Milgram tenía un buen diseño o era deficiente? Explique.

2. ¿Los datos originales de Milgram justifican el concepto de "seis grados de separación"?

3. Describa un experimento adecuado para determinar si es válido el concepto de seis grados de separación.

Actividades de trabajo en equipo

1. Actividad en clase Vayan a la cafetería y obtengan 18 pajillas (popotes). Corten 6 de ellas por la mitad, corten 6 en cuartos, y las otras 6 déjenlas como están. Ahora debe haber 42 pajillas de 3 diferentes longitudes. Pónganlas en una bolsa, revuélvalas, luego seleccionen una pajilla, midan su longitud, y colóquenla de nuevo dentro de la bolsa. Repitan este procedimiento hasta seleccionar 20 pajillas. (*Importante:* Hay que seleccionar las pajillas sin mirar el interior de la bolsa y sacar la primera que uno toque). Calculen el promedio (o la media) de la muestra de 20 pajillas. Ahora saquen todas las pajillas y encuentren la media de la población. ¿La muestra dio un promedio cercano al promedio de la población real? ¿Por qué?

2. Actividad en clase A mediados de diciembre de un año reciente, el proveedor de servicios de Internet America Online (AOL) aplicó una encuesta a sus usuarios. Se les preguntó lo siguiente acerca de los árboles de Navidad: "¿Cuál prefiere usted?". Las respuestas posibles eran "un árbol natural" o "un árbol artificial". De las 7073 respuestas recibidas de los usuarios de Internet, 4650 indicaron un árbol natural, y 2423 indicaron un árbol artificial. Ya señalamos que como la muestra es de respuesta voluntaria, no es posible obtener conclusiones acerca de una población mayor que las 7073 personas que respondieron. Identifiquen otros problemas en esta pregunta de encuesta.

3. Actividad en clase Identifiquen los problemas en los siguientes hechos:

- Un reporte televisado recientemente por *CNN Headline News* incluyó el comentario de que la criminalidad en Estados Unidos disminuyó en la década de 1980 debido al incremento de abortos en la década de 1970, que dio por resultado un menor número de niños no deseados.
- La revista *Consumer Reports* envió por correo un cuestionario anual acerca de automóviles y otros productos de consumo. También se incluyó la petición de una contribución económica voluntaria y una votación para el Consejo de Administración de la revista. Las respuestas tenían que enviarse por correo en sobres que requerían timbres postales.

4. Localicen una revista científica con un artículo que utilice un análisis estadístico para un experimento. Describan el experimento y hagan comentarios sobre su diseño. Identifiquen un problema específico y determinen si el resultado es estadísticamente significativo. Determinen si ese resultado tiene una significancia práctica.

ESTADÍSTICA PARA CONOCER LOS NIVELES DE AUDIENCIA TELEVISIVA DE NIELSEN

NOMBRE:	Peter Katsingris
PUESTO:	Vicepresidente
COMPAÑÍA:	National Audience Insights de Nielsen Company

En esta entrevista, Peter Katsingris, vicepresidente de National Audience Insights de Nielsen Company, brinda información acerca de las estimaciones de la audiencia y de las investigaciones relacionadas con estas. Dependiendo de la situación, se utilizan diferentes métodos estadísticos para explorar exhaustivamente los datos y determinar lo que ocurre.

¿El uso que usted hace de la probabilidad y la estadística está aumentando, disminuyendo o permanece estable?

Con los desafíos que enfrenta actualmente la industria de los medios, surgen más preguntas acerca de las mediciones de la audiencia, y es muy probable que aumente la cantidad de análisis estadísticos que realizamos.

¿Qué tan importante es su conocimiento de estadística para cumplir con las responsabilidades de su trabajo?

En nuestra investigación es sumamente importante comprender las implicaciones estadísticas de los datos. Saber por qué ocurren los hechos y luego explicar los resultados es fundamental para nosotros y para nuestros clientes. Considero que lo que hago es similar a la actividad de los investigadores del área criminalística que vemos en la televisión, ya que utilizamos los datos y los métodos estadísticos para determinar las causas de las situaciones que enfrentamos.

Cite un ejemplo de la forma en que se utilizan sus datos.

Hace poco tiempo se observó que la audiencia de un canal en específico estaba aumentando, sin alguna razón aparente. Un cliente de otro canal acudió a nosotros y nos expresó su preocupación de que dicho incremento pudiera estar ocurriendo a expensas de su propia audiencia. Después de una larga investigación, descubrimos que ese no era el caso, y que había una correlación entre el número de hogares que contaban con un dispositivo específico y el nivel de audiencia para ese canal en particular. A mayor número de hogares con el dispositivo, mayor era el nivel de audiencia. Conforme se estabilice el uso de ese dispositivo, los niveles de audiencia tenderán a ser más consistentes.

En materia de estadística, ¿qué recomendaría a quienes aspiran a un empleo?

En mi área de trabajo, les recomendaría que tomaran un curso de introducción a la estadística. Cualquier capacitación adicional puede adquirirse posteriormente en el trabajo o mediante cursos adicionales.

¿Recomienda a los estudiantes universitarios actuales estudiar estadística?

Definitivamente sí. Es necesario tener un conocimiento básico de estadística para cualquier trabajo. El uso de la estadística ayuda a responder muchas preguntas que surgen a lo largo de la vida, ya sea que uno emprenda y dirija su propio negocio, que adquiera una vivienda o que compre un seguro de vida. Espero que los estudiantes de la actualidad adquieran conocimientos básicos de estadística, los cuales les resultaran útiles, aunque ahora no estén conscientes de ello.

¿Qué otras habilidades son importantes para los estudiantes universitarios actuales?

Como especialista en matemáticas y estadística, considero que tuve deficiencias en las áreas de escritura y elaboración de presentaciones. Con el tiempo, desarrollé estas habilidades, pero definitivamente hubiera sido muy benéfico practicarlas mientras estaba en la universidad.

2 Resumen y gráficas de datos

PROBLEMA DEL CAPÍTULO

¿Los resultados de las encuestas se presentan de forma imparcial y objetiva?

A los 26 años, Terri Schiavo estaba casada e intentaba concebir un hijo, cuando colapsó debido a un paro cardiorrespiratorio. Los intentos por revivirla fueron infructuosos y entró en coma. Se declaró que se encontraba en un estado vegetativo persistente, y parecía estar despierta, pero sin conciencia. Terri permaneció en ese estado durante 15 años, incapaz de comunicarse o cuidar de sí misma de ninguna forma; se le mantuvo viva gracias a la inserción de un tubo de alimentación. Se generaron intensos debates acerca de su situación, y algunas personas argumentaban que se le debería permitir morir retirando el tubo de alimentación, mientras que otros consideraban que debían mantenerla viva por medio del tubo de alimentación y cualquier otro medio necesario. Después de muchas batallas legales, le retiraron el tubo de alimentación y murió 13 días después, a los 41 años de edad. Aunque hubo muchas opiniones diferentes acerca del tratamiento médico de Terri Schiavo, había un sentimiento de compasión generalizado hacia ella.

En medio de los numerosos debates acerca del retiro del tubo de alimentación de Terri, CNN, *USA Today* y Gallup realizaron una encuesta en la que se planteaba a los participantes la siguiente pregunta: "Con base en lo que ha escuchado o leído acerca del caso, ¿coincide con la decisión que tomó la corte de retirar el tubo de alimentación?". La encuesta se llevó a cabo por teléfono y se obtuvieron 909 respuestas de adultos estadounidenses. También se les preguntó sobre su filiación política, y en el sitio Web de CNN se publicó una gráfica de barras similar a la de la figura 2-1. En esta figura se muestran los resultados de la encuesta, separados por partido político. Con base en la figura 2-1, parece que las respuestas de los demócratas fueron muy diferentes de las respuestas de los republicanos y de los simpatizantes de partidos independientes.

No nos ocuparemos de los temas éticos relacionados con el retiro del tubo de alimentación, aunque la situación genera preguntas importantes que todos deberían considerar de manera cuidadosa. En vez de ello, nos enfocaremos en la gráfica de la figura 2-1. Nuestra comprensión de las gráficas y la información que ofrecen nos ayudarán a responder la siguiente pregunta: ¿La figura 2-1 representa de forma imparcial los resultados de la encuesta?

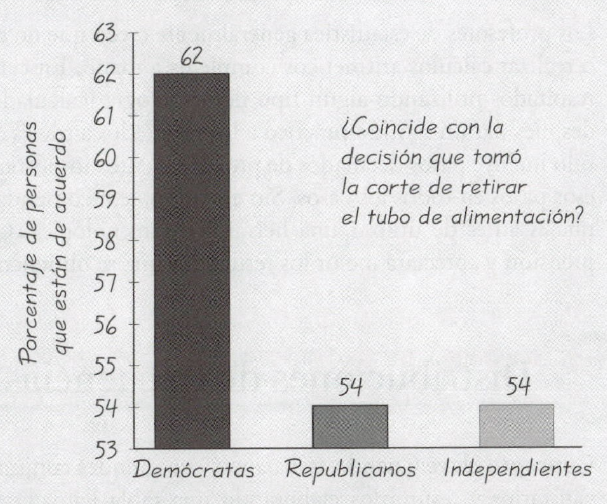

Figura 2-1 Resultados de la encuesta por partido

Sin teléfonos ni tinas

Muchos análisis estadísticos deben tomar en cuenta cómo cambian las características de las poblaciones con el paso del tiempo. Algunas observaciones de la vida en Estados Unidos hace 100 años son las siguientes:

- El 8 por ciento de los hogares contaban con teléfono.
- El 14% de los hogares tenían una tina.
- La esperanza media de vida era de 47 años.
- El salario medio por hora era de 22 centavos.
- Hubo aproximadamente 230 homicidios en todo Estados Unidos.

Aunque estas observaciones de hace 100 años describen un panorama sumamente diferente al del país actual, los análisis estadísticos siempre deben considerar las características cambiantes de la población que pueden tener efectos más sutiles.

2-1 Repaso y preámbulo

En el capítulo 1 analizamos el pensamiento estadístico y algunos métodos para reunir datos e identificar tipos de datos. También estudiamos el contexto de los datos, sus fuentes de obtención y los métodos de muestreo. Las muestras de datos a menudo son grandes, y para analizar conjuntos de datos extensos debemos organizar, resumir y representar los datos de una forma conveniente y significativa. Con frecuencia organizamos y resumimos los datos de forma numérica en tablas o de forma visual en gráficas, como se describe en este capítulo. La representación que elijamos depende del tipo de datos con que se cuente. Sin embargo, el objetivo principal no es simplemente obtener alguna tabla o gráfica, sino analizar los datos y entender lo que indican. En este capítulo estudiaremos principalmente la *distribución* del conjunto de datos, aunque no solo estudiaremos esa característica. A continuación se describen las características generales de los datos. (En capítulos posteriores estudiaremos otras características de los datos).

Características de los datos

1. **Centro:** Valor promedio o representativo que indica la localización de la mitad del conjunto de los datos.
2. **Variación:** Medida de la cantidad en que los valores de los datos varían entre sí.
3. **Distribución:** La naturaleza o forma de la distribución de los datos sobre el rango de valores (como en forma de campana, distribución uniforme o sesgada).
4. **Valores atípicos:** Valores muestrales que están muy alejados de la vasta mayoría de los demás valores de la muestra.
5. **Tiempo:** Características cambiantes de los datos a través del tiempo.

Sugerencia de estudio: La memorización suele ser ineficaz para aprender o recordar información importante. Sin embargo, las cinco características anteriores son tan importantes que pueden recordarse usando una técnica mnemónica con las iniciales **CVDVT**, que significan "**C**uidado con los **V**irus que **D**estruyen el **V**alioso **T**rabajo". Este tipo de técnicas de memorización son muy efectivas para recordar palabras clave que evocan conceptos fundamentales.

Pensamiento crítico e interpretación: Más allá de las fórmulas y de los cálculos a mano

Los profesores de estadística generalmente creen que no es importante memorizar fórmulas o realizar cálculos aritméticos complejos a mano. En cambio, suelen enfocarse en obtener resultados utilizando algún tipo de tecnología (calculadoras o programas de cómputo), y después dar un sentido práctico a los resultados a través del pensamiento crítico. Este capítulo incluye pasos detallados de procedimientos importantes, pero no es necesario dominar esos pasos en todos los casos. Sin embargo, le recomendamos realizar algunos cálculos manuales antes de utilizar una herramienta tecnológica. Con ello, logrará una mejor comprensión y apreciará mejor los resultados que se obtienen con la tecnología.

2-2 Distribuciones de frecuencias

Concepto clave Cuando trabajamos con grandes conjuntos de datos, a menudo es útil organizarlos y resumirlos elaborando una tabla llamada *distribución de frecuencias*, la cual definiremos más adelante. Puesto que los programas de cómputo y las calculadoras pueden generar distribuciones de frecuencias de manera automática, los detalles sobre su elaboración no son tan importantes como entender lo que nos dicen sobre los conjuntos de datos. En particular, una distribución de frecuencias nos ayuda a entender la naturaleza de la *distribución* de un conjunto de datos.

Una **distribución de frecuencias** (o **tabla de frecuencias**) indica cómo un conjunto de datos se divide en varias categorías (o clases) al listar todas las categorías junto con el número de valores de los datos que hay en cada una.

Considere las medidas del pulso (en latidos por minuto) obtenidas de una muestra aleatoria simple de 40 hombres y de otra muestra aleatoria simple de 40 mujeres, con los resultados que se presentan en la tabla 2-1 (del conjunto de datos 1 del apéndice B). El pulso es sumamente importante, ¡ya que es muy difícil sobrevivir sin él! Los médicos utilizan el pulso para evaluar la salud de los pacientes. Cuando el pulso tiene una frecuencia demasiado elevada o demasiado baja, esto podría indicar que existe algún problema médico; por ejemplo, un pulso muy alto podría indicar que el paciente tiene una infección o que está deshidratado.

Tabla 2-1 Pulsos (latidos por minuto) de hombres y mujeres

Mujeres																			
76	72	88	60	72	68	80	64	68	68	80	76	68	72	96	72	68	72	64	80
64	80	76	76	76	80	104	88	60	76	72	72	88	80	60	72	88	88	124	64
Hombres																			
68	64	88	72	64	72	60	88	76	60	96	72	56	64	60	64	84	76	84	88
72	56	68	64	60	68	60	60	56	84	72	84	88	56	64	56	56	60	64	72

La tabla 2-2 es una distribución de frecuencias que resume los pulsos de las mujeres listados en la tabla 2-1. La **frecuencia** de una clase en particular es el número de valores originales que caen en esa clase. Por ejemplo, la primera clase de la tabla 2-2 tiene una frecuencia de 12, lo que indica que 12 de los pulsos originales están entre 60 y 69 latidos por minuto.

A continuación se definen algunos de los términos estándar que se utilizan al analizar y construir distribuciones de frecuencias.

Tabla 2-2 Pulsos de mujeres

Pulso	Frecuencia
60-69	12
70-79	14
80-89	11
90-99	1
100-109	1
110-119	0
120-129	1

Los **límites inferiores de clase** son las cifras más pequeñas que pueden pertenecer a las diferentes clases. (Los límites inferiores de clase de la tabla 2-2 son 60, 70, 80, 90, 100, 110 y 120).

Los **límites superiores de clase** son las cifras más grandes que pueden pertenecer a las diferentes clases. (Los límites superiores de clase de la tabla 2-2 son 69, 79, 89, 99, 109, 119, 129).

Las **fronteras de clase** son las cifras que se utilizan para separar las clases, pero sin los espacios creados por los límites de clase. En la figura 2-2 se muestran los espacios creados por los límites de clase de la tabla 2-2. En la figura 2-2 se observa con facilidad que los valores 69.5, 79.5,..., 119.5 están en el centro de esos espacios, y a tales cifras se les conoce como fronteras de clase. Siguiendo al patrón establecido, notamos que la frontera de clase inferior es 59.5, y la frontera de clase superior es 129.5. Por lo tanto, la lista completa de las fronteras de clase es 59.5, 69.5, 79.5,..., 119.5, 129.5.

Las **marcas de clase** son los puntos medios de las clases. (Las marcas de clase de la tabla 2-2 son 64.5, 74.5, 84.5, 94.5, 104.5, 114.5 y 124.5). Las marcas de clase se calculan sumando el límite inferior de clase con el límite superior de clase, y dividiendo el resultado entre 2.

La **anchura de clase** es la diferencia entre dos límites inferiores de clase consecutivos o dos fronteras inferiores de clase consecutivas en una distribución de frecuencias. (La anchura de clase de los datos de la tabla 2-2 es 10).

Autores identificados

Entre 1787 y 1788, Alexander Hamilton, John Jay y James Madison publicaron de forma anónima el famoso diario *Federalist Papers*, en un intento por convencer a los neoyorquinos de que deberían ratificar la Constitución. Se conoció la identidad de la mayoría de los autores de los artículos, pero la autoría de 12 de estos siguió siendo motivo de discusión. Mediante el análisis estadístico de las frecuencias de varias palabras, ahora podemos concluir que *probablemente* James Madison fue el autor de esos 12 documentos. En muchos de los artículos disputados, la evidencia en favor de la autoría de Madison es abrumadora, al grado de que estamos casi seguros de que es lo correcto.

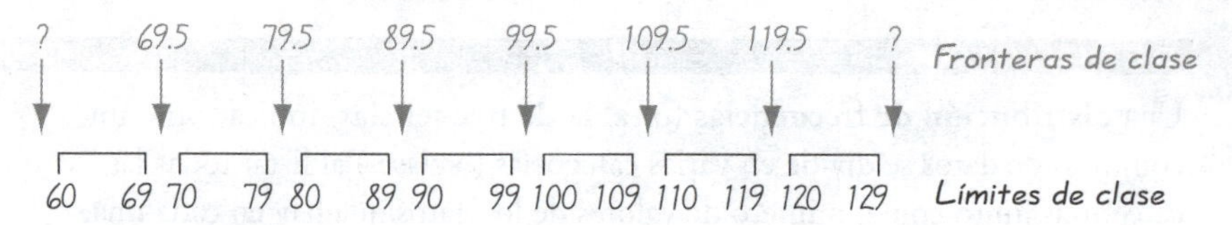

Figura 2-2 Determinación de las fronteras de clase

ADVERTENCIA

Las definiciones de anchura de clase y fronteras de clase son un tanto engañosas. Tenga cuidado para evitar el error común de considerar la anchura de clase como la diferencia entre el límite inferior de clase y el límite superior de clase. Observe que en la tabla 2-2 la anchura de clase es de 10, no de 9. El proceso del cálculo de las fronteras de clase se simplifica al entender que estos básicamente dividen la diferencia entre el final de una clase y el inicio de la siguiente, como se describe en la figura 2-2.

Procedimiento para construir una distribución de frecuencias

Las distribuciones de frecuencias se construyen por las siguientes razones: **1.** Es posible resumir conjuntos grandes de datos; **2.** se logra cierta comprensión sobre la naturaleza de los datos; y **3.** se tiene una base para construir gráficas (como los *histogramas*, que se estudiarán en la siguiente sección). Aunque la tecnología nos permite construir distribuciones de frecuencias de manera automática, los pasos para su elaboración manual son los siguientes:

1. Determine el número de clases que desea, el cual debe estar entre 5 y 20. El número que elija puede verse afectado por la comodidad de usar cifras enteras.
2. Calcule la anchura de clase.

   $$\text{Anchura de clase} \approx \frac{(\text{valor más alto}) - (\text{valor más bajo})}{\text{número de clases}}$$

   Redondee este resultado para obtener un número más adecuado. (Generalmente se redondea *hacia arriba*). Es probable que necesite modificar el número de clases para utilizar valores convenientes.
3. Comience por elegir un número para el límite inferior de la primera clase. Elija el valor del dato más bajo o un valor conveniente que sea un poco más pequeño.
4. Usando el límite inferior de la primera clase y la anchura de clase, proceda a listar los demás límites inferiores de clase. (Sume la anchura de clase al límite inferior de la primera clase para obtener el segundo límite inferior de clase. Después sume la anchura de clase al segundo límite inferior de clase para obtener el tercero, y así sucesivamente).
5. Anote los límites inferiores de clase en una columna vertical y luego proceda a anotar los límites superiores de clase.
6. Tome el valor de cada dato y ponga una marca en la clase adecuada. Agregue las marcas para obtener la frecuencia total de cada clase.

Cuando construya una distribución de frecuencias, asegúrese de que las clases no se traslapen, de modo que cada uno de los valores originales pertenezca exactamente a una de las clases. Incluya todas las clases, aun las que tengan una frecuencia de cero. Trate de utilizar la misma anchura para todas las clases, aunque a veces es imposible evitar intervalos con finales abiertos, como "65 años o mayores".

EJEMPLO 1

Pulsos de mujeres Utilice los pulsos de las mujeres de la tabla 2-1 y siga el procedimiento anterior para construir la distribución de frecuencias de la tabla 2-2. Incluya 7 clases.

SOLUCIÓN

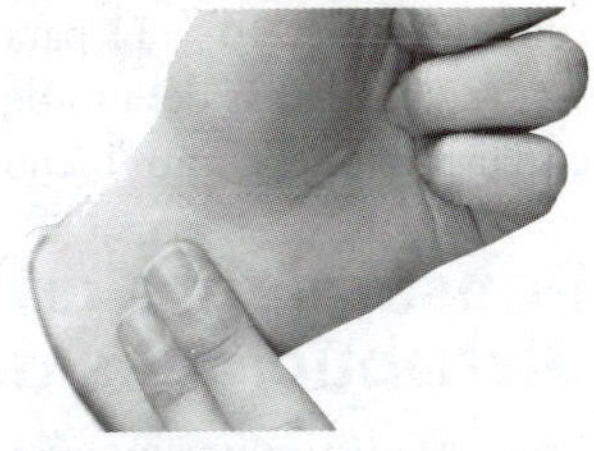

Paso 1: Seleccione 7 clases.

Paso 2: Calcule la anchura de clase. Observe que 9.1428571 se redondea a 10, ya que es un número más conveniente.

$$\text{Anchura de clase} \approx \frac{(\text{valor más alto}) - (\text{valor más bajo})}{\text{número de clases}}$$

$$= \frac{124 - 60}{7} = 9.1428571 \approx 10$$

Paso 3: Elija 60 como primer límite inferior de clase, ya que es el valor más bajo de la lista y un número conveniente.

Paso 4: Sume la anchura de clase 10 a 60 para determinar el segundo límite inferior de clase de 70. Continúe y sume la anchura de clase 10 para obtener los límites inferiores de clase restantes de 80, 90, 100, 110 y 120.

Paso 5: Liste los límites inferiores de clase de forma vertical, como se muestra al margen. Con esta lista podemos identificar con facilidad los límites superiores de clase correspondientes, que son 69, 79, 89, 99, 109, 119 y 129.

60–
70–
80–
90–
100–
110–
120–

Paso 6: Anote una marca para cada valor en la clase adecuada. Luego súmelas para obtener las frecuencias que se presentan en la tabla 2-2.

Distribución de frecuencias relativas

Una variante importante de la distribución básica de frecuencias es la **distribución de frecuencias relativas.** En una distribución de frecuencias relativas, la frecuencia de una clase se sustituye con una frecuencia relativa (una proporción) o una frecuencia porcentual (un porcentaje). Note que cuando se utilizan frecuencias porcentuales, la distribución de frecuencias relativas también se conoce como *distribución de frecuencias porcentuales.* En este libro utilizamos el término "distribución de frecuencias relativas" para referirnos a una frecuencia relativa o a una frecuencia porcentual. Los dos tipos de frecuencias se calculan de la siguiente manera.

$$\text{frecuencia relativa} = \frac{\text{frecuencia de clase}}{\text{suma de todas las frecuencias}}$$

$$\text{frecuencia porcentual} = \frac{\text{frecuencia de clase}}{\text{suma de todas las frecuencias}} \times 100\%$$

En la tabla 2-3 las frecuencias reales de la tabla 2-2 se reemplazan con las frecuencias relativas correspondientes, expresadas como porcentajes. Debido a que 12 de los 40 datos caen en la primera clase, esta tiene una frecuencia relativa de 12/40 = 0.3 o 30%. La segunda clase tiene una frecuencia relativa de 14/40 = 0.35 o 35%, y así sucesivamente. Si se construye de manera correcta, la suma de las frecuencias relativas debería totalizar 1 (o 100%), con algunas pequeñas discrepancias debidas al error por redondeo. (Una suma de 99% o 101% es aceptable).

La suma de las frecuencias relativas en una distribución de frecuencias relativas debe acercarse a 1 (o 100%).

Tabla 2-3 Distribución de las frecuencias relativas de los pulsos de mujeres

Pulso	Frecuencia relativa
60-69	30%
70-79	35%
80-89	27.5%
90-99	2.5%
100-109	2.5%
110-119	0
120-129	2.5%

Distribución de frecuencias acumuladas

La **frecuencia acumulada** de una clase es la suma de las frecuencias para esa clase y todas las clases anteriores. La tabla 2-4 presenta la *distribución de frecuencias acumuladas* basada en la distribución de frecuencias de la tabla 2-2. Utilizando las frecuencias originales de 12, 14, 11, 1, 1, 0 y 1, sumamos 12 + 14 para obtener la segunda frecuencia acumulada de 26; luego,

Tabla 2-4 Distribución de las frecuencias acumuladas de los pulsos de mujeres

Pulso	Frecuencia acumulada
Menor que 70	12
Menor que 80	26
Menor que 90	37
Menor que 100	38
Menor que 110	39
Menor que 120	39
Menor que 130	40

sumamos 12 + 14 + 11 para obtener la tercera, y así sucesivamente. En la tabla 2-4 se observa que, además del uso de las frecuencias acumuladas, los límites de clase se reemplazan con expresiones como "menor que", las cuales describen el nuevo intervalo de valores.

Pensamiento crítico: Interpretación de las distribuciones de frecuencias

En la estadística nos interesa conocer la distribución de los datos y, en particular, si tienen una *distribución normal.* (En el capítulo 6 analizaremos las distribuciones normales con profundidad). A menudo la distribución de frecuencias es una de las primeras herramientas que utilizamos para analizar datos, y por lo regular revela algunas de sus características importantes. Aquí utilizamos la distribución de frecuencias para determinar si los datos tienen una distribución aproximadamente normal. Las distribuciones aproximadamente normales se caracterizan por tener una distribución de frecuencias con los siguientes atributos:

Distribución normal

1. Al inicio las frecuencias son bajas, después se incrementan hasta un punto máximo y luego disminuyen.
2. La distribución es aproximadamente simétrica, y las frecuencias tienden a distribuirse de manera uniforme a ambos lados de la frecuencia máxima, como si se tratara de una imagen observada en un espejo.

EJEMPLO 2

Distribución normal Se seleccionaron al azar puntuaciones del CI de 1000 adultos. Los resultados se resumen en la distribución de frecuencias de la tabla 2-5. Al inicio las frecuencias son bajas, después se incrementan hasta alcanzar una frecuencia máxima de 490 y luego disminuyen. Además, las frecuencias se distribuyen de manera aproximadamente simétrica alrededor de la frecuencia máxima de 490. Al parecer, se trata de una distribución aproximadamente normal.

Tabla 2-5 Puntuaciones del CI de 1000 adultos

Distribución normal: **Al inicio las frecuencias son bajas, después se incrementan hasta alcanzar una frecuencia máxima y luego disminuyen. Además, las frecuencias se distribuyen de manera aproximadamente simétrica alrededor de la frecuencia máxima.**

Puntuación del CI	Frecuencia	Distribución normal:
50-69	24	← Al inicio las frecuencias son bajas, . . .
70-89	228	
90-109	490	← aumentan hasta un punto máximo, . . .
110-129	232	
130-149	26	← disminuyen nuevamente.

La tabla 2-5 presenta datos con una distribución normal. Los siguientes ejemplos ilustran la manera en que las distribuciones de frecuencias se pueden utilizar para describir, explorar y comparar conjuntos de datos.

EJEMPLO 3

Descripción de datos: ¿Cómo se midió el pulso? La distribución de frecuencias de la tabla 2-6 presenta los *últimos dígitos* de los pulsos de mujeres incluidos en la tabla 2-1 de la página 47. Si el pulso se mide contando el número de latidos cardiacos por minuto, esperamos que los últimos dígitos tengan frecuencias muy similares. Sin embargo, observe que la distribución de frecuencias indica que to-

Gráficas de crecimiento actualizadas

Los pediatras acostumbran utilizar gráficas de crecimiento estandarizadas para comparar el peso y la estatura de sus pacientes con una muestra de otros niños. Se considera que los niños están en un intervalo normal si su peso y estatura caen entre los percentiles 5 y 95. Si están fuera de este intervalo, generalmente se les aplican pruebas para asegurarse de que no tengan problemas médicos graves. Los pediatras ahora son más conscientes de un inconveniente importante de las gráficas: como estas se basan en niños que vivieron entre 1929 y 1975, las gráficas de crecimiento estaban resultando inexactas. Para rectificar este problema, en el año 2000 se actualizaron las gráficas para que reflejaran las medidas actuales de millones de niños. Los pesos y las estaturas de los niños son buenos ejemplos de poblaciones que cambian con el paso del tiempo. Esta es la razón para incluir las características que cambian en los datos con el paso del tiempo, como un aspecto importante de una población.

dos los últimos dígitos son números *pares*; ¡*no* hay números impares! Esto sugiere que las pulsaciones no se contaron durante un minuto. Al examinar más los pulsos originales, observamos que cada valor *original* es un múltiplo de cuatro, lo cual sugiere que el número de latidos por minuto se contó durante 15 segundos y que dicho conteo después se multiplicó por 4. Es fascinante e interesante deducir algo acerca del método de medición con la simple descripción de algunas características de los datos.

Tabla 2-6 Últimos dígitos de los pulsos de mujeres

Último dígito	Frecuencia
0	9
1	0
2	8
3	0
4	6
5	0
6	7
7	0
8	10
9	0

Tabla 2-7 Monedas de un centavo elegidas al azar

Pesos de monedas de un centavo (gramos)	Frecuencia
2.40-2.49	18
2.50-2.59	19
2.60-2.69	0
2.70-2.79	0
2.80-2.89	0
2.90-2.99	2
3.00-3.09	25
3.10-3.19	8

Tabla 2-8 Pulsos de hombres y mujeres

Pulso	Mujeres	Hombres
50-59	0%	15%
60-69	30%	42.5%
70-79	35%	20%
80-89	27.5%	20%
90-99	2.5%	2.5%
100-109	2.5%	0%
110-119	0%	0%
120-129	2.5%	0%

EJEMPLO 4

Exploración de datos: ¿Qué nos indica una brecha? La tabla 2-7 es una distribución de frecuencias de los pesos (en gramos) de monedas de un centavo elegidas al azar. Un examen de las frecuencias revela una gran *brecha* entre las monedas de un centavo más ligeras y las más pesadas. Esto sugiere que tenemos dos poblaciones diferentes. En una investigación posterior, se descubrió que las monedas de un centavo acuñadas antes de 1983 tenían un 97% de cobre y un 3% de zinc; mientras que las monedas de un centavo acuñadas después de 1983 tienen un 3% de cobre y un 97% de zinc, lo cual explicaría la gran brecha entre las monedas de un centavo más ligeras y las más pesadas.

Brechas El ejemplo 4 ilustra el siguiente principio: *la presencia de brechas puede indicar que los datos provienen de dos o más poblaciones diferentes.* Sin embargo, lo contrario no es verdadero, ya que los datos que provienen de diferentes poblaciones no necesariamente reflejan brechas como la del ejemplo.

EJEMPLO 5

Comparación de los pulsos de hombres y mujeres La tabla 2-1 de la página 47 incluye los pulsos de muestras aleatorias simples de 40 mujeres y 40 hombres. La tabla 2-8 presenta las distribuciones de frecuencias relativas de tales pulsos. Al comparar estas frecuencias relativas, parece que los pulsos de los hombres tienden a ser más bajos que los de las mujeres. Por ejemplo, la mayoría de los hombres (57.5%) tienen pulsos por debajo de 70, muy por encima del 30% de las mujeres que registran pulsos similares.

Hasta ahora hemos analizado las distribuciones de frecuencias utilizando únicamente conjuntos de datos cuantitativos, aunque las distribuciones de frecuencias también se pueden utilizar para resumir datos cualitativos, como se ilustra en el ejemplo 6.

Tabla 2-9 Universidades de nivel licenciatura

Universidad	Frecuencia relativa
Pública de 2 años	36.8%
Pública de 4 años	40.0%
Privada de 2 años	1.6%
Privada de 4 años	21.9%

EJEMPLO 6

Matrícula de licenciatura La tabla 2-9 incluye la distribución de la matrícula de universidades de nivel licenciatura en cuatro categorías (según datos del U.S. National Center for Education Statistics). La suma de las frecuencias relativas es 100.3%, que difiere ligeramente del 100% debido a errores por redondeo.

EJEMPLO 7

Escolaridad y tabaquismo: ¿Distribución de frecuencias? Los informes de los medios de comunicación masiva suelen utilizar un formato similar al de la tabla 2-10, pero *no* se trata de una distribución de frecuencias relativas. (La tabla 2-10 se basa en datos de los Centers for Disease Control and Prevention). La definición que dimos antes de una distribución de frecuencias requiere que la tabla muestre cómo se distribuye un conjunto de datos a lo largo de varias categorías; sin embargo, la tabla 2-10 no indica cómo se distribuye la población de fumadores entre las diferentes categorías de escolaridad. Más bien, la tabla 2-10 presenta el porcentaje de fumadores en cada una de las categorías. Asimismo, la suma de las frecuencias de la tabla es de 157%, que difiere evidentemente del 100%, incluso tomando en cuenta cualquier error por redondeo. La tabla 2-10 es valiosa porque comunica información importante, pero no se trata de una distribución de frecuencias.

Tabla 2-10 Escolaridad y tabaquismo

Escolaridad	Porcentaje de fumadores
0–12 (sin certificado)	26%
Con certificado de secundaria	43%
Graduado de preparatoria	25%
Algunos semestres en la universidad	23%
Título universitario de 2 años	21%
Título universitario de 4 años	12%
Título de posgrado	7%

Tabla para el ejercicio 3

Material descargado	Porcentaje
Música	32%
Juegos	25%
Software	14%
Películas	10%

Tabla para el ejercicio 4

Estatura (pulgadas)	Frecuencia
35–39	6
40–44	31
45–49	67
50–54	21
55–59	0
60–64	0
65–69	6
70–74	10

2-2 Destrezas y conceptos básicos

Conocimientos estadísticos y pensamiento crítico

1. Distribución de frecuencias La tabla 2-7 de la página 51 es una distribución de frecuencias que resume los pesos de 72 monedas diferentes de un centavo. ¿Sería posible identificar la lista original de los 72 pesos individuales a partir de la tabla 2-7? ¿Por qué?

2. Distribución de frecuencias relativas Después de construir una distribución de frecuencias relativas que resuma las puntuaciones del CI de estudiantes universitarios, ¿cuál debería ser la suma de las frecuencias relativas?

3. Descarga no autorizada Una encuesta de Harris Interactive incluyó 1644 personas de entre 8 y 18 años de edad. En la tabla que aparece al margen se resumen los resultados. ¿Esta tabla describe una distribución de frecuencias relativas? ¿Por qué?

4. Análisis de una distribución de frecuencias La distribución de frecuencias que aparece al margen resume las estaturas de una muestra de alumnos de la primaria Vassar Road. ¿Qué podría concluir sobre los individuos incluidos en la muestra?

En los ejercicios 5 a 8, identifique la* anchura de clase, *las* marcas de clase *y las* fronteras de clase *para las distribuciones de frecuencias indicadas. Las distribuciones de frecuencias se basan en datos del apéndice B.

5.

Alquitrán (mg) en cigarrillos sin filtro	Frecuencia
10–13	1
14–17	0
18–21	15
22–25	7
26–29	2

6.

Alquitrán (mg) en cigarrillos con filtro	Frecuencia
2–5	2
6–9	2
10–13	6
14–17	15

7.

Pesos (libras) de metal de desecho	Frecuencia
0.00–0.99	5
1.00–1.99	26
2.00–2.99	15
3.00–3.99	12
4.00–4.99	4

8.

Pesos (libras) de plástico de desecho	Frecuencia
0.00–0.99	14
1.00–1.99	20
2.00–2.99	21
3.00–3.99	4
4.00–4.99	2
5.00–5.99	1

Pensamiento crítico. En los ejercicios 9 a 12, responda las preguntas referentes a los ejercicios 5 a 8.

9. Identificación de la distribución Si hacemos una interpretación estricta de los criterios relevantes descritos en la página 50, ¿parece que la distribución de frecuencias del ejercicio 5 tiene una distribución normal? Si los criterios se interpretaran con poco rigor, ¿parecería que la distribución es normal?

10. Identificación de la distribución Si hacemos una interpretación estricta de los criterios relevantes descritos en la página 50, ¿parece que la distribución de frecuencias del ejercicio 6 tiene una distribución normal? Si los criterios se interpretaran con poco rigor, ¿parecería que la distribución es normal?

11. Comparación de frecuencias relativas Construya una tabla (similar a la tabla 2-8 de la página 51) que incluya frecuencias relativas basadas en las distribuciones de frecuencias de los ejercicios 5 y 6; luego, compare las cantidades de alquitrán en cigarrillos con filtro y sin filtro. ¿Parecería que los filtros de los cigarrillos son eficaces?

12. Comparación de frecuencias relativas Construya una tabla (similar a la tabla 2-8 de la página 51) que incluya frecuencias relativas basadas en las distribuciones de frecuencias de los ejercicios 7 y 8; luego, compare los pesos de metal y de plástico de desecho. ¿Parecería que los pesos son similares o sumamente diferentes?

En los ejercicios 13 y 14, construya la* distribución de frecuencias acumuladas *que corresponda a la distribución de frecuencias del ejercicio indicado.

13. Ejercicio 5

14. Ejercicio 6

En los ejercicios 15 y 16, utilice los datos cualitativos que se presentan y construya la distribución de frecuencias relativas.

15. Sobrevivientes del Titanic De los 2223 pasajeros del *Titanic,* 361 hombres sobrevivieron, 1395 hombres murieron, 345 mujeres sobrevivieron y 122 mujeres murieron.

16. Tratamientos contra el tabaquismo En un estudio, los investigadores trataron a 570 personas fumadoras con goma de mascar de nicotina o parches de nicotina. De los que fueron tratados con goma de mascar de nicotina, 191 continuaron fumando y 59 dejaron de fumar. De los que fueron tratados con parches de nicotina, 263 continuaron fumando y 57 dejaron de fumar (con base en datos del Center for Disease Control and Prevention).

17. Análisis de los últimos dígitos Se obtuvieron las estaturas de estudiantes de estadística como parte de un experimento para la clase. A continuación se presenta una lista de los últimos dígitos de tales estaturas. Construya una distribución de frecuencias con 10 clases. Con base en la distribución, ¿parece que las estaturas se reportaron o que se midieron realmente? ¿Qué sabe usted acerca de la exactitud de los resultados?

0 0 0 0 0 0 0 0 0 1 1 2 3 3 3 4 5 5 5 5 5 5 5 5 5 5 5 5 5 5 5 5 6 6 8 8 8 9

18. Radiación en dientes de leche A continuación se presenta una lista con las cantidades de estroncio-90 (en milibecquereles) que hay en una muestra aleatoria simple de dientes de leche; la muestra se obtuvo de los residentes de Pensilvania nacidos después de 1979 (con base en datos de "An Unexpected Rise in Strontium-90 in U.S. Deciduous Teeth in the 1990s", de Mangano *et al.*, *Science of the Total Environment*). Construya una distribución de frecuencias con ocho clases. Inicie con un límite inferior de clase de 110 y utilice una anchura de clase de 10. Existe una razón por la que este tipo de datos son importantes.

155 142 149 130 151 163 151 142 156 133 138 161 128 144 172 137 151 166 147 163

145 116 136 158 114 165 169 145 150 150 150 158 151 145 152 140 170 129 188 156

19. Nicotina en cigarrillos sin filtro Remítase al conjunto de datos 4 del apéndice B y utilice las 25 cantidades de nicotina (en mg) de los cigarrillos sin filtro tamaño grande. Construya una distribución de frecuencias, iniciando con un límite inferior de clase de 1.0 mg, y utilice una anchura de clase de 0.20 mg.

20. Nicotina en cigarrillos con filtro Remítase al conjunto de datos 4 del apéndice B y utilice las 25 cantidades de nicotina (en mg) de los cigarrillos con filtro y no mentolados. Construya una distribución de frecuencias, iniciando con un límite inferior de clase de 0.2 mg y utilice una anchura de clase de 0.20 mg. Compare la distribución de frecuencias con el resultado del ejercicio 19.

21. Medidas del voltaje de una casa Remítase al conjunto de datos 13 del apéndice B y utilice las 40 medidas del voltaje de una casa. Construya una distribución de frecuencias con cinco clases, iniciando con un límite inferior de clase de 123.3 volts y utilice una anchura de clase de 0.20 volts. ¿El resultado aparenta tener una distribución normal? ¿Por qué?

22. Medidas del voltaje de un generador Remítase al conjunto de datos 13 del apéndice B y utilice las 40 medidas de voltaje del generador. Construya una distribución de frecuencias con siete clases, iniciando con un límite inferior de clase de 123.9 volts, y utilice una anchura de clase de 0.20 volts. Si se utiliza una interpretación poco rigurosa de los criterios relevantes, ¿parecería que los resultados tienen una distribución normal? Compare la distribución de frecuencias con el resultado del ejercicio 21.

23. ¿Cuánto mide un tornillo de 3/4 de pulgada? Remítase al conjunto de datos 19 del apéndice B y utilice las 50 longitudes de tornillos para construir una distribución de frecuencias. Inicie con un límite inferior de clase de 0.720 pulgadas, y utilice una anchura de clase de 0.010 pulgadas. Según el fabricante, los tornillos tienen una longitud de 3/4 de pulgada. ¿La distribución de frecuencias parece congruente con esa suposición? ¿Por qué?

24. Pesos de papel desechado Como parte del proyecto Garbage de la Universidad de Arizona, se analizó la basura desechada de 62 hogares. Remítase a los 62 pesos del papel desechado en el conjunto de datos 22 del apéndice B y construya una distribución de frecuencias. Inicie con un límite inferior de clase de 1.00 libras y utilice una anchura de clase de 4.00 libras. ¿Parece que los pesos del papel desechado tienen una distribución normal? Compare los pesos del papel desechado con los pesos del metal desechado, consultando la distribución de frecuencias del ejercicio 7.

25. Puntuaciones que otorga FICO Remítase al conjunto de datos 24 del apéndice B, donde encontrará las calificaciones de crédito que asigna la empresa FICO. Construya una distribución de frecuencias iniciando con un límite inferior de clase de 400, y utilice una anchura de clase de 50. ¿El resultado parece tener una distribución normal? ¿Por qué?

26. Coca-Cola regular y Coca-Cola dietética Remítase al conjunto de datos 17 del apéndice B y construya una distribución de frecuencias relativas con los pesos de la Coca-Cola regular. Establezca el límite inferior de clase en 0.7900 lb; utilice una anchura de clase de 0.0050 lb. Después, construya otra distribución de frecuencias relativas con los pesos de la Coca-Cola dietética, estableciendo el límite inferior de clase en 0.7750 lb, con una anchura de clase de 0.0050 lb. Luego, compare los resultados y determine si hay una diferencia significativa. Si es así, dé una posible explicación.

27. Pesos de monedas de 25 centavos Remítase al conjunto de datos 20 del apéndice B y utilice los pesos (en gramos) de las monedas de 25 centavos acuñadas antes de 1964. Construya una distribución de frecuencias iniciando con un límite inferior de clase de 6.0000 g, y utilice una anchura de clase de 0.0500 g.

28. Pesos de monedas de 25 centavos Remítase al conjunto de datos 20 del apéndice B y utilice los pesos (en gramos) de las monedas de 25 centavos acuñadas después de 1964. Construya una distribución de frecuencias, iniciando con un límite inferior de clase de 5.5000 g, y utilice una anchura de clase de 0.0500 g. Compare la distribución de frecuencias con el resultado del ejercicio 27.

29. Grupos sanguíneos A continuación se presenta una lista de los grupos sanguíneos O, A, B y AB de donadores de sangre elegidos al azar (con base en datos del Greater New York Blood Program). Construya una tabla donde resuma la distribución de frecuencias de esos grupos sanguíneos.

O A B O O O O O AB O O O O B O B O A A A O A A B AB

A B A A A A O A O O A A O O A O O O O A A A A A AB

30. Descarrilamiento de trenes Un análisis de 50 incidentes de descarrilamiento de trenes identificó las principales causas, las cuales se presentan a continuación; en la lista, T denota problemas en las vías, E fallas en el equipo, H un error humano y O significa otras causas (de acuerdo con datos de la Federal Railroad Administration). Construya una tabla donde resuma la distribución de frecuencias de esas causas de descarrilamiento de trenes.

T T T E E H H H H H O O H H H E E T T T E T H O T

T T T T T T H T T H E E T T E E T T T H T T O O O

2-2 Más allá de lo básico

31. Interpretación de los efectos de los valores atípicos Remítase al conjunto de datos 21 del apéndice B y utilice las cargas axiales de las latas de aluminio con un grosor de 0.0111 pulgadas. La carga de 504 lb es un *valor atípico* porque está muy alejado de los otros valores. Construya una distribución de frecuencias que incluya el valor de 504 lb, y luego construya otra distribución de frecuencias sin incluirlo. En ambos casos, inicie la primera clase en 200 lb, con una anchura de clase de 20 lb. Interprete los resultados haciendo una generalización sobre el efecto que tendría un valor atípico en una distribución de frecuencias.

32. Número de clases Para la construcción de una distribución de frecuencias, los lineamientos de Sturges sugieren que el número ideal de clases puede aproximarse usando $1 + (\log n)/(\log 2)$, donde n es el número de valores de datos. Utilice este lineamiento para completar la tabla que aparece al margen.

Tabla para el ejercicio 32

Número de valores de los datos	Número ideal de clases
16–22	5
23–45	6
?	7
?	8
?	9
?	10
?	11
?	12

2-3 Histogramas

Concepto clave En la sección 2-2 se presentó la distribución de frecuencias como una herramienta para determinar y resumir la distribución de un conjunto grande de datos. En esta sección se analiza una herramienta visual llamada *histograma*, así como su importancia para representar y analizar datos. Puesto que muchos programas estadísticos de cómputo y calculadoras generan histogramas de forma automática, no es tan importante dominar los procedimientos mecánicos para construirlos. En cambio, debemos enfocarnos en comprender la información que nos brindan los histogramas. Esto es, un histograma nos permite analizar la forma de la distribución de los datos.

DEFINICIÓN

Un **histograma** es una gráfica con barras de la misma anchura, dibujadas una junto a la otra (sin espacios entre sí). La escala horizontal representa clases de valores de datos cuantitativos, en tanto que la escala vertical representa frecuencias. Las alturas de las barras corresponden a los valores de frecuencia.

Un histograma es, básicamente, la versión gráfica de una distribución de frecuencias. Por ejemplo, la figura 2-3 de la página 56 presenta el histograma correspondiente a la distribución de frecuencias de la tabla 2-2 de la página 47.

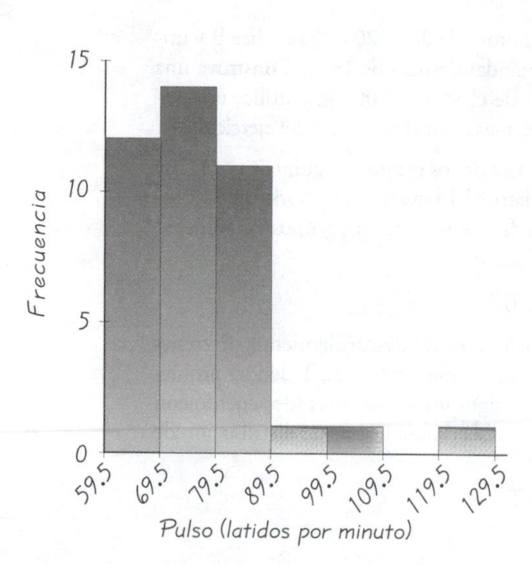

Figura 2-3 Histograma

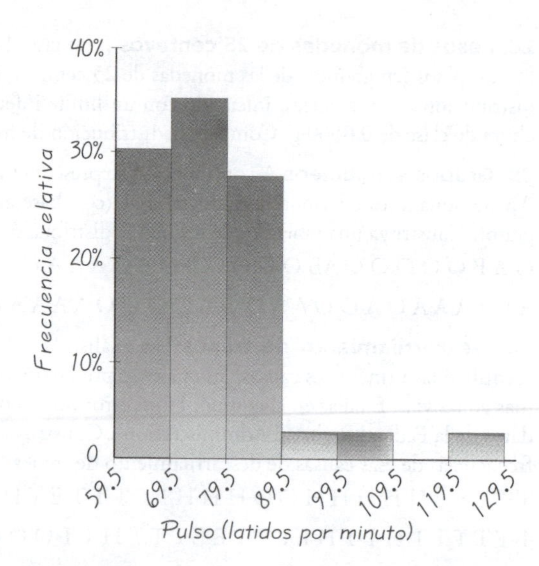

Figura 2-4 Histograma de la frecuencia relativa

Datos faltantes

Es común que las muestras carezcan de algunos datos. Los datos faltantes caen en dos categorías generales: **1.** valores faltantes que resultan de causas aleatorias no relacionadas con los valores de los datos, y **2.** valores faltantes que resultan de causas que no son aleatorias. Las causas aleatorias incluyen factores como la anotación incorrecta de valores muestrales o la pérdida de resultados de encuesta. Este tipo de valores faltantes a menudo puede despreciarse, ya que no ocultan de manera sistemática algunas características que podrían afectar los resultados de manera significativa. Es difícil enfrentarse a valores faltantes que no se deben al azar. Por ejemplo, los resultados del análisis del ingreso podrían verse seriamente afectados, si la gente con ingresos muy altos se niega a revelar esos datos por temor a las auditorías fiscales. Tales ingresos muy altos faltantes no deben descartarse; más bien, se debería realizar otra investigación para identificarlos.

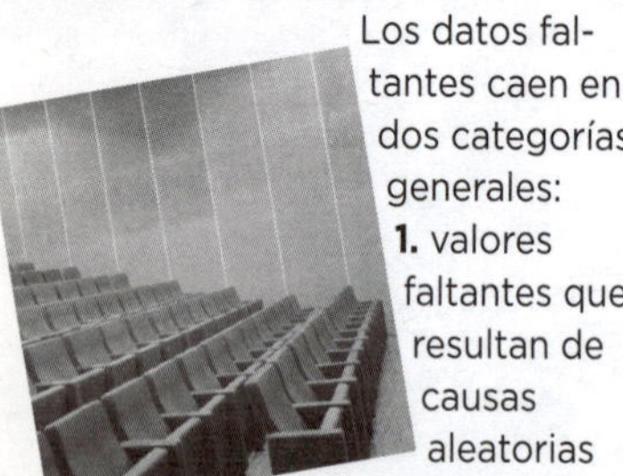

Las barras en la escala horizontal se denotan con uno de los siguientes rótulos: **1.** fronteras de clase (como se muestra en la figura 2-3); **2.** marcas de clase; o **3.** límites inferiores de clase. Las primeras dos opciones son técnicamente correctas, mientras que la tercera opción introduce un pequeño error. Se debe etiquetar ambos ejes con claridad.

Escala horizontal del histograma: Usar fronteras de clase o marcas de clase.

Escala vertical del histograma: Usar las frecuencias de clase.

Histograma de frecuencias relativas

Un **histograma de frecuencias relativas** tiene la misma forma y escala horizontal que un histograma, pero la escala vertical indica las frecuencias relativas (como porcentajes o proporciones) y no las frecuencias reales, como se observa en la figura 2-4.

Pensamiento crítico: Interpretación de histogramas

Recuerde que el objetivo no es la simple construcción de un histograma, sino *entender* algo acerca de los datos. Analice el histograma para ver qué es posible aprender acerca de CVDVT: el centro de los datos, la variación (que se estudiará con detalle en la sección 3-3), la forma de la distribución y la existencia o ausencia de valores atípicos (valores que se encuentran muy alejados de los demás). Al examinar la figura 2-3, vemos que el histograma se centra alrededor del 80, que los valores varían aproximadamente desde 60 hasta 130, y que la forma de la distribución está más cargada hacia la izquierda. Al parecer, la barra de la extrema derecha representa un pulso dudoso de 125 latidos por minuto, que es excepcionalmente elevado.

Distribución normal Cuando se grafica, una distribución normal tiene la forma de "campana". Las características de la curva en forma de campana son: **1.** el aumento de las frecuencias, las cuales alcanzan un punto máximo y luego disminuyen; y **2.** la simetría, donde la mitad izquierda de la gráfica es casi una imagen especular de la mitad derecha. El histograma generado con STATDISK que se presenta en la siguiente página corresponde a la distribución de frecuencias de la tabla 2-5 de la página 50, que se obtuvo a partir de una muestra aleatoria simple de 1000 puntuaciones del CI de adultos estadounidenses. Muchos procedimientos estadísticos requieren que los datos muestrales provengan de una población con una distribución aproximadamente normal, y a menudo podemos usar un histograma para determinar si se satisface tal requisito.

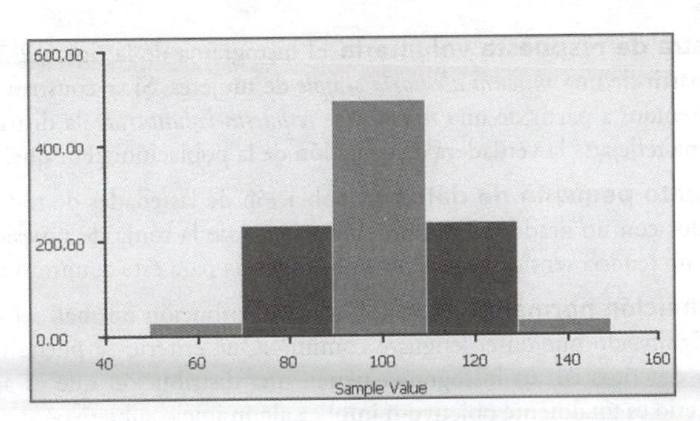

Como esta gráfica tiene forma de campana, decimos que los datos tienen una *distribución normal*.

USO DE LA TECNOLOGÍA

Los poderosos paquetes estadísticos de cómputo son muy eficaces para generar gráficas, incluyendo histogramas. En este libro a menudo hacemos referencia a STATDISK, Minitab, Excel y la calculadora TI-83/84 Plus, que son tecnologías que sirven para generar histogramas. Las instrucciones detalladas varían desde lo extremadamente sencillo a lo muy complejo, por lo que a continuación haremos algunos comentarios pertinentes. Para los procedimientos detallados, consulte los manuales que complementan este libro.

STATDISK Introduzca los datos en la ventana de datos de STATDISK, haga clic en **Data**, después en **Histogram** y luego en el botón **Plot**. (Si usted prefiere determinar su propia anchura de clase y punto de partida, haga clic en el botón "User defined" antes de seleccionar Plot).

MINITAB 15 **Minitab 15 o anterior:** Introduzca los datos en una columna, después haga clic en **Graph** y luego en **Histogram**. Seleccione el histograma "Simple". Introduzca la columna en la ventana "Graph variables" y seleccione **OK**. Minitab determina la anchura de clase y el punto de inicio, y no permite utilizar una anchura de clase ni un punto de inicio diferentes.

MINITAB 16 Haga clic en **Assistant** y seleccione **Graphical Assistant**. Elija **Histogram**, seleccione la columna que va a utilizar y luego haga clic en **OK**.

TI-83/84 PLUS Introduzca una lista de datos en L1 o utilice una lista de valores asignados a una etiqueta. Seleccione la función **STAT PLOT** presionando 2ND Y= . Presione ENTER y utilice las teclas de las flechas para poner Plot1 en la posición de encendido y también elija la gráfica con barras. Debe aparecer una pantalla como la que se muestra a continuación.

```
Plot1 Plot2 Plot3
On Off
Type:
Xlist:L1
Freq:1
```

Si desea que la calculadora determine la anchura de clase y el punto de inicio, presione ZOOM 9 para obtener un histograma con los valores predeterminados. (Si desea utilizar su propia anchura de clase y fronteras de clase, presione WINDOW e introduzca los valores máximo y mínimo. El valor Xscl corresponderá a la anchura de clase. Presione GRAPH para obtener la gráfica).

EXCEL Este programa genera histogramas como el que se presenta aquí, pero es *extremadamente* difícil. Para generarlos con facilidad utilice el complemento DDXL que viene incluido en el sitio Web de este libro. Después de instalar DDXL dentro de Excel, haga clic en **Add-Ins** si está utilizando Excel 2010 o 2007. Haga clic en **DDXL**, seleccione **Charts and Plots** y haga clic en "function type" de **Histogram**. Haga clic en el icono del lápiz e introduzca el intervalo de celdas que contienen los datos, como A1:A500 para 500 valores en los renglones 1 a 500 de la columna A.

EXCEL

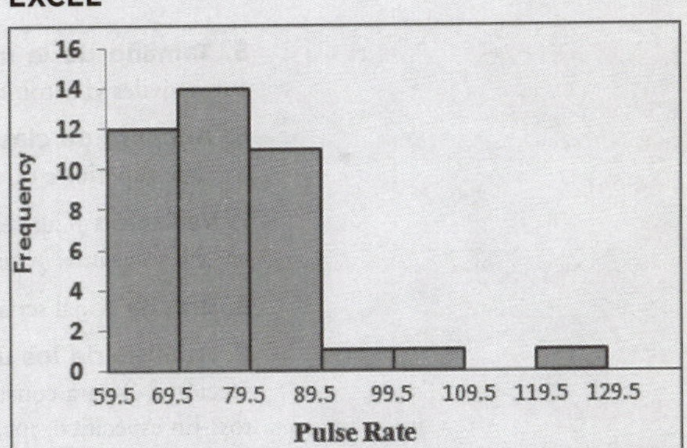

2-3 Destrezas y conceptos básicos

Conocimientos estadísticos y pensamiento crítico

1. Histograma La tabla 2-2 es una distribución de frecuencias que resume el pulso de mujeres de la tabla 2-1, mientras que la figura 2-3 es un histograma que describe el mismo conjunto de datos. Al tratar de entender mejor los datos de los pulsos, ¿cuál sería la ventaja de examinar el histograma en lugar de la distribución de frecuencias?

2. Muestra de respuesta voluntaria El histograma de la figura 2-3 de la página 56 se construyó a partir de una *muestra aleatoria simple* de mujeres. Si se construyera un histograma con los datos obtenidos a partir de una *muestra de respuesta voluntaria,* ¿la distribución representada en el histograma reflejaría la verdadera distribución de la población? ¿Por qué?

3. Conjunto pequeño de datos La población de las edades de todos los presidentes de Estados Unidos con un grado militar, en el momento de la toma de posesión, es 62, 46, 68, 64, 57. ¿Por qué no tendría sentido construir un histograma para este conjunto de datos?

4. Distribución normal Al referirnos a una distribución normal, ¿el término "normal" tiene el mismo significado que en el lenguaje común? ¿Qué criterio se puede utilizar para determinar si los datos descritos en un histograma tienen una distribución que es aproximadamente normal? ¿Este criterio es totalmente objetivo o implica algún juicio subjetivo?

En los ejercicios 5 a 8, responda las preguntas con respecto al siguiente histograma que se generó con STATDISK, el cual representa el número de millas recorridas por automóviles en la ciudad de Nueva York.

STATDISK

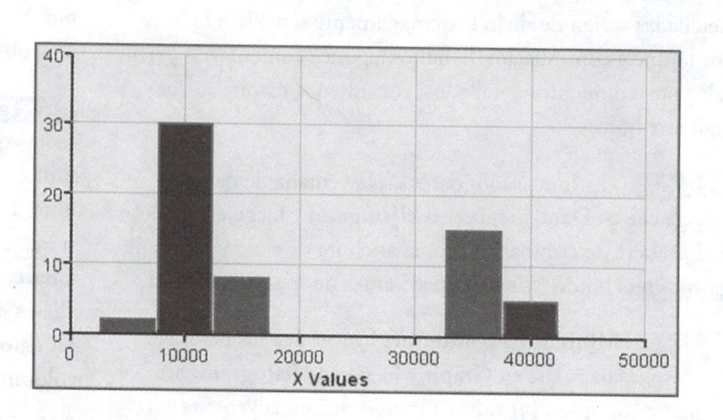

5. Tamaño de la muestra ¿Cuántos automóviles están incluidos en el histograma? ¿Cuántos automóviles viajaron más de 20,000 millas?

6. Anchura de clase y límites de clase ¿Cuál es la anchura de clase? ¿Cuáles son los límites de clase superior e inferior aproximados de la primera clase?

7. Variación ¿Cuál es el número mínimo posible de millas recorridas por un automóvil incluido en el histograma? ¿Cuál es el número máximo posible de millas recorridas?

8. Brecha ¿Cuál sería una explicación razonable para la gran brecha que hay en el histograma?

9. Análisis de los últimos dígitos Utilice la distribución de frecuencias del ejercicio 17 en la sección 2-2 para construir un histograma. ¿Qué se concluye a partir de la distribución de los dígitos? En específico, ¿parece que las estaturas se reportaron o que realmente se midieron?

10. Radiación en dientes de leche Utilice la distribución de frecuencias del ejercicio 18 en la sección 2-2 para construir un histograma.

11. Nicotina en cigarrillos sin filtro Utilice la distribución de frecuencias del ejercicio 19 en la sección 2-2 para construir un histograma.

12. Nicotina en cigarrillos con filtro Utilice la distribución de frecuencias del ejercicio 20 en la sección 2-2 para construir un histograma. Compare este histograma con el del ejercicio 11.

13. Medidas del voltaje de una casa Utilice la distribución de frecuencias del ejercicio 21 en la sección 2-2 para construir un histograma. ¿Le parece que el resultado es una distribución normal? ¿Por qué?

14. Medidas del voltaje de un generador Utilice la distribución de frecuencias del ejercicio 22 en la sección 2-2 para construir un histograma. Si se utiliza una interpretación muy poco estricta de los criterios relevantes, ¿parece que el resultado es una distribución normal? Compare este histograma con el del ejercicio 13.

15. ¿Cuánto mide un tornillo de 3/4 de pulgada? Utilice la distribución de frecuencias del ejercicio 23 en la sección 2-2 para construir un histograma. ¿Qué sugiere el histograma sobre la longitud de 3/4 de pulgada, como se afirma en la etiqueta de los empaques que contienen los tornillos?

16. Pesos de papel desechado Utilice la distribución de frecuencias del ejercicio 24 en la sección 2-2 para construir un histograma. ¿Parece que los pesos del papel desechado tienen una distribución normal?

17. Puntuaciones que otorga FICO Utilice la distribución de frecuencias del ejercicio 25 en la sección 2-2 para construir un histograma. ¿Parece que el resultado es una distribución normal? ¿Por qué?

18. Coca-Cola regular y Coca-Cola dietética Con base en las distribuciones de frecuencias relativas del ejercicio 26 en la sección 2-2, construya un histograma para los pesos de Coca-Cola regular y otro histograma para los pesos de la Coca-Cola dietética. Compare los resultados y determine si parece haber una diferencia significativa.

19. Pesos de monedas de 25 centavos Utilice la distribución de frecuencias del ejercicio 27 en la sección 2-2 para construir un histograma.

20. Pesos de monedas de 25 centavos Utilice la distribución de frecuencias del ejercicio 28 en la sección 2-2 para construir un histograma. Compare este histograma con el del ejercicio 19.

2-3 Más allá de lo básico

21. Histogramas de frecuencias relativas contiguos Cuando se utilizan histogramas para comparar dos conjuntos de datos, en ocasiones es difícil efectuar comparaciones al cambiar la vista de un histograma a otro. Un *histograma de frecuencias relativas contiguo* emplea un formato que facilita las comparaciones. En vez de las frecuencias, deberíamos utilizar las frecuencias relativas (esto es, porcentajes o proporciones) para que las comparaciones no se vean distorsionadas por muestras de tamaños diferentes. Complete los histogramas de frecuencias relativas contiguos que se muestran a continuación, utilizando los datos de la tabla 2-8 de la página 51. Luego utilice los resultados para comparar los dos conjuntos de datos.

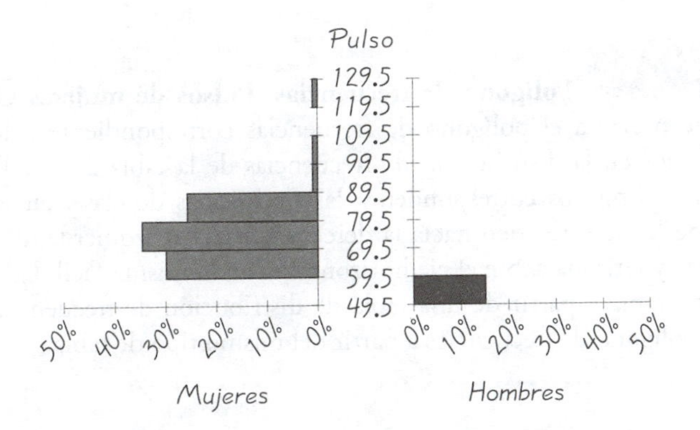

22. Interpretación de los efectos de los valores atípicos Remítase al conjunto de datos 21 del apéndice B sobre las cargas axiales de las latas de aluminio de 0.0111 pulgadas de grosor. La carga de 504 lb es un valor atípico porque se encuentra muy alejado de los demás valores. Construya un histograma que incluya el valor de 504 lb, y luego construya otro histograma sin este valor. En ambos casos, inicie la primera clase en 200 lb y utilice una anchura de clase de 20 lb. Plantee una generalización sobre el efecto que tendría un valor atípico en un histograma.

2-4 Gráficas estadísticas

Concepto clave En la sección 2-3 analizamos los histogramas, y en esta sección presentamos otros tipos de gráficas estadísticas. El principal objetivo es identificar una gráfica adecuada para representar un conjunto de datos que revele de manera clara algunas características importantes. Aunque la mayoría de las gráficas estadísticas que se presentan aquí son estándar, los especialistas en estadística están desarrollando nuevos tipos de gráficas para describir datos. Más adelante examinaremos una gráfica de este tipo.

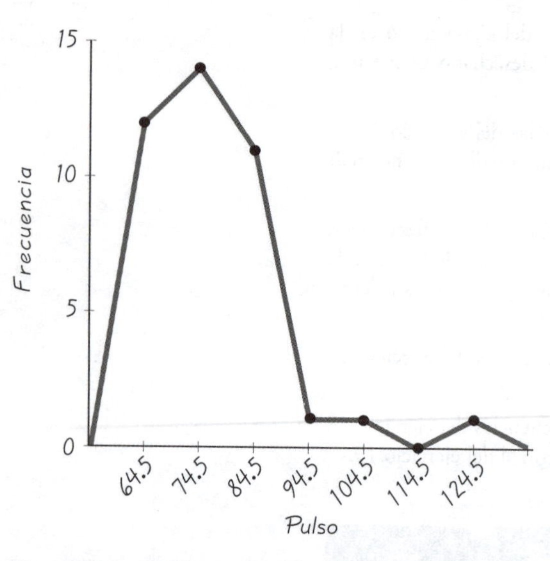

Figura 2-5 Polígono de frecuencias: Pulsos de mujeres

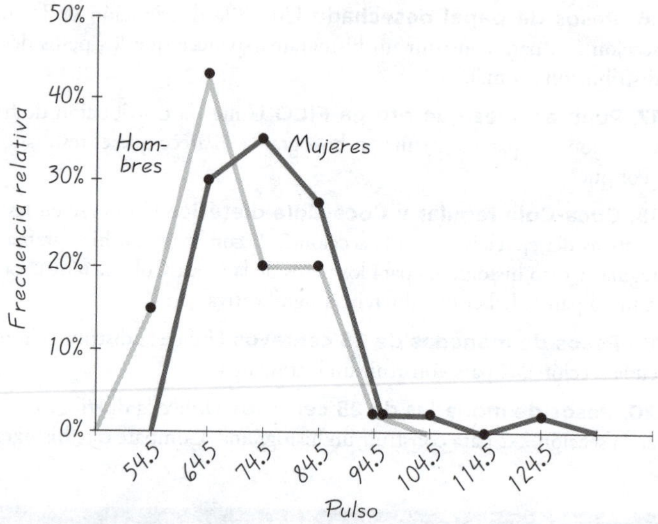

Figura 2-6 Polígonos de frecuencias relativas: Pulsos de mujeres y hombres

Polígono de frecuencias

Un tipo de gráfica estadística utiliza las marcas de clase. Un **polígono de frecuencias** utiliza segmentos lineales conectados a puntos que se localizan directamente por encima de los valores de las marcas de clase. El polígono de frecuencias se construye a partir de una distribución de frecuencias, tal como se observa en el ejemplo 1.

EJEMPLO 1

Polígono de frecuencias: Pulsos de mujeres Observe la figura 2-5, que presenta el polígono de frecuencias correspondiente a los pulsos de mujeres incluidos en la distribución de frecuencias de la tabla 2-2 de la página 47. Las alturas de los puntos corresponden a las frecuencias de clase; en tanto que los segmentos lineales se extienden hacia la derecha y hacia la izquierda, de manera que la gráfica inicia y termina sobre el eje horizontal. Con la misma facilidad que se construye un histograma a partir de una tabla de distribución de frecuencias, es posible construir un polígono de frecuencias a partir del mismo tipo de tabla.

Una variante del polígono de frecuencias básico es el **polígono de frecuencias relativas**, que utiliza frecuencias relativas (esto es, proporciones o porcentajes) en la escala vertical. Al tratar de comparar dos conjuntos de datos, a menudo es muy útil graficar dos polígonos de frecuencias relativas sobre los mismos ejes.

EJEMPLO 2

Polígono de frecuencias relativas: Pulsos Observe la figura 2-6, que ilustra polígonos de frecuencias relativas para los pulsos de mujeres y hombres, listados en la tabla 2-1 de la página 47. La figura 2-6 aclara visualmente que los pulsos de los hombres son más bajos que los pulsos de las mujeres (ya que la línea que representa a los hombres se ubica más hacia la izquierda que la línea que representa a las mujeres). La figura 2-6 logra algo que es realmente maravilloso: permite una comprensión de los datos que no sería posible mediante el examen visual de las listas de datos de la tabla 2-1. (Es como un buen maestro de poesía que revela el significado real de un poema).

Ojiva

Una *ojiva* es una gráfica estadística que representa frecuencias acumuladas, y sirve para determinar el número de valores que se ubican por debajo de algún valor específico, tal como se ilustra en el ejemplo 3. Una **ojiva** es una gráfica lineal que describe frecuencias *acumuladas* y utiliza fronteras de clase a lo largo de la escala horizontal, y frecuencias acumuladas a lo largo del eje vertical.

EJEMPLO 3 **Ojiva: Pulsos de mujeres** La figura 2-7 es la ojiva correspondiente a la tabla 2-4 de la página 49. En la figura se observa que 26 pulsos son menores que 79.5.

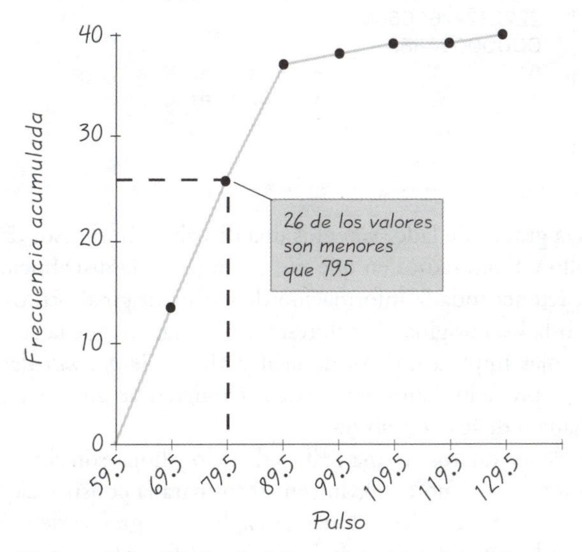

Figura 2-7 Ojiva

Gráficas de puntos

Una **gráfica de puntos** es aquella donde se marca cada valor de un dato como un punto a lo largo de una escala de valores. Los puntos que representan valores iguales se apilan.

EJEMPLO 4 **Gráfica de puntos: Pulsos de mujeres** Observe la gráfica de puntos generada con Minitab que presenta los pulsos de mujeres incluidos en la tabla 2-1 de la página 47. Los tres puntos apilados a la izquierda representan los pulsos de 60, 60 y 60. Los siguientes cuatro puntos se apilan arriba de 64, lo que indica que hay cuatro pulsos de 64 latidos por minuto. Esta gráfica de puntos revela la distribución de los pulsos y permite recrear la lista original de los datos, ya que cada valor representa un solo punto.

MINITAB

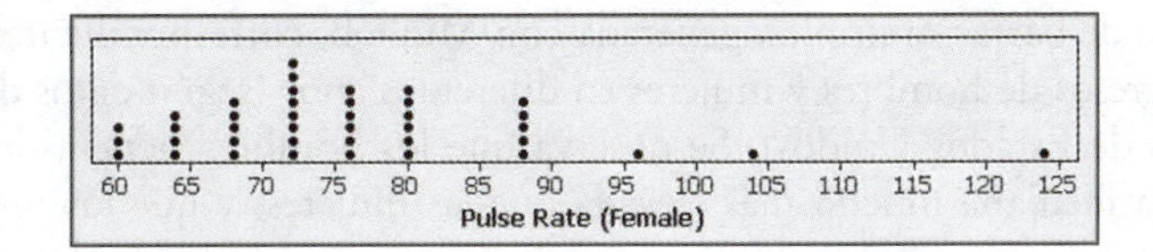

Gráficas de tallo y hojas

Una **gráfica de tallo y hojas** representa datos cuantitativos separando cada valor en dos partes: el tallo (el dígito ubicado en el extremo izquierdo) y la hoja (el dígito del extremo derecho).

El poder de una gráfica

Con ventas anuales cercanas a los $13,000 millones, y con alrededor de 50 millones de usuarios, el fármaco Lipitor de Pfizer se ha convertido en el medicamento de prescripción más redituable y más utilizado de la historia. Al inicio de su desarrollo, Lipitor se comparó con otros fármacos (Zocor, Mevacor, Lescol y Pravachol), en un proceso que implicó ensayos controlados. El resumen del informe incluyó una gráfica que mostraba una curva del Lipitor con un incremento más pronunciado que las curvas de los otros medicamentos, lo cual demostraba visualmente que Lipitor era más eficaz para reducir el colesterol que los otros fármacos. Pat Kelly, que en ese entonces era ejecutiva de marketing de nivel superior en Pfizer, declaró: "Nunca olvidaré cuando vi esa gráfica [...] En ese momento dije '¡Ah!, ahora sé de qué se trata'. ¡Podemos comunicar esto!". La Food and Drug Administration (FDA) de Estados Unidos aprobó el Lipitor y permitió a Pfizer incluir la gráfica con cada prescripción. El personal de ventas de la empresa también distribuyó la gráfica entre los médicos.

Florence Nightingale

Florence Nightingale (1820-1910) es reconocida como la fundadora de la profesión de enfermería, aunque también salvó miles de vidas utilizando la estadística. Cuando encontraba un hospital insalubre y con desabasto, mejoraba tales condiciones y después utilizaba la estadística para convencer a otros de la necesidad de una reforma médica de mayor alcance. Diseñó gráficas originales para ilustrar que, durante la Guerra de Crimea, murieron más soldados como resultado de las condiciones insalubres que en combate. Florence Nightingale fue uno de los pioneros en el uso de la estadística social y de las técnicas gráficas.

EJEMPLO 5 **Gráfica de tallo y hojas: Pulsos de mujeres** La siguiente gráfica de tallo y hojas describe los pulsos de mujeres considerados en la tabla 2-1 de la página 47. Dichos pulsos, ordenados de forma creciente, son 60, 60, 60, 64,..., 124. El primer valor de 60 se separó en su tallo de 6 y su hoja de 0, y cada uno de los valores restantes se separó de manera similar. Observe que los tallos y las hojas se ordenaron de forma creciente y no en el orden en que aparecen en la lista original.

Gráfica de tallo y hojas

Tallo (decenas)	Hojas (unidades)	
6	000444488888	← Los valores son 60, 60, 60, 64, . . . , 68.
7	2222222666666	
8	00000088888	
9	6	← El valor es 96.
10	4	← El valor es 104.
11		
12	4	

Si colocamos la gráfica de lado, veremos una distribución de esos datos. Una ventaja de la gráfica de tallo y hojas radica en que nos permite ver la distribución de los datos y, al mismo tiempo, retener toda la información de la lista original. En caso necesario, podríamos reconstruir la lista original de valores. Otra ventaja es que la construcción de una gráfica de tallo y hojas implica una forma fácil y rápida de *ordenar* datos (acomodarlos en orden), y algunos procedimientos estadísticos requieren de un ordenamiento (como el cálculo de la mediana o de los percentiles).

Los renglones de los dígitos en una gráfica de tallo y hojas son similares en naturaleza a las barras del histograma. Uno de los lineamientos para la construcción de histogramas es que se incluyan entre 5 y 20 clases, lo cual se aplica a la gráfica de tallo y hojas por las mismas razones. Por lo general, obtenemos mejores gráficas de tallo y hojas al redondear primero los valores de los datos originales. Además, este tipo de gráficas pueden *expandirse* para incluir más renglones o *condensarse* para disminuir el número de renglones. Véase el ejercicio 28.

Gráficas de barras

Una **gráfica de barras** utiliza barras del mismo ancho para mostrar las frecuencias de categorías de datos cualitativos. El eje vertical representa frecuencias o frecuencias relativas; el eje horizontal identifica las diferentes categorías de los datos cualitativos. Las barras pueden separarse entre sí por pequeños espacios o no separarse. Por ejemplo, la figura 2-1 incluida en el problema del capítulo representa una gráfica de barras. Una **gráfica de barras múltiples** contiene dos o más conjuntos de barras, y se utiliza para comparar dos o más conjuntos de datos.

EJEMPLO 6 **Gráfica de barras múltiples de género e ingreso** Observe la siguiente gráfica de barras múltiples, generada con Minitab, correspondiente a la mediana de los ingresos de hombres y mujeres en diferentes años (según datos de la Oficina de Censos de Estados Unidos). Se observa que los hombres tienen, de manera consistente, una mediana mucho más elevada que las mujeres, y que los ingresos de hombres y mujeres se han incrementado continuamente con el tiempo. Al comparar la altura de las barras de izquierda a derecha, parece que las razones entre los ingresos de hombres y los ingresos de mujeres van disminuyendo, lo que indica que la brecha entre la mediana de los ingresos de hombres y mujeres es cada vez menor.

GRÁFICA DE BARRAS MÚLTIPLES DE MINITAB

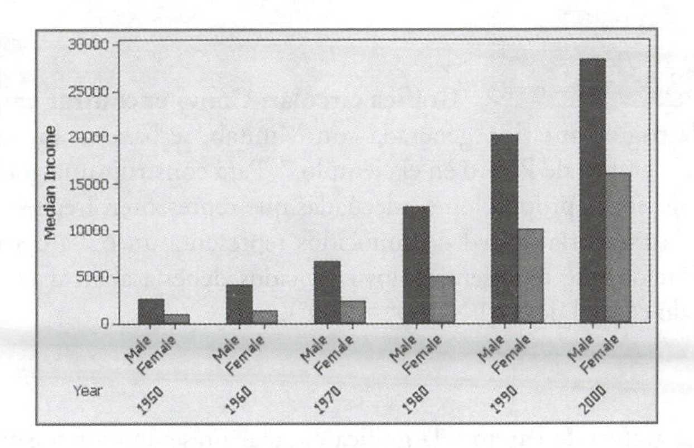

Gráficas de Pareto

Cuando se desea dirigir la atención a las categorías más importantes, se puede utilizar una *gráfica de Pareto*. Una **gráfica de Pareto** es una gráfica de barras para datos cualitativos, donde las barras se acomodan en orden descendente de acuerdo con las frecuencias. Las escalas verticales de las gráficas de Pareto representan tanto frecuencias como frecuencias relativas. La escala horizontal identifica las diferentes categorías de datos cualitativos. La altura de las barras disminuye de izquierda a derecha.

EJEMPLO 7 **Gráfica de Pareto: Cómo encontrar un empleo** La siguiente gráfica de Pareto, generada con Minitab, indica la forma en que algunos individuos encontraron empleo (con base en datos de The Bernard Haldane Associates). Se observa que la red de conocidos fue la fuente más fructífera para encontrar trabajo. Esta gráfica de Pareto sugiere que, en lugar de basarse únicamente en recursos como las bolsas de trabajo de las instituciones educativas o los anuncios publicados en periódicos, quienes buscan empleo deben recurrir activamente a su red de conocidos.

GRÁFICA DE PARETO DE MINITAB

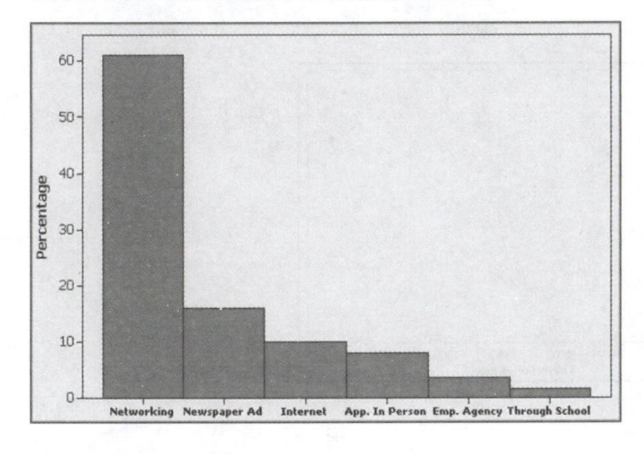

GRÁFICA CIRCULAR DE MINITAB

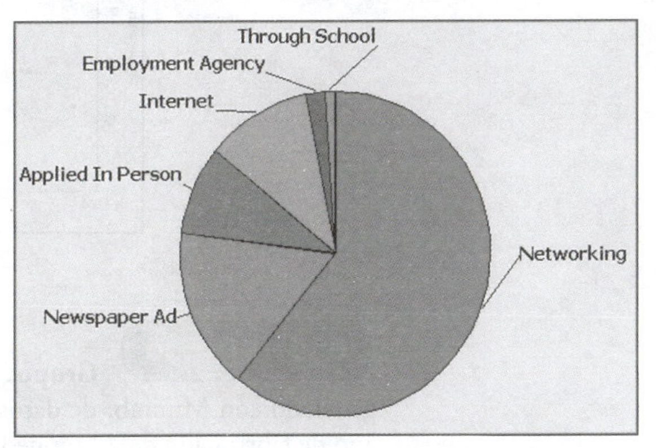

Gráficas circulares

Una **gráfica circular** presenta datos cualitativos como si fueran rebanadas de un pastel, donde el tamaño de cada rebanada es proporcional al conteo de frecuencia de la categoría.

EJEMPLO 8

Gráfica circular: Cómo encontrar empleo La gráfica circular de la página anterior, generada con Minitab, se basa en los mismos datos utilizados para la gráfica de Pareto en el ejemplo 7. Para construir una gráfica circular, se divide el círculo en las proporciones adecuadas que representen frecuencias relativas. Por ejemplo, la categoría de red de conocidos representa un 61% del total, de tal modo que la porción que representa a los conocidos debería abarcar el 61% del total (con un ángulo central de $0.61 \times 360° = 220°$).

La gráfica de Pareto y la gráfica circular presentan los mismos datos en formas diferentes, pero una comparación probablemente demuestre que la gráfica de Pareto es mejor para resaltar los tamaños relativos de los distintos componentes.

Diagramas de dispersión

Un **diagrama de dispersión** es una gráfica de datos cuantitativos pareados (x, y), con un eje x horizontal y un eje y vertical. El eje horizontal se utiliza para la primera variable (x), y el eje vertical para la segunda variable. El patrón de los puntos graficados suele ser útil para determinar si existe una relación entre las dos variables. (Este aspecto se estudia a profundidad en el tema de la correlación, en la sección 10-2).

EJEMPLO 9

Diagrama de dispersión: Grillos y temperatura Uno de los usos clásicos que se dio al diagrama de dispersión es en el cálculo del número de chirridos que emite un grillo por minuto, en relación con la temperatura (°F). Utilizando los datos de *The Song of Insects*, de George W. Pierce (Harvard University Press), Minitab produjo el diagrama de dispersión que aquí se presenta. Al parecer, existe una relación entre tales sonidos y la temperatura, donde un mayor número de chirridos corresponde a temperaturas más altas. Por lo tanto, es posible usar a los grillos como termómetros.

DIAGRAMA DE DISPERSIÓN DE MINITAB

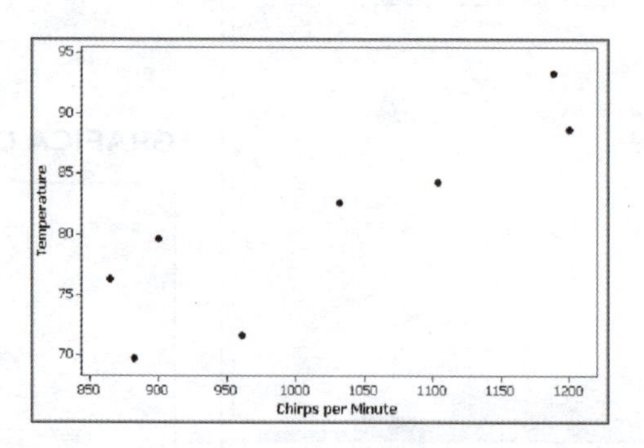

EJEMPLO 10

Grupos y una brecha Considere el diagrama de dispersión, generado con Minitab, de datos pareados que consisten en los pesos (en gramos) y el año de fabricación de 72 monedas de un centavo. Este diagrama de dispersión muestra dos grupos muy diferentes separados por una brecha, la cual podría explicarse por medio de la inclusión de dos poblaciones distintas: las monedas acuñadas antes de 1983 tienen un 97% de cobre y un 3% de zinc, mientras que las monedas acuñadas después de 1983 tienen un 3% de cobre y un 97% de zinc. Si se ignoraran las características de los grupos, pensaríamos de manera incorrecta que hay una relación entre el peso de una moneda de un centavo y el año en que se acuñó. Sin embargo, si examinamos los dos grupos por separado, advertimos que no parece haber una relación entre el peso de las monedas y el año en que se acuñaron.

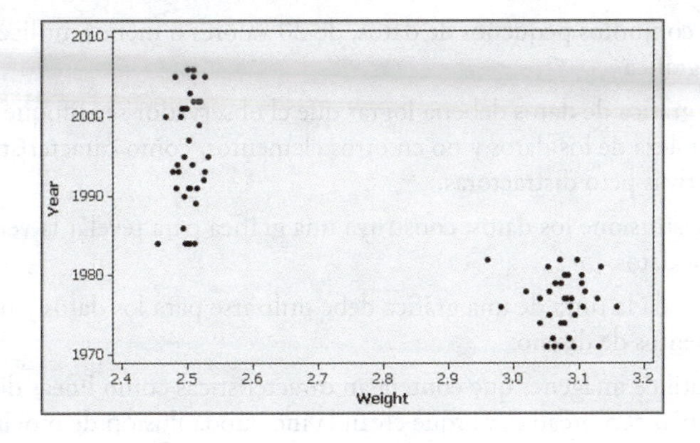

Gráficas de series de tiempo

Una **gráfica de series de tiempo** incluye *datos de series de tiempo*, los cuales se reúnen en diferentes momentos.

EJEMPLO 11

Gráfica de series de tiempo: Índice Industrial Dow Jones

La gráfica de series de tiempo generada con el programa SPSS, que se presenta a continuación, indica los valores anuales más altos del Índice Industrial Dow Jones (DJIA) para la bolsa de valores de Nueva York. En esta gráfica se observa un incremento continuo entre los años 1980 y 2007, aunque los valores superiores del DJIA no han sido tan consistentes en años más recientes.

GRÁFICA DE SERIES DE TIEMPO DE SPSS

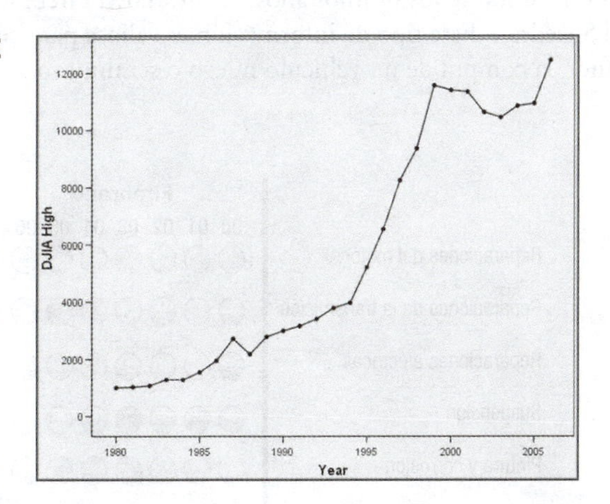

Se solicita diseñador de gráficas estadísticas

Además de las gráficas que hemos analizado, hay muchas otras que también resultan útiles, algunas de las cuales aún no se han creado. El mundo necesita desesperadamente más personas con la capacidad de ser creativas y originales para idear gráficas que revelen de manera efectiva la naturaleza de los datos. En la actualidad, suelen ser los reporteros, egresados de las carreras de periodismo o comunicación, pero con escasa o nula capacitación en el manejo de datos, quienes elaboran las gráficas que aparecen en periódicos, revistas y televisión.

Para conocer más información útil sobre las gráficas, consulte *The Visual Display of Quantitative Information*, 2a. edición, de Edward Tufte (Graphics Press, P.O. Box 430, Cheshire, CT 06410). Los siguientes son algunos de los principios importantes sugeridos por Tufte:

- Para conjuntos pequeños de datos, de 20 valores o menos, utilice una tabla en vez de una gráfica.
- Una gráfica de datos debería lograr que el observador se enfoque en la verdadera naturaleza de los datos y no en otros elementos, como características de diseño atractivas pero distractoras.
- No distorsione los datos; construya una gráfica para revelar la verdadera naturaleza de los datos.
- Casi toda la tinta de una gráfica debe utilizarse para los datos y no para otros elementos de diseño.
- No utilice imágenes que contengan características como líneas diagonales, puntos o tramas sombreadas, porque crean la incómoda ilusión de movimiento.
- No emplee áreas o volúmenes para representar datos que en realidad tienen una naturaleza unidimensional. (Por ejemplo, no use dibujos de billetes para representar los presupuestos de diferentes años).
- Nunca publique gráficas circulares porque desperdician tinta en componentes no relacionados con los datos y carecen de una escala adecuada.

EJEMPLO 12

Datos sobre la confiabilidad de automóviles La figura 2-8 ejemplifica un trabajo sobresaliente por su originalidad, creatividad y eficacia al lograr que el lector observe datos complicados en un formato sencillo. Presenta una comparación de dos automóviles diferentes y está basada en gráficas de la revista *Consumer's Report*. La clave en la parte inferior indica que el negro se utilizó para resultados malos y el gris para resultados buenos. (Las gráficas de *Consumer's Report* utilizan el rojo para resultados buenos y el negro para resultados malos). Con facilidad vemos que, durante los últimos años, el automóvil Firebrand ha sido mejor en general que el Speedster. Este tipo de información es valiosa para consumidores que están considerando la compra de un vehículo nuevo o seminuevo.

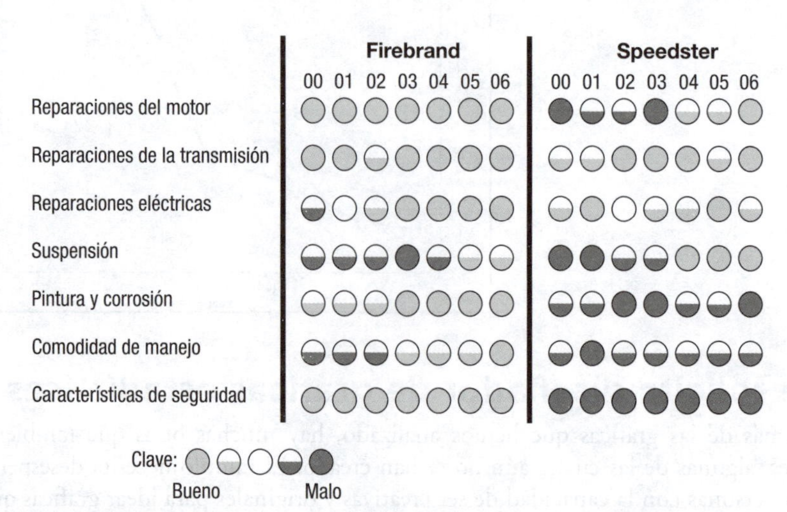

Figura 2-8 Datos sobre confiabilidad de los automóviles

Conclusión

En esta sección aprendimos que las gráficas son herramientas excelentes para describir, explorar y comparar datos.

Descripción de datos: En un histograma, por ejemplo, se toman en cuenta la distribución, el centro, la variación y los valores atípicos (valores que se alejan mucho de los otros valores de los datos). (Recuerde la técnica para recordar CVDVT, pero el último elemento del tiempo no se aplica a un histograma porque los patrones de cambio de los datos con el tiempo no se pueden observar en este tipo de diagramas). ¿Cuál es el valor aproximado del centro de la distribución y cuál es el intervalo aproximado de valores? Considere la forma completa de la distribución. ¿Los valores están distribuidos de manera uniforme? ¿La distribución está sesgada (ladeada) hacia la izquierda o hacia la derecha? ¿La distribución tiene un pico a la mitad? ¿Hay una brecha grande que sugiere que los datos provendrían de poblaciones diferentes? Identifique cualquier valor extremo y cualquier otra característica notable.

Exploración de datos: Buscamos características de la gráfica que revelen rasgos interesantes y/o útiles del conjunto de datos. Por ejemplo, el diagrama de dispersión del ejemplo 9 nos indica que parece existir una relación entre la temperatura y la frecuencia del chirrido de los grillos.

Comparación de datos: Construya gráficas similares que faciliten la comparación de conjuntos de datos. Por ejemplo, la figura 2-6 presenta un polígono de frecuencias con los pulsos de mujeres y otro polígono de frecuencias con los pulsos de hombres, ambos sobre el mismo conjunto de ejes. La figura 2-6 facilita la comparación.

USO DE LA TECNOLOGÍA

A continuación se presenta una lista de las gráficas que se pueden generar por medio de la tecnología. (Para información detallada sobre los procedimientos, véase los manuales que complementan este libro).

STATDISK Genera histogramas, diagramas de dispersión y gráficas circulares.

MINITAB Genera histogramas, polígonos de frecuencias, gráficas de puntos, gráficas de tallo y hojas, gráficas de barras, gráficas de barras múltiples, gráficas de Pareto, gráficas circulares, diagramas de dispersión y gráficas de series de tiempo.

En el programa **Minitab 16** también puede hacer clic en **Assistant**, luego en **Graphical Assistant** y entonces aparecerá un diagrama de flujo que presenta varias opciones gráficas.

EXCEL Genera histogramas, gráficas de barras, gráficas de barras múltiples, gráficas circulares y diagramas de dispersión.

TI-83/84 PLUS Genera histogramas y diagramas de dispersión. A continuación se muestra un diagrama de dispersión generado con la TI-83/84 Plus, que es similar al diagrama de dispersión de Minitab del ejemplo 9.

TI-83/84 PLUS

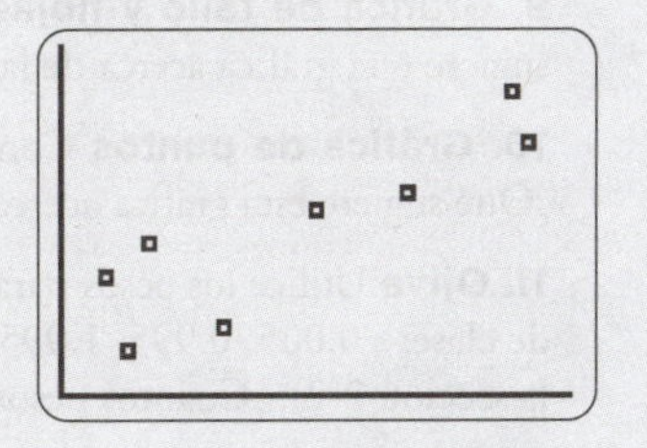

2-4 Destrezas y conceptos básicos

Conocimientos estadísticos y pensamiento crítico

1. Polígono de frecuencias y gráfica de puntos En el ejemplo 1 se incluye un polígono de frecuencias que describe los pulsos de mujeres, y el ejemplo 4 presenta una gráfica de puntos del mismo conjunto de datos. ¿Cuáles son las principales ventajas de la gráfica de puntos sobre el polígono de frecuencias?

2. Diagrama de dispersión El ejemplo 9 incluye un diagrama de dispersión de los datos de las temperaturas y los chirridos de los grillos. En general, ¿qué tipo de datos se requieren para la construcción de un diagrama de dispersión, y qué revela este tipo de gráfica acerca de los datos?

3. Polígono de frecuencias relativas En la figura 2-6 se presentan polígonos de frecuencias relativas para los pulsos de hombres y mujeres. Cuando se comparan dos conjuntos de datos como estos, ¿por qué generalmente es mejor utilizar polígonos de frecuencias relativas en lugar de polígonos de frecuencias?

4. Gráfica circular contra gráfica de Pareto En los ejemplos 7 y 8 se incluye una gráfica de Pareto y una circular para los datos de las fuentes de empleo. Para datos como estos, ¿por qué, en general, es mejor utilizar una gráfica de Pareto en vez de una gráfica circular?

En los ejercicios 5 a 8, utilice las cantidades de estroncio-90 (en milibecquereles) en una muestra aleatoria simple de dientes de leche; los datos se obtuvieron de residentes de Pensilvania nacidos después de 1979 (según datos de "An Unexpected Rise in Strontium-90 in U.S. Deciduous Teeth in the 1990s", de Mangano,* et al., Science of the Total Environment*).

155 142 149 130 151 163 151 142 156 133 138 161 128 144 172 137 151 166 147 163

145 116 136 158 114 165 169 145 150 150 150 158 151 145 152 140 170 129 188 156

5. Gráfica de puntos Construya una gráfica de puntos de las cantidades de estroncio-90. ¿Qué sugiere la gráfica de puntos acerca de la distribución de esas cantidades?

6. Gráfica de tallo y hojas Construya una gráfica de tallo y hojas con las cantidades de estroncio-90. ¿Qué sugiere la gráfica acerca de la distribución de esas cantidades?

7. Polígono de frecuencias Construya un polígono de frecuencias para las cantidades de estroncio-90. En el eje horizontal use los valores de marca de clase de los intervalos de clase de la distribución de frecuencias incluida en el ejercicio 18 de la sección 2-2: 110-119, 120-129, 130-139, 140-149, 150-159, 160-169, 170-179, 180-189.

8. Ojiva Construya una ojiva para las cantidades de estroncio-90. En el eje horizontal, use las fronteras de clase correspondientes a los límites de clase del ejercicio 7. ¿Cuántas cantidades están por debajo de 150 milibecquereles?

En los ejercicios 9 a 12, utilice los 62 pesos del plástico desechado, que aparecen en el conjunto de datos 22 en el apéndice B.

9. Gráfica de tallo y hojas Utilice los pesos para construir una gráfica de tallo y hojas. ¿Qué sugiere esta gráfica acerca de la distribución de los pesos?

10. Gráfica de puntos Construya una gráfica de puntos con los pesos del plástico de desecho. ¿Qué sugiere esta gráfica acerca de la distribución de los pesos?

11. Ojiva Utilice los pesos para construir una ojiva. En el eje horizontal, use las siguientes fronteras de clase: −0.005, 0.995, 1.995, 2.995, 3.995, 4.995, 5.995. (*Sugerencia:* Consulte el ejercicio 8 de la sección 2-2). ¿Cuántos pesos están por debajo de 4 libras?

12. Polígono de frecuencias Utilice los pesos del plástico desechado para construir un polígono de frecuencias. En el eje horizontal, use las marcas de clase obtenidas de los siguientes intervalos de clase: 0.00-0.99, 1.00-1.99, 2.00-2.99, 3.00-3.99, 4.00-4.99, 5.00-5.99.

13. Gráfica de Pareto para matrículas de licenciatura En la tabla 2-9 (basada en datos del U.S. National Center for Education Statistics) se muestra la distribución de matrículas de estudiantes de licenciatura. Construya una gráfica de Pareto con los datos de esa tabla.

Tabla 2-9

Universidad	Frecuencia relativa
Pública de 2 años	36.8%
Pública de 4 años	40.0%
Privada de 2 años	1.6%
Privada de 4 años	21.9%

14. Gráfica circular para matrículas de licenciatura Construya una gráfica circular para los datos de la tabla 2-9. Compare esta gráfica con la gráfica de Pareto del ejercicio 13. ¿Qué gráfica es más adecuada para mostrar la información de la tabla 2-9?

15. Gráfica circular de errores en la solicitud de empleo Se entrevistó a un grupo de gerentes financieros de empresas estadounidenses, sobre las áreas en que los candidatos a un puesto laboral cometen errores. Las áreas y la frecuencia de las respuestas son las siguientes: entrevista (452); curriculum vitae (297); carta de referencia (141); verificación de referencias (143); seguimiento de entrevista (113); llamada de selección (85). Estos resultados se basan en datos de Robert Half Finance and Accounting. Construya una gráfica circular que represente los datos anteriores.

16. Gráfica de Pareto de errores en la solicitud de empleo Construya una gráfica de Pareto con los datos del ejercicio 15. Compare esta gráfica con la gráfica circular. ¿Qué gráfica es más adecuada para mostrar la importancia relativa de los errores cometidos por los individuos que solicitan empleo?

17. Gráfica circular de grupos sanguíneos Construya una gráfica circular que describa la distribución de los grupos sanguíneos del ejercicio 29 en la sección 2-2.

18. Gráfica de Pareto de grupos sanguíneos Construya una gráfica de Pareto que describa la distribución de los grupos sanguíneos del ejercicio 29 en la sección 2-2.

19. Gráfica de Pareto de descarrilamiento de trenes Construya una gráfica de Pareto que describa la distribución del descarrilamiento de trenes del ejercicio 30 en la sección 2-2.

20. Gráfica circular de descarrilamiento de trenes Construya una gráfica circular que describa la distribución del descarrilamiento de trenes del ejercicio 30 en la sección 2-2.

En los ejercicios 21 y 22, utilice los datos pareados del apéndice B para construir un diagrama de dispersión.

21. Alquitrán y monóxido de carbono en cigarrillos En el conjunto de datos 4, represente el alquitrán de los cigarrillos tamaño grande para el eje horizontal, y la cantidad de monóxido de carbono (CO) de los mismos cigarrillos tamaño grande en el eje vertical. Determine si, al parecer, existe una relación entre el alquitrán y el monóxido de carbono de los cigarrillos tamaño grande. De ser así, describa la relación.

22. Consumo de energía y temperatura En el conjunto de datos 12, utilice las 22 temperaturas promedio diarias y las 22 cantidades correspondientes del consumo de energía (kWh). (Represente las temperaturas en el eje horizontal). Con base en el resultado, ¿existe una relación entre las temperaturas promedio diarias y las cantidades de energía consumida? Trate de identificar al menos una razón por la que existe (o no) una relación.

23. Gráfica de series de tiempo para la ley de Moore En 1965 Gordon Moore, uno de los fundadores de Intel propuso lo que ahora se conoce como la ley de Moore: el número de transistores por pulgada cuadrada en los circuitos integrados se duplica aproximadamente cada 18 meses. La siguiente tabla lista el número de transistores por pulgada cuadrada (en miles) para varios años diferentes. Construya una gráfica de series de tiempo con los datos.

Año	1971	1974	1978	1982	1985	1989	1993	1997	1999	2000	2002	2003
Transistores	2.3	5	29	120	275	1180	3100	7500	24,000	42,000	220,000	410,000

24. Gráfica de series de tiempo para suscripciones de telefonía celular La siguiente tabla muestra el número de suscripciones de telefonía celular (en miles) en Estados Unidos en varios años. Construya una gráfica de series de tiempo de los datos. Un crecimiento "lineal" se observaría como una gráfica con una línea aproximadamente recta. ¿La gráfica de series de tiempo muestra un crecimiento lineal?

Año	1985	1987	1989	1991	1993	1995	1997	1999	2001	2003	2005
Número	340	1231	3509	7557	16,009	33,786	55,312	86,047	128,375	158,722	207,900

25. Tasas de matrimonios y divorcios La siguiente tabla incluye las tasas de matrimonios y divorcios por cada 1000 habitantes en Estados Unidos en años seleccionados, desde 1900 (de acuerdo con datos del Department of Health and Human Services). Construya una gráfica de barras múltiples con los datos. ¿Por qué estos datos consisten en las tasas de matrimonios y divorcios, y no en la cantidad total de matrimonios y divorcios? Comente sobre cualquier tendencia que observe en estas tasas, y dé alguna explicación.

Año	1900	1910	1920	1930	1940	1950	1960	1970	1980	1990	2000
Matrimonios	9.3	10.3	12.0	9.2	12.1	11.1	8.5	10.6	10.6	9.8	8.3
Divorcios	0.7	0.9	1.6	1.6	2.0	2.6	2.2	3.5	5.2	4.7	4.2

26. Género de estudiantes La siguiente tabla incluye el número (en miles) de hombres y mujeres estudiantes de educación superior en diferentes años. (Las proyecciones son del U.S. National Center for Education Statistics). Construya una gráfica de barras múltiples de los datos, y luego describa cualquier tendencia.

Año	2004	2005	2006	2007	2008	2009	2010
Hombres	7268	7356	7461	7568	7695	7802	7872
Mujeres	9826	9995	10,203	10,407	10,655	10,838	10,944

2-4 Más allá de lo básico

27. Gráficas de tallo y hojas contiguas Al margen encontrará un formato para las *gráficas de tallo y hojas contiguas*, donde aparecen los pulsos de hombres y mujeres de la tabla 2-1 (en la página 47). Complete las gráficas contiguas y luego compare los resultados.

Mujeres	Tallo (decenas)	Hombres
	5	66666
44000	6	
	7	
	8	
	9	
	10	
	11	
	12	

28. Gráficas de tallo y hojas expandidas y condensadas Remítase a la gráfica de tallo y hojas del ejemplo 5 para realizar lo siguiente.

a) La gráfica de tallo y hojas se puede *expandir* subdividiendo los renglones en hojas que tengan dígitos del 0 al 4 y dígitos del 5 al 9. A continuación se muestran los primeros dos renglones de la gráfica después de su expansión. Complete los siguientes dos renglones de la gráfica de tallo y hojas expandida.

Tallo	Hojas	
6	0004444	← Para las hojas del 0 a 4.
6	88888	← Para las hojas del 5 a 9.

b) La gráfica de tallo y hojas se puede condensar combinando renglones adyacentes. A continuación se muestra el primer renglón de la gráfica condensada. Observe que insertamos un asterisco para separar los dígitos de las hojas asociadas con los números de cada tallo. Cada renglón de la gráfica condensada debe incluir exactamente un asterisco, para que la forma de la gráfica reducida no se distorsione. Complete la gráfica de tallo y hojas condensada insertando los datos restantes.

Tallo	Hojas
6-7	000444488888*2222222266666

2-5 Pensamiento crítico: gráficas inadecuadas

Concepto clave Algunas gráficas son inadecuadas porque contienen errores, y otras lo son porque, aunque sean técnicamente correctas, resultan confusas. Es importante desarrollar la habilidad para reconocer gráficas incorrectas y para identificar con exactitud los elementos confusos. En esta sección presentamos dos de los tipos más comunes de gráficas inadecuadas.

Ejes sin valor cero Algunas gráficas son confusas porque uno o ambos ejes no inician en cero, de manera que las diferencias se exageran, tal como se observa en el ejemplo 1.

EJEMPLO 1

Gráfica de barras confusa En la figura 2-1 (que aquí se reproduce) se presenta una gráfica de barras que describe los resultados de una encuesta de CNN sobre el caso de Terri Schiavo. La figura 2-9 describe los *mismos resultados de la encuesta*. Puesto que la figura 2-1 utiliza una escala vertical que no inicia en cero, las diferencias entre las tres tasas de respuesta son exageradas. Esta gráfica genera la impresión incorrecta de que una cantidad mucho mayor de demócratas estaban de acuerdo con la decisión de la corte, en comparación con los republicanos o los independientes. Como la figura 2-9 describe los datos de manera objetiva, crea la impresión más correcta de que las diferencias no son tan grandes. En el sitio Web de CNN se publicó una gráfica similar a la de la figura 2-1, pero muchos usuarios de Internet se quejaron de que era engañosa, por lo que CNN publicó una gráfica modificada como la que se presenta en la figura 2-9.

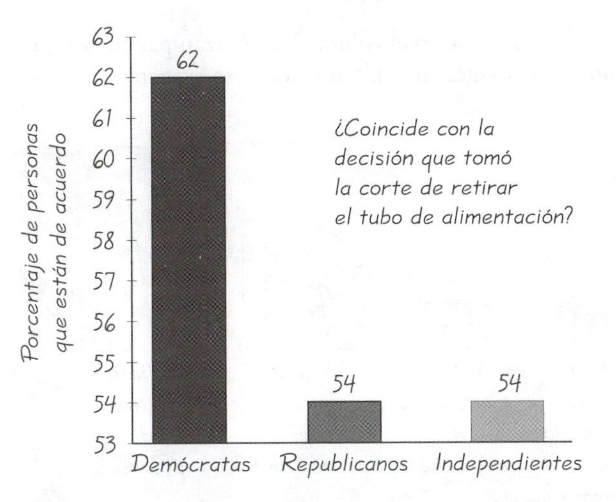

Figura 2-1 Resultados de encuesta por partido

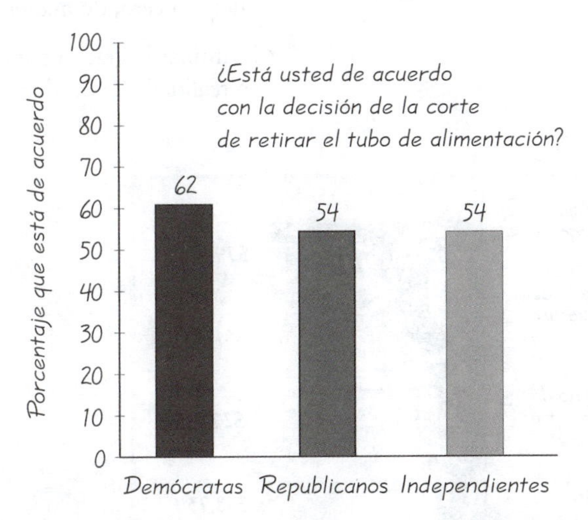

Figura 2-9 Resultados de encuesta por partido

Pictogramas Los dibujos de objetos, llamados *pictogramas*, también suelen ser confusos. Algunos objetos que se utilizan comúnmente para describir datos son los objetos tridimensionales, como las bolsas de dinero, sacos de monedas y tanques del ejército (para gastos militares), gente (para representar tamaños de población), barriles (para la producción de petróleo) y casas (para la construcción de viviendas). Al dibujar este tipo de objetos, los artistas podrían crear falsas impresiones que distorsionen las diferencias. (Si usted duplica cada lado de un cuadrado, el área no tan solo se duplica, sino que aumenta en un factor de cuatro. Si usted duplica cada lado de un cubo, el volumen no solamente se duplica, sino que aumenta en un factor de ocho. Por lo tanto, los pictogramas que utilizan áreas o volúmenes pueden ser muy engañosos).

EJEMPLO 2

Pictograma de ingresos y grados de escolaridad *USA Today* publicó una gráfica similar a la figura 2-10*a*). Esta figura no es confusa porque las barras tengan la misma anchura, sino porque tiene demasiados elementos y es difícil de entender.

La figura 2-10*b*) es engañosa porque describe los mismos datos unidimensionales con cuadros tridimensionales. Observe el primer cubo y el último de la figura 2-10*b*). Los empleados con un título de posgrado reciben ingresos anuales que son aproximadamente 4 veces los ingresos de aquellos que no tienen certificado de preparatoria, pero la figura exagera esta diferencia al hacer parecer que los empleados con título de

continúa

posgrado perciben ingresos anuales que son aproximadamente 64 veces los ingresos de aquellos que no tienen certificado de preparatoria. (Al dibujar el cubo de los empleados con título de posgrado cuatro veces más ancho, cuatro veces más alto y cuatro veces más profundo que el cubo de los individuos sin certificado, los volúmenes difieren por un factor de 64 y no por un factor de 4).

En la figura 2-10*c*) se utilizó una gráfica de barras sencilla para describir los datos de forma imparcial y objetiva, sin incluir elementos distractores. Las tres partes de la figura 2-10 describen los mismos datos de la Oficina de Censos de Estados Unidos.

Los ejemplos 1 y 2 ilustran las dos formas más comunes en que las gráficas pueden ser engañosas. Es importante tener en cuenta los dos aspectos siguientes al analizar las gráficas de forma crítica:

- Examinar la gráfica para determinar si es engañosa porque alguno de los ejes no inicia en cero, de manera que las diferencias se exageran.
- Examinar la gráfica para determinar si el área o el volumen se utilizan para datos que en realidad son unidimensionales, de manera que las diferencias se exageran.

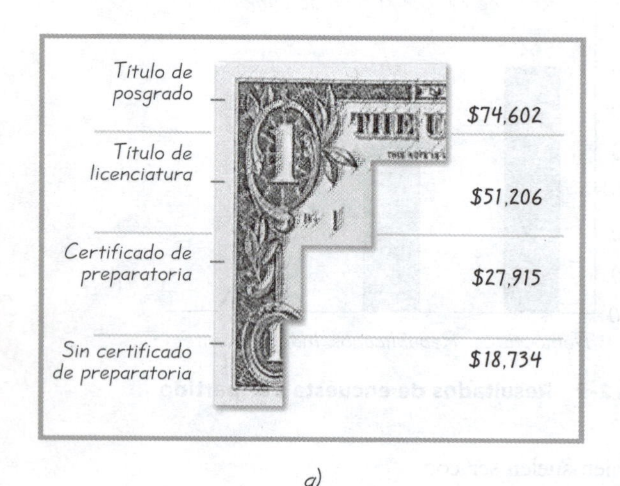

a)

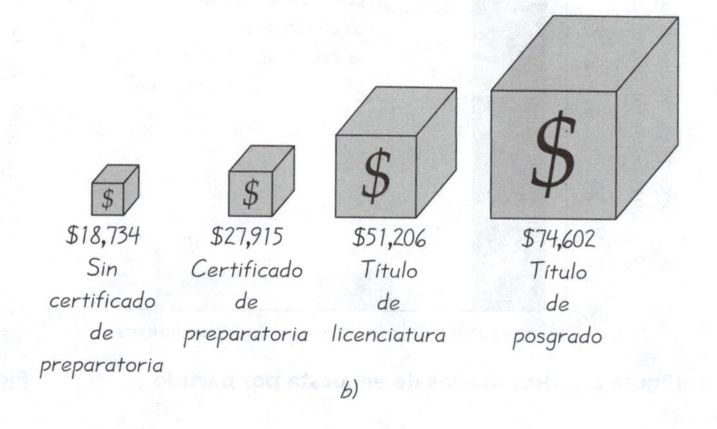

b)

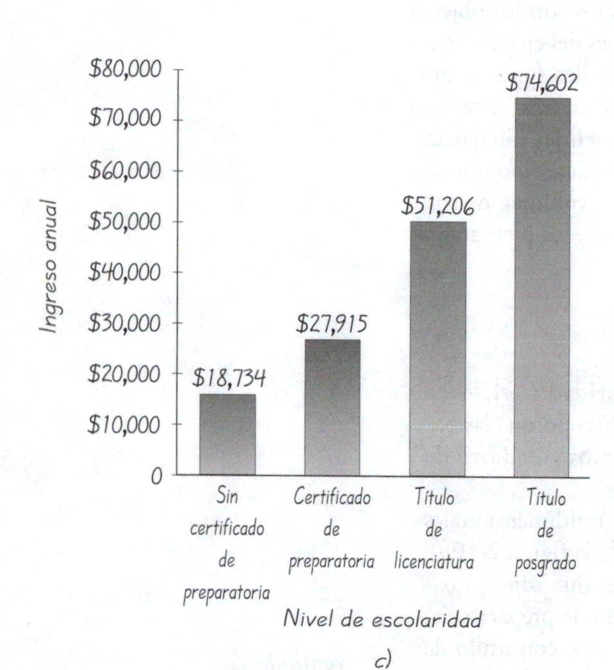

c)

Figura 2-10 Ingresos anuales de grupos con diferentes niveles de escolaridad

2-5 Destrezas y conceptos básicos

Conocimientos estadísticos y pensamiento crítico

1. Billetes de un dólar El *Washington Post* ilustró el decreciente poder de compra del dólar en cinco administraciones presidenciales diferentes utilizando cinco billetes de un dólar de distintos tamaños. La época de Eisenhower estaba representada por un dólar con un poder de compra de $1, y las administraciones posteriores estaban representadas por billetes de un dólar más pequeños, correspondientes a un menor poder de compra. ¿Qué es incorrecto en este caso?

2. Resultados de encuesta America Online (AOL) ocasionalmente realiza encuestas en línea, en las que los usuarios de Internet pueden responder a una pregunta. Si se construye una gráfica para ilustrar los resultados de una encuesta como estas, y la gráfica se diseña de forma objetiva y con técnicas adecuadas, ¿la gráfica ayudará a comprender mejor la población general? ¿Por qué?

3. La ética en la estadística Suponga que, como reportero de un periódico, usted debe graficar datos que muestren que un alto nivel de tabaquismo causa un mayor riesgo de cáncer pulmonar. Puesto que se podría ayudar a la gente y salvar vidas al crear una gráfica que exagere el riesgo del cáncer pulmonar, ¿sería ético construir una gráfica de este tipo?

4. Superficies de países Para construir una gráfica que compare el territorio de los cinco países más extensos, usted decide describir las cinco áreas con cuadrados de diferentes tamaños. Si se dibujan los cuadrados de modo que las áreas sean proporcionales a las áreas de los países correspondientes, ¿la gráfica resultante será confusa? ¿Por qué?

En los ejercicios 5 a 10, responda las preguntas acerca de las gráficas.

5. Gráfica de pesos Según los datos de Gordon, Churchill, Clauser et al., las mujeres tienen un peso promedio (o una media de peso) de 137 libras o 62 kg, y los hombres tienen un peso promedio (o una media de peso) de 172 libras o 78 kg. En las gráficas que se muestran al margen se representan esos promedios. ¿Las gráficas describen los datos de forma imparcial? ¿Por qué?

Peso promedio

137 lb o 62 kg — Mujeres

172 lb o 78 kg — Hombres

6. Gráfica de salarios de profesores Observe la gráfica donde se comparan los salarios que reciben profesores de uno y otro sexo en universidades privadas (con base en datos del Departamento de Educación de Estados Unidos). ¿Qué impresión crea la gráfica? ¿Describe los datos de forma imparcial? Si no es así, construya una gráfica que describa los datos de forma objetiva.

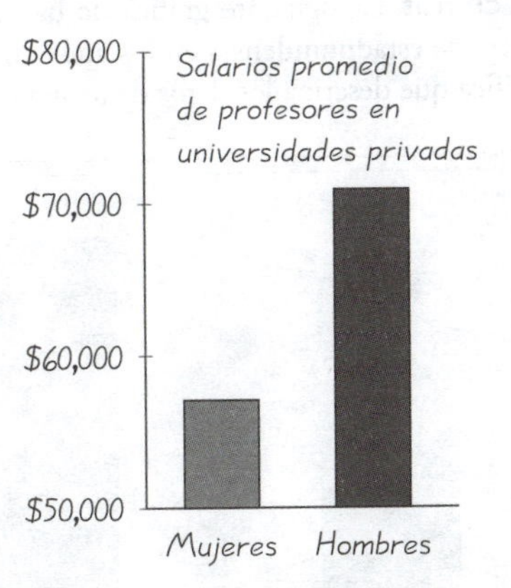

7. Gráfica de ingresos La siguiente gráfica describe los ingresos promedio por trabajos de tiempo completo desempeñados por hombres y mujeres de 18 años o más. En un año reciente, tales ingresos fueron de $37,197 para las mujeres y de $53,059 para los hombres (según datos de la Oficina de Censos de Estados Unidos). ¿La gráfica hace una comparación imparcial de los datos? ¿Por qué? Si la gráfica distorsiona los datos, construya una gráfica imparcial.

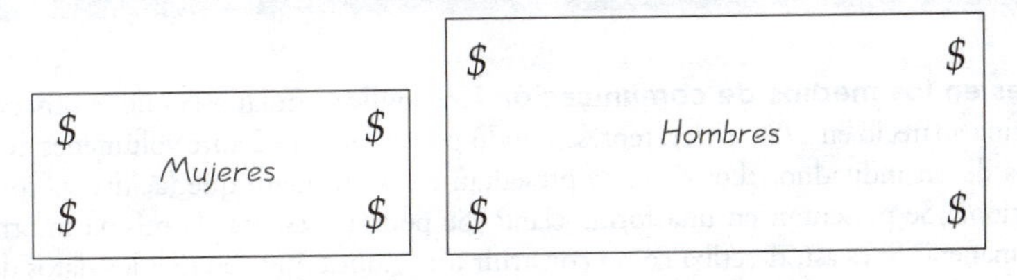

8. Gráfica de consumo de petróleo La siguiente gráfica utiliza cilindros para representar los barriles de petróleo consumidos por Estados Unidos y Japón. ¿La gráfica distorsiona los datos o los describe de forma imparcial? ¿Por qué? Si la gráfica distorsiona los datos, construya una gráfica que los represente de forma objetiva.

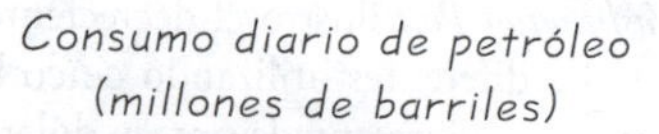

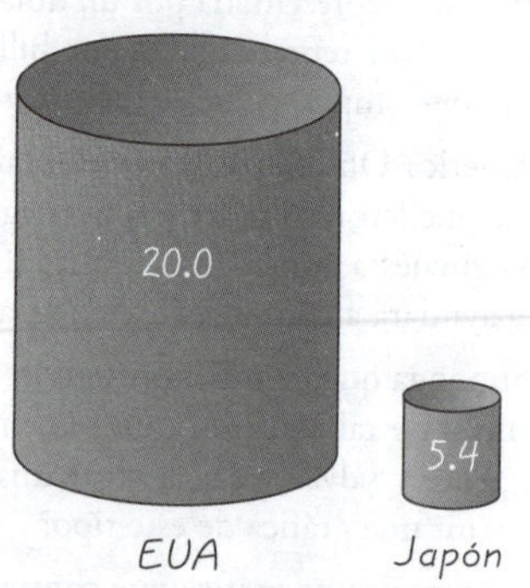

9. Distancias de frenado La siguiente gráfica muestra las distancias de frenado de diferentes automóviles, medidas en las mismas condiciones. Describa en qué aspectos esta gráfica podría ser engañosa. ¿En qué cantidad la distancia de frenado del Acura RL excede la distancia de frenado del Volvo S80? Dibuje la gráfica de forma que describa los datos de manera más objetiva.

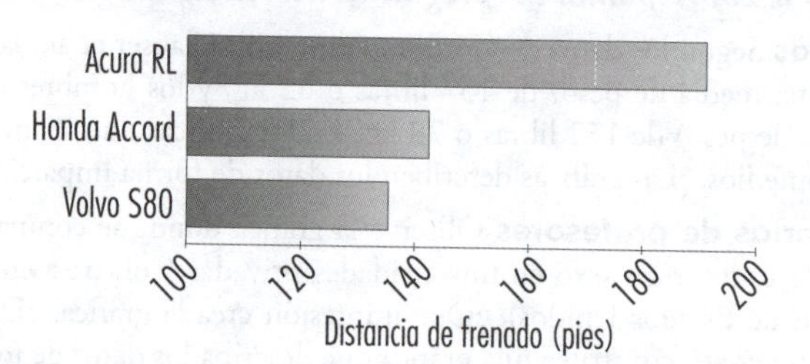

10. Adopciones de niños chinos La siguiente gráfica de barras indica la cantidad de adopciones de niños chinos por parte de estadounidenses en los años 2000 y 2005. ¿Qué es incorrecto en esta gráfica? Dibuje una gráfica que describa los datos de forma imparcial y objetiva.

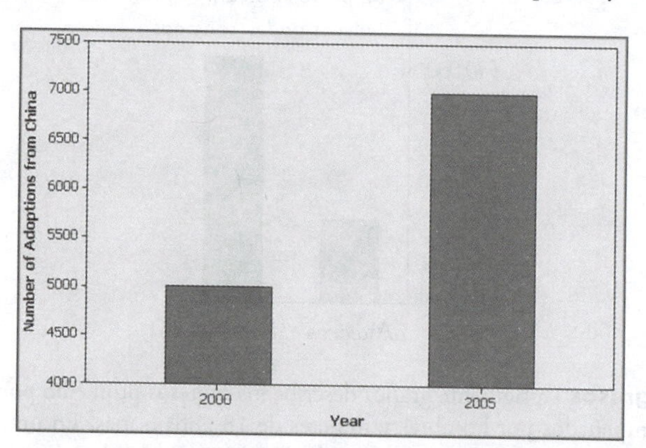

2-5 Más allá de lo básico

11. Gráficas en los medios de comunicación Una gráfica similar a la que se observa en la siguiente página apareció en *USA Today*, representando porcentajes mediante volúmenes de porciones de la cabeza de un individuo. ¿Los datos se presentan en un formato que facilita su comprensión y comparación? ¿Se presentan en una forma clara? ¿Se podría presentar la misma información de una mejor manera? Si es así, describa cómo construir una gráfica que describa los datos de una forma más adecuada.

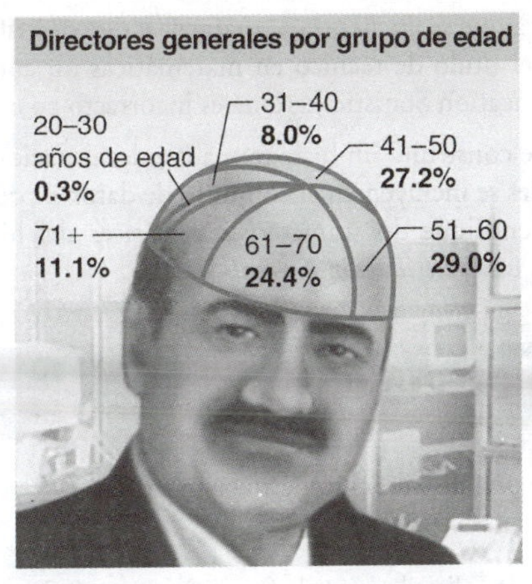

FUENTE: Arthur Anderson/Mass Mutual Family Business Survey '97

12. Gráfica de barras de estudiantes de licenciatura En un año reciente, el 38.5% de los estudiantes de licenciatura asistían a universidades con programas académicos de dos años, y el resto de los estudiantes de licenciatura acudían a universidades con programas de cuatro años (según datos del U.S. National Center for Education Statistics).

a) Construya una gráfica de barras que sea engañosa al exagerar la diferencia entre los dos porcentajes.

b) Construya una gráfica de barras que describa los datos de manera objetiva.

Repaso

En este capítulo estudiamos procedimientos para realizar, resumir y graficar conjuntos de datos. Cuando se investiga un conjunto de datos, suelen ser muy importantes las características del centro, la variación, la distribución, los valores atípicos y el cambio de patrones con el paso del tiempo. Además, este capítulo incluye una variedad de herramientas para investigar la distribución de los datos. Ahora que terminó de estudiar este capítulo, usted es capaz de:

- Construir una distribución de frecuencias o una distribución de frecuencias relativas para resumir datos (sección 2-2).
- Construir un histograma o un histograma de frecuencias relativas para mostrar visualmente la naturaleza de la distribución de los datos (sección 2-3).
- Construir gráficas de datos utilizando un polígono de frecuencias, la gráfica de puntos, la gráfica de tallo y hojas, la gráfica de barras, la gráfica de barras múltiples, la gráfica de Pareto, la gráfica circular, el diagrama de dispersión (para datos pareados) o la gráfica de series de tiempo (sección 2-4).
- Analizar de forma crítica una gráfica para determinar si describe de manera objetiva los datos o si, por el contrario, es engañosa (sección 2-5).

Además de crear tablas de distribuciones de frecuencias y gráficas, usted debería ser capaz de *entender* e *interpretar* dichos resultados. Por ejemplo, en el problema del capítulo se incluye la figura 2-1, la cual resume los resultados de una encuesta. Debemos saber que la gráfica es confusa porque el eje vertical no inicia en cero, de manera que las diferencias se exageran.

Conocimientos estadísticos y pensamiento crítico

1. Exploración de datos La tabla 2-2 es una distribución de frecuencias que resume los pulsos de mujeres (incluidos en la tabla 2-1), y la figura 2-3 es un histograma que representa los mismos pulsos. Al investigar la distribución de ese conjunto de datos, ¿cuál es más eficaz: la distribución de frecuencias o el histograma? ¿Por qué?

2. Colegiatura universitaria Si quisiera graficar los cambios que han registrado los costos de colegiatura durante los últimos 20 años, ¿qué gráfica sería más adecuada, un histograma o una gráfica de series de tiempo? ¿Por qué?

3. Gráfica Observe la gráfica que se encuentra al margen, y que describe el número de hombres y de mujeres que obtuvieron el título de técnico en matemáticas un año reciente (según datos del U.S. National Center for Education Statistics). ¿Qué es incorrecto en esta gráfica?

4. Distribución normal Se construirá un histograma con las duraciones (en horas) de vuelos espaciales de la NASA, las cuales se incluyen en el conjunto de datos 10 del apéndice B. Sin construir realmente el histograma, identifique dos características básicas del histograma que podrían sugerirnos que los datos tienen una *distribución normal.*

445 hombres 240 Mujeres

Examen rápido del capítulo

1. Las primeras dos clases de una distribución de frecuencias son 0-9 y 10-19. ¿Cuál es la anchura de clase?

2. Las primeras dos clases de una distribución de frecuencias son 0-9 y 10-19. ¿Cuáles son las fronteras de la primera clase?

3. ¿Podrían identificarse los 27 valores originales de un conjunto de datos sabiendo que la frecuencia de la clase de 0-9 es de 27?

4. Verdadero o falso: Cuando se lanza un dado 600 veces, cada uno de los seis resultados posibles ocurre alrededor de 100 veces, tal como se esperaría, de manera que la distribución de frecuencias que resume los resultados es un ejemplo de una distribución normal.

5. Llene el espacio: Para un conjunto típico de datos, es importante investigar el centro, la distribución, los valores atípicos, los patrones cambiantes con el tiempo y ______________.

6. ¿Qué valores están representados por este primer renglón de una gráfica de tallo y hojas: 5 | 2 2 9?

7. ¿Qué gráfica es más adecuada para datos pareados que consisten en las tallas de calzado y las estaturas de 30 estudiantes elegidos al azar: histograma, gráfica de puntos, diagrama de dispersión, gráfica de Pareto, gráfica circular?

8. Verdadero o falso: Un histograma y un histograma de frecuencias relativas construidos con los mismos datos siempre tienen la misma forma básica, aunque los ejes verticales son diferentes.

9. ¿Qué característica de un conjunto de datos puede entenderse mejor al construir un histograma?

10. ¿Qué gráfica es más adecuada para mostrar la importancia relativa de algunas categorías defectuosas de bombillas (vidrio roto, filamento roto, sello roto y etiqueta de voltaje incorrecta): histograma, gráfica de puntos, gráfica de tallo y hojas, gráfica de Pareto, diagrama de dispersión?

Ejercicios de repaso

1. Distribución de frecuencias de pulsos de hombres Construya una distribución de frecuencias con las tasas de pulso de hombres que se incluyen en la tabla 2-1 de la página 47. Utilice las clases de 50-59, 60-69, y así sucesivamente. ¿Qué diferencia existe entre el resultado y la distribución de frecuencias de las tasas de pulso de mujeres que se incluyen en la tabla 2-2 de la página 47?

2. Histograma de los pulsos de hombres Construya el histograma que corresponde a la distribución de frecuencias del ejercicio 1. ¿Qué diferencias hay con respecto al histograma de las mujeres (figura 2-3)?

3. Gráfica de puntos con los pulsos de hombres Construya una gráfica de puntos con los pulsos de hombres que se listan en la tabla 2-1 en la página 47. ¿Qué diferencias existen con la gráfica de puntos de los pulsos de mujeres de la sección 2-4?

4. Gráfica de tallo y hojas con los pulsos de hombres Construya una gráfica de tallo y hojas con los pulsos de hombres que se listan en la tabla 2-1 de la página 47. ¿Qué diferencias hay con respecto a la gráfica de tallo y hojas para los pulsos de mujeres de la sección 2-4?

5. Diagrama de dispersión del peso y la distancia de frenado de automóviles A continuación se presentan los pesos (en libras) y las distancias de frenado (en pies) de los primeros seis automóviles incluidos en el conjunto de datos 16 del apéndice B. Utilice los pesos y las distancias de frenado para construir un diagrama de dispersión. Con base en los resultados, ¿parece existir una asociación entre el peso de un automóvil y su distancia de frenado?

Peso (lb)	4035	3315	4115	3650	3565	4030
Distancia de frenado (pies)	131	136	129	127	146	146

6. Gráfica de series de tiempo A continuación se presenta el número de manchas solares anuales de una secuencia reciente de años, comenzando en 1980. Construya una gráfica de series de tiempo. ¿Se percibe alguna tendencia? Si es así, ¿cuál es?

154.6 140.5 115.9 66.6 45.9 17.9 13.4 29.2 100.2 157.6 142.6 145.7
94.3 54.6 29.9 17.5 8.6 21.5 64.3 93.3 119.6 123.3 123.3 65.9

7. Tiempos de aceleración de automóviles Observe la siguiente gráfica que muestra los tiempos de aceleración (en segundos) de cuatro automóviles diferentes. Los tiempos de aceleración reales son los siguientes: Volvo XC-90: 7.6 s; Audi Q7: 8.2 s; Volkswagen Passat: 7.0 s; BMW Serie 3: 9.2 s. ¿La gráfica ilustra de forma correcta los tiempos de aceleración, o es hasta cierto punto engañosa? Explique. Si la gráfica es engañosa, dibuje una gráfica que ilustre de manera correcta los tiempos de aceleración.

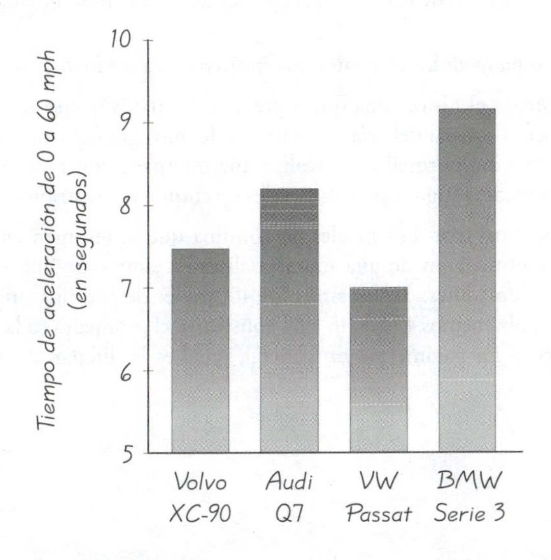

8. Géiser Old Faithful La tabla que se presenta al margen representa una distribución de frecuencias de la duración (en segundos) de 40 erupciones del géiser Old Faithful, tal como aparecen en el conjunto de datos 15 del apéndice B.

a) ¿Cuál es la anchura de clase?

b) ¿Cuáles son los límites superior e inferior de la primera clase?

c) ¿Cuáles son las fronteras superior e inferior de la primera clase?

d) Al parecer, ¿la distribución de los tiempos de duración es una distribución normal?

Duración (segundos)	Frecuencia
100–124	2
125–149	0
150–174	0
175–199	1
200–224	2
225–249	10
250–274	22
275–299	3

Ejercicios de repaso acumulativo

En los ejercicios 1 a 4, remítase a la tabla que aparece al margen, la cual resume los resultados de una encuesta aplicada a 1733 ejecutivos elegidos al azar (según datos de Korn/Ferry International). Los participantes respondieron la siguiente pregunta: “Si pudiera iniciar su carrera nuevamente en un campo completamente diferente, ¿lo haría?”.

Respuesta	Frecuencia relativa
Sí	51%
No	25%
Tal vez	24%

1. Distribución de frecuencias ¿La tabla describe una distribución de frecuencias? ¿Por qué?

2. Nivel de medición ¿Cuál es el nivel de medición de las 1733 respuestas individuales: nominal, ordinal, de intervalo o de razón? ¿Por qué?

3. Porcentajes Puesto que se obtuvieron 1733 respuestas, calcule el número real de respuestas en cada categoría.

4. Muestreo Suponga que los resultados de la tabla se obtuvieron al enviar por correo una encuesta a 10,000 ejecutivos, y al registrar las 1733 respuestas recibidas. ¿Cómo se llama a este tipo de muestreo? ¿Es probable que este tipo de muestreo sea representativo de la población completa de ejecutivos? ¿Por qué?

5. Muestreo

a) ¿Qué es una muestra aleatoria?

b) ¿Qué es una muestra aleatoria simple?

c) Suponga que la población de Estados Unidos se separa en 300,000 grupos con exactamente 1000 sujetos cada uno. Si se utiliza una computadora para elegir al azar uno de los grupos, ¿el resultado es una muestra aleatoria? ¿Una muestra aleatoria simple?

Nivel de cotinina	Frecuencia
0–99	11
100–199	12
200–299	14
300–399	1
400–499	2

6. Niveles de cotinina de fumadores La distribución de frecuencias que aparece al margen resume los niveles de cotinina medidos de una muestra aleatoria simple de 40 fumadores (del conjunto de datos 5 del apéndice B).

a) ¿Cuál es la anchura de clase?

b) ¿Cuáles son las fronteras superior e inferior de la primera clase?

c) ¿Cuál es la frecuencia relativa correspondiente a la frecuencia de 11 para la primera clase?

d) ¿Cuál es el nivel de medición de los niveles originales de cotinina: nominal, ordinal, de intervalo o de razón?

e) ¿Los niveles de cotinina medidos son datos cualitativos o cuantitativos?

7. Histograma Construya el histograma que represente los datos que se resumen en la tabla correspondiente al ejercicio 6. ¿Cuál debería ser la forma del histograma para poder concluir que los datos tienen una distribución normal? Si se realiza una interpretación muy estricta de una distribución normal, ¿el histograma sugiere que los niveles de cotinina se distribuyen normalmente?

8. Estadísticos y parámetros Los niveles de cotinina que se resumen en la tabla correspondiente al ejercicio 6 se obtuvieron de una muestra aleatoria simple de fumadores, elegidos de la población de todos los fumadores. Si sumamos los 40 niveles de cotinina originales y luego dividimos el total entre 40, obtenemos 172.5, lo cual constituye el promedio (o la media). ¿El valor de 172.5 es un estadístico o un parámetro? En general, ¿cuál es la diferencia entre un estadístico y un parámetro?

Proyecto tecnológico

Aunque las gráficas construidas manualmente tienen cierto encanto primitivo, a menudo se consideran inadecuadas para publicaciones y presentaciones. Las gráficas generadas por computadora son mucho mejores para esos propósitos. La tabla 2-1 de la sección 2-2 incluye los pulsos de hombres y mujeres, los cuales también se listan en el conjunto de datos 1 de apéndice B; además, están disponibles en archivos que pueden abrirse con paquetes de cómputo estadístico, como STATDISK, Minitab o Excel. Utilice un programa estadístico para abrir el conjunto de datos y luego para generar tres histogramas: **1.** un histograma de los pulsos de mujeres, que se incluyen en el conjunto de datos 1 del apéndice B; **2.** un histograma de los pulsos de hombres incluidos en la tabla 2-1 de la sección 2-2; **3.** un histograma de la lista combinada de los pulsos de hombres y mujeres. Después de obtener copias impresas de los histogramas, compárelos. Al parecer, ¿los pulsos de hombres y mujeres tienen características similares? (Luego estudiaremos más procedimientos formales para realizar este tipo de comparaciones. Véase, por ejemplo, la sección 9-3).

PROYECTO DE INTERNET

Datos en Internet

Visite: **www.pearsonenespañol.com/triola**

Internet brinda una enorme cantidad de información, y una gran parte de esta se presenta en forma de datos en bruto que se reunieron u observaron. Muchos sitios Web resumen este tipo de datos utilizando los métodos gráficos estudiados en este capítulo. Por ejemplo, encontramos la siguiente información con tan solo unos cuantos clics:

- Gráficas de barras en el sitio de los Centers for Disease Control nos indican que el porcentaje de hombres y mujeres que reportan un promedio de menos de 6 horas de sueño por noche se ha incrementado en cada grupo de edad durante las últimas dos décadas.
- Una gráfica circular proporcionada por la National Collegiate Athletic Association (NCAA) indica que, según una estimación, el 90.12% de las ganancias de la NCAA durante el periodo de 2006 a 2007 provienen de tarifas por venta de derechos de televisión y marketing, mientras que solo el 1.74% proviene de inversiones, tarifas y servicios.

El proyecto de Internet para este capítulo, el cual se encuentra en el sitio Web de *Estadística*, explora con más detalle representaciones gráficas de conjuntos de datos localizados en Internet. En el proceso, usted observará y reunirá conjuntos de datos sobre deportes, datos demográficos y financieros, y también realizará sus propios análisis gráficos.

PROYECTO APPLET

El sitio Web de este libro contiene applets diseñados para visualizar varios conceptos. Cuando se aplican encuestas, es común que se utilicen dígitos aleatorios para generar números telefónicos de los individuos que se entrevistarán. Abra el archivo Applets y elija **Start**. En el menú, seleccione la opción **Random sample**. Ingrese un valor mínimo de 0, un valor máximo de 9, y registre 100 como el número de valores de la muestra. Construya una distribución de frecuencias de los resultados. ¿La distribución de frecuencias sugiere que los dígitos se eligieron de la manera correcta?

Actividades de trabajo en equipo

1. Actividad en clase La tabla 2-1 de la sección 2-2 incluye los pulsos de hombres y mujeres. Pidan a cada estudiante de su clase que registre su pulso contando el número de latidos por minuto. Construyan una distribución de frecuencias y un histograma para los pulsos de los hombres, y una distribución de frecuencias y un histograma para los pulsos de las mujeres. Comparen los resultados. ¿Existe alguna diferencia evidente? ¿Los resultados son congruentes con los encontrados en los datos de la tabla 2-1?

2. Actividad fuera de clase Busquen un ejemplo de una gráfica engañosa en periódicos y revistas. (Véase la sección 2-5). Describan por qué es engañosa. Dibujen nuevamente la gráfica para que describa la información de manera correcta.

3. Actividad en clase A continuación se muestran las edades de motociclistas en el momento en que resultaron heridos de muerte en accidentes de tránsito (según datos del Departamento del Transporte de Estados Unidos). Si su objetivo es poner de relieve el peligro que representan las motocicletas para la gente joven, ¿qué diagrama será más adecuado: un histograma, una gráfica de Pareto, una gráfica circular, una gráfica de puntos, una gráfica de tallo y hojas o alguna otra? Construyan la gráfica que cumpla mejor el objetivo de resaltar los peligros de conducir motocicletas. ¿Es aceptable distorsionar los datos de manera intencional si se tiene como finalidad salvar la vida de los motociclistas?

17	38	27	14	18	34	16	42	28
24	40	20	23	31	37	21	30	25
17	28	33	25	23	19	51	18	29

4. Actividad fuera de clase Cada equipo de tres o cuatro estudiantes debe construir una gráfica que permita responder esta pregunta: ¿Existe una diferencia entre los valores del índice de masa corporal (IMC) de hombres y mujeres? (Véase el conjunto de datos 1 en el apéndice B).

5. Actividad fuera de clase Consigan el libro *The Visual Display of Quantitative Information*, segunda edición, de Edward Tufte (Graphic Press, PO Box 430, Cheshire, CT 06410). Encuentren la gráfica que describe la travesía que realizó Napoleón hacia Moscú y de regreso, y expliquen por qué Tufte considera que "tal vez sea la mejor gráfica que se haya elaborado jamás".

6. Actividad fuera de clase Consigan el libro *The Visual Display of Quantitative Information*, segunda edición, de Edward Tufte (Graphic Press, PO Box 430, Cheshire, CT 06410). Encuentren la gráfica que apareció en *American Education*, y expliquen por qué Tufte considera que "tal vez sea la peor gráfica que se haya imprimido jamás". Construyan una gráfica que resulte adecuada para describir los mismos datos.

7. Actividad fuera de clase Investiguen el número de países que utilizan el Sistema métrico o Sistema internacional de unidades (SI) y el número de países que utilizan el Sistema inglés (que incluye millas, libras, galones, etcétera). Construyan una gráfica que sirva para describir con claridad los datos. ¿Qué sugiere la gráfica?

DE LOS DATOS A LA DECISIÓN

¿Los Premios de la Academia discriminan por la edad?

A continuación se presenta una lista con las edades que tenían los actores en el momento de recibir un Óscar en las categorías de mejor actor y mejor actriz. Las edades aparecen en orden, comenzando con la primera ceremonia de los Premios de la Academia en 1928. [*Notas:* En 1968 hubo un empate en la categoría de mejor actriz, y se utilizó el promedio (la media) de las dos edades; en 1932 hubo un empate en la categoría de mejor actor, y se utilizó el promedio (la media) de las dos edades. Tales datos se basan en el artículo "Ages of Oscar-winning Best Actors and Actresses", de Richard Brown y Gretchen Davis, en la revista *Mathematics Teacher*. En ese artículo, el año de nacimiento del ganador del premio se restó del año de la ceremonia; no obstante, las edades que se listan a continuación se basan en la fecha de nacimiento del ganador y en la fecha de la ceremonia de premiación].

Pensamiento crítico: Compare los dos conjuntos de datos utilizando los métodos estudiados en este capítulo para organizar, resumir y graficar datos. Responda las siguientes preguntas: ¿Hay diferencias importantes entre las edades de las mejores actrices y las edades de los mejores actores? Al parecer, ¿los actores de uno y otro sexo son juzgados estrictamente por sus habilidades artísticas? O bien, ¿existe discriminación por la edad y las mejores actrices suelen ser más jóvenes que los mejores actores? ¿Hay algunas otras diferencias evidentes?

Mejores actrices

22	37	28	63	32	26	31	27	27	28
30	26	29	24	38	25	29	41	30	35
35	33	29	38	54	24	25	46	41	28
40	39	29	27	31	38	29	25	35	60
43	35	34	34	27	37	42	41	36	32
41	33	31	74	33	50	38	61	21	41
26	80	42	29	33	35	45	49	39	34
26	25	33	35	35	28	30	29	61	

Mejores actores

44	41	62	52	41	34	34	52	41	37
38	34	32	40	43	56	41	39	49	57
41	38	42	52	51	35	30	39	41	44
49	35	47	31	47	37	57	42	45	42
44	62	43	42	48	49	56	38	60	30
40	42	36	76	39	53	45	36	62	43
51	32	42	54	52	37	38	32	45	60
46	40	36	47	29	43	37	38	45	

NOMBRE: Bob Sehlinger

PUESTO: Editor

COMPAÑÍA: Menasha Ridge Press

Bob Sehlinger trabaja en Menasha Ridge Press, la empresa que edita, entre otras publicaciones, la serie Unofficial Guide para John Wiley & Sons (Wiley, Inc). Estas guías utilizan ampliamente la estadística para investigar las experiencias que enfrentarían los viajeros, y para ayudarlos a tomar decisiones informadas y a disfrutar de unas maravillosas vacaciones.

¿Cómo utiliza la estadística en su trabajo y qué conceptos específicos de estadística emplea?

Usamos la estadística en cada faceta del negocio: el análisis del valor esperado para pronósticos de ventas; el análisis de regresión para determinar los libros que debemos publicar en una serie, etcétera; no obstante, somos mejor conocidos por nuestra investigación en las áreas sobre las filas o colas y los cálculos evolutivos.

Las metodologías de investigación que se usan en la serie *Unofficial Guide* nos están conduciendo a un modelo verdaderamente innovador sobre la creación de guías para viajeros. Nuestros diseños de investigación y el uso de la tecnología del campo de la investigación de operaciones con frecuencia se citan en el mundo académico y se comentan en revistas especializadas.

Utilizamos un enfoque revolucionario de equipo y ciencia de vanguardia, para brindar a los lectores información sumamente valiosa que no está disponible en otras series de viajes. Toda nuestra organización está dirigida por individuos con amplia capacitación y experiencia en el diseño de investigaciones, así como en la recolección y el análisis de datos.

Desde la primera edición de *Unofficial Guide* hasta nuestra investigación en Walt Disney World, reducir el tiempo de espera en las filas para nuestros lectores ha sido una de nuestras grandes prioridades. Desarrollamos y ofrecemos planes de viaje con pruebas de campo que permitan a nuestros lectores disfrutar de la mayor cantidad posible de atracciones, con el menor tiempo de espera. Sometimos a prueba nuestro método en el parque de diversiones; el grupo que viajaba sin nuestros planes pasó en promedio tres horas y media más esperando en las filas, y disfrutó un 37% menos de atracciones, en comparación con quienes usaron nuestros planes de viaje.

Conforme agregamos atracciones a nuestra lista, el número de planes de viaje posibles crece con rapidez. Las 44 atracciones del plan de viaje de un día en el Magic Kingdom para adultos representan 51,090,942,171,709,440,000 planes de viaje posibles. ¿Qué tan buenos son nuestros nuevos planes de viaje en la *Unofficial Guide*? Nuestro programa de cómputo generalmente logra ubicarse dentro del 2% del plan de viaje óptimo. Para poner esto en perspectiva, si el plan hipotético "perfecto" de viaje de un día para un adulto requiere de aproximadamente 10 horas, el plan de viaje no oficial tomaría alrededor de 10 horas y 12 minutos. Considerando que una computadora poderosa tardaría aproximadamente 30 años en encontrar el plan "perfecto", los 12 minutos adicionales constituyen una ventaja razonable.

¿Qué conocimientos de estadística se necesitan para obtener un trabajo como el que usted desempeña?

Yo trabajo con especialistas en estadística y programación que tienen estudios de doctorado en el desarrollo y la aplicación de diseños de investigación. Yo obtuve una maestría en administración y tenía mucha experiencia práctica en investigación de operaciones antes de trabajar en la editorial; no obstante, el principal requisito para realizar investigación consiste en saber lo suficiente de estadística para identificar las oportunidades de aplicarla, y desarrollar información útil para nuestros lectores.

¿Recomienda a los estudiantes universitarios actuales estudiar estadística? ¿Por qué?

Definitivamente sí. En un contexto de negocios, la estadística junto con la contabilidad y unas buenas bases de matemáticas financieras son los fundamentos cuantitativos. Además, la estadística es importante prácticamente en todos los aspectos de la vida.

¿Qué otras habilidades son importantes para los estudiantes universitarios actuales?

Buenas habilidades de expresión oral y escrita.

3 Estadísticos para describir, explorar y comparar datos

PROBLEMA DEL CAPÍTULO

¿Realmente las mujeres hablan más que los hombres?

Existe la creencia generalizada de que las mujeres hablan más que los hombres. ¿Esta creencia está basada en hechos o solo es un mito? ¿En realidad los hombres hablan más que las mujeres? ¿O los hombres hablan aproximadamente tanto como las mujeres?

En el libro *The Female Brain*, la neuropsiquiatra Louann Brizendine afirma que las mujeres pronuncian 20,000 palabras al día, en comparación con solo 7,000 que pronuncian los hombres. La autora eliminó el comentario debido a la queja de expertos lingüistas, quienes afirmaron que ese conteo de palabras carecía de fundamento.

Investigadores realizaron un estudio en un intento por resolver la duda sobre la cantidad de palabras pronunciadas por hombres y mujeres. Los hallazgos se publicaron en el artículo "Are Women Really More Talkative Than Men? (de Mehl, Vazire, Ramirez-Esparza, Slatcher y Pennebaker, *Science*, vol. 317, núm. 5834). El estudio incluyó a 396 sujetos, y cada uno utilizó una grabadora de voz para reunir muestras de conversaciones durante varios días. Luego, los investigadores analizaron las conversaciones y contaron el número de palabras pronunciadas por cada individuo. El conjunto de datos 8 del apéndice B incluye los conteos de palabras de hombres y mujeres de seis grupos de muestras diferentes (de acuerdo con los resultados que proporcionaron los investigadores); no obstante, si combinamos todos los conteos de palabras de hombres y mujeres del conjunto de datos 8, obtenemos dos conjuntos de datos muestrales que pueden compararse. Una buena forma de comenzar a explorar los datos consiste en construir una gráfica que nos permita visualizar las muestras. Observe los polígonos de frecuencias relativas que se presentan en la figura 3-1. Con base en esa figura, las muestras de conteos de palabras de hombres y mujeres parecen muy similares, ya que no muestran diferencias sustanciales.

Al comparar los conteos de palabras de la muestra de hombres con los conteos de palabras de la muestra de mujeres, uno de los objetivos es contrastar las *medias* de las dos muestras. A continuación se presentan los valores de las medias y el tamaño de las muestras. (Muchas personas están más familiarizadas con el término "promedio", aunque este no se utiliza en la estadística; en su lugar, se utiliza el concepto "media", el cual se define y analiza de manera formal en la sección 3-2, donde veremos que la media se calcula sumando todos los valores y dividiendo el total entre el número de valores).

La figura 3-1 y las medias muestrales brindan mucha información importante acerca de la comparación de los números de palabras pronunciadas por hombres y mujeres. En esta sección presentaremos otros métodos estadísticos comunes que sirven para realizar comparaciones. Por medio de los métodos de este capítulo y de otros que presentaremos más adelante, determinaremos si las mujeres realmente hablan más que los hombres o si se trata solo de un mito.

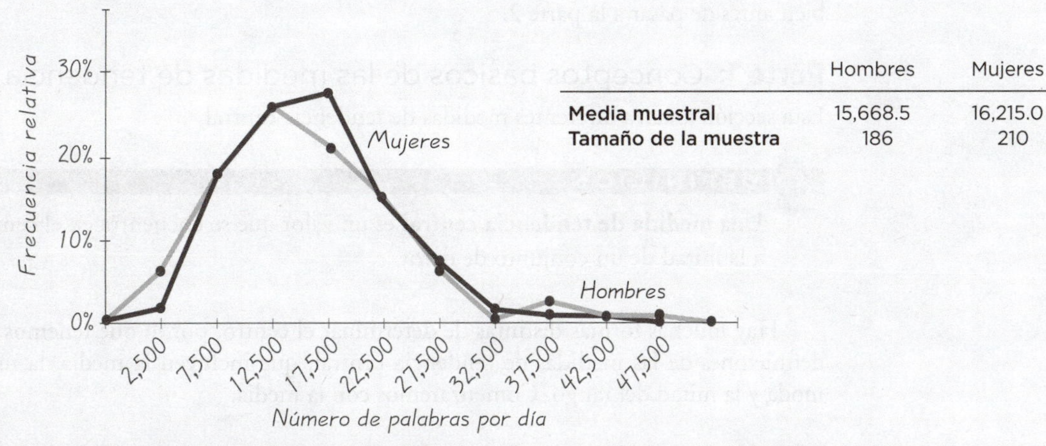

	Hombres	Mujeres
Media muestral	15,668.5	16,215.0
Tamaño de la muestra	186	210

Figura 3-1 Polígonos de frecuencia del número de palabras pronunciadas por hombres y mujeres

3-1 Repaso y preámbulo

En el capítulo 1 analizamos métodos para reunir datos muestrales, y en el capítulo 2 presentamos la distribución de frecuencias como una herramienta para resumir datos. En el capítulo 2 también presentamos gráficas diseñadas para ayudarnos a entender algunas características de los datos, incluyendo su distribución; señalamos que al describir, explorar y comparar conjuntos de datos, las siguientes características suelen ser de suma importancia: **1.** el centro, **2.** la variación, **3.** la distribución, **4.** los valores atípicos y **5.** las características de los datos que cambian con el tiempo. En este capítulo presentaremos estadísticos importantes, incluyendo la media, la mediana y la desviación estándar. Al terminar de estudiar este capítulo, usted deberá ser capaz de calcular la media, la mediana, la desviación estándar y la varianza de un conjunto de datos; además, comprenderá e interpretará con claridad dichos valores. Es especialmente importante la comprensión de los valores de desviación estándar utilizando herramientas como la regla general del rango.

Pensamiento crítico e interpretación: Más allá de las fórmulas

En este capítulo presentamos varias fórmulas que se utilizan para calcular estadísticos básicos. Debido a que la tecnología nos permite obtener muchos de estos estadísticos de manera automática, no es tan importante memorizar fórmulas o realizar cálculos aritméticos complejos a mano; en cambio, nos podemos concentrar en entender e interpretar los valores que se obtienen a partir de ellos.

Los métodos y las herramientas de este capítulo y del anterior se conocen cómo métodos de **estadística descriptiva**, ya que su objetivo es resumir o describir las características importantes de un conjunto de datos. Más adelante en este libro emplearemos métodos de **estadística inferencial** para hacer inferencias o generalizaciones acerca de una población.

3-2 Medidas de tendencia central

Concepto clave En esta sección nos enfocamos en las características del centro. En específico, presentamos medidas de tendencia central, incluyendo la *media* y la *mediana*, como herramientas para analizar los datos. Aquí no solo nos enfocamos en determinar el valor de cada medida de tendencia central, sino también en la interpretación de esos valores. La parte 1 de esta sección incluye conceptos básicos que deben comprenderse muy bien antes de pasar a la parte 2.

Parte 1: Conceptos básicos de las medidas de tendencia central

Esta sección analiza diferentes medidas de tendencia central.

DEFINICIÓN

Una **medida de tendencia central** es un valor que se encuentra en el centro o a la mitad de un conjunto de datos.

Hay muchas formas distintas de determinar el centro, por lo que tenemos diferentes definiciones de las medidas de tendencia central, que incluyen la media, la mediana, la moda y la mitad del rango. Comenzaremos con la media.

Media

La media (aritmética), por lo general, es la medida numérica más importante que se utiliza para describir datos; comúnmente se le conoce como *promedio*.

DEFINICIÓN

La **media aritmética** o **media** de un conjunto de datos es la medida de tendencia central que se calcula al sumar los datos y dividir el total entre el número de datos.

Esta definición puede expresarse con la fórmula 3-1, que utiliza la letra griega Σ (sigma mayúscula) para indicar que los valores de los datos deben sumarse. Es decir, Σx representa la suma de todos los valores de los datos. El símbolo n denota el **tamaño de la muestra**, que es el número de datos.

Fórmula 3-1

$$\text{media} = \frac{\Sigma x}{n} \quad \begin{array}{l} \leftarrow \text{suma de todos los datos} \\ \leftarrow \text{número de datos} \end{array}$$

Si los datos son una *muestra* de una población, la media se simboliza mediante $\bar{x}$ (que se lee "x barra"); cuando se usan todos los valores de la población, la media se simboliza por medio de μ (la letra griega mu minúscula). (Por lo general, los estadísticos muestrales se representan con letras del abecedario latino como $\bar{x}$, y los parámetros poblacionales con letras del alfabeto griego como μ.)

Notación

Σ representa la *suma* de un conjunto de datos.

x es la *variable* que generalmente se usa para representar los datos individuales.

n representa el *número de datos* en una *muestra*.

N representa el *número de datos* en una *población*.

$\bar{x} = \dfrac{\Sigma x}{n}$ es la media de un conjunto de datos *muestrales*.

$\mu = \dfrac{\Sigma x}{N}$ es la media de todos los datos de una *población*.

El ciudadano promedio

Según Kevin O'Keefe, autor de *The Average American: The Extraordinary Search for the Nation's Most Ordinary Citizen*, Bob Burns es la persona promedio de Estados Unidos. O'Keefe pasó dos años utilizando 140 criterios para identificar al individuo estadounidense con la mayor cantidad de características promedio. El autor identificó estadísticos que revelan las preferencias de la mayoría, y los aplicó a una gran cantidad de personas. Bob Burns fue el único individuo que cumplió con los 140 criterios: mide 5 pies 8 pulgadas, pesa 190 libras, tiene 54 años de edad, está casado y tiene tres hijos, usa lentes, trabaja 40 horas a la semana, conduce un automóvil de ocho años de antigüedad, tiene un asador al aire libre, poda el césped, bebe café todos los días y saca a pasear a su perro cada tarde.

EJEMPLO 1

Media El problema del capítulo se refiere a conteos de palabras de 186 hombres y 210 mujeres. Calcule la media de los primeros cinco conteos de palabras de los hombres: 27,531; 15,684; 5,638; 27,997; y 25,433.

SOLUCIÓN

La media se calcula con la fórmula 3-1. Primero se suman los datos y luego se dividen entre el número de datos:

$$\bar{x} = \frac{\Sigma x}{n} = \frac{27{,}531 + 15{,}684 + 5{,}638 + 27{,}997 + 25{,}433}{5} = \frac{102{,}283}{5}$$
$$= 20{,}456.6$$

Como $\bar{x} = 20{,}456.6$ palabras, la media de los primeros cinco conteos de palabras es 20,456.6 palabras.

Una ventaja de la media es que resulta relativamente *confiable*, de manera que cuando se seleccionan muestras de la misma población, las medias muestrales tienden a ser más consistentes que otras medidas de tendencia central. Es decir, las medias de muestras obtenidas de la misma población no varían tanto como las otras medidas de tendencia central. Otra ventaja de la media es que toma en cuenta todos los datos. Sin embargo, como la media es sensible a cada uno de los datos, un solo dato extremo puede afectarla de forma drástica. Como la media no puede resistir cambios sustanciales provocados por valores extremos, decimos que la media no es una medida de tendencia central *resistente*.

Mediana

A diferencia de la media, la mediana es una medida central resistente, ya que no cambia mucho debido a la presencia de unos cuantos valores extremos.

La mediana es un "valor intermedio", ya que la mitad de los datos están por debajo de la mediana y la otra mitad por arriba de ella. La siguiente definición es más precisa.

DEFINICIÓN

La **mediana** de un conjunto de datos es la medida de tendencia central que implica el *valor intermedio*, cuando los datos originales se presentan en orden de magnitud creciente (o decreciente). La mediana suele denotarse con $\tilde{x}$ (y se lee "*x* con tilde").

Para calcular la mediana, primero se *ordenan* los datos (de menor a mayor) y luego se sigue uno de los siguientes dos procedimientos:

1. Si el número de valores es impar, la mediana es el número que se localiza exactamente a la mitad de la lista.
2. Si el número de valores es par, la mediana se obtiene calculando la media de los dos números que están a la mitad.

EJEMPLO 2 **Mediana** Calcule la mediana de los valores muestrales utilizados en el ejemplo 1: 27,531; 15,684; 5,638; 27,997; y 25,433.

SOLUCIÓN Primero ordene los valores, como se muestra a continuación:

5,638 15,684 25,433 27,531 27,997

Puesto que el número de valores es impar (5), la mediana es el número localizado exactamente a la mitad de la lista ordenada, que es 25,433. Por lo tanto, la mediana es de 25,433 palabras. Advierta que la mediana de 25,433 difiere de la media de 20,456.6 obtenida en el ejemplo 1.

EJEMPLO 3 **Mediana** Repita el ejemplo 2 después de incluir el dato adicional de 8077 palabras. Por lo tanto, debe calcular la mediana de los siguientes conteos de palabras: 27,531; 15,684; 5,638; 27,997; 25,433; y 8,077.

SOLUCIÓN Primero ordene los valores:

5,638 8,077 15,684 25,433 27,531 27,997

Puesto que el número de valores es par (6), la mediana se obtiene calculando la media de los dos números intermedios, que son 15,684 y 25,433.

Poblaciones cambiantes

Una de las cinco características más importantes que se mencionaron en el capítulo 2 es el patrón de cambio de los datos con el paso del tiempo. Algunas poblaciones cambian, y sus estadísticos importantes también. Los estándares de los cinturones de seguridad no han cambiado en 40 años, aun cuando el peso de los estadounidenses se ha incrementado de manera considerable desde entonces. En 1960 el 12.8% de los estadounidenses se consideraban obesos, en comparación con el 22.6% en 1994.

Según la National Highway Traffic Safety Administration (Agencia Nacional de Carreteras de Estados Unidos), los cinturones de seguridad deben ajustarse a un maniquí estándar de choque (diseñado con datos de 1960), sentado en el asiento delantero, con un espacio libre de 4 pulgadas. En teoría, el cinturón se ajusta al 95% de los hombres y al 99% de las mujeres, pero estos porcentajes son ahora más bajos ante el aumento de peso durante la segunda mitad del siglo pasado. Algunas empresas automotrices ofrecen cinturones de seguridad con extensiones, pero otras no.

$$\text{Mediana} = \frac{15{,}684 + 25{,}433}{2} = \frac{41{,}117}{2} = 20{,}558.5$$

La mediana es de 20,558 palabras.

ADVERTENCIA

Nunca utilice el término *promedio* para referirse a una medida de tendencia central. Utilice el término correcto, como *media* o *mediana.*

Moda

La moda es otra medida de tendencia central.

DEFINICIÓN

La **moda** de un conjunto de datos es el valor que se presenta con mayor frecuencia.

Un conjunto de datos puede tener una moda, más de una moda o ninguna moda.

- Cuando dos valores se presentan con la misma frecuencia y esta es la más alta, ambos valores son modas, por lo que el conjunto de datos es **bimodal**.
- Cuando más de dos valores se presentan con la misma frecuencia y esta es la más alta, todos los valores son modas, por lo que el conjunto de datos es **multimodal**.
- Cuando ningún valor se repite, se dice que **no hay moda**.

EJEMPLO 4 **Moda** Calcule la moda de los siguientes conteos de palabras: 18,360 18,360 27,531 15,684 5,638 27,997 25,433.

SOLUCIÓN La moda es 18,360 palabras, ya que es el dato que se presenta con la mayor frecuencia.

En el ejemplo 4 la moda es un solo valor. Las siguientes son otras dos posibles circunstancias:

Dos modas: Los valores 0, 0, 0, 1, 1, 2, 3, 5, 5, 5 tienen dos modas: 0 y 5.

Ninguna moda: Los valores 0, 1, 2, 3, 5 no tienen moda porque ningún valor se repite.

En realidad, la moda no se utiliza mucho con los datos numéricos. Sin embargo, entre las diferentes medidas de tendencia central que consideramos, la moda es la única que puede usarse con datos de nivel de medición nominal. (Recuerde que el nivel de medición nominal se refiere a datos que consisten únicamente en nombres, etiquetas o categorías).

Mitad del rango

Otra medida de tendencia central es la mitad del rango. Puesto que utiliza solo los valores máximo y mínimo, es demasiado sensible a esos extremos y por eso se emplea muy poco. Sin embargo, la mitad del rango posee tres características valiosas: **1.** es fácil de calcular; **2.** ayuda a reforzar la importante idea de que hay varias maneras de definir el centro de

Paradoja del tamaño de la clase

Existen al menos dos formas de obtener el tamaño de una clase promedio, y ambas pueden dar resultados muy diferentes. En una universidad, si tomamos la cantidad de estudiantes de 737 clases, obtenemos una media de 40 estudiantes. Sin embargo, si reunimos una lista del tamaño de las clases para cada estudiante y utilizamos esta lista, obtendríamos una media de 147. Esta gran discrepancia se debe al hecho de que existen muchos estudiantes en clases grandes, en tanto que hay pocos estudiantes en clases pequeñas. Sin cambiar el número de clases o de profesores, podríamos reducir el tamaño de clase promedio para los estudiantes haciendo que todas las clases tengan un tamaño similar. Esto también aumentaría la asistencia, que es más alta en las clases con menor número de alumnos.

un conjunto de datos; **3.** en ocasiones se le utiliza incorrectamente en vez de la mediana, de manera que la confusión se reduce si se define claramente tanto la mitad del rango como la mediana (véase el ejercicio 3).

La **mitad del rango** es la medida de tendencia central que constituye el valor que se encuentra a la mitad, entre la puntuación más alta y la más baja, en el conjunto original de datos. Se calcula sumando el valor máximo con el valor mínimo y luego dividiendo la suma entre 2, de acuerdo con la siguiente fórmula:

$$\text{mitad del rango} = \frac{\text{valor máximo} + \text{valor mínimo}}{2}$$

EJEMPLO 5

Mitad del rango Calcule la mitad del rango de los siguientes valores del ejemplo 1: 27,531; 15,684; 5,638; 27,997; y 25,433.

SOLUCIÓN La mitad del rango se calcula de la siguiente manera:

$$\text{Mitad del rango} = \frac{\text{valor máximo} + \text{valor mínimo}}{2}$$

$$= \frac{27{,}997 + 5{,}638}{2} = 16{,}817.5$$

La mitad del rango es 16,817.5 palabras.

A menudo se utiliza el término *promedio* para referirse a la media, aunque algunas veces se usa para implicar otras medidas de tendencia central. Para evitar cualquier confusión o ambigüedad, utilizamos el término correcto y específico, como *media* o *mediana*. Los especialistas en estadística no utilizan el término *promedio*, por lo que este no se empleará a lo largo del libro para referirse a una medida de tendencia central en particular.

Al calcular medidas de tendencia central, a menudo es necesario redondear los resultados, por lo que utilizamos la siguiente regla.

Regla de redondeo para la media, mediana y mitad del rango

Aumente una posición decimal a las que hay en el conjunto original de datos.

(Debido a que los valores de la moda son iguales a alguno de los datos originales, pueden permanecer sin redondeo).

Cuando aplique esta regla, redondee solo la respuesta final *y no los valores intermedios que aparecen durante los cálculos*. Así, la media de 2, 3, 5, es 3.333333…, que se redondea a 3.3, una posición decimal más que los valores originales de 2, 3, 5. Otro ejemplo sería la media de 80.4 y 80.6, que es igual a 80.50 (una posición decimal más de la que se empleó para los valores originales). Debido a que la moda es uno o más de los valores originales, no redondeamos sus valores; simplemente se utilizan los mismos datos originales.

Pensamiento crítico

Aunque podemos calcular medidas de tendencia central para un conjunto de datos muestrales, siempre debemos preguntarnos si los resultados tienen sentido. En la sección 1-2 señalamos que no tiene sentido efectuar cálculos numéricos con datos que están en el nivel de medición nominal. Puesto que los datos a nivel nominal consisten únicamente en nombres, etiquetas o categorías, no tiene sentido calcular el valor de estadísticos como la media y la mediana. También debemos pensar en el método que se utilizó para reunir los datos muestrales. Si el método no es sensato, es probable que los estadísticos que obtengamos sean engañosos.

EJEMPLO 6

Pensamiento crítico y medidas de tendencia central Para cada uno de los siguientes ejercicios, identifique una razón importante por la que la media y la mediana *no* son estadísticos que tengan sentido.

a) Códigos postales: 12601, 90210, 02116, 76177, 19102

b) Clasificaciones de los niveles de estrés de distintos empleos: 2, 3, 1, 7, 9

c) Los sujetos encuestados se codifican de la siguiente manera: 1 (demócratas), 2 (republicanos), 3 (liberales), 4 (conservadores) o 5 (cualquier otro partido político).

SOLUCIÓN

a) Los códigos postales no miden ni cuentan algo. Los números en realidad son etiquetas de ubicaciones geográficas.

b) Las clasificaciones reflejan un orden, pero no miden ni cuentan algo. La clasificación 1 podría indicar un empleo que tiene un nivel de estrés mucho mayor que el nivel de un empleo con una clasificación 2, por lo que los distintos números no corresponden a las magnitudes de los niveles de estrés.

c) Los resultados codificados son números, pero no miden ni cuentan algo. Estos números son simplemente distintas maneras de expresar nombres.

El ejemplo 6 incluyó datos con niveles de medición que no justifican el uso de estadísticos como la media o la mediana. El ejemplo 7 implica un tema más sutil.

EJEMPLO 7

Media del ingreso per cápita El ingreso per cápita es el ingreso que cada persona recibiría si el ingreso nacional total se dividiera de manera equitativa entre todos los habitantes. Utilizando datos del Departamento de Comercio de Estados Unidos, es posible calcular la media del ingreso per cápita de cada una de las 50 entidades de Estados Unidos. Algunos de los valores de los datos disponibles en el momento de escribir este libro son:

$29,136 $35,612 $30,267 . . . $36,778

La media de las medias de los 50 estados es $33,442. ¿Se deduce que la media del ingreso per cápita de Estados Unidos es $33,442? ¿Por qué?

continúa

Un error de redondeo cambia un récord mundial

Los errores de redondeo a menudo pueden tener resultados desastrosos. Justin Gatlin estaba eufórico cuando estableció el récord mundial como la persona en correr los 100 metros en el menor tiempo (9.76 segundos). Sin embargo, su tiempo récord duró solo cinco días, cuando se corrigió a 9.77 segundos y empató el récord mundial en lugar de romperlo. Su tiempo real fue de 9.766 segundos, y debería haberse redondeado a 9.77 segundos, pero la persona que tomó el tiempo no sabía que tenía que presionar un botón para obtener el redondeo. El representante de Gatlin dijo que el atleta estaba muy perturbado y que el incidente era una "gran vergüenza para la IAAF (International Association of Athletics Federations) y para nuestro deporte".

SOLUCIÓN No, \$33,442 no es necesariamente la media del ingreso per cápita de Estados Unidos. El problema aquí es que algunos estados tienen muchos más habitantes que otros. El cálculo de la media de ese país debe tomar en cuenta el número de habitantes que hay en cada estado. La media del ingreso per cápita de Estados Unidos es \$34,586 y no \$33,442. No es posible calcular la media de la población de ese país al obtener la media de las medias de los 50 estados.

Parte 2: Más allá de los aspectos básicos de las medidas de tendencia central

La media a partir de una distribución de frecuencias

Cuando trabajamos con datos resumidos en una distribución de frecuencias, no sabemos con exactitud los valores que caen dentro de una clase en particular. Para efectuar cálculos, suponemos que en cada clase todos los valores muestrales son iguales a las marcas de clase. Por ejemplo, considere el intervalo de clase de 0-9,999, con una frecuencia de 46 (como en la tabla 3-1). Suponemos que los 46 valores son iguales a 4999.5 (la marca de clase). Si repetimos 46 veces el valor 4999.5, obtenemos un total de $4999.5 \cdot 46 = 229{,}977$. Luego, podemos sumar los productos de cada clase para calcular el total de todos los valores muestrales, los cuales dividimos después entre la suma de las frecuencias, Σf. La fórmula 3-2 se utiliza para calcular la media cuando los datos muestrales están resumidos en una distribución de frecuencias. La fórmula 3-2 no es un nuevo concepto, sino simplemente una variante de la fórmula 3-1.

Fórmula 3-2

Primero multiplique cada frecuencia y marca de clase; luego sume los productos.

media de la distribución de frecuencias: $$\bar{x} = \frac{\Sigma(f \cdot x)}{\Sigma f}$$

suma de frecuencias

El siguiente ejemplo ilustra el procedimiento que se utiliza para calcular la media a partir de una distribución de frecuencias.

Tabla 3-1 Cálculo de la media a partir de una distribución de frecuencias

Conteos de palabras de hombres	Frecuencia f	Marca de clase x	$f \cdot x$
0-9,999	46	4,999.5	229,977.0
10,000-19,999	90	14,999.5	1,349,955.0
20,000-29,999	40	24,999.5	999,980.0
30,000-39,999	7	34,999.5	244,996.5
40,000-49,999	3	44,999.5	134.998.5
Totales:	$\Sigma f = 186$		$\Sigma(f \cdot x) = 2{,}959{,}907$
			$\bar{x} = \frac{\Sigma(f \cdot x)}{\Sigma f} = \frac{2{,}959{,}907}{186} = 15{,}913.5$

EJEMPLO 8 **Cálculo de la media a partir de una distribución de frecuencias** Las primeras dos columnas de la tabla 3-1 componen una distribución de frecuencias que resume los conteos de palabras de los 186 hombres incluidos en el conjunto de datos 8 del apéndice B. Utilice la distribución de frecuencias para calcular la media.

SOLUCIÓN La tabla 3-1 ilustra el procedimiento que se sigue para aplicar la fórmula 3-2 cuando se calcula la media de datos resumidos en una distribución de frecuencias. Los valores de las marcas de clase aparecen en la tercera columna, y los productos $f \cdot x$ se presentan en la última columna. El cálculo con la fórmula 3-2 se muestra en la parte inferior de la tabla 3-1. El resultado es $\bar{x} = 15{,}913.5$ palabras. Si utilizamos la lista original de conteos de palabras de los 186 hombres, obtenemos $\bar{x} = 15{,}668.5$ palabras. La distribución de frecuencias produce una aproximación de x, ya que no se basa en la lista original exacta de valores muestrales.

Media ponderada

Cuando se asignan valores con diferentes grados de importancia, podemos calcular la **media ponderada**. La fórmula 3-3 se utiliza para calcular la media ponderada, w.

Fórmula 3-3

$$\text{media ponderada: } \bar{x} = \frac{\Sigma(w \cdot x)}{\Sigma w}$$

La fórmula 3-3 nos indica que debemos multiplicar cada peso w por el valor x correspondiente, luego sumar los productos y, finalmente, dividir el total entre la suma de los pesos Σw.

EJEMPLO 9 **Cálculo de promedio de calificaciones** En el primer semestre de la universidad, un alumno del autor tomó cinco cursos. Sus calificaciones finales, junto con los créditos de cada curso, son: A (3 créditos), A (4 créditos), B (3 créditos), C (3 créditos) y F (1 crédito). El sistema de calificación asigna los siguientes puntos de calidad a las calificaciones con letras: A = 4; B = 3; C = 2; D = 1; F = 0. Calcule el promedio de sus calificaciones.

SOLUCIÓN Utilice el número de créditos como pesos: $w = 3, 4, 3, 3, 1$. Reemplace las calificaciones asignadas mediante las letras A, A, B, C y F por los puntos de calidad correspondientes: $x = 4, 4, 3, 2, 0$. Ahora utilizamos la fórmula 3-3 como se muestra a continuación. El resultado es un promedio de calificaciones del primer semestre de 3.07. (Si utilizamos la regla del redondeo anterior, el resultado se redondea a 3.1, aunque es común que el promedio de las calificaciones incluya dos posiciones decimales).

$$\begin{aligned} \bar{x} &= \frac{\Sigma(w \cdot x)}{\Sigma w} \\ &= \frac{(3 \times 4) + (4 \times 4) + (3 \times 3) + (3 \times 2) + (1 \times 0)}{3 + 4 + 3 + 3 + 1} \\ &= \frac{43}{14} = 3.07 \end{aligned}$$

Sesgo

Una comparación de la media, la mediana y la moda puede revelar información acerca de las características de sesgo, que se define a continuación y se ilustra en la figura 3-2.

DEFINICIÓN

Una distribución de datos está **sesgada** si no es simétrica y se extiende más hacia un lado que hacia el otro. (Una distribución de datos es **simétrica** si la mitad izquierda de su histograma es aproximadamente una imagen especular de su mitad derecha).

Los datos **sesgados a la izquierda** (lo que también se conoce como *sesgo negativo*) dan como resultado una curva con una cola izquierda más larga, y la media y la mediana se encuentran a la izquierda de la moda. Los datos **sesgados a la derecha** (lo que también se denomina *sesgo positivo*) dan como resultado una cola derecha más larga, en tanto que la media y la mediana se encuentran a la derecha de la moda.

Por lo general (¡aunque no siempre!), la media de los datos sesgados se localiza más lejos que la mediana en la cola más larga. En la figura 3-2*a*) se observa la media a la izquierda de la mediana para los datos sesgados hacia la izquierda, y en la figura 3-2*c*) se observa la media a la derecha de la mediana para los datos sesgados hacia la derecha, aunque esas posiciones relativas a la media y la mediana no siempre se muestran en las figuras. Por ejemplo, es posible observar datos sesgados hacia la izquierda con una mediana que sea menor que la media, al contrario del orden que se muestra en la figura 3-2*a*). Para los valores de −100, 1.0, 1.5, 1.7, 1.8, 2.0, 3.0, 4.0, 5.0, 50.0, 50.0, 60.0, un histograma revela que los datos están sesgados hacia la izquierda, aunque la media de 6.7 es *mayor que* la mediana de 2.5, lo que contradice el orden de la media y la mediana que se presenta en la figura 3-2*a*).

La media y la mediana no siempre se pueden utilizar para identificar la forma de la distribución.

En la práctica, muchas distribuciones de datos son aproximadamente simétricas y carecen de sesgo. Las distribuciones sesgadas hacia la derecha son más comunes que las sesgadas hacia la izquierda, ya que con frecuencia es más fácil obtener valores excepcionalmente grandes que valores excepcionalmente pequeños. Por ejemplo, en el caso de los ingresos anuales, es imposible obtener valores menores que cero, pero hay algunas personas que ganan millones o miles de millones de dólares en un año. Por lo tanto, el ingreso anual tiende a mostrar un sesgo hacia la derecha, como se observa en la figura 3-2*c*).

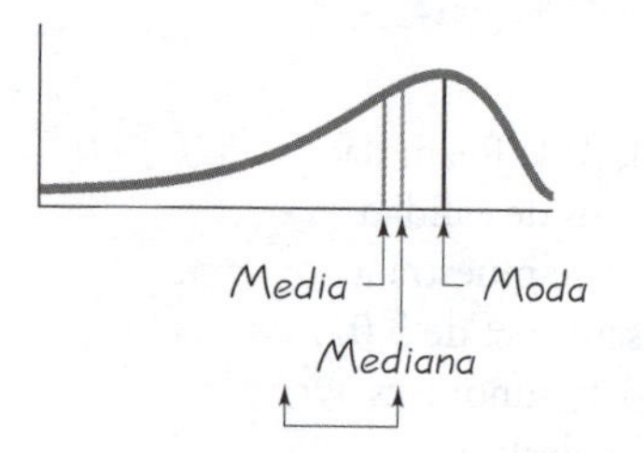

a) Sesgada a la izquierda (sesgo negativo): La media y la mediana están a la izquierda de la moda (aunque su orden no siempre es predecible).

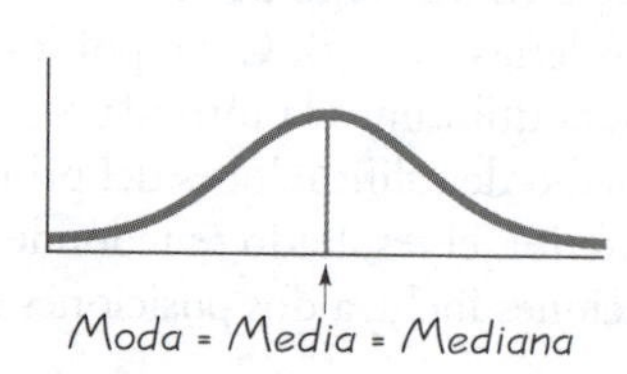

b) Simétrica (sesgo cero): la media, la mediana y la moda son iguales.

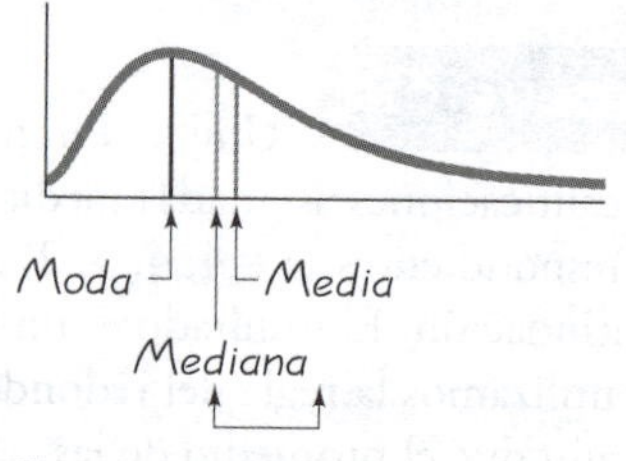

c) Sesgada a la derecha (sesgo positivo): La media y la mediana están a la derecha de la moda (aunque su orden no siempre es predecible).

Figura 3-2 Sesgo

USO DE LA TECNOLOGÍA

Los cálculos en esta sección son bastante sencillos, pero algunos de los que realizaremos en las siguientes secciones requieren mayor esfuerzo. Muchos programas de cómputo le permiten introducir un conjunto de datos y utilizar una operación para obtener diversos estadísticos a partir de muestras, los cuales se engloban en la *estadística descriptiva*. A continuación se incluyen algunos de los procedimientos para la obtención de tales representaciones visuales. (La siguiente imagen es el resultado de los conteos de palabras de los 186 hombres de las muestras incluidas en el conjunto de datos 8 del apéndice B).

STATDISK Ingrese los datos en la ventana de datos o abra un conjunto de datos existente. Haga clic en **Data** y elija **Descriptive Statistics**. Ahora haga clic en **Evaluate** para obtener los diversos estadísticos descriptivos, incluyendo la media, la mediana, la mitad del rango y otros que se discutirán en las secciones por venir. (Haga clic en **Data** y utilice la opción **Explore Data** para obtener estadísticos descriptivos junto con un histograma y otros elementos que se analizan posteriormente).

STATDISK

```
Descriptive Statistics
Column 1

Sample Size, n:  186
Mean:            15668.53
Median:          14290
Midrange:        23855.5
RMS:             17878
Variance, s^2:   7.452065e+7
St Dev, s:       8632.535
Mean Abs Dev:    6641.513
Range:           46321
Coeff. Of Var.   55.09%

Minimum:         695
1st Quartile:    10009
2nd Quartile:    14290
3rd Quartile:    20565
Maximum:         47016

Sum:             2.914346e+6
Sum Sq:          5.944983e+10
```

MINITAB Ingrese los datos en la columna que tiene el encabezado C1 (o abra un conjunto de datos existente). Haga clic en **Stat**, seleccione **Basic Statistics** y luego **Descriptive Statistics**. Haga doble clic en C1 o en otra columna para que aparezca en el recuadro titulado "Variables". (Opcional: Haga clic en el recuadro con la etiqueta "Statistics" para poner o quitar una marca en los estadísticos que desea obtener). Luego haga clic en **OK**. Los resultados incluirán la media y la mediana, así como otros estadísticos.

MINITAB

Descriptive Statistics: Men

Variable	N	Mean	StDev	Minimum	Q1	Median	Q3	Maximum	Range
Men	186	15669	8633	695	9997	14290	20607	47016	46321

EXCEL Ingrese los datos de la muestra en la columna A (o abra un conjunto de datos existente). El procedimiento requiere la instalación del anexo de Data Analysis. (Si el anexo aún no está instalado, utilice el elemento **Help**: busque "Data Analysis", seleccione "Load the Analysis Tool Pack" y siga las instrucciones).

Excel 2003: Seleccione **Tools**, después **Data Analysis** y luego **Descriptive Statistics** y haga clic en **OK**.

Excel 2010 o **Excel 2007:** Haga clic en **Data**, seleccione **Data Analysis** y luego **Descriptive Statistics** en la ventana que aparece y haga clic en **OK.**

En el cuadro de diálogo, ingrese el rango de entrada de datos (tal como A1:A186 para 186 valores en la columna A), haga clic en **Summary Statistics** y después en **OK**.

(Si es necesario ampliar las columnas para ver todos los resultados en Excel 2003, seleccione **Format**, **Column**, **Width** y luego establezca el ancho de columna, por ejemplo 20. Para ampliar las columnas en Excel 2010 o Excel 2007, haga clic en **Home**, luego en **Format** en el recuadro Cells y después proceda a ingresar un nuevo ancho de columna, por ejemplo 20).

EXCEL

Column1	
Mean	15668.53413
Standard Error	632.968882
Median	14290.14089
Mode	#N/A
Standard Deviation	8632.544622
Sample Variance	74520826.65
Kurtosis	1.614695648
Skewness	1.04509998
Range	46320.9223
Minimum	694.7027027
Maximum	47015.625
Sum	2914347.348
Count	186

TI-83/84 PLUS Primero ingrese los datos en la lista L1 presionando STAT, luego Edit y finalmente la tecla ENTER. Una vez que ingresó los datos, presione STAT y seleccione CALC, después seleccione 1-Var Stats y finalmente presione ENTER dos veces. La representación visual incluirá la media *x*, la mediana, el valor mínimo y el valor máximo. Utilice la flecha que va hacia abajo ↓ para ver los resultados que no aparecen en la primera representación visual.

TI-83/84 PLUS

```
1-Var Stats
 x̄=15668.52688
 Σx=2914346
 Σx²=5.94498E10
 Sx=8632.534672
 σx=8609.297659
↓n=186
```

```
1-Var Stats
↑n=186
 minX=695
 Q1=10009
 Med=14290
 Q3=20565
 maxX=47016
```

3-2 Destrezas y conceptos básicos

Conocimientos estadísticos y pensamiento crítico

1. Medidas de tendencia central ¿En qué sentido la media, mediana, moda y mitad del rango son medidas de "tendencia central"?

2. Promedio Un encabezado de *USA Today* afirmaba que "el ingreso familiar promedio cae 2.3%". ¿Qué papel tiene el término *promedio* en estadística? ¿Se debería utilizar otro término en lugar de la palabra *promedio*?

3. Mediana En un editorial, *el Poughkeepsie Journal* publicó la siguiente afirmación: "La mediana del precio —el precio ubicado exactamente entre el precio más alto y el más bajo—…". ¿Esta afirmación describe correctamente a la mediana? ¿Por qué?

4. Datos nominales Cuando los Potros de Indianápolis ganaron recientemente el Súper Bowl, los números en las camisetas de los jugadores activos eran 29, 41, 50, 58, 79,..., 10 (listados en orden alfabético según los apellidos de los jugadores). ¿Tiene algún sentido calcular la media de estos números? ¿Por qué?

En los ejercicios 5 a 20, calcule a) la* media, *b) la* mediana, *c) la* moda *y d) la* mitad del rango *de los datos muestrales listados. También responda las preguntas que se plantean.

5. Número de palabras inglesas Se obtuvo una muestra aleatoria simple de páginas del diccionario *Merriam-Webster's Collegiate Dictionary, decimoprimera edición*. A continuación se indica el número de palabras definidas en esas páginas. Puesto que este diccionario tiene 1459 páginas con palabras definidas, estime el número total de palabras definidas en el diccionario. ¿Es probable que se trate de una estimación precisa del número de palabras en el idioma inglés?

51 63 36 43 34 62 73 39 53 79

6. Pruebas de asientos de seguridad para niños La National Highway Traffic Safety Administration realizó pruebas de choque con los asientos de seguridad para niños que se utilizan en los automóviles. A continuación se incluyen los resultados de esas pruebas, con las medidas expresadas en unidades estándar *de lesiones de cabeza* (*hics*, por las siglas de *head injury condition*). Según los requisitos de seguridad, la medida debe ser menor de 1000 hics. ¿Los resultados sugieren que todos los asientos de seguridad para niños cumplen con el requisito especificado?

774 649 1210 546 431 612

7. Costos de choques de automóviles El Insurance Institute for Highway Safety realizó pruebas con choques de automóviles nuevos que viajaban a 6 mi/h. Se obtuvo el costo total de los daños para una muestra aleatoria simple de los automóviles probados, lo cual se presenta a continuación. ¿Hay una gran diferencia entre las distintas medidas de tendencia central?

$7448 $4911 $9051 $6374 $4277

8. Puntuaciones FICO A continuación se presentan las calificaciones de crédito de una muestra aleatoria simple de la empresa FICO. Cuando se escribió este libro, la calificación FICO media reportada era 678. Al parecer, ¿las puntuaciones FICO de la muestra son consistentes con la media reportada?

714 751 664 789 818 779 698 836 753 834 693 802

9. Salarios en televisión A continuación se presentan los 10 salarios anuales más altos (en millones de dólares) de personalidades de la televisión (según datos de la revista *OK!*). Dichos salarios corresponden a Letterman, Cowell, Sheindlin, Leno, Couric, Lauer, Sawyer, Viera, Sutherland y Sheen. Puesto que se trata de los *10 salarios más altos*, ¿sabemos algo acerca de los salarios de las personalidades que trabajan en televisión en general? ¿Este tipo de listas de *los primeros 10* son valiosas para obtener información sobre la población general?

38 36 35 27 15 13 12 10 9.6 8.4

10. Fenotipos de guisantes Biólogos realizaron experimentos para determinar si una deficiencia de dióxido de carbono en la tierra afecta los fenotipos de los guisantes (chícharos). A continuación se indican los códigos de los fenotipos: 1 = amarillo liso, 2 = verde liso, 3 = amarillo rugoso y 4 = verde rugoso. ¿Se pueden obtener medidas de tendencia central para estos valores? ¿Los resultados tienen algún sentido?

2 1 1 1 1 1 1 4 1 2 2 1 2 3 3 2 3 1 3 1 3 1 3 2 2

11. Vuelos de transbordador espacial A continuación se presentan las duraciones (en horas) de una muestra aleatoria simple de todos los vuelos (hasta el momento en que se escribió este libro) del Space Transport System (transbordador espacial) de la NASA. Los datos corresponden al conjunto de datos 10 del apéndice B. ¿Hay alguna duración que sea muy poco común? ¿Cómo podría explicarse?

73 95 235 192 165 262 191 376 259 235 381 331 221 244 0

12. Freshman 15 Según la leyenda de "Freshman 15", los estudiantes universitarios suben 15 libras (o 6.8 kilogramos) de peso durante su primer año de estudios. A continuación se presentan los cambios de peso (en kilogramos) de una muestra aleatoria simple de estudiantes incluidos en un estudio ("Changes in Body Weight and Fat Mass of Men and Women in the First Year of College: A Study of the 'Freshman 15'", de Hoffman, Policastro, Quick y Lee, *Journal of American College Health*, vol. 55, núm. 1). Los valores positivos corresponden a estudiantes que ganaron peso, en tanto que los valores negativos corresponden a los estudiantes que perdieron peso. Al parecer, ¿estos valores apoyan la creencia de que los estudiantes universitarios suben 15 libras (o 6.8 kilogramos) de peso durante su primer año? ¿Por qué?

11 3 0 −2 3 −2 −2 5 −2 7 2 4 1 8 1 0 −5 2

13. Cambios en la medida de MPG El consumo de combustible suele medirse en millas por galón (MPG). La Environmental Protection Agency (EPA) diseñó nuevas pruebas de consumo de combustible que comenzó a utilizar con los automóviles modelo 2008. A continuación se presentan cantidades elegidas al azar mediante las cuales las MPG medidas *disminuyeron* debido a los nuevos estándares de 2008. Por ejemplo, el primer automóvil obtuvo una medida de 16 mi/gal bajo los estándares antiguos y de 15 mi/gal bajo los nuevos estándares 2008, de manera que la disminución fue de 1 mi/gal. ¿Se registraría un error muy grande si, en lugar de volver a probar los automóviles más antiguos utilizando los nuevos estándares de 2008, se restara la media de la disminución de la medición obtenida con el estándar anterior?

1 2 3 2 4 3 4 2 2 2 2 3 2 2 2 3 2 2 2 2

14. Salarios de entrenadores de futbol americano de la NCAA A continuación se presentan los salarios anuales de una muestra aleatoria simple de entrenadores de futbol americano de la NCAA (según datos de *USA Today*). ¿Qué cambios se observarían en la media y en la mediana si se omitiera el salario más alto?

$150,000 $300,000 $350,147 $232,425 $360,000 $1,231,421 $810,000 $229,000

15. Duración de canciones populares A continuación se presentan las duraciones (en segundos) de canciones que eran populares cuando se escribió este libro. (Las canciones son de Timberlake, Furtado, Daughtry, Stefani, Fergie, Akon, Ludacris, Beyonce, Nickelback, Rihanna, Fray, Lavigne, Pink, Mims, Mumidee y Omarion). ¿Alguna duración difiere mucho de las demás?

448 242 231 246 246 293 280 227 244 213 262 239 213 258 255 257

16. Satélites A continuación se lista el número de satélites en órbita, propiedad de diferentes países. ¿Un país tiene un número excepcional de satélites? ¿Podría adivinar de qué país se trata?

158 17 15 18 7 3 5 1 8 3 4 2 4 1 2 3 1 1 1 1 1 1 1 1

17. Años para obtener el título de licenciatura A continuación se presenta el tiempo (en años) que le tomó a una muestra aleatoria de estudiantes universitarios obtener su título de licenciatura (según datos del U.S. National Center for Education Statistics). Con base en los resultados, ¿parece que es común obtener el título de licenciatura en cuatro años?

4 4 4 4 4 4 4.5 4.5 4.5 4.5 4.5 4.5 6 6 8 9 9 13 13 15

18. Emisiones de automóviles Científicos ambientales midieron las emisiones de gases de invernadero de una muestra de automóviles. Las cantidades que se listan a continuación están representadas en toneladas (por año), expresadas como equivalentes de CO_2. Puesto que los valores pertenecen a una muestra aleatoria simple obtenida del conjunto de datos 16 del apéndice B, ¿se trata de valores de una muestra aleatoria simple de los automóviles que están en circulación? ¿Por qué?

7.2 7.1 7.4 7.9 6.5 7.2 8.2 9.3

19. Bancarrotas A continuación se lista el número de declaraciones de bancarrota en el condado Dutchess del estado de Nueva York. Los números se presentan en orden mensual de un año reciente (de acuerdo con datos del *Poughkeepsie Journal*). ¿Se observa alguna tendencia en los datos? Si es así, ¿cómo podría explicarse?

59 85 98 106 120 117 97 95 143 371 14 15

20. Radiación en dientes de leche A continuación se presentan las cantidades de estroncio-90 (en milibecquereles o mBq por gramo de calcio) en una muestra aleatoria simple de dientes de leche obtenidos de residentes de Pensilvania nacidos después de 1979 (según datos de "An Unexpected Rise in Strontium-90 in U.S. Deciduous Teeth in the 1990s", de Mangano *et al.*, *Science of the Total Environment*). ¿Qué diferencias hay entre las medidas de tendencia central? ¿Qué sugiere esto (si acaso sugiere algo) acerca de la distribución de los datos?

155 142 149 130 151 163 151 142 156 133 138 161 128 144 172 137 151 166 147 163

145 116 136 158 114 165 169 145 150 150 150 158 151 145 152 140 170 129 188 156

En los ejercicios 21 a 24, calcule la* media *y la* mediana *de cada una de las dos muestras y luego compare los dos conjuntos de resultados.

21. Costo de vuelo A continuación se presentan los costos (en dólares) de viajes redondos desde el aeropuerto JFK de la ciudad de Nueva York hasta San Francisco. (Todos los viajes incluyen una escala y una estancia de dos semanas). Las aerolíneas son US Air, Continental, Delta, United, American, Alaska y Northwest. ¿Hay mucha diferencia si los boletos se compran con 30 días o con un día de anticipación?

30 días de anticipación:	244	260	264	264	278	318	280
1 día de anticipación:	456	614	567	943	628	1088	536

22. IMC de Miss America La tendencia de elegir ganadoras muy delgadas en el concurso Miss America ha provocado que se le acuse de fomentar hábitos dietéticos poco saludables entre las mujeres jóvenes. A continuación se presentan los índices de masa corporal (IMC) de las ganadoras del concurso Miss America en dos periodos diferentes.

IMC (de la década de 1920 a la década de 1930):	20.4	21.9	22.1	22.3	20.3	18.8	18.9	19.4	18.4	19.1
IMC (de ganadoras recientes):	19.5	20.3	19.6	20.2	17.8	17.9	19.1	18.8	17.6	16.8

23. Nicotina en cigarrillos A continuación se listan las cantidades de nicotina (en mg por cigarrillo) para muestras de cigarrillos con filtro y sin filtro (del conjunto de datos 4 del apéndice B). Al parecer, ¿los filtros son efectivos para reducir la cantidad de nicotina?

Sin filtro:	1.1	1.7	1.7	1.1	1.1	1.4	1.1	1.4	1.0	1.2	1.1	1.1	1.1
	1.1	1.1	1.8	1.6	1.1	1.2	1.5	1.3	1.1	1.3	1.1	1.1	
Con filtro:	0.4	1.0	1.2	0.8	0.8	1.0	1.1	1.1	1.1	0.8	0.8	0.8	0.8
	1.0	0.2	1.1	1.0	0.8	1.0	0.9	1.1	1.1	0.6	1.3	1.1	

24. Tiempos de espera de clientes A continuación se presentan los tiempos de espera (en minutos) de clientes del Jefferson Valley Bank (donde todos los clientes se forman en una sola fila) y del Bank of Providence (donde los clientes esperan en filas individuales, en tres ventanillas diferentes). Determine si existe una diferencia entre los dos conjuntos de datos al comparar las medidas de tendencia central. En caso de haber una diferencia, ¿cuál es?

Jefferson Valley (una sola fila):	6.5	6.6	6.7	6.8	7.1	7.3	7.4	7.7	7.7	7.7
Providence (filas individuales):	4.2	5.4	5.8	6.2	6.7	7.7	7.7	8.5	9.3	10.0

Conjuntos grandes de datos del apéndice B. ***Para los ejercicios 25 a 28, remítase al conjunto de datos indicado del apéndice B. Con un programa de cómputo o una calculadora, obtenga las* medias *y las* medianas.**

25. Temperaturas corporales Utilice las temperaturas corporales de las 12:00 AM del día 2, incluidas en el conjunto de datos 2 del apéndice B. ¿Los resultados apoyan o contradicen la creencia común de que la temperatura media corporal es de 98.6°F?

26. ¿Cuánto mide un tornillo de 3/4 de pulgada? Utilice las longitudes de los tornillos de máquina incluidos en el conjunto de datos 19 del apéndice B. Se supone que los tornillos miden 3/4 de pulgada. ¿Los resultados indican que es correcta la longitud especificada?

27. Voltaje de una casa Remítase al conjunto de datos 13 del apéndice B y compare las medias y las medianas de los tres conjuntos diferentes de niveles de voltaje medidos.

28. Películas Remítase al conjunto de datos 9 del apéndice B y considere las cantidades de ganancia de dos categorías diferentes de películas: películas con clasificación R y películas con clasificaciones PG o PG-13. Al parecer, ¿los resultados sustentan la afirmación de que las películas con clasificación R tienen mayores ganancias debido a que atraen más público que las películas con clasificaciones PG o PG-13?

En los ejercicios 29 a 32, calcule la* media *de los datos que se resumen en la distribución de frecuencias indicada. Además, compare las* medias *calculadas con las* medias reales *que se obtuvieron al utilizar la lista original de datos, que es la siguiente: (ejercicio 29) 21.1 mg; (ejercicio 30) 76.3 latidos por minuto; (ejercicio 31) 46.7 mi/h; (ejercicio 32) 1.911 lb.

29.

Alquitrán (mg) en cigarrillos sin filtro	Frecuencia
10–13	1
14–17	0
18–21	15
22–25	7
26–29	2

30.

Pulsos de mujeres	Frecuencia
60–69	12
70–79	14
80–89	11
90–99	1
100–109	1
110–119	0
120–129	1

31. Multas por exceso de velocidad La distribución de frecuencias dada describe la velocidad de los conductores multados por la policía de la ciudad en Poughkeepsie. Estos conductores viajaban por una zona de Creek Road, que pasa por la universidad del autor y tiene un límite de velocidad de 30 mi/h. ¿Qué diferencia existe entre la media y la velocidad límite de 30 mi/h?

Tabla para el ejercicio 31

Velocidad	Frecuencia
42–45	25
46–49	14
50–53	7
54–57	3
58–61	1

32.

Pesos (lb) de plástico desechado	Frecuencia
0.00–0.99	14
1.00–1.99	20
2.00–2.99	21
3.00–3.99	4
4.00–4.99	2
5.00–5.99	1

33. Media ponderada Un alumno del autor obtuvo las siguientes calificaciones: B, C, B, A y D. Los cursos tenían las siguientes horas de crédito: 3, 3, 4, 4 y 1. El sistema de calificación asigna estos puntos de calidad a las calificaciones con letras: A = 4; B = 3; C = 2; D = 1; F = 0. Calcule el promedio de las calificaciones (GPA) y redondee el resultado a dos posiciones decimales. Si la lista del rector requiere de un promedio de 3.00 o mayor, ¿podrá ingresar este estudiante a la lista del rector?

34. Media ponderada Un alumno del autor obtuvo las calificaciones de 92, 83, 77, 84 y 82 en cinco exámenes regulares. En el examen final obtuvo una calificación de 88, y en sus proyectos de clase una calificación de 95. La calificación combinada de sus tareas fue de 77. Los cinco exámenes regulares representan el 60% de la calificación final, el examen final cuenta un 10%, el proyecto otro 15% y las tareas representan el 15%. ¿Cuál es su calificación media ponderada? ¿Qué calificación con letra obtuvo? (A, B, C, D o F).

3-2 Más allá de lo básico

35. Grados de libertad Una masa estándar secundaria se mide periódicamente y se compara con el estándar para 1 kilogramo (o 1000 gramos). A continuación se presenta una muestra de masas medidas (en microgramos) donde el estándar secundario está *por debajo* de la masa verdadera de 1000 gramos. Falta uno de los valores muestrales y no se presenta en la lista. Los datos provienen de los National Institutes of Standards and Technology, y la media de la muestra es de 657.054 microgramos.

a) Calcule el valor faltante.

b) Necesitamos crear una lista de n valores que tenga una media específica conocida. Tenemos la libertad de seleccionar cualesquiera valores que deseemos para algunos de los n valores. ¿Cuántos de los n valores pueden asignarse libremente antes de determinar los valores restantes? (El resultado a menudo se conoce como el *número de grados de libertad*).

675.04 665.10 631.27 671.35

36. Datos de presidentes Cuando se escribió este libro, Estados Unidos había tenido 42 presidentes diferentes, y cuatro de ellos aún estaban vivos. A continuación se lista el número de años que vivieron después de tomar posesión de la presidencia; los cuatro valores con los signos + representan a los cuatro presidentes que aún están vivos. (Se dice que los valores se obtuvieron en el momento en que se realizó esta lista). ¿Qué puede concluir acerca del tiempo medio que un presidente vive después de tomar posesión?

10 29 26 28 15 23 17 25 0 20 4 1 24 16 12 4 10 17 16 0 7
24 12 4 18 21 11 2 9 36 12 28 3 16 9 25 23 32 30+ 18+ 14+ 6+

37. Media recortada Ya que la media es muy sensible a los valores extremos, decimos que no es una medida de tendencia central *resistente*. La **media recortada** es más resistente. Para calcular la media recortada del 10% de un conjunto de datos, primero se acomodan los datos en orden, después se elimina el 10% de los valores inferiores y el 10% de los valores superiores y luego se calcula la media de los valores restantes. Para las calificaciones de crédito que otorga la empresa FICO, incluidas en el conjunto de datos 24 del apéndice B, calcule lo siguiente. ¿Qué diferencias hay en los resultados?

a) La media ***b)*** La media recortada del 10% ***c)*** La media recortada del 20%

38. Media armónica La **media armónica** con frecuencia se utiliza como una medida de tendencia central para conjuntos de datos que consisten en tasas de cambios, como la rapidez. Para calcularla se divide el número de valores n entre la suma de los *recíprocos* de todos los valores, de la siguiente forma:

$$\frac{n}{\Sigma \frac{1}{x}}$$

(Ningún valor puede ser cero). El autor condujo 1163 millas a una conferencia en Orlando, Florida. En el viaje, el autor se detuvo durante una noche, y la velocidad media desde el inicio hasta el final fue de 38 mi/h. Para el viaje de regreso, el autor solo se detuvo para comer y cargar combustible, y la velocidad media desde el inicio hasta el final fue de 56 mi/h. ¿Es posible calcular la velocidad "promedio" de todo el viaje al sumar 38 mi/h y 56 mi/h y luego dividir el resultado entre 2? ¿Por qué? ¿Cuál es la velocidad "promedio" del viaje completo?

39. Media geométrica La **media geométrica** suele utilizarse en negocios y economía para calcular las tasas de cambio promedio, las tasas de crecimiento promedio o tasas promedio. Dados n valores (todos positivos), la media geométrica es la n-ésima raíz de su producto. El *factor de crecimiento promedio* de dinero compuesto con tasas de interés anual del 10%, 5% y 2% puede obtenerse calculando la media geométrica de 1.10, 1.05 y 1.02. Calcule el factor de crecimiento promedio. ¿Qué porcentaje de la tasa de crecimiento sería equivalente a tener tres tasas de crecimiento sucesivas del 10%, 5% y 2%? ¿El resultado es igual a la media del 10%, 5% y 2%?

40. Media cuadrática La media cuadrática (o **cuadrado medio de raíz** o **CMR**) suele utilizarse en aplicaciones de física. Por ejemplo, en los sistemas de distribución de energía, los voltajes y las corrientes suelen expresarse en términos de sus valores de CMR. La media cuadrática de un conjunto de valores se obtiene elevando al cuadrado cada valor, sumando los resultados, dividiendo el resultado entre el número de valores n y después sacando la raíz cuadrada del resultado, como se indica a continuación:

$$\text{media cuadrática} = \sqrt{\frac{\Sigma x^2}{n}}$$

Calcule el CMR de los voltajes del generador que se incluyen en el conjunto de datos 13 del apéndice B. ¿En qué difiere el resultado de la media? ¿Se podría hacer la misma comparación con todos los otros conjuntos de datos?

41. Mediana Cuando los datos se resumen en una distribución de frecuencias, la mediana puede calcularse identificando primero la *clase de la mediana* (la clase que contiene a la mediana). Luego suponemos que los valores en esa clase se distribuyen de manera uniforme y que podemos interpolar. Si n es la suma de todas las frecuencias de clase y m es la suma de las frecuencias de clase que *preceden* la clase de la mediana, la mediana se puede calcular de la siguiente forma:

$$(\text{límite inferior de clase de la mediana}) + (\text{anchura de clase})\left(\frac{\left(\frac{n+1}{2}\right) - (m+1)}{\text{frecuencia de clase de la mediana}}\right)$$

Utilice este procedimiento para calcular la mediana de la distribución de frecuencias del ejercicio 29. ¿Qué diferencias existen entre este resultado y la mediana de la lista original de datos, que es de 20.0 mg? ¿Cuál valor de la mediana es mejor: el que se calculó para la tabla de frecuencias o el valor de 20.0 mg?

3-3 Medidas de variación

Concepto clave En esta sección analizamos las características de la variación. En particular, presentamos las medidas de variación, por ejemplo, la *desviación estándar*, como herramientas para analizar los datos. No solo nos enfocaremos en calcular los valores de las medidas de variación, sino también en su interpretación. Además, estudiaremos conceptos que nos ayudarán a entender mejor la desviación estándar.

Sugerencia de estudio: La parte 1 de esta sección presenta los conceptos básicos de variación, y la parte 2 presenta conceptos adicionales relacionados con la desviación estándar. Aunque ambas partes contienen varias fórmulas, no dedique demasiado tiempo a memorizar fórmulas o a efectuar cálculos aritméticos. En vez de ello, dé mayor importancia a *comprender* e *interpretar* los valores de la desviación estándar.

Parte 1: Conceptos básicos de la variación

Para ver un ejemplo visual de variación, observe las siguientes gráficas de puntos que representan dos muestras diferentes de puntuaciones de CI. Ambas muestras tienen la misma media de 100, pero observe que la gráfica de puntos que aparece en la parte superior (basado en estudiantes de preparatoria seleccionados al azar) presenta puntuaciones de CI más separadas entre sí que la gráfica en la parte inferior (que representa datos de estudiantes de preparatoria agrupados de acuerdo con sus calificaciones). Esta característica de dispersión o variación es tan importante que se crearon métodos para medirla con números. Iniciaremos con el *rango*.

Ambas muestras tienen la misma media de 100.0.

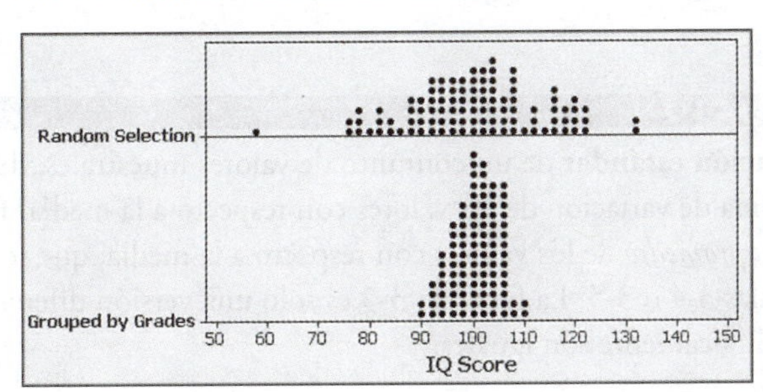

El segundo tiempo

La unidad de tiempo de un segundo ahora se define como "la duración de 9,192,631,770 periodos de la radiación correspondiente a la transición entre dos niveles hiperfinos del estado estable del átomo de cesio-133". Esta es la primera vez que un segundo se define mediante el comportamiento de los átomos, y no con base en el movimiento de la Tierra; esto da como resultado una exactitud de ±1 segundo en 10,000,000 de años, la unidad de medida más precisa en uso hasta ahora. Debido a su gran exactitud, la definición de un segundo se está utilizando para definir otras cantidades, como el metro. Antes el metro se definía como 1/10,000,000 de la distancia, a lo largo de la superficie de la Tierra, entre el Polo Norte y el Ecuador (pasando por París). En la actualidad, el metro se define como la longitud de la distancia que recorre la luz en el vacío durante un intervalo de tiempo de 1/299,792,458 segundos.

En lo que respecta a los aparatos para medir el tiempo, se ha visto que la desviación estándar tradicional es inaceptable debido a la característica de una tendencia que consiste en una media que cambia con el paso del tiempo. Por ello, se usan otras medidas especiales de la variación, como la varianza Allan, la varianza total y TheoH, todas las cuales compensan la característica de una media que cambia con el paso del tiempo.

¿Dónde están los bateadores de 0.400?

El último beisbolista que bateó más de 0.400 fue Ted Williams, quien promedió 0.406 en 1941. Hubo promedios por arriba de 0.400 en 1876, 1879, 1887, 1894, 1895, 1896, 1897, 1899, 1901, 1911, 1920, 1922, 1924, 1925 y 1930, pero ninguno desde 1941. ¿Será que ya no existen grandes bateadores? El fallecido Stephen Jay Gould, de la Universidad de Harvard, señaló que el promedio de bateo medio se mantuvo estable en 0.260 durante aproximadamente 100 años, pero la desviación estándar disminuyó de 0.049 en la década de 1870 hasta 0.031 en la actualidad. Él argumentaba que las estrellas de hoy son tan buenas como las del pasado, pero que los mejores lanzadores actuales mantienen promedios por debajo de 0.400.

Rango

La primera medida de variación que estudiaremos es el rango.

DEFINICIÓN

El **rango** de un conjunto de datos es la diferencia entre el valor máximo y el valor mínimo.

$$\textbf{rango} = \textbf{(valor máximo)} - \textbf{(valor mínimo)}$$

Como el rango solo utiliza el valor máximo y el valor mínimo, es muy sensible a valores extremos y no es tan útil como otras medidas de variación que utilizan todos los valores de los datos, como la desviación estándar. Sin embargo, debido a que el rango es tan fácil de calcular y de comprender, a menudo se utiliza en el control de procesos estadísticos. (Véase la sección 14-2 para revisar gráficas de control basadas en el rango).

En general, el rango no debería redondearse. No obstante, para que los procedimientos sean congruentes, redondeamos el rango utilizando la misma regla para todas las medidas de variación que se analizan en esta sección.

Regla de redondeo para las medidas de variación

Para redondear el valor de una medida de variación, utilice una posición decimal más que en el conjunto original de datos.

EJEMPLO 1

Rango Mientras se escribía este libro, India tenía un satélite que utilizaba con propósitos militares y de inteligencia, Japón poseía 3, y Rusia tenía 14. Calcule el rango de los valores muestrales de 1, 3 y 14.

SOLUCIÓN

Para calcular el rango, solo se resta el valor mínimo del valor máximo. Entonces,

$$\text{rango} = (\text{valor máximo}) - (\text{valor mínimo}) = 14 - 1 = 13.0$$

El resultado se presenta con una posición decimal más que los valores de los datos originales.

Desviación estándar de una muestra

La *desviación estándar* es la medida de variación que más se utiliza en estadística.

DEFINICIÓN

La **desviación estándar** de un conjunto de valores muestrales, denotada con *s*, es la medida de variación de los valores con respecto a la media. Es un tipo de *desviación promedio* de los valores con respecto a la media, que se calcula utilizando las fórmulas 3-4 o 3-5. La fórmula 3-5 es solo una versión diferente de la 3-4, pero algebraicamente son iguales.

Fórmula 3-4

$$s = \sqrt{\frac{\Sigma(x - \bar{x})^2}{n - 1}}$$ desviación estándar de una muestra

Fórmula 3-5

$$s = \sqrt{\frac{n\Sigma(x^2) - (\Sigma x)^2}{n(n - 1)}}$$ versión abreviada de la fórmula de la desviación estándar de una muestra (esta fórmula se utiliza en las calculadoras y los programas de cómputo)

Más adelante, en esta sección, analizaremos los fundamentos de esas fórmulas; por ahora, le recomendamos que utilice la fórmula 3-4 para resolver algunos ejemplos y después aprenda a calcular los valores de la desviación estándar por medio de su calculadora o de un programa de cómputo. (La mayoría de las calculadoras científicas están diseñadas para introducir una lista de valores y obtener la desviación estándar de manera automática). Las siguientes propiedades son consecuencia de la forma en que se define la desviación estándar:

- La desviación estándar es una medida de variación de todos los valores con respecto a la *media*.
- El valor de la desviación estándar s generalmente es positivo. Solo es igual a cero cuando todos los valores de los datos son el mismo número. (Nunca es negativa). Además, valores grandes de s implican mayores cantidades de variación.
- El valor de la desviación estándar s puede aumentar de manera drástica con la inclusión de uno o más valores atípicos (valores de datos que se encuentran muy lejos de los demás).
- Las unidades de la desviación estándar s (como minutos, pies, libras, etcétera) son las mismas de los datos originales.

Si nuestro objetivo fuera el de desarrollar las habilidades para el cálculo manual de valores de desviación estándar, nos concentraríamos en la fórmula 3-5, que simplifica los cálculos. Sin embargo, preferimos demostrar el cálculo utilizando la fórmula 3-4, ya que ilustra mejor que la desviación estándar y se basa en desviaciones de valores muestrales a partir de la media.

EJEMPLO 2 **Uso de la fórmula 3-4** Utilice la fórmula 3-4 para calcular la desviación estándar de los valores muestrales de 1, 3 y 14 del ejemplo 1.

SOLUCIÓN La columna izquierda de la tabla 3-2 resume el procedimiento general para calcular la desviación estándar utilizando la fórmula 3-4, y la columna derecha ilustra el mismo procedimiento para los valores muestrales de 1, 3 y 14. El resultado que se presenta en la tabla 3-2 es 7.0, que se redondea a una posición decimal más que la lista original de valores muestrales (1, 3, 14). Asimismo, las unidades de la desviación estándar son las mismas unidades de los datos originales. Debido a que los datos originales son 1 satélite, 3 satélites y 14 satélites, la desviación estándar es 7.0 satélites.

continúa

Más acciones, menos riesgo

En su libro *Investments*, los autores Zvi Bodie, Alex Kane y Alan Marcus afirman que "la desviación estándar promedio de los rendimientos de carteras compuestas por un solo tipo de acciones fue de 0.554. El riesgo promedio disminuye rápidamente cuando aumenta el número de acciones incluidas en la cartera". También señalan que, con 32 acciones, la desviación estándar es de 0.325, lo que indica mucho menos variación y riesgo. Los autores destacan que con solo unas cuantas acciones, una cartera tiene alto grado de riesgo "específico de una empresa", lo que significa que el riesgo puede atribuirse a la escasa cantidad de acciones implicadas. Con más de 30 acciones hay muy poco riesgo específico asociado con una sola empresa; en tal situación, casi todo el riesgo es "riesgo de mercado", atribuible al mercado global de acciones. Además, señalan que estos principios son "solo una aplicación de la bien conocida ley de promedios".

Tabla 3-2

Procedimiento para calcular la desviación estándar con la fórmula 3-4	Ejemplo específico utilizando los valores muestrales 1, 3, 14.
Paso 1: Calcule la media $\bar{x}$.	La suma de 1, 3 y 14 es 18, por lo que $\bar{x} = \frac{\Sigma x}{n} = \frac{1+3+14}{3} = \frac{18}{3} = 6.0$
Paso 2: Reste la media de cada valor muestral individual. [El resultado es una lista de desviaciones de la forma $(x - \bar{x})$.]	Reste la media de 6.0 de cada valor muestral para obtener las siguientes desviaciones a partir de la media: −5, −3, 8.
Paso 3: Eleve al cuadrado cada una de las desviaciones obtenidas en el paso 2. [Esto produce números de la forma $(x - \bar{x})^2$.]	Los cuadrados de las desviaciones del paso 2 son: 25, 9, 64.
Paso 4: Sume todos los cuadrados obtenidos en el paso 3. El resultado es $\Sigma(x - \bar{x})^2$.	La suma de los cuadrados del paso 3 es $25 + 9 + 64 = 98$.
Paso 5: Divida el total del paso 4 entre el número $n - 1$, que es 1 menos que el total de valores muestrales presentes.	Con $n = 3$ valores, $n - 1 = 2$, de manera que dividimos 98 entre 2 para obtener el siguiente resultado: $\frac{98}{2} = 49$.
Paso 6: Calcule la raíz cuadrada del resultado del paso 5. El resultado es la desviación estándar.	La desviación estándar es $\sqrt{49} = 7.0$.

EJEMPLO 3 **Uso de la fórmula 3-5** Utilice la fórmula 3-5 para calcular la desviación estándar de los valores muestrales 1, 3 y 14 del ejemplo 1.

SOLUCIÓN A continuación se muestran los cálculos de la desviación estándar de 1 satélite, 3 satélites y 14 satélites utilizando la fórmula 3-5.

$n = 3$ (porque hay 3 valores en la muestra)

$\Sigma x = 18$ (se obtiene sumando los valores muestrales: $1 + 3 + 14 = 18$)

$\Sigma x^2 = 206$ (se obtiene sumando los cuadrados de los valores muestrales: $1^2 + 3^2 + 14^2 = 206$)

Si usamos la fórmula 3-5, obtenemos

$$s = \sqrt{\frac{n(\Sigma x^2) - (\Sigma x)^2}{n(n-1)}} = \sqrt{\frac{3(206) - (18)^2}{3(3-1)}} = \sqrt{\frac{294}{6}} = 7.0 \text{ satélites}$$

Observe que el resultado es el mismo que el del ejemplo 2.

Comparación de la variación en diferentes muestras En la tabla 3-3 se presentan medidas de tendencia central y medidas de variación para los conteos de palabras de los 186 hombres y 210 mujeres que se incluyen en el conjunto de datos 8 del apéndice B. En la tabla podemos ver que el rango de los hombres es un poco mayor que el rango de las mujeres; también se observa que la desviación estándar de los hombres es un poco mayor que la desviación estándar de las mujeres, aunque *siempre es una buena práctica comparar dos desviaciones estándar muestrales únicamente cuando las medias muestrales son aproximadamente iguales.* Para comparar la variación de muestras con medias muy diferentes, es mejor utilizar el coeficiente de variación, que se define más adelante en esta sección. También se utiliza el coeficiente de variación cuando deseamos comparar la variación de dos muestras con diferentes escalas o unidades de valores, como la comparación de la variación de estaturas y pesos de hombres (véase el ejemplo 8, al final de esta sección).

Tabla 3-3 Comparación de conteos de palabras de hombres y mujeres

	Hombres	Mujeres
Media	15,668.5	16,215.0
Mediana	14,290.0	15,917.0
Mitad de rango	23,855.5	20,864.5
Rango	46,321.0	38,381.0
Desviación estándar	8,632.5	7,301.2

Desviación estándar de una población

La definición de la desviación estándar y las fórmulas 3-4 y 3-5 se utilizan para la desviación estándar de datos *muestrales*. Para calcular la desviación estándar σ (sigma minúscula) de una *población*, se utiliza una fórmula ligeramente diferente: en vez de dividir entre $n - 1$, se divide entre el tamaño N de la población, como se muestra en la siguiente expresión:

$$\text{desviación estándar de la población} \qquad \sigma = \sqrt{\frac{\Sigma(x-\mu)^2}{N}}$$

Como generalmente usamos datos muestrales, con frecuencia utilizaremos la fórmula 3-4, en la que dividimos entre $n - 1$. Muchas calculadoras dan tanto la desviación estándar muestral como la desviación estándar poblacional, pero usan una gran variedad de notaciones diferentes. Asegúrese de identificar la notación que utiliza su calculadora, de manera que pueda obtener el resultado correcto.

ADVERTENCIA

Cuando utilice la tecnología para calcular la desviación estándar de datos muestrales, asegúrese de obtener la desviación estándar *muestral*, y no la desviación estándar de la población.

Varianza de una muestra y de una población

Hasta ahora hemos utilizado el término *variación* como una descripción general de la cantidad que los valores varían entre sí. (En ocasiones se aplica el término *dispersión* en vez de *variación*). El término *varianza* tiene un significado específico.

DEFINICIÓN

La **varianza** de un conjunto de valores es una medida de variación igual al cuadrado de la desviación estándar.

Varianza muestral: s^2 el cuadrado de la desviación estándar s.

Varianza poblacional: σ^2 el cuadrado de la desviación estándar poblacional σ.

La varianza muestral s^2 es un estimador insesgado de la varianza poblacional σ^2, lo que significa que los valores de s^2 tienden a igualar el valor de σ^2 en lugar de tender, de manera sistemática, a sobrestimar o subestimar σ^2. Por ejemplo, considere una prueba del CI diseñada de tal forma que tiene una varianza poblacional de 225. Si usted repite el proceso de elegir aleatoriamente 100 sujetos, aplicarles la prueba de CI y calcular la varianza muestral s^2 en cada caso, las varianzas muestrales que obtendrá tenderán a concentrarse alrededor de 225, que es la varianza de la población.

La varianza es un estadístico importante que se utiliza en algunos métodos estadísticos relevantes, como el análisis de varianza, que se explica en el capítulo 12. Para nuestros propósitos, la varianza tiene una gran desventaja: *las unidades de la varianza son diferentes de las unidades del conjunto original de datos.* Por ejemplo, si tenemos datos que consisten en tiempos de espera en minutos, las unidades de varianza están dadas en minutos cuadrados (min^2), pero, ¿qué es un minuto cuadrado? Como la varianza utiliza unidades distintas, es sumamente difícil comprenderla si la relacionamos con el conjunto original de datos. Por esta propiedad, es mejor enfocarnos en la desviación estándar al tratar de comprender la variación, como lo haremos más adelante en este capítulo.

En la parte 1 de esta sección presentamos conceptos básicos de la variación. A continuación se resume la notación que utilizamos.

Notación

s = desviación estándar *muestral*

s^2 = varianza *muestral*

σ = desviación estándar *poblacional*

σ^2 = varianza *poblacional*

Nota: Los artículos de las revistas y los reportes científicos suelen usar DE (o bien, SD, por *standard deviation* en inglés) para designar la desviación estándar y VAR para la varianza.

Parte 2: Más allá de los aspectos básicos de la variación

Uso y comprensión de la desviación estándar

En este apartado trataremos de dar sentido a la desviación estándar, para que no sea solo un número misterioso carente de cualquier significado práctico.

Una herramienta rudimentaria pero sencilla para comprender la desviación estándar es la **regla práctica de las desviaciones**, que se basa en el principio de que, para muchos conjuntos de datos, la vasta mayoría (tanto como el 95%) de los valores muestrales se ubican dentro de dos desviaciones estándar a partir de la media. Es posible mejorar la exactitud de esta regla si tomamos en cuenta factores como el tamaño de la muestra y la naturaleza de la distribución, pero preferimos sacrificar exactitud en aras de la sencillez. Además, podríamos usar tres o incluso cuatro desviaciones estándar en vez de dos, pero deseamos una regla sencilla que nos ayude a interpretar los valores de las desviaciones estándar. Más adelante estudiaremos métodos que producen resultados más exactos.

Regla práctica de las desviaciones

Para interpretar un valor conocido de la desviación estándar: De manera informal definimos los valores comunes de un conjunto de datos como aquellos que son típicos y no demasiado extremos. Si se conoce la desviación estándar de un conjunto de datos, utilícela para calcular estimaciones de los valores muestrales mínimos y máximos comunes de la siguiente manera:

$$\text{valor mínimo "común"} = (\text{media}) - 2 \times (\text{desviación estándar})$$
$$\text{valor máximo "común"} = (\text{media}) + 2 \times (\text{desviación estándar})$$

Para estimar el valor de la desviación estándar *s*: Para obtener una estimación de la desviación estándar a partir de un conjunto de datos muestrales conocido, utilice

$$s \approx \frac{\text{rango}}{4}$$

donde el rango = (valor máximo) − (valor mínimo).

EJEMPLO 4 **Regla práctica de las desviaciones para interpretar s** La Escala Wechsler de Inteligencia para Adultos es una prueba de CI que está diseñada con una media de 100 y una desviación estándar de 15. Utilice la regla práctica de las desviaciones para calcular las puntuaciones de CI máxima y mínima "comunes". Luego, determine si una puntuación de CI de 135 se consideraría "poco común".

SOLUCIÓN Con una media de 100 y una desviación estándar de 15, utilizamos la regla práctica de las desviaciones para calcular las puntuaciones de CI máxima y mínima comunes de la siguiente manera:

$$\begin{aligned}\text{valor mínimo "común"} &= (\text{media}) - 2 \times (\text{desviación estándar}) \\ &= 100 - 2(15) = 70 \\ \text{valor máximo "común"} &= (\text{media}) + 2 \times (\text{desviación estándar}) \\ &= 100 + 2(15) = 130\end{aligned}$$

INTERPRETACIÓN Con base en estos resultados, esperamos que una puntuación de CI típica se ubique entre 70 y 130. Como 135 no se ubica dentro de esos límites, se consideraría una puntuación de CI poco común.

EJEMPLO 5 **Regla práctica de las desviaciones para la estimación de s** Utilice la regla práctica de las desviaciones para estimar la desviación estándar de la muestra de 100 calificaciones de crédito otorgadas por la empresa FICO, que se incluyen en el conjunto de datos 24 del apéndice B. Dichas calificaciones tienen un mínimo de 444 y un máximo de 850.

SOLUCIÓN La regla práctica de las desviaciones indica que es posible estimar la desviación estándar al calcular el rango y dividirlo entre 4. Con un mínimo de 444 y un máximo de 850, la regla práctica de las desviaciones se puede utilizar para estimar la desviación estándar s de la siguiente manera:

$$s \approx \frac{\text{rango}}{4} = \frac{850 - 444}{4} = 101.5$$

INTERPRETACIÓN El valor real de la desviación estándar es $s = 92.2$. La estimación de 101.5 se aleja de forma considerable. Esto demuestra que la regla práctica de las desviaciones produce una estimación "burda" que puede alejarse mucho del resultado real.

A continuación se presentan algunas propiedades de la desviación estándar.

Propiedades de la desviación estándar

- La desviación estándar mide la *variación* entre los valores de los datos.
- Los valores cercanos tienen una desviación estándar menor, y los valores con una variación mucho mayor tienen una desviación estándar más grande.
- La desviación estándar tiene las mismas unidades de medición (como minutos, gramos o dólares) de los datos originales.

- Para muchos conjuntos de datos, un valor es *inusual* si difiere de la media por más de dos desviaciones estándar.
- Cuando se compara la variación de dos conjuntos de datos diferentes, solo se comparan las desviaciones estándar si los conjuntos de datos utilizan la misma escala y las mismas unidades, y si sus medias son aproximadamente iguales.

Regla empírica para datos con distribución normal (o 68-95-99.7)

Otro concepto que resulta útil para interpretar el valor de una desviación estándar es la **regla empírica**. Esta regla establece que las siguientes propiedades se aplican a *conjuntos de datos con una distribución aproximadamente normal.* (Véase la figura 3-3).

- Aproximadamente el 68% de todos los valores están dentro de una desviación estándar de la media.
- Aproximadamente el 95% de todos los valores están dentro de 2 desviaciones estándar de la media.
- Aproximadamente el 99.7% de todos los valores están dentro de 3 desviaciones estándar de la media.

EJEMPLO 6

Regla empírica Las puntuaciones de CI tienen una distribución normal, con una media de 100 y una desviación estándar de 15. ¿Qué porcentaje de las puntuaciones de CI se ubican entre 70 y 130?

SOLUCIÓN

La clave para resolver este problema consiste en reconocer que 70 y 130 están exactamente a 2 desviaciones estándar de la media de 100, como se indica a continuación.

$$2 \text{ desviaciones estándar} = 2s = 2(15) = 30$$

Por lo tanto, 2 desviaciones estándar de la media equivalen a

$$100 - 30 = 70$$

$$\text{o} \quad 100 + 30 = 130$$

La regla empírica nos indica que aproximadamente el 95% de todos los valores están dentro de dos desviaciones estándar de la media, de manera que el 95% de todas las puntuaciones de CI se encuentran entre 70 y 130.

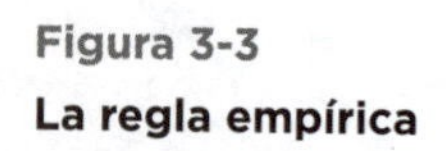

Figura 3-3
La regla empírica

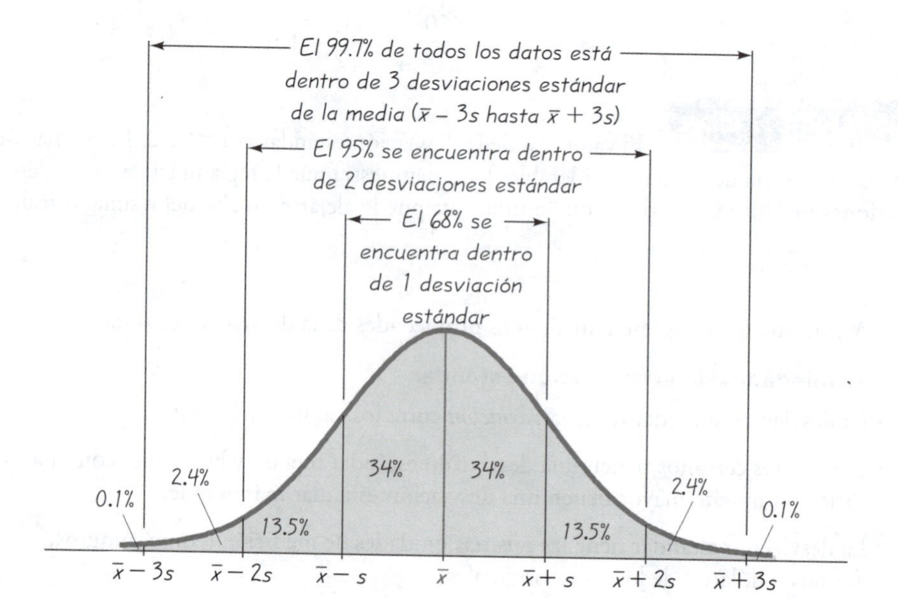

Un tercer concepto útil para comprender o interpretar el valor de una desviación estándar es el **teorema de Chebyshev**. La regla empírica anterior se aplica solo a conjuntos de datos con una distribución normal, pero el teorema de Chebyshev se aplica a *cualquier* conjunto de datos. Sin embargo, por desgracia, sus resultados son solo aproximados. Como los resultados son límites inferiores ("al menos"), este teorema tiene una utilidad limitada.

Teorema de Chebyshev

La proporción (o fracción) de cualquier conjunto de datos que está dentro de K desviaciones estándar a partir de la media siempre es *al menos* $1 - 1/K^2$, donde K es cualquier número positivo mayor que 1. Para $K = 2$ y $K = 3$ tenemos las siguientes afirmaciones:

- Al menos 3/4 (o el 75%) de todos los valores están dentro de 2 desviaciones estándar de la media.
- Al menos 8/9 (o el 89%) de todos los valores están dentro de 3 desviaciones estándar de la media.

EJEMPLO 7

Teorema de Chebyshev Las puntuaciones de CI tienen una media de 100 y una desviación estándar de 15. ¿Qué podemos concluir de acuerdo con el teorema de Chebyshev?

SOLUCIÓN

Si aplicamos el teorema de Chebyshev con una media de 100 y una desviación estándar de 15, podemos llegar a las siguientes conclusiones:

- Al menos 3/4 (o el 75%) de las puntuaciones de CI están dentro de 2 desviaciones estándar de la media (entre 70 y 130).
- Al menos 8/9 (o el 89%) de todas las puntuaciones de CI están dentro de 3 desviaciones estándar de la media (entre 55 y 145).

Cuando intentemos dar un significado al valor de una desviación estándar, debemos usar uno o más de los tres conceptos anteriores. Para comprender aún mejor la naturaleza de la desviación estándar, consideraremos los fundamentos subyacentes que conducen a la fórmula 3-4, que es la base de su definición. (Recuerde que la fórmula 3-5 es sencillamente otra versión de la fórmula 3-4).

¿Por qué la desviación estándar se define como en la fórmula 3-4?

¿Por qué medimos la variación utilizando la fórmula 3-4? Al medir la variación en un conjunto de datos muestrales, parece lógico iniciar con las cantidades individuales con las que los valores se desvían de la media. Para un valor particular x, la cantidad de **desviación** es $x - \bar{x}$, que es la diferencia entre el valor individual x y la media. Para los valores 1, 3 y 14, la media es 6.0, de manera que las desviaciones de la media son −5, −3 y 8. Sería bueno combinar de alguna forma esas desviaciones en un solo valor que pueda servir como medida de la variación. La simple suma de las desviaciones no funciona, ya que la suma siempre será cero. Para obtener un estadístico que mida la variación (en vez de que siempre sea cero), necesitamos evitar la cancelación de números positivos y negativos. Un método consiste en sumar valores absolutos, como en $\Sigma|x - \bar{x}|$. Si calculamos la media de esta suma, obtendremos la **desviación media absoluta (DMA)**, que es la distancia media de los datos con respecto a la media.

$$\text{desviación media absoluta} = \frac{\Sigma|x - \bar{x}|}{n}$$

Puesto que los valores 1, 3 y 14 tienen desviaciones de −5, −3 y 8, la desviación media absoluta es $(5 + 3 + 8)/3 = 16/3 = 5.3$.

¿Por qué no utilizar la desviación media absoluta en lugar de la desviación estándar? Como la desviación media absoluta requiere que usemos valores absolutos, emplea una operación que no es "algebraica". (Las operaciones algebraicas incluyen la suma, la multiplicación, la raíz cuadrada y la elevación a potencias enteras o fraccionarias; sin embargo, el valor absoluto no está incluido en las operaciones algebraicas). El uso de valores absolutos crea problemas algebraicos en los métodos inferenciales de la estadística, los cuales se analizarán en capítulos posteriores. Por ejemplo, la sección 9-3 presenta un método para hacer inferencias acerca de las medias de dos poblaciones, y ese método se construye alrededor de una propiedad de adición de las varianzas, pero la desviación media absoluta no posee tal propiedad de adición. (He aquí una versión simplificada de la propiedad de adición de la varianza: si se tienen dos poblaciones independientes y si selecciona aleatoriamente un valor de cada población y se suman, esas sumas tendrán una varianza que es igual a la suma de las varianzas de las dos poblaciones). Además, el valor de la desviación media absoluta está *sesgado*, lo que significa que cuando se calculan valores de desviaciones medias absolutas de muestras, no se tiende a igualar al valor de la desviación media absoluta de la población. En contraste, la desviación estándar utiliza únicamente operaciones algebraicas. Puesto que se basa en la raíz cuadrada de una suma de cuadrados, la desviación estándar se asemeja a las fórmulas de distancia que se emplean en álgebra. Existen muchos ejemplos en los que un procedimiento estadístico se basa en una suma de cuadrados similar. Por lo tanto, en vez de emplear valores absolutos, se elevan al cuadrado todas las desviaciones $(x - \bar{x})$ para evitar que sean negativas. Este método conduce a la desviación estándar. Por esas razones, las calculadoras científicas suelen incluir una función para la desviación estándar, pero casi nunca para la desviación media absoluta.

¿Por qué dividir entre n - 1? Después de obtener todos los valores individuales de $(x - \bar{x})^2$, los combinamos calculando su suma. Después dividimos entre $n - 1$ porque existen solamente $n - 1$ valores independientes. Es decir, con una media dada, solo se puede asignar un número con libertad a $n - 1$ valores, antes de que se determine el último valor. El ejercicio 37 ilustra cómo la división entre $n - 1$ es mejor que la división entre n. Este ejercicio demuestra cómo la división entre $n - 1$ provoca que la varianza muestral s^2 iguale el valor de la varianza poblacional σ^2, mientras que la división entre n causa que la varianza muestral s^2 subestime el valor de la varianza poblacional σ^2.

Comparación de la variación en diferentes poblaciones

Cuando se compara la variación de dos conjuntos diferentes de datos, solo se deben comparar las desviaciones estándar si los dos conjuntos de datos utilizan la misma escala y las mismas unidades, y si tienen aproximadamente la misma media. Si las medias son muy diferentes, o si las muestras utilizan diferentes escalas o unidades de medición, podemos utilizar el *coeficiente de variación*, el cual se define a continuación.

DEFINICIÓN

El **coeficiente de variación** (o **CV**) de un conjunto de datos muestrales o poblacionales sin valores negativos, expresado como porcentaje, describe la desviación estándar en relación con la media. El coeficiente de variación está dado de la siguiente forma:

Muestra

$$CV = \frac{s}{\bar{x}} \cdot 100\%$$

Población

$$CV = \frac{\sigma}{\mu} \cdot 100\%$$

EJEMPLO 8

Estaturas y pesos de hombres Compare la variación de las estaturas de hombres con la variación de sus pesos utilizando los siguientes resultados obtenidos de la muestra del conjunto de datos 1 del apéndice B: para los hombres, las estaturas producen $\bar{x} = 68.34$ pulgadas y $s = 3.02$ pulgadas; los pesos producen $\bar{x} = 172.55$ lb y $s = 26.33$ lb. Note que queremos comparar la variación entre *estaturas* con la variación entre *pesos*.

SOLUCIÓN

Podemos comparar las desviaciones estándar si se utilizan las mismas escalas y unidades, y si las dos medias son aproximadamente iguales; sin embargo, en este caso las escalas (estaturas y pesos) son diferentes, al igual que las unidades de medición (pulgadas y libras), de manera que utilizamos los coeficientes de variación:

$$\text{estaturas:} \quad CV = \frac{s}{\bar{x}} \cdot 100\% = \frac{3.02 \text{ pulgadas}}{68.34 \text{ pulgadas}} \cdot 100\% = 4.42\%$$

$$\text{pesos:} \quad CV = \frac{s}{\bar{x}} \cdot 100\% = \frac{26.33 \text{ lb}}{172.55 \text{ lb}} \cdot 100\% = 15.26\%$$

Aunque la desviación estándar de 3.02 pulgadas no puede compararse con la desviación estándar de 26.33 libras, sí podemos comparar los coeficientes de variación, los cuales no tienen unidades. Se observa que las estaturas (con $CV = 4.42\%$) varían mucho menos que los pesos (con $CV = 15.26\%$). Esto tiene sentido, ya que por lo común los pesos de los hombres varían mucho más que las estaturas. Es muy raro encontrarse con un caso en el que un hombre adulto mida el doble que otro adulto, pero es mucho más común observar que un hombre pese el doble que otro.

USO DE LA TECNOLOGÍA

STATDISK, Minitab, Excel y la calculadora TI-83/84 Plus pueden usarse para hacer los importantes cálculos de esta sección. Use los mismos procedimientos que se describen al final de la sección 3-2.

3-3 Destrezas y conceptos básicos

Conocimientos estadísticos y pensamiento crítico

1. Variación y varianza En la estadística, ¿qué diferencia hay entre *variación* y *varianza*?

2. ¿Enunciado correcto? En el libro *How to Lie with Charts*, se afirma que "la desviación estándar suele definirse como más o menos la diferencia entre la puntuación más alta y la media, y la puntuación más baja y la media. Por ejemplo, si la media es 1, el valor más alto es 3 y el valor más bajo es −1, la desviación estándar es ±2". ¿Es correcto este enunciado? ¿Por qué?

3. Comparación de la variación ¿Cuáles datos cree usted que tengan mayor variación: los ingresos de una muestra aleatoria simple de 1000 adultos elegidos de la población general, o los ingresos de una muestra aleatoria simple de 1000 profesores de estadística? ¿Por qué?

4. ¿Valor inusual? La presión sanguínea sistólica de 40 mujeres se presenta en el conjunto de datos 1 del apéndice B. Los datos tienen una media de 110.8 mm Hg y una desviación estándar de 17.1 mm Hg. La medición más alta de la presión sanguínea sistólica de esta muestra es 181 mm Hg. En este contexto, ¿una presión sanguínea sistólica de 181 mm de mercurio es "inusual"? ¿Por qué?

En los ejercicios 5 a 20, calcule el rango, la varianza y la desviación estándar de los datos muestrales. Utilice las unidades adecuadas (por ejemplo, "minuto") en sus resultados. (Se usarán los mismos datos de la sección 3-2, donde se calcularon medidas de tendencia central. Aquí se calculan las medidas de variación). Asimismo, responda las preguntas que se plantean.

5. Número de palabras del inglés El *Merriam-Webster's Collegiate Dictionary, decimoprimera edición*, tiene 1459 páginas con palabras definidas. A continuación se indica el número de palabras definidas en cada una de las páginas de una muestra aleatoria simple obtenida de dichas páginas. Si se utiliza esta muestra como base para estimar el número total de palabras definidas en el diccionario, ¿de qué manera afecta la variación de estos números nuestra confianza en la exactitud de la estimación?

51 63 36 43 34 62 73 39 53 79

6. Pruebas de asientos de seguridad para niños La National Highway Traffic Safety Administration realizó pruebas de choque con los asientos de seguridad para niños que se utilizan en los automóviles. A continuación se incluyen los resultados de esas pruebas, con las medidas expresadas en *hics* (unidades estándar de *lesiones de cabeza*). Según los requisitos de seguridad, la medida debe ser menor de 1000 hics. ¿Existe una gran variación en las medidas de las pruebas de los asientos de seguridad para niños?

774 649 1210 546 431 612

7. Costos de choques de automóviles El Insurance Institute for Highway Safety realizó pruebas con choques de automóviles nuevos que viajaban a 6 mi/h. Se obtuvo el costo total de los daños para una muestra aleatoria simple de los automóviles probados, lo cual se presenta a continuación. Con base en estos resultados, ¿un daño de $10,000 es *inusual*? ¿Por qué?

$7448 $4911 $9051 $6374 $4277

8. Calificaciones FICO A continuación se presentan las calificaciones de crédito FICO de una muestra aleatoria simple. Cuando se escribió este libro, la calificación FICO media reportada era 678. Con base en estos resultados, ¿una calificación FICO de 500 es *inusual*? ¿Por qué?

714 751 664 789 818 779 698 836 753 834 693 802

9. Salarios en televisión A continuación se presentan los 10 salarios anuales más altos (en millones de dólares) de personalidades de la televisión (según datos de la revista *OK!*). Dichos salarios corresponden a Letterman, Cowell, Sheindlin, Leno, Couric, Lauer, Sawyer, Viera, Sutherland y Sheen. Considerando que se trata de los *10 salarios más altos*, ¿sabemos algo acerca de la variación de los salarios de las personalidades que trabajan en televisión en general?

38 36 35 27 15 13 12 10 9.6 8.4

10. Fenotipos de guisantes Biólogos realizaron experimentos para determinar si una deficiencia de dióxido de carbono en la tierra afecta los fenotipos de los guisantes (chícharos). A continuación se indican los códigos de los fenotipos: 1 = amarillo liso, 2 = verde liso, 3 = amarillo rugoso y 4 = verde rugoso. ¿Se pueden obtener medidas de variación para estos valores? ¿Los resultados tienen algún sentido?

2 1 1 1 1 1 1 4 1 2 2 1 2 3 3 2 3 1 3 1 3 1 3 2 2

11. Vuelos de transbordador espacial A continuación se presentan las duraciones (en horas) de una muestra aleatoria simple de todos los vuelos (hasta el momento en que se escribe este libro) del Space Transport System (transbordador espacial) de la NASA. Los datos corresponden al conjunto de datos 10 del apéndice B. ¿La menor duración es *inusual*? ¿Por qué?

73 95 235 192 165 262 191 376 259 235 381 331 221 244 0

12. Freshman 15 Según la leyenda de "Freshman 15", los estudiantes universitarios suben 15 libras (o 6.8 kilogramos) de peso durante su primer año de estudios. A continuación se presentan los cambios de peso (en kilogramos) de una muestra aleatoria simple de estudiantes de reciente ingreso incluidos en un estudio ("Changes in Body Weight and Fat Mass of Men and Women in the First Year of College: A Study of the 'Freshman 15'", de Hoffman, Policastro, Quick y Lee, *Journal of American College Health*, vol. 55, núm. 1). Los valores positivos corresponden a estudiantes que ganaron peso y los valores negativos corresponden a los estudiantes que perdieron peso. ¿Una ganancia de peso de 15 libras (o 6.8 kg) es *inusual*? ¿Por qué? Si una ganancia de 15 libras (o 6.8 kg) no es inusual, ¿esto apoya la leyenda de "Freshman 15"?

11 3 0 −2 3 −2 −2 5 −2 7 2 4 1 8 1 0 −5 2

13. Cambios en la medida de MPG El consumo de combustible suele medirse en millas por galón (MPG). La Environmental Protection Agency (EPA) diseñó nuevas pruebas de consumo de combustible que empezó a utilizar con los automóviles modelo 2008. A continuación se presentan cantidades elegidas al azar mediante las cuales las MPG medidas *disminuyeron* debido a los nuevos estándares de 2008. Por ejemplo, el primer automóvil obtuvo una medida de 16 mi/gal bajo los estándares antiguos y de 15 mi/gal bajo los nuevos estándares de 2008, de manera que la disminución fue de 1 mi/gal. ¿Una disminución de 4 mi/gal es *inusual*? ¿Por qué?

1 2 3 2 4 3 4 2 2 2 2 3 2 2 2 3 2 2 2 2

14. Salarios de entrenadores de futbol americano de la NCAA A continuación se presentan los salarios anuales de una muestra aleatoria simple de entrenadores de futbol americano de la NCAA (según datos de *USA Today*). ¿Qué cambios se observarían en la desviación estándar si se omitiera el salario más alto?

$150,000 $300,000 $350,147 $232,425 $360,000 $1,231,421 $810,000 $229,000

15. Duración de canciones populares A continuación se presentan las duraciones (en segundos) de canciones que eran populares cuando se escribió este libro. (Las canciones son de Timberlake, Furtado, Daughtry, Stefani, Fergie, Akon, Ludacris, Beyonce, Nickelback, Rihanna, Fray, Lavigne, Pink, Mims, Mumidee y Omarion). ¿La desviación estándar cambiaría mucho si se eliminara la canción de mayor duración?

448 242 231 246 246 293 280 227 244 213 262 239 213 258 255 257

16. Satélites A continuación se lista el número de satélites en órbita, propiedad de diferentes países. Con base en estos resultados, ¿es *inusual* que un país no tenga satélites? ¿Por qué?

158 17 15 18 7 3 5 1 8 3 4 2 4 1 2 3 1 1 1 1 1 1 1

17. Años para obtener el título de licenciatura A continuación se presenta el tiempo (en años) que le tomó a una muestra aleatoria de estudiantes universitarios obtener su título de licenciatura (según datos del U.S. National Center for Education Statistics). Con base en los resultados, ¿es inusual que un estudiante obtenga el título de licenciatura en 12 años?

4 4 4 4 4 4 4.5 4.5 4.5 4.5 4.5 4.5 6 6 8 9 9 13 13 15

18. Emisiones de automóviles Científicos ambientales midieron las emisiones de gases de invernadero de una muestra de automóviles. Las cantidades que se listan a continuación están en toneladas (por año), expresadas como equivalentes de CO_2. ¿El valor de 9.3 toneladas es *inusual*?

7.2 7.1 7.4 7.9 6.5 7.2 8.2 9.3

19. Bancarrotas A continuación se lista el número de declaraciones de bancarrota en el condado Dutchess del estado de Nueva York. Los números se presentan en orden mensual de un año reciente (según datos del *Poughkeepsie Journal*). Identifique cualquier valor que sea *inusual*.

59 85 98 106 120 117 97 95 143 371 14 15

20. Radiación en dientes de leche A continuación se presentan las cantidades de estroncio-90 (en milibecquereles o mBq por gramo de calcio) en una muestra aleatoria simple de dientes de leche obtenidos de residentes de Pensilvania nacidos después de 1979 (según datos de "An Unexpected Rise in Strontium-90 in U.S. Deciduous Teeth in the 1990s", de Mangano *et al.*, *Science of the Total Environment*). Identifique cualquier valor que sea *inusual*.

155 142 149 130 151 163 151 142 156 133 138 161 128 144 172 137 151 166 147 163

145 116 136 158 114 165 169 145 150 150 150 158 151 145 152 140 170 129 188 156

Coeficiente de variación. ***En los ejercicios 21 a 24, calcule el* coeficiente de variación *de cada uno de los dos conjuntos de datos y luego compare la variación. (Se utilizan los mismos datos de la sección 3-2).***

21. Costo de vuelo A continuación se presentan los costos (en dólares) de viajes redondos desde el aeropuerto JFK de la ciudad de Nueva York hasta San Francisco. (Todos los viajes incluyen una escala y una estancia de dos semanas). Las aerolíneas son US Air, Continental, Delta, United, American, Alaska y Northwest.

30 días de anticipación:	244	260	264	264	278	318	280
1 día de anticipación:	456	614	567	943	628	1088	536

22. IMC de Miss America La tendencia de elegir ganadoras muy delgadas en el concurso Miss America ha provocado que se le acuse de fomentar hábitos dietéticos poco saludables entre las mujeres jóvenes. A continuación se presentan los índices de masa corporal (IMC) de las ganadoras del concurso Miss America en dos periodos diferentes.

IMC (de la década de 1920 a la de 1930): 20.4 21.9 22.1 22.3 20.3 18.8 18.9 19.4 18.4 19.1

IMC (de ganadoras recientes): 19.5 20.3 19.6 20.2 17.8 17.9 19.1 18.8 17.6 16.8

23. Nicotina en cigarrillos A continuación se listan las cantidades de nicotina (en mg por cigarrillo) para muestras de cigarrillos con filtro y sin filtro (del conjunto de datos 4 del apéndice B).

Sin filtro: 1.1 1.7 1.7 1.1 1.1 1.4 1.1 1.4 1.0 1.2 1.1 1.1 1.1
1.1 1.1 1.8 1.6 1.1 1.2 1.5 1.3 1.1 1.3 1.1 1.1

Con filtro: 0.4 1.0 1.2 0.8 0.8 1.0 1.1 1.1 1.1 0.8 0.8 0.8 0.8
1.0 0.2 1.1 1.0 0.8 1.0 0.9 1.1 1.1 0.6 1.3 1.1

24. Tiempos de espera de clientes A continuación se presentan los tiempos de espera (en minutos) de clientes del Jefferson Valley Bank (donde todos los clientes se forman en una sola fila) y del Bank of Providence (donde los clientes esperan en filas individuales, en tres ventanillas diferentes).

Jefferson Valley (una sola fila): 6.5 6.6 6.7 6.8 7.1 7.3 7.4 7.7 7.7 7.7

Providence (filas individuales): 4.2 5.4 5.8 6.2 6.7 7.7 7.7 8.5 9.3 10.0

Conjuntos grandes de datos del apéndice B. ***Para los ejercicios 25 a 28, remítase al conjunto de datos indicado del apéndice B. Con un programa de cómputo o una calculadora, obtenga el rango, la varianza y la desviación estándar.***

25. Temperaturas corporales Utilice las temperaturas corporales de las 12:00 AM del día 2, incluidas en el conjunto de datos 2 del apéndice B.

26. Tornillos de máquina Utilice las longitudes de los tornillos de máquina incluidos en el conjunto de datos 19 del apéndice B.

27. Voltaje de una casa Remítase al conjunto de datos 13 del apéndice B y compare la variación de los tres conjuntos diferentes de niveles de voltaje medidos.

28. Películas Remítase al conjunto de datos 9 del apéndice B y considere los montos de ganancias de dos categorías diferentes de películas: películas con clasificación R y películas con clasificaciones PG o PG-13. Utilice los coeficientes de variación para determinar si pareciera que las dos categorías varían en la misma cantidad.

Cálculo de la desviación estándar a partir de una distribución de frecuencias. ***En los ejercicios 29 y 30, calcule la desviación estándar de los datos muestrales que se resumen en la siguiente tabla de distribución de frecuencias, utilizando la siguiente fórmula, donde x representa la marca de clase, f representa la frecuencia de clase y n representa el número total de valores en la muestra. Además, compare las desviaciones estándar calculadas con las desviaciones estándar obtenidas por medio de la fórmula 3-4, con la lista original de datos: (ejercicio 29) 3.2 mg; (ejercicio 30) 12.5 latidos por minuto.***

$$s = \sqrt{\frac{n[\Sigma(f \cdot x^2)] - [\Sigma(f \cdot x)]^2}{n(n-1)}}$$ desviación estándar de una distribución de frecuencias

29.

Alquitrán (mg) en cigarrillos sin filtro	Frecuencia
10–13	1
14–17	0
18–21	15
22–25	7
26–29	2

30.

Pulsos de mujeres	Frecuencia
60–69	12
70–79	14
80–89	11
90–99	1
100–109	1
110–119	0
120–129	1

31. Regla práctica de las desviaciones Cuando se escribió este libro, todas las ganadoras del concurso Miss America tenían entre 18 y 24 años de edad. Estime la desviación estándar de esas edades.

32. Regla práctica de las desviaciones Utilice la regla práctica de las desviaciones para estimar la desviación estándar de las edades de todos los profesores de su universidad.

33. Regla empírica Las estaturas de un grupo de mujeres tienen una distribución con forma de campana (es decir, normal), con una media de 161 cm y una desviación estándar de 7 cm. Por medio de la regla empírica, ¿cuál es el porcentaje aproximado de mujeres entre

a) 154 cm y 168 cm?

b) 147 cm y 175 cm?

34. Regla empírica El generador Generac del autor produce voltajes con una media de 125.0 volts y una desviación estándar de 0.3 volts; los voltajes tienen una distribución con forma de campana (es decir, normal). Utilice la regla empírica para determinar el porcentaje aproximado de los voltajes entre

a) 124.4 y 125.6 volts

b) 124.1 y 125.9 volts

35. Teorema de Chebyshev Las estaturas de un grupo de mujeres tienen una distribución normal, con una media de 161 cm y una desviación estándar de 7 cm. Por medio del teorema de Chebyshev, ¿qué sabemos acerca del porcentaje de mujeres con estaturas que están dentro de dos desviaciones estándar de la media? ¿Cuáles son las estaturas mínima y máxima que están dentro de dos desviaciones estándar de la media?

36. Teorema de Chebyshev El generador Generac del autor produce voltajes con una media de 125.0 volts y una desviación estándar de 0.3 volts. Por medio del teorema de Chebyshev, ¿qué sabemos acerca del porcentaje de voltajes que están dentro de tres desviaciones estándar de la media? ¿Cuáles son los voltajes mínimo y máximo que están dentro de tres desviaciones estándar de la media?

3-3 Más allá de lo básico

37. ¿Por qué dividir entre $n - 1$? Considere que una *población* está constituida por los valores 1, 3 y 14. (Se trata de los mismos valores utilizados en el ejemplo 1, los cuales representan el número de satélites militares/de inteligencia propiedad de India, Japón y Rusia). Suponga que las muestras de 2 valores se eligen aleatoriamente *con reemplazo* de esta población. (Es decir, un valor seleccionado se vuelve a incorporar al conjunto total antes de hacer la segunda selección).

a) Calcule la varianza σ^2 de la población {1, 3, 14}.

b) Después de listar las nueve muestras diferentes posibles de 2 valores seleccionados con reemplazo, calcule la varianza muestral s^2 (que incluye la división entre $n - 1$) para cada una. Luego, calcule la media de las varianzas muestrales s^2.

c) Para cada una de las nueve muestras diferentes posibles de 2 valores, seleccionadas con reemplazo, calcule la varianza al tratar cada muestra como si fuera una población (use la fórmula para la varianza poblacional, que incluye la división entre n). Luego calcule la media de esas varianzas poblacionales.

continúa

Los estadounidenses son relativamente más bajos

Paul Krugman escribió en el *New York Times* que, hasta mediados del siglo pasado, los estadounidenses solían ser las personas más altas del mundo, pero que ahora son los más bajos si se comparan con otros individuos de países industrializados. Además señala que, puesto que existe una gran relación entre el ingreso per cápita de un país y la estatura media de sus habitantes, los estadounidenses deberían ser más altos que los europeos, pero ya no lo son. Una explicación posible de esta discrepancia es que los estadounidenses descuidan a los niños al alimentarlos con demasiada comida rápida y no proporcionarles suficientes alimentos saludables ni inducirlos a hacer ejercicio. Krugman afirmó que "cualquiera que sea la explicación para este fenómeno, nuestra relativa baja estatura, al igual que nuestra baja esperanza de vida, sugiere que algo está mal con nuestro estilo de vida".

d) ¿Qué método produce valores que son mejores estimaciones de σ^2: el inciso b) o el inciso c)? ¿Por qué? Cuando se calculan las varianzas de muestras, ¿se debe dividir entre n o entre $n - 1$?

e) Los incisos anteriores demuestran que s^2 es un estimador insesgado de σ^2. ¿Es s un estimador insesgado de σ^2?

38. Desviación media absoluta Permita que una población consista en los valores 1, 3 y 14. (Se trata de los mismos valores utilizados en el ejemplo 1, los cuales representan el número de satélites militares/de inteligencia propiedad de India, Japón y Rusia). Demuestre que, cuando se eligen al azar muestras de tamaño 2 con reemplazo, las muestras tienen desviaciones medias absolutas que no se concentran alrededor del valor de la desviación media absoluta de la población.

3-4 Medidas de posición relativa y gráficas de caja

Concepto clave Esta sección presenta medidas de posición relativa, que consisten en números que indican la ubicación de valores de datos con respecto a otros valores dentro de un conjunto de datos. El concepto más importante de esta sección es la puntuación z, que se utilizará a menudo en los siguientes capítulos. También estudiaremos los cuartiles y percentiles, que son estadísticos comunes, así como un nuevo tipo de gráfica estadística llamada gráfica de caja.

Parte 1: Fundamentos de las puntuaciones z, percentiles, cuartiles y gráficas de caja

Puntuaciones z

Una puntuación z (o *valor estandarizado*) se calcula convirtiendo un valor a una escala estandarizada, como se establece en la siguiente definición. Esta definición establece que una puntuación z corresponde al número de desviaciones estándar que separan a un dato de la media. Utilizaremos ampliamente las puntuaciones z en el capítulo 6 y en capítulos posteriores.

DEFINICIÓN

Una puntuación z (o **valor estandarizado**) es el número de desviaciones estándar que un valor x se encuentra por arriba o por debajo de la media. Se calcula utilizando las siguientes expresiones:

Muestra **Población**

$$z = \frac{x - \bar{x}}{s} \quad \text{o} \quad z = \frac{x - \mu}{\sigma}$$

Regla de redondeo para las puntuaciones z

Redondee z a dos posiciones decimales (como 2.46).

La regla de redondeo para las puntuaciones z se debe a que la tabla estándar (tabla A-2 del apéndice A) tiene puntuaciones z con dos posiciones decimales. En el ejemplo 1 se ilustra la forma en que las puntuaciones z se pueden utilizar para comparar valores, incluso si provienen de diferentes poblaciones.

EJEMPLO 1

Comparación de una estatura y un peso En el ejemplo 8 de la sección 3-3 se utilizó el coeficiente de variación para comparar la variación de estaturas de un grupo de hombres con la variación de pesos de un grupo de hombres. Ahora consideramos la comparación de dos datos *individuales* para tratar de determinar cuál es más extremo: la estatura de 76.2 pulgadas o el peso de 237.1 libras de un hombre. Es evidente que no podemos comparar los dos valores de manera directa (manzanas con naranjas). Compare los dos datos calculando sus puntuaciones z correspondientes. Utilice los siguientes resultados muestrales obtenidos del conjunto de datos 1 del apéndice B: para las estaturas de hombres, la media es $\bar{x} = 68.34$ pulgadas y la desviación estándar es $s = 3.02$ pulgadas; para los pesos de hombres, la media es $\bar{x} = 172.55$ libras y la desviación estándar es $s = 26.33$ libras.

SOLUCIÓN Las estaturas y los pesos se miden en diferentes escalas y con diferentes unidades de medición, pero podemos estandarizar los datos al convertirlos en puntuaciones z:

$$\text{estatura de 76.2 pulgadas:} \quad z = \frac{x - \bar{x}}{s} = \frac{76.2 \text{ in} - 68.34 \text{ in}}{3.02 \text{ in}} = 2.60$$

$$\text{peso de 237.1 libras:} \quad z = \frac{x - \bar{x}}{s} = \frac{237.1 \text{ lb} - 172.55 \text{ lb}}{26.33 \text{ lb}} = 2.45$$

INTERPRETACIÓN Los resultados revelan que la estatura de 76.2 pulgadas está a 2.60 desviaciones estándar por arriba de la estatura media, mientras que el peso de 237.1 libras está a 2.45 desviaciones estándar por arriba del peso medio. Debido a que la estatura está más lejos de la media, es el valor más extremo. La estatura de 76.2 pulgadas es un valor más extremo que el peso de 237.1 libras.

Puntuaciones z, valores inusuales y valores extremos

En la sección 3-3 utilizamos la regla práctica de las desviaciones para concluir que un valor es "inusual" si está a más de 2 desviaciones estándar de la media. Por lo tanto, los valores inusuales tienen puntuaciones z menores que -2 o mayores que $+2$. (Véase la figura 3-4). Si aplicamos este criterio, la estatura de 76.2 pulgadas y el peso de 237.1 libras del ejemplo 1 son inusuales porque tienen puntuaciones z mayores que 2.

Valores comunes: $-2 \leq z$ **puntuación** ≤ 2

Valores inusuales: z **puntuación** < -2 *o* z **puntuación** > 2

Los criterios objetivos anteriores se pueden utilizar para identificar valores inusuales. En la sección 2-1 definimos los valores atípicos como datos que están muy alejados de la gran mayoría de los otros datos, pero esa descripción no brinda criterios objetivos específicos para identificar a los valores atípicos. En esta sección se presentan criterios objetivos para identificar valores extremos en el contexto de las gráficas de caja; sin embargo, continuaremos definiendo los valores atípicos como datos que están muy alejados de la gran mayoría de los otros datos. Es importante buscar e identificar valores atípicos, ya que pueden tener un gran efecto sobre los estadísticos (como la media y la desviación estándar) y sobre otros métodos que estudiaremos más adelante.

Índice del costo de la risa

En realidad hay un Índice del costo de la risa (ICR), que busca los costos de artículos como pollos de plástico, anteojos de Groucho Marx, entradas a clubes de comediantes y otros 13 indicadores principales del humor. Este es el mismo método básico que se utiliza en la creación del Índice de precios al consumidor (IPC), el cual se basa en un promedio ponderado de bienes y servicios adquiridos por consumidores comunes. Mientras que las puntuaciones estándar y los percentiles nos permiten comparar valores diferentes ignorando cualquier elemento del tiempo, los números índice, como el ICR y el IPC, nos permiten comparar el valor de alguna variable con su valor en un periodo tomado como base. El valor de un número índice es el valor actual dividido entre el valor base, multiplicado por 100.

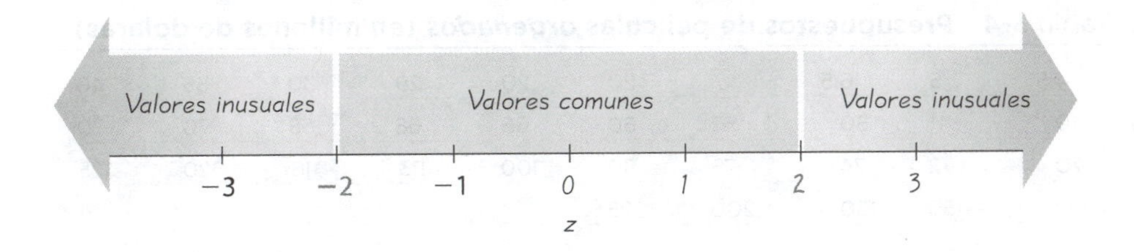

Figura 3-4

Interpretación de las puntuaciones z

Los valores inusuales son aquellos con puntuaciones z menores que −2.00 o mayores que 2.00.

Si consideramos estaturas (como en el ejemplo 1), observe que la estatura de 61.3 pulgadas se convierte en $z = -0.68$, como se muestra a continuación. (Nuevamente utilizamos $\bar{x} = 68.34$ pulgadas y $s = 3.02$ pulgadas).

$$z = \frac{x - \bar{x}}{s} = \frac{61.3 \text{ in} - 68.34 \text{ in}}{3.02 \text{ in}} = -2.33$$

Esta estatura de 61.3 pulgadas ilustra el siguiente principio:

Siempre que un valor sea menor que la media, su puntuación *z* correspondiente será negativa.

Las puntuaciones z son medidas de posición, en el sentido de que describen la localización de un valor (en términos de desviaciones estándar) en relación con la media. Una puntuación z de 2 indica que un valor está a dos desviaciones estándar *por arriba* de la media, en tanto que una puntuación z de -3 indica que un valor está a tres desviaciones estándar *por debajo* de la media. Los cuartiles y los percentiles también son medidas de posición, pero se definen de forma distinta que las puntuaciones z y son útiles para comparar valores dentro del mismo conjunto de datos o entre distintos conjuntos de datos.

Percentiles

Los percentiles son un tipo de *cuantiles* —o *fractiles*— que dividen a los datos en grupos con aproximadamente el mismo número de valores en cada uno.

DEFINICIÓN

Los **percentiles** son medidas de ubicación, que se denotan con $P_1, P_2, \ldots, P_{99}$, las cuales dividen un conjunto de datos en 100 grupos con aproximadamente 1% de los valores en cada grupo.

Por ejemplo, el percentil 50, que se denota con P_{50}, deja el 50% de los datos por debajo y alrededor del 50% de los datos por arriba de él. Por lo tanto, el percentil 50 es igual a la mediana. No existe un acuerdo universal sobre el mejor procedimiento para el cálculo de los percentiles, pero aquí se describirán dos procedimientos relativamente sencillos para **1.** calcular el percentil de un dato y **2.** convertir un percentil en su valor correspondiente. Comenzamos con el primer procedimiento.

Cálculo del percentil de un dato El proceso de calcular el percentil que corresponde a un valor x específico es el siguiente:

$$\text{percentil del valor } x = \frac{\text{número de valores menores que } x}{\text{número total de valores}} \cdot 100$$

(el resultado se redondea al entero más cercano)

EJEMPLO 2 **Cálculo de un percentil: Presupuestos de películas** En la tabla 3-4 se presenta una lista de 35 presupuestos (en millones de dólares) ordenados, los cuales se obtuvieron de la muestra aleatoria simple de películas incluidas en el conjunto de datos 9 del apéndice B. Calcule el percentil para el valor de $29 millones.

Tabla 3-4 Presupuestos de películas *ordenados* (en millones de dólares)

4.5	5	6.5	7	20	20	29	30	35	40
40	41	50	52	60	65	68	68	70	70
70	72	74	75	80	100	113	116	120	125
132	150	160	200	225					

SOLUCIÓN En la lista ordenada de presupuestos de la tabla 3-4, observamos que hay 6 cantidades menores que 29, por lo tanto

$$\text{percentil de } 29 = \frac{6}{35} \cdot 100 = 17 \text{ (redondeado al entero más cercano)}$$

INTERPRETACIÓN El presupuesto de $29 millones corresponde al percentil 17, lo cual se puede interpretar de la siguiente manera: el presupuesto de $29 millones separa al 17% inferior de los presupuestos, del 83% superior de los presupuestos.

El ejemplo 2 indica cómo convertir un valor muestral al percentil correspondiente. Existen varios métodos diferentes para el procedimiento inverso de convertir un percentil en el valor correspondiente del conjunto de datos. El procedimiento que usaremos se resume en la figura 3-5 en la siguiente página, la cual utiliza la siguiente notación.

Notación

n número total de valores en el conjunto de datos

k percentil utilizado (Ejemplo: para el percentil 25, $k = 25$).

L localizador que da la *posición* de un valor (Ejemplo: para el valor en el lugar 12 en la lista ordenada, $L = 12$).

P_k percentil k-ésimo (Ejemplo: P_{25} es el percentil 25).

EJEMPLO 3 **Transformación de un percentil en un valor** Remítase a los presupuestos ordenados de la tabla 3-4 y utilice el procedimiento descrito en la figura 3-5 para calcular el valor del percentil 90, P_{90}.

SOLUCIÓN En la figura 3-5, observamos que los datos muestrales ya están ordenados, y procedemos a calcular el valor del localizador L. Para este cálculo utilizamos $k = 90$ porque estamos tratando de obtener el valor del percentil 90. También utilizamos $n = 35$ porque hay 35 valores.

$$L = \frac{k}{100} \cdot n = \frac{90}{100} \cdot 35 = 31.5$$

Puesto que $L = 31.5$ no es un número entero, pasamos al siguiente recuadro, donde modificamos L al redondearlo de 31.5 a 32. (En este libro generalmente aplicamos el redondeo de la forma acostumbrada, pero este es uno de los dos casos en que redondeamos *hacia arriba* y no *hacia abajo*). En el último recuadro observamos que el valor de P_{90} es el 32º valor, contando desde el más bajo. En la tabla 3-4, el 32º valor es 150. Es decir, P_{90} = $150 millones. Por lo tanto, alrededor del 90% de las películas tienen presupuestos por debajo de $150 millones, y aproximadamente el 10% de las películas tienen presupuestos por encima de $150 millones.

EJEMPLO 4 **Transformación de un percentil en un valor** Remítase a los presupuestos ordenados de la tabla 3-4 y utilice el procedimiento descrito en la figura 3-5 para calcular el valor del percentil 60, denotado por P_{60}.

continúa

Figura 3-5
Transformación del percentil *k*-ésimo en el valor correspondiente

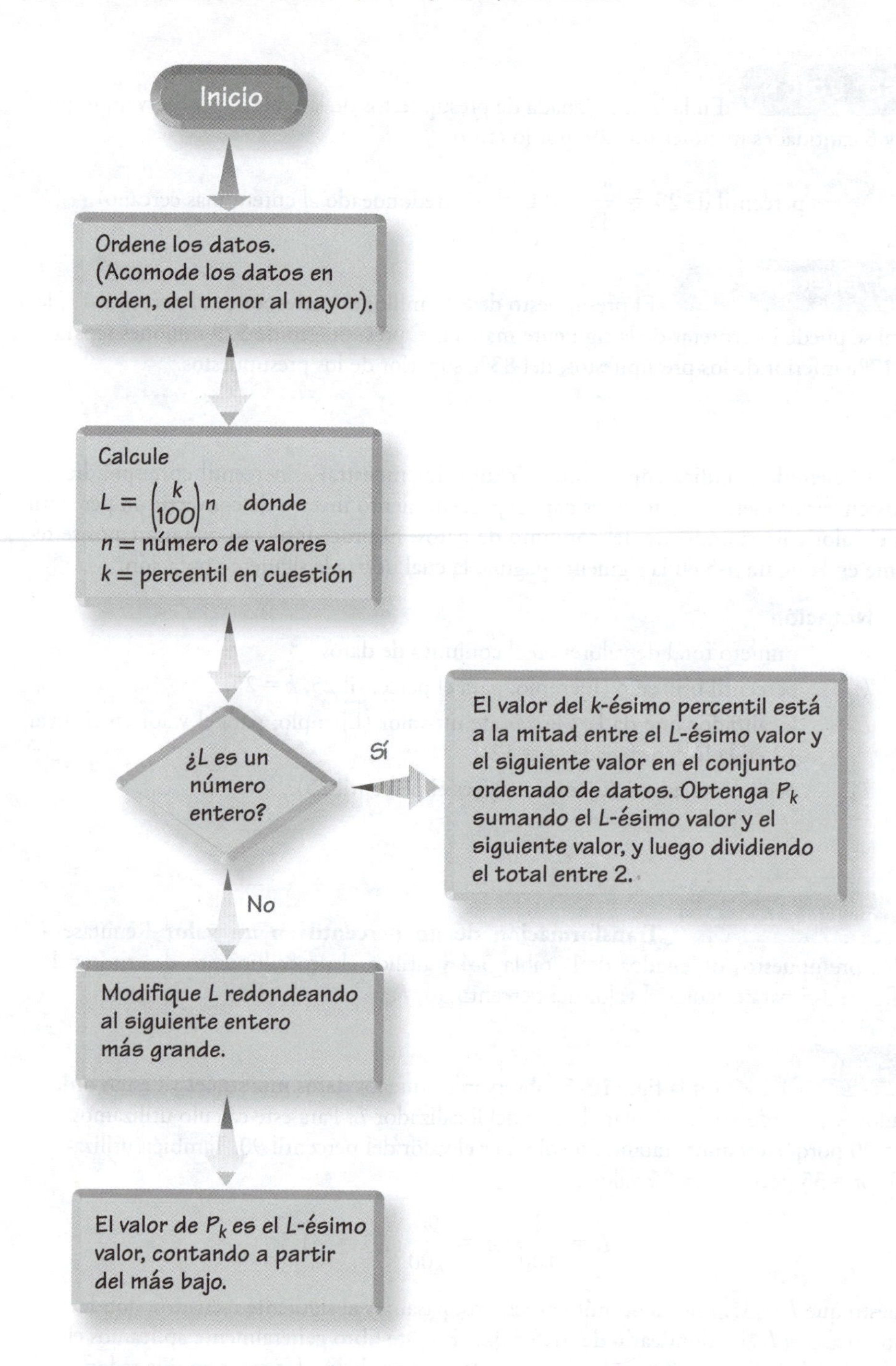

SOLUCIÓN Si nos remitimos a la figura 3-5, observamos que los datos muestrales ya están ordenados, y procedemos a calcular el valor del localizador L. Para este cálculo, utilizamos $k = 60$ porque estamos tratando de obtener el valor del percentil 60, y utilizamos $n = 35$ porque hay 35 valores.

$$L = \frac{k}{100} \cdot n = \frac{60}{100} \cdot 35 = 21$$

Como $L = 21$ es un número entero, pasamos al recuadro de la derecha. Ahora observamos que el valor del percentil 60 está a la mitad del valor L-ésimo (21°) y el siguiente valor en el conjunto de datos original. Es decir, el valor del percentil 60 se encuentra a la mitad entre el vigésimo primer valor (21º) y el vigésimo segundo valor (22º). El valor 21º es $70 millones y el valor 22º es $72 millones; por lo tanto, el valor a la mitad de ellos es $71 millones. Concluimos que el percentil 60 es $P_{60} = \$71$ millones.

EJEMPLO 5

Establecimiento de límites de velocidad A continuación se presentan las velocidades registradas (en mi/h) de automóviles, seleccionados al azar, que viajaban en una sección de la carretera 405 de Los Ángeles (según datos de Sigalert). Esta sección cuenta con un aviso de límite de velocidad de 65 mi/h. Los ingenieros de tránsito a menudo establecen los límites de velocidad utilizando la "regla del percentil 85", la cual indica que la velocidad límite debe ser tal que el 85% de los conductores manejen a esa velocidad o a una más baja.

a) Calcule el percentil 85 de las velocidades listadas.

b) Como los límites de velocidad suelen redondearse a un múltiplo de 5, ¿qué límite de velocidad sugieren estos datos? Explique su decisión.

c) ¿El límite de velocidad que existe en la carretera 405 sigue la regla del percentil 85?

68 68 72 73 65 74 73 72 68 65 65 73 66 71 68 74 66 71 65 73

59 75 70 56 66 75 68 75 62 72 60 73 61 75 58 74 60 73 58 75

SOLUCIÓN

a) Primero ordenamos los datos. Como hay 40 datos muestrales y queremos encontrar el percentil 85, utilizamos $n = 40$ y $k = 60$. Ahora podemos calcular la ubicación L del percentil 85 en la lista *ordenada*:

$$L = \frac{k}{100} \cdot n = \frac{85}{100} \cdot 40 = 34$$

Como $L = 34$ es un número entero, la figura 3-5 indica que el percentil 85 está localizado entre la trigésimo cuarta velocidad y la trigésimo quinta de la lista ordenada. Después de ordenar los datos, las velocidades en los lugares 34 y 35 son 74 mi/h, de manera que el percentil 85 es 74 mi/h.

b) Una velocidad de 75 mi/h es el múltiplo de 5 más cercano al percentil 85, pero quizá sea más seguro redondear hacia abajo, de manera que la velocidad de 70 mi/h es el múltiplo de 5 más cercano por debajo del percentil 85.

c) El límite de velocidad existente de 65 mi/h está por debajo de la velocidad límite determinada por la regla del percentil 85; por lo tanto, el límite de velocidad existente no sigue la regla del percentil 85. (La mayoría de las carreteras en California tienen una velocidad límite de 65 mi/h).

Cuartiles

Así como hay 99 percentiles que dividen los datos en 100 grupos, existen tres cuartiles que dividen los datos en cuatro grupos.

DEFINICIÓN

Los **cuartiles** son medidas de ubicación, que se denotan por Q_1, Q_2 y Q_3, y dividen un conjunto de datos ordenado en cuatro partes iguales, con aproximadamente el 25% de los valores en cada grupo.

He aquí descripciones de los tres cuartiles, que son más exactas que las implicadas en la definición anterior:

Q_1 (primer cuartil): Separa el 25% inferior de los valores ordenados del 75% superior. (Para ser más precisos, al menos el 25% de los valores ordenados son menores que o iguales a Q_1, y al menos el 75% de los valores son mayores que o iguales a Q_1).

Q_2 (segundo cuartil): Igual a la mediana; separa el 50% inferior de los valores ordenados del 50% superior.

Q_1 (tercer cuartil): Separa el 75% inferior de los valores ordenados del 25% superior. (Para ser más precisos, al menos el 75% de los valores ordenados son menores que o iguales a Q_3, y al menos el 25% de los valores son mayores que o iguales a Q_3).

Se pueden calcular los valores de los cuartiles con el mismo procedimiento utilizado para calcular los percentiles. Simplemente utilice las relaciones que se muestran al margen.

$Q_1 = P_{25}$
$Q_2 = P_{50}$
$Q_3 = P_{75}$

EJEMPLO 6 **Cálculo de un cuartil** Remítase a los presupuestos ordenados de películas que se presentan en la tabla 3-4. Calcule el valor del primer cuartil Q_1.

SOLUCIÓN Calcular Q_1 es lo mismo que calcular P25, de manera que procedemos a calcular P_{25} utilizando el procedimiento que se resume en la figura 3-5. Los datos ya están ordenados y obtenemos el valor del localizador L de la siguiente manera:

$$L = \frac{k}{100} \cdot n = \frac{25}{100} \cdot 35 = 8.75$$

Luego, observamos que $L = 8.75$ no es un número entero y lo transformamos redondeándolo hacia arriba al siguiente entero, por lo que obtenemos $L = 9$. El valor de P_{25} es el noveno valor de la lista ordenada, de modo que $P_{25} = \$35$ millones. El primer cuartil está dado por $Q_1 = \$35$ millones.

Así como no existe un acuerdo universal sobre un procedimiento para el cálculo de percentiles, tampoco hay un acuerdo universal sobre un procedimiento para el cálculo de cuartiles, y los diferentes programas de computadora suelen arrojar resultados diferentes. Si usted utiliza una calculadora o un programa de cómputo para resolver ejercicios relacionados con cuartiles, es posible que obtenga resultados que difieran ligeramente de las respuestas que se obtienen utilizando los procedimientos que aquí se describen.

En secciones anteriores de este capítulo describimos varios estadísticos, incluyendo la media, la mediana, la moda, el rango y la desviación estándar. Algunos datos estadísticos se definen utilizando cuartiles y percentiles, como en los siguientes casos:

$$\text{rango intercuartil (o RIC)} = Q_3 - Q_1$$

$$\text{rango semi-intercuartil} = \frac{Q_3 - Q_1}{2}$$

$$\text{cuartil medio} = \frac{Q_3 + Q_1}{2}$$

$$\text{rango de percentiles 10–90} = P_{90} - P_{10}$$

Resumen de los 5 números y gráfica de caja

Los valores de los tres cuartiles se utilizan para el resumen de los 5 números y la construcción de gráficas de caja.

DEFINICIÓN

Para un conjunto de datos, el **resumen de los 5 números** consiste en el valor mínimo; el primer cuartil, Q_1; la mediana (o segundo cuartil, Q_2); el tercer cuartil, Q_3; y el valor máximo.

Una **gráfica de caja** (o **diagrama de caja y bigotes**) es una gráfica de un conjunto de datos consistente en una línea que se extiende desde el valor mínimo hasta el valor máximo, y un caja con líneas trazadas en el primer cuartil, Q_1, la mediana y el tercer cuartil, Q_3. (Véase la figura 3-6 en la página 122).

EJEMPLO 7 **Cálculo de un resumen de 5 números** Utilice los presupuestos de películas que se incluyen en la tabla 3-4 para obtener el resumen de los 5 números.

SOLUCIÓN Como los presupuestos que se presentan en la tabla 3-4 están ordenados, es fácil ver que el valor mínimo es \$4.5 millones y que el valor máximo es \$225 millones. El valor del primer cuartil es $Q_1 = \$35$ millones, como se calculó en el ejemplo 6. Si utilizamos el procedimiento del ejemplo 6, calculamos que $Q_2 = \$68$ millones y $Q_3 = \$113$ millones. Por lo tanto, el resumen de los 5 números es 4.5, 35, 68, 113, 225, todo en millones de dólares.

El resumen de los 5 números se utiliza para construir una gráfica de caja, siguiendo este procedimiento:

Procedimiento para construir una gráfica de caja

1. Elabore el resumen de los 5 números consistente en el valor mínimo, Q_1, la mediana, Q_3, y el valor máximo.
2. Construya una escala con valores que incluyan el valor mínimo y el valor máximo.
3. Construya una caja (un rectángulo) que se extienda desde Q_1 hasta Q_3, y dibuje una línea en la caja, en el valor de la mediana.
4. Dibuje líneas que se extiendan hacia fuera de la caja hasta los valores mínimo y máximo.

EJEMPLO 8 **Construcción de una gráfica de caja** Utilice las ganancias de películas que se incluyen en la tabla 3-4 para construir una gráfica de caja.

SOLUCIÓN La gráfica de caja utiliza el resumen de los 5 números obtenidos en el ejemplo 7: 4.5, 35, 68, 113, 225, todo en millones de dólares. En la figura 3-6 aparece la gráfica de caja que representa los presupuestos de películas de la tabla 3-4.

Figura 3-6
Gráfica de caja de presupuestos de películas

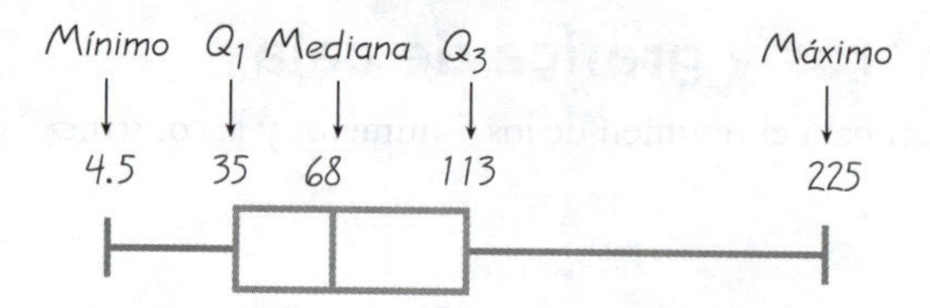

Las gráficas de caja nos brindan información acerca de la distribución y la dispersión de los datos. A continuación se presenta una gráfica de caja de un conjunto de datos con una distribución normal (en forma de campana) y una gráfica de caja de un conjunto de datos con una distribución que está sesgada hacia la derecha (según datos de *USA Today*).

Distribución normal: Estaturas de una muestra aleatoria simple de mujeres

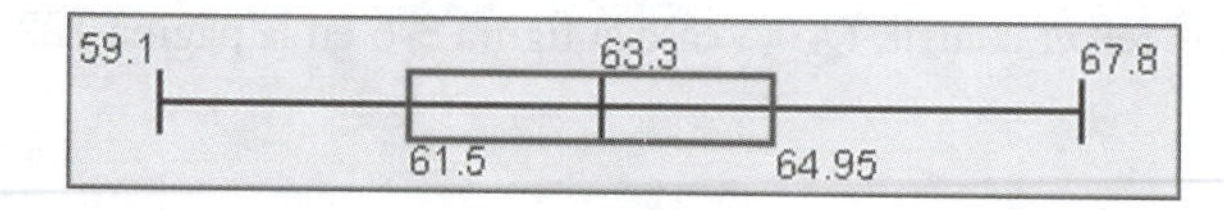

Distribución sesgada: Salarios (en miles de dólares) de entrenadores de futbol americano de la NCAA

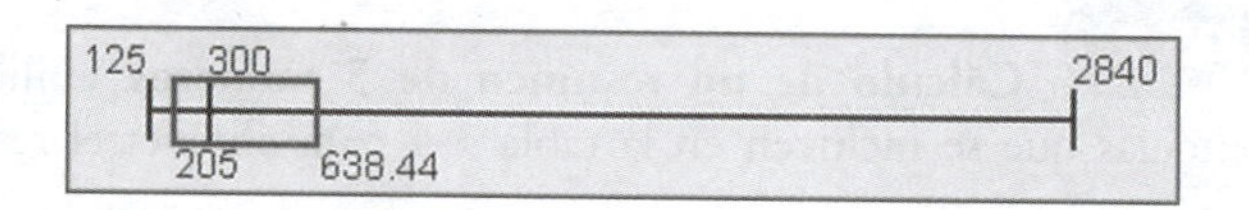

Las gráficas de caja no muestran tanta información detallada como los histogramas o las gráficas de tallo y hojas, por lo que quizá no sean la mejor elección cuando se maneja un solo conjunto de datos. Sin embargo, suelen ser muy útiles para comparar dos o más conjuntos de datos. Cuando se utilicen dos o más gráficas de caja para comparar distintos conjuntos de datos, es importante emplear la misma escala, de forma que puedan realizarse comparaciones correctas.

EJEMPLO 9

¿Realmente las mujeres hablan más que los hombres? El problema del capítulo se refiere a un estudio en el que se obtuvieron conteos diarios de palabras para una muestra de hombres y una muestra de mujeres. Los polígonos de frecuencias de la figura 3-1 indican que los conteos de palabras de hombres y mujeres no son muy diferentes. Utilice la figura 3-1, junto con gráficas de caja y estadísticos muestrales, para resolver el problema de si las mujeres realmente hablan más que los hombres.

SOLUCIÓN

Las siguientes gráficas de caja generadas con STATDISK sugieren que las cantidades de palabras pronunciadas por hombres y mujeres no difieren mucho. (La figura 3-1 también sugiere que no son muy diferentes). El resumen de estadísticos de la tabla 3-3 (que se reproduce aquí) también sugiere que las cantidades de palabras pronunciadas por hombres y mujeres son bastante similares. Con base en la figura 3-1, las gráficas de caja que aquí se muestran y la tabla 3-3, parece que las mujeres *no* hablan más que los hombres. Al parecer, la creencia común de que las mujeres hablan más es un mito sin sustento.

Algunos métodos que se estudian más adelante en este libro nos permitirán analizar el tema de manera más formal. Podemos realizar una *prueba de hipótesis*, que es un procedimiento formal para probar afirmaciones, como la afirmación de que las mujeres hablan más que los hombres. (Véase el ejemplo 4 en la sección 9-3, en el que se utiliza una prueba de hipótesis para establecer que no existe evidencia suficiente para justificar la afirmación de que los hombres y las mujeres tienen medias diferentes del número de palabras pronunciadas en un día).

STATDISK

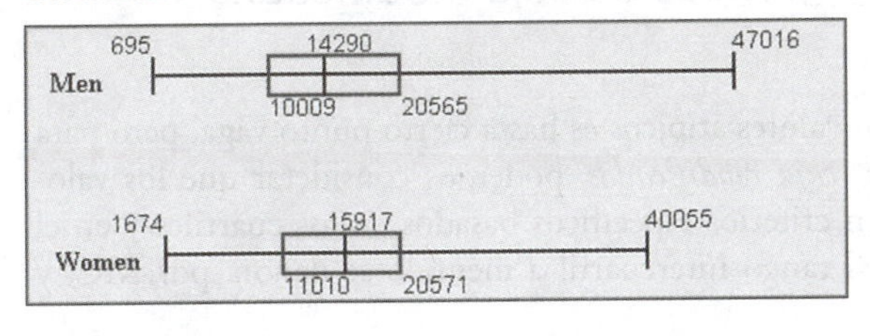

Tabla 3-3 Comparación de conteos de palabras de hombres y mujeres

	Hombres	Mujeres
Media	15,668.5	16,215.0
Mediana	14,290.0	15,917.0
Mitad del rango	23,855.5	20,864.5
Rango	46,321.0	38,381.0
Desviación estándar	8,632.5	7,301.2

EJEMPLO 10 **Comparación de pulsos de hombres y mujeres** Utilice los pulsos de las 40 mujeres y los 40 hombres que se incluyen en el conjunto de datos 1 del apéndice B; utilice la misma escala para construir gráficas de caja para cada uno de los dos conjuntos de datos. ¿Qué revelan las gráficas de caja acerca de los datos?

SOLUCIÓN A continuación se muestran gráficas de caja generadas mediante STATDISK, con la misma escala. La gráfica de caja de la parte superior representa los pulsos de las mujeres, y la gráfica de caja inferior representa los pulsos de los hombres. Se observa que los pulsos de las mujeres son un poco más altos que los de los hombres. Cuando comparemos este tipo de conjuntos de datos, podemos incluir gráficas de caja entre otras herramientas que nos permiten hacer este tipo de comparaciones.

STATDISK

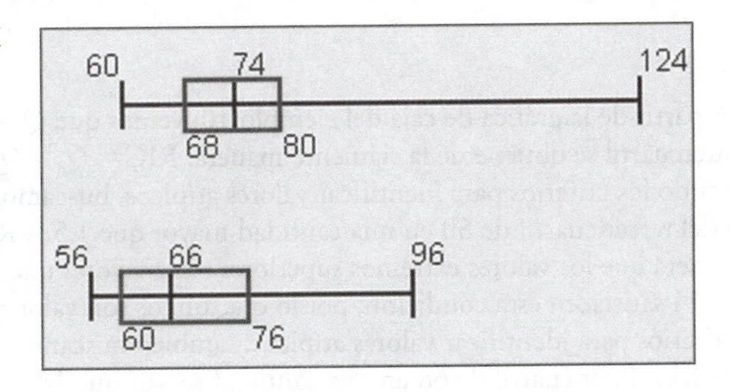

Valores atípicos

Al analizar datos, es importante identificar y tomar en cuenta los valores atípicos, ya que estos podrían afectar de manera determinante los valores de algunos estadísticos importantes (como la media y la desviación estándar), pero también podrían afectar otros métodos relevantes que se estudian más adelante en este libro. En la sección 2-1 definimos los valores atípicos como datos muestrales que se ubican muy lejos de la gran mayoría de los otros valores en un conjunto de datos, pero esa descripción es vaga y no brinda criterios objetivos específicos.

ADVERTENCIA

Cuando analice datos, siempre identifique valores atípicos y tome en cuenta sus efectos, los cuales podrían ser sustanciales.

Parte 2: Valores atípicos y gráficas de caja modificadas

Valores atípicos

Señalamos que la descripción de los valores atípicos es hasta cierto punto vaga, pero para la finalidad de construir *gráficas de caja modificadas*, podemos considerar que los valores atípicos son datos que satisfacen criterios específicos basados en los cuartiles y en el rango intercuartil. (Recuerde que el rango intercuartil a menudo se denota por RIC, y que RIC $= Q_3 - Q_1$).

En las gráficas de caja modificadas, un valor es atípico si está...

por arriba de Q_3 en una cantidad mayor que 1.5 × RIC

o **por debajo de Q_1 en una cantidad mayor que 1.5 × RIC**

Gráficas de caja modificadas

Las gráficas descritas anteriormente se denominan **gráficas de caja esqueléticas** (o **regulares**), pero algunos paquetes de programas estadísticos elaboran gráficas de caja modificadas, las cuales representan los valores atípicos como puntos especiales. Una **gráfica de caja modificada** es aquella que se construye con las siguientes modificaciones: **1.** Se usa un símbolo especial (como un asterisco o un punto) para identificar valores atípicos, como se definieron aquí, y **2.** la línea horizontal sólida se extiende únicamente hasta el valor del dato mínimo que no es un valor atípico y hasta el valor del dato máximo que no es un valor atípico. (*Nota: Los ejercicios sobre gráficas de caja modificadas se incluyen en la sección* "Más allá de lo básico").

EJEMPLO 11 **Gráfica de caja modificada** Utilice los pulsos de mujeres que se incluyen en el conjunto de datos 1 del apéndice B para construir una gráfica de caja modificada.

SOLUCIÓN A partir de la gráfica de caja del ejemplo 10, vemos que $Q_1 = 68$ y $Q_3 = 80$. El rango intercuartil se obtiene de la siguiente manera: RIC $= Q_3 - Q_1 = 80 - 68 = 12$. Utilizando los criterios para identificar valores atípicos, buscamos pulsos que estén por arriba del tercer cuartil de 80 en una cantidad mayor que 1.5 × RIC = 1.5 = 12 = 18, de manera que los valores extremos superiores son mayores que 98. Los pulsos de 104 y 124 satisfacen esta condición, por lo que ambos son valores atípicos.

Utilizando los criterios para identificar valores atípicos, también buscamos pulsos que estén por debajo del primer cuartil de 68 en una cantidad mayor que 18 (el valor de 1.5 × RIC). Los valores atípicos están por debajo de 68 por más de 18, de manera que son cifras menores que 50. En el conjunto de datos se observa que no hay pulsos de mujeres menores que 50.

Los únicos valores atípicos de 104 y 124 están identificados con claridad como puntos especiales en la gráfica de caja modificada generada por Minitab.

MINITAB

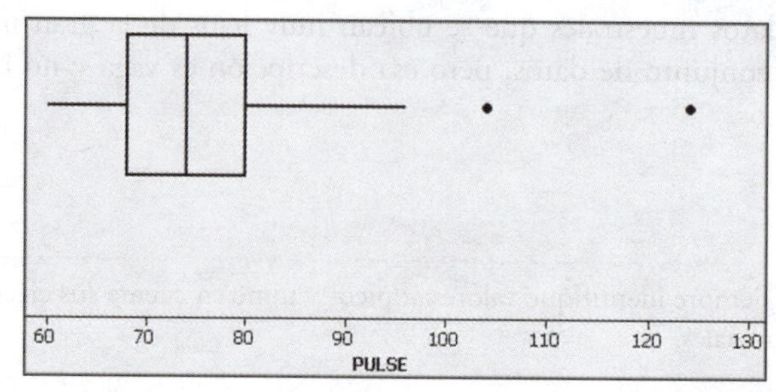

Integración

Hemos analizado varias herramientas básicas que se utilizan con gran frecuencia en estadística. Al diseñar un experimento, analizar datos, leer un artículo en una revista científica o al manejar datos, es importante tomar en cuenta ciertos factores fundamentales, como los siguientes:

- El contexto de los datos
- La fuente de los datos
- El método de muestreo
- Las medidas de tendencia central
- Las medidas de variación
- La distribución
- Los valores atípicos
- Los patrones de cambio con el paso del tiempo
- Las conclusiones
- Las implicaciones prácticas

Esta lista es un excelente recurso, pero no debe reemplazar *la reflexión* sobre cualquier otro factor relevante. Es muy posible que algunas aplicaciones de la estadística requieran elementos que no estén contemplados en la lista, y también es posible que algunos de estos no sean relevantes para ciertas aplicaciones.

Por ejemplo, al comparar los pulsos de mujeres y hombres incluidos en el conjunto de datos 1 del apéndice B, debemos entender qué representan esos pulsos (pulsaciones en latidos por minuto), conocer la fuente (el National Center for Health Statistics), el método de muestreo (muestreo aleatorio simple de sujetos sometidos a un examen de salud), las medidas de tendencia central (por ejemplo, $\bar{x} = 69.4$ para los hombres y $\bar{x} = 76.3$ para las mujeres), las medidas de variación (por ejemplo, $s = 11.3$ para los hombres y $s = 12.5$ para las mujeres), la distribución (histogramas que no son muy diferentes de una curva normal), valores atípicos (por ejemplo, pulsos de 104 y 124 para las mujeres), patrones de cambio con el paso del tiempo (este aspecto no se tomó en cuenta con los datos en cuestión), las conclusiones (el pulso de los hombres parece ser menor que el de las mujeres) y las implicaciones prácticas (la determinación de un pulso inusual debe tomar en cuenta el género del sujeto).

USO DE LA TECNOLOGÍA

Gráficas de caja

STATDISK Ingrese los datos en la ventana correspondiente, luego haga clic en **Data** y después en **Boxplot**. Haga clic en las columnas que desea incluir y luego haga clic en **Plot**.

MINITAB Introduzca los datos en las columnas, luego seleccione **Graph** y **Boxplot**. Seleccione la opción "Simple" para una gráfica de caja o para gráficas de caja múltiples. Introduzca los nombres de las columnas en el recuadro Variables y luego haga clic en **OK**. Minitab ofrece gráficas de caja modificadas, tal como se describe en la parte 2 de esta sección.

EXCEL Primero introduzca los datos en la columna A. Si utiliza Excel 2010 o Excel 2007, haga clic en **Add-Ins** y luego en **DDXL**; si utiliza Excel 2003, haga clic en **DDXL**. Seleccione **Graphs and Plots**. Estando en la función Type, seleccione la opción de **Boxplot**. En el cuadro de diálogo haga clic en el icono del lápiz e introduzca el rango de datos, como A1:A25, si usted tiene 25 valores listados en la columna A. Haga clic en **OK**. El resultado es una gráfica de caja modificada, como se describió en la parte 2 de esta sección. También se muestran los valores del resumen de los 5 números.

TI-83/84 PLUS Introduzca los datos muestrales en la lista L1 o introduzca los datos y asígneles un nombre. Ahora seleccione **STAT PLOT** presionando las teclas 2ND Y=. Presione la tecla ENTER, y después seleccione la opción de ON. Para obtener una gráfica de caja sencilla, como la que se describió en la parte 1 de esta sección, seleccione el tipo de gráfica de caja que se ubica a la mitad del segundo renglón; para obtener una gráfica de caja modificada, como la que se describió en la parte 2 de esta sección, seleccione el tipo de gráfica de caja que se ubica a la izquierda del segundo renglón. Xlist debe indicar L1, y el valor Freq debe ser 1. Ahora presione la tecla ZOOM y seleccione la opción 9 para **ZoomStat**. Presione la tecla ENTER debe aparecer la gráfica de caja. Puede utilizar las teclas con flechas para moverse hacia la derecha o izquierda, de manera que pueda leer los valores desde la escala horizontal.

continúa

Resumen de los 5 números

STATDISK, Minitab y la calculadora TI-83/84 Plus dan los valores para el resumen de los 5 números. Utilice el mismo procedimiento que se describe al final de la sección 3-2. Excel calcula el mínimo, el máximo y la mediana, y los cuartiles se pueden obtener haciendo clic en *fx*, seleccionando la función **Statistical** y luego **QUARTILE**. (En Excel 2010, seleccione **QUARTILE.INC**, que es el equivalente a QUARTILE en Excel 2003 y Excel 2007, o elija la nueva función **QUARTILE.EXC**, que se supone es "consistente con la mejor calidad industrial").

Valores atípicos

Para identificar valores atípicos, ordene los datos del menor al mayor, luego examine los valores mínimo y máximo para determinar si están muy alejados de los otros valores. A continuación se presentan las instrucciones para ordenar los datos:

STATDISK Haga clic en **Data Tools** de la ventana **Sample Editor**, luego elija **Sort Data**.

MINITAB Haga clic en **Data** y seleccione **Sort**. Ingrese la columna en el recuadro "Sort column(s)" e ingrese la misma columna en el recuadro "By column".

EXCEL En Excel 2003, haga clic en el icono "sort ascending" que tiene la letra A colocada sobre la letra Z y una flecha hacia abajo. En Excel 2007, haga clic en **Data**, luego en el icono "sort ascending" que tiene la letra A colocada sobre la letra Z y una flecha hacia abajo.

TI-83/84 PLUS Presione STAT y seleccione **SortA** (para ordenar de manera ascendente). Presione ENTER. Introduzca la lista que va a ordenar, como L1 u otro nombre, luego presione ENTER.

3-4 Destrezas y conceptos básicos

Conocimientos estadísticos y pensamiento crítico

1. Puntuaciones *z* Cuando Reese Witherspoon ganó un Óscar como mejor actriz por la película *Walk the Line*, su edad se convirtió en una puntuación z de -0.61 una vez que se incluyó con las edades de otras actrices ganadoras del Óscar, hasta el momento de la publicación de este libro. ¿Su edad está por arriba o por debajo de la media? ¿A cuántas desviaciones estándar de la media está su edad?

2. Puntuaciones *z* Un conjunto de datos consiste en las estaturas de presidentes de Estados Unidos, medidas en centímetros. Si la estatura del presidente Kennedy se convierte en una puntuación z, ¿qué unidades se utilizarían para la puntuación z? ¿Centímetros?

3. Gráficas de caja A continuación se presenta una gráfica de caja, generada por STATDISK, de las duraciones (en horas) de vuelos de naves espaciales de la NASA. ¿Qué nos indican los valores de 0, 166, 215, 269 y 423?

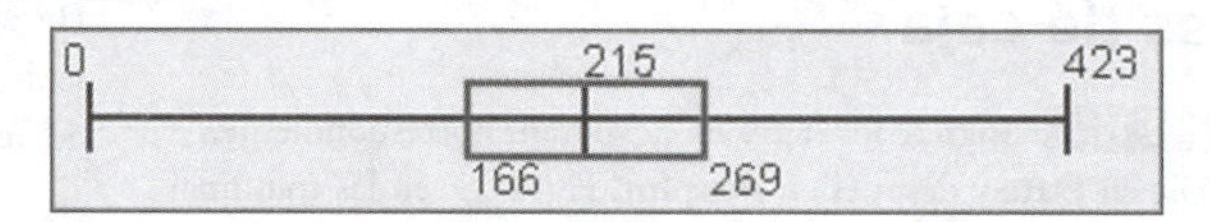

4. Comparaciones de gráficas de caja Observe las siguientes dos gráficas de caja, dibujadas sobre la misma escala y generadas por STATDISK. Una de ellas representa los pesos de hombres seleccionados al azar y la otra representa los pesos de mujeres seleccionadas al azar. ¿Cuál de las gráficas de caja representa a las mujeres? ¿Cómo lo sabe? ¿Cuál gráfica de caja describe los pesos con mayor variación?

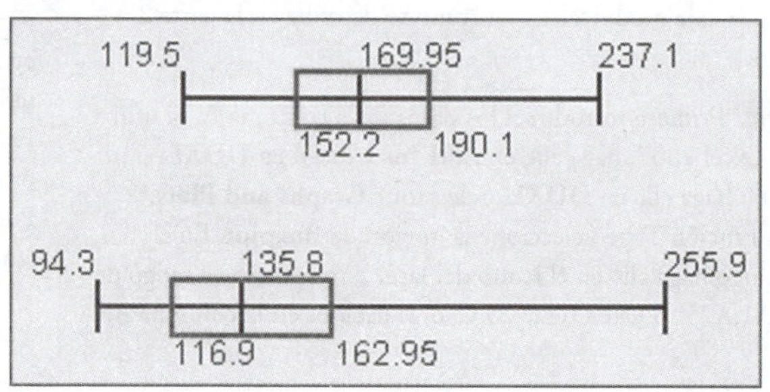

Puntuaciones z ***En los ejercicios 5 a 14, exprese todas las puntuaciones z con dos decimales.***

5. Puntuación z de la edad de Helen Mirren Cuando se escribió este libro, la ganadora más reciente del Óscar como mejor actriz era Helen Mirren, que tenía 61 años en ese momento. Las ganadoras del Óscar como mejor actriz tienen una edad media de 35.8 años y una desviación estándar de 11.3 años.

a) ¿Qué diferencia hay entre la edad de Helen Mirren y la media?

b) ¿A cuántas desviaciones estándar corresponde [la diferencia obtenida en el inciso *a*)]?

c) Convierta la edad de Helen Mirren a una puntuación z.

d. Si consideramos que las edades "comunes" son aquellas que corresponden a puntuaciones z entre -2 y 2, ¿la edad de Helen Mirren es común o inusual?

6. Puntuación z de la edad de Phillip Seymour Hoffman Phillip Seymour Hoffman tenía 38 años de edad cuando ganó el Óscar como mejor actor por su papel en *Capote*. La media de las edades de los ganadores del Óscar como mejores actores es de 43.8 años, y su desviación estándar es de 8.9 años.

a) ¿Qué diferencia hay entre la edad de Hoffman y la media?

b) ¿A cuántas desviaciones estándar corresponde [la diferencia obtenida en el inciso *a*)]?

c) Convierta la edad de Hoffman a una puntuación z.

d) Si consideramos que las edades "comunes" son aquellas que corresponden a puntuaciones z entre -2 y 2, ¿la edad de Hoffman es común o inusual?

7. Puntuación z del géiser Old Faithful Las duraciones de las erupciones del géiser Old Faithful tienen una media de 245.0 segundos y una desviación estándar de 36.4 segundos (de acuerdo con el conjunto de datos 15 del apéndice B). Una erupción dura 110 segundos.

a) ¿Qué diferencia hay entre la duración de 110 segundos y la media?

b) ¿A cuántas desviaciones estándar corresponde [la diferencia obtenida en el inciso *a*)]?

c) Convierta la duración de 110 segundos a una puntuación z.

d) Si consideramos que las duraciones "comunes" son aquellas que corresponden a puntuaciones z entre -2 y 2, ¿la duración de 110 segundos es común o inusual?

8. Puntuación z del hombre más alto del mundo Bao Xishun es el hombre más alto del mundo, con una estatura de 92.95 pulgadas (o 7 pies, 8.95 pulgadas). La media de la estatura de los hombres es de 69.6 pulgadas, con una desviación estándar de 2.8 pulgadas.

a) ¿Qué diferencia hay entre la estatura de Bao y la media de la estatura de los hombres?

b) ¿A cuántas desviaciones estándar corresponde [la diferencia obtenida en el inciso *a*)]?

c) Convierta la estatura de Bao a una puntuación z.

d) ¿La estatura de Bao cumple el criterio de ser inusual porque corresponde a una puntuación z que no cae entre -2 y 2?

9. Puntuaciones z de temperaturas corporales Las temperaturas corporales humanas tienen una media de 98.20°F y una desviación estándar de 0.62°F (de acuerdo con el conjunto de datos 2 del apéndice B). Convierta las siguientes temperaturas a puntuaciones z y determine si son comunes o inusuales.

a) 101.00°F ***b)*** 96.90°F ***c)*** 96.98°F

10. Puntuaciones z de estaturas de mujeres en la milicia El ejército estadounidense establece como requisito que las mujeres que deseen incorporarse a sus filas tengan una estatura entre 58 y 80 pulgadas. La media de la estatura de las mujeres es de 63.6 pulgadas, con una desviación estándar de 2.5 pulgadas. Calcule la puntuación z correspondiente a la estatura mínima requerida, y la puntuación z correspondiente a la estatura máxima requerida. Determine si las estaturas mínima y máxima son inusuales.

11. Puntuación z de la duración del embarazo Una mujer escribió a *Dear Abby* y afirmó haber dado a luz 308 días después de una visita de su esposo, quien estaba en la Marina. La duración de los embarazos tiene una media de 268 días y una desviación estándar de 15 días. Calcule la puntuación z para 308 días. ¿Esta duración es inusual? ¿Qué concluye usted?

12. Puntuación z del conteo de células sanguíneas El conteo de los glóbulos blancos de la sangre (en glóbulos por microlitro) tiene una media de 7.14 y una desviación estándar de 2.51

(según datos del National Center for Health Statistics). Calcule la puntuación z correspondiente a una persona que tiene un conteo de glóbulos blancos de 16.60. ¿Este nivel es excepcionalmente alto?

13. Comparación de calificaciones de pruebas Las calificaciones en la prueba SAT tienen una media de 1518 y una desviación estándar de 325. Las calificaciones de la prueba ACT tienen una media de 21.1 y una desviación estándar de 4.8. ¿Cuál es relativamente mejor: una calificación de 1840 en la prueba SAT o una calificación de 26.0 en la prueba ACT? ¿Por qué?

14. Comparación de calificaciones de pruebas Las calificaciones en la prueba SAT tienen una media de 1518 y una desviación estándar de 325. Las calificaciones de la prueba ACT tienen una media de 21.1 y una desviación estándar de 4.8. ¿Cuál es relativamente mejor: una calificación de 1190 en la prueba SAT o una calificación de 16.0 en la prueba ACT? ¿Por qué?

Percentiles. ***En los ejercicios 15 a 18, utilice los valores ordenados indicados, los cuales corresponden a los puntos anotados en el Súper Bowl durante un periodo reciente de 24 años. Calcule el percentil correspondiente al número de puntos anotados.***

36 37 37 39 39 41 43 44 44 47 50 53 54 55 56 56 57 59 61 61 65 69 69 75

15. 47 **16.** 65 **17.** 54 **18.** 41

En los ejercicios 19 a 26, utilice la misma lista de los 24 valores ordenados que se utilizaron para los ejercicios 15 a 18. Calcule el percentil o cuartil indicado.

19. P_{20} **20.** Q_1 **21.** Q_3 **22.** P_{80}

23. P_{50} **24.** P_{75} **25.** P_{25} **26.** P_{95}

27. Gráfica de caja de puntos anotados en el Súper Bowl Utilice los mismos 24 datos ordenados que se utilizaron para los ejercicios 15 a 18, y construya una gráfica de caja que incluya los valores del resumen de los 5 números.

28. Gráfica de caja del número de palabras del inglés Se obtuvo una muestra aleatoria simple de las páginas del *Merriam-Webster's Collegiate Dictionary, decimoprimera edición*. A continuación se presentan, ordenados, los números de palabras definidas en estas páginas. Construya una gráfica de caja que incluya los valores del resumen de los 5 números.

34 36 39 43 51 53 62 63 73 79

29. Gráfica de caja de calificaciones FICO Se obtuvo una muestra aleatoria simple de calificaciones de crédito otorgadas por la empresa FICO, y los datos ordenados se presentan a continuación. Construya una gráfica de caja que incluya los valores del resumen de los 5 números.

664 693 698 714 751 753 779 789 802 818 834 836

30. Gráfica de caja de la radiación en dientes de leche A continuación se presentan cantidades ordenadas de estroncio-90 (en milibecquereles o mBq) de una muestra aleatoria simple de dientes de leche obtenidos de residentes de Pensilvania nacidos después de 1979 (según datos de "An Unexpected Rise in Strontium-90 in U.S. Deciduous Teeth in the 1990s", de Mangano *et al., Science of the Total Environment*). Construya una gráfica de caja que incluya los valores del resumen de los 5 números.

128 130 133 137 138 142 142 144 147 149 151 151 151 155 156 161 163 163 166 172

Gráficas de caja de los conjuntos más grandes de datos del apéndice B. ***En los ejercicios 31 a 34, utilice los conjuntos de datos del apéndice B.***

31. Pesos de Coca-Cola regular y Coca-Cola dietética Utilice la misma escala para construir gráficas de caja para los pesos de Coca-Cola regular y Coca-Cola dietética del conjunto de datos 17 del apéndice B. Utilice las gráficas de caja para comparar los dos conjuntos de datos.

32. Gráficas de caja para los pesos de Coca-Cola regular y Pepsi regular Utilice la misma escala para construir gráficas de caja para los pesos de Coca-Cola regular y Pepsi regular del conjunto de datos 17 del apéndice B. Utilice las gráficas de caja para comparar los dos conjuntos de datos.

33. Gráficas de caja para los pesos de monedas de 25 centavos Utilice la misma escala para construir gráficas de caja para los pesos de monedas de plata de 25 centavos anteriores a 1964 y posteriores a 1964, a partir del conjunto de datos 20 del apéndice B. Utilice gráficas de caja para comparar los dos conjuntos de datos.

34. Gráficas de caja para voltajes Utilice la misma escala para construir gráficas de caja para los voltajes de una casa y los voltajes del generador del conjunto de datos 13 del apéndice B. Utilice las gráficas de caja para comparar los dos conjuntos de datos.

3-4 Más allá de lo básico

35. Valores atípicos y gráfica de caja modificada Utilice las 40 longitudes del muslo (en centímetros) de mujeres que se incluyen en el conjunto de datos 1 del apéndice B. Construya una gráfica de caja modificada e identifique cualquier valor atípico, tal como se definió en la parte 2 de esta sección.

36. Valores atípicos y gráfica de caja modificada Utilice las ganancias de películas que se incluyen en el conjunto de datos 9 del apéndice B. Construya una gráfica de caja modificada e identifique cualquier valor atípico, tal como se definió en la parte 2 de esta sección.

37. Interpolación Cuando se calculan percentiles usando la figura 3-5, si el localizador L no es un número entero, se debe redondear hacia arriba al siguiente entero. Una alternativa a este método es la *interpolación*. Por ejemplo, el uso de la interpolación con un localizador $L = 23.75$ nos conduce a un valor que está a 0.75 (o 3/4) de distancia entre los valores vigésimo tercero y vigésimo cuarto. Utilice el método de interpolación para calcular P_{25} (o Q_1) para las cantidades de presupuesto de películas que se presentan en la tabla 3-4 de la página 116. ¿Qué diferencia hay entre el resultado y el valor que se obtendría utilizando la figura 3-5 sin interpolación?

38. Deciles y quintiles Para un conjunto de datos existen nueve deciles, designados como D_1, D_2, ..., D_9, que separan los datos ordenados en 10 grupos, con aproximadamente el 10% de los valores en cada uno. También existen cuatro *quintiles*, que dividen los datos ordenados en 5 grupos, con aproximadamente el 20% de los valores en cada uno. (Note la diferencia entre los quintiles y los cuantiles, que describimos anteriormente en esta sección).

a) Utilice las cifras de presupuestos de películas que se incluyen en la tabla 3-4, de la página 116, y obtenga los deciles D_1, D_7 y D_8.

b) Utilice las cifras de presupuestos de películas que se incluyen en la tabla 3-4 y obtenga los cuatro quintiles.

Repaso

En este capítulo consideramos varias características de los datos que suelen ser muy importantes. Ahora que terminó de estudiar este capítulo, usted es capaz de:

- Calcular medidas de tendencia central como la media y la mediana (sección 3-2).
- Calcular medidas de variación como la desviación estándar, la varianza y el rango (sección 3-3).
- *Comprender* e *interpretar* la desviación estándar utilizando herramientas como la regla práctica de las desviaciones (sección 3-3).
- Comparar valores individuales utilizando puntuaciones z, cuartiles o percentiles (sección 3-4).
- Investigar la dispersión de los datos por medio de la construcción de una gráfica de caja (sección 3-4).

Conocimientos estadísticos y pensamiento crítico

1. Control de calidad Se supone que las latas de Coca-Cola regular contienen 12 onzas de bebida. Si un ingeniero de control de calidad encuentra que el proceso de producción da por resultado latas de Coca-Cola con una media de 12 onzas, ¿podría concluir que el proceso de producción funciona correctamente? ¿Por qué?

2. Códigos postales Un artículo del *New York Times* señaló que el código postal 10021 de la zona noreste de Manhattan se está dividiendo en los tres códigos postales 10065, 10021 y 10075 (en orden geográfico, de sur a norte). Los códigos postales de 11 residentes famosos (incluyendo a Bill Cosby, Spike Lee y Tom Wolfe) en el código postal 10021 tendrán los siguientes códigos después del cambio: 10065, 10065, 10065, 10065, 10065, 10021, 10021, 10075, 10075, 10075, 10075. ¿Por qué sería incorrecto calcular la media y la desviación estándar de estos 11 nuevos códigos postales?

3. Valor atípico Recientemente, Nola Ochs se convirtió en la persona de mayor edad en graduarse de la universidad, a los 95 años. Si se incluye su edad con la edad común de 25 años de la mayoría de los estudiantes en el momento de su graduación, ¿qué efecto tendría su edad sobre la media, la mediana, la desviación estándar y el rango?

4. Número de manchas solares Se investiga el número de manchas solares anuales para una secuencia reciente de 24 años. Los datos se ordenan y se calcula que la media es 81.09, la desviación estándar es 50.69, el mínimo es 8.6, el primer cuartil es 29.55, la mediana es 79.95, el tercer cuartil es 123.3 y el máximo es 157.6. ¿Qué característica potencialmente importante de estos números de manchas solares anuales se pierde si los datos se reemplazan por los valores ordenados?

Examen rápido del capítulo

1. ¿Cuál es la media de los valores muestrales de 2 cm, 2 cm, 3 cm, 5 cm y 8 cm?

2. ¿Cuál es la mediana de los valores muestrales del ejercicio 1?

3. ¿Cuál es la moda de los valores muestrales del ejercicio 1?

4. Si la desviación estándar de un conjunto de datos es 5.0 pies, ¿cuál es la varianza?

5. Si un conjunto de datos tiene una media de 10.0 segundos y una desviación estándar de 2.0 segundos, ¿cuál es la puntuación z que corresponde a un tiempo de 4.0 segundos?

6. Llene el espacio: El rango, la desviación estándar y la varianza son medidas de ______________.

7. ¿Qué símbolo se utiliza para representar la desviación estándar de una muestra, y qué símbolo se utiliza para representar la desviación estándar de una población?

8. ¿Qué símbolo se utiliza para representar la media de una muestra, y qué símbolo se utiliza para representar la media de una población?

9. Llene el espacio: Aproximadamente el _____ por ciento de los valores de una muestra son mayores que o iguales al percentil 25.

10. Verdadero o falso: Para cualquier conjunto de datos, la mediana siempre es igual al percentil 50.

Ejercicios de repaso

1. Pesos de filetes Un alumno del autor pesó una muestra aleatoria simple de filetes Porterhouse, y a continuación se listan los resultados (en onzas). Se supone que los filetes pesan 21 onzas, porque en el menú se anuncian con un peso de 20 onzas, y pierden una onza al cocinarse. Utilice la lista de pesos para calcular *a*) la media, *b*) la mediana, *c*) la moda *d*) la mitad del rango, *e*) el rango, *f*) la desviación estándar, *g*) la varianza, *h*) Q_1, *i*) Q_3.

17 19 21 18 20 18 19 20 20 21

2. Gráfica de caja Utilice los mismos pesos del ejercicio 1 para construir una gráfica de caja que incluya los valores del resumen de los 5 números.

3. Ergonomía Al diseñar un nuevo paseo emocionante para un parque de diversiones, el diseñador debe tomar en cuenta la estatura de los hombres cuando están sentados. A continuación se incluyen las estaturas (en milímetros) de hombres adultos cuando están sentados, obtenidas de una muestra aleatoria simple (según datos de una encuesta antropométrica de Gordon, Churchill *et al.*). Utilice las estaturas indicadas para calcular *a*) la media, *b*) la mediana, *c*) la moda *d*) la mitad del rango, *e*) el rango, *f*) la desviación estándar, *g*) la varianza, *h*) Q_1, *i*) Q_3.

936 928 924 880 934 923 878 930 936

4. Puntuación *z* Utilice los datos muestrales del ejercicio 3 para calcular la puntuación *z* correspondiente a la estatura de 878 mm en el momento de estar sentado. Con base en el resultado, ¿la estatura de 878 mm es inusual? ¿Por qué?

5. Gráfica de caja Utilice las mismas estaturas de adultos cuando están sentados (ejercicio 3), y construya una gráfica de caja que incluya los valores del resumen de los 5 números. ¿La gráfica de caja sugiere que los datos provienen de una población con una distribución normal? ¿Por qué?

6. Comparación de calificaciones de pruebas Las calificaciones en la prueba SAT tienen una media de 1518 y una desviación estándar de 325. Las calificaciones de la prueba ACT tienen una media de 21.1 y una desviación estándar de 4.8. ¿Cuál es relativamente mejor: una calificación de 1030 en la prueba SAT o una calificación de 14.0 en la prueba ACT? ¿Por qué?

7. Estimación de la media y la desviación estándar

a) Calcule la media de la antigüedad de los automóviles que conducen los estudiantes de su universidad.

b) Utilice la regla práctica de las desviaciones para hacer una estimación de la desviación estándar de la antigüedad de los automóviles que conducen los estudiantes de su universidad.

8. Estimación de la media y la desviación estándar

a) Estime la media del tiempo que los semáforos permanecen en rojo.

b) Utilice la regla práctica de las desviaciones para hacer una estimación de la desviación estándar del tiempo que los semáforos permanecen en rojo.

9. Interpretación de la desviación estándar Al diseñar la cabina para un avión, los ingenieros consideran el espacio (en milímetros) que debe haber sobre la cabeza de mujeres adultas sentadas. Dichos espacios tienen una media de 1212 mm y una desviación estándar de 51 mm (según datos de una encuesta antropométrica de Gordon, Churchill *et al.*). Utilice la regla práctica de las desviaciones para identificar el espacio mínimo "común" y el espacio máximo "común". ¿Cuál de los dos valores es más importante en esta situación? ¿Por qué?

10. Interpretación de la desviación estándar Un médico realiza exámenes físicos rutinarios a un grupo de niños, y le preocupa que una niña de tres años de edad tenga una estatura de solo 87.8 cm. La estatura de las niñas de tres años de edad tiene una media de 97.5 cm y una desviación estándar de 6.9 cm (según datos del National Health and Nutrition Examination Survey). Utilice la regla práctica de las desviaciones para calcular las estaturas comunes máxima y mínima de las niñas de tres años de edad. Con base en el resultado, ¿la estatura de 87.8 cm es inusual? ¿El médico debe preocuparse?

Ejercicios de repaso acumulativo

1. Tipos de datos Remítase al ejercicio de repaso 3, referente a las estaturas de adultos sentados.

a) ¿Las estaturas pertenecen a una población que es discreta o continua?

b) ¿Cuál es el nivel de medición de las estaturas? (nominal, ordinal, de intervalo o de razón).

2. Distribución de frecuencias Utilice las estaturas de adultos sentados (ejercicio de repaso 3) para construir una distribución de frecuencias. Utilice una anchura de clase de 10 mm y el valor de 870 mm como el límite inferior de la primera clase.

3. Histograma Utilice la distribución de frecuencias del ejercicio 2 para construir un histograma. Con base en el resultado, ¿parece que la distribución es uniforme, normal o sesgada?

4. Gráfica de puntos Utilice las estaturas de adultos sentados (ejercicio de repaso 3) para construir una gráfica de puntos.

5. Gráfica de tallo y hojas Utilice las estaturas de adultos sentados (ejercicio de repaso 3) para construir una gráfica de tallo y hojas.

6. *a)* Un conjunto de datos tiene un nivel de medición nominal y usted desea obtener un dato representativo. ¿Cuál de los siguientes estadísticos sería el más adecuado: la media, la mediana, la moda o la mitad del rango? ¿Por qué?

b) Un botánico desea obtener datos sobre las plantas que se cultivan en los hogares. Se obtiene una muestra al llamar por teléfono a las primeras 250 personas listadas en el directorio telefónico local. ¿Qué tipo de muestreo se utilizó? (aleatorio, estratificado, sistemático, por conglomerados, de conveniencia).

c) Se realiza una encuesta de salida para entrevistar a todas las personas que salen de 50 casillas de votación elegidas al azar. ¿Qué tipo de muestreo se utilizó? (aleatorio, estratificado, sistemático, por conglomerados, de conveniencia).

d) Un fabricante produce barras de fertilizante para el cultivo de plantas. Un gerente descubre que las cantidades de fertilizante colocadas en las barras no son muy consistentes, de manera que algunas duran más o menos de lo anunciado. El gerente desea mejorar la calidad logrando que las cantidades de fertilizante sean más consistentes. ¿Cuál de los siguientes estadísticos es más relevante para analizar las cantidades de fertilizante: la media, la mediana, la moda, la mitad del rango, la desviación estándar, el primer cuartil, el tercer cuartil? ¿Se debe aumentar, dejar sin cambios o reducir el valor de ese estadístico?

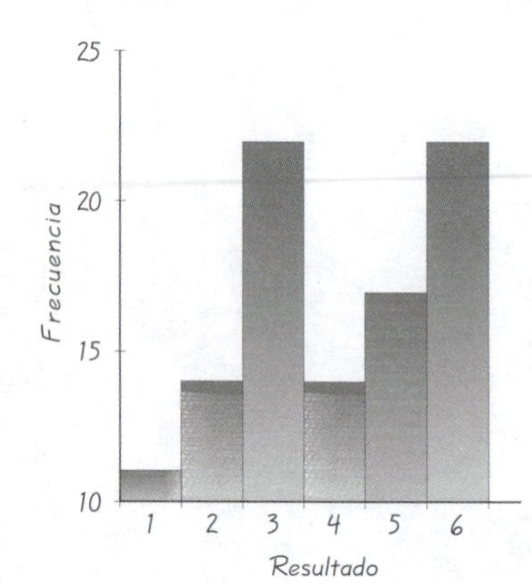

7. Muestreo Poco tiempo después de la destrucción de las torres del World Trade Center, America Online realizó una encuesta con sus suscriptores de Internet y les planteó la siguiente pregunta: "¿Se deben reconstruir las torres del World Trade Center?". De 1,304,240 respuestas, 768,731 fueron afirmativas y 286,756 fueron negativas; 248,753 personas dijeron que era "demasiado pronto para decidir". Puesto que esta muestra es sumamente grande, ¿las respuestas se podrían considerar representativas de la población de Estados Unidos? Explique.

8. Muestreo ¿Qué es una muestra aleatoria simple? ¿Qué es una muestra de respuesta voluntaria? ¿Cuál de las dos muestras suele ser mejor?

9. Estudio observacional y experimento ¿Qué diferencia hay entre un estudio observacional y un experimento?

10. Histograma ¿Cuál es la principal falla del histograma (al margen) de los resultados de 100 lanzamientos de un dado legal?

Proyecto tecnológico

Cuando se manejan conjuntos grandes de datos, la introducción manual de estos suele ser tediosa y requiere de mucho tiempo. Hay mejores cosas que hacer con su tiempo, como intercambiar de lugar los neumáticos de su automóvil, por ejemplo. Remítase al conjunto de datos 13 del apéndice B, que incluye los voltajes medidos de la casa del autor, de un generador y una fuente de corriente ininterrumpida. En vez de introducir manualmente los datos, utilice la calculadora TI-83/84 Plus, STATDISK, Minitab, Excel o cualquier otro programa de cómputo de estadística. Cargue el conjunto de datos, los cuales están disponibles en el sitio Web de este libro. Proceda a generar histogramas y obtenga estadísticos adecuados que le permitan comparar los tres conjuntos de datos. ¿Existen algunos valores atípicos? ¿Parece que las tres fuentes de energía eléctrica suministran electricidad básicamente con las mismas propiedades? ¿Existe alguna diferencia significativa? ¿Cuáles son las consecuencias de tener un voltaje que varía demasiado? Escriba un informe breve que incluya sus conclusiones y gráficas de apoyo.

PROYECTO DE INTERNET

Uso de estadísticos para resumir datos

Visite **www.pearsonenespañol.com/triola**

No podemos subestimar la importancia de la estadística como herramienta para resumir datos. Por ejemplo, considere conjuntos de datos como las edades de todos los estudiantes de su escuela o los ingresos anuales de cada habitante de Estados Unidos. En papel, estos conjuntos de datos serían listas de números tan largas que sería difícil entenderlos e interpretarlos por sí mismos. En el capítulo anterior aprendimos diversas herramientas gráficas que se utilizan para representar este tipo de conjuntos de datos. El presente capítulo se enfocó en el uso de números estadísticos para resumir varios aspectos de los datos.

La capacidad para resumir datos con estadísticos es tan importante como la capacidad de *interpretar* tales estadísticos cuando se presenten. Cuando usted se enfrenta a un número como la media aritmética, no solo debe comprender lo que esta le indica acerca de los datos subyacentes, sino también los estadísticos adicionales que necesita para poner el valor de la media en contexto.

El proyecto de Internet del presente capítulo le ayudará a desarrollar estas habilidades en el uso de datos de diversos campos como la meteorología, el entretenimiento y la salud. Además, descubrirá usos para estadísticos como la media geométrica, que jamás había imaginado.

PROYECTO APPLET

El sitio Web de este libro contiene applets diseñados para ayudarle a visualizar varios conceptos. Abra la carpeta de applets y haga clic en **Start**. En el menú, seleccione el elemento **Mean versus median**. Cree un conjunto de puntos que estén muy cercanos entre sí y luego agregue un punto que esté muy distante de los otros. ¿Cuál es el efecto del nuevo punto sobre la media? ¿Cuál es el efecto del nuevo punto sobre la mediana? Además, cree un conjunto de datos con una mediana por debajo de 2 y una media entre 2 y 4.

DE LOS DATOS A LA DECISIÓN

¿Los premios de la Academia discriminan con base en la edad?

El proyecto *De los datos a la decisión*, al final del capítulo 2, incluye las edades de actrices y actores en el momento en que ganaron el Óscar en las categorías de mejor actriz y mejor actor. Remítase a esas edades.

Pensamiento crítico

Utilice los métodos que estudiamos en este capítulo para comparar los dos conjuntos de datos. ¿Existe alguna diferencia entre las edades de los mejores actores y las edades de las mejores actrices? Identifique cualquier otra diferencia notable.

Actividades de trabajo en equipo

1. Actividad fuera de clase ¿Influyen las cifras de anclaje en las estimaciones? En el artículo "Weighing Anchors", de la revista *Omni*, el autor John Rubin observó que cuando la gente estima un valor, su estimación suele estar "anclada a" (o influida por) un número anterior, aun cuando ese número no tenga ninguna relación con la cantidad que se estima. Para demostrar esto, pidió a varias personas que le dieran una estimación rápida del valor de $8 \times 7 \times 6 \times 5 \times 4 \times 3 \times 2 \times 1$. La respuesta promedio fue 2250; pero cuando se invirtió el orden de los números, el promedio fue 512. Rubin explicó que cuando iniciamos un cálculo con números grandes (como en el caso de $8 \times 7 \times 6$), nuestras estimaciones tienden a ser grandes. Señaló que tanto 2250 como 512 son mucho menores que el producto correcto, 40,320. El artículo sugiere que números irrelevantes podrían desempeñar un papel importante en los avalúos de bienes raíces, así como en las estimaciones del valor de un automóvil o de la probabilidad de una guerra nuclear.

Realicen un experimento para someter a prueba este argumento. Seleccionen a algunos sujetos y pídanles que estimen rápidamente el valor de

$$8 \times 7 \times 6 \times 5 \times 4 \times 3 \times 2 \times 1$$

Después, seleccionen a otros sujetos y pídanles que estimen rápidamente el valor de

$$1 \times 2 \times 3 \times 4 \times 5 \times 6 \times 7 \times 8$$

Registren las estimaciones junto con el orden utilizado. Diseñen con cuidado el experimento, de forma que las condiciones sean uniformes y que los dos grupos muestrales se seleccionen de forma que se minimice cualquier sesgo. No expongan la posible explicación a los sujetos sino hasta después de que hayan dado sus estimaciones. Comparen los dos conjuntos de resultados muestrales a través del uso de los métodos de este capítulo. Elaboren un informe impreso que incluya los datos reunidos, los métodos utilizados explicados con detalle, el método de análisis, las gráficas y/o estadísticos relevantes, así como las conclusiones. Incluyan una crítica dando razones por las que los resultados podrían ser incorrectos, y describan formas de mejorar el experimento.

2. Actividad fuera de clase Cada equipo, formado por tres o cuatro estudiantes, debe reunir un conjunto original de datos que estén a un nivel de medición de intervalo o de razón. Realicen lo siguiente: **1.** Elaboren una lista de valores muestrales, **2.** obtengan resultados de computadora impresos con estadísticos descriptivos y gráficas, y **3.** describan por escrito la naturaleza de los datos, el método de recolección y las características importantes.

3. Actividad fuera de clase En el apéndice B se incluyen muchos conjuntos de datos reales e interesantes. Cada equipo, formado de tres o cuatro estudiantes, debe seleccionar un conjunto de datos del apéndice B y analizarlo con los métodos que hemos estudiado hasta ahora en el libro. También deberán escribir un informe breve con sus conclusiones.

4. Actividad fuera de clase Registren los tiempos de servicio de clientes seleccionados al azar en una ventanilla con servicio al automóvil de un banco o de un restaurante de comida rápida; describan las características importantes de esos tiempos.

5. Actividad fuera de clase Registren los tiempos que permanecen los automóviles detenidos en una gasolinera, y describan las características importantes de dichos tiempos.

ESTADÍSTICA EN LA MEDICINA

NOMBRE: Doctor Robert S. Holzman

PUESTO: Profesor de medicina y de medicina ambiental

INSTITUCIÓN: Escuela de Medicina de la Universidad de Nueva York; epidemiólogo en Bellevue Hospital Center, Ciudad de Nueva York.

El doctor Holzman es profesor de medicina y de medicina ambiental en la Universidad de Nueva York. También es epidemiólogo en Bellevue Hospital Center en la Ciudad de Nueva York. Es internista especializado en enfermedades infecciosas, responsable del Programa de control de infecciones en ese hospital. Además, es profesor de estudiantes de medicina y de posdoctorado; imparte las materias de Enfermedades clínicas infecciosas y Epidemiología.

¿Cómo utiliza la estadística en su trabajo y qué conceptos estadísticos específicos emplea?

Muchas de las tareas que realizo todos los días implican un análisis estadístico aplicado, incluyendo la determinación del tamaño de muestras, el análisis de ensayos clínicos y la realización de experimentos de laboratorio, así como el desarrollo de modelos de regresión para estudios retrospectivos, principalmente mediante la regresión logística. También realizo seguimiento de las tasas de infección hospitalarias por medio de gráficas de control.

Por favor, describa un ejemplo específico donde el uso de la estadística le haya servido para mejorar una práctica o un servicio.

Hace dos meses, una enfermera supervisora detectó un aumento del aislamiento de cierto tipo de bacteria en los pacientes de una unidad de cuidados intensivos. Tomamos medidas para solucionar ese incremento y utilizamos gráficas de control para verificar que los niveles de la bacteria estuvieran regresando a sus niveles de línea base.

¿Qué estudios de estadística se necesitan para realizar un trabajo como el suyo? ¿Qué otros requisitos educativos se necesitan?

Para ser un médico académico es necesario asistir a la escuela de medicina y después realizar estudios de posgrado al menos durante cinco años, a veces más. En muchos casos, los estudiantes combinan su educación médica con un programa de estudios de posgrado orientado hacia la investigación. Yo adquirí mis conocimientos estadísticos y epidemiológicos al combinar la relación con profesionales de la estadística en el trabajo, la lectura de textos de estadística y el trabajo en cursos de posgrado. En la actualidad, estos conocimientos se obtienen en programas educativos, pero se necesita experiencia para dominar el campo.

¿Cree usted que, en el lugar donde trabaja, las personas que solicitan un empleo se ven favorecidas si han realizado estudios de estadística?

Definitivamente, la capacidad de aplicar conocimientos estadísticos y epidemiológicos para evaluar la literatura médica se considera una ventaja para los médicos, incluso para aquellos que brindan atención clínica. El trabajo como epidemiólogo requiere de estudios estadísticos adicionales.

¿Recomendaría a los estudiantes universitarios de hoy que estudien estadística? ¿Por qué?

Sí. Los conocimientos básicos sobre probabilidad, resumen de datos y los principios de la estadística inferencial son esenciales para comprender el método científico y para evaluar los informes de los estudios científicos. Tales informes aparecen todos los días en los periódicos, y tener la capacidad para analizar sus aportaciones evita caer en la aceptación irreflexiva de nuevos "hechos".

4 Probabilidad

PROBLEMA DEL CAPÍTULO

¿Los polígrafos son eficaces "detectores de mentiras"?

Un polígrafo mide varias reacciones físicas como la presión sanguínea, el pulso y la respuesta galvánica de la piel. Por lo general, los sujetos deben responder varias preguntas y, con base en las mediciones físicas, el examinador del polígrafo determina si el sujeto está mintiendo o no. Los errores en los resultados de la prueba pueden ser la causa de que un individuo sea acusado injustamente de haber cometido un crimen, o de que a un solicitante se le niegue un empleo.

Con base en investigaciones, las tasas de éxito de las pruebas con el polígrafo dependen de varios factores, incluyendo las preguntas que se plantean, el sujeto evaluado, las habilidades del examinador del polígrafo y el instrumento utilizado para realizar la prueba.

Se han llevado a cabo muchos experimentos para evaluar la eficacia de los polígrafos, pero aquí consideraremos los datos de la tabla 4-1, que incluye los resultados de los estudios que realizaron los investigadores Charles R. Honts (Boise State University) y Gordon H. Barland (Department of Defense Polygraph Institute). En la tabla 4-1 se resumen los resultados de las pruebas de polígrafo realizadas a 98 sujetos diferentes. En cada caso, se sabía si el sujeto mentía o no. Así, la tabla indica cuando la prueba poligráfica era correcta.

Análisis de los resultados

Cuando se prueba una situación, como la veracidad de una testificación, un embarazo o una enfermedad, el resultado de la prueba es positivo o negativo. Sin embargo, en ocasiones, durante el proceso de prueba ocurren errores que producen un resultado *falso positivo* o *falso negativo*. Por ejemplo, un resultado falso positivo en una prueba del polígrafo indicaría que el sujeto mintió cuando en realidad no lo hizo; un resultado falso negativo indicaría que el sujeto no mintió cuando en realidad sí lo hizo.

Resultados incorrectos

- **Falso positivo:** La prueba indica de manera *incorrecta* la presencia de una condición (como mentir, estar embarazada o tener alguna enfermedad), cuando el sujeto en realidad no tiene dicha condición.
- **Falso negativo:** La prueba indica de manera *incorrecta* que el sujeto no tiene la condición, cuando en realidad sí la tiene.

Resultados correctos

- **Verdadero positivo:** La prueba indica de manera *correcta* que la condición está presente, cuando realmente lo está.
- **Verdadero negativo:** La prueba indica de manera *correcta* que la condición no está presente, cuando realmente no lo está.

Medidas de confiabilidad de la prueba

- **Sensibilidad de la prueba:** La probabilidad de un verdadero positivo.
- **Especificidad de la prueba:** La probabilidad de un verdadero negativo.

En este capítulo estudiamos los principios básicos de la teoría de *probabilidad*, los cuales nos permitirán responder preguntas relacionadas con la confiabilidad (o falta de confiabilidad) de pruebas de polígrafo como las siguientes: dados los resultados muestrales en la tabla 4-1, ¿cuál es la probabilidad de un falso positivo o de un falso negativo? ¿Esas probabilidades son lo suficientemente bajas para sustentar el uso de las pruebas de polígrafo con la finalidad de emitir juicios acerca del sujeto sometido a la prueba?

Tabla 4-1 Resultados de experimentos con polígrafo

	¿El sujeto realmente mintió?	
	No (no mintió)	Sí (mintió)
Resultado de prueba positivo (La prueba de polígrafo indicó que el sujeto *mintió*).	15 **(falso positivo)**	42 **(verdadero positivo)**
Resultado de prueba negativo (La prueba de polígrafo indicó que el sujeto *no mintió*)	32 **(verdadero negativo)**	9 **(falso negativo)**

4-1 Repaso y preámbulo

En los capítulos anteriores estudiamos algunas herramientas fundamentales que se utilizan en los métodos estadísticos que se presentarán en capítulos posteriores. Analizamos la necesidad de contar con métodos de muestreo adecuados y medidas comunes de características de los datos, incluyendo la media y la desviación estándar. El objetivo fundamental de este capítulo es lograr una buena comprensión de los valores de probabilidad, ya que esos valores conforman los cimientos sobre los cuales se construyen los métodos importantes de la estadística inferencial. Como un sencillo ejemplo, suponga que usted desarrolló un procedimiento de selección del género, el cual incrementa en gran medida la probabilidad de que un bebé sea niña. Suponga que los resultados de pruebas independientes con 100 parejas demuestran que su procedimiento dio por resultado 98 niñas y solo 2 niños. Aunque existe la probabilidad de que, entre 100 alumbramientos, nazcan 98 niñas sin ningún tratamiento especial, tal probabilidad es tan baja que se rechazaría como una explicación razonable. En cambio, se reconocería de manera general que los resultados indican fuertes evidencias para afirmar que la técnica de selección del género es efectiva. Esta es precisamente la forma de pensar de los especialistas en estadística: rechazan las explicaciones basadas en probabilidades muy bajas y utilizan la *regla del evento inusual para la estadística inferencial.*

Regla del evento inusual para estadística inferencial

Si, de acuerdo con un supuesto determinado, la probabilidad de un evento particular observado es extremadamente pequeña, concluimos que el supuesto probablemente es incorrecto.

Si bien el objetivo principal de este capítulo es desarrollar una buena comprensión de los valores de probabilidad que se usarán en los capítulos siguientes, un objetivo secundario es desarrollar las habilidades básicas necesarias para determinar los valores de probabilidad en una variedad de circunstancias importantes.

4-2 Conceptos básicos de probabilidad

Concepto clave En esta sección se presentan tres métodos diferentes para calcular la *probabilidad* de un evento. El objetivo más importante de esta sección es aprender a *interpretar* las probabilidades, las cuales se expresan en números entre 0 y 1. Por ejemplo, debemos comprender que una pequeña probabilidad, como 0.001, corresponde a un evento *inusual*, en el sentido de que ocurre en pocas ocasiones. También analizamos la *ventaja comparativa* y la manera en que se utiliza la probabilidad para determinar la ventaja comparativa de un evento. Aunque los conceptos relacionados con la ventaja comparativa no son necesarios para los siguientes temas, se utilizan en varias situaciones cotidianas; por ejemplo, para determinar la probabilidad de ganar la lotería.

Parte 1: Fundamentos de probabilidad

Al considerar la probabilidad, tratamos con procedimientos (como realizar una prueba de polígrafo, arrojar un dado, contestar una pregunta de opción múltiple en un examen, o ser sometido a una prueba de consumo de drogas) que producen resultados.

Un **evento** es cualquier conjunto de resultados o consecuencias de un procedimiento.

Un **evento simple** es un resultado o un evento que ya no puede desglosarse en componentes más simples.

El **espacio muestral** de un procedimiento se compone de todos los eventos *simples* posibles. Es decir, el espacio muestral está formado por todos los resultados que ya no pueden desglosarse más.

El ejemplo 1 ilustra los conceptos definidos anteriormente.

EJEMPLO 1 En la siguiente presentación usamos "f" para indicar que se trata de una niña y una "m" para indicar que se trata de un varón.

Procedimiento	Ejemplo de evento	Espacio muestral completo
Un solo nacimiento	una niña (evento simple)	{f, m}
3 nacimientos	2 niñas y un niño ffm, fmf, mff son eventos simples que dan como resultado 2 niñas y un niño)	{fff, ffm, fmf, fmm, mff, mfm, mmf, mmm}

Con un solo nacimiento, el hecho de que se trate de una niña es un *evento simple*, porque no se puede desglosar en eventos más simples. Con tres nacimientos, el evento de "2 niñas y un niño" *no es un evento simple*, porque se puede desglosar en eventos más simples, como ffm, fmf o mff. Con tres nacimientos, el *espacio muestral* consiste en los 8 eventos simples mencionados antes. Con tres nacimientos, el resultado ffm se considera un evento simple, porque no se puede desglosar en eventos más simples. Podríamos pensar de manera incorrecta que ffm se puede desglosar aún más en los resultados individuales f, f y m, pero f, f y m no son los resultados individuales de tres nacimientos. Con tres nacimientos, existen exactamente 8 resultados que son eventos simples: fff, ffm, fmf, fmm, mff, mfm, mmf y mmm.

Para iniciar, presentamos una lista de algunas notaciones básicas, y luego explicaremos tres formas diferentes para calcular la probabilidad de un evento.

Notación de probabilidades

P denota una probabilidad.

A, B, y C denotan eventos específicos.

$P(A)$ denota la probabilidad de que ocurra el evento A.

1. **Aproximación de la probabilidad por frecuencias relativas** Realice (u observe) un procedimiento, y cuente el número de veces que el evento A ocurre en realidad. Con base en estos resultados reales, $P(A)$ se *estima* de la siguiente forma:

$$P(A) = \frac{\text{número de veces que ocurrió } A}{\text{número de veces que se repitió el procedimiento}}$$

2. **Método clásico de la probabilidad (requiere resultados igualmente probables)** Suponga que un procedimiento dado tiene n eventos simples distintos y que *cada*

Probabilidades que desafían a la intuición

En ciertos casos, nuestras estimaciones subjetivas de valores de probabilidad difieren en forma drástica de las probabilidades reales. He aquí un ejemplo clásico: si usted inhala profundamente, hay una probabilidad mayor al 99% de que inhale una molécula que haya sido exhalada en el último aliento de Julio César al morir. Con este mismo ánimo morboso y poco intuitivo, si la taza con cicuta que mató a Sócrates contenía agua en su mayor parte, el siguiente vaso de agua que usted beba muy probablemente contendrá una de esas mismas moléculas. He aquí otro ejemplo, pero menos morboso, que puede verificarse: en grupos de 25 estudiantes, la probabilidad de que al menos 2 de ellos cumplan años el mismo día (y mes) es mayor del 50%.

Apostar para ganar

En una lotería estatal típica, la "casa" tiene una ventaja del 65 o 70%, ya que solo entre el 30 y 35% del dinero apostado se devuelve en forma de premios. La ventaja de la casa en los hipódromos suele ser de alrededor del 15%. En los casinos, la ventaja de la casa es del 5.26% en el caso de la ruleta, 1.4% en el juego de dados, y del 3 al 22% en las máquinas tragamonedas.

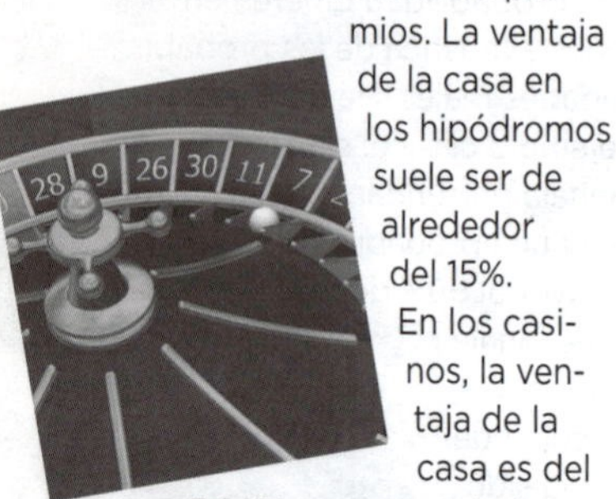

La ventaja para la casa en el juego veintiuno (*blackjack*) es del 5.9%, pero algunos jugadores profesionales pueden ganar sistemáticamente, usando complicadas técnicas de conteo de cartas que requieren de muchas horas de práctica. Con un sistema, el jugador memoriza las cartas que se muestran y resta un punto por una carta con una figura o 10 por un as, y suma un punto por las cartas 2, 3, 4, 5, 6. Las cartas 7 y 8 se ignoran. Cuando el conteo es alto y el repartidor ya ha entregado una gran cantidad de cartas, el mazo tiene una proporción elevada de cartas altas y la suerte está del lado del jugador. Si un jugador que cuenta las cartas, de manera repentina, comienza a apostar grandes cantidades, el repartidor podría notar el conteo de las cartas y expulsaría al jugador. Los contadores de cartas tratan de burlar esta política trabajando en equipo. Cuando el conteo es lo suficientemente alto, el jugador hace una seña a un cómplice para que entre al juego con apuestas cuantiosas. Se supone que un grupo de estudiantes del MIT ganó millones de dólares contando las cartas en el juego del veintiuno.

uno de esos eventos simples tiene la misma posibilidad de ocurrir. Si el evento A puede ocurrir en s de estas n formas, entonces

$$P(A) = \frac{\text{número de formas en que puede ocurrir } A}{\text{número de eventos simples diferentes}} = \frac{s}{n}$$

ADVERTENCIA

Cuando utilice el método clásico, siempre verifique que los resultados sean igualmente probables.

3. **Probabilidades subjetivas** $P(A)$, la probabilidad del evento A, se *estima* con base en el conocimiento de las circunstancias relevantes.

Es muy importante señalar que el método clásico requiere *resultados igualmente probables*. Si los resultados no son igualmente probables, debemos usar la estimación de frecuencias relativas o confiar en nuestro conocimiento de las circunstancias para hacer una *conjetura adecuada*. La figura 4-1 ilustra los tres métodos.

Al calcular probabilidades con el método de frecuencias relativas, obtenemos una *aproximación* en vez de un valor exacto. Conforme el número total de observaciones se incrementa, las estimaciones correspondientes tienden a acercarse a la probabilidad real. Esta propiedad se enuncia en forma de teorema, el cual se conoce comúnmente como la *ley de los números grandes*.

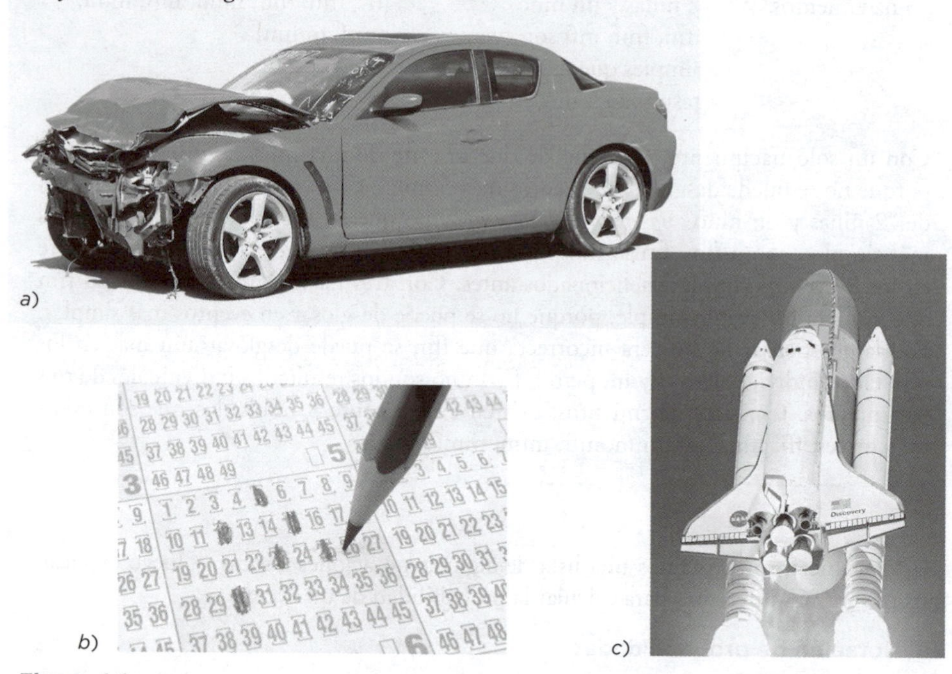

Figura 4-1
Tres métodos para calcular la probabilidad

a) **Método de las frecuencias relativas:** Cuando se trata de determinar la probabilidad de que un automóvil tenga un accidente en un año, debemos examinar resultados previos para determinar el número de automóviles en uso durante un año, y el número de estos que se accidentaron; después, se calcula la razón entre el número de automóviles que sufrieron un accidente y el número total de automóviles. Para un año reciente, el resultado es una probabilidad de 0.0480. (Véase el ejemplo 2).
b) **Método clásico:** Cuando se trata de determinar la probabilidad de ganar el premio mayor de la lotería al seleccionar 6 números entre 1 y 60, cada combinación tiene las mismas probabilidades de ocurrir. La probabilidad de ganar es 0.0000000200, la cual se puede calcular utilizando los métodos que se presentan más adelante en este capítulo.
c) **Probabilidad subjetiva:** Cuando se trata de estimar la probabilidad de que un astronauta sobreviva en una misión en una nave espacial, los expertos consideran los eventos pasados, junto con los cambios en las tecnologías y las condiciones, para hacer una estimación de la probabilidad. Hasta la publicación de este libro, los científicos de la NASA estimaban una probabilidad de 0.99.

Ley de los grandes números Conforme un procedimiento se repite una y otra vez, la probabilidad de frecuencias relativas de un evento tiende a aproximarse a la probabilidad real.

La ley de los grandes números indica que las estimaciones por frecuencias relativas tienden a mejorar si se realizan más observaciones. Esta ley refleja una simple noción fundamentada en el sentido común: una estimación de probabilidad basada solo en unos cuantos ensayos puede desviarse por una cantidad sustancial, pero con un número muy grande de ensayos, la estimación tiende a ser mucho más exacta.

Probabilidad y resultados que no son igualmente probables Un error común consiste en suponer que los resultados son igualmente probables solo porque no sabemos nada acerca de la probabilidad de cada uno. Cuando no se sabe nada acerca de la probabilidad de distintos resultados posibles, no debe suponerse que son igualmente probables. Por ejemplo, no debemos concluir que la probabilidad de aprobar un examen sea de 1/2 o 0.5 (simplemente porque existen dos resultados posibles: aprobar o reprobar el examen). La probabilidad real depende de factores como la cantidad de preparación y la dificultad del examen.

EJEMPLO 2 **Probabilidad de que un automóvil sufra un accidente** Calcule la probabilidad de que un automóvil seleccionado al azar en Estados Unidos se accidente durante este año.

SOLUCIÓN En un año reciente, de un total de 135,670,000 automóviles registrados en Estados Unidos (según datos de *Statistical Abstract of the United States*), 6,511,100 se accidentaron. Ahora podemos utilizar el método de frecuencias relativas de la siguiente manera:

$$P(\text{accidente}) = \frac{\text{número de automóviles accidentados}}{\text{número total de automóviles}} = \frac{6{,}511{,}100}{135{,}670{,}000} = 0.0480$$

Advierta que no es posible utilizar el método clásico, ya que los dos resultados (accidente, ausencia de accidente) no son igualmente probables.

EJEMPLO 3 **Probabilidad de un resultado de prueba positivo** Remítase a la tabla 4-1 que forma parte del problema del capítulo. Suponga que se elige al azar uno de los 98 resultados de prueba que se resumen en la tabla 4-1, y calcule la probabilidad de que sea un resultado positivo.

SOLUCIÓN El espacio muestral consiste en los 98 resultados de prueba incluidos en la tabla 4-1. De los 98 resultados, 57 son positivos (calculados al sumar 42 + 15). Como existen las mismas probabilidades de elegir cualquiera de los resultados de prueba, podemos aplicar el método clásico como sigue:

$$P(\text{resultado positivo de la tabla 4-1}) = \frac{\text{número de resultados de prueba positivos}}{\text{número total de resultados}} = \frac{57}{98} = 0.582$$

¿Qué tan probable?

¿Cómo interpretamos términos como *probable, improbable* o *extremadamente improbable*? La FFA interpreta estos términos de la siguiente manera.

- *Probable:* Una probabilidad del orden de 0.00001 o mayor para cada hora de vuelo. Se espera que ocurran eventos de este tipo varias veces durante la vida operacional de cada nave aérea.
- *Improbable:* Una probabilidad del orden de 0.00001 o menor. No se espera que ocurran eventos de esta clase durante toda la vida operacional de un solo avión de un tipo en particular, aunque pueden ocurrir durante toda la vida operacional de todos los aviones de un tipo en particular.
- *Extremadamente improbable:* Una probabilidad en el orden de 0.000000001 o menor. Eventos como este son tan improbables que no es necesario considerar su ocurrencia.

Ganar centavos de la lotería

Muchas personas gastan grandes cantidades de dinero comprando billetes de lotería, al no tener un sentido realista de sus oportunidades de ganar. El hermano Donald Kelly del Colegio Marista propone esta analogía: ¡Ganar la lotería es equivalente a elegir atinadamente el centavo "ganador" de una columna de centavos que tiene una altura de 21 millas! Los aviones comerciales por lo regular vuelan a una altitud de seis millas, así que trate de imaginar una columna de centavos de una altura de más del triple de la alcanzada por esos aviones a reacción, e imagínese seleccionando el centavo de esa columna que representa un billete de lotería ganador. Con base en los métodos de esta sección, calcule la probabilidad de ganar la lotería de su estado y luego determine la altura de la columna de centavos correspondiente.

EJEMPLO 4

Genotipos Al estudiar el efecto de la herencia sobre la estatura, podríamos anotar cada genotipo individual AA, Aa, aA y aa en una ficha, luego mezclar las cuatro fichas y elegir una al azar. ¿Qué probabilidad tenemos de seleccionar un genotipo en el que los dos componentes son diferentes?

SOLUCIÓN

En este caso, el espacio muestral (AA, Aa, aA, aa) incluye resultados igualmente posibles. De los cuatro resultados, hay exactamente 2 en los que los dos componentes son diferentes: Aa y aA. Podemos emplear el método clásico para obtener

$$P(\text{resultado con diferentes componentes}) = \frac{2}{4} = 0.5$$

EJEMPLO 5

Probabilidad de que un presidente sea originario de Alaska Calcule la probabilidad de que el próximo presidente de Estados Unidos sea originario de Alaska.

SOLUCIÓN

El espacio muestral consiste en dos eventos simples: el próximo presidente es originario de Alaska o no lo es. Si utilizamos el método de frecuencias relativas, concluiríamos de manera incorrecta que es imposible que una persona de Alaska sea presidente, ya que nunca ha ocurrido. No podemos utilizar el método clásico porque los dos resultados posibles no son igualmente probables. Lo único que queda es hacer una estimación subjetiva. La población de Alaska corresponde al 0.2% de la población total de Estados Unidos, aunque la lejanía de este estado plantea desafíos especiales a sus políticos, de manera que la estimación de una probabilidad de 0.001 es razonable.

EJEMPLO 6

Atrapado en un elevador ¿Cuál es la probabilidad de quedar atrapado la siguiente vez que usted suba a un elevador?

SOLUCIÓN

En ausencia de datos históricos sobre fallas de elevadores, no podemos usar el método de frecuencias relativas. Hay dos posibles resultados (quedar atrapado o no quedar atrapado), pero no son igualmente probables, por lo que no podemos usar el método clásico. Esto nos deja con una estimación subjetiva. En este caso, la experiencia sugiere que la probabilidad en cuestión es muy pequeña. Estimemos que sea, digamos, 0.0001 (equivalente a 1 en 10,000). Esta estimación subjetiva, basada en nuestro conocimiento general, puede encontrarse en el campo general de la probabilidad real.

Cálculo del número total de resultados En problemas de probabilidad básica, es muy importante examinar cuidadosamente la información disponible para identificar de manera correcta el número total de resultados posibles. En algunos casos, se cuenta con el total de resultados posibles, pero en otros debe calcularse, como en los dos ejemplos siguientes.

EJEMPLO 7 **Género de los hijos** Determine la probabilidad de que exactamente 2 de los 3 hijos de una pareja sean varones. Suponga que es igualmente probable dar a luz un niño que una niña, y que el género de cualquier hijo no influye en el género de otro.

SOLUCIÓN El mayor desafío aquí es identificar correctamente el espacio muestral. Esto implica más que trabajar solamente con los números 2 y 3 que se dieron en el planteamiento del problema. El espacio muestral consiste en 8 diferentes formas en que 3 hijos pueden presentarse (véase el esquema al margen). Como los 8 resultados son igualmente probables, usamos el método clásico. De los ocho posibles resultados, 3 corresponden a exactamente 2 varones, así que

$$P(\text{2 varones en 3 nacimientos}) = \frac{3}{8} = 0.375$$

INTERPRETACIÓN Existe una probabilidad de 0.375 de que si una pareja tiene 3 hijos, exactamente 2 de ellos sean varones.

	1o. 2o. 3o.
	niño-niño-niño
exactamente 2 varones →	niño-niño-niña
exactamente 2 varones →	niño-niña-niño
	niño-niña-niña
exactamente 2 varones →	niña-niño-niño
	niña-niño-niña
	niña-niña-niño
	niña-niña-niña

EJEMPLO 8 **Encuesta de America Online** El proveedor de servicios de Internet America Online (AOL) planteó a los usuarios la siguiente pregunta acerca de Kentucky Fried Chicken (KFC): "¿KFC ganará o perderá clientes después de eliminar las grasas transgénicas?". De las respuestas recibidas, 1941 afirmaban que KFC ganaría clientes, 1260 dijeron que su situación permanecería igual, y 204 dijeron que perdería clientes. Calcule la probabilidad de elegir al azar una respuesta que considere que KFC ganará clientes.

SOLUCIÓN *Sugerencia:* En vez de tratar de formular una respuesta directamente a partir del enunciado escrito, resuma la información dada en un formato que le permita comprenderla mejor. Por ejemplo, utilice el siguiente formato:

1941	ganará clientes
1260	permanecerá igual
204	perderá clientes
3405	respuestas totales

Ahora podemos utilizar el método de las frecuencias relativas de la siguiente manera:

$$P(\text{respuesta de que ganará clientes})$$
$$= \frac{\text{número de individuos que dijeron que KFC ganará clientes}}{\text{número total de respuestas}} = \frac{1941}{3405}$$
$$= 0.570$$

INTERPRETACIÓN Existe una probabilidad de 0.570 de elegir al azar una respuesta que diga que KFC ganará clientes. *Importante:* Observe que la encuesta se realizó con una muestra de respuesta voluntaria, ya que los propios usuarios de AOL decidieron si respondían o no. En consecuencia, al interpretar los resultados de esta encuesta, no olvide que no necesariamente reflejan la opinión de la población general. Las respuestas reflejan únicamente las opiniones de los individuos que decidieron responder.

Simulaciones Los enunciados de los tres métodos para calcular probabilidades y los ejemplos anteriores parecen sugerir que siempre debemos usar el método clásico cuando un procedimiento tiene resultados igualmente probables. Sin embargo, muchos procedimientos son tan complicados que el uso del método clásico no es práctico. En el juego de solitario, por ejemplo, todos los resultados (del reparto) son igualmente probables, pero es extremadamente frustrante tratar de usar el método clásico para calcular la probabilidad de ganar. En tales casos podemos obtener buenas estimaciones con mayor facilidad utilizando el método de frecuencias relativas. Es muy común que las simulaciones sean útiles cuando se emplea este método. Una *simulación* de un procedimiento es un proceso que se comporta de la misma forma que el procedimiento mismo; por lo tanto, produce resultados similares. (Véase la sección 4-6 y el Proyecto tecnológico casi al final de este capítulo). Por ejemplo, al estimar la probabilidad de ganar en el solitario, es mucho más fácil usar el enfoque de las frecuencias relativas, es decir, repetir el juego muchas veces (o correr una simulación por computadora) que realizar los cálculos extremadamente complejos que se requieren con el método clásico.

EJEMPLO 9

Día de Acción de Gracias Si se elige un año de manera aleatoria, calcule la probabilidad de que el Día de Acción de Gracias sea un *a*) miércoles o *b*) jueves.

SOLUCIÓN

***a*)** El Día de Acción de Gracias se celebra siempre el cuarto jueves de noviembre. Por lo tanto, es imposible que sea un miércoles. Cuando un evento es imposible, decimos que su probabilidad es 0.

***b*)** Es cierto que el Día de Acción de Gracias será un jueves. Cuando es seguro que un evento ocurra, decimos que su probabilidad es 1.

Ya que cualquier evento imaginable es imposible, cierto, o bien, se ubica en algún punto intermedio, se deduce que la probabilidad matemática de cualquier evento es 0, 1 o un número entre 0 y 1 (véase la figura 4-2).

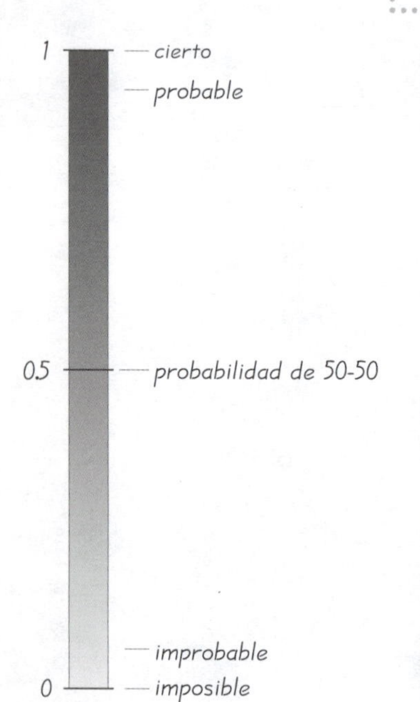

Figura 4-2 Valores posibles para probabilidades

ADVERTENCIA

Siempre exprese una probabilidad como una fracción o un número decimal entre 0 y 1.

- **La probabilidad de un evento imposible es 0.**
- **La probabilidad de un evento que ocurrirá con certeza es 1.**
- **Para cualquier evento *A*, la probabilidad de A se encuentra entre 0 y 1 inclusive. Es decir, $0 \leq P(A) \leq 1$.**

En la figura 4-2, se muestra la escala de 0 a 1, y se incluyen las expresiones más comunes y familiares de probabilidad.

Eventos complementarios

Algunas veces necesitamos calcular la probabilidad de que un evento *A* *no* ocurra.

DEFINICIÓN

El **complemento** de un evento *A*, denotado con $\bar{A}$, consiste en todos los resultados en los cuales el evento *A* no ocurre.

EJEMPLO 10

Conjeturas al azar en una prueba SAT Una pregunta típica de la prueba SAT requiere que el individuo que responde elija una de cinco respuestas posibles: A, B, C, D o E. Como solo una respuesta es la correcta, si el alumno trata de hacer conjeturas, la probabilidad de acertar es de 1/5 o 0.2. Calcule la probabilidad de hacer conjeturas y *no* elegir la respuesta correcta (es decir, de tener un error).

SOLUCIÓN

Ya que exactamente 1 de las 5 respuestas es correcta, se deduce que 4 *no* son correctas, entonces

$$P(\text{no dar la respuesta correcta}) = P(\overline{\text{correcta}}) = P(\text{incorrecta}) = \frac{4}{5} = 0.8$$

INTERPRETACIÓN

Cuando se trata de hacer conjeturas en una pregunta de opción múltiple, existe una probabilidad de 0.8 de elegir la respuesta incorrecta. Aunque los individuos que responden no son penalizados por las respuestas incorrectas, es bueno hacer conjeturas en ciertas preguntas, especialmente si es posible eliminar alguna de las opciones. A la larga, las calificaciones no se ven afectadas, pero muchos intentos de hacer conjeturas tenderán a dar por resultado una calificación baja.

Aun cuando es difícil desarrollar una regla universal para el redondeo de probabilidades, el siguiente lineamiento se aplicará a la mayoría de los problemas en este libro.

Redondeo de probabilidades

Cuando se expresa el valor de una probabilidad, hay que dar la fracción o el número decimal *exacto*, o bien, redondear los resultados decimales finales a tres cifras significativas. (*Sugerencia:* Cuando una probabilidad no sea una fracción simple como 2/3 o 5/9, exprésela como un decimal para que el número resulte más claro). Todos los dígitos en un número son significativos, excepto los ceros que se incluyen para la colocación adecuada del punto decimal.

EJEMPLO 11

Redondeo de probabilidades

- La probabilidad de 0.04799219 (del ejemplo 2) tiene siete dígitos significativos (4799219) y puede redondearse a 0.0480, con tres dígitos relevantes. (El cero que se encuentra inmediatamente a la derecha del punto decimal *no* es significativo, porque es necesario para la colocación correcta del punto decimal; no obstante, el cero que se ubica a la extrema derecha es significativo porque no necesariamente sirve para la colocación correcta del punto decimal).
- La probabilidad de 1/3 puede permanecer como fracción o redondearse a 0.333 (*no* a 0.3).
- La probabilidad de 2/4 (del ejemplo 4) puede expresarse como 1/2 o 0.5; como 0.5 es exacto, no hay necesidad de expresarlo como 0.500.
- La fracción 1941/3405 (del ejemplo 8) es exacta, pero su valor no es evidente. Exprésela como el decimal 0.570.

La expresión matemática de la probabilidad como un número entre 0 y 1 es fundamental y común en los procedimientos estadísticos, y la usaremos en el resto de este libro. Por ejemplo, un resultado de computadora común puede incluir una expresión "valor *P*" como "nivel de significancia menor que 0.001". Más tarde analizaremos el significado de los valores *P*, los cuales son esencialmente probabilidades del tipo que se considera en esta sección. Por ahora, usted debe reconocer que una probabilidad de 0.001 (equivalente a 1/1000) corresponde a un evento tan inusual que puede ocurrir, en promedio, una sola vez en mil ensayos. El ejemplo 12 incluye la interpretación de un valor de probabilidad tan bajo como ese.

EJEMPLO 12 **¿Evento inusual?** En un experimento clínico de la vacuna de Salk para prevenir la poliomielitis, 200,745 niños recibieron un placebo, y 201,229 niños fueron tratados con la vacuna. Se presentaron 115 casos de poliomielitis en el grupo de placebo y 33 casos en el grupo de tratamiento. Si suponemos que la vacuna no tiene efecto, la probabilidad de obtener un resultado de prueba como ese es de "menor que 0.001". ¿Un evento con una probabilidad menor que 0.001 es *inusual*? ¿Qué implica esa probabilidad acerca de la eficacia de la vacuna?

SOLUCIÓN Un valor de probabilidad menor que 0.001 es muy pequeño, e indica que el evento ocurrirá menos de 1 vez en 1000 ensayos, de manera que se trata de un evento "inusual". La baja probabilidad sugiere que los resultados de la prueba no son probables si la vacuna no tiene efecto alguno. En consecuencia, hay dos posibles explicaciones para los resultados de este experimento clínico: **1.** la vacuna no tiene efecto alguno y los resultados ocurrieron debido al azar; **2.** la vacuna tiene un efecto, lo que explica por qué el grupo de tratamiento tuvo una incidencia mucho más baja de poliomielitis. Debido a que la probabilidad es tan baja (menor que 0.001), la segunda explicación es más razonable. Concluimos que la vacuna parece ser eficaz.

El ejemplo anterior ilustra la "regla del evento inusual de la estadística inferencial", que se presentó en la sección 4-1. Considerando el supuesto de que una vacuna no tiene efecto, encontramos que la probabilidad del resultado es extremadamente pequeña (menor que 0.001), por lo que concluimos que la suposición probablemente no sea correcta. El ejemplo anterior también ilustra el papel que tiene la probabilidad en el planteamiento de conclusiones importantes sobre experimentos clínicos. Por ahora, debemos entender que cuando una probabilidad es baja, como menor que 0.001, esto indica que es muy improbable que el evento ocurra.

Parte 2: Más allá de los fundamentos de la probabilidad: La ventaja comparativa

Las probabilidades a veces se expresan como *ventajas comparativas*, por ejemplo, 50:1 (o "50 a 1"). Debido a que el uso de las ventajas comparativas hace que muchos cálculos sean extremadamente difíciles, los matemáticos y los especialistas en estadística, así como en otros campos científicos, prefieren usar probabilidades. La utilidad de las ventajas comparativas es que facilitan el manejo de las transacciones de dinero asociadas a los juegos de azar, por lo que tienden a usarse en casinos, sistemas de lotería e hipódromos. Note que en las tres definiciones siguientes, las *ventajas comparativas reales en contra* y las *ventajas comparativas reales a favor* describen la probabilidad real de algún evento, pero las *ventajas comparativas de pago* describen la relación entre la apuesta y la cantidad del pago. Las ventajas comparativas reales corresponden a los resultados reales, pero las ventajas comparativas de pago están establecidas por los operadores de los casinos y los hipódromos. Las pistas de carreras y los casinos están en el negocio para obtener utilidades. Por ello, las ventajas comparativas de pago no serán las mismas que las ventajas comparativas reales.

DEFINICIONES

La **ventaja comparativa real en contra** de que ocurra un evento A está indicada por el cociente $P(\overline{A})/P(A)$, casi siempre expresado en la forma *a*:*b* (o "*a* a *b*"), donde *a* y *b* son enteros que no tienen factores comunes.

La **ventaja comparativa real a favor** del evento A está indicada por el cociente $P(A)/P(\overline{A})$, que es el recíproco de la ventaja comparativa real en contra de ese evento. Si la ventaja comparativa en contra de *A* es *a*:*b*, entonces la ventaja comparativa a favor de *A* es *b*:*a*.

La **ventaja comparativa de pago** contra el evento *A* representa la proporción de la ganancia neta (si usted gana) con respecto a la cantidad de la apuesta.

ventaja comparativa de pago en contra del evento *A* =
(ganancia neta):(cantidad apostada)

EJEMPLO 13

Si usted apuesta \$5 al número 13 de la ruleta, su probabilidad de ganar es 1/38 y la ventaja comparativa está dada por el casino como 35:1.

a) Calcule la ventaja comparativa real en contra del resultado de 13.

b) ¿Cuánta ganancia neta podría obtener si gana apostando al 13?

c) Si el casino no estuviera funcionando para obtener utilidades, y las ventajas comparativas de pago se modificaran para igualar las ventajas comparativas reales en contra del 13, ¿cuánto ganaría usted si el resultado fuera 13?

SOLUCIÓN

a) Con $P(13) = 1/38$ y $P(\text{no } 13) = 37/38$, tenemos

$$\text{ventaja comparativa real en contra del 13} = \frac{P(\text{no } 13)}{P(13)} = \frac{37/38}{1/38} = \frac{37}{1} \text{ o } 37{:}1$$

b) Puesto que las ventajas comparativas de pago en contra del 13 son 35:1, tenemos

$$35{:}1 = (\text{ganancia neta}){:}(\text{monto apostado})$$

Entonces, hay una ganancia de \$35 por cada \$1 apostado. Para una apuesta de \$5, la ganancia neta es de \$175. El apostador que gane podría obtener \$175 más la apuesta original de \$5. La cantidad total obtenida debería ser \$180, con una ganancia neta de \$175.

c) Si el casino estuviera funcionando por diversión y no por ganancia, la ventaja comparativa de pago sería igual a la ventaja comparativa real en contra del resultado de 13, o 37:1. Usted obtendría una ganancia neta de \$37 por cada \$1 apostado. Si usted apuesta \$5, su ganancia neta sería de \$185. (El casino logra su ganancia pagando solo \$175 en vez de los \$185 que se pagarían en un juego de ruleta justo que no favoreciera al casino).

4-2 Destrezas y conceptos básicos

Conocimientos estadísticos y pensamiento crítico

1. Interpretación de probabilidad Con base en resultados recientes, la probabilidad de que en Estados Unidos un individuo se lesione mientras utiliza equipo deportivo o de recreación es de 1/500 (según datos del *Statistical Abstract of the United States*). ¿Qué significa afirmar que la probabilidad es de 1/500? ¿Una lesión como esta es *inusual*?

2. Probabilidad de un presidente republicano Al hablar acerca de la probabilidad de que se elija un presidente republicano en el año 2012, se podría razonar que existen dos resultados posibles (republicano, no republicano), de manera que la probabilidad de elegir a un presidente republicano es de 1/2 o 0.5. ¿Este razonamiento es correcto? ¿Por qué?

3. Probabilidad y eventos inusuales Si A denota algún evento, ¿qué denota $\overline{A}$? Si $P(A) = 0.995$, ¿cuál es el valor de $P(\overline{A})$? Si $P(A) = 0.995$, ¿entonces $\overline{A}$ es *inusual*?

4. Probabilidad subjetiva Estime la probabilidad de que la próxima vez que se suba a un automóvil, no llegue tarde debido a que un accidente automovilístico esté bloqueando el camino.

En los ejercicios 5 a 12, exprese el grado indicado de probabilidad como un valor de probabilidad entre 0 y 1.

5. Lotería En uno de los juegos de lotería instantánea del Estado de Nueva York, se dice que las probabilidades de ganar son "4 en 21".

6. Clima Un pronóstico de WeatherBug para la zona donde se ubica la casa del autor afirmó: "Probabilidad de lluvia del 80%".

7. Examen Si usted trata de hacer conjeturas en un examen sobre la respuesta de una pregunta de verdadero o falso, existe una probabilidad de 50-50 de elegir la respuesta correcta.

8. Nacimientos Cuando nace un bebé, existe una probabilidad aproximada de 50-50 de que sea una niña.

9. Dados Si arroja un par de dados en el Venetian Casino de Las Vegas, hay 6 posibilidades en 36 de que el resultado sea un 7.

10. Ruleta Si juega ruleta en el Mirage Casino y apuesta que el resultado será un número impar, tiene 18 posibilidades de 38 de ganar.

11. Naipes Es imposible obtener cinco ases al elegir cartas de un mazo barajado.

12. Días Al elegir al azar un día de la semana en inglés, se tiene la certeza de elegir un día que contenga la letra *y*.

13. Identificación de valores de probabilidad ¿Cuáles de los siguientes valores no pueden ser probabilidades?

3:1 2/5 5/2 −0.5 0.5 123/321 321/123 0 1

14. Identificación de valores de probabilidad

a) ¿Cuál es la probabilidad de un evento que ocurrirá con certeza?

b) ¿Cuál es la probabilidad de un evento imposible?

c) ¿Un espacio muestral consiste en 10 eventos separados, igualmente probables. ¿Cuál es la probabilidad de cada uno?

d) En un examen de verdadero o falso, ¿cuál es la probabilidad de responder una pregunta de manera correcta si trata de hacer conjeturas?

e) En un examen de opción múltiple, con cinco posibles respuestas para cada pregunta, ¿cuál es la probabilidad de responder una pregunta de manera correcta si trata de hacer conjeturas?

15. Género de los hijos Remítase a la lista de los ocho resultados posibles cuando una pareja tiene tres hijos. (Véase el ejemplo 7). Calcule la probabilidad de cada evento.

a) Que haya exactamente una niña.

b) Que haya exactamente dos niñas.

c) Que todos sean niñas.

16. Genotipos En el ejemplo 4 se describe un estudio que incluyó genotipos igualmente probables, representados como AA, Aa, aA y aa. Si se selecciona al azar uno de esos genotipos, como en el ejemplo 4, ¿cuál es la probabilidad de que el resultado sea AA? ¿La obtención de AA es inusual?

17. Prueba de polígrafo Remítase a los datos muestrales de la tabla 4-1, que se incluyen en el problema del capítulo.

a) ¿Cuántas respuestas se resumen en la tabla?

b) ¿Cuántas veces el polígrafo dio un resultado de prueba negativo?

c) Si se elige al azar una respuesta, calcule la probabilidad de obtener un resultado de prueba negativo. (Exprese la respuesta como una fracción).

d) Utilice el método de redondeo descrito en esta sección para expresar la respuesta del inciso *c*) como una cantidad decimal.

18. Prueba de polígrafo Remítase a los datos muestrales de la tabla 4-1.

a) ¿Cuántas respuestas en realidad fueron mentiras?

b) Si se elige al azar una respuesta, ¿cuál es la probabilidad de que sea una mentira? (Exprese la respuesta como una fracción).

c) Utilice el método de redondeo descrito en esta sección para expresar la respuesta del inciso *b*) como una cantidad decimal.

19. Prueba de polígrafo Remítase a los datos muestrales de la tabla 4-1. Si se elige al azar una respuesta, ¿cuál es la probabilidad de que sea un falso positivo? (Exprese la respuesta en una cantidad decimal). ¿Qué sugiere esta probabilidad sobre la exactitud de la prueba de polígrafo?

20. Prueba de polígrafo Remítase a los datos muestrales de la tabla 4-1. Si se elige al azar una respuesta, ¿cuál es la probabilidad de que sea un falso negativo? (Exprese la respuesta en una cantidad decimal). ¿Qué sugiere esta probabilidad sobre la exactitud de la prueba de polígrafo?

21. Senado de Estados Unidos El CX Congreso de Estados Unidos está compuesto por 84 senadores y 16 senadoras. Si se selecciona al azar a un senador, ¿cuál es la probabilidad de elegir a una mujer? ¿Esta probabilidad coincide con la afirmación de que los hombres y las mujeres tienen la misma probabilidad de ser elegidos senadores?

22. Genética mendeliana Cuando Mendel realizó sus famosos experimentos genéticos con guisantes, una muestra de vástagos consistió en 428 plantas de guisantes verdes y 152 de guisantes amarillos. Con base en esos resultados, estime la probabilidad de obtener un vástago de guisantes verdes. ¿El resultado es lo suficientemente cercano al valor de 3/4 que Mendel planteó?

23. Ser alcanzado por un relámpago En un año reciente, de los 290,789,000 habitantes de Estados Unidos, 281 fueron alcanzados por un relámpago. Calcule la probabilidad de que una persona seleccionada al azar en Estados Unidos sea alcanzada por un relámpago este año. ¿Un golfista razona de forma correcta si queda atrapado en medio de una tormenta y no busca refugio para los relámpagos, pensando en que la probabilidad de ser alcanzado por uno es muy pequeña?

24. Selección del género En una actualización de los resultados de una prueba de la técnica de selección de género XSORT de MicroSort, 726 nacimientos consistieron en 668 niñas y 58 niños (según datos del Genetics & IVF Institute). A partir de este resultado, ¿cuál es la probabilidad de que una pareja que utiliza el método XSORT de MicroSort tenga una niña? ¿La técnica parece ser útil para incrementar la probabilidad de que un bebé sea niña?

Uso de la probabilidad para identificar eventos inusuales. ***En los ejercicios 25 a 32, considere que un evento es "inusual" si la probabilidad de que ocurra es menor que o igual a 0.05. (Esto es equivalente al mismo criterio que se utiliza comúnmente en la estadística inferencial, aunque el valor de 0.05 no es absolutamente rígido; en ocasiones se utilizan otros valores como 0.01).***

25. Adivinación de fechas de nacimiento En su primera cita, Kelly pide a Mike que adivine su fecha de nacimiento, omitiendo el año.

a) ¿Cuál es la probabilidad de que Mike adivine correctamente? (Ignore los años bisiestos).

b) ¿Sería "inusual" que él adivinara con acierto en el primer intento?

c) Si usted fuera Kelly, y Mike adivinara correctamente en su primer intento, ¿creería que él tuvo un golpe de suerte? ¿O tendría la seguridad de que él ya sabía la fecha en que usted nació?

d) Si Kelly pide a Mike que adivine su edad, y la respuesta de Mike es más alta por 15 años, ¿cuál es la probabilidad de que Mike y Kelly tengan una segunda cita?

26. Efectos adversos del Viagra Cuando se efectuaron pruebas clínicas del fármaco Viagra, 117 pacientes reportaron sufrir dolores de cabeza y 617 no (según datos de Pfizer, Inc.). Utilice esta muestra para estimar la probabilidad de que un usuario de Viagra sufra dolores de cabeza. ¿Es inusual que un usuario de Viagra sufra dolores de cabeza? ¿La probabilidad es lo suficientemente alta para preocupar a los usuarios del Viagra?

27. Fallas de marcapasos cardiacos De 8834 casos de mal funcionamiento de marcapasos cardiacos, se descubrió que 504 fueron causados por el programa impreso en el circuito (según datos de "Pacemaker and ICD Generator Malfunctions", de Maisel *et al.*, *Journal of the American Medical Association*, vol. 295, núm. 16). Con base en esos resultados, ¿cuál es la probabilidad de que el mal funcionamiento de un marcapasos esté causado por el programa impreso en el circuito? ¿El mal funcionamiento del programa impreso en el circuito es una causa inusual en la falla de los marcapasos?

28. Rechazos en vuelos De 15,378 pasajeros de la aerolínea Delta elegidos al azar, 3 fueron rechazados en un vuelo en contra de su voluntad (según datos del Departamento del Transporte de Estados Unidos). Calcule la probabilidad de que un pasajero elegido al azar sea rechazado de manera involuntaria. ¿Este tipo de rechazos son inusuales? ¿Este tipo de rechazos constituyen un problema grave para los pasajeros de Delta en general? ¿Por qué?

29. Pena de muerte En los últimos 30 años, 795 hombres y 10 mujeres sentenciados a pena de muerte en Estados Unidos fueron ejecutados (según datos de la Associated Press). Si se elige al azar una ejecución, calcule la probabilidad de que la persona sea una mujer. ¿Es inusual que se ejecute a mujeres? ¿Cómo podría explicarse la discrepancia?

30. Encuesta de células madre Se eligieron adultos al azar para una encuesta de *Newsweek*, y se les preguntó "si estaban a favor o en contra de utilizar recursos de los impuestos federales para financiar investigaciones médicas utilizando células madre obtenidas de embriones humanos". De los adultos seleccionados, 481 se manifestaron a favor, 401 se pronunciaron en contra y 120 estaban inseguros. Con base en estos resultados, calcule la probabilidad de que un adulto elegido al azar se manifieste a favor. ¿Es inusual que un adulto se manifieste a favor?

31. Teléfonos celulares en hogares En una encuesta entre consumidores de 12 años o más, realizada por Frank N. Magid Associates, se preguntó a los individuos cuántos teléfonos celulares utilizaban en su casa. De los que respondieron, 211 dijeron "ninguno", 288 dijeron "uno", 366 dijeron "dos", 144 dijeron "tres", y 89 respondieron "cuatro o más". Calcule la probabilidad de que en un hogar elegido al azar se utilicen cuatro o más teléfonos celulares. ¿Es inusual que un hogar utilice cuatro teléfonos celulares o más?

32. Llamadas personales en el trabajo *USA Today* informó acerca de una encuesta realizada con empleados de oficina a quienes se preguntó cuánto tiempo del día dedicaban a hacer llamadas telefónicas personales. De las respuestas, 1065 reportaron hablar entre 1 y 10 minutos, 240 reportaron hablar entre 11 y 30 minutos, 14 reportaron hablar entre 31 y 60 minutos, y 66 reportaron no hacer llamadas personales. Si se elige a un empleado al azar, ¿cuál es la probabilidad de que no haga llamadas personales? ¿Es inusual que un empleado no haga llamadas personales?

Construcción de espacios muestrales. ***En los ejercicios 33 a 36, construya el espacio muestral que se le indica y responda las preguntas.***

33. Género de los hijos: Construcción de espacio muestral Esta sección incluyó una tabla que resume los resultados de género para una pareja que planea tener tres hijos.

a) Construya una tabla similar para una pareja que planea tener *dos* hijos.

b) Suponiendo que los resultados listados en el inciso *a)* sean igualmente probables, calcule la probabilidad de tener dos niñas.

c) Calcule la probabilidad de tener exactamente un hijo de cada género.

34. Género de los hijos: Construcción de espacio muestral Esta sección incluyó una tabla que resume los resultados de género para una pareja que planea tener tres hijos.

a) Construya una tabla similar para una pareja que planea tener *cuatro* hijos.

b) Suponiendo que los resultados listados en el inciso *a)* sean igualmente probables, calcule la probabilidad de tener exactamente dos niñas y dos niños.

c) Calcule la probabilidad de que los cuatro niños sean varones.

35. Genética: Color de los ojos Ambos progenitores tienen el genotipo café/azul, que consiste en el par de alelos que determinan el color de los ojos, y cada uno de los padres contribuye con un alelo para su hijo. Suponga que si el hijo tiene al menos un alelo café, ese color dominará y los ojos serán cafés. (La determinación real del color de los ojos es un tanto más complicada).

a) Elabore una lista de los posibles resultados diferentes. Suponga que estos resultados son igualmente probables.

b) ¿Cuál es la probabilidad de que un hijo de estos padres tenga el genotipo azul/azul?

c) ¿Cuál es la probabilidad de que el hijo tenga ojos cafés?

36. Enfermedad genética relacionada con X Los hombres tienen cromosomas XY (o YX) y las mujeres tienen cromosomas XX. Las enfermedades genéticas recesivas relacionadas con X (como la retinosquisis juvenil) se presentan cuando existe un cromosoma X defectuoso que *no* está pareado con un cromosoma X sano. De aquí en adelante, representaremos un cromosoma X defectuoso con x minúscula, de manera que un niño con un par de cromosomas xY o Yx tendrá la enfermedad, mientras que uno con XX, XY, YX, xX o Xx no desarrollará la enfermedad. Cada uno de los padres contribuye con uno de los cromosomas de su hijo.

a) Si el padre tiene el cromosoma x defectuoso y la madre tiene cromosomas XX sanos, ¿cuál es la probabilidad de que su hijo varón herede la enfermedad?

b) Si el padre tiene el cromosoma x defectuoso y la madre tiene cromosomas XX sanos, ¿cuál es la probabilidad de que su hija herede la enfermedad?

c) Si la madre tiene un cromosoma x defectuoso y un cromosoma X sano, y el padre tiene cromosomas XY sanos, ¿cuál es la probabilidad de que su hijo varón herede la enfermedad?

d) Si la madre tiene un cromosoma x defectuoso y un cromosoma X sano, y el padre tiene cromosomas XY sanos, ¿cuál es la probabilidad de que su hija herede la enfermedad?

4-2 Más allá de lo básico

Ventajas comparativas. ***En los ejercicios 37 a 40, responda las preguntas que implican ventajas comparativas.***

37. Ventajas comparativas en el solitario Una persona jugó 500 veces solitario y de los 500 ensayos, ganó 77 juegos. (Los resultados son del juego de solitario de Microsoft y se utilizaron las reglas de Las Vegas de "tomar 3", con una apuesta de $52 y una devolución de $5 por carta). Con base en estos resultados, calcule la ventaja comparativa en contra de ganar.

38. Cálculo de ventajas comparativas en la ruleta Una rueda de ruleta tiene 38 ranuras, una de las cuales es 0, otra es 00 y cada una de las demás están numeradas del 1 al 36. Usted está apostando a un número impar.

a) ¿Cuál es su probabilidad de ganar?

b) ¿Cuál es la ventaja comparativa real en contra?

c) Cuando se apuesta a un número impar, la ventaja comparativa de pago es 1:1. ¿Qué utilidad podría obtener al apostar $18 si gana?

d) ¿Qué ganancia podría obtener al apostar $18, si de alguna manera pudiera convencer al casino de modificar su ventaja comparativa de pago para que fuera igual que la ventaja comparativa real en contra? (*Recomendación:* No trate de convencer a ningún casino de esto; los administradores carecen totalmente de sentido del humor cuando se trata de asuntos de este tipo).

39. Ventaja comparativa en el Derby de Kentucky Cuando el caballo Barbaro ganó el CXXXII Derby de Kentucky, una apuesta de $2 a que Barbaro ganaría dio por resultado un reintegro de $14.20.

a) ¿Qué ganancia neta hubo al ganar con una apuesta de $2 a Barbaro?

b) ¿Cuál fue la ventaja comparativa de pago en contra de que Barbaro ganara?

c) Con base en el paseo preliminar a la carrera, los apostadores colectivamente creyeron que Barbaro tenía una probabilidad de ganar de 57/500. Suponiendo que 57/500 era la probabilidad real de la victoria de Barbaro, ¿cuál fue la ventaja comparativa real en contra?

d) Si la ventaja comparativa de pago fuera igual a la ventaja comparativa real calculada en el inciso *c*), ¿cuánto valdría un boleto de $2 después de que Barbaro ganara?

40. Cálculo de probabilidad a partir de ventajas comparativas Si la ventaja comparativa real en contra de un evento A es $a{:}b$, entonces $P(A) = b/(a + b)$. Calcule la probabilidad de que el caballo Cause to Believe ganara el CXXXII Derby de Kentucky, considerando que la ventaja comparativa real en contra era de 97:3.

41. Riesgo relativo y razón de probabilidad En un ensayo clínico con 2103 sujetos tratados con Nasonex, 26 reportaron dolor de cabeza. En un grupo de control de 1671 sujetos que recibieron un

Los niños de uno y otro sexo no son igualmente probables

En muchos cálculos de probabilidad, se obtienen buenos resultados al suponer que los niños y las niñas tienen las mismas probabilidades de nacer. En realidad, es más probable que nazca un varón (con una probabilidad de 0.512) que una niña (con una probabilidad de 0.488). Estos resultados se basan en datos recientes del National Center for Health Statistics, según los cuales, de los 4,112,856 nacimientos en un año, 2,105,458 fueron varones y 2,007,398 fueron niñas. Los investigadores revisan estas probabilidades para descubrir cambios que podrían sugerir factores como modificaciones en el ambiente y la exposición a sustancias químicas.

placebo, 22 reportaron sufrir dolor de cabeza. Si la proporción de dolores de cabeza en el grupo de tratamiento se denota como *pt* y la proporción de dolores de cabeza en el grupo de control como *pc*, el *riesgo relativo* es p_t/p_c. El riesgo relativo es una medida de la fuerza del efecto del tratamiento con Nasonex. Otra medida como esta es la *razón de probabilidad*, que es el cociente de la ventaja comparativa a favor de un dolor de cabeza en el grupo de tratamiento entre la ventaja comparativa a favor de un dolor de cabeza en el grupo de control (placebo), el cual se calcula eva-luando lo siguiente:

$$\frac{p_t/(1-p_t)}{p_c/(1-p_c)}$$

El riesgo relativo y la razón de probabilidad se utilizan comúnmente en estudios médicos y epidemiológicos. Calcule el riesgo relativo y la razón de probabilidad de los datos del dolor de cabeza. ¿Qué sugieren los resultados acerca del riesgo de sufrir dolor de cabeza por el tratamiento con Nasonex?

42. Moscas en una naranja Si dos moscas se posan sobre una naranja, calcule la probabilidad de que ambas se localicen en puntos pertenecientes al mismo hemisferio.

43. Puntos en un palo Se seleccionan al azar dos puntos a lo largo de un palo recto. Después se rompe el palo en esos dos puntos. Calcule la probabilidad de que los tres pedazos que quedan se puedan acomodar para formar un triángulo. (Quizás este sea el ejercicio más difícil del libro).

4-3 Regla de la suma

Concepto clave En esta sección se presenta la *regla de la suma* como un método para calcular probabilidades que pueden expresarse en la forma *P*(*A* o *B*), es decir, la probabilidad de que ocurra el evento *A* o de que ocurra el evento *B* (o de que ambos ocurran), como único resultado de un procedimiento. Para calcular la probabilidad de que ocurra el evento *A* o el evento *B*, primero debemos obtener el número total de maneras en que puede ocurrir *A* y de maneras en que puede ocurrir *B*, pero calculamos ese total sin contar cada resultado más de una vez.

La palabra clave en esta sección es "o". A lo largo de este texto usaremos el *o incluyente*, que significa: uno o el otro o ambos. (Con excepción del ejercicio 41, no consideramos el o excluyente, que significa uno o el otro, pero no ambos).

En la sección anterior presentamos aspectos fundamentales de la probabilidad y estudiamos eventos calificados como *simples*. En esta sección y en la siguiente nos ocuparemos de *eventos compuestos*.

DEFINICIÓN

Un **evento compuesto** es cualquier evento que combine dos o más eventos simples.

Notación de la regla de la suma

P(*A* o *B*) = *P*(en un solo ensayo, ocurre el evento *A* u ocurre el evento *B* o ambos ocurren).

Comprensión de la notación En esta sección, *P*(*A* y *B*) denota la probabilidad de que tanto *A* como B ocurran en el mismo ensayo, pero en la sección 4-4 utilizamos *P*(*A* y *B*) para denotar la probabilidad de que el evento *A* ocurra en un ensayo, seguido por el evento *B* en otro ensayo. Por lo tanto, el verdadero significado de *P*(*A* y *B*) solo se determina sabiendo si nos referimos a un ensayo que puede tener resultados de *A* y *B*, o dos ensayos donde el evento *A* ocurra en el primero de ellos y el evento *B* ocurra en el segundo. Así pues, el significado de *P*(*A* y *B*) depende del contexto.

En la sección 4-2 consideramos eventos simples, como la probabilidad de obtener un falso positivo cuando se selecciona al azar un resultado de prueba de los 98 resultados incluidos en la tabla 4-1, que se reproducen en la siguiente página por comodidad. Si se selecciona al azar un resultado de prueba, la probabilidad de un falso positivo está dada por *P*(falso positivo) = 15/98 = 0.153. (Véase el ejercicio 19 en la sección 4-2). Ahora consideremos *P*(obtener un resultado de prueba positivo o un sujeto que mintió) si se selecciona aleatoriamente uno de los 98 resultados de prueba. Remítase a la tabla 4-1, y cuente de

Tabla 4-1 **Resultados de experimentos con instrumentos polígrafos**

	¿El sujeto realmente mintió?	
	No (no mintió)	Sí (mintió)
Resultado de prueba positivo	15	42
(La prueba de polígrafo indicó que el sujeto *mintió*)	**(falso positivo)**	**(verdadero positivo)**
Resultado de prueba negativo	32	9
(La prueba de polígrafo indicó que el sujeto *no mintió*)	**(verdadero negativo)**	**(falso negativo)**

manera cuidadosa el número de sujetos que dieron positivo o mintieron, pero tenga cuidado de contar a los sujetos solo una vez, no dos veces. Al examinar la tabla 4-1, se observa que 66 sujetos dieron resultados de prueba positivos o mintieron. (*Nota importante:* Es incorrecto sumar los 57 sujetos con resultados de prueba positivos y los 51 sujetos que mintieron, ya que este total de 108 contaría dos veces a 42 de los sujetos). Advierta el papel que desempeña el total correcto de 66 en el siguiente ejemplo.

EJEMPLO 1

Prueba de polígrafo Remítase a la tabla 4-1. Si se elige al azar a 1 de los 98 sujetos que fueron sometidos a una prueba de polígrafo, calcule la probabilidad de seleccionar a un sujeto que haya obtenido un resultado positivo o que mintió.

SOLUCIÓN

En la tabla 4-1 observamos que hay 66 sujetos que tuvieron un resultado de prueba positivo o mintieron. El total de 66 se obtuvo al sumar los sujetos que tuvieron un resultado positivo y los sujetos que mintieron, teniendo cuidado de contar a cada uno solo una vez. Al dividir el total de 66 entre el total general de 98, obtenemos: P(resultado positivo de la prueba o mintió) = 66/98 o 0.673.

En el ejemplo anterior existen varias estrategias que usted podría utilizar para contar a los sujetos que tuvieron resultado positivo o que mintieron. Cualquiera de los siguientes podría funcionar:

- Coloree las celdas que representan a los sujetos que tuvieron un resultado positivo o mintieron, luego sume los números de las celdas coloreadas, teniendo cuidado de sumar cada número solo una vez. Este método da por resultado

$$15 + 42 + 9 = 66$$

- Sume los 57 sujetos que tuvieron un resultado positivo a los 51 sujetos que mintieron, pero el total de 108 incluye un doble conteo de 42 sujetos, de manera que para compensar esto, se resta el traslape consistente en los 42 sujetos que se contaron dos veces. Este método produce el siguiente resultado

$$57 + 51 - 42 = 66$$

- Comience con el total de 57 sujetos que tuvieron un resultado positivo, luego sume los sujetos que mintieron y que aún no habían sido incluidos en el total, para obtener un resultado de

$$57 + 9 = 66$$

El ejemplo 1 ilustra que cuando se calcula la probabilidad de un evento A o de un evento B, el uso de la palabra "o" sugiere una suma, y esta última se debe realizar sin un conteo doble.

Este ejemplo sugiere una regla general por medio de la cual sumamos el número de resultados que corresponden a cada uno de los eventos en cuestión:

Para calcular la probabilidad de que ocurra un evento *A* o un evento *B*, calcule el número total de formas en que *A* puede ocurrir y el número de

formas en que *B* puede ocurrir, pero *calcule ese total de tal manera que ningún resultado se cuente más de una vez.*

El vocabulario de Shakespeare

Según Bradley Efron y Ronald Thisted, las obras de Shakespeare incluyen 31,534 palabras diferentes. Ellos usaron la teoría de la probabilidad para concluir que Shakespeare probablemente conocía al menos otras 35,000 palabras que no usó en sus escritos. Estimar el tamaño de una población es un problema importante que se encuentra con frecuencia en estudios ecológicos, pero el resultado que aquí se presenta es otra aplicación interesante. (Véase "Estimating the Number of Unseen Species: How Many Words Did Shakespeare Know?", en *Biometrika*, vol. 63, núm. 3).

ADVERTENCIA

Cuando utilice la regla de la suma, siempre tenga cuidado de evitar contar los resultados más de una vez.

Un modo de formalizar la regla consiste en combinar el número de maneras en que un evento A puede ocurrir con el número de maneras en que un evento B puede ocurrir y, si hay algún traslape, se debe compensar restando el número de resultados que se contaron dos veces, como se hace en la siguiente regla.

Regla formal de la suma

$$P(A \text{ o } B) = P(A) + P(B) - P(A \text{ y } B)$$

donde $P(A \text{ y } B)$ denota la probabilidad de que A y B ocurran, al mismo tiempo, como resultado en un ensayo de un procedimiento.

Aunque la regla formal de la suma se presenta como una fórmula, no se recomienda el uso irreflexivo de fórmulas. En general, es mejor *comprender* el espíritu de la regla y utilizar esa comprensión de la siguiente manera.

Regla intuitiva de la suma

Para obtener $P(A \text{ o } B)$, calcule la suma del número de formas en que puede ocurrir el evento A y el número de formas en que puede ocurrir el evento B, *sumando de tal manera que cada resultado se cuente solo una vez*. $P(A \text{ o } B)$ es igual a esa suma, dividida entre el número total de resultados en el espacio muestral.

La regla de la suma se simplifica cuando los eventos son *disjuntos*.

DEFINICIÓN

Los eventos A y B son **disjuntos** (o **mutuamente excluyentes**) cuando ambos no pueden ocurrir al mismo tiempo. (Es decir, los eventos disjuntos no se traslapan).

EJEMPLO 2

Prueba de polígrafo Remítase a la tabla 4-1.

a) Considere el procedimiento de elegir al azar a uno de los 98 sujetos incluidos en la tabla 4-1. Determine si los siguientes eventos son disjuntos:

A: Elegir a un sujeto con un resultado de prueba negativo.

B: Elegir a un sujeto que no mintió.

b) Suponiendo que se elige al azar a una de las 98 personas que fueron sometidas a la prueba, calcule la probabilidad de elegir a un sujeto con un resultado de prueba negativo o que no mintió.

SOLUCIÓN

a) En la tabla 4-1 observamos que hay 41 sujetos con resultados de prueba negativos y 47 sujetos que no mintieron. Los eventos de elegir a un sujeto con un resultado de prueba negativo y elegir a un sujeto que no mintió pueden ocurrir al mismo tiempo (ya que existen 32 sujetos con resultados de prueba negativos y que no mintieron). Como esos eventos se traslapan, pueden ocurrir al mismo tiempo y decimos que los eventos *no son* disjuntos.

b) En la tabla 4-1 debemos calcular el número total de sujetos que tuvieron resultados de prueba negativos o que no mintieron, pero debemos hacerlo sin contar dos veces a cada uno. Obtenemos un total de 56 (32 + 9 + 15). Puesto que 56 sujetos tuvieron resultados de prueba negativos o no mintieron, y como hay un total de 98 sujetos, tenemos que

$$P(\text{resultados de prueba negativos o que no mintieron}) = \frac{56}{98} = 0.571$$

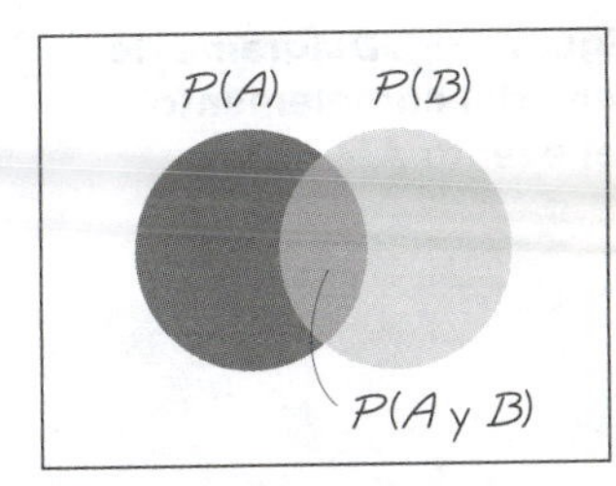

Figura 4-3 Diagrama de Venn de eventos que no son disjuntos

En la figura 4-3 se muestra un diagrama de Venn que nos ofrece una ilustración de la regla formal de la suma. En esta figura podemos ver que la probabilidad de A o B es igual a la probabilidad de A (círculo izquierdo) más la probabilidad de B (círculo derecho) menos la probabilidad de A y B (región media con forma de balón de futbol americano). Esta figura nos muestra que la suma de las áreas de los dos círculos haría que se contara dos veces la región media. Este es el concepto básico que subyace en la regla de la suma. Debido a la relación entre la regla de la suma y el diagrama de Venn que se muestra en la figura 4-3, es común el uso de la notación $P(A \cup B)$ en vez de $P(A \text{ o } B)$. De manera similar, se usa con frecuencia la notación $P(A \cap B)$ en vez de $P(A \text{ y } B)$, de manera que la regla formal de la suma se expresa como

$$P(A \cup B) = P(A) + P(B) - P(A \cap B)$$

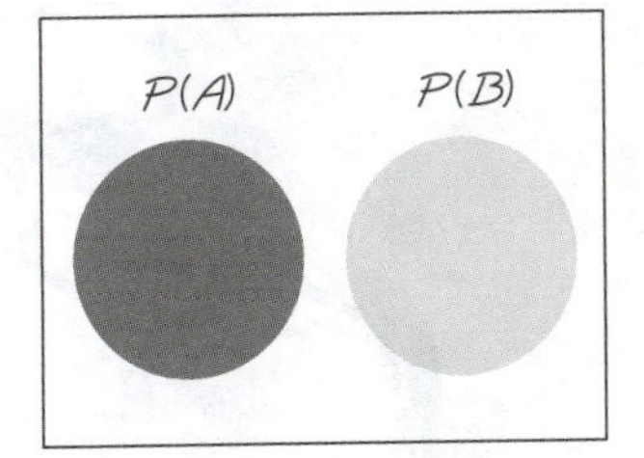

Figura 4-4 Diagrama de Venn de eventos disjuntos

Cuando A y B son disjuntos, $P(A \text{ y } B)$ se convierte en cero en la regla de la suma. La figura 4-4 indica que si A y B son disjuntos, tenemos $P(A \text{ o } B) = P(A) + P(B)$.

Podemos resumir los puntos clave de esta sección de la siguiente manera:

1. Para calcular $P(A \text{ o } B)$, primero debemos asociar el uso de la palabra "o" con la suma.
2. Considere si los eventos A y B son disjuntos; es decir, ¿pueden ocurrir al mismo tiempo? Si no son disjuntos (es decir, si pueden ocurrir al mismo tiempo), asegúrese de evitar (o al menos compensar) un conteo doble cuando se suman las probabilidades relevantes. Si usted comprende la importancia de no realizar un conteo doble cuando calcule $P(A \text{ o } B)$, no necesariamente debe calcular el valor de $P(A) + P(B) - P(A \text{ y } B)$.

Los errores que se cometen al aplicar la regla de la suma a menudo implican un conteo doble; es decir, los eventos que no son disjuntos se tratan como si lo fueran. Una indicación de este tipo de error es una probabilidad total mayor que 1; sin embargo, no siempre los errores que implican a la regla de la suma hacen que la probabilidad total sea mayor que 1.

Eventos complementarios

En la sección 4-2 definimos el complemento del evento A y lo denotamos como $\overline{A}$. Dijimos que $\overline{A}$ consiste en todos los resultados en los que el evento A *no* ocurre. Los eventos A y $\overline{A}$ deben ser disjuntos, porque es imposible que un evento y su complemento ocurran al mismo tiempo. Además, podemos estar absolutamente seguros de que A ocurre, o bien, de que no ocurre, lo que implica que debe ocurrir A o $\overline{A}$. Estas observaciones nos permiten aplicar la regla de la suma para eventos disjuntos de la siguiente manera:

$$P(A \text{ o } \overline{A}) = P(A) + P(\overline{A}) = 1$$

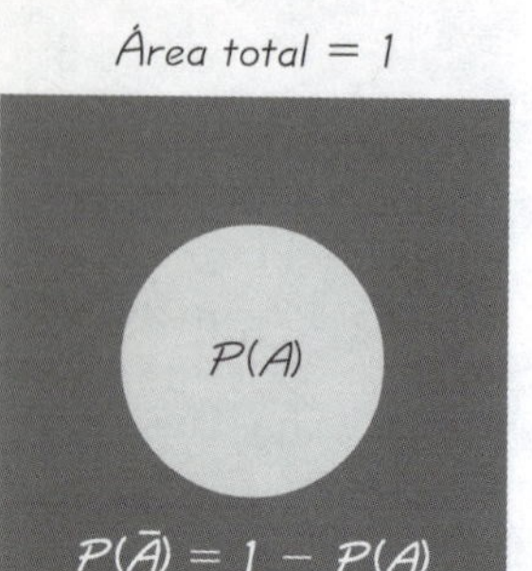

Figura 4-5 Diagrama de Venn del complemento del evento A

Justificamos $P(A \text{ o } \bar{A}) = P(A) + P(\bar{A})$ señalando que A y $\bar{A}$ son disjuntos; justificamos el total de 1 por nuestra certeza absoluta de que A ocurre, o bien, no ocurre. Este resultado de la regla de la suma da lugar a las siguientes tres formas equivalentes.

Regla de los eventos complementarios

$$P(A) + P(\bar{A}) = 1$$
$$P(\bar{A}) = 1 - P(A)$$
$$P(A) = 1 - P(\bar{A})$$

La figura 4-5 es una representación visual de la relación entre $P(A)$ y $P(\bar{A})$.

EJEMPLO 3 Datos del FBI indican que el 62.4% de los asesinatos se aclaran por medio de los arrestos. Podemos expresar la probabilidad de que un asesinato sea aclarado por un arresto como $P(\text{aclarado}) = 0.624$. Para un asesinato seleccionado al azar, calcule $P(\overline{\text{aclarado}})$.

SOLUCIÓN Usando la regla de los eventos complementarios, tenemos

$$P(\overline{\text{aclarado}}) = 1 - P(\text{aclarado}) = 1 - 0.624 = 0.376$$

Es decir, la probabilidad de que un caso de asesinato seleccionado al azar *no* se aclare por medio de un arresto es de 0.376.

La principal ventaja de la *regla de los eventos complementarios* es que puede simplificar mucho ciertos problemas, como se ilustra en la sección 4-5.

4-3 Destrezas y conceptos básicos

Conocimientos estadísticos y pensamiento crítico

1. Eventos disjuntos Se realiza un solo ensayo de cierto procedimiento, y se analizan los eventos resultantes. Con sus palabras, describa qué significa que dos eventos en un solo ensayo sean *disjuntos*.

2. Eventos disjuntos y complementos Cuando se consideran eventos que resultan de un solo ensayo, si un evento es el complemento de otro, ¿los dos eventos deben ser disjuntos? ¿Por qué?

3. Notación Utilice el contexto de la regla de la suma que se presentó en esta sección y, con sus propias palabras, describa el significado de $P(A \text{ y } B)$.

4. Regla de la suma Al analizar los resultados de una prueba realizada con la técnica de selección del género Microsort, desarrollada por el Genetics IVF Institute, un investigador desea comparar los resultados con los obtenidos por medio del lanzamiento de una moneda. Considere $P(N \text{ o } C)$, que es la probabilidad de obtener una niña *o* una cara en un lanzamiento de la moneda. Explique por qué *no* es posible aplicar la regla de la suma a $P(N \text{ o } C)$.

Determinar si los eventos son disjuntos. ***En los ejercicios 5 a 12, determine si los dos eventos son disjuntos para un solo ensayo. (Sugerencia: Considere que "disjunto" es equivalente a "separado" o "que no se traslapa").***

5. Seleccionar al azar a un médico de Bellevue Hospital en la ciudad de Nueva York y elegir a un cirujano.

Seleccionar al azar a un médico de Bellevue Hospital en la ciudad de Nueva York y elegir a una mujer.

6. Que Pew Research Center realice una encuesta y que seleccione al azar a un sujeto que sea republicano.

Que Pew Research Center realice una encuesta y que seleccione al azar a un sujeto que sea demócrata.

7. Seleccionar al azar un Corvette de una línea de ensamble de Chevrolet y elegir un vehículo sin defectos.

Seleccionar al azar un Corvette de la línea de ensamble de Chevrolet y elegir un vehículo con la batería descargada.

8. Seleccionar al azar una mosca de la fruta con ojos rojos.

Seleccionar al azar una mosca de la fruta con ojos sepia (café oscuro).

9. Recibir una llamada telefónica de un sujeto de encuesta voluntario que cree que existen evidencias sólidas del calentamiento global.

Recibir una llamada telefónica de un sujeto de encuesta voluntario que se opone a la investigación con células madre.

10. Seleccionar al azar a un individuo tratado con el fármaco Lipitor para reducir el colesterol.

Seleccionar al azar a un individuo de un grupo control que no recibe medicamentos.

11. Seleccionar al azar una película con clasificación R.

Seleccionar al azar una película con una clasificación de cuatro estrellas.

12. Seleccionar al azar a un estudiante universitario

Seleccionar al azar a una persona sin hogar.

Cálculo de complementos. ***En los ejercicios 13 a 16, calcule los complementos que se indican.***

13. Encuesta de STATDISK. Con base en una encuesta reciente de los usuarios de STATDISK, se descubre que $P(M) = 0.05$, donde M es el evento de elegir a un usuario de Macintosh cuando se selecciona al azar a un usuario de STATDISK. Si se selecciona aleatoriamente a un usuario de STATDISK, ¿qué significa $P(\overline{M})$? ¿Cuál es su valor?

14. Ceguera al color Las mujeres tienen una tasa del 0.25% de ceguera a los colores rojo y verde. Si se elige una mujer al azar, ¿cuál es la *probabilidad* de que *no* tenga ceguera a los colores rojo y verde? (*Sugerencia:* Considere que el equivalente decimal de 0.25% es 0.0025, no 0.25).

15. Encuesta Pew Una encuesta realizada por Pew Research Center reveló que el 79% de los estadounidenses creen que es moralmente incorrecto no reportar todos los ingresos en las declaraciones de impuestos. ¿Cuál es la probabilidad de que un estadounidense no tenga esa creencia?

16. Punto de revisión de sobriedad Cuando el autor observó un punto de revisión de sobriedad, dirigido por el departamento del alguacil del condado Dutchess, observó que se revisó a 676 conductores y 6 fueron arrestados por conducir en estado de ebriedad. Con base en estos resultados, podemos estimar que $P(I) = 0.00888$, donde I denota el evento de revisar a un conductor y elegir a alguien que está intoxicado. ¿Qué denota $P(\overline{I})$ y cuál es su valor?

En los ejercicios 17 a 20, utilice los datos de prueba de polígrafo que se incluyen en la tabla 4-1, que forma parte del problema del capítulo.

17. Prueba de polígrafo Si se elige al azar uno de los sujetos de prueba, calcule la probabilidad de que el sujeto tenga un resultado de prueba positivo o que no haya mentido.

18. Prueba de polígrafo Si se elige al azar uno de los sujetos de prueba, calcule la probabilidad de que el sujeto no haya mentido.

19. Prueba de polígrafo Si se elige al azar uno de los sujetos de prueba, calcule la probabilidad de que tenga un resultado verdadero negativo.

20. Prueba de polígrafo Si se elige al azar uno de los objetos de prueba, calcule la probabilidad de que el sujeto tenga un resultado de prueba negativo o haya mentido.

En los ejercicios 21 a 26, utilice los datos de la siguiente tabla que resume las impugnaciones de jugadores de tenis (según datos reportados en USA Today). Los resultados son del primer Torneo Abierto de Estados Unidos; se utilizó el sistema electrónico Hawk-Eye para mostrar una repetición instantánea con la finalidad de determinar si la pelota pegó dentro o fuera de la cancha. En cada caso, suponga que se elige al azar una de las impugnaciones.

	¿La impugnación resultó exitosa? Sí	No
Hombres	201	288
Mujeres	126	224

En los ejercicios 21 a 26, vea las instrucciones y la tabla de la página anterior.

21. Repetición instantánea de tenis Si S denota el evento de seleccionar una impugnación exitosa, calcule $P(\overline{S})$.

22. Tennis Instant Replay Si M denota el evento de seleccionar una impugnación hecha por un hombre, calcule $P(\overline{M})$.

23. Repetición instantánea de tenis Calcule la probabilidad de que la impugnación elegida la haya hecho un hombre o sea exitosa.

24. Repetición instantánea de tenis Calcule la probabilidad de que la impugnación elegida la haya hecho una mujer o sea exitosa.

25. Repetición instantánea de tenis Calcule P(la impugnación fue hecha por un hombre o no fue exitosa).

26. Repetición instantánea de tenis Calcule P(la impugnación fue hecha por una mujer o no fue exitosa).

En los ejercicios 27 a 32, utilice la siguiente tabla que resume los resultados de un estudio de personas que rehusaron responder preguntas de encuesta (según datos de "I Hear You Knocking but You Can't Come In", de Fitzgerald y Fuller,* Sociological Methods and Research, *vol. 11, núm. 1). En cada caso, suponga que se selecciona al azar a uno de los sujetos.

	Edad					
	18–21	22–29	30–39	40–49	50–59	60 o más
Respondió	73	255	245	136	138	202
Se negó	11	20	33	16	27	49

27. Negativas a encuestas ¿Cuál es la probabilidad de que la persona elegida se haya negado a responder? ¿Ese valor de probabilidad sugiere que las negativas son un problema para los encuestadores? ¿Por qué?

28. Negativas a encuestas Una compañía farmacéutica está interesada en conocer las opiniones de los adultos mayores, ya que están recibiendo atención de Medicare o la recibirán pronto. ¿Cuál es la probabilidad de que el sujeto seleccionado sea un individuo de 60 años o más que aceptó responder?

29. Negativas a encuestas ¿Cuál es la probabilidad de que el individuo elegido haya respondido o que pertenezca al grupo de edad de 18 a 21 años?

30. Negativas a encuestas ¿Cuál es la probabilidad de que el individuo elegido se haya negado a responder o tenga más de 59 años de edad?

31. Negativas a encuestas Un investigador de mercados está interesado especialmente en obtener respuestas de individuos de entre 22 y 39 años de edad, ya que son las personas con más probabilidades de realizar compras. Calcule la probabilidad de que el individuo elegido responda o tenga entre 22 y 39 años.

32. Negativas a encuestas Un investigador de mercados no está interesado en negativas de respuesta o en sujetos menores de 22 años o mayores de 59 años. Calcule la probabilidad de que el individuo elegido se haya negado a responder o que tenga menos de 22 años o más de 59 años.

***En los ejercicios 33 a 38, utilice los resultados de la prueba "1-Panel THC" para el consumo de mariguana, la cual fue proporcionada por la compañía Drug Test Success: de 143 sujetos con resultados de prueba positivos, 24 son falsos positivos; de 157 resultados negativos, 3 son falsos negativos.* (Sugerencia: *Construya una tabla similar a la 4-1, que está incluida en el problema del capítulo*).**

33. Prueba para el consumo de mariguana

a) ¿Cuántos sujetos están incluidos en el estudio?

b) ¿Cuántos sujetos no consumían mariguana?

c) ¿Cuál es la probabilidad de que un sujeto elegido al azar no consuma mariguana?

34. Prueba para el consumo de mariguana Si se selecciona al azar a un sujeto de prueba, calcule la probabilidad de que tenga un resultado positivo o que consuma mariguana.

35. Prueba para el consumo de mariguana Si se selecciona al azar a un sujeto de prueba, calcule la probabilidad de que tenga un resultado negativo o que no consuma mariguana.

36. Prueba para el consumo de mariguana Si se selecciona al azar a un sujeto de prueba, calcule la probabilidad de que realmente consuma mariguana. ¿Cree que ese resultado refleja la tasa de consumo de mariguana de la población general?

37. Prueba para el consumo de mariguana Calcule la probabilidad de un falso positivo o de un falso negativo. ¿Qué sugiere el resultado sobre la exactitud de la prueba?

38. Prueba para el consumo de mariguana Calcule la probabilidad de un resultado correcto encontrando la probabilidad de un verdadero positivo o de un verdadero negativo. ¿Qué relación hay entre este resultado y el del ejercicio 37?

4-3 Más allá de lo básico

39. Selección del género Calcule $P(N \text{ o } C)$ del ejercicio 4, suponiendo que los varones y las niñas son igualmente probables.

40. Eventos disjuntos Si los eventos A y B son disjuntos, y los eventos B y C son disjuntos, ¿los eventos A y C deben ser disjuntos? Dé un ejemplo que apoye su respuesta.

41. O excluyente La regla formal de la suma expresa la probabilidad de A o B como sigue: $P(A \text{ o } B) = P(A) + P(B) - P(A \text{ y } B)$. Rescriba la expresión para $P(A \text{ o } B)$, suponiendo que la regla de la suma utiliza *o excluyente* en vez de *o incluyente*. (Recuerde que *o excluyente* significa uno o el otro, pero no ambos).

42. Extensión de la regla de la suma Extienda la regla formal de la suma con la finalidad de desarrollar una expresión para $P(A \text{ o } B \text{ o } C)$. (*Sugerencia:* Dibuje un diagrama de Venn).

43. Complementos y la regla de la suma

a) Desarrolle una fórmula para la probabilidad de no obtener A o B en un solo ensayo. Es decir, encuentre una expresión para $P(\overline{A \text{ o } B})$.

b) Desarrolle una fórmula para la probabilidad de no obtener A o de no obtener B en un solo ensayo. Es decir, encuentre una expresión para $P(\overline{A} \text{ o } \overline{B})$.

c) Compare los resultados de los incisos *a)* y *b)*. ¿ $P(\overline{A \text{ o } B}) = P(\overline{A} \text{ o } \overline{B})$?

4-4 Regla de la multiplicación: fundamentos

Concepto básico En la sección 4-3 presentamos la regla de la suma para calcular $P(A \text{ o } B)$, la probabilidad de que un solo ensayo tenga un resultado de A o B o ambos. Esta sección presenta la regla básica de la multiplicación, la cual se utiliza para calcular $P(A \text{ y } B)$, la probabilidad de que el evento A ocurra en un primer ensayo y que el evento B ocurra en un segundo ensayo. Si el resultado del primer evento A afecta de alguna forma la probabilidad del segundo evento B, es importante ajustar la probabilidad de B para que refleje la ocurrencia del evento A. La regla para el cálculo de $P(A \text{ y } B)$ se denomina regla de la multiplicación porque implica multiplicar la probabilidad del evento A por la probabilidad del evento B (donde, de ser necesario, la probabilidad del evento B se ajusta considerando el resultado del evento A). En la sección 4-3 asociamos el uso de la palabra "o" con la suma. En esta sección asociaremos el uso de la palabra "y" con la multiplicación.

Notación

$P(A \text{ y } B) = P($el evento A ocurre en un primer ensayo y el evento B ocurre en un segundo ensayo$)$

Para ilustrar la regla de la multiplicación, considere el siguiente ejemplo sobre preguntas que se utilizan extensamente en el análisis y diseño de pruebas estandarizadas, como SAT, ACT, MCAT (para medicina) y LSAT (para derecho). Con la finalidad de facilitar el proceso de calificación, las pruebas de este tipo suelen usar preguntas de falso/verdadero o de opción múltiple. Considere un examen rápido en el que el primer reactivo es del

Redundancia

La confiabilidad de los sistemas puede mejorarse considerablemente con la redundancia de componentes esenciales. Los automóviles de carreras de las series de la Copa Winston NASCAR tienen dos sistemas de ignición para que, si uno falla, exista otro de reserva. Los aviones poseen dos sistemas eléctricos independientes, y los que se usan para vuelos instrumentales suelen tener dos radios distintos. La siguiente cita se tomó de un artículo de *Popular Science* acerca de los aviones antirradar: "Un avión construido en buena parte con fibra de carbono fue el Lear Fan 2100, que tenía que llevar dos transpondedores de radar. La razón es que si fallaba una unidad de transpondedor, el avión seguiría siendo casi invisible para el radar". Tal redundancia es una aplicación de la regla de la multiplicación de la teoría de probabilidad. Si un componente tiene una probabilidad de 0.001 de fallar, la probabilidad de que dos componentes independientes fallen es de solo 0.000001.

tipo falso/verdadero y el segundo es de opción múltiple con cinco respuestas posibles (a, b, c, d y e). Vamos a usar los dos reactivos siguientes. ¡Intente responderlos!

1. Verdadero o falso: Una libra de plumas es más pesada que una libra de oro.
2. ¿Quién dijo que "el tabaquismo es una de las principales causas de la estadística"?
   a) Philip Morris
   b) Smokey Robinson
   c) Fletcher Knebel
   d) R. J. Reynolds
   e) Virginia Slims

Las respuestas a los dos reactivos son V (de "verdadero") y *c*). (La primera pregunta es verdadera. Los pesos de las plumas se expresan en unidades Avoirdupois, pero los pesos del oro y de otros metales preciosos se expresan en unidades troy. Una libra Avoirdupois equivale a 453.59 g, que es mayor que los 373.24 g de una libra troy. La segunda respuesta es Fletcher Knebel, que fue un columnista político y autor de libros, incluyendo *Seven Days in May*).

Una forma de calcular la probabilidad de que si una persona realiza suposiciones al azar para responder ambos reactivos, la respuesta al primero sea correcta y la respuesta al segundo también sea correcta, consiste en elaborar una lista del espacio muestral, como sigue:

V,a V,b V,c V,d V,e

F,a F,b F,c F,d F,e

Si las respuestas son conjeturas al azar, entonces los 10 posibles resultados son igualmente probables; por lo tanto,

$$P(\text{ambas correctas}) = P(V \text{ y } c) = \frac{1}{10} = 0.1$$

Ahora note que $P(V \text{ y } c) = 1/10$, $P(V) = 1/2$ y $P(c) = 1/5$; por lo tanto, vemos que

$$\frac{1}{10} = \frac{1}{2} \cdot \frac{1}{5}$$

de manera que

$$P(V \text{ y } c) = P(V) \times P(c)$$

Esto sugiere que, en términos generales, $P(A \text{ y } B) = P(A) \cdot P(B)$, pero antes de hacer esta generalización, consideremos otro ejemplo.

Un *diagrama de árbol* es una imagen gráfica de los resultados posibles de un procedimiento, los cuales se muestran como líneas que emanan de un punto de partida. Estos diagramas a veces son útiles para determinar el número de resultados posibles en un espacio muestral, si el número de posibilidades no es demasiado grande. El diagrama de árbol de la figura 4-6 resume los resultados de los reactivos de verdadero/falso y opción múltiple. En la figura 4-6 vemos que, si las dos respuestas son conjeturas al azar, las 10 ramas son igualmente probables, y la probabilidad de obtener el par correcto (V,c) es de 1/10. Para cada respuesta a la primera pregunta, hay cinco respuestas a la segunda. *El número total de resultados es 5 dos veces, es decir, 10.* Por lo tanto, el diagrama de árbol de la figura 4-6 ilustra la razón del uso de la multiplicación.

El análisis anterior de los reactivos de verdadero/falso y opción múltiple sugiere que $P(A \text{ y } B) = P(A) \cdot P(B)$, pero el ejemplo 1 incluye otro elemento importante.

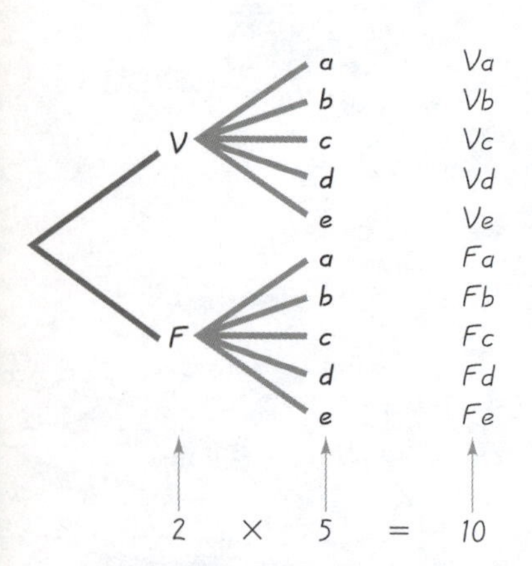

Figura 4-6 Diagrama de árbol de las respuestas del examen

EJEMPLO 1

Prueba de polígrafo Si se eligen al azar dos sujetos de la tabla 4-1 *sin reemplazo*, calcule la probabilidad de que la primera persona seleccionada tenga un resultado de prueba positivo y que la segunda tenga un resultado de prueba negativo.

Tabla 4-1 Resultados de experimentos con instrumentos polígrafos

	¿El sujeto realmente mintió?	
	No (no mintió)	Sí (mintió)
Resultado de prueba positivo (La prueba de polígrafo indicó que el sujeto *mintió*).	15 (falso positivo)	42 (verdadero positivo)
Resultado de prueba negativo (La prueba de polígrafo indicó que el sujeto *no mintió*).	32 (verdadero negativo)	9 (falso negativo)

SOLUCIÓN

Primera selección:

$$P(\text{resultado de prueba positivo}) = \frac{57}{98}$$

(porque hay 57 sujetos con resultados positivos, y el número total de sujetos es 98).

Segunda selección:

$$P(\text{resultado de prueba negativo}) = \frac{41}{97}$$

(después de la primera selección de un sujeto con un resultado de prueba positivo, quedan 97 sujetos, 41 de los cuales tienen resultados de prueba negativos).

Con P(el primer sujeto tiene un resultado de prueba positivo) = 57/98 y P(el segundo sujeto tiene un resultado de prueba negativo) = 41/97, tenemos

$$P\left(\begin{array}{l}\text{el primer sujeto tiene un resultado de prueba positivo y}\\ \text{el segundo sujeto tiene un resultado de prueba negativo}\end{array}\right) = \frac{57}{98} \cdot \frac{41}{97} = 0.246$$

El punto clave es que *se debe ajustar la probabilidad del segundo evento para reflejar el resultado del primer evento*. Como la selección del segundo sujeto se realiza sin reemplazar al primero, la segunda probabilidad debe tomar en cuenta el hecho de que la primera selección eliminó a un sujeto con resultado de prueba positivo, de manera que en la segunda selección solo existen 97 sujetos, y 41 de ellos tuvieron un resultado de prueba negativo.

Este ejemplo ilustra el importante principio de que *la probabilidad del segundo evento B debe tomar en cuenta el hecho de que el primer evento A ya ocurrió*. Este principio suele expresarse usando la siguiente notación.

Notación para la probabilidad condicional

$P(B|A)$ representa la probabilidad de que un evento B ocurra después de suponer que el evento A ya ocurrió. (Podemos leer $B|A$ como "B dado A" o como "el evento B ocurre después de que el evento A ya ocurrió").

Por ejemplo, jugar a la lotería de California y después jugar a la lotería de Nueva York son eventos *independientes* porque el resultado de la lotería de California no tiene ningún efecto en las probabilidades de los resultados de la lotería de Nueva York. En contraste, el evento de intentar poner en marcha su automóvil y el evento de llegar a clase a tiempo son eventos *dependientes*, porque el resultado del intento de poner en marcha su automóvil afecta la probabilidad de llegar a clase a tiempo.

DEFINICIÓN

Dos eventos A y B son **independientes** cuando la ocurrencia de uno no afecta la *probabilidad* de la ocurrencia del otro. (De manera similar, muchos otros eventos son independientes si la ocurrencia de cualquiera de ellos no afecta las probabilidades de ocurrencia de los demás). Si A y B no son independientes, se dice que son **dependientes**.

Dos eventos son dependientes si la ocurrencia de uno de ellos afecta la *probabilidad* de la ocurrencia del otro, pero esto no necesariamente significa que uno de los eventos sea la *causa* del otro. Véase el ejercicio 9.

Usando la notación y las definiciones anteriores, junto con los principios ilustrados en los ejemplos previos, podemos resumir el concepto clave de esta sección como la siguiente *regla formal de la multiplicación*, pero le recomendamos trabajar con la *regla intuitiva de la multiplicación*, la cual tiene más probabilidades de facilitar la *comprensión* que el uso a ciegas de una fórmula.

Regla formal de la multiplicación

$$P(A \text{ y } B) = P(A) \cdot P(B|A)$$

Si A y B son eventos independientes, $P(B|A)$ en realidad es lo mismo que $P(B)$. Considere la siguiente *regla intuitiva de la multiplicación*. (Véase también la figura 4-7).

Regla intuitiva de la multiplicación

Cuando calcule la probabilidad de que el evento A ocurra en un ensayo y el evento B ocurra en el siguiente ensayo, multiplique la probabilidad del evento A por la probabilidad del evento B, pero asegúrese de que la probabilidad del evento B toma en cuenta la ocurrencia previa del evento A.

Figura 4-7

Aplicación de la regla de la multiplicación

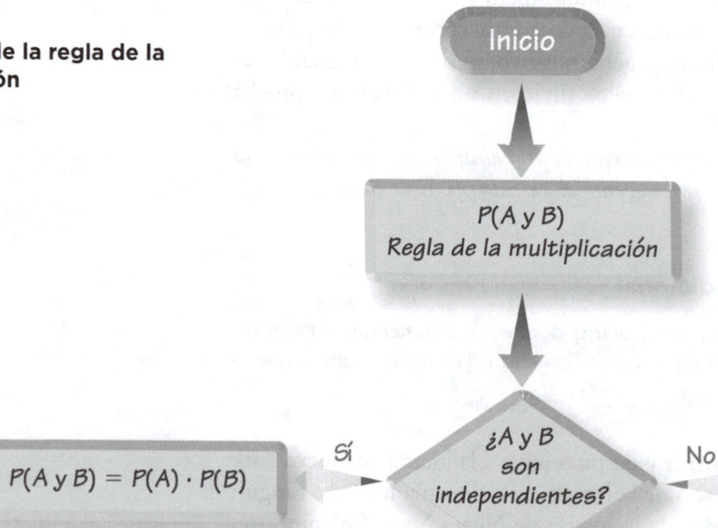

ADVERTENCIA

Cuando aplique la regla de la multiplicación, siempre considere si los eventos son independientes o dependientes, y ajuste los cálculos según sea necesario.

En el ejemplo 2, consideramos dos situaciones: **1.** los reactivos se seleccionan *con* reemplazo; **2.** los reactivos se seleccionan *sin* reemplazo. Si los reactivos se eligen con reemplazo, cada selección inicia con exactamente el mismo conjunto de reactivos; pero si los reactivos se seleccionan sin reemplazo, el conjunto de reactivos cambia después de cada selección, y se deben tomar en cuenta dichos cambios.

EJEMPLO 2 **Control de calidad en la fabricación** Los marcapasos se implantan en los pacientes con la finalidad de estimular el pulso cuando el corazón no puede latir por sí mismo. Cada año, se implantan más de 250,000 marcapasos en Estados Unidos. Por desgracia, los marcapasos en ocasiones fallan, aunque la tasa de fallas es baja, como de 0.0014 por año (según datos de "Pacemaker and ICD Generator Malfunctions", de Maisel *et al.*, *Journal of the American Medical Association*, vol. 295, núm. 16). Consideraremos una pequeña muestra de cinco marcapasos, que incluye tres que funcionan bien (denotados por B) y dos que son defectuosos (denotados por D). Un investigador médico desea seleccionar dos marcapasos al azar para realizar un experimento. Calcule la probabilidad de que el primer marcapasos seleccionado funcione bien (B) y que el segundo marcapasos también funcione bien (B). Utilice los siguientes supuestos.

a) Suponga que las dos selecciones aleatorias se realizan *con reemplazo*, de manera que el primer marcapasos seleccionado se reincorpora a la muestra antes de elegir el segundo.

b) Suponga que las dos elecciones aleatorias se realizan *sin reemplazo*, de manera que el primer marcapasos seleccionado *no* se reincorpora a la muestra antes de elegir el segundo.

SOLUCIÓN Antes de proceder y para tener mayor claridad, sería útil visualizar los tres marcapasos que funcionan bien y los dos marcapasos defectuosos, como se muestra a continuación.

B B B D D

a) Si los dos marcapasos se seleccionan al azar *con reemplazo*, las dos selecciones son independientes, ya que el segundo evento no se ve afectado por el primero. En cada selección, hay tres marcapasos que funcionan bien (B) y dos defectuosos (D), de manera que obtenemos

$$P(\text{el primer marcapasos es B y el segundo marcapasos es B}) = \frac{3}{5} \cdot \frac{3}{5} = \frac{9}{25} \text{ o } 0.36$$

b) Si los dos marcapasos se seleccionan al azar *sin reemplazo*, las dos selecciones son dependientes, ya que la probabilidad del segundo evento se ve afectada por el primer resultado. En la primera selección, tres de los cinco marcapasos funcionan bien (B). Después de elegir un marcapasos que funciona bien en la primera selección, quedan cuatro marcapasos, incluyendo dos que funcionan bien. Por lo tanto,

$$P(\text{el primer marcapasos es B y el segundo marcapasos es B}) = \frac{3}{5} \cdot \frac{2}{4} = \frac{6}{20} \text{ o } 0.3$$

continúa

Sentenciados por probabilidad

Un testigo describió a una asaltante de Los Ángeles como una mujer caucásica de pelo rubio, peinada con cola de caballo, que escapó en un automóvil amarillo conducido por un hombre afroestadounidense que usaba barba y bigote. Janet y Malcolm Collins se ajustaban a esta descripción y se les condenó con fundamento en el testimonio de que existe aproximadamente 1 posibilidad en 12 millones de que cualquier pareja tenga tales características. Se estimó que la probabilidad de tener un automóvil amarillo es de 1/10, en tanto que las demás probabilidades se estimaron en 1/10, 1/3, 1/10 y 1/1000. Más tarde, las condenas se anularon, cuando se señaló que no se presentó evidencia que apoyara las probabilidades estimadas o la independencia de los eventos. Sin embargo, puesto que la pareja no se seleccionó al azar, se cometió un error grave al no considerar la probabilidad de que hubiera *otras* parejas en la misma región con las mismas características.

INTERPRETACIÓN

Observe que en el inciso *b*) ajustamos la segunda probabilidad para tomar en cuenta la selección de marcapasos que funcionan bien (B) en el primer resultado. Después de seleccionar B la primera vez, de los cuatro marcapasos restantes, dos funcionarían bien.

Al considerar si debemos hacer un muestreo con o sin reemplazo, podría parecer evidente que un investigador médico no haría muestreo con reemplazo, como en el inciso *a*). Sin embargo, en la estadística tenemos un interés especial en hacer muestreos con reemplazo. (Véase la sección 6-4).

Hasta aquí hemos analizado dos eventos, pero la regla de la multiplicación puede extenderse fácilmente a varios eventos. En general, la probabilidad de cualquier secuencia de eventos independientes es simplemente el producto de sus probabilidades correspondientes. Por ejemplo, la probabilidad de lanzar una moneda tres veces y obtener siempre cara es $0.5 \cdot 0.5 \cdot 0.5 = 0.125$. También podemos extender la regla de la multiplicación para que se aplique a varios eventos dependientes; simplemente ajuste las probabilidades conforme avance.

Tratar eventos dependientes como si fueran independientes El inciso *b*) del ejemplo 2 implicó la selección de elementos sin reemplazo y, por consiguiente, consideramos los eventos como dependientes. Sin embargo, algunos cálculos engorrosos se pueden simplificar al tratar los eventos como independientes cuando se toman *muestras pequeñas* de *poblaciones grandes*. En estos casos, es raro que se seleccione el mismo elemento dos veces. He aquí un lineamiento común, que se utiliza de manera habitual en ciertas aplicaciones, como los análisis de resultados de encuestas.

Tratar eventos dependientes como si fueran independientes: El lineamiento del 5% para cálculos engorrosos

Si los cálculos son muy engorrosos y el tamaño de la muestra no es mayor que el 5% del tamaño de la población, trate las selecciones como si fueran *independientes* (incluso si las selecciones se hacen sin reemplazo, de manera que sean técnicamente dependientes).

EJEMPLO 3

Control de calidad en la fabricación Suponga que tenemos un lote de 100,000 marcapasos cardiacos, incluyendo 99,950 que funcionan bien (B) y 50 que son defectuosos (D).

a) Si se seleccionan al azar dos de los 100,000 marcapasos sin reemplazo, calcule la probabilidad de que ambos funcionen bien.

b) Si se seleccionan al azar 20 de los 100,000 marcapasos sin reemplazo, calcule la probabilidad de que todos funcionen bien.

SOLUCIÓN

Primero observe que el 5% de 100,000 es $(0.05)(100{,}000) = 5000$.

a) Aunque el tamaño de la muestra de 2 no es mayor al 5% del tamaño de la población de 100,000, no utilizaremos el lineamiento del 5% porque el cálculo exacto es sencillo, como se observa a continuación.

P(el primer marcapasos funciona bien y el segundo marcapasos funciona bien)

$$= \frac{99{,}950}{100{,}000} \cdot \frac{99{,}949}{99{,}999} = 0.999$$

b) Con 20 marcapasos elegidos al azar sin reemplazo, el cálculo exacto se vuelve bastante engorroso:

$$P(\text{los 20 marcapasos funcionan bien}) = \frac{99{,}950}{100{,}000} \cdot \frac{99{,}949}{99{,}999} \cdot \frac{99{,}948}{99{,}998} \cdot \ldots \cdot \frac{99{,}931}{99{,}981}$$

(20 factores *diferentes*)

Como este cálculo es sumamente engorroso, utilizamos el lineamiento del 5% y tratamos a los eventos como independientes, aunque en realidad sean dependientes. Observe que el tamaño de la muestra de 20 no es mayor que el 5% de la población de 100,000, como se requiere. Si tratamos los eventos como independientes, se obtienen los siguientes resultados, los cuales se pueden calcular con facilidad.

$$P(\text{los 20 marcapasos funcionan bien}) = \frac{99{,}950}{100{,}000} \cdot \frac{99{,}950}{100{,}000} \cdot \frac{99{,}950}{100{,}000} \cdot \ldots \cdot \frac{99{,}950}{100{,}000}$$

$$= \left(\frac{99{,}950}{100{,}000}\right)^{20} = 0.990 \quad \text{(20 factores \textit{idénticos})}$$

Como el resultado se redondea a tres posiciones decimales, en este caso obtenemos el mismo resultado que se obtendría al realizar los cálculos exactos más engorrosos con eventos dependientes.

El siguiente ejemplo se diseñó para ilustrar la importancia de identificar de manera cuidadosa el evento bajo consideración. Observe que los incisos *a)* y *b)* parecen ser bastante similares, aunque sus soluciones son muy diferentes.

EJEMPLO 4

Cumpleaños Suponga que se eligen dos personas al azar, y también que los cumpleaños ocurren con la misma frecuencia los diferentes días de la semana.

a) Calcule la probabilidad de que dos personas hayan nacido el mismo día de la semana.

b) Calcule la probabilidad de que dos personas hayan nacido en lunes.

SOLUCIÓN

a) Como no se especifica un día de la semana, la primera persona podría haber nacido cualquiera de los siete días. La probabilidad de que la segunda persona haya nacido el mismo día que la primera es 1/7. Por lo tanto, la probabilidad de que dos personas hayan nacido el mismo día de la semana es 1/7.

continúa

Motores a reacción independientes

Poco después de despegar de Miami, la aeronave del vuelo 855 de Eastern Airlines tuvo que apagar un motor porque se encendió el indicador de baja presión de aceite.

Cuando el jet L-1011 regresaba a Miami para aterrizar, los indicadores de baja presión de los otros dos motores también se encendieron. Entonces falló otro motor y después falló el último motor que estaba funcionando. El jet descendió sin propulsión desde 13,000 hasta 4000 pies; entonces la tripulación pudo arrancar un motor. La aeronave, con 172 personas a bordo, aterrizó con seguridad. Con motores a reacción independientes, la probabilidad de que los tres fallen es de solo 0.00013, es decir, alrededor de una en un billón. La FAA averiguó que el mismo mecánico que cambió el aceite de los tres motores se equivocó al reemplazar los anillos de sello del tapón de aceite. El empleo de un solo mecánico hizo que el funcionamiento de los motores se volviera dependiente, situación que se corrigió exigiendo que los motores reciban mantenimiento por mecánicos diferentes.

Para ganar, apueste con audacia

El diario *New York Times* publicó una nota de Andrew Pollack en la que se informó que el casino Mirage de Las Vegas tenía menores ganancias que las esperadas. El periodista afirmó que "las ganancias del Mirage resultan particularmente volátiles, ya que se favorece a los grandes apostadores, quienes pueden apostar $100,000 o más en una mano de cartas. La ley de los promedios no funciona con tanta consistencia para unas cuantas apuestas grandes como lo hace para miles de pequeñas...". Esto refleja el principio más fundamental al apostar: para ganar, ¡haga una apuesta grande en vez de muchas apuestas pequeñas! Con el juego adecuado, como puede ser el de los dados, usted tiene poco menos del 50% de probabilidades de duplicar su dinero si realiza una apuesta grande. Al hacer muchas apuestas pequeñas, la probabilidad de duplicar su dinero disminuye sustancialmente.

b) La probabilidad de que la primera persona haya nacido en lunes es 1/7, y la probabilidad de que la segunda persona también haya nacido en lunes es 1/7. Como los dos eventos son independientes, la probabilidad de que ambas personas hayan nacido en lunes es

$$\frac{1}{7} \cdot \frac{1}{7} = \frac{1}{49}$$

Aplicaciones importantes de la regla de la multiplicación

Los siguientes dos ejemplos ilustran aplicaciones prácticas de la regla de la multiplicación. El ejemplo 5 nos da una idea del procedimiento de *prueba de hipótesis* (que se estudiará en el capítulo 8), y el ejemplo 6 ilustra el principio de *redundancia*, que se utiliza para incrementar la confiabilidad de muchos sistemas mecánicos y eléctricos.

EJEMPLO 5

Eficacia de la selección del género Un genetista desarrolló un procedimiento para aumentar la probabilidad de engendrar una niña. En una prueba inicial, 20 parejas utilizan el método, lo que da como resultado 20 niñas en 20 nacimientos. Suponiendo que el procedimiento de selección del género no tiene efecto, calcule la probabilidad de que, entre 20 alumbramientos, nazcan 20 niñas como resultado del azar. ¿La probabilidad resultante brinda una firme evidencia que apoye la afirmación del genetista de que el procedimiento es eficaz para incrementar la probabilidad de engendrar una niña?

SOLUCIÓN

Deseamos calcular P(los 20 bebés son niñas), suponiendo que el procedimiento no tiene ningún efecto, de manera que la probabilidad de que cualquier descendiente sea mujer es 0.5. Como se utilizan pares separados de padres, trataremos los eventos como si fueran independientes. Se obtiene el siguiente resultado:

P(los 20 bebés son niñas)
$= P$(el primero es niña, y el segundo es niña, y el tercero es niña ... y el vigésimo es niña)
$= P(\text{niña}) \cdot P(\text{niña}) \cdot \ldots \cdot P(\text{niña})$
$= 0.5 \cdot 0.5 \cdot \ldots \cdot 0.5$
$= 0.520 = 0.000000954$

La baja probabilidad de 0.000000954 indica que en vez de tener 20 niñas al azar, una explicación más razonable es que con el procedimiento de selección de género hay más probabilidades de que nazcan niñas. Como existe una probabilidad tan pequeña (0.000000954) de que resulten 20 niñas en 20 nacimientos, tenemos evidencia suficiente para concluir que el procedimiento de selección de género sirve para incrementar la probabilidad de que un bebé sea niña.

EJEMPLO 6

Redundancia para una mayor confiabilidad Los modernos motores para aeronaves son sumamente confiables. Una característica de diseño que contribuye a esa confiabilidad es el uso de *redundancia*, por medio de la cual los componentes críticos se duplican para que si uno de ellos falla, el otro funcione. Por ejemplo, las naves con un solo motor ahora tienen dos sistemas eléctricos independientes, de manera que si un sistema falla, el otro continúe trabajando para que el motor siga en funcionamiento. Para los objetivos de este ejemplo, supondremos que la probabilidad de que el sistema eléctrico falle es 0.001.

a) Si el motor de una aeronave tiene un sistema eléctrico, ¿cuál es la probabilidad de que funcione?

b) Si el motor de una aeronave tiene dos sistemas eléctricos independientes, ¿cuál es la probabilidad de que el motor pueda funcionar con un sistema eléctrico que opera adecuadamente?

SOLUCIÓN

a) Si la probabilidad de que un sistema eléctrico falle es 0.001, entonces la probabilidad de que *no* falle es 0.999. Es decir, la probabilidad de que el motor pueda funcionar con un sistema eléctrico sin falla es:

$$P(\text{sistema eléctrico con buen funcionamiento}) = P(\text{sistema eléctrico sin fallas})$$
$$= 1 - P(\text{falla del sistema eléctrico}) = 1 - 0.001 = 0.999$$

b) Con dos sistemas eléctricos independientes, el motor funcionará, a menos que *ambos* sistemas eléctricos fallen. La probabilidad de que los dos sistemas eléctricos independientes fallen se calcula aplicando la regla de la multiplicación para eventos independientes:

$$P(\text{ambos sistemas eléctricos fallan})$$
$$= P(\text{el primer sistema eléctrico falla } y \text{ el segundo sistema eléctrico falla})$$
$$= 0.001 \times 0.001 = 0.000001$$

Existe una probabilidad de 0.000001 de que ambos sistemas eléctricos fallen, de manera que la probabilidad de que el motor pueda funcionar con un sistema eléctrico que opera adecuadamente es $1 - 0.000001 = 0.999999$.

INTERPRETACIÓN Con un solo sistema eléctrico, existe una probabilidad de falla de 0.001; sin embargo, con dos sistemas eléctricos independientes, solo hay una probabilidad de 0.000001 de que el motor no pueda funcionar con un sistema eléctrico que opera adecuadamente. Con dos sistemas eléctricos, la probabilidad de una falla catastrófica se reduce de 1 en 1000 a 1 en 1,000,000, dando como resultado un incremento drástico en la seguridad y la confiabilidad. (*Nota:* Para los objetivos de este ejercicio, suponemos que la probabilidad de falla de un sistema eléctrico es 0.001, aunque en realidad es mucho más baja. Arjen Romeyn, un experto en seguridad del transporte, estima que la probabilidad de falla de un solo motor es de aproximadamente 0.0000001 o 0.000000001).

Podemos resumir los fundamentos de las reglas de la suma y de la multiplicación como sigue:

- $P(A \text{ o } B)$: La palabra "o" sugiere suma, y cuando se suman $P(A)$ y $P(B)$, debemos asegurarnos de sumar en tal forma que cada resultado se cuente solo una vez.
- $P(A \text{ y } B)$: La palabra "y" sugiere multiplicación, y cuando se multiplican $P(A)$ y $P(B)$, debemos asegurarnos de que la probabilidad del evento B tome en cuenta la ocurrencia previa del evento A.

4-4 Destrezas y conceptos básicos

Conocimientos estadísticos y pensamiento crítico

1. Eventos independientes Elabore su propio ejemplo de dos eventos que sean independientes, y otro ejemplo de dos eventos que sean dependientes. No utilice los ejemplos presentados en esta sección.

2. Notación Con sus propias palabras, describa lo que representa la notación $P(B|A)$.

3. Muestra para una encuesta En la actualidad, en Alaska viven 477,938 adultos, y todos están incluidos en una gran lista numerada. Gallup Organization utiliza una computadora para seleccionar al azar 1068 números diferentes entre 1 y 477,938, y luego se pone en contacto con los adultos correspondientes para encuestarlos. ¿Los eventos de seleccionar a los adultos son independientes o dependientes? Explique.

4. Lineamiento del 5% ¿Los eventos descritos en el ejercicio 3 pueden tratarse como independientes? Explique.

Identificación de eventos como independientes o dependientes. ***En los ejercicios 5 a 12, clasifique cada par de eventos como independientes o dependientes. (Si dos eventos son técnicamente dependientes, pero se pueden tratar como si fueran independientes según el lineamiento del 5%, considérelos independientes).***

5. Elegir al azar a un televidente que está viendo *Saturday Night Live*

Elegir al azar a un segundo televidente que está viendo *Saturday Night Live*

6. Descubrir que el radio de su automóvil funciona.

Descubrir que las luces de su automóvil funcionan.

7. Usar pantalones cortos a cuadros con calcetines negros y sandalias.

Pedir una cita a alguien y obtener una respuesta afirmativa.

8. Descubrir que su teléfono celular funciona.

Descubrir que su automóvil se pone en marcha.

9. Descubrir que su televisor funciona.

Descubrir que su refrigerador funciona.

10. Descubrir que su calculadora funciona.

Descubrir que su computadora funciona.

11. Seleccionar al azar a un consumidor de California.

Seleccionar al azar a un consumidor que tiene un televisor.

12. Seleccionar al azar a un consumidor que tiene una computadora.

Seleccionar al azar a un consumidor que utiliza Internet.

Prueba de polígrafo. ***En los ejercicios 13 a 16, utilice los datos muestrales de la tabla 4-1. (Véase el ejemplo 1).***

13. Prueba de polígrafo Si se seleccionan al azar 2 de los 98 sujetos de prueba sin reemplazo, calcule la probabilidad de que ambos tengan resultados falsos positivos. ¿Es inusual seleccionar al azar 2 sujetos sin reemplazo y obtener 2 resultados que sean falsos positivos? Explique.

14. Prueba de polígrafo Si se seleccionan al azar 3 de los 98 sujetos de prueba sin reemplazo, calcule la probabilidad de obtener 3 resultados que sean falsos positivos. ¿Es inusual seleccionar al azar a 3 sujetos sin reemplazo y obtener 3 resultados que son falsos positivos? Explique.

15. Prueba de polígrafo Si se seleccionan al azar 4 sujetos de prueba sin reemplazo, calcule la probabilidad de que, en cada caso, el polígrafo haya indicado que el sujeto miente. ¿Es inusual un evento como este?

16. Prueba de polígrafo Si se seleccionan al azar 4 sujetos de prueba sin reemplazo, calcule la probabilidad de que todos tengan resultados de prueba incorrectos (ya sean falsos positivos o falsos negativos). ¿Es probable un evento como este?

En los ejercicios 17 a 20, utilice los datos de la siguiente tabla, donde se resumen los grupos sanguíneos y tipos Rh para 100 sujetos. Estos valores podrían variar en diferentes regiones, según el origen étnico de la población.

		Grupo			
		O	A	B	AB
Tipo	**Rh⁺**	39	35	8	4
	Rh⁻	6	5	2	1

17. Grupos y tipos sanguíneos Si se seleccionan al azar 2 de los 100 sujetos, calcule la probabilidad de que ambos sean del grupo O y del tipo Rh^+.

a) Suponga que las selecciones se realizan con reemplazo.

b) Suponga que las selecciones se realizan sin reemplazo.

18. Grupos y tipos sanguíneos Si se seleccionan al azar 3 de los 100 sujetos, calcule la probabilidad de que todos sean del grupo B y del tipo Rh^-.

a) Suponga que las selecciones se realizan con reemplazo.

b) Suponga que las selecciones se realizan sin reemplazo.

19. Donadores de sangre universales Los individuos que tienen sangre del grupo O y del tipo Rh^- se consideran donadores universales, ya que pueden donar sangre a cualquier persona. Si se seleccionan al azar 4 de los 100 sujetos, calcule la probabilidad de que todos sean donadores universales.

a) Suponga que las selecciones se realizan con reemplazo.

b) Suponga que las selecciones se realizan sin reemplazo.

20. Receptores universales Los individuos que tienen sangre del grupo AB y del tipo Rh^+ se consideran receptores universales, ya que pueden recibir sangre de cualquier persona. Si se seleccionan al azar 3 de los 100 sujetos, calcule la probabilidad de que todos sean receptores universales.

a) Suponga que las selecciones se realizan con reemplazo.

b) Suponga que las selecciones se realizan sin reemplazo.

21. Conjeturas Un examen rápido consiste en un reactivo de verdadero o falso, seguido por un reactivo de opción múltiple con cuatro respuestas posibles (a, b, c, d). Un estudiante que no está preparado, hace conjeturas de ambas respuestas.

a) Considere el evento de que la primera conjetura sea correcta y el evento de que la segunda conjetura sea correcta. ¿Los dos eventos son independientes?

b) ¿Cuál es la probabilidad de que ambas respuestas sean correctas?

c) Con base en los resultados, ¿parecería que hacer conjeturas es una buena estrategia?

22. Muestreo de aceptación Con cierto método de un procedimiento llamado *muestreo de aceptación*, se selecciona aleatoriamente y sin reemplazo una muestra de artículos; el lote completo se acepta si cada artículo en la muestra es aprobado. Telektronics Company acaba de fabricar un lote de 400 unidades de respaldo de corriente para computadoras y 8 están defectuosas. Si se seleccionan al azar 3 unidades para someterlas a prueba, ¿cuál es la probabilidad de que se acepte el lote completo?

23. Nivel de confianza de encuesta En las encuestas de opinión pública, es común manejar un "nivel de confianza" del 95%, lo cual significa que hay un 0.95 de probabilidad de que los resultados de la encuesta sean exactos dentro de los márgenes de error establecidos. Si cada una de las siguientes organizaciones realiza encuestas independientes, calcule la probabilidad de que todas sean exactas dentro de los márgenes de error establecidos: Gallup, Roper, Yankelovich, Harris, CNN, ABC, CBS, NBC, *New York Times*. ¿El resultado sugiere que con un nivel de confianza del 95% podemos esperar que casi todas las encuestas estén dentro del margen de error establecido?

24. Identificación de la voz de un criminal En un caso legal en Riverhead, Nueva York, nueve víctimas diferentes de un crimen escucharon grabaciones de la voz de cinco hombres diferentes. Las nueve víctimas identificaron la misma voz como la del criminal. Si las identificaciones de voz se hubieran realizado al azar, calcule la probabilidad de que las nueve víctimas seleccionaran a la misma persona. ¿Constituye esto una duda razonable?

25. Prueba de eficacia de un método de selección de género Descubrimientos recientes parecen hacer posible que las parejas aumenten, de forma considerable, la probabilidad de tener un hijo del género de su elección. En una prueba de un método de selección del género, 3 parejas tratan de concebir niñas. Si este método de selección del género no tuviera efecto, ¿cuál es la probabilidad de que los 3 bebés sean niñas? Si en realidad de 3 hijos, los 3 resultan niñas, ¿parece ser eficaz este método de selección de género? ¿Por qué?

26. Prueba de eficacia de un método de selección de género Repita el ejercicio 25 con los siguientes resultados: entre 10 parejas que desean tener niñas, de 10 bebés, los 10 resultan niñas.

Si este método de selección de género no tuviera efecto, ¿cuál es la probabilidad de que los 10 bebés sean niñas? Si en realidad, de 10 hijos, resultan 10 niñas, ¿parece ser efectivo este método de selección de género? ¿Por qué?

27. Redundancia El principio de redundancia se utiliza cuando la confiabilidad de un sistema se mejora por medio de componentes redundantes o de respaldo. Suponga que su reloj despertador tiene un 0.9 de probabilidad de funcionar en cualquier mañana dada.

a) ¿Cuál es la probabilidad de que su reloj despertador *no* funcione en la mañana de un examen final importante?

b) Si usted tiene dos relojes despertadores como el descrito, ¿cuál es la probabilidad de que ambos fallen en la mañana de un examen final importante?

c) Con un reloj despertador, tenemos un 0.9 de probabilidad de ser despertados. ¿Cuál es la probabilidad de ser despertado si utiliza dos relojes despertadores?

d) ¿Un segundo despertador representa una confiabilidad considerablemente mayor?

28. Redundancia La FAA exige que un avión comercial que se utiliza para volar en condiciones instrumentales cuente con dos radios independientes, en lugar de uno. Suponga que para un vuelo típico, la probabilidad de que un radio falle es 0.002. ¿Cuál es la probabilidad de que un vuelo específico se vea amenazado por la falla de ambos radios? Describa cómo el segundo radio independiente incrementa la seguridad en este caso.

29. Neumáticos defectuosos Wheeling Tire Company produjo un lote de 5000 neumáticos que incluye exactamente 200 que están defectuosos.

a) Si se seleccionan al azar cuatro neumáticos para instalarlos en un automóvil, ¿cuál es la probabilidad de que todos estén en buenas condiciones?

b) Si se seleccionan al azar 100 neumáticos para enviarlos a un distribuidor, ¿cuál es la probabilidad de que todos estén en buenas condiciones? ¿El distribuidor debería planear una forma para manejar los neumáticos defectuosos devueltos por los consumidores?

30. Sistemas de ignición de automóviles Un analista de control de calidad selecciona al azar tres sistemas de ignición para automóvil de un proceso de fabricación que acaba de producir 200 sistemas, incluyendo 5 que están defectuosos.

a) ¿Este proceso de selección implica eventos independientes?

b) ¿Cuál es la probabilidad de que los tres sistemas de ignición estén en buenas condiciones? (No trate los eventos como eventos independientes).

c) Utilice el lineamiento del 5% para tratar los eventos como independientes, y calcule la probabilidad de que los tres sistemas de ignición estén en buenas condiciones.

d) ¿Cuál respuesta es mejor: la del inciso *b*) o la del inciso *c*)? ¿Por qué?

4-4 Más allá de lo básico

31. Confiabilidad del sistema Remítase a la siguiente figura, donde los reguladores de voltaje *p* y *q* se utilizan para proteger un costoso televisor de alta definición. Si hay un cambio en el voltaje, el regulador lo reduce hasta un nivel seguro. Suponga que cada regulador tiene una probabilidad de 0.99 de funcionar correctamente cuando ocurre un cambio de voltaje.

a) Si los dos reguladores se conectan en serie, ¿cuál es la probabilidad de que un cambio de voltaje no dañe al televisor? (No redondee la respuesta).

b) Si los dos reguladores se conectan en paralelo, ¿cuál es la probabilidad de que un cambio de voltaje no dañe al televisor? (No redondee la respuesta).

c) ¿Qué conexión se debería utilizar para lograr una mayor protección?

p — q — TV   p / q — TV

Configuración en serie   *Configuración en paralelo*

32. El mismo cumpleaños Si se seleccionan 25 personas al azar, calcule la probabilidad de que dos de ellas no cumplan años el mismo día. Ignore los años bisiestos.

33. Selección de cartas Se van a seleccionar, al azar y sin reemplazo, dos cartas de un mazo barajado. Calcule la probabilidad de obtener un as en la primera carta y una espada en la segunda carta.

4-5 Regla de la multiplicación: complementos y probabilidad condicional

Concepto clave En la sección 4-4 se presentó el concepto básico de la regla de la multiplicación; en esta sección extenderemos el uso de esa regla a dos aplicaciones especiales:

1. **La probabilidad de "al menos uno":** Calcular la probabilidad de que, en varios ensayos, ocurra *al menos uno* de ciertos eventos específicos.
2. **Probabilidad condicional:** Calcular la probabilidad de un evento cuando tenemos la información adicional de que algún otro evento ya ocurrió.

Empecemos con situaciones en las que deseamos calcular la probabilidad de que, en varios ensayos, *al menos uno* produzca algún resultado especificado.

Complementos: La probabilidad de "uno al menos"

Suponga que deseamos calcular la probabilidad de que, de 3 hijos, "al menos uno" sea niña. En casos como este, es esencial que el significado del lenguaje se comprenda con claridad:

- "Al menos uno" equivale a "uno o más".
- El complemento de obtener al menos uno de los elementos de un tipo en particular es que usted no obtenga elementos de ese tipo. Por ejemplo, no tener al menos una niña entre tres hijos equivale a no tener niñas (o tener 3 hijos varones).

Podemos utilizar el siguiente procedimiento para calcular la probabilidad de al menos uno de algún evento.

Calcule la probabilidad de *al menos uno* de algún evento por medio de estos pasos:

1. **Utilice el símbolo A para denotar el evento de obtener *al menos uno*.**
2. **Sea $\overline{A}$ el evento de obtener *ninguno* de los elementos en consideración.**
3. **Calcule la probabilidad de que *ninguno* de los resultados produzca el evento en consideración.**
4. **Reste de 1 el resultado. Es decir, evalúe la siguiente expresión:**

$$P(\text{al menos uno}) = 1 - P(\text{ninguno}).$$

EJEMPLO 1 **Género de hijos** Calcule la probabilidad de que una pareja tenga al menos 1 niña entre tres hijos. Suponga que los hijos de uno y otro sexo son igualmente probables, y que el género de un hijo es independiente del género de cualquiera de sus hermanos.

SOLUCIÓN

Paso 1: Use un símbolo para representar el evento deseado. En este caso, sea A = al menos 1 de los tres hijos es niña.

Princeton cierra su laboratorio de PES

El laboratorio de Princeton Engineering Anomalies Research (PEAR) cerró recientemente, después de haber estado en operación desde 1975. El objetivo del laboratorio era realizar estudios sobre la percepción extrasensorial (PES) y la telequinesis. En uno de los experimentos del laboratorio, se pidió a los sujetos que pensaran en "voz alta" o solo para "sus adentros", y luego un aparato mostraba un número aleatorio mayor o menor que 100. Después, los investigadores usaron métodos estadísticos para determinar si los resultados diferían de manera significativa de lo que se esperaría por el azar. El objetivo era determinar si los sujetos de prueba podrían utilizar su mente para influir de alguna forma en el comportamiento del aparato generador de números aleatorios.

Debido a que el laboratorio PEAR había avergonzado a muchos miembros de la comunidad de Princeton, ellos aceptaron su cierre con gusto. Después de realizar investigaciones durante 28 años, y de gastar más de $10 millones de financiamiento, el laboratorio no logró dar resultados lo suficientemente firmes para convencer a cualquiera de que la PES o la telequinesis son fenómenos reales.

continúa

Paso 2: Identifique el evento que es el complemento de A.

$$\overline{A} = \textit{no} \text{ tener al menos una niña entre tres hijos}$$
$$= \text{los tres hijos son varones}$$
$$= \text{niño y niño y niño}$$

Paso 3: Calcule la probabilidad del complemento.

$$P(\overline{A}) = P(\text{niño y niño y niño})$$
$$= \frac{1}{2} \cdot \frac{1}{2} \cdot \frac{1}{2} = \frac{1}{8}$$

Paso 4: Calcule $P(A)$ evaluando $1 - P(\overline{A})$.

$$P(A) = 1 - P(\overline{A}) = 1 - \frac{1}{8} = \frac{7}{8}$$

INTERPRETACIÓN

Existe una probabilidad de 7/8 de que si una pareja tiene tres hijos, al menos uno sea niña.

¿Coincidencias?

John Adams y Thomas Jefferson (el segundo presidente de Estados Unidos y el tercero, respectivamente) murieron el mismo día, el 4 de julio de 1826. El presidente Lincoln murió asesinado en el teatro Ford; el presidente Kennedy murió asesinado en un automóvil Lincoln fabricado por la Ford Motor Company. Los sucesores a la presidencia tanto de Lincoln como de Kennedy fueron vicepresidentes de apellido Johnson. Catorce años *antes* del naufragio del *Titanic*, una novela describió el hundimiento del *Titán*, un barco que chocó con un iceberg; véase *The Wreck of the Titanic Foretold*?, de Martin Gardner. Este autor señala: "En casi todos los casos de coincidencias desconcertantes, es imposible hacer siquiera una estimación aproximada de su probabilidad".

EJEMPLO 2

Neumáticos Firestone defectuosos Suponga que la probabilidad de un neumático Firestone defectuoso es 0.0003 (según datos de Westgard QC). Si el vendedor al detalle CarStuff compra 100 neumáticos Firestone, calcule la probabilidad de que reciba al menos uno que esté defectuoso. Si esa probabilidad es lo suficientemente alta, se debe planear la forma de manejar los neumáticos defectuosos devueltos por los consumidores. ¿Deberían hacer este tipo de planes?

Paso 1: Use un símbolo para representar el evento deseado. En este caso, sea A = al menos 1 de los 100 neumáticos está defectuoso.

Paso 2: Identifique el evento que es el complemento de A.

$$\overline{A} = \textit{no} \text{ obtener al menos un neumático defectuoso de 100 neumáticos}$$
$$= \text{los 100 neumáticos están bien}$$
$$= \text{bien y bien y . . . y bien (100 veces)}$$

Paso 3: Calcule la probabilidad del complemento.

$$P(\overline{A}) = 0.9997 \cdot 0.9997 \cdot 0.9997 \cdot \cdots \cdot 0.9997 \text{ (100 factores)}$$
$$= 0.9997^{100} = 0.9704$$

Paso 4: Calcule $P(A)$ evaluando $1 - P(\overline{A})$.

$$P(A) = 1 - P(\overline{A}) = 1 - 0.9704 = 0.0296$$

INTERPRETACIÓN

Existe una probabilidad de 0.0296 de que haya al menos un neumático defectuoso entre los 100 neumáticos. Como esta probabilidad es tan baja, no es necesario hacer planes para manejar los neumáticos defectuosos devueltos por los consumidores.

Probabilidad condicional

Ahora consideraremos la segunda aplicación, la cual se basa en el principio de que la probabilidad de un evento suele verse afectada por el conocimiento previo de las circunstancias. Por ejemplo, la probabilidad de que un golfista haga un hoyo en uno es 1/12,000 (con base en resultados previos), pero si usted sabe que se trata de un golfista profesional en un torneo, la probabilidad es de 1/2375 (según datos de *USA Today*). Una *probabilidad condicional* de un evento ocurre cuando la probabilidad se ve afectada por el conocimiento de otras circunstancias, como el hecho de saber que un golfista también es un deportista que participa en un torneo.

DEFINICIÓN

La **probabilidad condicional** de un evento es una probabilidad obtenida con la información adicional de algún otro evento que ya ocurrió. $P(B|A)$ denota la probabilidad condicional de que ocurra el evento B, dado que el evento A ya ocurrió, y puede calcularse dividiendo la probabilidad de que ocurran ambos eventos, A y B, entre la probabilidad del evento A:

$$P(B|A) = \frac{P(A \text{ y } B)}{P(A)}$$

Esta fórmula es una expresión formal de la probabilidad condicional, pero no se recomienda el uso irreflexivo de las fórmulas. En vez de ello, recomendamos el siguiente método intuitivo.

Método intuitivo para la probabilidad condicional

La probabilidad condicional de B dado A puede calcularse suponiendo que el evento A ya ocurrió y, con ese supuesto, se calcula la probabilidad de que ocurra el evento B.

EJEMPLO 3 **Prueba de polígrafo** Remítase a la tabla 4-1 y calcule lo siguiente:

a) Si se elige al azar a 1 de los 98 sujetos de prueba, calcule la probabilidad de que el sujeto tenga un resultado de prueba positivo, dado que en realidad mintió. Es decir, calcule P(resultado de prueba positivo | el sujeto mintió).

b) Si se elige al azar a 1 de los 98 sujetos de prueba, calcule la probabilidad de que la persona realmente haya mentido, dado que tuvo un resultado de prueba positivo. Es decir, calcule P(el sujeto mintió | resultado de prueba positivo).

Tabla 4-1 Resultados de experimentos con polígrafos

	¿El sujeto realmente mintió?	
	No (no mintió)	Sí (mintió)
Resultado de prueba positivo (La prueba de polígrafo indicó que el sujeto *mintió*).	15 **(falso positivo)**	42 **(verdadero positivo)**
Resultado de prueba negativo (La prueba de polígrafo indicó que el sujeto *no mintió*).	32 **(verdadero negativo)**	9 **(falso negativo)**

SOLUCIÓN

a) *Método intuitivo para la probabilidad condicional:* Deseamos conocer P(resultado de prueba positivo | el sujeto mintió), la probabilidad de elegir a una persona con un resultado de prueba positivo, *dado que la persona seleccionada mintió*. He aquí el punto

continúa

La falacia del fiscal

La *falacia del fiscal* es una confusión o un malentendido de dos diferentes probabilidades condicionales: **1.** la probabilidad de que un acusado sea inocente, dado que la evidencia forense demuestre una coincidencia; **2.** la probabilidad de que la evidencia forense demuestre una coincidencia, dado que una persona sea inocente. La falacia del fiscal ha provocado condenas y encarcelamientos de personas inocentes.

Lucia de Berk es una enfermera que fue condenada por asesinato y sentenciada a prisión en los Países Bajos. Los administradores del hospital observaron muertes sospechosas que ocurrieron en los pabellones del hospital en que De Berk había estado presente. Un experto testificó que solo había una probabilidad en 342 millones de que su presencia fuera una coincidencia. Sin embargo, el matemático Richard Gill calculó que la probabilidad se acercaba más a 1/50, o que posiblemente fuera tan baja como 1/5. El tribunal utilizó la probabilidad de que las muertes sospechosas podrían haber ocurrido con De Berk presente, dado que era inocente. El tribunal debería haber considerado la probabilidad de que De Berk fuera inocente, dado que las muertes sospechosas ocurrieron cuando ella estaba presente. Este error de la falacia del fiscal es útil y puede ser muy difícil de entender y reconocer, aun cuando podría derivar en el encarcelamiento de gente inocente. (Véase también el problema del capítulo 11).

clave: si suponemos que la persona seleccionada realmente mintió, solo nos estamos refiriendo a los 51 sujetos de la segunda columna en la tabla 4-1. De esos 51 sujetos, 42 tuvieron resultados positivos, de manera que

$$P(\text{resultado de prueba positivo} \mid \text{el sujeto mintió}) = \frac{42}{51} = 0.824$$

Usando la fórmula para la probabilidad condicional: Podemos obtener el mismo resultado utilizando la fórmula para $P(B \mid A)$ que incluimos con la definición de la probabilidad condicional. Utilizamos la siguiente notación.

$$P(B \mid A) = P(\text{resultado de prueba positivo} \mid \text{el sujeto mintió}) \longrightarrow \begin{aligned} B &= \text{resultado de prueba positivo} \\ A &= \text{el sujeto mintió} \end{aligned}$$

En el siguiente cálculo utilizamos P(el sujeto mintió y tuvo un resultado de prueba positivo) = 42/98 y P(el sujeto mintió) = 51/98 para obtener el siguiente resultado.

$$P(B|A) = \frac{P(A \text{ y } B)}{P(A)}$$

se convierte en

$$P(\text{resultado de prueba positivo} \mid \text{el sujeto mintió}) = \frac{P(\text{el sujeto mintió y tuvo un resultado de prueba positivo})}{P(\text{el sujeto mintió})}$$

$$= \frac{42/98}{51/98} = 0.824$$

Si comparamos el método intuitivo con el uso de la fórmula, debe quedar claro que el primero es mucho más sencillo de usar, y con menor probabilidad de errores. El método intuitivo se basa en la *comprensión* de la probabilidad condicional, más que en la manipulación de una fórmula, y es mucho mejor para entender.

b) Deseamos conocer P(el sujeto mintió | resultado de prueba positivo). Se trata de la probabilidad de que el sujeto elegido haya mentido, *dado que el sujeto tuvo un resultado de prueba positivo.* Si suponemos que la persona tuvo un resultado de prueba positivo, nos estamos refiriendo a los 57 sujetos del primer renglón de la tabla 4-1. De esos 57 sujetos, 42 mintieron, de manera que

$$P(\text{el sujeto mintió} \mid \text{resultado de prueba positivo}) = \frac{42}{57} = 0.737$$

De nuevo, el mismo resultado puede encontrarse aplicando la fórmula para la probabilidad condicional, pero lo dejamos para aquellos que sean muy afectos a la manipulación de fórmulas.

INTERPRETACIÓN El primer resultado de P(resultado de prueba positivo | el sujeto mintió) = 0.824 indica que un sujeto que miente tiene una probabilidad de 0.824 de obtener un resultado de prueba positivo. El segundo resultado de P(el sujeto mintió | resultado de prueba positivo) = 0.737 indica que un sujeto con un resultado de prueba positivo tiene una probabilidad de 0.737 de haber mentido.

Confusión del inverso

Observe que en el ejemplo 3, P(resultado de prueba positivo | el sujeto mintió) ≠ P(el sujeto mintió | resultado de prueba positivo). El hecho de creer de manera incorrecta que $P(B|A)$ y $P(A|B)$ son iguales, o utilizar incorrectamente un valor por otro, suele llamarse *confusión del inverso.*

EJEMPLO 4

Confusión del inverso Considere la probabilidad de que esté oscuro afuera, dado que es medianoche: P(oscuro | medianoche) = 1. (Por conveniencia, ignoramos el invierno de Alaska y otras anomalías como esa). Sin embargo, la probabilidad de que sea medianoche, dado que está oscuro afuera, es casi cero. Puesto que P(oscuro | medianoche) = 1, pero P(medianoche | oscuro) es casi igual a cero, podemos ver con claridad que en este caso, $P(B|A) \neq P(A|B)$. La confusión del inverso ocurre cuando cambiamos de manera incorrecta esos valores de probabilidad.

Diversos estudios demuestran que los médicos a menudo dan información incorrecta cuando confunden el inverso. Con base en estudios reales, tienden a confundir P(cáncer | resultado positivo de prueba para cáncer) con P(resultado positivo de prueba para cáncer | cáncer). Alrededor del 95% de los médicos estimaron que P(cáncer | resultado positivo de prueba para cáncer) implica 10 veces más probabilidades; como consecuencia, esos pacientes recibieron diagnósticos muy confusos, sintiéndose innecesariamente alterados por la información incorrecta.

4-5 Destrezas y conceptos básicos

Conocimientos estadísticos y pensamiento crítico

1. Interpretación de "al menos uno" Usted desea calcular la probabilidad de obtener al menos un aparato defectuoso al elegir al azar y probar 10 marcapasos cardiacos. ¿Qué sabe usted acerca del número exacto de defectos si "al menos uno" de los 10 artículos es defectuoso?

2. Notación Con sus propias palabras, describa la notación $P(B \mid A)$.

3. Cálculo de probabilidad Un investigador médico desea calcular la probabilidad de que un paciente cardiaco sobreviva durante un año, y piensa que hay dos resultados (sobrevive, no sobrevive), de manera que la probabilidad es 1/2. ¿Está en lo correcto? ¿Qué información importante no se incluye en su proceso de razonamiento?

4. Confusión del inverso ¿En qué consiste la confusión del inverso?

Descripción de complementos. ***En los ejercicios 5 a 8, realice una descripción escrita del complemento del evento dado.***

5. Prueba de esteroides Cuando a 15 jugadores del equipo de basquetbol de los Lakers de Los Ángeles se les hace una prueba de esteroides, al menos 1 resulta positivo.

6. Control de calidad Cuando la escuela de medicina de la Universidad de Nueva York compra seis desfibriladores, todos están libres de defectos.

7. Trastorno relacionado con el cromosoma X Cuando a cuatro hombres se les hace una prueba de un gen recesivo específico vinculado con el cromosoma X, los resultados revelan que ninguno de ellos posee el gen.

8. Un éxito con las mujeres Cuando Brutus pide una cita a cinco mujeres diferentes, al menos una acepta.

9. Probabilidad de al menos una niña Si una pareja planea tener 6 hijos, ¿cuál es la probabilidad de que tenga al menos una niña? ¿Esta probabilidad es lo suficientemente alta como para que la pareja tenga mucha confianza en que de sus seis hijos al menos uno será niña?

10. Probabilidad de concebir al menos una niña Si una pareja planea tener 8 hijos (podría darse el caso), ¿cuál es la probabilidad de que tenga al menos una niña? Si la pareja finalmente tuvo 8 hijos y todos fueron niños, ¿qué puede concluir la pareja?

11. Al menos una respuesta correcta Si usted hace conjeturas para cuatro reactivos de prueba de opción múltiple (cada uno con cinco respuestas posibles), ¿cuál es la probabilidad de tener al menos una respuesta correcta? Si un profesor muy indulgente dice que el examen se aprueba si este incluye al menos una respuesta correcta, ¿sería razonable esperar aprobar el examen con conjeturas?

12. Al menos una calculadora que funcione Un estudiante de estadística planea utilizar una calculadora TI-84 Plus en su examen final. Por experiencia, estima que existe una probabilidad de 0.96 de que la calculadora funcione cualquier día. Debido a que el examen final es tan importante, planea utilizar la redundancia llevando dos calculadoras TI-84 Plus. ¿Cuál es la probabilidad de que pueda completar su examen con una calculadora que funcione? ¿Realmente gana mucho al llevar la calculadora de respaldo? Explique.

13. Probabilidad de una niña Calcule la probabilidad de que una pareja tenga una niña cuando nace su cuarto hijo, dado que los primeros tres hijos fueron niñas. ¿El resultado es igual a la probabilidad de que sus cuatro hijos sean niñas?

14. Riesgos de crédito La puntuación FICO (Fair Isaac & Company) es muy utilizada para calificar créditos. Existe una tasa del 1% de delincuencia entre consumidores que tienen una puntuación FICO superior a 800. Si se eligen al azar cuatro consumidores con puntuaciones FICO mayores que 800, calcule la probabilidad de que al menos uno de ellos se vuelva delincuente.

15. Choques de automóviles La probabilidad de que un automóvil elegido al azar choque durante un año es 0.0480 (según datos del *Statistical Abstract of the United States*). Si una familia tiene cuatro automóviles, calcule la probabilidad de que al menos uno choque durante el año. ¿Hay alguna razón por la que la probabilidad podría ser incorrecta?

16. Nacimientos en China En China, la probabilidad de que un bebé sea varón es 0.5845. A las parejas se les permite tener solo un hijo. Si varios miembros de una familia tienen cinco hijos, ¿cuál es la probabilidad de que nazca al menos una niña? ¿Ese sistema podrá continuar funcionando de manera indefinida?

17. Moscas de la fruta Un experimento con moscas de la fruta incluye a un progenitor con alas normales y a un progenitor con alas vestigiales. Cuando estos padres tengan descendencia, hay una probabilidad de 3/4 de que la descendencia tenga alas normales, y una probabilidad de 1/4 de que tenga alas vestigiales. Si los progenitores tienen 10 descendientes, ¿cuál es la probabilidad de que al menos uno de estos tenga alas vestigiales? Si los investigadores necesitan al menos una larva con alas vestigiales, ¿podrían estar razonablemente confiados de que obtendrán una?

18. Robos resueltos Según datos del FBI, el 24.9% de los robos se aclaran con los arrestos. Un nuevo detective es asignado a 10 robos diferentes.

a) ¿Cuál es la probabilidad de que al menos uno se aclare con un arresto?

b) ¿Cuál es la probabilidad de que el detective aclare los 10 robos con arrestos?

c) ¿Qué deberíamos concluir si el detective aclara los 10 robos con arrestos?

19. Prueba de polígrafo Remítase a la tabla 4-1 (que se incluye en el problema del capítulo) y suponga que se elige al azar a 1 de los 98 sujetos de prueba. Calcule la probabilidad de seleccionar a alguien con un resultado positivo, dado que no mintió. ¿Por qué este caso es especialmente problemático para los sujetos de prueba?

20. Prueba de polígrafo Remítase la tabla 4-1 y suponga que se elige al azar a 1 de los 98 sujetos de prueba. Calcule la probabilidad de seleccionar a alguien con un resultado negativo, dado que mintió. ¿Qué sugiere este resultado acerca de la prueba de polígrafo?

21. Prueba de polígrafo Remítase a la tabla 4-1 y calcule *P*(el sujeto mintió | resultado de prueba negativo). Compare este resultado con el obtenido en el ejercicio 20. ¿Son iguales *P*(el sujeto mintió | resultado de prueba negativo) y *P*(resultado de prueba negativo | el sujeto mintió)?

22. Prueba de polígrafo Remítase a la tabla 4-1.

a) Calcule *P*(resultado de prueba negativo | el sujeto no mintió).

b) Calcule *P*(el sujeto no mintió | resultado de prueba negativo).

c) Compare los resultados de los incisos *a)* y *b)*. ¿Son iguales?

Gemelos idénticos y fraternos. ***En los ejercicios 23 a 26, utilice los datos de la siguiente tabla. En vez de resumir los resultados observados, los datos reflejan las probabilidades reales basadas en nacimientos de gemelos (según datos del Northern California Twin Registry y el artículo "Bayesians, Frequentists, and Scientists", de Bradley Efron, Journal of the American Statistical Association, vol. 100, núm. 469). Los gemelos idénticos provienen de un solo óvulo que se divide en dos embriones, y los gemelos fraternos provienen de distintos óvulos fertilizados. Los datos de la tabla***

reflejan el principio de que entre conjuntos de gemelos, 1/3 son idénticos y 2/3 son fraternos. Asimismo, los gemelos idénticos deben ser del mismo sexo y los dos sexos son igualmente probables (aproximadamente), en tanto que los sexos de los gemelos fraternos son igualmente probables.

Sexos de gemelos

	niño/niño	niño/niña	niña/niño	niña/niña
Gemelos idénticos	5	0	0	5
Gemelos fraternos	5	5	5	5

23. Gemelos idénticos

a) Después de someterse a un ultrasonido, una mujer embarazada se entera de que tendrá gemelos. ¿Cuál es la probabilidad de que tenga gemelos idénticos?

b) Después de estudiar el ultrasonido con mayor detalle, el médico anuncia a la mujer embarazada que tendrá gemelos varones. ¿Cuál es la probabilidad de que tenga gemelos idénticos? Es decir, calcule la probabilidad de gemelos idénticos, dado que los gemelos son varones.

24. Gemelos fraternos

a) Después de someterse a un ultrasonido, una mujer embarazada se entera de que tendrá gemelos. ¿Cuál es la probabilidad de que tenga gemelos fraternos?

b) Después de estudiar el ultrasonido con mayor detalle, el médico anuncia a la mujer embarazada que los gemelos incluyen a un niño y una niña. ¿Cuál es la probabilidad de que tenga gemelos fraternos?

25. Gemelos fraternos Si una mujer embarazada se entera de que tendrá gemelos fraternos, ¿cuál es la probabilidad de que tenga un niño y una niña?

26. Gemelos fraternos Si una mujer embarazada se entera de que tendrá gemelos fraternos, ¿cuál es la probabilidad de que tenga dos niñas?

27. Redundancia en relojes despertadores Un estudiante de estadística quiere asegurarse de no llegar tarde a una clase temprano en la mañana por causa del mal funcionamiento de un reloj despertador. En vez de usar un reloj despertador, decide usar tres. ¿Cuál es la probabilidad de que al menos uno de sus relojes despertadores funcione correctamente, si cada reloj despertador por separado tiene un 90% de probabilidad de funcionar correctamente? ¿Gana en realidad mucho el estudiante al usar tres relojes despertadores en vez de uno solo? ¿Cómo se verían afectados los resultados si todos los relojes despertadores funcionan con electricidad y no con baterías?

28. Muestreo de aceptación Con un método del procedimiento llamado *muestreo de aceptación*, se selecciona al azar y sin reemplazo una muestra de artículos; el lote completo se rechaza si se encuentra al menos uno defectuoso. La Newport Gauge Company acaba de fabricar un lote de altímetros para aviones, y el 3% de ellos están defectuosos.

a) Si el lote contiene 400 altímetros y se seleccionan y prueban 2 sin reemplazo, ¿cuál es la probabilidad de que se rechace el lote completo?

b) Si el lote contiene 400 altímetros y se seleccionan y prueban 100 sin reemplazo, ¿cuál es la probabilidad de que se rechace el lote completo?

29. Uso de muestras de sangre compuestas Cuando se realizan pruebas de sangre para detectar infecciones por VIH, el procedimiento puede hacerse de forma más eficiente y menos costosa mezclando muestras de sangre. Así, si las muestras de tres personas se combinan y la mezcla resulta negativa, sabemos que las tres muestras individuales son negativas. Calcule la probabilidad de un resultado positivo para tres muestras combinadas en una mezcla, suponiendo que la probabilidad de que una muestra de sangre individual dé resultado positivo es de 0.1 (la probabilidad de la población "en riesgo", de acuerdo con datos del New York State Health Department).

30. Uso de muestras de agua compuestas El departamento de salud pública del condado de Orange realiza pruebas al agua para determinar contaminación por la presencia de la bacteria *E. coli* (*Escherichia coli*). Con la finalidad de reducir costos de laboratorio, se mezclan las muestras de agua de seis albercas públicas para realizar una sola prueba; solo se hace una prueba posterior si la muestra mezclada falla. Con base en resultados previos, existe un 2% de probabilidad de encontrar la bacteria *E. coli* en una alberca pública. Calcule la probabilidad de que una muestra combinada de seis albercas públicas revele la presencia de la bacteria *E. coli* .

4-5 Más allá de lo básico

31. Fecha de cumpleaños compartida Calcule la probabilidad de que, entre 25 personas seleccionadas al azar,

a) no haya dos que compartan la misma fecha de cumpleaños.

b) al menos dos compartan la misma fecha de cumpleaños.

32. ¿Quién fue? La planta de Atlanta de la Medassist Pharmaceutical Company fabricó 400 marcapasos, de los cuales 3 están defectuosos. La planta de Baltimore de la misma compañía fabricó 800 marcapasos, 2 de los cuales están defectuosos. Si se selecciona al azar 1 de los 1200 marcapasos y se encuentra que está defectuoso, ¿cuál es la probabilidad de que haya sido fabricado en Atlanta?

33. Montaña rusa La montaña rusa Rock'n'Roller de los estudios Disney-MGM en Orlando tiene dos asientos en cada una de sus 12 filas. Los pasajeros se asignan a los asientos en el orden en que van llegando. Si usted se sube a esta montaña rusa una vez, ¿cuál es la probabilidad de obtener el codiciado lugar de la fila de adelante? ¿Cuántas veces se tiene que subir para tener un mínimo del 95% de probabilidad de que le toque el asiento delantero al menos una vez?

34. Monedas ocultas Un profesor de estadística lanza dos monedas de manera que ningún estudiante pueda ver el resultado. Un estudiante pregunta si una de las monedas cayó en cara. Puesto que la respuesta del profesor es "sí", calcule la probabilidad de que ambas monedas cayeran en cara.

4-6 Probabilidades por medio de simulaciones

Concepto clave En la sección 4-2 analizamos brevemente las simulaciones, y en esta sección usamos las simulaciones como un método alternativo para calcular probabilidades. Una ventaja del uso de las simulaciones es que podemos vencer gran parte la dificultad encontrada en los métodos formales de las secciones anteriores de este capítulo.

Comenzaremos definiendo una simulación.

DEFINICIÓN

La **simulación** de un procedimiento es un proceso que se comporta de la misma forma que el procedimiento, de manera que produce resultados semejantes.

El ejemplo 1 ilustra el uso de una simulación en un caso de nacimientos.

EJEMPLO 1 **Selección del género** En una prueba del método MicroSort para la selección del género, desarrollado por Genetics & IVF Institute, nacieron 127 varones de 152 bebés de padres que usaron el método YSORT para concebir varones. Para evaluar estos resultados de manera adecuada, necesitamos conocer la probabilidad de que resulten al menos 127 varones en 152 nacimientos, suponiendo que los niños de uno y otro género son igualmente probables. Suponga que los niños y las niñas son igualmente probables y describa una simulación que dé por resultado los géneros de 152 bebés recién nacidos.

SOLUCIÓN Una opción es simplemente lanzar una moneda al aire 152 veces; la cara representa a las niñas y la cruz a los varones. Otra opción es usar una calculadora o computadora para generar aleatoriamente 152 ceros y unos, donde el 0 representa un niño y el 1 representa una niña. Los números deben generarse de forma que sean igualmente probables. Los siguientes son resultados típicos:

0	0	1	0	1	1	1	...
↓	↓	↓	↓	↓	↓	↓	...
Hombre	Hombre	Mujer	Hombre	Mujer	Mujer	Mujer	

EJEMPLO 2 **Las mismas fechas de cumpleaños** El ejercicio 31 de la sección 4-5 se refiere al clásico problema de la fecha de cumpleaños, en el que encontramos la probabilidad de que, en un grupo 25 personas seleccionadas al azar, al menos 2 compartan la misma fecha de cumpleaños. La solución teórica es difícil, ya que resulta poco práctico encuestar a muchos grupos diferentes de 25 personas, por lo que la simulación es una buena alternativa. Describa una simulación que podría utilizarse para encontrar la probabilidad de que entre 25 personas seleccionadas al azar, al menos 2 compartan la misma fecha de cumpleaños.

SOLUCIÓN Comience por representar fechas de cumpleaños con números enteros del 1 a 365, donde 1 = 1 de enero, 2 = 2 de enero, ..., 365 = 31 de diciembre. Después, use una calculadora o un programa de cómputo para generar 25 números aleatorios entre 1 y 365. Estos números pueden ordenarse, ya que así será fácil estudiar la lista para determinar si 2 de las fechas de cumpleaños simuladas son iguales. (Después de ordenarlos, los números repetidos son adyacentes). Es posible repetir el proceso tantas veces como queramos hasta estar satisfechos de tener bases firmes para determinar la probabilidad. Nuestra estimación de la probabilidad es el número de veces que tuvimos al menos 2 fechas de cumpleaños iguales, dividido entre el número total de grupos de 25 que se generaron. Los siguientes son resultados típicos:

20	274	42	93	...
↓	↓	↓	↓	...
20 de ene.	1 de oct.	11 de feb.	3 de abr.	...

Hay varias maneras de obtener números del 1 al 365 generados aleatoriamente, incluidas las siguientes:

- **Una tabla de números aleatorios:** Remítase, por ejemplo, al *CRC Standard Probability and Statistics Tables and Formulae*, que contiene una tabla de 14,000 dígitos. (Existen muchas formas de extraer números del 1 al 365 en este tipo de tablas. Una forma es tomar los dígitos en las primeras tres columnas, ignorando 000 y cualquier número mayor a 365).
- **STATDISK:** Seleccione **Data** de la barra del menú principal, luego seleccione **Uniform Generator** y proceda a introducir un tamaño de muestra de 25, un mínimo de 1 y un máximo de 365; introduzca 0 para el número de lugares decimales. La pantalla que resulta en el STATDISK se muestra en la siguiente página. Use **copy/paste** y copie el conjunto de datos en el **Sample Editor**, donde pueden ordenarse los valores. (Para ordenar los números, haga clic en **Data Tools** y seleccione la opción **Sort Data**). En la pantalla del STATDISK de la siguiente página, vemos que los individuos 7º y 8º tienen la misma fecha de cumpleaños: el sexagésimo octavo (68º) día del año.

Probabilidad de un evento que nunca ha ocurrido

Algunos eventos son posibles, pero tan poco probables que nunca han ocurrido. He aquí un problema de este tipo, de gran interés para los científicos políticos: estime la probabilidad de que su voto determine el ganador de una elección presidencial de Estados Unidos. Andrew Gelman, Gary King y John Boscardin escribieron en el *Journal of the American Statistical Association* (vol. 93, núm. 441) que "el valor exacto de esta probabilidad es de interés menor, pero el número tiene implicaciones importantes para la comprensión de la asignación óptima de los recursos de campaña; de esta forma, se podría saber si los estados y los grupos de votantes reciben su parte justa de atención de los candidatos presidenciales, y de qué manera los modelos formales de 'elección racional' del comportamiento del votante pueden ser capaces de explicar por qué las personas votan". Los autores demuestran cómo se obtiene el valor de probabilidad de 1 en 10 millones para las elecciones cerradas.

- **Minitab:** Seleccione **Calc** en la barra del menú principal, después seleccione **Random Data** y después seleccione **Integer.** En el cuadro de diálogo, introduzca 25 para el número de renglones, guarde los resultados en la columna C1 e ingrese un mínimo de 1 y un máximo de 365. Entonces puede usar **Manip** y **Sort** para acomodar los datos en orden creciente. El resultado se presenta a continuación, pero los números no serán los mismos. Este resultado del Minitab de 25 números indica que el 9º y el 10º son iguales.

- **Excel:** Haga clic en la celda que se encuentra en la esquina superior izquierda, después haga clic en el icono de función **fx.** Seleccione **Math & Trig,** después seleccione

STATDISK

Row	1 Ran...
1	7
2	8
3	16
4	38
5	42
6	46
7	68
8	68
9	104
10	117
11	140
12	195
13	204
14	244
15	271
16	274

MINITAB

↓	C1	C2
1	38	
2	48	
3	59	
4	71	
5	101	
6	107	
7	122	
8	129	
9	153	
10	153	
11	163	

EXCEL

	A
1	15
2	3
3	15
4	362
5	164
6	184
7	158
8	59
9	143
10	85
11	134

RANDBETWEEN. En el cuadro de diálogo, escriba 1 para el límite inferior (bottom) y 365 como límite superior (top). Después de obtener el número aleatorio en la primera celda, haga clic, mantenga presionado el botón del mouse para arrastrar la esquina inferior derecha de la primera celda y continúe hacia abajo hasta resaltar 25 celdas. Cuando suelte el botón del mouse, deben aparecer los 25 números aleatorios. La pantalla que aquí se reproduce muestra que el primer número y el tercero son iguales.

TI-83/84 PLUS

```
randInt(1,365,25
→L1
{79 206 340 133…
SortA(L1)
              Done
L1
{17 34 46 70 79…
```

- **Calculadora TI-83/84 Plus:** Oprima la tecla **MATH**, seleccione **PRB,** luego elija **randInt** y proceda a introducir el mínimo de 1, el máximo de 365, y 25 para el número de valores, todos separados con comas. Presione la tecla ENTER. Vea la pantalla de la TI-83/84 Plus, que indica que usamos **randInt** para generar los números, los cuales se guardaron en la lista L1, donde se ordenaron y mostraron. La imagen de la pantalla que aquí se observa indica que no hay números iguales entre los pocos que se pueden ver. Oprima **STAT** y seleccione **Edit** para ver la lista completa de números generados.

EJEMPLO 3 **Racha de seis caras o cruces** Una de las actividades de clase favoritas del autor consiste en asignar la siguiente tarea: todos los estudiantes deben sacar una moneda y lanzarla al aire. Los estudiantes que obtienen cara se van a su casa y lanzan la moneda 200 veces y registran los resultados. Los estudiantes que obtienen cruz inventan los resultados para los 200 lanzamientos de la moneda. La siguiente clase, el autor puede seleccionar los resultados de cualquier estudiante y determinar con rapidez si los resultados son reales o inventados, mediante el siguiente criterio: si hay una racha de seis caras o seis cruces, los resultados son reales; de otra forma, los resultados son inventados. Esto se basa en el principio de que, al inventar los resultados, los estudiantes casi nunca incluyen una racha de seis o más caras o cruces, pero en 200 lanzamientos reales de una moneda, existe una probabilidad muy alta de obtener una racha de al menos seis caras o seis cruces. Esta actividad es más divertida de lo que cualquier ser humano podría imaginar. Por desgracia, calcular la probabilidad de obtener una racha de al menos seis caras o seis cruces es *extremadamente* difícil. Por fortuna, las simulaciones nos permiten saber si este tipo de rachas son probables en 200 lanzamientos de una moneda. Sin que sea necesario calcular un valor de probabilidad, simule 200 lanzamientos reales de monedas, repita la simulación algunas veces, y luego determine si es probable una racha de seis caras o seis cruces.

SOLUCIÓN Sea 0 = cara y 1 = cruz; luego utilice alguna técnica de simulación para generar 200 dígitos, donde todos sean ceros y unos. Ahora examine la lista. Es fácil determinar con rapidez si existe una secuencia de al menos seis ceros o seis unos. Después de repetir algunas veces la simulación, será evidente que una serie de ceros y unos ocurrirá con frecuencia, de manera que la probabilidad de obtener una racha como estas es muy alta.

Monos mecanógrafos

Una afirmación clásica dice que si un mono golpea al azar un teclado, tarde o temprano produciría las obras completas de Shakespeare, suponiendo que continuara tecleando un siglo tras otro. Se utilizó la regla de la multiplicación para probabilidades con la finalidad de obtener estimaciones de esta clase. Algunos consideran demasiado pequeño un resultado de 1,000,000,000,000,000, 000,000,000,000,000, 000,000 años. Con algo similar en mente, Sir Arthur Eddington escribió este poema: "Había una vez un sesudo babuino, que soplaba y soplaba un fagot. El babuino decía: 'Estoy convencido de que, si sigo soplando, en miles de millones de años me saldrá una canción'".

4-6 Destrezas y conceptos básicos

Conocimientos estadísticos y pensamiento crítico

1. Simulación de arrojar dados Si se arrojan dos dados, se obtiene un resultado entre 2 y 12, inclusive. Un estudiante simula el hecho de arrojar dos dados al generar al azar números entre 2 y 12. ¿Esta simulación se comporta de manera similar a los dados reales? ¿Por qué?

2. Simulación de arrojar dados Suponga que tiene acceso a una computadora que puede generar al azar números enteros entre cualesquiera dos valores. Describa cómo podría utilizarse esta computadora para simular el hecho de arrojar un par de dados.

3. Simulación de cumpleaños Un estudiante desea llevar a cabo la simulación descrita en el ejemplo 2. Como no dispone de una calculadora ni de una computadora, utiliza 365 tarjetas individuales para anotar números entre 1 y 365. Luego, el estudiante revuelve las tarjetas, selecciona una y registra el resultado. Después, vuelve a incorporar esa tarjeta, las baraja todas y elige una segunda. El proceso se repite hasta que obtiene 25 fechas de cumpleaños. ¿Esta simulación se comporta de la misma forma que el proceso de seleccionar a 25 personas y registrar sus fechas de cumpleaños? ¿Por qué?

4. Simulación de lanzamiento de monedas Un estudiante realizó la simulación descrita en el ejemplo 3 y afirmó que la probabilidad de obtener una secuencia de seis ceros o seis unos es de 0.977. ¿Qué es incorrecto en esa afirmación?

En los ejercicios 5 a 8, describa el procedimiento de simulación. (Por ejemplo, para simular 10 nacimientos, utilice un generador de números aleatorios de manera que obtenga 10 enteros entre 0 y 1, inclusive, considerando que el 0 representa a un hombre y el 1 a una mujer).

5. Reconocimiento de marca La probabilidad de seleccionar al azar a un adulto que reconozca la marca McDonald's es de 0.95 (según datos de Franchise Advantage). Describa un procedimiento para utilizar un programa de cómputo o una calculadora TI-83/84 Plus para simular la selección aleatoria de 50 consumidores adultos. Cada dato individual debe indicar uno de los siguientes dos resultados: **1.** el consumidor reconoce la marca McDonald's; **2.** el consumidor no reconoce la marca McDonald's.

6. Zurdos El 10% de las personas son zurdas. En un estudio de destreza, se selecciona a 15 personas al azar. Describa un procedimiento en el que se utilice un programa de cómputo o una calculadora TI-83/84 Plus para simular la selección aleatoria de 15 personas. Cada uno de los 15 datos debe indicar uno de los siguientes dos resultados: **1.** el sujeto es zurdo; **2.** el sujeto no es zurdo.

7. Shaquille O'Neal Shaquille O'Neal es una estrella del basquetbol profesional que tenía la reputación de ser un mal lanzador de tiros libres. Cuando se escribió este libro, había encestado 5155 de los 9762 tiros libres que había lanzado, con una tasa de éxito de 0.528. Describa un procedimiento en el que se utilice un programa de cómputo o una calculadora TI-83/84 Plus para simular su siguiente tiro libre. Debe obtener uno de los siguientes dos resultados: **1.** encesta el tiro libre; **2.** falla el tiro libre.

8. Simulación de hibridación Cuando Mendel realizó sus famosos experimentos de hibridación, utilizó plantas de guisantes con vainas verdes y amarillas. Un experimento incluyó la cruza de plantas de guisantes de tal forma que se esperaba que el 75% de los vástagos tuvieran vainas verdes, y que el 25% de los vástagos tuvieran vainas amarillas. Describa un procedimiento para utilizar un programa de cómputo o una calculadora TI-83/84 Plus con la finalidad de simular 20 plantas de guisantes en un experimento de hibridación como este. Cada uno de los 20 datos individuales debe indicar uno de los siguientes dos resultados: **1.** el vástago es verde; **2.** el vástago es amarillo.

En los ejercicios 9 a 12, realice una simulación utilizando una calculadora TI-83/84 Plus, STATDISK, Minitab, Excel o cualquier otra calculadora o programa adecuado.

9. Simulación de un estudio de reconocimiento de marca Remítase al ejercicio 5, en el que se le pidió la descripción de una simulación.

a) Realice la simulación y registre el número de consumidores que reconocen la marca McDonald's. Si es posible, obtenga una copia impresa de los resultados. ¿La proporción de consumidores que reconocen la marca McDonald's se acerca razonablemente al valor de 0.95?

b) Repita la simulación hasta que la realice un total de 10 veces. En cada uno de los ensayos, registre la proporción de consumidores que reconocen la marca McDonald's. Con base en los resultados, ¿las proporciones son muy consistentes o varían mucho? Con base en los resultados, ¿sería *inusual* seleccionar al azar a 50 consumidores y descubrir que alrededor de la mitad de ellos reconocen la marca McDonald's?

10. Simulación de zurdos Remítase al ejercicio 6, en el que se le pidió la descripción de una simulación.

a) Realice la simulación y registre el número de individuos zurdos. ¿El porcentaje de zurdos de la simulación se acerca razonablemente al valor de 10%?

b) Repita la simulación hasta que la realice un total de 10 veces. Registre el número de zurdos en cada caso. Con base en los resultados, ¿sería *inusual* seleccionar al azar a 15 individuos y encontrar que ninguno de ellos es zurdo?

11. Simulación de Shaquille Remítase al ejercicio 7, en el que se le pidió la descripción de la simulación de un tiro libre del jugador de basquetbol Shaquille O'Neal.

a) Repita la simulación cinco veces y registre el número de veces que anotó el tiro libre. ¿El porcentaje de tiros libres exitosos de la simulación se acerca razonablemente al valor de 0.528?

b) Repita el inciso *a)* hasta que lo realice un total de 10 veces. Registre la proporción de tiros libres exitosos en cada caso. Con base en los resultados, ¿sería *inusual* que Shaquille O'Neal anotara los cinco tiros libres en un juego?

12. Simulación de hibridación Remítase al ejercicio 8, en el que se le pidió la descripción de una simulación de hibridación.

a) Realice la simulación y registre el número de vástagos de guisantes amarillos. Si es posible, obtenga una copia impresa de los resultados. ¿El porcentaje de vástagos de guisantes amarillos de la simulación se acerca razonablemente al valor de 25%?

b) Repita la simulación hasta que la realice un total de 10 veces. Registre el número de vástagos de guisantes con vainas amarillas en cada caso. Con base en los resultados, ¿el número de vástagos de guisantes con vainas amarillas es muy consistente? Con base en los resultados, ¿sería *inusual* seleccionar al azar 20 de los vástagos y encontrar que ninguno de ellos tiene vainas amarillas?

13. Probabilidad de una racha de tres Utilice un método de simulación para calcular la probabilidad de que, cuando nazcan cinco bebés en forma consecutiva, haya una racha de al menos tres bebés del mismo sexo. Describa el procedimiento de simulación utilizado, y determine si este tipo de rachas son inusuales.

14. Probabilidad de una racha de cuatro Utilice un método de simulación para calcular la probabilidad de que, cuando nazcan seis bebés en forma consecutiva, haya una racha de al menos cuatro bebés del mismo sexo. Describa el procedimiento de simulación utilizado, y determine si este tipo de rachas son inusuales.

15. Método de selección del género Cuando se escribió este libro, los últimos resultados disponibles del método YSORT de selección de género de MicroSort indicaban que, de 152 nacimientos, 127 fueron varones. Es decir, de 152 parejas de padres que utilizaron el método YSORT para aumentar la probabilidad de tener un varón, 127 tuvieron varones y los restantes 25 tuvieron niñas. Suponga que el método YSORT no tiene efecto y que los bebés de uno y otro sexo son igualmente probables, y simule 152 nacimientos. ¿Sería inusual obtener 127 varones en 152 nacimientos? ¿Qué sugiere el resultado sobre el método YSORT?

16. Análisis del tratamiento con Nasonex Nasonex es un aerosol nasal que se utiliza para tratar las alergias. En ensayos clínicos, 1671 sujetos recibieron un placebo, y 2 de ellos desarrollaron infecciones del tracto respiratorio superior. Otros 2103 pacientes fueron tratados con Nasonex, y 6 desarrollaron infecciones del tracto respiratorio superior. Suponga que Nasonex no tiene efectos en las infecciones del tracto respiratorio superior, de manera que la tasa de infectados también se aplica a los usuarios del medicamento. Utilizando la tasa del placebo de 2/1671, simule grupos de 2103 sujetos que reciben el tratamiento con Nasonex, y determine si el resultado de 6 infecciones del tracto respiratorio superior podría ocurrir con facilidad. ¿Qué sugiere esto acerca del Nasonex como causa de infecciones del tracto respiratorio superior?

4-6 Más allá de lo básico

17. Simulación del problema de Monty Hall Un tema que en una época atrajo gran atención es el *problema de Monty Hall*, inspirado en el antiguo programa de concurso de televisión *Let's Make a Deal*, conducido por Monty Hall. Suponga que usted es un concursante que eligió una de tres puertas, después de saber que detrás de dos de ellas no hay nada, pero que detrás de una de las tres está un Corvette rojo último modelo. Luego, el presentador abre una de las puertas que usted no eligió y muestra que no hay nada detrás. Ahora le da la opción de quedarse con su primera selección o cambiar a otra puerta cerrada. ¿Le conviene quedarse con su primera elección o cambiarla? Realice una simulación de este juego y determine si debe mantener firme su decisión o modificarla. (De acuerdo con la revista *Chance*, las escuelas de negocios de instituciones como Harvard y Stanford usan este problema para ayudar a los estudiantes a familiarizarse con la toma de decisiones).

18. Simulación de fechas de cumpleaños

a) Elabore una simulación para calcular la probabilidad de que, cuando se seleccionan 50 personas al azar, al menos 2 tengan la misma fecha de cumpleaños. Describa la simulación y estime la probabilidad.

b) Elabore una simulación para calcular la probabilidad de que, cuando se seleccionan 50 personas al azar, al menos 3 tengan la misma fecha de cumpleaños. Describa la simulación y estime la probabilidad.

19. Genética: Simulación del control demográfico Un clásico problema de probabilidad cuenta la historia de un rey que quería incrementar la proporción de mujeres en su comarca decretando que, después de que una madre diera a luz a un hijo varón, se le prohibiera tener más hijos. El rey consideraba que algunas familias solo tendrían un varón, mientras que otras familias tendrían pocas mujeres y un varón, de manera que la proporción de niñas aumentaría. ¿Es correcto su razonamiento? ¿Se incrementará la proporción de niñas?

4-7 Conteo

Concepto clave En esta sección presentamos varios métodos para contar el número de resultados posibles en situaciones muy diversas. Los problemas de probabilidad suelen requerir que se conozca el número total de resultados posibles, y para calcular ese total generalmente se utilizan los métodos que se presentan en esta sección (porque no sería práctico construir una lista de los resultados).

Regla fundamental de conteo

Para una secuencia de dos eventos en la que el primero puede ocurrir de m formas y el segundo puede ocurrir de n formas, los eventos juntos pueden ocurrir en un total de $m \cdot n$ formas.

La regla fundamental de conteo se extiende fácilmente a situaciones que implican más de dos eventos, como se ilustra en los siguientes ejemplos.

EJEMPLO 1

Robo de identidad Es aconsejable no revelar los números del sistema de seguridad social, ya que los delincuentes a menudo los utilizan para robar la identidad. Suponga que descubre que un delincuente está utilizando su número de seguridad social, quien afirma que generó los números de manera aleatoria. ¿Cuál es la probabilidad de obtener su número de seguridad social al generar aleatoriamente nueve dígitos? ¿Es probable que lo que afirma el delincuente sea verdad?

SOLUCIÓN

Cada uno de los 9 dígitos tiene 10 resultados posibles: 0, 1, 2,…, 9. Si aplicamos la regla fundamental de conteo, obtenemos

$$10 \cdot 10 \cdot 10 \cdot 10 \cdot 10 \cdot 10 \cdot 10 \cdot 10 \cdot 10 = 1{,}000{,}000{,}000$$

Solo una entre 1,000,000,000 de posibilidades corresponde a su número de seguridad social, de manera que la probabilidad de generar al azar un número de seguridad social y obtener el suyo es de 1/1,000,000,000. Es extremadamente improbable que un delincuente genere al azar el número de seguridad social de usted, suponiendo que solo genera uno. (Incluso si el delincuente pudiera generar miles de números del sistema de seguridad social y tratara de utilizarlos, es muy poco probable que generara el suyo). Si se descubre que alguien está utilizando su número de seguridad social, lo más probable es que lo haya obtenido por algún otro medio, como el espionaje de transacciones en Internet o buscando en su correo, o incluso hurgando en la basura.

EJEMPLO 2

Orden cronológico Considere la siguiente pregunta de un examen de historia:

Ordene los siguientes eventos en orden cronológico.

a) Motín del té

b) Escándalo del Teapot Dome

c) La Guerra Civil

La respuesta correcta es *a*), *c*), *b*); pero supongamos que un estudiante responde con conjeturas. Calcule la probabilidad de que este estudiante elija el orden cronológico correcto.

Elección de códigos de seguridad

Todos utilizamos códigos de seguridad personales para tener acceso a cajeros automáticos, cuentas de Internet y sistemas de seguridad para casas. La seguridad de estos códigos depende del gran número de posibilidades diferentes, pero ahora los piratas informáticos cuentan con complejas herramientas que pueden superar este obstáculo con creces. Los investigadores encontraron que usando variaciones del nombre y apellidos del usuario, además de otros 1800 nombres, podrían identificar del 10 al 20% de las contraseñas de sistemas de cómputo típicos. Cuando elija una contraseña, *no* use variaciones de ningún nombre, ni una palabra del diccionario, ni una secuencia con menos de siete caracteres, ni números telefónicos, ni números del sistema de seguridad social. Incluya caracteres no alfabéticos, como números o signos de puntuación.

SOLUCIÓN Aunque es fácil listar los seis arreglos posibles, la regla fundamental del conteo brinda otra forma de enfocar el problema. Cuando se hacen conjeturas aleatorias, existen 3 opciones posibles para el primer evento, 2 opciones restantes para el segundo evento y solo 1 opción para el tercer evento, de manera que el número de arreglos posibles es

$$3 \cdot 2 \cdot 1 = 6$$

Como solo uno de los 6 arreglos posibles es correcto, la probabilidad de elegir el orden cronológico correcto haciendo conjeturas es 1/6 o 0.167.

En el ejemplo 2, encontramos que 3 elementos se pueden ordenar de $3 \cdot 2 \cdot 1 = 6$ maneras diferentes. Esta solución en particular se puede generalizar utilizando la siguiente notación y la *regla factorial.*

Notación

El **símbolo factorial (!)** denota el producto de números enteros positivos decrecientes. Por ejemplo, $4! = 4 \cdot 3 \cdot 2 \cdot 1 = 24$. Por definición especial, $0! = 1$.

Regla factorial

Una colección de n elementos distintos se puede acomodar de $n!$ diferentes maneras. (Esta *regla factorial* refleja el hecho de que el primer elemento se puede seleccionar de n maneras distintas, el segundo se puede seleccionar de $n - 1$ maneras, y así sucesivamente).

Los problemas de ruta con frecuencia implican la aplicación de la regla factorial. Verizon quiere hacer llamadas telefónicas a través de las redes más cortas. Federal Express desea encontrar las rutas más cortas para sus entregas. American Airlines quiere encontrar la ruta más corta para regresar a los miembros de la tripulación a sus casas.

EJEMPLO 3 **Rutas hacia los parques nacionales** Usted planea visitar seis parques nacionales durante el verano: Glacier, Yellowstone, Yosemite, Arches, Zion y el Gran Cañón. Desea planear la ruta más eficiente y decide hacer una lista con todas las rutas posibles. ¿Cuántas rutas diferentes posibles existen?

SOLUCIÓN Si aplicamos la regla factorial, sabemos que 6 atracciones diferentes se pueden ordenar de 6! maneras distintas. El número de rutas diferentes es $6! = 6 \cdot 5 \cdot 4 \cdot 3 \cdot 2 \cdot 1 = 720$. Hay 720 rutas posibles diferentes.

El ejemplo 3 es una variación del problema clásico que se conoce como *problema del viajero.* Puesto que los problemas de rutas son tan importantes para muchas empresas, y como el número de las diversas rutas a menudo es considerable, existe un esfuerzo continuo por simplificar el método para encontrar las rutas más eficientes.

De acuerdo con la regla factorisal, n diferentes elementos pueden acomodarse de $n!$ diferentes maneras. Algunas veces tenemos n elementos diferentes, pero necesitamos seleccionar solo algunos de ellos en vez de todos. Por ejemplo, si debemos realizar encuestas en capitales estatales de Estados Unidos, pero solo tenemos tiempo de visitar cuatro de

Muy pocos códigos de barras

En 1974 un paquete de goma de mascar fue el primer artículo en ser escaneado en un supermercado. El escaneo requirió que la goma de mascar estuviera identificada con un código de barras. Los códigos de barras o códigos universales de productos se utilizan para identificar artículos individuales que serán adquiridos. Estos códigos usaban 12 dígitos que permitían a los escáneres listar y registrar automáticamente el precio de cada artículo comprado. El uso de 12 dígitos se volvió insuficiente al aumentar el número de productos diferentes, por lo que recientemente se modificaron para incluir 13 dígitos.

Problemas similares surgen cuando los códigos telefónicos de área se dividen porque existen demasiados teléfonos diferentes para un código de área en una región. Los métodos de conteo se utilizan para diseñar sistemas que permitan acomodar futuros números de unidades que deben procesarse o conectarse.

¿Cuántas veces hay que barajar?

Después de realizar extensas investigaciones, el matemático de Harvard, Persi Diaconis encontró que se necesita barajar siete veces un mazo de naipes para obtener un mezclado completo. La mezcla es completa en el sentido de que todos los arreglos posibles de los naipes son igualmente probables. Barajar más de siete veces no tendrá un efecto significativo, y menos de siete será insuficiente. Los repartidores de naipes en los casinos rara vez barajan los mazos siete veces o más, así que los mazos no quedan totalmente mezclados. Algunos jugadores expertos han podido aprovechar las mezclas incompletas que resultan de barajar menos de siete veces.

ellas, el número de posibles rutas diferentes es $50 \cdot 49 \cdot 48 \cdot 47 = 5{,}527{,}200$. Otra forma de obtener este mismo resultado es evaluar

$$\frac{50!}{46!} = 50 \cdot 49 \cdot 48 \cdot 47 = 5{,}527{,}200$$

Observe que en este cálculo, al dividir el número factorial del numerador entre el número factorial del denominador, solo permanecen los factores de 50, 49, 48 y 47. Podemos generalizar este resultado observando que si tenemos n elementos disponibles diferentes y queremos seleccionar un número r de ellos, el número de combinaciones posibles es $n!/(n-r)!$ como en 50!/46!. Esta generalización se conoce como *regla de las permutaciones.*

Regla de las permutaciones (cuando todos los elementos son diferentes)

Requisitos

1. Existen n elementos *diferentes* disponibles.
2. Seleccionamos r de los n elementos (sin reemplazo).
3. Consideramos que los reordenamientos de los mismos elementos son secuencias diferentes. (La permutación de *ABC* difiere de la de *CBA* y se cuenta de forma separada).

Si se satisfacen los requisitos anteriores, el número de *permutaciones* (o secuencias) de r elementos seleccionados entre n elementos disponibles (sin reemplazo) es

$${}_nP_r = \frac{n!}{(n-r)!}$$

Cuando utilizamos los términos *permutaciones, acomodos* o *secuencias,* implicamos que *se toma en cuenta el orden,* en el sentido de que diferentes ordenamientos de los mismos elementos se cuentan por separado. Las letras *ABC* se pueden acomodar de seis formas distintas: *ABC, ACB, BAC, BCA, CAB, CBA.* (Más adelante nos referiremos a las *combinaciones,* en las que tales acomodos no se cuentan por separado). En el siguiente ejemplo se nos pide calcular el número total de secuencias distintas posibles.

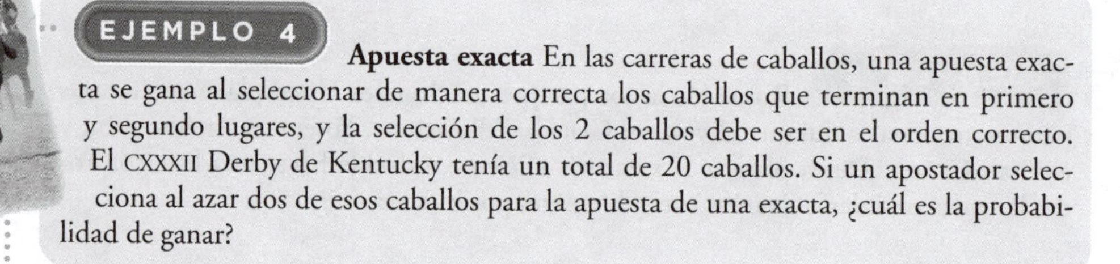

EJEMPLO 4

Apuesta exacta En las carreras de caballos, una apuesta exacta se gana al seleccionar de manera correcta los caballos que terminan en primero y segundo lugares, y la selección de los 2 caballos debe ser en el orden correcto. El CXXXII Derby de Kentucky tenía un total de 20 caballos. Si un apostador selecciona al azar dos de esos caballos para la apuesta de una exacta, ¿cuál es la probabilidad de ganar?

SOLUCIÓN

Tenemos $n = 20$ caballos disponibles y debemos elegir a $r = 2$ de ellos sin reemplazo. El número de arreglos diferentes se calcula de la siguiente manera:

$${}_nP_r = \frac{n!}{(n-r)!} = \frac{20!}{(20-2)!} = 380$$

Hay 380 arreglos posibles de 2 caballos elegidos de los 20 que están disponibles. Si uno de esos arreglos se selecciona al azar, existe una probabilidad de 1/380 de elegir el arreglo ganador.

En ocasiones necesitamos calcular el número de permutaciones cuando algunos de los elementos son idénticos a otros. La siguiente variación de la regla de las permutaciones se aplica a estos casos.

Regla de las permutaciones (cuando algunos elementos son idénticos a otros)

Requisitos

1. Existen n elementos disponibles, y algunos de ellos son idénticos a otros.
2. Seleccionamos todos los n elementos (sin reemplazo).
3. Consideramos que los reordenamientos de los mismos elementos son secuencias diferentes.

Si los requisitos anteriores se satisfacen y si existen n elementos con n_1 iguales, n_2 iguales,..., n_k iguales, el número de *permutaciones* (o secuencias) de los n elementos seleccionados sin reemplazo es

$$\frac{n!}{n_1!n_2!\cdots n_k!}$$

La secretaria aleatoria

Un clásico problema de probabilidad dice así: una secretaria prepara 50 cartas distintas y las dirige a 50 personas diferentes, pero las revuelve al azar antes de meterlas en los sobres. ¿Qué probabilidad hay de que al menos una carta quede en el sobre que le corresponde? Aunque tal vez parezca que la probabilidad es pequeña, en realidad es de 0.632. Incluso con un millón de cartas y un millón de sobres, la probabilidad es de 0.632. La solución está más allá del alcance de este texto.

EJEMPLO 5

Selección del género En una prueba preliminar del método MicroSort para selección del género, desarrollado por el Genetics and IVF Institute, 14 parejas querían tener niñas. El análisis de la eficacia del método MicroSort se basa en un valor de probabilidad, el cual, a la vez, se basa en el número de permutaciones. Consideremos el siguiente problema sencillo: ¿De cuántas maneras se pueden acomodar en secuencia 11 niñas y 3 niños? Es decir, calcule el número de permutaciones de 11 niñas y 3 niños.

SOLUCIÓN

Tenemos $n = 14$ bebés, con $n_1 = 11$ iguales (niñas) y $n_2 = 3$ también iguales (niños). El número de permutaciones se calcula de la siguiente manera:

$$\frac{n!}{n_1!\,n_2!} = \frac{14!}{11!\,3!} = \frac{87{,}178{,}291{,}200}{(39{,}916{,}800)(6)} = 364$$

Hay 364 formas diferentes de ordenar a 11 niñas y 3 niños.

El ejemplo anterior considera n elementos, cada uno perteneciente a una de dos categorías. Cuando solo hay dos categorías, podemos estipular que x de los elementos son iguales y que los otros $n - x$ elementos también son iguales, de manera que la fórmula de las permutaciones se simplifica a

$$\frac{n!}{(n - x)!\,x!}$$

Este resultado en particular se usará para el análisis de probabilidades binomiales, que se explica en la sección 5-3.

Regla de las combinaciones

Requisitos

1. Tenemos un total de n elementos *diferentes* disponibles.
2. Seleccionamos r de los n elementos (sin reemplazo).
3. Consideramos que los reordenamientos de los mismos elementos son iguales. (La combinación *ABC* es igual que *CBA*).

Si se satisfacen los requisitos anteriores, el número de combinaciones de r elementos seleccionados a partir de n elementos diferentes es

$${}_nC_r = \frac{n!}{(n - r)!\,r!}$$

Muestreo compuesto

En una ocasión el ejército estadounidense hizo pruebas para determinar la presencia de sífilis en cada recluta, tomando una muestra de sangre individual que se analizaba por separado. Un investigador sugirió mezclar muestras de sangre por pares. Después de analizar los pares mezclados, los reclutas con sífilis podían identificarse volviendo a analizar las muestras de sangre individuales de los pocos pares que dieron resultados positivos en el análisis. El número total de análisis se redujo formando pares de muestras de sangre, así que, ¿por qué no colocarlos en grupos de tres o cuatro o más? Se usó la teoría de probabilidad para determinar el tamaño de grupo más eficiente y se desarrolló una teoría general para detectar los defectos en cualquier población. Esta técnica se conoce como *muestreo compuesto*.

Cuando deseamos seleccionar r elementos a partir de n elementos diferentes *sin tomar en cuenta el orden*, lo que nos preocupa en realidad son las *combinaciones* posibles más que las permutaciones. Es decir, **cuando diferentes ordenamientos de los mismos elementos se cuentan por separado, tenemos un problema de permutaciones, pero cuando los diferentes ordenamientos de los mismos elementos no se cuentan por separado, tenemos un problema de combinaciones** y se aplica la regla de las combinaciones.

Como tal vez resulte confuso elegir entre la regla de las permutaciones y la regla de las combinaciones, damos el siguiente ejemplo con la intención de enfatizar la diferencia entre ellas.

EJEMPLO 6

Fase I de una prueba clínica Cuando se prueba un nuevo fármaco en seres humanos, generalmente se realiza una prueba clínica en tres fases. La fase I se lleva a cabo con un número relativamente pequeño de voluntarios sanos. Suponga que deseamos tratar a 8 seres humanos saludables con un nuevo fármaco y que tenemos 10 sujetos voluntarios disponibles.

a) Si los sujetos se seleccionan y se tratan *en secuencia*, de manera que la prueba se suspenderá si alguno de ellos presenta cualquier reacción adversa, ¿cuántos arreglos secuenciales diferentes son posibles si se seleccionan 8 personas de las 10 disponibles?

b) Si se seleccionan 8 sujetos de los 10 disponibles, y los 8 sujetos elegidos se tratan al mismo tiempo, ¿cuántos grupos de tratamiento diferentes son posibles?

SOLUCIÓN

Observe que en el inciso *a)* el orden es importante porque los sujetos se tratan de manera secuencial y la prueba se suspende si alguno de ellos manifiesta alguna reacción adversa específica. Sin embargo, en el inciso *b)*, el orden de selección es irrelevante porque todos los sujetos reciben tratamiento al mismo tiempo.

a) Puesto que el orden es importante, buscamos el número de *permutaciones* de $r = 8$ personas seleccionadas de las $n = 10$ disponibles. Obtenemos

$$_nP_r = \frac{n!}{(n - r)!} = \frac{10!}{(10 - 8)!} = 1{,}814{,}400$$

b) Puesto que el orden *no* es importante, buscamos el número de *combinaciones* de $r = 8$ personas seleccionadas de las $n = 10$ disponibles. Obtenemos

$$_nC_r = \frac{n!}{(n - r)!\,r!} = \frac{10!}{(10 - 8)!\,8!} = 45$$

Cuando se toma en cuenta el orden, hay 1,814,400 permutaciones, pero cuando no se toma en cuenta el orden, existen 45 combinaciones.

EJEMPLO 7

Lotería de Florida El juego de la lotería de Florida es muy semejante al resto de las loterías estatales. Se eligen seis números diferentes entre 1 y 53. El premio mayor se gana al elegir los seis números correctos en cualquier orden. Calcule la probabilidad de ganar el premio mayor.

SOLUCIÓN

Como no importa el orden de los números elegidos, se gana al elegir la combinación correcta de seis números. Puesto que solo hay una combinación ganadora, la probabilidad de ganar el premio mayor es 1 dividido entre el número total de combinaciones. Con $n = 53$ números disponibles y con $r = 6$ números seleccionados, el número de combinaciones es

$$_nC_r = \frac{n!}{(n-r)!\,r!} = \frac{53!}{(53-6)!\,6!} = 22{,}957{,}480$$

Con una combinación ganadora y 22,957,480 combinaciones posibles diferentes, la probabilidad de ganar el premio mayor es 1/22,957,480.

En esta sección presentamos cinco reglas diferentes para calcular el número total de resultados. Aunque no todos los problemas de conteo se pueden resolver con alguna de las cinco reglas, estas últimas constituyen un fundamento sólido para muchas aplicaciones reales e importantes.

4-7 Destrezas y conceptos básicos

Conocimientos estadísticos y pensamiento crítico

1. Permutaciones y combinaciones ¿Cuál es la diferencia básica entre una situación que requiere la aplicación de la regla de las permutaciones y una que requiere la aplicación de la regla de las combinaciones?

2. Combinación de candado El candado típico de combinación utiliza tres números entre 0 y 49, los cuales se deben seleccionar en la secuencia correcta. Considerando la manera en que funcionan estos candados, ¿el nombre de candado de "combinación" es correcto? ¿Por qué?

3. Trifecta En las carreras de caballos, una trifecta es una apuesta a la selección de los primeros tres ganadores de una carrera, y deben elegirse en el orden correcto. ¿Una trifecta implica combinaciones o permutaciones? Explique.

4. Quinela En las carreras de caballos, una quiniela es una apuesta a la selección de los primeros dos ganadores de una carrera, y se pueden elegir en cualquier orden. ¿Una quiniela implica combinaciones o permutaciones? Explique.

Cálculo de factoriales, combinaciones y permutaciones. ***En los ejercicios 5 a 12, evalúe las expresiones dadas y exprese todos los resultados utilizando el formato acostumbrado para la escritura de números (en vez de la notación científica).***

5. Factorial Calcule de cuántas formas diferentes se pueden ordenar cinco preguntas de examen evaluando 5!.

6. Factorial Calcule de cuantas formas diferentes se pueden alinear los nueve jugadores de un equipo de béisbol para entonar el himno nacional, evaluando 9!.

7. Veintiuno En el juego de veintiuno que se juega con un mazo de naipes, un jugador recibe inicialmente dos cartas. Calcule el número inicial de manos diferentes de dos naipes evaluando $_{52}C_2$.

8. Juego de cartas Calcule el número de manos de póquer diferentes posibles de cinco cartas evaluando $_{52}C_5$.

9. Programación de rutas Un gerente debe seleccionar 5 lugares de entrega de 9 que hay disponibles. Calcule el número de rutas diferentes posibles evaluando $_9P_5$.

10. Programación de rutas Un estratega político debe visitar capitales de estados, pero solo tiene tiempo para visitar tres capitales. Calcule el número de rutas diferentes posibles evaluando $_{50}P_3$.

11. Lotería de Virginia El juego de lotería Virginia Win for Life requiere que se elijan los 6 números correctos entre 1 y 42. Calcule el número de combinaciones posibles evaluando $_{42}C_6$.

12. Trifecta Remítase al ejercicio 3 y calcule el número de diferentes apuestas de trifecta posibles en una carrera con 10 caballos, evaluando $_{10}P_3$.

Probabilidad de ganar la lotería. ***Puesto que la lotería Fantasy 5 de California se gana al seleccionar los cinco números correctos (en cualquier orden) entre 1 y 39, existen 575,757 combinaciones diferentes de cinco números que podrían elegirse, y la probabilidad de ganar esta lotería es de 1/575,757. En los ejercicios 13 a 16, calcule***

la probabilidad de ganar la lotería indicada al comprar un boleto. En cada caso, los números seleccionados son diferentes y el orden no es importante. Exprese los resultados en fracciones.

13. Lotería de Texas Hay que seleccionar los seis números ganadores entre 1, 2,…, 54.

14. Lotería de Florida Hay que seleccionar los seis números ganadores entre 1, 2,…, 53.

15. Fantasy 5 de Florida Hay que seleccionar los cinco números ganadores entre 1, 2,…, 36.

16. Badger Five de Wisconsin Responda a lo siguiente:

a) Calcule la probabilidad de seleccionar los cinco números ganadores entre 1, 2,…, 31.

b) La lotería Badger Five de Wisconsin se gana al seleccionar los cinco números correctos entre 1, 2,…, 31. ¿Cuál es la probabilidad de ganar si se modifican las reglas y, además de seleccionar los cinco números correctos, deben seleccionarse en el mismo orden en que salen?

17. Robo de identidad con números de seguridad social El robo de identidad a menudo inicia cuando alguien descubre los nueve dígitos del número de seguridad social de una persona o el número de su tarjeta de crédito. Responda lo siguiente y exprese las probabilidades en fracciones.

a) ¿Cuál es la probabilidad de generar aleatoriamente nueve dígitos y obtener el número de seguridad social *de usted*?

b) Anteriormente, muchos maestros publicaban las calificaciones junto con los últimos cuatro dígitos del número de seguridad social del estudiante. Si alguien conoce los últimos cuatro dígitos del número de seguridad social de usted, ¿cuál es la probabilidad de que, al generar al azar los otros dígitos, obtenga su número completo? ¿Es motivo de preocupación?

18. Robo de identidad con tarjetas de crédito Los números de las tarjetas de crédito suelen tener 16 dígitos, pero no todos ellos son aleatorios. Responda lo siguiente y exprese las probabilidades en fracciones.

a) ¿Cuál es la probabilidad de generar aleatoriamente 16 dígitos y obtener el número de la tarjeta MasterCard *de usted*?

b) Los recibos a menudo muestran los cuatro últimos dígitos del número de una tarjeta de crédito. Si se conocen los cuatro últimos dígitos, ¿cuál es la probabilidad de generar al azar los otros dígitos del número de su tarjeta MasterCard?

c) Las tarjetas Discover comienzan con los dígitos 6011. Si también conoce los últimos cuatro dígitos de una tarjeta Discover, ¿cuál es la probabilidad de generar al azar los otros dígitos y que todos sean correctos? ¿Es motivo de preocupación?

19. Muestreo Una ocasión el Bureau of Fisheries pidió ayuda para encontrar la ruta más corta que permitiera conseguir muestras de algunos lugares en el Golfo de México. ¿Cuántas rutas son posibles si se deben tomar muestras en 6 lugares de una lista de 20?

20. Nucleótidos de ADN El ADN (ácido desoxirribonucleico) está compuesto de nucleótidos, y cada uno puede contener cualquiera de las siguientes bases de nitrógeno: A (adenina), G (guanina), C (citosina), T (tiamina). Si tenemos que elegir una de las cuatro bases (A, G, C, T) tres veces para formar un triplete lineal, ¿cuántos tripletes diferentes son posibles? Observe que se pueden seleccionar las cuatro bases para cada uno de los tres componentes del triplete.

21. Electricidad Cuando el autor prueba si hay corriente en un cable con cinco alambres codificados por color, utiliza un medidor para probar dos alambres al mismo tiempo. ¿Cuántas pruebas diferentes se necesitan para cada posible par de alambres?

22. Programación de tareas Los cinco jugadores principales del equipo de basquetbol de los Celtics de Boston accedieron a hacer presentaciones para obras de caridad mañana por la noche. Si hay que enviar a tres jugadores a un evento de United Way y a los otros dos a un evento de Heart Fund, ¿de cuántas maneras diferentes podría programar las tareas?

23. Diseño de computadoras En el diseño de una computadora, si un byte se define como una secuencia de 8 bits y cada bit debe ser 0 o 1, ¿cuántos bytes diferentes son posibles? (Con frecuencia se usa un byte para representar un carácter individual, como una letra, un dígito o un símbolo de puntuación. Por ejemplo, cierto sistema de codificación representa la letra A como 01000001). ¿Existen suficientes bytes diferentes para los caracteres que usamos comúnmente, incluyendo letras minúsculas, letras mayúsculas, dígitos, símbolos de puntuación, signo de pesos y algunos otros?

24. Muestra aleatoria simple En la fase I de un ensayo clínico con terapia genética utilizada para tratar el VIH, cinco sujetos recibieron tratamiento (según datos de *Medical News Today*). Si hay 20 personas disponibles para la fase I del tratamiento, y se selecciona una muestra aleatoria simple de cinco, ¿cuántas muestras aleatorias simples diferentes son posibles? ¿Cuál es la probabilidad de cada muestra aleatoria simple?

25. Sopa de letras Muchos periódicos incluyen una "sopa de letras", un crucigrama en el que el lector debe descifrar letras para formar palabras. Por ejemplo, las letras BUJOM se incluyeron en un periódico del día en que se escribió este ejercicio. ¿De cuántas formas se pueden acomodar las letras BUJOM? Identifique la palabra codificada y luego determine la probabilidad de obtener este resultado seleccionando al azar un arreglo de las letras dadas.

26. Sopa de letras Repita el ejercicio 25 utilizando las letras AGGYB.

27. Directores de Coca-Cola El consejo de directores de Coca-Cola Company está compuesto por 11 miembros.

a) Si necesitan elegir a un presidente, un primer vicepresidente, un segundo vicepresidente y un secretario, ¿cuántos conjuntos diferentes de candidatos son posibles?

b) Si necesitan constituir un subcomité de ética de cuatro miembros, ¿cuántos subcomités diferentes son posibles?

28. Combinación de caja fuerte El autor posee una caja fuerte en la que guarda todas sus grandes ideas para la siguiente edición de este libro. La combinación de la caja consiste en cuatro números entre 0 y 99. Si otro autor entra a su casa y trata de robar esas ideas, ¿cuál es la probabilidad de que utilice la combinación correcta en el primer intento? Suponga que los números se eligen al azar. Considerando el número de posibilidades, ¿es factible tratar de abrir la caja fuerte haciendo conjeturas al azar de la combinación?

29. Selección del género de MicroSort En una prueba preliminar del método de selección de género de MicroSort, nacieron 14 bebés, de los cuales, 13 fueron niñas.

a) Calcule el número de secuencias de género diferentes que son posibles cuando nacen 14 bebés.

b) ¿De cuántas formas se pueden ordenar en secuencia 13 niñas y 1 niño?

c) Si se eligen al azar 14 bebés, ¿cuál es la probabilidad de que sean 13 niñas y 1 niño?

d) ¿Parece que el método de selección del género produce un resultado significativamente diferente de lo que se esperaría por el azar?

30. Cajero automático Usted quiere obtener dinero en efectivo utilizando un cajero automático, pero está oscuro y no puede ver su tarjeta al insertarla. La tarjeta debe insertarse con la parte frontal hacia arriba y en una posición tal que el inicio de su nombre ingrese primero.

a) ¿Cuál es la probabilidad de seleccionar una posición al azar e insertar la tarjeta y que se logre hacerlo de forma correcta?

b) ¿Cuál es la probabilidad de seleccionar al azar la posición de la tarjeta y descubrir que se insertó de forma incorrecta en el primer intento, pero que se insertó de forma correcta en el segundo intento?

c) ¿Cuántas selecciones al azar se requieren para estar completamente seguros de que la tarjeta funcione porque se insertó correctamente?

31. Diseño de experimento Ensayos clínicos del Nasonex incluyeron a un grupo que recibió placebos y a otro grupo que recibió el tratamiento con el medicamento. Suponga que se va a realizar un ensayo preliminar de la fase I con 10 sujetos, incluyendo 5 hombres y 5 mujeres. Si se selecciona al azar a 5 de los 10 sujetos para el grupo de tratamiento, calcule la probabilidad de elegir a 5 sujetos del mismo sexo. ¿Habría algún problema si todos los miembros del grupo de tratamiento son del mismo sexo?

32. ¿El investigador hace trampa? Usted siente desconfianza cuando un investigador de genética selecciona al azar grupos de 20 bebés recién nacidos y de manera consistente obtiene 10 niños y 10 niñas. El investigador afirma que es común obtener 10 niñas y 10 niños en esos casos.

a) Si se selecciona al azar a 20 bebés recién nacidos, ¿cuántas secuencias diferentes de género son posibles?

b) ¿De cuántas formas diferentes se pueden ordenar en secuencia 10 niñas y 10 niños?

c) ¿Cuál es la probabilidad de obtener 10 niñas y 10 niños cuando nacen 20 bebés?

d) Con base en los resultados anteriores, ¿está de acuerdo con la explicación del investigador de que es común obtener 10 niños y 10 niñas cuando se seleccionan 20 bebés al azar?

33. Lotería Powerball Cuando se escribió este libro, la lotería Powerball funcionaba en 29 entidades de Estados Unidos. Para ganar el premio mayor es necesario seleccionar los cinco números correctos entre 1 y 55 y, en una selección separada, también se debe elegir el número adicional correcto entre 1 y 42. Calcule la probabilidad de ganar el premio mayor.

34. Lotería Mega Millions Cuando se escribió este libro, la lotería Mega Millions funcionaba en 12 entidades de Estados Unidos. Para ganar el premio mayor es necesario seleccionar los cinco números correctos entre 1 y 56 y, en una selección separada, también se debe elegir el número adicional correcto entre 1 y 46. Calcule la probabilidad de ganar el premio mayor.

35. Cálculo del número de códigos de área El reportero Paul Wiseman del diario *USA Today* describió las antiguas reglas para los códigos de área telefónicos con tres dígitos al escribir acerca de "códigos de área posibles con 1 o 0 en el segundo dígito. (Se excluyen los códigos terminados en 00 y 11, para llamadas gratuitas, servicios de emergencia y otros usos especiales)". Los códigos que comienzan con 0 o 1 también deben excluirse. ¿Cuántos códigos de área distintos eran posibles de acuerdo con estas antiguas reglas?

36. Torneo de basquetbol de la NCAA Cada año, 64 equipos universitarios de basquetbol compiten en el torneo de la NCAA. Recientemente, Sandbox.com ofreció un premio de $10 millones a cualquiera que pudiera elegir al ganador en todos y cada uno de los juegos del torneo. (El presidente de esa compañía también prometió que, además de entregar el premio en efectivo, él comería todos los gusanos contenidos en una cubeta. ¡Qué asco!)

a) ¿Cuántos juegos se requieren para obtener un equipo campeón en un campo de 64 equipos?

b) Si alguien hace conjeturas al azar para cada juego del torneo, calcule la probabilidad de elegir al ganador de cada juego.

c) En un artículo acerca del premio de $10 millones, el New York Times publicó que "incluso un experto en basquetbol colegial que pudiera elegir el 70% de los juegos acertadamente tiene una probabilidad de 1 en __________ de elegir todos los juegos correctamente". Llene el espacio.

4-7 Más allá de lo básico

37. Cálculo del número de nombres de variables de cómputo Una regla común de programación de computadoras es que los nombres de las variables deben tener una longitud de 1 a 8 caracteres. El primer carácter puede ser cualquiera de las 26 letras del abecedario, mientras que los caracteres sucesivos pueden ser cualquiera de las 26 letras o cualquiera de los 10 dígitos. Por ejemplo, A, BBB y M3477K son nombres permitidos de variables. ¿Cuántos nombres de variables diferentes son posibles?

38. Saludos y mesas redondas

a) Cinco gerentes se reúnen para una junta. Si cada gerente saluda estrechando la mano a cada uno de los otros gerentes exactamente una vez, ¿cuál es el número total de saludos?

b) Si n gerentes saludan a cada uno de los otros exactamente una vez, ¿cuál es el número total de saludos?

c) ¿De cuántas maneras diferentes se pueden sentar cinco gerentes en torno a una mesa redonda? (Suponga que si cada uno se mueve a la derecha, el acomodo es el mismo).

d) ¿De cuántas formas diferentes se pueden sentar n gerentes en torno a una mesa redonda?

39. Evaluación de factoriales grandes Muchas calculadoras o computadoras no pueden calcular directamente el número 70! o un número factorial mayor. Cuando n es grande, $n!$ puede aproximarse a $n = 10^K$, donde

$$K = (n + 0.5) \log n + 0.39908993 - 0.43429448n.$$

a) Usted ha sido contratado para visitar la capital de cada una de las 50 entidades de Estados Unidos. ¿Cuántas rutas diferentes son posibles? Evalúe la respuesta usando la tecla factorial de una calculadora y también usando la aproximación presentada aquí.

b) El Bureau of Fisheries una vez pidió ayuda a los Laboratorios Bell, con la finalidad de encontrar la ruta más corta para obtener muestras en 300 emplazamientos del Golfo de México. Si usted calcula el número de posibles rutas diferentes, ¿cuántos dígitos se necesitan para escribir ese número?

40. Inteligencia artificial ¿Las computadoras pueden "pensar"? De acuerdo con la *prueba Turing*, se considera que una computadora piensa si, cuando una persona se comunica con ella, cree que se está comunicando con otra persona y no con una computadora. En un experimento en el Museo de la Computación de Boston, cada uno de 10 jueces se comunicó con cuatro computadoras y cuatro personas; luego se les pidió que distinguieran entre unas y otras.

a) Suponga que el primer juez no puede distinguir entre las cuatro computadoras y las cuatro personas. Si este juez hace conjeturas al azar, ¿cuál es la probabilidad de que identifique correctamente las cuatro computadoras y las cuatro personas?

b) Suponga que ninguno de los 10 jueces puede distinguir entre las computadoras y las personas, por lo que todos hacen conjeturas al azar. Con base en el resultado del inciso *a*), ¿cuál es la probabilidad de que los 10 jueces acierten en todas sus conjeturas? (Este evento nos permitiría concluir que las computadoras no pueden "pensar" cuando, de acuerdo con la prueba Turing, sí pueden).

41. Cambio de un dólar ¿De cuántas maneras diferentes se puede obtener cambio de un dólar (incluyendo una moneda de un dólar)?

4-8 Teorema de Bayes (en el sitio Web)

El sitio Web incluye otra sección sobre la probabilidad condicional. Esta sección adicional estudia aplicaciones del *teorema de Bayes* (o *regla de Bayes*), que se utiliza para revisar un valor de probabilidad con base en información adicional que se obtiene posteriormente. Revise el análisis, los ejemplos y los ejercicios que describen las aplicaciones del teorema de Bayes en el sitio Web.

Repaso

Iniciamos este capítulo con el concepto básico de probabilidad. El concepto más importante que aprendimos en este capítulo es la regla del evento inusual para la estadística inferencial, ya que constituye el fundamento para la *prueba de hipótesis* (véase el capítulo 8).

Regla del evento inusual para la estadística inferencial

Si, con un supuesto determinado, la probabilidad de un evento en particular es muy pequeña, concluimos que probablemente el supuesto es incorrecto.

En la sección 4-2 presentamos definiciones y notaciones básicas asociadas con la probabilidad. Debemos saber que un valor de probabilidad, el cual se expresa como un número entre 0 y 1, refleja la posibilidad de algún evento. Presentamos tres métodos para calcular probabilidades:

$$P(A) = \frac{\text{número de veces que ocurre } A}{\text{número de veces que se repite el experimento}} \qquad \text{(frecuencia relativa)}$$

$$P(A) = \frac{\text{número de formas en que puede ocurrir } A}{\text{número de eventos simples diferentes}} = \frac{s}{n} \qquad \text{(para resultados igualmente probables)}$$

$P(A)$ se *estima* utilizando el conocimiento de las circunstancias relevantes. (Probabilidad subjetiva)

Señalamos que la probabilidad de cualquier evento imposible es 0, la probabilidad de cualquier evento inevitable es 1, y que para cualquier evento A, $0 \leq P(A) \leq 1$. También explicamos que $\overline{A}$. denota el complemento del evento A; es decir, $\overline{A}$ indica que el evento A *no* ocurre.

En las secciones 4-3, 4-4 y 4-5 consideramos eventos compuestos, los cuales son eventos que combinan dos o más eventos simples. Asociamos el uso de la palabra "o" con la regla de la suma y asociamos el uso de la palabra "y" con la regla de la multiplicación.

- $P(A \text{ o } B)$: La palabra "o" sugiere suma, y cuando se suman $P(A)$ y $P(B)$, debemos asegurarnos de sumar en tal forma que cada resultado se cuente solo una vez.
- $P(A \text{ y } B)$: La palabra "y" sugiere multiplicación, y cuando se multiplica $P(A)$ y $P(B)$, debemos asegurarnos de que la probabilidad del evento B tome en cuenta la ocurrencia previa del evento A.

En la sección 4-6 se describieron técnicas de simulación que a menudo resultan útiles para determinar valores de probabilidad, sobre todo en situaciones donde las fórmulas o los cálculos teóricos son sumamente difíciles.

La sección 4-7 se dedicó a las siguientes técnicas de conteo, las cuales se utilizan para determinar el número total de resultados en problemas de probabilidad: regla fundamental de conteo, regla factorial, regla de las permutaciones (cuando todos los elementos son diferentes), regla de las permutaciones (cuando algunos elementos son iguales a otros) y la regla de las combinaciones.

Conocimientos estadísticos y pensamiento crítico

1. Interpretación de un valor de probabilidad Algunos investigadores realizaron un estudio del uso de cascos y lesiones en la cabeza entre usuarios de esquíes y tablas para nieve. Los resultados del estudio incluyeron un "valor *P*" (valor de probabilidad) de 0.004 (según datos de "Helmet Use and Risk of Head Injuries in Alpine Skiers and Snowboarders", de Sullheim *et al.*, *Journal of the American Medical Association*, vol. 295, núm. 8). Ese valor de probabilidad se refiere a resultados específicos del estudio. En general, ¿qué indica un valor de probabilidad de 0.004?

2. Alarmas independientes contra humo El dueño de una casa nueva está instalando detectores de humo alimentados por el sistema eléctrico de la vivienda. El individuo piensa que puede lograr que los detectores de humo funcionen de manera independiente al conectarlos a circuitos separados dentro de la casa. ¿Los detectores de humo serían realmente independientes? ¿Por qué?

3. Probabilidad de un robo Según datos del FBI, el 12.7% de los robos se aclaran con los arrestos. Un nuevo detective es asignado a dos casos de robo diferentes, y piensa que la probabilidad de aclarar ambos es $0.127 \times 0.127 = 0.0161$. ¿Su razonamiento es correcto? ¿Por qué?

4. Predicción de resultados de la lotería Un columnista del diario *Daily News* de Nueva York escribió acerca de la selección de números de lotería, y afirmó que algunos números tienen mayores probabilidades de resultar ganadores debido a que no han sido elegidos tanto como deberían, de manera que están rezagados. ¿Es correcto ese razonamiento? ¿Por qué? ¿En este caso es relevante el principio de probabilidad?

Examen rápido del capítulo

1. Un pronosticador de Las Vegas es capaz de predecir correctamente el 70% de las veces cuál será el equipo profesional de futbol ganador. ¿Cuál es la probabilidad de que se equivoque en su próxima predicción?

2. Para el mismo pronosticador del ejercicio 1, calcule la probabilidad de que sus próximas dos predicciones sean correctas.

3. Estime la probabilidad de que un programa de televisión de la hora estelar elegido al azar sea interrumpido por un boletín de noticias.

4. Al realizar un ensayo clínico sobre la eficacia de un método para la selección del género, se descubre que hay una probabilidad de 0.342 de que el resultado ocurra debido al azar. ¿Este método es eficaz?

5. Si $P(A) = 0.4$, ¿cuál es el valor de $P(\overline{A})$?

En los ejercicios 6 a 10, utilice los siguientes resultados:
En el caso judicial de* Estados Unidos contra la ciudad de Chicago, *se argumentó que hubo discriminación en el examen para competir por el puesto de capitán de bomberos. En la siguiente tabla, el grupo A está formado por individuos de minorías y el grupo B está formado por individuos de mayorías.

	Aprobado	Reprobado
Grupo A	10	14
Grupo B	417	145

6. Si se selecciona al azar a uno de los sujetos evaluados, calcule la probabilidad de elegir a alguien que aprobó el examen.

7. Calcule la probabilidad de seleccionar al azar a uno de los sujetos evaluados y elegir a alguien del grupo B o que haya aprobado.

8. Calcule la probabilidad de seleccionar al azar a dos sujetos diferentes evaluados y encontrar que ambos pertenecen al grupo A.

9. Calcule la probabilidad de seleccionar al azar a uno de los sujetos evaluados y elegir a alguien del grupo A y que haya aprobado el examen.

10. Calcule la probabilidad de elegir a alguien que haya aprobado, dado que la persona seleccionada pertenezca al grupo A.

Ejercicios de repaso

Cascos y lesiones. ***En los ejercicios 1 a 10, utilice los datos de la siguiente tabla (según datos de "Helmet Use and Risk of Head Injuries in Alpine Skiers and Snowboarders", de Sullheim et al., Journal of the American Medical Association, vol. 295, núm. 8).***

	Lesiones en la cabeza	Sin lesiones
Usaba casco	96	656
No usaba casco	480	2330

1. Cascos y lesiones Si se selecciona al azar a uno de los sujetos, calcule la probabilidad de elegir a alguien con una lesión en la cabeza.

2. Cascos y lesiones Si se selecciona al azar a uno de los sujetos, calcule la probabilidad de elegir a alguien que usaba casco.

3. Cascos y lesiones Si se selecciona al azar a uno de los sujetos, calcule la probabilidad de elegir a alguien con una lesión en la cabeza o que usaba casco.

4. Cascos y lesiones Si se selecciona al azar a uno de los sujetos, calcule la probabilidad de elegir a alguien que no usaba casco o que no sufrió una lesión en la cabeza.

5. Cascos y lesiones Si se selecciona al azar a uno de los sujetos, calcule la probabilidad de elegir a alguien que usaba casco y sufrió una lesión en la cabeza.

6. Cascos y lesiones Si se selecciona al azar a uno de los sujetos, calcule la probabilidad de elegir a alguien que no usaba casco y no sufrió una lesión en la cabeza.

7. Cascos y lesiones Si se selecciona al azar a dos sujetos, calcule la probabilidad de que ambos hayan usado casco.

8. Cascos y lesiones Si se selecciona al azar a dos sujetos, calcule la probabilidad de que ambos hayan sufrido lesiones en la cabeza.

9. Cascos y lesiones Si se selecciona al azar a uno de los sujetos, calcule la probabilidad de elegir a alguien que no usaba casco, dado que el sujeto sufrió una lesión en la cabeza.

10. Cascos y lesiones Si se selecciona al azar a uno de los sujetos, calcule la probabilidad de elegir a alguien sin lesión en la cabeza, dado que el sujeto usaba casco.

11. Probabilidad subjetiva Utilice la probabilidad subjetiva para estimar la probabilidad de seleccionar al azar un automóvil, y elegir uno que sea negro.

12. Ojos azules Alrededor del 35% de la población estadounidense tiene ojos azules (según un estudio del doctor P. Sorita Soni de Indiana University).

a) Si se selecciona a una persona al azar, ¿cuál es la probabilidad de que no tenga los ojos azules?

b) Si se seleccionan cuatro personas diferentes al azar, ¿cuál es la probabilidad de que todas tengan ojos azules?

c) ¿Sería inusual elegir al azar a cuatro personas y descubrir que todas tienen los ojos azules? ¿Por qué?

13. Día Nacional de la Estadística

a) Si se selecciona a una persona al azar, calcule la probabilidad de que su cumpleaños sea el 18 de octubre, que es el Día Nacional de la Estadística en Japón. Ignore los años bisiestos.

b) Si se selecciona a una persona al azar, calcule la probabilidad de que su cumpleaños sea en octubre. Ignore los años bisiestos.

c) Estime la probabilidad subjetiva del evento de seleccionar al azar a un adulto estadounidense y que este sepa que el 18 de octubre es el Día Nacional de la Estadística en Japón.

d) ¿Es inusual seleccionar al azar a un adulto estadounidense y que este sepa que el 18 de octubre es el Día Nacional de la Estadística en Japón?

14. Muertes por vehículos automotores En un año reciente, se informó que la tasa de mortalidad debido a choques de vehículos automotores era de 15.2 por 100,000 habitantes.

a) ¿Cuál es la probabilidad de que una persona seleccionada al azar muera este año como resultado de un choque en un vehículo automotor?

b) Si se seleccionan dos personas al azar, calcule la probabilidad de que ambas mueran este año como resultado de choques en vehículos automotores, y exprese el resultado utilizando tres decimales significativos.

c) Si se seleccionan dos personas al azar, calcule la probabilidad de que ninguna de ellas muera este año como resultado de choques en vehículos automotores, y exprese el resultado utilizando tres decimales significativos.

15. Encuesta de sudoku America Online realizó una encuesta para preguntar a sus suscriptores de Internet si les gustaría participar en un torneo de sudoku. De los 4467 usuarios de Internet que decidieron responder, el 40% dijo "definitivamente".

a) ¿Cuál es la probabilidad de seleccionar a uno de los participantes y elegir a alguien que hubiera respondido algo diferente a "definitivamente"?

b) Con base en estos resultados de encuesta, ¿podemos concluir que aproximadamente el 40% de los estadounidenses responderían "definitivamente"? ¿Por qué?

16. Muestreo compuesto Un laboratorio de pruebas médicas ahorra dinero al combinar muestras de sangre para pruebas. La muestra combinada resulta positiva si al menos una de las personas está infectada. Si la muestra combinada resulta positiva, se realizan pruebas de sangre individuales. En una prueba de clamidia, se combinaron muestras sanguíneas de 10 personas seleccionadas al azar. Calcule la probabilidad de que la muestra combinada resulte positiva con al menos una persona infectada entre las 10. Según datos de los Centers for Disease Control, la probabilidad de seleccionar al azar a una persona con clamidia es 0.00320. ¿Es probable que este tipo de muestras combinadas resulten positivas?

17. ¿El encuestador miente? Un encuestador de Gosset Survey Company afirma que se eligieron al azar 30 votantes de una población de 2,800,000 posibles votantes en la ciudad de Nueva York (85% de los cuales son demócratas), y los 30 resultaron ser demócratas. El encuestador afirma que esto podría ocurrir fácilmente debido al azar. Calcule la probabilidad de obtener 30 demócratas al seleccionar al azar 30 votantes de esta población. Con base en los resultados, ¿parecería que el encuestador miente?

18. Mortalidad Según datos del U.S. Center for Health Statistics, el índice de mortalidad de los hombres de 15 a 24 años de edad es de 114.4 por 100,000 habitantes, y el índice de mortalidad de las mujeres del mismo rango de edad es de 44.0 por 100,000 habitantes.

a) Si se selecciona al azar a un hombre en ese rango de edad, ¿cuál es la probabilidad de que sobreviva? (Exprese la respuesta con seis decimales).

b) Si se seleccionan al azar dos hombres en ese rango de edad, ¿cuál es la probabilidad de que ambos sobrevivan?

c) Si se seleccionan al azar dos mujeres en ese rango de edad, ¿cuál es la probabilidad de que ambas sobrevivan?

d) Identifique al menos una razón para la discrepancia entre los índices de mortalidad de hombres y mujeres.

19. Lotería de Carolina del Sur En el juego de lotería Palmetto Cash 5 de Carolina del Sur, para ganar el premio mayor es necesario seleccionar los cinco números correctos entre 1 y 38. ¿Cuántas formas diferentes posibles de esos cinco números se pueden seleccionar? ¿Cuál es la probabilidad de ganar el premio mayor? ¿Es inusual que alguien gane en esta lotería?

20. Códigos de barras El 1 de enero de 2005 se modificaron los códigos de barras que aparecen en los productos de venta al detalle, de manera que ahora incluyen 13 dígitos en vez de 12. ¿Cuántos productos diferentes se pueden identificar ahora con los nuevos códigos de barras?

Ejercicios de repaso acumulativo

1. Pesos de bistecs A continuación se presentan muestras de pesos (en onzas) de bistecs anunciados en el menú de un restaurante como bistecs de “Mesón de 20 onzas” (según datos reunidos por un alumno del autor). Se supone que los pesos son de 21 onzas, ya que la carne pierde una onza al ser cocinada.

17	20	21	18	20	20	20	18	19	19
20	19	21	20	18	20	20	19	18	19

a) Calcule la media de los pesos.

b) Calcule la mediana de los pesos.

c) Calcule la desviación estándar de los pesos.

d) Calcule la varianza de los pesos. Asegúrese de incluir las unidades de medida.

e) Con base en los resultados, ¿los bistecs tienen un peso suficiente?

2. Encuesta de AOL En una encuesta de America Online, se preguntó a los usuarios de Internet si querían vivir hasta los 100 años. Se recibieron 3042 respuestas afirmativas y 2184 respuestas negativas.

a) ¿Qué porcentaje de las respuestas fueron afirmativas?

b) Con base en los resultados de la encuesta, ¿cuál es la probabilidad de elegir al azar a una persona que quiere vivir hasta los 100 años?

c) ¿Qué término se utiliza para denotar este tipo de método de muestreo? ¿Es adecuado este método de muestreo?

d) ¿Qué es una muestra aleatoria simple y esta sería un mejor tipo de muestreo para encuestas como la que aquí se describe?

3. Pesos de bebidas de cola A continuación se presentan muestras de pesos (en gramos) de Coca-Cola regular y de Coca-Cola dietética (de acuerdo con el conjunto de datos 17 del apéndice B).

Regular:	372	370	370	372	371	374
Dietética:	353	352	358	357	356	357

a) Calcule la media de los pesos de Coca-Cola regular y la media de los pesos de Coca-Cola dietética; luego, compare los resultados. ¿Las medias son aproximadamente iguales?

b) Calcule la mediana de los pesos de Coca-Cola regular y la mediana de los pesos de Coca-Cola dietética; luego, compare los resultados.

c) Calcule la desviación estándar de Coca-Cola regular y la desviación estándar de Coca-Cola dietética; luego, compare los resultados.

d) Calcule la varianza de los pesos de Coca-Cola regular y la varianza de los pesos de Coca-Cola dietética. Asegúrese de incluir las unidades de medida.

e) Con base en los resultados, ¿parece que los pesos de Coca-Cola regular y de Coca-Cola dietética son similares?

4. Valores inusuales

a) La media del nivel de presión sanguínea diastólica de mujeres adultas es 67.4, con una desviación estándar de 11.6 (de acuerdo con el conjunto de datos 1 del apéndice B). Si utiliza la regla práctica de las desviaciones, ¿una presión sanguínea diastólica de 38 se consideraría inusual? Explique.

b) Un estudiante que casi no asiste a clases y no hace las tareas responde un examen difícil de verdadero o falso, el cual consta de 10 preguntas. El estudiante advierte al profesor que hizo conjeturas al azar en todas las respuestas, pero obtiene una calificación perfecta. ¿Cuál es la probabilidad de que tenga las 10 respuestas correctas si realmente hizo conjeturas? ¿Es inusual obtener una calificación perfecta en un examen como este, suponiendo que todas las respuestas son conjeturas al azar?

5. Muestreo del color de los ojos Con base en un estudio del doctor P. Sorita Soni de Indiana University, sabemos que en Estados Unidos el color de los ojos se distribuye de la siguiente manera: 40% café, 35% azul, 12% verde, 7% gris, 6% avellana.

a) Un profesor de estadística reúne datos sobre el color de los ojos de sus alumnos. ¿Cómo se llama este tipo de muestra?

b) Identifique un factor que podría sesgar esta muestra específica y provocar que no sea representativa de la población general de Estados Unidos.

c) Si se selecciona una persona al azar, ¿cuál es la probabilidad de que tenga ojos cafés o azules?

d) Si se selecciona a dos personas al azar, ¿cuál es la probabilidad de que al menos una tenga ojos cafés?

6. Cálculo del número de melodías posibles En el *Directory of Tunes and Musical Themes*, de Denys Parsons, se listan melodías de más de 14,000 canciones de acuerdo con el siguiente esquema: la primera nota de cada canción se representa por un asterisco (*) y las notas sucesivas se representan por *R* (para repetir la nota previa), *U* (para una nota que sube), o *D* (para una nota que baja). Por ejemplo, la Quinta Sinfonía de Beethoven comienza como **RRD*. Se representan melodías clásicas a través de las primeras 16 notas. Con este esquema, ¿cuántas melodías clásicas diferentes son posibles?

Proyecto tecnológico

Uso de simulaciones para probabilidades

Por lo general, los estudiantes consideran que el tema de la probabilidad es el más difícil en un curso de introducción a la estadística. A veces algunos problemas de probabilidad parecen sencillos, pero sus soluciones son sumamente complejas. En este capítulo identificamos varias reglas básicas e importantes que suelen utilizarse para calcular probabilidades, pero en este proyecto utilizaremos un enfoque muy diferente que permite resolver gran parte de la dificultad que enfrentamos al aplicar las reglas formales. Este enfoque alternativo consiste en el desarrollo de una simulación, un proceso que se comporta de la misma forma que el procedimiento, de manera que produce resultados similares. (Véase la sección 4-6).

Revise el ejemplo 3 de la sección 4-6, donde consideramos la probabilidad de obtener una racha de al menos 6 caras o de al menos 6 cruces al lanzar una moneda 200 veces. La solución del ejemplo 3 no da un valor de probabilidad, por lo que el objetivo de este ejercicio es el de obtener tal valor. Realice una simulación al generar 200 números, donde cada número sea 0 o 1, seleccionados de manera que sean igualmente probables. Examine visualmente la lista para determinar si hay una racha de al menos 6 caras o cruces simuladas. Repita este experimento las veces necesarias para poder determinar una probabilidad que permita conocer el valor del primer decimal. Si es posible, combine los resultados con los de sus compañeros de clase, para poder obtener un valor de probabilidad más preciso. Escriba un breve reporte que resuma los resultados, incluyendo el número de ensayos y el número de éxitos.

PROYECTO APPLET

Realice el proyecto tecnológico anterior utilizando un applet del sitio Web de este libro. Abra el archivo de applets y haga doble clic en **Start.** Seleccione **Simulating the probability of a head with a fair coin** de las opciones del menú, y luego elija $n = 1000$. Haga clic en **Flip.** El proyecto tecnológico requiere de una simulación de 200 lanzamientos de una moneda, de manera que solo usará los primeros 200 resultados listados en la columna denominada *Flip*. Igual que en el proyecto tecnológico, examine visualmente la lista para determinar si hay una racha de al menos 6 caras o cruces simuladas en los primeros 200 resultados. Repita este experimento las veces necesarias para determinar una probabilidad que permita conocer el valor del primer decimal.

PROYECTO DE INTERNET

Cálculo de probabilidades

Visite: **www.pearsonenespañol.com/triola**

Calcular las probabilidades cuando se arrojan dados es fácil. Con un dado, existen seis posibles resultados, y cada uno (por ejemplo, obtener un 2) tiene una probabilidad de 1/6. Un juego de naipes implica más cálculos, aunque estos siguen siendo manejables. Pero, ¿qué pasa con un juego más complicado, como el juego de mesa Monopolio? ¿Cuál es la probabilidad de quedar en un lugar en particular del tablero? La probabilidad depende del lugar que su pieza ocupe en el momento, del resultado de los dados, de la selección de cartas, así como de otros factores. Ahora considere un ejemplo más representativo de la vida real, como el de la probabilidad de sufrir un accidente automovilístico. El número de factores implicados es tan grande como para siquiera considerarlo; no obstante, probabilidades de este tipo suelen mencionarse en el caso de las compañías de seguros.

El proyecto de Internet para este capítulo considera métodos para calcular probabilidades en situaciones complicadas. Tendrá que examinar las probabilidades que subyacen en un juego muy conocido, así como las de un popular programa de concurso de televisión. También estimará probabilidades de accidentes y algunas otras relacionadas con la salud por medio del uso de datos empíricos.

DE LOS DATOS A LA DECISIÓN

Pensamiento crítico: Si fuera médico, ¿qué debería decir a una mujer después de que se practicó una prueba de embarazo?

Para una mujer es vital saber si está embarazada; de esta forma, podrá disminuir ciertas actividades, dejar de tomar medicamentos, evitar exponerse a tóxicos en el trabajo, dejar de fumar o de consumir alcohol, ya que todas estas situaciones podrían dañar al bebé. Los resultados de las pruebas de embarazo, como sucede con casi todas las pruebas de salud, no son 100% precisos. En los ensayos clínicos de una prueba sanguínea de embarazo, los resultados que se muestran en la siguiente tabla se obtuvieron por medio de la prueba sanguínea Abbot (de acuerdo con datos de "Specificity and Detection Limit of Ten Pregnancy Tests", de Tiitinen y Stenman, *Scandinavian Journal of Clinical Laboratory Investigation*, vol. 53, suplemento 216). Existen otras pruebas más confiables que las que se presentan en esta tabla.

Análisis de resultados

1. Con base en los resultados de la tabla, ¿cuál es la probabilidad de que una mujer esté embarazada si la prueba indica un resultado negativo? Si usted fuera médico y tuviera una paciente con un resultado negativo, ¿qué consejo le daría?
2. Con base en los resultados de la tabla, ¿cuál es la probabilidad de un falso positivo? Es decir, ¿cuál es la probabilidad de obtener un resultado positivo si la mujer realmente no está embarazada? Si usted fuera médico y tuviera una paciente con un resultado positivo, ¿qué consejo le daría?
3. Calcule los valores siguientes y explique la diferencia entre los dos eventos.

Describa el concepto de *confusión del inverso* en este contexto.

- *P*(embarazada | resultado de prueba positivo)
- *P*(resultado de prueba positivo | embarazada)

Resultados de pruebas de embarazo

	Resultado de prueba positivo (indica embarazo)	Resultado de prueba negativo (indica que no hay embarazo)
La mujer está embarazada	80	5
La mujer no está embarazada	3	11

Actividades de trabajo en equipo

1. Actividad en clase Formen equipos de tres o cuatro estudiantes y utilicen lanzamientos de monedas para desarrollar una simulación que imite al reino que se atiene a este decreto: "Después de que una madre dé a luz a un varón, no tendrá ningún otro hijo". Si este decreto se obedece, ¿se incrementará la proporción de mujeres?

2. Actividad en clase Formen grupos de tres o cuatro personas y usen tachuelas reales para estimar la probabilidad de que cuando se dejen caer, una tachuela quede con la punta hacia arriba. ¿Cuántos intentos son necesarios para obtener un resultado que parezca razonablemente preciso, cuando se redondea al primer espacio decimal?

3. Actividad en clase Formen grupos de tres o cuatro personas y utilicen chocolates Kisses de Hershey's para estimar la probabilidad de que cuando se dejen caer, caerán con la parte plana sobre el piso. ¿Cuántos intentos son necesarios para obtener un resultado que parezca razonablemente preciso, cuando se redondea al primer espacio decimal?

4. Actividad fuera de clase Los biólogos marinos con frecuencia usan el *método de captura-recaptura* como procedimiento para estimar el tamaño de una población, por ejemplo, el número de peces en un lago. Este método supone capturar una muestra de la población, etiquetar a cada uno de los miembros de la muestra y luego reincorporarlos a la población. Más tarde, se captura una segunda muestra y se cuentan los miembros etiquetados, junto con el tamaño total de esta segunda muestra. Los resultados se pueden utilizar para estimar el tamaño de la población.

En vez de capturar peces reales, simulen el procedimiento utilizando un conjunto uniforme de artículos como botones, cuentas de colores, dulces M&M, piezas de cereal de aros de frutas o tarjetas. Comiencen con una colección grande de estos artículos. Obtengan una muestra de 50 y use un marcador para "etiquetar" a cada uno. Vuelvan a incorporar los artículos marcados, revuelvan la población completa, seleccionen una segunda muestra y procedan a estimar el tamaño de la población. Comparen el resultado con el tamaño real de la población que se obtiene contando todos los artículos.

5. Actividad en clase Formen equipos de dos estudiantes. Remítanse al ejercicio 17 en la sección 4-6 para tener una descripción del "problema de Monty Hall". Simulen el concurso y registren los resultados de cambiar y de no cambiar la decisión; después, determinen cuál de estas dos estrategias es mejor.

6. Actividad fuera de clase Formen equipos de tres o cuatro estudiantes. Primero utilicen estimaciones subjetivas para la probabilidad de seleccionar al azar un automóvil y elegir cada uno de los siguientes colores: negro, blanco, azul, rojo, plateado, otro. Luego, diseñen un plan de muestreo para obtener colores de automóviles por medio de la observación. Lleven a cabo el plan de muestreo y revisen las probabilidades con base en los resultados observados. Escriban un informe breve de los resultados.

NOMBRE:	Karen De Toro
PUESTO:	Gerente *senior*
COMPAÑÍA:	Deloitte Consulting LLP

Karen De Toro es gerente de Deloitte Consulting LLP en Chicago, IL. En su trabajo actual como consultora actuarial, utiliza la probabilidad y la estadística para determinar el costo de las pólizas de seguros de vida para compañías de seguros.

¿Cómo utiliza la estadística en su trabajo?

El campo de la ciencia actuarial depende mucho de la estadística. La mayoría de los actuarios trabajan en el campo de los seguros. Las compañías del ramo ofrecen un beneficio a sus clientes ante la ocurrencia de ciertos eventos riesgosos, los cuales incluyen la muerte prematura, la discapacidad, problemas de salud, la pérdida de propiedades, accidentes automovilísticos, etcétera. Los actuarios son expertos en evaluar las probabilidades de que realmente ocurran tales eventos, y utilizan esa información para ayudar a las compañías de seguros a determinar cuánto deben cobrar a sus clientes por otorgarles un seguro. También utilizamos esta información para determinar con cuánto capital debe contar una compañía de seguros para ser solvente, y para ayudarle a encontrar formas de utilizar ese capital de la manera más eficiente.

¿Qué tan importante es la estadística en su trabajo?

Para ser actuario, es absolutamente indispensable tener sólidos conocimientos de estadística. Los actuarios deben certificarse mediante la presentación de un examen, en el cual los candidatos deben demostrar sus conocimientos de los conceptos de probabilidad y estadística.

Por favor, cite un ejemplo de la forma en que se utilizan sus datos.

Mi especialidad son los seguros de vida. En este caso utilizamos las tablas de mortalidad, que consisten en distribuciones de probabilidad discreta del riesgo de muerte a cualquier edad. En esencia, la tabla indica la probabilidad de que un individuo de cierta edad muera durante el año en curso, antes de su siguiente cumpleaños. Nuestra organización profesional, la Society of Actuaries, realiza proyectos de investigación periódicamente para publicar tablas estandarizadas basadas en grandes cantidades de datos reunidos sobre muertes reales. Los actuarios que trabajan en las compañías de seguros llevan a cabo estudios similares de forma periódica, para comparar la experiencia de su compañía con las tablas publicadas. Esta información se utiliza para determinar cuánto debe cobrar la compañía por el contrato de seguro de vida de un tipo en particular, y con cuánto dinero debe contar en cualquier momento para hacer frente a los reclamos de sus clientes.

En términos de estadística, ¿qué recomendaría a los empleados potenciales?

La mayoría de los actuarios de nivel básico tienen un título universitario en matemáticas, ciencia actuarial o estadística. Sin importar cuál sea su área de especialidad, los actuarios deben tomar dos cursos de probabilidad y estadística, así como de otros temas de matemáticas avanzadas.

¿Recomienda que los estudiantes universitarios de hoy aprendan estadística?

Definitivamente sí. Cuando obtuve mi título de maestría, me di cuenta de que muchos campos utilizan la estadística. Mientras estudiaba la maestría, tomé algunos cursos de marketing, y las metodologías que aprendimos se basaban en análisis estadísticos.

¿Qué otras habilidades son importantes en la actualidad para los estudiantes universitarios?

Considero que las habilidades de comunicación y de negocios en general son fundamentales, incluso si uno no planea ingresar al mundo de los negocios. Estas habilidades son útiles en cualquier industria.

¿Hay algo más que le gustaría decir a los estudiantes de estadística?

Existen muchas carreras profesionales y trabajos fantásticos a los que uno se puede dedicar si tiene experiencia en estadística. Es una habilidad muy útil.

5 Distribuciones de probabilidad discreta

PROBLEMA DEL CAPÍTULO

¿Los resultados que obtuvo Mendel en los experimentos de hibridación de plantas contradicen su teoría?

Gregor Mendel realizó experimentos originales para estudiar las características genéticas de plantas de guisantes. En 1865 escribió "Experimentos con hibridación de plantas", que se publicó en *Proceedings of the Natural History Society.* Mendel planteó la teoría de que, cuando existen dos características que pueden heredarse, una de ellas será dominante y la otra recesiva. Cada una de las plantas progenitoras contribuye con un gen a un vástago y, dependiendo de la combinación de genes, el vástago podría heredar el rasgo dominante o el recesivo. Mendel realizó un experimento utilizando plantas de guisantes, cuyas vainas pueden ser verdes o amarillas. Cuando un guisante que tiene un gen verde dominante y un gen amarillo recesivo se cruza con otro guisante que tiene los mismos genes, los vástagos pueden heredar cualquiera de las cuatro combinaciones de genes, como se muestra en la siguiente tabla.

Como el verde es dominante y el amarillo recesivo, la vaina del vástago será verde si cualquiera de los dos genes heredados es verde; solo puede haber una vaina amarilla si hereda el gen amarillo de cada uno de los dos progenitores. En la tabla se observa que cuando se cruzan dos plantas progenitoras que tienen los pares de genes verde y amarillo, se espera que 3/4 de los vástagos tengan vainas verdes; es decir, $P(\text{vástago verde}) = 3/4$.

Cuando Mendel realizó sus famosos experimentos de hibridación utilizando plantas que tenían la combinación de genes verde/amarillo, obtuvo 580 vástagos. Según su hipótesis, 3/4 de los vástagos tendrían vainas verdes; sin embargo, el número real de plantas con vainas verdes fue 428. Así, la proporción de vástagos con vainas verdes con respecto a la cantidad total de vástagos es 428/580 = 0.738. Mendel *esperaba* una proporción de 3/4 o 0.75, pero el *resultado real* fue una proporción de 0.738. En este capítulo veremos si los resultados experimentales contradicen los resultados teóricos y, en caso de ser así, estableceremos las bases para la *prueba de hipótesis,* que se presenta en el capítulo 8.

Gen del progenitor 1		Gen del progenitor 2		Genes de los vástagos		Color de la vaina de los vástagos
verde	+	verde	→	verde/verde	→	verde
verde	+	amarillo	→	verde/amarillo	→	verde
amarillo	+	verde	→	amarillo/verde	→	verde
amarillo	+	amarillo	→	amarillo/amarillo	→	amarillo

5-1 Repaso y preámbulo

En este capítulo combinamos los métodos de *estadística descriptiva* presentados en los capítulos 2 y 3 con los de *probabilidad* que estudiamos en el capítulo 4, para describir y analizar *distribuciones de probabilidad.* Las distribuciones de probabilidad describen lo que probablemente sucederá, en vez de lo que en realidad sucedió, y a menudo se presentan en el formato de una gráfica, tabla o fórmula. Recuerde que en el capítulo 2 utilizamos datos muestrales observados para construir distribuciones de frecuencia. En este capítulo utilizamos los resultados posibles de un procedimiento (determinado mediante los métodos del capítulo 4), junto con las frecuencias relativas *esperadas* para construir distribuciones de probabilidad, las cuales sirven como modelos de distribuciones de frecuencias teóricamente perfectas. Con este conocimiento de los resultados de la población, somos capaces de calcular sus características importantes, como la media y la desviación estándar, y de comparar las probabilidades teóricas con los resultados reales para determinar si los resultados son inusuales.

La figura 5-1 presenta un resumen visual de los objetivos de este capítulo. Al utilizar los métodos de los capítulos 2 y 3, podríamos lanzar un dado en repetidas ocasiones para reunir datos muestrales y luego describirlos con gráficas (como un histograma o una gráfica de caja), o bien, en forma numérica utilizando medidas de tendencia central (como la media) y medidas de variación (como la desviación estándar). Si empleamos los métodos del capítulo 4 podríamos calcular la probabilidad de cada resultado. Luego, podremos construir una distribución de probabilidad, la cual describe una tabla de frecuencias relativas para un dado que se lanzó un número infinito de veces.

Para entender plenamente las distribuciones de probabilidad, primero debemos entender el concepto de una variable aleatoria, y ser capaces de distinguir entre variables aleatorias discretas y continuas. En este capítulo estudiaremos las distribuciones de probabilidad *discretas* y en particular analizaremos las distribuciones de probabilidad binomiales y de Poisson. En el capítulo 6 estudiaremos las distribuciones de probabilidad *continuas.*

La tabla que se encuentra en el extremo derecho de la figura 5-1 representa una distribución de probabilidad que sirve como modelo para una distribución de frecuencias teóricamente perfecta de una población. En esencia, podemos describir la tabla de fre-

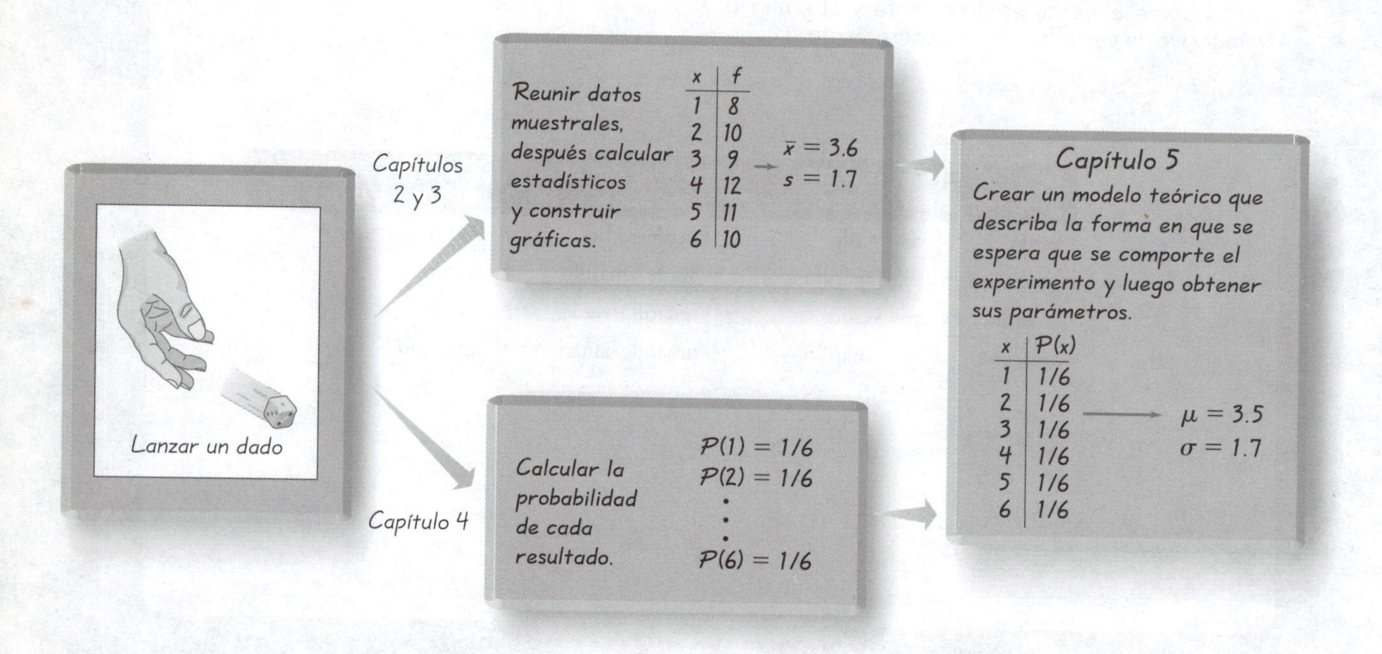

Figura 5-1 Combinación de métodos descriptivos y probabilidades para formar un modelo teórico de comportamiento

cuencias relativas para un dado que se lanzó un número infinito de veces. Al conocer la población de resultados, seremos capaces de calcular sus características importantes, como la media y la desviación estándar. El resto de este libro y la esencia de la estadística inferencial se basan en el conocimiento de las distribuciones de probabilidad. Comenzamos examinando el concepto de una variable aleatoria y después estudiaremos distribuciones importantes que tienen muchas aplicaciones reales.

5-2 Variables aleatorias

Concepto clave En esta sección se presenta el importante concepto de las variables aleatorias y cómo se relacionan con las distribuciones de probabilidad. También estudiamos la forma de distinguir las variables aleatorias discretas de las variables aleatorias continuas. Asimismo, desarrollamos fórmulas para calcular la media, la varianza y la desviación estándar de una distribución de probabilidad. Más importante aún, nos enfocamos en determinar si es probable que los resultados ocurran debido al azar o si son inusuales (en el sentido de que no tienen probabilidad de ocurrir por azar).

Iniciamos con los conceptos relacionados *variable aleatoria* y *distribución de probabilidad.*

Tabla 5-1 Distribución de probabilidad: Probabilidades de números de guisantes con vainas verdes en un total de cinco vástagos

x (número de guisantes con vainas verdes)	$P(x)$
0	0.001
1	0.015
2	0.088
3	0.264
4	0.396
5	0.237

DEFINICIONES

Una **variable aleatoria** es aquella (casi siempre representada por x) que tiene un solo valor numérico determinado por el azar, para cada resultado de un procedimiento.

Una **distribución de probabilidad** es una distribución que indica la probabilidad de cada valor de la variable aleatoria. A menudo se expresa como gráfica, tabla o fórmula.

EJEMPLO 1

Genética Considere los vástagos de guisantes, cuyos progenitores tienen la combinación de los genes para las vainas verdes/amarillas. En estas condiciones, la probabilidad de que el vástago tenga una vaina verde es 3/4 o 0.75. Es decir, $P(\text{verde}) = 0.75$. Si se obtienen cinco vástagos, y si

$$x = \text{número de vástagos con vainas verdes en un total de cinco vástagos}$$

entonces x es una variable aleatoria porque su valor depende del azar. La tabla 5-1 es una distribución de probabilidad porque indica la probabilidad de cada valor de la variable aleatoria x. (En la sección 5-3 aprenderemos a calcular los valores de probabilidad, como los que se presentan en la tabla 5-1).

Nota: Si la probabilidad es muy pequeña, como 0.000000123, podemos representarla por 0+ en una tabla, donde 0+ indica que la probabilidad es un número positivo muy pequeño. (Representar la baja probabilidad como 0 indicaría, de manera incorrecta, que el evento es imposible).

En la sección 1-2 hicimos una distinción entre los datos discretos y continuos. Las variables aleatorias también pueden ser discretas o continuas, y las siguientes dos definiciones son congruentes con las que se presentan en la sección 1-2.

Figura 5-2
Aparatos que se utilizan para contar y medir variables aleatorias discretas y continuas

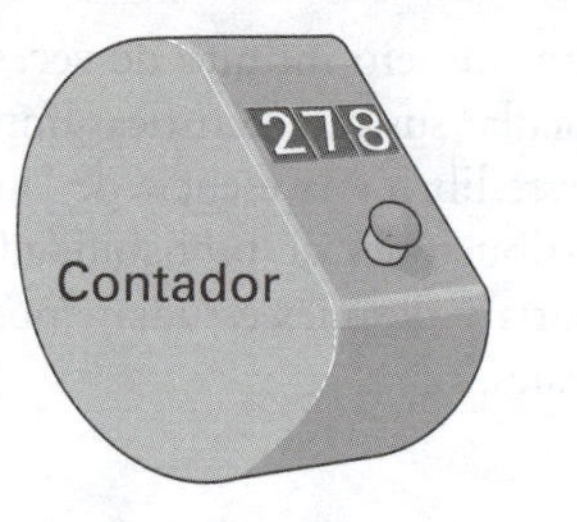

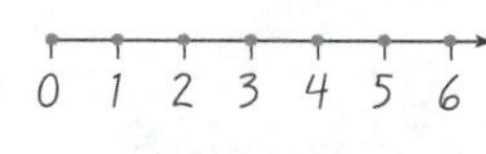

a) Variable aleatoria discreta: Contador del número de asistentes al cine.

b) Variable aleatoria continua: Voltaje medido de la batería de un detector de humo.

DEFINICIONES

Una **variable aleatoria discreta** tiene un número finito de valores o un número de valores contable, donde "contable" se refiere al hecho de que podría haber un número infinito de valores, pero que pueden asociarse con un proceso de conteo, de manera que el número de valores es 0 o 1 o 2 o 3, etcétera.

Una **variable aleatoria continua** tiene un número infinito de valores, y esos valores pueden asociarse con mediciones en una escala continua, de manera que no existan huecos o interrupciones.

Este capítulo se refiere exclusivamente a variables aleatorias discretas, pero en los siguientes capítulos se estudiarán las variables aleatorias continuas.

EJEMPLO 2

Los siguientes son ejemplos de variables aleatorias discretas y continuas:

1. **Discreta** Sea x = número de huevos que una gallina pone en un día. Esta es una variable aleatoria *discreta* porque sus únicos valores posibles son 0 o 1 o 2, etcétera. Ninguna gallina puede poner 2.343115 huevos, lo que sería posible si los datos provinieran de una escala continua.

2. **Discreta** El conteo del número de estudiantes de estadística que asisten a una clase es un número entero y, por lo tanto, una variable aleatoria discreta. El aparato de conteo que se muestra en la figura 5-2*a*) es capaz de indicar únicamente un número finito de valores, por lo que se utiliza para obtener valores de una variable aleatoria *discreta*.

3. **Continua** Sea x = cantidad de leche que produce una vaca en un día. Esta es una variable aleatoria *continua*, ya que puede adoptar cualquier valor en un tramo continuo. En un solo día, una vaca produce una cantidad de leche cuyo valor puede

ser cualquiera entre 0 y 5 galones. Es posible obtener 4.123456 galones, ya que la vaca no está restringida a las cantidades discretas de 0, 1, 2, 3, 4 o 5 galones.

4. **Continua** La medida del voltaje de la batería de un detector de humo puede ser cualquier valor entre 0 y 9 volts. Por lo tanto, se trata de una variable aleatoria continua. El voltímetro que se ilustra en la figura 5-2*b*) indica valores en una escala continua, de manera que permite obtener valores de una variable aleatoria *continua.*

Gráficas

Existen varias formas para graficar una distribución de probabilidad, pero aquí consideraremos solamente el **histograma de probabilidad.** La figura 5-3 es un histograma de probabilidad muy similar al histograma de frecuencias relativas (véase el capítulo 2), pero la escala vertical indica *probabilidades* en vez de frecuencias relativas basadas en resultados muestrales reales.

En la figura 5-3, observe que a lo largo del eje horizontal, los valores de 0, 1, 2, 3, 4, 5 se localizan en el centro de los rectángulos. Esto implica que cada uno de los rectángulos mide una unidad, de manera que las áreas de los rectángulos son 0.001, 0.015, 0.088, 0.264, 0.396, 0.237. Las *áreas* de estos rectángulos son iguales a las *probabilidades* en la tabla 5-1. En el capítulo 6 y en los que le siguen veremos que esta correspondencia entre el área y la probabilidad es muy útil en estadística.

Toda distribución de probabilidad debe satisfacer cada uno de los dos siguientes requisitos.

Requisitos de una distribución de probabilidad

1. $\Sigma P(x) = 1$ donde x asume todos los valores posibles. (La suma de todas las probabilidades debe ser 1, pero valores como 0.999 o 1.001 son aceptables porque son el resultado de errores de redondeo).
2. $0 \leq P(x) \leq 1$ para cada valor individual de x. (Es decir, cada valor de probabilidad debe ubicarse entre 0 y 1, inclusive).

El primer requisito surge del simple hecho de que la variable aleatoria x representa todos los eventos posibles en el espacio muestral completo, de manera que tenemos la certeza (con probabilidad 1) de que uno de los eventos ocurrirá. En la tabla 5-1 se observa que la suma de todas las probabilidades es 1.001 (debido a errores de redondeo), y que cada valor $P(x)$ está entre 0 y 1. Puesto que la tabla 5-1 satisface ambos requisitos, se confirma que se trata de una distribución de probabilidad. Una distribución de probabilidad puede describirse como una tabla (por ejemplo, la tabla 5-1), una gráfica (como la figura 5-3) o una fórmula.

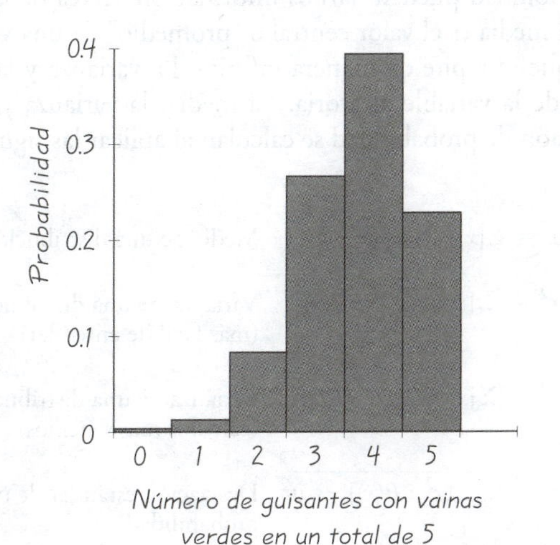

Figura 5-3
Histograma de probabilidad

Análisis de datos de vida útil

El *análisis de datos de vida útil* se relaciona con los índices de duración y falla de productos manufacturados. En una aplicación, se sabe que las computadoras Dell tienen un índice de "mortalidad infantil", lo que indica que la tasa de fallas es más alta inmediatamente después de que se producen las computadoras. Por lo tanto, la compañía prueba o "somete a presión" a las computadoras antes de su envío. Dell puede optimizar las ganancias al utilizar un tiempo óptimo de prueba que identifique las fallas sin desperdiciar un tiempo de prueba valioso. Otros productos, como los automóviles, tienen tasas de falla que aumentan con el tiempo conforme las partes se desgastan. Si General Motors, Dell o cualquier otra compañía ignoraran el uso de la estadística y el análisis de datos de vida útil, correrían un grave riesgo de salir del negocio debido a factores como los costos excesivos por reparaciones de garantía o la pérdida de clientes que experimentan tasas de fallas inaceptables.

La *distribución de Weibull* es una distribución de probabilidad que se utiliza comúnmente en las aplicaciones de análisis de datos de vida útil, pero su estudio rebasa el alcance de este libro.

Tabla 5-2 Teléfonos celulares por familia

x	$P(x)$
0	0.19
1	0.26
2	0.33
3	0.13

EJEMPLO 3

Teléfonos celulares Según una encuesta realizada por Frank N. Magid Associates, la tabla 5-2 describe las probabilidades del número de teléfonos celulares en uso por familia. ¿La tabla 5-2 describe una distribución de probabilidad?

SOLUCIÓN

Para ser una distribución de probabilidad, $P(x)$ debe satisfacer los dos requisitos anteriores. Pero

$$\begin{aligned}\Sigma P(x) &= P(0) + P(1) + P(2) + P(3)\\ &= 0.19 + 0.26 + 0.33 + 0.13\\ &= 0.91 \quad \text{[lo que demuestra que } \Sigma P(x) \neq 1]\end{aligned}$$

Como no se satisface el primer requisito, concluimos que la tabla 5-2 *no* describe una distribución de probabilidad.

EJEMPLO 4

¿$P(x) = \frac{x}{10}$ (donde x puede ser 0, 1, 2, 3 o 4) determina una distribución de probabilidad?

SOLUCIÓN

Para la fórmula dada, encontramos que $P(0) = 0/10$, $P(1) = 1/10$, $P(2) = 2/10$, $P(3) = 3/10$ y $P(4) = 4/10$, de manera que

1. $\Sigma P(x) = \frac{0}{10} + \frac{1}{10} + \frac{2}{10} + \frac{3}{10} + \frac{4}{10} = \frac{10}{10} = 1$

2. Cada uno de los valores $P(x)$ se encuentra entre 0 y 1.

Puesto que ambos requisitos se satisfacen, la fórmula presentada en este ejemplo es una distribución de probabilidad.

Media, varianza y desviación estándar

En el capítulo 2 describimos las siguientes características importantes de los datos (que pueden recordarse por medio de las siglas CVDVT "**C**uidado con los **V**irus que **D**estruyen el **V**alioso **T**rabajo"): **1.** centro, **2.** variación, **3.** distribución, **4.** valores atípicos y **5.** tiempo (características de los datos que cambian con el tiempo). Estas mismas características se pueden utilizar para describir distribuciones de probabilidad. Una tabla o un histograma de probabilidad pueden darnos información acerca de la distribución de variables aleatorias. La media es el valor central o "promedio" de una variable aleatoria para un procedimiento que se repite de manera infinita. La varianza y la desviación estándar miden la variación de la variable aleatoria. La media, la varianza y la desviación estándar de una distribución de probabilidad se calculan al aplicar las siguientes fórmulas.

Fórmula 5-1	$\mu = \Sigma[x \cdot P(x)]$	Media de una distribución de probabilidad
Fórmula 5-2	$\sigma^2 = \Sigma[(x - \mu)^2 \cdot P(x)]$	Varianza de una distribución de probabilidad (más fácil de entender)
Fórmula 5-3	$\sigma^2 = \Sigma[x^2 \cdot P(x)] - \mu^2$	Varianza de una distribución de probabilidad (cálculos más sencillos)
Fórmula 5-4	$\sigma = \sqrt{\Sigma[x^2 \cdot P(x)] - \mu^2}$	Desviación estándar de una distribución de probabilidad

EJEMPLO 5 **Cálculo de la media, la varianza y la desviación estándar** En la tabla 5-1 se describe la distribución de probabilidad del número de guisantes con vainas verdes, en un total de 5 vástagos obtenidos de progenitores con pares de genes verde/amarillo. Calcule la media, la varianza y la desviación estándar de la distribución de probabilidad que se describe en la tabla 5-1 del ejemplo 1.

SOLUCIÓN En la tabla 5-3, las dos columnas a la izquierda describen la distribución de probabilidad presentada anteriormente en la tabla 5-1, y creamos las tres columnas de la derecha para realizar los cálculos requeridos.

Si se utilizan las fórmulas 5-1 y 5-2 y los resultados de la tabla, obtenemos

$$\text{Media:} \quad \mu = \Sigma[x \cdot P(x)] = 3.752 = 3.8 \quad \text{(se redondea)}$$

$$\text{Varianza:} \quad \sigma^2 = \Sigma[(x-\mu)^2 \cdot P(x)] = 0.940574 = 0.9 \quad \text{(se redondea)}$$

La desviación estándar es la raíz cuadrada de la varianza; por lo tanto,

$$\text{Desviación estándar:} \quad \sigma = \sqrt{0.940574} = 0.969832 = 1.0 \quad \text{(se redondea)}$$

Tabla 5-3 Cálculo de μ, σ y σ^2 para una distribución de probabilidad

x	$P(x)$	$x \cdot P(x)$	$(x-\mu)^2 \cdot P(x)$
0	0.001	$0 \cdot 0.001 = 0.000$	$(0 - 3.752)^2 \cdot 0.001 = 0.014078$
1	0.015	$1 \cdot 0.015 = 0.015$	$(1 - 3.752)^2 \cdot 0.015 = 0.113603$
2	0.088	$2 \cdot 0.088 = 0.176$	$(2 - 3.752)^2 \cdot 0.088 = 0.270116$
3	0.264	$3 \cdot 0.264 = 0.792$	$(3 - 3.752)^2 \cdot 0.264 = 0.149293$
4	0.396	$4 \cdot 0.396 = 1.584$	$(4 - 3.752)^2 \cdot 0.396 = 0.024356$
5	0.237	$5 \cdot 0.237 = 1.185$	$(5 - 3.752)^2 \cdot 0.237 = 0.369128$
Total		3.752 ↑ $\mu = \Sigma[x \cdot P(x)]$	0.940574 ↑ $\sigma^2 = \Sigma[(x-\mu)^2 \cdot P(x)]$

INTERPRETACIÓN La media del número de guisantes con vainas verdes es 3.8 guisantes, la varianza es 0.9 "guisantes al cuadrado", y la desviación estándar es 1.0 guisante.

Fundamentos de las fórmulas 5-1 a la 5-4

En vez de aceptar y aplicar fórmulas a ciegas, es mucho mejor comprender por qué funcionan. Cuando se calcula la media de una distribución de frecuencias, f representa la frecuencia de clase, y N representa el tamaño de la población. En la siguiente expresión, rescribimos la fórmula de la media de una tabla de frecuencias, de manera que se aplique a una población. En la fracción f/N, el valor de f es la frecuencia con que ocurre el valor x, y N es el tamaño de la población, así que f/N es la probabilidad del valor de x. Al sustituir f/N por $P(x)$, se hace la transición de la frecuencia relativa basada en un número limitado de observaciones, a la probabilidad basada en un número infinito de ensayos.

$$\mu = \frac{\Sigma(f \cdot x)}{N} = \sum\left[\frac{f \cdot x}{N}\right] = \sum\left[x \cdot \frac{f}{N}\right] = \sum[x \cdot P(x)]$$

Un razonamiento similar nos permite tomar la fórmula de la varianza del capítulo 3 y aplicarla a una variable aleatoria para una distribución de probabilidad; el resultado es la

Cómo elegir los números de lotería

Muchos libros y distribuidores de programas de cómputo afirman que pueden ayudar a predecir los números de lotería ganadores. Algunos utilizan la teoría de que ciertos números están "vencidos" (y deberían ser elegidos), ya que no aparecen con frecuencia; otros utilizan la teoría de que algunos números están "fríos" (y deberían evitarse), ya que no han aparecido a menudo; e incluso hay quien utiliza la astrología, la numerología o los sueños. Como la selección de combinaciones de números de lotería ganadores son eventos independientes, este tipo de teorías son inútiles. Un método válido consiste en elegir números que sean "raros" en el sentido de que las otras personas no los elijan, de modo que, si usted gana, no deberá compartir el premio con muchas otras personas. La combinación de 1, 2, 3, 4, 5, 6 es una mala elección, ya que muchas personas tienden a seleccionarla. En una lotería de Florida, con un premio de $105 millones, 52,000 boletos incluían 1, 2, 3, 4, 5, 6; si esta combinación hubiera ganado, el premio habría sido de tan solo $1000. Es más sensato elegir combinaciones que no seleccionen muchas otras personas. Evite combinaciones que formen un patrón en el boleto.

fórmula 5-2. La fórmula 5-3 es una versión abreviada que siempre producirá el mismo resultado que la fórmula 5-2. Aun cuando la fórmula 5-3 suele ser más fácil de usar, la fórmula 5-2 es más fácil de comprender directamente. Con base en la fórmula 5-2, podemos expresar la desviación estándar como

$$\sigma = \sqrt{\Sigma[(x - \mu)^2 \cdot P(x)]}$$

o como la forma equivalente dada en la fórmula 5-4.

Cuando utilice las fórmulas 5-1 a la 5-4, aplique la siguiente regla para redondear los resultados.

Regla de redondeo para μ, σ y σ^2

Redondee los resultados utilizando una posición decimal más que el número de posiciones decimales utilizadas para la variable aleatoria x. Si los valores de x son enteros, redondee μ, σ y σ^2 a una posición decimal.

En ocasiones es necesario usar una regla diferente de redondeo ante circunstancias especiales, tales como resultados que requieren más decimales para ser significativos. Por ejemplo, para aviones de propulsión a chorro de cuatro motores, el número medio de motores que funcionan adecuadamente durante un vuelo es de 3.999714286, que se convierte en 4.0 cuando se redondea a una posición decimal más que los datos originales. Aquí, el 4.0 sería confuso, ya que sugiere que todos los motores del avión de propulsión a chorro siempre funcionan bien. Necesitamos más precisión para reflejar correctamente la media verdadera, como la precisión en el número 3.999714.

Identificación de resultados *inusuales* con la regla práctica de las desviaciones

La regla práctica de las desviaciones (que se estudió en la sección 3-3) también resulta útil para interpretar los valores de una desviación estándar. Según la regla práctica de las desviaciones, la mayoría de los valores deben caer dentro de 2 desviaciones estándar de la media; no es común que un valor difiera de la media en más de dos desviaciones estándar. (El uso de 2 desviaciones estándar no es un valor absolutamente rígido, y en su lugar se pueden emplear otros valores como 3). De esta manera, podemos identificar valores "inusuales" si se determina que caen fuera de los siguientes límites:

Regla práctica de las desviaciones

$$\textbf{valor máximo común} = \mu + 2\sigma$$

$$\textbf{valor mínimo común} = \mu - 2\sigma$$

ADVERTENCIA

Debe saber que el uso del número 2 de la regla práctica de las desviaciones es hasta cierto punto arbitrario, y que esta regla sirve como una guía, por lo que no es totalmente rígida.

Identificación de resultados *inusuales* con probabilidades

Regla del evento inusual para la estadística inferencial

Si, con un supuesto dado (como el de que una moneda es legal), la probabilidad de un evento particular observado (por ejemplo, 992 caras en 1000 lanzamientos de una moneda) es extremadamente pequeña, concluimos que el supuesto probablemente no es correcto.

Las probabilidades se pueden utilizar para aplicar la regla del evento inusual de la siguiente manera:

Uso de las probabilidades para determinar resultados inusuales

- **Número inusualmente *alto* de éxitos:** x éxitos en n ensayos es un número *inusualmente alto* de éxitos si la probabilidad de x o más éxitos es poco probable, con una probabilidad de 0.05 o menor. Este criterio se puede expresar de la siguiente forma: $P(x \text{ o más}) \leq 0.05$.*
- **Número inusualmente bajo de éxitos:** x éxitos en n ensayos es un número *inusualmente bajo* de éxitos si la probabilidad de x o menos éxitos es poco probable, con una probabilidad de 0.05 o menor. Este criterio se puede expresar de la siguiente forma: $P(x \text{ o menos}) \leq 0.05$.*

*El valor de 0.05 no es absolutamente rígido. Se podrían usar otros valores, como 0.01, para distinguir entre resultados que pueden ocurrir con facilidad por azar y eventos que tienen muy pocas probabilidades de ocurrir por azar.

Sugerencia para estudiar: Tome su tiempo para leer con cuidado y comprender la regla del evento inusual y el párrafo que le sigue. El siguiente párrafo ilustra un método sumamente importante que se utiliza a menudo en estadística.

Suponga que lanza una moneda para determinar si se ven favorecidas las caras y suponga que 1000 lanzamientos dan como resultado 501 caras. Esto no es evidencia de que la moneda favorezca las caras, ya que es muy fácil obtener un resultado de 501 caras en 1000 lanzamientos por el azar. Sin embargo, la probabilidad de obtener *exactamente* 501 caras en 1000 lanzamientos es bastante baja: 0.0252. Esta baja probabilidad refleja el hecho de que, con 1000 lanzamientos, *cualquier número específico* de caras tendrá una probabilidad sumamente baja. Sin embargo, no consideramos que 501 caras en 1000 lanzamientos sea un evento *inusual*, ya que la probabilidad de obtener *501 caras o más* es alta: 0.487.

EJEMPLO 6

Identificación de resultados inusuales con la regla práctica de las desviaciones En el ejemplo 5 encontramos que, para grupos de 5 vástagos (generados a partir de progenitores con pares de genes de vainas verdes/amarillas), la media del número de guisantes con vainas verdes es 3.8 y la desviación estándar es 1.0. Utilice esos resultados y la regla práctica de las desviaciones para calcular el valor máximo común y el valor mínimo común. Con base en los resultados, determine si es inusual que resulten 5 vástagos de guisantes y encontrar que solo uno de ellos tiene vainas verdes.

SOLUCIÓN

Al utilizar la regla práctica de las desviaciones, podemos calcular el valor máximo común y el valor mínimo común de la siguiente manera:

$$\text{valor máximo común:} \quad \mu + 2\sigma = 3.8 + 2(1.0) = 5.8$$
$$\text{valor mínimo común:} \quad \mu - 2\sigma = 3.8 - 2(1.0) = 1.8$$

INTERPRETACIÓN

Con base en estos resultados, concluimos que, para grupos de 5 vástagos de guisantes, el número de vástagos de guisantes con vainas verdes debe caer entre 1.8 y 5.8. Si resultan 5 vástagos de guisantes como los descritos, sería inusual obtener solo un vástago con vainas verdes (porque el valor de 1 está fuera de este rango de valores comunes: 1.8 a 5.8). (En este caso, el valor máximo común es en realidad 5, ya que es el número más grande posible de guisantes con vainas verdes).

EJEMPLO 7 **Identificación de resultados inusuales con probabilidades** Utilice *probabilidades* para determinar si 1 es un número inusualmente bajo de guisantes con vainas verdes cuando resultan 5 vástagos de progenitores con pares de genes amarillo/verde.

SOLUCIÓN Para determinar si 1 es un número inusualmente bajo de guisantes con vainas verdes (de un total de 5 vástagos), necesitamos calcular la probabilidad de obtener 1 o menos guisantes con vainas verdes. Si nos remitimos a la tabla 5-1 de la página 205, obtenemos los siguientes resultados:

$$P(1 \text{ o menos}) = P(1 \text{ o } 0) = 0.015 + 0.001 = 0.016.$$

INTERPRETACIÓN Puesto que la probabilidad de 0.016 es menor que 0.05, concluimos que el resultado de una planta de guisante con vainas verdes es *inusualmente bajo*. Hay muy poca probabilidad (0.016) de obtener 1 o menos guisantes con vainas verdes.

Valor esperado

La media de una variable aleatoria discreta es el resultado medio teórico de un número infinito de ensayos. Podemos considerar a esa media como el *valor esperado* en el sentido de que constituye el valor promedio que esperaríamos obtener si los ensayos pudieran continuar de manera indefinida. Los usos del valor esperado (también llamado *esperanza matemática* o simplemente *esperanza*) son extensos y variados, y desempeñan un papel muy importante en el área de aplicación denominada *teoría de la decisión*.

DEFINICIÓN

El **valor esperado** de una variable aleatoria discreta se denota con E y representa el valor promedio de los resultados. Se obtiene calculando el valor de $\Sigma[x \cdot P(x)]$

$$E = \Sigma[x \cdot P(x)]$$

ADVERTENCIA

No es necesario que un valor esperado sea un número entero, incluso si los diferentes valores posibles de x son todos números enteros.

A partir de la fórmula 5-1, vemos que $E = \mu$. Es decir, la media de una variable aleatoria discreta es igual que su valor esperado. Por ejemplo, al generar grupos de cinco vástagos de guisantes, la media del número de guisantes con vainas verdes es 3.8 (véase la tabla 5-3). De esta manera, se deduce que el valor esperado del número de guisantes con vainas verdes también es 3.8.

Como el concepto del valor esperado se utiliza con frecuencia en la teoría de la decisión, el siguiente ejemplo implica una decisión real.

EJEMPLO 8 **Cómo ser un mejor apostador** Usted está considerando la posibilidad de apostar al número 7 de la ruleta o a la "línea de pase" en el juego de dados del casino Venetian de Las Vegas.

a) Si usted apuesta \$5 al número 7 de la ruleta, la probabilidad de perder \$5 es 37/38, y la probabilidad de obtener una ganancia neta de \$175 es 1/38. (El premio es de \$180, incluyendo su apuesta de $5, por lo que la ganancia neta sería de $175). Calcule su valor esperado en caso de apostar $5 al número 7 de la ruleta.

b) Si usted apuesta $5 a la línea de pase en los dados, la probabilidad de perder $5 es 251/495, y la probabilidad de obtener una ganancia neta de $5 es 244/495. (Si usted apuesta $5 a la línea de pase y gana, recibe $10 que incluyen su apuesta, de manera que la ganancia neta es de $5). Calcule su valor esperado si apuesta $5 a la línea de pase.

¿Qué es mejor: una apuesta de $5 al número 7 en la ruleta, o una apuesta de $5 a la línea de pase en los dados? ¿Por qué?

SOLUCIÓN

a) Ruleta En la tabla 5-4 se resumen las probabilidades y la ganancia al apostar $5 al número 7 en la ruleta. En esta tabla también se observa que el valor esperado es $\Sigma[x \cdot P(x)] = -26$ centavos. Es decir, por cada apuesta de $5 al número 7, se espera perder un promedio de 26 centavos.

Tabla 5-4 Ruleta

Evento	x	$P(x)$	$x \cdot P(x)$
Pérdida	−$5	37/38	−$4.87
Ganancia (neta)	$175	1/38	$4.61
Total			−$0.26 (o −26 centavos)

b) Dados En la tabla 5-5 se resumen las probabilidades y la ganancia al apostar $5 a la línea de pase en los dados. En esta tabla también se observa que el valor esperado es $\Sigma[x \cdot P(x)] = -8$ centavos. Es decir, por cada apuesta de $5 a la línea de pase, se espera perder un promedio de 8 centavos.

Tabla 5-5 Dados

Evento	x	$P(x)$	$x \cdot P(x)$
Pérdida	−$5	251/495	−$2.54
Ganancia (neta)	$5	244/495	$2.46
Total			−$0.08 (o −8 centavos)

INTERPRETACIÓN La apuesta de $5 en la ruleta produce un valor esperado de −26 centavos, y la apuesta de $5 en los dados produce un valor esperado de −8 centavos. Es mejor apostar a los dados, ya que su valor esperado es mayor. Es decir, es mejor perder 8 centavos que 26. Aun cuando el juego de la ruleta ofrece la oportunidad de una mayor ganancia, a la larga, es mejor el juego de dados.

En esta sección aprendimos que una variable aleatoria tiene un valor numérico asociado a cada resultado de algún procedimiento aleatorio, y que una distribución de probabilidad tiene una probabilidad asociada con cada valor de una variable aleatoria. Examinamos métodos para calcular la media, la varianza y la desviación estándar de una distribución de probabilidad. Vimos que el valor esperado de una variable aleatoria es, en realidad, igual a la media. Por último, la regla práctica de las desviaciones o las probabilidades se pueden utilizar para determinar resultados *inusuales*.

5-2 Destrezas y conceptos básicos

Conocimientos estadísticos y pensamiento crítico

1. Variable aleatoria ¿Qué es una variable aleatoria? Un amigo del autor compra un billete de lotería cada semana durante un año. Durante las 52 semanas, cuenta el número de veces que ganó algo. En este contexto, ¿cuál es la variable aleatoria y cuáles son sus posibles valores?

2. Valor esperado Un investigador calcula el valor esperado del número de niñas en tres nacimientos y obtiene un resultado de 1.5. Luego, redondea los resultados a 2, al afirmar que no es posible que nazcan 1.5 niñas en cinco alumbramientos. ¿Es correcto este razonamiento? Explique.

3. Distribución de probabilidad Uno de los requisitos de una distribución de probabilidad es que la suma de las probabilidades debe ser 1 (se permite una pequeña cantidad de variación por errores de redondeo). ¿Cuál es la justificación de este requisito?

4. Distribución de probabilidad Un jugador profesional afirma que cargó un dado para que los resultados de 1, 2, 3, 4, 5 y 6 tengan probabilidades correspondientes de 0.1, 0.2, 0.3, 0.4, 0.5 y 0.6. ¿Realmente será cierto lo que dice? ¿Una distribución de probabilidad se describe haciendo una lista de los resultados junto con sus probabilidades correspondientes?

Identificación de variables aleatorias discretas y continuas. ***En los ejercicios 5 y 6, identifique si la variable aleatoria que se describe es discreta o continua.***

5. *a*) El número de personas que ahora están conduciendo un automóvil en Estados Unidos

***b*)** El peso del oro almacenado en Fort Knox

c) La altura del último avión que salió del aeropuerto JFK en la ciudad de Nueva York

***d*)** El número de automóviles que chocaron el año pasado en San Francisco

e) El tiempo necesario para volar de Los Ángeles a Shangai

6. *a*) La cantidad total (en onzas) de bebidas gaseosas que usted consumió el año pasado

***b*)** El número de latas de bebidas gaseosas que consumió el año pasado

c) El número de películas que actualmente se exhiben en los cines estadounidenses

***d*)** La duración de una película elegida al azar

e) El costo de filmar una película elegida al azar

Identificación de distribuciones de probabilidad. ***En los ejercicios 7 a 12, determine si se trata o no de una distribución de probabilidad. Si se describe una distribución de probabilidad, calcule su media y desviación estándar. En los casos en que no se describe una distribución de probabilidad, identifique los requisitos que no se satisfacen.***

7. Trastorno genético Tres hombres tienen un trastorno genético relacionado con el cromosoma X, y cada uno engendra un hijo. La variable aleatoria x es el número de hijos de los tres hombres que heredan el trastorno genético relacionado con el cromosoma X.

x	$P(x)$
0	0.125
1	0.375
2	0.375
3	0.125

8. Nación con gran consumo de cafeína En la siguiente tabla, la variable x representa el número de tazas o latas de bebidas con cafeína, consumidas por los estadounidenses cada día (según datos de la National Sleep Foundation).

x	$P(x)$
0	0.22
1	0.16
2	0.21
3	0.16

9. Vuelos sobrevendidos Air America tiene la política de sobrevender sus vuelos de forma habitual. La variable aleatoria x representa el número de pasajeros que no pueden abordar debido a que hay más pasajeros que asientos (según datos de un documento de investigación de IBM, escrito por Lawrence, Hong y Cherrier).

x	$P(x)$
0	0.051
1	0.141
2	0.274
3	0.331
4	0.187

10. Color de ojos Se seleccionan al azar grupos de cinco bebés. En cada grupo, la variable aleatoria x es el número de bebés con ojos verdes (según datos de un estudio realizado por el doctor Sorita Soni en Indiana University). (El símbolo 0+ denota un valor de probabilidad positivo que es muy pequeño).

x	$P(x)$
0	0.528
1	0.360
2	0.098
3	0.013
4	0.001
5	0+

11. Televisores estadounidenses En la siguiente tabla, la variable aleatoria x representa el número de televisores en un hogar de Estados Unidos (según datos de Frank N. Magid Associates).

x	$P(x)$
0	0.02
1	0.15
2	0.29
3	0.26
4	0.16
5	0.12

12. Audiencias televisivas En un estudio sobre audiencias televisivas, se seleccionan al azar grupos de seis hogares estadounidenses. En la siguiente tabla, la variable aleatoria x representa el número de hogares, en un total de 6, que están sintonizando el programa *60 Minutes* durante su transmisión (según datos de Nielsen Media Research).

x	$P(x)$
0	0.539
1	0.351
2	0.095
3	0.014
4	0.001
5	0+
6	0+

Experimento de hibridación de guisantes. ***En los ejercicios 13 a 16, remítase a la siguiente tabla, que describe los resultados de 8 vástagos de guisantes. La variable aleatoria x representa el número de vástagos con vainas verdes.***

Probabilidades de números de guisantes con vainas verdes, de un total de 8 vástagos de guisantes

x (número de guisantes con vainas verdes)	$P(x)$
0	0+
1	0+
2	0.004
3	0.023
4	0.087
5	0.208
6	0.311
7	0.267
8	0.100

13. Media y desviación estándar Calcule la media y la desviación estándar para los números de guisantes con vainas verdes.

14. Regla práctica de las desviaciones para eventos inusuales Utilice la regla práctica de las desviaciones para identificar un rango de valores que contengan el número común de guisantes con vainas verdes. Con base en el resultado, ¿es inusual obtener solo un guisante con vaina verde? Explique.

15. Uso de probabilidades para eventos inusuales

a) Calcule la probabilidad de obtener exactamente 7 guisantes con vainas verdes.

b) Calcule la probabilidad de obtener 7 o más guisantes con vainas verdes.

c) ¿Qué probabilidad es relevante para determinar si 7 es un número extremadamente grande de guisantes con vainas verdes: el resultado del inciso *a*) o el del inciso *b*)?

d) ¿El 7 es un número extremadamente grande de guisantes con vainas verdes? ¿Por qué?

16. Uso de probabilidades para eventos inusuales

a) Calcule la probabilidad de obtener exactamente 3 guisantes con vainas verdes.

b) Calcule la probabilidad de obtener 3 o menos guisantes con vainas verdes.

c) ¿Qué probabilidad es relevante para determinar si 3 es un número extremadamente pequeño de guisantes con vainas verdes: el resultado del inciso *a*) o el del inciso *b*)?

d) ¿El 3 es un número extremadamente pequeño de guisantes con vainas verdes? ¿Por qué?

17. Serie Mundial de Béisbol Con base en resultados pasados encontrados en el *Information Please Almanac*, existe una probabilidad de 0.1919 de que la Serie Mundial de Béisbol dure cuatro juegos, una probabilidad de 0.2121 de que dure cinco juegos, una probabilidad de 0.2222 de que dure seis juegos, y una probabilidad de 0.3737 de que dure siete juegos.

a) ¿La información proporcionada describe una distribución de probabilidad?

b) Suponiendo que la información proporcionada describe una distribución de probabilidad, calcule la media y la desviación estándar del número de juegos en la Serie Mundial de Béisbol.

c) ¿Será inusual que un equipo "arrase" al ganar cuatro juegos? ¿Por qué?

18. Entrevistas de trabajo Con base en información de MRINetwork, algunos solicitantes de empleo deben tener varias entrevistas antes de que se tome una decisión. El número de entrevistas requeridas y sus probabilidades correspondientes son: 1 (0.09); 2 (0.31); 3 (0.37); 4 (0.12); 5 (0.05); 6 (0.05).

a) ¿La información proporcionada describe una distribución de probabilidad?

b) Suponiendo que la información proporcionada describe una distribución de probabilidad, calcule la media y la desviación estándar.

c) Utilice la regla práctica de las desviaciones para identificar el rango de valores de la cantidad común de entrevistas.

d) ¿Será inusual que se tome una decisión después de una sola entrevista? Explique.

19. Calcomanías en el parachoques de automóviles Con base en datos de CarMax.com, cuando se selecciona al azar un automóvil, el número de calcomanías pegadas en el parachoques (o defensa) y sus probabilidades correspondientes son: 0 (0.824); 1 (0.083); 2 (0.039); 3 (0.014); 4 (0.012); 5 (0.008); 6 (0.008); 7 (0.004); 8 (0.004); 9 (0.004).

a) ¿La información proporcionada describe una distribución de probabilidad?

b) Suponiendo que la información proporcionada describe una distribución de probabilidad, calcule la media y la desviación estándar.

c) Utilice la regla práctica de las desviaciones para identificar el rango de valores de la cantidad común de calcomanías.

d) ¿Será inusual que un automóvil tenga más de una calcomanía? Explique.

20. Discriminación por género Telektronic Company contrató a 8 empleados de un grupo grande de solicitantes con el mismo número de hombres y mujeres. Si la contratación se realiza sin importar el sexo de los candidatos, el número de mujeres contratadas y sus probabilidades correspondientes son las siguientes: 0 (0.004); 1 (0.031); 2 (0.109); 3 (0.219); 4 (0.273); 5 (0.219); 6 (0.109); 7 (0.031); 8 (0.004).

a) ¿La información proporcionada describe una distribución de probabilidad?

b) Suponiendo que la información proporcionada describe una distribución de probabilidad, calcule la media y la desviación estándar.

c) Utilice la regla práctica de las desviaciones para identificar el rango de valores de la cantidad común de mujeres contratadas en grupos de ocho aspirantes.

d) Si el grupo más reciente de ocho empleados recién contratados no incluye mujeres, ¿parecería que hubo discriminación por género? Explique.

21. Cálculo de la media y la desviación estándar Sea x la variable aleatoria que represente el número de niñas en una familia de tres hijos. Construya una tabla que describa la distribución de probabilidad; después, calcule la media y la desviación estándar. (*Sugerencia:* Liste los distintos resultados posibles). ¿Es poco común que una familia de tres hijos incluya tres niñas?

22. Cálculo de la media y la desviación estándar Sea x la variable aleatoria que represente el número de niñas en una familia de cuatro hijos. Construya una tabla que describa la distribución de probabilidad; después, calcule la media y la desviación estándar. (*Sugerencia:* Liste los distintos resultados posibles). ¿Es poco común que una familia de cuatro hijos incluya cuatro niñas?

23. Generación aleatoria de números telefónicos La descripción de una encuesta de Pew Research Center se refirió a "la generación aleatoria de los últimos dos dígitos de números telefónicos". Cada dígito tiene la misma probabilidad de generarse al azar. Construya una tabla que represente la distribución de probabilidad de los dígitos generados aleatoriamente por computadora, calcule su media y desviación estándar, y luego describa la forma del histograma de probabilidad.

24. Análisis de los primeros dígitos El análisis de los primeros dígitos de cheques llevó a la conclusión de que compañías de Brooklyn, Nueva York, eran culpables de fraude. Para este ejercicio, suponga que los primeros dígitos de las cantidades de los cheques se generan al azar por medio de una computadora.

a) Identifique los primeros dígitos posibles.

b) Calcule la media y la desviación estándar de dichos primeros dígitos.

c) Utilice la regla práctica de las desviaciones para identificar el rango de valores comunes.

d) ¿Alguno de los primeros dígitos podría considerarse inusual? ¿Por qué?

25. Cálculo del valor esperado para la lotería Pick 3 Game de Illinois En el juego de lotería Pick 3 de Illinois, usted paga $0.50 para seleccionar una secuencia de tres dígitos, como 233. Si usted selecciona la misma secuencia de tres dígitos de la lotería, gana y cobra $250.

a) ¿Cuántas selecciones diferentes son posibles?

b) ¿Cuál es la probabilidad de ganar?

c) En caso de ganar, ¿cuál sería la ganancia neta?

d) Calcule el valor esperado.

e) Si apuesta $0.50 a la lotería Pick 4 de Illinois, el valor esperado es de −25 centavos. ¿Cuál apuesta es mejor: una apuesta de $0.50 al juego de lotería Pick 3 de Illinois o una apuesta de $0.50 al juego de lotería Pick 4 de Illinois? Explique.

26. Cálculo del valor esperado para la lotería Pick 4 Game de Nueva Jersey En el juego de lotería Pick 4 de Nueva Jersey, usted paga $0.50 para seleccionar una secuencia de cuatro dígitos, como 1332. Si usted selecciona la misma secuencia de cuatro dígitos de la lotería, gana y cobra $2788.

a) ¿Cuántas selecciones diferentes son posibles?

b) ¿Cuál es la probabilidad de ganar?

c) En caso de ganar, ¿cuál sería la ganancia neta?

d) Calcule el valor esperado.

e) Si apuesta $0.50 a la lotería Pick 4 de Illinois, el valor esperado es de −25 centavos. ¿Cuál apuesta es mejor: una apuesta de $0.50 al juego de lotería Pick 4 de Illinois o una apuesta de $0.50 al juego de lotería Pick 4 de Nueva Jersey? Explique.

27. Valor esperado en la ruleta Al jugar a la ruleta en el casino Bellagio de Las Vegas, un jugador está tratando de decidir si apostará $5 al número 13 o apostar $5 a que el resultado es cualquiera de las siguientes cinco posibilidades: 0 o 00 o 1 o 2 o 3. Por el ejemplo 8, sabemos que el valor esperado de una apuesta de $5 a un solo número es −26 centavos. Para una apuesta de $5 a que el resultado es 0 o 00 o 1 o 2 o 3, existe la probabilidad de 5/38 de obtener una ganancia neta de $30 y una probabilidad de 33/38 de perder $5.

a) Calcule el valor esperado de apostar $5 a que el resultado es 0 o 00 o 1 o 2 o 3.

b) ¿Cuál apuesta es mejor: una apuesta de $5 al número 13 o una apuesta de $5 a que el resultado es 0 o 00 o 1 o 2 o 3? ¿Por qué?

28. Valor esperado para *Deal or No Deal* El programa televisivo de juegos *Deal or No Deal* comienza con portafolios individuales que contienen las cantidades de 1¢, $1, $5, $10, $25, $50, $75, $100, $200, $300, $400, $500, $750, $1000, $5000, $10,000, $25,000, $50,000, $75,000, $100,000, $200,000, $300,000, $400,000, $500,000, $750,000 y $1,000,000. Si un jugador sigue la estrategia de elegir la opción de "no hay trato" hasta que queda un portafolios, la ganancia es una de las cantidades mencionadas, y todas son igualmente probables.

a) Calcule el valor esperado de esta estrategia.

b) Calcule el valor de la desviación estándar.

c) Utilice la regla práctica de las desviaciones para identificar el rango de resultados comunes.

d) Con base en los resultados anteriores, ¿un resultado de $750,000 o de $1,000,000 es inusual? ¿Por qué?

29. Valor esperado para un seguro de vida Existe una probabilidad de 0.9986 de que un hombre de 30 años de edad, elegido al azar, sobreviva durante el año (según datos del U. S. Department of Health and Human Services). La compañía de seguros de vida Fidelity cobra $161 por asegurar a un hombre que sobreviva durante el año. Si el hombre no sobrevive ese año, la póliza paga $100,000 por la muerte.

a) Desde la perspectiva del hombre de 30 años, ¿cuáles son los valores correspondientes a los dos eventos de sobrevivir y no sobrevivir durante el año?

b) Si un hombre de 30 años compra la póliza, ¿cuál sería su valor esperado?

c) ¿La compañía de seguros podría esperar obtener una ganancia de una gran cantidad de pólizas de este tipo? ¿Por qué?

30. Valor esperado para un seguro de vida Existe una probabilidad de 0.9968 de que una mujer de 50 años de edad, elegida al azar, sobreviva durante el año (según datos del U. S. Department of Health and Human Services). La compañía de seguros de vida Fidelity cobra $226 por asegurar a una mujer que sobreviva durante el año. Si la mujer no sobrevive ese año, la póliza paga $50,000 por la muerte.

a) Desde la perspectiva de la mujer de 50 años, ¿cuáles son los valores correspondientes a los dos eventos de sobrevivir y no sobrevivir durante el año?

b) Si una mujer de 50 años compra la póliza, ¿cuál sería su valor esperado?

c) ¿La compañía de seguros podría esperar obtener una ganancia de una gran cantidad de pólizas de este tipo? ¿Por qué?

5-2 Más allá de lo básico

31. Bonos especulativos Kim Hunter tiene $1000 para invertir, y su analista financiero le recomienda dos tipos de bonos especulativos. Los bonos A ofrecen un rendimiento anual del 6%, con una tasa de incumplimiento del 1%. Los bonos B brindan un rendimiento anual del 8%, con una tasa de incumplimiento del 5%. (Si el bono incumple, se pierden los $1000). ¿Cuál de los dos bonos es mejor? ¿Por qué? ¿Kim debería elegir alguno de los dos bonos? ¿Por qué?

32. Partes defectuosas: Cálculo de la media y la desviación estándar Sky Ranch es un proveedor de partes para aeronaves. Sus existencias incluyen 8 altímetros que están correctamente calibrados y 2 que no lo están. Se seleccionan 3 altímetros al azar y sin reemplazo. Sea x la variable aleatoria que represente el número de aparatos que no están calibrados correctamente. Calcule la media y la desviación estándar de la variable aleatoria x.

33. Colocar marcas en dados para obtener una distribución uniforme Suponga que tiene dos dados en blanco, de manera que puede marcar las 12 caras con los números que desee. Describa de qué manera marcaría los dados para que, cuando lance ambos, los totales de los dos dados se distribuyan de manera uniforme y cada uno de los resultados de 1, 2, 3,…, 12 tenga una probabilidad de 1/12. (Véase "Can One Load a Set of Dice So That the Sum is Uniformly Distributed?", de Chen, Rao y Shreve, *Mathematics Magazine*, vol. 70, núm. 3).

5-3 Distribuciones de probabilidad binomial

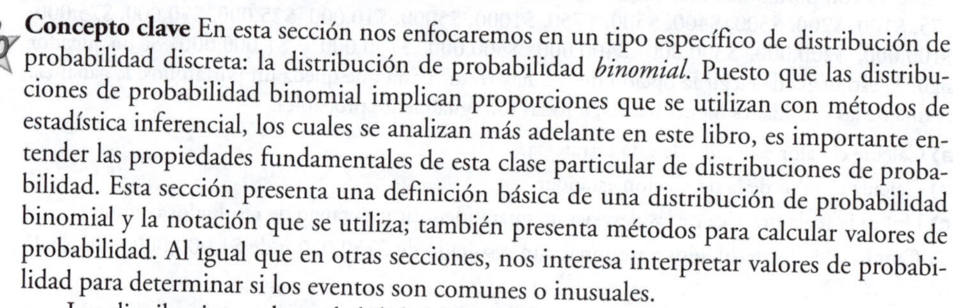

Concepto clave En esta sección nos enfocaremos en un tipo específico de distribución de probabilidad discreta: la distribución de probabilidad *binomial*. Puesto que las distribuciones de probabilidad binomial implican proporciones que se utilizan con métodos de estadística inferencial, los cuales se analizan más adelante en este libro, es importante entender las propiedades fundamentales de esta clase particular de distribuciones de probabilidad. Esta sección presenta una definición básica de una distribución de probabilidad binomial y la notación que se utiliza; también presenta métodos para calcular valores de probabilidad. Al igual que en otras secciones, nos interesa interpretar valores de probabilidad para determinar si los eventos son comunes o inusuales.

Las distribuciones de probabilidad binomial nos permiten enfrentar circunstancias donde los resultados pertenecen a *dos* categorías relevantes, tales como aceptable/defectuoso o sobrevivió/murió. En la siguiente definición se plantean otros requisitos.

DEFINICIÓN

Una **distribución de probabilidad binomial** resulta de un procedimiento que cumple con todos los siguientes requisitos:

1. El procedimiento tiene un *número fijo de ensayos.*
2. Los ensayos deben ser *independientes.* (El resultado de cualquier ensayo individual no afecta las probabilidades de los demás ensayos).

3. Todos los resultados de cada ensayo deben clasificarse en *dos categorías* (generalmente llamadas *éxito* y *fracaso*).
4. La probabilidad de un éxito permanece igual en todos los ensayos.

Requisito de independencia Al seleccionar una muestra (por ejemplo, sujetos de encuestas) para un análisis estadístico, generalmente se hace el muestreo sin reemplazo. Recuerde que el muestreo sin reemplazo implica eventos dependientes, lo cual viola el segundo requisito de la definición anterior. Sin embargo, a menudo es posible suponer independencia al aplicar el siguiente lineamiento del 5% que se presentó en la sección 4-4:

Tratar eventos dependientes como independientes: El lineamiento del 5% para cálculos engorrosos

Si los cálculos son engorrosos y el tamaño de muestra no es mayor que el 5% del tamaño de la población, trate las selecciones como independientes (incluso si las selecciones se efectúan sin reemplazo, de modo que sean técnicamente dependientes).

Si un procedimiento satisface los cuatro requisitos mencionados, la distribución de la variable aleatoria x (número de éxitos) se denomina *distribución de probabilidad binomial* (o *distribución binomial*), en la que suele usarse la siguiente notación.

Notación para distribuciones de probabilidad binomial

E y F (éxito y fracaso) denotan las dos categorías posibles de todos los resultados.

$P(E) = p$	(p = probabilidad de un éxito)
$P(F) = 1 - p = q$	(q = probabilidad de un fracaso)
n	denota el número fijo de ensayos.
x	denota un número específico de éxitos en n ensayos, de manera que x puede ser cualquier número entero entre 0 y n, inclusive.
p	denota la probabilidad de *éxito* en *uno* de n ensayos.
q	denota la probabilidad de *fracaso* en *uno* de n ensayos.
$P(x)$	denota la probabilidad de lograr exactamente x éxitos en los n ensayos.

El término *éxito* que se utiliza aquí es arbitrario y no necesariamente tiene una connotación positiva. Cualquiera de las dos categorías posibles puede denominarse el éxito E, siempre y cuando su probabilidad se identifique como p. (El valor de q se puede calcular siempre al restar p de 1; si $p = 0.95$, entonces $q = 1 - 0.95 = 0.05$).

ADVERTENCIA

Siempre que utilice una distribución de probabilidad binomial, asegúrese de que x y p se refieren a la *misma* categoría denominada como un éxito.

¿Hay alguien en casa?

Los encuestadores no pueden ignorar simplemente a quienes no estaban en casa cuando acudieron por primera vez. Una solución implica regresar varias veces hasta localizar a la persona. Alfred Politz y Willard Simmons describen una forma para compensar los resultados faltantes, sin tener que regresar varias veces. Ellos sugieren ponderar los resultados con base en la frecuencia con que las personas no se encuentran en su casa. Por ejemplo, una persona que está en su casa solo dos de seis días a la semana tendrá una probabilidad de 2/6 o 1/3 de estar allí en la primera visita. Cuando se localiza a esa persona por primera vez, sus resultados se ponderan de manera que se cuenten tres veces, respecto a un individuo que siempre está en su casa. Esta ponderación compensa a los demás individuos similares que permanecen en casa dos de seis días a la semana y que no respondieron cuando se les buscó por primera vez. Esta inteligente solución se presentó inicialmente en 1949.

EJEMPLO 1

Genética Considere un experimento en el que se generan 5 vástagos de guisantes de plantas progenitoras que tienen la combinación de genes verde/amarillo para el color de las vainas. En el problema del capítulo vimos que la probabilidad de que un vástago de guisantes tenga vainas verdes es 3/4 o 0.75. Es decir, $P(\text{vaina verde}) = 0.75$. Suponga que queremos calcular la probabilidad de que exactamente 3 de los 5 vástagos tengan vainas verdes.

a) ¿Este procedimiento da como resultado una distribución binomial?

b) Si este procedimiento da como resultado una distribución binomial, identifique los valores de n, x, p y q.

SOLUCIÓN

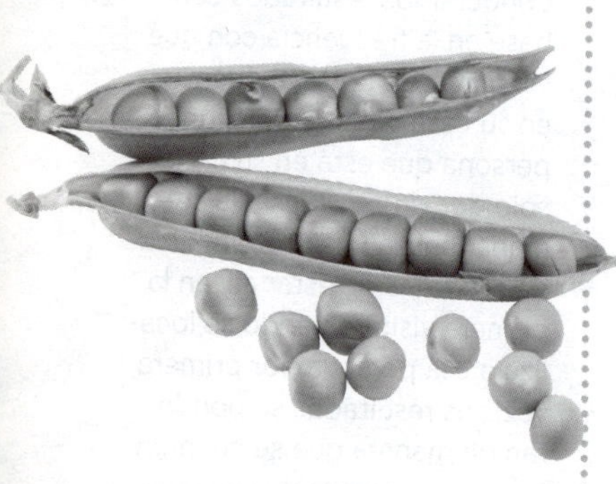

a) Este procedimiento satisface los requisitos de una distribución binomial, como se muestra a continuación.

1. El número de ensayos (5) es fijo.
2. Los 5 ensayos son independientes, ya que la probabilidad de que cualquier vástago tenga vainas verdes no se ve afectada por el resultado de cualquier otro vástago.
3. Cada uno de los 5 ensayos tiene dos categorías de resultados: el guisante tiene vainas verdes o no las tiene.
4. Para cada vástago de guisante, la probabilidad de que tenga vainas verdes es 3/4 o 0.75, y la probabilidad es la misma para los 5 guisantes.

b) Luego de haber concluido que el procedimiento da como resultado una distribución binomial, ahora procederemos a identificar los valores de n, x, p y q.

1. Con 5 vástagos de guisantes, tenemos $n = 5$.
2. Queremos conocer la probabilidad de exactamente 3 guisantes con vainas verdes, de manera que $x = 3$.
3. La probabilidad de éxito (obtener un guisante con vainas verdes) en una selección es 0.75, de modo que $p = 0.75$.
4. La probabilidad de fracaso (no tener un guisante con vainas verdes) es 0.25, de modo que $q = 0.25$.

Nuevamente, es muy importante asegurarse de que x y p se refieran al mismo concepto de "éxito". En este ejemplo, se utiliza x para contar el número de guisantes con vainas verdes, de modo que p debe ser la probabilidad de que un guisante tenga vainas verdes. Por consiguiente, x y p utilizan el mismo concepto de éxito aquí (vainas verdes).

Ahora presentaremos tres métodos para calcular las probabilidades correspondientes a la variable aleatoria x en una distribución binomial. El primer método implica realizar cálculos mediante la *fórmula de probabilidad binomial* y es la base de los otros dos métodos. El segundo método implica el uso de un programa de cómputo o de una calculadora, y el tercero implica el uso de la tabla A-1. (Con la gran difusión de la tecnología, este tipo de tablas se están volviendo obsoletas). Si usted utiliza un programa de cómputo o una calculadora que produzcan de forma automática probabilidades binomiales, le recomendamos que resuelva uno o dos ejercicios por medio del método 1, para asegurarse de que comprende los fundamentos de estos cálculos. La comprensión es siempre mucho mejor que la aplicación a ciegas de las fórmulas.

Método 1: Uso de la fórmula de probabilidad binomial En una distribución de probabilidad binomial, las probabilidades pueden calcularse mediante la fórmula de probabilidad binomial.

Fórmula 5-5

$$P(x) = \frac{n!}{(n - x)!x!} \cdot p^x \cdot q^{n-x} \qquad \text{para } x = 0, 1, 2, \ldots, n$$

donde
n = número de ensayos
x = número de éxitos en n ensayos
p = probabilidad de éxito en cualquier ensayo
q = probabilidad de fracaso en cualquier ensayo ($q = 1 - p$)

El símbolo de factorial !, que se presentó en la sección 4-7, denota el producto de factores decrecientes. Dos ejemplos de factoriales son $3! = 3 \cdot 2 \cdot 1 = 6$ y $0! = 1$ (por definición).

EJEMPLO 2 **Genética** Suponiendo que la probabilidad de que un guisante tenga vainas verdes es 0.75 (como en el problema del capítulo y en el ejemplo 1), utilice la fórmula de probabilidad binomial para calcular la probabilidad de obtener exactamente 3 guisantes con vainas verdes cuando se generan 5 vástagos de guisantes. Es decir, calcule $P(3)$ dado que $n = 5$, $x = 3$, $p = 0.75$ y $q = 0.25$.

SOLUCIÓN Al emplear los valores dados de n, x, p y q en la fórmula de probabilidad binomial (fórmula 5-5), obtenemos

$$\begin{aligned} P(3) &= \frac{5!}{(5 - 3)!3!} \cdot 0.75^3 \cdot 0.25^{5-3} \\ &= \frac{5!}{2!3!} \cdot 0.421875 \cdot 0.0625 \\ &= (10)(0.421875)(0.0625) = 0.263671875 \end{aligned}$$

La probabilidad de obtener exactamente 3 guisantes con vainas verdes de un total de 5 vástagos es 0.264 (redondeado a tres dígitos significativos).

Sugerencia para el cálculo: Cuando se calcula una probabilidad con la fórmula de probabilidad binomial, es útil obtener un solo número para $n!/[(n - x)!x!]$, un solo número para p^x y un solo número para q^{n-x}, y luego simplemente multiplicar los tres factores, como se hizo al final de los cálculos del ejemplo anterior. No redondee demasiado al calcular esos tres factores; redondee únicamente al final.

Método 2: Uso de herramientas tecnológicas STATDISK, Minitab, Excel, SPSS, SAS y la calculadora TI-83/84 Plus pueden usarse para calcular probabilidades binomiales. (SPSS y SAS son más difíciles de utilizar, ya que, en vez de dar directamente probabilidades para valores individuales de x, dan probabilidades *acumuladas* de x o menos éxitos). A continuación se presentan las pantallas de resultados con las probabilidades binomiales para $n = 5$ y $p = 0.75$ del ejemplo 2. Observe que en cada pantalla la distribución de probabilidad aparece en forma de tabla.

STATDISK

Binomial Probability

Num Trials, n: 5

Success Prob, p: 0.75

Evaluate

Mean: 3.7500
St Dev: 0.9682
Variance: 0.9375

x	P(x)	P(x or fewer)	P(x or greater)
0	0.0009766	0.0009766	1.0000000
1	0.0146484	0.0156250	0.9990234
2	0.0878906	0.1035156	0.9843750
3	0.2636719	0.3671875	0.8964844
4	0.3955078	0.7626953	0.6328125
5	0.2373047	1.0000000	0.2373047

Help ? Clear Copy

MINITAB

x	P(x)
0	0.000977
1	0.014648
2	0.087891
3	0.263672
4	0.395508
5	0.237305

EXCEL

	A	B
1	0	0.000977
2	1	0.014648
3	2	0.087891
4	3	0.263672
5	4	0.395508
6	5	0.237305

TI-83/84 PLUS

L1	L2	L3 2
0	9.8E-4	------
1	.01465	
2	.08789	
3	.26367	
4	.39551	
5	.2373	

L2(7) =

Método 3: Uso de la tabla A-1 del apéndice A La tabla A-1 del apéndice A incluye probabilidades binomiales para seleccionar valores de n y p. Esta tabla no puede utilizarse con el ejemplo 2, ya que la probabilidad de $p = 0.75$ no viene incluida. En el ejemplo 3 se ilustra el uso de la tabla A-1.

Para utilizar la tabla A-1 primero localice n y el valor de x deseado correspondiente. En este paso se debe aislar un renglón de números. Ahora alinee ese renglón con la probabilidad correspondiente de p, usando la columna que cruza por la parte superior. El número aislado representa la probabilidad deseada. Una probabilidad tan pequeña como 0.000064 se indica como 0+.

EJEMPLO 3

Reconocimiento de la marca McDonald's La cadena de comida rápida McDonald's tiene una tasa de reconocimiento de marca del 95% en todo el mundo (según datos de Retail Marketing Group). Suponga que se eligen 5 personas al azar; utilice la tabla A-1 para calcular lo siguiente:

a) La probabilidad de que exactamente 3 de las 5 personas reconozcan la marca McDonald's.

b) La probabilidad de que el número de personas que reconozcan la marca McDonald's sea 3 o menos.

SOLUCIÓN

a) El extracto de la tabla A-1 que aparece al inicio de la siguiente página indica que cuando $n = 5$ y $p = 0.95$, la probabilidad de $x = 3$ está dada por $P(3) = 0.021$.

b) "3 o menos" éxitos significa que el número de éxitos es 3 o 2 o 1 o 0.

$$\begin{aligned} P(3 \text{ o menos}) &= P(3 \text{ o } 2 \text{ o } 1 \text{ o } 0) \\ &= P(3) + P(2) + P(1) + P(0) \\ &= 0.021 + 0.001 + 0 + 0 \\ &= 0.022 \end{aligned}$$

TABLA A-1

Binomial Probabilities

n	x	.01	.90	.95	.99	x
5	0	.951	0+	0+	0+	0
	1	.048	0+	0+	0+	1
	2	.001	.008	.001	0+	2
	3	0+	.073	.021	.001	3
	4	0+	.328	.204	.048	4
0	5	0+	.590	.774	.951	5

x	P(x)
0	0+
1	0+
2	0.001
3	0.021
4	0.204
5	0.774

Si quisiéramos utilizar la fórmula de la probabilidad binomial para calcular P(3 o menos), como en el inciso *b*) del ejemplo 3, necesitaríamos aplicar la fórmula cuatro veces para calcular cuatro probabilidades diferentes, que después deberían sumarse. Al poder elegir entre la fórmula y la tabla, es más lógico emplear esta última. Por desgracia, la tabla A-1 incluye solo un número limitado de valores de n y de p, por lo que no siempre resulta útil.

Como ahora conocemos tres métodos diferentes para calcular probabilidades binomiales, he aquí una estrategia efectiva y eficiente:

1. Utilice un programa de cómputo o una calculadora TI-83/84 Plus, si están disponibles.
2. Si no dispone de un programa de cómputo ni de la calculadora TI-83/84 Plus, utilice la tabla A-1.
3. Si no dispone de un programa de cómputo ni de calculadora y no puede encontrar las probabilidades en la tabla A-1, entonces utilice la fórmula de probabilidad binomial.

Fundamentos de la fórmula de probabilidad binomial

La fórmula de probabilidad binomial es la base de los tres métodos presentados en esta sección. En vez de aceptar y usar la fórmula a ciegas, veamos cómo funciona.

En el ejemplo 2 utilizamos la fórmula de probabilidad binomial para calcular la probabilidad de obtener exactamente 3 guisantes con vainas verdes cuando se generan 5 vástagos. Con P(vaina verde) = 0.75, podemos utilizar la regla de la multiplicación de la sección 4-4 para calcular la probabilidad de que los primeros 3 guisantes tengan vainas verdes y los últimos 2 guisantes no tengan vainas verdes. Obtenemos el siguiente resultado:

$$\begin{aligned} &P(\text{3 guisantes con vainas verdes, seguidos de 2 guisantes con vainas que no sean verdes}) \\ &= 0.75 \cdot 0.75 \cdot 0.75 \cdot 0.25 \cdot 0.25 \\ &= 0.75^3 \cdot 0.25^2 \\ &= 0.0264 \end{aligned}$$

Este resultado da una probabilidad de generar 5 vástagos, donde los 3 primeros tengan vainas verdes. Sin embargo, no da la probabilidad de obtener exactamente 3 guisantes con vainas verdes, ya que supone un orden específico para 3 vástagos de guisantes con vainas verdes. Existen otros acomodos posibles para generar 3 vástagos de guisantes con vainas verdes.

En la sección 4-7 vimos que con 3 elementos idénticos (como guisantes con vainas verdes) y otros 2 sujetos idénticos entre sí (como guisantes sin vainas verdes), el número total de acomodos o permutaciones es 5!/[(5 − 3)!3!] o 10. Cada uno de estos 10 acomodos diferentes tiene una probabilidad de $0.75^3 \cdot 0.25^2$, de manera que la probabilidad total es la siguiente:

$$P(3 \text{ guisantes con vainas verdes de un total de } 5) = \frac{5!}{(5-3)!\,3!} \cdot 0.75^3 \cdot 0.25^2$$

Este resultado específico puede generalizarse como la fórmula de probabilidad binomial (fórmula 5-5). Es decir, la fórmula de probabilidad binomial es una combinación de la regla de la multiplicación de probabilidad y la regla de conteo para el número de acomodos de n elementos, cuando x de ellos son idénticos entre sí, y los otros $n - x$ son idénticos entre sí. (Véase los ejercicios 13 y 14).

El número de resultados con exactamente x éxitos en n ensayos

La probabilidad de x éxitos en n ensayos, para cualquier orden

$$P(x) = \underbrace{\frac{n!}{(n-x)!\,x!}} \cdot \underbrace{p^x \cdot q^{n-x}}$$

USO DE LA TECNOLOGÍA

El método 2 para calcular las probabilidades correspondientes a la variable aleatoria x en una distribución binomial implicó el uso de STATDISK, Minitab, Excel o de una calculadora TI-83/84 Plus. Las pantallas que aparecen en el método 2 ilustran resultados típicos que se obtienen al aplicar los siguientes procedimientos para el cálculo de probabilidades binomiales.

STATDISK Seleccione **Analysis** del menú principal, después seleccione la opción **Binomial Probabilities**. Introduzca los valores requeridos de n y p, haga clic en **Evaluate** y aparecerá la distribución de probabilidad completa. Las otras columnas representan las probabilidades acumuladas que se obtienen al sumar los valores de $P(x)$, conforme sube o baja a lo largo de la columna.

MINITAB Primero introduzca la columna C1 de los valores x de los que desea las probabilidades (tales como 0, 1, 2, 3, 4, 5), después seleccione **Calc** del menú principal y proceda a seleccionar los elementos **Probability Distributions** y **Binomial.** Seleccione **Probabilities,** introduzca el número de ensayos, la probabilidad de éxito y C1 en la columna de entrada; después haga clic en **OK.**

EXCEL Liste los valores de x en la columna A (tales como 0, 1, 2, 3, 4, 5). Haga clic en la celda B1, luego en f_x de la barra de herramientas y seleccione la categoría de función **Statistical** y luego **BINOMDIST.** (En Excel 2010, seleccione **BINOM.DIST**). En el cuadro de diálogo introduzca A1 en **Number_s** (número de éxitos), introduzca el número de ensayos (el valor de n), la probabilidad y 0 en la celda **Cumulative** en vez de 1 para la distribución binomial acumulada). Debe aparecer un valor en la celda B1. Haga clic y arrastre la esquina derecha inferior de la celda B1 hacia abajo de la columna para emparejarla con los datos de la columna A, después suelte el botón del mouse. Las probabilidades deben aparecen en la columna B.

TI-83/84 PLUS Presione **2nd VARS** (para obtener **DISTR,** que denota "distribuciones"), después seleccione la opción identificada por **binompdf(.** Complete la entrada **binompdf(n, p, x)** con los valores específicos de n, p y x, después presione **ENTER.** El resultado será la probabilidad de obtener x éxitos en n ensayos.

También podría elegir **binompdf(n, p)** para obtener una lista de todas las probabilidades correspondientes a x = 0, 1, 2,..., n. Puede almacenar esta lista en L2 si presiona **STO → L2.** Después podría introducir los valores de 0, 1, 2,..., n en la lista L1, lo cual le permitiría calcular estadísticos (con **STAT, CALC** y luego **L1, L2**) o ver la distribución en formato de tabla (presionando **STAT** y luego **EDIT**).

El comando **binomcdf** da probabilidades acumuladas a partir de una distribución binomial. El comando **binomcdf(n, p, x)** da la suma de todas las probabilidades, desde x = 0 hasta el valor específico indicado para x.

5-3 Destrezas y conceptos básicos

Conocimientos estadísticos y pensamiento crítico

1. Probabilidades binomiales En Estados Unidos, el 35% de la población tiene ojos azules (según datos de un estudio realizado por el doctor Sorita Soni en Indiana University). Suponga que desea calcular la probabilidad de obtener exactamente 2 personas con ojos azules al elegir 5 personas al azar. ¿Por qué no podemos calcular la respuesta de la siguiente manera: utilizar la regla de la multiplicación para calcular la probabilidad de obtener 2 personas con ojos azules, seguidas por 3 personas con ojos que no sean azules, que es de (0.35)(0.35)(0.65)(0.65)(0.65)?

2. Notación Si utilizamos la fórmula de la probabilidad binomial (fórmula 5-5) para calcular la probabilidad descrita en el ejercicio 1, ¿qué error cometeríamos si usamos p para denotar la probabilidad de obtener a alguien con ojos azules, cuando se usa x para contar el número de personas con ojos que no son azules?

3. Independencia Una encuesta Gallup aplicada a 1236 adultos reveló que el 12% de los individuos creen que es de mala suerte caminar por debajo de una escalera. Considere la probabilidad de que, de 30 personas elegidas al azar de las 1236 encuestadas, haya al menos 2 que tengan esa creencia. Como los sujetos encuestados fueron seleccionados sin reemplazo, los eventos no son independientes. ¿Se puede calcular la probabilidad utilizando la fórmula de la probabilidad binomial? ¿Por qué?

4. Notación Cuando se utiliza la tabla A-1 para calcular la probabilidad de hacer conjeturas y obtener exactamente 8 respuestas correctas en un examen de opción múltiple con 10 reactivos, el resultado es 0+. ¿Qué indica 0+? ¿El 0+ indica que es imposible obtener exactamente 8 respuestas correctas?

Identificación de distribuciones binomiales. ***En los ejercicios 5 a 12, determine si el procedimiento indicado produce una distribución binomial. En los casos en que las distribuciones no sean binomiales, identifique al menos un requisito que no se cumpla.***

5. Ensayo clínico de Lipitor Tratar a 863 sujetos con Lipitor (Atorvastatina) y registrar si responden "sí" cuando se les pregunta si sufrieron de dolor de cabeza (según datos de Pfizer, Inc.).

6. Ensayo clínico de Lipitor Tratar a 863 sujetos con Lipitor (Atorvastatina) y preguntar a cada uno "¿cómo se siente de la cabeza?" (según datos de Pfizer, Inc.).

7. Selección del género Tratar a 152 parejas con el método de selección de género YSORT, desarrollado por el Genetics & IVF Institute, y registrar la edad de los padres.

8. Selección del género Tratar a 152 parejas con el método de selección del género YSORT, desarrollado por el Genetics & IVF Institute, y registrar el género de cada uno de los 152 bebés nacidos.

9. Encuesta a senadores Seleccionar al azar a 20 senadores diferentes del Congreso estadounidense actual, que tiene un total de 100 senadores, y preguntar a cada uno si está a favor de eliminar impuestos estatales.

10. Encuesta a gobernadores Seleccionar al azar a 15 gobernadores diferentes, de los 50 gobernadores actualmente en funciones, y registrar el sexo de cada uno.

11. Encuesta a neoyorquinos Seleccionar al azar a 500 votantes diferentes de la ciudad de Nueva York, de una población de 2.8 millones de votantes registrados, y preguntar a cada uno si es demócrata.

12. Encuesta a estudiantes de estadística Seleccionar al azar a 200 estudiantes de estadística, y preguntar a cada uno si tiene una calculadora TI-84 Plus.

13. Cálculo de probabilidades con respuestas de adivinación Cada pregunta de opción múltiple de la prueba SAT tiene cinco posibles respuestas (a, b, c, d y e), una de las cuales es la correcta. Suponga que adivina las respuestas de tres de estas preguntas.

a) Utilice la regla de la multiplicación para calcular la probabilidad de que las dos primeras conjeturas sean incorrectas y que la tercera sea correcta. Es decir, calcule P(IIC), donde C denota una respuesta correcta e I una incorrecta.

b) Inicie con IIC y elabore una lista completa de los distintos acomodos posibles de 2 respuestas incorrectas y 1 correcta; después, calcule la probabilidad de cada dato en la lista.

c) Con base en los resultados anteriores, ¿cuál es la probabilidad de tener exactamente 1 respuesta correcta cuando se hacen 3 conjeturas?

14. Cálculo de probabilidades con respuestas de adivinación Una prueba psicológica consiste en preguntas de opción múltiple con 4 respuestas posibles (a, b, c y d), una de las cuales es la correcta. Suponga que adivina las respuestas a 6 de estas preguntas.

a) Utilice la regla de la multiplicación para calcular la probabilidad de que las 2 primeras conjeturas sean incorrectas y que las 4 últimas sean correctas. Es decir, calcule P(IICCCC), donde C denota una respuesta correcta e I una incorrecta.

b) Inicie con IICCCC y elabore una lista completa de los distintos acomodos posibles de 2 respuestas incorrectas y 4 correctas; después, calcule la probabilidad de cada dato en la lista.

c) Con base en los resultados anteriores, ¿cuál es la probabilidad de tener exactamente 4 respuestas correctas cuando se hacen 6 adivinaciones?

Uso de la tabla A-1. ***En los ejercicios 15 a 20, suponga que un procedimiento produce una distribución binomial con un ensayo repetido n veces. Utilice la tabla A-1 para calcular la probabilidad de x éxitos, dada la probabilidad p de éxito en un ensayo dado.***

15. $n = 2,\ x = 1,\ p = 0.30$ **16.** $n = 5,\ x = 1,\ p = 0.95$

17. $n = 15, x = 11, p = 0.99$ **18.** $n = 14, x = 4,\ p = 0.60$

19. $n = 10, x = 2,\ p = 0.05$ **20.** $n = 12, x = 12, p = 0.70$

Uso de la fórmula de probabilidad binomial. ***En los ejercicios 21 a 24, suponga que un procedimiento produce una distribución binomial con un ensayo repetido n veces. Utilice la fórmula de probabilidad binomial para calcular la probabilidad de x éxitos, dada la probabilidad p de éxito en un solo ensayo.***

21. $n = 12, x = 10, p = 3/4$ **22.** $n = 9, .x = 2,\ p = 0.35$

23. $n = 20, x = 4,\ p = 0.15$ **24.** $n = 15, x = 13, p = 1/3$

Uso de resultados de computadora. ***En los ejercicios 25 a 28, remítase a la pantalla de Minitab que aparece al margen. [Al seleccionar al azar donadores de sangre, el 45% tenía sangre del grupo O (según datos del programa Greater New York Blood)]. La tabla muestra las probabilidades obtenidas al ingresar los valores de n = 5 y p = 0.45.***

MINITAB

x	$P(x)$
0	0.050328
1	0.205889
2	0.336909
3	0.275653
4	0.112767
5	0.018453

25. Grupo sanguíneo O Calcule la probabilidad de que al menos 1 de los 5 donadores tenga sangre del grupo O. Si se necesita al menos un donador del grupo O, ¿sería razonable esperar obtener al menos 1?

26. Grupo sanguíneo O Calcule la probabilidad de que al menos 3 de los 5 donadores tenga sangre del grupo O. Si se necesitan al menos 3 donadores del grupo O, ¿es muy probable que se obtengan al menos 3?

27. Grupo sanguíneo O Calcule la probabilidad de que los 5 donadores tengan sangre del grupo O. ¿Es inusual obtener cinco donadores del grupo O de un total de 5 donadores seleccionados al azar? ¿Por qué?

28. Grupo sanguíneo O Calcule la probabilidad de que a lo sumo 2 de los 5 donadores tengan sangre del grupo O.

29. Reconocimiento de marca El nombre de la marca Mrs. Field (galletas) tiene una tasa de reconocimiento del 90% (según datos de Franchise Advantage). Si la propia Mrs. Fields desea verificar esa tasa comenzando con una muestra pequeña de 10 consumidores elegidos al azar, calcule la probabilidad de que exactamente 9 de los 10 consumidores reconozcan su marca. También calcule la probabilidad de que el número de personas que reconocen su marca *no* sea 9.

30. Reconocimiento de marca El nombre de la marca McDonald's tiene una tasa de reconocimiento del 95% (según datos de Retail Marketing Group). Si un ejecutivo de McDonald's desea verificar esa tasa comenzando con una muestra pequeña de 15 consumidores elegidos al azar, calcule la probabilidad de que exactamente 13 de los 15 consumidores reconozcan la marca. También calcule la probabilidad de que el número de personas que reconozcan su marca *no* sea 13.

31. Color de ojos En Estados Unidos, el 40% de la población tiene ojos cafés (según datos de un estudio realizado por el doctor Sorita Soni en Indiana University). Si se seleccionan al azar 14 personas, calcule la probabilidad de que al menos 12 tengan ojos cafés. ¿Es inusual seleccionar al azar 14 personas y encontrar que al menos 12 de ellas tienen ojos cafés? ¿Por qué?

32. Calificación de crédito Los consumidores con calificaciones de crédito FICO (Fair Isaac & Company) mayores que 800 tienen un índice de delincuencia del 1%. Si el banco Jefferson Valley otorga grandes préstamos a 12 personas con puntuaciones FICO mayores que 800, ¿qué probabilidad hay de que al menos uno de ellos se convierta en delincuente? Con base en esa probabilidad, ¿el banco debe hacer planes para enfrentar la delincuencia?

33. Genética Se generan 10 guisantes de plantas progenitoras que tienen el par de genes para vainas verdes/amarillas, de manera que hay una probabilidad de 0.75 de que una planta individual de guisante tenga vainas verdes. Calcule la probabilidad de que, entre los 10 vástagos de guisantes, al menos 9 tengan vainas verdes. ¿Es inusual obtener al menos 9 plantas de guisantes con vainas verdes cuando se generan 10 vástagos? ¿Por qué?

34. Genética Se generan 10 guisantes de plantas progenitoras que tienen el par de genes para vainas verdes/amarillas, de manera que hay una probabilidad de 0.75 de que una planta individual de guisante tenga vainas verdes. Calcule la probabilidad de que, entre los 10 vástagos de guisantes, al menos 1 tenga vainas verdes. ¿Por qué la regla habitual para el redondeo (con tres dígitos significativos) no funciona en este caso?

35. Programas de acción afirmativa Se realizó un estudio para determinar si existían diferencias significativas entre las tasas de graduación de estudiantes de medicina aceptados a través de programas especiales (como el de acción afirmativa) y estudiantes de medicina aceptados a través de los criterios regulares de admisión. Se encontró que el 94% de los estudiantes de medicina aceptados a través de programas especiales se graduaron (según datos del *Journal of the American Medical Association*).

a) Si se seleccionan al azar 10 de los estudiantes de los programas especiales, calcule la probabilidad de que al menos 9 se gradúen.

b) ¿Sería inusual que de 10 estudiantes de los programas especiales, seleccionados al azar, solamente se graduaran 7? ¿Por qué?

36. Máquina tragamonedas El autor compró una máquina tragamonedas configurada de tal forma que existe una probabilidad de 1/2000 de ganarse el premio mayor en cualquier ensayo individual. Aun cuando nadie consideraría seriamente hacer trampa al autor, suponga que un invitado afirma haber jugado con la máquina 5 veces y haber ganado en dos ocasiones.

a) Calcule la probabilidad de que haya exactamente 2 premios en 5 ensayos.

b) Calcule la probabilidad de al menos 2 premios en 5 ensayos.

c) ¿Parece válida la afirmación del invitado de 2 triunfos en 5 juegos? Explique.

37. Niveles de audiencia de Nielsen El programa de televisión *NBC Sunday Night Football* transmite un juego entre los Potros y los Patriotas, y recibe una puntuación de 22, lo que significa que, de los televisores encendidos, el 22% estaba sintonizando ese juego (según datos de Nielsen Media Research). Un anunciante desea obtener una segunda opinión realizando su propia encuesta e inicia una encuesta piloto con 20 hogares que tienen el televisor encendido en el momento de la misma transmisión del programa *NBC Sunday Night Football*.

a) Calcule la probabilidad de que ninguno de los hogares esté sintonizando *NBC Sunday Night Football*.

b) Calcule la probabilidad de que al menos uno de los hogares esté sintonizando *NBC Sunday Night Football*.

c) Calcule la probabilidad de que a lo sumo uno de los hogares esté sintonizando *NBC Sunday Night Football*.

d) Si a lo sumo uno de los hogares está sintonizando *NBC Sunday Night Football*, ¿parecería que el valor del 22% es incorrecto? ¿Por qué?

38. Muestreo compuesto Un laboratorio de pruebas médicas ahorra dinero al combinar muestras de sangre para efectuar pruebas, de manera que solo se realiza una prueba para varias personas. La muestra combinada resulta positiva si al menos una de las personas está infectada. Si la muestra combinada resulta positiva, se realizan pruebas de sangre individuales. En una prueba para gonorrea se combinan las muestras de 30 individuos elegidos al azar. Calcule la probabilidad de que la muestra combinada resulte positiva si al menos una de las 30 personas está infectada. Con base en datos de los Centers for Disease Control, la probabilidad de seleccionar al azar a una persona con gonorrea es 0.00114. ¿Es probable que este tipo de muestras combinadas resulten positivas?

39. Encuesta laboral En una encuesta de 320 individuos graduados de la universidad, el 36% reportó haber permanecido menos de un año en su primer trabajo de tiempo completo (según datos de *USA Today* y Experience.com).

a) Si se eligen al azar 15 de esos individuos encuestados sin reemplazo para hacer una encuesta de seguimiento, calcule la probabilidad de que 5 hayan permanecido en su primer trabajo de tiempo completo menos de un año.

b) Si el inciso *a)* se modifica y se selecciona a 20 individuos encuestados, explique por qué la fórmula de probabilidad binomial *no puede* utilizarse.

40. Encuesta sobre entrevistas de trabajo En una encuesta aplicada a 150 altos ejecutivos, el 47% dijo que el error más común en una entrevista de trabajo es saber poco o nada acerca de la compañía.

a) Si se eligen al azar 6 de esos ejecutivos encuestados sin reemplazo para hacer una encuesta de seguimiento, calcule la probabilidad de que 3 digan que el error más común en una entrevista de trabajo es saber poco o nada acerca de la compañía.

b) Si el inciso *a)* se modifica y se seleccionan al azar 9 individuos encuestados sin reemplazo, explique por qué la fórmula de probabilidad binomial *no puede* utilizarse.

41. Muestreo de aceptación Medassist Pharmaceutical Company recibe grandes embarques de tabletas de aspirina y usa el siguiente plan de muestreo de aceptación: seleccionar al azar y probar 40 tabletas, después aceptar el grupo completo solo si hay una o cero tabletas que no cumplan con las especificaciones requeridas. Si un embarque particular de 5000 tabletas de aspirina tiene en realidad una tasa de defectos del 3%, ¿cuál es la probabilidad de que el embarque completo sea aceptado? ¿Casi todos los embarques de este tipo serían aceptados o habría muchos rechazos?

42. Vuelos sobrevendidos Cuando una persona compra un boleto para un vuelo, hay una probabilidad de 0.0995 de que no se presente en el aeropuerto (según datos de un documento de investigación de IBM, de Lawrence, Hong y Cherrier). Un agente de Air America desea registrar a 24 personas en un avión en el que solo se pueden sentar 22. Si se registran 24 personas, calcule la probabilidad de que no haya suficientes asientos disponibles. ¿Esta probabilidad es lo suficientemente baja para que la sobreventa no constituya una preocupación?

43. Identificación de la discriminación por género Después de ser rechazada para un empleo, Jennifer Summer se entera de que Kingston Technology Corporation solo contrató a 3 mujeres entre los últimos 24 empleados nuevos. También se entera de que el grupo de solicitantes es muy grande y que incluye un número aproximadamente igual de hombres y mujeres calificados. Ayúdele a presentar cargos por discriminación por género, calculando la probabilidad de que 3 o menos mujeres sean incluidas en una contratación de 24 personas, suponiendo que no existe discriminación basada en el género. ¿La probabilidad resultante apoya esos cargos?

44. Mejora de la calidad La empresa Write Right Company fabrica bolígrafos y ha estado registrando una tasa del 6% de bolígrafos defectuosos. Se hacen modificaciones al proceso de manufactura para mejorar la calidad, y el gerente afirma que el procedimiento modificado es mejor, ya que una prueba de 60 bolígrafos indica que solo 1 está defectuoso.

a) Suponiendo que la tasa de defectos del 6% no ha cambiado, calcule la probabilidad de que, en 60 bolígrafos, exactamente 1 esté defectuoso.

b) Suponiendo que la tasa de defectos del 6% no ha cambiado, calcule la probabilidad de que, en 60 bolígrafos, ninguno esté defectuoso.

c) ¿Qué probabilidad se debe usar para determinar si el proceso modificado produce una tasa de defectos menor al 6%?

d) ¿Qué concluye usted acerca de la eficacia del proceso de producción modificado?

5-3 Más allá de lo básico

45. Experimento de Mendel sobre hibridación En el problema del capítulo se indica que Mendel obtuvo 428 guisantes con vainas verdes cuando generó 580 guisantes, y que planteó que la probabilidad de obtener una planta de guisante con vainas verdes es 0.75. Si el valor de probabilidad de 0.75 es correcto, calcule la probabilidad de obtener 428 guisantes con vainas verdes en un total de 580 guisantes. ¿Es inusual el resultado? ¿El resultado sugiere que el valor de probabilidad de 0.75 propuesto por Mendel es incorrecto? ¿Por qué?

46. Distribución geométrica Si un procedimiento cumple con todas las condiciones de una distribución binomial, excepto que el número de ensayos no es fijo, entonces se puede utilizar una **distribución geométrica**. La probabilidad de obtener el primer éxito en el ensayo *x*-ésimo está dada por $P(x) = p(1 - p)^{x-1}$, donde p es la probabilidad de éxito en cualquier ensayo. Se seleccionan al azar sujetos para la encuesta del National Health and Nutrition Examination, realizada por los Centers of Disease Control del National Center for Health Statistics. Calcule la probabilidad de que el primer sujeto que sea donador de sangre universal (con sangre del grupo O y del tipo Rh^-) sea la duodécima persona seleccionada. La probabilidad de que alguien sea donador universal es 0.06.

47. Distribución hipergeométrica Si realizamos un muestreo sin reemplazo de una población finita pequeña, no debería usarse la distribución binomial porque los eventos no son independientes. Si el muestreo se hace sin reemplazo y los resultados pertenecen a uno de dos tipos, podemos usar la **distribución hipergeométrica.** Si una población tiene *A* objetos de un tipo (como números de lotería que coinciden con los que usted eligió), mientras que los objetos *B* restantes son de otro tipo (como los números de lotería que usted no eligió), y si se muestrean sin reemplazo *n* objetos (como 6 números de lotería), entonces la probabilidad de obtener *x* objetos del tipo *A* y $n - x$ objetos del tipo *B* es

$$P(x) = \frac{A!}{(A - x)!x!} \cdot \frac{B!}{(B - n + x)!(n - x)!} \div \frac{(A + B)!}{(A + B - n)!n!}$$

En el juego de lotería del estado de Nueva York, un participante selecciona seis números del 1 al 59 (sin repetición) y después se selecciona al azar una combinación de seis números ganadores. Calcule la probabilidad de los siguientes eventos y expréselos en forma decimal:

a) Usted compra un billete con una combinación de 6 números y elige los 6 números ganadores.

b) Usted compra un billete con una combinación de 6 números y elige exactamente 5 de los números ganadores.

c) Usted compra un billete con una combinación de 6 números y elige exactamente 3 de los números ganadores.

d) Usted compra un billete con una combinación de 6 números y no elige ningún número ganador.

48. Distribución multinomial La distribución binomial se aplica únicamente a casos que implican dos tipos de resultados, mientras que la **distribución multinomial** supone más de dos categorías. Suponga que tenemos tres tipos de resultados mutuamente excluyentes, denotados como A, B y C. Sean $P(A) = p_1$, $P(B) = p_2$ y $P(C) = p_3$. En *n* ensayos independientes, la probabilidad de x_1 resultados tipo A, x_2 resultados tipo B, y x_3 resultados tipo C está dada por

$$\frac{n!}{(x_1)!(x_2)!(x_3)!} \cdot p_1^{x_1} \cdot p_2^{x_2} \cdot p_3^{x_3}$$

Un experimento en genética incluye 6 genotipos mutuamente excluyentes identificados como A, B, C, D, E y F; todos son igualmente probables. Si se prueba a 20 descendientes, calcule la probabilidad de obtener exactamente cinco A, cuatro B, tres C, dos D, tres E y tres F, al expandir la expresión anterior de manera que se aplique a 6 tipos de resultados y no solo a 3.

Media, varianza y desviación estándar para la distribución binomial

Concepto clave En esta sección estudiaremos características importantes de una distribución binomial, incluyendo medidas de tendencia central, de variación y de distribución. Es decir, dada una distribución de probabilidad binomial en particular, podemos calcular su media, varianza y desviación estándar. Además de calcular esos valores, insistiremos en que también aprenda a *interpretarlos* y *entenderlos*. En específico, utilizamos la regla práctica de las desviaciones para determinar si los eventos son comunes o inusuales.

En la sección 5-2 incluimos las fórmulas 5-1, 5-3 y 5-4 para calcular la media, la varianza y la desviación estándar de una distribución de probabilidad discreta. Puesto que una distribución binomial es un tipo especial de distribución de probabilidad discreta, podemos usar las mismas fórmulas. Sin embargo, es más fácil usar las fórmulas 5-6, 5-7 y 5-8 que se presentan a continuación.

Observe que en las fórmulas 5-6, 5-7 y 5-8, $q = 1 - p$. Por ejemplo, si $p = 0.75$, entonces $q = 0.25$. (En la sección 5-3 se presentó esta forma de notación para q).

Para cualquier distribución de probabilidad discreta		**Para distribuciones binomiales**	
Fórmula 5-1	$\mu = \Sigma[x \cdot P(x)]$	**Fórmula 5-6**	$\mu = np$
Fórmula 5-3	$\sigma^2 = \Sigma[x^2 \cdot P(x)] - \mu^2$	**Fórmula 5-7**	$\sigma^2 = npq$
Fórmula 5-4	$\sigma = \sqrt{\Sigma[x^2 \cdot P(x)] - \mu^2}$	**Fórmula 5-8**	$\sigma = \sqrt{npq}$

Al igual que en las secciones anteriores, es adecuado calcular los valores para μ y σ, pero es especialmente importante *interpretar* y *entender* tales valores, de manera que la regla práctica de las desviaciones resulta muy útil. Recuerde que podemos considerar que los valores son inusuales si caen fuera de los límites que se obtienen de la siguiente manera:

Regla práctica de las desviaciones

valor máximo común = $\mu + 2\sigma$

valor mínimo común = $\mu - 2\sigma$

EJEMPLO 1

Genética Utilice las fórmulas 5-6 y 5-8 para calcular la media y la desviación estándar del número de guisantes con vainas verdes cuando se generan grupos de 5 vástagos. Suponga que hay una probabilidad de 0.75 de que un vástago de guisante tenga vainas verdes (como se describe en el problema del capítulo).

SOLUCIÓN

Si usamos los valores $n = 5$, $p = 0.75$ y $q = 0.25$, las fórmulas 5-6 y 5-8 se aplican de la siguiente manera:

$$\mu = np = (5)(0.75) = 3.8 \quad \text{(se redondea)}$$

$$\sigma = \sqrt{npq} = \sqrt{(5)(0.75)(0.25)} = 1.0 \quad \text{(se redondea)}$$

La fórmula 5-6 para la media tiene una lógica basada en la intuición. Si el 75% de los guisantes tienen vainas verdes y se generan 5 vástagos de guisantes, esperamos obtener alrededor de $5 \cdot 0.75 = 3.8$ guisantes con vainas verdes. Este resultado se puede generalizar con facilidad como $\mu = np$. La varianza y la desviación estándar no se justifican fácilmente, y omitiremos las complicadas manipulaciones algebraicas que conducen a las fórmulas 5-7 y 5-8. En vez de ello, remítase de nuevo al ejemplo anterior y a la tabla 5-3 para verificar que, para una distribución binomial, las fórmulas 5-6, 5-7 y 5-8 producen los mismos resultados que las fórmulas 5-1, 5-3 y 5-4.

EJEMPLO 2

Genética En un experimento real, Mendel obtuvo 580 vástagos de guisantes. Afirmó que el 75% o 435 tendrían vainas verdes. El experimento real dio como resultado 428 guisantes con vainas verdes.

a) Suponiendo que se obtienen grupos de 580 vástagos de guisantes, calcule la media y la desviación estándar del número de guisantes con vainas verdes.

b) Utilice la regla práctica de las desviaciones para calcular el valor máximo común y el valor mínimo común de guisantes con vainas verdes. Con base en esos números, ¿podríamos concluir que el resultado real de Mendel de 428 de guisantes con vainas verdes es *inusual*? ¿Esto sugiere que el valor del 75% propuesto por Mendel es erróneo?

SOLUCIÓN

a) Con $n = 580$ vástagos de guisantes, con $p = 0.75$ y $q = 0.25$, podemos calcular la media y la desviación estándar del número de guisantes con vainas verdes de la siguiente manera:

$$\mu = np = (580)(0.75) = 435.0$$
$$\sigma = \sqrt{npq} = \sqrt{(580)(0.75)(0.25)} = 10.4 \quad \text{(se redondea)}$$

Para grupos de 580 vástagos de guisantes, el número medio de guisantes con vainas verdes es 435.0 y la desviación estándar es 10.4.

b) Ahora debemos interpretar los resultados para determinar si el resultado real que obtuvo Mendel de 428 guisantes es un resultado que puede ocurrir fácilmente por azar, o si ese resultado es tan poco probable que la tasa supuesta del 75% es incorrecta. Usaremos la regla práctica de las desviaciones de la siguiente manera:

$$\text{valor máximo común: } \mu + 2\sigma = 435.0 + 2(10.4) = 455.8$$
$$\text{valor mínimo común: } \mu - 2\sigma = 435.0 - 2(10.4) = 414.2$$

INTERPRETACIÓN

Si Mendel obtuviera muchos grupos de 580 vástagos de guisantes y si su tasa del 75% es correcta, entonces el número de guisantes con vainas verdes estaría generalmente entre 414.2 y 455.8. (Los cálculos efectuados con valores sin redondeo producen 414.1 y 455.9). Mendel obtuvo en realidad 428 guisantes con vainas verdes, y ese valor cae dentro del rango de valores comunes, de manera que los resultados experimentales son consistentes con la tasa del 75%. Los resultados no sugieren que la tasa planteada por Mendel del 75% sea incorrecta.

Variación en la estadística El ejemplo 2 ilustra bien la importancia de la variación en la estadística. En un curso de álgebra tradicional, podríamos concluir que 428 no es el 75% de 580, simplemente porque 428 no es igual a 435 (que es el 75% de 580). Sin embargo, en la estadística reconocemos que los resultados muestrales varían. No esperamos obtener *exactamente* 75% de los guisantes con vainas verdes, y reconocemos que siempre y cuando los resultados no varíen demasiado de la tasa planteada del 75%, son congruentes con la tasa planteada del 75%.

En esta sección se presentaron procedimientos sencillos para calcular los valores de la media μ y de la desviación estándar σ de una distribución de probabilidad binomial. No obstante, es especialmente importante ser capaz de interpretar esos valores utilizando herramientas como la regla práctica de las desviaciones para identificar un rango de valores comunes.

Confiabilidad y validez

La confiabilidad de los datos se refiere a la consistencia con que ocurren los resultados, mientras que la validez se refiere a lo bien que los datos miden lo que se supone que deben de medir. La confiabilidad de una prueba de inteligencia se puede juzgar al comparar las calificaciones obtenidas en la prueba en una fecha con las calificaciones de la misma prueba obtenidas en otro momento. Para probar la validez de una prueba de inteligencia, podríamos comparar las calificaciones de la prueba con otro indicador de la inteligencia, como el desempeño académico. Muchos críticos argumentan que las pruebas de inteligencia son confiables, pero no válidas; es decir, arrojan resultados consistentes, pero realmente no miden la inteligencia.

5-4 Destrezas y conceptos básicos

Conocimientos estadísticos y pensamiento crítico

1. Notación La fórmula 5-8 indica que la desviación estándar σ de valores de la variable aleatoria x en una distribución de probabilidad binomial se puede calcular al evaluar $\sqrt{npq}$. Algunos libros consideran la expresión $\sqrt{np(1-p)}$. ¿Estas dos expresiones dan siempre el mismo resultado? Explique.

2. ¿Hay algún error? Excel se utiliza para calcular la media y la desviación estándar de una distribución de probabilidad discreta, con los siguientes resultados: $\mu = 2.0$ y $\sigma = -3.5$. ¿Pueden ser correctos estos resultados? Explique.

3. Varianza Una encuesta Gallup de 1236 adultos reveló que el 5% de los individuos encuestados creen que es de mala suerte romper un espejo. Con base en esos resultados, este tipo de grupos de 1236 adultos seleccionados al azar tendrán una media de 61.8 individuos con esa creencia, y una desviación estándar de 7.7 individuos. ¿Cuál es la varianza? (Exprese la respuesta con las unidades adecuadas).

4. ¿Cuál es el error? Una clase de estadística está integrada por 10 mujeres y 30 hombres. Cada día se eligen al azar 12 estudiantes sin reemplazo, y se cuenta el número de mujeres. Si utilizamos los métodos de esta sección, obtenemos $\mu = 3.0$ mujeres y $\sigma = 1.5$ mujeres, pero el valor de la desviación estándar es incorrecto. ¿Por qué los métodos utilizados en esta sección no dan el resultado correcto en este caso?

Cálculo de μ, σ y valores poco comunes. ***En los ejercicios 5 a 8, suponga que un procedimiento produce una distribución binomial con n ensayos, y que la probabilidad de éxito de un ensayo es p. Utilice los valores de n y p dados para calcular la media μ y la desviación estándar μ. Además, use la regla práctica de las desviaciones para calcular el valor mínimo común $\mu - 2\sigma$ y el valor máximo común $\mu + 2\sigma$.***

5. Hacer conjeturas en la prueba SAT Se hacen conjeturas al azar para 50 reactivos de opción múltiple de la prueba SAT, de modo que $n = 50$ y $p = 0.2$.

6. Selección del género En un análisis de los resultados de prueba del método YSORT para la selección del género, nacen 152 bebés y se supone que los niños y las niñas son igualmente probables, de modo que $n = 152$ y $p = 0.5$.

7. Prueba de fármaco En un análisis de la prueba 1-Panel TCH para el consumo de mariguana, se someten a prueba 300 sujetos y la probabilidad de un resultado positivo es 0.48, de modo que $n = 300$ y $p = 0.48$.

8. Encuesta Gallup Una encuesta Gallup de 1236 adultos reveló que el 14% cree que es de mala suerte si un gato negro se cruza en su camino, de modo que $n = 1236$ y $p = 0.14$.

9. Conjeturas al azar en un examen El examen de medio semestre en un curso de enfermería consta de 75 preguntas de verdadero o falso. Suponga que un estudiante sin preparación hace conjeturas al azar para cada una de las respuestas.

a) Calcule la media y la desviación estándar del número de respuestas correctas de ese estudiante.

b) ¿Sería poco común que un estudiante aprobara el examen adivinando y que obtenga al menos 45 respuestas correctas? ¿Por qué?

10. Respuestas de adivinación El examen final de un curso de sociología consta de 100 reactivos de opción múltiple. Cada reactivo tiene cinco respuestas posibles, y solo una de ellas es correcta. Un estudiante sin preparación hace conjeturas para todas las respuestas.

a) Calcule la media y la desviación estándar del número de respuestas correctas de ese estudiante.

b) ¿Sería poco común que un estudiante aprobara el examen si adivina y obtiene al menos 60 respuestas correctas? ¿Por qué?

11. ¿El 16% de los dulces M&M son verdes? Mars, Inc., afirma que el 16% de sus dulces M&M son verdes; se selecciona al azar una muestra de 100 de esos dulces.

a) Calcule la media y la desviación estándar del número de dulces verdes en grupos de 100 como este.

b) El conjunto de datos 18 del apéndice B consiste en una muestra aleatoria de 100 M&M, de los cuales 19 son verdes. ¿Es inusual este resultado? ¿Será incorrecta la tasa del 16%?

12. ¿El 24% de los dulces M&M son azules? Mars, Inc., afirma que el 24% de sus dulces M&M son azules; se selecciona al azar una muestra de 100 de estos dulces.

a) Calcule la media y la desviación estándar del número de dulces azules en grupos de 100 como este.

b) El conjunto de datos 18 del apéndice B consiste en una muestra aleatoria de 100 dulces M&M, de los cuales 27 son azules. ¿Es inusual este resultado? ¿Será incorrecta la tasa del 24%?

13. Selección del género En una prueba del método XSORT de selección del género, un grupo de parejas que desean tener niñas dio a luz a 574 bebés, de los cuales 525 son niñas (según datos del Genetics & IVF Institute).

a) Si el método de selección del género no tiene efecto, y los bebés de uno y otro sexo tienen las mismas probabilidades de nacer, calcule la media y la desviación estándar del número de niñas nacidas en grupos de 574 bebés.

b) ¿El resultado de 525 niñas es inusual? ¿Sugiere que el método de selección del género parece ser eficaz?

14. Selección del género En una prueba del método YSORT de selección del género, un grupo de parejas que desean tener hijos varones dieron a luz a 152 bebés, de los cuales 127 son varones (según datos del Genetics & IVF Institute).

a) Si el método de selección del género no tiene efecto, y los bebés de uno y otro sexo tienen las mismas probabilidades de nacer, calcule la media y la desviación estándar del número de varones nacidos en grupos de 152 bebés.

b) ¿El resultado de 127 niños es inusual? ¿Sugiere que el método de selección del género parece ser eficaz?

15. Antigüedad laboral Un encabezado de *USA Today* afirma que "la mayoría de la gente permanece en su primer empleo menos de 2 años". El encabezado se basa en una encuesta realizada por Experience.com a 320 graduados universitarios. De los individuos encuestados, el 78% permaneció en su primer trabajo de tiempo completo menos de dos años.

a) Suponiendo que el verdadero porcentaje de graduados que permanecen en su primer empleo menos de dos años es del 50%, calcule la media y la desviación estándar para el número de esos graduados en grupos de 320 graduados seleccionados al azar.

b) Suponiendo que la tasa del 50% del inciso *a)* es correcta, calcule el rango de valores comunes para el número de graduados, de un total de 320, que permanecen en su primer empleo menos de dos años.

c) Calcule el número real de graduados encuestados que permanecieron en su primer empleo menos de dos años. Utilice el rango de valores del inciso *b)* para determinar si ese número es inusual. ¿El resultado sugiere que el encabezado no está justificado?

d) La siguiente afirmación se planteó como parte de la descripción de los métodos de encuesta utilizados: "Los ex alumnos que eligieron recibir comunicados de Experience fueron invitados a participar en la encuesta en línea, y 320 completaron la encuesta". ¿Qué sugiere esta afirmación sobre los resultados?

16. Genética mendeliana Cuando Mendel realizó sus famosos experimentos de genética con plantas, una muestra de 1064 vástagos consistió en 787 plantas con tallos largos y 277 plantas con tallos cortos. Mendel formuló la hipótesis de que el 25% de las plantas tendrían tallos cortos.

a) Si la teoría de Mendel es correcta, calcule la media y la desviación estándar del número de plantas con tallos cortos en grupos de 1064 vástagos de plantas.

b) ¿Los resultados reales son inusuales? ¿Qué sugieren los resultados reales acerca de la teoría de Mendel?

17. Votación En una elección presidencial pasada, la tasa de votos emitidos fue del 61%. En una encuesta, se preguntó a 1002 sujetos si habían votado en la elección presidencial.

a) Calcule la media y la desviación estándar del número de votantes reales en grupos de 1002 individuos.

b) En la encuesta de 1002 personas, 701 *dijeron* que habían votado en la última elección presidencial (según datos de ICR Research Group). ¿Es congruente este resultado con la tasa real de votos emitidos, o es improbable que ocurra en una tasa real del 61%? ¿Por qué?

c) Con base en esos resultados, ¿parece que los resultados exactos de la votación se pueden obtener preguntando a los votantes cómo actuaron?

18. Teléfonos celulares y cáncer cerebral En un estudio de 420,095 usuarios de teléfono celular en Dinamarca, se encontró que 135 desarrollaron cáncer cerebral o del sistema nervioso. Si suponemos que el uso de teléfonos celulares no tiene el efecto de provocar este tipo de cáncer, la probabilidad de que una persona adquiera esta enfermedad es de 0.000340.

a) Suponiendo que los teléfonos celulares no están relacionados con el cáncer, calcule la media y la desviación estándar del número de personas, en grupos de 420,095, que pueden esperar tener cáncer cerebral o del sistema nervioso.

b) Con base en los resultados del inciso *a)*, ¿será inusual que, entre 420,095 personas, existan 135 casos de cáncer cerebral o del sistema nervioso? ¿Por qué?

c) ¿Qué sugieren estos resultados sobre la preocupación pública de que los teléfonos celulares son dañinos para la salud porque incrementan el riesgo de cáncer cerebral o del sistema nervioso?

19. Tratamiento para el tabaquismo En un ensayo clínico de un fármaco utilizado para ayudar a las personas a dejar de fumar, 821 sujetos fueron tratados con dosis de 1 mg de Chantix.

El grupo estuvo integrado por 30 sujetos que sintieron náuseas (según datos de Pfizer, Inc.). La probabilidad de que los sujetos que no recibieron el tratamiento sufrieran náuseas era de 0.0124.

a) Suponiendo que el fármaco Chantix no tiene efectos, de manera que la probabilidad de sentir náuseas es de 0.0124, calcule la media y la desviación estándar del número de personas en grupos de 821 que pueden esperar sentir náuseas.

b) Con base en el resultado del inciso *a*), ¿es inusual encontrar que, de 821 personas, 30 sientan náuseas? ¿Por qué?

c) Con base en los resultados anteriores, ¿parecería que las náuseas son una reacción adversa que debería preocupar a quienes utilizan Chantix?

20. Prueba de la terapia de contacto Emily Rosa, de 9 años de edad, realizó la siguiente prueba: un terapeuta profesional de contacto colocó sus manos a través de un separador de cartón y Emily lanzó una moneda para elegir al azar una de las manos. La niña colocaba su mano arriba de la mano del terapeuta, quien debía identificar la mano que Emily había elegido. Los terapeutas de contacto creen que son capaces de sentir el campo de energía y, en consecuencia, pensaban que podrían identificar la mano que Emily había seleccionado. La prueba se repitió 280 veces. (Según datos de "A Close Look at Therapeutic Touch" de Rosa *et al.*, *Journal of the American Medical Association*, vol. 279, núm. 13).

a) Suponiendo que el terapeuta no posee poderes especiales y que hace conjeturas, calcule la media y la desviación estándar del número de respuestas correctas en grupos de 280 pruebas.

b) Los terapeutas profesionales de contacto identificaron la mano correcta 123 ocasiones en las 280 pruebas. ¿Es inusual este resultado? ¿Qué sugiere el resultado sobre la habilidad de los terapeutas de contacto para elegir la mano correcta al sentir el campo de energía?

5-4 Más allá de lo básico

21. Distribución hipergeométrica Como en el ejercicio 4, suponga que una clase de estadística está integrada por 10 mujeres y 30 hombres, y que cada día se eligen 12 estudiantes al azar sin reemplazo. Debido a que el muestreo se realiza con una población finita pequeña sin reemplazo, es posible aplicar la distribución hipergeométrica. (Véase el ejercicio 47 de la sección 5-3). Utilizando la distribución hipergeométrica, calcule la media y la desviación estándar del número de mujeres que se seleccionan en diferentes días.

22. Productos aceptables/defectuosos Mario's Pizza Parlor acaba de inaugurarse. Debido a la falta de capacitación de los empleados, existe solo un 0.8 de probabilidad de que una pizza sea comestible. Se acaban de ordenar 5 pizzas. ¿Cuál es el número mínimo de pizzas que deben prepararse para estar al menos 99% seguros de que habrá 5 comestibles?

5-5 Distribuciones de probabilidad de Poisson

Concepto clave Comenzamos este capítulo considerando la distribución de probabilidad discreta en general. En las secciones 5-3 y 5-4 estudiamos la distribución de probabilidad binomial, que es un tipo específico de distribución de probabilidad discreta. Esta sección presenta la *distribución de Poisson*, que es otra distribución de probabilidad discreta importante, y que a menudo se utiliza para describir comportamientos que ocurren en raras ocasiones (con probabilidades pequeñas).

La distribución de Poisson se utiliza para describir comportamientos tales como el decaimiento radiactivo, la llegada de personas a una fila, la reproducción de águilas en una región, los pacientes que llegan a la sala de emergencias, los choques que ocurren en las carreteras de Massachusetts y los usuarios de Internet que visitan un sitio Web. Por ejemplo, suponga que en el hospital local, la media de los pacientes que ingresan a la sala de emergencias los viernes entre las 10:00 P.M.

y las 11:00 P.M. es de 2.3. Podemos calcular la probabilidad de que un viernes elegido al azar, entre las 10:00 P.M. y las 11:00 P.M. lleguen exactamente 4 pacientes. Para ello, utilizamos la distribución de Poisson, que se define de la siguiente manera.

DEFINICIÓN

La **distribución de Poisson** es una distribución de probabilidad discreta que se aplica a las ocurrencias de algún evento *durante un intervalo específico.* La variable aleatoria x es el número de veces que ocurre un evento en un intervalo. El intervalo puede ser tiempo, distancia, área, volumen o alguna unidad similar. La probabilidad de que el evento ocurra x veces durante un intervalo está dada por la fórmula 5-9.

Fórmula 5-9

$$P(x) = \frac{\mu^x \cdot e^{-\mu}}{x!} \qquad \text{donde } e \approx 2.71828$$

Requisitos de la distribución de Poisson

1. La variable aleatoria x es el número de veces que ocurre un evento *durante un intervalo.*
2. Las ocurrencias deben ser *aleatorias.*
3. Las ocurrencias deben ser *independientes* entre sí.
4. Las ocurrencias deben estar *uniformemente distribuidas* dentro del intervalo considerado.

Parámetros de la distribución de Poisson

- La media es μ.
- La desviación estándar es $\sigma = \sqrt{\mu}$.

La distribución de Poisson difiere de una distribución binomial en estas formas fundamentales:

1. La distribución binomial se ve afectada por el tamaño de la muestra n y la probabilidad p, mientras que la distribución de Poisson solo se ve afectada por la media μ.
2. En una distribución binomial, los valores posibles de la variable aleatoria x son 0, 1,…, n, pero los valores posibles x de una distribución de Poisson son 0, 1, 2,…, sin límite superior.

EJEMPLO 1

Terremotos En un periodo reciente de 100 años, hubo 93 grandes terremotos (con una magnitud de al menos 6.0 en la escala de Richter) en el mundo (según datos de *World Almanac and Book of Facts*). Suponga que la distribución de Poisson es un modelo adecuado.

a) Calcule la media del número de grandes terremotos que ocurren cada año.

b) Si $P(x)$ es la probabilidad de x terremotos en un año elegido al azar, calcule $P(0)$, $P(1)$, $P(2)$, $P(3)$, $P(4)$, $P(5)$, $P(6)$ y $P(7)$.

c) Los resultados reales son los siguientes: 47 años (0 grandes terremotos); 31 años (un gran terremoto); 13 años (2 grandes terremotos); 5 años (3 grandes terremotos);

continúa

Filas

La teoría de las filas o colas es una rama de las matemáticas que usa probabilidad y estadística. El estudio de las filas, colas o filas de espera es importante para negocios como supermercados, bancos, restaurantes de comida rápida, líneas aéreas y parques de diversiones. Los supermercados Grand Union tratan de mantener filas en las cajas de no más de tres compradores. Wendy's introdujo el sistema "Express Pak" para agilizar el servicio a los numerosos clientes que atiende en sus automóviles. Disney realiza extensos estudios de filas en sus parques de diversiones para mantener contentos a sus visitantes y planear su expansión. Los laboratorios Bell aplican la teoría de las filas para optimizar el uso de las redes telefónicas, en tanto que las fábricas la emplean para diseñar líneas de producción eficientes.

2 años (4 grandes terremotos); 0 años (5 grandes terremotos); un año (6 grandes terremotos); 1 año (7 grandes terremotos). ¿Qué diferencia hay entre los resultados reales y las probabilidades obtenidas en el inciso *b*)? Al parecer, ¿la distribución de Poisson es un buen modelo en este caso?

SOLUCIÓN

a) Aplicamos la distribución de Poisson, ya que estamos tratando con las ocurrencias de un evento (terremotos) dentro de un intervalo (un año). El número medio de terremotos por año es

$$\mu = \frac{\text{número de terremotos}}{\text{número de años}} = \frac{93}{100} = 0.93$$

b) Si utilizamos la fórmula 5-9, el cálculo para $x = 2$ terremotos en un año es el siguiente (sustituyendo μ por 0.93 y e por 2.71828):

$$P(2) = \frac{\mu^x \cdot e^{-\mu}}{x!} = \frac{0.93^2 \cdot 2.71828^{-0.93}}{2!} = \frac{0.8649 \cdot 0.394554}{2} = 0.171$$

La probabilidad de que haya exactamente 2 terremotos en un año es $P(2) = 0.171$. Si utilizamos el mismo procedimiento para calcular las otras probabilidades, obtenemos los siguientes resultados: $P(0) = 0.395$, $P(1) = 0.367$, $P(2) = 0.171$, $P(3) = 0.0529$, $P(4) = 0.0123$, $P(5) = 0.00229$, $P(6) = 0.000355$ y $P(7) = 0.0000471$.

c) La probabilidad de $P(0) = 0.395$ del inciso *b*) corresponde a la probabilidad de obtener 0 terremotos en un año. De esta manera, en 100 años, el número esperado de años con 0 terremotos es $100 \times 0.395 = 39.5$ años. Utilizando las probabilidades del inciso *b*), todas las frecuencias esperadas son: 39.5, 36.7, 17.1, 5.29, 1.23, 0.229, 0.0355 y 0.00471. Estas frecuencias esperadas coinciden razonablemente bien con las frecuencias reales de 47, 31, 13, 5, 2, 0, 1 y 1. Debido a que las frecuencias esperadas coinciden bastante bien con las frecuencias reales, la distribución de Poisson es un buen modelo para este caso.

Distribución de Poisson como aproximación de la distribución binomial

En ocasiones, la distribución de Poisson se utiliza para aproximar la distribución binomial, cuando n es grande y p es pequeña. Una regla práctica consiste en utilizar una aproximación como estas cuando se satisfacen las siguientes dos condiciones.

Requisitos para utilizar la distribución de Poisson como una aproximación a la distribución binominal

1. $n \geq 100$
2. $np \leq 10$

Si se cumplen estas condiciones y deseamos utilizar la distribución de Poisson como una aproximación a la distribución binomial, necesitamos un valor de μ, y ese valor se puede calcular utilizando la fórmula 5-6 (presentada originalmente en la sección 5-4):

Fórmula 5-6

$$\mu = np$$

EJEMPLO 2 **Juego Pick 3 de Illinois** En el juego Pick 3 de Illinois, usted paga $0.50 para seleccionar una secuencia de tres dígitos, como 729. Si participa en este juego una vez al día, calcule la probabilidad de ganar exactamente una vez en 365 días.

SOLUCIÓN El intervalo de tiempo es de 365 días, así que $n = 365$. Puesto que existe un conjunto ganador de números entre los 1000 posibles (del 000 al 999), $p = 1/1000$. Con $n = 365$ y $p = 1/1000$, se satisfacen las condiciones $n \geq 100$ y $np \leq 10$, de manera que podemos utilizar la distribución de Poisson como aproximación de la distribución binomial. Primero necesitamos el valor de μ, que se calcula de la siguiente manera:

$$\mu = np = 365 \cdot \frac{1}{1000} = 0.365$$

Luego de calcular el valor de μ, podemos calcular $P(1)$ utilizando $x = 1$, $\mu = 0.365$ y $e = 2.71828$, como se muestra aquí:

$$P(1) = \frac{\mu^x \cdot e^{-\mu}}{x!} = \frac{0.365^1 \cdot 2.71828^{-0.365}}{1!} = \frac{0.253}{1} = 0.253$$

Si aplicamos la distribución de Poisson como aproximación de la distribución binomial, encontramos que existe una probabilidad de 0.253 de ganar exactamente una vez en 365 días. Si utilizamos la distribución binomial, nuevamente obtenemos 0.254, de manera que observamos que la aproximación de Poisson es bastante buena aquí.

USO DE LA TECNOLOGÍA

STATDISK Seleccione **Analysis** de la barra del menú principal, después seleccione **Probability Distributions** y **Poisson Distribution**. Proceda a introducir el valor de la media μ. Haga clic en el botón **Evaluate** y desplace la pantalla para que aparezcan los valores que no caben en la ventana inicial. Vea la siguiente pantalla de Statdisk que utiliza la media de 0.93 del primer ejemplo de esta sección.

STATDISK

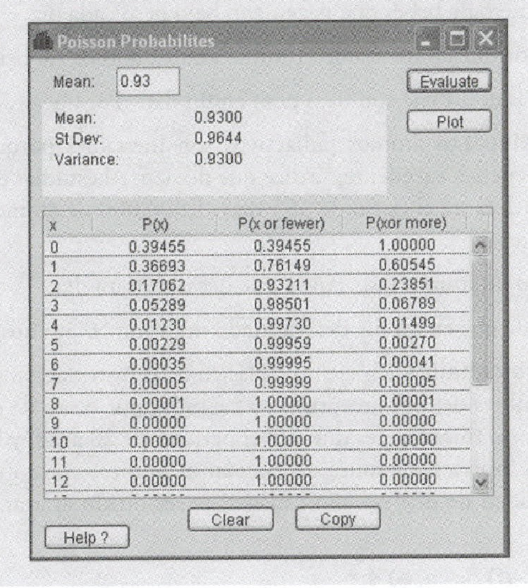

Poisson Probabilites

Mean: 0.93

Mean: 0.9300
St Dev: 0.9644
Variance: 0.9300

x	P(x)	P(x or fewer)	P(x or more)
0	0.39455	0.39455	1.00000
1	0.36693	0.76149	0.60545
2	0.17062	0.93211	0.23851
3	0.05289	0.98501	0.06789
4	0.01230	0.99730	0.01499
5	0.00229	0.99959	0.00270
6	0.00035	0.99995	0.00041
7	0.00005	0.99999	0.00005
8	0.00001	1.00000	0.00001
9	0.00000	1.00000	0.00000
10	0.00000	1.00000	0.00000
11	0.00000	1.00000	0.00000
12	0.00000	1.00000	0.00000

MINITAB Primero introduzca el valor deseado de x en la columna C1. Ahora seleccione **Calc** de la barra del menú principal, luego **Probability Distributions** y finalmente **Poisson**. Introduzca el valor de la media μ y C1 en la columna de entrada.

EXCEL Haga clic en ***fx*** de la barra del menú principal, después seleccione la categoría **Statistical,** luego seleccione **POISSON** luego seleccione **OK**. (En Excel 2010, seleccione **POISSON.DIST**). En el cuadro del diálogo introduzca los valores de x y la media, luego introduzca 0 para "Cumulative". (Introducir 1 en "Cumulative" da como resultado la probabilidad de los valores hasta el valor introducido de x incluyendo este último).

TI-83/84 PLUS Presione **2nd VARS** (para obtener **DISTR**), después seleccione **poissonpdf(**. Ahora presione **ENTER** y después proceda a introducir μ, x (incluida la coma). Para μ, introduzca el valor de la media; para x introduzca el número deseado de ocurrencias.

5-5 Destrezas y conceptos básicos

Conocimientos estadísticos y pensamiento crítico

1. Distribución de Poisson ¿Cuáles son las condiciones necesarias para usar la distribución de Poisson?

2. Cuenta de cheques El año pasado, el autor expidió 126 cheques. Sea x la variable aleatoria que representa el número de cheques que expidió en un día, y suponga que tiene una distribución de Poisson. ¿Cuál es la media del número de cheques expedidos por día? ¿Cuál es la desviación estándar? ¿Cuál es la varianza?

3. Aproximación de una distribución binomial Suponga que tenemos una distribución binomial con $n = 100$ y $p = 0.1$. Es imposible obtener 101 éxitos en una distribución binomial como esta, pero podemos calcular la probabilidad de que $x = 101$ si utilizamos la distribución de Poisson para hacer una aproximación de la distribución binomial; el resultado es 4.82×10^{-64}. ¿En qué coincide este resultado con la imposibilidad de tener $x = 101$ con una distribución binomial?

4. Poisson/binomial Un experimento implica lanzar un dado 6 veces y contar el número de veces que resulta un 2. Si calculamos la probabilidad de $x = 0$ ocurrencias de 2 por medio de la distribución de Poisson, obtenemos 0.368; sin embargo, con la distribución binomial obtenemos 0.335. ¿Cuál es la probabilidad correcta de no obtener ningún 2 cuando lanzamos un dado 6 veces? ¿Por qué la otra probabilidad es incorrecta?

Uso de una distribución de Poisson para calcular la probabilidad. ***En los ejercicios 5 a 8, suponga que se puede aplicar la distribución de Poisson y proceda a emplear la media dada para calcular la probabilidad indicada.***

5. Si $\mu = 2$, calcule $P(3)$. **6.** Si $\mu = 0.3$, calcule $P(1)$.

7. Si $\mu = 3/4$, calcule $P(3)$. **8.** Si $\mu = 1/6$, calcule $P(0)$.

En los ejercicios 9 a 16, utilice la distribución de Poisson para calcular las probabilidades indicadas.

9. Muertes por vehículos automotores El condado Dutchess de Nueva York ha registrado una media de 35.4 muertes por vehículos automotores cada año.

a) Calcule la media del número de muertes por día.

b) Calcule la probabilidad de que en un día determinado haya más de 2 muertes por vehículos automotores.

c) ¿Es inusual que haya más de 2 muertes por vehículos automotores el mismo día? ¿Por qué?

10. Bajo peso al nacer Se considera que un bebé recién nacido tiene bajo peso si pesa menos de 2500 g. Estos bebés a menudo requieren ayuda adicional. El condado Dutchess de Nueva York ha registrado una media de 210.0 casos de bajo peso al nacer cada año.

a) Calcule la media del número de bebés que nacen con bajo peso cada día.

b) Calcule la probabilidad de que en un día determinado nazca más de un bebé con bajo peso.

c) ¿Es inusual que nazca más de 1 bebé con bajo peso en un día? ¿Por qué?

11. Decaimiento radiactivo Los átomos radiactivos son inestables porque tienen demasiada energía. Cuando liberan su energía excedente, se dice que decaen. Al estudiar el cesio-137, un ingeniero nuclear descubre que durante el curso de 365 días, 1,000,000 de átomos radiactivos decaen a 977,287 átomos radiactivos.

a) Calcule el número medio de átomos radiactivos que decaen en un día.

b) Calcule la probabilidad de que en un día determinado decaigan 50 átomos radiactivos.

12. Muertes por coces de caballos Un ejemplo clásico de la distribución de Poisson implica el número de muertes de hombres del ejército prusiano causadas por coces de caballo entre 1875 y 1894. Se combinaron datos de 14 cadáveres durante el periodo de 20 años, y los 280 años-cadáver incluyeron un total de 196 muertes. Después de calcular el número medio de muertes por año-cadáver, calcule la probabilidad de que un año-cadáver, seleccionado al azar, registre el siguiente número de muertes:

a) 0 ***b)*** 1 ***c)*** 2 ***d)*** 3 ***e)*** 4

continúa

Los resultados reales incluyen las siguientes frecuencias: 0 muertes (en 144 años-cadáver); 1 muerte (en 91 años-cadáver); 2 muertes (en 32 años-cadáver); 3 muertes (en 11 años-cadáver); 4 muertes (en 2 años-cadáver). Compare los resultados reales con los esperados de las probabilidades de Poisson. ¿Sirve la distribución de Poisson como una buena herramienta para predecir los resultados reales?

13. Muertes por homicidio En un año hubo 116 muertes por homicidio en Richmond, Virginia (según "A Classroom Note on the Poisson Distribution: A Model for Homicidal Deaths in Richmond, VA for 1991", de Winston A. Richards en *Mathematics and Computer Education*). Para un día seleccionado al azar, calcule la probabilidad de que el número de muertes por homicidio sea

a) 0 ***b)*** 1 ***c)*** 2 ***d)*** 3 ***e)*** 4

Compare las probabilidades calculadas con los siguientes resultados reales: 268 días (ningún homicidio); 79 días (1 homicidio); 17 días (2 homicidios); 1 día (3 homicidios); no hubo días con más de 3 homicidios.

14. Grupo de enfermos El neuroblastoma, una forma rara de tumor maligno, se presenta en 11 de cada millón de niños, de manera que su probabilidad es 0.000011. En Oak Park, Illinois, que tiene una población de 12,429 niños, se presentaron 4 casos de neuroblastoma.

a) Suponiendo que el neuroblastoma se presenta como de costumbre, calcule el número medio de casos en grupos de 12,429 niños.

b) Calcule la probabilidad de que el número de casos de neuroblastoma en un grupo de 12,429 niños sea de 0 o 1.

c) ¿Cuál es la probabilidad de que se presente más de un caso de neuroblastoma?

d) ¿Parece que el grupo de cuatro casos puede atribuirse al azar? ¿Por qué?

15. Seguro de vida La compañía de seguros de vida Fidelity cobra $226 por una póliza de seguro de vida de $50,000 a una mujer de 50 años de edad. La probabilidad de que una mujer como esta sobreviva durante un año es 0.9968 (según datos del U.S. Department of Health and Human Services). Suponga que la compañía vende 700 de estas pólizas a mujeres de 50 años de edad, de manera que recauda $158,200 en pagos por pólizas. La compañía obtendrá una utilidad si menos de 4 de las 700 mujeres mueren durante el año.

a) ¿Cuál es la media del número de muertes en grupos de este tipo de 700 mujeres?

b) Calcule la probabilidad de que la compañía obtenga una utilidad de las 700 pólizas. ¿La probabilidad es lo suficientemente alta para que la compañía esté casi segura de obtener una utilidad?

16. Seguro de vida Existe una probabilidad de 0.9986 de que un hombre de 30 años elegido al azar sobreviva durante un año (según datos del U.S. Department of Health and Human Services). La compañía de seguros de vida Fidelity cobra $161 por asegurar a un hombre que sobreviva durante un año. Si el hombre no sobrevive durante ese año, la póliza paga $100,000 por muerte. Suponga que la compañía vende 1300 de estas pólizas a hombres de 30 años, de manera que recauda $209,300 en pagos por pólizas. La compañía obtendrá una utilidad si el número de muertes en este grupo es de dos o menos.

a) ¿Cuál es el número medio de muertes en grupos de este tipo de 1300 hombres?

b) Utilice la distribución de Poisson para calcular la probabilidad de que la compañía obtenga una utilidad de las 1300 pólizas.

c) Utilice la distribución binomial para calcular la probabilidad de que la compañía obtenga una utilidad de las 1300 pólizas, y luego compare el resultado con el dato obtenido en el inciso *b*).

5-5 Más allá de lo básico

17. Aproximación de Poisson a una distribución binomial Para una distribución binomial con $n = 10$ y $p = 0.5$, no podría utilizarse la distribución de Poisson debido a que no se satisfacen las condiciones $n \geq 100$ y $np \leq 10$. Suponga que, aun así, nos aventuramos a utilizar la aproximación de Poisson. ¿Las probabilidades resultantes son aproximaciones inaceptables? ¿Por qué?

Repaso

En este capítulo se presentó el concepto de una distribución de probabilidad, la cual describe la probabilidad de cada valor de una variable aleatoria. Este capítulo incluyó solo distribuciones de probabilidad discreta, pero los siguientes capítulos abarcarán distribuciones de probabilidad continua. Se estudiaron los siguientes conceptos básicos:

- Una *variable aleatoria* posee valores que están determinados por el azar.
- Una *distribución de probabilidad* consiste en todos los valores de una variable aleatoria, junto con sus probabilidades correspondientes. Una distribución de probabilidad debe cumplir dos requisitos: la suma de todas las probabilidades para los valores de la variable aleatoria debe ser igual a 1, y cada valor de probabilidad debe estar entre 0 y 1, inclusive. Esto se expresa como $\Sigma P(x) = 1$ y, para cada valor de x, $0 \leq P(x) \leq 1$.
- Se pueden explorar características importantes de una *distribución de probabilidad* construyendo un histograma de probabilidad y calculando su media y desviación estándar por medio de las siguientes fórmulas:

$$\mu = \Sigma[x \cdot P(x)]$$

$$\sigma = \sqrt{\Sigma[x^2 \cdot P(x)] - \mu^2}$$

- En una *distribución binomial*, existen dos categorías de resultados y un número fijo de ensayos independientes con una probabilidad constante. La probabilidad de x éxitos en n ensayos se calcula empleando la fórmula de probabilidad binomial, la tabla A-1, un programa de cómputo (como STATDISK, Minitab o Excel) o una calculadora TI-83/84 Plus.
- En una distribución binomial, la media y la desviación estándar pueden obtenerse fácilmente calculando los valores de $\mu = np$ y $\sigma = \sqrt{npq}$.
- Una *distribución de probabilidad de Poisson* se aplica a ocurrencias de algún evento durante un intervalo específico; sus probabilidades se calculan con la fórmula 5-9.
- *Resultados inusuales:* Para distinguir entre los resultados que son comunes y aquellos que no lo son, se utilizan dos criterios diferentes: la regla práctica de las desviaciones y el uso de probabilidades.

Al utilizar la regla práctica de las desviaciones para identificar valores poco comunes, tenemos:

$$\textbf{valor máximo común} = \mu + 2\sigma$$

$$\textbf{valor mínimo común} = \mu - 2\sigma$$

Al utilizar probabilidades para identificar valores poco comunes, tenemos que:

Número inusualmente alto de éxitos: x éxitos en n ensayos es un número inusualmente alto de éxitos si $P(x \text{ o más}) \leq 0.05$.*

Número inusualmente bajo de éxitos: x éxitos en n ensayos es un número inusualmente bajo de éxitos si $P(x \text{ o menos}) \leq 0.05$.*

*El valor de 0.05 se utiliza de forma regular, pero no es absolutamente rígido. Es posible usar otros valores, como 0.01, para distinguir entre eventos que pueden ocurrir fácilmente por azar y aquellos que tienen muy pocas probabilidades de ocurrir por azar.

Conocimientos estadísticos y pensamiento crítico

1. Variable aleatoria ¿Qué es una variable aleatoria? ¿Es posible que una variable aleatoria discreta tenga un número infinito de valores posibles?

2. Variables discretas y continuas ¿Cuál es la diferencia entre una variable aleatoria discreta y una variable aleatoria continua?

3. Distribución de probabilidad binomial En una distribución de probabilidad binomial, los símbolos p y q se emplean para representar probabilidades. ¿Cuál es la relación numérica entre p y q?

4. Distribuciones de probabilidad En este capítulo se describe el concepto de una distribución de probabilidad discreta, y después se describen las distribuciones de probabilidad binomial y de Poisson. ¿Todas las distribuciones de probabilidad discretas son binomiales o de Poisson? ¿Por qué?

Examen rápido del capítulo

1. Si 0 y 1 son los únicos valores posibles de la variable aleatoria x, y si $P(0) = P(1) = 0.8$, ¿se define una distribución de probabilidad?

2. Si 0 y 1 son los únicos valores posibles de la variable aleatoria x, y si $P(0) = 0.3$ y $P(1) = 0.7$, calcule la media de la distribución de probabilidad.

3. Si los bebés de uno y otro sexo son igualmente probables, y se seleccionan al azar grupos de 400 nacimientos, calcule la media del número de niñas en grupos de ese número de nacimientos.

4. Si los bebés de uno y otro sexo son igualmente probables, y se seleccionan al azar grupos de 400 nacimientos, calcule la desviación estándar del número de niñas en grupos de ese número de nacimientos.

5. Una prueba de opción múltiple incluye 100 reactivos. Cuando los sujetos hacen conjeturas al azar para cada respuesta, el número medio de respuestas correctas es 20.0 y la desviación estándar del número de respuestas correctas es 4.0. Si una persona hace conjeturas aleatorias para todas las respuestas, ¿es inusual que obtenga 35 respuestas correctas?

En los ejercicios 6 a 10 utilice la siguiente información:
Una prueba de opción múltiple incluye 4 reactivos. Cuando un sujeto hace conjeturas al azar para cada respuesta, la probabilidad para el número de respuestas correctas se indica en la tabla al margen. Suponga que un sujeto hace conjeturas aleatorias para cada respuesta.

x	$P(x)$
0	0.4096
1	0.4096
2	0.1536
3	0.0256
4	0.0016

6. ¿La distribución de probabilidad dada es una distribución de probabilidad binomial?

7. Calcule la probabilidad de obtener al menos una respuesta correcta.

8. Calcule la probabilidad de obtener todas las respuestas correctas.

9. Calcule la probabilidad de que el número de respuestas correctas sea 2 o 3.

10. ¿Es inusual que se respondan todas las preguntas de manera correcta?

Ejercicios de repaso

1. Posposición de la muerte Una hipótesis interesante afirma que los individuos pueden posponer temporalmente su muerte para estar presentes en una festividad. En un estudio se analizaron las muertes que se presentaron durante el periodo que va desde la semana previa al Día de Acción de Gracias hasta la semana posterior a esta festividad. (Véase "Holidays, Birthdays, and the Postponement of Cancer Death", de Young y Hade, *Journal of the American Medical Association*, vol. 292, núm. 24). Suponga que $n = 8$ muertes de este tipo se seleccionan al azar a partir de aquellas que ocurrieron durante el periodo desde la semana previa al Día de Acción de Gracias hasta la semana posterior a esa festividad, y también suponga que las personas moribundas no tienen la habilidad para posponer la muerte, de manera que la probabilidad de una muerte antes de la festividad es $p = 0.5$. Construya una tabla que describa la distribución de probabilidad, donde la variable aleatoria x sea el número de muertes (de un total de 8) que ocurrieron la semana previa al Día de Acción de Gracias. Exprese todas las probabilidades con tres posiciones decimales.

2. Posposición de la muerte Calcule la media y la desviación estándar de la distribución de probabilidad descrita en el ejercicio 1, luego utilice esos valores y la regla práctica de las desviaciones para identificar el rango de valores comunes de la variable aleatoria. ¿Es inusual encontrar que las 8 muertes ocurrieron la semana previa al Día de Acción de Gracias? ¿Por qué?

3. Posposición de la muerte El ejercicio 1 se refiere a 8 muertes seleccionadas al azar durante el periodo que va desde la semana previa al Día de Acción de Gracias hasta la semana posterior a esa festividad. Ahora suponga que se seleccionan al azar 20 muertes ocurridas en ese periodo.

continúa

a) Calcule la probabilidad de que exactamente 14 de estas muertes ocurran durante la semana previa al Día de Acción de Gracias.

b) ¿Sería inusual que ocurrieran exactamente 14 muertes durante la semana previa al Día de Acción de Gracias?

c) Si la probabilidad de que ocurran exactamente 14 muertes es muy baja, ¿eso implica que 14 es un número excepcionalmente alto de muertes para la semana previa al Día de Acción de Gracias? ¿Por qué?

4. Valor esperado para el programa *Deal or No Deal* En el programa de juegos de televisión *Deal or No Deal*, la concursante Elna Hindler debía elegir entre aceptar una oferta de $193,000 o continuar el juego. Si continuaba rechazando todas las ofertas posteriores, habría ganado alguno de los siguientes cinco premios igualmente probables: $75, $300, $75,000, $500,000 y $1,000,000. Calcule su valor esperado si continúa el juego y rechaza todas las ofertas posteriores. Con base en el resultado, ¿debería aceptar la oferta de $193,000 o debería continuar?

5. Valor esperado para la rifa de una revista *Reader's Digest* organizó una rifa con los siguientes premios y probabilidades de ganar: $1,000,000 (una probabilidad en 90,000,000), $100,000 (una probabilidad en 110,000,000), $25,000 (una probabilidad en 110,000,000), $5000 (una probabilidad en 36,667,000) y 2500 (una probabilidad en 27,500,000).

a) Suponiendo que la participación en la rifa no tiene costo, calcule el valor esperado de la cantidad ganada por un participante.

b) Calcule el valor esperado si el costo por participar en la rifa es el costo de una estampilla postal. ¿Vale la pena participar en este concurso?

6. Reconocimiento de marca En un estudio del reconocimiento de la marca Sony, se entrevistó a grupos de cuatro consumidores. Si x es el número de personas en el grupo que reconocen el nombre de la marca Sony, entonces x podría ser 0, 1, 2, 3 o 4, y las probabilidades correspondientes son 0.0016, 0.0250, 0.1432, 0.3892 y 0.4096. ¿Esta información describe una distribución de probabilidad? ¿Por qué?

7. Juego Pick 4 de Kentucky En el juego Pick 4 de Kentucky, usted paga $1 por seleccionar una secuencia de cuatro dígitos, como 2283. Si usted compra solo un billete y gana, el premio es de $5000 y la ganancia neta es de $4999.

a) Si usted compra un billete, ¿cuál es la probabilidad de ganar?

b) Construya una tabla que describa la distribución de probabilidad correspondiente a la compra de un boleto del juego Pick 4.

c) Si participara en este juego una vez al día, calcule el número medio de triunfos en un año con exactamente 365 días.

d) Si participara en este juego una vez al día, calcule la probabilidad de ganar exactamente una vez en 365 días.

e) Calcule el valor esperado para la compra de un billete.

8. Razones de despido "La incapacidad para llevarse bien con otras personas" es la razón que se cita en el 17% de despidos de empleados (según datos de Robert Half International, Inc.). El gerente de personal de la compañía Boston Finance, preocupado por las condiciones de trabajo de su compañía, planea investigar los cinco despidos que ocurrieron durante el año anterior.

a) Suponiendo que se aplica la tasa del 17%, calcule la probabilidad de que al menos cuatro de esos cinco empleados hayan sido despedidos por la incapacidad de llevarse bien con otras personas.

b) Si el gerente de personal realmente descubre que al menos cuatro de los despidos se deben a la incapacidad de llevarse bien con otras personas, ¿será esta compañía muy diferente de otras compañías típicas? ¿Por qué?

9. Detección de fraude La oficina del fiscal de Brooklyn analizó los primeros dígitos de cuentas de cheques para identificar un fraude. Según la ley de Benford que se aplica a este caso, se espera que el 1 sea el primer dígito el 30.1% de las veces. De 784 cheques emitidos por una compañía sospechosa, no había ninguno cuya cantidad tuviera el número 1 como el primer dígito.

a) Para cheques elegidos al azar, hay una probabilidad del 30.1% de que el primer dígito del monto sea 1. ¿Cuál es el número esperado de cheques que deben tener el 1 como primer dígito?

b) Suponga que se seleccionan al azar grupos de 784 cheques. Calcule la media y la desviación estándar del número de cheques donde el primer dígito del monto sea 1.

c) Utilice los resultados del inciso *b)* y la regla práctica de las desviaciones para calcular el rango de valores comunes.

d) Puesto que en las cantidades reales de los 784 cheques el primer dígito del monto no era 1, ¿existen evidencias firmes de que los cheques sospechosos son muy diferentes de los resultados esperados? ¿Por qué?

10. Bombas de la Segunda Guerra Mundial Al analizar los impactos de las bombas V-1 en la Segunda Guerra Mundial, el sur de Londres se subdividió en 576 regiones, cada una con una superficie de 0.25 km^2. En total, 535 bombas impactaron el área combinada de 576 regiones.

a) ¿Cuál es el número medio de impactos por región?

b) Si se selecciona una región al azar, calcule la probabilidad de que no haya sido impactada.

c) Con base en la probabilidad del inciso *b*), ¿cuántas de las 576 regiones se espera que no hayan recibido impactos?

d) En realidad 229 regiones no recibieron impactos. ¿En qué difiere el resultado real con el resultado del inciso *c*)?

Ejercicios de repaso acumulativo

1. Auditoría de cheques Es común que los auditores profesionales analicen cuentas de cheques eligiendo al azar una muestra aleatoria de cheques. A continuación se presentan montos de cheques (en dólares) de una muestra aleatoria de cheques emitidos por el autor.

115.00 188.00 134.83 217.60 142.94

a) Calcule la media.

b) Calcule la mediana.

c) Calcule el rango.

d) Calcule la desviación estándar.

e) Calcule la varianza.

f) Utilice la regla práctica de las desviaciones para identificar el rango de valores comunes.

g) Con base en el resultado del inciso *f*), ¿alguno de los valores muestrales es inusual? ¿Por qué?

h) ¿Cuál es el nivel de medición de los datos: nominal, ordinal, de intervalo o de razón?

i) ¿Los datos son discretos o continuos?

j) Si la muestra consistiera en los últimos cinco cheques que emitió el autor, ¿qué tipo de muestreo se habría utilizado: aleatorio, sistemático, estratificado, por racimos, de conveniencia?

k) Los cheques incluidos en esta muestra son cinco de los 134 cheques emitidos en el año. Estime el valor total de todos los cheques emitidos en el año.

2. Prueba de drogas para empleados De las compañías que construyen carreteras o puentes, el 80% prueba si sus empleados abusan de sustancias tóxicas (según datos de Construction Financial Management Association). Un estudio incluye la selección aleatoria de 10 de estas compañías.

a) Calcule la probabilidad de que exactamente 5 de las 10 compañías realicen pruebas de abuso de sustancias tóxicas.

b) Calcule la probabilidad de que al menos la mitad de las compañías realicen pruebas de abuso de sustancias tóxicas.

c) Para grupos de 10 compañías de este tipo, calcule la media y la desviación estándar para el número (de un total de 10) que realizan pruebas de abuso de sustancias tóxicas.

d) Utilice los resultados del inciso *c*) y la regla práctica de las desviaciones para identificar el rango de valores comunes.

3. Determinación de la eficacia de un programa de prevención del VIH El Departamento de Salud del estado de Nueva York reporta una tasa del 10% del virus VIH para la población "en riesgo". En una región se pone en marcha un programa intensivo de prevención en un intento por disminuir esa tasa del 10%. Después de aplicar el programa, se realiza un estudio de seguimiento de 150 individuos en riesgo.

a) Suponiendo que el programa no tiene efecto, calcule la media y la desviación estándar del número de casos de VIH en grupos de 150 personas en riesgo.

b) De las 150 personas que participaron en el estudio de seguimiento, el 8% (o 12 personas) tuvieron resultado positivo para el virus del VIH. Si el programa no tiene efecto, ¿es inusualmente baja esta tasa? ¿Este resultado sugiere que el programa es eficaz?

4. Titanic De los 2223 pasajeros que viajaban a bordo del *Titanic,* sobrevivieron 706.

a) Si se selecciona al azar a uno de los pasajeros, calcule la probabilidad de que este haya sobrevivido.

b) Si se seleccionan al azar dos pasajeros diferentes, calcule la probabilidad de que ambos hayan sobrevivido.

c) Si se seleccionan al azar dos pasajeros diferentes, calcule la probabilidad de que ninguno de ellos haya sobrevivido.

5. Consumo de energía Cada año, el U. S. Department of Energy publica el *Annual Energy Review,* que incluye el consumo de energía per cápita (en millones de Btu) en cada uno de los 50 estados. Si usted calcula la media de los 50 valores, ¿el resultado es la media del consumo de energía per cápita para la población total de los 50 estados combinados? Si no es así, explique cómo utilizaría esos 50 valores para calcular la media del consumo de energía per cápita para la población total de los 50 estados combinados.

Proyecto tecnológico

El vuelo 15 de United del aeropuerto JFK de Nueva York a San Francisco utiliza un Boeing 757-200 con 182 asientos. Como algunas personas con reservación no se presentan, United acostumbra vender más lugares para el vuelo y aceptar más de 182 reservaciones. Sin esta práctica, la aerolínea perdería utilidades porque algunos asientos se quedan vacíos; pero si vende demasiados lugares y tiene que rechazar a algunos pasajeros, la aerolínea pierde dinero por la compensación que debe pagarles. Suponga que existe una probabilidad de 0.0995 de que un pasajero con reservación no llegue al vuelo (según datos del trabajo de investigación de IBM "Passenger-Base Predictive Modeling on Airline No-Show Rates", de Lawrence, Hong y Cherrier). Suponga también que la aerolínea acepta 200 reservaciones para los 182 asientos disponibles.

Calcule la probabilidad de que, cuando el vuelo 15 acepte 200 reservaciones, se presente un número de pasajeros mayor al de asientos disponibles. La tabla A-1 no se puede utilizar, y los cálculos por medio de la fórmula de la probabilidad binomial serían demasiado largos y tediosos. El mejor método consiste en utilizar un programa de cómputo o una calculadora TI-83/84 Plus. (Consulte la sección 5-3, donde encontrará las instrucciones para el uso de STATDISK, Minitab, Excel o una calculadora TI-83/84 Plus). ¿La probabilidad de vender más de los lugares disponibles en el vuelo es lo suficientemente pequeña para que no ocurra con mucha frecuencia, o es tan alta que se deben hacer cambios para disminuirla? Ahora utilice el ensayo y error para calcular el número máximo de reservaciones que deben aceptarse para que la probabilidad de tener más pasajeros que asientos sea de 0.05 o menos.

PROYECTO DE INTERNET

Distribuciones de probabilidad y simulaciones

Visite: **www.pearsonenespañol.com/triola**

Las distribuciones de probabilidad se utilizan para predecir el resultado de los eventos que modelan. Por ejemplo, si lanzamos una moneda legal, la distribución del resultado es una probabilidad de 0.5 para las caras y 0.5 para las cruces. Si lanzamos la moneda 10 veces consecutivas, esperamos cinco caras y cinco cruces. Tal vez no obtengamos este resultado exacto, pero a la larga, después de cientos o miles de lanzamientos, esperamos que la proporción de caras y cruces sea muy cercana a "50-50".

Localice el proyecto de Internet del capítulo 5, donde encontrará dos exploraciones. En la primera se le pide crear una distribución de probabilidad para un experimento sencillo y utilizar esa distribución para predecir el resultado de ensayos repetidos del experimento. En la segunda exploración analizaremos una situación más complicada: las rutas de canicas que ruedan, mientras se mueven de forma similar al *pinball* o billar romano, a través de un grupo de obstáculos. En cada caso, una simulación visual dinámica le permitirá comparar los resultados predichos con un conjunto de resultados experimentales.

PROYECTO APPLET

El sitio Web de este libro contiene applets diseñados como ayuda para visualizar diversos conceptos. Abra el archivo de applets y haga doble clic en **Start.** Seleccione **Binomial Distribution** de las opciones del menú, y luego elija $n = 10$, $p = 0.4$ y $N = 1000$ para el número de ensayos. Con base en los resultados simulados, calcule $P(3)$. Compare esa probabilidad con $P(3)$ para un experimento binomial con $n = 10$ y $p = 0.4$, calculado por medio de un método exacto en vez de una simulación. Después de repetir la simulación varias veces, comente cuánto varía el valor estimado de $P(3)$ de una simulación a otra.

DE LOS DATOS A LA DECISIÓN

Pensamiento crítico: ¿El proceso de selección de miembros del jurado es discriminatorio?

Rodrigo Partida es un individuo estadounidense de ascendencia mexicana; fue acusado de robo con intento de violación. Su juicio se realizó en el condado de Hidalgo, Texas, en la frontera con México. El condado de Hidalgo contaba con 181,535 personas que podrían fungir como miembros del jurado, y el 79.1% de ellos eran estadounidenses de ascendencia mexicana. Durante 11 años, de 870 personas elegidas como miembros del gran jurado, el 39% (339) eran estadounidenses de ascendencia mexicana. La sentencia de Partida se apeló posteriormente (*Castaneda* vs *Partida*), con base en la gran discrepancia entre el 79.1% de los estadounidenses con ascendencia mexicana que podían fungir como miembros del jurado y el hecho de que solo se eligió al 39% de ese grupo de estadounidenses.

1. Puesto que los estadounidenses de ascendencia mexicana constituyen el 79.1% de la población de individuos que podrían fungir como miembros del jurado, y considerando que Partida fue sentenciado por un jurado integrado por 12 personas, de las que solo el 58% (es decir, 7) eran estadounidenses de ascendencia mexicana, ¿podemos concluir que este jurado fue seleccionado en un proceso que discrimina a los estadounidenses de ascendencia mexicana?
2. Puesto que los estadounidenses de ascendencia mexicana constituyen el 79.1% de la población de 181,535, y como durante un periodo de 11 años solo 339 de los 870 individuos elegidos para el gran jurado eran estadounidenses de ascendencia mexicana, ¿podemos concluir que el proceso de selección del gran jurado discrimina a los estadounidenses de ascendencia mexicana?

Actividades de trabajo en equipo

1. Actividad en clase ¡Gane $1,000,000! La James Randi Educational Foundation ofrece un premio de $1,000,000 a quien pueda demostrar "en condiciones de observación adecuadas, evidencias de cualquier poder o suceso paranormal, sobrenatural u oculto". Formen grupos de tres estudiantes y seleccionen a uno a quien se le hará una prueba de percepción extrasensorial (PES); la prueba consiste en tratar de identificar correctamente un dígito seleccionado al azar por otro miembro del grupo. El tercer integrante del grupo debe registrar el dígito seleccionado al azar, el dígito adivinado por el sujeto, y si la adivinación fue correcta o incorrecta. Construyan la tabla de la distribución de probabilidad para dígitos generados al azar, la tabla de frecuencias relativas para dígitos aleatorios seleccionados realmente y la tabla de frecuencias relativas para las adivinaciones. Después de comparar las tres tablas, ¿qué concluyen? ¿Qué proporción de las adivinaciones fue correcta? ¿Parecería que el sujeto tiene la habilidad de seleccionar el dígito correcto significativamente con mayor frecuencia de lo que se esperaría por el azar?

2. Actividad en clase Vean la actividad anterior y diseñen un experimento que serviría para someter a prueba la afirmación de una persona que asegura tener la habilidad de identificar el color de una carta seleccionada de una baraja estándar. Describan el experimento con mucho detalle. Como está en juego el premio de $1,000,000, queremos ser cuidadosos para evitar el grave error de concluir que la persona tiene poderes paranormales cuando en realidad no los tiene. Existe la probabilidad de que el sujeto conjeture y acierte cada vez, por lo que es necesario identificar una probabilidad que sea razonable para el caso de que el sujeto pase la prueba adivinando. Asegúrense de diseñar la prueba de manera que esta probabilidad sea igual o menor que el valor de probabilidad elegido.

3. Actividad en clase Supongan que deseamos identificar la distribución de probabilidad del número de hijos de parejas elegidas al azar. Para cada estudiante de la clase, registren el número de hermanos de uno y otro sexo, así como el número total de hijos (incluyendo al alumno) en cada familia. Construyan la tabla de frecuencias relativas con el resultado obtenido. (Los valores de la variable aleatoria x serán 1, 2, 3,...). ¿Por qué sería incorrecto utilizar esta tabla de frecuencias relativas como una estimación de la distribución de probabilidad del número de hijos de parejas elegidas al azar?

4. Actividad fuera de clase El análisis de datos del último dígito en ocasiones puede revelar si estos se obtuvieron a través de medidas reales o fueron ideados por los sujetos. Remítanse a un almanaque o a Internet y encuentren un conjunto de datos (por ejemplo, la longitud de ríos en el mundo), luego analicen la distribución del último dígito para determinar si los valores se obtuvieron por medio de medidas reales.

5. Actividad fuera de clase En el ejercicio 9 de la sección de ejercicios de repaso se indicó que es posible analizar los primeros dígitos de los montos de cheques para investigar si hubo algún fraude. También se señaló que se espera que el 30.1% de las veces, el 1 sea el primer dígito del monto. Obtengan una muestra aleatoria de montos de cheques reales y registren el primer dígito. Comparen el número real de cheques con montos donde el primer dígito sea 1 con la tasa esperada del 30.1%. ¿Los cheques reales coinciden con la tasa esperada o hay una gran discrepancia? Explique.

NOMBRE: Sarah Mesnick

PUESTO: Ecologista conductual y molecular

COMPAÑÍA: Laboratorio de Ecología Molecular

Sarah Mesnick es ecologista conductual y molecular, y es miembro posdoctoral del National Research Council. En su trabajo como bióloga de mamíferos marinos, lleva a cabo investigación en el mar y en el Laboratorio de Ecología Molecular. Sus estudios se enfocan en la organización social y la estructura poblacional de los cachalotes. Obtuvo su doctorado en biología evolutiva en la Universidad de Arizona.

¿A qué se dedica?

Mi investigación se enfoca en la relación que existe entre la sociabilidad y la estructura poblacional de los cachalotes. Usamos esta información para crear mejores modelos administrativos, los cuales tienen por objetivo la conservación de esta y otras especies de mamíferos marinos en peligro de extinción.

¿Qué conceptos de la estadística utiliza?

En la actualidad empleo la chi cuadrada y el estadístico F para examinar la estructura poblacional, y medidas de regresión para estimar el grado de relación entre los individuos de la manada de ballenas. Utilizamos la chi cuadrada y el estadístico F para determinar la cantidad de poblaciones discretas de ballenas en el Pacífico. Tales poblaciones se consideran como grupos independientes. El análisis de regresión de la relación se usa para determinar el parentesco dentro de los grupos.

¿Podría citar un ejemplo específico que ilustre el uso de la estadística?

Actualmente trabajo con muestras de tejido que obtengo de tres encallamientos masivos de cachalotes. Utilizamos marcadores genéticos para determinar el grado de parentesco entre los individuos encallados. Se trata de un comportamiento sorprendente: manadas completas nadaron hacia la playa siguiendo a un ballenato hembra, encallaron y después murieron. Pensamos que para hacer algo tan extremo como esto, los individuos implicados debieron tener una relación muy cercana; sin embargo, estamos descubriendo que no es así. La estadística nos permite determinar la probabilidad de que dos individuos estén emparentados, examinando el número de alelos que comparten. Además, los cachalotes y muchas otras especies de mamíferos marinos, aves y tortugas se lastiman o mueren incidentalmente en operaciones de pesca. Necesitamos conocer el tamaño de la población de la que provienen estos animales; si la población es pequeña y las muertes incidentales son abundantes, la población de mamíferos marinos se verá amenazada. Empleamos la estadística para determinar el grado de aislamiento que hay entre los grupos putativos. Si resultara que los grupos están aislados, usaríamos esa información para elaborar planes diseñados específicamente para ayudar a la conservación de los mamíferos marinos de la región. Tal vez sean necesarias actividades humanas que protejan la salud del ambiente marino y a sus habitantes.

¿De qué manera enfoca su investigación?

Tratamos de evitar ideas preconcebidas acerca de la forma en que los animales se distribuyen en su medio ambiente. Puesto que, en particular, los mamíferos marinos son tan difíciles de estudiar, es común que prevalezcan ideas sobre el comportamiento de estos animales, aun cuando esto no se haya investigado de manera crítica. En lo que se refiere a las relaciones entre individuos dentro de grupos de cachalotes, alguna vez se pensó que estas se determinaban de forma matrilineal y que el grupo incluía a un "macho dominante del harem". Con el advenimiento de la tecnología genética, el trabajo de campo minucioso, mentes más abiertas y análisis más críticos (aquí interviene la estadística), somos capaces de examinar de nuevo estas ideas.

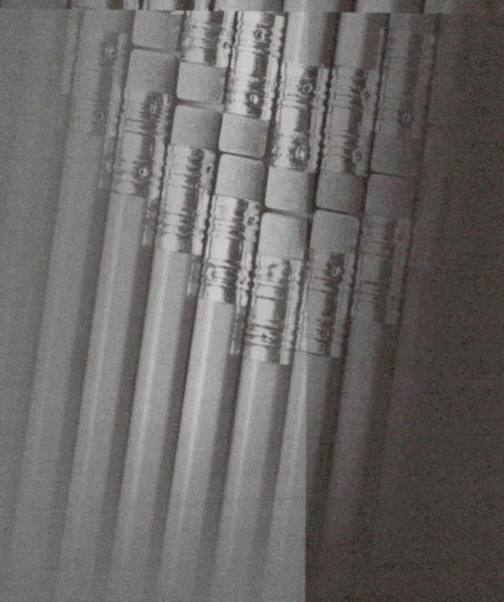

6 Distribuciones de probabilidad normal

PROBLEMA DEL CAPÍTULO

¿Cómo diseñar aeronaves, embarcaciones, casas y automóviles más seguros y cómodos?

La *ergonomía* es el estudio del ajuste de las personas en su entorno. La ergonomía tiene una gran variedad de aplicaciones, como las siguientes: diseñar una puerta por la que pueda pasar la mayoría de las personas sin golpearse en la cabeza o sin tener que agacharse; diseñar un automóvil de manera que el tablero esté al alcance de la mayoría de los conductores; diseñar la tapa de un frasco que pueda abrirse con la fuerza de agarre de la mayoría de las personas; diseñar una boca de alcantarilla por la que quepa la mayoría de los trabajadores. Un buen diseño ergonómico da como resultado un entorno seguro, funcional, eficiente y cómodo, mientras que un mal diseño ergonómico produce condiciones incómodas, inseguras y posiblemente fatales. Por ejemplo, las siguientes situaciones reales ilustran la dificultad para determinar cargas seguras en aeronaves y embarcaciones.

- "Tenemos una emergencia en el vuelo 5480 de Midwest Air", dijo la piloto Katie Leslie un momento antes de que su avión chocara en Charlotte, Carolina del Norte. El accidente del avión Beech 1900 cobró la vida de las 21 personas que iban a bordo. Posteriores investigaciones despertaron la sospecha de que el peso de los pasajeros había contribuido al accidente. Esto provocó que la Federal Aviation Administration pidiera a las aerolíneas que reunieran información referente al peso en vuelos elegidos al azar, con la finalidad de actualizar los antiguos supuestos sobre los pesos de los pasajeros.
- Veinte pasajeros murieron cuando el barco turístico *Ethan Allen* se volcó en el Lago George de Nueva York. Con base en la suposición de un peso medio de 140 libras, el barco tenía permitido transportar a 50 personas. Una investigación posterior reveló que la mayoría de los pasajeros pesaban más de 200 libras, por lo que la embarcación debía haberse autorizado para un número mucho menor de pasajeros.
- Un taxi acuático se hundió en el Inner Harbor de Baltimore. De las 25 personas a bordo, 5 murieron y 16 resultaron lesionadas. Una investigación reveló que la carga segura de pasajeros del taxi acuático era de 3500 libras. Suponiendo un peso medio de 140 libras por pasajero, el taxi acuático tenía permitido transportar a 25 pasajeros, pero la media de 140 libras fue determinada hace 44 años, cuando la gente no pesaba tanto como ahora. (Se descubrió que el peso medio de los 25 pasajeros que viajaban en el barco que se hundió era de 168 libras). El National Transportation and Safety Board sugirió que la antigua media estimada de 140 libras se actualizara a 174 libras, de manera que la carga segura de 3500 libras ahora solo admitía 20 pasajeros en vez de 25.

En este capítulo se presentan las herramientas estadísticas fundamentales para un buen diseño ergonómico. Cuando termine de estudiar este capítulo, será capaz de resolver problemas en una amplia gama de disciplinas, incluyendo la ergonomía.

6-1 Repaso y preámbulo

En el capítulo 2 consideramos la distribución de datos, mientras que en el capítulo 3 estudiamos algunas medidas importantes de conjuntos de datos, incluyendo las medidas de tendencia central y de variación. En el capítulo 4 analizamos principios básicos de probabilidad, y en el 5 presentamos el concepto de una distribución de probabilidad; específicamente, estudiamos las distribuciones de probabilidad *discretas*. En este capítulo presentamos las distribuciones de probabilidad *continuas*. Para ilustrar la correspondencia entre el área bajo una curva y la probabilidad, comenzaremos con una distribución uniforme, pero la mayor parte del capítulo se enfoca en las *distribuciones normales*. Estas ocurren con gran frecuencia en las aplicaciones reales y desempeñan un papel fundamental en los métodos de estadística inferencial. En este capítulo presentamos conceptos de la distribución normal, los cuales se utilizarán a menudo en los capítulos restantes de este libro. Varios de los métodos estadísticos que se analizan en capítulos posteriores se basan en conceptos relacionados con el teorema del límite central, que se estudia en la sección 6-5. Muchas otras secciones requieren de poblaciones con distribución normal, y en la sección 6-7 se presentan métodos para analizar datos muestrales y determinar si la muestra forma parte de una población distribuida normalmente.

DEFINICIÓN

Si una variable aleatoria continua tiene una distribución con una gráfica simétrica y en forma de campana, como la de la figura 6-1, y puede expresarse por medio de la fórmula 6-1, decimos que tiene una **distribución normal.**

Figura 6-1
La distribución normal

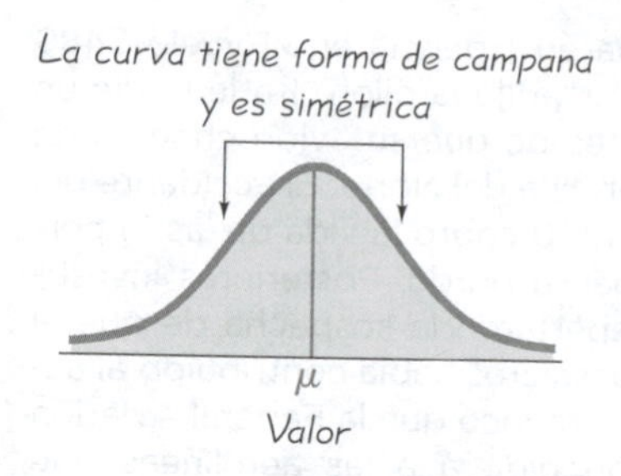

Fórmula 6-1

$$y = \frac{e^{-\frac{1}{2}\left(\frac{x-\mu}{\sigma}\right)^2}}{\sigma\sqrt{2\pi}}$$

La fórmula 6-1 quizá resulte intimidante a nivel matemático, pero la incluimos aquí para demostrar que cualquier distribución normal en particular está determinada por dos parámetros: la media μ y la desviación estándar σ. La fórmula 6-1 es como cualquier ecuación con una variable y en el lado izquierdo y una variable x en el lado derecho. Las letras π y e representan los valores constantes de 3.14159… y 2.71828…, respectivamente. Los símbolos μ y σ representan valores fijos para la media y la desviación estándar, respectivamente. Una vez que se seleccionan valores específicos para μ y σ, es posible graficar la fórmula 6-1 como se graficaría cualquier ecuación que relaciona a x y y; el resultado es una distribución de probabilidad continua con la misma forma de campana que se ilustra en la figura 6-1. A partir de la fórmula 6-1, vemos que una distribución normal está determinada por los valores fijos de la media μ y la desviación estándar σ. ¡Y eso es todo lo que necesitamos saber acerca de la fórmula 6-1!

6-2 Distribución normal estándar

Concepto clave En esta sección estudiaremos la *distribución normal estándar*, la cual tiene las siguientes tres propiedades:

1. Su gráfica tiene forma de campana (como se observa en la figura 6-1).
2. Posee una media igual a 0 (es decir, $\mu = 0$).
3. Tiene una desviación estándar igual a 1 (es decir, $\sigma = 1$).

En esta sección desarrollaremos la habilidad de calcular áreas (o probabilidades o frecuencias relativas) que corresponden a diversas regiones bajo la gráfica de la distribución normal estándar. Además, calcularemos puntuaciones z correspondientes a las áreas bajo la curva.

Distribuciones uniformes

Este capítulo se enfoca en el concepto de una distribución de probabilidad normal, pero comenzaremos con una *distribución uniforme*. La distribución uniforme nos facilita visualizar estas dos propiedades muy importantes:

1. El área bajo la curva de una distribución de probabilidad es igual a 1.
2. Existe una correspondencia entre el área y la probabilidad (o frecuencia relativa), de manera que algunas probabilidades se pueden calcular al identificar las áreas correspondientes.

En el capítulo 5 nos ocupamos únicamente de las distribuciones de probabilidad discretas, pero ahora estudiaremos las distribuciones de probabilidad continuas, comenzando por la *distribución uniforme.*

DEFINICIÓN

Una variable aleatoria continua tiene una **distribución uniforme** si sus valores se dispersan *uniformemente* a través del rango de posibilidades. La gráfica de una distribución uniforme tiene forma rectangular.

EJEMPLO 1 **Suministro de electricidad a hogares** La compañía Newport Power and Light suministra energía con niveles de voltaje que se distribuyen de manera uniforme entre 123.0 y 125.0 volts. Es decir, cualquier cantidad de voltaje entre 123.0 y 125.0 es posible, y todos los valores posibles son igualmente probables. Si se elige al azar uno de los niveles de voltaje y su valor se representa mediante la variable aleatoria x, entonces x tiene una distribución que se puede graficar como la figura 6-2.

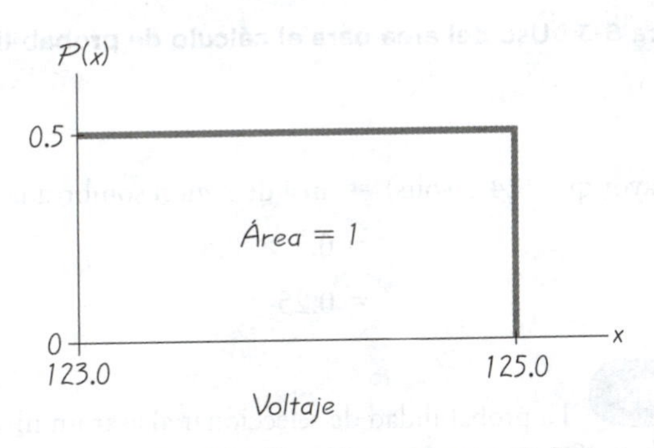

Figura 6-2 Distribución uniforme de los niveles de voltaje

El efecto placebo

Durante mucho tiempo se ha creído que los placebos realmente ayudan a algunos pacientes. De hecho, algunos estudios serios han demostrado que cuando se administra un placebo (esto es, un tratamiento sin valor medicinal), muchos sujetos de prueba manifiestan cierta mejoría. Las estimaciones de las tasas de mejoría van, por lo común, de una tercera a dos terceras partes de los pacientes. Sin embargo, un estudio más reciente sugiere que los placebos no tienen efecto real. Un artículo publicado en el *New England Journal of Medicine* (vol. 334, núm. 21) se basó en la investigación de 114 estudios médicos durante 50 años. Los autores del artículo concluyeron que los placebos parecen tener algún efecto solo en aliviar el dolor, pero no en otras condiciones físicas. Ellos concluyen que, excepto en ensayos clínicos, el uso de placebos "no puede recomendarse".

La gráfica de una distribución de probabilidad continua, como la que se observa en la figura 6-2, se llama **función de densidad,** y debe satisfacer los siguientes dos requisitos.

Requisitos de una función de densidad

1. El área total bajo la curva debe ser igual a 1.
2. Cada punto de la curva debe tener una altura vertical igual a o mayor que 0. (Es decir, la curva no puede estar por debajo del eje *x*).

Si establecemos que la altura del rectángulo de la figura 6-2 es 0.5, obligamos a que el área circunscrita sea $2 \times 0.5 = 1$, como se requiere. (En general, el área del rectángulo se convierte en 1 cuando igualamos su altura al valor de 1/rango). Esta propiedad de que el área sea igual a 1 facilita mucho la solución de problemas relacionados con la probabilidad, de manera que la siguiente afirmación es importante:

Puesto que el área total bajo la función de densidad es igual a 1, existe una correspondencia entre *área* y *probabilidad.*

EJEMPLO 2

Nivel de voltaje A partir de la distribución uniforme que se presenta en la figura 6-2, calcule la probabilidad de que un nivel de voltaje elegido al azar sea mayor que 124.5 volts.

SOLUCIÓN

La región sombreada de la figura 6-3 representa niveles de voltaje que son mayores que 124.5 volts. Puesto que el área total bajo la función de densidad es igual a 1, existe una correspondencia entre área y probabilidad. Por lo tanto, podemos calcular la probabilidad deseada utilizando áreas de la siguiente manera:

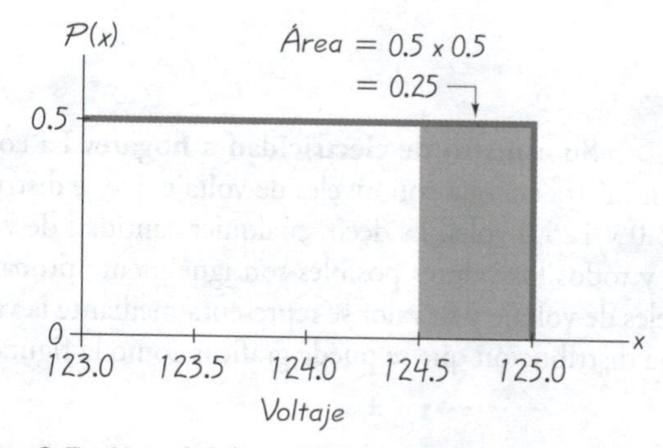

Figura 6-3 Uso del área para el cálculo de probabilidad

$$
\begin{aligned}
P(\text{voltaje mayor que 124.5 volts}) &= \text{área de región sombreada de la figura 6-3} \\
&= 0.5 \times 0.5 \\
&= 0.25
\end{aligned}
$$

INTERPRETACIÓN

La probabilidad de seleccionar al azar un nivel de voltaje mayor que 124.5 volts es de 0.25.

Distribución normal estándar

La función de densidad de una distribución uniforme es una línea horizontal, de manera que es fácil calcular el área de cualquier región rectangular aplicando la siguiente fórmula: Área = anchura × altura. Debido a que la función de densidad de una distribución normal tiene una forma de campana más complicada, como se observa en la figura 6-1, es más difícil calcular áreas, pero el principio básico es el mismo: *existe una correspondencia entre área y probabilidad.* En la figura 6-4 se indica que, para una distribución normal estándar, el área bajo la función de densidad es igual a 1.

DEFINICIÓN

La **distribución normal estándar** es una distribución normal de probabilidad con $\mu = 0$ y $\sigma = 1$, y el área total debajo de su función de densidad es igual a 1. (Véase la figura 6-4).

Como no es fácil calcular áreas en la figura 6-4, los matemáticos han calculado muchas áreas diferentes bajo la curva, las cuales se incluyen en la tabla A-2 del apéndice A.

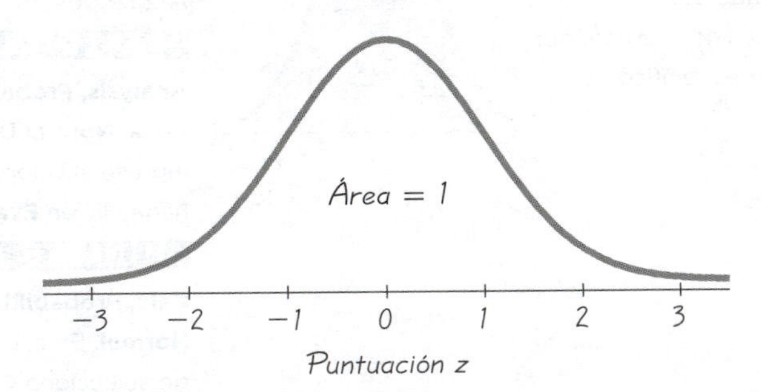

Figura 6-4 Distribución normal estándar: Curva en forma de campana con $\mu = 0$ y $\sigma = 1$

Cálculo de probabilidades con puntuaciones *z* dadas

Si empleamos la tabla A-2 (en el apéndice A y en el inserto de *Fórmulas y tablas*), podemos calcular áreas (o probabilidades) para muchas regiones diferentes. Tales áreas pueden determinarse utilizando una calculadora TI-83/84 Plus o programas de cómputo como STATDISK, Minitab o Excel. Las características más importantes de los distintos métodos se resumen en la tabla 6-1 de la siguiente página. Puesto que las calculadoras o los programas de cómputo ofrecen resultados más exactos que la tabla A-2, se recomienda el uso de la tecnología. (Cuando haya discrepancias, las respuestas en el apéndice D generalmente incluirán tanto resultados basados en la tabla A-2 como en recursos tecnológicos).

Si utiliza la tabla A-2, es esencial que comprenda lo siguiente:

1. La tabla A-2 está diseñada únicamente para la distribución normal *estándar*, que tiene una media de 0 y una desviación estándar de 1.
2. La tabla A-2 abarca dos páginas, una para las puntuaciones *z negativas* y la otra para las puntuaciones *z positivas*.

3. Cada valor en la tabla es un *área acumulada desde la izquierda* hasta un límite vertical por arriba de una puntuación z específica.
4. Cuando construya una gráfica, evite la confusión entre las puntuaciones z y las áreas.

   Puntuación z: ***Distancia*** **a lo largo de la escala horizontal de la distribución normal estándar; remítase a la columna de la extrema izquierda y al renglón superior de la tabla A-2.**

   Área: ***Región*** **bajo la curva; remítase a los valores de la tabla A-2.**

5. La parte de la puntuación z que denota centésimas se encuentra en el renglón superior de la tabla A-2.

ADVERTENCIA

Cuando trabaje con una distribución normal, evite la confusión entre las puntuaciones z y las áreas.

Tabla 6-1 Métodos para el cálculo de las áreas de la distribución normal

Método	Gráfica	Procedimiento
Tabla A-2, STATDISK, Minitab, Excel Da el área acumulada desde la izquierda hasta una línea vertical por encima de un valor específico de z.	z	**Tabla A-2** El procedimiento para usar la tabla A-2 se describe en el texto. **STATDISK** Seleccione **Analysis, Probability Distributions, Normal Distribution.** Ingrese el valor z y luego haga clic en **Evaluate.** **MINITAB** Seleccione **Calc, Probability Distributions, Normal.** En el cuadro de diálogo seleccione **Cumulative Probability, Input Constant.** **EXCEL** Seleccione **fx, Statistical, NORMDIST.** En el cuadro de diálogo registre el valor y la media, la desviación estándar y "true".
Calculadora TI-83/84 Plus Da el área limitada a la izquierda y a la derecha por líneas verticales por arriba de cualesquiera valores específicos.	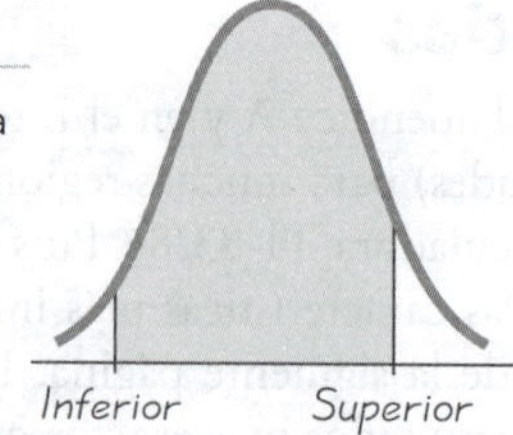	**TI-83/84** Presione las teclas 2ND VARS **[2: normal cdf ( ],** después ingrese las dos puntuaciones z separadas por una coma, como en (puntuación z izquierda, puntuación z derecha).

El siguiente ejemplo requiere que calculemos la probabilidad asociada con una puntuación z menor que 1.27. Comience con la puntuación z de 1.27, localizando 1.2 en la columna izquierda; después encuentre el valor en el renglón adjunto de probabilidad que está directamente debajo de 0.07, como se muestra en el siguiente extracto de la tabla A-2.

TABLA A-2 (*continuación*) Área acumulada desde la IZQUIERDA

z	.00	.01	.02	.03	.04	.05	.06	.07	.08	.09
0.0	.5000	.5040	.5080	.5120	.5160	.5199	.5239	.5279	.5319	.5359
0.1	.5398	.5438	.5478	.5517	.5557	.5596	.5636	.5675	.5714	.5753
0.2	.5793	.5832	.5871	.5910	.5948	.5987	.6026	.6064	.6103	.6141
1.0	.8413	.8438	.8461	.8485	.8508	.8531	.8554	.8577	.8599	.8621
1.1	.8643	.8665	.8686	.8708	.8729	.8749	.8770	.8790	.8810	.8830
1.2	.8849	.8869	.8888	.8907	.8925	.8944	.8962	.8980	.8997	.9015
1.3	.9032	.9049	.9066	.9082	.9099	.9115	.9131	.9147	.9162	.9177
1.4	.9192	.9207	.9222	.9236	.9251	.9265	.9279	.9292	.9306	.9319

El valor del área (o probabilidad) de 0.8980 indica que existe una probabilidad de 0.8980 de seleccionar aleatoriamente una puntuación z menor que 1.27. (En las siguientes secciones consideraremos casos en los que la media no es 0 o la desviación estándar no es 1).

EJEMPLO 3

Termómetros científicos La Precision Scientific Instrument Company fabrica termómetros que, se supone, deben dar lecturas de 0°C en el punto de congelación del agua. Las pruebas de una muestra grande de estos instrumentos revelaron que en el punto de congelación del agua, algunos termómetros daban lecturas por debajo de 0° (denotadas con números negativos), y otros daban lecturas por encima de 0° (denotadas con números positivos). Suponga que la lectura media es 0°C y que la desviación estándar de las lecturas es 1.00°C. También suponga que las lecturas se distribuyen de manera normal. Si se elige al azar un termómetro, calcule la probabilidad de que, en el punto de congelación del agua, la lectura sea menor que 1.27°.

SOLUCIÓN

La distribución de probabilidad de las lecturas es una distribución normal estándar, ya que las lecturas se distribuyen de forma normal, con $\mu = 0$ y $\sigma = 1$. Necesitamos encontrar el área que está debajo de $z = 1.27$, en la figura 6-5. El *área* por debajo de $z = 1.27$ es igual a la *probabilidad* de seleccionar al azar un termómetro con una lectura menor que 1.27°. En la tabla A-2 encontramos que esta área es 0.8980.

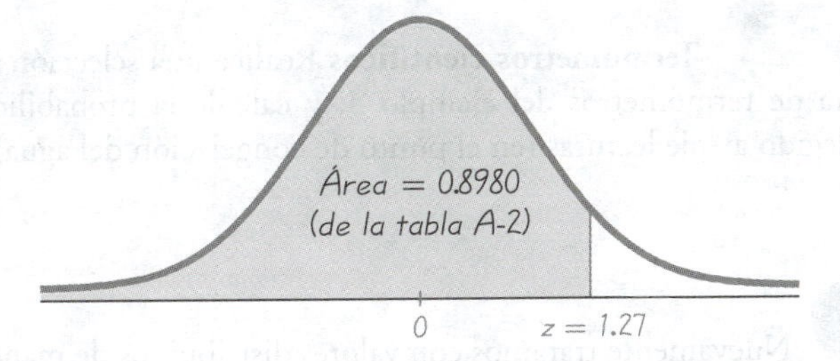

Figura 6-5
Cálculo del área por debajo de $z = 1.27$

INTERPRETACIÓN

La *probabilidad* de seleccionar al azar un termómetro con una lectura menor que 1.27° (en el punto de congelación del agua) es igual al área de 0.8980, que aparece como la región sombreada en la figura 6-5. Otra forma de interpretar este resultado es concluir que el 89.80% de los termómetros tendrán lecturas por debajo de 1.27°.

EJEMPLO 4

Termómetros científicos Considerando los termómetros del ejemplo 3, calcule la probabilidad de seleccionar al azar un termómetro con una lectura (en el punto de congelación del agua) por arriba de −1.23°.

SOLUCIÓN

Nuevamente, calculamos la *probabilidad* deseada encontrando el *área* correspondiente. Buscamos el área de la región sombreada en la figura 6-6, pero la tabla A-2 está diseñada para aplicarse únicamente a áreas acumuladas desde la *izquierda*. Si nos remitimos a la tabla A-2, en la página con puntuaciones *z negativas*, encontramos que el área acumulada de la izquierda hasta $z = -1.23$ es 0.1093, tal como se observa. Sabiendo que el área total bajo la curva es 1, podemos calcular el área sombreada si restamos 0.1093 de 1. El resultado es 0.8907. Aun cuando la tabla A-2 está diseñada únicamente para áreas acumuladas a partir de la izquierda, podemos utilizarla para calcular áreas acumuladas desde la derecha, tal como se observa en la figura 6-6.

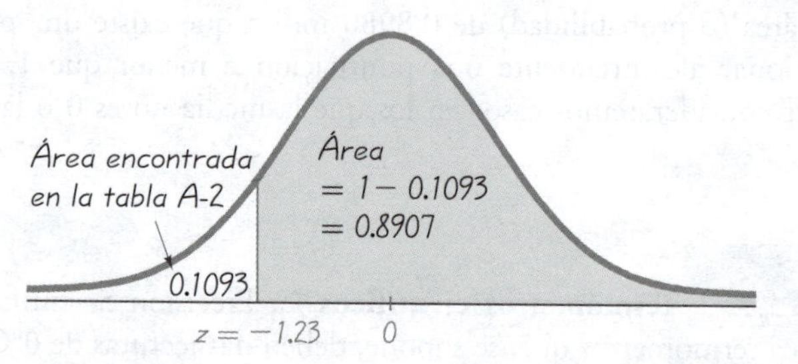

Figura 6-6 Cálculo del área por arriba de $z = -1.23$

INTERPRETACIÓN

Debido a la correspondencia entre probabilidad y área, podemos concluir que la *probabilidad* de seleccionar aleatoriamente un termómetro con una lectura por arriba de −1.23°, en el punto de congelación del agua, es de 0.8907 (que corresponde al *área* a la derecha de $z = -1.23$). En otras palabras, el 89.07% de los termómetros tienen lecturas por encima de −1.23°.

El ejemplo 4 ilustra una de las formas en que podemos utilizar la tabla A-2 para calcular de manera indirecta un área acumulada a partir de la derecha. El siguiente ejemplo ilustra otra manera para calcular un área indirectamente utilizando la tabla A-2.

EJEMPLO 5

Termómetros científicos Realice una selección aleatoria de la misma muestra de termómetros del ejemplo 3, y calcule la probabilidad de que el termómetro elegido arroje lecturas (en el punto de congelación del agua) entre −2.00° y 1.50°.

SOLUCIÓN

Nuevamente tratamos con valores distribuidos de manera normal, con una media de 0° y una desviación estándar de 1°. La probabilidad de seleccionar un termómetro con una lectura comprendida entre −2.00° y 1.50° corresponde al área sombreada de la figura 6-7. La tabla A-2 no puede utilizarse para calcular el área de forma directa, pero podemos emplearla para encontrar que $z = -2.00$ corresponde al área de 0.0228, y que $z = 1.50$ corresponde al área de 0.9332, como se observa en la figura. Remítase a la figura 6-7 y note que el área sombreada corresponde a la diferencia entre 0.9332 y 0.0228. El área sombreada es, por lo tanto, $0.9332 - 0.0228 = 0.9104$.

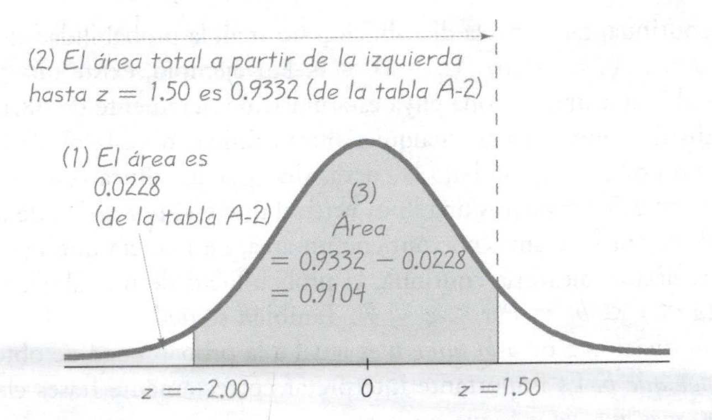

Figura 6-7
Cálculo del área entre dos valores

INTERPRETACIÓN Considerando la correspondencia entre probabilidad y área, concluimos que existe una probabilidad de 0.9104 de seleccionar al azar uno de los termómetros con una lectura entre −2.00° y 1.50°, en el punto de congelación del agua. Otra forma de interpretar este resultado es afirmar que si se seleccionan muchos termómetros para probarlos en el punto de congelación del agua, entonces 0.9104 (o el 91.04%) de ellos tendrán lecturas entre −2.00° y 1.50°.

El ejemplo anterior puede generalizarse como la siguiente regla: **El área correspondiente a la región localizada entre dos puntuaciones z específicas puede obtenerse al calcular la diferencia entre las dos áreas localizadas en la tabla A-2.** La figura 6-8 ilustra esta regla. Observe que la región sombreada B puede obtenerse calculando la *diferencia* entre dos áreas de la tabla A-2: las áreas A y B combinadas (que en la tabla A-2 aparecen como las áreas correspondientes a z_{Derecha}) y el área A (que en la tabla A-2 aparece como el área correspondiente a $z_{\text{Izquierda}}$). *Recomendación:* No trate de memorizar una regla o una fórmula para este caso; mejor trate de comprender cómo funciona la tabla A-2. De ser necesario, dibuje una gráfica, sombree el área deseada y piense en una forma para calcular el área, ya que la tabla A-2 proporciona solo áreas acumuladas desde la izquierda.

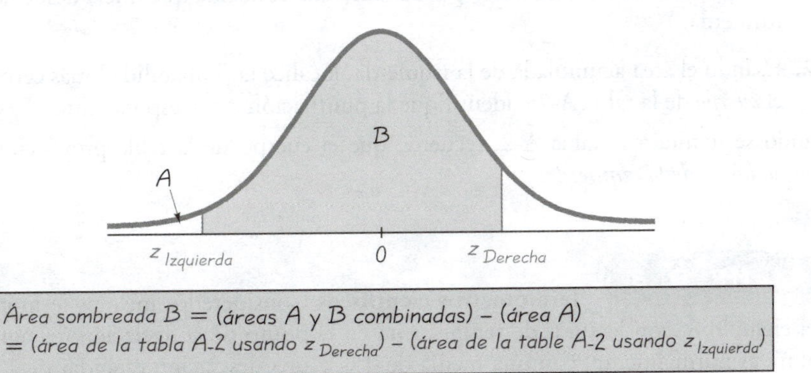

Figura 6-8 Cálculo del área entre dos puntuaciones z

Probabilidades como las de los ejemplos anteriores también pueden expresarse con la siguiente notación.

Notación

$P(a < z < b)$ denota la probabilidad de que la puntuación z esté entre a y b.

$P(z > a)$ denota la probabilidad de que la puntuación z sea mayor que a.

$P(z < a)$ denota la probabilidad de que la puntuación z sea menor que a.

Con esta notación podemos expresar el resultado del ejemplo 5 de la siguiente manera: $P(-2.00 < z < 1.50) = 0.9104$, lo cual establece en símbolos que la probabilidad de que una puntuación z caiga entre −2.00 y 1.50 es de 0.9104. Con una distribución de probabilidad continua, tal como la distribución normal, la probabilidad de obtener cualquier valor *exacto* es 0. Es decir, $P(z = a) = 0$. Por ejemplo, existe una probabilidad 0 de seleccionar al azar a una persona cuya estatura sea exactamente de 68.12345678 pulgadas. En la distribución normal, cualquier punto único sobre la escala horizontal está representado, no por una región bajo la curva, sino por una línea vertical por arriba del punto. Para $P(z = 1.50)$ tenemos una línea vertical que está por arriba de $z = 1.50$, pero esta línea vertical, por sí misma, no contiene un área, de manera que $P(z = 1.50) = 0$. Para cualquier variable aleatoria continua, la probabilidad de un valor exacto es 0, y se infiere que $P(a \leq z \leq b) = P(a < z < b)$. También se deduce que la probabilidad de obtener una puntuación z de *a lo sumo b* es igual a la probabilidad de obtener una puntuación z *menor que b*. Es importante interpretar correctamente frases clave como *a lo sumo, al menos, más que, no más que*, etcétera.

Cálculo de puntuaciones *z* de áreas conocidas

Hasta ahora, todos los ejemplos de esta sección que implican la distribución normal estándar han seguido el mismo formato: dadas las puntuaciones z, calculamos áreas bajo la curva; estas áreas corresponden a probabilidades. En muchos otros casos, nos enfrentamos al proceso inverso: conocemos el área (o probabilidad), pero necesitamos calcular la puntuación z correspondiente. En tales casos, es muy importante evitar una confusión entre las puntuaciones z y las áreas. Recuerde, las puntuaciones z son distancias a lo largo de la escala horizontal, mientras que las áreas (o probabilidades) son regiones bajo la curva. (La tabla A-2 incluye puntuaciones z que se encuentran en la columna de la extrema izquierda y a lo largo del renglón superior, pero las áreas se encuentran en el cuerpo de la tabla). Además, las puntuaciones z ubicadas en la mitad izquierda de la curva siempre son negativas. Si ya conocemos una probabilidad y deseamos determinar la puntuación z correspondiente, la calculamos de la siguiente forma.

Procedimiento para el cálculo de una puntuación *z* a partir de un área conocida

1. Dibuje una curva en forma de campana e identifique la región bajo la curva que corresponde a la probabilidad dada. Si no se trata de una región acumulada desde la izquierda, trabaje con una región acumulada conocida que inicia desde la izquierda.

2. Usando el área acumulada de la izquierda, localice la probabilidad más cercana en el *cuerpo* de la tabla A-2 e identifique la puntuación z correspondiente.

Cuando se remita a la tabla A-2, recuerde que el cuerpo de la tabla proporciona áreas *acumuladas desde la izquierda.*

EJEMPLO 6

Termómetros científicos Considere los mismos termómetros del ejemplo 3, con lecturas de temperatura en el punto de congelación del agua distribuidas normalmente, con una media de 0°C y una desviación estándar de 1.00°C. Calcule la temperatura correspondiente a P_{95}, el percentil 95. Es decir, calcule la temperatura que separa el 95% inferior del 5% superior. Observe la figura 6-9.

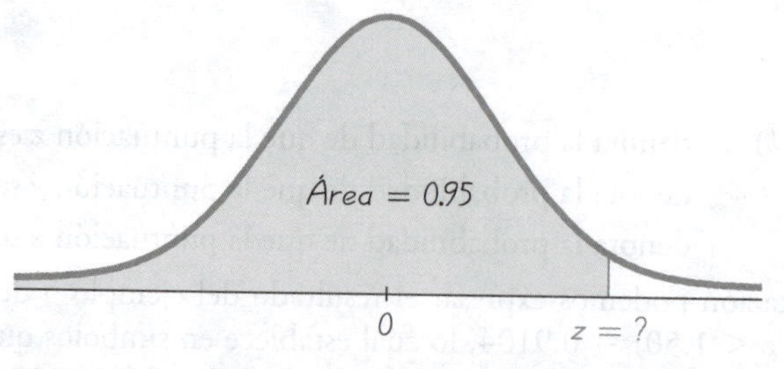

Figura 6-9 Cálculo del percentil 95

SOLUCIÓN La figura 6-9 incluye la puntuación z que corresponde al percentil 95, con el 95% del área (o 0.95) por debajo de ella. Al remitirnos a la tabla A-2 buscamos el área de 0.95 *en el cuerpo* de la tabla y después buscamos la puntuación z correspondiente. En la tabla A-2 encontramos las áreas de 0.9495 y 0.9505, pero hay un asterisco con una nota especial que indica que 0.9500 corresponde a una puntuación z de 1.645. Ahora podemos concluir que la puntuación z en la figura 6-9 es 1.645, por lo que el percentil 95 es la lectura de temperatura correspondiente a 1.645°C.

INTERPRETACIÓN Al probar los termómetros a la temperatura de congelación, el 95% de las lecturas serán menores que o iguales a 1.645°C, y el 5% de ellas serán mayores que o iguales a 1.645°C.

Note que en la solución anterior, la tabla A-2 indicó una puntuación z de 1.645, que está a la mitad entre 1.64 y 1.65. Con la tabla A-2, generalmente podemos evitar la interpolación si tan solo seleccionamos el valor más cercano. Existen casos especiales, listados en la tabla adjunta, los cuales son importantes ya que se utilizan con frecuencia en una amplia variedad de aplicaciones. (En uno de esos casos especiales, el valor de $z = 2.576$ da un área ligeramente más cercana a la de 0.9950, pero $z = 2.575$ tiene la ventaja de ser el valor intermedio entre $z = 2.57$ y $z = 2.58$). Con la excepción de estos casos especiales, podemos seleccionar el valor más cercano en la tabla. (Si un valor deseado se encuentra entre dos valores de la tabla, seleccione el valor más grande). Además, para las puntuaciones z por arriba de 3.49, podemos utilizar 0.9999 como aproximación del área acumulada a partir de la izquierda; para puntuaciones z por debajo de −3.49, podemos utilizar 0.0001 como aproximación del área acumulada a partir de la izquierda.

Tabla A-2 Casos especiales

Puntuación z	Área acumulada desde la izquierda
1.645	0.9500
−1.645	0.0500
2.575	0.9950
−2.575	0.0050
Mayor que 3.49	0.9999
Menor que −3.49	0.0001

EJEMPLO 7 **Termómetros científicos** Considere los mismos termómetros del ejemplo 3 y calcule las temperaturas que separan el 2.5% inferior y el 2.5% superior.

SOLUCIÓN La figura 6-10 presenta las puntuaciones z requeridas. Para encontrar la puntuación z localizada a la izquierda, remítase a la tabla A-2 y busque el área de 0.025 en el *cuerpo de la tabla.* El resultado es $z = -1.96$. Para encontrar la puntuación z localizada a la derecha, remítase al *cuerpo de la tabla* y busque el área de 0.975. (Recuerde que la tabla A-2 siempre da áreas acumuladas a partir de la *izquierda*). El resultado es $z = 1.96$. Los valores de $z = -1.96$ y $z = 1.96$ separan el 2.5% inferior y el 2.5% superior, como se observa en la figura 6-10.

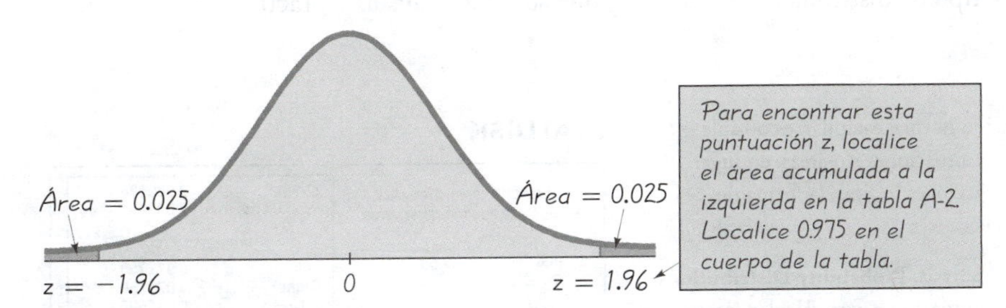

Figura 6-10
Cálculo de puntuaciones z

INTERPRETACIÓN Al probar los termómetros a la temperatura de congelación, el 2.5% de las lecturas serán iguales o menores que −1.96°, y el 2.5% de las lecturas serán iguales o mayores que 1.96°. Otra interpretación es que, en el punto de congelación del agua, el 95% de todas las lecturas de los termómetros se ubicarán entre −1.96° y 1.96°.

Valores críticos Para una distribución normal, un **valor crítico** es una puntuación z en el límite que separa a las puntuaciones z *probables* de las que son *improbables*. Algunos valores críticos comunes son $z = -1.96$ y $z = 1.96$, los cuales se obtienen como se describe en el ejemplo 7. En este ejemplo, es poco probable que ocurran los valores por debajo de $z = -1.96$, ya que solo se presentan en el 2.5% de las lecturas, y es poco probable que ocurran los valores por arriba de $z = 1.96$ porque también se presentan solo en el 2.5% de las lecturas. En este capítulo no es tan importante la referencia a los *valores críticos*, pero en capítulos posteriores estos tendrán una enorme importancia. La siguiente notación se utiliza para los valores críticos z, que se obtienen al utilizar la distribución normal estándar.

Notación

La expresión z_α denota la puntuación z con un área de α a su derecha. (α es la letra griega alfa).

EJEMPLO 8 **Cálculo de z_α** En la expresión z_α, sea $\alpha = 0.025$; calcule el valor de $z_{0.025}$.

SOLUCIÓN La notación de $z_{0.025}$ se utiliza para representar la puntuación z con un área de 0.025 a su derecha. Remítase a la figura 6-10 y observe que el valor de $z = 1.96$ tiene un área de 0.025 a su derecha. Por lo tanto, $z_{0.025} = 1.96$.

Advertencia: Cuando utilice la tabla A-2 para calcular un valor de z_α para un valor específico de α, note que α es el área a la *derecha* de z_α, pero la tabla A-2 ofrece listas de áreas acumuladas a la *izquierda* de una puntuación z dada. Para calcular el valor de z_α utilizando la tabla, resuelva ese conflicto utilizando el valor de $1 - \alpha$. En el ejemplo 8, el valor de $z_{0.025}$ se obtiene al localizar el área de 0.9750 en el cuerpo de la tabla.

Los ejemplos de esta sección se elaboraron de forma que la media de 0 y la desviación estándar de 1 coincidieran exactamente con las propiedades de la distribución normal estándar. En realidad, es poco común encontrar parámetros tan convenientes, ya que las distribuciones normales típicas incluyen medias distintas de 0 y desviaciones estándar diferentes de 1. En la siguiente sección presentamos métodos para trabajar con este tipo de distribuciones normales, que son más realistas y prácticas.

USO DE LA TECNOLOGÍA

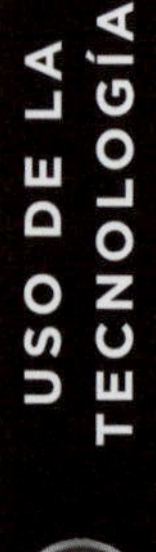

Cuando se trabaja con la distribución normal estándar, es posible utilizar la tecnología para calcular puntuaciones z o áreas, en lugar de la tabla A-2. Las siguientes instrucciones indican la forma de calcular este tipo de áreas o puntuaciones z.

STATDISK Seleccione **Analysis, Probability Distributions, Normal Distribution.** Ingrese la puntuación z para calcular áreas correspondientes o ingrese el área acumulada de la izquierda para calcular la puntuación z. Después de introducir un valor, haga clic en el botón **Evaluate** Vea la siguiente representación visual de STATDISK para un valor $z = 2.00$.

STATDISK

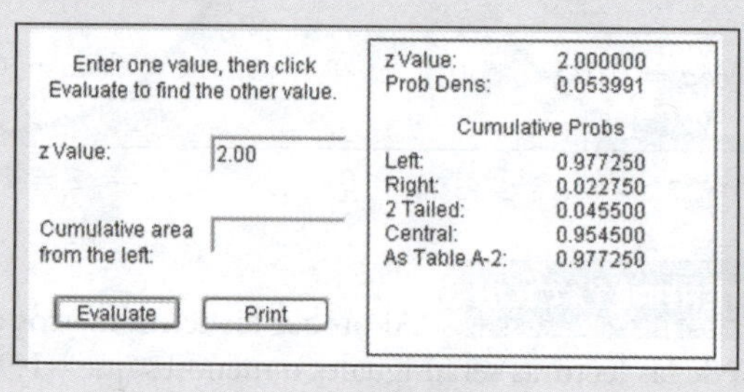

MINITAB

- Para encontrar el área acumulada que está a la izquierda de una puntuación z (como en la tabla A-2), seleccione **Calc, Probability Distributions, Normal, Cumulative probabilities.** Luego, ingrese la media de 0 y la desviación estándar de 1; después haga clic en el botón de **Input Constant** e ingrese la puntuación *z*.
- Para encontrar la puntuación z correspondiente a una probabilidad conocida, seleccione **Calc, Probability Distributions, Normal.** Después, seleccione **Inverse cumulative probabilities** y la opción **Input constant.** Para la constante de entrada, indique el área total que se encuentra a la izquierda del valor dado.

EXCEL

- Para encontrar el área acumulada a la izquierda de una puntuación *z* (como en la tabla A-2), haga clic en ***fx*,** después seleccione **Statistical, NORMSDIST** e indique la puntuación *z*. (En Excel 2010, seleccione **NORM.S.DIST**).
- Para encontrar la puntuación z correspondiente a una probabilidad conocida, seleccione ***fx*, Statistical, NORMSINV** e ingrese el área total que se encuentra a la izquierda del valor dado. (En Excel 2010, seleccione **NORM.S.INV**).

TI-83/84 PLUS Para calcular el área entre dos puntuaciones *z*, presione las teclas 2ND VARS y seleccione **normalcdf.** Después, proceda a registrar las dos puntuaciones *z*, separadas por una coma, como en (puntuación *z* izquierda, puntuación *z* derecha).

El ejemplo 5 se podría resolver con el comando de **normalcdf(−2.00, 1.50),** el cual indica una probabilidad de 0.9104 (redondeado), como se muestra en la siguiente pantalla.

TI-83/84 PLUS

```
normalcdf(-2.00,
1.50)
         .9104427093
```

Para encontrar una puntuación *z* correspondiente a una probabilidad conocida, presione las teclas 2ND VARS y seleccione **invNorm.** Proceda a indicar el área total a la izquierda de la puntuación *z*. Por ejemplo, el comando de **invNorm(0.975)** produce una puntuación *z* de 1.959963986, que se redondea a 1.96, como en el ejemplo 6.

6-2 Destrezas y conceptos básicos

Conocimientos estadísticos y pensamiento crítico

1. Distribución normal Cuando nos referimos a una distribución "normal", ¿el término "normal" tiene el mismo significado que en el lenguaje cotidiano, o tiene un significado especial en estadística? ¿Qué es exactamente una distribución normal?

2. Distribución normal Una distribución normal se describe de manera informal como una distribución de probabilidad con "forma de campana" cuando se grafica. Describa la "forma de campana".

3. Distribución normal estándar ¿Qué requisitos son necesarios para que una distribución de probabilidad normal sea una distribución de probabilidad normal *estándar*?

4. Notación ¿Qué indica la notación z_α?

Distribución uniforme continua. ***En los ejercicios 5 a 8, remítase a la distribución uniforme continua descrita en la figura 6-2. Suponga que se selecciona al azar un nivel de voltaje entre 123.0 y 125.0 volts, y calcule la probabilidad de seleccionar el nivel de voltaje indicado.***

5. Mayor que 124.0 volts.

6. Menor que 123.5 volts.

7. Entre 123.2 y 124.7 volts.

8. Entre 124.1 y 124.5 volts.

Distribución normal estándar. ***En los ejercicios 9 a 12, calcule el área de la región sombreada. La gráfica describe la distribución normal estándar con media igual a 0 y desviación estándar igual a 1.***

9.

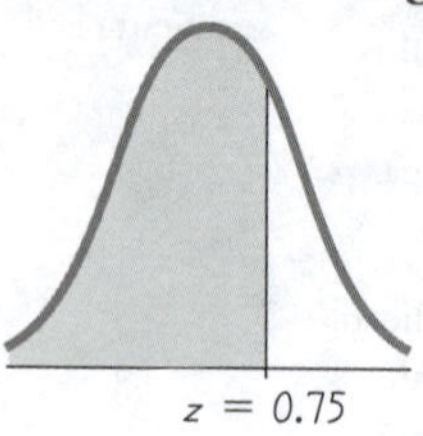

10.

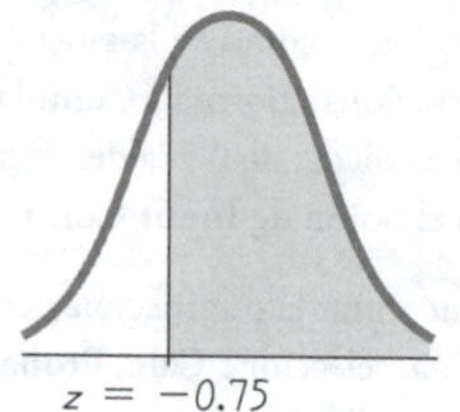

11.

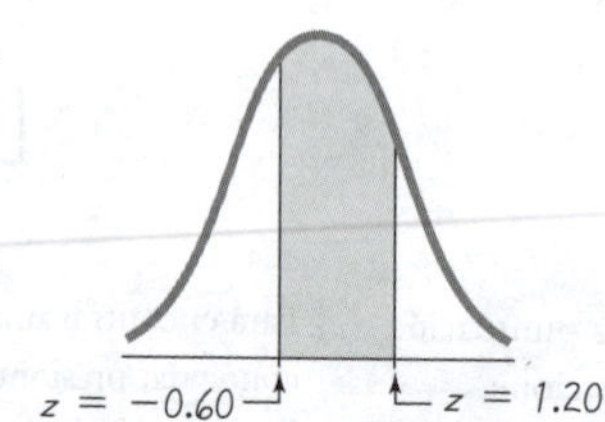

12.

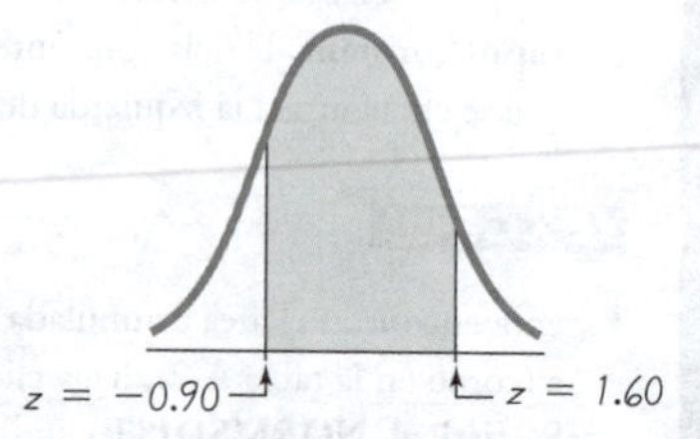

Distribución normal estándar. ***En los ejercicios 13 a 16, calcule la puntuación z indicada. La gráfica describe la distribución normal estándar con media igual a 0 y desviación estándar igual a 1.***

13.

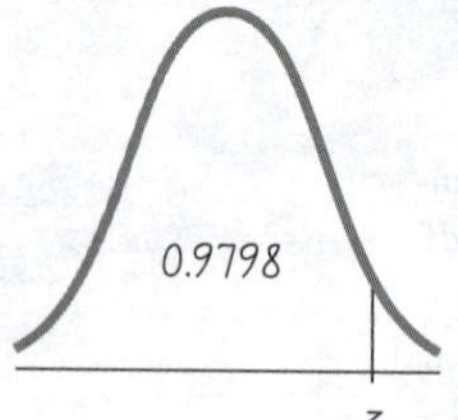

14.

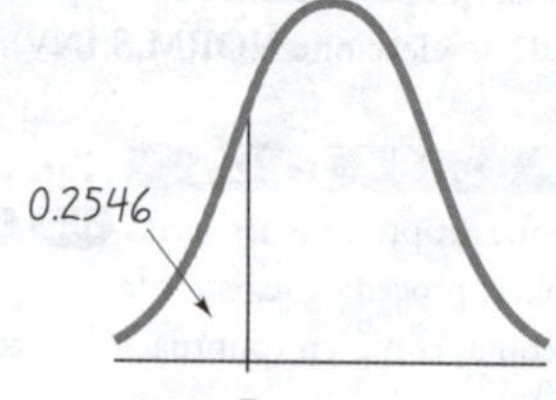

15.

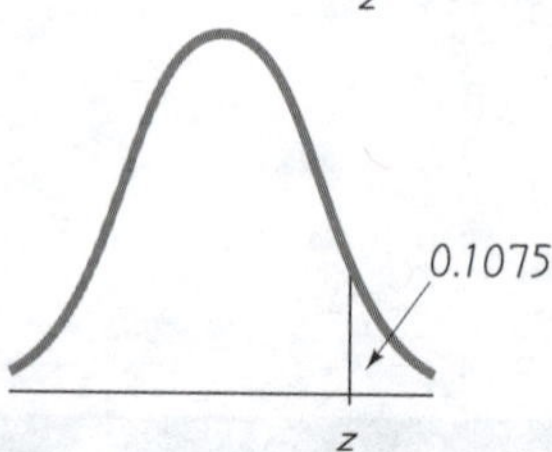

16.

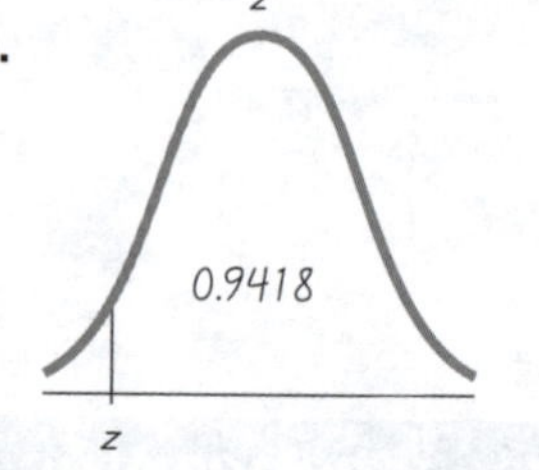

Distribución normal estándar. ***En los ejercicios 17 a 36, suponga que las lecturas de termómetros se distribuyen normalmente, con una media de 0°C y una desviación estándar de 1.00°C. Se selecciona al azar un termómetro y se prueba. En cada caso, elabore un bosquejo y calcule la probabilidad de cada lectura. (Los valores están en grados Celsius). Si utiliza la tecnología en lugar de la tabla A-2, redondee las respuestas a cuatro posiciones decimales***

17. Menor que −1.50

18. Menor que −2.75

19. Menor que 1.23

20. Menor que 2.34

21. Mayor que 2.22

22. Mayor que 2.33

23. Mayor que −1.75

24. Mayor que −1.96

25. Entre 0.50 y 1.00

26. Entre 1.00 y 3.00

27. Entre −3.00 y −1.00

28. Entre −1.00 y −0.50

29. Entre −1.20 y 1.95

30. Entre −2.87 y 1.34

31. Entre −2.50 y 5.00

32. Entre −4.50 y 1.00

33. Menor que 3.55

34. Mayor que 3.68

35. Mayor que 0

36. Menor que 0

Bases de la práctica de las desviaciones y de la regla empírica. ***En los ejercicios 37 a 40, calcule el área bajo la curva indicada de la distribución normal estándar, después***

conviértala en porcentaje y complete el espacio. Los resultados conforman la base de la regla práctica de las desviaciones y la regla empírica, explicadas en la sección 3-3.

37. Aproximadamente el _____% del área se ubica entre $z = -1$ y $z = 1$ (o dentro de una desviación estándar a partir de la media).

38. Aproximadamente el _____% del área se ubica entre $z = -2$ y $z = 2$ (o dentro de 2 desviaciones estándar a partir de la media).

39. Aproximadamente el _____% del área se ubica entre $z = -3$ y $z = 3$ (o dentro de 3 desviaciones estándar a partir de la media).

40. Aproximadamente el _____% del área se ubica entre $z = -3.5$ y $z = 3.5$ (o dentro de 3.5 desviaciones estándar a partir de la media).

Cálculo de valores críticos. ***En los ejercicios 41 a 44, calcule el valor indicado.***

41. $z_{0.05}$

42. $z_{0.01}$

43. $z_{0.10}$

44. $z_{0.02}$

Cálculo de probabilidad. ***En los ejercicios 45 a 48, suponga que las lecturas de los termómetros se distribuyen normalmente con una media de 0°C y una desviación estándar de 1.00°C. Calcule la probabilidad indicada, donde z es la lectura en grados.***

45. $P(-1.96 < z < 1.96)$

46. $P(z < 1.645)$

47. $P(z < -2.575$ o $z > 2.575)$

48. $P(z < -1.96$ o $z > 1.96)$

Cálculo de valores de temperatura. ***En los ejercicios 49 a 52, suponga que las lecturas de termómetros se distribuyen normalmente, con una media de 0°C y una desviación estándar de 1.00°C. Se selecciona al azar un termómetro y se prueba. En cada caso, dibuje un bosquejo y calcule la lectura de la temperatura correspondiente a la información que se da.***

49. Calcule P_{95}, el percentil 95. Esta es la lectura de temperatura que separa el 95% inferior del 5% superior.

50. Calcule P_1, el primer percentil. Esta es la lectura de temperatura que separa el 1% inferior del 99% superior.

51. Si se rechaza el 2.5% de los termómetros porque dan lecturas demasiado altas y se rechaza otro 2.5% porque dan lecturas demasiado bajas, calcule las dos lecturas que son los valores de corte que separan a los termómetros rechazados de los otros.

52. Si se rechaza el 0.5% de los termómetros porque dan lecturas demasiado bajas y otro 0.5% se rechaza porque dan lecturas demasiado altas, calcule las dos lecturas que son los valores de corte que separan a los termómetros rechazados de los otros.

6-2 Más allá de lo básico

53. Para una distribución normal estándar, calcule el porcentaje de datos que se ubican

a) dentro de 2 desviaciones estándar a partir de la media.

b) a más de 1 desviación estándar a partir de la media.

c) a más de 1.96 desviaciones estándar a partir de la media.

d) entre $\mu - 3\sigma$ y $\mu + 3\sigma$.

e) a más de 3 desviaciones estándar a partir de la media.

54. Si una distribución uniforme continua tiene parámetros de $\mu = 0$ y $\sigma = 1$, entonces el mínimo es $-\sqrt{3}$ y el máximo es $\sqrt{3}$.

a) Para esta distribución, calcule $P(-1 < x < 1)$.

b) Calcule $P(-1 < x < 1)$ si usted supone de manera incorrecta que la distribución es normal en vez de uniforme.

c) Compare los resultados de los incisos *a)* y *b)*. ¿Afecta mucho la distribución a los resultados?

55. Suponga que las puntuaciones z se distribuyen normalmente, con una media de 0 y una desviación estándar de 1.

a) Si $P(z < a) = 0.9599$, calcule a.

b) Si $P(z > b) = 0.9772$, calcule b.

c) Si $P(z > c) = 0.0668$, calcule c.

d) Si $P(-d < z < d) = 0.5878$, calcule d.

e) Si $P(-e < z < e) = 0.0956$, calcule e.

56. En una distribución uniforme continua,

$$\mu = \frac{\text{mínimo} + \text{máximo}}{2} \quad \text{y} \quad \sigma = \frac{\text{rango}}{\sqrt{12}}$$

Calcule la media y la desviación estándar de la distribución uniforme representada en la figura 6-2.

Aplicaciones de las distribuciones normales

Concepto clave En esta sección se presentan aplicaciones reales y relevantes que implican distribuciones normales que no son estándar, al extender los procedimientos descritos en la sección 6-2. Utilizamos una conversión simple (fórmula 6-2), la cual nos permite estandarizar cualquier distribución normal para poder utilizar los mismos métodos de la sección anterior con distribuciones normales que tienen una media distinta de 0 o una desviación estándar diferente de 1. En específico, a partir de alguna distribución normal no estándar, debemos ser capaces de calcular probabilidades que corresponden a valores de la variable x, y a partir de algún valor de probabilidad, debemos ser capaces de calcular el valor correspondiente de la variable x.

Para trabajar con una distribución normal que no es estándar, simplemente estandarice los valores para poder utilizar los mismos procedimientos de la sección 6-2.

Si convertimos valores en puntuaciones z estándar, empleando la fórmula 6-2, entonces los procedimientos para trabajar con todas las distribuciones normales son los mismos que los de la distribución normal estándar.

Fórmula 6-2

$$z = \frac{x - \mu}{\sigma} \quad \text{(redondee las puntuaciones } z \text{ a dos decimales)}$$

Algunas calculadoras y programas de cómputo no requieren de la anterior transformación a puntuaciones z, ya que las probabilidades se obtienen de manera directa. Sin embargo, si utiliza la tabla A-2 para obtener probabilidades, primero debe convertir los valores a puntuaciones z estándar. Sin importar el método que utilice, debe comprender con claridad el principio básico anterior, ya que constituye un fundamento importante de los conceptos que se presentarán en los siguientes capítulos.

La figura 6-11 ilustra la transformación de una distribución no estándar a una distribución normal estándar. El área de cualquier distribución normal, limitada por alguna puntuación x [como en la figura 6-11*a*)], es igual que el área limitada por la puntuación z equivalente en la distribución normal estándar [como en la figura 6-11*b*)]. Esto significa que cuando se trabaja con una distribución normal no estándar, se puede utilizar la tabla A-2 de la misma forma que se empleó en la sección 6-2, siempre y cuando primero se conviertan los valores a puntuaciones z.

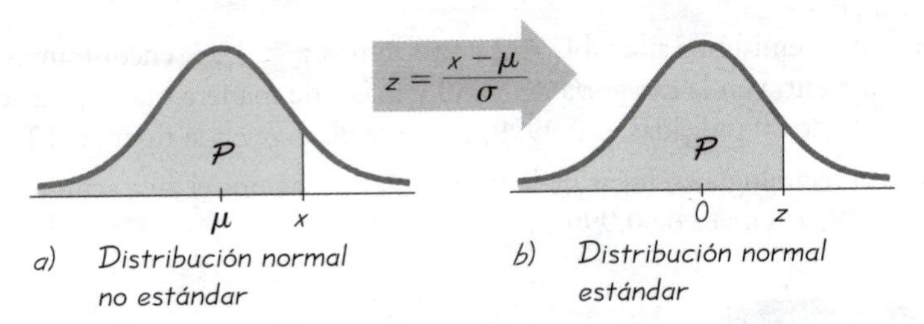

Figura 6-11 Transformación de una distribución normal no estándar a una distribución normal estándar

Cuando calcule áreas en una distribución normal no estándar, utilice este procedimiento:

1. Dibuje una curva normal, indique la media y los valores específicos de x; después, sombree la región que representa la probabilidad deseada.
2. Para cada valor relevante de x que sea un límite de la región sombreada, utilice la fórmula 6-2 para convertir ese valor a la puntuación z equivalente.
3. Remítase a la tabla A-2 o utilice una calculadora o un programa de cómputo para encontrar el área de la región sombreada, la cual constituye la probabilidad deseada.

En el siguiente ejemplo se aplican estos tres pasos y se ilustra la relación entre una distribución normal no estándar típica y la distribución normal estándar.

EJEMPLO 1

¿Por qué las entradas siempre tienen una altura de 6 pies 8 pulgadas? La entrada típica de una casa tiene una altura de 6 pies 8 pulgadas u 80 pulgadas. Como los hombres suelen ser más altos que las mujeres, solo tomaremos en cuenta a los hombres al investigar las limitaciones de la altura estándar de las entradas. Puesto que las estaturas de los hombres se distribuyen de manera normal con una media de 69.0 pulgadas y una desviación estándar de 2.8 pulgadas, calcule el porcentaje de hombres que pueden entrar sin agacharse ni golpear su cabeza. ¿El porcentaje es lo suficientemente alto para continuar utilizando la altura estándar de 80 pulgadas? ¿Las entradas con una altura de 80 pulgadas serán suficientes en años futuros?

SOLUCIÓN

Paso 1: Observe la figura 6-12, que incluye la siguiente información: los hombres tienen estaturas que se distribuyen normalmente, con una media de 69.0 pulgadas y una desviación estándar de 2.8 pulgadas. La región sombreada representa a los hombres que pueden pasar sin dificultad a través de una entrada con una altura de 80 pulgadas.

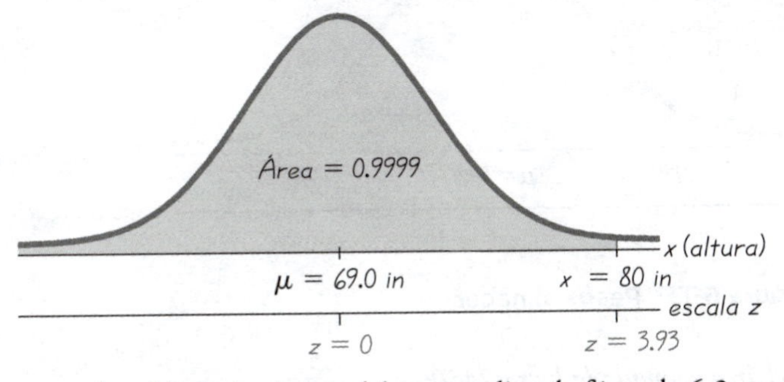

Figura 6-12
Alturas (en pulgadas) de hombres

Paso 2: Para usar la tabla A-2 primero debemos aplicar la fórmula 6-2 con la finalidad de transformar la distribución normal no estándar en una distribución normal estándar. La altura de 80 pulgadas se convierte a una puntuación z de la siguiente manera:

$$z = \frac{x - \mu}{\sigma} = \frac{80 - 69.0}{2.8} = 3.93$$

continúa

Ganadores múltiples de la lotería

Evelyn Marie Adams ganó la lotería de Nueva Jersey dos veces en cuatro meses. Los medios de comunicación informaron sobre este feliz evento calificándolo como una increíble coincidencia con tan solo una posibilidad en 17 billones. Pero los matemáticos Persi Diaconis y Frederick Mosteller de Harvard señalan que existe una posibilidad en 17 billones de que una *persona en particular*, que posea un boleto para cada una de las dos loterías de Nueva Jersey, gane dos veces. Sin embargo, existe aproximadamente 1 posibilidad en 30 de que alguien en Estados Unidos gane la lotería dos veces durante un periodo de cuatro meses. Diaconis y Mosteller analizaron las coincidencias y concluyeron que "con una muestra lo suficientemente grande, cualquier hecho sorprendente puede suceder". Según el *Detroit News*, Joe y Dolly Hornick ganaron la lotería de Pensilvania cuatro veces en 12 años, con premios de $2.5 millones, $68,000, $206,217 y $71,037.

Paso 3: Si nos remitimos a la tabla A-2 y utilizamos $z = 3.93$, encontramos que esta puntuación z entra en la categoría de "3.50 y más", de manera que el área acumulada a la izquierda de 80 pulgadas es 0.9999, como se observa en la figura 6-12.

Si utilizamos la tecnología en lugar de la tabla A-2, obtenemos el área acumulada más exacta de 0.999957 (en vez de 0.9999).

INTERPRETACIÓN La proporción de hombres que pueden pasar por una entrada estándar con una altura de 80 pulgadas es de 0.9999, o 99.99%. Muy pocos hombres tendrán que agacharse o se golpearán la cabeza si pasan por una entrada así. El 99.99% es un porcentaje suficientemente alto para justificar una altura de 80 pulgadas en una entrada estándar. Sin embargo, las estaturas de hombres y mujeres han aumentado de manera gradual, pero constante, durante las últimas décadas, por lo que tal vez llegue el momento en que las entradas con una altura de 80 pulgadas ya no sean adecuadas.

EJEMPLO 2 **Pesos al nacer** Los pesos al nacer en Estados Unidos se distribuyen de manera normal con una media de 3420 g y una desviación estándar de 495 g. El hospital Newport General requiere de un tratamiento especial para los bebés que pesan menos de 2450 g (inusualmente ligeros) o más de 4390 g (inusualmente pesados). ¿Cuál es el porcentaje de bebés que no requieren de un tratamiento especial porque tienen pesos al nacer comprendidos entre 2450 g y 4390 g? En tales condiciones, ¿muchos bebés requieren de un tratamiento especial?

SOLUCIÓN Observe la figura 6-13, la cual muestra la región sombreada que representan pesos al nacer entre 2450 g y 4390 g. No podemos encontrar esa área sombreada directamente en la tabla A-2, pero podemos obtenerla de manera indirecta utilizando los procedimientos básicos presentados en la sección 6-2, de la siguiente manera: **1.** Calcule el área acumulada desde la izquierda hasta 2450; **2.** calcule el área acumulada desde la izquierda hasta 4390; **3.** obtenga la diferencia entre ambas áreas.

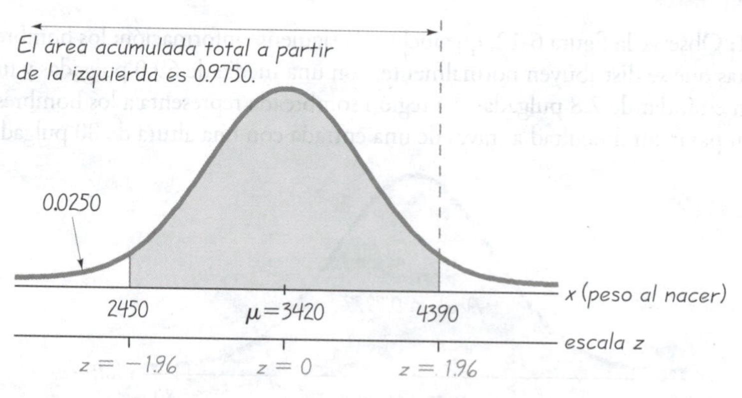

Figura 6-13 Pesos al nacer

Calcule el área acumulada hasta 2450:

$$z = \frac{x - \mu}{\sigma} = \frac{2450 - 3420}{495} = -1.96$$

Si usamos la tabla A-2, encontramos que $z = -1.96$ corresponde a un área de 0.0250, como se observa en la figura 6-13.

Calcule el área acumulada hasta 4390:

$$z = \frac{x - \mu}{\sigma} = \frac{4390 - 3420}{495} = 1.96$$

Si usamos la tabla A-2, encontramos que $z = 1.96$ corresponde a un área de 0.9750, como se observa en la figura 6-13.

Calcule el área sombreada entre 2450 y 4390:

$$\text{Área sombreada} = 0.9750 - 0.0250 = 0.9500$$

INTERPRETACIÓN Si expresamos el resultado como porcentaje, concluimos que el 95.00% de los bebés no requieren de un tratamiento especial, porque al nacer pesan entre 2450 g y 4390 g. Se infiere que el 5.00% de los bebés requieren de un tratamiento especial porque son excepcionalmente ligeros o pesados. Tal vez la tasa del 5.00% no sea demasiado elevada para un hospital típico.

Cálculo de valores de áreas conocidas

A continuación presentamos útiles sugerencias para los casos en que conocemos el área (o probabilidad o porcentaje) y debemos calcular el valor (o valores) relevante(s):

1. *No confunda las puntuaciones z con las áreas.* Recuerde que las puntuaciones z son *distancias* a lo largo de la escala horizontal, en tanto que las áreas son regiones bajo la curva normal. La tabla A-2 lista puntuaciones z en las columnas de la izquierda y a lo largo del renglón superior, pero las áreas se localizan en el cuerpo de la tabla.
2. *Elija el lado correcto de la gráfica (derecho/izquierdo).* Un valor que separa el 10% superior del resto se encontrará localizado en el lado derecho de la gráfica, pero un valor que separa el 10% inferior se ubicará en el lado izquierdo de la gráfica.
3. Una puntuación z debe ser *negativa* siempre que esté localizada en la mitad *izquierda* de la distribución normal.
4. Las áreas (o probabilidades) son positivas o tienen valores de 0, pero nunca son negativas.

Las gráficas son sumamente útiles para visualizar, comprender y trabajar con éxito con las distribuciones de probabilidad normal, así que deben emplearse siempre que sea posible.

Procedimiento para calcular valores con la tabla A-2 y la fórmula 6-2

1. Dibuje una curva de distribución normal, anote la probabilidad o el porcentaje dados en la región adecuada de la gráfica e identifique el valor (o valores) x que se busca(n).
2. Utilice la tabla A-2 para encontrar la puntuación z correspondiente al área izquierda acumulada, limitada por x. Remítase al *cuerpo* de la tabla A-2 para localizar el área más cercana; después, identifique la puntuación z correspondiente.
3. Para emplear la fórmula 6-2, sustituya los valores de μ, σ y la puntuación z obtenida en el paso 2; después, despeje x. Con base en la fórmula 6-2, podemos despejar x de la siguiente manera:

   $$x = \mu + (z \cdot \sigma) \quad \text{(otra versión de la fórmula 6-2)}$$

   (Si z está localizada a la izquierda de la media, asegúrese de que sea un número negativo).
4. Remítase al dibujo de la curva para verificar que la solución sea lógica en el contexto de la gráfica y en el contexto del problema.

El siguiente ejemplo utiliza el procedimiento que se acaba de describir.

EJEMPLO 3

Diseño de la altura de entradas Cuando se diseña un ambiente, un criterio común consiste en utilizar un diseño que se ajuste al 95% de la población. ¿Qué altura debe tener una entrada para que el 95% de los hombres puedan pasar a través de ella sin tener que agacharse o sin golpearse la cabeza? Es decir, calcule el percentil 95 de las estaturas de los hombres, las cuales se distribuyen de manera normal, con una media de 69.0 pulgadas y una desviación estándar de 2.8 pulgadas.

SOLUCIÓN

Paso 1: La figura 6-14 presenta la distribución normal con la estatura x que deseamos identificar. El área sombreada representa al 95% de los hombres que pueden pasar por una entrada que estamos diseñando.

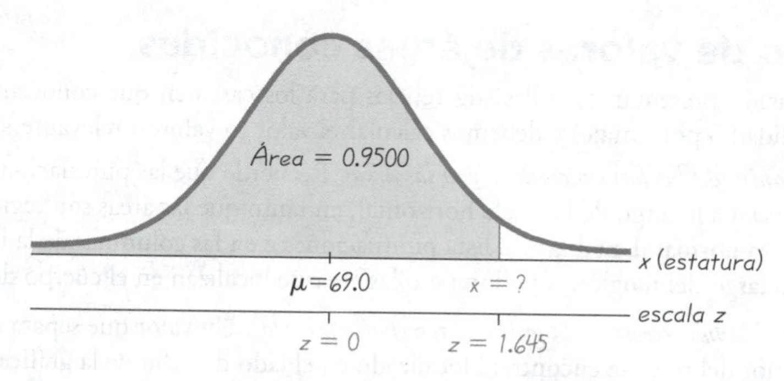

Figura 6-14 Cálculo de estatura

Paso 2: *En el cuerpo* de la tabla A-2 buscamos un área de 0.9500. (El área de 0.9500 que aparece en la figura 6-14 es un área acumulada a partir de la izquierda, y ese es exactamente el tipo de área que se incluye en la tabla A-2). El área de 0.9500 se localiza entre las áreas de 0.9495 y 0.9505 de la tabla A-2, pero hay un asterisco y una nota al pie de página que indican que el área de 0.9500 corresponde a una puntuación $z = 1.645$.

Paso 3: Con $z = 1.645$, $\mu = 69.0$ y $\sigma = 2.8$, podemos despejar x por medio de la fórmula 6-2:

$$z = \frac{x - \mu}{\sigma} \quad \text{se convierte en} \quad 1.645 = \frac{x - 69.0}{2.8}$$

El resultado de $x = 73.606$ pulgadas se puede calcular directamente o utilizando la siguiente versión de la fórmula 6-2:

$$x = \mu + (z \cdot \sigma) = 69.0 + (1.645 \cdot 2.8) = 73.606$$

Paso 4: La solución de $x = 73.6$ pulgadas (redondeado) de la figura 6-14 es razonable porque es mayor que la media de 69.0 pulgadas.

INTERPRETACIÓN

Una entrada con una altura de 73.6 pulgadas (o 6 pies 1.6 pulgadas) permitiría que el 95% de los hombres pasen a través de ella sin agacharse ni golpearse la cabeza. De ello, se deduce que el 5% de los hombres *no* cabrán por la entrada con una altura de 73.6 pulgadas. Debido a que una gran cantidad de hombres pasan por entradas con gran frecuencia, es probable que esta tasa del 5% no sea tan práctica.

EJEMPLO 4 **Pesos al nacer** El hospital Newport General desea redefinir los pesos mínimo y máximo al nacer de los bebés que requieren de un tratamiento especial, debido a que son pesos inusualmente bajos o inusualmente altos. Después de considerar los factores relevantes, un comité recomienda aplicar un tratamiento especial a los bebés que estén en el 3% más bajo y en el 1% más alto. Los miembros del comité pronto se dan cuenta de que es necesario identificar pesos específicos al nacer. Ayude a este comité a calcular los pesos al nacer que separan al 3% más bajo y al 1% más alto de los bebés. En Estados Unidos, los pesos al nacer se distribuyen de manera normal con una media de 3420 g y una desviación estándar de 495 g.

SOLUCIÓN

Paso 1: Iniciamos con la gráfica de la figura 6-15. Ya incluimos la media de 3420 g e identificamos los valores x que separan al 3% más bajo y al 1% más alto.

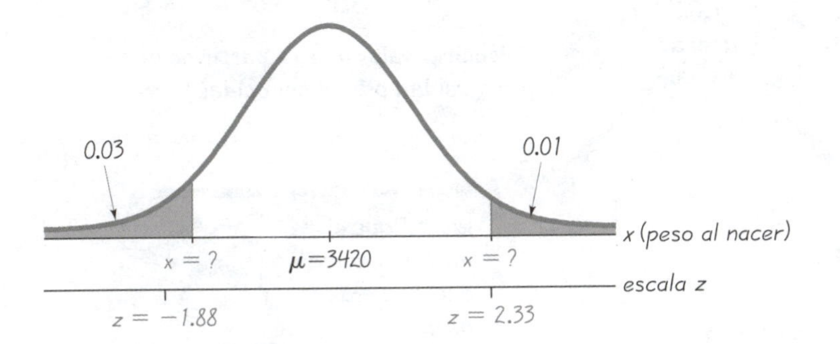

Figura 6-15
Cálculo de los valores que separan al 3% más bajo y al 1% más alto

Paso 2: Si utilizamos la tabla A-2, buscamos áreas acumuladas a partir de la izquierda. Para el valor de x que se localiza a la extrema izquierda, el área acumulada desde la izquierda es de 0.03, de manera que buscamos un área de 0.03 *en el cuerpo* de la tabla para obtener $z = -1.88$ (que corresponde al área más cercana de 0.0301). Para el valor de x que se localiza a la extrema derecha, el área acumulada a partir de la izquierda es 0.99, de manera que buscamos un área de 0.99 *en el cuerpo* de la tabla para obtener $z = 2.33$ (que corresponde al área más cercana de 0.9901).

Paso 3: Ahora sustituimos los dos valores de x utilizando la fórmula 6-2 directamente o aplicando la siguiente versión de la fórmula 6-2:

Valor de x en el extremo izquierdo: $x = \mu + (z \cdot \sigma) = 3420 + (-1.88 \cdot 495) = 2489.4$

Valor de x en el extremo derecho: $x = \mu + (z \cdot \sigma) = 3420 + (2.33 \cdot 495) = 4573.35$

Paso 4: Si nos remitimos a la figura 6-15, vemos que el valor de $x = 2489.4$ g en el extremo izquierdo es razonable porque es menor que la media de 3420 g. Asimismo, el valor de 4573.35 en el extremo derecho es razonable porque es mayor que la media de 3420 g. (Los recursos tecnológicos producen los valores de 2489.0 g y 4571.5 g).

INTERPRETACIÓN El peso de 2489 g (redondeado) al nacer separa al 3% de los pesos más bajos, y 4573 g (redondeados) separa al 1% de los pesos más altos. El hospital ahora cuenta con criterios bien definidos para determinar si un bebé recién nacido debe recibir un tratamiento especial por un peso inusualmente alto o bajo.

Cuando utilice los métodos que estudiamos en esta sección para aplicaciones que implican una distribución normal, es importante que primero determine si va a calcular una probabilidad (o área) a partir de un valor conocido de x, o si va a calcular un valor de x a partir de una probabilidad (o área) conocida. La figura 6-16 presenta una gráfica de flujo que resume los principales procedimientos de esta sección.

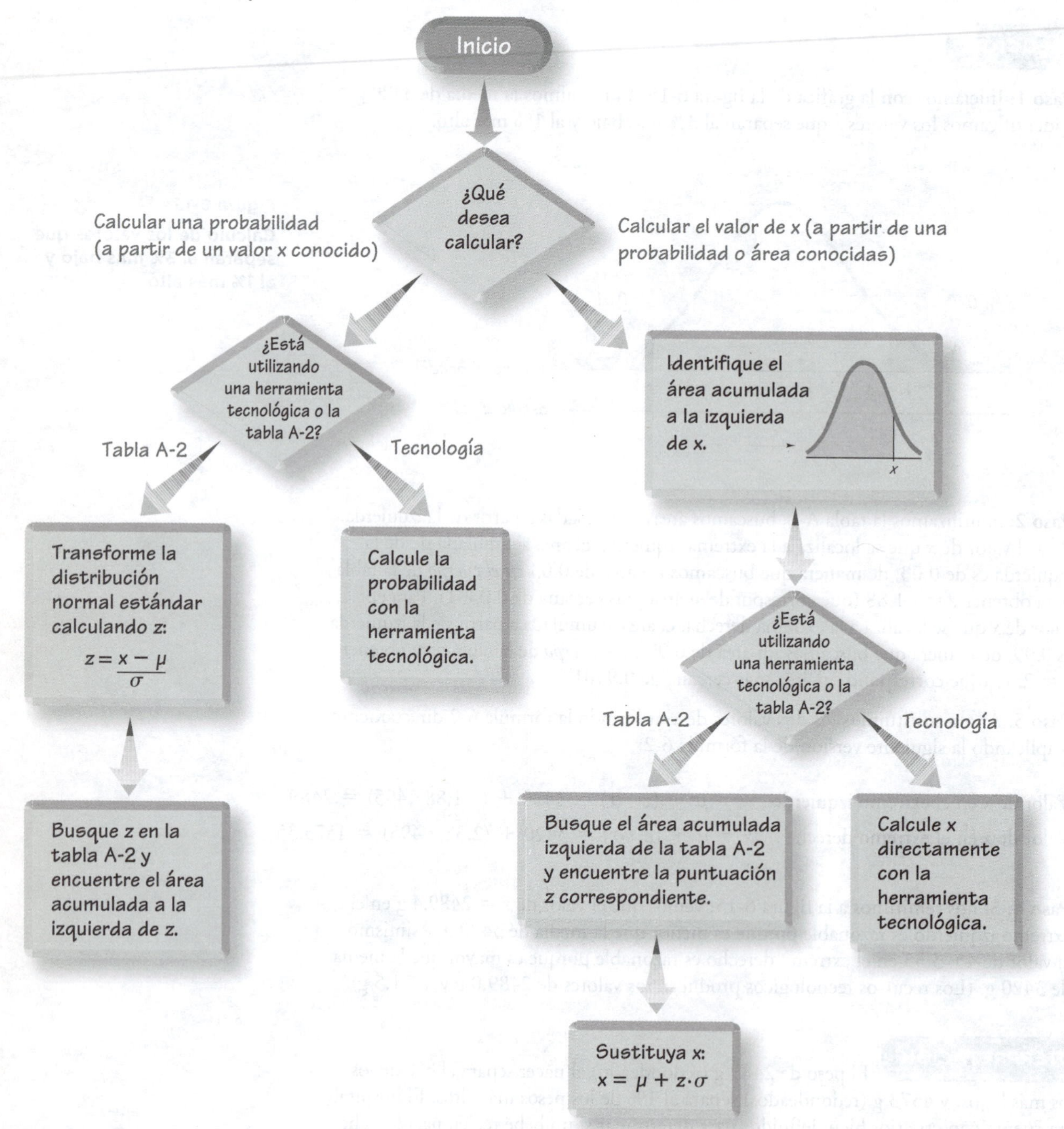

Figura 6-16 Procedimientos para aplicaciones con distribuciones normales

USO DE LA TECNOLOGÍA

Cuando se trabaja con la distribución normal no estándar, es posible utilizar la tecnología para calcular áreas o valores de la variable relevante, de modo que es factible emplear herramientas tecnológicas en lugar de la tabla A-2. Las siguientes instrucciones indican la manera de usar la tecnología para esos casos.

STATDISK Seleccione **Analysis, Probability Distributions, Normal Distribution.** Indique la puntuación *z* para calcular las áreas correspondientes, o introduzca el área acumulada desde la izquierda para calcular la puntuación *z*. Después de ingresar un valor, haga clic en el botón **Evaluate**.

MINITAB

- Para encontrar el área acumulada que está a la izquierda de una puntuación *z* (como en la tabla A-2), seleccione **Calc, Probability Distributions, Normal, Cumulative probabilities.** Ingrese la media y la desviación estándar; después, haga clic en el botón de **Input Constant** e ingrese el valor.
- Para encontrar un valor correspondiente a un área conocida, seleccione **Calc, Probability Distributions, Normal;** después, seleccione **Inverse cumulative probabilities** e indique la media y la desviación estándar. Seleccione la opción **Input constant** y registre el área total que se encuentra a la izquierda del valor dado.

EXCEL

- Para encontrar el área acumulada a la izquierda de un valor (como en la tabla A-2), haga clic en *f*x; después, seleccione **Statistical, NORMDIST.** (En Excel 2010 seleccione **NORM.DIST).** En el cuadro de diálogo, anote el valor de *x*, la media y la desviación estándar, y finalmente 1 en el espacio "cumulative".
- Para encontrar el valor correspondiente a un área conocida, seleccione *f*x, **Statistical, NORMINV,** (o **NORM.INV** en Excel 2010) y proceda a introducir la información en el cuadro de diálogo. Cuando anote el valor de probabilidad, registre el área total a la izquierda del valor dado. Observe la pantalla de Excel que aparece a continuación referente al ejemplo 3 de esta sección.

EXCEL

NORMINV

Probability	0.95	= 0.95
Mean	69.0	= 69
Standard_dev	2.8	= 2.8
		= 73.60559016

TI-83/84 PLUS

- Para calcular el área entre dos valores, presione **2nd, VARS, 2** para normalcdf); luego, proceda a registrar los dos valores, la media y la desviación estándar, todos separados por comas, como en (valor izquierdo, valor derecho, media, desviación estándar). *Sugerencia:* Si no hay un valor izquierdo, ingrese el valor izquierdo como −999999, y si no hay valor derecho, ingréselo como 999999. En el ejemplo 1 queremos obtener el área a la izquierda de $x = 80$ pulgadas, de modo que utilizamos el comando **normalcdf (−999999, 80, 69.0, 2.8)** como se observa en la siguiente pantalla.

TI-83/84 PLUS

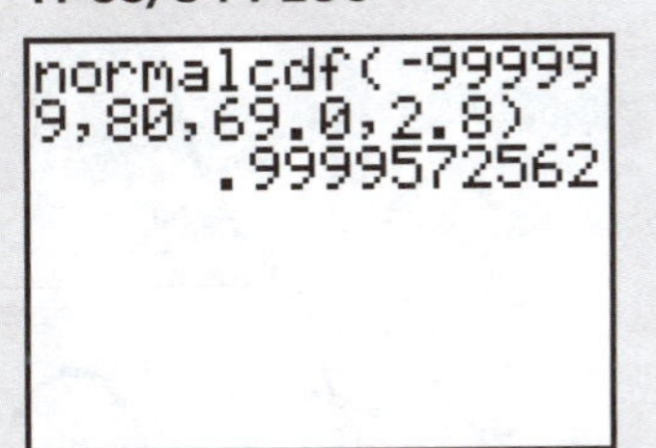

- Para encontrar un valor correspondiente a un área conocida, presione **2nd, VARS** y luego **invNorm;** proceda a anotar el área total a la izquierda del valor, la media y la desviación estándar con el formato (área total a la izquierda, media, desviación estándar) incluyendo las comas.

6-3 Destrezas y conceptos básicos

Conocimientos estadísticos y pensamiento crítico

1. Distribuciones normales ¿Cuál es la diferencia entre una distribución normal estándar y una distribución normal no estándar?

2. Puntuaciones de CI La distribución de puntuaciones de CI es una distribución normal no estándar con una media de 100 y una desviación estándar de 15, la cual se representa con una gráfica en forma de campana.

a) ¿Cuál es el área bajo la curva?

b) ¿Cuál es el valor de la mediana?

c) ¿Cuál es el valor de la moda?

3. Distribuciones normales La distribución de puntuaciones de CI es una distribución normal no estándar con una media de 100 y una desviación estándar de 15. ¿Cuáles son los valores de la media y de la desviación estándar después de estandarizar todas las puntuaciones de CI convirtiéndolas a puntuaciones z por medio de $z = (x - \mu)/\sigma$?

4. Dígitos aleatorios A menudo las computadoras se utilizan para generar dígitos aleatorios de números telefónicos para realizar una encuesta. ¿Es factible utilizar los métodos de esta sección para calcular la probabilidad de que, cuando se genere aleatoriamente un dígito, este sea menor que 5? ¿Por qué? ¿Cuál es la probabilidad de obtener un dígito menor que 5?

Puntuaciones de CI. ***En los ejercicios 5 a 8, calcule el área de la región sombreada. Las gráficas representan las puntuaciones de CI de adultos, las cuales se distribuyen de manera normal con una media de 100 y una desviación estándar de 15 (como las pruebas Wechsler).***

5. 120

6. 80

7. 90 115

8. 75 110

Puntuaciones de CI. ***En los ejercicios 9 a 12, calcule la puntuación de CI indicada. Las gráficas representan las puntuaciones de CI de adultos, las cuales se distribuyen de manera normal con una media de 100 y una desviación estándar de 15 (como las pruebas Wechsler).***

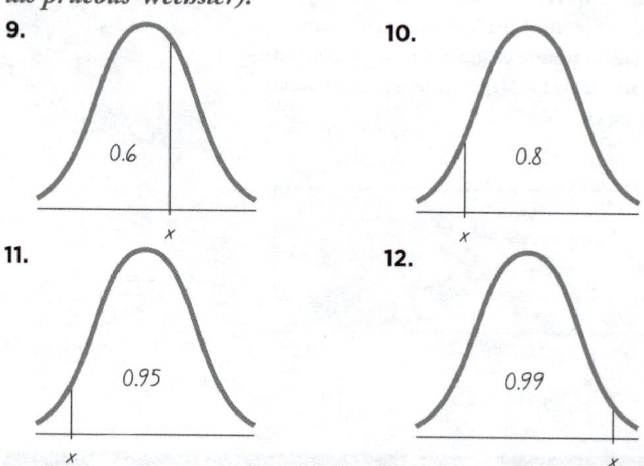

Puntuaciones de CI. ***En los ejercicios 13 a 20, suponga que sujetos adultos tienen puntuaciones de CI distribuidas normalmente, con una media de 100 y una desviación estándar de 15 (como las pruebas Wechsler). (Sugerencia: Dibuje una gráfica en cada caso).***

13. Calcule la probabilidad de que un adulto seleccionado al azar tenga un CI menor que 115.

14. Calcule la probabilidad de que un adulto seleccionado al azar tenga un CI mayor que 131.5 (el requisito para ser miembro de la organización Mensa).

15. Calcule la probabilidad de que un adulto seleccionado al azar tenga un CI entre 90 y 110 (denominado rango *normal*).

16. Calcule la probabilidad de que un adulto seleccionado al azar tenga un CI entre 110 y 120 (denominado *normal brillante*).

17. Calcule P_{30}, que es la puntuación de CI que separa al 30% inferior del 70% superior.

18. Calcule el primer cuartil Q_1, que es la puntuación de CI que separa al 25% inferior del 75% superior.

19. Calcule el tercer cuartil Q_3, que es la puntuación de CI que separa al 25% superior del resto.

20. Calcule la puntuación de CI que separa al 37% superior del resto.

En los ejercicios 21 a 26, use la siguiente información (según datos de la National Health Survey).

- *La estatura de los **hombres** se distribuye normalmente, con una media de 69.0 pulgadas y una desviación estándar de 2.8 pulgadas.*
- *La estatura de las **mujeres** se distribuye normalmente, con una media de 63.6 pulgadas y una desviación estándar de 2.5 pulgadas.*

21. Altura de entrada El monorriel Mark VI que se utiliza en Disney World y el avión Boeing 757-200 ER cuentan con puertas con una altura de 72 pulgadas.

a) ¿Qué porcentaje de los hombres adultos pueden pasar por las puertas sin tener que agacharse?

b) ¿Qué porcentaje de mujeres adultas pueden pasar por las puertas sin tener que agacharse?

c) ¿El diseño de una puerta con una altura de 72 pulgadas parece ser adecuado? Explique.

d) ¿Qué altura permitiría que el 98% de los hombres adultos pasen sin tener que agacharse?

22. Altura de entrada El Gulfstream 100 es un jet ejecutivo de seis plazas y su entrada tiene una altura de 51.6 pulgadas.

a) ¿Qué porcentaje de hombres adultos pueden pasar por las puertas sin tener que agacharse?

b) ¿Qué porcentaje de mujeres adultas pueden pasar por las puertas sin tener que agacharse?

c) ¿El diseño de una puerta con una altura de 51.6 pulgadas parece ser adecuado? ¿Por qué los ingenieros no diseñaron una puerta más grande?

d) ¿Qué altura permitiría que el 60% de los hombres pasen sin tener que agacharse?

23. Tall Clubs International Tall Clubs International es una organización social para personas altas. Para ser miembros, los hombres deben medir al menos 74 pulgadas, y las mujeres deben medir al menos 70 pulgadas.

a) ¿Qué porcentaje de los hombres satisfacen este requisito?

b) ¿Qué porcentaje de las mujeres satisfacen este requisito?

c) ¿Son justos los requisitos de estatura para hombres y mujeres? ¿Por qué?

24. Tall Clubs International Tall Clubs International tiene requisitos mínimos de estatura para hombres y mujeres.

a) Si los requisitos se modifican, para que el 4% de los hombres más altos sean miembros potenciales, ¿cuál sería la nueva estatura mínima para los hombres?

b) Si los requisitos se modifican, para que el 4% de las mujeres más altas sean miembros potenciales, ¿cuál sería la nueva estatura mínima para las mujeres?

25. Estaturas requeridas para mujeres que se incorporan al ejército El ejército de Estados Unidos requiere que las mujeres que se enrolen midan entre 58 y 80 pulgadas.

a) Calcule el porcentaje de mujeres que cumplen con este requisito. ¿Se negará a muchas mujeres la oportunidad de unirse al ejército por ser demasiado bajas o demasiado altas?

b) Si el ejército estadounidense modificara los requisitos de estatura, de manera que todas las mujeres pudieran enlistarse, con excepción del 1% con menor estatura y el 2% con mayor estatura, ¿cuáles serían los nuevos requisitos de estatura?

26. Estaturas requeridas para hombres en la marina La marina estadounidense requiere que los hombres tengan una estatura entre 64 y 80 pulgadas.

a) Calcule el porcentaje de hombres que satisfacen los requisitos de estatura. ¿Se negará a muchos hombres la oportunidad de unirse a la marina por no satisfacer los requisitos de estatura?

b) Si se modificaran los requisitos de estatura, de manera que todos los hombres pudieran enlistarse, con excepción del 3% con menor estatura y el 4% con mayor estatura, ¿cuáles serían los nuevos requisitos de estatura?

27. Pesos al nacer En Noruega, los pesos al nacer se distribuyen de manera normal con una media de 3570 g y una desviación estándar de 500 g.

a) Si el hospital de Ulleval University en Oslo exige la aplicación de un tratamiento especial para los bebés recién nacidos que pesen menos de 2700 g, ¿cuál es el porcentaje de bebés recién nacidos que requerirán de un tratamiento especial?

b) Si las autoridades del hospital de Ulleval University planean exigir un tratamiento especial para el 3% de los bebés recién nacidos con menor peso, ¿qué peso al nacer separa a los bebés que requieren de un tratamiento especial de los que no lo necesitan?

c) ¿Por qué no sería práctico si el hospital simplemente estableciera que los bebés necesitan tratamiento especial si forman parte del 3% con menor peso al nacer?

28. Pesos de pasajeros de taxi acuático En el problema del capítulo se señaló que, luego de que un taxi acuático se hundió en Inner Harbor de Baltimore, una investigación reveló que la carga segura de pasajeros para dicho taxi era de 3500 libras. También mencionamos que se suponía que el peso medio de un pasajero era de 140 libras. Suponga el "peor de los casos", en el que todos los pasajeros son hombres adultos. (Esto podría ocurrir fácilmente en una ciudad donde se realizan convenciones, pues en esos casos es común que individuos del mismo género viajen en grupo). Con base en datos de la encuesta National Health and Nutrition Examination, suponga que los pesos de los hombres se distribuyen normalmente con una media de 172 libras y una desviación estándar de 29 libras.

a) Si se selecciona a un hombre al azar, calcule la probabilidad de que pese menos de 174 libras (el nuevo valor sugerido por el National Transportation Safety Board).

b) Con un límite de carga de 3500 libras, ¿cuántos hombres podrían viajar, si suponemos un peso medio de 140 libras?

c) Con un límite de carga de 3500 libras, ¿cuántos hombres podrían viajar, si utilizamos el nuevo peso medio de 174 libras?

d) ¿Por qué es necesario que se revise periódicamente el número permitido de pasajeros a bordo?

29. Temperaturas corporales Con base en los resultados muestrales del conjunto de datos 2 del apéndice B, suponga que las temperaturas corporales humanas se distribuyen normalmente, con una media de 98.20°F y una desviación estándar de 0.62°F.

a) El hospital Bellevue en la ciudad de Nueva York establece que la temperatura más baja considerada como fiebre es de 100.6°F. ¿Qué porcentaje de personas normales y saludables se considerarían que tienen fiebre? ¿Sugiere este porcentaje que un punto de corte de 100.6°F es adecuado?

b) Los médicos desean seleccionar una temperatura mínima como requisito para solicitar más exámenes médicos. ¿Cuál debería ser esa temperatura, si deseamos que solo el 5.0% de las personas saludables la excedan? (Un resultado como este es un *falso positivo*, lo que significa que el resultado de la prueba es positivo, pero el sujeto en realidad no está enfermo).

30. Ancho de asientos de aeronaves Un equipo de ingenieros desea diseñar asientos para aviones comerciales, de tal manera que sean lo suficientemente amplios para que quepa el 99% de los hombres. (Para abarcar al 100% de los hombres se requerirían asientos muy amplios que, por lo mismo, serían demasiado costosos). Las anchuras de cadera de los hombres se distribuyen normalmente, con una media de 14.4 pulgadas y una desviación estándar de 1.0 pulgadas (según datos de una encuesta antropométrica de Gordon, Clauser, *et al.*). Calcule P_{99}, es decir, calcule la anchura de cadera de los hombres que separa al 99% de los individuos con caderas más angostas del 1% de individuos con caderas más anchas.

31. Duración de embarazos La duración de los embarazos se distribuye normalmente, con una media de 268 días y una desviación estándar de 15 días.

a) Un uso clásico de la distribución normal está inspirado por una carta dirigida a "Dear Abby", en la que una mujer afirmaba haber dado a luz 308 días después de una breve visita de su esposo, quien trabajaba en la marina. A partir de esta información, calcule la probabilidad de que un embarazo dure 308 días o más. ¿Qué sugiere el resultado?

b) Si estipulamos que un bebé es *prematuro* cuando la duración del embarazo se encuentra en el 4% inferior, calcule la duración que separa a los bebés prematuros de aquellos que no lo son. Los bebés prematuros suelen requerir cuidados especiales, de manera que este resultado será muy útil para que los gerentes de hospitales planeen esos cuidados.

32. Distancia entre asientos Un requisito común de diseño es que un artículo (como el asiento de una aeronave o de un teatro) debe ajustarse al rango de individuos que caen entre el quinto percentil para las mujeres y el percentil 95 para los hombres. Si se adopta este requisito, ¿cuál es la mínima distancia al estar sentado y cuál es la máxima distancia al estar sentado? Cuando hablamos de la distancia al estar sentado, hay que considerar la longitud desde el glúteo hasta la rodilla. Los hombres tienen longitudes del glúteo a la rodilla que se distribuyen normalmente, con una media de 23.5 pulgadas y una desviación estándar de 1.1 pulgadas. Las mujeres tienen longitudes del glúteo a la rodilla que se distribuyen normalmente, con una media de 22.7 pulgadas y una desviación estándar de 1.0 pulgadas.

Conjunto grande de datos. ***En los ejercicios 33 y 34, remítase a los conjuntos de datos del apéndice B y utilice una computadora o una calculadora.***

33. Conjunto de datos del apéndice B: Presión sanguínea sistólica Remítase al conjunto de datos 1 del apéndice B y utilice los niveles de presión sanguínea sistólica de los hombres.

a) Utilice los niveles de presión sanguínea sistólica de los hombres para calcular la media y la desviación estándar, y verifique que los datos tengan una distribución aproximadamente normal.

b) Suponiendo que los niveles de presión sanguínea sistólica de los hombres se distribuyen normalmente, calcule el quinto percentil y el percentil 95. [Considere los estadísticos del inciso *a*) como si fueran parámetros de la población]. Este tipo de percentiles resultan útiles cuando los médicos tratan de determinar si los niveles de presión sanguínea son demasiado bajos o demasiado altos.

34. Conjunto de datos del apéndice B: Duración de vuelos de transbordadores Remítase el conjunto de datos 10 del apéndice B y utilice la duración (en horas) de los vuelos de transbordadores de la NASA.

a) Calcule la media y la desviación estándar, y verifique si los datos tienen una distribución aproximadamente normal.

b) Considere los estadísticos del inciso *a*) como si fueran parámetros de la población y suponga que tienen una distribución normal para calcular los valores de los cuartiles Q_1, Q_2 y Q_3.

6-3 Más allá de lo básico

35. Unidades de medición Las estaturas de las mujeres se distribuyen normalmente.

a) Si las estaturas de mujeres individuales se expresan en centímetros, ¿cuáles serían las unidades utilizadas para las puntuaciones z correspondientes a las estaturas individuales?

b) Si las estaturas de todas las mujeres se convierten a puntuaciones z, ¿cuál es la media, la desviación estándar y la distribución de esas puntuaciones z?

36. Uso de la corrección por continuidad Existen muchas situaciones en las que una distribución normal puede utilizarse como una buena aproximación de una variable aleatoria que tiene solo valores discretos. En tales casos podemos emplear esta *corrección por continuidad:* represente cada número entero con el intervalo que se extiende desde 0.5 por debajo del número hasta 0.5 por arriba de él. Suponga que las puntuaciones de CI son números enteros con una distribución aproximadamente normal, con una media de 100 y una desviación estándar de 15.

a) Sin utilizar la corrección por continuidad, calcule la probabilidad de seleccionar al azar a alguien con una puntuación de CI mayor que 103.

b) Utilice la corrección por continuidad y calcule la probabilidad de seleccionar al azar a alguien con una puntuación de CI mayor que 103.

c) Compare los resultados de los incisos *a*) y *b*).

37. Estandarización de calificaciones de un examen Un profesor de estadística aplica un examen y descubre que las calificaciones se distribuyen normalmente, con una media de 25 y una desviación estándar de 5. El profesor planea estandarizar las calificaciones.

a) Si las estandariza sumando 50 a cada calificación, ¿cuál es la nueva media? ¿Cuál es la nueva desviación estándar?

b) ¿Será justo estandarizarlas sumando 50 a cada calificación? ¿Por qué?

c) Si las calificaciones se estandarizan según el siguiente esquema (en vez de sumar 50), calcule los límites numéricos de cada calificación.

A: 10% superior

B: Calificaciones por arriba del 70% inferior y por debajo del 10% superior

C: Calificaciones por arriba del 30% inferior y por debajo del 30% superior

D: Calificaciones por arriba del 10% inferior y por debajo del 70% superior

F: 10% inferior

d) ¿Cuál método de estandarización de las calificaciones es más justo: sumar 50 a cada calificación o emplear el esquema descrito en el inciso *c*)? Explique su respuesta.

38. Pruebas SAT y ACT Las calificaciones en la prueba SAT se distribuyen de manera normal, con una media de 1518 y una desviación estándar de 325. Las calificaciones en la prueba ACT se distribuyen de manera normal, con una media de 21.1 y una desviación estándar de 4.8. Suponga que las dos pruebas emplean escalas distintas para medir la misma habilidad.

a) Si un individuo obtiene una calificación en la prueba SAT que corresponde al percentil 67, calcule su calificación real en la prueba SAT y su calificación equivalente en la prueba ACT.

b) Si un individuo obtiene una calificación de 1900 en la prueba SAT, calcule su calificación equivalente en la prueba ACT.

39. Valores atípicos Con la finalidad de construir gráficas de caja modificadas, como se describió en la sección 3-4, los valores atípicos se definieron como los datos que están por arriba de Q_3 por una cantidad mayor que $1.5 \times$ RIC, o por debajo de Q_1 por una cantidad mayor que $1.5 \times$ RIC, donde RIC es el rango intercuartil. Utilice esta definición de los valores atípicos para calcular la probabilidad de que, cuando se seleccione al azar un valor de una distribución normal, resulte un valor atípico.

6-4 Distribuciones muestrales y estimadores

Concepto clave En esta sección presentamos el concepto de una *distribución muestral de un estadístico*. Asimismo, aprenderemos algunas propiedades importantes de las distribuciones muestrales de la media, la mediana, la varianza, la desviación estándar, el rango y la proporción. Veremos que algunos estadísticos (como la media, la varianza y la proporción) son estimadores no sesgados de parámetros poblacionales, mientras que otros estadísticos (como la mediana y el rango) no lo son.

En los siguientes capítulos del libro, se presentan métodos que permiten utilizar estadísticos de muestras para estimar valores de parámetros poblacionales. Estos procedimientos se basan en la comprensión del comportamiento de los estadísticos muestrales, y ese comportamiento es el objetivo de esta sección. Comenzaremos por definir la distribución muestral de un estadístico.

DEFINICIÓN

La **distribución muestral de un estadístico** (como una media muestral o una proporción muestral) es la distribución de todos los valores del estadístico cuando se obtienen todas las muestras posibles del mismo tamaño n de la misma población. (La distribución muestral de un estadístico generalmente se representa como la distribución de probabilidad en el formato de tabla, histograma de probabilidad o fórmula).

Distribución muestral de la media

La definición anterior es muy general, y ahora consideraremos la distribución muestral de la media.

DEFINICIÓN

La **distribución muestral de la media** es la distribución de medias muestrales, donde todas las muestras tienen el mismo tamaño n y se obtienen de la misma población. (La distribución muestral de la media generalmente se representa como una distribución de probabilidad en formato de tabla, histograma de probabilidad o fórmula).

EJEMPLO 1

Distribución muestral de la media Considere la repetición del siguiente proceso: lanzar un dado 5 veces y calcular la media $\bar{x}$ de los resultados (véase la tabla 6-2 de la siguiente página). ¿Qué sabemos acerca del comportamiento de todas las medias muestrales que se generan mientras este proceso continúa de manera indefinida?

SOLUCIÓN

La porción superior de la tabla 6-2 ilustra un proceso del lanzamiento de un dado 5 veces y el cálculo de la media de los resultados. La tabla 6-2 presenta los resultados de repetir este proceso 10,000 veces, aunque una distribución muestral verdadera de la media implica repetir el proceso de manera indefinida. Como los valores 1, 2, 3, 4, 5, 6 son igualmente probables, la población tiene una media de $\mu = 3.5$, y la tabla 6-2 indica que las 10,000 medias muestrales tienen una media de 3.49. Si el proceso continúa indefinidamente, la media de las medias muestrales será 3.5. Asimismo, la tabla 6-2 revela que la distribución de las medias muestrales se aproxima a una distribución normal.

INTERPRETACIÓN

Con base en los resultados muestrales reales que se presentan en la porción superior de la tabla 6-2, es posible describir la distribución muestral de la media por medio del histograma dibujado en la parte superior de la tabla 6-2. La distribución muestral real se describiría por medio de un histograma basado en todas las muestras posibles, y no solo en las 10,000 muestras incluidas en el histograma, aunque el número de ensayos es lo suficientemente grande para sugerir que la distribución muestral verdadera de medias es una distribución normal.

¿Prevalecen los niños o las niñas en las familias?

El autor de este libro, sus hermanos y sus sobrinos suman un total de 11 hombres y solo una mujer. ¿Será este ejemplo un indicativo de que, en una familia, prevalece un género particular? Este tema se estudió examinando una muestra aleatoria de 8770 hogares de Estados Unidos. Los resultados se reportaron en la revista *Chance*, en el artículo "Does Having Boys or Girls Run in the Family?", escrito por Joseph Rodgers y Debby Doughty. Parte de su análisis implica el uso de la distribución de probabilidad binomial. Ellos concluyeron que "no hay evidencias contundentes de que un sexo prevalezca más en las familias".

Los resultados del ejemplo 1 permiten observar las siguientes dos propiedades importantes de la distribución muestral de la media:

1. Las medias muestrales *coinciden* con el valor de la media de la población. (Es decir, la media de las medias muestrales es la media poblacional. El valor esperado de la media muestral es igual a la media poblacional).
2. La distribución de las medias muestrales tiende a ser una distribución normal. (Esto se analizará con mayor profundidad en la siguiente sección, pero conforme el tamaño de la muestra aumenta, la distribución tiende a acercarse a una distribución normal).

Distribución muestral de la varianza

Luego de analizar la distribución muestral de la media, ahora estudiaremos la distribución muestral de la varianza.

DEFINICIÓN

La **distribución muestral de la varianza** es la distribución de las varianzas muestrales, donde todas las muestras tienen el mismo tamaño n y se obtienen de la misma población. (La distribución muestral de la varianza generalmente se representa como una distribución de probabilidad en formato de tabla, histograma de probabilidad o fórmula).

Advertencia: Cuando trabaje con desviaciones estándar o varianzas poblacionales, asegúrese de evaluarlas de manera correcta. En la sección 3-3 vimos que los cálculos para las

Tabla 6-2 Resultados específicos de 10,000 ensayos

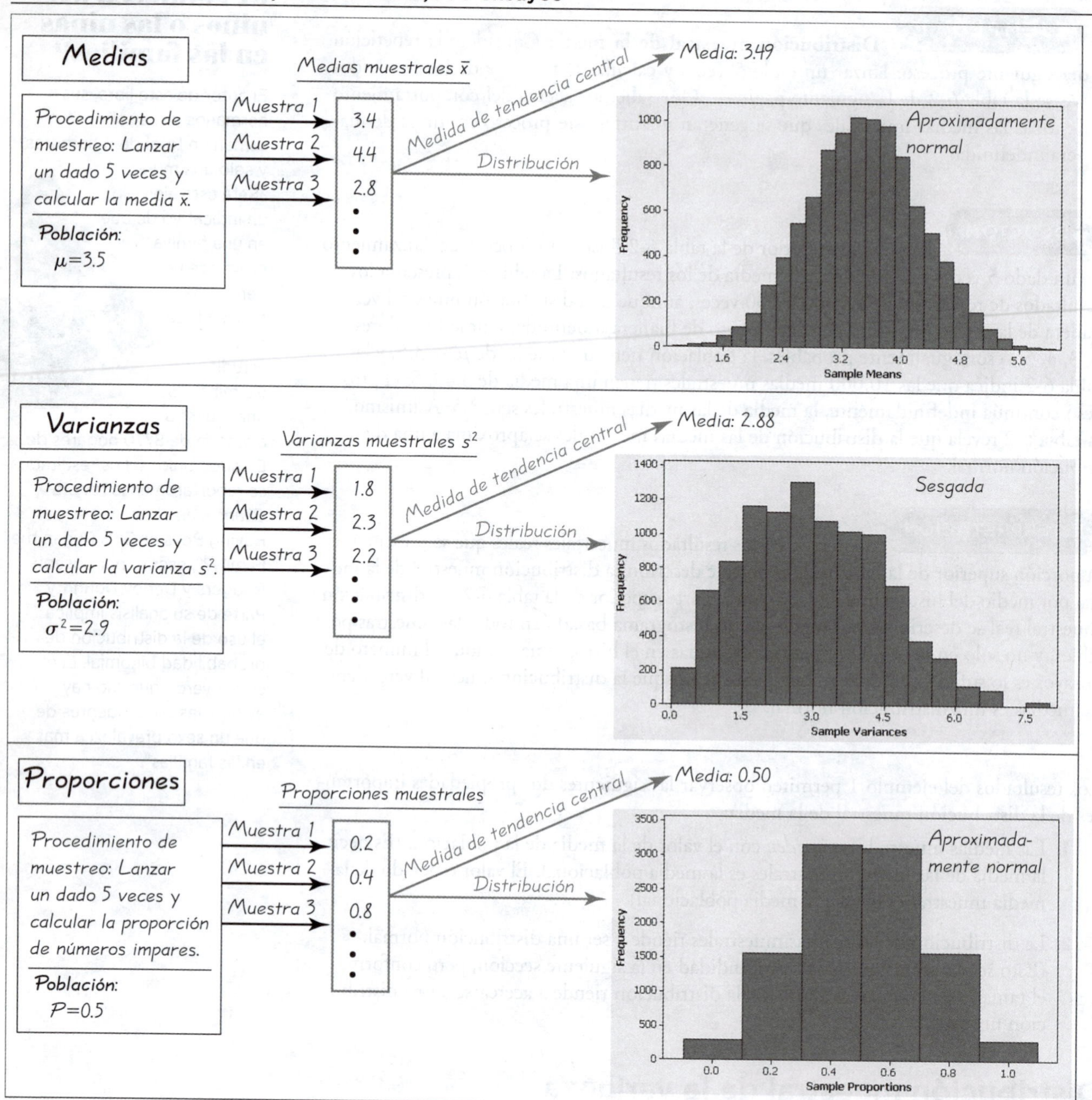

desviaciones estándar o varianzas poblacionales implican la división entre el tamaño de la población N (no el valor de $n - 1$), como se muestra a continuación.

$$\text{Desviación estándar poblacional: } \sigma = \sqrt{\frac{\Sigma(x-\mu)^2}{N}}$$

$$\text{Varianza poblacional: } \sigma^2 = \frac{\Sigma(x-\mu)^2}{N}$$

Como los cálculos suelen realizarse con un programa de cómputo o una calculadora, tenga cuidado de distinguir correctamente entre la desviación estándar de una muestra y la desviación estándar de una población. También asegúrese de distinguir entre la varianza de una muestra y la varianza de una población.

EJEMPLO 2

Distribución muestral de la varianza Considere repetir este proceso: lanzar un dado 5 veces y calcular la varianza s^2 de los resultados. ¿Qué sabemos sobre el comportamiento de todas las varianzas muestrales que se generan cuando este proceso continúa de manera indefinida?

SOLUCIÓN

La porción media de la tabla 6-2 ilustra el proceso de lanzar un dado 5 veces y calcular la varianza de los resultados. En la misma tabla se observan los resultados de repetir este proceso 10,000 veces, aunque la distribución muestral verdadera de la varianza implica la repetición del proceso de manera indefinida. Como los valores 1, 2, 3, 4, 5, 6 son igualmente probables, la población tiene una varianza de $\sigma^2 = 2.9$, y la tabla 6-2 revela que las 10,000 varianzas muestrales tienen una media de 2.88. Si el proceso se continuara de manera indefinida, la media de las varianzas muestrales sería 2.9. Asimismo, la porción intermedia de la tabla 6-2 indica que la distribución de las varianzas muestrales es una distribución sesgada.

INTERPRETACIÓN

Con base en los resultados muestrales reales que se observan en la porción intermedia de la tabla 6-2, podemos describir la distribución muestral de la varianza por medio del histograma que se presenta en la porción intermedia de dicha tabla. La distribución muestral real podría describirse por medio de un histograma basado en todas las muestras posibles, no en las 10,000 muestras incluidas en el histograma; pero el número de ensayos es lo suficientemente grande para sugerir que la distribución muestral verdadera de las varianzas es una distribución sesgada hacia la derecha.

Los resultados del ejemplo 2 permiten observar las siguientes dos propiedades importantes de la distribución muestral de la varianza:

1. Las varianzas muestrales coinciden con el valor de la varianza de la población. (Es decir, la media de las varianzas muestrales es la varianza poblacional. El valor esperado de la varianza muestral es igual a la varianza poblacional).
2. La distribución de las varianzas muestrales tiende a ser una distribución sesgada hacia la derecha.

Distribución muestral de proporciones

Ahora consideraremos la distribución muestral de una proporción.

DEFINICIÓN

La **distribución muestral de la proporción** es la distribución de proporciones muestrales, donde todas las muestras tienen el mismo tamaño de muestra n y provienen de la misma población.

Es necesario distinguir entre una proporción poblacional p y alguna proporción muestral, por lo que suele usarse la siguiente notación.

Notación para proporciones

p = proporción *poblacional*

$\hat{p}$ = proporción *muestral*

EJEMPLO 3 **Distribución muestral de la proporción** Considere repetir este proceso: lanzar un dado 5 veces y calcular la proporción de números *impares*. ¿Qué sabemos acerca del comportamiento de todas las proporciones muestrales que se generan cuando este proceso continúa de manera indefinida?

SOLUCIÓN En la parte inferior de la tabla 6-2 se ilustra el proceso de lanzar un dado 5 veces y calcular la proporción de números impares. También se presentan los resultados de repetir este proceso 10,000 veces, aunque la distribución muestral verdadera de la proporción implica repetir el proceso de manera indefinida. Como los valores 1, 2, 3, 4, 5, 6 son igualmente probables, la proporción de números impares en la población es 0.5, y en la tabla 6-2 se observa que las 10,000 proporciones muestrales tienen una media de 0.50. Si el proceso se continuara de manera indefinida, la media de las proporciones muestrales sería 0.5. Además, la parte inferior de la tabla 6-2 revela que la distribución de las proporciones muestrales se aproxima a una distribución normal.

INTERPRETACIÓN Con base en los resultados muestrales reales que se observan en la parte inferior de la tabla 6-2, es posible describir la distribución muestral de la proporción por medio del histograma ubicado en la parte inferior de la tabla. La distribución muestral real podría describirse por medio de un histograma basado en todas las muestras posibles, no las 10,000 muestras incluidas en el histograma; pero el número de ensayos es lo suficientemente grande para sugerir que la distribución muestral de proporciones verdadera es una distribución normal.

Los resultados del ejemplo 3 permiten observar las siguientes dos propiedades importantes de la distribución muestral de la proporción:

1. Las proporciones muestrales *coinciden* con el valor de la proporción de la población. (Es decir, la media de las proporciones muestrales es la proporción poblacional. El valor esperado de la proporción muestral es igual a la proporción poblacional).
2. La distribución de las proporciones muestrales tiende a ser una distribución normal.

Los tres ejemplos anteriores se basan en 10,000 ensayos, y los resultados se resumen en la tabla 6-2. La tabla 6-3 describe el comportamiento *general* de la distribución muestral de la media, la varianza y la proporción, suponiendo que se satisfacen ciertas condiciones. Por ejemplo, en la tabla 6-3 se observa que la distribución muestral de la media tiende a ser una distribución normal, pero en la siguiente sección se describen condiciones que deben satisfacerse antes de suponer que la distribución es normal.

Estimadores insesgados Los tres ejemplos anteriores indican que las medias, las varianzas y las proporciones muestrales tienden a *coincidir* con los parámetros poblacionales correspondientes. En términos más formales, decimos que las medias, las varianzas y las proporciones muestrales son *estimadores insesgados*; es decir, sus distribuciones muestrales tienen una media que es igual a la media del parámetro poblacional correspondiente. Si quisiéramos utilizar un estadístico muestral (como la proporción muestral de una encuesta) para estimar un parámetro poblacional (como la proporción de la población), es importante que el estadístico muestral utilizado como estimador *coincida* con el parámetro poblacional, en lugar de ser un estimador sesgado en el sentido de que subestime o sobrestime de manera sistemática el parámetro. Los tres ejemplos anteriores y la tabla 6-2 incluyen la media, la varianza y la proporción, pero a continuación se presenta un resumen que incluye otros estadísticos.

Tabla 6-3 Comportamiento general de las distribuciones muestrales

Medias

Procedimiento de muestreo: Seleccionar al azar n valores y calcular la media $\bar{x}$.

Población: La media es μ

Medias muestrales $\bar{x}$

Muestra 1 → $\bar{x}_1$
Muestra 2 → $\bar{x}_2$
Muestra 3 → $\bar{x}_3$
•
•
•

Medida de tendencia central → Media: μ

Distribución → Normal

Medias muestrales

Varianzas

Procedimiento de muestreo: Seleccionar al azar n valores y calcular la varianza s^2.

Población: La varianza es σ^2.

Varianzas muestrales s^2

Muestra 1 → s_1^2
Muestra 2 → s_2^2
Muestra 3 → s_3^2
•
•
•

Medida de tendencia central → Media: σ^2

Distribución → Sesgada

Varianzas muestrales

Proporciones

Procedimiento de muestreo: Seleccionar al azar n valores y calcular la proporción muestral.

Población: La proporción es p.

Proporciones muestrales

Muestra 1 → $\hat{p}_1$
Muestra 2 → $\hat{p}_2$
Muestra 3 → $\hat{p}_3$
•
•
•

Medida de tendencia central → Media: p

Distribución → Normal

Proporciones muestrales

Estimadores: Sesgados e insesgados

Estimadores insesgados

Los siguientes estadísticos son estimadores insesgados. Es decir, coinciden con el valor del parámetro poblacional:

- Media $\bar{x}$
- Varianza s^2
- Proporción $\hat{p}$

Estimadores sesgados

Los siguientes estadísticos son estimadores sesgados. Es decir, *no* coinciden con el parámetro poblacional:

- Mediana
- Rango
- Desviación estándar s. (*Nota importante:* Las desviaciones estándar muestrales no coinciden con la desviación estándar poblacional σ, pero el sesgo es relativamente

pequeño en muestras grandes, de manera que ***s* a menudo se utiliza para hacer estimaciones** aun cuando s sea un estimador sesgado de σ).

Los tres ejemplos anteriores implicaron 5 lanzamientos de un dado, de manera que el número de muestras diferentes posibles es $6 \times 6 \times 6 \times 6 \times 6 = 7776$. Como existen 7776 muestras diferentes posibles, no es práctico listarlas todas de forma manual. El siguiente ejemplo incluye un número pequeño de muestras diferentes posibles, de manera que es posible listarlas; luego, describiremos la distribución muestral del rango en forma de tabla para la distribución de probabilidad.

EJEMPLO 4

Distribución muestral del rango Se seleccionan tres hogares al azar para el proyecto piloto de una gran encuesta que se realizará en el futuro. Los números de integrantes de los hogares son 2, 3, y 10 (según el conjunto de datos 22 del apéndice B). Considere los valores 2, 3 y 10 como una población. Suponga que se eligen al azar y con reemplazo muestras de tamaño $n = 2$ de la población de 2, 3 y 10.

a) Elabore una lista de todas las muestras diferentes posibles, y calcule el rango de cada muestra.

b) Describa la distribución muestral de los rangos en una tabla que resuma la distribución de probabilidad.

c) Describa la distribución muestral de los rangos en un histograma de probabilidad.

d) Con base en los resultados, ¿los rangos muestrales coinciden con el rango de la población, que es $10 - 2 = 8$?

e) ¿Qué indican estos resultados sobre el rango muestral como estimador del rango poblacional?

SOLUCIÓN

a) En la tabla 6-4 se presentan las nueve muestras diferentes posibles de tamaño $n = 2$ seleccionadas con reemplazo, a partir de la población de 2, 3 y 10. En la misma tabla se observa el rango de cada una de las nueve muestras.

b) Las nueve muestras que aparecen en la tabla 6-4 son igualmente probables, y cada muestra tiene una probabilidad de 1/9. Las últimas dos columnas de la tabla 6-4 presentan los valores del rango junto con las probabilidades correspondientes, de manera que las últimas dos columnas componen una tabla que resume la distribución de probabilidad, la cual se puede condensar como en la tabla 6-5. Por lo tanto, esta última tabla describe la *distribución muestral* de los rangos muestrales.

c) En la figura 6-17 se incluye el histograma de probabilidad basado en la tabla 6-5.

d) La media de los nueve rangos muestrales es 3.6, pero el rango de la población es 8. En consecuencia, los rangos muestrales no coinciden con el rango de la población.

e) Como la media de los rangos muestrales (3.6) no es igual al rango poblacional (8), el rango muestral es un estimador sesgado del rango poblacional. También podemos observar que el rango es un estimador sesgado con tan solo examinar la tabla 6-5; como se ve, la mayor parte de las veces el rango muestral está muy por debajo del rango poblacional de 8.

Tabla 6-4 Distribución muestral del rango

Muestra	Rango muestral	Probabilidad
2, 2	0	1/9
2, 3	1	1/9
2, 10	8	1/9
3, 2	1	1/9
3, 3	0	1/9
3, 10	7	1/9
10, 2	8	1/9
10, 3	7	1/9
10, 10	0	1/9

Media de los rangos muestrales = 3.6 (redondeado)

Tabla 6-5 Distribución de probabilidad del rango

Rango muestral	Probabilidad
0	3/9
1	2/9
7	2/9
8	2/9

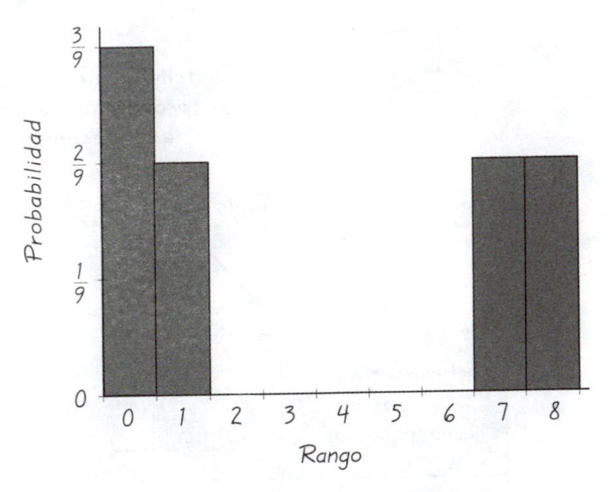

Figura 6-17 Histograma de probabilidad: Distribución muestral de los rangos muestrales

INTERPRETACIÓN En este ejemplo, concluimos que el rango muestral es un estimador sesgado del rango poblacional. Esto implica que, en general, el rango muestral no debería utilizarse para estimar el valor del rango de la población.

EJEMPLO 5 **Distribución muestral de la proporción** En un estudio sobre métodos de selección del género, un analista considera el proceso de generar dos nacimientos. Cuando se eligen 2 nacimientos al azar, el espacio muestral es hh, hm, mh, mm. Esos 4 resultados son igualmente probables, de modo que la probabilidad de 0 niñas es de 0.25, la probabilidad de una niña es de 0.50, y la probabilidad de 2 niñas es de 0.25. Describa la distribución muestral de la proporción de niñas en 2 nacimientos en una tabla de distribución de probabilidad y también en un histograma de probabilidad.

continúa

SOLUCIÓN Observe la siguiente imagen. La parte superior de la tabla resume la distribución de probabilidad para el número de niñas en 2 nacimientos. Como se muestra, la parte superior de la tabla puede utilizarse con la finalidad de construir la distribución de probabilidad para la *proporción* de niñas en 2 nacimientos. Asimismo, podría utilizarse para construir el histograma de probabilidad.

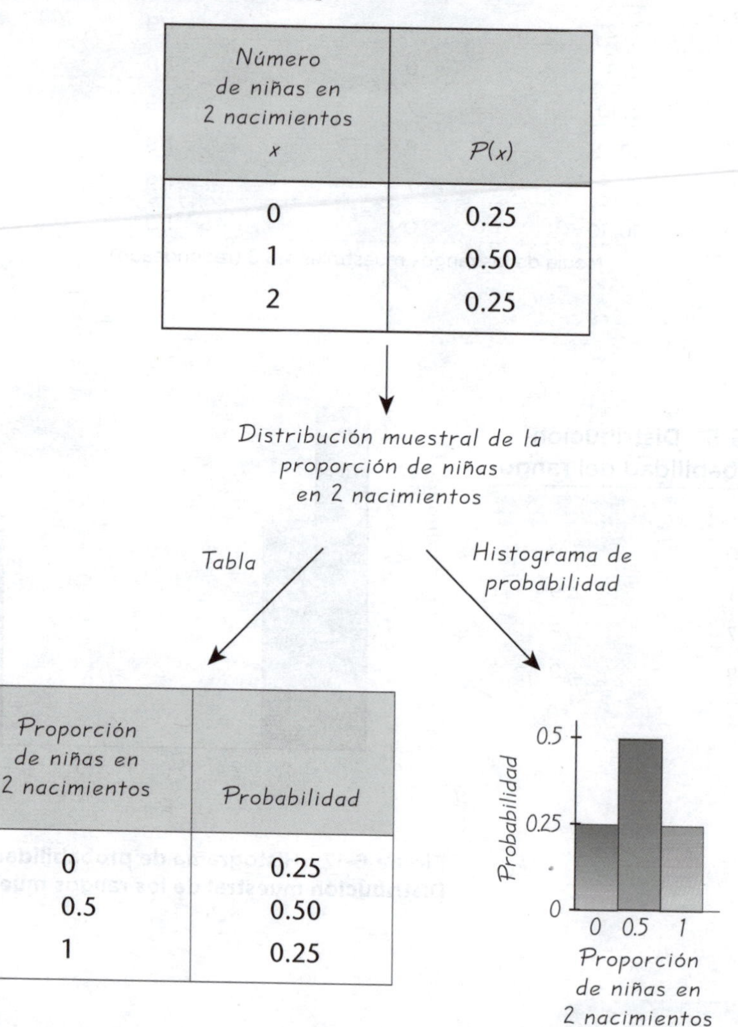

Número de niñas en 2 nacimientos x	$P(x)$
0	0.25
1	0.50
2	0.25

Proporción de niñas en 2 nacimientos	Probabilidad
0	0.25
0.5	0.50
1	0.25

El ejemplo 5 indica que una distribución muestral puede describirse con una tabla o una gráfica. Las distribuciones muestrales también se pueden describir por medio de una fórmula (como en el ejercicio 21), o de alguna otra forma, como la siguiente: "La distribución muestral de la media muestral es una distribución normal con $\mu = 100$ y $\sigma = 15$".

¿Por qué se hace el muestreo con reemplazo? Todos los ejemplos de esta sección incluyen un muestreo *con reemplazo*. El muestreo *sin reemplazo* tendría la ventaja práctica de evitar una duplicación inútil, siempre que se seleccione el mismo elemento más de una vez. Sin embargo, estamos particularmente interesados en el muestreo *con reemplazo* por las siguientes dos razones:

1. Cuando se selecciona una muestra relativamente pequeña de una población grande, no hay gran diferencia si realizamos el muestreo con reemplazo o sin él.
2. El muestreo con reemplazo da como resultado eventos independientes que no se ven afectados por resultados previos; además, los eventos independientes son más fáciles de analizar y derivan en fórmulas y cálculos más sencillos.

Por lo anterior, nos enfocamos en el comportamiento de muestras seleccionadas aleatoriamente *con reemplazo*. Muchos de los procedimientos estadísticos que se analizan en los siguientes capítulos se basan en el supuesto de que el muestreo se efectuó con reemplazo.

El aspecto más importante de esta sección es analizar el concepto de distribución muestral de un estadístico. Considere el objetivo de tratar de calcular la temperatura corporal media de todos los adultos. Puesto que la población es demasiado grande, no es práctico medir la temperatura de cada adulto. En vez de ello, obtenemos una muestra de temperaturas corporales y la utilizamos para estimar la media poblacional. El conjunto de datos 2 del apéndice B incluye una muestra de 106 temperaturas corporales, y la media de esta muestra es $\bar{x} = 98.20°F$. Las conclusiones que hacemos acerca de la temperatura media poblacional de todos los adultos requieren que comprendamos el comportamiento de la distribución muestral de todas las medias muestrales de este tipo. Aunque no es práctico obtener cada muestra posible y nos conformemos con una sola muestra, podemos extraer algunas conclusiones muy importantes y significativas acerca de la población de todas las temperaturas corporales. Uno de los objetivos principales de las secciones y los capítulos siguientes es aprender el uso eficaz de una muestra para obtener conclusiones acerca de una población. En la sección 6-5 tomaremos en cuenta más detalles acerca de la distribución muestral de medias muestrales, y en la sección 6-6 estudiaremos más detalles acerca de la distribución muestral de las proporciones de muestras.

ADVERTENCIA

Muchos métodos de la estadística requieren de una muestra aleatoria simple. Algunas muestras, como las de respuesta voluntaria y de conveniencia, podrían conducir fácilmente a resultados erróneos.

6-4 Destrezas y conceptos básicos

Conocimientos estadísticos y pensamiento crítico

1. Distribución muestral Con sus propias palabras, describa una distribución muestral.

2. Distribución muestral El conjunto de datos 24 del apéndice B incluye una muestra de puntuaciones de crédito FICO de consumidores elegidos al azar. Si se investiga esta muestra construyendo un histograma y calculando la media y la desviación estándar de la muestra, ¿se estará investigando la distribución muestral de la media? ¿Por qué?

3. Estimador insesgado ¿A qué nos referimos cuando decimos que la media muestral es un estimador insesgado o que las medias muestrales "coinciden" con la media poblacional?

4. Muestreo con reemplazo Dé al menos dos razones por las que los métodos estadísticos tienden a basarse en la suposición de que el muestreo se realiza *con* reemplazo, y no sin reemplazo.

5. ¿Una buena muestra? Usted desea estimar la proporción de todos los estudiantes universitarios estadounidenses que tienen la gran sabiduría de tomar un curso de estadística. Para ello, obtiene una muestra aleatoria simple de estudiantes de la Universidad de Nueva York. ¿La proporción muestral resultante es un buen estimador de la proporción de la población? ¿Por qué?

6. Estimadores insesgados ¿Cuáles de los siguientes estadísticos son estimadores insesgados de parámetros poblacionales?

a) La media muestral utilizada para estimar una media poblacional

b) La mediana muestral utilizada para estimar una mediana poblacional

c) La proporción muestral utilizada para estimar una proporción poblacional

d) La varianza muestral utilizada para estimar una varianza poblacional

e) La desviación estándar muestral utilizada para estimar una desviación estándar poblacional

f) El rango muestral utilizado para estimar un rango poblacional

7. Distribución muestral de la media Se seleccionan al azar muestras de tamaño $n = 1000$ de la población de los últimos dígitos de números telefónicos. Si se calcula la media muestral de cada muestra, ¿cuál es la distribución de las medias muestrales?

8. Distribución muestral de la proporción Se seleccionan al azar muestras de tamaño $n = 1000$ de la población de los últimos dígitos de números telefónicos, y se calcula la proporción de los números pares de cada muestra. ¿Cuál es la distribución de las proporciones muestrales?

En los ejercicios 9 a 12, remítase a la población y a la lista de muestras del ejemplo 4.

9. Distribución muestral de la mediana En el ejemplo 4 supusimos que se seleccionaron al azar y con reemplazo muestras de tamaño $n = 2$ de la población consistente en 2, 3 y 10, donde los valores corresponden al número de integrantes de hogares. En la tabla 6-4 se listan las nueve muestras diferentes posibles.

a) Calcule la mediana de cada una de las nueve muestras, luego resuma la distribución muestral de las medianas en una tabla que represente la distribución de probabilidad. (*Sugerencia:* Utilice un formato similar al de la tabla 6-5).

b) Compare la mediana poblacional con la media de las medianas muestrales.

c) ¿Las medianas muestrales coinciden con el valor de la mediana poblacional? En general, ¿las medianas muestrales son buenos estimadores de las medianas poblacionales? ¿Por qué?

10. Distribución muestral de la desviación estándar Repita el ejercicio 9 utilizando las desviaciones estándar en vez de las medianas.

11. Distribución muestral de la varianza Repita el ejercicio 9 utilizando las varianzas en vez de las medianas.

12. Distribución muestral de la media Repita el ejercicio 9 utilizando las medias en vez de las medianas.

13. Presidentes asesinados: Distribución muestral de la media Cuatro presidentes estadounidenses fueron asesinados mientras estaban en funciones. Sus edades (en años) en el momento de su asesinato son 56 (Lincoln), 49 (Garfield), 58 (McKinley) y 46 (Kennedy).

a) Suponiendo que se seleccionan al azar y con reemplazo 2 de las edades, describa las 16 muestras diferentes posibles.

b) Calcule la media de cada una de las 16 muestras, luego resuma la distribución muestral de las medias en una tabla que represente la distribución de probabilidad. (Utilice un formato similar al de la tabla 6-5 de la página 283).

c) Compare la media poblacional con la media de las medias muestrales.

d) ¿Las medias muestrales coinciden con el valor de la media poblacional? En general, ¿las medias muestrales son buenos estimadores de las medias poblacionales? ¿Por qué?

14. Distribución muestral de la mediana Repita el ejercicio 13 utilizando medianas en vez de medias.

15. Distribución muestral del rango Repita el ejercicio 13 utilizando rangos en vez de medias.

16. Distribución muestral de la varianza Repita el ejercicio 13 utilizando varianzas en vez de medias.

17. Distribución muestral de la proporción En el ejemplo 4 se seleccionaron al azar tres hogares que tienen 2, 3 y 10 integrantes. Como en el ejemplo 4, considere que los valores 2, 3 y 10 constituyen una población, y suponga que se eligen al azar y con reemplazo muestras de tamaño $n = 2$. Construya una tabla de distribución de probabilidad que describa la distribución muestral de la proporción de números impares cuando se seleccionan al azar muestras de tamaño $n = 2$. ¿La media de las proporciones muestrales es igual a la proporción de números impares en la población? ¿Las proporciones muestrales coinciden con el valor de la proporción poblacional? ¿La proporción muestral es un buen estimador de la proporción poblacional?

18. Nacimientos: Distribución muestral de una proporción Cuando se seleccionan al azar 3 nacimientos, el espacio muestral es hhh, hhm, hmh, hmm, mhh, mhm, mmh y mmm. Suponga que los 8 resultados son igualmente probables y describa la distribución muestral de la *proporción* de niñas en 3 nacimientos, utilizando una tabla de distribución de probabilidad. ¿La media de las proporciones muestrales es igual a la proporción de niñas en tres nacimientos? (*Sugerencia:* Véase el ejemplo 5).

19. Genética: Distribución muestral de una proporción Un experimento en genética incluye una población de moscas de la fruta consistente en un macho llamado Mike y 3 hembras llamadas Anna, Barbara y Chris. Suponga que se seleccionan dos moscas de la fruta al azar, *con reemplazo.*

a) Después de identificar las 16 diferentes muestras posibles, calcule la proporción de hembras en cada muestra; luego, use una tabla para describir la distribución muestral de las proporciones de hembras.

b) Calcule la media de la distribución muestral.

c) ¿La media de la distribución muestral [del inciso *b*)] es igual a la proporción poblacional de hembras? ¿Coincide *siempre* la media de la distribución muestral de proporciones con la proporción poblacional?

20. Control de calidad: Distribución muestral de una proporción Después de construir una máquina nueva, se producen 5 prototipos de circuitos integrados y se descubre que 2 son defectuosos (D) y 3 son aceptables (A). Suponga que, de esta población, se seleccionan dos circuitos al azar, *con reemplazo.*

a) Después de identificar las 25 distintas muestras posibles, calcule la proporción de defectos en cada una y luego use una tabla para describir la distribución muestral de proporciones de defectos.

b) Calcule la media de la distribución muestral.

c) ¿La media de la distribución muestral [del inciso *b*)] es igual a la proporción poblacional de defectos? ¿Coincide *siempre* la media de la distribución muestral de proporciones con la proporción poblacional?

6-4 Más allá de lo básico

21. Uso de una fórmula para describir una distribución muestral En el ejemplo 5 se incluyen una tabla y una gráfica que describen la distribución muestral de las proporciones de niñas en 2 nacimientos. Considere la fórmula que aparece a continuación y evalúela utilizando proporciones muestrales x de 0, 0.5 y 1. Con base en los resultados, ¿la fórmula describe la distribución muestral? ¿Por qué?

$$P(x) = \frac{1}{2(2 - 2x)!(2x)!} \quad \text{donde } x = 0, 0.5, 1$$

22. Desviación media absoluta ¿La desviación media absoluta de una muestra es un buen estadístico para estimar la desviación media absoluta de la población? ¿Por qué? (*Sugerencia:* Véase el ejemplo 4).

6-5 Teorema del límite central

Concepto clave En esta sección se presenta y se aplica el *teorema del límite central*, el cual plantea que, para una población con *cualquier* distribución, la distribución de las medias muestrales se aproxima a una distribución normal conforme aumenta el tamaño de la muestra. En otras palabras, si el tamaño de la muestra es lo suficientemente grande, la distribución de medias muestrales puede aproximarse por medio de una *distribución normal*, incluso si la población original no está distribuida normalmente. Además, si la población original tiene media μ y desviación estándar σ, entonces la media de las medias muestrales también será μ, pero la desviación estándar de las medias muestrales será $\sigma/\sqrt{n}$, donde n es el tamaño de la muestra.

En la sección 6-4 analizamos la distribución muestral de $\bar{x}$, y en esta sección se describen procedimientos para utilizarla en situaciones prácticas. Los procedimientos de esta sección constituyen la base para la estimación de parámetros poblacionales y la prueba de hipótesis, temas que se analizarán con profundidad en los siguientes capítulos. Cuando se selecciona una muestra aleatoria simple de n sujetos a partir de una población con media μ y desviación estándar σ, es esencial conocer los siguientes principios:

1. Para una población con cualquier distribución, si $n > 30$, entonces las medias muestrales tienen una distribución que se puede aproximar por medio de una distribución normal, con una media μ y una desviación estándar $\sigma/\sqrt{n}$.
2. Si $n \leq 30$ y la población original tiene una distribución normal, entonces las medias muestrales tienen una distribución normal con una media μ y una desviación estándar $\sigma/\sqrt{n}$.
3. Si $n \leq 30$, pero la población original no tiene una distribución normal, entonces no se aplican los métodos de esta sección.

He aquí los puntos clave que conforman una base importante para los siguientes capítulos.

El teorema del límite central y la distribución muestral de $\bar{x}$

Consideremos que:

1. La variable aleatoria x tiene una distribución (que puede ser normal o no) con media μ y desviación estándar σ.
2. Todas las muestras aleatorias del mismo tamaño n se seleccionan a partir de la población. (Las muestras se seleccionan de manera que todas las muestras posibles de tamaño n tengan la misma probabilidad de ser seleccionadas).

Conclusiones

1. Conforme aumenta el tamaño de la muestra, la distribución de las medias muestrales $\bar{x}$ se aproximará a una distribución *normal*.
2. La media de todas las medias muestrales es la media poblacional μ.
3. La desviación estándar de todas las medias muestrales es $\sigma/\sqrt{n}$.

Reglas prácticas de uso común

1. Si la población original *no está distribuida normalmente*, la siguiente es una directriz común: para muestras de tamaño $n > 30$, la distribución de las medias muestrales puede aproximarse razonablemente bien por medio de una distribución normal. (Existen excepciones, como las poblaciones con distribuciones muy diferentes a la normal, que requieren tamaños de muestra mucho más grandes que 30, aunque tales excepciones son relativamente escasas). La distribución de las medias muestrales se aproxima más a una distribución normal conforme aumenta el tamaño de muestra n.
2. Si la población original *se distribuye normalmente*, entonces las medias muestrales estarán distribuidas normalmente para *cualquier* tamaño de muestra n.

El teorema del límite central implica dos distribuciones diferentes: la distribución de la población original y la distribución de las medias muestrales. Al igual que en capítulos anteriores, utilizamos los símbolos μ y σ para denotar la media y la desviación estándar de la población original; pero ahora necesitamos nuevas notaciones para la media y la desviación estándar de la distribución de las medias muestrales.

Notación para la distribución muestral de $\bar{x}$

Si se seleccionan todas las muestras aleatorias posibles de tamaño n a partir de una población con media μ y desviación estándar σ, la media de las medias muestrales se denota con $\mu_{\bar{x}}$, de manera que

$$\mu_{\bar{x}} = \mu$$

Asimismo, la desviación estándar de las medias muestrales se denota con $\sigma_{\bar{x}}$, de manera que

$$\sigma_{\bar{x}} = \frac{\sigma}{\sqrt{n}}$$

$\sigma_{\bar{x}}$ suele denominarse el **error estándar de la media.**

EJEMPLO 1 **Distribuciones normal, uniforme y en forma de U** La tabla 6-6 ilustra el teorema del límite central. Las gráficas de puntos que se ubican en la parte superior de la tabla presentan una distribución aproximadamente normal, una distribución uniforme y una distribución con una forma similar a la letra *U*. En cada columna, la segunda gráfica de puntos presenta la distribución de medias muestrales donde $n = 10$, y las gráficas de puntos ubicadas en la parte inferior presentan la distribución de medias muestrales donde $n = 50$. Conforme observamos cada columna hacia abajo de la tabla 6-6, vemos que la distribución de medias muestrales se aproxima a la forma de una distribución normal. Esta es una de las características incluidas en las siguientes observaciones que se pueden hacer de la tabla 6-6.

- Conforme aumenta el tamaño de la muestra, la distribución de la media muestral tiende a aproximarse a una distribución normal.
- La media de las medias muestrales es igual a la media de la población original.
- Conforme aumenta el tamaño de la muestra, las gráficas de puntos se vuelven más angostas, lo que indica que la desviación estándar de la muestra disminuye.

El teorema del límite central difuso

En *The Cartoon Guide to Statistics*, los autores Gonick y Smith describen el teorema del límite central "difuso" de la siguiente manera: "Los datos que se ven influidos por efectos aleatorios muy pequeños y sin relación entre sí se distribuyen aproximadamente de manera normal. Esto explica por qué la normalidad está en todos lados: en las fluctuaciones del mercado bursátil, en los pesos de estudiantes, en los promedios anuales de temperatura y en las calificaciones del SAT. Todos son el resultado de muchos efectos diferentes". La estatura de las personas, por ejemplo, es el resultado de factores hereditarios, ambientales y nutricionales, además de otros como el cuidado de la salud, la región geográfica y ciertas influencias que, cuando se combinan, producen valores distribuidos de forma normal.

Tabla 6-6 Distribuciones muestrales

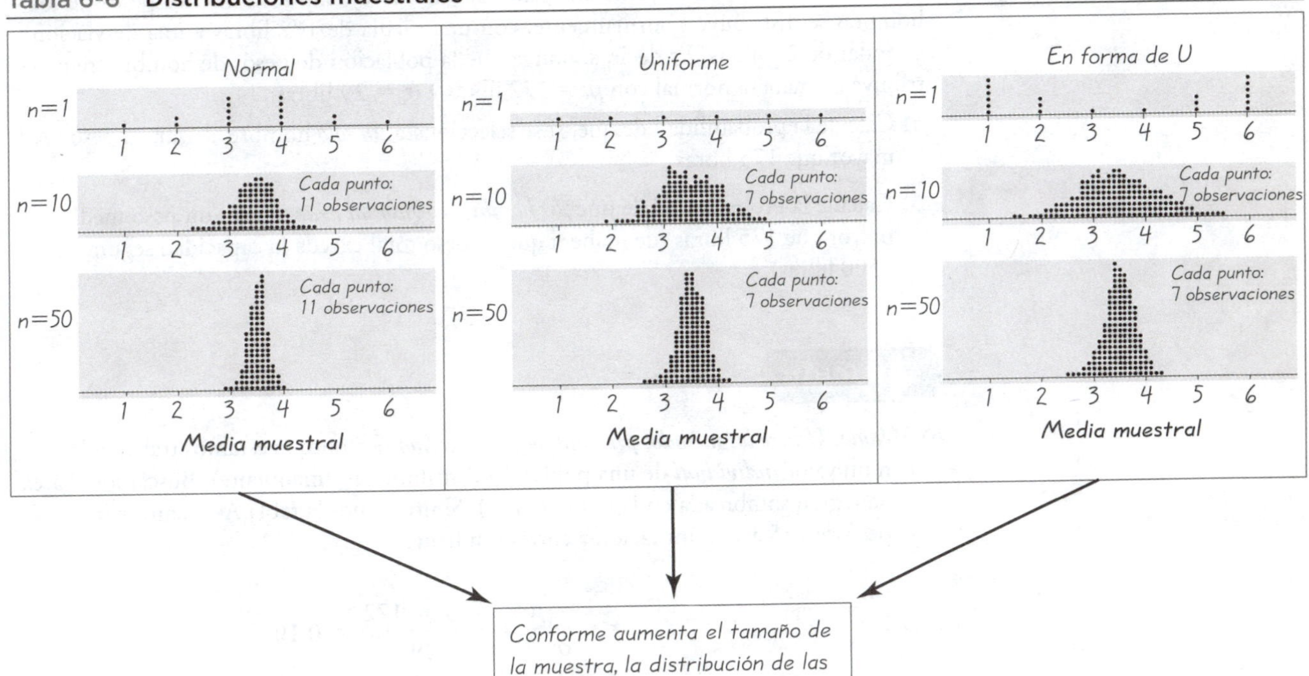

Aplicación del teorema del límite central

Muchos problemas prácticos importantes se resuelven mediante el teorema del límite central. Cuando trabaje con este tipo de problemas, recuerde que si el tamaño de la muestra es mayor que 30, o si la población original se distribuye normalmente, debe tratar la distribución de medias muestrales como si fuera una distribución normal con media μ y desviación estándar $\sigma/\sqrt{n}$.

En el ejemplo 2, el inciso *a)* incluye un valor individual, pero el inciso *b)* incluye la media de una muestra de 20 hombres, por lo que debemos usar el teorema del límite central al trabajar con la variable aleatoria $\bar{x}$. Estudie este ejemplo con atención para comprender la diferencia significativa entre los procedimientos utilizados en los incisos *a)* y *b)*.

- ***Valor individual:*** **Cuando trabaje con un valor *individual* de una población distribuida normalmente, utilice los métodos de la sección 6-3. Utilice** $z = \frac{x - \mu}{\sigma}$.
- ***Muestra de valores:*** **Cuando trabaje con una media de alguna *muestra* (o grupo), asegúrese de utilizar el valor de** $\sigma/\sqrt{n}$ **para la desviación estándar de las medias muestrales. Utilice** $z = \frac{\bar{x} - \mu}{\frac{\sigma}{\sqrt{n}}}$.

EJEMPLO 2

Seguridad de taxis acuáticos En el problema del capítulo señalamos que algunos pasajeros murieron cuando un taxi acuático se hundió en el Inner Harbor de Baltimore. Los hombres suelen ser más pesados que las mujeres y los niños; por lo tanto, supongamos que al cargar un taxi acuático, la situación extrema es aquella en la que todos los pasajeros son hombres. En concordancia con los datos de la National Health and Nutrition Examination Survey, suponga que los pesos de los hombres se distribuyen normalmente, con una media de 172 libras y una desviación estándar de 29 libras. Es decir, suponga que la población de pesos de hombres se distribuye de manera normal con $\mu = 172$ libras y $\sigma = 29$ libras.

a) Calcule la probabilidad de que, si se selecciona a *un solo* hombre al azar, su peso sea mayor que 175 libras.

b) Calcule la probabilidad de que *20 hombres elegidos al azar* tengan un peso medio mayor que 175 libras (de manera que su peso total exceda la capacidad segura de 3500 libras).

SOLUCIÓN

a) *Método: Utilice los métodos presentados en la sección 6-3* porque estamos trabajando con un valor *individual* de una población distribuida normalmente). Buscamos el área de la región sombreada en la figura 6-18*a*). Si utilizamos la tabla A-2, convertimos el peso de 175 a su puntuación z correspondiente:

$$z = \frac{x - \mu}{\sigma} = \frac{175 - 172}{29} = 0.10$$

Nos remitimos a la tabla A-2 y utilizamos $z = 0.10$ para encontrar que el área acumulada a la izquierda de 175 libras es 0.5398. Por lo tanto, la región sombreada es

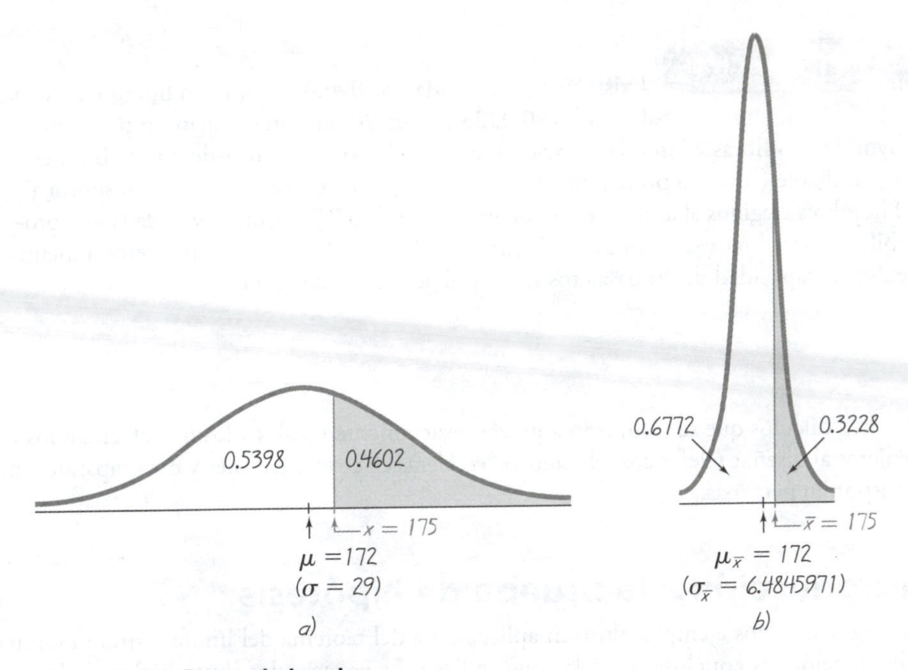

Figura 6-18 Pesos de hombres
a) Distribución de pesos individuales de hombres; *b*) Distribución de medias muestrales

$1 - 0.5398 = 0.4602$. La probabilidad de que un hombre elegido al azar pese más de 175 libras es de 0.4602. (Si se utiliza una calculadora o un programa de cómputo en vez de la tabla A-2, el resultado más exacto es 0.4588 en lugar de 0.4602).

b) *Método: Utilice el teorema del límite central* (porque estamos trabajando con la *media de una muestra* de 20 hombres y no con un solo hombre). Aun cuando el tamaño de la muestra no es mayor que 30, utilizamos una distribución normal porque la población original de hombres tiene una distribución normal, de manera que las muestras de *cualquier* tamaño producirán medias distribuidas normalmente. Como estamos trabajando con una distribución de medias muestrales, debemos utilizar los parámetros $\mu_{\bar{x}}$ y $\sigma_{\bar{x}}$, que se evalúan de la siguiente manera:

$$\mu_{\bar{x}} = \mu = 172$$

$$\sigma_{\bar{x}} = \frac{\sigma}{\sqrt{n}} = \frac{29}{\sqrt{20}} = 6.4845971$$

Queremos calcular el área sombreada que se presenta en la figura 6-18*b*). [Observe que la distribución de la figura 6-18*b*) es más estrecha porque la desviación estándar es menor]. Si utilizamos la tabla A-2, encontramos la puntuación z relevante, la cual se calcula de la siguiente manera:

$$z = \frac{\bar{x} - \mu_{\bar{x}}}{\sigma_{\bar{x}}} = \frac{175 - 172}{\frac{29}{\sqrt{20}}} = \frac{3}{6.4845971} = 0.46$$

Si nos remitimos a la tabla A-2, encontramos que $z = 0.46$ corresponde a un área izquierda acumulada de 0.6772, de manera que la región sombreada es $1 - 0.6772 = 0.3228$. La probabilidad de que 20 hombres tengan un peso medio mayor que 175 libras es de 0.3228. (Si se utiliza una calculadora o un programa de cómputo, el resultado es 0.3218 en vez de 0.3228).

continúa

INTERPRETACIÓN Existe una probabilidad de 0.4602 de que un hombre pese más de 175 libras, y una probabilidad de 0.3228 de que 20 hombres tengan un peso medio mayor de 175 libras. Como la capacidad segura del taxi acuático es de 3500 libras, es muy probable (con una probabilidad de 0.3228) que se sobrecargue si se transporta a 20 hombres elegidos al azar. Puesto que ya han muerto 21 personas, y dada la alta probabilidad de sobrecarga, lo más pertinente sería limitar el número de pasajeros a menos de 20. La capacidad de 20 pasajeros no es suficientemente segura.

Los cálculos que se realizaron aquí son exactamente iguales a los que efectúan los ingenieros al diseñar teleféricos, elevadores, escaleras eléctricas, aviones y otros aparatos que transportan personas.

Introducción a la prueba de hipótesis

Los siguientes dos ejemplos ilustran aplicaciones del teorema del límite central; examine con atención las conclusiones a las que se llega. Estos ejemplos ilustran el tipo de pensamiento que resulta fundamental para el importante procedimiento de la prueba de hipótesis (el cual se estudiará en el capítulo 8). Estos ejemplos utilizan la regla del evento inusual de la estadística inferencial, presentado inicialmente en la sección 4-1.

Regla del evento inusual

Si, de acuerdo con un supuesto determinado, la probabilidad de un evento particular observado es excepcionalmente pequeña (por ejemplo, menor que 0.05), concluimos que el supuesto probablemente es incorrecto.

EJEMPLO 3 **Llenado de latas de Coca-Cola** Las latas de Coca-Cola regular indican en sus etiquetas un contenido de 12 onzas. El conjunto de datos 17 del apéndice B incluye las cantidades medidas de una muestra de latas de Coca-Cola. Los estadísticos muestrales correspondientes son $n = 36$ y $\bar{x} = 12.19$ onzas. Si las latas de Coca-Cola se llenan de modo que $\mu = 12.00$ onzas (como asegura la etiqueta) y la desviación estándar poblacional es $\sigma = 0.11$ onzas (según los resultados muestrales), calcule la probabilidad de que una muestra de 36 latas tenga una media de 12.19 onzas o más. ¿Los resultados sugieren que las latas de Coca-Cola contienen una cantidad mayor que 12.00 onzas?

SOLUCIÓN No tenemos información sobre la distribución de la población pero, como el tamaño de la muestra $n = 36$ excede a 30, utilizamos el teorema del límite central y concluimos que la distribución de medias muestrales es aproximadamente normal, con estos parámetros:

$$\mu_{\bar{x}} = \mu = 12.00 \qquad \text{(por suposición)}$$

$$\sigma_{\bar{x}} = \frac{\sigma}{\sqrt{n}} = \frac{0.11}{\sqrt{36}} = 0.018333$$

La figura 6-19 destaca el área sombreada (observe la pequeña región en la cola derecha de la gráfica), correspondiente a la probabilidad que buscamos. Una vez encontrados los parámetros que se aplican a la distribución de la figura 6-19, podemos encontrar el área sombreada utilizando los mismos procedimientos desarrollados en la sección 6-3.

Si utilizamos la tabla A-2, primero calculamos la puntuación z:

$$z = \frac{\bar{x} - \mu_{\bar{x}}}{\sigma_{\bar{x}}} = \frac{12.19 - 12.00}{0.018333} = 10.36$$

Si nos remitimos a la tabla A-2, encontramos que $z = 10.36$ no aparece. Sin embargo, con los valores de z que están por arriba de 3.49, utilizamos 0.9999 para el área izquierda acumulada. Por lo tanto, concluimos que la región sombreada de la figura 6-19 es 0.0001. (Si se utiliza una calculadora TI-83/84 Plus o un programa de cómputo, el área de la región sombreada es mucho más pequeña, de manera que podemos considerar con certeza que la probabilidad es muy baja, menor que 0.001).

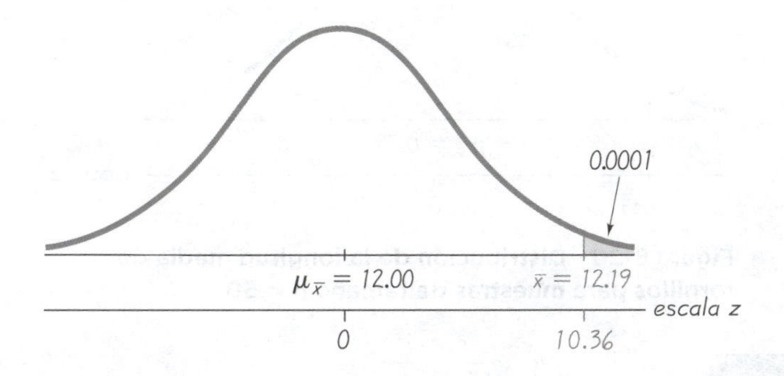

Figura 6-19
Distribución de las cantidades de Coca-Cola (en onzas)

INTERPRETACIÓN Los resultados demuestran que si la media de la cantidad de Coca-Cola en las latas es en realidad de 12.00 onzas, entonces existe una probabilidad sumamente baja de obtener una media de muestra de 12.19 onzas o mayor cuando se seleccionan al azar 36 latas. Como obtuvimos una media muestral como esta, existen dos posibles explicaciones: o la media de la población es realmente de 12.00 onzas y su muestra representa un evento aleatorio extremadamente inusual, o en realidad la media poblacional es mayor que 12.00 onzas y su muestra es típica. Como la probabilidad es tan baja, parece más razonable concluir que la media poblacional es mayor que 12.00 onzas. Parece que las latas de Coca-Cola contienen más de 12.00 onzas. Sin embargo, la media muestral de 12.19 onzas sugiere que la cantidad media de bebida sobrante es muy pequeña. Al parecer, la compañía Coca-Cola ha encontrado una forma de asegurarse de que muy pocas latas contengan menos de 12 onzas, y también de no desperdiciar su producto.

EJEMPLO 4 **¿Cuánto mide un tornillo de 3/4 de pulgada?** No es del todo irracional pensar que los tornillos etiquetados con una longitud de 3/4 de pulgada tengan una longitud media cercana a 3/4 de pulgada. El conjunto de datos 19 del apéndice B incluye las longitudes de una muestra de 50 tornillos de este tipo, con una longitud media de 0.7468 pulgadas. Suponga que la población de este tipo de tornillos tiene una desviación estándar de $\sigma = 0.0123$ pulgadas (según el conjunto de datos 19).

a) Suponiendo que los tornillos tienen una longitud media de 0.75 pulgadas (o 3/4 de pulgada), como se indica en la etiqueta, calcule la probabilidad de que una muestra de 50 tornillos tenga una longitud media de 0.7468 pulgadas o menos. (Véase la figura 6-20).

continúa

b) La probabilidad de obtener una media muestral que sea "al menos tan extrema como la media muestral dada" es el doble de la probabilidad calculada en el inciso *a*). Calcule esta probabilidad. (Observe que la media muestral de 0.7468 pulgadas difiere de la media de 0.75 pulgadas indicada en la etiqueta por 0.0032 pulgadas, de manera que cualquier otra media es al menos tan extrema como la media muestral si es menor que 0.75 pulgadas por 0.0032 pulgadas o más, o si es mayor que 0.75 pulgadas por 0.0032 pulgadas o más).

c) Con base en el resultado del inciso *b*), ¿parece que la media muestral difiere de la media indicada en la etiqueta de 0.75 pulgadas en una cantidad significativa? Explique.

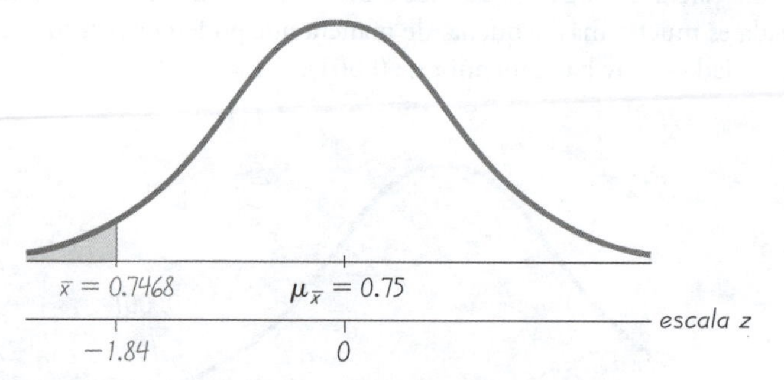

Figura 6-20 Distribución de la longitud media de tornillos para muestras de tamaño $n = 50$

SOLUCIÓN

a) No tenemos información sobre la distribución de la población, pero como el tamaño de la muestra $n = 50$ excede a 30, utilizamos el teorema del límite central y concluimos que la distribución de medias muestrales es normal, con los siguientes parámetros:

$$\mu_{\bar{x}} = \mu = 0.75 \qquad \text{(por suposición)}$$

$$\sigma_{\bar{x}} = \frac{\sigma}{\sqrt{n}} = \frac{0.0123}{\sqrt{50}} = 0.001739$$

La figura 6-20 destaca el área sombreada correspondiente a la probabilidad de que 50 tornillos tengan una media de 0.7468 pulgadas o menos. Podemos encontrar el área sombreada utilizando los mismos procedimientos presentados en la sección 6-3. Si utilizamos la tabla A-2, primero calculamos la puntuación *z*:

$$z = \frac{\bar{x} - \mu_{\bar{x}}}{\sigma_{\bar{x}}} = \frac{0.7468 - 0.75}{0.001739} = -1.84$$

Si nos remitimos a la tabla A-2, encontramos que $z = -1.84$ corresponde a un área acumulada a la izquierda de 0.0329. La probabilidad de obtener una media muestral de 0.7468 pulgadas o menos es de 0.0329.

b) La probabilidad de obtener una media muestral que sea "al menos tan extrema como la media muestral dada" es el doble de la probabilidad calculada en el inciso *a*), de modo que la probabilidad es $2 \times 0.0329 = 0.0658$.

c) El resultado del inciso *b*) indica que existe una probabilidad de 0.0658 de obtener una media muestral que sea al menos tan extrema como la media muestral dada. Si utilizamos un punto de corte de probabilidad de 0.05 para distinguir entre eventos comunes e inusuales, vemos que la probabilidad de 0.0658 excede a 0.05, de manera que la media muestral no es inusual. En consecuencia, concluimos que la media muestral dada no difiere de la media indicada en la etiqueta de 0.75 pulgadas por una cantidad importante. Parece que la longitud indicada en la etiqueta de 3/4 de pulgada o 0.75 pulgadas está justificada.

El razonamiento que se usa en los ejemplos 3 y 4 es el que se utiliza en las *pruebas de hipótesis*, las cuales se estudiarán en el capítulo 8. Por ahora, debemos enfocarnos en el uso del teorema del límite central para calcular las probabilidades indicadas, pero debemos señalar que este teorema se usará más adelante para explicar algunos conceptos muy importantes en estadística.

Corrección para una población finita

Al aplicar el teorema del límite central, el uso de $\sigma_{\bar{x}} = \sigma/\sqrt{n}$ supone que la población tiene un número infinito de miembros. Cuando realizamos un muestreo con reemplazo (es decir, cada elemento seleccionado se reincorpora a la muestra antes de hacer la siguiente selección), la población es, en efecto, infinita. Aunque muchas aplicaciones realistas implican un muestreo sin reemplazo, estas muestras sucesivas dependen de resultados previos. En la fabricación, los inspectores de control de calidad suelen muestrear elementos de un lote finito de producción, sin reemplazarlos. Para una población finita como esta, tal vez necesitemos ajustar $\sigma_{\bar{x}}$. La siguiente es una regla práctica:

Cuando realice un muestreo sin reemplazo y el tamaño de muestra n sea mayor que el 5% de la población finita de tamaño N (es decir, $n > 0.05N$), ajuste la desviación estándar de medias muestrales $\sigma_{\bar{x}}$ multiplicándola por el *factor de corrección de población finita*:

$$\sqrt{\frac{N-n}{N-1}}$$

Con excepción de los ejercicios 22 y 23, los ejemplos y los ejercicios de esta sección suponen que el factor de corrección de población finita *no* se aplica, ya sea porque estamos tomando una muestra con reemplazo, porque la población es infinita, o bien, porque el tamaño de la muestra no excede el 5% del tamaño de la población.

El teorema del límite central nos permite usar los métodos básicos de la distribución normal en una amplia variedad de circunstancias. En el capítulo 7 aplicaremos el teorema cuando utilicemos datos muestrales para estimar medias de poblaciones; en el capítulo 8 lo aplicaremos cuando usemos datos muestrales para someter a prueba afirmaciones acerca de medias poblacionales. La tabla 6-7 presenta un resumen de las condiciones en que es posible utilizar la distribución normal y en las que no podemos hacerlo.

Tabla 6-7 Distribuciones de medias muestrales

Población (con media μ y desviación estándar σ)	Distribución de medias muestrales	Media de las medias muestrales	Desviación estándar de las medias muestrales
Normal	Normal (para *cualquier* tamaño de muestra n)	$\mu_{\bar{x}} = \mu$	$\sigma_{\bar{x}} = \frac{\sigma}{\sqrt{n}}$
No es normal con $n > 30$	Normal (aproximadamente)	$\mu_{\bar{x}} = \mu$	$\sigma_{\bar{x}} = \frac{\sigma}{\sqrt{n}}$
No es normal con $n \leq 30$	*No* es normal	$\mu_{\bar{x}} = \mu$	$\sigma_{\bar{x}} = \frac{\sigma}{\sqrt{n}}$

6-5 Destrezas y conceptos básicos

Conocimientos estadísticos y pensamiento crítico

1. Error estándar de la media ¿Qué es el error estándar de la media?

2. Muestra pequeña Si se seleccionan muestras de tamaño $n = 2$ de una población con media y desviación estándar conocidas, ¿qué requisitos se deben cumplir para suponer que la distribución de las medias muestrales es normal?

3. Notación ¿Qué representa la notación $\mu_{\bar{x}}$? ¿Qué representa la notación $\sigma_{\bar{x}}$?

4. Distribución del ingreso Suponga que obtenemos una muestra aleatoria simple grande ($n > 30$) de los ingresos anuales de adultos en Estados Unidos. Como la muestra es grande, ¿podríamos aproximar la distribución de esos ingresos por medio de una distribución normal? ¿Por qué?

Uso del teorema del límite central. ***En los ejercicios 5 a 8, suponga que las calificaciones de la prueba SAT se distribuyen de manera normal, con media $\mu = 1518$ y desviación estándar $\sigma = 325$ (según datos del College Board).***

5. a) Si se selecciona una calificación de la prueba SAT al azar, calcule la probabilidad de que sea menor que 1500.

b) Si se seleccionan 100 calificaciones de la prueba SAT al azar, calcule la probabilidad de que tengan una media menor que 1500.

6. a) Si se selecciona una calificación de la prueba SAT al azar, calcule la probabilidad de que sea mayor que 1600.

b) Si se seleccionan 64 calificaciones de la prueba SAT al azar, calcule la probabilidad de que tengan una media mayor que 1600.

7. a) Si se selecciona 1 calificación de la prueba SAT al azar, calcule la probabilidad de que se ubique entre 1550 y 1575.

b) Si se seleccionan 25 calificaciones de la prueba SAT al azar, calcule la probabilidad de que tengan una media entre 1550 y 1575.

c) ¿Por qué se puede usar el teorema del límite central en el inciso *b*), aunque el tamaño de la muestra no sea mayor que 30?

8. a) Si se selecciona 1 calificación de la prueba SAT al azar, calcule la probabilidad de que se ubique entre 1440 y 1480.

b) Si se seleccionan 16 calificaciones de la prueba SAT al azar, calcule la probabilidad de que tengan una media entre 1440 y 1480.

c) ¿Por qué se puede usar el teorema del límite central en el inciso *b*), aunque el tamaño de la muestra no sea mayor que 30?

9. Seguridad de taxi acuático Con base en datos de la National Health and Nutrition Examination Survey, suponga que los pesos de los hombres se distribuyen de manera normal, con una media de 172 libras y una desviación estándar de 29 libras.

a) Calcule la probabilidad de que, si se selecciona al azar a *un solo* hombre, su peso sea mayor que 180 libras.

b) Calcule la probabilidad de que *20 hombres seleccionados al azar* tengan un peso medio mayor que 180 libras.

c) Si 20 hombres tienen un peso medio mayor que 180 libras, el peso total excede las 3500 libras de capacidad segura para un taxi acuático en particular. Según estos resultados, ¿es necesario preocuparse por la seguridad? ¿Por qué?

10. Mensa Para ser miembro del grupo Mensa, se requiere obtener una puntuación de CI superior a 131.5. Nueve candidatos responden pruebas de CI, y el resumen de sus resultados indica que la media de su puntuación de CI es 133. (Las puntuaciones de CI se distribuyen normalmente con una media de 100 y una desviación estándar de 15).

a) Si se selecciona una persona al azar de la población general, calcule la probabilidad de elegir a alguien con una puntuación de CI de al menos 133.

b) Si se seleccionan 9 personas al azar, calcule la probabilidad de que su puntuación media de CI sea de al menos 133.

c) Aunque se cuenta con el resumen de los resultados, se perdieron las puntuaciones individuales de las pruebas de CI. ¿Se podría concluir que los 9 candidatos tienen puntuaciones de CI mayores que 131.5, por lo que todos podrían convertirse en miembros de Mensa?

11. Seguridad de góndola Una góndola en Vail, Colorado, transporta esquiadores a la cima de una montaña, y tiene una placa donde se indica que la capacidad máxima es de 12 personas o 2004 libras. La capacidad se excederá si 12 personas tienen pesos con una media mayor que $2004/12 = 167$ libras. Como los hombres suelen pesar más que las mujeres, el "peor de los escenarios" incluye a 12 pasajeros, todos ellos hombres. Los pesos de los hombres se distribuyen de manera normal con una media de 172 libras y una desviación estándar de 29 libras (según datos de la National Health Survey).

a) Calcule la probabilidad de que, si se elige un solo hombre al azar, su peso sea mayor que 167 libras.

b) Calcule la probabilidad de que 12 hombres seleccionados al azar tengan una media mayor que 167 libras (de manera que su peso total rebase la capacidad máxima de la góndola de 2400 libras).

c) ¿Parece que la góndola tiene el límite de peso correcto? ¿Por qué?

12. Efectos de la dieta en la duración del embarazo La duración del embarazo se distribuye de manera normal, con una media de 268 días y una desviación estándar de 15 días.

a) Si se selecciona al azar a 1 mujer embarazada, calcule la probabilidad de que su embarazo dure menos de 260 días.

b) Si a 25 mujeres elegidas al azar se les somete a una dieta especial justo antes de quedar embarazadas, calcule la probabilidad de que la duración de sus embarazos tenga una media menor que 260 días (suponiendo que la dieta no tenga efecto alguno).

c) Si las 25 mujeres tienen una media menor que 260 días, ¿parecería que la dieta tiene un efecto sobre la duración del embarazo? ¿Los supervisores médicos deberían preocuparse?

13. Presión sanguínea La presión sanguínea sistólica (en mm de Hg) de mujeres entre 18 y 24 años se distribuye normalmente, con una media de 114.8 y una desviación estándar de 13.1 (según datos de la National Health Survey). La hipertensión suele definirse como una presión sistólica mayor que 140.

a) Si se selecciona al azar a una mujer de entre 18 y 24 años, calcule la probabilidad de que su presión sistólica sea mayor que 140.

b) Si se seleccionan al azar 4 mujeres del mismo rango de edad, calcule la probabilidad de que su presión sistólica media sea mayor que 140.

c) Considerando que el inciso *b*) incluye un tamaño de muestra no mayor que 30, ¿por qué se puede utilizar el teorema del límite central?

d) Si un médico recibe un reporte que afirma que 4 mujeres tienen una presión sistólica media menor que 140, ¿puede concluir que ninguna de las mujeres es hipertensa (con una presión sanguínea mayor que 140)?

14. Diseño de cascos para motociclista Los ingenieros deben tomar en cuenta la anchura de las cabezas de los hombres cuando diseñan cascos para motociclista. Las anchuras de las cabezas de los hombres se distribuyen normalmente, con una media de 6.0 pulgadas y una desviación estándar de 1.0 pulgadas (según datos de una encuesta antropométrica de Gordon, Churchill, *et al.*).

a) Si se selecciona a un hombre al azar, calcule la probabilidad de que el ancho de su cabeza sea menor que 6.2 pulgadas.

b) La compañía Safeguard Helmet planea un lote de producción inicial de 100 cascos. Calcule la probabilidad de que 100 hombres, seleccionados al azar, tengan una anchura media de cabeza menor que 6.2 pulgadas.

c) El gerente de producción observa los resultados del inciso *b*) y piensa que todos los cascos deberían fabricarse para hombres con anchuras de cabeza menores de 6.2 pulgadas, porque se ajustarían a casi todos los hombres. ¿Por qué es incorrecto este razonamiento?

15. Altura de entrada El avión Boeing 757-200 ER transporta 200 pasajeros y tiene entradas con una altura de 72 pulgadas. La estatura de los hombres se distribuye normalmente, con una media de 69.0 pulgadas y una desviación estándar de 2.8 pulgadas.

a) Si se selecciona al azar a un pasajero masculino, calcule la probabilidad de que pase por la entrada sin tener que agacharse.

b) Si la mitad de los 200 pasajeros son hombres, calcule la probabilidad de que la estatura media de los 100 hombres sea menor que 72 pulgadas.

c) Al considerar la comodidad y la seguridad de los pasajeros, ¿cuál de los siguientes resultados es más relevante: la probabilidad del inciso *a*) o la probabilidad del inciso *b*)? ¿Por qué?

d) Al considerar la comodidad y la seguridad de los pasajeros, ¿por qué se ignora a las mujeres en este caso?

16. Etiquetas de paquetes de M&M Los dulces M&M sencillos tienen un peso medio de 0.8565 g y una desviación estándar de 0.0518 g (según el conjunto de datos 18 del apéndice B). Los dulces M&M utilizados en el conjunto de datos 18 provienen de un paquete que contenía 465 dulces, y la etiqueta del paquete indicaba que su peso neto era de 396.9 g. (Si cada paquete contiene 465 dulces, el peso medio de los dulces debe exceder 396.9/465 = 0.8535 g para que el peso del contenido neto sea de al menos 396.9 g).

continúa

a) Si se selecciona al azar 1 dulce M&M sencillo, calcule la probabilidad de que pese más de 0.8535 g.

b) Si se seleccionan al azar 465 dulces M&M sencillos, calcule la probabilidad de que su peso medio sea de al menos 0.8535 g.

c) Con estos resultados, ¿la compañía Mars está ofreciendo a los consumidores de M&M la cantidad indicada en la etiqueta?

17. Rediseño de asientos de expulsión Cuando se permitió que las mujeres se convirtieran en pilotos de aviones de combate, los ingenieros necesitaron rediseñar los asientos expulsores porque estos se habían fabricado solo para hombres. Los asientos ACES-II estaban diseñados para hombres que pesaran entre 140 y 211 lb. Los pesos de las mujeres se distribuyen normalmente, con una media de 143 lb y una desviación estándar de 29 lb (según datos de la National Health Survey).

a) Si se selecciona a 1 mujer al azar, calcule la probabilidad de que pese entre 140 y 211 lb.

b) Si se seleccionan 36 mujeres diferentes al azar, calcule la probabilidad de que su peso medio se ubique entre 140 y 211 lb.

c) Al rediseñar los asientos expulsores de aviones de combate para que se ajusten mejor a las mujeres, ¿qué probabilidad es más importante: el resultado del inciso *a*) o el del inciso *b*)? ¿Por qué?

18. Máquinas expendedoras En la actualidad, las monedas de 25 centavos de dólar tienen pesos que se distribuyen normalmente con una media de 5.670 g y una desviación estándar de 0.062 g. Una máquina expendedora se configura para aceptar únicamente las monedas de 25 centavos que pesen entre 5.550 y 5.790 g.

a) Si se insertan 280 monedas diferentes de 25 centavos en la máquina expendedora, ¿cuál es el número esperado de monedas rechazadas?

b) Si se insertan 280 monedas diferentes de 25 centavos en la máquina expendedora, ¿cuál es la probabilidad de que la media se ubique entre los límites de 5.550 y 5.790 g?

c) Si usted es el dueño de la máquina expendedora, ¿qué resultado le interesa más: el del inciso *a*) o el del inciso *b*)? ¿Por qué?

19. Llenado de latas de Pepsi Las latas de Pepsi regular indican en su etiqueta un contenido de 12 onzas. El conjunto de datos 17 del apéndice B incluye cantidades medidas de una muestra de latas de Pepsi. Los estadísticos de la muestra son $n = 36$ y $\bar{x} = 12.29$ onzas. Si las latas de Pepsi se llenan de modo que $\mu = 12.00$ onzas (como se indica en la etiqueta) y la desviación estándar de la población es $\sigma = 0.09$ onzas (según los resultados de la muestra), calcule la probabilidad de que una muestra de 36 latas tenga una media de 12.29 onzas o más. ¿Los resultados sugieren que las latas de Pepsi contienen una cantidad mayor que 12.00 onzas?

20. Temperaturas corporales Suponga que la población de temperaturas corporales de los seres humanos tiene una media de 98.6°F, como suele creerse. También suponga que la desviación estándar de la población es de 0.62°F (según datos de investigadores de la Universidad de Maryland). Si se selecciona al azar una muestra de tamaño $n = 106$, calcule la probabilidad de obtener una temperatura media de 98.2°F o menor. (En realidad se obtuvo el valor de 98.2°F; consulte las temperaturas de la medianoche para el día 2 en el conjunto de datos 2 del apéndice B). ¿Esa probabilidad sugiere que la temperatura media corporal no es de 98.6°F?

6-5 Más allá de lo básico

21. Altura de entrada El avión Boeing 757-200 ER transporta 200 pasajeros y tiene entradas con una altura de 72 pulgadas. Las estaturas de los hombres se distribuyen normalmente, con una media de 69.0 pulgadas y una desviación estándar de 2.8 pulgadas.

a) ¿Qué altura de entrada permitirá que el 95% de los hombres ingresen al avión sin necesidad de agacharse?

b) Suponga que la mitad de los 200 pasajeros son hombres. ¿Qué altura de la entrada satisface la condición de que haya una probabilidad de 0.95 de que esta altura sea mayor que la estatura media de 100 hombres?

c) Al diseñar un avión Boeing 757-200 ER, ¿cuál de los siguientes resultados es más relevante: la altura del inciso *a*) o la del inciso *b*)? ¿Por qué?

22. Corrección para una población finita En un estudio del síndrome de Reye, 160 niños tenían una edad promedio de 8.5 años, una desviación estándar de 3.96 años, y las edades tenían una distribución aproximadamente normal (según datos de Holtzhauer y colaboradores, *American Journal of Diseases of Children*, vol. 140). Suponga que 36 de esos niños se seleccionaron al azar para realizar un estudio de seguimiento.

a) Al considerar la distribución de la edad promedio de los grupos de 36 niños, ¿se debe ajustar $\sigma_{\bar{x}}$ utilizando el factor de corrección para una población finita? Explique.

b) Calcule la probabilidad de que la edad promedio del grupo muestra de seguimiento sea mayor que 10.0 años.

23. Corrección para una población finita El club Newport Varsity tiene 210 miembros. Los pesos de los miembros tienen una distribución aproximadamente normal, con una media de 163 libras y una desviación estándar de 32 libras. El diseño de un nuevo edificio para el club incluye un elevador con una capacidad limitada a 12 pasajeros.

a) Al considerar la distribución de la media de los pesos de los 12 pasajeros, ¿se debe ajustar $\sigma_{\bar{x}}$ utilizando el factor de corrección para una población finita? Explique.

b) Si el elevador está diseñado para transportar con seguridad una carga de hasta 2100 libras, ¿cuál será el peso medio máximo seguro cuando el elevador transporte 12 pasajeros?

c) Si el elevador se llena con 12 miembros del club seleccionados al azar, ¿cuál es la probabilidad de que la carga total exceda el límite seguro de 2100 libras? ¿Esta probabilidad es lo suficientemente baja?

d) ¿Cuál es el número máximo de pasajeros que deberían subirse si se desea que, con una probabilidad de 0.999, el elevador no se sobrecargue cuando se llene con miembros del club elegidos al azar?

24. Parámetros poblacionales Se seleccionan 3 hogares al azar para el proyecto piloto de una gran encuesta que se realizará en el futuro. Los números de los integrantes de los hogares son 2, 3 y 10 (según el conjunto de datos 22 del apéndice B). Considere los valores 2, 3 y 10 como una población. Suponga que se eligen al azar y *sin* reemplazo muestras de tamaño $n = 2$.

a) Calcule μ y σ.

b) Después de identificar todas las muestras de tamaño $n = 2$ que pueden obtenerse sin reemplazo, calcule la población de todos los valores de $\bar{x}$ al obtener la media de cada muestra de tamaño $n = 2$.

c) Calcule la media $\mu_{\bar{x}}$ y la desviación estándar $\sigma_{\bar{x}}$ para la población de medias muestrales obtenidas en el inciso *b*).

d) Verifique que

$$\mu_{\bar{x}} = \mu \quad \text{y} \quad \sigma_{\bar{x}} = \frac{\sigma}{\sqrt{n}}\sqrt{\frac{N-n}{N-1}}$$

6-6 La distribución normal como aproximación de la distribución binomial

Concepto clave En esta sección se presenta un método para utilizar una distribución normal como aproximación de una distribución de probabilidad binomial. Si se satisfacen las condiciones $np \geq 5$ y $nq \geq 5$, entonces las probabilidades de una distribución de probabilidad binomial se pueden aproximar bastante bien utilizando una distribución normal con media $\mu = np$ y desviación estándar $\sigma = \sqrt{npq}$. Puesto que una distribución de probabilidad binomial generalmente usa solo números enteros para la variable aleatoria x, mientras que la aproximación normal es continua, debemos aplicar una "corrección por continuidad", con un número entero x representado por el intervalo de $x - 0.5$ a $x + 0.5$. *Nota:* En vez de utilizar una distribución normal como aproximación de una distribución de probabilidad binomial, la mayoría de las aplicaciones prácticas de la distribución binomial se pueden manejar con un programa de cómputo o una calculadora, pero esta sección expone el principio fundamental de que una distribución binomial se puede aproximar por medio de una distribución normal, y este principio se utilizará en capítulos posteriores.

En la sección 5-3 establecimos que una *distribución de probabilidad binomial* tiene: **1.** un número fijo de ensayos; **2.** ensayos que son independientes; **3.** ensayos que están clasificados en dos categorías que generalmente se denominan éxito y fracaso; **4.** ensayos con la propiedad de que la probabilidad de éxito permanece constante. También debemos recordar la siguiente notación:

n = número fijo de ensayos.
x = el número específico de éxitos en n ensayos.
p = la probabilidad de *éxito* en *uno* de n ensayos.
q = la probabilidad de *fracaso* en *uno* de n ensayos.

Considere la siguiente situación. El autor recibió por correo una encuesta de los cruceros Viking River que, según se informó, se había enviado a "un puñado de personas". Suponga que la encuesta solicitaba una dirección de correo electrónico, que el formato se envió a 40,000 personas y que el porcentaje de encuestas devueltas con una dirección de correo electrónico fue del 3%. Suponga que el verdadero objetivo de la encuesta era el de conseguir un conjunto de al menos 1150 direcciones de correo electrónico para emprender un marketing agresivo. Para calcular la probabilidad de obtener al menos 1150 respuestas con direcciones de correo electrónico, podemos utilizar la distribución de probabilidad binomial con $n = 40{,}000$, $p = 0.03$ y $q = 0.97$. Observe que la pantalla de Minitab que aparece a continuación incluye una gráfica de la probabilidad para cada número de éxitos, desde 1100 hasta 1300; observe también que la gráfica tiene la apariencia de una distribución normal, aun cuando los puntos graficados provienen de una distribución binomial. (Todos los otros valores de x tienen probabilidades muy cercanas a cero). Esta gráfica sugiere que podemos utilizar una distribución normal para aproximar la distribución binomial.

MINITAB

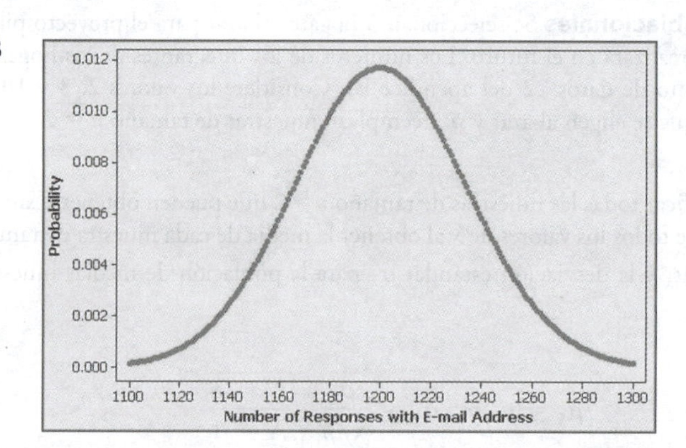

La distribución normal como aproximación de la distribución binomial

Requisitos

1. Se trata de una muestra aleatoria simple de tamaño n de una población donde la proporción de éxitos es p, o bien, la muestra es el resultado de realizar n ensayos independientes de un experimento binomial en el que la probabilidad de éxito es p.
2. $np \geq 5$ y $nq \geq 5$.

Aproximación normal

Si se satisfacen los requisitos anteriores, entonces la distribución de probabilidad de la variable aleatoria x puede aproximarse por medio de una distribución normal con los siguientes parámetros:

- $\mu = np$
- $\sigma = \sqrt{npq}$

Corrección por continuidad

Cuando utilice la aproximación normal, ajuste el número entero discreto x por medio de una *corrección por continuidad*, de manera que x esté representada por el intervalo de $x - 0.5$ a $x + 0.5$.

Note que los requisitos incluyen la verificación de $np \geq 5$ y $nq \geq 5$. El valor mínimo de 5 es común, pero no se trata de un valor absolutamente rígido, y algunos libros de texto utilizan 10 en su lugar. Este requerimiento se incluye en el siguiente procedimiento para el uso de una distribución normal como aproximación de una distribución binomial:

Procedimiento para el uso de una distribución normal como aproximación de una distribución binomial

1. Verifique que se cumplan los dos requisitos anteriores. (Si no se satisfacen ambas condiciones, entonces debe utilizar un programa de cómputo, una calculadora, la tabla A-1 o la fórmula de probabilidad binomial).
2. Obtenga los valores de los parámetros μ y σ calculando $\mu = np$ y $\sigma = \sqrt{npq}$.
3. Identifique el número entero discreto x que sea relevante para el problema de probabilidad binomial. (Por ejemplo, si está tratando de calcular la probabilidad de obtener al menos 1150 éxitos en 40,000 ensayos, como en el ejemplo 1, el número entero discreto de interés es $x = 1150$. Primero concéntrese en el propio valor de 1150, e ignore temporalmente si busca al menos 1150, más que 1150, menos que 1150, a lo sumo 1150 o exactamente 1150).
4. Dibuje una distribución normal centrada alrededor de μ; luego, dibuje el *área de una franja vertical* alrededor de x. Marque el lado izquierdo de la franja con el número que es igual a $x - 0.5$, y marque el lado derecho con el número que es igual a $x + 0.5$. (Con $x = 1150$, por ejemplo, dibuje una franja desde 1149.5 hasta 1150.5). *Considere toda el área de la franja completa para representar la probabilidad del número entero discreto* x.
5. Ahora determine si el valor de x debe incluirse en la probabilidad que busca. (Por ejemplo, "al menos x" *sí* incluye a la propia x, pero "más que x" *no* la incluye). Después, determine si busca la probabilidad de al menos x, a lo sumo x, más que x, menos que x o exactamente x. Sombree el área a la derecha o a la izquierda de la franja, según corresponda; también sombree el interior de la franja *si y solo si* se incluirá a la *propia* x. Esta región sombreada total corresponde a la probabilidad buscada.
6. Utilice $x - 0.5$ o $x + 0.5$ en vez de x; calcule el área de la región sombreada en el paso 5 como sigue. Primero, calcule la puntuación z: $z = (x - \mu)/\sigma$ (utilizando $x - 0.5$ o $x + 0.5$ en vez de x). En segundo lugar, use esa puntuación z para encontrar el área a la izquierda del valor ajustado de x. En tercer lugar, esa área puede emplearse ahora para identificar el área sombreada correspondiente a la probabilidad deseada.

Voltaire vence a la lotería

En 1729, el filósofo Voltaire se hizo rico al diseñar un esquema para vencer a la lotería de París. El gobierno organizó una lotería para reembolsar bonos municipales que habían perdido cierto valor. La ciudad aportó grandes cantidades de dinero, con el efecto neto de que el valor total de los premios fuera mayor que el costo de todos los boletos. Voltaire organizó un grupo y compró todos los boletos de la lotería mensual y ganó durante más de un año. Por otro lado, un participante de la lotería del estado de Nueva York trató de ganar una parte de un premio excepcionalmente grande, el cual había crecido gracias a la falta de ganadores en sorteos anteriores. Él quería extender un cheque por $6,135,756, que cubriera todas las combinaciones, pero el estado se negó, aduciendo que esto modificaría la naturaleza de la lotería.

EJEMPLO 1 **Encuesta por correo** El autor recibió por correo una encuesta de los cruceros Viking River, la cual incluía la solicitud de una dirección de correo electrónico. Suponga que el formato de encuesta se envió a 40,000 personas y que, para ese tipo de encuestas, el porcentaje de respuestas con una dirección de correo electrónico es del 3%. Si el verdadero objetivo de la encuesta era el de conseguir un banco de al menos 1150 direcciones de correo electrónico, calcule la probabilidad de obtener al menos 1150 respuestas con direcciones de correo electrónico.

SOLUCIÓN El problema implica una distribución binomial con un número fijo de ensayos ($n = 40,000$) que son independientes. Hay dos categorías para cada encuesta: se obtiene una respuesta con una dirección de correo electrónico o no se obtiene. Se supone que la probabilidad de éxito ($p = 0.03$) permanece constante de un ensayo a otro. Los cálculos con la fórmula de probabilidad binomial no son prácticos porque tendríamos que aplicarla 38,851 veces, una para cada valor de x desde 1150 hasta 40,000, inclusive.

Las calculadoras no pueden manejar el primer cálculo para la probabilidad de exactamente 1150 éxitos. (Algunas calculadoras proporcionan un resultado, pero utilizan un método de aproximación en vez de un cálculo exacto). La mejor estrategia consiste en utilizar el método de los seis pasos para utilizar la distribución normal para aproximar la distribución binomial.

Paso 1: Verificación requerida: Aunque no sabemos cómo se seleccionaron los sujetos encuestados, procederemos suponiendo que contamos con una muestra aleatoria simple.

Debemos verificar que es razonable aproximar la distribución binomial con la distribución normal, porque $np \geq 5$ y $nq \geq 5$. Con $n = 40{,}000$, $p = 0.03$ y $q = 1 - p = 0.97$, verificamos las condiciones requeridas como sigue:

$$np = 40{,}000 \cdot 0.03 = 1200 \quad \text{(Por lo tanto } np \geq 5.)$$
$$nq = 40{,}000 \cdot 0.97 = 38{,}800 \quad \text{(Por lo tanto } nq \geq 5.)$$

Paso 2: Ahora procedemos a calcular los valores de los parámetros μ y σ, necesarios para la distribución normal. Obtenemos lo siguiente:

$$\mu = np = 40{,}000 \cdot 0.03 = 1200$$
$$\sigma = \sqrt{npq} = \sqrt{40{,}000 \cdot 0.03 \cdot 0.97} = 34.117444$$

Paso 3: Buscamos la probabilidad de al menos 1150 respuestas con direcciones de correo electrónico, de manera que $x = 1150$ es el número entero discreto relevante para este ejemplo.

Paso 4: Observe la figura 6-21, que presenta una distribución normal con media $\mu = 1200$ y desviación estándar $\sigma = 34.117444$. En la figura también se observa la franja vertical desde 1149.5 hasta 1150.5.

Paso 5: Queremos encontrar la probabilidad de al *menos 1150* respuestas con direcciones de correo electrónico, por lo que deseamos sombrear la franja vertical que representa 1150, así como el área ubicada a su derecha. En la figura 6-21, el área deseada aparece sombreada.

Paso 6: Buscamos el área ubicada a la derecha de 1149.5 en la figura 6-21, de manera que la puntuación z se obtiene utilizando los valores de μ y σ del paso 2, y el valor límite de 1149.5, como sigue:

$$z = \frac{x - \mu}{\sigma} = \frac{1149.5 - 1200}{34.117444} = -1.48$$

Al emplear la tabla A-2, encontramos que $z = -1.48$ corresponde a un área de 0.0694, de manera que la región sombreada en la figura 6-21 es $1 - 0.0694 = 0.9306$.

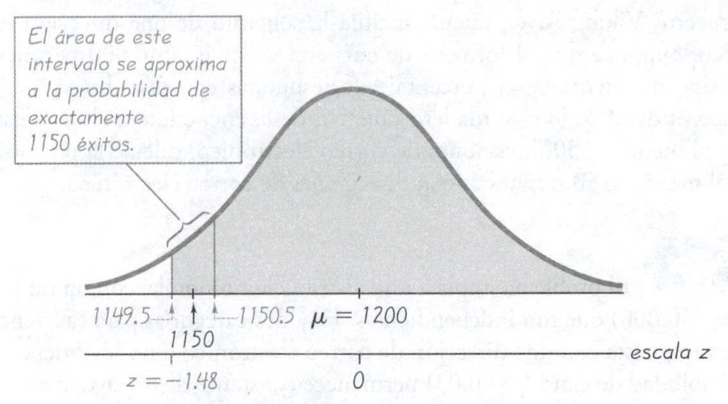

Figura 6-21 Búsqueda de la probabilidad de "al menos 1150 éxitos" en 40,000 ensayos

INTERPRETACIÓN Existe una probabilidad de 0.9306 de obtener al menos 1150 respuestas con direcciones de correo electrónico entre un total de 40,000 encuestas enviadas. Esta probabilidad es lo suficientemente alta para concluir que es muy probable que la empresa de cruceros Viking logre su meta de obtener al menos 1150 respuestas con direcciones de correo electrónico.

Si la empresa Viking River utiliza un método de muestreo que no proporciona una muestra aleatoria simple, entonces la probabilidad resultante de 0.9306 podría ser errónea. Por ejemplo, si solo encuestaron a clientes del pasado, tienen más probabilidades de obtener una tasa de respuestas más alta, de manera que los cálculos anteriores podrían ser incorrectos. Nunca debemos olvidar la importancia de un método de muestreo adecuado.

Correcciones por continuidad

El procedimiento que implica el uso de la distribución normal como aproximación de la distribución binomial incluye una *corrección por continuidad*, que se define de la siguiente manera:

DEFINICIÓN

Cuando empleamos la distribución normal (que es una distribución de probabilidad *continua*) como una aproximación de la distribución binomial (que es *discreta*), se realiza una **corrección por continuidad** a un número entero discreto x en la distribución binomial, representando el número entero discreto x en el *intervalo* de $x - 0.5$ a $x + 0.5$ (es decir, sumando y restando 0.5).

En el procedimiento anterior de seis pasos para utilizar una distribución normal como aproximación de una distribución binomial, los pasos 3 y 4 incorporan la corrección por continuidad. (Consulte los pasos 3 y 4 en las soluciones de los ejemplos 1 y 2).

Para ver algunos ejemplos de correcciones por continuidad, revise los casos comunes que se ilustran en la figura 6-22. Esos casos corresponden a las afirmaciones de la siguiente lista.

Afirmación	Area
Al menos 8 (incluye 8 y números mayores)	A la *derecha* de 7.5
Más de 8 (no incluye a 8)	A la *derecha* de 8.5
A lo sumo 8 (incluye 8 y números menores)	A la *izquierda* de 8.5
Menos de 8 (no incluye a 8)	A la *izquierda* de 7.5
Exactamente 8	Entre 7.5 y 8.5

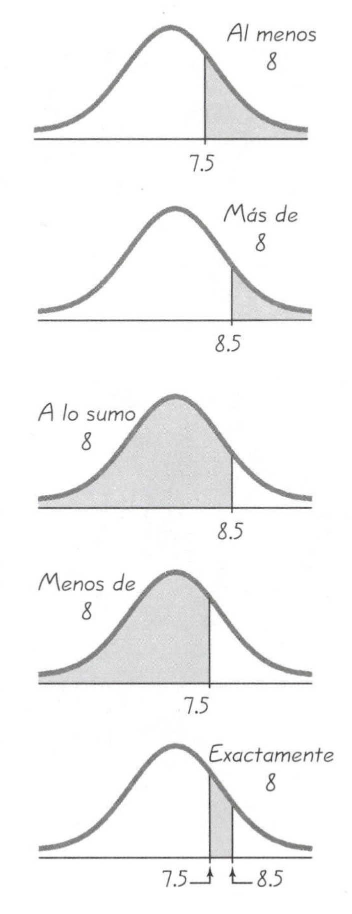

Figura 6-22

Uso de las correcciones por continuidad

EJEMPLO 2 **Encuesta de penetración de Internet** Una encuesta reciente del Pew Research Center reveló que, de 2822 adultos seleccionados al azar, 2060 (o el 73%) dijeron ser usuarios de Internet. Si la proporción de los adultos que utilizan Internet es en realidad de 0.75, calcule la probabilidad de que una muestra aleatoria de 2822 adultos dé por resultado *exactamente* 2060 usuarios de Internet.

SOLUCIÓN Tenemos $n = 2822$ sujetos entrevistados de manera independiente y $x = 2060$ de ellos son usuarios de Internet; suponemos que la proporción de la población es $p = 0.75$, de lo que se deduce que $q = 0.25$. Utilizaremos una distribución normal para aproximar la distribución binomial.

continúa

Paso 1: Primero verificamos los requisitos. El Pew Research Center tiene la reputación de utilizar técnicas de encuestas sólidas, de manera que es razonable tratar la muestra como si fuera aleatoria simple. Ahora verificamos los requisitos de que $np \geq 5$ y $nq \geq 5$.

$$np = 2822 \cdot 0.75 = 2116.5 \quad \text{(Por lo tanto } np \geq 5.\text{)}$$

$$nq = 2822 \cdot 0.25 = 705.5 \quad \text{(Por lo tanto } nq \geq 5.\text{)}$$

Paso 2: Ahora procedemos a calcular los valores de μ y σ, y obtenemos lo siguiente:

$$\mu = np = 2822 \cdot 0.75 = 2116.5$$

$$\sigma = \sqrt{npq} = \sqrt{2822 \cdot 0.75 \cdot 0.25} = 23.002717$$

Paso 3: Buscamos la probabilidad de *exactamente* 2060 usuarios de Internet, de manera que el número entero discreto relevante para este ejemplo es 2060.

Paso 4: Observe la figura 6-23, la cual presenta una distribución normal con media $\mu = 2116.5$ y desviación estándar $\sigma = 23.002717$. En la figura también se observa la franja vertical desde 2059.5 hasta 2060.5, que representa la probabilidad de exactamente 2060 usuarios de Internet.

Paso 5: Como queremos encontrar la probabilidad de *exactamente* 2060 usuarios de Internet, deseamos conocer el área sombreada de la figura 6-23.

Paso 6: Para obtener la región sombreada de la figura 6-23, primero calculamos el área total ubicada a la izquierda de 2060.5, y luego el área total ubicada a la izquierda de 2059.5. Después, calculamos la *diferencia* entre las dos áreas. Comencemos con el área total a la izquierda de 2060.5. Al utilizar la tabla A-2, primero debemos encontrar la puntuación z correspondiente a 2060.5. Obtenemos

$$z = \frac{2060.5 - 2116.5}{23.002717} = -2.43$$

Utilizamos la tabla A-2 para encontrar que $z = -2.43$ corresponde a una probabilidad de 0.0075, que es el área total a la izquierda de 2060.5. Ahora obtenemos el área a la izquierda de 2059.5, calculando primero la puntuación z correspondiente a 2059.5:

$$z = \frac{2059.5 - 2116.5}{23.002717} = -2.48$$

Utilizamos la tabla A-2 para encontrar que $z = -2.48$ corresponde a una probabilidad de 0.0066, que es el área total a la izquierda de 2059.5. El área sombreada es $0.0075 - 0.0066 = 0.0009$.

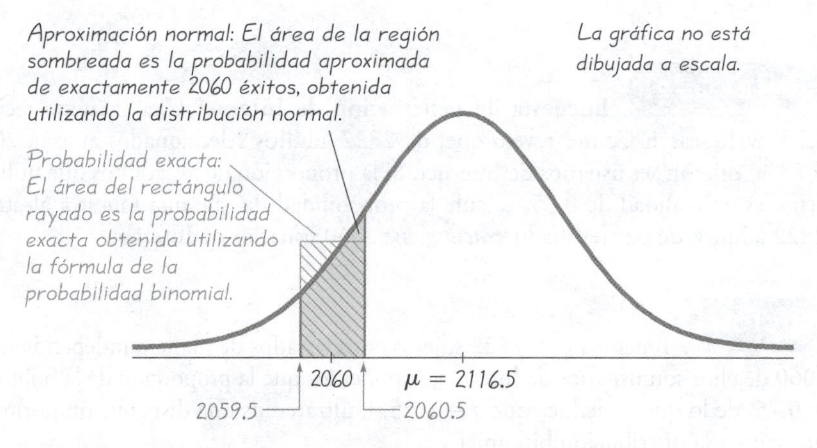

Figura 6-23 Uso de la corrección por continuidad

INTERPRETACIÓN

Si suponemos que el 75% de todos los adultos utilizan Internet, la probabilidad de encontrar exactamente 2060 usuarios de Internet entre 2822 adultos elegidos al azar es de 0.0009. (Si utilizamos herramientas tecnológicas, la probabilidad es de 0.000872). Esta probabilidad nos indica que si el porcentaje de usuarios de Internet en la población adulta es del 75%, entonces es sumamente improbable que obtengamos *exactamente* 2060 usuarios de Internet al encuestar a 2822 adultos. En realidad, cuando se encuesta a 2822 adultos, la probabilidad de encontrar *cualquier número específico* de usuarios de Internet es muy pequeña.

Interpretación de los resultados

Cuando utilizamos una distribución normal como aproximación de la distribución binomial, nuestra meta no es simplemente calcular un número de probabilidad. A menudo necesitamos hacer algún *juicio* con base en el valor de probabilidad. El siguiente criterio (de la sección 5-2) describe la aplicación de las probabilidades para distinguir resultados que pueden ocurrir fácilmente por azar de aquellos que son muy poco comunes.

Uso de las probabilidades para determinar cuando los resultados son inusuales

- **Inusualmente alto:** x éxitos en n ensayos es un número *inusualmente alto* de éxitos si $P(x$ o más$)$ es muy pequeña (como 0.05 o menos).
- **Inusualmente bajo:** x éxitos en n ensayos es un número *inusualmente bajo* de éxitos si $P(x$ o menos$)$ es muy pequeña (como 0.05 o menos).

El papel de la aproximación normal

Casi todas las aplicaciones prácticas de la distribución de probabilidad binomial ahora se pueden trabajar bien con un programa de cómputo o una calculadora TI-83/84 Plus. En esta sección se presentaron métodos para utilizar el método de la aproximación normal en vez de un programa de cómputo y, algo más importante, se presentó el principio de que, en las circunstancias adecuadas, la distribución de probabilidad binomial puede aproximarse por medio de una distribución normal. Los capítulos posteriores incluyen procedimientos basados en el uso de una distribución normal como aproximación de una distribución binomial, de manera que esta sección establece las bases de esos importantes procedimientos.

6-6 Destrezas y conceptos básicos

Conocimientos estadísticos y pensamiento crítico

1. Proporciones en televisión Nielsen Media Research realiza encuestas para determinar la proporción de hogares sintonizados a los programas de televisión. Suponga que cada semana se obtiene una muestra aleatoria simple diferente de 5000 hogares. Si se registra la proporción de hogares que sintonizan el programa *60 Minutes* cada domingo durante el transcurso de dos años, y las proporciones se describen en un histograma, ¿cuál sería la forma aproximada del histograma? ¿Por qué?

2. Corrección por continuidad La prueba Wechsler se utiliza para medir puntuaciones de CI, y está diseñada de tal manera que la media es 100 y la desviación estándar es 15. Se sabe que las puntuaciones de CI tienen una distribución normal. Suponga que deseamos calcular la probabilidad de que una persona elegida al azar tenga un CI igual a 107. ¿Cuál sería la corrección por continuidad y cómo se aplicaría para calcular esa probabilidad?

3. Selección del género El Genetics & IVF Institute ha desarrollado métodos para ayudar a las parejas a determinar el género de sus hijos. Con fines comparativos, se obtiene una muestra grande de familias con cuatro hijos, elegidas al azar, y se registra la proporción de niñas que hay en cada una. ¿La distribución normal es una buena aproximación de la distribución de esas proporciones? ¿Por qué?

4. μ y σ Es común que se utilicen reactivos de opción múltiple para pruebas estandarizadas, incluyendo las pruebas SAT, ACT y LSAT. Al calificar dichos reactivos, es común que se haga una compensación para las conjeturas. Si una prueba consta de 100 reactivos de opción múltiple, cada uno con las posibles respuestas a, b, c, d y e, y con una sola respuesta correcta, calcule μ y σ para el número de respuestas correctas dadas por alguien que realiza conjeturas al azar. ¿Qué miden μ y σ?

Aplicación de la corrección por continuidad. ***En los ejercicios 5 a 12 los valores especificados son discretos. Utilice la corrección por continuidad y describa la región de la distribución normal que corresponde a la probabilidad indicada. Por ejemplo, la probabilidad de "más de 20 artículos defectuosos" corresponde al área de la curva normal descrita en esta respuesta: "el área a la derecha de 20.5".***

5. La probabilidad de que más de 8 senadores sean mujeres

6. La probabilidad de recibir al menos 2 multas de tránsito este año

7. La probabilidad de que menos de 5 pasajeros no se presenten a un vuelo

8. La probabilidad de que el número de estudiantes ausentes sea exactamente 4

9. La probabilidad de no más de 15 guisantes con vainas verdes

10. La probabilidad de que el número de fuentes defectuosas de energía eléctrica para computadora sea de entre 12 y 16, inclusive

11. La probabilidad de que el número de aspirantes a un empleo que lleguen tarde a las entrevistas se encuentre entre 5 y 9, inclusive

12. La probabilidad de que exactamente 24 acusaciones criminales deriven en sentencias

Uso de la aproximación normal. ***En los ejercicios 13 a 16, realice lo siguiente. a) Calcule la probabilidad binomial indicada por medio de la tabla A-1 del apéndice A. b) Si $np \geq 5$ y $nq \geq 5$, también estime la probabilidad indicada utilizando la distribución normal como aproximación de la distribución binomial; si $np < 5$ o $nq < 5$, entonces establezca que la aproximación normal no es adecuada.***

13. Con $n = 10$ y $p = 0.5$, calcule $P(3)$.

14. Con $n = 12$ y $p = 0.8$, calcule $P(9)$.

15. Con $n = 8$ y $p = 0.9$, calcule P(al menos 6).

16. Con $n = 15$ y $p = 0.4$, calcule P(menor que 3).

17. Encuesta por correo En el ejemplo 1 se señaló que el autor recibió por correo una encuesta de los cruceros Viking River, la cual incluía la solicitud de una dirección de correo electrónico. Como en el ejemplo 1, suponga que el formato de encuesta se envió a 40,000 personas y que, para ese tipo de encuestas, el porcentaje de respuestas con una dirección de correo electrónico es del 3%. Si el verdadero objetivo de la encuesta era el de conseguir un banco de al menos 1300 direcciones de correo electrónico, calcule la probabilidad de obtener al menos 1300 respuestas con direcciones de correo electrónico. ¿Es probable que se cumpla el objetivo?

18. Encuesta de penetración de Internet En el ejemplo 2 se señaló que una encuesta reciente del Pew Research Center reveló que, de 2822 adultos elegidos al azar, 2060 (o 73%) dijeron ser usuarios de Internet. Un especialista en tecnología afirma que el 75% de los adultos usan Internet, y que los resultados de la encuesta encontraron un porcentaje más bajo debido a la variación aleatoria que existe en las encuestas. Suponiendo que la tasa de 75% es correcta, ¿el resultado de 2060 usuarios de Internet es un número excepcionalmente bajo cuando se eligen al azar 2822 adultos? Explique.

19. Selección del género El Genetics & IVF Institute desarrolló su método XSORT para aumentar la probabilidad de concebir una niña. De 574 mujeres que utilizaron ese método, 525 tuvieron niñas. Suponiendo que el método no tiene efecto alguno, de manera que los bebés de uno y otro sexo son igualmente probables, calcule la probabilidad de obtener al menos 525 niñas en un total de 574 bebés. ¿El resultado sugiere que el método XSORT es eficaz? ¿Por qué?

20. Selección del género El Genetics & IVF Institute desarrolló su método YSORT para aumentar la probabilidad de concebir un varón. De 152 mujeres que utilizaron ese método, 127 tuvieron hijos varones. Suponiendo que el método no tiene efecto alguno, de manera que los bebés de uno y otro sexo son igualmente probables, calcule la probabilidad de obtener al menos 127 varones en un total de 152 bebés. ¿El resultado sugiere que el método YSORT es eficaz? ¿Por qué?

21. Experimento de Mendel sobre hibridación Cuando Mendel realizó sus famosos experimentos de hibridación, utilizó plantas de guisantes con vainas verdes y vainas amarillas. Uno de los experimentos implicó una cruza de guisantes, de manera que se esperaba que el 25% (o 145) de los 580 vástagos de guisantes tuvieran vainas amarillas. En vez de obtener 145 plantas de guisantes con vainas amarillas, obtuvo 152. Suponga que el porcentaje del 25% de Mendel es correcto.

a) Calcule la probabilidad de obtener exactamente 152 plantas de guisantes con vainas amarillas entre los 580 vástagos de guisantes.

b) Calcule la probabilidad de obtener al menos 152 plantas de guisantes con vainas amarillas entre los 580 vástagos de guisantes.

c) ¿Cuál resultado es útil para determinar si la tasa propuesta por Mendel del 25% es incorrecta: el del inciso *a*) o el del inciso *b*)?

d) ¿Existe una fuerte evidencia que sugiera que la probabilidad del 25% de Mendel es incorrecta?

22. ¿Los votantes mienten? En una encuesta aplicada a 1002 individuos, 701 dijeron que habían votado en una elección presidencial reciente (según datos del ICR Research Group). Los registros de votación indican que el 61% de los votantes potenciales realmente votaron. Considerando esto último, calcule la probabilidad de que entre 1002 votantes potenciales seleccionados al azar, al menos 701 hayan votado realmente. ¿Qué sugiere el resultado?

23. Teléfonos celulares y cáncer cerebral En un estudio de 420,095 usuarios de teléfono celular en Dinamarca, se encontró que 135 desarrollaron cáncer cerebral o del sistema nervioso. Suponiendo que los teléfonos celulares no tienen efecto alguno, existe una probabilidad de 0.000340 de que una persona desarrolle cáncer cerebral o del sistema nervioso. Por lo tanto, esperaríamos aproximadamente 143 casos de este tipo de cáncer en un grupo de 420,095 personas seleccionadas al azar. Estime la probabilidad de 135 o menos casos de este tipo de cáncer en un grupo de 420,095 personas. ¿Qué sugieren estos resultados acerca de los reportes de los medios de comunicación que afirman que los teléfonos celulares causan cáncer cerebral o del sistema nervioso?

24. Contratación de empleados Existe una probabilidad del 80% de que un empleador potencial verifique los antecedentes educativos de un aspirante a empleo (según datos del Bureau of National Affairs, Inc.). Para 100 aspirantes a empleo seleccionados al azar, calcule la probabilidad de que el empleador verifique los antecedentes educativos de exactamente 85 de ellos.

25. Donadores universales El 6% de las personas comunes tienen sangre del grupo O y del tipo Rh^-. A estos individuos se les considera donadores universales, ya que pueden dar sangre a cualquier persona. El hospital Providence Memorial está organizando una campaña de donación porque necesita sangre de al menos 10 donadores universales. Si 200 voluntarios donan sangre, ¿cuál es la probabilidad de que el número de donadores universales sea de al menos 10? ¿Es probable que el grupo de 200 voluntarios sea suficiente?

26. Muestreo de aceptación En el procedimiento denominado *muestreo de aceptación* se selecciona al azar una muestra de artículos, y luego se rechaza o se acepta el lote, dependiendo de los resultados. Telektronics Company fabricó un gran lote de unidades de respaldo de corriente para computadoras, y el 7.5% de ellas resultaron defectuosas. Suponga que el plan del muestreo de aceptación consiste en seleccionar al azar 80 unidades y aceptar todo el lote si, a lo sumo, 4 artículos están defectuosos. ¿Cuál es la probabilidad de que se acepte todo el lote? Con base en los resultados, ¿Telektronics Company tiene problemas de control de calidad?

27. Dulces M&M: ¿El 24% son azules? Según la compañía de dulces Mars, el 24% de todos los dulces sencillos M&M son azules. El conjunto de datos 18 del apéndice B indica que, de 100 M&M elegidos, 27 son azules. Suponiendo que es correcta la afirmación de que el 24% de los dulces M&M son azules, estime la probabilidad de seleccionar al azar 100 dulces M&M y obtener 27 o más de este color. Con base en el resultado, ¿27 será un número excesivamente grande de dulces M&M azules cuando se seleccionan 100 al azar?

28. Detección de fraude Cuando el investigador Robert Burton trabajaba para el fiscal del distrito de Brooklyn, analizó el primer dígito de los montos de cheques expedidos por empresas sospechosas de fraude. De un total de 784 cheques, 479 tenían montos que iniciaban en 5, aunque se esperaba que el 7.9% de los cheques emitidos en el transcurso normal de transacciones iniciaran en 5. ¿Existe una fuerte evidencia que indique que los montos de los cheques son significativamente diferentes de los montos que se esperarían en condiciones normales? Explique.

29. Fármaco que reduce el colesterol La probabilidad de que una persona que no recibe algún tratamiento tenga síntomas de gripe es de 0.019. En un ensayo clínico de Lipitor (atorvastatina), un fármaco común utilizado para bajar los niveles de colesterol, 863 pacientes recibieron un tratamiento con tabletas de atorvastatina de 10 mg, y 19 de estos pacientes experimentaron síntomas de gripe (según datos de Pfizer, Inc.). Suponiendo que estas tabletas no influyen en los síntomas de la gripe, estime la probabilidad de que al menos 19 de las 863 personas experimenten tales síntomas. ¿Qué sugieren estos resultados acerca de los síntomas de gripe como una reacción adversa al fármaco?

30. Precisión del polígrafo Experimentos de polígrafo realizados por los investigadores Charles R. Honts (Boise State University) y Gordon H. Barland (Department of Defense Polygraph Institute) revelaron que de 57 veces que el polígrafo indicó que el sujeto mentía, 15 veces este había dicho la verdad, de manera que la proporción de resultados *falsos positivos* entre los 57 resultados positivos fue de 15/57. Suponiendo que el polígrafo hace conjeturas al azar, determine si 15 es un número inusualmente bajo de resultados falsos positivos en un total de 57 resultados positivos. ¿Parece que el polígrafo realiza conjeturas al azar? Explique.

31. Sobreventa de un vuelo del Boeing 767-300 Un avión Boeing 767-300 tiene 213 asientos. Cuando una persona compra un boleto para un vuelo, hay una probabilidad de 0.0995 de que no se presente para tomar el vuelo (según datos de un documento de investigación de IBM, escrito por Lawrence, Hong y Cherrier). Un agente de viajes acepta 236 reservaciones para un vuelo en un Boeing 767-300. Calcule la probabilidad de que no haya suficientes asientos disponibles. ¿Esta probabilidad es lo suficientemente baja para que la sobreventa no sea un problema real?

32. Carga de pasajeros en un Boeing 767-300 Un avión Boeing 767-300 tiene 213 asientos. Cuando está lleno a su máxima capacidad con pasajeros, equipaje, carga y combustible, el piloto debe verificar que el peso bruto esté por debajo del límite máximo permisible y que el peso se distribuya adecuadamente, de manera que el equilibrio de la aeronave esté dentro de los límites aceptables. Los pesos de los pasajeros se estiman de acuerdo con las reglas de la Federal Aviation Administration. Los hombres tienen un peso medio de 172 lb, mientras que las mujeres tienen un peso medio de 143 lb, de manera que una proporción excesiva de hombres como pasajeros podría dar por resultado una situación peligrosa de sobrepeso. Si hay al menos 122 hombres en una lista de 213 pasajeros, la carga debe ajustarse de algún modo. Suponga que los pasajeros se registran al azar, y que es igualmente probable que haya hombres y mujeres como pasajeros. Si la aeronave se llena con pasajeros adultos, calcule la probabilidad de que un Boeing 767-300 con 213 pasajeros lleve al menos a 122 hombres. Con base en el resultado, ¿parece que la carga debe ajustarse a menudo?

6-6 Más allá de lo básico

33. Estrategia de juego Marc Taylor planea realizar 200 apuestas, de $5 cada una, en un juego en el casino Mirage de Las Vegas.

a) Una estrategia consiste en apostar al número 7 en la ruleta. Un triunfo paga con ventaja de 35:1 y, en cualquier giro, hay una probabilidad de 1/38 de que 7 sea el número ganador. En las 200 apuestas, ¿cuál es el número mínimo de triunfos necesarios para que Marc obtenga ganancias? Calcule la probabilidad de que Marc obtenga ganancias.

b) Otra estrategia consiste en apostar a la línea de pase en el juego de los dados. Un triunfo paga con ventaja de 1:1 y, en cualquier juego, hay una probabilidad de 244/495 de ganar. En las 200 apuestas, ¿cuál es el número mínimo de triunfos necesarios para que Marc obtenga ganancias? Calcule la probabilidad de que Marc obtenga ganancias.

c) Con base en los resultados anteriores, ¿cuál juego es la mejor "inversión": la ruleta del inciso *a)* o los dados del inciso *b)*? ¿Por qué?

34. Sobreventa de un vuelo del Boeing 767-300 Un avión Boeing 767-300 tiene 213 asientos. Cuando una persona compra un boleto para un vuelo, hay una probabilidad de 0.0995 de que esa persona no se presente para tomar el vuelo (según datos de un documento de investigación de IBM, escrito por Lawrence, Hong y Cherrier). ¿Cuántas reservaciones podrían aceptarse para un vuelo en el Boeing 767-300 de manera que haya una probabilidad de al menos 0.95 de acomodar a todos los individuos que tienen una reservación y se presentan en el aeropuerto?

35. *Hits* en béisbol Suponga que un jugador de béisbol batea de *hit* .350, de manera que su probabilidad de conectar un *hit* es de 0.350. (Ignore las complicaciones que representan las bases por bolas). También suponga que sus intentos de *hit* son independientes unos de otros.

a) Calcule la probabilidad de conectar al menos 1 *hit* en 4 intentos, en un solo partido.

b) Suponiendo que este bateador tiene 4 turnos al bate en cada juego, estime la probabilidad de conectar un total de al menos 56 *hits* en 56 juegos.

c) Suponiendo que este bateador tiene la oportunidad de batear 4 veces en cada juego, estime la probabilidad de conectar al menos 1 *hit* en cada uno de 56 juegos consecutivos (el récord de Joe DiMaggio en 1941).

d) ¿Cuál es el promedio mínimo de bateo que se requeriría para que la probabilidad del inciso *c*) sea mayor que 0.1?

36. Necesidad de aproximación normal En esta sección se incluyó la afirmación de que casi todas las aplicaciones prácticas de la distribución de probabilidad binomial ahora se pueden manejar bien con un programa de cómputo o una calculadora TI-83/84 Plus. Utilizando un programa estadístico de cómputo específico o una calculadora TI-83/84 Plus, identifique un caso en el que la tecnología no sea útil y, por lo tanto, se requiera utilizar una distribución normal como aproximación de una distribución binomial.

6-7 Evaluación de la normalidad

Concepto clave Los siguientes capítulos incluyen métodos estadísticos que requieren que los datos sean una muestra aleatoria simple de una población con una distribución *normal.* Esta sección presenta criterios para determinar si se cumplen los requisitos de una distribución normal. Los criterios incluyen: **1.** La inspección visual de un histograma para ver si tiene forma de campana; **2.** la identificación de valores atípicos; y **3.** la construcción de una nueva gráfica denominada *gráfica cuantilar normal.*

Parte 1: Conceptos básicos de la evaluación de normalidad

Comencemos con la definición de una gráfica cuantilar normal.

DEFINICIÓN

Una **gráfica cuantilar normal** (o **gráfica de probabilidad normal**) es una gráfica de puntos (x, y) donde cada valor x proviene del conjunto original de datos muestrales, y cada valor y es la puntuación z correspondiente, que es un valor cuantilar esperado de la distribución normal estándar.

Procedimiento para determinar si es razonable suponer que los datos provienen de una población distribuida de manera normal

1. *Histograma:* Construya un histograma. Rechace la normalidad si el histograma difiere mucho de la forma de campana.
2. *Valores atípicos:* Identifique valores atípicos. Rechace la normalidad si existe más de un valor atípico. (La presencia de un solo valor atípico podría ser un error o el resultado de la variación por el azar, pero sea cuidadoso, ya que incluso un solo valor atípico podría tener un efecto importante en los resultados).
3. *Gráfica cuantilar normal:* Si el histograma es básicamente simétrico y existe cuando mucho un valor atípico, utilice la tecnología para generar una *gráfica cuantilar normal.* Utilice los siguientes criterios para determinar si la distribución es normal o no. (Los criterios se pueden utilizar con flexibilidad para muestras pequeñas, pero se debe ser más estricto en el caso de muestras grandes).

   Distribución normal: La distribución de la población es normal si el patrón de los puntos se aproxima de manera razonable a una línea recta, y si los puntos no revelan algún patrón sistemático que sea diferente de una línea recta.

   No es una distribución normal: La distribución de la población *no* es normal si se aplica alguna de las dos siguientes condiciones:

   - Los puntos no caen razonablemente cerca de una línea recta.
   - Los puntos muestran algún *patrón sistemático* que no es el de una línea recta.

Más adelante en esta sección, describiremos el proceso de la construcción de una gráfica cuantilar normal; por ahora nos enfocaremos en la interpretación de este tipo de gráficas.

EJEMPLO 1

Determinación de normalidad Las siguientes imágenes presentan histogramas de datos, acompañados de las gráficas cuantilares correspondientes.

Normal: El primer caso presenta un histograma de puntuaciones de CI que se acerca mucho a una forma de campana, por lo que sugiere que esas puntuaciones provienen de una distribución normal. La gráfica cuantilar normal correspondiente contiene puntos que se aproximan de manera razonable a una línea recta; los puntos no presentan algún otro patrón sistemático diferente a una línea recta. Es seguro suponer que estas puntuaciones de CI provienen de una población distribuida de manera normal.

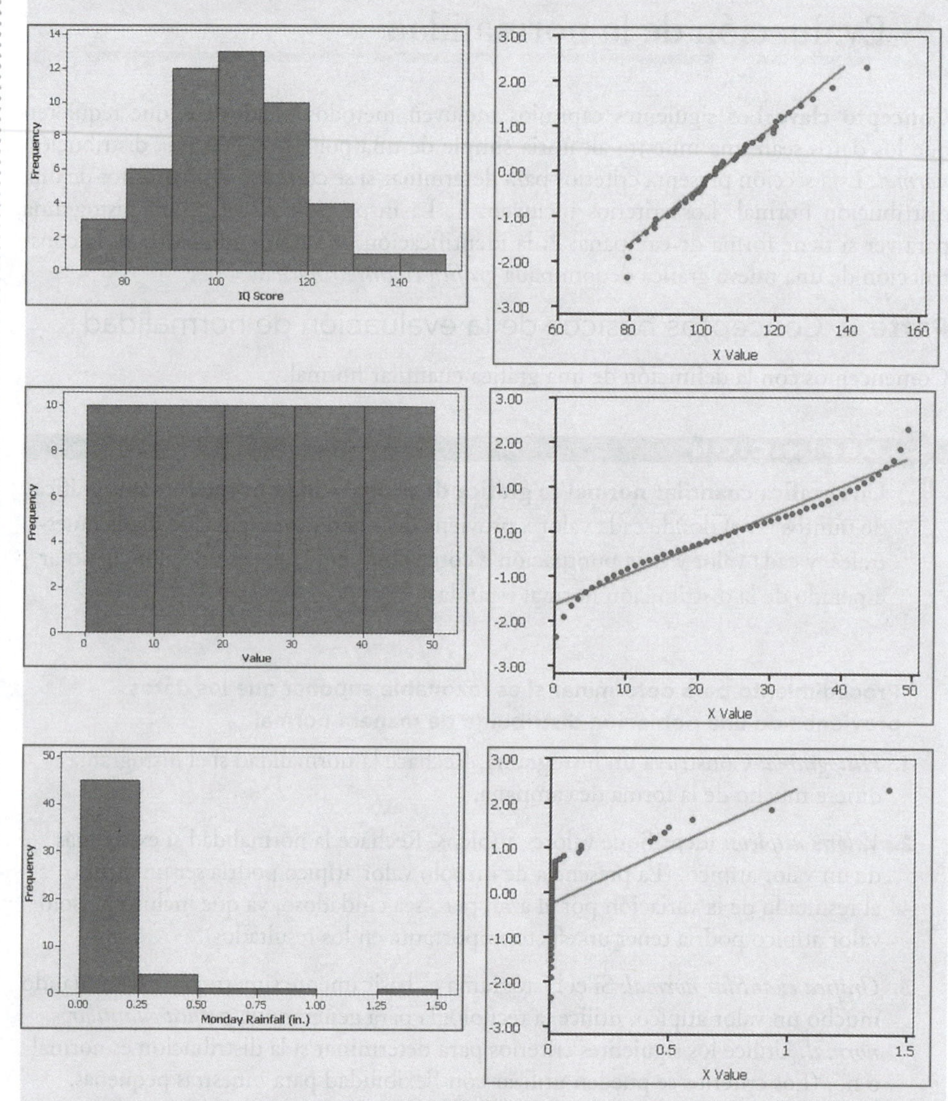

Uniforme: El segundo caso presenta un histograma de datos con una distribución uniforme. La gráfica cuantilar normal correspondiente sugiere que los puntos no están distribuidos de manera normal, ya que exhiben un *patrón sistemático diferente a una línea recta*. Esos valores muestrales no provienen de una población con una distribución normal.

Sesgado: En el tercer caso se observa un histograma con las cantidades de lluvia (en pulgadas) registradas en Boston cada lunes durante un año. (Véase el conjunto de datos 14 del apéndice B). El histograma tiene una forma sesgada y no de campana. La gráfica cuantilar normal correspondiente muestra puntos que no se aproximan a una línea recta. Por lo tanto, esas cantidades de lluvia no provienen de una población con una distribución normal.

A continuación se presentan algunos comentarios importantes sobre los procedimientos que se utilizan para determinar si los datos provienen de una población distribuida normalmente:

- Si el requisito de una distribución normal no es demasiado estricto, quizá todo lo que se necesite para evaluar la normalidad sea examinar un histograma y revisar si hay valores atípicos.
- Tal vez se le dificulte la construcción de gráficas cuantilares normales, por lo que puede generarlas con una calculadora TI-83/84 Plus o con un programa de cómputo adecuado, como STATDISK, SPSS, SAS, Minitab y Excel.
- Además de los procedimientos analizados en esta sección, existen otros métodos más avanzados para evaluar la normalidad, como la prueba de bondad de ajuste de la chi cuadrada, la prueba de Kolmogorov-Smirnov, la prueba de Lilliefors, la prueba de Anderson-Darling y la prueba de Ryan-Joiner (que se analiza brevemente en la parte 2).

Parte 2: Más allá de los fundamentos de la evaluación de la normalidad

El siguiente es un procedimiento relativamente sencillo para construir de forma manual una gráfica cuantilar normal, y se trata del mismo procedimiento utilizado por STATDISK y la calculadora TI-83/84 Plus. Algunos paquetes estadísticos utilizan muchos otros métodos, pero la interpretación de la gráfica es básicamente la misma.

Construcción manual de una gráfica cuantilar normal

Paso 1. Primero, ordene los datos del menor al mayor.

Paso 2. Con una muestra de tamaño n, cada valor representa una proporción de $1/n$ de la muestra. Utilizando el tamaño de muestra n conocido, identifique las áreas de $1/2n$, $3/2n$, etcétera. Estas son las áreas acumuladas a la izquierda de los valores muestrales correspondientes.

Paso 3. Utilice la distribución normal estándar (la tabla A-2, un programa de cómputo o una calculadora) para determinar las puntuaciones z correspondientes a las áreas acumuladas de la izquierda obtenidas en el paso 2. (Se trata de las puntuaciones z que se esperan de una muestra distribuida normalmente).

Paso 4. Asocie los valores originales de los datos ordenados con sus puntuaciones z correspondientes, calculadas en el paso 3; después, grafique los puntos (x, y), donde cada x es un valor muestral original y y es la puntuación z correspondiente.

Paso 5. Examine la gráfica cuantilar normal y determine si se trata o no de una distribución normal.

EJEMPLO 2 **Duración de películas** El conjunto de datos 9 del apéndice B incluye la duración (en minutos) de películas elegidas al azar. Consideremos únicamente las primeras 5 duraciones de películas: 110, 96, 170, 125, 119. Con solo 5 valores, un histograma no sería muy útil para revelar la distribución de los datos. En vez de ello, construya una gráfica cuantilar normal de esos 5 valores y determine si parecen provenir de una población distribuida normalmente.

SOLUCIÓN Los siguientes pasos corresponden a los que se describieron en el procedimiento anterior para la construcción de una gráfica cuantilar normal.

Paso 1. Primero, ordenamos los datos y obtenemos 96, 110, 119, 125, 170.

Muestra pequeña

El Children's Defense Fund se organizó para fomentar el bienestar de los niños. El grupo publicó el documento *Children Out of School in America*, en el que reportó que, en cierta área, el 37.5% de los jóvenes de 16 y 17 años de edad habían abandonado la escuela. Este dato estadístico recibió una gran cobertura de la prensa, pero se basó en una muestra de únicamente 16 jóvenes. Otra estadística se basó en un tamaño de muestra de únicamente 3 estudiantes. (Véase "First-hand Report: How Flawed Statistics Can Make an Ugly Picture Look Even Worse", *American School Board Journal*, vol. 162).

continúa

Paso 2. Con una muestra de tamaño $n = 5$, cada valor representa una proporción de 1/5 de la muestra, de manera que procedemos a identificar las áreas acumuladas a la izquierda de los valores muestrales correspondientes. Las áreas acumuladas de la izquierda, que se expresan en general como $1/2n$, $3/2n$, $5/2n$, $7/2n$, etcétera, se convierten en esas áreas específicas para este ejemplo con $n = 5$: 1/10, 3/10, 5/10, 7/10 y 9/10. Las áreas acumuladas a la izquierda, expresadas en forma decimal, son 0.1, 0.3, 0.5, 0.7 y 0.9.

Paso 3. Ahora buscamos en el cuerpo de la tabla A-2 las áreas acumuladas a la izquierda de 0.1000, 0.3000, 0.5000, 0.7000 y 0.9000 para obtener las siguientes puntuaciones z correspondientes: −1.28, −0.52, 0, 0.52 y 1.28.

Paso 4. Ahora asociamos las duraciones de películas originales ordenadas con sus puntuaciones z correspondientes. Obtenemos las siguientes coordenadas (x, y), que están graficadas en la siguiente pantalla de STATDISK: (96, −1.28), (110, −0.52), (119, 0), (125, 0.52) y (170, 1.28).

STATDISK

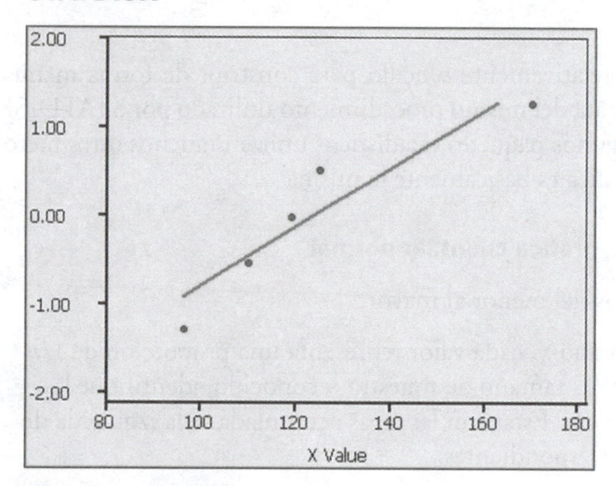

INTERPRETACIÓN Examinamos la gráfica cuantilar normal en la pantalla de STATDISK. Como los puntos parecen ajustarse razonablemente a una línea recta, y no parece haber un patrón sistemático diferente de una línea recta, concluimos que la muestra de las cinco duraciones de películas proviene de una población distribuida normalmente.

En el siguiente ejemplo nos ocuparemos del tema de un valor atípico en un conjunto de datos.

EJEMPLO 3 **Duraciones de películas** Repitamos el ejemplo 2 después de cambiar uno de los datos para que se convierta en un valor atípico. Cambie el valor más alto de 170 minutos en el ejemplo 2 por una duración de 1700 minutos. (En realidad, la película más larga es *Cure for Insomnia*, que dura 5220 minutos u 87 horas). La siguiente pantalla de STATDISK presenta la gráfica cuantilar normal de las siguientes duraciones de películas: 110, 96, **1700**, 125, 119. Observe cómo el valor atípico afecta la gráfica. Esta gráfica cuantilar normal *no* presenta puntos con un patrón que se aproxima al de una línea recta. Esta pantalla de STATDISK sugiere que los valores 110, 96, 1700, 125 y 119 provienen de una población con una distribución que *no* es normal.

STATDISK

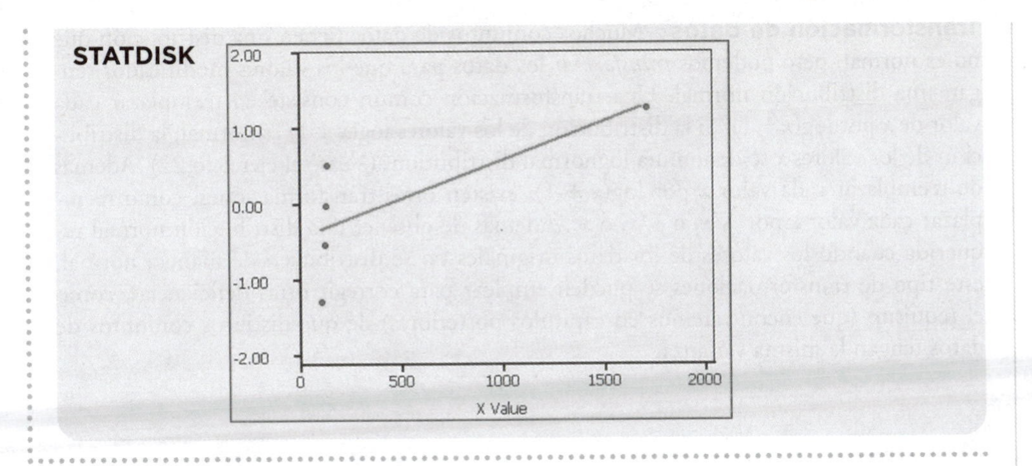

Prueba de Ryan-Joiner La prueba de Ryan-Joiner es una de varias pruebas formales de normalidad, cada una de las cuales tiene sus propias ventajas y desventajas. STATDISK incluye la función de **Normality Assessment** que despliega un histograma, una gráfica cuantilar normal, el número de valores atípicos potenciales y los resultados de la prueba de Ryan-Joiner. En Internet podrá encontrar información acerca de la prueba de Ryan-Joiner.

EJEMPLO 4 **Tabaco en películas infantiles** En el conjunto de datos 7 del apéndice B se incluyen los tiempos (en segundos) de la exhibición de consumo de tabaco en 50 películas diferentes de dibujos animados para niños. A continuación se presenta la pantalla de STATDISK con el resumen de los resultados de la función Normality Assessment. Todos esos resultados sugieren que la muestra *no* proviene de una población distribuida normalmente: **1.** El histograma se aleja mucho de una forma de campana; **2.** los puntos en la gráfica cuantilar normal difieren mucho del patrón de una línea recta; **3.** al parecer, hay uno o más valores atípicos; **4.** los resultados de la prueba de Ryan-Joiner indican que debe rechazarse la normalidad. La evidencia en contra de una distribución normal es firme y consistente.

STATDISK

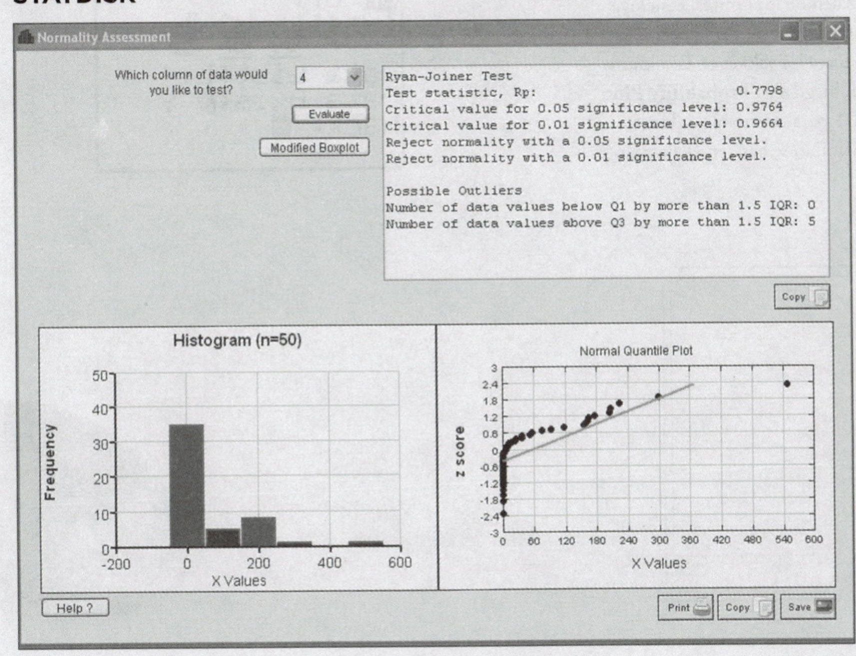

¿Es seguro el paracaidismo?

De las más de 100,000 personas que realizan cerca de 2.25 millones de saltos en paracaídas cada año, mueren aproximadamente 30. En comparación, en un año típico se registran alrededor de 200 muertes en el buceo, 7000 ahogamientos, 900 muertes en bicicletas, 800 muertes por relámpagos y 1150 muertes por picaduras de abeja. Desde luego, estas cifras no significan necesariamente que el paracaidismo sea más seguro que andar en bicicleta o que la natación. En una comparación justa deben incluirse las tasas de mortalidad, no solo el número total de fallecimientos.

El autor, con gran osadía, realizó dos saltos en paracaídas, pero desistió de continuar saltando después de que no logró caer dentro de la amplia zona de aterrizaje en ninguna de las dos ocasiones. Él también ha volado en ala delta, en globo aerostático y en el dirigible Goodyear.

Transformación de datos Muchos conjuntos de datos tienen una distribución que no es normal, pero podemos *transformar* los datos para que los valores modificados tengan una distribución normal. Una transformación común consiste en reemplazar cada valor de x por $\log(x + 1)$. Si la distribución de los valores $\log(x + 1)$ es normal, la distribución de los valores x se denomina lognormal distribution. (Véase el ejercicio 22). Además de reemplazar cada valor x por $\log(x + 1)$, existen otras transformaciones, como reemplazar cada valor x por $\sqrt{x}$, o $1/x$, o x^2. Además de obtener una distribución normal requerida cuando los valores de los datos originales no se distribuyen de manera normal, este tipo de transformaciones se pueden emplear para corregir otras deficiencias, como el requisito (que encontraremos en capítulos posteriores) de que distintos conjuntos de datos tengan la misma varianza.

USO DE LA TECNOLOGÍA

STATDISK STATDISK puede utilizarse para generar una gráfica cuantilar normal, y el resultado es congruente con el procedimiento descrito en esta sección. Registre los datos en una columna de la ventana del editor de muestras (Sample Editor). Después, seleccione **Data** de la parte superior de la barra del menú principal; luego, seleccione **Normal Quantile Plot** para generar la gráfica; o mejor aún, seleccione **Normality Assessment** para obtener la gráfica cuantilar normal incluida en la misma pantalla, junto con otros resultados que sirven para evaluar la normalidad. Proceda a indicar el número de columna para los datos y haga clic en **Evaluate.**

MINITAB Minitab puede generar una gráfica similar a la gráfica cuantilar normal descrita en esta sección. El procedimiento de Minitab es un tanto diferente, pero la gráfica puede interpretarse utilizando los mismos criterios de esta sección. Es decir, los datos que se distribuyen de manera normal deben aproximarse a una línea recta, y los puntos no deben revelar un patrón distinto al de una línea recta. Primero anote los valores en la columna C1, después seleccione **Stat, Basic Statistics** y **Normality Test.** Introduzca **C1** para la variable, después haga clic en **OK.**

Minitab también puede generar una gráfica que incluya los límites. Si todos los puntos caen dentro de los límites, concluya que los valores se distribuyen normalmente. Si los puntos se salen de los límites, concluya que los valores no están distribuidos de manera normal. Para generar la gráfica que incluya los límites, primero introduzca los valores en la columna C1, seleccione **Graph** en el menú principal, luego elija **Probability Plot** y la opción de **Simple.** Proceda a ingresar **C1** para la variable, y luego haga clic en **OK.** La siguiente pantalla de Minitab se basa en el ejemplo 2 e incluye los límites.

MINITAB

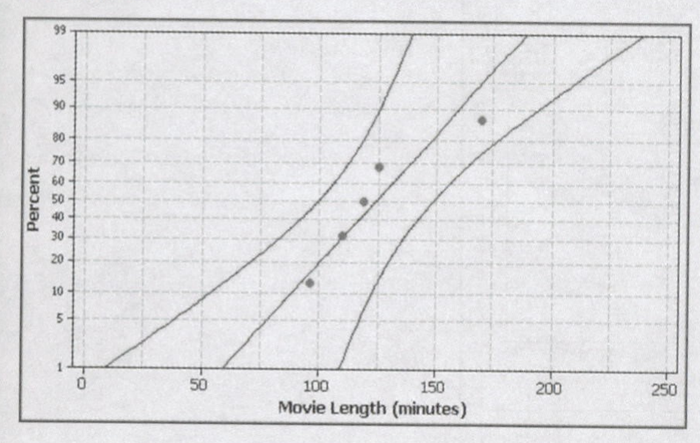

EXCEL Primero registre los datos en la columna A. Si utiliza Excel 2010 o 2007, haga clic en **Add-Ins** y luego en **DDXL.** Si utiliza Excel 2003, haga clic en **DDXL.** Seleccione **Charts and Plots** y después elija la función de **Normal Probability Plot.** Haga clic en el icono del lápiz para "Quantitative Variable", luego ingrese los rangos de valores, tales como A1:A36. Presione **OK.**

TI-83/84 PLUS La calculadora TI-83/84 Plus puede utilizarse para generar una gráfica cuantilar normal, y el resultado es congruente con el procedimiento descrito en esta sección. Primero anote los datos muestrales en la lista L1, presione 2ND Y= (para **STAT PLOT**), después presione ENTER. Seleccione **ON,** el elemento "type", que es el último del segundo renglón de opciones, y luego **L1** para la lista de datos. Debe aparecer una pantalla como la que se muestra a continuación. Después de hacer todas las selecciones, presione ZOOM, luego **9,** y aparecerán los puntos en la gráfica cuantilar normal.

TI-83/84 PLUS

Plot1 Plot2 Plot3
On Off
Type:
Data List:L1
Data Axis:X Y
Mark: □ + ·

6-7 Destrezas y conceptos básicos

Conocimientos estadísticos y pensamiento crítico

1. Gráfica cuantilar normal ¿Cuál es la finalidad de construir una gráfica cuantilar normal?

2. Rechazo de normalidad Identifique dos características diferentes de una gráfica cuantilar normal, de tal manera que cada característica conduzca a la conclusión de que los datos no provienen de una población distribuida normalmente.

3. Gráfica cuantilar normal Si usted selecciona una muestra aleatoria simple de dulces M&M sencillos y construye una gráfica cuantilar normal de sus pesos, ¿qué patrón esperaría en la gráfica?

4. Criterios de normalidad Suponga que tiene un conjunto de datos que consiste en las edades de todos los oficiales de policía de la ciudad de Nueva York. El examen de un histograma y de una gráfica cuantilar normal son dos formas distintas de evaluar la normalidad de ese conjunto de datos. Identifique una tercera estrategia.

Interpretación de gráficas cuantilares normales. ***En los ejercicios 5 a 8, examine la gráfica cuantilar normal y determine si describe datos muestrales de una población con una distribución normal.***

5. Old Faithful La gráfica cuantilar normal representa la duración (en segundos) de las erupciones del géiser Old Faithful, de acuerdo con el conjunto de datos 15 del apéndice B.

STATDISK

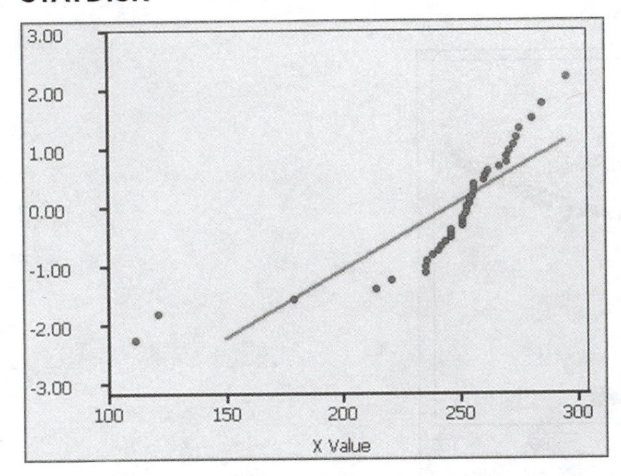

6. Estatura de mujeres La gráfica cuantilar normal representa las estaturas de mujeres incluidas en el conjunto de datos 1 del apéndice B.

STATDISK

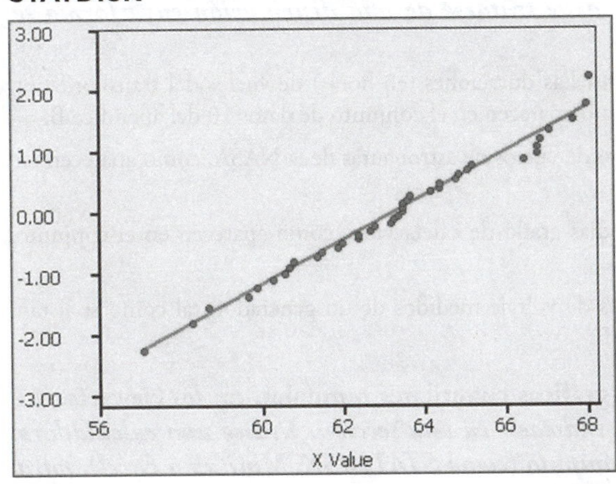

7. Pesos de Coca-Cola dietética La gráfica cuantilar normal representa los pesos (en libras) de Coca-Cola dietética, incluidos en el conjunto de datos 17 del apéndice B.

STATDISK

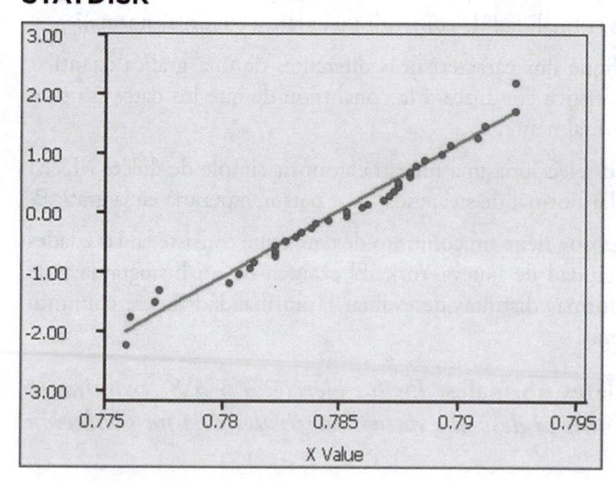

8. Dígitos de teléfonos La gráfica cuantilar normal representa los últimos dos dígitos de números telefónicos de individuos encuestados.

STATDISK

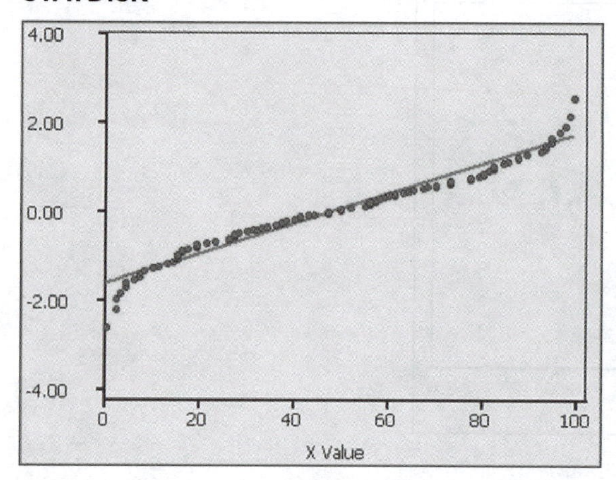

Determinación de normalidad. ***En los ejercicios 9 a 12, remítase al conjunto de datos indicado y determine si los datos se distribuyen de manera normal o no. Suponga que este requisito es flexible, en el sentido de que la distribución poblacional no necesita ser exactamente normal, sino que debe tratarse de una distribución cuya forma se aproxima a la de campana.***

9. Viajes de transbordador espacial Las duraciones (en horas) de vuelos del transbordador Space Transport System de la NASA, como aparecen en el conjunto de datos 10 del apéndice B.

10. Vuelos de astronautas El número de vuelos de astronautas de la NASA, como aparecen en el conjunto de datos 12 del apéndice B.

11. Días-grado de calefacción Los días-grado de calefacción, como aparecen en el conjunto de datos 12 del apéndice B.

12. Voltaje de generador Los niveles de voltaje medidos de un generador, tal como se listan en el conjunto de datos 13 del apéndice B.

Uso de la tecnología para generar gráficas cuantilares normales. ***En los ejercicios 13 a 16, utilice los datos del ejercicio indicado en esta sección. Utilice una calculadora TI-83/84 Plus o un programa de cómputo (como STATDISK, Minitab o Excel), para***

generar gráficas cuantilares normales. Después determine si los datos provienen de una población distribuida normalmente.

13. Ejercicio 9

14. Ejercicio 10

15. Ejercicio 11

16. Ejercicio 12

17. Comparación de conjuntos de datos Con las estaturas y los niveles de colesterol de mujeres, listados en el conjunto de datos 1 del apéndice B, analice los dos conjuntos de datos y determine si cada uno de ellos parece provenir de una población distribuida de manera normal. Compare los resultados y dé una posible explicación para cualquier diferencia notoria entre las dos distribuciones.

18. Comparación de conjuntos de datos Con los niveles de presión sanguínea sistólica y las anchuras del codo de mujeres, listados en el conjunto de datos 1 del apéndice B, analice los dos conjuntos de datos y determine si cada uno de ellos parece provenir de una población distribuida de manera normal. Compare los resultados y dé una posible explicación para cualquier diferencia notoria entre las dos distribuciones.

Construcción de gráficas cuantilares normales. ***En los ejercicios 19 y 20, utilice los valores indicados e identifique las puntuaciones z correspondientes que se emplean para una gráfica cuantilar normal. Después, construya la gráfica cuantilar normal y determine si los datos parecen provenir de una población con distribución normal.***

19. Distancias de frenado Una muestra de las distancias de frenado (en pies), medidas en condiciones estándar para los vehículos Acura RL, Acura TSX, Audi A6, BMW 525i y Buick LaCrosse: 131, 136, 129, 127, 146.

20. Satélites Una muestra del número de satélites en órbita: 158 (Estados Unidos); 17 (China); 18 (Rusia); 15 (Japón); 3 (Francia); 5 (Alemania).

6-7 Más allá de lo básico

21. Transformaciones Las estaturas de hombres (en pulgadas) incluidas en el conjunto de datos 1 del apéndice B tienen una distribución aproximadamente normal, de modo que parece que provienen de una población con distribución normal.

a) Si se añaden 2 pulgadas a cada estatura, ¿las nuevas estaturas también se distribuyen normalmente?

b) Si cada estatura se convierte de pulgadas a centímetros, ¿las estaturas en centímetros también se distribuyen normalmente?

c) ¿Los logaritmos de estaturas distribuidas normalmente también tienen una distribución normal?

22. Distribución log normal Los siguientes valores corresponden al tiempo (en días) que transcurre hasta que un prototipo de circuitos integrados falla. Pruebe la normalidad de los datos y luego reemplace cada valor x por $\log(x + 1)$ y pruebe la normalidad de los valores transformados. ¿Qué concluye?

103	547	106	662	329	510	1169	267	1894	1065
1396	307	362	1091	102	3822	547	725	4337	339

Repaso

En este capítulo presentamos la distribución de probabilidad normal, que es la distribución más importante en el estudio de la estadística.

Sección 6-2 En la sección 6-2 trabajamos con la distribución normal estándar, que es una distribución con media de 0 y desviación estándar de 1. El área total bajo la función de densidad de una distribución normal es 1, de manera que existe una correspondencia conveniente entre áreas y probabilidades. Presentamos métodos para calcular áreas (o probabilidades) que corresponden a puntuaciones z estándar, así como métodos importantes para calcular puntuaciones z estándar que corresponden a áreas (o probabilidades) conocidas. Los valores de las áreas y de las puntuaciones z pueden encontrarse por medio de la tabla A-2, o con la ayuda de una calculadora TI-83/84 Plus o de un programa de cómputo.

Sección 6-3 En la sección 6-3 extendimos los métodos de la sección 6-2 para trabajar con cualquier distribución normal y no solo con la distribución normal estándar. También presentamos la puntuación estándar $z = (x - \mu)/\sigma$ para resolver problemas como estos:

- Considerando que las puntuaciones de CI se distribuyen normalmente, con $\mu = 100$ y $\sigma = 15$, calcule la probabilidad de seleccionar al azar a un individuo con un CI por arriba de 90.
- Considerando que las puntuaciones de CI se distribuyen normalmente, con $\mu = 100$ y $\sigma = 15$, calcule la puntuación de CI que separa al 85% inferior del 15% superior.

Sección 6-4 En la sección 6-4 analizamos el concepto de distribución muestral de un estadístico. La distribución muestral de la media es la distribución de probabilidad de medias muestrales, en la que todas las muestras tienen el mismo tamaño de muestra n. La distribución muestral de la proporción es la distribución de probabilidad de proporciones muestrales, donde todas las muestras tienen el mismo tamaño n. En general, la distribución muestral de cualquier estadístico es la distribución de probabilidad de ese estadístico.

Sección 6-5 En la sección 6-5 presentamos los siguientes asuntos importantes, asociados con el teorema del límite central:

1. Conforme aumenta el tamaño de muestra n, la distribución de medias muestrales $\bar{x}$ se aproxima a una distribución normal.

2. La media de las medias muestrales es la media poblacional μ.

3. La desviación estándar de las medias muestrales es $\sigma/\sqrt{n}$.

Sección 6-6 En la sección 6-6 señalamos que en ocasiones podemos aproximar una distribución de probabilidad binomial por medio de una distribución normal. Si $np \geq 5$ y $nq \geq 5$, la variable aleatoria binomial x se distribuye de manera aproximadamente normal, con una media y una desviación estándar expresadas como $\mu = np$ y $\sigma = \sqrt{npq}$. Puesto que la distribución de probabilidad binomial trata con datos discretos y la distribución normal trata con datos continuos, aplicamos la corrección por continuidad, la cual debe emplearse en aproximaciones normales de distribuciones binomiales.

Sección 67 En la sección 6-7 examinamos procedimientos para determinar si los datos muestrales provienen de una población con distribución normal. Algunos de los métodos estadísticos que se estudiarán más adelante en este libro requieren, de forma flexible, de una población distribuida normalmente. En tales casos, es probable que lo único que se necesite sea el examen de un histograma y de los valores atípicos. En otros casos, podrían necesitarse gráficas cuantilares normales debido a factores como una muestra pequeña o un requisito muy estricto de que la población tenga una distribución normal.

Conocimientos estadísticos y pensamiento crítico

1. Distribución normal ¿Qué es una distribución normal? ¿Qué es una distribución normal estándar?

2. Distribución normal En un estudio de los ingresos de adultos en Estados Unidos, se observa que muchas personas no tienen ingresos o estos son muy bajos, mientras que muy pocos individuos perciben ingresos extremadamente altos. Debido a esto, una gráfica de los ingresos se observa sesgada en vez de simétrica. Un investigador afirma que, como los ingresos tienen una ocurrencia normal, su distribución es normal. ¿Es correcta esta afirmación? ¿Por qué?

3. Distribución de medias muestrales Se selecciona una muestra de 36 películas de cada uno de los últimos 50 años, y se calcula la media de su duración (en minutos). ¿Cuál es la distribución aproximada de esas medias muestrales?

4. Muestra grande En un crucero del barco Queen Elizabeth II, el 17% de los pasajeros contrajeron norovirus. America Online realizó una encuesta acerca del incidente y recibió 34,358 respuestas. Considerando que la muestra es tan grande, ¿podríamos concluir que esta muestra es representativa de la población?

Examen rápido del capítulo

1. Calcule el valor de $z_{0.03}$.

2. Un proceso consiste en lanzar un solo dado 100 veces y calcular la media de los 100 resultados. Si el proceso se repite muchas veces, ¿cuál es la distribución aproximada de las medias resultantes (uniforme, normal, de Poisson, binomial)?

3. ¿Cuáles son los valores de μ y σ en la distribución normal estándar?

4. Para la distribución normal estándar, calcule el área a la derecha de $z = 1.00$.

5. Para la distribución normal estándar, calcule el área entre las puntuaciones z de -1.50 y 2.50.

En los ejercicios 6 a 10, suponga que las puntuaciones de CI se distribuyen normalmente con una media de 100 y una desviación estándar de 15.

6. Calcule la probabilidad de que una persona elegida al azar obtenga una puntuación de CI menor que 115.

7. Calcule la probabilidad de que una persona elegida al azar obtenga una puntuación de CI mayor que 118.

8. Calcule la probabilidad de que una persona elegida al azar obtenga una puntuación de CI comprendida entre 88 y 112.

9. Si se seleccionan 25 personas al azar, calcule la probabilidad de que la media de su puntuación de CI sea menor que 103.

10. Si se seleccionan 100 personas al azar, calcule la probabilidad de que la media de su puntuación de CI sea mayor que 103.

Ejercicios de repaso

Estaturas. ***En los ejercicios 1 a 4, suponga que la estatura de los hombres se distribuye normalmente con una media de 69.0 pulgadas y una desviación estándar de 2.8 pulgadas. También suponga que la estatura de las mujeres se distribuye normalmente con una media de 63.6 pulgadas y una desviación estándar de 2.5 pulgadas (según datos de la National Health Survey).***

1. Largo de un sofá-cama Un sofá-cama mide 75 pulgadas de largo.

a) Calcule el porcentaje de hombres con una estatura que excedería la longitud de un sofá-cama.

b) Calcule el porcentaje de mujeres con una estatura que excedería la longitud de un sofá-cama.

c) Con base en los resultados anteriores, comente acerca de la longitud de un sofá-cama.

2. Largo de una cama Al diseñar una nueva cama, usted desea que su longitud sea igual o mayor que la estatura de al menos el 95% de los hombres. ¿Cuál sería la longitud mínima de esta cama?

3. Diseño de ataúdes El ataúd estándar tiene una longitud interior de 78 pulgadas.

a) ¿Qué porcentaje de hombres son demasiado altos para caber en un ataúd estándar? ¿Y qué porcentaje de mujeres son demasiado altas para caber en un ataúd estándar? Con base en esos resultados, ¿parece que el tamaño de un ataúd estándar es el adecuado?

b) Un fabricante de ataúdes desea reducir los costos de producción haciendo ataúdes más pequeños. ¿Qué longitud interior sería adecuada para todos los hombres, con excepción del 1% con mayor estatura?

4. Estaturas de las Rockette Con la finalidad de contar con un equipo uniforme de bailarinas, las famosas Rockette del Radio City Music Hall de Nueva York deben cumplir con ciertos requisitos de estatura. Como las mujeres se han vuelto más altas con el paso de los años, una modificación reciente exige ahora que una bailarina Rockette mida entre 66.5 y 71.5 pulgadas. ¿Qué porcentaje de las mujeres satisfacen este requisito de estatura? ¿Parece que las Rockette son más altas que la mujer típica?

5. Experimento genético En un experimento de Mendel con plantas, entre 1064 vástagos hubo 787 plantas con tallos largos. Según la teoría de Mendel, 3/4 de los vástagos deberían tener tallos largos. Suponiendo que la proporción de 3/4 propuesta por Mendel es correcta, calcule la probabilidad de obtener 787 plantas o menos con tallos largos, entre un total de 1064 vástagos. Con base

continúa

en el resultado, ¿787 vástagos con tallos largos es un número inusualmente bajo? ¿Qué implican los resultados con respecto a la proporción de 3/4 que propuso Mendel?

6. Distribuciones muestrales Suponga que los siguientes estadísticos muestrales se obtuvieron de una muestra aleatoria simple. ¿Cuál de las siguientes afirmaciones es verdadera?

a) La media muestral $\bar{x}$ coincide con la media poblacional μ en el sentido de que la media de todas las medias muestrales es μ.

b) La proporción muestral $\hat{p}$ coincide con la proporción poblacional p en el sentido de que la media de todas las proporciones muestrales es p.

c) La varianza muestral s^2 coincide con la varianza poblacional σ^2 en el sentido de que la media de todas las varianzas muestrales es σ^2.

d) La mediana muestral coincide con la mediana poblacional en el sentido de que la media de todas las medianas muestrales es igual a la mediana poblacional.

e) El rango muestral coincide con el rango poblacional en el sentido de que la media de todos los rangos muestrales es igual al rango de la población.

7. Niveles altos de colesterol Los niveles de colesterol sérico de hombres de entre 18 y 24 años de edad se distribuyen normalmente, con una media de 178.1 y una desviación estándar de 40.7. Las unidades son mg/100 mL y los datos están basados en la National Health Survey.

a) Si se selecciona al azar a 1 hombre de entre 18 y 24 años, calcule la probabilidad de que su nivel de colesterol sérico sea mayor de 260, valor considerado "moderadamente alto".

b) Si se selecciona al azar a 1 hombre de entre 18 y 24 años, calcule la probabilidad de que su nivel de colesterol sérico esté entre 170 y 200.

c) Si se seleccionan al azar 9 hombres de entre 18 y 24 años, calcule la probabilidad de que su nivel medio de colesterol sérico se ubique entre 170 y 200.

d) La Providence Health Maintenance Organization desea establecer un criterio para recomendar cambios en la dieta, si los niveles de colesterol se encuentran dentro del 3% superior. ¿Cuál es el punto de corte para los hombres de 18 a 24 años?

8. Identificación de discriminación por género Jennifer Jenson se entera de que la agencia Newport Temp solo ha contratado a 15 mujeres entre sus últimos 40 empleados nuevos. También se entera de que el grupo de solicitantes es muy grande, con el mismo número de hombres y mujeres calificados. Calcule la probabilidad de que, entre 40 de estos solicitantes, el número de mujeres sea de 15 o menos. Con base en el resultado, ¿hay firmes evidencias para acusar a la agencia Newport Temp de discriminar a las mujeres?

9. Valores críticos

a) Calcule la puntuación z estándar con un área acumulada a su izquierda de 0.6700.

b) Calcule la puntuación z estándar con un área acumulada a su derecha de 0.9960.

c) Calcule el valor de $z_{0.025}$.

10. Distribuciones muestrales Se obtiene un número grande de muestras aleatorias simples de tamaño $n = 85$ a partir de una población grande de pesos al nacer, con una media de 3420 g y una desviación estándar de 495 g. Se calcula la media muestral $\bar{x}$ de cada muestra.

a) ¿Cuál es la forma aproximada de la distribución de las medias muestrales?

b) ¿Cuál es la media esperada de las medias muestrales?

c) ¿Cuál es la desviación estándar esperada de las medias muestrales?

11. Estándares de seguridad para aviones Según las reglas de la Federal Aviation Administration, las aerolíneas deben estimar el peso de un pasajero en 185 libras. (Esta cantidad es para un adulto que viaja en invierno, e incluye 20 libras de equipaje de mano). Las reglas actuales exigen una estimación de 195 libras. El peso de los hombres se distribuye normalmente, con una media de 172 libras y una desviación estándar de 29 libras.

a) Si se selecciona 1 hombre al azar, y se supone que lleva un equipaje de mano de 20 libras, calcule la probabilidad de que su peso total sea mayor que 195 libras.

b) Si un avión Boeing 767-300 transporta a 213 pasajeros adultos varones, y se supone que cada uno lleva equipaje de mano con un peso de 20 libras, calcule la probabilidad de que el peso medio de los pasajeros (incluyendo su equipaje de mano) sea mayor que 195 libras. Con base en esa probabilidad, ¿el piloto debe preocuparse por exceder este límite de peso?

12. Evaluación de normalidad A continuación se presentan los pesos (en gramos) de una muestra aleatoria simple de monedas estadounidenses de un dólar (del conjunto de datos 20 del apéndice B). ¿Parece que estos pesos provienen de una población distribuida de manera normal? ¿Por qué?

8.1008	8.1072	8.0271	8.0813	8.0241	8.0510	7.9817	8.0954	8.0658	8.1238
8.1281	8.0307	8.0719	8.0345	8.0775	8.1384	8.1041	8.0894	8.0538	8.0342

Ejercicios de repaso acumulativo

1. Salarios de entrenadores A continuación se presentan los salarios anuales (en miles de dólares) de una muestra aleatoria simple de entrenadores de futbol de la división 1-A de la NCAA (según datos del *New York Times*).

235	159	492	530	138	125	128	900	360	212

a) Calcule la media $\bar{x}$ y exprese el resultado en dólares y no en miles de dólares.

b) Calcule la mediana y exprese el resultado en dólares y no en miles de dólares.

c) Calcule la desviación estándar s y exprese los resultados en dólares y no en miles de dólares.

d) Calcule la varianza s^2 y exprese el resultado en las unidades adecuadas.

e) Transforme el primer salario de $235,000 en una puntuación z.

f) ¿Qué nivel de medición (nominal, ordinal, de intervalo, de razón) tiene este conjunto de datos?

g) ¿Los salarios son datos discretos o continuos?

2. Muestreo

a) ¿Qué es una muestra aleatoria simple?

b) ¿Qué es una muestra de respuesta voluntaria y por qué no suele ser adecuada para fines estadísticos?

3. Ensayo clínico de Nasonex En un ensayo clínico del fármaco Nasonex, para las alergias, se trataron 2103 pacientes adultos con este medicamento y 14 de ellos desarrollaron infecciones virales.

a) Si dos adultos diferentes se seleccionan al azar del grupo de tratamiento, ¿cuál es la probabilidad de que ambos desarrollen infecciones virales?

b) Suponiendo que la misma proporción de infecciones virales se aplica a todos los adultos que utilizan Nasonex, calcule la probabilidad de que, de un total de 5000 adultos tratados con Nasonex seleccionados al azar, al menos 40 desarrollen infecciones virales.

c) Con base en el resultado del inciso *b*), ¿40 es un número inusualmente alto de infecciones virales? ¿Por qué?

d) ¿Los resultados (14 infecciones virales entre 2103 usuarios adultos de Nasonex) sugieren que las infecciones virales son una reacción adversa al fármaco Nasonex? ¿Por qué?

4. Gráfica del rendimiento de automóviles La siguiente gráfica describe el consumo de combustible (en millas por galón) en carretera de tres automóviles. ¿La gráfica describe los datos adecuadamente, o los distorsiona de alguna forma? Explique.

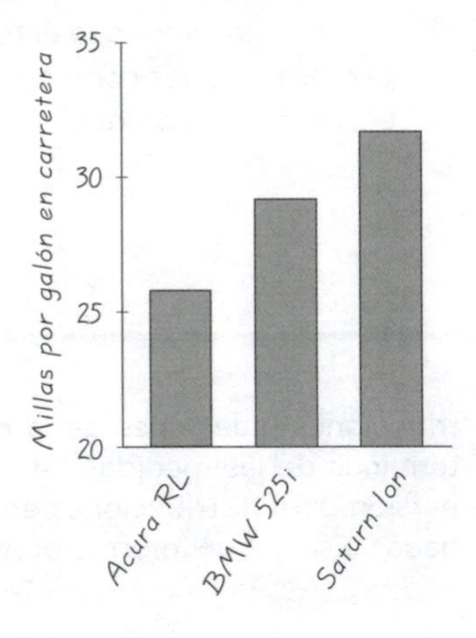

5. Zurdos Según datos de la American Medical Association, el 10% de las personas son zurdas.

a) Si se seleccionan tres personas al azar, calcule la probabilidad de que todas sean zurdas.

b) Si se seleccionan tres personas al azar, calcule la probabilidad de que al menos una de ellas sea zurda.

c) ¿Por qué no podemos resolver el problema del inciso *b*) con una distribución normal como aproximación de la distribución binomial?

d) Si se seleccionan al azar grupos de 50 personas, ¿cuál sería el número medio de individuos zurdos en estos grupos?

e) Si se seleccionan al azar grupos de 50 personas, ¿cuál sería la desviación estándar del número de personas zurdas en estos grupos?

f) ¿Sería inusual encontrar a 8 sujetos zurdos en un grupo de 50 personas seleccionadas al azar? ¿Por qué?

Proyecto tecnológico

Evaluación de normalidad Este proyecto implica el uso de STATDISK para evaluar la normalidad de conjuntos de datos. Si aún no ha utilizado STATDISK, puede instalarlo del sitio Web de este libro. Haga clic en el archivo **Software,** seleccione **STATDISK** y proceda a instalar el programa.

Los conjuntos de datos del apéndice B están disponibles al elegir **Datasets** en la barra del menú superior; luego, seleccione el libro de texto que está utilizando. STATDISK se puede usar para evaluar la normalidad de una muestra al elegir **Data** y luego el elemento **Normality Assessment** del menú. Utilice esta aplicación para encontrar una muestra que provenga claramente de una población distribuida de manera normal. Encuentre también una segunda muestra que claramente *no* provenga de una población distribuida normalmente. Por último, encuentre una tercera muestra que pueda considerarse proveniente de una población con distribución normal si se interpretan los requisitos de una forma no tan rígida, sino más bien, con cierta flexibilidad. En cada caso, obtenga una impresión de la pantalla de Normality Assessment y redacte una explicación breve que justifique su elección.

PROYECTO DE INTERNET

Exploración del teorema del límite central

Visite: **www.pearsonenespañol.com/triola**

El teorema del límite central es uno de los resultados más importantes en estadística; también puede ser uno de los más sorprendentes. De manera informal, el teorema del límite central dice que la distribución normal está en todas partes. Sin importar qué distribución de probabilidad subyace en un experimento, existe una distribución correspondiente de medias que tendrá una forma aproximadamente normal.

La mejor manera para comprender y apreciar el teorema del límite central es verlo en acción. El proyecto de Internet de este capítulo le permitirá lograr lo anterior. Usted examinará el teorema del límite central desde un punto de vista teórico y práctico. Primero, las simulaciones que se encuentran en Internet le ayudarán a entender el teorema; en segundo lugar, verá que el teorema es fundamental para actividades comunes como la aplicación de encuestas y el pronóstico de resultados electorales.

PROYECTO APPLET

El sitio Web de este libro incluye applets diseñados para visualizar diversos conceptos. Abra el archivo de applets y haga doble clic en **Start.** Seleccione **Sampling Distributions** del menú, y utilice el applet para comparar las distribuciones muestrales de la media y de la mediana en términos de las medidas de tendencia central y de dispersión para distribuciones en forma de campana y sesgadas. Escriba un informe breve de sus resultados.

DE LOS DATOS A LA DECISIÓN

Pensamiento crítico: Diseño de un asiento de avión

En este proyecto consideramos el problema de determinar la "distancia de asiento" que se muestra en la figura 6-24*a*). Definimos la distancia de asiento como la longitud entre el respaldo de un asiento y el asiento que se encuentra enfrente. La determinación de la distancia de asiento debe tomar en cuenta medidas del cuerpo humano. En específico, debemos considerar la "longitud desde el glúteo hasta la rodilla", tal como se ilustra en la figura 6-24*b*). El establecimiento de la distancia de asiento de una aeronave es sumamente importante. Si la distancia de asiento es innecesariamente grande, es probable que se eliminen filas de asientos. Se estima que la eliminación de una sola fila de seis asientos puede costar alrededor de $8 millones en el transcurso de la vida de la aeronave. Si la distancia de asiento es demasiado pequeña, los pasajeros podrían sentirse incómodos y preferirán volar en otra línea, o su seguridad podría verse comprometida debido a la limitación de su movilidad.

Para determinar la distancia de asiento de nuestro avión, utilizaremos datos reunidos previamente sobre mediciones de grandes grupos de personas. Los resultados de esas medidas se resumen en la tabla. Podemos utilizar los datos de la tabla para determinar la distancia de asiento requerida, pero debemos tomar algunas decisiones difíciles. Si queremos acomodar *a todos los miembros* de la población, tendremos una distancia de asiento tan costosa en términos de un asiento reducido, que podría no ser viable desde el punto de vista económico. Una de las decisiones difíciles que debemos tomar es la siguiente: **1.** ¿Qué porcentaje de la población estamos dispuestos a excluir? **2.** ¿Qué cantidad de espacio adicional deseamos ofrecer para la comodidad y seguridad de los pasajeros? Utilice la información disponible para determinar la distancia de asiento. Identifique las opciones y las decisiones que se tomaron para esa determinación.

Longitud desde el glúteo hasta la rodilla (en pulgadas)

	Media	Desviación estándar	Distribución
Hombres	23.5 in	1.1 in	Normal
Mujeres	22.7 in	1.0 in	Normal

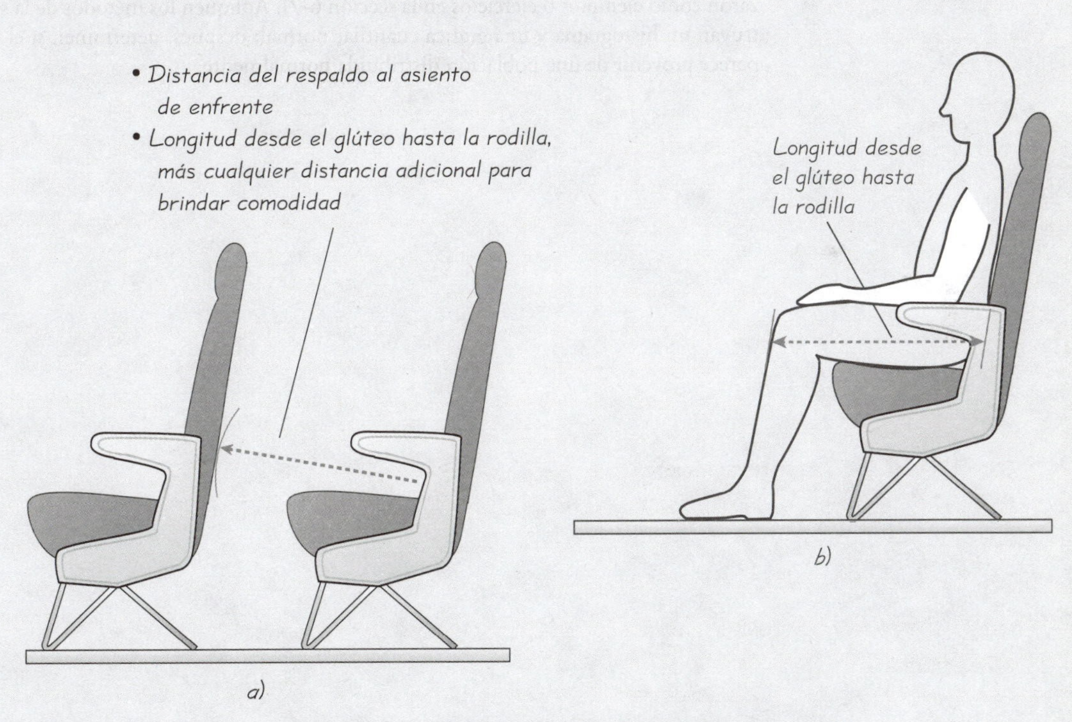

Figura 6-24 Distancia de asiento y longitud desde el glúteo hasta la rodilla

Actividades de trabajo en equipo

1. Actividad en clase Formen grupos de tres o cuatro estudiantes y resuelvan los siguientes problemas relacionados con el diseño de tapas de alcantarillas.

• ¿Cuál de las siguientes medidas es más importante para determinar si el diámetro de 24 pulgadas de la tapa de una alcantarilla es suficientemente grande: pesos de hombres, pesos de mujeres, estaturas de hombres, estaturas de mujeres, anchura de caderas de hombres, anchura de caderas de mujeres, anchura de hombros de hombres, anchura de hombros de mujeres?

• ¿Por qué las tapas de alcantarillas suelen ser redondas? (Se trata de una pregunta de entrevista que IBM planteaba a los aspirantes a un empleo, y existen al menos tres buenas respuestas. Aquí es suficiente una buena respuesta).

2. Actividad fuera de clase Formen grupos de tres o cuatro estudiantes. En cada grupo, diseñen un procedimiento original para ilustrar el teorema del límite central. El objetivo principal es demostrar que cuando se seleccionan al azar muestras de una población, las medias de esas muestras tienden a distribuirse *normalmente*, sin importar la naturaleza de la distribución poblacional. Para este caso, comiencen con alguna población de valores que no tengan una distribución normal.

3. Actividad en clase Formen grupos de tres o cuatro estudiantes. Utilicen una moneda para simular nacimientos y pidan a cada miembro del grupo que simule 25 nacimientos y registre el número de niñas simuladas. Combinen todos los resultados del grupo y registren n = número total de nacimientos y x = número de niñas. Con los grupos de n nacimientos, calculen la media y la desviación estándar del número de niñas. ¿Es frecuente o inusual el resultado simulado? ¿Por qué?

4. Actividad en clase Formen grupos de tres o cuatro estudiantes. Seleccionen un conjunto de datos del apéndice B (excluyan los conjuntos de datos 1, 8, 9, 11, 12, 14 y 16, los cuales se utilizaron como ejemplos o ejercicios en la sección 6-7). Apliquen los métodos de la sección 6-7 y construyan un histograma y una gráfica cuantilar normal; después, determinen si el conjunto de datos parece provenir de una población distribuida normalmente.

ESTADÍSTICA EN LA APLICACIÓN DE ENCUESTAS

NOMBRE:	Barbara Carvalho
PUESTO:	Directora de Marist College Poll
NOMBRE:	Lee Miringoff
PUESTO:	Director del Marist College Institute for Public Opinionn

Barbara Carvalho es directora de Marist College Poll, y Lee Miringoff es director del Marist College Institute for Public Opinion. Ellos informan los resultados de sus encuestas en muchas entrevistas para medios impresos y electrónicos, incluyendo programas de noticias de NBC, CBS, ABC, FOX y de la televisión pública. Lee Miringoff aparece regularmente en el programa Today de la NBC.

¿A qué se dedican?

Realizamos encuestas sobre asuntos públicos, estimaciones de aprobación de funcionarios públicos en la ciudad de Nueva York, en el estado de Nueva York y a lo largo de toda la nación. No somos partidarios de realizar encuestas para partidos políticos, candidatos políticos o grupos de cabildeo. Recibimos fondos de manera independiente del Marist College y no tenemos ingresos externos que pudieran sugerir que realizamos investigación para algún grupo particular o sobre un tema específico.

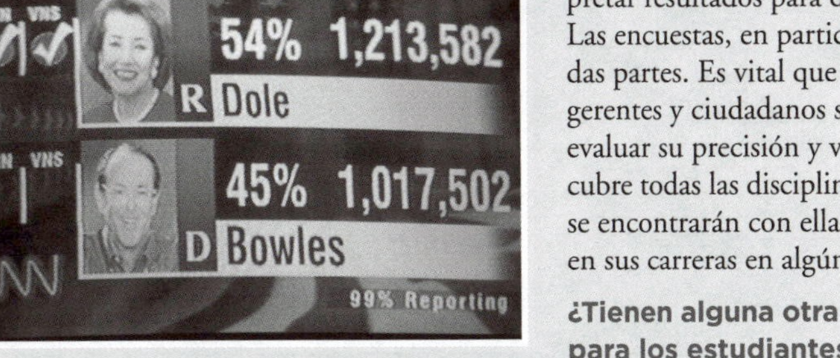

¿Cómo seleccionan a los individuos que encuestan?

En una encuesta estatal, seleccionamos a los sujetos en proporción a los registros de votantes de los condados. Los distintos condados tienen diferentes tasas de rechazo y si seleccionáramos al azar a personas en todo el territorio del estado, obtendríamos un modelo desigual de este último. Estratificamos los condados y usamos marcación aleatoria de dígitos, de manera que obtenemos tanto números que se incluyen como aquellos que no se incluyen en el directorio telefónico.

Acaban de mencionar las tasas de rechazo. ¿Consideran que estas constituyen un verdadero problema?

Uno de los aspectos que tenemos que enfrentar constantemente es el hecho de que la gente no responde a las encuestas. Este fenómeno se incrementa con el paso del tiempo y recibe mucha atención por parte de la comunidad de investigación basada en encuestas. Como centro de investigación, nos va bastante bien en comparación con otros. Pero cuando se efectúan entrevistas cara a cara y se tienen tasas de rechazo del 25 al 50%, existe una verdadera preocupación por descubrir quién se niega a responder, por qué y el efecto que esto tiene en la representatividad de los estudios que realizamos.

¿Recomendarían a los estudiantes tomar un curso de estadística?

Totalmente. Los números no se generan de la misma forma. Sin importar su campo de estudio o sus intereses profesionales, es una gran ventaja poseer la habilidad para evaluar de forma crítica la información de investigaciones que se les presente, utilizar datos para mejorar servicios o interpretar resultados para diseñar estrategias. Las encuestas, en particular, están por todas partes. Es vital que como empleados, gerentes y ciudadanos seamos capaces de evaluar su precisión y valor. La estadística cubre todas las disciplinas. Los estudiantes se encontrarán con ella inevitablemente en sus carreras en algún momento.

¿Tienen alguna otra recomendación para los estudiantes?

Es importante que aprovechen cualquier oportunidad para desarrollar sus habilidades de comunicación y presentación. No es suficiente mejorar sus habilidades para hablar y escribir, sino que también deben incrementar su nivel de familiaridad con las nuevas tecnologías.

7 Estimaciones y tamaño de la muestra

PROBLEMA DEL CAPÍTULO

¿Cómo se interpreta una encuesta sobre el calentamiento global?

El calentamiento global es el aumento de la temperatura media del aire cerca de la superficie de la Tierra, y el incremento de la temperatura media de los océanos. Los científicos suelen coincidir en que el calentamiento global es consecuencia de mayores cantidades de dióxido de carbono, metano, ozono y otros gases que son producto de la actividad humana.

Se cree que el calentamiento global es responsable del derretimiento de los glaciares, la reducción de la región ártica y el aumento en el nivel de los mares. Se teme que el continuo calentamiento global produzca niveles aún más elevados de los océanos, inundaciones, sequías y climas más extremos.

Como, al parecer, el calentamiento global tiene el potencial para causar cambios drásticos en el ambiente, es fundamental que reconozcamos ese potencial. ¿Qué tanto reconocemos el calentamiento global? En una encuesta del Pew Research Center, se preguntó a los participantes lo siguiente: "Por lo que ha leído y escuchado, ¿existe evidencia sólida de que la temperatura promedio de la Tierra ha aumentado durante las últimas décadas?". El 70% de 1501 adultos estadounidenses elegidos al azar respondieron afirmativamente a esa pregunta. Por lo tanto, de los individuos encuestados, el 70% cree en el calentamiento global. Aunque el tema de esta encuesta es de enorme importancia, nos enfocaremos en la interpretación y el análisis de los resultados. Algunos aspectos relevantes relacionados con esta encuesta son los siguientes:

- ¿Cómo se pueden utilizar los resultados de la encuesta para estimar el porcentaje de todos los adultos estadounidenses que creen que la Tierra se está calentando?
- ¿Qué tan probable es que el resultado del 70% sea exacto?
- Considerando que únicamente se encuestó a 1501/225,139,000 o el 0.0007% de la población adulta estadounidense, ¿el tamaño de la muestra es demasiado pequeño para ser significativo?
- ¿El método de selección de los participantes de la encuesta tiene un gran efecto sobre los resultados?

Podemos responder la última pregunta con base en los métodos de muestreo sólidos que analizamos en el capítulo 1. El método elegido para seleccionar a los participantes en la encuesta definitivamente tiene un efecto sobre los resultados. Si se utiliza una muestra de conveniencia o algún otro método de muestreo no aleatorio, es probable que los resultados sean deficientes. En cambio, si se utiliza una muestra aleatoria simple, es probable que los resultados sean útiles.

Nuestra capacidad para entender encuestas y para interpretar los resultados es crucial para nuestro papel como ciudadanos. Mientras estudiamos los temas de este capítulo, aprenderemos más acerca de las encuestas y la forma correcta de interpretarlas y presentar sus resultados.

7-1 Repaso y preámbulo

En los capítulos 2 y 3 utilizamos "estadística descriptiva" para resumir datos utilizando herramientas como las gráficas, y estadísticos como la media y la desviación estándar. Usaremos "estadística inferencial" cuando utilicemos datos muestrales para hacer inferencias acerca de parámetros poblacionales. Las dos principales actividades de la estadística inferencial son: **1.** usar datos muestrales para estimar valores de parámetros poblacionales (como una proporción poblacional o media poblacional); y **2.** someter a prueba hipótesis o afirmaciones acerca de parámetros poblacionales. En este capítulo comenzaremos a trabajar con el verdadero núcleo de la estadística inferencial al utilizar datos muestrales para hacer inferencias acerca de parámetros poblacionales. Por ejemplo, el problema del capítulo se refiere a una encuesta de 1501 adultos estadounidenses, de los cuales el 70% cree que la Tierra se está calentando. Con base en el estadístico muestral del 70%, estimaremos el porcentaje de *todos* los adultos estadounidenses que creen que la Tierra se está calentando y, para ello, utilizaremos los resultados muestrales para hacer una inferencia acerca de la población.

En este capítulo nos enfocamos en el uso de datos muestrales para estimar un parámetro poblacional, y en el capítulo 8 presentaremos los métodos básicos para someter a prueba las afirmaciones (o hipótesis) que se formulan acerca de un parámetro poblacional.

Como las secciones 7-2 y 7-3 utilizan *valores críticos*, sería útil revisar la notación que se presenta en la sección 6-2: z_α denota la puntuación z con un área de α a su derecha (α es la letra griega alfa). Revise el ejemplo 8 de la sección 6-2, donde se observa que si $\alpha = 0.025$, el valor crítico es $z_{0.025} = 1.96$. Es decir, el valor crítico de $z_{0.025} = 1.96$ tiene un área de 0.025 a su derecha.

7-2 Estimación de la proporción de una población

Concepto clave En esta sección presentamos métodos para utilizar una proporción *muestral* con la finalidad de estimar una *proporción* de una población. Hay tres ideas principales que debemos conocer y entender en esta sección.

- La proporción muestral es la mejor *estimación puntual* de la proporción poblacional.
- Podemos utilizar una proporción muestral para construir un *intervalo de confianza* con la finalidad de estimar el valor verdadero de una proporción poblacional, y debemos saber cómo interpretar dichos intervalos de confianza.
- Debemos saber cómo calcular el tamaño de la muestra necesario para estimar una proporción poblacional.

Los conceptos que se presentan en esta sección se emplearán en secciones y capítulos posteriores, por lo que es importante comprender muy bien su contenido.

Proporción, probabilidad y porcentaje Aunque esta sección se enfoca en la proporción poblacional p, también podemos trabajar con probabilidades o porcentajes. En el problema del capítulo, por ejemplo, se señaló que el 70% de los encuestados creen en el calentamiento global. El estadístico muestral del 70% puede expresarse en forma decimal como 0.70, de manera que la proporción muestral es $\hat{p} = 0.70$. (Recuerde que en la sección 6-4 vimos que p representa la *proporción poblacional*, y $\hat{p}$ se utiliza para denotar la *proporción muestral*).

Estimación puntual Si queremos estimar una proporción poblacional con un solo valor, la mejor estimación es la proporción muestral $\hat{p}$. Como $\hat{p}$ consiste en un solo valor, se le denomina *estimación puntual.*

DEFINICIÓN

Una **estimación puntual** es un valor individual (o punto) que se usa para aproximar un parámetro poblacional.

La proporción muestral $\hat{p}$ es la mejor estimación puntual de la proporción poblacional p.

Usamos $\hat{p}$ acomo la estimación puntual de p, ya que no está sesgado y es el más consistente de los estimadores que podrían usarse. No está sesgado en el sentido de que la distribución de las proporciones muestrales tiende a concentrarse alrededor del valor de p; esto es, las proporciones muestrales $\hat{p}$ no tienden sistemáticamente a subestimar ni a sobrestimar p. (Véase la sección 6-4). La proporción muestral $\hat{p}$ es la estimación más consistente en el sentido de que la desviación estándar de las proporciones muestrales tiende a ser menor que la desviación estándar de cualquier otro estimador insesgado.

EJEMPLO 1

Proporción de adultos que creen en el calentamiento global

En el problema del capítulo señalamos que en una encuesta del Pew Research Center, el 70% de 1501 adultos elegidos al azar en Estados Unidos creen en el calentamiento global, de manera que la proporción muestral es $\hat{p} = 0.70$. Calcule la mejor estimación puntual de la proporción de *todos* los adultos estadounidenses que creen en el calentamiento global.

SOLUCIÓN

Puesto que la proporción muestral es la mejor estimación puntual de la proporción poblacional, concluimos que la mejor estimación puntual de p es 0.70. Si se utilizan los resultados muestrales para estimar el porcentaje de adultos estadounidenses que creen en el calentamiento global, la mejor estimación es el 70%.

¿Por qué necesitamos intervalos de confianza?

En el ejemplo 1 vimos que 0.70 era la *mejor* estimación puntual de la proporción poblacional p, pero no tenemos ningún indicador de qué tan *buena* es la mejor estimación. Como una estimación puntual tiene la grave falla de no revelar información sobre qué tan buena es, los especialistas en estadística han desarrollado otro tipo de estimación, llamada *intervalo de confianza o estimación del intervalo*, que consiste en un rango (o un intervalo) de valores, en vez de un solo valor.

DEFINICIÓN

Un **intervalo de confianza** (o **estimación del intervalo**) es un rango (o un intervalo) de valores que se usa para estimar el valor real de un parámetro poblacional. El intervalo de confianza suele abreviarse como IC.

Un intervalo de confianza se asocia con un nivel de confianza, como 0.95 (o 95%). El nivel de confianza nos da la tasa de éxitos del procedimiento que se utiliza para construir el intervalo de confianza. El nivel de confianza suele expresarse como la probabilidad o área $1 - \alpha$ (alfa griega minúscula). El valor de α es el complemento del *nivel de confianza.* Para un nivel de confianza de 0.95 (o 95%), $\alpha = 0.05$. Para un nivel de confianza de 0.99 (o 99%), $\alpha = 0.01$.

Falsificación de datos

El glosario del censo define la *falsificación de datos (curbstoning)* como "la práctica por medio de la cual un censor fabrica un cuestionario para una vivienda, sin visitarla".

La falsificación de datos ocurre cuando un censor se sienta en la acera (o en cualquier otro lado) y llena las formas inventando las respuestas. Puesto que estos datos no son reales, afectan la validez del censo. En varios estudios se ha investigado la magnitud de la falsificación; uno de ellos reveló que aproximadamente el 4% de los censores realizan esta práctica al menos en una ocasión.

Los métodos de la sección 7-2 suponen que los datos muestrales se reunieron de una forma adecuada, así que si gran parte de los datos se obtuvieron a través de falsificaciones, entonces las estimaciones de los intervalos de confianza resultantes podrían tener muchos errores.

DEFINICIÓN

El **nivel de confianza** es la probabilidad $1 - \alpha$ (a menudo expresada como el valor de porcentaje equivalente) de que el intervalo de confianza realmente contenga el parámetro poblacional, suponiendo que el proceso de estimación se repite un gran número de veces. (El nivel de confianza también se llama **grado de confianza** o **coeficiente de confianza**).

Las opciones más comunes para el nivel de confianza son 90% (con $\alpha = 0.10$), 95% (con $\alpha = 0.05$) y 99% (con $\alpha = 0.01$). La opción del 95% es la más común, puesto que provee un buen equilibrio entre precisión (reflejada en el ancho del intervalo de confianza) y confiabilidad (expresada por el nivel de confianza).

A continuación se presenta un ejemplo de un intervalo de confianza que se utiliza más adelante (en el ejemplo 3), basado en los datos muestrales de 1501 adultos encuestados, de los cuales el 70% afirma creer en el calentamiento global:

El intervalo de confianza de la proporción poblacional p estimado al 0.95 (o 95%) es $0.677 < p < 0.723$.

Es común que los informes de los medios de comunicación incluyan afirmaciones como esta: "Con base en una encuesta del Pew Research Center, se estima que la proporción de adultos que creen en el calentamiento global es del 70%, con un margen de error de 2 puntos porcentuales". (Analizaremos el margen de error más adelante en esta sección). Observe que no se menciona el nivel de confianza. Aunque el nivel de confianza se debe incluir al reportar información sobre una encuesta, por lo general, los medios de comunicación no lo incluyen.

Interpretación de un intervalo de confianza

Debemos ser cuidadosos para interpretar los intervalos de confianza correctamente. Existe una interpretación correcta, pero muchas interpretaciones erróneas (y creativas) del intervalo de confianza $0.677 < p < 0.723$.

Correcta: "Tenemos una confianza del 95% de que el intervalo de 0.677 a 0.723 realmente contiene el valor verdadero de la proporción poblacional p". Esto significa que si seleccionamos muchas muestras diferentes de tamaño 1501 y construimos los intervalos de confianza correspondientes, el 95% de ellos incluirían realmente el valor de la proporción poblacional p. (Note que en esta interpretación correcta, el nivel del 95% se refiere a la tasa de éxitos del *proceso*, utilizada para estimar la proporción).

Errónea: "Existe un 95% de probabilidades de que el valor real de p se ubique entre 0.677 y 0.723". Sería incorrecto decir que "el 95% de las proporciones muestrales se ubican entre 0.677 y 0.723".

ADVERTENCIA

Tenga presente la interpretación correcta de un intervalo de confianza, como se explicó anteriormente.

Para cualquier punto específico en el tiempo, una población tiene un valor fijo y constante p, y un intervalo de confianza construido a partir de una muestra que incluye o no a p. De manera similar, si un bebé acaba de nacer y el médico está por anunciar su género, es incorrecto decir que existe una probabilidad de 0.5 de que sea una niña; el bebé es una niña o no lo es, y no hay una probabilidad implicada. Una proporción poblacional p es como el bebé que acaba de nacer: el valor de p es fijo, de manera que los límites del intervalo de confianza contienen a p o no lo contienen. Por eso es incorrecto decir que existe un 95% de probabilidades de que p se localice entre valores tales como 0.677 y 0.723.

Un nivel de confianza del 95% nos dice que el *proceso* que estamos usando, a la larga, dará por resultado límites del intervalo de confianza que contienen la proporción real de la población el 95% del tiempo. Suponga que la proporción real de todos los adultos que creen en el calentamiento global es $p = 0.75$. Entonces, el intervalo de confianza obtenido de la encuesta del Pew Research Center no incluiría la proporción poblacional, ya que la proporción poblacional real de 0.75 no se encuentra entre 0.677 y 0.723. Esto se ilustra en la figura 7-1, la cual señala los intervalos de confianza típicos que resultan de 20 muestras diferentes. Con un 95% de confianza, esperamos que 19 de las 20 muestras den por resultado intervalos de confianza que contienen el valor real de p; la figura 7-1 ilustra esto con 19 de los intervalos de confianza que contienen a p, mientras un intervalo de confianza no contiene a p.

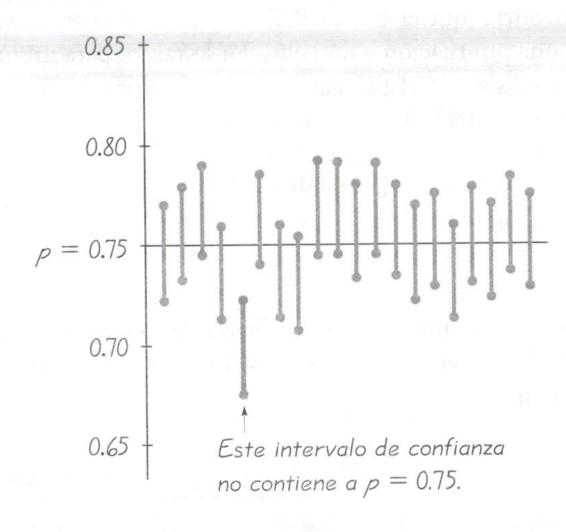

Figura 7-1 Intervalos de confianza de 20 muestras diferentes

ADVERTENCIA

Los intervalos de confianza pueden usarse de manera informal para comparar conjuntos de datos diferentes, pero el *traslape de intervalos de confianza no debe usarse para elaborar conclusiones formales y finales acerca de la igualdad de las proporciones.* (Véase "On Judging the Significance of Differences by Examining the Overlap Between Confidence Intervals", de Schenker y Gentleman, *American Statistician*, vol. 55, núm. 3).

Valores críticos

Los métodos de esta sección (y muchos de los demás métodos estadísticos que usted encontrará en los capítulos siguientes) hacen referencia al uso de una puntuación z estándar, que permite distinguir entre estadísticos muestrales que tienen probabilidades de ocurrir y aquellos que son improbables. Una puntuación z de este tipo se llama *valor crítico*. (Los valores críticos se presentaron primero en la sección 6-2, y se definen de manera formal a continuación). Los valores críticos se basan en las siguientes observaciones:

1. En ciertas condiciones, la distribución muestral de las proporciones muestrales puede aproximarse mediante una distribución normal, como en la figura 7-2.
2. Una puntuación z asociada con la proporción muestral tiene una probabilidad de $\alpha/2$ de ubicarse en la cola derecha de la figura 7-2.
3. La puntuación z que separa la región de la cola derecha generalmente se denota con $z_\alpha/2$ y se conoce como *valor crítico*, puesto que se ubica en la frontera que separa las puntuaciones z de las proporciones muestrales que tienen probabilidad de ocurrir de aquellas que no tienen probabilidad de ocurrir.

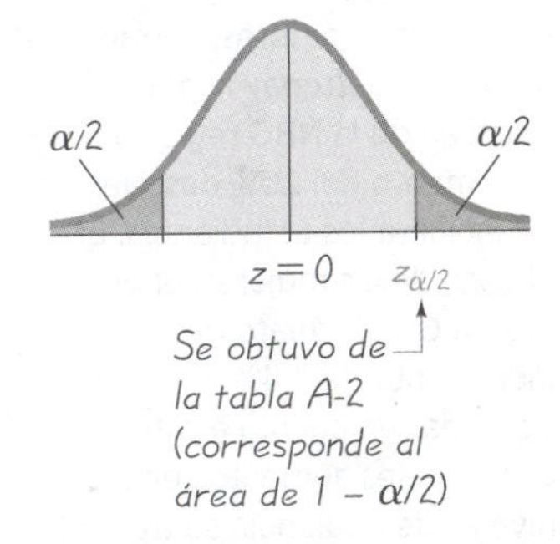

Figura 7-2 Valor crítico $z_{\alpha/2}$ en la distribución normal estándar

DEFINICIÓN

Un **valor crítico** es el número en la línea limítrofe que separa estadísticos muestrales que tienen mayor probabilidad de ocurrir de aquellos que no tienen probabilidad de ocurrir. El número $z_\alpha/2$ es un valor crítico, una puntuación z con la propiedad de que separa un área de $\alpha/2$ en la cola derecha de la distribución normal estándar (véase la figura 7-2).

Niveles de audiencia Nielsen para estudiantes universitarios

Los niveles de audiencia Nielsen constituyen una de las medidas de audiencia televisiva más importantes, e influyen en la compra de miles de millones de dólares en publicidad por televisión. Anteriormente, se desconocían los hábitos televisivos de los estudiantes universitarios, y por eso se ignoraba un gran segmento de la importante audiencia de jóvenes. Nielsen Media Research ahora está incluyendo a los estudiantes universitarios que no viven en casa.

Algunos programas de televisión son muy atractivos a los espectadores que tienen entre 18 y 24 años de edad, y los niveles de audiencia de este tipo de programas han aumentado de manera importante con la inclusión de los estudiantes universitarios. En el caso de los hombres, la transmisión de *Saturday Night Football* de la NBC registró un incremento del 20% después de incluir a los estudiantes. En el caso de las mujeres, el programa *Grey's Anatomy* tuvo un incremento del 54% después de tomar en cuenta a este grupo. Tales aumentos en los niveles de audiencia se traducen en mayores ganancias por el pago de patrocinadores comerciales; además, reconocen los gustos de los estudiantes universitarios, lo que afecta las estrategias de programación.

EJEMPLO 2 **Cálculo de un valor crítico** Calcule el valor crítico $z_{\alpha/2}$ que corresponde a un nivel de confianza del 95%.

SOLUCIÓN Un nivel de confianza del 95% corresponde a $\alpha = 0.05$. Observe la figura 7-3, donde mostramos que el área en cada una de las colas sombreadas de gris oscuro es $\alpha/2 = 0.025$. Calculamos $z_{\alpha/2} = 1.96$ señalando que toda el área a su izquierda debe ser $1 - 0.025$, o 0.975. Podemos utilizar herramientas tecnológicas o remitirnos a la tabla A-2 para encontrar que el área de 0.9750 (que se encuentra *en el cuerpo* de la tabla) corresponde a una puntuación z de 1.96. Por lo tanto, para un nivel de confianza del 95%, el valor crítico es $z_{\alpha/2} = 1.96$. Para calcular el valor crítico z para un nivel de confianza del 95%, busque 0.9750 (*no* 0.95) en el cuerpo de la tabla A-2.

Nota: Se pueden utilizar muchas herramientas tecnológicas para calcular valores críticos. STATDISK, Excel, Minitab y la calculadora TI-83/84 Plus proporcionan valores críticos para la distribución normal.

El ejemplo 2 mostró que un nivel de confianza del 95% da por resultado un valor crítico de $z_{\alpha/2} = 1.96$. Este es el valor crítico más común y se lista junto con otros dos valores comunes en la siguiente tabla.

Nivel de confianza	α	Valor crítico, $z_{\alpha/2}$
90%	0.10	1.645
95%	0.05	1.96
99%	0.01	2.575

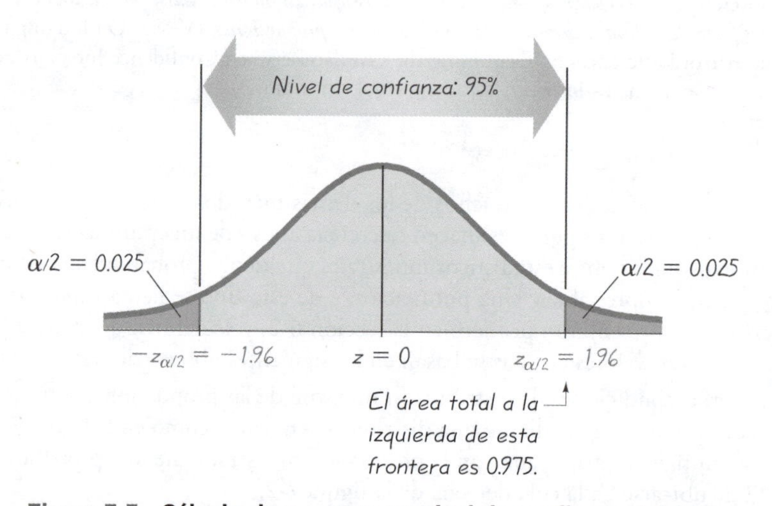

Figura 7-3 Cálculo de $z_{\alpha/2}$ para un nivel de confianza del 95%

Margen de error

Cuando reunimos un conjunto de datos muestrales que dan como resultado una proporción muestral, como la encuesta de Pew Research Center descrita en el problema del capítulo (donde el 70% de los 1501 participantes creen en el calentamiento global), podemos calcular la proporción muestral $\hat{p}$. Debido a la variación aleatoria que existe en las muestras, la proporción muestral suele diferir de la proporción poblacional. La diferencia entre la proporción muestral y la proporción de la población se considera un error. Ahora definimos el *margen de error E* como sigue.

DEFINICIÓN

Cuando se utilizan los datos de una muestra aleatoria simple para estimar una proporción poblacional p, el **margen de error,** denotado con $\boldsymbol{E}$, es la diferencia máxima probable (con probabilidad $1 - \alpha$, como 0.95) entre la proporción muestral $\hat{p}$ observada y el valor real de la proporción poblacional p. El margen de error E también se llama *error máximo de la estimación* y se calcula multiplicando el valor crítico por la desviación estándar de las proporciones muestrales, como se indica en la fórmula 7-1.

Fórmula 7-1
$$E = z_{\alpha/2}\sqrt{\frac{\hat{p}\hat{q}}{n}}$$
margen de error para proporciones

Para un nivel de confianza del 95%, $\alpha = 0.05$, de manera que existe una probabilidad de 0.05 de que la proporción muestral sea errónea por más de E. Esta propiedad se generaliza en el siguiente cuadro.

Intervalo de confianza para estimar una proporción poblacional *p*

Objetivo

Construir un intervalo de confianza que se utilice para estimar una proporción poblacional.

Notación

p = proporción poblacional

$\hat{p}$ = proporción muestral

n = número de valores muestrales

E = margen de error

$z_{\alpha/2}$ = puntuación z que separa un área de $\alpha/2$ en la cola derecha de la distribución normal estándar

Requisitos

1. La muestra es aleatoria simple. (*Advertencia:* Si los datos muestrales se obtuvieron en una forma inadecuada, las estimaciones de la proporción poblacional podrían ser incorrectas).
2. Se satisfacen las condiciones para la distribución binomial. Es decir, hay un número fijo de ensayos, los ensayos son independientes, hay dos categorías de resultados, y las probabilidades permanecen constantes para cada ensayo. (Véase la sección 5-3).
3. Hay al menos 5 éxitos y al menos 5 fracasos. (Cuando las proporciones poblacionales p y q se desconocen, sus valores se estiman utilizando la proporción muestral, de manera que este requisito es una forma de verificar que $np \geq 5$ y $nq \geq 5$ se cumplan, de modo que la distribución normal es una aproximación adecuada para la distribución binomial. Existen procedimientos para manejar situaciones en las que la distribución normal no es una aproximación adecuada, como ocurre en el ejercicio 51).

Intervalo de confianza

$$\hat{p} - E < p < \hat{p} + E \quad \text{donde} \quad E = z_{\alpha/2}\sqrt{\frac{\hat{p}\hat{q}}{n}}$$

El intervalo de confianza a menudo se expresa en las siguientes formas equivalentes:

$$\hat{p} \pm E$$

o

$$(\hat{p} - E, \hat{p} + E)$$

En el capítulo 4, cuando las probabilidades se expresaban en forma decimal, redondeábamos a tres dígitos significativos. Aquí utilizamos esa misma regla de redondeo.

Regla de redondeo para estimaciones de intervalo de confianza de *p*

Redondee los límites del intervalo de confianza para p a tres dígitos significativos.

Ahora podemos resumir el procedimiento para construir el intervalo de confianza para una proporción poblacional p:

Procedimiento para construir un intervalo de confianza para *p*

1. Verifique que los supuestos requeridos se cumplan.
2. Remítase a la tabla A-2 o utilice una herramienta tecnológica para calcular el valor crítico $z_{\alpha/2}$ que corresponde al nivel de confianza deseado.
3. Evalúe el margen de error $E = z_{\alpha/2}\sqrt{\hat{p}\hat{q}/n}$.
4. Utilizando el valor del margen de error E calculado y el valor de la proporción muestral $\hat{p}$, calcule los valores de los *límites del intervalo de confianza* $\hat{p} - E$ y $\hat{p} + E$. Sustituya esos valores en el formato general para el intervalo de confianza:

$$\hat{p} - E < p < \hat{p} + E$$

o

$$\hat{p} \pm E$$

o

$$(\hat{p} - E, \hat{p} + E)$$

5. Redondee los límites del intervalo de confianza resultantes a tres dígitos significativos.

EJEMPLO 3 **Construcción de un intervalo de confianza: Resultados de encuesta** En el problema del capítulo señalamos que una encuesta realizada por Pew Research Center, que incluyó a 1501 adultos estadounidenses elegidos al azar, reveló que el 70% creía en el calentamiento global. Los resultados muestrales son $n = 1501$ y $\hat{p} = 0.70$.

a) Calcule el margen de error E que corresponde a un nivel de confianza del 95%.

b) Calcule la estimación de un intervalo de confianza del 95% de la proporción poblacional p.

c) Con base en los resultados, ¿podemos concluir con seguridad que la mayoría de los adultos creen en el calentamiento global?

d) Suponiendo que usted es reportero, escriba un breve enunciado que describa con exactitud los resultados e incluya toda la información relevante.

SOLUCIÓN **VERIFICACIÓN DE REQUISITOS** Primero debemos verificar que se satisfagan los requisitos necesarios. **1.** Los métodos de encuesta utilizados por el Pew Research Center producen muestras que pueden considerarse aleatorias simples. **2.** Se satisfacen las condiciones para un experimento binomial, ya que hay un número fijo de ensayos (1501), los ensayos son independientes (porque la respuesta de una persona no afecta la probabilidad de la respuesta de otra persona), existen dos categorías de resultados (los sujetos creen o no creen en el calentamiento global), y la probabilidad permanece constante. Asimismo, con 70% de los participantes que creen en el calentamiento global, el número de los que creen es 1051 (o el 70% de 1501) y el número de los que no creen es 450, de manera que el número de éxitos (1051) y el número de fracasos (450) cumplen con el requisito de ser al menos 5. Completamos con éxito la verificación de los requisitos.

a) El margen de error se calcula usando la fórmula 7-1 con $z_{\alpha/2} = 1.96$ (como se calculó en el ejemplo 2), $\hat{p} = 0.70$, $\hat{q} = 0.30$, y $n = 1501$.

$$E = z_{\alpha/2}\sqrt{\frac{\hat{p}\hat{q}}{n}} = 1.96\sqrt{\frac{(0.70)(0.30)}{1501}} = 0.023183$$

b) Construir el intervalo de confianza es bastante fácil ahora que tenemos los valores de $\hat{p}$ y E. Simplemente sustituimos esos valores para obtener este resultado:

$$\hat{p} - E < p < \hat{p} + E$$

$$0.70 - 0.023183 < p < 0.70 + 0.023183$$

$$0.677 < p < 0.723 \quad \text{(redondeado a tres dígitos significativos)}$$

Este mismo resultado podría expresarse en el formato de 0.70 ± 0.023 o $(0.677, 0.723)$. Si queremos el intervalo de confianza del 95% para el porcentaje real de la población, podemos expresar el resultado como $67.7\% < p < 72.3\%$.

c) Con base en el intervalo de confianza obtenido en el inciso *b*), parece que la proporción de adultos que creen en el calentamiento global es mayor que 0.5 (o 50%), por lo que podemos concluir con certeza que la mayoría de los adultos creen en el calentamiento global. Como es probable que los límites de 0.677 y 0.723 contengan la proporción poblacional verdadera, parece que la proporción de la población es un valor mayor que 0.5.

d) La siguiente afirmación resume los resultados: el 70% de los adultos estadounidenses creen que la Tierra se está calentando. El porcentaje se basa en una encuesta realizada por el Pew Research Center con 1501 adultos estadounidenses elegidos al azar. En teoría, en el 95% de este tipo de encuestas, el porcentaje difiere en no más de 2.3 puntos porcentuales, en cualquier dirección, del porcentaje que se obtendría al entrevistar a todos los adultos estadounidenses.

Análisis de encuestas El ejemplo 3 trata sobre la encuesta descrita en el problema del capítulo. Al analizar los resultados de encuestas, debemos tomar en cuenta lo siguiente:

1. La muestra debería ser aleatoria simple y nunca una muestra inadecuada (como una muestra de respuesta voluntaria).
2. Es necesario informar el nivel de confianza. (A menudo es del 95%, pero los informes de los medios de comunicación suelen ignorar este dato).
3. Es necesario informar el tamaño de la muestra. (Los medios suelen proporcionarlo, aunque no siempre).
4. Con excepción de casos relativamente raros, la calidad de los resultados de la encuesta dependen del método de muestreo y del tamaño de la muestra, aunque el tamaño de la población no suele ser un factor importante.

ADVERTENCIA

Nunca crea la idea errónea común de que los resultados de las encuestas son poco confiables si el tamaño de la muestra es un porcentaje pequeño del tamaño de la población. Por lo general, el tamaño de la población no es un factor fundamental para determinar la confiabilidad de una encuesta.

Determinación del tamaño de la muestra

Suponga que queremos reunir datos muestrales con el objetivo de estimar alguna proporción de la población. ¿Cómo sabemos *cuántos* elementos muestrales deben obtenerse? Si tomamos la expresión para el margen de error E (fórmula 7-1) y despejamos n, obtenemos la fórmula 7-2, la cual requiere que $\hat{p}$ sea una estimación de la proporción poblacional p; pero si no se conoce una estimación como esta (como suele ser el caso), reemplazamos $\hat{p}$ por 0.5 y reemplazamos $\hat{q}$ por 0.5, con el resultado que se da en la fórmula 7-3.

Cálculo del tamaño de la muestra para la estimación de la proporción poblacional

Objetivo

Determinar qué tan grande debe ser la muestra para estimar la proporción poblacional p.

Notación

p = proporción poblacional

$\hat{p}$ = proporción muestral

n = número de valores muestrales

E = margen de error deseado

$z_{\alpha/2}$ = puntuación z que separa un área de $\alpha/2$ en la cola derecha de la distribución normal estándar

Requisitos

La muestra debe ser aleatoria simple de sujetos independientes.

Cuando se conoce una estimación $\hat{p}$: **Fórmula 7-2** $n = \dfrac{[z_{\alpha/2}]^2\hat{p}\hat{q}}{E^2}$

Cuando se desconoce la estimación $\hat{p}$: **Fórmula 7-3** $n = \dfrac{[z_{\alpha/2}]^2 0.25}{E^2}$

Si es posible hacer estimaciones razonables de $\hat{p}$ utilizando muestras anteriores, un estudio piloto o el conocimiento experto de alguien, utilice la fórmula 7-2. Si no se sabe nada acerca del valor de $\hat{p}$, utilice la fórmula 7-3.

Las fórmulas 7-2 y 7-3 son notables porque indican que el tamaño de la muestra no depende del tamaño (N) de la población; el tamaño de la muestra depende del nivel de confianza deseado, del margen de error deseado y, en ocasiones, de la estimación conocida de $\hat{p}$. (Consulte el ejercicio 49 para tratar con casos en los que se selecciona una muestra relativamente grande sin reemplazo de una población finita).

Regla de redondeo para determinar el tamaño de la muestra

Si el tamaño de la muestra n calculado no es un número entero, redondee al siguiente número entero *mayor*.

EJEMPLO 4 **¿Cuántos adultos usan Internet?** Internet nos está afectando a todos de muchas formas diferentes, y por eso existen muchas razones para estimar la proporción de adultos que lo utilizan. Suponga que un gerente de e-Bay desea determinar el porcentaje actual de adultos estadounidenses que utilizan Internet. ¿A cuántos adultos se debe encuestar para tener una confianza del 95% de que el porcentaje muestral es erróneo por no más de tres puntos porcentuales?

a) Utilice este resultado de una encuesta del Pew Research Center: en 2006, el 73% de los adultos estadounidenses usaban Internet.

b) Suponga que no contamos con información previa que sugiera un valor posible de la proporción.

SOLUCIÓN

a) El estudio previo sugiere que $\hat{p} = 0.73$, de modo que $\hat{q} = 0.27$ (obtenido de $\hat{q} = 1 - 0.73$). Con un nivel de confianza del 95%, tenemos $\alpha = 0.05$, de modo que $z_{\alpha/2} = 1.96$. Además, el margen de error es $E = 0.03$ (el equivalente decimal de "tres puntos porcentuales"). Puesto que tenemos un valor estimado de $\hat{p}$, usamos la fórmula 7-2 como sigue:

$$n = \frac{[z_{\alpha/2}]^2 \hat{p}\hat{q}}{E^2} = \frac{[1.96]^2(0.73)(0.27)}{0.03^2}$$

$$= 841.3104 = 842 \quad \text{(redondeado)}$$

Debemos obtener una muestra aleatoria simple que incluya al menos 842 adultos.

b) Como en el inciso *a)*, nuevamente utilizamos $z_{\alpha/2} = 1.96$ y $E = 0.03$, pero sin conocimiento previo de $\hat{p}$ (o $\hat{q}$), usamos la fórmula 7-3 como sigue.

$$n = \frac{[z_{\alpha/2}]^2 \cdot 0.25}{E^2} = \frac{[1.96]^2 \cdot 0.25}{0.03^2}$$

$$= 1067.1111 = 1068 \quad \text{(redondeado)}$$

INTERPRETACIÓN

Para tener una confianza del 95% de que nuestro porcentaje muestral está dentro de tres puntos porcentuales del porcentaje verdadero de todos los adultos, debemos obtener una muestra aleatoria simple de 1068 adultos. Comparando este resultado con el tamaño de la muestra de 842 calculado en el inciso *a)*, podemos ver que si no tenemos conocimiento de un estudio previo, se requiere una muestra más grande para obtener los mismos resultados que cuando se puede estimar el valor de $\hat{p}$.

ADVERTENCIA

Cuando calcule el tamaño de la muestra, trate de evitar los siguientes dos errores comunes:

1. No cometa el error de utilizar $E = 3$ como el margen de error correspondiente a "tres puntos porcentuales".
2. Asegúrese de sustituir la puntuación *z* crítica por $z_{\alpha/2}$. Por ejemplo, si usted trabaja con una confianza del 95%, asegúrese de reemplazar $z_{\alpha/2}$ por 1.96. No cometa el error de reemplazar $z_{\alpha/2}$ por 0.95 o 0.05.

Cálculo de la estimación puntual y de *E* a partir de un intervalo de confianza

Algunas veces queremos comprender mejor un intervalo de confianza que podría haberse obtenido de un artículo de una revista, o que podría haberse generado por medio de programas de cómputo o una calculadora. Si ya conocemos los límites del intervalo de confianza, la proporción muestral (o la mejor estimación puntual) $\hat{p}$ y el margen de error E se calculan como sigue:

Estimación puntual de p:

$$\hat{p} = \frac{\text{(límite del intervalo de confianza superior)} + \text{(límite del intervalo de confianza inferior)}}{2}$$

Margen de error:

$$E = \frac{(\text{límite del intervalo de confianza superior}) - (\text{límite del intervalo de confianza inferior})}{2}$$

EJEMPLO 5 El artículo "High-Dose Nicotine Patch Therapy", de Dale, Hurt et al. (*Journal of the American Medical Association*, vol. 274, núm. 17) incluye esta afirmación: "De los 71 sujetos, el 70% se abstuvo de fumar durante 8 semanas (intervalo de confianza [IC] del 95%, del 58 al 81%)". Utilice esta afirmación para calcular la estimación puntual $\hat{p}$ y el margen de error E.

SOLUCIÓN A partir de la afirmación, vemos que el intervalo de confianza del 95% es $0.58 < p < 0.81$. La estimación puntual $\hat{p}$ es el valor medio entre los límites superior e inferior del intervalo de confianza, de manera que obtenemos

$$\hat{p} = \frac{(\text{límite de confianza superior}) + (\text{límite de confianza inferior})}{2}$$

$$= \frac{0.81 + 0.58}{2} = 0.695$$

El margen de error se calcula como sigue:

$$E = \frac{(\text{límite de confianza superior}) - (\text{límite de confianza inferior})}{2}$$

$$= \frac{0.81 - 0.58}{2} = 0.115$$

Intervalos de confianza con mejor desempeño

Nota importante: Los ejercicios de esta sección se basan en el método para construir un intervalo de confianza que describimos antes y no en los intervalos de confianza que se describen a continuación.

El intervalo de confianza descrito en esta sección tiene el formato que generalmente se presenta en los cursos de introducción a la estadística, pero no tiene un desempeño tan bueno como otros intervalos de confianza. El *intervalo de confianza Wald ajustado* se desempeña mejor en el sentido de que su probabilidad de contener la verdadera proporción de población p es más cercana al nivel de confianza que se utiliza. El intervalo de confianza Wald ajustado emplea el siguiente procedimiento sencillo: se suma 2 al número de éxitos x, se suma 2 al número de fracasos (de manera que el número de ensayos n aumenta en 4), y luego se calcula el intervalo de confianza de la forma descrita en esta sección. Por ejemplo, si utilizamos los métodos de esta sección con $x = 10$ y $n = 20$, obtenemos el siguiente intervalo de confianza del 95%: $0.281 < p < 0.719$. Con $x = 10$ y $n = 20$ aplicamos el intervalo de confianza Wald ajustado permitiendo que $x = 12$ y $n = 24$ para obtener el siguiente intervalo de confianza. $0.300 < p < 0.700$. La probabilidad de que el intervalo de confianza $0.300 < p < 0.700$ incluya a p se acerca más al 95% que la probabilidad de que $0.281 < p < 0.719$ incluya a p.

Otro intervalo de confianza que tiene mejor desempeño que el descrito en esta sección y que el intervalo de confianza Wald ajustado es el *intervalo de confianza de la puntuación de Wilson.*

$$\frac{\hat{p} + \frac{z_{\alpha/2}^2}{2n} \pm z_{\alpha/2}\sqrt{\frac{\hat{p}\hat{q} + \frac{z_{\alpha/2}^2}{4n}}{n}}}{1 + \frac{z_{\alpha/2}^2}{n}}$$

STATDISK proporciona automáticamente los intervalos de confianza de la puntuación de Wilson.

(Es fácil ver por qué este enfoque no se utiliza mucho en los cursos de introducción a la estadística). Utilizando $x = 10$ y $n = 20$, el intervalo de confianza de la puntuación de Wilson es $0.299 < p < 0.701$.

Para revisar una explicación sobre estos y otros intervalos de confianza para p, véase "Approximation is Better than 'Exact' for Interval Estimation of Binomial Proportions", de Agresti y Coull, *American Statistician*, vol. 52, núm. 2.

USO DE LA TECNOLOGÍA

Para intervalos de confianza

STATDISK Seleccione **Analysis,** luego **Confidence Intervals** y después **Proportion One Sample;** ingrese los elementos que se le piden. Se mostrará el intervalo de confianza. (También aparecerá el intervalo de confianza de la puntuación de Wilson).

MINITAB Seleccione **Stat, Basic Statistics,** luego **1 Proportion.** En el cuadro de diálogo, haga clic en el botón **Summarized Data.** También haga clic en el botón de **Options,** ingrese el nivel de confianza deseado (el predeterminado es del 95%). En vez de utilizar una aproximación normal, el procedimiento predeterminado de Minitab consiste en determinar los límites del intervalo de confianza por medio de un método exacto. Para usar el método de aproximación normal presentado en esta sección, haga clic en **Options** y luego en el cuadro con la frase: "Use test and interval based on normal distribution".

EXCEL Primero ingrese el número de éxitos en la celda A1; después, ingrese el número total de ensayos en la celda B1. Utilice la función Data Desk XL. (Si utiliza Excel 2010 o 2007, primero haga clic en **Add-Ins**). Haga clic en **DDXL** y seleccione **Confidence Intervals,** luego seleccione **Summ 1 Var Prop Interval** que es la forma abreviada de "intervalo de confianza para una proporción utilizando datos resumidos para una variable"). Haga clic en el icono que muestra un lápiz para "Num successes" e ingrese !A1. Haga clic en el icono con forma de lápiz para "Num trials" e ingrese !B1. Haga clic en **OK.** En el cuadro de diálogo, seleccione el nivel de confianza y luego haga clic en **Compute Interval.**

TI-83/84 PLUS Oprima **STAT,** seleccione **TESTS,** luego seleccione **1-PropZInt** y proceda a ingresar los elementos que se piden. La siguiente pantalla corresponde al resultado del ejemplo 3. Como muchas herramientas tecnológicas, la calculadora TI-83/84 requiere que se ingrese el número de éxitos, de manera que se ingresó 1051 (que es el 70% de las 1501 personas encuestadas) como valor de x. Asimismo, como muchos instrumentos tecnológicos, los límites del intervalo de confianza se expresan en el formato que se observa en la segunda línea de la pantalla.

TI-83/84 PLUS

```
1-PropZInt
 (.67702,.72338)
p̂=.7001998668
n=1501
```

Para la determinación del tamaño de la muestra

STATDISK Seleccione **Analysis,** después **Sample Size Determination** y luego **Estimate Proportion.** Ingrese los elementos que se le piden en el cuadro de diálogo.

MINITAB **Minitab 16** introduce una aplicación para estimar el tamaño de la muestra. Haga clic en **Stat,** seleccione **Power and Sample Size** y luego **Sample Size for Estimation.** Para el parámetro, seleccione **Proportion.** Ingrese 0.5 en "Planning Value Proportion" si no se conoce la estimación de $\hat{p}$ (de otra forma, ingrese el valor conocido). Ingrese el margen de error deseado en "Margins of Error". *Nota:* Minitab utiliza la distribución binomial en lugar del método de aproximación normal, por lo que los resultados son mejores.

La determinación del tamaño de la muestra no está disponible como una función incluida en Excel o la calculadora TI-83/84 Plus.

7-2 Destrezas y conceptos básicos

Conocimientos estadísticos y pensamiento crítico

1. Resultados de encuesta en los medios de comunicación *USA Today* publicó una ilustración que presentaba los resultados de una encuesta realizada con 21,944 sujetos. La ilustración mostraba que el 43% respondió afirmativamente a la siguiente pregunta: "¿Preferiría tener un trabajo aburrido que estar desempleado?". El margen de error se reportó como ±1 punto porcentual. ¿Qué aspecto importante de la encuesta se omitió?

2. Margen de error Para la encuesta descrita en el ejercicio 1, explique el significado de la afirmación "el margen de error es de ± 1 punto porcentual".

3. Intervalo de confianza En la encuesta descrita en el ejercicio 1, observamos que el 43% de 21,944 individuos encuestados respondieron afirmativamente a la pregunta planteada. Puesto que el 43% es la mejor estimación del porcentaje de la población, ¿por qué necesitaríamos un intervalo de confianza? Es decir, ¿qué información adicional proporciona el intervalo de confianza?

4. Muestreo Suponga que los resultados de encuesta del ejercicio 1 se obtuvieron enviando por correo 100,000 cuestionarios, de los cuales se recibieron 21,944 respuestas. ¿El resultado del 43% es una buena estimación del porcentaje de la población de respuestas afirmativas? ¿Por qué?

Cálculo de valores críticos. ***En los ejercicios 5 a 8, calcule el valor z crítico que se indica.***

5. Calcule el valor crítico $z_{\alpha/2}$ que corresponde a un nivel de confianza del 99%.

6. Calcule el valor crítico $z_{\alpha/2}$ que corresponde a un nivel de confianza del 99.5%.

7. Calcule $z_{\alpha/2}$ para $\alpha = 0.10$.

8. Calcule $z_{\alpha/2}$ para $\alpha = 0.02$.

Expresión de intervalos de confianza. ***En los ejercicios 9 a 12, exprese el intervalo de confianza utilizando el formato indicado.***

9. Exprese el intervalo de confianza $0.200 < p < 0.500$ en la forma de $\hat{p} \pm E$.

10. Exprese el intervalo de confianza $0.720 < p < 0.780$ en la forma de $\hat{p} \pm E$.

11. Exprese el intervalo de confianza (0.437, 0.529) en la forma de $\hat{p} \pm E$.

12. Exprese el intervalo de confianza 0.222 ± 0.044 en la forma de $\hat{p} - E < p < \hat{p} + E$.

Interpretación de los límites del intervalo de confianza. ***En los ejercicios 13 a 16, utilice los límites de intervalo de confianza dados para calcular la estimación puntual $\hat{p}$ y el margen de error E.***

13. (0.320, 0.420)

14. $0.772 < p < 0.776$

15. $0.433 < p < 0.527$

16. $0.102 < p < 0.236$

Cálculo del margen de error. ***En los ejercicios 17 a 20, suponga que una muestra se utiliza para estimar una proporción poblacional p. Calcule el margen de error E que corresponde al estadístico y al nivel de confianza dados.***

17. $n = 1000$, $x = 400$, 95% de confianza

18. $n = 500$, $x = 220$, 99% de confianza

19. 98% de confianza; el tamaño de la muestra es 1230, de los cuales el 40% son éxitos.

20. 90% de confianza; el tamaño de la muestra es 1780, de los cuales el 35% son éxitos.

Construcción de intervalos de confianza. ***En los ejercicios 21 a 24, use los datos muestrales y el nivel de confianza para construir la estimación del intervalo de confianza de la proporción poblacional***

21. $n = 200$, $x = 40$, 95% de confianza

22. $n = 2000$, $x = 400$, 95% de confianza

23. $n = 1236$, $x = 109$, 99% de confianza

24. $n = 5200$, $x = 4821$, 99% de confianza

Determinación del tamaño de la muestra. ***En los ejercicios 25 a 28, utilice los datos para calcular el tamaño de la muestra mínimo requerido con la finalidad de estimar una proporción o un porcentaje de una población.***

25. Margen de error: 0.045; nivel de confianza: 95%; $\hat{p}$ y $\hat{q}$ desconocidas.

26. Margen de error: 0.005; nivel de confianza: 99%; $\hat{p}$ y $\hat{q}$ desconocidas.

27. Margen de error: dos puntos porcentuales; nivel de confianza: 99%; a partir de un estudio previo, $\hat{p}$ se estima por el equivalente decimal del 14%.

28. Margen de error: tres puntos porcentuales; nivel de confianza: 95%; a partir de un estudio previo, $\hat{p}$ se estima por el equivalente decimal del 87%.

29. Selección del género El Genetics and IVF Institute realizó una prueba clínica del método XSORT, diseñado para incrementar la probabilidad de concebir una niña. Para cuando se escribía este libro, ya habían nacido 574 bebés de padres que utilizaron el método XSORT, y 525 de esos bebés eran niñas.

a) ¿Cuál es la mejor estimación puntual de la proporción poblacional de niñas nacidas de padres que usaron el método XSORT?

b) Utilice los datos muestrales para construir un intervalo de confianza del 95% para el porcentaje de niñas nacidas de padres que utilizaron el método XSORT.

c) Con base en el resultado, ¿parece que el método XSORT es eficaz? ¿Por qué?

30. Selección del género El Genetics and IVF Institute realizó una prueba clínica del método YSORT, diseñado para incrementar la probabilidad de concebir un hijo varón. Para cuando se escribía este libro, ya habían nacido 152 bebés de padres que utilizaron el método YSORT, y 127 eran varones.

a) ¿Cuál es la mejor estimación puntual de la proporción poblacional de varones nacidos de padres que usaron el método YSORT?

b) Con base en los datos muestrales, construya un intervalo de confianza del 99% para los varones nacidos de padres que utilizaron el método YSORT.

c) Con base en el resultado, ¿parece que el método YSORT es eficaz? ¿Por qué?

31. Posposición de la muerte Una hipótesis interesante y del dominio público afirma que los individuos pueden posponer temporalmente su muerte para estar presentes en una festividad o en un suceso importante como un cumpleaños. En un estudio de este fenómeno, se descubrió que la semana previa y la semana posterior al Día de Acción de Gracias hubo un total de 12,000 decesos, y que 6062 de ellos ocurrieron la semana anterior al Día de Acción de Gracias (según datos de "Holidays, Birthdays, and Postponement of Cancer Death", de Young y Hade, *Journal of the American Medical Association*, vol. 292, núm. 24).

a) ¿Cuál es la mejor estimación puntual de la proporción de muertes la semana previa al Día de Acción de Gracias con respecto al total de muertes durante la semana previa y la semana posterior a esta festividad?

b) Construya un intervalo de confianza (o una estimación del intervalo de confianza) del 95% para la proporción de muertes ocurridas la semana anterior al Día de Acción de Gracias, con respecto al total de muertes durante la semana previa y la semana posterior al Día de Acción de Gracias.

c) Con base en el resultado, ¿existe algún indicador de que la gente pueda posponer temporalmente su muerte para estar presente el Día de Acción de Gracias? ¿Por qué?

32. Negligencia médica Un problema importante que enfrentan los estadounidenses es la gran cantidad de demandas por negligencia médica y los gastos que estas generan. En un estudio de 1228 demandas por negligencia médica elegidas al azar, se descubrió que 856 de ellas se retiraron o se rechazaron posteriormente (según datos de la Physician Insurers Association of America).

a) ¿Cuál es la mejor estimación puntual de la proporción de demandas por negligencia médica que se retiran o se rechazan?

b) Construya un intervalo de confianza del 99% para la proporción de demandas por negligencia médica que se retiran o se rechazan.

c) Al parecer, ¿la mayoría de estas demandas se retiran o se rechazan?

33. Genética mendeliana Cuando Mendel realizó sus famosos experimentos genéticos con guisantes, una muestra de vástagos consistió en 498 plantas de guisantes verdes y 152 de guisantes amarillos.

a) Calcule una estimación de un intervalo de confianza del 95% del porcentaje de plantas de guisantes amarillos.

b) Con base en su teoría genética, Mendel esperaba que el 25% de los vástagos dieran guisantes amarillos. Puesto que el porcentaje de vástagos de guisantes amarillos no es el 25%, ¿contradicen los resultados la teoría de Mendel? ¿Por qué?

34. Respuestas de encuesta confusas En una encuesta de 1002 personas, 701 dijeron que habían votado en una elección presidencial reciente (según datos del ICR Research Group). Los registros de votación mostraron que el 61% de las personas con derecho a voto realmente votaron.

a) Calcule una estimación de un intervalo de confianza del 99% de la proporción de personas que dijeron haber votado.

b) ¿Son congruentes los resultados de encuesta con los votos reales del 61%? ¿Por qué?

35. Teléfonos celulares y cáncer Un estudio de 420,095 daneses usuarios de teléfono celular encontró que 135 de ellos desarrollaron cáncer cerebral o del sistema nervioso. Antes de este estudio del uso de teléfono celular, se encontró que la tasa de ese tipo de cáncer era de 0.0340% para aquellos que no usan teléfonos celulares. Los datos son del *Journal of the National Cancer Institute.*

a) Utilice los datos muestrales para construir un intervalo de confianza del 95% para el porcentaje de usuarios de teléfono celular que desarrollan cáncer del cerebro o del sistema nervioso.

b) ¿Los usuarios de teléfono celular parecen tener una tasa de cáncer cerebral o del sistema nervioso diferente de la tasa de cáncer de este tipo entre aquellos que no usan teléfonos celulares? ¿Por qué?

36. Encuesta sobre el calentamiento global Una encuesta realizada por el Pew Research Center incluyó a 1708 adultos elegidos al azar, a quienes se preguntó "si el calentamiento global es un problema que requiere una acción inmediata del gobierno". Los resultados mostraron que 939 de los encuestados dijeron que se requiere de una acción inmediata del gobierno. Un reportero de noticias desea determinar si estos resultados de encuesta constituyen una fuerte evidencia de que la mayoría de las personas (más del 50%) creen que se requiere de una acción inmediata del gobierno.

a) ¿Cuál es la mejor estimación del porcentaje de adultos que creen que se requiere de una acción inmediata del gobierno?

b) Construya un intervalo de confianza del 99% para la proporción de adultos que consideran que se requiere de una acción inmediata del gobierno.

c) ¿Existen evidencias firmes que apoyen la afirmación de que la mayoría de la gente está a favor de una acción inmediata por parte del gobierno? ¿Por qué?

37. Uso de Internet En una encuesta realizada por el Pew Research Center, el 73% de 3011 adultos encuestados dijeron que utilizan Internet. Construya un intervalo de confianza del 95% para la proporción de todos los adultos que usan Internet. ¿Es correcto que el reportero de un periódico escriba que "3/4 de todos los adultos usan Internet"? ¿Por qué?

38. Errores de entrevista de trabajo En una encuesta de Accountemps realizada a 150 altos ejecutivos, el 47% dijo que el error más común en una entrevista de trabajo consiste en tener un conocimiento escaso o nulo acerca de la compañía. Construya un intervalo de confianza del 99% para la proporción de todos los altos ejecutivos que tienen la misma opinión. ¿Es posible que exactamente la mitad de todos los altos ejecutivos crean que el error más común en una entrevista de trabajo consiste en tener un conocimiento escaso o nulo de la compañía? ¿Por qué?

39. Encuesta de AOL Después de que 276 pasajeros del crucero *Queen Elizabeth II* contrajeron un norovirus, America Online planteó la siguiente pregunta en su sitio de Internet: "¿El reciente brote evitaría que usted abordara un crucero?". De las 34,358 personas que respondieron, el 62% dijo que sí. Utilice los datos muestrales para construir un intervalo de confianza del 95% para la población de todas las personas que responderían de manera afirmativa a esta pregunta. ¿El intervalo de confianza ofrece una buena estimación de la proporción poblacional? ¿Por qué?

40. Terapia de contacto Cuando Emily Rosa tenía nueve años de edad, realizó un experimento en una feria científica en el que sometió a prueba terapeutas de contacto profesionales, para ver si en realidad eran capaces de sentir el campo de energía de otra persona. Emily lanzaba una moneda para elegir su mano derecha o su mano izquierda; luego, colocaba la mano seleccionada sobre la mano del terapeuta, sin que este pudiera verla ni tocarla, y le pedía que identificara si se trataba de la mano derecha o izquierda. En 280 ensayos, los terapeutas de contacto acertaron 123 veces (según datos de "A Close Look at Therapeutic Touch", *Journal of the American Medical Association,* vol. 279, núm 13).

a) Considerando que Emily utilizó el lanzamiento de una moneda para elegir su mano derecha o su mano izquierda, ¿qué proporción de respuestas correctas se esperarían si los terapeutas de contacto hicieran conjeturas al azar?

b) Según los resultados muestrales de Emily, ¿cuál es la mejor estimación puntual de la tasa de éxito del terapeuta?

c) Utilice los resultados muestrales de Emily para construir un intervalo de confianza del 99% para la proporción de respuestas correctas dadas por los terapeutas de contacto.

d) ¿Qué sugieren los resultados acerca de la habilidad de los terapeutas de contacto para elegir la mano correcta sintiendo el campo de energía?

Determinación del tamaño de la muestra. ***En los ejercicios 41 a 44, calcule el tamaño de muestra mínimo requerido para estimar una proporción o un porcentaje poblacional.***

41. Uso de Internet El uso de Internet está en constante crecimiento. ¿Cuántos adultos elegidos al azar deben encuestarse para estimar el porcentaje de adultos que ahora usan Internet en Estados Unidos? Suponga que deseamos tener una confianza del 99% de que el porcentaje muestral está dentro de dos puntos porcentuales del porcentaje poblacional verdadero.

a) Suponga que nada se sabe acerca del porcentaje de adultos que utilizan Internet.

b) Cuando se escribió este libro, se estimaba que el 73% de los adultos usaban Internet en Estados Unidos (según una encuesta del Pew Research Center).

42. Teléfonos celulares Usted acaba de ser contratado como gerente de una compañía que ofrece servicio de telefonía celular, y quiere determinar el porcentaje de adultos de su estado que viven en un hogar donde hay teléfonos celulares, pero no hay teléfonos con línea terrestre. ¿A cuántos adultos debe encuestar? Suponga que desea tener una confianza del 90% de que el porcentaje muestral está dentro de cuatro puntos porcentuales del porcentaje poblacional verdadero.

a) Suponga que nada se sabe acerca del porcentaje de adultos que viven en un hogar con teléfonos celulares y sin teléfonos con línea terrestre.

b) Suponga que una encuesta reciente sugiere que alrededor del 8% de los adultos viven en un hogar con teléfonos celulares y sin teléfonos con línea terrestre (según datos de la National Health Interview Survey).

43. Nitrógeno en neumáticos Una campaña reciente se diseñó para convencer a los dueños de automóviles de que debían llenar sus neumáticos con nitrógeno en vez de aire. A un costo de aproximadamente $5 por neumático, se supone que el nitrógeno tiene la ventaja de escaparse con una rapidez mucho menor que el aire, por lo que la presión ideal se puede mantener de manera más consistente. Antes de gastar grandes sumas en la publicidad del nitrógeno, sería pertinente realizar una encuesta para determinar el porcentaje de dueños de automóviles que estarían dispuestos a pagar por el nitrógeno. ¿A cuántos dueños de automóviles elegidos al azar se debe encuestar? Suponga que deseamos tener una confianza del 95% de que el porcentaje de la muestra está dentro de tres puntos porcentuales del porcentaje real de todos los dueños de automóviles que estarían dispuestos a pagar por el nitrógeno.

44. Reconocimiento de nombre Cuando se escribió este libro, el ex alcalde de la ciudad de Nueva York, Rudolph Giuliani, anunció que sería candidato para la presidencia de Estados Unidos. Si usted trabaja en la campaña y necesita determinar el porcentaje de personas que reconocen su nombre, ¿a cuántas personas debe encuestar para estimar ese porcentaje? Suponga que desea tener una confianza del 95% de que el porcentaje de la muestra es erróneo en no más de dos puntos porcentuales, y también suponga que una encuesta reciente indica que el 10% de todos los adultos estadounidenses reconocen el nombre de Giuliani (según datos de una encuesta Gallup).

Uso de conjuntos de datos del apéndice B. ***En los ejercicios 45 a 48, utilice el conjunto de datos indicado del apéndice B.***

45. Dulces M&M verdes Remítase al conjunto de datos 18 del apéndice B y calcule la proporción muestral de dulces M&M que son verdes. Use este resultado para construir un intervalo de confianza del 95% para el porcentaje de la población de dulces M&M verdes. ¿Es congruente el resultado con la tasa del 16% que reporta Mars, el fabricante de dulces? ¿Por qué?

46. Aumento de peso de los estudiantes universitarios de primer ingreso Remítase al conjunto de datos 3 del apéndice B..

a) Con base en los resultados de la muestra, calcule la mejor estimación puntual del porcentaje de estudiantes universitarios que aumentan de peso durante su primer año.

b) Construya un intervalo de confianza del 95% para el porcentaje de estudiantes universitarios que aumentan de peso durante su primer año.

c) Suponiendo que usted es reportero de un periódico, escriba un párrafo que describa los resultados. Incluya toda la información relevante. [*Sugerencia:* Consulte el inciso *d*) del ejemplo 3].

47. Precipitación en Boston Remítase al conjunto de datos 14 del apéndice B y considere que los días con valores de precipitación diferentes de 0 son días con precipitación. Construya un intervalo de confianza del 95% para la proporción de miércoles con precipitación, y también construya un intervalo de confianza del 95% para la proporción de domingos con precipitación. Compare los resultados. ¿Hay mayor precipitación en alguno de esos días?

48. Clasificación de películas Remítase al conjunto de datos 9 del apéndice B y calcule la proporción de películas con clasificación R. Utilice esa proporción para construir un intervalo de confianza del 95% para la proporción de todas las películas con clasificación R. Suponiendo que la lista de películas constituye una muestra aleatoria simple de todas las películas, ¿podemos concluir que la mayoría de las películas tienen una clasificación diferente de R? ¿Por qué?

7-2 Más allá de lo básico

49. Uso del factor de corrección para una población finita En esta sección se presentaron las fórmulas 7-2 y 7-3, que se utilizan para determinar el tamaño de la muestra. En ambos casos se supuso que la población es infinita o muy grande, y que se realiza un muestreo con reemplazo. Cuando tenemos una población relativamente pequeña, con tamaño N, y el muestreo se hace sin reemplazo, modificamos E para incluir el *factor de corrección por población finita* que se presenta aquí y despejamos n para obtener el resultado que se da a continuación. Utilice este resultado para repetir el ejercicio 43, suponiendo que limitamos nuestra población a los 12,784 dueños de un automóvil que viven en LaGrange, Nueva York, lugar de residencia del autor. ¿El tamaño de la muestra es mucho menor que el que se requiere para una población de millones de habitantes?

$$E = z_{\alpha/2}\sqrt{\frac{\hat{p}\hat{q}}{n}}\sqrt{\frac{N-n}{N-1}} \qquad n = \frac{N\hat{p}\hat{q}\,[z_{\alpha/2}]^2}{\hat{p}\hat{q}\,[z_{\alpha/2}]^2 + (N-1)E^2}$$

50. Intervalo de confianza unilateral Un *intervalo de confianza unilateral* para p se expresa como $p < \hat{p} + E$ o $p > \hat{p} - E$, donde el margen de error E se modifica reemplazando $z_{\alpha/2}$ por z_{α}. Si la línea Air America quiere reportar un rendimiento de puntualidad de al menos x por ciento con un 95% de confianza, construya el intervalo de confianza unilateral adecuado y luego calcule el porcentaje en cuestión. Suponga que una muestra aleatoria simple de 750 vuelos incluye 630 que son puntuales.

51. Intervalo de confianza de una muestra pequeña Existen tablas especiales disponibles para encontrar intervalos de confianza para proporciones que implican números pequeños de casos, cuando no se puede usar la aproximación por distribución normal. Por ejemplo, si $x = 3$ éxitos en $n = 8$ ensayos, el intervalo de confianza del 95% que se encuentra en *Standard Probability and Statistics Tables and Formulae* (CRC Press) es $0.085 < p < 0.755$. Calcule el intervalo de confianza que resultaría si usted usara la distribución normal erróneamente como una aproximación de la distribución binomial. ¿Los resultados son razonablemente cercanos?

52. Interpretación de los límites del intervalo de confianza Suponga que se modifica una moneda para que favorezca las caras y que, de 100 lanzamientos, se obtienen 95 caras. Calcule la estimación de un intervalo de confianza del 99% para la proporción de caras que se obtendrán con esta moneda. ¿Qué es inusual en los resultados obtenidos con los métodos de esta sección? ¿Sugiere el sentido común una modificación del intervalo de confianza resultante?

53. Regla de tres Suponga que en n ensayos de un experimento binomial no hay ningún éxito. De acuerdo con la *Regla de tres*, tenemos un 95% de confianza de que la proporción real de la población tiene una frontera superior de 3/n. (Véase "A Look at the Rule of Three", de Jovanovic y Levy, *American Statistician*, vol. 51, núm. 2).

a) Si en n ensayos independientes no se obtiene ningún éxito, ¿por qué no podemos calcular los límites del intervalo de confianza usando los métodos que se describen en esta sección?

b) Si se trata a 20 pacientes con un fármaco y no hay reacciones adversas, ¿cuál es la frontera superior del 95% para p, la proporción de todos los pacientes que experimentan reacciones adversas a este fármaco?

54. Exactitud de encuesta Un artículo del *New York Times* acerca de los resultados de una encuesta afirma: "En teoría, en 19 casos de 20, los resultados de una encuesta como esta no deben diferir por más de un punto porcentual en cualquier dirección de lo que podría obtenerse entrevistando a todos los votantes de Estados Unidos". Calcule el tamaño de la muestra sugerido por esta afirmación.

7-3 Estimación de la media poblacional: σ conocida

Concepto clave En esta sección presentamos métodos para estimar una media poblacional. Además de conocer los valores de los datos o estadísticos de la muestra, también debemos conocer el valor de la desviación estándar poblacional, σ. Los siguientes son tres conceptos fundamentales que el lector debe aprender en esta sección.

1. Debemos saber que la media muestral $\bar{x}$ es la mejor estimación *puntual* de la media poblacional μ.
2. Debemos aprender a utilizar los datos muestrales para construir un *intervalo de confianza* con la finalidad de estimar el valor de una media poblacional, y debemos saber cómo interpretar este tipo de intervalos de confianza.
3. Debemos desarrollar la habilidad de determinar el tamaño necesario de la muestra para estimar una media poblacional.

Importante: El intervalo de confianza que se describe en esta sección requiere que conozcamos el valor de la desviación estándar poblacional σ, pero en circunstancias reales es poco común que ese valor se conozca. En la sección 7-4 se describen métodos para manejar casos realistas en los que no se conoce σ.

Estimación puntual En la sección 7-2 vimos que la proporción muestral $\hat{p}$ es la mejor estimación puntual de la proporción poblacional p. La media muestral $\bar{x}$ es un *estimador insesgado* de la media poblacional μ, y para muchas poblaciones, las medias muestrales tienden a variar menos que otras medidas de tendencia central, por lo que la media muestral $\bar{x}$ suele ser la mejor estimación puntual de la media poblacional μ.

La media muestral $\bar{x}$ es la mejor estimación puntual de la media poblacional.

Aun cuando la media muestral $\bar{x}$ suele ser la mejor estimación puntual de la media poblacional μ, no nos da ninguna indicación de qué tan *buena* estimación es. Podemos obtener más información de un *intervalo de confianza* (o *estimación del intervalo*), el cual consiste en un rango (o un intervalo) de valores, en vez de un solo valor.

Conocimiento de σ Los requisitos que se presentan en la siguiente página incluyen el conocimiento de la desviación estándar poblacional σ, pero en la sección 7-4 se presentan métodos para estimar una media poblacional sin conocer el valor de σ.

Requisito de normalidad Los requisitos descritos en la siguiente página incluyen la propiedad de que la población se distribuya normalmente o que $n > 30$. Si $n \leq 30$, la población no necesita tener una distribución exactamente normal. Los métodos de esta sección son *robustos*, es decir, no se ven muy afectados si los datos se alejan de la normalidad, siempre y cuando no se alejen demasiado. Por lo tanto, el requisito de normalidad no es rígido, y se satisface si no hay valores atípicos y si el histograma de los datos muestrales no se aleja mucho de la forma de campana. (Véase la sección 6-7).

Requisitos del tamaño de la muestra La distribución normal se utiliza como la distribución de medias muestrales. Si la población original no está distribuida normalmente, entonces decimos que las medias de muestras con tamaño $n > 30$ tienen una distribución que puede aproximarse a una distribución normal. Por lo regular, se usa como directriz la condición de que $n > 30$, pero no es posible identificar un tamaño mínimo específico de la muestra que sea suficiente para todos los casos. El tamaño de la muestra mínimo realmente depende de cuánto se desvía la distribución de la población respecto de una distribución normal. Tamaños de muestra de 15 a 30 son adecuados si la población tiene una distribución que no se aleja mucho de la normal, pero algunas otras poblaciones tienen distribuciones que son extremadamente diferentes de la normal y pueden necesitarse tamaños de muestra mayores que 30. En este libro usaremos el criterio simplificado de $n > 30$ como justificación para el tratamiento de la distribución de medias muestrales como una distribución normal.

Nivel de confianza El intervalo de confianza se asocia con un nivel de confianza, como 0.95 (o 95%). El nivel de confianza proporciona la tasa de éxitos del procedimiento utilizado para construir el intervalo confianza. Como en la sección 7-2, α es el complemento del nivel de confianza. Para un nivel de confianza de 0.95 (o 95%), $\alpha = 0.05$ y $z_{\alpha/2} = 1.96$.

Intervalo de confianza para estimar una media poblacional (con σ conocida)

Objetivo

Construir un intervalo de confianza que se utilice para estimar una media poblacional.

Notación

μ = media poblacional

σ = desviación estándar poblacional

$\bar{x}$ = media muestral

n = número de valores muestrales

E = margen de error

$z_{\alpha/2}$ = puntuación z que separa un área de $\alpha/2$ en la cola derecha de la distribución normal estándar

Requisitos

1. La muestra es aleatoria simple.
2. El valor de la desviación estándar poblacional σ es conocido.
3. Cualquiera o ambas de estas condiciones se satisfacen: la población se distribuye normalmente o $n > 30$.

Intervalo de confianza

$$\bar{x} - E < \mu < \bar{x} + E \quad \text{donde} \quad E = z_{\alpha/2} \cdot \frac{\sigma}{\sqrt{n}}$$

o

$$\bar{x} \pm E$$

o

$$(\bar{x} - E, \bar{x} + E)$$

Procedimiento para construir un intervalo de confianza para μ (con σ conocida)

1. Verifique que se cumplan los requisitos.
2. Remítase a la tabla A-2 o utilice una herramienta tecnológica para calcular el valor crítico $z_{\alpha/2}$ que corresponde al nivel de confianza deseado. (Por ejemplo, si el nivel de confianza es el 95%, el valor crítico es $z_{\alpha/2} = 1.96$).

3. Evalúe el margen de error $E = z_{\alpha/2} \cdot \sigma/\sqrt{n}$

4. Utilice el valor del margen de error E calculado y el valor de la media muestral $\bar{x}$, para obtener los valores de los límites del intervalo de confianza: $\bar{x} - E$ y $\bar{x} + E$. Sustituya esos valores en el formato general del intervalo de confianza:

$$\bar{x} - E < \mu < \bar{x} + E$$

o

$$\bar{x} \pm E$$

o

$$(\bar{x} - E, \bar{x} + E)$$

5. Redondee los valores resultantes utilizando la siguiente regla de redondeo.

Regla de redondeo para intervalos de confianza utilizados para estimar μ

1. Cuando utilice el *conjunto original de datos* para construir un intervalo de confianza, redondee los límites del intervalo de confianza a un decimal más del que se usa para el conjunto original de datos.
2. Cuando el conjunto original de datos se desconoce y solo se utiliza el *resumen de estadísticos* (n, $\bar{x}$, s), redondee los límites del intervalo de confianza al mismo número de espacios decimales utilizados para la media muestral.

Interpretación de un intervalo de confianza Al igual que en la sección 7-2, debemos ser cuidadosos para interpretar correctamente los intervalos de confianza. Después de obtener una estimación de un intervalo de confianza de la media poblacional μ, como un intervalo de confianza del 95% de $164.49 < \mu < 180.61$, existe una interpretación correcta y muchas interpretaciones erróneas.

Correcta: "Tenemos una confianza del 95% de que el intervalo de 164.49 a 180.61 realmente contiene el valor verdadero de μ". Esto significa que si seleccionamos muchas muestras diferentes del mismo tamaño y construimos los intervalos de confianza correspondientes, a la larga, el 95% de estos contendrían realmente el valor de μ. (Como en la sección 7-2, esta interpretación correcta se refiere a la tasa de éxitos del *proceso* que se usa para estimar la media poblacional).

Errónea: Puesto que μ es una constante fija, sería incorrecto decir que "existe un 95% de probabilidades de que μ se localice entre 164.49 y 180.61". También sería incorrecto decir que "el 95% de todos los valores de los datos están entre 164.49 y 180.61" o que "el 95% de las medias muestrales caen entre 164.49 y 180.61". Los lectores creativos pueden plantear otras interpretaciones erróneas.

EJEMPLO 1

Pesos de hombres Han muerto personas en accidentes de embarcaciones y aviones debido al uso de una estimación obsoleta del peso medio de los hombres. En décadas recientes, el peso medio de los hombres ha aumentado de manera considerable, por lo que es necesario actualizar la estimación de esa media con la finalidad de que las embarcaciones, los aviones, los elevadores y otros vehículos de transporte no se sobrecarguen peligrosamente. Si utilizamos los pesos de hombres del conjunto de datos 1 del apéndice B, obtenemos los estadísticos muestrales de la muestra aleatoria simple: $n = 40$ y $\bar{x} = 172.55$ libras. Investigaciones realizadas por otras fuentes sugieren que la población de los pesos de hombres tienen una desviación estándar dada por $\sigma = 26$ libras.

continúa

Estimación del tamaño de las poblaciones silvestres

La Ley Nacional de Administración de los Bosques de Estados Unidos protege a las especies en peligro de extinción, entre las que destaca el búho moteado del norte; la ley impidió que la industria silvícola talara vastas regiones de árboles en la costa noroeste del Pacífico. Se pidió a biólogos y a especialistas en estadística que analizaran el problema, y ellos concluyeron que estaban disminuyendo las tasas de supervivencia y los tamaños de las poblaciones de los búhos hembra, quienes desempeñan un papel importante en la supervivencia de la especie. Los biólogos y especialistas en estadística también estudiaron el salmón en los ríos Snake y Columbia del estado de Washington, así como los pingüinos en Nueva Zelanda. En el artículo "Sampling Wildlife Populations" (*Chance*, vol. 9, núm. 2), los autores Brian Manly y Lyman McDonald comentan que, en estudios de esta clase, "los biólogos ganan habilidades de modelamiento, que son una característica distintiva de la buena estadística. Por su parte, los especialistas en estadística aprenden a compenetrarse en la realidad de los problemas, ya que los biólogos los introducen en asuntos cruciales".

Los números de serie de tanques capturados revelan el tamaño de la población

Durante la Segunda Guerra Mundial, especialistas en espionaje del bando de los Aliados querían determinar el número de tanques que Alemania estaba produciendo. Las técnicas de espionaje tradicionales produjeron resultados poco confiables, pero los especialistas en estadística obtuvieron estimaciones exactas al analizar los números de serie de los tanques capturados. Por ejemplo, los registros indican que Alemania realmente produjo 271 tanques en junio de 1941. La estimación basada en los números de serie fue de 244, en tanto que los métodos de espionaje tradicionales dieron como resultado una estimación extrema de 1550. (Véase "An Empirical Approach to Economic Intelligence in World War II", de Ruggles y Brodie, *Journal of the American Statistical Association*, vol. 42).

a) Calcule la mejor estimación puntual del peso medio de la población de todos los hombres.

b) Construya un intervalo de confianza del 95% para el peso medio de todos los hombres.

c) ¿Qué sugieren los resultados acerca del peso medio de 166.3 libras que se utilizaba en 1960 para determinar la capacidad que ofrece seguridad a los pasajeros de las embarcaciones (establecida en la recomendación de seguridad M-04-04 del National Transportation and Safety Board)?

SOLUCIÓN

VERIFICACIÓN DE REQUISITOS Primero debemos verificar que se cumplan los requisitos. **1.** La muestra es aleatoria simple. **2.** Se supone que conocemos el valor de σ, con $\sigma = 26$ libras. **3.** Con $n > 30$, se satisface el requisito de que "la población se distribuye normalmente o $n > 30$". Por lo tanto, los requisitos se cumplen.

a) La media muestral de 172.55 libras es la mejor estimación puntual del peso medio para la población de todos los hombres.

b) El nivel de confianza del 0.95 implica que $\alpha = 0.05$, entonces $z_{\alpha/2} = 1.96$ (como se observó en el ejemplo 2 de la sección 7-2). El margen de error E se calcula primero de la siguiente manera. (Los lugares decimales adicionales se usan para minimizar los errores de redondeo en el intervalo de confianza).

$$E = z_{\alpha/2} \cdot \frac{\sigma}{\sqrt{n}} = 1.96 \cdot \frac{26}{\sqrt{40}} = 8.0574835$$

Con $\bar{x} = 172.55$ y $E = 8.0574835$, construimos el intervalo de confianza como sigue:

$$\bar{x} - E < \mu < \bar{x} + E$$
$$172.55 - 8.0574835 < \mu < 172.55 + 8.0574835$$
$$164.49 < \mu < 180.61 \quad \text{(redondeado a dos decimales como en } \bar{x}\text{)}$$

c) Con base en el intervalo de confianza, es posible que el peso medio de 166.3 libras que se usaba en 1960 sea el peso medio de los hombres en la actualidad. Sin embargo, la mejor estimación puntual de 172.55 libras sugiere que el peso medio de los hombres ahora es mucho mayor que 166.3 libras. Considerando que la subestimación del peso medio de los hombres podría provocar la pérdida de vidas debido a la sobrecarga de embarcaciones y aeronaves, esos resultados sugieren con firmeza que deben reunirse datos adicionales. (Se reunieron datos adicionales, y se incrementó el peso medio supuesto de los hombres).

INTERPRETACIÓN

El intervalo de confianza del inciso *b*) también podría expresarse como 172.55 ± 8.06 o como (164.49, 180.61). Con base en la muestra con $n = 40$, $\bar{x} = 172.55$ y suponiendo que σ es 26, el intervalo de confianza para la media de la población μ es 164.49 libras $< \mu <$ 180.61 libras, y este intervalo tiene un nivel de confianza de 0.95. Esto significa que si seleccionamos muchas muestras aleatorias simples diferentes de 40 hombres y construimos los intervalos de confianza como lo hicimos aquí, el 95% de ellos incluirían realmente el valor de la media poblacional μ.

Fundamentos del intervalo de confianza La idea básica que subyace en la construcción de intervalos de confianza se relaciona con la siguiente propiedad de la distribución muestral de las medias muestrales: si reunimos muestras aleatorias simples del mismo tamaño n, las medias muestrales se distribuyen (al menos aproximadamente) de manera normal, con media μ y desviación $\sigma/\sqrt{n}$. En la puntuación estándar $z = (\bar{x} - \mu_{\bar{x}})/\sigma_{\bar{x}}$, sustituya $\sigma_{\bar{x}}$ por $\sigma/\sqrt{n}$, sustituya $\mu_{\bar{x}}$ por μ, y entonces despeje μ para obtener

$$\mu = \bar{x} - z\frac{\sigma}{\sqrt{n}}$$

En la ecuación anterior, utilice los valores positivo y negativo de z y sustituya el término de la extrema derecha por E. Entonces, el lado derecho de la ecuación produce los límites del intervalo de confianza de $\bar{x} - E$ y $\bar{x} + E$ que nos dieron antes en esta sección. Para un intervalo de confianza del 95%, permita que $\alpha = 0.05$, de modo que $z_{\alpha/2} = 1.96$, por lo que hay una probabilidad de 0.95 de que una media muestral esté dentro de 1.96 desviaciones estándar (o $z_{\alpha/2} \cdot \sigma/\sqrt{n}$ o E) de μ. Si la media muestral $\bar{x}$ está dentro de E de la media poblacional, entonces μ debe estar entre $\bar{x} - E$ y $\bar{x} + E$, es decir $\bar{x} - E < \mu < \bar{x} + E$.

Determinación del tamaño de la muestra requerido para estimar μ

Cuando se reúne una muestra aleatoria simple de datos que se usarán para estimar una media poblacional μ, *¿cuántos* valores muestrales deben obtenerse? Por ejemplo, suponga que queremos estimar el peso medio de pasajeros de líneas aéreas (un valor importante por razones de seguridad). ¿Cuántos pasajeros deben seleccionarse al azar y pesarse? La determinación del tamaño de una muestra aleatoria simple es un aspecto muy importante, puesto que muestras que son innecesariamente grandes desperdician tiempo y dinero, en tanto que muestras muy pequeñas conducen a resultados deficientes.

Si comenzamos con la expresión para el margen de error ($E = z_{\alpha/2}\sigma/\sqrt{n}$) y despejamos el tamaño de la muestra n, obtenemos la fórmula 7-4 que se presenta a continuación.

Cálculo del tamaño de la muestra requerido para estimar una media poblacional

Objetivo

Determinar qué tan grande debe ser una muestra para poder estimar la media poblacional μ.

Notación

μ = media poblacional

σ = desviación estándar poblacional

$\bar{x}$ = media muestral

E = margen de error deseado

$z_{\alpha/2}$ = puntuación z que separa un área de $\alpha/2$ en la cola derecha de la distribución normal estándar

Requisitos

La muestra es aleatoria simple.

Fórmula 7-4 $$n = \left[\frac{z_{\alpha/2}\sigma}{E}\right]^2$$

La fórmula 7-4 es relevante puesto que indica que el tamaño de la muestra no depende del tamaño de la población (N); el tamaño de la muestra depende del nivel de confianza deseado, del margen de error deseado y del valor de la desviación estándar σ. (Véase el ejercicio 38 para casos en los que se selecciona una muestra relativamente grande sin reemplazo a partir de una población finita).

El tamaño de la muestra debe ser un número entero, ya que representa el número de valores muestrales que deben encontrarse. Sin embargo, la fórmula 7-4 suele dar un resultado que no es un número entero, de manera que utilizamos la siguiente regla de redondeo. (Esta regla se basa en el principio de que cuando es necesario redondear, el tamaño de muestra requerido debe redondearse *hacia arriba* para que sea al menos adecuadamente grande en oposición a un tamaño ligeramente mas pequeño).

Regla de redondeo para el tamaño de la muestra *n*

Si el tamaño de la muestra n calculado no es un número entero, redondee el valor de n al siguiente número entero *mayor.*

Cómo manejar σ desconocida al calcular el tamaño de la muestra La fórmula 7-4 requiere que sustituyamos un valor conocido de la desviación estándar poblacional σ, pero esta, en realidad, suele desconocerse. Cuando se determina un tamaño de la muestra requerido (sin construir un intervalo de confianza), existen algunos procedimientos que pueden funcionar para este problema:

1. Use la regla práctica de las desviaciones (véase la sección 3-3) para estimar la desviación estándar como sigue: $\sigma \approx$ rango/4. (Con una muestra de 87 valores o más, seleccionada al azar de una población con distribución normal, el rango/4 nos da un valor que es igual o mayor que σ al menos el 95% de las veces. (Véase "Using the Sample Range as a Basis for Calculating Sample Size in Power Calculations", de Richard Browne, *American Statistician*, vol. 55, núm. 4).
2. Inicie el proceso de muestreo sin conocer σ y, utilizando varios de los primeros valores, calcule la desviación estándar muestral s y úsela en lugar de σ. Entonces, el valor estimado de σ puede mejorar conforme se obtienen más datos muestrales, y de este modo es posible refinar el tamaño de la muestra.
3. Estime el valor de σ utilizando los resultados de algún otro estudio efectuado con anterioridad.

Asimismo, algunas veces podemos ser creativos en nuestro uso de otros resultados conocidos. Por ejemplo, por lo regular, las pruebas de CI están diseñadas para que la media sea 100 y la desviación estándar sea 15. Los estudiantes de estadística tienen puntuaciones de CI con una media mayor que 100 y una desviación estándar menor que 15 (puesto que constituyen un grupo más homogéneo que las personas seleccionadas al azar de la población general). No conocemos el valor específico de σ para los estudiantes de estadística, pero podemos calcular con seguridad usando $\sigma = 15$. Utilizar un valor de σ que sea mayor que el valor real producirá un tamaño de la muestra mayor del necesario, pero utilizar un valor de σ que sea muy pequeño daría por resultado un tamaño de la muestra inadecuado. *Cuando se calcula el tamaño de la muestra n, cualquier error siempre debe ser conservador, en el sentido de que vuelva a n muy grande y no muy pequeña.*

EJEMPLO 2

Puntuaciones de CI de estudiantes de estadística Suponga que queremos estimar la puntuación media del CI de la población de estudiantes de estadística. ¿Cuántos estudiantes de estadística deben seleccionarse al azar para aplicarles pruebas de CI, si queremos tener una confianza del 95% de que la media muestral estará dentro de 3 puntos de CI de la media poblacional?

SOLUCIÓN

Para un intervalo de confianza del 95%, tenemos $\alpha = 0.05$, de modo que $z_{\alpha/2} = 1.96$. Puesto que queremos que la media muestral esté dentro de tres puntos de CI de μ, el margen de error es $E = 3$. Asimismo, $\sigma = 15$ (véase el análisis en el párrafo que está antes de este ejemplo). Utilizamos la fórmula 7-4 para obtener

$$n = \left[\frac{z_{\alpha/2}\sigma}{E}\right]^2 = \left[\frac{1.96 \cdot 15}{3}\right]^2 = 96.04 = 97 \quad \text{(redondeado \textit{hacia arriba})}$$

INTERPRETACIÓN Entre los miles de estudiantes de estadística, necesitamos obtener una muestra aleatoria simple de al menos 97 de ellos, y luego obtener sus puntuaciones de CI. Con una muestra aleatoria simple de solo 97 estudiantes de estadística, tendremos un nivel de confianza del 95% de que la media muestral $\bar{x}$ está dentro de 3 puntos de CI de la media poblacional μ verdadera.

Si queremos obtener una estimación más exacta, podemos reducir el margen de error. Si se reduce el margen de error a la mitad, el tamaño de la muestra se cuadruplica, de manera que si uno quiere obtener resultados más precisos, el tamaño de la muestra se debe aumentar de manera sustancial. Como las muestras grandes suelen requerir de más tiempo y dinero, con frecuencia existe la necesidad de realizar un balance entre el tamaño de la muestra y el margen de error E.

USO DE LA TECNOLOGÍA

Intervalos de confianza Vea al final de la sección 7-4 los procedimientos del intervalo de confianza que se aplican a los métodos de esta sección, así como también los de la sección 7-4. STATDISK, Minitab, Excel y la calculadora TI-83/84 Plus se pueden usar para calcular intervalos de confianza cuando queremos estimar la media de una población y se satisfacen todos los supuestos de esta sección (incluido el valor conocido de σ).

Determinación del tamaño de la muestra Los cálculos para el tamaño de la muestra no se incluyen en la calculadora TI-83/84 Plus o Excel. A continuación se describen los procedimientos de STATDISK y Minitab que permiten determinar el tamaño de la muestra requerido para estimar una media poblacional μ.

STATDISK Seleccione **Analysis** de la parte superior de la barra del menú principal, luego seleccione **Sample Size Determination,** seguido por **Estimate Mean.** Ahora debe ingresar el nivel de confianza (como 0.95) y el margen de error E. También ingrese la desviación estándar poblacional σ, si se conoce. Además existe una opción que le permite ingresar el tamaño poblacional N, suponiendo que usted está haciendo el muestreo sin reemplazo a partir de una población finita. (Véase el ejercicio 38).

MINITAB **Minitab 16** introduce una aplicación para estimar el tamaño de la muestra. Haga clic en **Stat,** seleccione **Power and Sample Size** y luego **Sample Size for Estimation.** Para el parámetro, elija **Mean (normal).** Para "Planning Value" ingrese el valor de la desviación estándar. Para "Margins of error", ingrese el margen de error deseado. Haga clic en **Options** y en el cuadro "Assume population standard deviation is known". Presione **OK** dos veces para obtener el tamaño de la muestra requerido.

7-3 Destrezas y conceptos básicos

Conocimientos estadísticos y pensamiento crítico

1. Estimación puntual En general, ¿qué es una *estimación puntual* de un parámetro poblacional? A partir de una muestra aleatoria simple de las estaturas de alguna población, como la población de todos los jugadores de basquetbol de la NBA, ¿cómo calcularía la mejor estimación puntual de la media poblacional?

2. Muestra aleatoria simple Un ingeniero de diseño de Ford Motor Company debe estimar la longitud media de las piernas de todos los adultos. Para ello, obtiene una lista de los 1275 empleados de su fábrica, y luego obtiene una muestra aleatoria simple de 50 empleados. Si utiliza esta muestra para construir un intervalo de confianza del 95% que permita estimar la longitud media de las piernas de la población de todos los adultos, ¿su estimación será adecuada? ¿Por qué?

3. Intervalo de confianza Con base en las estaturas de mujeres incluidas en el conjunto de datos 1 del apéndice B, y suponiendo que las estaturas de las mujeres tienen una desviación estándar de $\sigma = 2.5$ pulgadas, se obtiene el siguiente intervalo de confianza del 95%: 62.42 pulgadas $< \mu <$ 63.97 pulgadas. Suponiendo que usted es reportero de un periódico, escriba un enunciado que interprete de manera correcta ese intervalo de confianza, incluyendo toda la información relevante.

4. Estimador insesgado Una de las características de la media muestral que la convierte en un buen estimador de una media poblacional μ es que esa media es un estimador insesgado. ¿Qué significa que un estadístico sea un estimador insesgado de un parámetro poblacional?

Cálculo de valores críticos. ***En los ejercicios 5 a 8, encuentre el valor crítico $z_{\alpha/2}$ indicado.***

5. Calcule el valor crítico $z_{\alpha/2}$ que corresponda a un nivel de confianza del 90%.

6. Calcule el valor crítico $z_{\alpha/2}$ que corresponda a un nivel de confianza del 98%.

7. Calcule $z_{\alpha/2}$ para $\alpha = 0.20$.

8. Calcule $z_{\alpha/2}$ para $\alpha = 0.04$.

Verificación de requisitos y cálculo del margen de error. ***En los ejercicios 9 a 12, calcule el margen de error y el intervalo de confianza si se satisfacen los requisitos necesarios. Si estos requisitos no se satisfacen, determine que el margen de error no puede calcularse por medio de los métodos de esta sección.***

9. Calificación de crédito Las puntuaciones de crédito FICO (Fair, Isaac and Company) de una muestra aleatoria simple de solicitantes de tarjetas de crédito: confianza del 95%; $n = 50, \bar{x} = 677$, y se sabe que σ es 68.

10. Distancias de frenado Las distancias de frenado de una muestra aleatoria simple de automóviles: confianza del 95%, $n = 32, \bar{x} = 137$ pies y se sabe que σ es igual a 7 pies.

11. Cantidades de precipitación Las cantidades de precipitación para una muestra aleatoria simple de sábados en Boston: confianza del 99%; $n = 12, \bar{x} = 0.133$ pulgadas; se sabe que σ es 0.212 pulgadas y que la población incluye cantidades de precipitación diarias con una distribución muy alejada de la normal.

12. Tiempos de falla El tiempo que transcurre antes de que fallen circuitos integrados para calculadoras: confianza del 99%; $n = 25, \bar{x} = 112$ horas; se sabe que σ es 18.6 horas y que la distribución de todos los tiempos antes de la falla se aleja mucho de una distribución normal.

Cálculo del tamaño de la muestra. ***En los ejercicios 13 a 16, use la información para calcular el tamaño de muestra mínimo requerido para estimar una media poblacional μ desconocida.***

13. Calificaciones de crédito ¿Cuántos adultos se deben elegir al azar para estimar la puntuación media FICO (calificación de crédito) de adultos trabajadores en Estados Unidos? Deseamos tener una confianza del 95% de que la media muestral está dentro de 3 puntos de la media poblacional, y la desviación estándar de la población es 68.

14. Distancias de frenado ¿Cuántos automóviles se deben elegir al azar y probar para estimar la distancia media de frenado de automóviles registrados en Estados Unidos? Deseamos tener una confianza del 99% de que la media muestral está dentro de 2 pies de la media poblacional, y se sabe que la desviación estándar de la población es de 7 pies.

15. Cantidades de precipitación ¿Cuántas cantidades de lluvia diaria en Boston deben elegirse al azar para estimar la cantidad media de precipitación diaria? Deseamos tener una confianza del 99% de que la media muestral está dentro de 0.010 pulgadas de la media poblacional, y se sabe que la desviación estándar de la población es de 0.212 pulgadas.

16. Tiempos de falla ¿Cuántos circuitos integrados se deben elegir al azar para someterse a prueba en relación con su tiempo de falla con la finalidad de estimar el tiempo medio de falla? Deseamos tener una confianza del 95% de que la media muestral está dentro de 2 horas de la media poblacional, y se sabe que la desviación estándar de la población es de 18.6 horas.

TI-83/84 Plus

```
ZInterval
 (19.853,22.387)
 x̄=21.12
 n=25
```

Interpretación de resultados. ***En los ejercicios 17 a 20, remítase a los resultados de la calculadora TI-83/84 Plus que aparecen al margen, relacionados con un intervalo de confianza del 95%. Los resultados muestrales provienen de una muestra aleatoria simple de las cantidades de alquitrán (en miligramos) de cigarrillos tamaño grande, sin filtro, que no son mentolados ni ligeros.***

17. Identifique el valor de la estimación puntual de la media poblacional μ.

18. Exprese el intervalo de confianza en el formato de $\bar{x} - E < \mu < \bar{x} + E$.

19. Exprese el intervalo de confianza en el formato de $\bar{x} \pm E$.

20. Escriba un enunciado que interprete el intervalo de confianza del 95%.

21. Pesos de mujeres Si utilizamos la muestra aleatoria simple de los pesos de mujeres incluidos en el conjunto de datos 1 del apéndice B, obtenemos los siguientes estadísticos muestrales: $n = 40$ y $\bar{x} = 146.22$ libras. Investigaciones de otras fuentes sugieren que la población de pesos de mujeres tiene una desviación estándar dada por $\sigma = 30.86$ libras.

a) Calcule la mejor estimación puntual de la media del peso de todas las mujeres.

b) Calcule una estimación de un intervalo de confianza del 95% del peso medio de todas las mujeres.

22. Salarios de entrenadores de futbol de la NCAA Una muestra aleatoria simple de 40 salarios de entrenadores de futbol de la NCAA tiene una media de $415,953. Suponga que $\sigma = \$463{,}364$.

a) Calcule la mejor estimación puntual del salario medio de todos los entrenadores de futbol de la NCAA.

b) Construya un intervalo de confianza del 95% para el salario medio de un entrenador de futbol de la NCAA.

c) ¿El intervalo de confianza contiene la media poblacional real de $474,477?

23. Percepción del tiempo Alumnos de estadística del autor, seleccionados al azar, participaron en un experimento con la finalidad de poner a prueba su habilidad para determinar el transcurso de 1 minuto (o 60 segundos). Cuarenta estudiantes produjeron una media muestral de 58.3 segundos. Suponga que $\sigma = 9.5$ segundos.

a) Calcule la mejor estimación puntual del tiempo medio de todos los estudiantes de estadística.

b) Construya un intervalo de confianza del 95% para la media poblacional de todos los estudiantes de estadística.

c) Con base en el resultado, ¿es probable que sus estimaciones tengan una media que se acerque razonablemente a 60 segundos?

24. Conteo de glóbulos rojos en la sangre Se obtiene una muestra aleatoria simple de 50 adultos (que incluye hombres y mujeres), y se mide el conteo de glóbulos rojos (en glóbulos por microlitro) de cada persona. La media muestral es 4.63. La desviación estándar poblacional para los conteos de glóbulos rojos es de 0.54.

a) Calcule la mejor estimación puntual de la media del conteo de glóbulos rojos de adultos.

b) Construya un intervalo de confianza del 99% para el conteo medio de glóbulos rojos de adultos.

c) El rango normal del conteo de glóbulos rojos de adultos, determinado por los National Institutes of Health, es de 4.7 a 6.1 para los hombres, y de 4.3 a 5.4 para las mujeres. ¿Qué sugiere el intervalo de confianza acerca de estos rangos normales?

25. Puntuaciones de la prueba SAT Una muestra aleatoria simple de 125 calificaciones de la prueba SAT tiene una media de 1522. Suponga que las calificaciones de la prueba tienen una desviación estándar de 333.

a) Construya un intervalo de confianza del 95% para la puntuación media de la prueba SAT.

b) Construya un intervalo de confianza del 99% para la puntuación media de la prueba SAT.

c) ¿Cuál de los intervalos de confianza anteriores es más ancho? ¿Por qué?

26. Pesos al nacer Una muestra aleatoria simple de pesos al nacer en Estados Unidos tiene una media de 3433 g. La desviación estándar de todos los pesos al nacer es de 495 g.

a) Utilice un tamaño de la muestra de 75 para construir un intervalo de confianza del 95% para el peso medio al nacer en Estados Unidos.

b) Utilice un tamaño de la muestra de 75,000 para construir un intervalo de confianza del 95% para el peso medio al nacer en Estados Unidos.

c) ¿Cuál de los intervalos de confianza anteriores es más ancho? ¿Por qué?

27. Niveles de presión sanguínea Cuando 14 estudiantes de segundo año de medicina del Bellevue Hospital midieron la presión sanguínea de la misma persona, obtuvieron los resultados que se listan a continuación. Suponiendo que se sabe que la desviación estándar poblacional es de 10 mmHg, construya un intervalo de confianza del 95% para la media poblacional. De manera ideal, ¿cuál debe ser el intervalo de confianza en esta situación?

138 130 135 140 120 125 120 130 130 144 143 140 130 150

28. Dígitos de teléfonos Las organizaciones que realizan encuestas suelen generar los últimos dígitos de números telefónicos para incluir a las personas con números privados. A continuación se presentan dígitos generados al azar por STATDISK, los cuales se obtuvieron de una población con una desviación estándar de 2.87.

a) Utilice los métodos de esta sección para construir un intervalo de confianza del 95% para la media de todos los dígitos generados de esta manera.

b) ¿Se cumplen los requisitos para los métodos de esta sección? ¿El intervalo de confianza del inciso *a)* sirve como una buena estimación de la media poblacional? Explique.

1 1 7 0 7 4 5 1 7 6

Conjuntos grandes de datos del apéndice B. ***En los ejercicios 29 y 30, remítase al conjunto de datos del apéndice B.***

29. Ganancias de películas Remítase al conjunto de datos 9 del apéndice B y construya un intervalo de confianza del 95% para la ganancia promedio para la población de todas las películas. Suponga que se sabe que la desviación estándar poblacional es de 100 millones de dólares.

30. Calificaciones de crédito FICO Remítase al conjunto de datos 24 del apéndice B y construya la estimación de un intervalo de confianza del 99% para la puntuación FICO media de la población. Suponga que la desviación estándar poblacional es 92.2.

Cálculo del tamaño de muestra. ***En los ejercicios 31 a 36, calcule el tamaño de muestra indicado.***

31. Tamaño de la muestra para la media del CI de científicos de la NASA La prueba Wechsler de inteligencia está diseñada de tal forma que, para la población de adultos normales, la media es 100 y la desviación estándar es 15. Calcule el tamaño de la muestra necesario para estimar la media de la puntuación de CI de científicos que actualmente trabajan para la NASA. Queremos tener una confianza del 95% de que nuestra media muestral está dentro de cinco puntos de CI de la media verdadera. La media para esta población es claramente mayor que 100. Tal vez la desviación estándar de esta población es menor que 15, porque se trata de un grupo con menor variación que un grupo seleccionado al azar de la población general; por lo tanto, si usamos $\sigma = 15$, estamos siendo conservadores al emplear un valor que hará que el tamaño de la muestra sea al menos tan grande como se necesite. Suponga entonces que $\sigma = 15$ y determine el tamaño de muestra requerido.

32. Tamaño de la muestra para conteo de glóbulos blancos de la sangre ¿Qué tamaño de la muestra se necesita para estimar el conteo medio de glóbulos blancos (en glóbulos por microlitro) para la población de adultos de Estados Unidos? Suponga que usted quiere tener una confianza del 99% de que la media muestral está dentro de 0.2 de la media poblacional. La desviación estándar poblacional es 2.5.

33. Tamaño de la muestra para el programa Atkins de pérdida de peso Usted desea estimar la pérdida media de peso de las personas, un año después de utilizar el programa Atkins de pérdida de peso. ¿A cuántas personas que participan en ese programa se debe encuestar si deseamos tener una confianza del 95% de que la media muestral de la pérdida de peso está dentro de 0.25 lb de la media poblacional verdadera? Suponga que sabemos que la desviación estándar poblacional es de 10.6 lb (según datos de "Comparison of the Atkins, Ornish, Weight Watchers, and Zone Diets for Weight Loss and Heart Disease Risk Reduction", de Dansinger et al., *Journal of the American Medical Association*, vol. 293, núm. 1). ¿Es práctico el tamaño de la muestra resultante?

34. Promedio de calificaciones Un investigador desea estimar el promedio de las calificaciones de todos los estudiantes universitarios actuales de Estados Unidos. Para eso, desarrolló un procedimiento que le permite estandarizar las calificaciones de las universidades utilizando un método diferente a la escala de 0 a 4 (que es la que se utiliza comúnmente). ¿Cuántos promedios de calificaciones se deben obtener para que la media muestral esté dentro de 0.1 de la media poblacional? Suponga que se desea un nivel de confianza del 90%. También suponga que un estudio piloto reveló que la desviación estándar poblacional se estima en 0.88.

35. Determinación del tamaño de la muestra con la regla práctica de las desviaciones Usted desea estimar el monto medio de colegiatura anual que pagan los estudiantes universitarios de tiempo completo actualmente en Estados Unidos. Primero utilice la regla práctica de las desviaciones para hacer una estimación de la desviación estándar de los montos gastados. Es razonable suponer que los montos de la colegiatura van desde $0 hasta $40,000. Luego, utilice esa desviación estándar estimada para determinar el tamaño de la muestra correspondiente con un nivel de confianza del 95% y un margen de error de $100.

36. Determinación del tamaño de la muestra utilizando datos muestrales Refer to Remítase al conjunto de datos 1 del apéndice B y localice los pulsos máximo y mínimo de los hombres; después, utilice esos valores para estimar σ por medio de la regla práctica de las desviaciones. ¿A cuántos hombres adultos se debe seleccionar al azar y someter a prueba si se desea tener una confianza del 95% de que el pulso medio muestral está dentro de dos latidos (por minuto) de la media poblacional verdadera μ? Si en vez de usar la regla práctica de las desviaciones se emplea la desviación estándar de los pulsos de varones del conjunto de datos 1 como una estimación de σ, ¿es muy diferente el tamaño de la muestra requerido? ¿Qué tamaño de la muestra parece estar más cerca del tamaño de la muestra correcto?

7-3 Más allá de lo básico

37. Intervalo de confianza con factor de corrección por población finita El error estándar de la media es $\sigma/\sqrt{n}$, siempre y cuando el tamaño de la población sea infinito o muy grande, o si el muestreo se hace con reemplazo. Si el tamaño N de la población es finito, entonces el factor de corrección $\sqrt{(N-n)/(N-1)}$ debe usarse siempre y cuando $n > 0.05N$. Este factor de corrección multiplica el margen de error E, como se muestra a continuación. Repita el inciso *a)* del ejercicio 25, suponiendo que la muestra se selecciona sin reemplazo de una población de tamaño 200. ¿Cómo afecta la información adicional sobre el tamaño de la población al intervalo de confianza?

$$E = z_{\alpha/2}\frac{\sigma}{\sqrt{n}}\sqrt{\frac{N-n}{N-1}}$$

38. Tamaño de la muestra con factor de corrección por población finita Los métodos de esta sección suponen que el muestreo se realiza con reemplazo y a partir de una población muy grande o infinita. Si tenemos una población relativamente pequeña y hacemos el muestreo sin reemplazo, debemos modificar E para incluir un *factor de corrección por población finita*, para que el margen de error sea como el que se indica en el ejercicio 37, donde N es el tamaño de la población. En esta expresión del margen de error se despeja n para obtener

$$n = \frac{N\sigma^2(z_{\alpha/2})^2}{(N-1)E^2 + \sigma^2(z_{\alpha/2})^2}$$

Repita el ejercicio 32, suponiendo que se selecciona una muestra aleatoria simple sin reemplazo a partir de una población de 500 personas. ¿La información adicional sobre el tamaño de la población afecta mucho el tamaño de la muestra?

7-4 Estimación de la media poblacional: σ desconocida

Concepto clave En esta sección se presentan métodos para estimar una media poblacional cuando no se conoce la desviación estándar σ. Cuando se desconoce σ, se utiliza la *distribución t de Student* (en vez de la distribución normal), suponiendo que se cumplen los requisitos relevantes. Como generalmente se desconoce σ en circunstancias reales, los métodos de esta sección son muy realistas y prácticos, y se utilizan con frecuencia.

Al igual que en la sección 7-3, la media muestral $\bar{x}$ es la mejor estimación puntual (o estimación de un solo valor) de la media poblacional μ.

La media muestral $\bar{x}$ es la mejor estimación puntual de la media poblacional μ.

He aquí el aspecto clave de esta sección: si σ no se conoce, pero los requisitos relevantes se satisfacen, en vez de emplear la distribución normal, utilizamos la *distribución t de Student*, desarrollada por William Gosset (1876-1937). Gosset era un empleado de la cervecería Guinness Brewery que necesitaba una distribución que pudiera utilizarse con muestras pequeñas. La cervecería irlandesa donde trabajaba no permitía la publicación de resultados de investigaciones, así que Gosset publicó bajo el seudónimo de Student. (En aras de la investigación y para servir mejor a sus lectores, el autor visitó la cervecería Guinness Brewery y probó una muestra del producto. ¡Qué comprometido!).

El Departamento del Transporte usa intervalos de confianza

Los siguientes extractos de una circular del Departamento del Transporte de Estados Unidos atañen a algunos de los requisitos de exactitud para el equipo de navegación empleado en aviones. Observe el uso del intervalo de confianza. "El total de las contribuciones de error del equipo a bordo, combinado con los errores técnicos de vuelo correspondientes incluidos en la lista, no debe exceder lo siguiente con un nivel de confianza del 95% (2-sigma), durante un periodo de tiempo igual al ciclo de actualización". "El sistema de vías y rutas aéreas de Estados Unidos tiene anchuras de protección de ruta que se utilizan en un sistema VOR con una exactitud de ±4.5 grados con base en una probabilidad del 95%".

Distribución *t* de Student

Si una población tiene una distribución normal, entonces la distribución de

$$t = \frac{\bar{x} - \mu}{\frac{s}{\sqrt{n}}}$$

es una **distribución *t* de Student** para todas las muestras de tamaño n. La distribución t de Student a menudo se conoce simplemente como **distribución *t*.**

Como no conocemos el valor de la desviación estándar poblacional σ, la estimamos con el valor de la desviación estándar muestral s, pero esta introduce otra fuente de baja confiabilidad, especialmente con muestras pequeñas. Para poder mantener el nivel de confianza deseado, como 95%, compensamos esta falta de confianza adicional ampliando el intervalo de confianza: utilizamos valores críticos $t_{\alpha/2}$ (de una distribución t de Student) que son más grandes que los valores críticos de $z_{\alpha/2}$ de la distribución normal. Podemos calcular un valor crítico de $t_{\alpha/2}$ utilizando una herramienta tecnológica o la tabla A-3, pero primero debemos identificar el número de *grados de libertad.*

DEFINICIÓN

El número de **grados de libertad** para un conjunto de datos muestrales recolectados es el número de valores muestrales que pueden variar después de haber impuesto ciertas restricciones a todos los valores de los datos. El número de grados de libertad suele abreviarse como **gl**.

Por ejemplo, si 10 estudiantes tienen puntuaciones de examen con una media de 80, podemos asignar con libertad valores a las primeras 9 puntuaciones, pero la décima puntuación se calcula. La suma de las 10 puntuaciones debe ser 800, así que la décima puntuación debe ser igual a 800 menos la suma de las primeras 9 puntuaciones. Puesto que esas primeras 9 puntuaciones pueden seleccionarse *con libertad* para adoptar cualquier valor, decimos que existen 9 grados de libertad disponibles. Para las aplicaciones de esta sección, el número de grados de libertad es simplemente el tamaño de la muestra menos 1.

$$\textbf{grados de libertad} = n - 1$$

EJEMPLO 1 **Cálculo de un valor crítico *t*** Una muestra de tamaño $n = 7$ es una muestra aleatoria simple seleccionada de una población distribuida normalmente. Calcule el valor crítico $t_{\alpha/2}$ correspondiente a un nivel de confianza del 95%.

SOLUCIÓN Puesto que $n = 7$, el número de grados de libertad está dado por $n - 1 = 6$. Utilizando la tabla A-3, localizamos el sexto renglón con respecto a la columna del extremo izquierdo. Un nivel de confianza del 95% corresponde a $\alpha = 0.05$, y los intervalos de confianza requieren que el área α se divida de manera equitativa entre las colas izquierda y derecha de la distribución (como en la figura 7-4), de manera que encontramos los valores listados en la columna para un *área de 0.05 en dos colas.* El valor correspondiente al renglón para 6 grados de libertad y a la columna para un área de 0.05 en dos colas es 2.447, de manera que $t_{\alpha/2} = 2.447$. (Véase la figura 7-4). Podríamos expresar esto como $t_{0.025} = 2.447$. Este tipo de valores críticos $t_{\alpha/2}$ se utiliza para el margen de error E y el intervalo de confianza, como se observa a continuación.

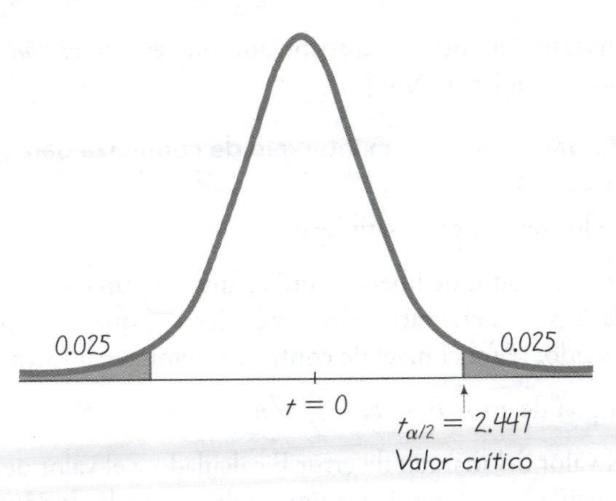

Figura 7-4 Valor crítico $t_{\alpha/2}$

Intervalo de confianza para estimar una media poblacional (con σ desconocida)

Objetivo

Construir un intervalo de confianza que se utilice para estimar una media poblacional.

Notación

μ = media poblacional

$\bar{x}$ = media muestral

s = desviación estándar muestral

n = número de valores muestrales

E = margen de error

$t_{\alpha/2}$ = valor crítico t que separa un área de $\alpha/2$ en la cola derecha de la distribución t

Requisitos

1. La muestra es aleatoria simple.
2. La muestra proviene de una población con distribución normal o $n > 30$.

Intervalo de confianza

$$\bar{x} - E < \mu < \bar{x} + E \quad \text{donde} \quad E = t_{\alpha/2}\frac{s}{\sqrt{n}} \quad (\text{gl} = n - 1)$$

o

$$\bar{x} \pm E$$

o

$$(\bar{x} - E, \bar{x} + E)$$

Requisitos Como en la sección 7-3, el requisito de una población distribuida normalmente no es estricto. Por lo regular, podemos considerar que la población está distribuida normalmente después de usar los datos muestrales para confirmar que no existen valores atípicos y que el histograma tiene una forma que no es muy alejada de la de una distribución normal. Además, al igual que en la sección 7-3, el requisito de que el tamaño de la muestra sea $n > 30$ suele usarse como directriz, pero el tamaño de la muestra mínimo realmente depende de cuánto se aleja la distribución de la población de la distribución normal. [Si se sabe que una población se distribuye normalmente, la distribución de medias muestrales $\bar{x}$ es *exactamente* una distribución normal con media μ y desviación estándar $\sigma/\sqrt{n}$; si la población no está distribuida normalmente, muestras grandes ($n > 30$)

producen medias muestrales con una distribución que es *aproximadamente* normal, con media μ y desviación estándar $\sigma/\sqrt{n}$.]

Procedimiento para construir un intervalo de confianza para μ (con σ desconocida)

1. Verifique que los requisitos se satisfagan.
2. Utilizando $n - 1$ grados de libertad, utilice una herramienta tecnológica o remítase a la tabla A-3 para encontrar el valor crítico $t_{\alpha/2}$ que corresponde al nivel de confianza deseado. (Para el nivel de confianza, remítase al "área en dos colas").
3. Evalúe el margen de error $E = t_{\alpha/2} \cdot s/\sqrt{n}$.
4. Utilizando el valor del margen de error E calculado y el valor de la media muestral $\bar{x}$, calcule los valores de los límites del intervalo de confianza: $\bar{x} - E$ y $\bar{x} + E$. Sustituya estos valores en el formato general para el intervalo de confianza.
5. Redondee los límites del intervalo de confianza resultantes. Si utiliza el conjunto original de datos, redondee a un decimal más del que se usa para el conjunto original de datos. Si utiliza un resumen de estadísticos (n, $\bar{x}$, s), redondee los límites del intervalo de confianza al mismo número de lugares decimales utilizados para la media muestral.

Construcción de un intervalo de confianza: Ajo para reducir el colesterol Existe la creencia popular de que el ajo reduce los niveles de colesterol. En una prueba de la eficacia del ajo, 49 sujetos fueron tratados con dosis de ajo crudo, y sus niveles de colesterol se midieron antes y después del tratamiento. Los cambios en sus niveles de colesterol de baja densidad (en mg/dL) tienen una media de 0.4 y una desviación estándar de 21.0 (según datos de "Effect of Raw Garlic *vs* Commercial Garlic Supplements on Plasma Lipid Concentrations in Adults With Moderate Hypercholesterolemia", de Gardner *et al.*, *Archives of Internal Medicine*, vol. 167). Utilice los estadísticos muestrales de $n = 49$, $\bar{x} = 0.4$, y $s = 21.0$ para construir un intervalo de confianza del 95% para el cambio medio neto en el colesterol de baja densidad después del tratamiento con ajo. ¿Qué sugiere el intervalo de confianza acerca de la eficacia del ajo para reducir el colesterol de baja densidad?

SOLUCIÓN

VERIFICACIÓN DE REQUISITOS Primero debemos verificar que los dos requisitos para esta sección se satisfacen. **1.** El diseño detallado de los ensayos con ajo justifican el supuesto de que se trata de una muestra aleatoria simple. **2.** El requisito de que "la población se distribuye normalmente o $n > 30$" se satisface, puesto que $n = 49$. Por lo tanto, los requisitos se cumplen.

El nivel de confianza del 95% implica que $\alpha = 0.05$. Con $n = 49$, el número de grados de libertad es $n - 1 = 48$. Si utilizamos la tabla A-3, buscamos en el renglón con 48 grados de libertad, y en la columna correspondiente a $\alpha = 0.05$ en dos colas. La tabla no incluye 48 grados de libertad, y el número más cercano de grados de libertad es 50, de manera que podemos utilizar $t_{\alpha/2} = 2.009$. (Si utilizamos una herramienta tecnológica, obtenemos el resultado más exacto de $t_{\alpha/2} = 2.011$).

Si utilizamos $t_{\alpha/2} = 2.009$, $s = 21.0$ y $n = 49$, calculamos el margen de error E como sigue:

$$E = t_{\alpha/2}\frac{s}{\sqrt{n}} = 2.009 \cdot \frac{21.0}{\sqrt{49}} = 6.027$$

Con $\bar{x} = 0.4$ y $E = 6.027$, construimos el intervalo de confianza de la siguiente manera:

$$\bar{x} - E < \mu < \bar{x} + E$$
$$0.4 - 6.027 < \mu < 0.4 + 6.027$$
$$-5.6 < \mu < 6.4$$ (redondeado a una posición decimal, como la media muestral dada)

INTERPRETACIÓN

Este resultado también podría expresarse en la forma de 0.4 ± 6.0 o $(-5.6, 6.4)$. Con base en los resultados muestrales dados, tenemos una confianza del 95% de que los límites de -5.6 y 6.4 realmente contienen el valor de μ, la media de los cambios en el colesterol de baja densidad para la población.

Como los límites del intervalo de confianza contienen el valor de 0, es muy posible que la media de los cambios en el colesterol de baja densidad sea igual a 0, lo que sugiere que el tratamiento con ajo no modificó los niveles de este tipo de colesterol. No parece que el tratamiento con ajo sea eficaz para reducir el colesterol de baja densidad.

Ahora listamos las propiedades importantes de la distribución t de Student que se presentó en esta sección.

Propiedades importantes de la distribución *t* de Student

1. La distribución t de Student es diferente para distintos tamaños de muestra. (Véase la figura 7-5 para los casos $n = 3$ y $n = 12$).
2. La distribución t de Student tiene la misma forma de campana simétrica que la distribución normal estándar, pero refleja una mayor variabilidad (con distribuciones más amplias) de lo que se espera con muestras pequeñas.
3. La distribución t de Student tiene una media de $t = 0$ (así como la distribución normal estándar tiene una media de $z = 0$).

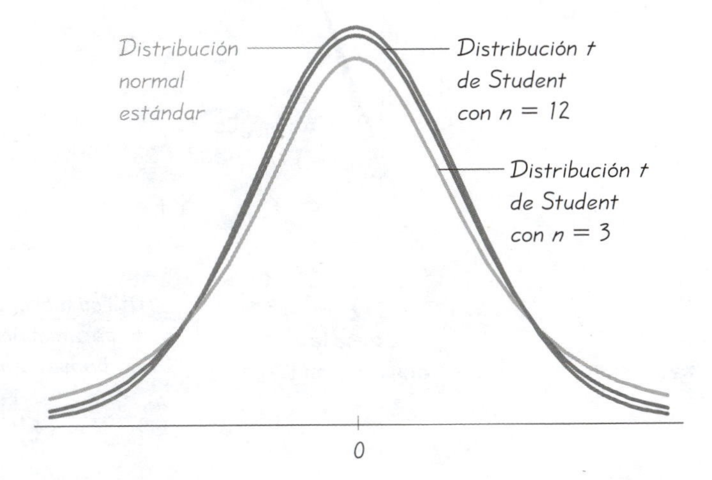

Figura 7-5

Distribùciones t de Student para $n = 3$ y $n = 12$

La distribución t de Student tiene la misma forma y simetría general de la distribución normal estándar, pero refleja una mayor variabilidad de lo que se espera con muestras pequeñas.

Estimación de azúcar en las naranjas

En Florida, los miembros de la industria de los cítricos usan profusamente métodos estadísticos. Una aplicación específica tiene que ver con la forma en que se paga a los agricultores por las naranjas que se usan para elaborar jugo de naranja. Cuando llega un camión cargado con naranjas, primero se pesa la carga en la planta receptora, luego se elige al azar una muestra de una docena de naranjas. La muestra se pesa, se exprime y se mide la cantidad de azúcar que contiene el jugo. Con base en los resultados de la muestra, se estima la cantidad total de azúcar contenida en toda la carga del camión. El pago por la carga de naranjas se basa en la estimación de la cantidad de azúcar, ya que las naranjas más dulces son más valiosas que las menos dulces, aunque las cantidades de jugo sean iguales.

4. La desviación estándar de la distribución t de Student varía con el tamaño de la muestra, pero es mayor que 1 (a diferencia de la distribución normal estándar, que tiene $\sigma = 1$).

5. Conforme el tamaño de la muestra n se vuelve más grande, la distribución t de Student se acerca más a la distribución normal estándar.

Elección de la distribución adecuada

En ocasiones es difícil decidir entre utilizar la distribución normal estándar z o la distribución t de Student. El diagrama de flujo de la figura 7-6 y la tabla 7-1 resumen los aspectos clave a considerarse cuando se construyen intervalos de confianza para estimar μ, la media poblacional. En la figura 7-6 o en la tabla 7-1, note que si tenemos una muestra pequeña ($n \leq 30$), obtenida de una distribución que difiere drásticamente de una distribución normal, no podemos usar los métodos descritos en este capítulo. Una alternativa es utilizar métodos no paramétricos (véase el capítulo 13); otra alternativa es usar el método bootstrap basado en computadora. En ambos enfoques no se hacen supuestos acerca de la población original. El método *bootstrap* se describe en el proyecto tecnológico al final del capítulo.

Importante: En la figura 7-6 y en la tabla 7-1 se supone que la muestra es aleatoria simple. Si los datos muestrales se reunieron utilizando algún método inadecuado, como una muestra de conveniencia o una muestra de respuesta voluntaria, es muy posible que no existan métodos estadísticos para calcular una estimación útil de una media poblacional.

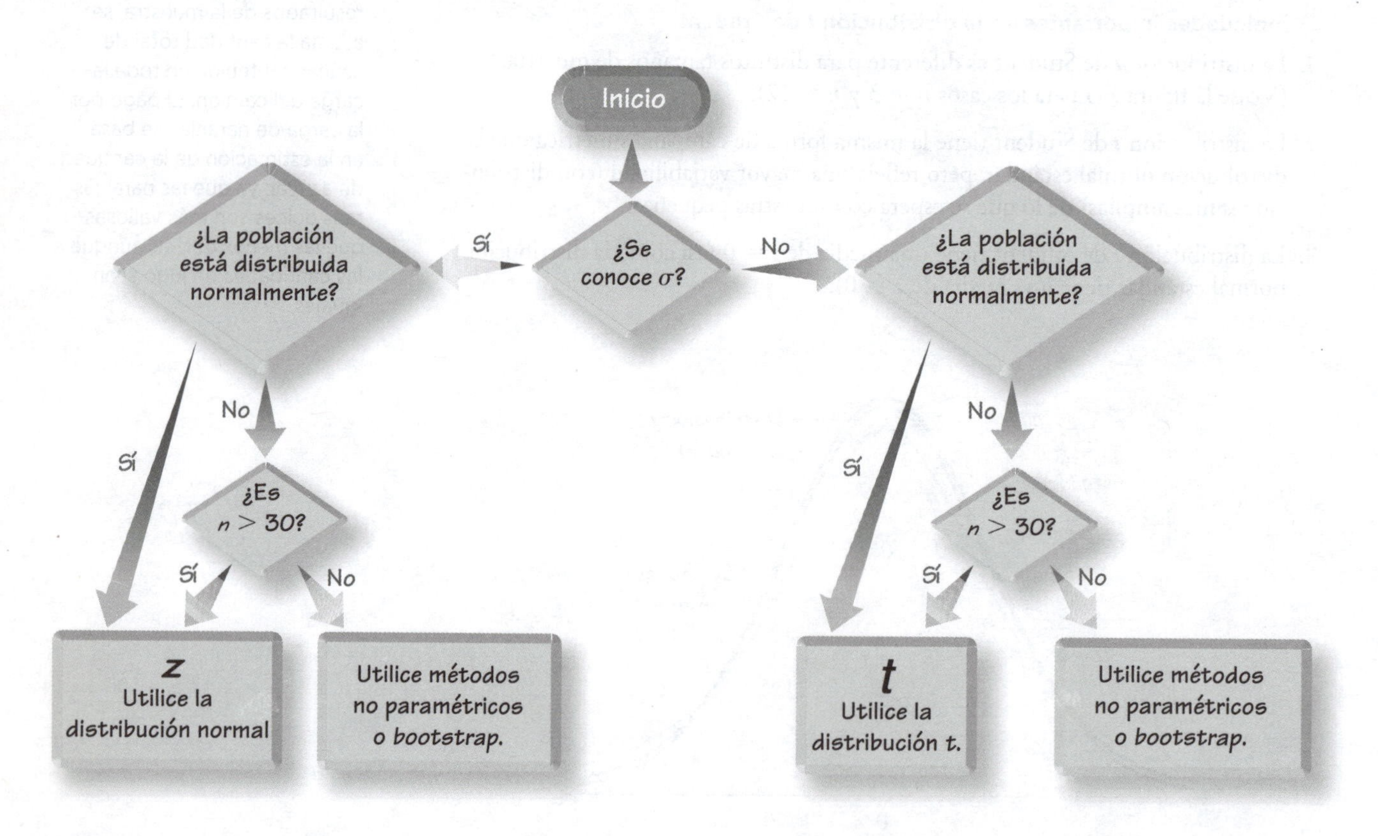

Figura 7-6 Elección entre z y t

Tabla 7-1 Elección entre z y t

Método	Condiciones
Utilice la distribución normal (z).	conocida y población distribuida normalmente o σ conocida y $n > 30$
Utilice la distribución t.	σ desconocida y población distribuida normalmente o σ desconocida y $n > 30$
Utilice un método no paramétrico o *bootstrap*.	La población no está distribuida normalmente y $n \leq 30$.

Notas: 1. **Criterios para decidir si la población está distribuida normalmente:** La población no necesita ser exactamente normal, pero debe tener una apariencia un tanto simétrica, con una moda y sin valores atípicos.

2. **Tamaño de la muestra $n > 30$:** Este es un lineamiento que se usa regularmente, pero tamaños de muestra de 15 a 30 son adecuados si la población parece tener una distribución normal y no existen valores atípicos. Para algunas distribuciones poblacionales que estén extremadamente alejadas de la normal, puede requerirse que el tamaño de la muestra sea mucho mayor que 30.

El siguiente ejemplo se enfoca en la elección del método correcto.

EJEMPLO 3

Selección de distribuciones Usted planea construir un intervalo de confianza para la media poblacional μ. Utilice los datos para determinar si el margen de error E debe calcularse utilizando un valor crítico de $z_{\alpha/2}$ (de la distribución normal), un valor crítico de $t_{\alpha/2}$ (de la distribución t) o ninguno de estos (de manera que los métodos de la sección 7-3 y de esta sección no son viables).

a) $n = 9, \bar{x} = 75, s = 15$ y la población tiene una distribución normal.

b) $n = 5, \bar{x} = 20, s = 2$ y la población tiene una distribución muy sesgada.

c) $n = 12, \bar{x} = 98.6, \sigma = 0.6$ y la población tiene una distribución normal. (En la realidad, pocas veces se conoce σ).

d) $n = 75, \bar{x} = 98.6, \sigma = 0.6$ y la población tiene una distribución sesgada. (En la realidad, pocas veces se conoce σ).

e) $n = 75, \bar{x} = 98.6, s = 0.6$ y la población tiene una distribución sesgada.

SOLUCIÓN

Remítase a la figura 7-6 o a la tabla 7-1.

a) Puesto que la desviación estándar poblacional σ no se conoce y la población está distribuida normalmente, el margen de error se calcula usando $t_{\alpha/2}$.

b) Puesto que la muestra es pequeña ($n \leq 30$) y la población no tiene una distribución normal, el margen de error E no se debe calcular usando un valor crítico de $z_{\alpha/2}$ o $t_{\alpha/2}$. No se pueden aplicar los métodos de la sección 7-3 ni los de esta sección.

continúa

Estimación del tamaño de multitudes

Existen métodos complejos para analizar el tamaño de una multitud. Se pueden emplear fotografías aéreas y medidas de densidad demográfica con una exactitud bastante razonable. Sin embargo, los reportes de estimaciones del tamaño de multitudes a menudo son simples conjeturas. Después de que los Medias Rojas de Boston ganaron la Serie Mundial por primera vez en 86 años, las autoridades de la ciudad de Boston estimaron que a la celebración callejera acudieron 3.2 millones de aficionados. La policía de Boston hizo una estimación de alrededor de un millón de personas, pero aceptó que este cálculo se basaba en conjeturas de los comandantes de la policía. Un análisis fotográfico produjo una estimación de alrededor de 150,000. El profesor Farouk El-Baz de la Universidad de Boston utilizó imágenes del U.S. Geological Survey para llegar a una estimación de casi 400,000. El físico Bill Donnelly del MIT dijo que "es un problema serio que la gente solo indique un número cualquiera. Esto significa que otros asuntos no se investigan de manera cuidadosa".

c) Puesto que se conoce σ y la población tiene una distribución normal, el margen de error se calcula usando $z_{\alpha/2}$.

d) Como la muestra es grande ($n > 30$) y se conoce σ, el margen de error se calcula usando $z_{\alpha/2}$.

e) Como la muestra es grande ($n > 30$) y se desconoce σ, el margen de error se calcula usando $t_{\alpha/2}$.

EJEMPLO 4

Intervalo de confianza para alcohol en videojuegos Se observaron 12 videojuegos diferentes que exhiben el consumo de sustancias tóxicas. Se registró la duración (en segundos) del consumo de alcohol, los cuales se presentan a continuación (según datos de "Content and Ratings of Teen-Rated Video Games", de Haninger y Thompson, *Journal of the American Medical Association*, vol. 291, núm. 7). El diseño del estudio justifica el supuesto de que la muestra puede tratarse como si fuera una muestra aleatoria simple. Utilice los datos muestrales para construir un intervalo de confianza del 95% para μ, la media del tiempo que el video mostró el consumo de alcohol.

84 14 583 50 0 57 207 43 178 0 2 57

SOLUCIÓN

VERIFICACIÓN DE REQUISITOS Primero debemos verificar que los requisitos se cumplan. **1.** Podemos considerar que se trata de una muestra aleatoria simple. **2.** Al verificar el requisito de que "la población se distribuye normalmente o $n > 30$", observamos que el tamaño de la muestra es $n = 12$, de manera que debemos determinar si los datos parecen provenir de una población con una distribución normal. A continuación se presenta un histograma generado por Minitab y una gráfica cuantilar normal generada por STATDISK. El histograma no parece tener forma de campana, y los puntos en la gráfica cuantilar normal no se acercan de manera razonable a una línea recta, por lo que concluimos que los tiempos no provienen de una población con distribución normal. Los requisitos no se cumplen. Si continuáramos con la construcción del intervalo de confianza, obtendríamos 1.8 segundos $< \mu <$ 210.7 segundos, pero este resultado es cuestionable porque supone de manera incorrecta que los requisitos se cumplieron.

INTERPRETACIÓN

Puesto que no se cumple el requisito de que "la población se distribuye normalmente o $n > 30$", no tenemos una confianza del 95% de que los límites de 1.8 y 210.7 segundos realmente contengan el valor de la media poblacional. Debemos utilizar algún otro método para calcular los límites del intervalo de confianza. Por ejemplo, el autor utilizó un nuevo muestreo con bootstrap, como se describe en el proyecto tecnológico al final de esta sección, y obtuvo el intervalo de confianza de 35.3 segundos $< \mu <$ 205.6 segundos.

MINITAB

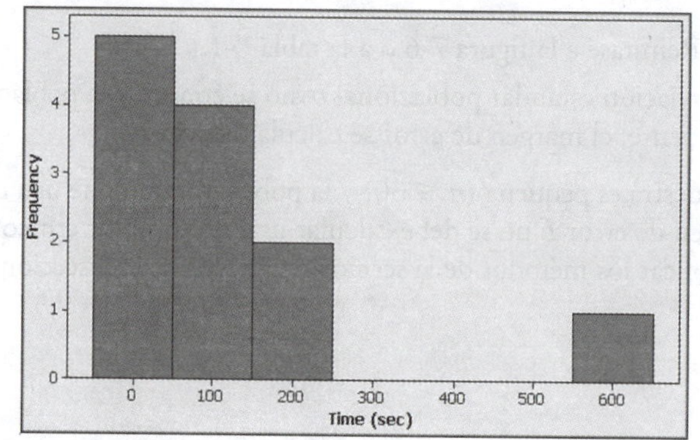

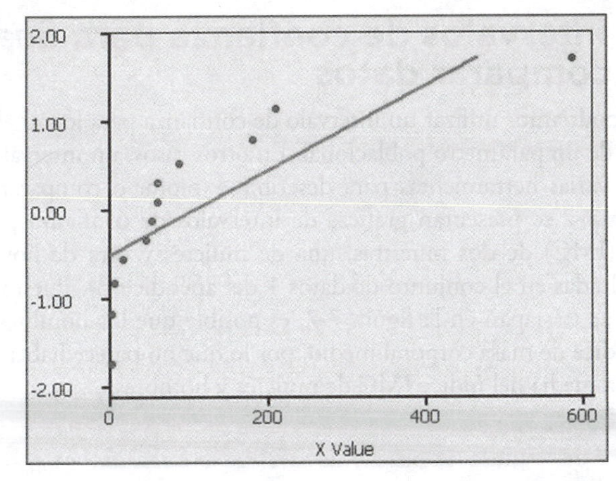

Cálculo de la estimación puntual y de *E* a partir de un intervalo de confianza

Más adelante en esta sección describiremos cómo pueden utilizarse las calculadoras y los programas de cómputo para calcular un intervalo de confianza. Un uso común requiere que usted ingrese un nivel de confianza y estadísticos muestrales, y la pantalla indica los límites del intervalo de confianza. La media muestral $\bar{x}$ es el valor intermedio de estos límites; el margen de error E es la mitad de la diferencia entre esos límites (ya que el límite superior es $\bar{x} + E$ y el límite inferior es $\bar{x} - E$, y la distancia que los separa es $2E$).

$$\text{Estimación puntual de } \mu: \quad \bar{x} = \frac{(\text{límite de confianza superior}) + (\text{límite de confianza inferior})}{2}$$

$$\text{Margen de error:} \quad E = \frac{(\text{límite de confianza superior}) - (\text{límite de confianza inferior})}{2}$$

EJEMPLO 5

Peso de basura El conjunto de datos 22 del apéndice B incluye los pesos de la basura desechada proveniente de una muestra de 62 hogares. La siguiente pantalla de la calculadora TI-83/84 Plus es el resultado desplegado al considerar 62 cantidades de pesos totales (en libras) para construir un intervalo de confianza del 95% para el peso medio de la basura desechada por la población de todos los hogares. Utilice el intervalo de confianza de la pantalla para calcular los valores de la mejor estimación puntual $\bar{x}$ y del margen de error E.

SOLUCIÓN

En los siguientes cálculos, los resultados se redondean a tres decimales, que es un espacio decimal adicional más de los dos lugares decimales utilizados para la lista original de pesos.

$$\bar{x} = \frac{(\text{límite de confianza superior}) + (\text{límite de confianza inferior})}{2}$$

$$= \frac{30.607 + 24.28}{2} = 27.444 \text{ lb}$$

$$E = \frac{(\text{límite de confianza superior}) - (\text{límite de confianza inferior})}{2}$$

$$= \frac{30.607 - 24.28}{2} = 3.164 \text{ lb}$$

TI-83/84 PLUS

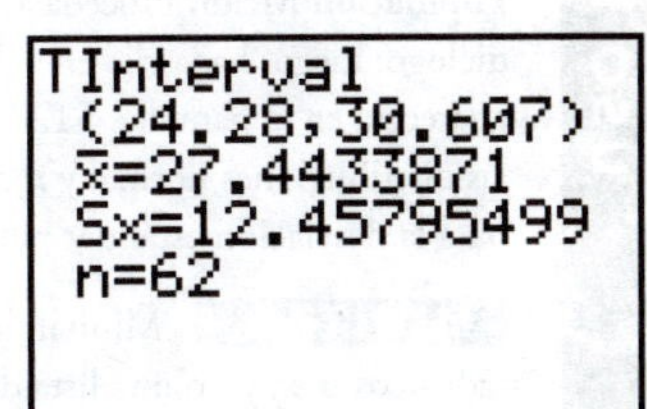

Uso de los intervalos de confianza para describir, explorar o comparar datos

En algunos casos, podríamos utilizar un intervalo de confianza para lograr el objetivo final de estimar el valor de un parámetro poblacional. En otros casos, un intervalo de confianza podría ser una de varias herramientas para describir, explorar o comparar conjuntos de datos. En la figura 7-7 se presentan gráficas de intervalos de confianza para los índices de masa corporal (IMC) de dos muestras, una de mujeres y otra de hombres. (Ambas muestras están incluidas en el conjunto de datos 1 del apéndice B). Puesto que los intervalos de confianza se traslapan en la figura 7-7, es posible que los hombres y las mujeres tengan el *mismo* índice de masa corporal medio, por lo que no parece haber una diferencia significativa entre la media del índice IMC de mujeres y hombres.

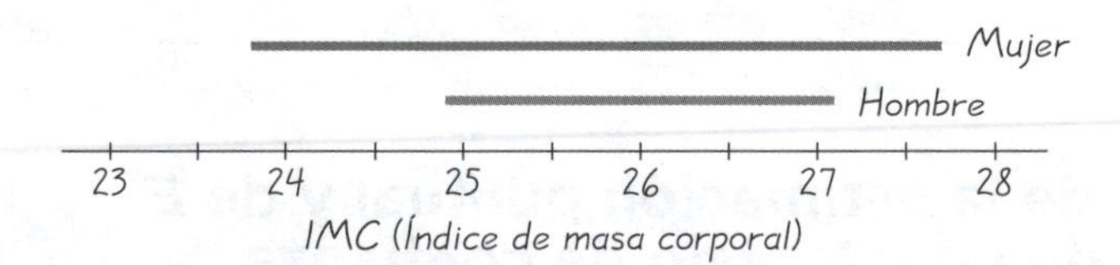

Figura 7-7 Índices de masa corporal (IMC) de hombres y mujeres

ADVERTENCIA

Al igual que sucedió en las secciones 7-2 y 7-3, los intervalos de confianza pueden usarse de manera informal para comparar diferentes conjuntos de datos, pero e*l traslape de intervalos de confianza no debe usarse para obtener conclusiones formales ni finales acerca de la igualdad de medias.*

Determinación del tamaño de la muestra La sección 7-2 incluye un apartado donde se describen métodos para determinar el tamaño de muestra que se necesita para estimar una proporción poblacional, y la sección 7-3 incluye un apartado con métodos para determinar el tamaño de muestra que se necesita para estimar una media poblacional. En esta sección no se incluye un apartado de tal tipo. Cuando necesite determinar el tamaño de la muestra necesario para estimar una media poblacional, utilice el procedimiento que se describe en la sección 7-3, el cual requiere de un valor estimado o conocido de la desviación estándar poblacional.

USO DE LA TECNOLOGÍA

Los siguientes procedimientos se aplican a intervalos de confianza para estimar una media μ e incluyen los intervalos de confianza descritos en la sección 7-3, así como los intervalos de confianza presentados en esta sección. Antes de utilizar programas de cómputo o una calculadora para generar un intervalo de confianza, asegúrese de revisar que los requisitos se satisfagan. Consulte los requisitos listados casi al principio de esta sección y de la sección 7-3.

STATDISK Primero debe calcular el tamaño de la muestra n, la media muestral $\bar{x}$, y la desviación estándar muestral s. (Véase el procedimiento del STATDISK descrito en la sección 3-3). Seleccione **Analysis** de la barra del menú principal, luego **Confidence Intervals** y después **Population Mean.** Proceda a ingresar los elementos en el cuadro de diálogo; luego, haga clic en el botón **Evaluate**. El intervalo de confianza aparecerá en la pantalla. STATDISK elige de manera automática entre las distribuciones normal y t, dependiendo de si se ingresa un valor para la desviación estándar poblacional.

MINITAB Minitab le permite utilizar ya sea el resumen de estadísticos n, $\bar{x}$, y s o una lista de los valores muestrales originales. Seleccione **Stat** y **Basic Statistics.** Si no se conoce σ, seleccione **1-sample t** e ingrese el resumen de estadísticos o ingrese **C1** en el recuadro ubicado en la parte superior derecha. (Si se conoce σ, seleccione **1-sample Z** e ingrese el resumen de estadísticos o ingrese **C1** en el recuadro ubicado en la parte superior derecha. También ingrese el valor de σ en el cuadro "Standard Deviation" o "Sigma"). Utilice el botón **Options** para ingresar el nivel de confianza, por ejemplo, 95.0.

EXCEL Si utiliza Excel 2010 o Excel 2007, haga clic en **Add-Ins**, luego en **DDXL**; si utiliza Excel 2003, haga clic en **DDXL.** Seleccione **Confidence Intervals.** Dentro de las opciones para tipo de función, seleccione **Var t Interval** isi se desconoce σ. (Si se conoce σ, seleccione **1 Var z Interval.**). Haga clic en el icono con forma de lápiz e ingrese el rango de datos, como A1:A12 si usted tiene 12 valores listados en la columna A. Haga clic en **OK.** En el cuadro de diálogo, seleccione el nivel de confianza. (Si está utilizando 1 Var z Interval, también ingrese el valor de σ). Haga clic en **Compute Interval** y el intervalo de confianza aparecerá en la pantalla. (No se recomienda el uso de la herramienta **CONFIDENCE** de Excel, por varias razones).

continúa

TI-83/84 PLUS La calculadora TI-83/84 Plus sirve para generar intervalos de confianza para valores muestrales originales guardados en una lista, o bien, usted puede utilizar el resumen de estadísticos n, $\bar{x}$, y s. Ingrese los datos en la lista L1 o tenga disponible el resumen de los estadísticos; luego, presione la tecla **STAT**. Ahora seleccione **TESTS** y elija **TInterval** si no se conoce σ (elija **ZInterval** si se conoce σ). Después de ingresar los datos requeridos, la pantalla de la calculadora incluirá el intervalo de confianza en el formato $(\bar{x} - E, \bar{x} + E)$. Por ejemplo, observe la pantalla de la calculadora TI-83/84 Plus del ejemplo 5 de esta sección.

Valores críticos de t: Para obtener los valores críticos de t en la calculadora TI-84 Plus, presione 2ND VARS para que aparezca el menú DISTR (distribución) y luego seleccione **invT.** Ingrese el área acumulada de la izquierda, ingrese una coma y luego el número de grados de libertad. El comando invT(0.975, 52) produce 2.006646761; para 52 grados de libertad, el valor t con un área de 0.975 a su izquierda es 2.006646761. La calculadora TI-83/84 Plus no cuenta con el comando invT, por lo que deberá usar el programa **invt** del sitio Web del libro.

7-4 Destrezas y conceptos básicos

Conocimientos estadísticos y pensamiento crítico

1. ¿Dónde está el error? Una nota informativa en *USA Today* señaló que "los consumidores gastarán un promedio estimado de $483 en mercancía" por el reinicio de las clases. Se informó que el valor se basaba en una encuesta de 8453 consumidores, y que el margen de error era de "±1 punto porcentual". ¿Qué está incorrecto en esta información?

2. Robusto ¿Qué significa cuando decimos que los métodos para construir intervalos de confianza de esta sección son *robustos* frente a desviaciones respecto de la normalidad? ¿Los métodos para construir intervalos de confianza de esta sección son robustos con respecto a los métodos de muestreo inadecuados?

3. Muestreo AUna organización nacional de encuestas fue contratada para estimar la cantidad media de dinero en efectivo que llevan consigo los adultos en Estados Unidos. El plan de muestreo original incluía llamadas telefónicas a 2500 números de teléfono diferentes en todo el territorio estadounidense, pero un gerente decidió ahorrar gastos en llamadas de larga distancia utilizando una muestra aleatoria simple de 2500 números telefónicos dentro del estado de California. Si esta muestra se utiliza para construir un intervalo de confianza del 95% para estimar la media poblacional, ¿se obtendrá una buena estimación? ¿Por qué?

4. Grados de libertad Se obtiene una muestra aleatoria simple de tamaño $n = 5$ a partir de una población de conductores que viven en la ciudad de Nueva York, y se mide el tiempo de reacción de frenado de cada conductor. Los resultados se usarán para construir un intervalo de confianza del 95%. ¿Cuál es el número de grados de libertad que debe usarse para calcular el valor crítico $t_{\alpha/2}$? Dé una explicación breve del número de grados de libertad.

Uso de la distribución correcta. ***En los ejercicios 5 a 12, suponga que deseamos construir un intervalo de confianza utilizando el nivel de confianza indicado. Realice una de las siguientes acciones, según sea adecuado: a) calcule el valor crítico $z_{\alpha/2}$, b) calcule el valor crítico $t_{\alpha/2}$, c) determine que no se aplican ni la distribución normal ni la distribución t.***

5. 95%; $n = 23$; se desconoce σ; la población parece estar distribuida normalmente.

6. 99%; $n = 25$; se conoce σ; la población parece estar distribuida normalmente.

7. 99%; $n = 6$; se desconoce σ; la población parece estar muy sesgada.

8. 95%; $n = 40$; se desconoce σ; la población parece estar sesgada.

9. 90%; $n = 200$; $\sigma = 15.0$; la población parece estar sesgada.

10. 95%; $n = 9$; se desconoce σ; la población parece estar muy sesgada.

11. 99%; $n = 12$; se desconoce σ; la población parece estar distribuida normalmente.

12. 95%; $n = 38$; se desconoce σ; la población parece estar sesgada.

Cálculo de intervalos de confianza. ***En los ejercicios 13 y 14, utilice el nivel de confianza y los datos muestrales indicados para calcular a) el margen de error y b) el intervalo de confianza para la media poblacional μ. Suponga que la muestra es aleatoria simple y que la población tiene una distribución normal.***

13. Costos de hospital 95% de confianza; $n = 20, \bar{x} = \$9004, s = \$569$ (según datos del costo hospitalario para víctimas de choques automovilísticos que usaban cinturones de seguridad, del Departamento del Transporte de Estados Unidos).

14. Contaminación de automóviles 99% de confianza $n = 7, \bar{x} = 0.12, s = 0.04$ (los valores originales son emisiones de óxido de nitrógeno en gramos/milla, de la Environmental Protection Agency).

Interpretación de la pantalla de resultados. ***En los ejercicios 15 y 16, utilice los datos y la imagen de la pantalla para expresar el intervalo de confianza en el formato de $\bar{x} - E < \mu < \bar{x} + E$. Además, escriba un enunciado que interprete el intervalo de confianza.***

15. Pesos de monedas de un dólar 95% de confianza; $n = 20, \bar{x} = 8.0710$ g, $s = 0.0411$ g (según mediciones realizadas por el autor). Observe la siguiente pantalla de SPSS.

SPSS

			Statistic	Std. Error
Coins	Mean		8.0710	.00919
	95% Confidence Interval for Mean	Lower Bound	8.0518	
		Upper Bound	8.0903	

TI-83/84 PLUS

```
TInterval
 (1.5514,2.2706)
 x̄=1.911
 Sx=1.065
 n=62
```

16. Pesos de plástico desechado por hogares 99% de confianza $n = 62$, $\bar{x} = 1.911$ libras, s = 1.065 libras (según datos del Garbage Project, Universidad de Arizona). Véase la pantalla de la calculadora TI- 83/84 Plus que aparece al margen.

Construcción de intervalos de confianza. ***En los ejercicios 17 a 30, construya el intervalo de confianza.***

17. Ajo para reducir el colesterol En una prueba sobre la eficacia del ajo para reducir el colesterol, 47 sujetos fueron tratados con Garlicin, que es ajo en tabletas. Se midieron niveles de colesterol antes y después del tratamiento. Los cambios en sus niveles de colesterol de baja densidad (en mg/dL) tienen una media de 3.2 y una desviación estándar de 18.6 (según datos de "Effect of Raw Garlic vs Commercial Garlic Supplements on Plasma Lipid Concentrations in Adults With Moderate Hypercholesterolemia", de Gardner *et al.*, *Archives of Internal Medicine*, vol. 167).

a) ¿Cuál es la mejor estimación puntual del cambio neto medio poblacional en el colesterol de baja densidad después del tratamiento con Garlicin?

b) Construya un intervalo de confianza del 95% para el cambio neto medio en el colesterol de baja densidad después del tratamiento con Garlicin. ¿Qué sugiere el intervalo de confianza sobre la eficacia del Garlicin en la reducción del colesterol de baja densidad?

18. Pesos al nacer Una muestra aleatoria de los pesos al nacer de 186 bebés tiene una media de 3103 g y una desviación estándar de 696 g (según datos de "Cognitive Outcomes of Preschool Children with Prenatal Cocaine Exposure", de Singer *et al.*, *Journal of the American Medical Association*, vol. 291, núm. 20). Estos bebés son hijos de mujeres que no consumieron cocaína durante el embarazo.

a) ¿Cuál es la mejor estimación puntual del peso medio de bebés nacidos de madres que no consumieron cocaína durante su embarazo?

b) Construya un intervalo de confianza del 95% para el peso medio al nacer de todos estos bebés.

c) Compare el resultado con el intervalo de confianza del inciso *b)* con el siguiente intervalo de confianza obtenido de los pesos al nacer de hijos de mujeres que consumieron cocaína durante el embarazo: 2608 g $< \mu <$ 2792 g. Al parecer, ¿el consumo de cocaína por parte de las madres afecta el peso que registran sus bebés al nacer?

19. Temperatura media corporal El conjunto de datos 2 del apéndice B incluye 106 temperaturas corporales, para las cuales $\bar{x} = 98.20°F$ y $s = 0.62°F$.

a) ¿Cuál es la mejor estimación puntual de la temperatura corporal media de todos los seres humanos saludables?

b) Utilice los estadísticos de la muestra con la finalidad de construir un intervalo de confianza del 99% para la temperatura media corporal de todos los seres humanos saludables. ¿Los límites del intervalo de confianza incluyen los 98.6°F? ¿Qué sugiere la muestra acerca del uso de 98.6°F como la temperatura corporal media?

20. Programa Atkins de pérdida de peso En una prueba del programa Atkins para la pérdida de peso, 40 individuos participaron en un ensayo aleatorizado con adultos que sufren sobrepeso. Doce meses después, la *pérdida* media de peso fue de 2.1 libras, con una desviación estándar de 4.8 libras.

a) ¿Cuál es la mejor estimación puntual de la pérdida media de peso de todos los adultos con sobrepeso que siguen el programa Atkins?

b) Construya un intervalo de confianza del 99% para la pérdida media de peso de todos estos individuos.

c) ¿Parece que el programa Atkins es eficaz? ¿Es práctico?

21. Tratamiento con equinácea En un estudio diseñado para probar la eficacia de la equinácea para tratar infecciones del tracto respiratorio superior en niños, se trató a 337 niños con equinácea y 370 recibieron un placebo. El número de días de mayor severidad de los síntomas en el grupo de tratamiento con equinácea tuvo una media de 6.0 días y una desviación estándar de 2.3 días. El número de días de mayor severidad de los síntomas en el grupo del placebo tuvo una media de 6.1 días y una desviación estándar de 2.4 días (según datos de "Efficacy and Safety of Echinacea in Treating Upper Respiratory Tract Infections in Children", de Taylor *et al.*, *Journal of the American Medical Association*, vol. 290, núm. 21).

a) Construya un intervalo de confianza del 95% para la media del número de días de mayor severidad de los síntomas en el caso de los niños que recibieron el tratamiento con equinácea.

b) Construya un intervalo de confianza del 95% para la media del número de días de mayor severidad de los síntomas en el caso de los niños que recibieron el placebo.

c) Compare los dos intervalos de confianza. ¿Qué sugieren los resultados acerca de la eficacia de la equinácea?

22. Acupuntura para migrañas En un estudio diseñado para probar la eficacia de la acupuntura para tratar la migraña, 142 sujetos fueron tratados con acupuntura, mientras que 80 recibieron un tratamiento simulado. El número de ataques de migraña en el grupo de tratamiento con acupuntura tuvo una media de 1.8 y una desviación estándar de 1.4. El número de ataques de migraña en el grupo del tratamiento simulado tuvo una media de 1.6 y una desviación estándar de 1.2.

a) Construya un intervalo de confianza del 95% para el número medio de ataques de migraña para las personas tratadas con acupuntura.

b) Construya un intervalo de confianza del 95% para el número medio de ataques de migraña para las personas que recibieron un tratamiento simulado.

c) Compare los dos intervalos de confianza. ¿Qué sugieren los resultados acerca de la eficacia de la acupuntura?

23. Imanes para tratar el dolor de espalda En un estudio diseñado para probar la eficacia de los imanes para tratar el dolor de espalda, 20 pacientes recibieron un tratamiento con imanes y también un tratamiento simulado sin imanes. Se midió el dolor con la escala Visual Analog Scale (VAS). Después del tratamiento con imanes, la media de las puntuaciones VAS de los 20 pacientes fue de 5.0, con una desviación estándar de 2.4. Después del tratamiento simulado, la media de las puntuaciones VAS de los 20 pacientes fue de 4.7, con una desviación estándar de 2.9.

a) Construya un intervalo de confianza del 95% para la puntuación VAS media para los pacientes que recibieron el tratamiento con imanes.

b) Construya un intervalo de confianza del 95% para la puntuación VAS media para los pacientes que recibieron un tratamiento simulado.

c) Compare los resultados. ¿Parece que el tratamiento con imanes es eficaz?

24. Edades de actrices y actores ganadores del Óscar Las edades de las 79 actrices en el momento de ganar el Óscar en la categoría de mejor actriz tienen una media de 35.8 años y una desviación estándar de 11.3 años. Las edades de los 79 actores en el momento de ganar el Óscar en la categoría de mejor actor tienen una media de 43.8 años y una desviación estándar de 8.9 años. Suponga que se trata de muestras aleatorias simples.

a) Construya un intervalo de confianza del 99% para la media de la edad de las actrices en el momento de ganar el Óscar en la categoría de mejor actriz.

b) Construya un intervalo de confianza del 99% para la media de la edad de los actores en el momento de ganar el Óscar en la categoría de mejor actor.

c) Compare los resultados.

25. Control del plomo en el aire A continuación se listan las cantidades de plomo medidas (en microgramos por metro cúbico o $\mu g/m^3$) en el aire. La Environmental Protection Agency (EPA) estableció un estándar de calidad del aire para el plomo de 1.5 $\mu g/m^3$. Las medidas que se presentan a continuación se registraron en el edificio 5 del World Trade Center en diferentes días, inmediatamente después de la destrucción causada por los ataques terroristas del 11 de septiembre de 2001. Después del colapso de los dos edificios del World Trade Center hubo una gran preocupación por la calidad del aire. Utilice los valores dados para construir un intervalo de confianza del 95% para la cantidad media de plomo en el aire. ¿Hay algo en este conjunto de datos que sugiera que el intervalo de confianza tal vez no sea muy bueno? Explique.

5.40 1.10 0.42 0.73 0.48 1.10

26. Estimación de contaminación de automóviles En una muestra de siete automóviles, se probaron las emisiones de óxido de nitrógeno de cada uno (en gramos por milla) y se obtuvieron los siguientes resultados: 0.06, 0.11, 0.16, 0.15, 0.14, 0.08, 0.15 (según datos de la EPA). Suponiendo que esta muestra es representativa de los automóviles en uso, construya un intervalo de confianza del 98% para la cantidad media de emisiones de óxido de nitrógeno para todos los automóviles. Si la EPA exige que las emisiones de óxido de nitrógeno sean menores que 0.165 g/mi, ¿podemos concluir con seguridad que se cumple este requisito?

27. Salarios de conductores de televisión A continuación se listan los 10 salarios más altos (en millones de dólares) de personalidades de la televisión en un año reciente (los cuales aparecen en orden para Letterman, Cowell, Sheindlin, Leno, Couric, Lauer, Sawyer, Viera, Sutherland y Sheen, según datos de la revista *OK!*).

a) Utilice los datos muestrales para construir un intervalo de confianza del 95% para la media poblacional.

b) ¿Los datos muestrales representan una muestra aleatoria simple de los salarios que se pagan en televisión?

c) ¿Cuál es la población supuesta? ¿La muestra es representativa de la población?

d) ¿El intervalo de confianza tiene sentido?

38 36 35 27 15 13 12 10 9.6 8.4

28. Duración de películas A continuación se incluye la duración (en minutos) de 12 películas elegidas al azar del conjunto de datos 9 en el apéndice B.

a) Construya un intervalo de confianza del 99% para la duración media de todas las películas.

b) Suponiendo que se necesitan 30 minutos para vaciar una sala de cine después de la exhibición de una película, limpiarla, dar tiempo a que ingrese el público de la siguiente función y presentar los cortos, ¿cuál es el tiempo mínimo que el gerente de un cine debería planear entre los tiempos de inicio de las películas, suponiendo que ese tiempo será suficiente para las películas típicas?

110 96 125 94 132 120 136 154 149 94 119 132

29. Videojuegos Se observaron 12 videojuegos diferentes que exhiben el consumo de sustancias tóxicas, y a continuación se presentan las duraciones de los juegos (en segundos) (según datos de "Content and Ratings of Teen-Rated Video Games", de Haninger y Thompson, *Journal of the American Medical Association*, vol. 291, núm. 7). El diseño del estudio justifica el supuesto de que la muestra puede tratarse como si fuera aleatoria simple. Utilice los datos muestrales para construir un intervalo de confianza del 95% de μ, la duración media de los juegos.

4049 3884 3859 4027 4318 4813 4657 4033 5004 4823 4334 4317

30. Edades de presidentes A continuación se presentan las edades de los presidentes de Estados Unidos en el momento de asumir el cargo. Construya un intervalo de confianza del 99% para la media de las edades de los presidentes en el momento de asumir el cargo. ¿Cuál es la población? ¿El intervalo de confianza ofrece una buena estimación de la media poblacional? ¿Por qué?

42 43 46 46 47 48 49 49 50 51 51 51 51 51 52 52 54 54 54 54 54 55

55 55 55 56 56 56 57 57 57 57 58 60 61 61 61 62 64 64 65 68 69

Conjuntos de datos del apéndice B. ***En los ejercicios 31 y 32, utilice los conjuntos de datos del apéndice B.***

31. Nicotina en cigarrillos Remítase al conjunto de datos 4 en el apéndice B y suponga que se trata de muestras aleatorias simples obtenidas de poblaciones distribuidas de manera normal.

a) Construya un intervalo de confianza del 95% para la cantidad media de nicotina en cigarrillos tamaño grande, sin filtro, que no son mentolados ni ligeros.

b) Construya un intervalo de confianza del 95% para la cantidad media de nicotina en cigarrillos de 100 mm, con filtro, que no son mentolados ni ligeros.

c) Compare los resultados. ¿Parece que los filtros de los cigarrillos son eficaces?

32. Pulsos Un médico quiere desarrollar criterios para determinar si el pulso de un paciente es anormal y desea determinar si hay diferencias significativas entre hombres y mujeres. Utilice los pulsos muestrales del conjunto de datos 1 del apéndice B.

a) Construya un intervalo de confianza del 95% para el pulso medio de los hombres.

b) Construya un intervalo de confianza del 95% para el pulso medio de las mujeres.

c) Compare los resultados anteriores. ¿Podemos concluir que las medias poblacionales para hombres y para mujeres son diferentes? ¿Por qué?

7-4 Más allá de lo básico

33. Efecto de un valor atípico Utilice los datos muestrales del ejercicio 30 para calcular una estimación de un intervalo de confianza del 99% de la media poblacional, después de cambiar la primera edad de 42 por 422 años. Este valor no es realista, pero es fácil que ocurra un error como este durante el proceso de captura de datos. ¿El intervalo de confianza se modifica mucho cuando se cambian 42 años por 422 años? ¿Los límites del intervalo de confianza son sensibles a los valores atípicos? ¿Cómo se deberían manejar los valores atípicos cuando se presentan en conjuntos de datos muestrales que se utilizarán para construir intervalos de confianza?

34. Método alternativo La figura 7-6 y la tabla 7-1 resumen la decisión tomada al elegir entre las distribuciones normal y t. Un método alternativo que se incluye en algunos libros de texto (pero que casi nunca utilizan los profesionales en estadística y que tampoco se incluye en revistas científicas) se basa en el siguiente criterio: sustituya la desviación estándar muestral s por σ siempre que $n > 30$, y luego proceda como si se conociera σ. Utilice este método alternativo para repetir el ejercicio 30. Compare los resultados con los obtenidos en el ejercicio 30, y comente sobre las implicaciones del cambio en la anchura del intervalo de confianza.

35. Factor de corrección por población finita Si se selecciona una muestra aleatoria simple de tamaño n sin reemplazo de una población finita de tamaño N, y el tamaño de la muestra es mayor que el 5% del tamaño de la población ($n > 0.05N$), se pueden obtener mejores resultados utilizando el factor de corrección por población finita, el cual implica multiplicar el margen de error E por $\sqrt{(N - n)/(N - 1)}$. Para la muestra de 100 pesos de dulces M&M del conjunto de datos 18 en el apéndice B, obtenemos $\bar{x} = 0.8565$ g y $s = 0.0518$ g. Primero construya un intervalo de confianza del 95% de μ, suponiendo que la población es grande, y luego construya un intervalo de confianza del 95% para el peso medio de dulces M&M que se encuentran en la bolsa llena de donde se tomó la muestra. La bolsa llena tiene 465 dulces M&M. Compare los resultados.

36. Intervalo de confianza para una muestra de tamaño $n = 1$ Cuando una nave espacial dirigida por la NASA llega a Marte, los astronautas encuentran a un solo adulto marciano que mide 12.0 pies de estatura. Es razonable suponer que las estaturas de todos los marcianos se distribuyen normalmente.

a) Los métodos de este capítulo requieren información acerca de la variación de una variable. Si solo está disponible un valor muestral, ¿puede este darnos alguna información acerca de la variación de la variable?

b) Con base en el artículo "An Effective Confidence Interval for the Mean with Samples of Size One and Two", de Wall, Boen y Tweedie (*American Statistician*, vol. 55, núm. 2), se calcula un intervalo de confianza del 95% para μ (utilizando métodos que no se analizan en este libro) con una muestra de tamaño $n = 1$ seleccionada al azar a partir de una población distribuida normalmente, y se expresa como $x \pm 9.68|x|$. Utilice este resultado para construir un intervalo de confianza del 95% empleando el valor muestral individual de 12.0 pies, y expréselo en la forma de $\bar{x} - E < \mu < \bar{x} + E$. Con base en el resultado, ¿es posible que algún otro marciano seleccionado al azar mida 50 pies de estatura?

7-5 Estimación de la varianza poblacional

Concepto clave En esta sección se presenta la distribución de probabilidad chi cuadrada, con la finalidad de construir estimaciones de intervalos de confianza para una desviación estándar o un varianza poblacional. También se presenta un método para determinar el tamaño de la muestra requerido para estimar una desviación estándar o una varianza poblacional.

Cuando consideramos estimaciones de proporciones y medias, utilizamos las distribuciones normal y t de Student. Cuando desarrollamos estimaciones de varianzas o desviaciones estándar, utilizamos otra distribución, conocida como la distribución chi cuadrada. Examinaremos características importantes de esta distribución antes de proceder con el desarrollo de intervalos de confianza.

Distribución chi cuadrada

En una población distribuida normalmente con varianza σ^2, suponga que seleccionamos al azar muestras independientes de tamaño n y, para cada muestra, calculamos la varianza muestral s^2 (que es el cuadrado de la desviación estándar muestral s). El estadístico muestral $\chi^2 = (n - 1)s^2/\sigma^2$ tiene una distribución llamada **distribución chi cuadrada**.

Distribución chi cuadrada

Fórmula 7-5

$$\chi^2 = \frac{(n-1)s^2}{\sigma^2},$$

donde
n = número de valores muestrales
s^2 = varianza muestral
σ^2 = varianza poblacional

Denotamos chi cuadrada con χ^2, que se pronuncia "ji cuadrada". Para calcular valores críticos de la distribución chi cuadrada, remítase a la tabla A-4. La distribución chi cuadrada se determina por el número de grados de libertad, y en este capítulo usamos $n - 1$ grados de libertad.

$$\textbf{grados de libertad} = n - 1$$

En capítulos posteriores encontraremos situaciones en las que los grados de libertad no son $n - 1$, por lo que no debemos hacer la generalización incorrecta de que el número de grados de libertad es siempre $n - 1$.

Propiedades de la distribución chi cuadrada

1. La distribución chi cuadrada no es simétrica, a diferencia de las distribuciones normal y t de Student (véase la figura 7-8). (Conforme aumenta el número de grados de libertad, la distribución se vuelve más simétrica, como ilustra la figura 7-9).

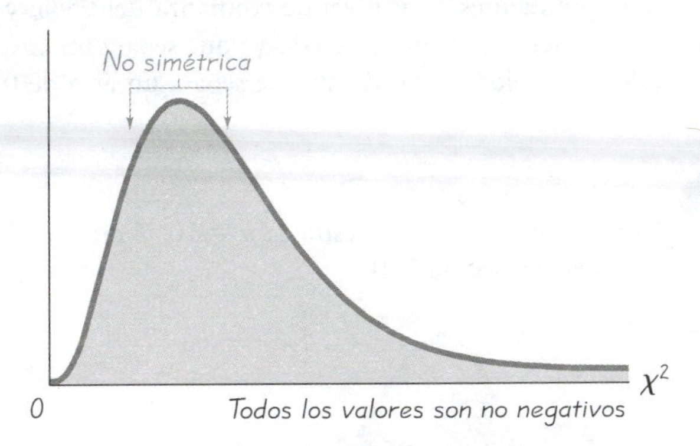

Figura 7-8 Distribución chi cuadrada

2. Los valores de chi cuadrada pueden ser cero o positivos, pero no pueden ser negativos (véase la figura 7-8).
3. La distribución chi cuadrada es diferente para cada número de grados de libertad (véase la figura 7-9), y el número de grados de libertad está dado por $\text{gl} = n - 1$. Conforme aumenta el número de grados de libertad, la distribución chi cuadrada se aproxima a una distribución normal.

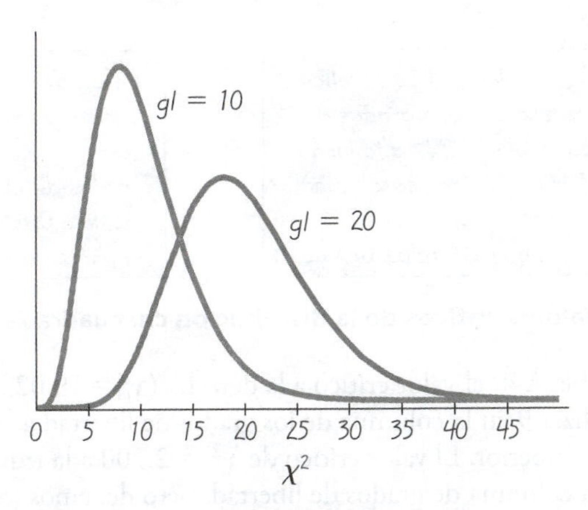

Figura 7-9 Distribución chi cuadrada para gl = 10 y gl = 20

Puesto que la distribución chi cuadrada no es simétrica, el intervalo de confianza para σ^2 no se ajusta al formato de $s^2 \pm E$ y debemos hacer cálculos separados para los límites de intervalos de confianza superior e inferior. Si utiliza la tabla A-4 para calcular valores críticos, observe la siguiente característica:

En la tabla A-4 cada valor crítico de χ^2 corresponde a un área que se encuentra en el renglón superior de la tabla, y esa área representa la *región acumulada localizada* a la derecha del valor crítico.

Sondeo de empuje

"Sondeo de empuje" es la práctica de efectuar campañas políticas fingiendo realizar un sondeo de opinión. Su nombre se deriva de su objetivo de empujar a los votantes para alejarlos de los candidatos de la oposición haciendo preguntas tendenciosas diseñadas para desacreditar a esos candidatos. He aquí un ejemplo de una pregunta de este tipo: "Dígame, por favor, si sería más o menos probable que usted votara por Roy Romer, si supiera que el gobernador Romer, desde que entró en funciones, nombró una junta de libertad bajo palabra que otorga la libertad, antes de cumplir la totalidad de su condena, a un promedio de cuatro delincuentes convictos al día". El National Council on Public Polls considera que los sondeos de empuje son poco éticos, pero algunos encuestadores profesionales no censuran la práctica en tanto las preguntas no incluyan información falsa.

La tabla A-2 para la distribución normal estándar proporciona áreas acumuladas a partir de la *izquierda*, pero la tabla A-4 para la distribución chi cuadrada provee áreas acumuladas a partir de la *derecha*.

EJEMPLO 1 **Cálculo de valores críticos de χ^2** Se obtiene una muestra aleatoria simple de 10 niveles de voltaje. La construcción de un intervalo de confianza para la desviación estándar poblacional σ requiere de los valores críticos derecho e izquierdo de χ^2 correspondientes a un nivel de confianza del 95%, y un tamaño de la muestra de $n = 10$. Calcule el valor crítico de χ^2 que separa un área de 0.025 en la cola izquierda, y calcule el valor crítico de χ^2 que separa un área de 0.025 en la cola derecha.

SOLUCIÓN Con un tamaño de la muestra de $n = 10$, el número de grados de libertad es gl $= n - 1 = 9$. Véase la figura 7-10.

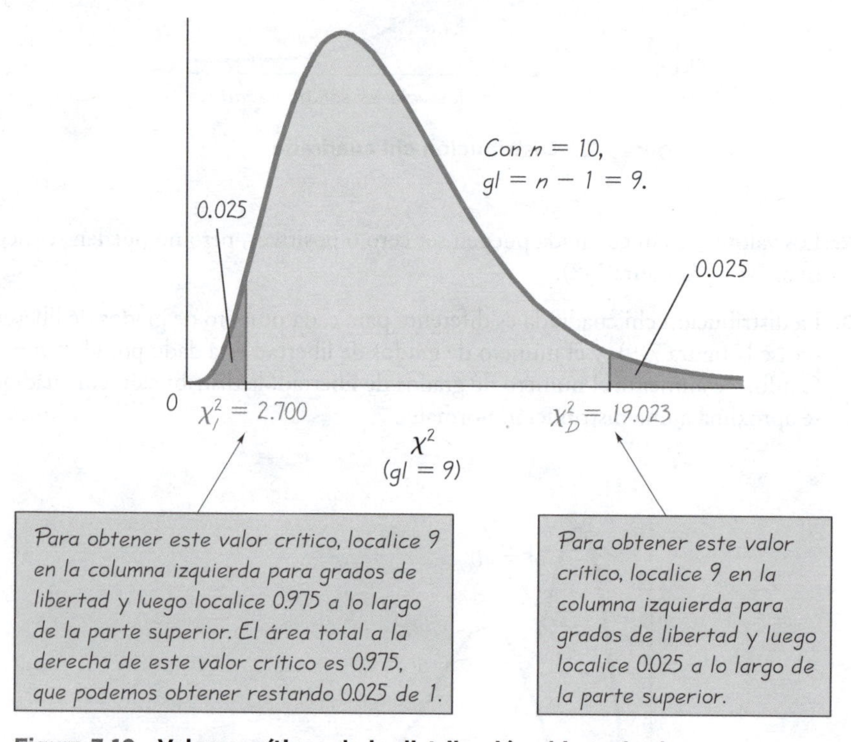

Figura 7-10 Valores críticos de la distribución chi cuadrada

Si se utiliza la tabla A-4, el valor crítico a la derecha ($\chi^2_D = 19.023$) se obtiene de forma directa al localizar 9 en la columna de los grados de libertad a la izquierda y 0.025 a lo largo del renglón superior. El valor crítico de $\chi^2_I = 2.700$ a la izquierda nuevamente corresponde a 9 en la columna de grados de libertad, pero debemos localizar 0.975 (que se obtuvo al restar 0.025 de 1) a lo largo del renglón superior porque los valores en ese renglón siempre son *áreas a la derecha* del valor crítico. Remítase a la figura 7-10 y observe que el área total a la derecha de $\chi^2_I = 2.700$ es 0.975. La figura 7-10 indica que, para una muestra de 10 valores tomados de una población distribuida normalmente, el estadístico chi cuadrada $(n - 1)s^2/\sigma^2$ tiene una probabilidad de 0.95 de ubicarse entre los valores críticos de chi cuadrada de 2.700 y 19.023.

En lugar de utilizar la tabla A-4, es posible utilizar herramientas tecnológicas (como STATDISK, Excel y Minitab) para calcular valores críticos de χ^2. Una ventaja importante de la tecnología es que se puede utilizar cualquier número de grados de libertad y cualquier nivel de confianza, y no solo las opciones limitadas que se incluyen en la tabla A-4.

Observe que, cuando se obtienen valores críticos de χ^2 de la tabla A-4, los números de grados de libertad son enteros consecutivos del 1 al 30, seguidos por 40, 50, 60, 70, 80, 90 y 100. Cuando un número de grados de libertad (por ejemplo, 52) no se encuentra en la tabla, generalmente se utiliza el valor crítico más cercano. Por ejemplo, si el número de grados de libertad es 52, remítase a la tabla A-4 y utilice 50 grados de libertad. (Si el número de grados de libertad está exactamente a la mitad de dos valores de la tabla, como por ejemplo, 55, simplemente calcule la media de los dos valores χ^2). Para números de grados de libertad mayores de 100, use la ecuación que se incluye en el ejercicio 27, una tabla más detallada o un programa de cómputo de estadística.

Estimadores de σ^2

En la sección 6-4 señalamos que las varianzas muestrales s^2 tienden a coincidir con (o centrarse en) el valor de la varianza poblacional σ^2, por lo que decimos que s^2 es un *estimador insesgado* de σ^2. Es decir, las varianzas muestrales s^2 no tienden sistemáticamente a sobrestimar el valor de σ^2, ni tampoco tienden sistemáticamente a subestimar σ^2. En vez de ello, tienden a coincidir con el valor de la propia σ^2. Además, los valores de s^2 tienden a producir errores más pequeños por estar más cercanos a σ^2 que otras medidas de variación insesgadas. Por estas razones, generalmente se utiliza s^2 para estimar σ^2. [Sin embargo, existen otros estimadores de σ^2 que podrían considerarse mejores que s^2. Por ejemplo, aun cuando $(n - 1)s^2/(n + 1)$ es un estimador sesgado de σ^2, tiene la propiedad muy deseable de minimizar la media de los cuadrados de los errores y, por lo tanto, tiene una mayor probabilidad de acercarse a σ^2. Véase el ejercicio 28].

La varianza muestral s^2 es la mejor estimación puntual de la varianza poblacional σ^2.

Puesto que s^2 es un estimador insesgado de σ^2, esperaríamos que s fuera un estimador insesgado de σ, pero no es así. (Véase la sección 6.4). Sin embargo, si el tamaño de la muestra es grande, el sesgo es tan pequeño que podemos utilizar s como una estimación de σ razonablemente bueno. Aunque s es una estimación sesgada, se usa con frecuencia como una estimación puntual de σ.

La desviación estándar muestral s suele utilizarse como una estimación puntual de σ (aun cuando es una estimación sesgada).

Si bien s^2 es la mejor estimación puntual de σ^2, no existe una indicación de qué tan buena es en realidad. Para compensar esta deficiencia, desarrollamos una estimación de intervalo (o intervalo de confianza) que nos da un rango de valores asociados con el nivel de confianza.

Intervalo de confianza para estimar una desviación estándar o una varianza poblacional

Objetivo

Construir un intervalo de confianza que se utilice para estimar una desviación estándar o una varianza poblacional.

Notación

σ = desviación estándar poblacional

σ^2 = varianza poblacional

s = desviación estándar muestral

s^2 = varianza muestral

n = número de valores muestrales

E = margen de error

χ_I^2 = valor crítico de χ^2 de cola izquierda

χ_D^2 = valor crítico de χ^2 de cola derecha

continúa

Requisitos

1. La muestra es aleatoria simple.
2. La población debe tener valores distribuidos normalmente (aun si la muestra es grande).

Intervalo de confianza para la varianza poblacional σ^2

$$\frac{(n-1)s^2}{\chi_D^2} < \sigma^2 < \frac{(n-1)s^2}{\chi_I^2}$$

Intervalo de confianza para la desviación estándar poblacional σ

$$\sqrt{\frac{(n-1)s^2}{\chi_D^2}} < \sigma < \sqrt{\frac{(n-1)s^2}{\chi_I^2}}$$

Requisitos Para los métodos de esta sección, los alejamientos de una distribución normal pueden generar errores muy graves. En consecuencia, el requisito de tener una distribución normal es mucho más estricto que en las secciones anteriores, y debemos revisar la distribución de los datos construyendo histogramas y gráficas cuantilares normales, como se describe en la sección 6-7.

Procedimiento para construir un intervalo de confianza para σ o σ^2

1. Verifique que se cumplan los requisitos.
2. Utilizando $n - 1$ grados de libertad, remítase a la tabla A-4 y encuentre los valores críticos χ_D^2 y χ_I^2 correspondientes al nivel de confianza deseado.
3. Evalúe los límites del intervalo de confianza superior e inferior utilizando el siguiente formato para el intervalo de confianza:

$$\frac{(n-1)s^2}{\chi_D^2} < \sigma^2 < \frac{(n-1)s^2}{\chi_I^2}$$

4. Si se desea una estimación del intervalo de confianza de σ, calcule la raíz cuadrada de los límites del intervalo de confianza superior e inferior y cambie σ^2 por σ.
5. Redondee los límites del intervalo de confianza resultantes. Si utiliza el conjunto original de datos, redondee a un decimal más del que se usa para el conjunto original de datos. Si utiliza la desviación estándar o varianza muestrales, redondee los límites del intervalo de confianza al mismo número de espacios decimales.

ADVERTENCIA

Los intervalos de confianza pueden usarse *de manera informal* para comparar la variación de conjuntos diferentes de datos, pero el *traslape de intervalos de confianza no debe usarse para obtener conclusiones formales ni finales acerca de la igualdad de las varianzas o de las desviaciones estándar.*

EJEMPLO 2

Intervalo de confianza para voltajes domésticos La operación adecuada de los enseres domésticos típicos requiere de niveles de voltaje que no sean muy variables. A continuación se listan 10 niveles de voltajes (en volts) registrados en la casa del autor 10 días distintos. (Los voltajes son del conjunto de datos 13 del apéndice B). Los 10 valores tienen una desviación estándar de $s = 0.15$ volts. Utilice los datos muestrales para construir un intervalo de confianza del 95% para la desviación estándar de todos los niveles de voltaje.

123.3 123.5 123.7 123.4 123.6 123.5 123.5 123.4 123.6 123.8

SOLUCIÓN

VERIFICACIÓN DE REQUISITOS Primero verificamos si se satisfacen los requisitos. **1.** La muestra se puede tratar como aleatoria simple. **2.** La siguiente imagen muestra un histograma generado por Minitab, y la forma del histograma es muy cercana a la forma de campana de una distribución normal, por lo que se satisface el requisito de normalidad. (Esta verificación de los requisitos corresponde al paso 1 del proceso para calcular un intervalo de confianza de σ, por lo que procedemos al paso 2). ✓

MINITAB

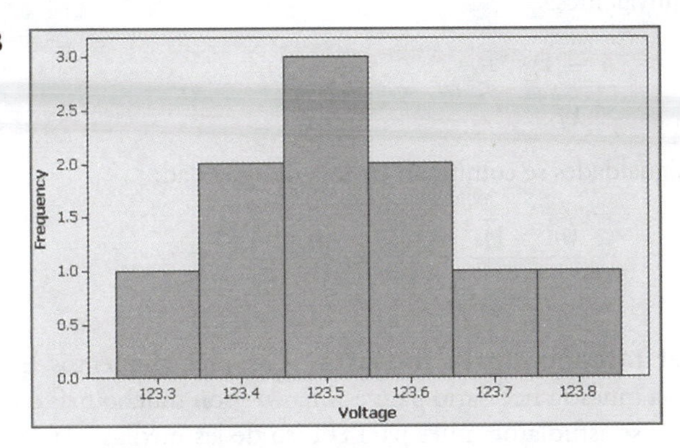

Paso 2: El tamaño de la muestra es $n = 10$, de manera que el número de grados de libertad está dado por gl $= 10 - 1 = 9$. Si utilizamos la tabla A-4, nos dirigimos al renglón correspondiente a 9 grados de libertad, y revisamos las columnas con áreas de 0.975 y 0.025. (Para un nivel de confianza del 95%, dividimos $\alpha = 0.05$ equitativamente entre las dos colas de la distribución chi cuadrada y nos remitimos a los valores de 0.975 y 0.025 a lo largo del renglón superior de la tabla A-4). Los valores críticos son $\chi_I^2 = 2.700$ y $\chi_D^2 = 19.023$. (Véase el ejemplo 1).

Paso 3: Si usamos los valores críticos de 2.700 y 19.023, la desviación estándar muestral de $s = 0.15$ y el tamaño de la muestra de $n = 10$, construimos el intervalo de confianza del 95% al evaluar lo siguiente:

$$\frac{(n-1)s^2}{\chi_D^2} < \sigma^2 < \frac{(n-1)s^2}{\chi_I^2}$$

$$\frac{(10-1)(0.15)^2}{19.023} < \sigma^2 < \frac{(10-1)(0.15)^2}{2.700}$$

Paso 4: La evaluación de la expresión anterior produce $0.010645 < \sigma^2 < 0.075000$. El cálculo de la raíz cuadrada de cada parte (antes de redondear) y el redondeo posterior con dos decimales produce la siguiente estimación del intervalo de confianza del 95% de la desviación estándar poblacional: 0.10 volts $< \sigma <$ 0.27 volts.

INTERPRETACIÓN

Con base en este resultado, tenemos una confianza del 95% de que los límites de 0.10 volts y 0.27 volts contienen el valor verdadero de σ. El intervalo de confianza también se puede expresar como (0.10, 0.27), pero la forma de $s \pm E$ no puede utilizarse porque el intervalo de confianza no tiene s en su parte central.

Fundamentos del intervalo de confianza Ahora explicamos por qué los intervalos de confianza para σ y σ^2 tienen las formas que acabamos de dar. Si obtenemos muestras aleatorias simples de tamaño n de una población con varianza σ^2, existe una probabilidad de $1 - \alpha$ de que el estadístico $(n-1)s^2/\sigma^2$ se localice entre los valores críticos de χ_I^2 y χ_D^2. En otras palabras (y símbolos), existe una probabilidad de $1 - \alpha$ de que las dos expresiones siguientes sean verdaderas:

$$\frac{(n-1)s^2}{\sigma^2} < \chi_D^2 \quad \text{y} \quad \frac{(n-1)s^2}{\sigma^2} > \chi_I^2$$

Si multiplicamos las dos desigualdades anteriores por σ^2 y dividimos cada desigualdad entre el valor crítico de χ^2 adecuado, veremos que las dos desigualdades pueden expresarse en las formas equivalentes:

$$\frac{(n-1)s^2}{\chi_D^2} < \sigma^2 \quad \text{y} \quad \frac{(n-1)s^2}{\chi_I^2} > \sigma^2$$

Estas últimas dos desigualdades se combinan en una desigualdad:

$$\frac{(n-1)s^2}{\chi_D^2} < \sigma^2 < \frac{(n-1)s^2}{\chi_I^2}$$

Determinación del tamaño de la muestra Los procedimientos que permiten calcular el tamaño de la muestra necesario para estimar σ^2 son mucho más complejos que los procedimientos que se estudiaron antes para el caso de las medias y las proporciones. En vez de utilizar procedimientos muy complicados, usaremos la tabla 7-2. STATDISK y Minitab también proveen tamaños de muestra. En STATDISK, seleccione **Analysis, Sample Size Determination** y luego **Estimate St Dev.** En Minitab 16, haga clic en **Stat,** seleccione **Power and Sample Size,** luego **Sample Size for Estimation** y elija **Standard Deviation (normal)** o **Variance (normal);** Minitab 16 también requiere de una desviación estándar estimada (o varianza) y del margen de error deseado. Excel y la calculadora TI-83/84 Plus no dan tamaños de muestral de este tipo.

Tabla 7-2

Tamaño de la muestra para σ^2		Tamaño de la muestra para σ	
Para tener una confianza del 95% de que s^2 está dentro	del valor de σ^2, el tamaño de la muestra n debe ser al menos	Para tener una confianza del 95% de que s está dentro	del valor de σ, el tamaño de la muestra n debe ser al menos
1%	77,208	1%	19,205
5%	3,149	5%	768
10%	806	10%	192
20%	211	20%	48
30%	98	30%	21
40%	57	40%	12
50%	38	50%	8
Para tener una confianza del 99% de que s^2 está dentro	del valor de σ^2, el tamaño de la muestra n debe ser al menos	Para tener una confianza del 99% de que s está dentro	del valor de σ, el tamaño de la muestra n debe ser al menos
1%	133,449	1%	33,218
5%	5,458	5%	1,336
10%	1,402	10%	336
20%	369	20%	85
30%	172	30%	38
40%	101	40%	22
50%	68	50%	14

EJEMPLO 3 **Cálculo del tamaño de la muestra para estimar σ** Deseamos estimar σ, la desviación estándar de todos los niveles del voltaje en una casa. Queremos tener una confianza del 95% de que nuestra estimación está dentro del 20% del valor verdadero de σ. ¿Qué tan grande debe ser la muestra? Suponga que la población está distribuida normalmente.

SOLUCIÓN En la tabla 7-2 podemos ver que un 95% de confianza y un error del 20% para σ corresponden a una muestra de tamaño 48. Debemos obtener una muestra aleatoria simple de 48 niveles de voltaje a partir de la población de niveles de voltaje.

USO DE LA TECNOLOGÍA

Para intervalos de confianza

STATDISK Primero obtenga los estadísticos descriptivos y verifique que la distribución sea normal utilizando un histograma o una gráfica cuantilar normal. Después, seleccione **Analysis** del menú principal, luego seleccione **Confidence Intervals** y **Population StDev.** Proceda a ingresar los datos requeridos.

MINITAB Haga clic en **Stat,** luego en **Basic Statistics** y seleccione 1 **Variance.** Ingrese la columna que contiene la lista de datos muestrales o el resumen de estadísticos indicado. Haga clic en el botón de **Options** y anote el nivel de confianza, como 95.0. Haga clic dos veces en **OK.** Los resultados incluirán un intervalo de confianza estándar para la desviación estándar y la varianza.

EXCEL Utilice DDXL. Seleccione **Confidence Intervals,** y luego seleccione la función de **Chi-square Confidence Ints for SD.** Haga clic en el icono en forma de lápiz e ingrese el rango de celdas con los datos muestrales, como A1:A10. Seleccione un nivel de confianza y presione **OK.**

TI-83/84 PLUS La calculadora TI-83/84 Plus no brinda intervalos de confianza para σ ni para σ^2 directamente, pero se puede emplear el programa **S2INT,** el cual fue escrito por Michael Lloyd de Henderson State University y se encuentra disponible para su descarga en www.pearsonenespañol.com/triola. El programa S2INT usa el programa ZZINEWT, por lo que también debe instalarse. Después de almacenar los programas en la calculadora, presione la tecla **PRGM,** seleccione **S2INT** y proceda a ingresar la varianza muestral s^2, el tamaño de la muestra n y el nivel de confianza (como 0.95). Presione la tecla **ENTER** y espere un momento hasta que aparezcan los límites del intervalo de confianza para σ^2. Calcule la raíz cuadrada de los límites del intervalo de confianza si desea una estimación de σ.

7-5 Destrezas y conceptos básicos

Conocimientos estadísticos y pensamiento crítico

1. Interpretación de un intervalo de confianza Con los pesos de los dulces M&M incluidos en el conjunto de datos 18 del apéndice B, utilizamos la desviación estándar de la muestra (s = 0.05179 g) para obtener la siguiente estimación de un intervalo de confianza del 95% de la desviación estándar de los pesos de todos los dulces M&M: 0.0455 g $< \sigma <$0.0602 g. Redacte un enunciado que interprete correctamente ese intervalo de confianza.

2. Expresión de intervalos de confianza ¿El intervalo de confianza del ejercicio 1 es equivalente a la expresión (0.0455 g, 0.0602 g)? ¿El intervalo de confianza dado en el ejercicio 1 es equivalente a la expresión 0.05285 g ± 0.00735? ¿Por qué?

3. ¿Intervalo de confianza válido? Un encuestador de Gallup Organization genera aleatoriamente los dos últimos dígitos de números telefónicos, de manera que los números del 00 al 99 son igualmente probables. ¿Se pueden utilizar los métodos de esta sección para construir un intervalo de confianza para la desviación estándar de la población de todos los resultados? ¿Por qué?

4. Estimadores insesgados ¿Qué es un estimador insesgado? ¿La varianza muestral es un estimador insesgado de la varianza poblacional? ¿La desviación estándar muestral es un estimador insesgado de la desviación estándar poblacional?

Cálculo de valores críticos. En los ejercicios 5 a 8, calcule los valores críticos χ_I^2 y χ_D^2 correspondientes al nivel de confianza y al tamaño de la muestra dados.

5. 95%; $n = 9$

6. 95%; $n = 20$

7. 99%; $n = 81$

8. 90%; $n = 51$

Cálculo de un intervalo de confianza. ***En los ejercicios 9 a 12, de acuerdo con el nivel de confianza y los datos muestrales, calcule un intervalo de confianza para la desviación estándar poblacional σ. En cada caso, suponga que se obtuvo una muestra aleatoria simple de una población que tiene una distribución normal.***

9. Calificaciones de estudiantes universitarios en la prueba SAT Confianza del 95%; $n = 30, \bar{x} = 1533, s = 333$

10. Velocidades de conductores multados en una zona con límite de velocidad de 65 mi/h en una carretera de Massachusetts Confianza del 95%; $n = 25, \bar{x} = 81.0$ mi/h, $s = 2.3$ mi/h.

11. Conteo de glóbulos blancos en la sangre (en glóbulos por microlitro) Confianza del 99%; $n = 7, \bar{x} = 7.106, s = 2.019$.

12. Tiempos de reacción de conductores de NASCAR Confianza del 99%; $n = 8, \bar{x} = 1.24$ seg, $s = 0.12$ seg.

Determinación del tamaño de la muestra. ***En los ejercicios 13 a 16, suponga que cada muestra es aleatoria simple y que se obtuvo de una población distribuida normalmente. Use la tabla 7-2 de la página 376 para encontrar el tamaño de muestra indicado.***

13. Calcule el tamaño de la muestra mínimo que se necesita para tener una confianza del 95% de que la desviación estándar muestral s está dentro del 1% de σ. ¿Este tamaño de la muestra es práctico en la mayoría de las aplicaciones?

14. Calcule el tamaño de la muestra mínimo que se necesita para tener una confianza del 95% de que la desviación estándar muestral s está dentro del 30% de σ. ¿Este tamaño de la muestra es práctico en la mayoría de las aplicaciones?

15. Calcule el tamaño de la muestra mínimo que se necesita para tener una confianza del 99% de que la varianza muestral está dentro del 40% de la varianza poblacional. ¿Resulta práctico un tamaño de la muestra como este en la mayoría de los casos?

16. Calcule el tamaño de la muestra mínimo que se necesita para tener una confianza del 95% de que la varianza muestral está dentro del 20% de la varianza poblacional.

Cálculo de intervalos de confianza. ***En los ejercicios 17 a 24, suponga que cada muestra es aleatoria simple y que se obtuvo de una población con distribución normal.***

17. Pesos al nacer En un estudio de los efectos que tiene sobre los bebés el consumo de cocaína durante el embarazo, se obtuvieron los siguientes datos muestrales de pesos al nacer: $n = 190, \bar{x} = 2700$ g, $s = 645$ g (según datos de "Cognitive Outcomes of Preschool Children with Prenatal Cocaine Exposure", de Singer *et al., Journal of American Medical Association*, vol. 291, núm. 20). Utilice los datos muestrales para construir un intervalo de confianza del 95% para la desviación estándar de todos los pesos al nacer de hijos de mujeres que consumieron cocaína durante el embarazo. (Como la tabla A-4 incluye un máximo de 100 grados de libertad, y se requieren 189, utilice los siguientes valores críticos obtenidos de STATDISK: $\chi_I^2 = 152.8222$ y $\chi_D^2 = 228.9638$). Con base en el resultado, ¿parece que la desviación estándar difiere de la desviación estándar de 696 g de los pesos al nacer de hijos de mujeres que no consumieron cocaína durante el embarazo?

18. Pesos de dulces M&M El conjunto de datos 18 del apéndice B incluye 100 pesos (en gramos) de dulces M&M. El peso mínimo es de 0.696 g, y el peso máximo es de 1.015 g.

a) Utilice la regla práctica de las desviaciones para estimar σ, la desviación estándar de los pesos de todos estos dulces M&M.

b) Los 100 pesos tienen una desviación estándar de 0.0518 g. Construya un intervalo de confianza del 95% para la desviación estándar de los pesos de todos estos dulces M&M.

c) ¿El intervalo de confianza del inciso *b*) contiene el valor estimado de σ del inciso *a*)? ¿Qué sugieren los resultados acerca de la estimación del inciso *a*)?

19. Duración de películas El conjunto de datos 9 del apéndice B incluye 23 películas con clasificación PG o PG-13, las cuales tienen duraciones (en minutos) con una media de 120.8 minutos y una desviación estándar de 22.9 minutos. El mismo conjunto de datos también incluye 12 películas con clasificación R, las cuales tienen una duración media de 118.1 minutos y una desviación estándar de 20.8 minutos.

a) Construya un intervalo de confianza del 95% para la desviación estándar de la duración de todas las películas con clasificación PG o PG-13.

b) Construya un intervalo de confianza del 95% para la desviación estándar de la duración de todas las películas con clasificación R.

c) Compare la variación de las duraciones de las películas de clasificación PG o PG-13 con la variación de las duraciones de las películas de clasificación R. ¿Parece haber alguna diferencia?

20. Pulsos de hombres y mujeres El conjunto de datos 1 del apéndice B incluye 40 pulsos de hombres, los cuales tienen una media de 69.4 latidos por minuto y una desviación estándar de 11.3 latidos por minuto. El conjunto de datos también incluye 40 pulsos de mujeres, los cuales tienen una media de 76.3 latidos por minuto y una desviación estándar de 12.5 latidos por minuto.

a) Construya un intervalo de confianza del 99% para la desviación estándar del pulso de los hombres.

b) Construya un intervalo de confianza del 99% para la desviación estándar del pulso de las mujeres.

c) Compare la variación del pulso de hombres y mujeres. ¿Parece haber una diferencia?

21. Videojuegos Se observaron dos videojuegos diferentes que exhiben el consumo de sustancias tóxicas, y a continuación se presentan las duraciones de los juegos (en segundos) (según datos de "Content and Ratings of Teen-Rated Video Games", de Haninger y Thompson, *Journal of the American Medical Association*, vol. 291, núm. 7). El diseño del estudio justifica el supuesto de que la muestra puede tratarse como si fuera una muestra aleatoria simple. Utilice los datos muestrales para construir un intervalo de confianza del 99% para σ, la desviación estándar de las duraciones de los juegos.

4049 3884 3859 4027 4318 4813 4657 4033 5004 4823 4334 4317

22. Diseño de asientos para cine Mientras se diseñan asientos para cines, se obtienen las estaturas (en mm) de una muestra aleatoria simple de mujeres adultas mientras están sentadas, y los resultados se presentan a continuación (según datos de una encuesta antropométrica de Gordon, Churchill *et al.*). Utilice los datos muestrales para construir un intervalo de confianza del 95% para σ, la desviación estándar de las estaturas de todas las mujeres mientras están sentadas. ¿El intervalo de confianza contiene el valor de 35 mm, que se cree que es la desviación estándar de las estaturas de las mujeres sentadas?

849 807 821 859 864 877 772 848 802 807 887 815

23. Control de plomo en el aire En la siguiente lista se incluyen cantidades de plomo medidas en el aire (en microgramos por metro cúbico o $\mu g/m^3$). La EPA estableció un estándar de calidad del aire para el plomo de 1.5 $\mu g/m^3$. Las mediciones que se presentan a continuación se registraron en el edificio 5 del World Trade Center en diferentes días posteriores a la destrucción causada por los ataques terroristas del 11 de septiembre de 2001. Utilice los valores dados para construir un intervalo de confianza del 95% para la desviación estándar de las cantidades de plomo en el aire. ¿Hay algo en este conjunto de datos que sugiera que el intervalo de confianza no es muy bueno? Explique.

5.40 1.10 0.42 0.73 0.48 1.10

24. *a)* Comparación de filas de espera Los valores listados son tiempos de espera (en minutos) de clientes en el Jefferson Valley Bank, donde los clientes se forman en una sola fila atendida por tres ventanillas. Construya un intervalo de confianza del 95% para la desviación estándar poblacional σ.

6.5 6.6 6.7 6.8 7.1 7.3 7.4 7.7 7.7 7.7

b) Los valores listados son tiempos de espera (en minutos) de clientes en el Bank of Providence, donde los clientes se forman en una de tres filas, cada una de ellas atendida por una ventanilla distinta. Construya un intervalo de confianza del 95% para la desviación estándar poblacional σ.

4.2	5.4	5.8	6.2	6.7	7.7	7.7	8.5	9.3	10.0

c) Interprete los resultados obtenidos en los incisos *a)* y *b)*. ¿Los intervalos de confianza sugieren una diferencia en la variación de los tiempos de espera? ¿Qué sistema parece ser mejor: el sistema de una sola fila o el de filas múltiples?

Uso de conjuntos grandes de datos del apéndice B. ***En los ejercicios 25 y 26, utilice el conjunto de datos del apéndice B. Suponga que cada muestra es aleatoria simple, obtenida de una población con una distribución normal.***

25. Calificaciones de crédito FICO Remítase al conjunto de datos 24 del apéndice B y utilice las calificaciones de crédito para construir un intervalo de confianza del 95% para la desviación estándar para todas las calificaciones de crédito.

26. Consumo de energía de una casa Remítase al conjunto de datos 12 del apéndice B y utilice las cantidades muestrales del consumo de energía (en kWh) para construir un intervalo de confianza del 99% para la desviación estándar de todas las cantidades de consumo de energía.

7-5 Más allá de lo básico

27. Cálculo de valores crítico En la construcción de intervalos de confianza para σ o σ^2, utilizamos la tabla A-4 con la finalidad de encontrar los valores críticos χ_I^2 y χ_D^2, pero esta tabla solo se aplica a casos en los que $n \leq 101$, de manera que el número de grados de libertad es 100 o menor. Para números de grados de libertad más grandes, podemos aproximar χ_I^2 y χ_D^2 utilizando

$$\chi^2 = \frac{1}{2}\left[\pm z_{\alpha/2} + \sqrt{2k - 1}\right]^2$$

donde k es el número de grados de libertad y $z_{\alpha/2}$ es la puntuación z crítica que se describió por primera vez en la sección 7-2. Se utilizó STATDISK para calcular los valores críticos de 189 grados de libertad, con un nivel de confianza del 95%, y esos valores críticos se incluyen en el ejercicio 17. Utilice la aproximación que se presenta aquí para calcular los valores críticos y compare los resultados con los obtenidos por medio de STATDISK.

28. Cálculo del mejor estimador Señalamos que los valores de s^2 tienden a producir errores más pequeños al estar más cerca de σ^2 que otras medidas de variación insesgadas. Ahora consideremos el estimador sesgado de $(n - 1)s^2/(n + 1)$. Dada la población de valores {2, 3, 7}, utilice el valor de σ^2 y nueve muestras diferentes posibles de tamaño $n = 2$ (con un muestreo realizado con reemplazo) para lo siguiente.

a) Calcule s^2 para cada una de las nueve muestras y luego obtenga el error $s^2 - \sigma^2$ para cada muestra; después eleve al cuadrado los errores y calcule la media de esos cuadrados. El resultado es el valor del error cuadrado medio.

b) Calcule $(n - 1)s^2/(n + 1)$ para cada una de las nueve muestras y luego obtenga el error $(n - 1)s^2/(n + 1) - \sigma^2$ para cada muestra; después eleve al cuadrado los errores y calcule la media de los cuadrados. El resultado es el error cuadrado medio.

c) El error cuadrado medio se puede emplear para medir qué tan cercano es un estimador al parámetro poblacional. ¿Qué estimador es mejor para producir el menor error cuadrado medio? ¿Ese estimador es sesgado o no sesgado?

Repaso

En este capítulo estudiamos métodos básicos para calcular *estimaciones* de proporciones, medias y varianzas poblacionales, y presentamos procedimientos para calcular:

- una estimación puntual
- el intervalo de confianza
- el tamaño de la muestra requerido

Analizamos la estimación puntual (o estimación de un solo valor) y obtuvimos las siguientes conclusiones:

- Proporción: La mejor estimación puntual de p es $\hat{p}$
- Media: La mejor estimación puntual de μ es $\bar{x}$.
- Variación: El valor de s suele emplearse como una estimación puntual de σ, aun cuando esta es una estimación sesgada. Además, s^2 es la mejor estimación puntual de σ^2.

Puesto que las estimaciones puntuales anteriores consisten en valores individuales, tienen la grave desventaja de no revelar qué tan cercanos al parámetro poblacional podrían estar, por lo que suelen utilizarse intervalos de confianza (o estimaciones de intervalo) como estimaciones más reveladoras y útiles. También consideramos formas que permiten determinar los tamaños de muestra necesarios para estimar parámetros dentro de márgenes de error dados. En este capítulo también se estudiaron las distribuciones t de Student y chi cuadrada. Debemos ser cuidadosos para utilizar la distribución de probabilidad correcta para cada conjunto de circunstancias. En este capítulo se emplearon los siguientes criterios para seleccionar la distribución adecuada:

Intervalo de confianza para la proporción p: Utilice la distribución *normal* (considerando que los supuestos requeridos se satisfacen y que haya al menos 5 éxitos y al menos 5 fracasos para que se pueda usar la distribución normal como aproximación de la distribución binomial).

Intervalo de confianza para μ: Véase la figura 7-6 (página 360) o la tabla 7-1 (página 361) para elegir entre la distribución *normal* o t (o concluir que no se aplica ninguna).

Intervalo de confianza para σ o σ^2: Utilice la distribución *chi cuadrada* (considerando que los supuestos requeridos se satisfacen).

Para aplicar los procedimientos del intervalo de confianza y el tamaño de la muestra de este capítulo, es muy importante verificar que los supuestos requeridos se satisfacen. Si no es así, entonces no podemos utilizar los métodos de este capítulo y tal vez necesitemos emplear otros métodos, como el método *bootstrap* que se describe en el proyecto tecnológico al final de este capítulo, o métodos no paramétricos, como los que se analizan en el capítulo 13.

Conocimientos estadísticos y pensamiento crítico

1. Estimación de parámetros poblacionales Quest Diagnostics es un distribuidor de pruebas para detección de consumo de drogas en solicitantes de empleo, y sus gerentes quieren estimar la proporción de solicitantes de empleo que obtienen un resultado positivo. En este contexto, ¿cuál es la estimación puntual de esa proporción? ¿Cuál sería un intervalo de confianza? ¿Cuál es una ventaja importante de la estimación del intervalo de confianza con respecto a la estimación puntual?

2. Interpretación de un intervalo de confianza La siguiente es una estimación de un intervalo de confianza del 95% de la proporción de todos los solicitantes de empleo que obtienen un resultado positivo cuando se les aplica una prueba para detección de consumo de drogas: $0.0262 < p < 0.0499$ (según datos de Quest Diagnostics). Redacte un párrafo que interprete correctamente este intervalo de confianza.

3. Nivel de confianza ¿Cuál es el nivel de confianza del intervalo de confianza descrito en el ejercicio 2? ¿Cuál es el nivel de confianza en general?

4. Encuesta en línea El proveedor de servicios de Internet AOL realiza encuestas periódicamente al publicar una pregunta en su sitio Web, y los usuarios pueden responder si así lo desean. Suponga que en una encuesta se pregunta si el individuo tiene un televisor de alta definición en su hogar, y los resultados se utilizan para construir el siguiente intervalo de confianza del 95%: $0.232 < p < 0.248$. ¿Se puede usar este intervalo de confianza para plantear conclusiones válidas acerca de la población general? ¿Por qué?

Examen rápido del capítulo

1. Se obtiene la siguiente estimación de un intervalo de confianza del 95% para una media poblacional: $10.0 < \mu < 20.0$. Interprete ese intervalo de confianza.

2. Cuando un candidato demócrata y un candidato republicano están en contienda electoral, un periódico realiza una encuesta para determinar la proporción de votantes que favorecen al candidato republicano. Según los resultados de la encuesta, se obtuvo la siguiente estimación del intervalo de confianza del 95% de esa proporción: $0.492 < p < 0.588$. ¿Cuál de los siguientes enunciados describe mejor los resultados? **1.** La mayoría de los votantes favorecen al candidato republicano. **2.** La elección está demasiado cerrada para saberlo.

3. Calcule el valor crítico de $z_{\alpha/2}$ para $n = 20$ y $\alpha = 0.05$.

4. Calcule el valor crítico de $z_{\alpha/2}$ para $n = 20$ y $\alpha = 0.10$.

5. Calcule el tamaño de la muestra que se requiere para estimar el porcentaje de estudiantes universitarios que utilizan préstamos para pagar su colegiatura. Suponga que queremos tener un nivel de confianza del 95% de que la proporción de la muestra está dentro de dos puntos porcentuales del porcentaje poblacional verdadero.

6. En una encuesta de 600 sujetos elegidos al azar, 240 respondieron afirmativamente cuando se les preguntó si planeaban votar en una elección estatal. ¿Cuál es la mejor estimación puntual de la proporción poblacional de todos los votantes que planean acudir a las urnas en esa elección?

7. En una encuesta de 600 sujetos elegidos al azar, 240 respondieron afirmativamente cuando se les preguntó si planeaban votar en una elección estatal. Construya un intervalo de confianza del 95% para la proporción de los votantes que planean acudir a las urnas en esa elección.

8. En una encuesta de sujetos elegidos al azar, la edad promedio de los 36 participantes es de 40.0 años, y la desviación estándar de las edades es de 10.0 años. Utilice esos resultados muestrales para construir un intervalo de confianza del 95% para la edad promedio de la población de donde se obtuvo la muestra.

9. Repita el ejercicio 8 suponiendo que se sabe que la desviación estándar de la población es de 10.0 años.

10. Calcule el tamaño de la muestra requerido para estimar la media de la edad de conductores registrados en Estados Unidos. Suponga que queremos tener una confianza del 95% de que la media de la muestra está dentro de medio año de la edad promedio verdadera de la población. También suponga que se sabe que la desviación estándar de la población es de 12 años.

Ejercicios de repaso

1. Declaración de ingresos En una encuesta de Pew Research Center aplicada a 745 adultos elegidos al azar, 589 dijeron que es moralmente incorrecto no informar con veracidad los ingresos en las declaraciones de impuestos. Construya un intervalo de confianza del 95% para el porcentaje de los adultos que tienen esa creencia, y luego redacte un enunciado que interprete el intervalo de confianza.

2. Determinación del tamaño de muestra Considere la encuesta descrita en el ejercicio 1. Suponga que debe realizar una nueva encuesta para determinar el porcentaje de adultos que creen que es moralmente incorrecto no informar con veracidad los ingresos en las declaraciones de impuestos. ¿A cuántos adultos seleccionados al azar deberá encuestar si quiere un nivel de confianza del 99% de que el margen de error es de dos puntos porcentuales? Suponga que no se tiene información acerca del porcentaje que está tratando de estimar.

3. Determinación del tamaño de muestra Considere la encuesta descrita en el ejercicio 1. Suponga que debe realizar una nueva encuesta para determinar el promedio del ingreso reportado en las declaraciones de impuestos, y que usted tiene acceso a declaraciones de impuestos reales. ¿Cuántas declaraciones de impuestos elegidas al azar debe obtener si quiere tener una confianza del

99% de que la media de la muestra está dentro de $500 de la media poblacional verdadera? Suponga que los ingresos reportados tienen una desviación estándar de $28,785 (según datos de la Oficina de Censos de Estados Unidos). ¿Es práctico el tamaño de la muestra?

4. Pesos de monedas de un centavo Una muestra aleatoria simple de los pesos de 37 monedas de un centavo, acuñadas después de 1983, tiene una media de 2.4991 g y una desviación estándar de 0.0165 g (de acuerdo con el conjunto de datos 20 del apéndice B). Construya un intervalo de confianza del 99% para la media del peso de todas esas monedas de un centavo. Las especificaciones del diseño requieren de una media poblacional de 2.5 g. ¿Qué sugiere el intervalo de confianza acerca del proceso de acuñación?

5. Resultados de pruebas de choques La National Transportation Safety Administration realizó experimentos de pruebas de choques en cinco automóviles subcompactos. Los datos de lesiones en la cabeza (en hics, por las siglas de *head injury condition*) registrados en maniquíes de prueba colocados en el asiento del conductor son los siguientes: 681, 428, 917, 898, 420. Con base en estos resultados muestrales, construya un intervalo de confianza del 95% para la media de medidas de lesión en la cabeza para todos los automóviles subcompactos.

6. Intervalo de confianza para σ Se consideran las nuevas especificaciones para el diseño de automóviles con la finalidad de controlar la variación de las medidas de lesiones en la cabeza. Utilice los mismos datos del ejercicio 5 para construir un intervalo de confianza del 95% para σ.

7. Encuesta sobre clonación Una encuesta Gallup incluyó a 1012 adultos seleccionados al azar, a quienes se preguntó si "se debe permitir o no la clonación de los seres humanos". Los resultados revelaron que 901 adultos encuestados indicaron que no se debe permitir la clonación.

a) Calcule la mejor estimación puntual de la proporción de los adultos que creen que no se debe permitir la clonación de seres humanos.

b) Construya un intervalo de confianza del 95% para la proporción de los adultos que creen que no se debe permitir la clonación de seres humanos.

c) Un reportero de noticias quiere determinar si estos resultados de encuesta constituyen una firme evidencia de que la mayoría (más del 50%) de las personas se oponen a este tipo de clonación. Con base en los resultados, ¿existen evidencias firmes que apoyen la afirmación de que la mayoría de las personas se oponen a este tipo de clonación? ¿Por qué?

8. Tamaño de muestra Usted fue contratado por un consorcio de distribuidores locales de automóviles para realizar una encuesta sobre la compra de automóviles nuevos y usados.

a) Si usted desea estimar el porcentaje de dueños de automóviles en su estado que compraron automóviles nuevos (no usados), ¿a cuántos adultos debe encuestar si desea tener una confianza del 95% de que su porcentaje muestral tiene un error no mayor de cuatro puntos porcentuales?

b) Si usted desea estimar la cantidad media de dinero gastado por los dueños de automóviles en el último vehículo que adquirieron, ¿a cuántos dueños de automóviles debe encuestar si desea tener una confianza del 95% de que su media muestral tiene un error no mayor de $750? (De acuerdo con los resultados de un estudio piloto, suponga que la desviación estándar de las cantidades gastadas en automóviles es de $14,227).

c) Si usted planea obtener las estimaciones descritas en los incisos *a*) y *b*) con una sola encuesta que incluye varias preguntas, ¿a cuántas personas debe encuestar?

9. Vidrio desechado A continuación se incluyen los pesos (en libras) del vidrio desechado en una semana por hogares seleccionados al azar (según datos del Garbage Project de la Universidad de Arizona).

a) ¿Cuál es la mejor estimación puntual del peso medio del vidrio desechado por los hogares en una semana?

b) Construya un intervalo de confianza del 95% para el peso medio del vidrio desechado por todos los hogares.

c) Repita el inciso *b*) suponiendo que la población se distribuye normalmente, con una desviación estándar conocida de 3.108 libras.

3.52	8.87	3.99	3.61	2.33	3.21	0.25	4.94

10. Intervalos de confianza para σ y σ^2

a) Utilice los datos muestrales del ejercicio 9 para construir un intervalo de confianza del 95% para la desviación estándar poblacional.

b) Utilice los datos muestrales del ejercicio 9 para construir un intervalo de confianza del 95% para la varianza poblacional.

Ejercicios de repaso acumulativo

Pesos de supermodelos. ***Algunas veces se critica a las supermodelos porque sus bajos pesos fomentan hábitos de alimentación no saludables entre las mujeres jóvenes. En los ejercicios 1 a 4, utilice los siguientes pesos (en libras) de supermodelos seleccionadas al azar.***

125 (Taylor)	119 (Auermann)	128 (Schiffer)	125 (Bundchen)	119 (Turlington)
127 (Hall)	105 (Moss)	123 (Mazza)	110 (Reilly)	103 (Barton)

1. Calcule la media, la mediana y la desviación estándar.

2. ¿Cuál es el nivel de medición de estos datos (nominal, ordinal, de intervalo, de razón)?

3. Construya un intervalo de confianza del 95% para la media poblacional.

4. Calcule el tamaño de la muestra necesario para estimar la media del peso de todas las supermodelos, con una confianza del 95% de que la media muestral tenga un error que no rebase las 2 lb. Suponga que un estudio piloto sugiere que los pesos de todas las supermodelos tienen una desviación estándar de 7.5 libras.

5. Prueba de detección de drogas para empleo Si se aplica una prueba de detección de drogas a un solicitante de empleo elegido al azar, existe una probabilidad de 0.038 de que obtenga resultados positivos para el consumo de drogas (según datos de Quest Diagnostics).

a) Si se selecciona al azar a un solicitante de empleo y se le aplica una prueba de detección de drogas, ¿cuál es la probabilidad de que no resulte positivo para el consumo de drogas?

b) Calcule la probabilidad de que, cuando se elijan al azar dos solicitantes de empleo diferentes y se les aplique una prueba de detección de drogas, ambos obtengan resultados positivos.

c) Si se seleccionan al azar 500 solicitantes de empleo y a todos se les aplica una prueba de detección de drogas, calcule la probabilidad de que al menos 20 de ellos obtengan resultados positivos para el consumo de drogas.

6. Calificaciones de la prueba ACT Las calificaciones en la prueba ACT se distribuyen normalmente con una media de 21.1 y una desviación estándar de 4.8.

a) Si se elige al azar una calificación de la prueba ACT, calcule la probabilidad de que sea mayor que 20.0.

b) Si se seleccionan al azar 25 calificaciones de la prueba ACT, calcule la probabilidad de que tengan una media mayor que 20.

c) Calcule la calificación de la prueba ACT que corresponda al percentil 90.

7. Muestreo ¿Qué es una muestra aleatoria simple? ¿Qué es una muestra de respuesta voluntaria?

8. Regla práctica de las desviaciones Utilice la regla práctica de las desviaciones para estimar la desviación estándar de los promedios de calificaciones en una universidad con un sistema de calificación diseñado de modo que las calificaciones más alta y más baja posibles sean 0 y 4.

9. Regla del evento inusual Calcule la probabilidad de hacer conjeturas al azar en 12 preguntas de verdadero y falso, y obtener 12 respuestas correctas. Si alguien obtiene 12 respuestas correctas, ¿es posible que haya hecho conjeturas al azar? ¿Es probable que haya hecho conjeturas al azar?

10. Método de muestreo Si usted realiza una encuesta con todos los amigos que vea durante la siguiente semana, ¿cuál de los siguientes términos describe mejor el tipo de muestreo utilizado: aleatorio, sistemático, por racimos, de conveniencia, de respuesta voluntaria? ¿Es probable que la muestra sea representativa de la población?

Proyecto tecnológico

Muestreo repetido *bootstrap* El *método de muestreo repetido bootstrap* se emplea para construir intervalos de confianza en situaciones donde los métodos tradicionales no pueden (o no deben) utilizarse. En el ejemplo 4 de la sección 7-4 se incluyó la siguiente muestra de los tiempos que diferentes videojuegos exhiben el consumo de alcohol (según datos de “Content and Ratings of

Teen-Rated Video Games", de Haninger y Thompson, *Journal of the American Medical Association*, vol. 291, núm. 7).

84 14 583 50 0 57 207 43 178 0 2 57

El ejemplo 4 de la sección 7-4 presenta el histograma y la gráfica cuantilar normal, y ambos sugieren que los datos no provienen de una población distribuida normalmente, por lo que no se deben utilizar los métodos que requieren de una distribución normal.

Si queremos utilizar los datos muestrales anteriores con la finalidad de construir un intervalo de confianza para la media poblacional μ, una alternativa es el uso del método de muestreo repetido *bootstrap*, que no establece requisitos acerca de la distribución de la población. Este método por lo regular requiere de una computadora para construir una población *bootstrap* reproduciendo (duplicando) una muestra muchas veces. Podemos extraer de la muestra con reemplazo, creando así una aproximación de la población original. De esta forma, "estiramos" la muestra *bootstrap* (término que significa literalmente "lengüeta de la bota") para simular la población original. Utilizando los datos muestrales anteriores, construya un intervalo de confianza del 95% para la media poblacional μ con el método *bootstrap*.

Se pueden emplear varias tecnologías para este procedimiento. El programa estadístico STATDISK que se encuentra en el sitio Web de este libro es muy fácil de usar. Ingrese los valores muestrales en la columna 1 de la ventana de datos, luego seleccione **Analysis** del menú principal y después **Bootstrap Resampling**.

a) Cree 500 muestras nuevas, cada una de tamaño 12, seleccionando 12 valores con reemplazo de los 12 valores muestrales dados arriba. En STATDISK, ingrese 500 como el número de muestras repetidas y haga clic en **Resample**.

b) Calcule las medias de las 500 muestras *bootstrap* generadas en el inciso *a*). En STATDISK las medias aparecen en la segunda columna de la ventana de datos.

c) Ordene las 500 medias. En STATDISK haga clic en el botón de **Data Tools** y ordene las medias en la columna 2.

d) Obtenga los percentiles $P_{2.5}$ y $P_{97.5}$ para las medias ordenadas que resultan del paso anterior. ($P_{2.5}$ es la media de los valores duodécimo y decimotercero de la lista ordenada de medias; $P_{97.5}$ es la media de los valores en los lugares 487 y 488 de la lista ordenada de medias). Identifique el intervalo de confianza resultante sustituyendo los valores para $P_{2.5}$ y $P_{97.5}$ en $P_{2.5} < \mu < P_{97.5}$.

Existe un paquete de cómputo especial diseñado específicamente para métodos de muestreo repetido *bootstrap:* Resampling Stats, comercializado por Resampling Stats, Inc., 612 N. Jackson St., Arlington, VA, 22201; teléfono: (703)522-2713.

PROYECTO DE INTERNET

Intervalos de confianza

Visite: **www.pearsonenespañol.com/triola**

Los intervalos de confianza en este capítulo ilustran un aspecto importante de la ciencia de la estimación estadística. A saber, las estimaciones basadas en datos muestrales se hacen con ciertos grados de confianza. En el proyecto de Internet de este capítulo, usted utilizará intervalos de confianza para hacer una afirmación acerca de la temperatura del lugar donde vive.

Después de visitar el sitio Web de este libro, localice el proyecto para este capítulo. Ahí encontrará las instrucciones sobre el uso de Internet para obtener datos de temperatura recolectados por la estación meteorológica más cercana a su casa. Con esos datos a la mano, usted construirá intervalos de confianza para las temperaturas durante diferentes periodos y tratará de obtener conclusiones acerca de los cambios de temperatura en su área. Además, aprenderá más acerca de la relación entre confianza y probabilidad.

PROYECTO APPLET

El sitio Web de este libro contiene applets diseñados para ayudarlo a visualizar diversos conceptos. Abra el archivo de Applets y haga doble clic en **Start**. Seleccione **Confidence Intervals for a Proportion** del menú. Utilice $n = 20$ y $p = 0.7$; seleccione **Simulate** y calcule la proporción de los intervalos de confianza del 95% entre un total de 100 que contienen la proporción poblacional de 0.7. Haga clic en **Simulate** nueve veces más para obtener un total de 1000 intervalos de confianza. ¿Qué proporción de los 1000 intervalos de confianza del 95% contienen $p = 0.7$? Redacte una breve explicación del principio que ilustran estos resultados.

DE LOS DATOS A LA DECISIÓN

Pensamiento crítico: ¿Qué nos indican los resultados de la encuesta "No recibir llamadas"?

Las encuestas se han convertido en un componente importante de la vida de los ciudadanos actuales. Las encuestas nos afectan directamente de muchas maneras, incluyendo las políticas públicas, los programas de televisión que vemos, los productos que adquirimos y los líderes políticos que elegimos. Como las encuestas ahora forman parte integral de nuestras vidas, es importante que cada ciudadano tenga la habilidad de interpretar los resultados de encuestas. En este ejercicio nos enfocamos en esta técnica de investigación.

Una encuesta reciente realizada por Harris, aplicada a 1961 adultos, reveló que el 76% se había incluido en el registro de "No recibir llamadas", para que los vendedores por teléfono no los molesten.

Análisis de los datos

1. Utilice los resultados de la encuesta para construir un intervalo de confianza del 95% para el porcentaje de todos los adultos incluidos en el registro de "No recibir llamadas".
2. Identifique el margen de error de esta encuesta.
3. Explique por qué sería adecuado o inadecuado que un periódico hiciera la siguiente afirmación: "Con base en los resultados de una encuesta reciente, la mayoría de los adultos no están incluidos en el registro de 'No recibir llamadas'".
4. Suponga que usted es reportero; escriba una descripción de los resultados de la encuesta para su periódico.
5. Una crítica común de las encuestas es que consideran únicamente un porcentaje muy pequeño de la población y, por lo tanto, no son exactas. ¿Una muestra de solo 1961 adultos, tomada de una población de 225,139,000 adultos, es demasiado pequeña? Escriba una explicación de por qué el tamaño de la muestra de 1961 es adecuado o demasiado pequeño.
6. En referencia a otra encuesta, el presidente de una compañía escribió a la Associated Press acerca de una encuesta nacional de 1223 sujetos. He aquí lo que escribió:

   Cuando usted o cualquier otra persona tratan de decirme a mí y a mis socios que 1223 personas representan esas opiniones y gustos aquí en Estados Unidos, ¡me pongo furioso! ¡Cómo se atreve! Cuando usted o cualquier otra persona me dice que 1223 personas representan a Estados Unidos, me parece increíble e injusto, y creo que debería prohibirse.

   Más adelante, el escritor de esa carta afirma que, puesto que el tamaño de la muestra de 1223 personas representa a 120 millones de individuos, entonces su carta representa a 98,000 individuos (120 millones divididos entre 1223) que comparten la misma perspectiva. ¿Coincide usted con esta afirmación? Redacte la respuesta que apoye o refute esta afirmación.

Actividades de trabajo en equipo

1. Actividad fuera de clase Reúnan datos muestrales y utilicen los métodos de este capítulo para construir estimaciones de intervalos de confianza de parámetros poblacionales. A continuación se presentan algunas sugerencias de parámetros:

- La proporción de estudiantes de su universidad que pueden levantar una ceja sin levantar la otra.
- La media de la antigüedad de automóviles conducidos por estudiantes de estadística y/o la media de la antigüedad de automóviles conducidos por profesores.

- La media de la longitud de las palabras en los editoriales del *New York Times* y la media de la longitud de las palabras de los editoriales de su periódico local.
- La media del tamaño de las palabras en la revista *Time*, la revista *Newsweek* y la revista *People*.
- La proporción de estudiantes de su universidad que pueden identificar correctamente al presidente, al vicepresidente y al secretario de Estado.
- La proporción de estudiantes de su universidad mayores de 18 años y registrados para votar.
- La media de la edad de los estudiantes de tiempo completo en su universidad.
- La proporción de vehículos motorizados en su región que son automóviles.

2. Actividad en clase Sin utilizar ningún aparato de medición, cada estudiante debe dibujar una línea de lo que considere que son 3 pulgadas de largo y otra línea de 3 centímetros de largo. Después utilicen reglas para medir y registren las longitudes de las líneas. Calculen las medias y las desviaciones estándar de los dos conjuntos de longitudes. Utilicen los datos muestrales para construir un intervalo de confianza para la longitud de la línea considerada de 3 pulgadas, y luego hagan lo mismo para la longitud de la línea considerada de 3 cm. ¿Los límites del intervalo de confianza realmente contienen la longitud correcta? Comparen los resultados. ¿Los cálculos de la línea de 3 pulgadas parecen ser más exactos que los de la línea de 3 cm?

3. Actividad en clase Supongan que un método de selección del género puede afectar la probabilidad de que un bebé sea niña, de manera que la probabilidad es 1/4. Cada estudiante debe simular 20 nacimientos al sacar 20 naipes de un mazo barajado. Reincorpore al mazo cada carta después de extraerla y vuelva a barajar. Considere que los corazones son niñas y que el resto de las cartas son niños. Después de hacer 20 selecciones y registrar "el género" de los bebés, construya un intervalo de confianza para la proporción de niñas. Al parecer, ¿el resultado sirve para identificar el valor real de la proporción poblacional? (Si no dispone de una baraja, utilice algún otro recurso para simular los nacimientos, como el generador de números aleatorios de una calculadora o los dígitos de números telefónicos o de números del sistema de seguridad social).

4. Actividad fuera de clase En grupos de tres o cuatro estudiantes, acudan a la biblioteca y reúnan la muestra de las fechas de edición de libros (según las fechas de los derechos de autor). Organicen y describan el plan de muestreo, ejecuten el procedimiento de muestreo y luego usen los resultados para construir un intervalo de confianza para la antigüedad media de todos los libros de la biblioteca.

5. Actividad en clase Cada estudiante debe anotar una estimación de la edad del presidente actual de Estados Unidos. Se reúnen todas las estimaciones, y se calculan la media y la desviación estándar muestrales. Después, se utilizan los resultados muestrales para construir un intervalo de confianza. ¿Los límites del intervalo de confianza incluyen la edad correcta del presidente?

6. Actividad en clase Se debe diseñar un proyecto de clase para realizar una prueba en la que cada estudiante beba un poco de Coca-Cola y un poco de Pepsi. Luego se pide a cada estudiante que identifique cuál de ellas es Coca-Cola. Después de reunir todos los resultados, analicen la afirmación de que la tasa de éxito es mejor que la tasa que se esperaría al hacer conjeturas.

7. Actividad en clase Cada estudiante debe estimar la longitud del salón de clases. Los valores deben basarse en estimaciones visuales, sin tomar medidas. Una vez que se han reunido las estimaciones, construyan un intervalo de confianza y luego midan la longitud del salón. ¿El intervalo de confianza contiene la longitud real del salón de clases? ¿Existe una "sabiduría colectiva" por medio de la cual la media de la clase es aproximadamente igual a la longitud real del salón?

8. Actividad en clase Dividan la clase en grupos de tres o cuatro estudiantes. Examinen una revista reciente como *Time* o *Newsweek* y calculen la proporción de páginas que incluyen anuncios. Con base en los resultados, construyan una estimación del intervalo de confianza del 95% para el porcentaje de todas las páginas que incluyen anuncios. Comparen los resultados con otros grupos.

9. Actividad en clase Dividan la clase en grupos de dos estudiantes. Primero, calculen el tamaño de la muestra requerido para estimar la proporción de veces que una moneda cae en cara al lanzarla, suponiendo que desean tener una confianza del 80% de que la proporción muestral está dentro de 0.08 de la verdadera proporción poblacional. Luego lancen una moneda las veces necesarias y registren sus resultados. ¿Qué porcentaje de estos intervalos de confianza debe contener realmente el valor verdadero de la proporción poblacional, que sabemos que es $p = 0.5$? Verifiquen este último resultado comparando su intervalo de confianza con los intervalos de confianza calculados en los otros grupos.

10. Actividad fuera de clase Identifiquen un tema de interés general y coordínense entre todos los miembros de la clase para realizar una encuesta. En vez de utilizar una encuesta "científica" con principios sólidos de selección aleatoria, utilicen una muestra de conveniencia consistente en individuos que estén al alcance, como amigos, parientes y otros estudiantes. Analicen e interpreten los resultados. Identifiquen la población, describan las desventajas de utilizar una muestra de conveniencia y traten de determinar en qué diferiría de una muestra de sujetos seleccionados al azar de la población.

11. Actividad fuera de clase Cada estudiante debe encontrar un artículo en una revista científica que incluya un intervalo de confianza como los que analizamos en este capítulo, y redactar un breve informe que describa el intervalo de confianza y su papel en el contexto del artículo.

12. Actividad fuera de clase Obtengan una muestra y úsenla para estimar la media del número de horas por semana que los estudiantes de su universidad dedican al estudio.

ESTADÍSTICA EN GOOGLE

NOMBRE:	Artem Boytsov
PUESTO:	Ingeniero de software
COMPAÑÍA:	Google Inc.

Artem Boytsov es ingeniero de software en Google, Inc. Desde su fundación en 1998 por los estudiantes de Stanford University, Larry Page y Sergey Brin, Google se ha convertido en el motor de búsqueda de Internet más utilizado; es tan conocido, que la palabra google ahora se utiliza como verbo en el lenguaje cotidiano. "Goglear" significa utilizar el motor de búsqueda de Google para encontrar información en Internet.

¿El uso que usted hace de la probabilidad y de la estadística está aumentando, disminuyendo o permanece estable?

Aumenta con cada aspecto o aplicación interna de nuestro producto.

Por favor, describa de qué manera logra mantener la objetividad.

De manera uniforme, utilizamos muestras seleccionadas del registro de consultas de Google para calcular la probabilidad de que una palabra clave determinada esté presente en la búsqueda de un usuario elegido al azar. Empleamos probabilidades condicionales para determinar factores como el crecimiento del tránsito general de Google, las diferencias del volumen de tránsito entre países, etcétera.

¿Qué tan fundamental considera que es su conocimiento de estadística para cumplir con sus responsabilidades?

El conocimiento de la teoría de probabilidad y de la estadística es crucial para mi trabajo como ingeniero en tendencias de Google. Muchos proyectos diferentes de la compañía utilizan estadística, probabilidad y teorías de la información.

¿Qué conceptos estadísticos utiliza en el trabajo que realiza para Google?

Las herramientas de estadística que utilizo incluyen el muestreo, la distribución normal, distribuciones de Zipf y de Pareto, desviaciones estándar, errores estándar, correlaciones, intervalos de confianza y probabilidades condicionales.

¿Cómo utiliza la estadística en Google?

La teoría de la estadística y la probabilidad son fundamentales para las tendencias de búsqueda de Google. Utilizamos la estadística para analizar el comportamiento de búsqueda de nuestros usuarios. Medimos la popularidad en términos de la Web para identificar factores como patrones estacionales y correlaciones entre las palabras de búsqueda.

Por favor, describa al menos un ejemplo específico que ilustre la manera en que la aplicación de la estadística permitió mejorar un producto o servicio.

Los conocimientos sobre las distribuciones normales, los intervalos de confianza y los conceptos del error son fundamentales para el análisis de datos. Calculamos y fomentamos el equilibrio entre el desempeño y la calidad de los datos en nuestro producto. Mejoramos más el desempeño al eliminar datos insignificantes y aprovechar las propiedades de la información (por ejemplo, las frecuencias de esas búsquedas tienen una distribución de Zipf).

Por favor, describa un ejemplo de la manera en que se utilizan sus datos.

Un comerciante podría utilizar las tendencias de Google para planear las fluctuaciones de su demanda estacional. La tendencia general de la popularidad (creciente/decreciente) ayuda a realizar pronósticos y a prepararse para este tipo de cambios en la demanda.

En términos de estadística, ¿qué recomendaría a quienes buscan un empleo?

Yo recomiendo que todos tomen un curso de introducción a la estadística. Para aquellos que desean obtener un título en ingeniería o finanzas, les recomiendo cursos de estadística, teoría de probabilidad y teoría de la información. Existe todo un mundo de información allá afuera, y la estadística es el primer paso para entenderla y utilizarla.

¿Recomendaría a los estudiantes universitarios de hoy que estudien estadística?

Sí. La habilidad para analizar datos es fundamental en la era de la información. Con mucha frecuencia observo malas interpretaciones y usos inadecuados de los datos por parte de individuos "analfabetos en estadística", y eso es muy triste.

8 Prueba de hipótesis

PROBLEMA DEL CAPÍTULO

¿El método MicroSort para la selección del género aumenta la probabilidad de que un bebé sea niña?

Los métodos de selección del género son hasta cierto punto polémicos. Algunas personas creen que debería prohibirse el uso de este tipo de métodos, sin importar la finalidad que persigan. Otros consideran que se debe permitir un uso limitado por razones médicas, como la prevención de trastornos hereditarios específicos de un género. Por ejemplo, algunas parejas tienen genes recesivos relacionados con el cromosoma X, de manera que un hijo varón tiene un 50% de probabilidades de heredar una enfermedad grave, mientras que una hija no tiene probabilidades de heredarla. Tal vez estas parejas deseen utilizar un método de selección del género para incrementar la probabilidad de tener una niña, de manera que ninguno de sus hijos herede la enfermedad.

Los métodos para la selección del género existen desde hace muchos años. En la década de 1980, ProCare Industries vendía un producto llamado Gender Choice, que costaba únicamente $49.95, pero la Food and Drug Administration (FDA) pidió a la compañía que dejara de distribuir Gender Choice porque no había evidencias que sustentaran la afirmación de que era 80% confiable.

El Genetics & IVF Institute desarrolló un método de selección del género más novedoso llamado MicroSort. El método XSORT de MicroSort está diseñado para aumentar la probabilidad de concebir una niña, y el método YSORT está diseñado para aumentar la probabilidad de tener un varón. En el sitio Web de MicroSort se afirma lo siguiente: "El Genetics & IVF Institute ofrece a las parejas la capacidad de incrementar las posibilidades de tener un hijo del género deseado, para reducir la probabilidad de enfermedades del cromosoma X o para equilibrar la familia". En términos sencillos, por un costo que supera los $3000, el Genetics & IVF Institute afirma que puede incrementar la probabilidad de tener un bebé del género que la pareja prefiera. Mientras se escribía este libro, MicroSort realizaba ensayos clínicos, aunque ya estaban disponibles los siguientes resultados: de 726 parejas que utilizaron el método XSORT para tener una niña, 668 parejas tuvieron niñas, lo que representa una tasa de éxito del 92.0%. En circunstancias normales, esto es, sin tratamiento especial, en el 50% de los alumbramientos nacen niñas (en realidad, la tasa de nacimiento actual de niñas es del 48.79%, pero usaremos el 50% para simplificar). Estos resultados nos llevan a una pregunta interesante: si 668 parejas, de un total de 726, tuvieron niñas, ¿realmente podemos sustentar la afirmación de que la técnica XSORT es eficaz para incrementar la probabilidad de que nazca una niña? ¿Ahora contamos con un método eficaz para la selección del género?

8-1 Repaso y preámbulo

En los capítulos 2 y 3 usamos "estadística descriptiva" al resumir datos utilizando gráficas y estadísticos como la media y la desviación estándar. Los métodos de la estadística inferencial utilizan datos muestrales para hacer una inferencia o formular una conclusión acerca de una población. Las dos actividades principales de la estadística inferencial son el uso de datos para: **1.** *estimar* un parámetro poblacional (como la estimación de un parámetro poblacional con un intervalo de confianza) y **2.** someter a prueba una hipótesis o afirmación sobre un parámetro poblacional. En el capítulo 7 presentamos métodos para estimar un parámetro poblacional con un intervalo de confianza, y en este capítulo presentamos el método de la prueba de hipótesis.

DEFINICIONES

En estadística, una **hipótesis** es una afirmación o aseveración acerca de una propiedad de una población.

Una **prueba de hipótesis** (o **prueba de significancia**) es un procedimiento para someter a prueba una afirmación acerca de una propiedad de una población.

El principal objetivo de este capítulo consiste en desarrollar la habilidad de realizar pruebas de hipótesis para afirmaciones acerca de una proporción poblacional p, una media poblacional μ, o una desviación estándar poblacional σ.

Los siguientes son ejemplos de hipótesis que pueden someterse a prueba mediante los procedimientos estudiados en este capítulo.

- **Genética** El Genetics & IVF Institute afirma que su método XSORT permite que las parejas aumenten la probabilidad de tener una niña.
- **Negocios** El encabezado de una nota periodística afirma que la mayoría de los empleados consiguen trabajo por medio de redes de contactos.
- **Medicina** Investigadores médicos aseguran que cuando las personas tratan su resfriado con equinácea, el tratamiento no tiene efecto alguno.
- **Seguridad de aeronaves** La Federal Aviation Administration afirma que el peso promedio de un pasajero de aeronave (con equipaje de mano) es mayor que las 185 libras que se consideraban hace 20 años.
- **Control de calidad** Cuando se usa equipo nuevo para fabricar altímetros de aviones, los nuevos altímetros son mejores porque la variación en los errores se reduce y, por lo tanto, las lecturas son más consistentes. (En muchas industrias, la calidad de los bienes y servicios a menudo se puede mejorar al reducir la variación).

El método formal de la prueba de hipótesis utiliza varios términos y condiciones en un procedimiento sistemático.

Sugerencia de estudio: Comience tratando de entender con claridad el ejemplo 1 de la sección 8-2, y luego dé una lectura rápida a las secciones 8-2 y 8-3 para obtener una idea general de los conceptos; luego, estudie con mayor detalle la sección 8-2 para familiarizarse con la terminología.

ADVERTENCIA

Cuando realice pruebas de hipótesis como las que se describen en este capítulo y en los siguientes, evite pasar directamente a los procedimientos y cálculos, y asegúrese de tomar en cuenta el *contexto* y la *fuente* de los datos, así como el *método de muestreo* utilizado para obtener los datos muestrales. (Véase la sección 1-2).

8-2 Fundamentos de la prueba de hipótesis

Concepto clave En esta sección se presentan los componentes individuales de una prueba de hipótesis. En la parte 1 se analizan los conceptos básicos. Como estos conceptos se utilizan en las siguientes secciones y capítulos, es necesario conocer y comprender lo siguiente:

- Cómo identificar la hipótesis nula y la hipótesis alternativa de una afirmación determinada, y cómo expresar ambas en forma simbólica.
- Cómo calcular el valor del estadístico de prueba, a partir de una afirmación y de datos muestrales.
- Cómo identificar el valor o valores críticos, a partir de un nivel de significancia.
- Cómo identificar el valor *P*, a partir de un valor del estadístico de prueba.
- Cómo formular la conclusión sobre una afirmación en términos sencillos y sin tecnicismos.

En la parte 2 se analiza la *potencia* de una prueba de hipótesis.

Parte 1: Conceptos básicos de la prueba de hipótesis

Los métodos que se presentan en este capítulo se basan en la regla del evento inusual (sección 4-1) de la estadística inferencial, de manera que revisaremos dicha regla antes de continuar.

Regla del evento inusual para la estadística inferencial

Si, con un supuesto determinado, la probabilidad de un evento observado en particular es muy pequeña, concluimos que probablemente el supuesto es incorrecto.

Siguiendo esta regla, sometemos a prueba una afirmación analizando datos muestrales en un intento por distinguir entre resultados que pueden *ocurrir fácilmente por azar* y resultados cuya ocurrencia es *extremadamente improbable debido al azar*. Podemos explicar la ocurrencia de estos últimos al decir que en realidad ocurrió un evento inusual o que el supuesto subyacente no es verdadero. Apliquemos este razonamiento en el siguiente ejemplo.

EJEMPLO 1

Selección del género ProCare Industries, Ltd., ofrecía un producto llamado "Gender Choice", el cual, según afirmaciones publicitarias, permitía a las parejas "incrementar hasta en un 80% sus probabilidades de tener una niña". Suponga que realizamos un experimento con 100 parejas que desean tener niñas, y que las 100 parejas siguen el "sistema casero fácil de usar" de Gender Choice, descrito en el paquete rosa diseñado para concebir niñas. Suponiendo que Gender Choice no tiene efecto alguno, y con base en el sentido común, sin un método estadístico formal, ¿qué debemos concluir acerca del supuesto de que Gender Choice "no tiene efecto alguno", si 100 parejas lo utilizaron y de los 100 bebés que tuvieron,

a) 52 fueron niñas? ***b)*** 97 fueron niñas?

SOLUCIÓN

a) Generalmente esperamos que nazcan alrededor de 50 niñas por cada 100 alumbramientos. El resultado de 52 niñas es cercano a 50, por lo que no debemos concluir que el producto Gender Choice es eficaz. El resultado de 52 niñas podría ocurrir fácilmente por azar, de manera que no existe evidencia suficiente para afirmar que Gender Choice sea eficaz, aun cuando la proporción de niñas sea mayor al 50%.

continúa

La aspirina no es útil para las personas de los signos Géminis y Libra

El médico Richard Peto envió un artículo a *Lancet*, una revista científica británica. El artículo afirmaba que los pacientes tenían mayores probabilidades de sobrevivir a un ataque cardiaco si se les trataba con aspirina pocas horas después de sufrir el infarto. Los editores de *Lancet* pidieron a Peto que separara sus resultados en subgrupos para ver si la recuperación era mejor o peor para ciertos grupos, como hombres y mujeres. Peto consideró que le pedían utilizar demasiados grupos, pero los editores insistieron. Peto accedió, pero sustentó sus objeciones mostrando que, cuando los pacientes se clasificaban según el signo del zodiaco, la aspirina resultaba inútil para los pacientes cardiacos de los signos Géminis y Libra, mientras que salvaba la vida a los nacidos bajo cualquier otro signo. Esto demuestra que cuando se realizan múltiples pruebas de hipótesis con muchos grupos distintos, hay una gran probabilidad de obtener algunos resultados incorrectos.

b) Es extremadamente improbable que el resultado de 97 niñas en 100 nacimientos suceda por azar. Nosotros podríamos explicar el nacimiento de 97 niñas de dos maneras: o se trata de un evento *extremadamente* inusual que ocurrió por azar, o Gender Choice es eficaz. La probabilidad extremadamente baja de que nazcan 97 niñas en 100 alumbramientos sugiere que Gender Choice es eficaz.

En el ejemplo 1 debemos concluir que el tratamiento es eficaz solo si obtenemos *significativamente* más niñas de las que esperaríamos normalmente. Aun cuando los resultados de 52 niñas y 97 niñas están "por arriba del promedio", el resultado de 52 niñas no es significativo, mientras que el de 97 niñas sí lo es.

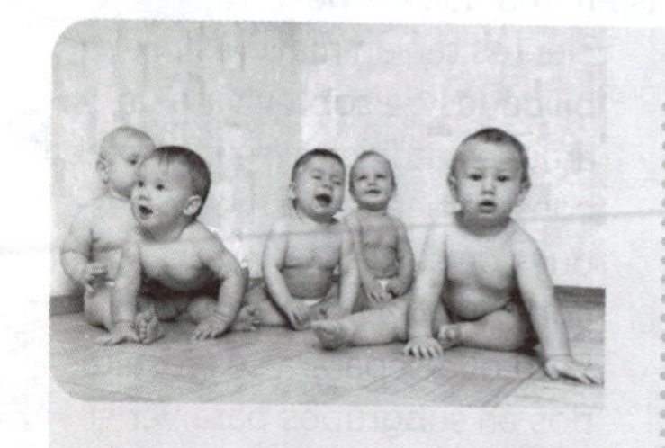

EJEMPLO 2

Selección del género El problema del capítulo incluye los resultados más recientes de los ensayos clínicos del método XSORT para la selección del género. En vez de utilizar los resultados más recientes disponibles, utilizaremos los siguientes resultados de ensayos preliminares del método XSORT: de 14 parejas que utilizaron el método XSORT, 13 tuvieron niñas y una tuvo un niño. Ahora procederemos a formalizar parte del análisis para someter a prueba la afirmación de que el método XSORT aumenta la probabilidad de tener una niña; aunque hay que hacer hincapié en dos aspectos podrían ser confusos:

1. **Suponga que $p = 0.5$:** En circunstancias normales, esto es, sin tratamiento, en el 50% de los alumbramientos nacen niñas. Por lo tanto, $p = 0.5$ y la afirmación de que el método XSORT es eficaz se puede expresar como $p > 0.5$.
2. **Use P (13 o más niñas) en vez de P(exactamente 13 niñas):** Al determinar si el resultado de 13 niñas en 14 nacimientos puede ocurrir al azar, utilice P(13 *o más* niñas). (Repase el apartado "Uso de las probabilidades para determinar resultados inusuales" de la sección 5-2).

En circunstancias normales, la proporción de niñas es $p = 0.5$, de manera que la afirmación de que el método XSORT es eficaz puede expresarse como $p > 0.5$. Respaldamos la afirmación de que $p > 0.5$ solo si un resultado como el de 13 niñas es improbable (con una escasa probabilidad, ya sea menor que o igual a 0.05). Si se utiliza una distribución normal como aproximación de la distribución binomial (véase la sección 6-6), encontramos que P(13 o más niñas en 14 nacimientos) = 0.0016. La figura 8-1 indica que, con una probabilidad de 0.5, el resultado de 13 niñas en 14 nacimientos es inusual, de manera que *rechazamos* el azar como una explicación razonable. Concluimos que la proporción de niñas nacidas de parejas que usan el método XSORT *es significativamente* mayor que el número que esperaríamos por el azar. He aquí los aspectos clave de este ejemplo:

- Afirmación: El método XSORT aumenta la probabilidad de una niña; es decir, $p > 0.5$.
- Supuesto de trabajo: La proporción de niñas es $p = 0.5$ (sin efecto del método XSORT).
- La muestra preliminar dio por resultado 13 niñas en 14 nacimientos, por lo tanto, la proporción muestral es $\hat{p} = 13/14 = 0.929$.
- Suponiendo que $p = 0.5$, empleamos una distribución normal como aproximación de la distribución binomial para calcular que P(al menos 13 niñas en 14 nacimientos) = 0.0016. (Si se utiliza la tabla A-1 o cálculos con la distribución de probabilidad binomial, resulta una probabilidad de 0.001).
- Existen dos explicaciones posibles para el resultado de 13 niñas en 14 nacimientos: o bien ocurrió un evento aleatorio (con una probabilidad muy baja de 0.0016), o la

proporción de niñas nacidas de parejas que usan el método XSORT es mayor que 0.5. Como la probabilidad de obtener al menos 13 niñas por azar es tan baja (0.0016), eliminamos al azar como una explicación razonable. La explicación más razonable de 13 nacimientos es que el método XSORT es eficaz para incrementar la probabilidad de concebir niñas. Existe evidencia suficiente para sustentar la afirmación de que el método XSORT es eficaz para concebir más niñas que lo que se espera por el azar.

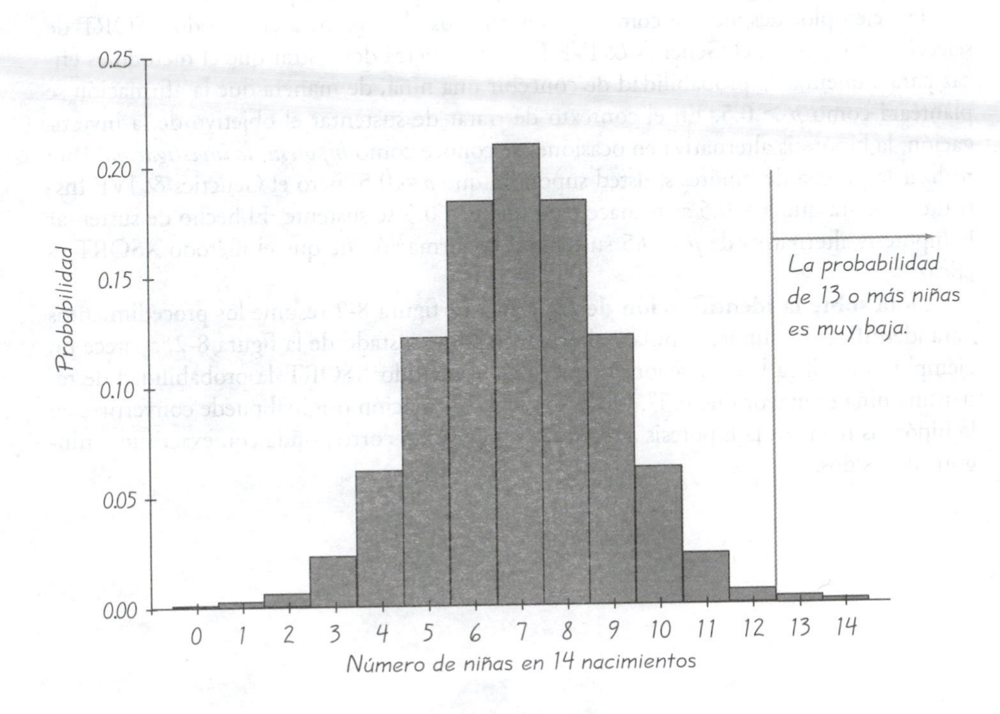

Figura 8-1
Histograma de probabilidad del número de niñas en 14 nacimientos

Ahora procedemos a describir los componentes de una **prueba de hipótesis** formal o **prueba de significancia**. Muchas revistas profesionales incluyen los resultados de pruebas de hipótesis, y utilizan los mismos componentes que se describen aquí.

Manejo de la afirmación: Hipótesis nula y alternativa

- La **hipótesis nula** (denotada con H_0) es la afirmación de que el valor de un parámetro poblacional (como una proporción, media o desviación estándar) es *igual a* un valor establecido. (El término *nula* se usa para indicar ningún cambio, ningún efecto o ninguna diferencia). La siguiente es una hipótesis nula típica del tipo considerado en este capítulo: H_0: $p = 0.5$. La hipótesis nula se prueba en forma directa, en el sentido de que suponemos (o fingimos) que es verdadera, y llegamos a una conclusión para rechazarla o no.
- La **hipótesis alternativa** (denotada con H_1 o H_a o H_A) es la afirmación de que el parámetro tiene un valor que, de alguna manera, difiere de la hipótesis nula. Para los métodos de este capítulo, la forma simbólica de la hipótesis alternativa debe emplear alguno de estos símbolos: $<$, $>$, o bien, $\neq$. A continuación se presentan diferentes ejemplos de hipótesis alternativas que incluyen proporciones:

$$H_1: p > 0.5 \qquad H_1: p < 0.5 \qquad H_1: p \neq 0.5$$

Nota sobre el uso del símbolo de igualdad en H_0: Ahora es poco común, pero en ocasiones se utilizan los símbolos $\leq$ y $\geq$ en la hipótesis nula H_0. Los especialistas en estadística y las revistas científicas emplean solamente el símbolo = para expresar igualdad. Realizamos la prueba de hipótesis suponiendo que la proporción, media o desviación estándar es *igual a* algún valor especificado, de manera que podemos trabajar con una sola distribución teniendo un valor específico.

Nota sobre la formulación de sus propias afirmaciones (hipótesis): Si usted está realizando un estudio y desea emplear una prueba de hipótesis para *sustentar* su afirmación, esta debe redactarse de tal manera que se convierta en la hipótesis alternativa (que se puede expresar utilizando únicamente los símbolos $<$, $>$, o bien, $\neq$). No es válido sustentar la afirmación de que algún parámetro es *igual a* algún valor especificado.

Por ejemplo, después de completar los ensayos clínicos para el método XSORT de selección del género, el Genetics & IVF Institute querrá demostrar que el método es eficaz para aumentar la probabilidad de concebir una niña, de manera que la afirmación se planteará como $p > 0.5$. En el contexto de tratar de sustentar el objetivo de la investigación, la hipótesis alternativa en ocasiones se conoce como *hipótesis de investigación*. Para realizar la prueba de hipótesis, usted supondrá que $p = 0.5$, pero el Genetics & IVF Institute esperará que $p = 0.5$ se rechace para que $p > 0.5$ se sustente. El hecho de sustentar la hipótesis alternativa de $p > 0.5$ sustentará la afirmación de que el método XSORT es eficaz.

Nota sobre la identificación de H_0 y H_1: La figura 8-2 resume los procedimientos para identificar las hipótesis nula y alternativa. A un costado de la figura 8-2, aparece un ejemplo que utiliza la afirmación de que "con el método XSORT, la probabilidad de tener una niña es mayor que 0.5". Observe que la afirmación original puede convertirse en la hipótesis nula, en la hipótesis alternativa o tal vez no corresponda con exactitud a ninguna de las dos.

Figura 8-2
Identificación de H_0 y H_1

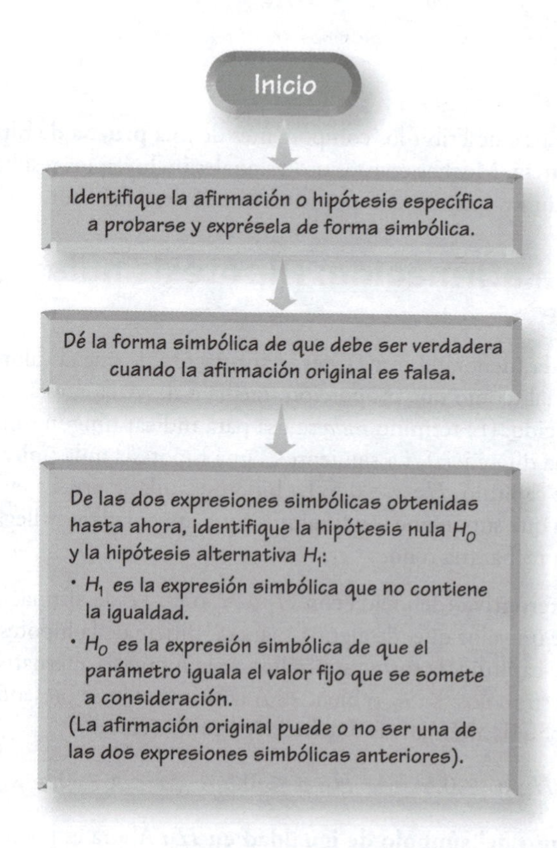

Ejemplo: La afirmación dice que con el método XSORT, la probabilidad de tener una niña es mayor que 0.5, que en forma simbólica se expresa como $p > 0.5$.

Si $p > 0.5$ es falso, la forma simbólica que debe ser verdadera es $p \leq 0.5$.

H_1: $p > 0.5$
H_0: $p = 0.5$

EJEMPLO 3 **Identificación de las hipótesis nula y alternativa** Considere la afirmación de que el peso medio de pasajeros de aeronaves (incluyendo el equipaje de mano) es, a lo sumo, de 195 libras (el valor que actualmente usa la Federal Aviation Administration). Aplique el procedimiento de tres pasos descritos en la figura 8-2 para identificar la hipótesis nula y la hipótesis alternativa.

SOLUCIÓN Remítase a la figura 8-2, que muestra el procedimiento de los tres pasos.

Paso 1: Exprese la afirmación dada en forma simbólica. La afirmación de que la media es a lo sumo de 195 libras se expresa en forma simbólica como $\mu \leq 195$ libras.

Paso 2: Si es falso que $\mu \leq 195$ libras entonces $\mu > 195$ libras debe ser verdad.

Paso 3: De las dos expresiones simbólicas $\mu \leq 195$ libras y $\mu > 195$ libras, vemos que $\mu > 195$ libras no contiene la igualdad, por lo que permitimos que la hipótesis alternativa H_1 sea $\mu > 195$ libras. Asimismo, la hipótesis nula debe ser la afirmación de que la media *es igual a* 195 libras, por lo que dejamos que H_0 sea $\mu \leq 195$ libras.

Observe que, en este ejemplo, la afirmación original de que la media es a lo sumo de 195 libras no es la hipótesis alternativa ni la hipótesis nula. (Sin embargo, podríamos retomar la afirmación original después de realizar una prueba de hipótesis).

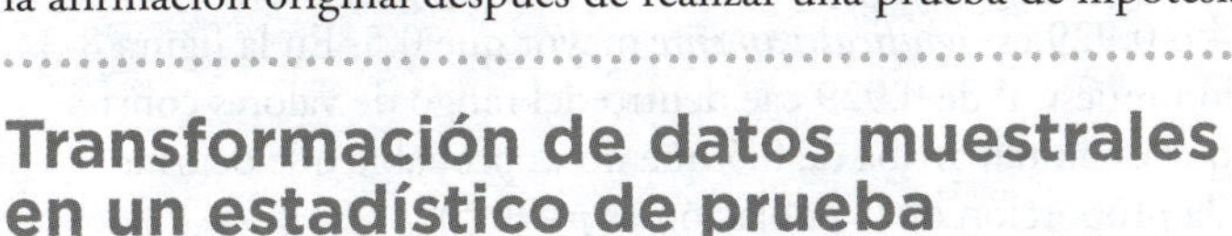

Transformación de datos muestrales en un estadístico de prueba

Los cálculos necesarios para una prueba de hipótesis generalmente implican la transformación de un estadístico muestral en un *estadístico de prueba.*

El **estadístico de prueba** es un valor que se utiliza para tomar la decisión sobre la hipótesis nula, y se calcula convirtiendo al estadístico muestral (como la proporción muestral $\hat{p}$, la media muestral $\bar{x}$, o la desviación estándar muestral s) en una puntuación (como z, t o χ^2) con el supuesto de que la hipótesis nula es verdadera. En este capítulo empleamos los siguientes estadísticos de prueba:

Estadístico de prueba para proporciones $$z = \frac{\hat{p} - p}{\sqrt{\frac{pq}{n}}}$$

Estadístico de prueba para medias $$z = \frac{\bar{x} - \mu}{\frac{\sigma}{\sqrt{n}}} \quad \text{o} \quad t = \frac{\bar{x} - \mu}{\frac{s}{\sqrt{n}}}$$

Estadístico de prueba para desviaciones estándar $$\chi^2 = \frac{(n - 1)s^2}{\sigma^2}$$

El estadístico de prueba para una media usa la distribución normal o la distribución t de Student, dependiendo de los requisitos que se satisfagan. Para la prueba de hipótesis de una afirmación sobre una media poblacional, en este capítulo se usarán los mismos criterios para las distribuciones normal o t de Student descritos en la sección 7-4. (Véase la figura 7-6 y la tabla 7-1).

EJEMPLO 4 **Cálculo del valor del estadístico de prueba** Consideremos nuevamente la afirmación de que el método XSORT de selección de género aumenta la probabilidad de que nazca una niña. Los resultados preliminares de una prueba del método XSORT para la selección del género incluyeron a 14 parejas que tuvieron 13 niñas y un niño. Utilice la afirmación dada y los resultados preliminares para calcular

continúa

Detectores de mentiras humanos

Algunos investigadores examinaron la capacidad de 13,000 personas para determinar si alguien miente. Encontraron a 31 individuos con habilidades excepcionales para identificar mentiras. Estos detectores de mentiras humanos tenían tasas de éxito de alrededor del 90%. Además, descubrieron que los agentes federales y los alguaciles eran bastante hábiles para detectar mentiras, con tasas de éxito de alrededor del 80%. La profesora de psicología Maureen O'Sullivan entrevistó a todas las personas hábiles para identificar mentiras, y comentó que "todas ellas prestan atención a indicios no verbales y a los matices en el uso de palabras; además, los aplican de forma diferente a distintas personas. Estos individuos son capaces de decir ocho cosas sobre una persona después de observar un video de dos segundos. Es increíble todo lo que estas personas pueden observar". Es posible usar métodos estadísticos para distinguir entre las personas que son capaces de detectar mentiras y aquellas que no lo son.

el valor del estadístico de prueba. Use el formato del estadístico de prueba que se presentó antes, de manera que utilice una distribución normal para aproximar una distribución binomial. (Existen otros métodos exactos que no recurren a la distribución normal como aproximación de la binomial).

SOLUCIÓN En la figura 8-2 y en el ejemplo que se presenta a un costado de la misma, la afirmación de que el método XSORT para la selección del género aumenta la probabilidad de que nazca una niña da por resultado las siguientes hipótesis nula y alternativa: H_0: $p = 0.5$ y H_1: $p > 0.5$. Trabajamos con el supuesto de que la hipótesis nula es verdadera, con $p = 0.5$. La proporción muestral de 13 niñas en 14 nacimientos da como resultado $\hat{p} = 13/14 = 0.929$. Si utilizamos $p = 0.5$, $\hat{p} = 0.929$ y $n = 14$, obtenemos el siguiente valor del estadístico de prueba:

$$z = \frac{\hat{p} - p}{\sqrt{\frac{pq}{n}}} = \frac{0.929 - 0.5}{\sqrt{\frac{(0.5)(0.5)}{14}}} = 3.21$$

INTERPRETACIÓN De capítulos previos sabemos que la puntuación z de 3.21 es "inusual" (porque es mayor que 2). Parece que, además de ser mayor que 0.5, la proporción muestral de 13/14 o 0.929 es *significativamente* mayor que 0.5. En la figura 8-3 se observa que la proporción muestral de 0.929 cae dentro del rango de valores considerados significativos, ya que están tan arriba de 0.5 que no es probable que ocurran por azar (suponiendo que la proporción de la población es $p = 0.5$).

La figura 8-3 presenta el estadístico de prueba de $z = 3.21$, y otros componentes de la misma figura se describen de la siguiente manera.

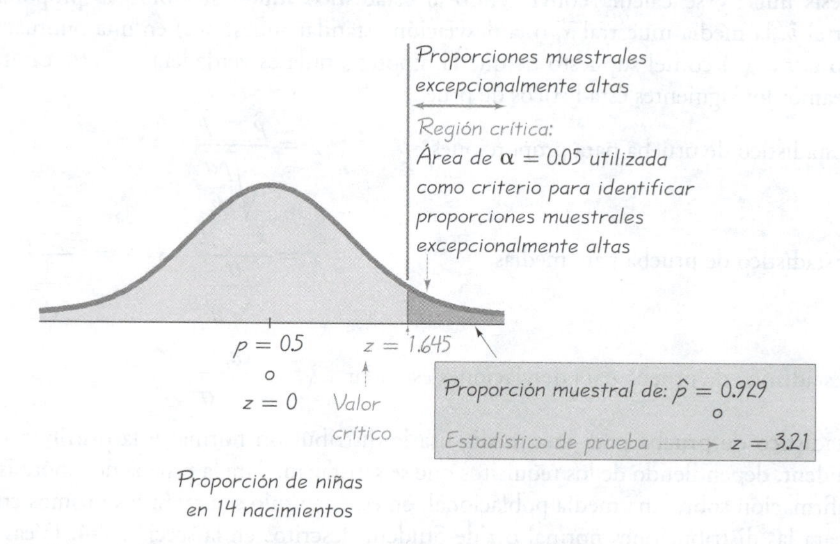

Figura 8-3 Región crítica, valor crítico y estadístico de prueba

Herramientas para evaluar el estadístico de prueba: Región crítica, nivel de significancia, valor crítico y valor *P*

El estadístico de prueba, por sí solo, generalmente no brinda suficiente información para tomar decisiones acerca de la afirmación que se somete a prueba. Se dispone de las siguientes herramientas para comprender e interpretar el estadístico de prueba.

- La **región crítica** (o **región de rechazo**) es el conjunto de todos los valores del estadístico de prueba que pueden provocar que rechacemos la hipótesis nula. Por ejemplo, observe la región sombreada más oscura en la figura 8-3.
- El **nivel de significancia** (denotado con α) es la probabilidad de que el estadístico de prueba caiga en la región crítica, cuando la hipótesis nula es verdadera. Si el estadístico de prueba cae en la región crítica, rechazamos la hipótesis nula, de manera que α es la probabilidad de cometer el error de rechazar la hipótesis nula cuando es verdadera. Se trata de la misma α presentada en la sección 7-2, donde definimos el nivel de confianza para un intervalo de confianza como la probabilidad $1 - \alpha$. Las opciones comunes para α son 0.05, 0.01 y 0.10, aunque la más común es 0.05.
- Un **valor crítico** es cualquier valor que separa la región crítica (donde rechazamos la hipótesis nula) de los valores del estadístico de prueba que no conducen al rechazo de la hipótesis nula. Los valores críticos dependen de la naturaleza de la hipótesis nula, de la distribución muestral que se aplique y del nivel de significancia α. Observe la figura 8-3, donde el valor crítico de $z = 1.645$ corresponde a un nivel de significancia de $\alpha = 0.05$. (Los valores críticos se definieron formalmente en la sección 7-2).

EJEMPLO 5

Cálculo de un valor crítico para la región crítica de la cola derecha Con un nivel de significancia de $\alpha = 0.05$, calcule el valor z crítico para la hipótesis alternativa H_1: $p > 0.5$ (suponiendo que la distribución normal puede utilizarse como aproximación de la distribución binomial). Esta hipótesis alternativa se utiliza para someter a prueba la afirmación de que el método XSORT de selección del género es eficaz, de manera que es más probable el nacimiento de una niña, con una proporción mayor que 0.5.

SOLUCIÓN

Observe la figura 8-3. Con H_1: $p > 0.5$, la región crítica se encuentra en la cola derecha. Con un área de cola derecha de 0.05, el valor crítico es $z = 1.645$ (si utilizamos los métodos de la sección 6-2). Si la región crítica de la cola derecha es 0.05, el área acumulada a la izquierda del valor crítico es 0.95, y la tabla A-2 o las herramientas tecnológicas indican que la puntuación z correspondiente a un área izquierda acumulada de 0.95 es $z = 1.645$. El valor crítico es $z = 1.645$, como se observa en la figura 8-3.

EJEMPLO 6

Cálculo de valores críticos para la región crítica de dos colas Con un nivel de significancia de $\alpha = 0.05$, calcule los dos valores z críticos para la hipótesis alternativa H_1: $p \neq 0.5$ (suponiendo que la distribución normal puede utilizarse como aproximación de la distribución binomial).

SOLUCIÓN

Observe la figura 8-4*a*). Con H_1: $p \neq 0.5$, la región crítica se encuentra en las dos colas. Si el nivel de significancia es 0.05, cada una de las colas tiene un área de 0.025, como se observa en la figura 8-4*a*). El valor crítico izquierdo de $z = -1.96$ corresponde a un área acumulada izquierda de 0.025. (La tabla A-2 o las herramientas tecnológicas producen un resultado de $z = -1.96$, si utilizamos los métodos de la sección 6-2.). El valor crítico de $z = 1.96$ ubicado a la extrema derecha se obtiene del área izquierda acumulada de 0.975. (El valor crítico ubicado a la extrema derecha es $z_{0.975} = 1.96$). Los dos valores críticos son $z = -1.96$ y $z = 1.96$, como se observa en la figura 8-4*a*).

Prueba de dos colas:

0.025 0.025

$z = -1.96$ $z = 0$ $z = 1.96$

a)

Prueba de cola izquierda:

0.05

$z = -1.645$ $z = 0$

b)

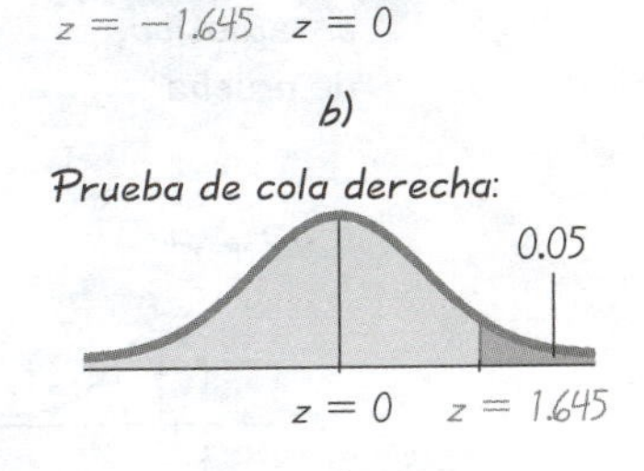

c)

Figura 8-4 Cálculo de valores críticos

- El **valor P** (o **valor p** o **valor de probabilidad**) es la probabilidad de obtener un valor del estadístico de prueba que sea *al menos tan extremo* como el que representa a los datos muestrales, suponiendo que la hipótesis nula es verdadera. Los valores P se pueden calcular después de encontrar el área que está más allá del estadístico de prueba. El procedimiento para calcular valores P se presenta en la figura 8-5, y se puede resumir de la siguiente manera:

Región crítica en la cola izquierda:	Valor P = área a la *izquierda* del estadístico de prueba
Región crítica en la cola derecha:	Valor P = área a la *derecha* del estadístico de prueba
Región crítica en dos colas:	Valor P = *dos veces* el área de la cola más allá del estadístico de prueba

La hipótesis nula se rechaza si el valor P es muy pequeño, como 0.05 o menos. La siguiente es una herramienta para la memoria que sirve para interpretar el valor P:

Si P es un valor bajo, la hipótesis nula se rechaza.
Si P es un valor alto, la hipótesis nula se queda.

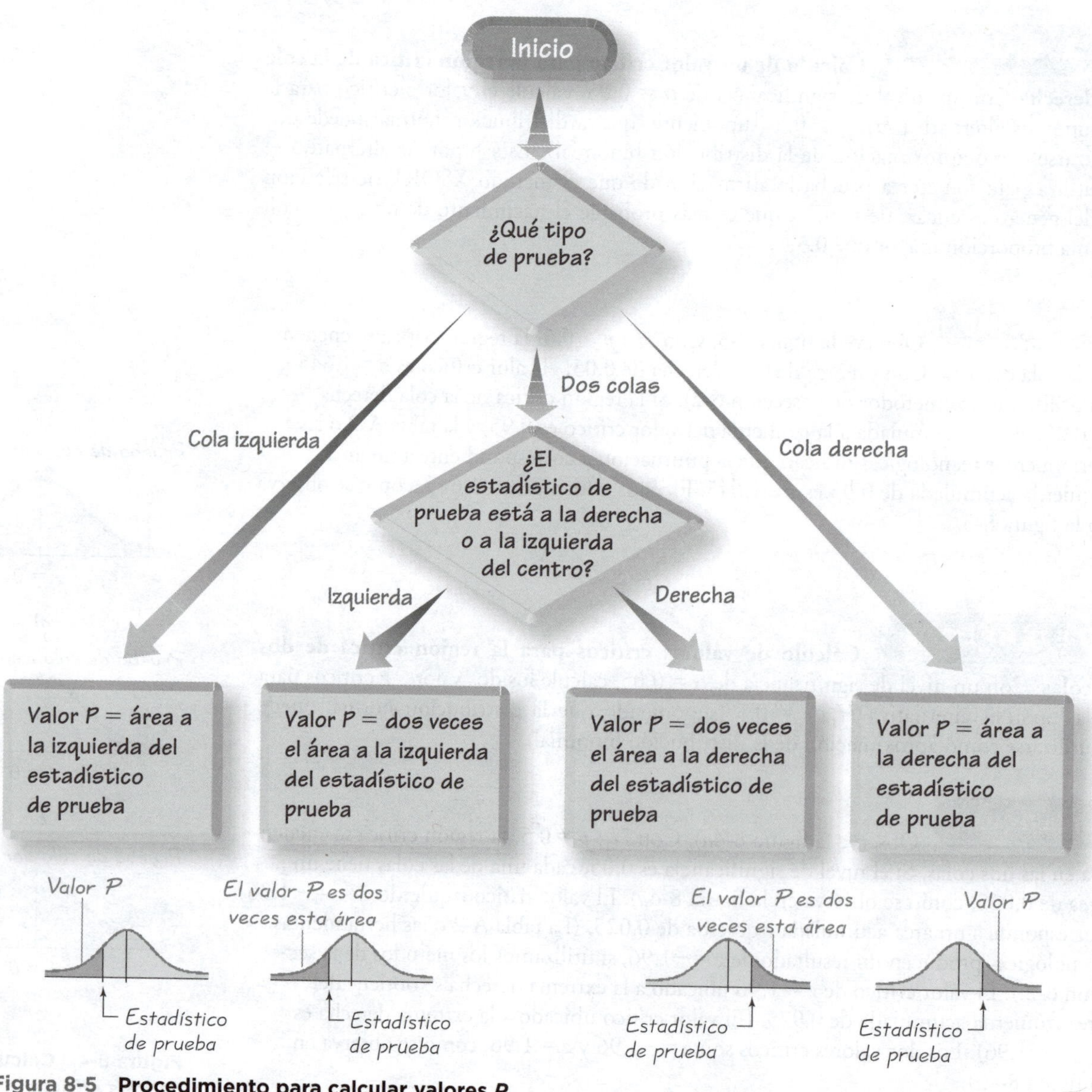

Figura 8-5 Procedimiento para calcular valores P

ADVERTENCIA

No confunda el valor P con una proporción p. Conozca esta diferencia:

Valor P = probabilidad de obtener un estadístico de prueba al menos tan extremo como el que representa a los datos muestrales.

p = proporción poblacional

EJEMPLO 7

Calculo de un valor P para una región crítica en la cola derecha Considere la afirmación de que el método XSORT para la selección del género aumenta la probabilidad de que nazca una niña, de modo que $p > 0.5$. Utilice el estadístico de prueba $z = 3.21$ (obtenido de 13 niñas en 14 nacimientos, como en el ejemplo 4). Primero determine si las condiciones indicadas dan como resultado una región crítica en la cola derecha, en la cola izquierda o en ambas, y después utilice la figura 8-5 para calcular e interpretar el valor P.

SOLUCIÓN

Con una afirmación de $p > 0.5$, la región crítica se localiza en la cola derecha, como se observa en la figura 8-3. Si utilizamos la figura 8-5 para calcular el valor P para una prueba de cola derecha, vemos que el valor P es el área a la derecha del estadístico de prueba $z = 3.21$. La tabla A-2 (o una herramienta tecnológica) indica que el área a la *derecha* de $z = 3.21$ es 0.0007, de manera que el valor P es 0.0007.

INTERPRETACIÓN

El valor P de 0.0007 es muy pequeño, e indica que hay una probabilidad muy baja de obtener los resultados muestrales que conducen a un estadístico de prueba de $z = 3.21$. Es muy poco probable que resulten 13 (o más) niñas en 14 nacimientos debido al azar. Esto sugiere que el método XSORT para la selección del género aumenta la probabilidad de que un bebé sea niña.

EJEMPLO 8

Cálculo de un valor P para una región crítica en dos colas Considere la afirmación de que con el método XSORT para la selección del género, la probabilidad de tener una niña es diferente de $p = 0.5$, y utilice el estadístico de prueba $z = 3.21$ que se obtuvo de 13 niñas en 14 nacimientos. Primero determine si las condiciones indicadas dan como resultado una región crítica en la cola derecha, en la cola izquierda o en ambas, y después utilice la figura 8-5 para calcular e interpretar el valor P.

SOLUCIÓN

La afirmación de que la probabilidad de tener una niña es diferente de $p = 0.5$ se puede expresar como $p \neq 0.5$, de manera que la región crítica se localiza en dos colas [como se observa en la figura 8-4*a*)]. Si utilizamos la figura 8-5 con la finalidad de calcular el valor P para una prueba de dos colas, vemos que el valor P es *dos veces* el área a la derecha del estadístico de prueba $z = 3.21$. Nos remitimos a la tabla A-2 (o usamos una herramienta tecnológica) para encontrar que el área a la *derecha* de $z = 3.21$ es 0.0007. En este caso, el valor P es el doble del área a la derecha del estadístico de prueba, de modo que:

$$\text{Valor } P = 2 \times 0.0007 = 0.0014$$

INTERPRETACIÓN

El valor P es 0.0014 (o 0.0013 si se utilizan cálculos más precisos). El pequeño valor P de 0.0014 indica que hay una probabilidad muy baja de obtener los resultados muestrales que conducen a un estadístico de prueba de $z = 3.21$. Esto sugiere que, con el método XSORT para la selección del género, la probabilidad de tener una niña difiere de 0.5.

Los detectores de mentiras y las leyes

¿Por qué no se exige que todos los sospechosos de un crimen sean sometidos a la prueba del detector de mentiras para así prescindir de los juicios? El Council of Scientific Affairs de la American Medical Association afirma que "está establecido que la clasificación de los sujetos con base en la culpabilidad puede realizarse con una precisión del 75 al 97%, pero la tasa de falsos positivos suele ser lo suficientemente alta como para excluir el uso de esta prueba (del polígrafo) como único criterio para determinar la culpabilidad o inocencia". Un "falso positivo" es una indicación de culpabilidad cuando el sujeto en realidad es inocente. Incluso con una precisión tan alta como del 97%, el porcentaje de resultados falsos positivos puede ser del 50%, de manera que la mitad de los sujetos inocentes aparecerían erróneamente como culpables.

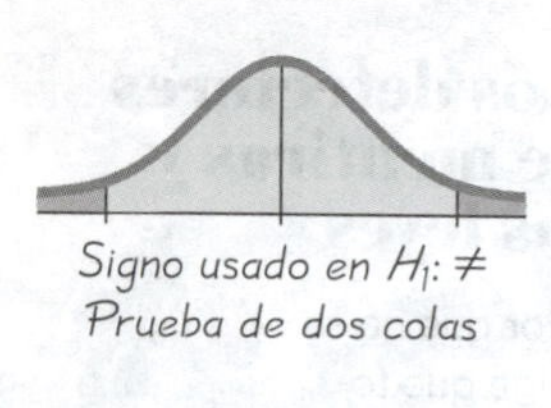

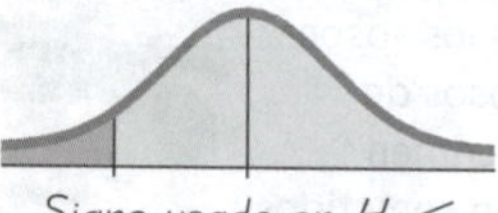

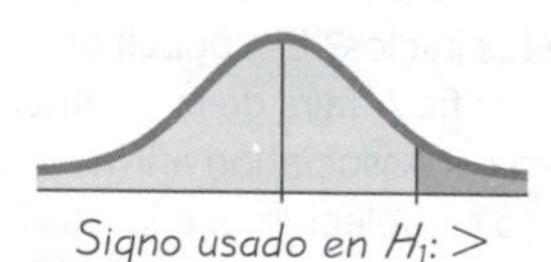

Figura 8-6 Pruebas de dos colas, cola izquierda y cola derecha

Tipos de pruebas de hipótesis: Dos colas, cola izquierda y cola derecha

Las *colas* en una distribución son las regiones extremas limitadas por los valores críticos. La determinación de los valores *P* y de los valores críticos se ve afectada si una región crítica se encuentra en dos colas, en la cola derecha o en la cola izquierda. Por lo tanto, es importante determinar de manera correcta si una prueba de hipótesis es de dos colas, de cola izquierda o de cola derecha.

- **Prueba de dos colas:** La región crítica se encuentra en las dos regiones (colas) extremas bajo la curva [como en la figura 8-4*a*)].
- **Prueba de cola izquierda:** La región crítica se encuentra en la región (cola) extrema izquierda bajo la curva [como en la figura 8-4*b*)].
- **Prueba de cola derecha:** La región crítica se encuentra en la región (cola) extrema derecha bajo la curva [como en la figura 8-4*c*)].

Sugerencia: Al examinar la hipótesis alternativa, podemos determinar si una prueba es de dos colas, de cola izquierda o de cola derecha. La cola corresponde a la región crítica que contiene los valores que podrían tener un conflicto importante con la hipótesis nula. En la figura 8-6 se incluye una verificación útil. *Observe que el signo de desigualdad en H_1 señala la dirección de la región crítica.* En los lenguajes de programación, el símbolo ≠ a menudo se expresa como <>, y esto nos recuerda que una hipótesis alternativa como $p \neq 0.5$ corresponde una prueba de dos colas.

Decisiones y conclusiones

El procedimiento convencional de prueba de hipótesis requiere que probemos directamente la hipótesis nula, de manera que nuestra conclusión inicial siempre será una de las siguientes:

1. Se rechaza la hipótesis nula.
2. No se rechaza la hipótesis nula.

Criterio de decisión La decisión de rechazar o no rechazar la hipótesis nula suele realizarse por medio del método del valor *P* de prueba de hipótesis o con el método tradicional (o método clásico). No obstante, en ocasiones la decisión puede basarse en intervalos de confianza. En años recientes, el uso del método del valor *P* ha aumentado, junto con la inclusión de valores *P* en los resultados de programas de cómputo.

Método del valor *P*: Con el nivel de significancia α:
Si el valor $P \leq \alpha$, *rechace* H_0.
Si el valor $P > \alpha$, *no rechace* H_0.

Método tradicional: Si el estadístico de prueba cae dentro de la región crítica, *rechace* H_0.
Si el estadístico de prueba no cae dentro de la región crítica, *no rechace* H_0.

Otra opción: En vez de usar un nivel de significancia como $\alpha = 0.05$, simplemente identifique el valor *P* y deje la decisión al lector.

Intervalos de confianza: Una estimación del intervalo de confianza de un parámetro poblacional contiene los valores probables de tal parámetro.
Si el intervalo de confianza no incluye un valor establecido de un parámetro poblacional, rechace la afirmación.

Redacción de la conclusión final En la figura 8-7 se resume un procedimiento para redactar la conclusión final en términos sencillos y sin tecnicismos. Observe que solo un caso conduce a la indicación de que los datos muestrales en realidad *sustentan* la conclusión. Si desea sustentar alguna afirmación, exprésela de manera tal que se convierta en la hipótesis alternativa, y después espere que la hipótesis nula sea rechazada.

ADVERTENCIA

Nunca concluya una prueba de hipótesis con la afirmación de que "se rechaza la hipótesis nula" o "no se rechaza la hipótesis nula". Siempre dé un sentido a la conclusión con una afirmación que utilice términos sencillos sin tecnicismos, que retomen la afirmación original.

Aceptación/no rechazo Algunos libros de texto aún hablan de "aceptar la hipótesis nula" en vez de "no rechazar la hipótesis nula". El término *aceptar* es un poco confuso, ya que parece implicar de manera incorrecta que la hipótesis nula se ha demostrado, pero es imposible demostrar una hipótesis nula. La frase *no se rechaza* indica de manera más correcta que la evidencia disponible no es lo suficientemente fuerte para justificar el rechazo de la hipótesis nula. En este libro utilizamos la terminología *no rechazar la hipótesis nula* en lugar de *aceptar la hipótesis nula*.

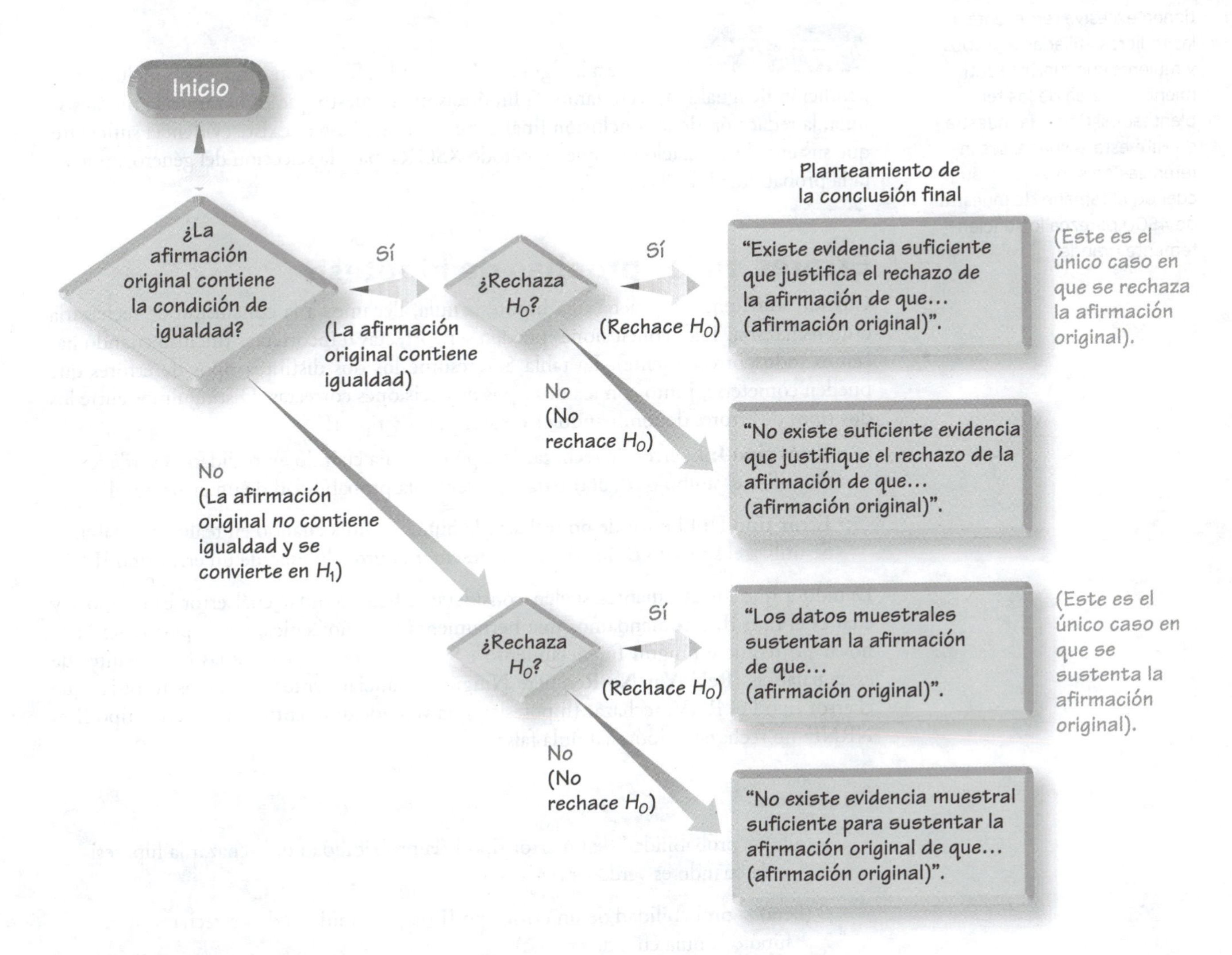

Figura 8-7 Redacción de la conclusión final

No basta con una muestra grande

Los datos muestrales sesgados no deben emplearse para realizar inferencias, sin importar cuán grande sea la muestra. Por ejemplo, en *Women and Love: A Cultural Revolution in Progress,* Shere Hite basa sus conclusiones en 4500 respuestas que recibió después de enviar por correo 100,000 cuestionarios a diversos grupos de mujeres. Por lo general, una muestra *aleatoria* de 4500 sujetos da buenos resultados, pero la muestra de Hite está sesgada y ha recibido críticas por considerarse que en ella tienen excesiva representación las mujeres afiliadas a grupos y mujeres con fuertes sentimientos acerca de los temas planteados. Como la muestra de Hite está sesgada, sus inferencias no son válidas, aun cuando el tamaño de muestra de 4500 parezca lo suficientemente grande.

Múltiples negativos Cuando se establece la conclusión final sin incluir términos técnicos, es posible enunciar afirmaciones correctas con hasta tres términos negativos. (Ejemplo: "*No* existe evidencia suficiente para justificar *el rechazo* de la afirmación de que *no hay* diferencia entre 0.5 y la proporción poblacional"). Sin embargo, las conclusiones con demasiados términos negativos resultan confusas, por lo que es aconsejable volver a redactarlas en una forma comprensible, pero teniendo cuidado de no alterar el significado. Por ejemplo, en vez de decir que "no existe evidencia suficiente para justificar el rechazo de la afirmación de que no existen diferencias entre 0.5 y la proporción poblacional", los siguientes serían mejores enunciados:

- No se rechaza la afirmación de que la proporción poblacional es igual a 0.5.
- Hasta no obtener evidencia más firme, continuamos suponiendo que la proporción poblacional es igual a 0.5.

EJEMPLO 9

Redacción de la conclusión final Suponga que un genetista afirma que el método XSORT para la selección del género aumenta la probabilidad de que nazca una niña. Esta afirmación de $p > 0.5$ se convierte en la hipótesis alternativa, mientras que $p = 0.5$ se convierte en la hipótesis nula. Además, suponga que la evidencia muestral hace que rechacemos la hipótesis nula de $p = 0.5$. Enuncie la conclusión en términos sencillos y sin tecnicismos.

SOLUCIÓN

Remítase a la figura 8-7. Como la afirmación original no incluye la condición de igualdad, rechazamos la hipótesis nula. Puesto que rechazamos la hipótesis nula, la redacción de la conclusión final debe ser la siguiente: "Existe evidencia suficiente que sustenta la afirmación de que el método XSORT para la selección del género aumenta la probabilidad de una niña".

Errores en las pruebas de hipótesis

Cuando sometemos a prueba una hipótesis nula, llegamos a la conclusión de rechazarla o no rechazarla. Tales conclusiones pueden ser correctas o incorrectas (incluso cuando hacemos todo correctamente). La tabla 8-1 resume los dos distintos tipos de errores que pueden cometerse, junto con los dos tipos de decisiones correctas. Distinguimos entre los dos tipos de errores denominándolos errores tipo I y tipo II.

- **Error tipo I:** El error de rechazar la hipótesis nula cuando en realidad es verdadera. Se utiliza el símbolo α (alfa) para representar la probabilidad de un error tipo I.
- **Error tipo II:** El error de no rechazar la hipótesis nula cuando en realidad es falsa. Se utiliza el símbolo β (beta) para representar la probabilidad de un error tipo II.

Debido a que los estudiantes suelen considerar difícil recordar cuál error es el tipo I y cuál es el tipo II, recomendamos una herramienta mnemotécnica, como podría ser "Renovar no requiere ningún financiamiento". Si utilizamos algunas de las consonantes de estas palabras (**R**e**N**o**V**ar **N**o **R**equiere **N**ingún **F**inanciamiento), podemos recordar que el error tipo I es RNV: rechazar (hipótesis) nula verdadera; mientras que el error tipo II es NRNF: no rechazar (hipótesis) nula falsa.

Notación

α (alfa) = probabilidad de un error tipo I (la probabilidad de rechazar la hipótesis nula cuando es verdadera)

β (beta) = probabilidad de un error tipo II (la probabilidad de no rechazar una hipótesis nula cuando es falsa)

Tabla 8-1 **Errores tipo I y tipo II**

		Verdadero estado de la situación	
		La hipótesis nula es verdadera	La hipótesis nula es falsa
Decisión	Decidimos rechazar la hipótesis nula	**Error tipo I** (se rechaza una hipótesis nula verdadera) $P(\text{error tipo I}) = \alpha$	Decisión correcta
	Decidimos no rechazar la hipótesis nula	Decisión correcta	**Error tipo II** (no se rechaza una hipótesis nula falsa) $P(\text{error tipo II}) = \beta$

EJEMPLO 10

Identificación de errores tipo I y tipo II Suponga que estamos realizando una prueba de hipótesis de la afirmación de que un método de selección del género aumenta la probabilidad de una niña, de modo que la probabilidad de que nazca una niña es $p > 0.5$. He aquí las hipótesis nula y alternativa:

$$H_0: p = 0.5$$
$$H_1: p > 0.5$$

Escriba afirmaciones que identifiquen

***a*)** Un error tipo I ***b*)** Un error tipo II

SOLUCIÓN

***a*)** Un error tipo I se comete cuando se rechaza una hipótesis nula verdadera. El siguiente es un error tipo I: concluir que existe evidencia suficiente para sustentar $p > 0.5$, cuando en realidad $p = 0.5$. Es decir, cometeríamos un error tipo I si concluimos que el método de selección del género es eficaz cuando en realidad no tiene efecto.

***b*)** Un error tipo II se comete al no rechazar la hipótesis nula cuando es falsa. El siguiente es un error tipo II: no rechazar $p = 0.5$ (y, por lo tanto, no sustentar $p > 0.5$) cuando en realidad $p > 0.5$. Es decir, cometeríamos un error tipo II si concluimos que el método de selección del género no tiene efecto cuando en realidad es eficaz para incrementar la probabilidad de que nazca una niña.

Control de los errores tipo I y tipo II: Un paso de nuestro procedimiento estándar para la prueba de hipótesis implica la selección del nivel de significancia α (por ejemplo, 0.05), que corresponde a la probabilidad de un error tipo I. Los valores de α, β, y el tamaño de muestra n están relacionados, de manera que cuando usted elige o determina dos de ellos, el tercero se determina automáticamente. La práctica común es seleccionar el nivel de significancia α, después elegir un tamaño de muestra que sea práctico, de manera que se determine el valor de β. En general, trate de utilizar el valor α más grande que pueda tolerar, pero para errores tipo I con consecuencias más graves, seleccione valores más pequeños de α. Después, elija un tamaño de muestra n razonablemente grande, con base en consideraciones de tiempo, costo y otros factores relevantes. Otra práctica común consiste en seleccionar α y β, de manera que el tamaño de muestra n se determine de manera automática. (Véase el ejemplo 12 en la parte 2 de esta sección).

Prueba exhaustiva de hipótesis En esta sección describimos los componentes individuales utilizados en una prueba de hipótesis, pero en las siguientes secciones se combinarán tales componentes en procedimientos más exhaustivos. Podemos someter a prueba afirmaciones sobre parámetros poblacionales utilizando el método del valor P que se resume en la figura 8-8, el método tradicional que se resume en la figura 8-9, o bien, podemos emplear un intervalo de confianza como se describe en la página 407.

Figura 8-8 **Método del valor *P***

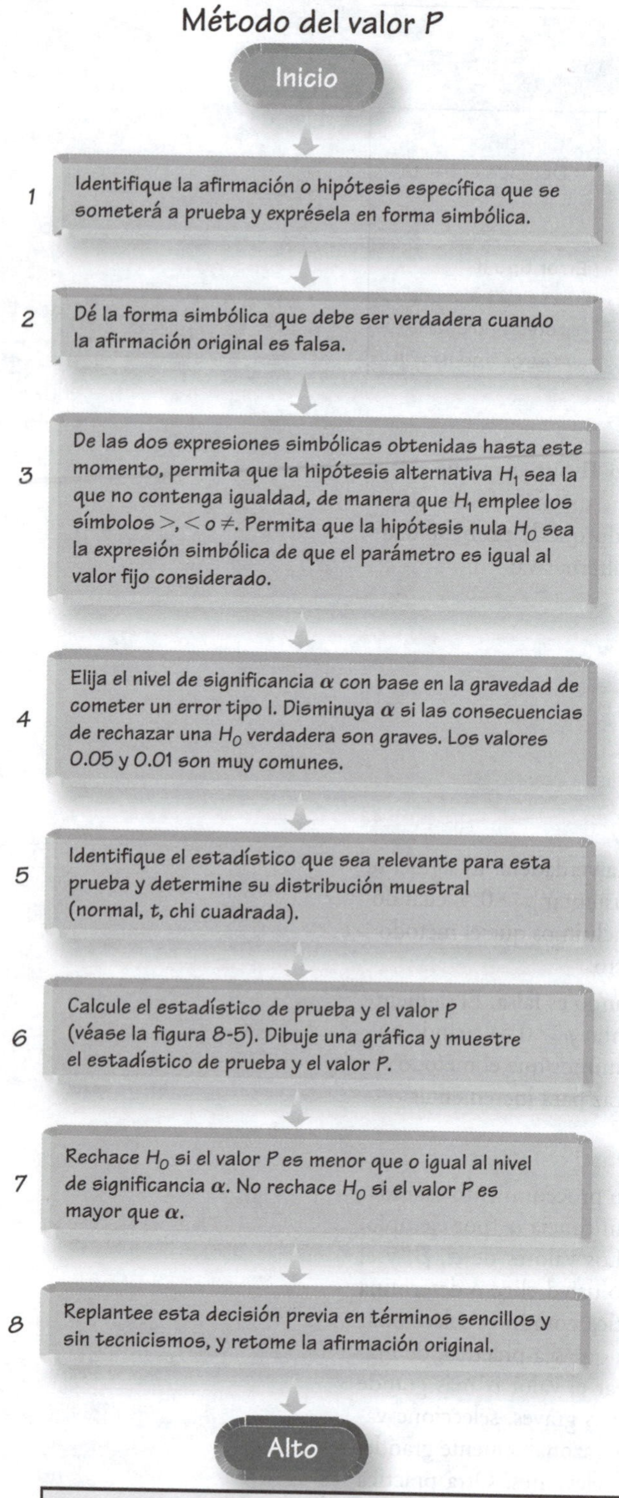

Método del valor *P*

Inicio

1. Identifique la afirmación o hipótesis específica que se someterá a prueba y exprésela en forma simbólica.
2. Dé la forma simbólica que debe ser verdadera cuando la afirmación original es falsa.
3. De las dos expresiones simbólicas obtenidas hasta este momento, permita que la hipótesis alternativa H_1 sea la que no contenga igualdad, de manera que H_1 emplee los símbolos $>$, $<$ o $\neq$. Permita que la hipótesis nula H_0 sea la expresión simbólica de que el parámetro es igual al valor fijo considerado.
4. Elija el nivel de significancia α con base en la gravedad de cometer un error tipo I. Disminuya α si las consecuencias de rechazar una H_0 verdadera son graves. Los valores 0.05 y 0.01 son muy comunes.
5. Identifique el estadístico que sea relevante para esta prueba y determine su distribución muestral (normal, *t*, chi cuadrada).
6. Calcule el estadístico de prueba y el valor *P* (véase la figura 8-5). Dibuje una gráfica y muestre el estadístico de prueba y el valor *P*.
7. Rechace H_0 si el valor *P* es menor que o igual al nivel de significancia α. No rechace H_0 si el valor *P* es mayor que α.
8. Replantee esta decisión previa en términos sencillos y sin tecnicismos, y retome la afirmación original.

Alto

Figura 8-9 **Método tradicional**

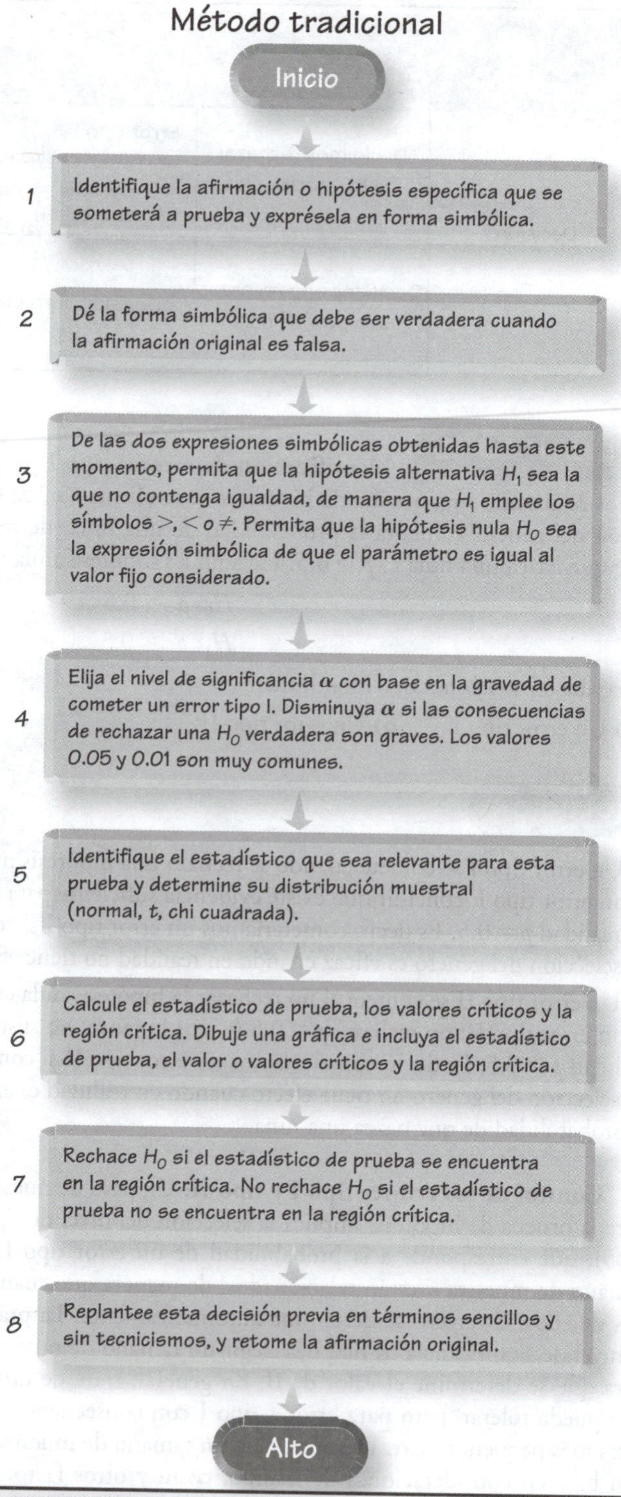

Método tradicional

Inicio

1. Identifique la afirmación o hipótesis específica que se someterá a prueba y exprésela en forma simbólica.
2. Dé la forma simbólica que debe ser verdadera cuando la afirmación original es falsa.
3. De las dos expresiones simbólicas obtenidas hasta este momento, permita que la hipótesis alternativa H_1 sea la que no contenga igualdad, de manera que H_1 emplee los símbolos $>$, $<$ o $\neq$. Permita que la hipótesis nula H_0 sea la expresión simbólica de que el parámetro es igual al valor fijo considerado.
4. Elija el nivel de significancia α con base en la gravedad de cometer un error tipo I. Disminuya α si las consecuencias de rechazar una H_0 verdadera son graves. Los valores 0.05 y 0.01 son muy comunes.
5. Identifique el estadístico que sea relevante para esta prueba y determine su distribución muestral (normal, *t*, chi cuadrada).
6. Calcule el estadístico de prueba, los valores críticos y la región crítica. Dibuje una gráfica e incluya el estadístico de prueba, el valor o valores críticos y la región crítica.
7. Rechace H_0 si el estadístico de prueba se encuentra en la región crítica. No rechace H_0 si el estadístico de prueba no se encuentra en la región crítica.
8. Replantee esta decisión previa en términos sencillos y sin tecnicismos, y retome la afirmación original.

Alto

Método del intervalo de confianza

Construya un intervalo de confianza con un nivel de confianza seleccionado de la misma forma que en la tabla 8-2. **Puesto que una estimación del intervalo de confianza de un parámetro poblacional contiene los probables valores de tal parámetro, rechace la afirmación de que el parámetro poblacional tiene un valor que no está incluido en el intervalo de confianza.**

Tabla 8-2 Nivel de confianza para un intervalo de confianza

		Prueba de dos colas	Prueba de una cola
Nivel de significancia para la prueba de hipótesis	0.01	99%	98%
	0.05	95%	90%
	0.10	90%	80%

Método del intervalo de confianza En el caso de pruebas de hipótesis de dos colas, construya un intervalo de confianza con un nivel de confianza de $1 - 2\alpha$; pero para una prueba de hipótesis de una cola, con un nivel de significancia α, construya un intervalo de confianza con un nivel de confianza de $1 - 2\alpha$. (Véase la tabla 8-2 para los casos comunes). Después de construir el intervalo de confianza, use este criterio:

Una estimación de intervalo de confianza de un parámetro poblacional contiene los valores probables de tal parámetro. Por lo tanto, debemos rechazar la afirmación de que el parámetro poblacional tiene un valor que no está incluido en el intervalo de confianza.

ADVERTENCIA

En algunos casos, una conclusión basada en un intervalo de confianza puede ser diferente de una conclusión basada en una prueba de hipótesis. Vea los comentarios en las siguientes secciones individuales.

Los ejercicios de esta sección incluyen componentes aislados de las pruebas de hipótesis, pero las siguientes secciones incluirán pruebas de hipótesis completas y exhaustivas.

Parte 2: Más allá de lo básico de la prueba de hipótesis: La *potencia* de una prueba

Utilizamos β para denotar la probabilidad de no rechazar una hipótesis nula falsa, de manera que P(error tipo II) $= \beta$. Se deduce que $1 - \beta$ es la probabilidad de rechazar una hipótesis nula falsa. Los especialistas en estadística se refieren a esta probabilidad como la *potencia* de una prueba, y con frecuencia la utilizan al evaluar la eficacia de la prueba para reconocer que una hipótesis nula es falsa.

DEFINICIÓN

La **potencia** de una prueba de hipótesis es la probabilidad $(1 - \beta)$ de rechazar una hipótesis nula falsa; se calcula utilizando un nivel de significancia α particular y un valor *específico* del parámetro poblacional que representa una alternativa al valor considerado como verdadero en la hipótesis nula.

Observe que en la definición anterior, la determinación de potencia requiere de un valor específico que es una alternativa al valor supuesto en la hipótesis nula. En consecuencia, una prueba de hipótesis puede tener muchos valores de potencia diferentes, dependiendo de los valores específicos elegidos como alternativas a la hipótesis nula.

EJEMPLO 11 **Potencia de una prueba de hipótesis** Consideremos nuevamente los siguientes resultados preliminares del método XSORT para la selección del género: de los 14 bebés nacidos de parejas que utilizaron el método XSORT, 13 fueron niñas. Si queremos someter a prueba la afirmación de que las niñas son más probables ($p > 0.5$) con el método XSORT, tenemos las siguientes hipótesis nula y alternativa:

$$H_0: p = 0.5 \qquad H_1: p > 0.5$$

Use un nivel de significancia $\alpha = 0.05$. Además de todos los componentes de pruebas con que contamos, necesitamos un valor específico de p que represente una alternativa al valor supuesto en la hipótesis nula H_0: $p = 0.5$. Utilizando los componentes de prueba junto con diferentes valores alternativos de p, obtenemos los siguientes ejemplos de valores de potencia. Dichos valores de la potencia se encontraron utilizando Minitab, por medio de cálculos exactos en lugar de utilizar la distribución normal como aproximación a la distribución binomial.

continúa

Valor alternativo específico de p	β	Potencia de la prueba $(1 - \beta)$
0.6	0.820	0.180
0.7	0.564	0.436
0.8	0.227	0.773
0.9	0.012	0.988

INTERPRETACIÓN Con base en la lista anterior de valores de la potencia, observamos que esta prueba de hipótesis tiene una potencia de 0.180 (o 18.0%) de rechazo de H_0: $p = 0.5$, cuando la proporción poblacional p en realidad es 0.6. Es decir, si la verdadera proporción poblacional es igual a 0.6, existe una probabilidad del 18.0% de llegar a la conclusión correcta de rechazar la hipótesis nula falsa que plantea que $p = 0.5$. Esta baja potencia del 18.0% no es buena. Existe una probabilidad de 0.564 de rechazar $p = 0.5$, cuando el verdadero valor de p es 0.7. Parece lógico que esta prueba es más eficaz para rechazar la afirmación de $p = 0.5$ cuando la proporción poblacional es en realidad 0.7, que cuando esta es en realidad 0.6. [Cuando identificamos animales que se supone son caballos, existe una mayor probabilidad de rechazar a un elefante como caballo (a causa de la gran diferencia) que rechazar a una mula como caballo]. En general, al aumentar la diferencia entre el valor paramétrico supuesto y el valor paramétrico real, se incrementa la potencia, como se observa en la tabla anterior.

Puesto que los cálculos de potencia son bastante complicados, se recomienda utilizar algún recurso tecnológico. (En esta sección, solamente los ejercicios 46 a 48 implican el cálculo de potencia).

Potencia y diseño de experimentos Así como 0.05 es una elección común para el nivel de significancia, una potencia de al menos 0.80 es un requisito común para determinar que una prueba de hipótesis es efectiva. (Algunos especialistas en estadística argumentan que la potencia debería ser más alta, como 0.85 o 0.90). Al diseñar un experimento, podríamos considerar cuál sería una diferencia importante entre el valor establecido de un parámetro y su valor verdadero. Si se somete a prueba la eficacia del método XSORT de selección del género, un cambio de 0.5 a 0.501 en la proporción de niñas no es muy importante, mientras que un cambio de 0.5 a 0.6 sí podría serlo. Este tipo de magnitudes de las diferencias afectan la potencia. Cuando se diseña un experimento, con frecuencia se puede plantear la meta de lograr una potencia de al menos 0.80 para determinar el tamaño de muestra mínimo requerido, como en el siguiente ejemplo.

EJEMPLO 12 **Cálculo del tamaño de muestra requerido para lograr una potencia del 80%** La siguiente es una afirmación similar a otra publicada en un artículo del *Journal of the American Medical Association:* "El diseño de prueba supuso que, con un nivel de significancia de 0.05, se necesitarían 153 sujetos elegidos al azar para lograr una potencia del 80% con la finalidad de detectar una reducción de 0.5 a 0.4 en la tasa de enfermedades coronarias". Antes de llevar a cabo el experimento, los investigadores eligieron un nivel de significancia de 0.05 y una potencia de al menos 0.80. También determinaron que una reducción en la proporción de enfermedad cardiaca coronaria de 0.5 a 0.4 es una diferencia importante que querían detectar (al rechazar de manera correcta la hipótesis nula falsa). Con un nivel de significancia de 0.05, una potencia de 0.80 y la proporción alternativa de 0.4, se utilizó Minitab para determinar que el tamaño de muestra mínimo requerido es 153. Así, los investigadores pueden proceder a obtener una muestra de al menos 153 sujetos elegidos al azar. Ante factores tales como las tasas de deserción, los investigadores quizá necesiten un poco más de 153 sujetos. (Véase el ejercicio 48).

8-2 Destrezas y conceptos básicos

Conocimientos estadísticos y pensamiento crítico

1. Prueba de hipótesis Al informar sobre una encuesta de 61,647 personas en *Elle*/MSNBC.COM, la revista *Elle* afirmó que "solo el 20% de los jefes son buenos comunicadores". Sin realizar cálculos formales, ¿parece que los resultados muestrales sustentan la afirmación de que menos del 50% de las personas creen que los jefes son buenos comunicadores? ¿Qué concluye después de saber que los resultados de la encuesta se obtuvieron por Internet, de personas que eligieron responder?

2. Interpretación del valor *P* Cuando termine el ensayo clínico del método XSORT para la selección del género, se llevará a cabo una prueba formal de hipótesis con la hipótesis alternativa de $p > 0.5$, que corresponde a la afirmación de que el método XSORT aumenta la probabilidad de tener una niña, de manera que la proporción de niñas es mayor que 0.5. Si usted fuera el responsable de desarrollar el método XSORT y quisiera demostrar su eficacia, ¿cuál de los siguientes valores *P* preferiría: 0.999, 0.5, 0.95, 0.05, 0.01, 0.001? ¿Por qué?

3. Comprobar si la media es igual a 325 mg Se etiquetan frascos de aspirina Bayer, con la afirmación de que cada tableta contiene 325 mg de aspirina. Un gerente de control de calidad considera que se puede usar una muestra grande de datos para sustentar la afirmación de que la cantidad media de aspirina en las tabletas es igual a 325 mg, como indica la etiqueta. ¿Se puede utilizar una prueba de hipótesis para sustentar dicha afirmación? ¿Por qué?

4. Apoyo a una afirmación En los resultados preliminares de parejas que utilizaron el método Gender Choice de selección del género para incrementar la probabilidad de tener una niña, 20 parejas utilizaron el método, de las cuales, 8 tuvieron niñas y 12 tuvieron niños. Puesto que la proporción muestral de niñas es 8/20 o 0.4, ¿los datos muestrales pueden sustentar la afirmación de que la proporción de niñas es mayor que 0.5? ¿Se puede utilizar cualquier proporción muestral menor que 0.5 para sustentar la afirmación de que la proporción poblacional es mayor que 0.5?

Conclusiones sobre afirmaciones. ***En los ejercicios 5 a 8, tome una decisión sobre la afirmación enunciada. Use solo la regla del evento inusual descrita en la sección 8-2 y haga estimaciones subjetivas para determinar si los eventos son probables. Por ejemplo, si se afirma que una moneda está cargada a favor de las caras y los resultados muestrales consisten en 11 caras entre 20 lanzamientos, concluya que no hay evidencia suficiente para apoyar la afirmación de que la moneda está cargada a favor de las caras (debido a que es muy fácil obtener 11 caras en 20 lanzamientos por azar utilizando una moneda legal).***

5. Afirmación: Al lanzar una moneda se obtienen más caras, y resultan 90 caras en 100 lanzamientos.

6. Afirmación: La proporción de hogares con teléfono es mayor que la proporción de 0.35 que se registró en el año 1920. Una muestra aleatoria simple reciente de 2480 hogares produjo una proporción de 0.955 hogares con teléfono (según datos de la Oficina de Censos de Estados Unidos).

7. Afirmación: El pulso medio (en latidos por minuto) de alumnos del autor es menor que 75, y una muestra aleatoria de estudiantes tiene un pulso medio de 74.4.

8. Afirmación: Los clientes de los cines tienen puntuaciones de CI con una desviación estándar menor que la desviación estándar de 15 de la población general, y una muestra aleatoria simple de 40 clientes de cines arroja puntuaciones de CI con una desviación estándar de 14.8.

Identificación de H_0 y H_1. ***En los ejercicios 9 a 16, examine la afirmación enunciada; después, exprese la hipótesis nula H_0 y la hipótesis alternativa H_1 de manera simbólica. Asegúrese de emplear el símbolo correcto (μ, p, σ) para el parámetro indicado.***

9. El ingreso anual medio de empleados que tomaron un curso de estadística es mayor que $60,000.

10. La proporción de individuos de entre 18 y 25 años que actualmente consumen drogas ilícitas es igual a 0.20 (o 20%).

11. La desviación estándar de la temperatura corporal humana es igual a 0.62°F.

12. La mayoría de los estudiantes universitarios tienen tarjeta de crédito.

13. La desviación estándar de las duraciones (en segundos) de las erupciones del géiser Old Faithful es menor que 40 segundos.

14. La desviación estándar de las cantidades diarias de lluvia en San Francisco es de 0.66 cm.

15. La proporción de hogares con extintores para incendios es de 0.80.

16. El peso medio del plástico desechado por los hogares en una semana es menor que 1 kg.

Cálculo de valores críticos. ***En los ejercicios 17 a 24, suponga que se aplica la distribución normal y calcule los valores z críticos.***

17. Prueba de dos colas; $\alpha = 0.01$.

18. Prueba de dos colas; $\alpha = 0.10$.

19. Prueba de cola derecha; $\alpha = 0.02$.

20. Prueba de cola izquierda; $\alpha = 0.10$.

21. $\alpha = 0.05$; H_1 es $p \neq 98.6°\text{F}$

22. $\alpha = 0.01$; H_1 es $p > 0.5$.

23. $\alpha = 0.005$; H_1 es $p < 5280$ pies.

24. $\alpha = 0.005$; H_1 es $p \neq 45$ mm.

Cálculo de estadísticos de prueba. ***En los ejercicios 25 a 28, calcule el valor del estadístico de prueba z utilizando***

$$z = \frac{\hat{p} - p}{\sqrt{\frac{pq}{n}}}$$

25. Experimento de genética La afirmación es que la proporción de plantas de guisantes con vainas amarillas es igual a 0.25 (o 25%), y los estadísticos muestrales de uno de los experimentos de Mendel incluyen 580 plantas de guisantes, de las cuales 152 tienen vainas amarillas.

26. Detectores de monóxido de carbono La afirmación es que menos de 1/2 de los adultos en Estados Unidos tienen detectores de monóxido de carbono. Una encuesta de KRC Research, aplicada a 1005 adultos, reveló que 462 tienen detectores de monóxido de carbono.

27. Comida italiana La afirmación es que más del 25% de los adultos eligen la comida italiana como su comida étnica favorita. Una encuesta de Harris Interactive, aplicada a 1122 adultos, reveló que 314 afirman que su comida étnica favorita es la italiana.

28. Cinturones de seguridad La afirmación es que más del 75% de los adultos usan siempre el cinturón de seguridad en el asiento delantero. Una encuesta de Harris, aplicada a 1012 adultos, reveló que 870 dicen que siempre usan el cinturón de seguridad en el asiento delantero.

Cálculo de valores *P*. ***En los ejercicios 29 a 36, utilice la información que se le da para calcular el valor P. (Sugerencia: Use el procedimiento que se resume en la figura 8-5). Asimismo, use un nivel de significancia de 0.05 y plantee la conclusión sobre la hipótesis nula (se rechaza o no se rechaza).***

29. El estadístico de prueba, en una prueba de cola izquierda, es $z = -1.25$.

30. El estadístico de prueba, en una prueba de cola derecha, es $z = 2.50$.

31. El estadístico de prueba, en una prueba de dos colas, es $z = 1.75$.

32. El estadístico de prueba, en una prueba de dos colas, es $z = -0.55$.

33. Con H_1: $p \neq 0.707$, el estadístico de prueba es $z = -2.75$.

34. Con H_1: $p \neq 3/4$, el estadístico de prueba es $z = 0.35$.

35. Con H_1: $p > 1/4$, el estadístico de prueba es $z = 2.30$.

36. Con H_1: $p < 0.777$, el estadístico de prueba es $z = -2.95$.

Redacción de conclusiones. ***En los ejercicios 37 a 40, plantee la conclusión final en términos sencillos y sin tecnicismos. Asegúrese de retomar la afirmación original. (Sugerencia: Consulte la figura 8-7).***

37. Afirmación original: El porcentaje de dulces M&M azules es mayor que el 5%.

Conclusión inicial: No se rechaza la hipótesis nula.

38. Afirmación original: El porcentaje de vuelos de aerolíneas estadounidenses a tiempo es menor que el 75%.

Conclusión inicial: Se rechaza la hipótesis nula.

39. Afirmación original: El porcentaje de estadounidenses que conocen su calificación de crédito es igual al 20%.

Conclusión inicial: No se rechaza la hipótesis nula.

40. Afirmación original: El porcentaje de estadounidenses que creen en la existencia del cielo es igual al 90%.

Conclusión inicial: Se rechaza la hipótesis nula.

Identificación de errores tipo I y tipo II. ***En los ejercicios 41 a 44, identifique el error tipo I y el error tipo II correspondientes a la hipótesis enunciada.***

41. El porcentaje de no fumadores expuestos al tabaquismo pasivo es igual al 41%.

42. El porcentaje de estadounidenses que creen que la vida existe solo en la Tierra es igual al 20%.

43. El porcentaje de estudiantes universitarios que consumen alcohol es mayor que el 70%.

44. El porcentaje de hogares con al menos dos teléfonos celulares es menor que el 60%.

8-2 Más allá de lo básico

45. Nivel de significancia

a) Si se rechaza una hipótesis nula con un nivel de significancia de 0.05, ¿también se rechaza con un nivel de significancia de 0.01? ¿Por qué?

b) Si se rechaza una hipótesis nula con un nivel de significancia de 0.01, ¿también se rechaza con un nivel de significancia de 0.05? ¿Por qué?

46. Interpretación de la potencia Las tabletas Chantix se utilizan para ayudar a las personas que quieren dejar de fumar. En un ensayo clínico, 129 sujetos fueron tratados con Chantix dos veces al día durante 12 semanas, y 16 de ellos experimentaron dolor abdominal (según datos de Pfizer, Inc.). Si alguien afirma que más del 8% de los usuarios de Chantix experimentan dolor abdominal, esa afirmación está respaldada con una prueba de hipótesis realizada con un nivel de significancia de 0.05. Con un valor de p alternativo de 0.18, la potencia de la prueba es de 0.96. Interprete este valor de la potencia de la prueba.

47. Cálculo de la potencia Considere una prueba de hipótesis de la afirmación de que el método de MicroSort para la selección del género aumenta la probabilidad de tener una niña ($p > 0.5$). Suponga que se utiliza un nivel de significancia $\alpha = 0.05$ y que se trata de una muestra aleatoria simple de tamaño $n = 64$.

a) Suponiendo que la proporción poblacional verdadera es 0.65, calcule la potencia de la prueba, que es la probabilidad de rechazar la hipótesis nula cuando es falsa. (*Sugerencia:* Con un nivel de significancia de 0.05, el valor crítico es $z = 1.645$, de manera que cualquier estadístico de prueba en la cola derecha de la primera gráfica que se muestra a continuación es la región de rechazo donde se sustenta la afirmación. Calcule la proporción muestral $\hat{p}$ de la primera gráfica, y utilícela para calcular la potencia que se observa en la gráfica inferior).

b) Explique por qué la región sombreada de la gráfica inferior corresponde a la potencia de la prueba.

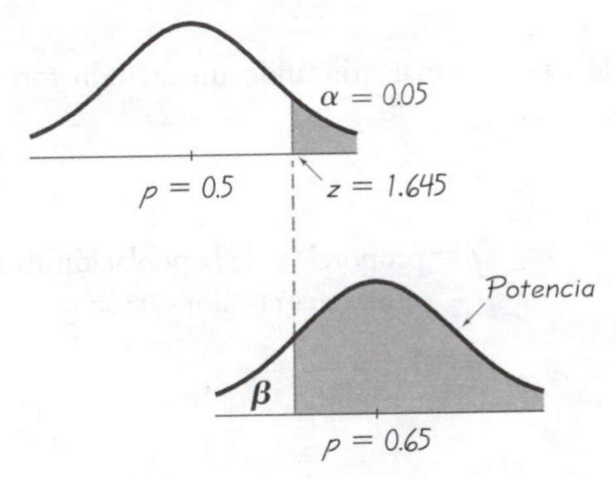

48. Cálculo del tamaño de muestra para lograr potencia Un grupo de investigadores planean realizar una prueba a un método para la selección del género, y piensan usar la hipótesis alternativa de H_1: $p > 0.5$ y un nivel de significancia de $\alpha = 0.05$. Calcule el tamaño de muestra que se requiere para lograr una potencia de al menos el 80% que permita detectar un aumento en p de 0.5 a 0.55. (*Este ejercicio es muy difícil. Sugerencia: Consulte el ejercicio 47*).

8-3 Prueba de una afirmación respecto de una proporción

Concepto clave En la sección 8-2 se presentaron los componentes individuales de una prueba de hipótesis. En esta sección se describen procedimientos completos para someter a prueba una hipótesis (o afirmación) respecto de una proporción poblacional. Se ilustra la prueba de hipótesis con el método del valor *P*, el método tradicional y el uso de intervalos de confianza. Además de someter a prueba afirmaciones respecto de proporciones poblacionales, podemos utilizar los mismos procedimientos para someter a prueba afirmaciones sobre probabilidades o equivalentes decimales de porcentajes.

Los siguientes son ejemplos de los tipos de afirmaciones que podremos someter a prueba:

- **Genética:** El Genetics & IVF Institute afirma que con su método XSORT las parejas incrementan la probabilidad de tener una niña, de manera que la proporción de niñas con este método es mayor que 0.5.
- **Medicina:** Las mujeres embarazadas pueden conjeturar de forma correcta el sexo de su bebé, de manera que están en lo correcto más del 50% de las veces.
- **Entretenimiento:** Del número de televisores que estaban encendidos durante un reciente Súper Bowl, el 64% estaba sintonizando el juego.

Dos métodos comunes para someter a prueba una afirmación sobre una proporción poblacional son: **1.** utilizar una distribución normal como aproximación de la distribución binomial y **2.** utilizar un método exacto basado en la distribución de probabilidad binomial. En la parte 1 de esta sección se utiliza el método de la aproximación con la distribución normal, y en la parte 2 se describe brevemente el método exacto.

Parte 1: Métodos básicos para la prueba de afirmaciones acerca de una proporción poblacional p

El siguiente recuadro incluye los elementos básicos que se usan para someter a prueba una afirmación acerca de una proporción poblacional.

Requisitos

Objetivo

Someter a prueba una afirmación acerca de una proporción poblacional utilizando un método formal para la prueba de hipótesis.

Notación

n = tamaño de muestra o número de ensayos

$\hat{p} = \frac{x}{n}$ (proporción *muestral*)

p = proporción de la población (basada en la afirmación, p es el valor que se usa en la hipótesis nula)

$q = 1 - p$

Requisitos

1. Las observaciones muestrales son una muestra aleatoria simple.
2. Se satisfacen las condiciones para una *distribución binomial.* (Existe un número fijo de ensayos independientes con probabilidades constantes, y cada ensayo tiene dos categorías de resultados: "éxito" y "fracaso").
3. Se satisfacen las condiciones $np \geq 5$ y $nq \geq 5$ por lo tanto, **la distribución binomial de proporciones muestrales puede aproximarse mediante una distribución normal, con $\mu = np$ y $\sigma = \sqrt{npq}$** (como se describió en la sección 6-6). Observe que p es la proporción *supuesta* que se utiliza en la afirmación y no la proporción muestral.

Estadístico de prueba para probar una afirmación acerca de una proporción

$$z = \frac{\hat{p} - p}{\sqrt{\frac{pq}{n}}}$$

Valores *P*: Utilice la distribución normal estándar (tabla A-2) y remítase a la figura 8-5.

Valores críticos: Utilice la distribución normal estándar (tabla A-2).

ADVERTENCIA

Recordatorio: Evite confundir un valor P con una proporción p. **Valor P** = probabilidad de obtener un estadístico de prueba al menos tan extremo como el que representa a los datos muestrales, en tanto que p = proporción poblacional.

La prueba estadística anterior no incluye una corrección por continuidad (como se describió en la sección 6-6), ya que su efecto tiende a ser muy pequeño con muestras grandes.

EJEMPLO 1 **Prueba de la eficacia del método MicroSort para la selección del género** En el problema del capítulo se describieron los siguientes resultados de ensayos del método XSORT para la selección del género, creado por el Genetics & IVF Institute: de 726 bebés de parejas que utilizaron el método XSORT con la intención de tener una niña, 668 fueron niñas y el resto fueron varones. Utilice esos resultados, con un nivel de significancia de 0.05, para someter a prueba la afirmación de que, de los bebés nacidos de parejas que utilizaron el método XSORT, la proporción de niñas es mayor que el valor de 0.5, que es el esperado sin tratamiento. El siguiente es un resumen de la afirmación y de los datos muestrales:

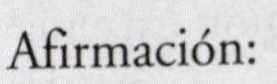

Afirmación: Con el método XSORT, la proporción de niñas es mayor que 0.5. Es decir, $p > 0.5$.

Datos muestrales: $n = 726$ y $\hat{p} = \frac{668}{726} = 0.920$

Antes de iniciar la prueba de hipótesis, verifique si se cumplen los requisitos necesarios.

VERIFICACIÓN DE REQUISITOS Primero verificamos los tres requisitos.

1. No es probable que los sujetos del ensayo clínico constituyan una muestra aleatoria simple, pero en este caso el sesgo no es un gran problema, ya que una pareja que desea tener una niña no puede incidir sobre el sexo de su bebé sin el uso de un tratamiento eficaz. Las parejas voluntarias son autoseleccionadas, pero ello no afecta el resultado en esta situación.

continúa

2. Hay un número fijo (726) de ensayos independientes con dos categorías (el bebé es niño o niña).

3. Los requisitos $np \geq 5$ y $nq \geq 5$ se satisfacen con $n = 726$, $p = 0.5$ y $q = 0.5$. [Obtenemos $np = (726)(0.5) = 363 \geq 5$ y $nq = (726)(0.5) = 363 \geq 5$].

Los tres requisitos se satisfacen. 

El método del valor *P*

En la figura 8-8, de la página 406, se describen los pasos correspondientes al método del valor *P*. Al seguir los pasos de esa figura, podemos someter a prueba la afirmación del ejemplo 1, como sigue:

Paso 1. La afirmación original en forma simbólica es $p > 0.5$.

Paso 2. El opuesto de la afirmación original es $p \leq 0.5$.

Paso 3. De las dos expresiones simbólicas anteriores, la expresión $p > 0.5$ no contiene igualdad, por lo que se convierte en la hipótesis alternativa. La hipótesis nula es la afirmación de que *p* iguala el valor fijo de 0.5. Por consiguiente, podemos expresar H_0 y H_1 de la siguiente manera:

$$H_0: p = 0.5$$
$$H_1: p > 0.5$$

Paso 4. Seleccionamos $\alpha = 0.05$, para el nivel de significancia, que es una opción muy común.

Paso 5. En virtud de que estamos sometiendo a prueba una afirmación acerca de una proporción poblacional *p*, el estadístico de prueba $\hat{p}$ es relevante, y en este caso podemos aproximar la distribución muestral de las proporciones muestrales $\hat{p}$ por medio de una distribución normal.

Paso 6. El estadístico de prueba es $z = 22.63$, que se calcula de la siguiente manera:

$$z = \frac{\hat{p} - p}{\sqrt{\frac{pq}{n}}} = \frac{0.920 - 0.5}{\sqrt{\frac{(0.5)(0.5)}{726}}} = 22.63$$

Ahora obtenemos el valor *P* utilizando el siguiente procedimiento, que se muestra en la figura 8-5:

Prueba de cola izquierda: Valor *P* = área a la izquierda del estadístico de prueba *z*

Prueba de cola derecha: Valor *P* = área a la derecha del estadístico de prueba *z*

Prueba de dos colas: Valor *P* = *dos veces* el área de la región extrema limitada por el estadístico de prueba *z*

Puesto que la prueba de hipótesis que estamos realizando es de cola derecha, con un estadístico de prueba $z = 22.63$, el valor *P* es el área a la derecha de $z = 22.63$. Si nos remitimos a la tabla A-2, observamos que para los valores de $z = 3.50$ y mayores, utilizamos 0.0001 para el área acumulada a la *derecha* del estadístico de prueba. Por lo tanto, el valor *P* es 0.0001. (Con las herramientas tecnológicas, el valor *P* resulta mucho más cercano a 0). La figura 8-10 muestra el estadístico de prueba y el valor *P* para este ejemplo.

Paso 7. Puesto que el valor *P* de 0.0001 es menor que o igual al nivel de significancia $\alpha = 0.05$, rechazamos la hipótesis nula.

Paso 8. Concluimos que existe suficiente evidencia muestral para sustentar la afirmación de que, de los bebés nacidos de parejas que utilizaron el método XSORT, la proporción de niñas es mayor que 0.5. (Consulte la figura 8-7 para ayudarse a redactar esta conclusión final). Parece que el método XSORT es eficaz.

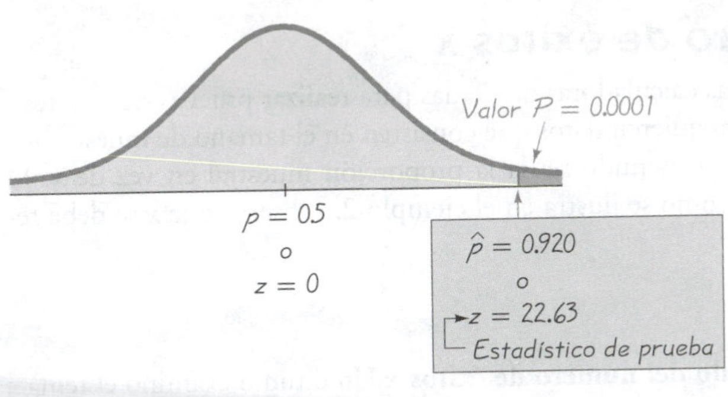

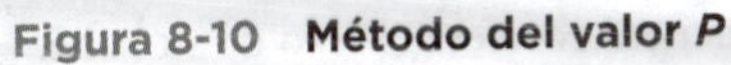

Figura 8-10 Método del valor *P*

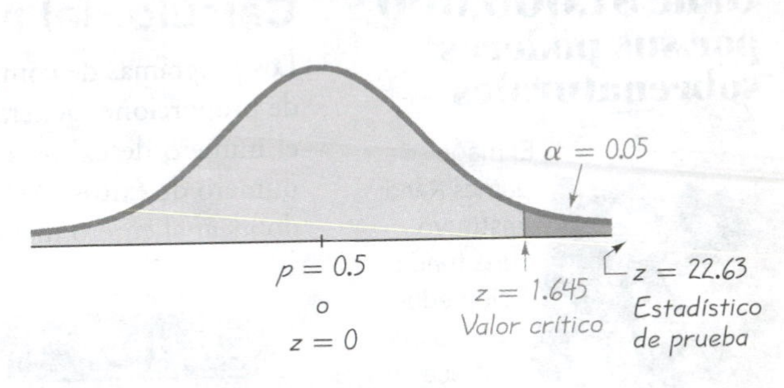

Figura 8-11 Método tradicional

El método tradicional

El método tradicional de prueba de hipótesis se resume en la figura 8-9. Si utilizamos el método tradicional con la afirmación enunciada en el ejemplo 1, los pasos 1 al 5 son iguales a los pasos 1 al 5 del método del valor *P*, como se vio antes. Así que continuamos con el paso 6 del método tradicional.

Paso 6. El estadístico de prueba es $z = 22.63$, como vimos con el método del valor *P*. En el método tradicional, ahora calculamos el valor crítico (en vez del valor *P*). Se trata de una prueba de cola derecha, de manera que el área de la región crítica es un área de $a = 0.05$ en la cola derecha. Si nos remitimos a la tabla A-2 y aplicamos los métodos de la sección 6-2, obtenemos que el valor crítico de $z = 1.645$ se encuentra en el límite de la región crítica. Observe la figura 8-11.

Paso 7. Como el estadístico de prueba se localiza dentro de la región crítica, rechazamos la hipótesis nula.

Paso 8. Concluimos que existe suficiente evidencia muestral para sustentar la afirmación de que, entre los bebés de parejas que utilizan el método XSORT, la proporción de niñas es mayor que 0.5, por lo que parece que el método XSORT es eficaz.

Método del intervalo de confianza

La afirmación de $p > 0.5$ puede someterse a prueba con un nivel de significancia de 0.05, construyendo un intervalo de confianza del 90% (como se observa en la tabla 8-2, de la página 406). (En general, para las pruebas de hipótesis de *dos colas*, construya un intervalo de confianza con un nivel de confianza correspondiente al nivel de significancia, pero para las pruebas de hipótesis de *una cola*, utilice un nivel de confianza correspondiente al *doble* del nivel de significancia, como se observa en la tabla 8-2).

La estimación del intervalo de confianza del 90% de la proporción poblacional *p* se calcula utilizando los datos muestrales $n = 726$ y $\hat{p} = 668/726 = 0.920$. Si usamos los métodos de la sección 7-2, obtenemos: $0.904 < p < 0.937$. Todo el intervalo está por arriba de 0.5. Como tenemos una confianza del 90% de que el valor verdadero de *p* está contenido dentro de los límites de 0.904 y 0.937, tenemos evidencia suficiente para sustentar la afirmación de que $p > 0.5$. Por lo tanto, llegamos a la misma conclusión con el método del valor *P* y con el método tradicional.

ADVERTENCIA

Cuando se someten a prueba afirmaciones acerca de una proporción poblacional, el método tradicional y el método del valor *P* son equivalentes en el sentido de que siempre dan los mismos resultados, pero el método del intervalo de confianza no es equivalente a los anteriores y en ocasiones puede llevar a conclusiones diferentes. (Tanto el método tradicional como el método del valor *P* utilizan la misma desviación estándar basada en la *proporción establecida p*, pero el intervalo de confianza emplea una desviación estándar estimada con base en la *proporción muestral* $\hat{p}$). He aquí una buena estrategia: utilice un intervalo de confianza para *estimar* una proporción poblacional, pero utilice el método del valor *P* o el método tradicional para *someter a prueba una afirmación* acerca de una proporción.

Gane $1,000,000 por sus poderes sobrenaturales

El mago James Randi instituyó una fundación educativa que ofrece un premio de $1 millón a quien pueda demostrar poderes paranormales, sobrenaturales u ocultos. Cualquiera que posea un poder como el de adivinar el futuro, capacidad de percepción extrasensorial (PES) o la habilidad para comunicarse con los muertos puede ganar el premio si pasa ciertos procedimientos de prueba. Primero se realiza una prueba preliminar y después una formal, pero hasta ahora nadie ha salido con éxito de la prueba preliminar. La prueba formal se diseñaría con métodos estadísticos sólidos, y probablemente incluiría un análisis con una prueba de hipótesis formal. Según la fundación, se consulta a "especialistas competentes en estadística cuando se necesita evaluar los resultados o diseñar experimentos".

Cálculo del número de éxitos *x*

Los programas de cómputo y las calculadoras diseñadas para realizar pruebas de hipótesis de proporciones generalmente requieren datos que consisten en el tamaño de muestra n y el número de éxitos x, aunque a menudo se da la proporción muestral en vez de x. El número de éxitos x se obtiene como se ilustra en el ejemplo 2. Observe que x se debe redondear al entero más cercano.

EJEMPLO 2

Cálculo del número de éxitos *x* Un estudio examinó el tema de si las mujeres embarazadas pueden conjeturar de manera correcta el sexo de su bebé. De 104 mujeres reclutadas, el 55% conjeturó de manera correcta el sexo del bebé (según datos de "Are Women Carrying 'Basketballs' Really Having Boys? Testing Pregnancy Folklore", de Perry, DiPietro y Constigan, *Birth*, vol. 26, núm 3). De las 104 mujeres, ¿cuántas hicieron conjeturas correctas?

SOLUCIÓN

El número de mujeres que hicieron conjeturas correctas es el 55% de 104, o $0.55 \times 104 = 57.2$. El producto de 0.55×104 es 57.2, pero el número de mujeres que hicieron conjeturas correctas debe ser un número entero, de manera que redondeamos el producto al número entero más cercano de 57.

Aunque un informe de los medios de comunicación acerca de este estudio mencionó que se trataba de un "55%", el porcentaje más exacto del 54.8% se obtuvo utilizando el número real de conjeturas correctas (57) y el tamaño de muestra (104). Al realizar una prueba de hipótesis, se pueden obtener mejores resultados utilizando la proporción muestral de 0.548 (en vez de 0.55).

EJEMPLO 3

¿Puede una mujer embarazada predecir el sexo de su hijo? En el ejemplo 2 nos referimos a un estudio en el que 57 de 104 mujeres embarazadas conjeturaron de manera correcta el sexo de sus hijos. Utilice los mismos datos muestrales para someter a prueba la afirmación de que la tasa de éxito de ese tipo de conjeturas no difiere de la tasa del 50% de éxitos que se esperaría por el azar. Utilice un nivel de significancia de 0.05.

SOLUCIÓN

VERIFICACIÓN DE REQUISITOS **1.** Puesto que se reclutó a los sujetos, y considerando las demás condiciones descritas en el estudio, es razonable considerar que se trata de una muestra aleatoria simple. **2.** Existe un número fijo (104) de ensayos independientes con dos categorías (la madre conjetura de forma correcta o no el sexo de su bebé). **3.** Los requisitos de $np \geq 5$ y $nq \geq 5$ se satisfacen con $n = 104$, $p = 0.5$ y $q = 0.5$. Obtenemos $np = (104)(0.5) = 52 \geq 5$ y $nq = (104)(0.5) = 52 \geq 5$. Los tres requisitos se cumplen. ✓

Procedemos a realizar la prueba de hipótesis utilizando el método del valor P que se resume en la figura 8-8.

Paso 1: La afirmación original es que la tasa de éxito no es diferente del 50%, y esto se expresa en forma simbólica como $p = 0.50$.

Paso 2: Lo contrario a la afirmación original es $p \neq 0.50$.

Paso 3: Como $p \neq 0.50$ no contiene la igualdad, se convierte en H_1. Así, se obtiene

H_0: $p = 0.50$ (hipótesis nula y afirmación original)

H_1: $p \neq 0.50$ (hipótesis alternativa)

Paso 4: El nivel de significancia es $\alpha = 0.05$.

Paso 5: Como la afirmación incluye la proporción p, el estadístico relevante para esta prueba es la proporción muestral $\hat{p}$, y la distribución muestral de proporciones muestrales puede aproximarse mediante la distribución normal.

Paso 6: El estadístico de prueba $z = 0.98$ se calcula de la siguiente manera:

$$z = \frac{\hat{p} - p}{\sqrt{\frac{pq}{n}}} = \frac{\frac{57}{104} - 0.50}{\sqrt{\frac{(0.50)(0.50)}{104}}} = 0.98$$

Remítase a la figura 8-5 que incluye el procedimiento para calcular el valor P. En la figura se observa que, para esta prueba de dos colas, con el estadístico de prueba localizado a la derecha del centro (porque $z = 0.98$ es positivo), el valor P es *el doble* del área a la derecha del estadístico de prueba. En la tabla A-2 vemos que $z = 0.98$ tiene un área de 0.8365 a su izquierda. Así, el área a la derecha de $z = 0.98$ es $1 - 0.8365 = 0.1635$, que duplicamos para obtener 0.3270. (Las herramientas tecnológicas nos dan el valor P más exacto de 0.3268).

Paso 7: Como el valor P de 0.3270 es mayor que el nivel de significancia de 0.05, no rechazamos la hipótesis nula.

INTERPRETACIÓN

Los métodos de prueba de hipótesis nunca nos permiten sustentar una afirmación de igualdad, de manera que no podemos concluir que las mujeres embarazadas tienen una tasa de éxito igual al 50% cuando hacen conjeturas sobre el sexo de sus bebés. La conclusión correcta es: No hay suficiente evidencia para justificar el rechazo de la afirmación de que las mujeres que conjeturan el sexo de sus bebés tienen una tasa de éxito igual al 50%.

Método tradicional: Si repitiéramos el ejemplo 3 con el método tradicional de prueba de hipótesis, veríamos que en el paso 6 los valores críticos son $z = -1.96$ y $z = 1.96$. En el paso 7 no rechazaríamos la hipótesis nula, ya que el estadístico de prueba $z = 0.98$ no caería dentro de la región crítica y llegaríamos a la misma conclusión enunciada en el ejemplo 3.

Método del intervalo de confianza: Si repitiéramos el ejemplo anterior con el método del intervalo de confianza, obtendríamos el siguiente intervalo de confianza del 95%: $0.452 < p < 0.644$. Puesto que los límites del intervalo de confianza contienen el valor de 0.5, la tasa de éxito podría ser del 50%, por lo que no habría evidencia suficiente para rechazar la tasa del 50%. En este caso, el método del valor P, el método tradicional y el método del intervalo de confianza conducen a la misma conclusión.

Parte 2: Método exacto para someter a prueba afirmaciones sobre una proporción poblacional p

En vez de utilizar la distribución normal como *aproximación* de la distribución binomial, podemos obtener resultados *exactos* utilizando la distribución de probabilidad binomial. Es muy engorroso calcular a mano las probabilidades binomiales, pero la tecnología simplifica bastante este proceso. Además, este método exacto no requiere que $np \geq 5$ y $nq \geq 5$, de manera que contamos con un método que se puede aplicar cuando ese requisito no se cumple. Para someter a prueba hipótesis utilizando la distribución binomial exacta, utilice la distribución de probabilidad binomial con el método del valor P, utilice el valor de p supuesto en la hipótesis nula, y calcule los valores P de la siguiente manera:

Prueba de cola izquierda: El valor P es la probabilidad de obtener x o menos éxitos en los n ensayos.

Prueba de cola derecha: El valor P es la probabilidad de obtener x o más éxitos en los n ensayos.

Proceso de aprobación de un fármaco

Lograr la aprobación de la FDA para un fármaco nuevo es costoso y requiere de mucho tiempo. Las diferentes etapas para lograr la aprobación de un nuevo fármaco son:

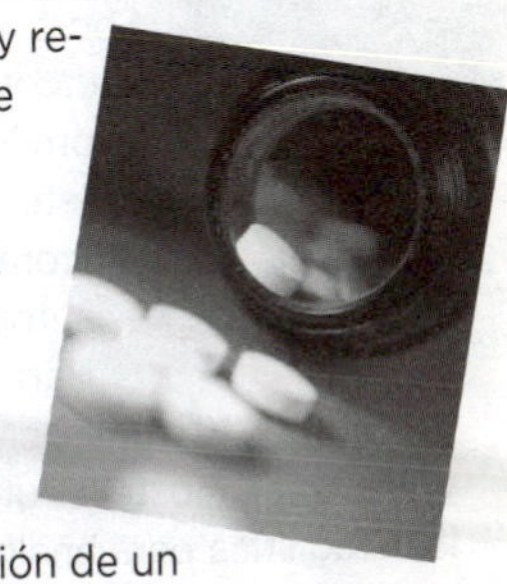

- **Estudio de fase I:** Se prueba la seguridad del fármaco con un grupo pequeño de voluntarios (de 20 a 100).
- **Fase II:** Se prueba la eficacia del fármaco en ensayos aleatorios con un grupo más grande de sujetos (entre 100 y 300). Esta fase a menudo incluye sujetos asignados al azar a un grupo de tratamiento o a un grupo de placebo.
- **Fase III:** La meta consiste en comprender mejor la eficacia del fármaco, así como sus efectos adversos. En la fase III generalmente participan de 1,000 a 3,000 sujetos, y suele requerir varios años de pruebas.

Lisa Gibbs escribió en la revista *Money* que "la industria (farmacéutica) afirma que por cada 5,000 tratamientos que se someten a prueba, solo cinco llegan a los ensayos clínicos y solo 1 termina en las farmacias". Las estimaciones del costo total varían desde $40 millones hasta $1,500 millones.

Ventaja del equipo local

En un artículo de la revista *Chance* titulado "Predicting Professional Sports Game Outcomes from Intermediate Game Scores", los autores Harris Cooper, Kristina DeNeve y Frederick Mosteller utilizaron la estadística para analizar dos creencias comunes: los equipos tienen una ventaja cuando juegan en casa, y solo cuenta el último cuarto de los partidos profesionales de basquetbol. Utilizando una muestra aleatoria de cientos de partidos, encontraron que, en los cuatro deportes más populares, el equipo local gana aproximadamente el 58.6% de los partidos. Además, los equipos de basquetbol que van ganando después de tres cuartos del juego, ganan aproximadamente en cuatro de cada cinco ocasiones, aunque los equipos de béisbol que van ganando después de 7 entradas ganan alrededor de 19 de cada 20 ocasiones. Los métodos de análisis estadístico incluyeron la distribución chi cuadrada aplicada a una tabla de contingencia.

Prueba de dos colas: Si $\hat{p} > p$, el valor P es el doble de la probabilidad de obtener x o más éxitos;
Si $\hat{p} < p$, el valor P es el doble de la probabilidad de obtener x o menos éxitos.

EJEMPLO 4

Uso del método exacto Repita el ejemplo 3 utilizando las probabilidades binomiales exactas en vez de la distribución normal. Es decir, someta a prueba la afirmación de que cuando las mujeres embarazadas hacen conjeturas sobre el sexo de sus bebés, tienen una tasa de éxito del 50%. Utilice los datos muestrales que consisten en 104 conjeturas, de las cuales 57 son correctas. Utilice un nivel de significancia de 0.05.

SOLUCIÓN

VERIFICACIÓN DE REQUISITOS Es necesario verificar solo los primeros dos requisitos descritos casi al principio de esta sección, aunque ya se verificaron en el ejemplo 3, por lo que podemos seguir con la solución.

Como en el ejemplo 3, las hipótesis nula y alternativa son las siguientes:

H_0: $p = 0.50$ (hipótesis nula y afirmación original)

H_1: $p \neq 0.50$ (hipótesis alternativa)

En vez de calcular el estadístico de prueba y el valor P como en el ejemplo 3, utilizamos una herramienta tecnológica para calcular las probabilidades de una distribución binomial con $p = 0.50$. Como se trata de una prueba de dos colas con $\hat{p} > p$ (o $57/104 > 0.50$), el valor P es *el doble* de la probabilidad de obtener 57 o más éxitos en 104 ensayos, suponiendo que $p = 0.50$. Vea la siguiente pantalla de STATDISK, con las probabilidades exactas de la distribución binomial. Esta pantalla indica que la probabilidad de 57 o más éxitos es 0.1887920, de manera que el valor P es $2 \times 0.1887920 = 0.377584$. El valor P de 0.377584 es alto (mayor que 0.05), lo que indica que las 57 conjeturas correctas en 104 ensayos se pueden explicar fácilmente por el azar. Como el valor P es mayor que el nivel de significancia de 0.05, no se rechaza la hipótesis nula y se formula la misma conclusión del ejemplo 3.

STATDISK

Num Trials, n: 104
Success Prob, p: 0.5
Evaluate

Mean: 52.0000
St Dev: 5.0990
Variance: 26.0000

x	P(x)	P(x or fewer)	P(x or greater)
52	0.0780512	0.5390256	0.5390256
53	0.0765785	0.6156041	0.4609744
54	0.0723241	0.6879282	0.3843959
55	0.0657492	0.7536775	0.3120718
56	0.0575306	0.8112080	0.2463225
57	0.0484468	0.8596548	0.1887920
58	0.0392586	0.8989134	0.1403452
59	0.0306084	0.9295219	0.1010866
60	0.0229563	0.9524782	0.0704781
61	0.0165586	0.9690368	0.0475218
62	0.0114842	0.9805210	0.0309632
63	0.0076561	0.9881772	0.0194790
64	0.0049047	0.9930819	0.0118228

En el ejemplo 3 obtuvimos un valor P de 0.3270, pero el método exacto del ejemplo 4 nos da el valor P más exacto de 0.377584. Por lo general, la distribución normal como aproximación de la distribución binomial se estudia en los cursos de introducción a la estadística, pero la tecnología está modificando la forma en que se utilizan los métodos estadísticos. Llegará el momento en que el método exacto elimine la necesidad de aproximar la distribución binomial por medio de la distribución normal para someter a prueba afirmaciones acerca de proporciones poblacionales.

Fundamentos del estadístico de prueba: El estadístico de prueba empleado en la parte 1 de esta sección se justifica señalando que cuando se usa la distribución normal para aproximar la distribución binomial, utilizamos $\mu = np$ y $\sigma = \sqrt{npq}$ para obtener

$$z = \frac{x - \mu}{\sigma} = \frac{x - np}{\sqrt{npq}}$$

Empleamos la expresión anterior en la sección 6-6, junto con una corrección por continuidad, pero cuando se someten a prueba afirmaciones acerca de una proporción poblacional, hacemos dos modificaciones. Primero, no empleamos la corrección por continuidad porque su efecto suele ser muy pequeño para las muestras grandes que estamos considerando. Además, en vez de utilizar la expresión anterior para calcular el estadístico de prueba, empleamos una expresión equivalente obtenida al dividir el numerador y el denominador entre n, y sustituimos x/n por el símbolo $\hat{p}$ para obtener el estadístico de prueba que estamos usando. El resultado final es que el estadístico de prueba es simplemente la misma puntuación estándar (de la sección 3-4) de $z = (x - \mu)/\sigma$, pero modificada para la notación binomial.

USO DE LA TECNOLOGÍA

STATDISK Seleccione **Analysis, Hypothesis Testing, Proportion-One Sample**, después proceda a introducir los datos en el cuadro de diálogo. Vea la siguiente imagen sobre el ejemplo 3 de esta sección.

STATDISK

1) Pop. Proportion = Claimed Proportion

Significance:	0.05
Claimed Proportion:	0.5
Sample Size, n:	104
Num Successes, x:	57

Claim: p = p(hyp)
Sample proportion: 0.5480769
Test Statistic, z: 0.9806
Critical z: ±1.9600
P-Value: 0.3268

95% Confidence interval:
0.4524271 < p < 0.6437267

Fail to Reject the Null Hypothesis
Sample does not provide enough evidence to reject the claim

Evaluate | Print | Plot | Help ?

MINITAB Seleccione **Stat, Basic Statistics, 1 Proportion**, luego haga clic en el botón "Summarized data". Introduzca el tamaño de muestra y el número de éxitos, después haga clic en **Options** y proceda a introducir los datos en el cuadro de diálogo. Para el nivel de confianza, introduzca el complemento del nivel de significancia. (Ingrese 95.0 para un nivel de significancia de 0.05). Para el valor de "test proportion", ingrese la proporción empleada en la hipótesis nula. Para "alternative", seleccione el formato usado para la hipótesis alternativa. En vez de usar una aproximación mediante la distribución normal, el procedimiento predeterminado de Minitab consiste en determinar el valor P empleando un método exacto, que suele ser el mismo que se describió en la parte 2 de esta sección. (Si se trata de una prueba de dos colas y el valor supuesto de p no es 0.5, el método exacto de Minitab difiere del que se describió en la parte 2 de esta sección). Para utilizar el método de aproximación mediante la distribución normal presentado en la parte 1 de esta sección, haga clic en el botón **Options** y luego en el recuadro que dice "Use test and interval based on normal distribution".

En **Minitab 16**, también puede hacer clic en **Assistant**, luego en **Hypothesis Tests** y luego seleccione el caso para **1-Sample % Defective**. Complete el cuadro de diálogo y luego haga clic en **OK** para obtener tres ventanas de resultados que incluyen el valor P y otro tipo de información valiosa.

EXCEL Primero introduzca el número de éxitos en la celda A1 e introduzca el número total de ensayos en la celda B1. Utilice el complemento Data Desk XL. (Si utiliza Excel 2010 o Excel 2007, primero haga clic en **Adds-Ins**). Haga clic en **DDXL** y luego seleccione **Hypothesis Tests.** En la función de teclear opciones, seleccione **Summ 1 Var Prop Test** (para someter a prueba una proporción establecida usando datos resumidos de una variable). Haga clic en el icono del lápiz en "Num successes" e introduzca !A1. Haga clic en el icono del lápiz en "Num trials" e introduzca !B1. Haga clic en **OK**. Siga los cuatro pasos listados en el cuadro de diálogo. Después de marcar **Compute** en el paso 4, obtendrá el valor P, el estadístico de prueba y la conclusión.

TI-83/84 PLUS Presione **STAT**, seleccione **TESTS** y luego elija **1-PropZTest**. Introduzca el valor establecido de la proporción poblacional para p0, luego introduzca los valores de x y n, y después seleccione el tipo de prueba. Resalte **Calculate** y luego presione la tecla **ENTER**.

8-3 Destrezas y conceptos básicos

Conocimientos estadísticos y pensamiento crítico

1. Proporción muestral En una encuesta Harris, se preguntó a un grupo de adultos si estaban a favor de eliminar las monedas de un centavo de dólar, y 1261 respondieron "no", 491 respondieron "sí", y 384 no opinaron. ¿Cuál es la proporción muestral de respuestas *afirmativas*, y qué notación se utiliza para representarla?

2. Encuesta en línea America Online realizó una encuesta en la que pidió a usuarios de Internet que respondieran la siguiente pregunta: "¿Quiere vivir 100 años?". De 5266 respuestas, 3042 fueron afirmativas. ¿Es válido usar esos resultados de muestra para someter a prueba la afirmación de que la mayoría de los integrantes de la población general desean vivir 100 años? ¿Por qué?

3. Interpretación del valor *P* En 280 ensayos con terapeutas de contacto profesionales, 123 veces se obtuvieron respuestas correctas a una pregunta. Se obtuvo el valor P de 0.979 cuando se sometió a prueba la afirmación de que $p > 0.5$ (la proporción de respuestas correctas es mayor que la proporción de 0.5 que se esperaría por el azar). ¿Cuál es el valor de la proporción muestral? Con base en el valor P de 0.979, ¿qué debemos concluir acerca de la afirmación de que $p > 0.5$?

4. Notación y valor *P*

a) Remítase al ejercicio 3 y establezca la diferencia entre el valor de p y el valor P.

b) Antes establecimos que es más fácil recordar la manera de interpretar los valores P de la siguiente manera: "Si P es un valor bajo, la hipótesis nula se rechaza; si P es un valor alto, la hipótesis nula se queda". ¿Qué significa esto?

En los ejercicios 5 a 8, identifique los valores indicados o interprete la pantalla de resultados que se presenta. Utilice la distribución normal como aproximación de la distribución binomial (como se describe en la parte 1 de esta sección).

5. Solicitudes universitarias en línea Un estudio reciente reveló que el 53% de las solicitudes de ingreso a las universidades se envían por Internet (según datos de la National Association of College Admissions Counseling). Suponga que este resultado se basa en una muestra aleatoria simple de 1000 solicitudes, de las cuales 530 fueron enviadas por Internet. Utilice un nivel de significancia de 0.01 para someter a prueba la afirmación de que, de todas las solicitudes universitarias, el porcentaje que se envía por Internet es igual al 50%.

a) ¿Cuál es el estadístico de prueba?

b) ¿Cuáles son los valores críticos?

c) ¿Cuál es el valor P?

d) ¿Cuál es la conclusión?

e) ¿Se puede utilizar una prueba de hipótesis para "demostrar" que el porcentaje de solicitudes universitarias que se envían por Internet es igual al 50%, como se afirma?

6. Conducción y escritura de mensajes de texto En una encuesta, de un total de 2246 adultos elegidos al azar en Estados Unidos, 1864 dijeron que debía prohibirse escribir mensajes de texto al conducir un automóvil (según datos de Zogby International). Considere una prueba de hipótesis con un nivel de significancia de 0.05 para someter a prueba la afirmación de que más del 80% de los adultos creen que escribir mensajes de texto al conducir debería ser ilegal.

a) ¿Cuál es el estadístico de prueba?

b) ¿Cuál es el valor crítico?

c) ¿Cuál es el valor P?

d) ¿Cuál es la conclusión?

7. Conducción y teléfonos celulares En una encuesta, de un total de 2246 adultos elegidos al azar en Estados Unidos, 1640 dijeron que acostumbran utilizar su teléfono celular mientras conducen (según datos de Zogby International). Al someter a prueba la afirmación de que la proporción de adultos que usan el teléfono celular mientras conducen es igual al 75%, se obtuvo la pantalla de resultados de la calculadora TI-83/84 Plus que aparece a continuación. Utilice los resultados de la pantalla, con un nivel de significancia de 0.05, para someter a prueba dicha afirmación.

TI-83/84 PLUS

```
1-PropZTest
prop≠.75
z=-2.168475396
p=.0301224268
p̂=.7301869991
n=2246
```

8. Porcentaje de arrestos Una encuesta de 750 personas mayores de 14 años reveló que 35 de ellas fueron arrestadas durante el último año (según datos del FBI). Se utilizó Minitab para someter a prueba la afirmación de que menos del 5% de las personas mayores de 14 años fueron arrestadas durante el último año. Utilice los resultados de la pantalla de Minitab, con un nivel de significancia de 0.01, para someter a prueba dicha afirmación.

MINITAB

```
Test of p = 0.05 vs p < 0.05

                                    99% Upper
Sample    X    N  Sample p          Bound  Z-Value  P-Value
1        35  750  0.046667       0.064584    -0.42    0.338
```

Prueba de afirmaciones sobre proporciones. ***En los ejercicios 9 a 32, someta a prueba la afirmación enunciada. Identifique la hipótesis nula, la hipótesis alternativa, el estadístico de prueba, el valor P o el valor (o valores) crítico(s), la conclusión sobre la hipótesis nula y la conclusión final referente a la afirmación original. Utilice el método del valor P, a menos que su profesor especifique otra opción. Utilice la distribución normal como aproximación de la distribución binomial (como se describe en la parte 1 de esta sección).***

9. Declaración de ingresos En una encuesta del Pew Research Center con 745 adultos elegidos al azar, 589 dijeron que es moralmente incorrecto no reportar todos los ingresos en las declaraciones de impuestos. Utilice un nivel de significancia de 0.01 para someter a prueba la afirmación de que el 75% de los adultos consideran que es moralmente incorrecto no reportar todos los ingresos en las declaraciones de impuestos.

10. Votación por el ganador En una elección presidencial, 308 de 611 votantes encuestados dijeron haber votado por el candidato ganador (según datos de ICR Survey Research Group). Utilice un nivel de significancia de 0.01 para someter a prueba la afirmación de que, de todos los votantes, el porcentaje que dice haber votado por el candidato ganador es igual al 43%, que es el porcentaje real de personas que votaron por el candidato ganador. ¿Qué sugieren los resultados sobre la percepción de los votantes?

11. Repetición instantánea en el tenis El sistema electrónico Hawk-Eye se utiliza en el tenis para presentar una repetición instantánea que indica si una pelota cayó dentro o fuera de la cancha. En el primer Torneo Abierto de Estados Unidos que utilizó este sistema, los jugadores podían cuestionar las decisiones de los árbitros. Luego, el sistema Hawk-Eye se utilizó para confirmar o revocar la decisión del árbitro. Los jugadores cuestionaron a los árbitros 839 ocasiones, y 327 veces se revirtió su decisión (según datos reportados en *USA Today*). Utilice un nivel de significancia de 0.01 para someter a prueba la afirmación de que la proporción de jugadas cuestionadas que se revocan es mayor que 1/3. ¿Qué sugieren los resultados sobre la calidad de las decisiones de los árbitros?

12. Pruebas para el consumo de mariguana La compañía Drug Test Success ofrece la prueba "1-Panel-THC" para el consumo de mariguana. De 300 sujetos sometidos a prueba, los resultados de 27 fueron incorrectos (es decir, fueron falsos positivos o falsos negativos). Utilice un nivel de significancia de 0.05 para someter a prueba la afirmación de que menos del 10% de los resultados de prueba son incorrectos. ¿Parece que la prueba es buena para la mayoría de los propósitos?

13. Ensayo clínico de Tamiflu Se realizaron ensayos clínicos sobre el tratamiento de la influenza con Tamiflu, que es un medicamento que busca atacar el virus de la influenza y detener sus síntomas. De 724 pacientes tratados con Tamiflu, 72 sintieron náuseas como reacción adversa. Utilice un nivel de significancia de 0.05 para someter a prueba la afirmación de que la tasa de náuseas es mayor que la tasa del 6% que experimentan los pacientes con influenza que reciben un placebo. ¿Parece que las náuseas deberían preocupar a los que reciben el tratamiento con Tamiflu?

14. Posposición de la muerte Una hipótesis interesante y generalizada dice que los individuos pueden posponer temporalmente su muerte para estar presentes en una festividad o en un evento importante como un cumpleaños. En un estudio de este fenómeno, se descubrió que hubo 6062 muertes la semana previa al Día de Acción de Gracias, y 5938 muertes la semana posterior a esta festividad (según datos de "Holidays, Birthdays, and Postponement of Cancer Death", de Young y Hade, *Journal of the American Medical Association*, vol. 292, núm. 24). Si la gente puede posponer su muerte para después del Día de Acción de Gracias, entonces la proporción de decesos la semana anterior a esa festividad debe ser menor que 0.5. Utilice un nivel de significancia de 0.05 para someter a prueba la afirmación de que la proporción de muertes durante la semana anterior al Día de Acción de Gracias es menor que 0.5. Con base en el resultado, ¿existe algún indicador de que la gente pueda posponer temporalmente su muerte para estar presente el Día de Acción de Gracias?

15. Teléfonos celulares y cáncer En un estudio de 420,095 usuarios daneses de teléfonos celulares, 135 sujetos desarrollaron cáncer cerebral o del sistema nervioso (según datos del *Journal of the National Cancer Institute*, reportados en *USA Today*). Someta a prueba la afirmación, antes generalizada, de que la aparición de estos tipos de cáncer se ve afectada por el uso de teléfonos celulares. Es decir, someta a prueba la afirmación de que los usuarios de teléfonos celulares desarrollan cáncer cerebral o del sistema nervioso en un porcentaje diferente al de 0.0340% registrado entre quienes no utilizan teléfonos celulares. Como este tema es de gran importancia, utilice un nivel de significancia de 0.005. ¿Deberían preocuparse los usuarios de teléfonos celulares acerca del cáncer cerebral o del sistema nervioso?

16. Predicción del sexo del bebé En el ejemplo 3 de esta sección se realizó una prueba de hipótesis sobre las mujeres embarazadas y su capacidad para predecir el sexo de sus bebés. En el mismo estudio, 45 mujeres embarazadas tenían más de 12 años de escolaridad, y 32 de ellas hicieron predicciones correctas. Utilice estos resultados para someter a prueba la afirmación de que las mujeres con más de 12 años de escolaridad tienen una proporción de predicciones correctas que es mayor que la proporción de 0.5 esperada por el azar. Utilice un nivel de significancia de 0.01. ¿Parece que estas mujeres tienen la capacidad de predecir correctamente el sexo de sus bebés?

17. Trampa en las bombas de gasolina Cuando se examinó la exactitud de bombas de gasolina en Michigan, autoridades especialistas en la calidad del combustible examinaron las bombas y encontraron que 1299 no eran precisas (dentro de 3.3 onzas al despachar 5 galones), y que 5686 bombas eran precisas. Utilice un nivel de significancia de 0.01 para someter a prueba la afirmación de un representante de la industria de que menos del 20% de las bombas de gasolina en Michigan son imprecisas. Desde la perspectiva del consumidor, ¿se trata de una tasa suficientemente baja?

18. Selección del género para niños El Genetics and IVF Institute llevó a cabo un ensayo clínico del método YSORT, diseñado para incrementar la probabilidad de concebir un hijo varón. Mientras se escribía este libro, ya habían nacido 172 bebés de padres que utilizaron el método YSORT, y 39 de ellos fueron niñas. Utilice los datos muestrales con un nivel de significancia de 0.01 para someter a prueba la afirmación de que, con este método, la probabilidad de que un bebé sea niño es mayor que 0.5. ¿Parece que el método funciona?

19. Detectores de mentiras Los ensayos de un experimento con polígrafo incluyen 98 resultados: 24 casos con resultados incorrectos y 74 casos con resultados correctos (según datos de experimentos realizados por los investigadores Charles R. Honts de Boise State University y Gordon H. Barland del Department of Defense Polygraph Institute). Utilice un nivel de significancia de 0.05 para someter a prueba la afirmación de que este tipo de resultados de polígrafo son correctos en menos del 80% de las veces. Con base en los resultados, ¿se debería prohibir el uso de los resultados de las pruebas de polígrafo como evidencia en los juicios?

20. Encuesta sobre células madre Se seleccionaron adultos al azar para una encuesta de *Newsweek*, a quienes se preguntó si "estaban a favor o en contra de utilizar dinero de los impuestos federales para financiar investigaciones médicas que utilicen células madre obtenidas de embriones humanos". De los sujetos encuestados, 481 se mostraron a favor, 401 se mostraron en contra y 120 no estaban seguros. Un político afirma que la gente realmente no entiende el tema de las células madre, y que las respuestas a este tipo de preguntas equivalen al lanzamiento de una moneda. Excluya a los 120 sujetos que no estaban seguros, y utilice un nivel de significancia de 0.01 para someter a prueba la afirmación de que la proporción de sujetos que respondieron a favor es igual a 0.5. ¿Qué sugiere el resultado acerca de la afirmación del político?

21. Audiencia de Nielsen Una transmisión reciente en televisión del programa *60 Minutes* tuvo un nivel de audiencia de 15, lo que significa que de 5000 hogares con televisores encendidos, el 15% de ellos estaban sintonizando *60 Minutes*. Utilice un nivel de significancia de 0.01 para someter a prueba la afirmación que hizo un publicista de que menos del 20% de los hogares con televisores encendidos estaban sintonizando *60 Minutes.*

22. Nuevo alcalde de la ciudad En años recientes, la ciudad de Newport experimentó una tasa de arrestos por robo del 25% (según datos del FBI). El nuevo alcalde reúne registros que indican que, de 30 robos recientes, la tasa de arrestos es del 30%, por lo que asegura que su tasa de arrestos es mayor que la tasa anterior del 25%. ¿Existe evidencia suficiente para apoyar su afirmación de que la tasa de arrestos es mayor que el 25%?

23. Errores en entrevista laboral En una encuesta de 150 altos ejecutivos, realizada por Accountemps, el 47.3% dijo que el error más común en una entrevista de trabajo consiste en saber muy poco o nada acerca de la compañía. Someta a prueba la afirmación de que el 50% de la población de todos los altos ejecutivos dice que el error más común en una entrevista de trabajo consiste en saber muy poco o nada acerca de la compañía. ¿Qué importante lección se aprende de esta encuesta?

24. Tabaquismo y educación universitaria Una encuesta reveló que, de 785 sujetos seleccionados al azar y que completaron cuatro años de estudios universitarios, el 18.3% fuma y el 81.7% no fuma (según datos de la American Medical Association). Utilice un nivel de significancia de 0.01 para someter a prueba la afirmación de que el porcentaje de tabaquismo entre quienes tienen cuatro años de estudios universitarios es menor que el 27% registrado en la población general. ¿Por qué los graduados universitarios tienen una tasa menor de tabaquismo que el resto?

25. Uso de Internet Cuando el Pew Research Center encuestó a 3011 adultos, 73% dijo que usaba Internet. ¿Es correcto que el reportero de un periódico escriba que "3/4 de todos los adultos utilizan Internet"? ¿Por qué?

26. Calentamiento global En una encuesta realizada por el Pew Research Center, se preguntó a un grupo de sujetos si existe evidencia sólida de que la Tierra se esté calentando. De 1501 participantes, el 20% dijo que no existe tal evidencia. Utilice un nivel de significancia de 0.01 para someter a prueba la afirmación de que menos del 25% de la población cree que no existe evidencia sólida de que la Tierra se esté calentando. ¿Cuál sería una de las posibles consecuencias de que demasiadas personas crean de manera incorrecta que no existe evidencia del calentamiento global, en una época en que está ocurriendo dicho calentamiento?

27. Predicción del sexo del bebé El ejemplo 3 de esta sección incluyó una prueba de hipótesis sobre mujeres embarazadas y su capacidad para predecir de manera correcta el sexo de su bebé. En el mismo estudio, 59 mujeres embarazadas tenían 12 años de escolaridad o menos, y se informó que el 43% de ellas predijeron de manera correcta el sexo de su bebé. Utilice un nivel de significancia de 0.05 para someter a prueba la afirmación de que estas mujeres no tienen la habilidad para predecir el sexo de su bebé, y que los resultados no difieren significativamente de los que se esperarían por el azar. ¿Qué concluye?

28. Sesgo en la selección de integrantes de jurado En el caso *Castaneda contra Partida*, se descubrió que en el condado de Hidalgo, Texas, durante un periodo de 11 años, 870 personas habían sido elegidas para integrar el gran jurado, y que el 39% de ellas eran méxico-estadounidenses. De las personas que podían ser seleccionadas para un gran jurado, el 79.1% eran méxico-estadounidenses. Utilice un nivel de significancia de 0.01 para someter a prueba la afirmación de que el proceso de selección está sesgado en contra de los méxico-estadounidenses. ¿Parece que el sistema de selección de integrantes de jurado es justo?

29. Gritos Una encuesta de 61,647 personas incluyó varias preguntas acerca de las relaciones en el trabajo. El 26% de los sujetos reportaron que los jefes gritan a los empleados. Utilice un nivel de significancia de 0.05 para someter a prueba la afirmación de que más de 1/4 de las personas afirman que los jefes gritan a los empleados. ¿Cómo se vería afectada la conclusión después de saber que se trata de una encuesta de *Elle*/MSNBC.COM a la que respondieron los usuarios de Internet de manera voluntaria?

30. ¿Es real el monstruo de Loch Ness? Se publicó la siguiente pregunta en el sitio Web de America Online: ¿Cree que existe el monstruo de Loch Ness? De 21,346 respuestas, el 64% fueron afirmativos. Utilice un nivel de significancia de 0.01 para someter a prueba la afirmación de que la mayoría de las personas creen en la existencia del monstruo de Loch Ness. ¿Cómo se vería afectada la conclusión por el hecho de que los usuarios de Internet que vieron la pregunta podían decidir si respondían o no?

31. Encontrar un empleo por medio de la red de conocidos En una encuesta de 703 empleados seleccionados al azar, el 61% obtuvo su trabajo a través de la red de conocidos (según datos de Taylor Nelson Sofres Research). Utilice los datos muestrales con un nivel de significancia de

0.05 para someter a prueba la afirmación de que la mayoría (más del 50%) de los empleados obtuvieron su trabajo a través de la red de conocidos. ¿Qué sugieren los resultados sobre la estrategia para conseguir un empleo después de graduarse?

32. Experimentos genéticos de Mendel Cuando Gregor Mendel realizó sus famosos experimentos sobre hibridación con plantas de guisantes, uno de ellos dio como resultado 580 vástagos, de los cuales el 26.2% tenía vainas amarillas. Según la teoría de Mendel, 1/4 de los vástagos debían tener vainas amarillas. Utilice un nivel de significancia de 0.05 para someter a prueba la afirmación de que la proporción de guisantes con vainas amarillas es igual a 1/4.

Conjuntos grandes de datos. ***En los ejercicios 33 a 36, utilice los conjuntos de datos del apéndice B para someter a prueba la afirmación enunciada.***

33. Dulces M&M Remítase al conjunto de datos 18 del apéndice B y calcule la proporción muestral de dulces M&M que son rojos. Utilice este resultado para someter a prueba la afirmación de Mars, Inc., de que el 20% de sus dulces M&M son rojos.

34. Freshman 15 El conjunto de datos 3 del apéndice B incluye los resultados de un estudio descrito en "Changes in Body Weight and Fat Mass of Men and Women in the First Year of College: A Study of the 'Freshman 15'", de Hoffman, Policastro, Quick y Lee, *Journal of American College Health*, vol. 55, núm 1. Remítase al conjunto de datos y calcule la proporción de hombres incluidos en el estudio. Utilice un nivel de significancia de 0.05 para someter a prueba la afirmación de que los sujetos se seleccionaron de una población en la que el porcentaje de hombres es igual al 50%.

35. Osos Remítase al conjunto de datos 6 del apéndice B y calcule la proporción de osos machos incluidos en el estudio. Utilice un nivel de significancia de 0.05 para someter a prueba la afirmación de que los osos se seleccionaron de una población donde el porcentaje de machos es igual al 50%.

36. Películas Según el almanaque *Information Please*, durante un periodo reciente de 33 años, el porcentaje de películas con clasificación R ha sido del 55%. Remítase al conjunto de datos 9 en el apéndice B y calcule la proporción de películas con clasificación R. Utilice un nivel de significancia de 0.01 para someter a prueba la afirmación de que las películas del conjunto de datos 9 provienen de una población donde el 55% de las películas tienen una clasificación R.

8-3 Más allá de lo básico

37. Método exacto Repita el ejercicio 36 utilizando el método exacto con la distribución binomial, como se describió en la parte 2 de esta sección.

38. Uso de intervalos de confianza para someter a prueba hipótesis Al analizar los últimos dígitos de los números telefónicos de Port Jefferson, se encontró que, de 1000 dígitos seleccionados al azar, 119 son ceros. Si los dígitos se seleccionan aleatoriamente, la proporción de ceros debería ser de 0.1.

a) Utilice el método tradicional, con un nivel de significancia de 0.05, para someter a prueba la afirmación de que la proporción de ceros es igual a 0.1.

b) Utilice el método del valor *P*, con un nivel de significancia de 0.05, para someter a prueba la afirmación de que la proporción de ceros es igual a 0.1.

c) Con base en los datos muestrales, construya un intervalo de confianza (o una estimación del intervalo de confianza) del 95% para la proporción de ceros. ¿Qué sugiere el intervalo de confianza acerca de la afirmación de que la proporción de ceros es igual a 0.1?

d) Compare los resultados obtenidos con el método tradicional, el método del valor *P* y el método del intervalo de confianza. ¿Conducen todos a la misma conclusión?

39. Manejo de ausencia de éxitos En una muestra aleatoria simple de 50 dulces M&M sencillos, se encontró que ninguno de ellos era azul. Queremos emplear un nivel de significancia de 0.01 para someter a prueba la afirmación de Mars, Inc., de que la proporción de dulces M&M azules es igual a 0.10. ¿Podrían utilizarse los métodos de esta sección? Si es así, someta a prueba la afirmación; si no, explique por qué.

40. Potencia Para someter a prueba una hipótesis con un nivel de significancia α, específico, la probabilidad de un error tipo I es α, mientras que la probabilidad β de un error tipo II depende del valor particular de p que se utilice como alternativa a la hipótesis nula.

a) Calcule la potencia de la prueba utilizando una hipótesis alternativa de $p < 0.4$ y un tamaño de muestra $n = 50$, y suponga que el valor real de p es 0.25. Consulte el ejercicio 47 de la sección 8-2. [*Sugerencia:* Utilice los valores $p = 0.25$ y $pq/n = (0.25)(0.75)/50$].

b) Calcule el valor de β, la probabilidad de cometer un error tipo II.

c) Considerando las condiciones citadas en el inciso *a*), ¿qué indican los resultados acerca de la eficacia de la prueba de hipótesis?

8-4 Prueba de una afirmación respecto de una media: σ conocida

Concepto clave En esta sección se estudian los métodos de prueba de hipótesis sobre afirmaciones respecto de una media poblacional, cuando se conoce el valor de la desviación estándar poblacional. La siguiente sección presenta métodos para someter a prueba una afirmación respecto de una media cuando se desconoce el valor de σ. Aquí se usa la distribución normal con los mismos componentes de las pruebas de hipótesis que se presentaron en la sección 8-2.

Los requisitos, el estadístico de prueba, los valores críticos y el valor P se resumen de la siguiente manera:

Prueba de afirmaciones acerca de una media poblacional σ conocida)

Objetivo

Someter a prueba una afirmación sobre una media poblacional (con σ conocida) mediante el uso de un método formal de prueba de hipótesis.

Notación

n = tamaño de muestra

$\bar{x}$ = media *muestral*

$\mu_{\bar{x}}$ = media *poblacional* de todas las medias de muestras de tamaño n (este valor se basa en la afirmación y se utiliza en la hipótesis nula)

σ = valor conocido de la desviación estándar poblacional

Requisitos

1. La muestra es aleatoria simple.
2. Se conoce el valor de la desviación estándar poblacional σ.
3. Se satisface una o ambas de las siguientes condiciones: la población se distribuye normalmente o $n > 30$.

Estadístico de prueba para probar una afirmación sobre una media (σ conocida)

$$z = \frac{\bar{x} - \mu_{\bar{x}}}{\frac{\sigma}{\sqrt{n}}}$$

Valores *P*: Utilice la distribución normal estándar (tabla A-2) y remítase a la figura 8-5.

Valores críticos: Utilice la distribución normal estándar (tabla A-2).

Comerciales

Las cadenas de televisión tienen sus propios departamentos para revisar los comerciales y verificar sus afirmaciones. La National Advertising Division, una rama del Council of Better Business Bureaus, investiga las afirmaciones publicitarias. La Federal Trade Commission y los fiscales locales de distrito también realizan este proceso. Hace algún tiempo, Firestone tuvo que eliminar la afirmación de que sus neumáticos frenaban un 25% más rápido, y Warner Lambert tuvo que gastar $10 millones para informar a sus clientes que Listerine no previene ni cura el resfriado. Muchos anuncios engañosos son retirados de manera voluntaria, y muchos otros escapan al escrutinio simplemente porque los organismos regulatorios no pueden revisar una cantidad tan grande de comerciales.

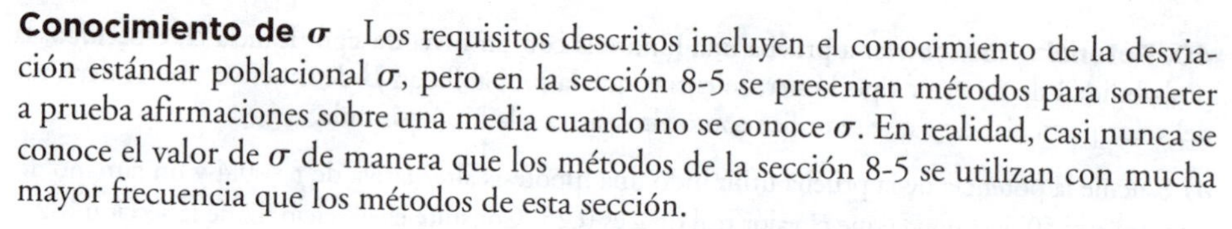

Conocimiento de σ Los requisitos descritos incluyen el conocimiento de la desviación estándar poblacional σ, pero en la sección 8-5 se presentan métodos para someter a prueba afirmaciones sobre una media cuando no se conoce σ. En realidad, casi nunca se conoce el valor de σ de manera que los métodos de la sección 8-5 se utilizan con mucha mayor frecuencia que los métodos de esta sección.

Requisito de normalidad Los requisitos incluyen la propiedad de que la población se distribuya de manera normal o que $n > 30$. Si $n \leq 30$, podemos considerar que el requisito de normalidad se satisface si no hay valores atípicos y si un histograma de los datos muestrales no difiere de manera drástica de la forma de campana. (Los métodos de esta sección son *robustos* frente a las desviaciones respecto de la normalidad, lo que significa que no se ven muy afectados por desviaciones de la normalidad, siempre y cuando estas no sean demasiado pronunciadas). No obstante, los métodos de esta sección a menudo arrojan resultados muy pobres con muestras que no son aleatorias simples.

Requisito del tamaño de muestra La distribución normal se utiliza como la distribución de las medias muestrales. Si la población original no está distribuida de manera normal, utilizamos la condición $n > 30$ para justificar el uso de la distribución normal, pero no existe un tamaño de muestra mínimo específico que funcione en todos los casos. Tamaños de muestra de 15 a 30 son suficientes si la población tiene una distribución que no se aleja demasiado de la normal, pero algunas otras poblaciones tienen distribuciones que se alejan mucho de la normalidad, por lo que se podría necesitar un tamaño de muestra mayor que 30. En este libro utilizamos el criterio simplificado de $n > 30$ como justificación para tratar la distribución de medias muestrales como una distribución normal.

EJEMPLO 1

Barcos sobrecargados: Método del valor *P* Debido a una estimación obsoleta del peso medio de hombres y mujeres, han muerto personas en accidentes de barcos. Si utilizamos los pesos de la muestra aleatoria simple de hombres, incluidos en el conjunto de datos 1 del apéndice B, obtenemos los siguientes estadísticos muestrales: $n = 40$ y $\bar{x} = 172.55$ libras. Investigaciones de muchas otras fuentes sugieren que la población de pesos de hombres tiene una desviación estándar $\sigma = 26$ libras. Utilice esos resultados para someter a prueba la afirmación de que los hombres tienen un peso medio mayor que 166.3 libras, que era la recomendación de peso M-04-04 del National Transportation and Safety Board. Utilice un nivel de significancia de 0.05 y el método del valor *P* descrito en la figura 8-8.

SOLUCIÓN

VERIFICACIÓN DE REQUISITOS **1.** Se trata de una muestra aleatoria simple. **2.** Se conoce el valor de σ (26 libras). **3.** El tamaño de muestra es $n = 40$, que es mayor que 30. Los requisitos se satisfacen.

Seguiremos el procedimiento del valor *P* que se resume en la figura 8-8.

Paso 1: La afirmación de que los hombres tienen un peso medio mayor que 166.3 libras se expresa en forma simbólica como $\mu > 166.3$ libras.

Paso 2: La alternativa (en forma simbólica) a la afirmación original es $\mu \leq 166.3$ libras..

Paso 3: Puesto que la afirmación $\mu > 166.3$ libras no contiene la condición de igualdad, se convierte en la hipótesis alternativa. La hipótesis nula es la afirmación de que $\mu = 166.3$ libras. (Véase la figura 8-2 para revisar el procedimiento utilizado para identificar la hipótesis nula H_0 y la hipótesis alternativa H_1).

H_0: $\mu = 166.3$ libras (hipótesis nula)

H_1: $\mu > 166.3$ libras (hipótesis alternativa y afirmación original)

Paso 4: Tal como se especifica en el planteamiento del problema, el nivel de significancia es $\alpha = 0.05$.

Paso 5: Puesto que la afirmación se refiere a la *media poblacional* μ, el estadístico más relevante de la muestra para esta prueba es la *media muestral* $\bar{x} = 172.55$ libras. Como se supone que conocemos σ (26 libras) y el tamaño de muestra es mayor que 30, el teorema del límite central indica que la distribución de medias muestrales puede aproximarse por medio de una distribución *normal.*

Paso 6: El estadístico de prueba se calcula de la siguiente manera:

$$z = \frac{\bar{x} - \mu_{\bar{x}}}{\frac{\sigma}{\sqrt{n}}} = \frac{172.55 - 166.3}{\frac{26}{\sqrt{40}}} = 1.52$$

Utilizando el estadístico de prueba $z = 1.52$, ahora procedemos al cálculo del valor P. Observe el diagrama de flujo de la figura 8-5 que resume el procedimiento para el cálculo de los valores P. Se trata de una prueba de cola derecha, de manera que el valor P es el área a la *derecha* de $z = 1.52$, que es 0.0643. (La tabla A-2 indica que el área a la *izquierda* de $z = 1.52$ es 0.9357, de manera que el área a la derecha de $z = 1.52$ es $1 - 0.9357 = 0.0643$). Como se observa en la figura 8-12, el valor P es 0.0643. (Si utilizamos un recurso tecnológico, un valor P más exacto es 0.0642).

Paso 7: Como el valor P de 0.0643 es mayor que el nivel de significancia de $\alpha = 0.05$, no rechazamos la hipótesis nula.

INTERPRETACIÓN El valor P de 0.0643 nos indica que si los hombres tienen un peso medio de $\mu = 166.3$ libras, existe una buena probabilidad (0.0643) de obtener una media muestral de 172.55 libras. Es decir, una media muestral como 172.55 libras puede presentarse fácilmente por azar. No existe evidencia suficiente para sustentar la conclusión de que la media poblacional sea mayor que 166.3 libras, como establece la recomendación del National Transportation and Safety Board.

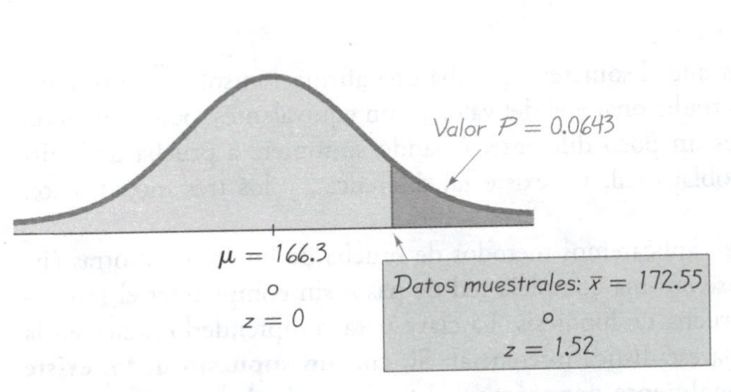

Figura 8-12 Método del valor P: Prueba de la afirmación de que $\mu > 166.3$ libras

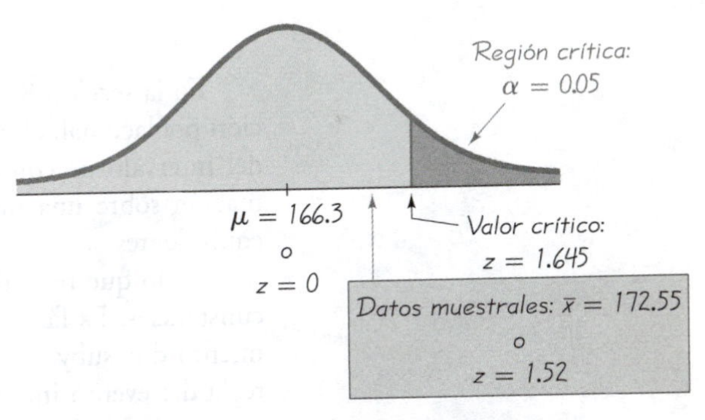

Figura 8-13 Método tradicional: Prueba de la afirmación de que $\mu > 166.3$ libras

EJEMPLO 2 **Barcos sobrecargados: Método tradicional** Si se utiliza el método tradicional de prueba de hipótesis en el ejemplo 1, los primeros cinco pasos serían los mismos. En el paso 6 calcularíamos el valor crítico de $z = 1.645$ en vez de calcular el valor P. El valor crítico de $z = 1.645$ es el valor que separa un área de 0.05 (el nivel de significancia) en la cola derecha de la distribución normal estándar (véase la tabla A-2). Una vez más, no rechazamos la hipótesis nula, ya que el estadístico de prueba $z = 1.52$ no cae en la región crítica, como se observa en la figura 8-13. La conclusión final sería la misma que en el ejemplo 1.

EJEMPLO 3

Barcos sobrecargados: Método del intervalo de confianza

Podemos usar un intervalo de confianza para someter a prueba una afirmación acerca de μ cuando conocemos σ. Para una prueba de hipótesis de una cola, con un nivel de significancia de 0.05, construimos un intervalo de confianza del 90% (como se resume en la tabla 8-2 de la página 406). Si utilizamos los datos muestrales del ejemplo 1 con $\sigma = 26$ libras, podemos someter a prueba la afirmación de que $\mu > 166.3$ libras aplicando los métodos de la sección 7-3 para construir el siguiente intervalo de confianza del 90%:

$$165.8 \text{ libras} < \mu < 179.3 \text{ libras}$$

Como el intervalo de confianza incluye el valor 166.3 libras, no podemos sustentar la afirmación de que μ es mayor que 166.3 libras. Consulte la figura 8-14, que ilustra lo siguiente: como es probable que el intervalo de confianza de 165.8 libras a 179.3 libras contenga al valor verdadero de μ, no podemos sustentar la afirmación de que el valor μ sea mayor que 166.3 libras. Es muy posible que μ tenga un valor igual o menor que 166.3 libras.

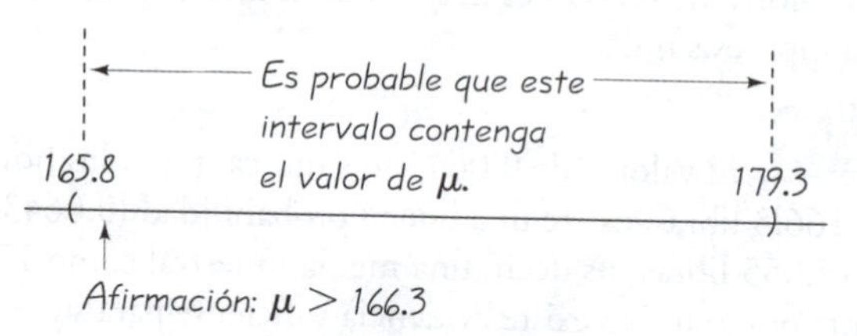

Figura 8-14 Método del intervalo de confianza: Prueba de la afirmación de que $\mu > 166.3$ libras

En la sección 8-3 vimos que al someter a prueba una afirmación sobre una proporción poblacional, el método tradicional y el del valor P son equivalentes, pero el método del intervalo de confianza es un poco diferente. Cuando se somete a prueba una afirmación sobre una media poblacional, no existe tal diferencia, y los tres métodos son equivalentes.

En lo que resta del libro, aplicaremos métodos de prueba de hipótesis en otras circunstancias. Es fácil enredarse en una compleja red de pasos sin comprender el razonamiento que subyace en la prueba de hipótesis. La clave para comprenderlo radica en la regla del evento inusual de la estadística inferencial: **Si, con un supuesto dado, existe una probabilidad excepcionalmente pequeña de obtener resultados muestrales que sean al menos tan extremos como los resultados que se obtuvieron, concluimos que probablemente el supuesto es incorrecto**. Al someter a prueba una afirmación, suponemos igualdad (hipótesis nula). Después comparamos la suposición y los resultados muestrales para llegar a una de las siguientes conclusiones:

- Si los resultados muestrales (o resultados más extremos) pueden ocurrir con facilidad cuando el supuesto (hipótesis nula) es verdadero, atribuimos al azar la discrepancia relativamente pequeña entre el supuesto y los resultados muestrales.
- Si los resultados muestrales (o resultados más extremos) no pueden ocurrir con facilidad cuando el supuesto (hipótesis nula) es verdadero, explicamos la discrepancia relativamente grande entre el supuesto y los resultados muestrales mediante la conclusión de que el supuesto no es verdadero, por lo que rechazamos este último.

USO DE LA TECNOLOGÍA

STATDISK Si trabaja con una lista de los valores muestrales originales, primero calcule el tamaño de muestra, la media muestral y la desviación estándar muestral por medio del procedimiento de STATDISK descrito en la sección 3-2. Después de obtener los valores de n, $\bar{x}$, y s, proceda a seleccionar **Analysis** de la barra del menú principal, después seleccione **Hypothesis Testing**, seguido por **Mean-One Sample.**

MINITAB Minitab le permite utilizar el resumen de estadísticos o una lista de los valores muestrales originales. Seleccione **Stat, Basic Statistics** y **1-Sample z** del menú e introduzca el resumen de estadísticos o la columna que contiene la lista de valores muestrales. También ingrese el valor de σ en el cuadro "Standard Deviation" o "Sigma". Utilice el botón **Options** para cambiar la forma de la hipótesis alternativa.

EXCEL La función ZTEST creada de Excel es extremadamente confusa, ya que el valor P generado no siempre es el mismo valor P estándar utilizado en el resto del mundo. En vez de ello, utilice Data Desk XL, que es un complemento de este libro. Primero introduzca los datos muestrales en la columna A. Seleccione **DDXL.** (Si utiliza Excel 2010 o Excel 2007, haga clic en **Add-Ins** y luego en **DDXL.** Si utiliza Excel 2003, haga clic en **DDXL**). En DDXL, seleccione **Hypothesis Test**. En las opciones del tipo de función, seleccione **1 Var z Test.** Haga clic en el icono del lápiz e introduzca el rango de valores de datos, como A1:A40, si tiene 40 valores listados en la columna A. Haga clic en **OK**. Siga los cuatro pasos del cuadro de diálogo. Después de hacer clic en **Compute** en el paso 4, obtendrá el valor P, el estadístico de prueba y la conclusión.

TI-83/84 PLUS Si utiliza la calculadora TI-83/84 Plus, presione STAT, luego seleccione **TESTS** y elija **Z-Test**. Usted puede utilizar los datos originales o un resumen de los estadísticos **(Stats)** al dar las entradas indicadas en la pantalla. Los primeros tres elementos de los resultados de la TI-83/84 Plus incluirán la hipótesis alternativa, el estadístico de prueba y el valor P.

8-4 Destrezas y conceptos básicos

Conocimientos estadísticos y pensamiento crítico

1. Identificación de requisitos El conjunto de datos 4 del apéndice B incluye las cantidades de nicotina (en miligramos por cigarrillo) de 25 cigarrillos diferentes tamaño grande. Si quisiéramos utilizar esa muestra para someter a prueba la afirmación de que todos los cigarrillos tamaño grande tienen una media de 1.5 mg de nicotina, identifique los requisitos que deben cumplirse.

2. Verificación de normalidad Como las cantidades de nicotina de cigarrillos tamaño grande incluidas en el conjunto de datos 4 del apéndice B constituyen una muestra de tamaño $n = 25$, debemos cumplir con el requisito de que la población se distribuya de manera normal. ¿Cómo verificamos que la población se distribuye normalmente?

3. Intervalo de confianza Si quisiera construir un intervalo de confianza para someter a prueba la afirmación de que los estudiantes universitarios tienen una puntuación de CI mayor que 100, y quisiera realizar la prueba con un nivel de significancia de 0.01, ¿qué nivel de confianza debería utilizar para el intervalo de confianza?

4. Significancia práctica Una prueba de la hipótesis de que la dieta Zone es eficaz (cuando se utiliza durante un año) da como resultado la siguiente conclusión: Existe evidencia suficiente para sustentar la afirmación de que el cambio medio de peso es menor que 0 (de modo que hay una pérdida de peso). La muestra de 40 sujetos tuvo una pérdida media de peso de 2.1 libras (según datos de "Comparison of the Atkins, Ornish, Weight Watchers, and Zone Diets for Weight Loss and Heart Disease Reduction", de Dansinger *et al.*, *Journal of the American Medical Association*, vol. 293, núm. 1). ¿La pérdida de peso de 2.1 libras es estadísticamente significativa? ¿La pérdida de peso de 2.1 libras tiene una significancia práctica? Explique.

Prueba de hipótesis. ***En los ejercicios 5 a 18, someta a prueba la afirmación enunciada. Identifique la hipótesis nula, la hipótesis alternativa, el estadístico de prueba, el valor (o valores) crítico(s) de P, la conclusión acerca de la hipótesis nula y la conclusión final que retoma la afirmación original. Utilice el método del valor P, a menos que su profesor especifique otra opción.***

5. Ancho de muñeca de mujeres Un diseñador de joyería afirma que las mujeres tienen muñecas con una anchura media igual a 5 cm. Una muestra aleatoria simple de la anchura de la muñeca de 40 mujeres tiene una media de 5.07 cm (de acuerdo con el conjunto de datos 1 del apéndice B).

Suponga que la desviación estándar de la población es 0.33 cm. Utilice la siguiente pantalla de resultados de la calculadora TI-83/84 Plus para someter a prueba la afirmación del diseñador.

TI-83/84 PLUS

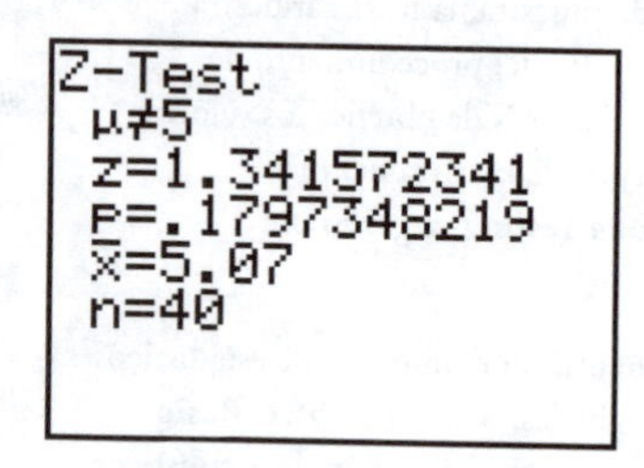

6. Pesos de monedas de un centavo Según una especificación de la Casa de Moneda estadounidense, las monedas de un centavo tienen un peso medio de 2.5 g. Suponga que los pesos de monedas de un centavo tienen una desviación estándar de 0.0165 g, y utilice la siguiente pantalla de resultados de Minitab para someter a prueba la afirmación de que la muestra proviene de una población con una media menor que 2.5 g. Dichos resultados de Minitab se obtuvieron al utilizar los 37 pesos de monedas acuñadas después de 1983, incluidos en el conjunto de datos 20 del apéndice B.

```
Test of mu = 2.5 vs < 2.5. Assumed s.d. = 0.0165
                               95% Upper
 N      Mean      StDev      Bound          Z        P
37   2.49910    0.01648    2.50356      -0.33    0.370
```

7. Composición de canción exitosa En el manual "Cómo lograr un primer lugar con facilidad", de KLF Publications, se afirma que una canción "no debe durar más de tres minutos y 30 segundos" (o 210 segundos). Una muestra aleatoria simple de 40 canciones exitosas actuales tiene una duración media de 252.5 segundos. (Las canciones son de Timberlake, Furtado, Daughtry, Stefani, Fergie, Akon, Ludacris, etcétera). Suponga que la desviación estándar de la duración es de 54.5 segundos. Utilice un nivel de significancia de 0.05 para someter a prueba la afirmación de que la muestra proviene de una población de canciones con una media mayor que 210 segundos. ¿Qué sugieren esos resultados respecto del consejo del manual?

8. Conteo de glóbulos rojos en la sangre Se obtiene una muestra aleatoria simple de 50 adultos, y se hace un conteo de los glóbulos rojos en la sangre de cada persona (en glóbulos por microlitro). La media muestral es 5.23; la desviación estándar poblacional de los conteos de glóbulos rojos es de 0.54. Utilice un nivel de significancia de 0.01 para someter a prueba la afirmación de que la muestra proviene de una población con una media menor que 5.4, que es un valor que a menudo se utiliza como límite superior para el rango de los valores normales. ¿Qué sugieren los resultados sobre el grupo de la muestra?

9. Pesos de dulces M&M Una muestra aleatoria simple de los pesos de 19 dulces M&M verdes tiene una media de 0.8635 g (según el conjunto de datos 18 del apéndice B). Suponga que sabe que σ es 0.0565 g. Utilice un nivel de significancia de 0.05 para someter a prueba la afirmación de que el peso medio de todos los dulces M&M es igual a 0.8535 g (el peso necesario para que las bolsas de M&M tengan el peso que viene impreso en el empaque). ¿Parece que los dulces M&M verdes tienen pesos que son congruentes con la etiqueta del empaque?

10. Temperaturas corporales humanas El conjunto de datos 2 del apéndice B incluye una muestra de 106 temperaturas corporales, con una media de 98.20°F. Suponga que se sabe que σ es 0.62°F. Utilice un nivel de significancia de 0.05 para someter a prueba la afirmación de que la temperatura media corporal de la población es igual a 98.6°F, como suele creerse. ¿Existe evidencia suficiente para concluir que esta creencia es errónea?

11. ¿Es práctica la dieta? Cuando 40 personas pusieron en práctica la dieta Weight Watchers durante un año, su *pérdida* media de peso fue de 3.0 libras (según datos de "Comparison of the Atkins, Ornish, Weight Watchers, and Zone Diets for Weight Loss and Heart Disease Reduction", de Dansinger *et al.*, *Journal of the American Medical Association*, vol. 293, núm. 1). Suponga que la desviación estándar de todo este tipo de cambios de peso es $\sigma = 4.9$ libras, y utilice un nivel de significancia de 0.01 para someter a prueba la afirmación de que la pérdida media de peso es menor que 0. Con base en esos resultados, ¿parece que la dieta es eficaz? ¿Parece que la dieta tiene una significancia práctica?

12. Dado cargado Cuando se lanza un dado legal muchas veces, los resultados de 1, 2, 3, 4, 5 y 6 son igualmente probables, de manera que la media de los resultados debería ser 3.5. El autor hizo algunos agujeros en un dado, lo cargó insertando pesos de plomo y luego lo lanzó 16 veces para obtener una media de 2.9375. Suponga que la desviación estándar de los resultados es 1.7078, que es la desviación estándar de un dado legal. Utilice un nivel de significancia de 0.05 para someter a prueba la afirmación de que esos resultados del dado cargado tienen una media diferente del valor de 3.5 esperado con un dado legal. ¿Hay algo en los datos muestrales que sugiera que no deberían usarse los métodos de esta sección?

13. Estatura al estar sentado Un alumno del autor midió las estaturas de 36 estudiantes varones de su clase, al estar sentados, y obtuvo una media de 92.8 cm. La población de hombres tiene una estatura al estar sentados con una media de 91.4 cm y una desviación estándar de 3.6 cm (según datos de una encuesta antropométrica de Gordon, Churchill, *et al.*). Utilice el nivel de significancia de 0.05 para someter a prueba la afirmación de que los hombres de esa universidad tienen una estatura media al estar sentados diferente de 91.4 cm. ¿Hay algo en los datos muestrales que sugiera que no deberían usarse los métodos de esta sección?

14. Pesos de osos La salud de la población de osos del Yellowstone National Park es vigilada por medio de las medidas periódicas que se realizan a osos anestesiados. Una muestra de 54 osos tiene un peso medio de 182.9 libras. Suponiendo que sabemos que σ es igual a 121.8 libras, utilice un nivel de significancia de 0.05 para someter a prueba la afirmación de que la media poblacional de todos estos pesos de osos es mayor que 150 libras.

15. Salarios de entrenadores de futbol de la NCAA Una muestra aleatoria simple de 40 salarios de entrenadores de futbol de la NCAA tiene una media de $415,953. La desviación estándar de todos los salarios de los entrenadores de futbol de la NCAA es de $463,364. Utilice un nivel de significancia de 0.05 para someter a prueba la afirmación de que el salario medio de un entrenador de futbol de la NCAA es menor que $500,000.

16. Latas de Coca-Cola Una muestra aleatoria simple de 36 latas de Coca-Cola regular tiene un volumen medio de 12.19 onzas (de acuerdo con el conjunto de datos 17 del apéndice B). Suponga que la desviación estándar de todas las latas de Coca-Cola regular es de 0.11 onzas y utilice un nivel de significancia de 0.01 para someter a prueba la afirmación de que las latas de Coca-Cola regular tienen volúmenes con una media de 12 onzas, como se afirma en la etiqueta. ¿Existe alguna diferencia? ¿Es muy grande?

17. Pelotas de béisbol Pruebas realizadas con pelotas viejas de béisbol revelaron que, cuando caían 24 pies sobre una superficie de concreto, rebotaban en promedio 235.8 cm. En una prueba de 40 pelotas nuevas, las alturas de rebote tuvieron una media de 235.4 cm. Suponga que la desviación estándar de la altura del rebote es de 4.5 cm (según datos de Brookhaven National Laboratory y *USA Today*). Utilice un nivel de significancia de 0.05 para someter a prueba la afirmación de que las nuevas pelotas tienen alturas de rebote con una media que difiere de 235.8 cm. ¿Son diferentes las pelotas nuevas?

18. Basura El total de los pesos individuales de la basura desechada por 62 hogares en una semana tiene una media de 27.443 libras (según el conjunto de datos 22 del apéndice B). Suponga que la desviación estándar de los pesos es de 12.458 libras. Utilice un nivel de significancia de 0.05 para someter a prueba la afirmación de que la población de hogares tiene una media menor que 30 libras, que es la cantidad máxima que puede manejar el sistema actual de eliminación de desperdicios. ¿Hay alguna razón para preocuparse?

Uso de datos brutos. ***En los ejercicios 19 y 20, someta a prueba la afirmación enunciada. Identifique la hipótesis nula, la hipótesis alternativa, el estadístico de prueba, el valor (o valores) crítico(s) de P, la conclusión acerca de la hipótesis nula, y la conclusión final que retoma la afirmación original. Utilice el método del valor P, a menos que su profesor le dé otra instrucción.***

19. Calificaciones de crédito FICO A continuación se presenta una muestra aleatoria simple de calificaciones de crédito FICO. Cuando se escribía este libro, la calificación FICO promedio era de 678. Suponiendo que se sabe que la desviación estándar de todas las calificaciones FICO es de 58.3, utilice un nivel de significancia de 0.05 para someter a prueba la afirmación de que estas calificaciones FICO muestrales provienen de una población con una media igual a 678.

714 751 664 789 818 779 698 836 753 834 693 802

20. Exceso de velocidad en California A continuación se presentan las velocidades registradas (en mi/h) de automóviles que viajaban en una sección de la carretera 405 en Los Ángeles, elegidos al azar (según datos de Sigalert). En esa parte de la carretera hay un letrero que indica una velocidad máxima de 65 mi/h. Suponga que la desviación estándar de las velocidades es de 5.7 mi/h y utilice un nivel de significancia de 0.01 para someter a prueba la afirmación de que la muestra proviene de una población con una media mayor que 65 mi/h.

68 68 72 73 65 74 73 72 68 65 65 73 66 71 68 74 66 71 65 73

59 75 70 56 66 75 68 75 62 72 60 73 61 75 58 74 60 73 58 75

Conjuntos de datos grandes del apéndice B. ***En los ejercicios 21 y 22, utilice los conjuntos de datos del apéndice B para someter a prueba la afirmación enunciada. Identifique la hipótesis nula, la hipótesis alternativa, el estadístico de prueba, el valor (o valores) crítico(s) de P, la conclusión acerca de la hipótesis nula, y la conclusión final que retoma la afirmación original. Utilice el método del valor P, a menos que su profesor especifique otra opción.***

21. ¿Los tornillos miden 3/4 de pulgada de largo? Se obtiene una muestra aleatoria simple de 50 tornillos de lámina de acero inoxidable fabricados por Crown Bolt, Inc., y se mide la longitud de cada tornillo por medio de un calibrador Vernier o pie de rey. Las longitudes se incluyen en el conjunto de datos 19 del apéndice B. Suponga que la desviación estándar de todas estas longitudes es de 0.012 pulgadas, y utilice un nivel de significancia de 0.05 para someter a prueba la afirmación de que los tornillos tienen una longitud media igual a 3/4 de pulgada (o 0.75 pulgadas), como indican las etiquetas del empaque. ¿Parece que las longitudes de los tornillos concuerdan con lo indicado en la etiqueta?

22. Suministro de energía El conjunto de datos 13 del apéndice B incluye las cantidades de voltaje suministradas directamente a la casa del autor. La compañía de electricidad Central Hudson afirma que tiene un objetivo de suministro eléctrico de 120 volts. Utilice esos voltajes domésticos y suponga que la desviación estándar de todas esas cantidades de voltaje es de 0.24 volts, para someter a prueba la afirmación de que la media es de 120 volts. Utilice un nivel de significancia de 0.01.

8-4 Más allá de lo básico

23. Interpretación de la potencia En el ejemplo 1 de esta sección, la prueba de hipótesis tiene una potencia de 0.2296 (o 0.2281 utilizando un recurso tecnológico) para sustentar la afirmación de que $\mu > 166.3$ libras, cuando la media poblacional real es de 170 libras.

a) Interprete el valor dado de la potencia.

b) Identifique el valor de β e interprete dicho valor.

24. Cálculo de la potencia de una prueba Para el ejemplo 1 de esta sección, calcule la potencia de la prueba para sustentar la afirmación de que $\mu > 166.3$ libras, cuando la media poblacional real es de 180 libras. También calcule β, la probabilidad de cometer un error tipo II. ¿La prueba es eficaz para sustentar la afirmación de que $\mu > 166.3$ libras cuando la media poblacional verdadera es de 180 libras?

8-5 Prueba de una afirmación respecto de una media: σ desconocida

Concepto clave En la sección 8-4 estudiamos los métodos para someter a prueba una afirmación acerca de una media poblacional, pero con base en el supuesto poco realista de que se conoce el valor de la desviación estándar poblacional σ. En esta sección se presentan métodos para someter a prueba una afirmación respecto de una media poblacional, pero no es necesario conocer el valor de σ. Los métodos de esta sección se conocen como prueba *t* porque utilizan la distribución *t* de Student, que se presentó en la sección 7-4. Los requisitos, el estadístico de prueba, el valor *P* y los valores críticos se resumen a continuación.

Prueba de afirmaciones acerca de una media poblacional (σ desconocida)

Objetivo

Someter a prueba una afirmación acerca de una media poblacional (cuando no se conoce σ mediante el uso de un método formal de prueba de hipótesis.

Notación

n = tamaño de muestra

$\bar{x}$ = media *muestral*

$\mu_{\bar{x}}$ = media *poblacional* de todas las medias de muestras de tamaño n (este valor se basa en la afirmación y se utiliza en la hipótesis nula)

Requisitos

1. La muestra es aleatoria simple.
2. Se *desconoce* el valor de la desviación estándar poblacional σ.
3. Se satisfacen una o ambas de las siguientes condiciones: la población se distribuye de manera normal o $n > 30$.

Estadístico de prueba para probar una afirmación acerca de una media (σ desconocida)

$$t = \frac{\bar{x} - \mu_{\bar{x}}}{\frac{s}{\sqrt{n}}}$$

(Redondee t a tres posiciones decimales, como en la tabla A-3)

Valores P y valores críticos: Utilice la tabla A-3 y considere gl $= n - 1$ para el número de grados de libertad. (Véase la figura 8-5 para los procedimientos del cálculo del valor P).

Requisito de normalidad Esta prueba t es *robusta* frente a desviaciones respecto de la normalidad, lo que significa que la prueba funciona bastante bien si la desviación de la forma normal no es demasiado pronunciada. Por lo general, es posible satisfacer este requisito de normalidad al verificar que no haya valores atípicos y que el histograma tenga una forma que no se aleje mucho de la normalidad.

Tamaño de muestra Usamos el criterio simplificado de $n > 30$ como justificación para tratar la distribución de medias muestrales como una distribución normal, pero el tamaño de muestra mínimo realmente depende de qué tanto la distribución poblacional se aleja de una distribución normal.

Las siguientes son las propiedades importantes de la distribución t de Student:

Propiedades importantes de la distribución t de Student

1. La distribución t de Student difiere para tamaños de muestra distintos (véase la figura 7-5 en la sección 7-4).
2. La distribución t de Student tiene la misma forma general de campana que la distribución normal estándar; su forma más ancha refleja una mayor variabilidad, lo que se espera cuando se utiliza s para estimar σ.
3. La distribución t de Student tiene una media de $t = 0$ (del mismo modo que la distribución normal estándar tiene una media de $z = 0$).
4. La desviación estándar de la distribución t de Student varía de acuerdo con el tamaño de muestra y es mayor que 1 (a diferencia de la distribución normal estándar, que tiene $\sigma = 1$).
5. Conforme aumenta el tamaño de muestra n, la distribución t de Student se acerca más a la distribución normal estándar.

Elección del método correcto

Cuando someta a prueba una afirmación acerca de una media poblacional, primero asegúrese de que los datos muestrales se obtuvieron con un método de muestreo adecuado, como el muestreo aleatorio simple (de otra manera, es muy probable que ningún método estadístico sea aplicable). Si se tiene una muestra aleatoria simple, una prueba de hipótesis de una afirmación sobre μ podría utilizar la distribución t de Student, la distribución normal o tal vez se requiera de métodos no paramétricos o técnicas *bootstrap* de muestreo. (Los métodos no paramétricos, que no requieren una distribución en particular, se es-

Metanálisis

El término *metanálisis* se refiere a una técnica para realizar un estudio que, en esencia, combina resultados de otros estudios. Tiene la ventaja de que se pueden combinar muestras separadas más pequeñas en una gran muestra, lo que hace más significativos los resultados colectivos. También tiene la ventaja de aprovechar trabajo que ya se realizó. El metanálisis tiene la desventaja de que solo es tan bueno como los estudios utilizados. Si los estudios anteriores tienen defectos, se presentará el fenómeno de "entra basura, sale basura". Actualmente, el metanálisis es de uso común en investigaciones médicas y psicológicas. Como ejemplo, un estudio de tratamientos para la migraña se basó en datos de otros 46 estudios (véase "Meta-Analysis of Migraine Headache Treatments: Combining Information from Heterogeneous Designs", de Dominici et al., *Journal of the American Statistical Association*, vol. 94, núm. 445)

tudian en el capítulo 13; la técnica *bootstrap* de muestreo se describe en el proyecto tecnológico al final del capítulo 7). Consulte las páginas 360 y 361, donde la figura 7-6 y la tabla 7-1 resumen las decisiones que deben tomarse al elegir entre la distribución normal y la t de Student. La distribución t de Student se aplica en estas condiciones:

Para someter a prueba una afirmación acerca de una media poblacional, utilice la distribución t de Student cuando se trate de una muestra aleatoria simple, cuando *se desconozca* σ y cuando se presente cualquiera de las siguientes condiciones o ambas:

La población se distribuye normalmente o $n > 30$.

EJEMPLO 1

Barcos sobrecargados: Método tradicional En el ejemplo 1 de la sección anterior señalamos que algunas personas han muerto en accidentes de embarcaciones debido al uso de una estimación obsoleta del peso medio de los hombres. Al utilizar los pesos de la muestra aleatoria simple de hombres, incluidos en el conjunto de datos 1 del apéndice B, se obtienen los siguientes estadísticos muestrales: $n = 40$ y $\bar{x} = 172.55$ libras y $s = 26.33$ libras. No suponga que se conoce el valor de σ. Utilice estos resultados para someter a prueba la afirmación de que los hombres tienen un peso medio mayor que 166.3 libras, que era el peso establecido en la recomendación M-04-04 del National Transportation and Safety Board. Utilice un nivel de significancia de 0.05 y el método tradicional descrito en la figura 8-9.

SOLUCIÓN

VERIFICACIÓN DE REQUISITOS 1. Se trata de una muestra aleatoria simple. **2.** Se desconoce el valor de la desviación estándar. **3.** El tamaño de muestra es $n = 40$, que es mayor que 30. Los requisitos se satisfacen.

Seguiremos el método tradicional que se resume en la figura 8-9.

Paso 1: La afirmación de que los hombres tienen un peso medio mayor que 166.3 libras se expresa simbólicamente como $\mu > 166.3$ libras.

Paso 2: La alternativa (en forma simbólica) a la afirmación original es $\mu \leq 166.3$ libras.

Paso 3: Puesto que la afirmación $\mu > 166.3$ libras no contiene la condición de igualdad, se convierte en la hipótesis alternativa. La hipótesis nula es la afirmación de que $\mu = 166.3$ libras.

H_0: $\mu = 166.3$ libras (hipótesis nula)

H_1: $\mu > 166.3$ libras (hipótesis alternativa y afirmación original)

Paso 4: Como se especifica en el planteamiento del problema, el nivel de significancia es $\alpha = 0.05$.

Paso 5: Puesto que la afirmación se refiere a la *media poblacional* μ, el estadístico muestral más relevante para esta prueba es la *media muestral* $\bar{x} = 172.55$ libras.

Paso 6: El estadístico de prueba se calcula de la siguiente manera:

$$t = \frac{\bar{x} - \mu_{\bar{x}}}{\frac{s}{\sqrt{n}}} = \frac{172.55 - 166.3}{\frac{26.33}{\sqrt{40}}} = 1.501$$

Utilizando el estadístico de prueba de $t = 1.501$, ahora procedemos a calcular el valor crítico a partir de la tabla A-3. Con gl $= n - 1 = 39$, nos remitimos a la tabla A-3 y localizamos la columna correspondiente a un área de 0.05 en una cola; encontramos que el valor crítico es $t = 1.685$. Véase la figura 8-15.

Paso 7: Como el estadístico de prueba de $t = 1.501$ no se localiza dentro de la región crítica determinada por el valor crítico de $t = 1.685$ como se observa en la figura 8-15, no rechazamos la hipótesis nula.

INTERPRETACIÓN Como no se rechazó la hipótesis nula, concluimos que no existe evidencia suficiente para sustentar la conclusión de que la media poblacional es mayor que 166.3 libras, como se establece en la recomendación del National Transportation and Safety Board.

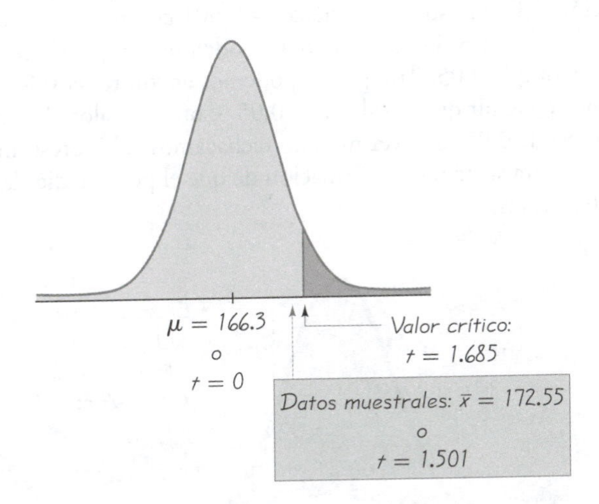

Figura 8-15
Método tradicional: Prueba de la afirmación de que $\mu > 166.3$ libras

Cálculo de valores *P* con la distribución *t* de Student

En el ejemplo 1 se empleó el método tradicional de prueba de hipótesis, pero STATDISK, Minitab, la calculadora TI-83/84 Plus y muchos artículos de revistas científicas presentan valores *P*. Para el ejemplo anterior, STATDISK, Minitab y la calculadora TI-83/84 Plus dan un valor *P* de 0.0707. (Minitab produce el valor redondeado de 0.071, y en Excel el valor *P* se obtiene al utilizar la aplicación DDXL). Con un nivel de significancia de 0.05 y un valor *P* mayor que 0.05, no rechazamos la hipótesis nula, como hicimos al emplear el método tradicional en el ejemplo 1. Si no dispone de un programa de cómputo o de una calculadora TI-83/84 Plus, puede utilizar la tabla A-3 para identificar un *rango de valores* que contenga el valor *P*. Recomendamos esta estrategia para el cálculo de valores *P* utilizando la distribución *t*:

1. Utilice un programa de cómputo o una calculadora TI-83/84 Plus. (STATDISK, Minitab, el complemento DDXL de Excel, la calculadora TI-83/84 Plus, SPSS y SAS dan valores *P* para las pruebas *t*).

2. Si no dispone de algún recurso tecnológico, consulte la tabla A-3 para identificar un rango de valores *P* de la siguiente manera: utilice el número de grados de libertad para localizar el renglón relevante de la tabla A-3, luego determine dónde se localiza el estadístico de prueba en relación con los valores *t* en ese renglón. Con base en una comparación del estadístico de prueba *t* y los valores *t* en el renglón de la tabla A-3, identifique un rango de valores consultando el área de valores en la parte superior de la tabla.

EJEMPLO 2

Cálculo del valor *P* Suponiendo que no disponemos de un programa de cómputo o de una calculadora TI-83/84 Plus, consulte la tabla A-3 con la finalidad de obtener un rango de valores para el valor *P*, correspondiente al estadístico de prueba de $t = 1.501$ del ejemplo 1.

SOLUCIÓN

VERIFICACIÓN DE REQUISITOS En el ejemplo 1 se verificaron los requisitos.

El ejemplo 1 implica una prueba de cola derecha, de manera que el valor *P* es el área ubicada a la derecha del estadístico de prueba $t = 1.501$. Remítase a la tabla A-3 y localice el renglón correspondiente a 39 grados de libertad. El estadístico de prueba de $t = 1.501$ se localiza entre los valores de 1.685 y 1.304, de manera que el "área en una cola" (a la derecha del estadístico de prueba) se encuentra entre 0.05 y 0.10. En la figura 8-16 se observa la ubicación del estadístico de prueba $t = 1.501$ con respecto a los valores *t* de 1.304 y 1.685 de la tabla A-3. En la figura 8-16 podemos ver que el área a la derecha de $t = 1.501$ es mayor que 0.05. Aunque no podemos encontrar el valor *P* exacto en la tabla A-3, podemos concluir que el valor $P > 0.05$. Como el valor *P* es mayor que el nivel de significancia de 0.05, una vez más, no rechazamos la hipótesis nula. No existe evidencia suficiente para sustentar la afirmación de que el peso medio de los hombres es mayor que 166.3 libras.

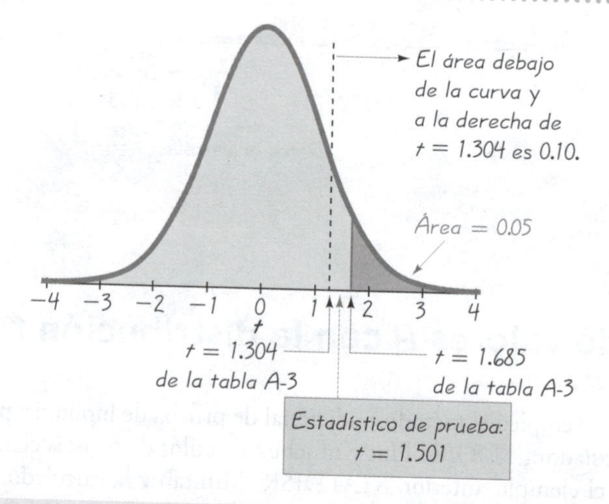

Figura 8-16

Uso de la tabla A-3 para calcular un rango para el valor *P*

EJEMPLO 3

Cálculo de un valor *P* Suponiendo que no dispone de un programa de cómputo o de una calculadora TI-83/84 Plus, utilice la tabla A-3 para obtener un rango de valores para el valor *P*, correspondientes a una prueba *t* con los siguientes componentes (de acuerdo con la afirmación de que $\mu = 120$ libras para los pesos de mujeres incluidos en el conjunto de datos 1 del apéndice B): el estadístico de prueba es $t = 4.408$, el tamaño muestra es $n = 40$, el nivel de significancia es $\alpha = 0.05$ y la hipótesis alternativa es H_1: $\mu \neq 120$ libras.

SOLUCIÓN

Puesto que el tamaño de muestra es 40, remítase a la tabla A-3 y localice el renglón correspondiente a 39 grados de libertad ($\text{gl} = n - 1$). Como el estadístico de prueba $t = 4.408$ es mayor que todos los valores del renglón 39, el valor *P* es menor que 0.01. (Asegúrese de utilizar el "área en dos colas" si la prueba es de dos colas). Aunque no encontramos el valor *P* exacto, podemos concluir que el valor $P < 0.01$. (Los programas de cómputo o la calculadora TI-83/84 Plus dan el valor *P* exacto de 0.0001).

Recuerde que es fácil calcular los valores *P* utilizando un programa de cómputo o una calculadora TI-83/84 Plus. Asimismo, el método tradicional de prueba de hipótesis se puede utilizar en vez del método del valor *P*.

Método del intervalo de confianza Podemos utilizar un intervalo de confianza para someter a prueba una afirmación acerca de μ cuando desconocemos σ. Para una prueba de hipótesis de dos colas con un nivel de significancia de 0.05, construimos un intervalo de confianza del 95%, pero para una prueba de hipótesis de una cola con un nivel de significancia de 0.05, construimos un intervalo de confianza del 90% (como se describe en la tabla 8-2, en la página 406).

En la sección 8-3 vimos que, cuando se somete a prueba una afirmación sobre una proporción poblacional, el método tradicional y el método del valor *P* son equivalentes, pero el método del intervalo de confianza es un poco diferente. Cuando se somete a prueba una afirmación acerca de una media poblacional, no existe tal diferencia, y los tres métodos son equivalentes.

EJEMPLO 4 **Método del intervalo de confianza** Los datos muestrales del ejemplo 1 dan como resultado los estadísticos $n = 40$, $\bar{x} = 172.55$ libras, $s = 26.33$ libras y se desconoce σ. Utilice un nivel de significancia de 0.05 para someter a prueba la afirmación de que $\mu > 166.3$ por medio del método del intervalo de confianza.

SOLUCIÓN **VERIFICACIÓN DE REQUISITOS** Los requisitos ya se verificaron en el ejemplo 1. ✓

Si utilizamos los métodos descritos en la sección 7-4, construimos el siguiente intervalo de confianza del 90%:

$$165.54 \text{ libras} < \mu < 179.56 \text{ libras}$$

Como el supuesto valor de $\mu = 166.3$ libras está incluido dentro del intervalo de confianza, no podemos rechazar la hipótesis nula de que $\mu = 166.3$ libras. Con base en los 40 valores muestrales que se dan en el ejemplo, no tenemos evidencia suficiente para sustentar la afirmación de que el peso medio es mayor que 166.3 libras. Con base en el intervalo de confianza, es probable que el valor verdadero de μ sea cualquier valor que se encuentre entre 165.54 y 179.56 libras, incluyendo 166.3 libras.

El siguiente ejemplo implica una muestra pequeña con una lista de los valores muestrales originales. Como la muestra es pequeña (30 o menos), el uso de la prueba *t* requiere que verifiquemos si la muestra parece provenir de una población con una distribución que no se aleja demasiado de la normalidad.

EJEMPLO 5 **Muestra pequeña: Verificación de plomo en el aire** A continuación se presentan las cantidades medidas de plomo (en microgramos por metro cúbico o $\mu g/m^3$) en el aire. La Environmental Protection Agency (EPA) estableció un estándar de calidad del aire para el plomo de 1.5 $\mu g/m^3$. Los siguientes datos constituyen una muestra aleatoria simple de medidas registradas en el edificio 5 del World Trade Center, en días diferentes inmediatamente después de la destrucción causada por los ataques terroristas del 11 de septiembre de 2001. Después de la caída de las dos torres del World Trade Center, había una gran preocupación por la calidad del aire. Utilice un nivel de significancia de 0.05 para someter a prueba la afirmación de que la muestra se obtuvo de una población con una media mayor que el estándar de la EPA de 1.5 $\mu g/m^3$.

5.40 1.10 0.42 0.73 0.48 1.10

continúa

¿Los zurdos mueren más jóvenes que los demás?

Un estudio realizado por los psicólogos Diane Halpern y Stanley Coren recibió una gran atención de los medios de comunicación masiva y generó un gran interés cuando concluyó que las personas zurdas no viven tanto tiempo como los individuos diestros. Con base en el estudio, parecía que los zurdos viven un promedio de nueve años menos que los diestros. El estudio de Halpern y Coren fue blanco de críticas por utilizar datos no confiables, ya que se emplearon datos de segunda mano al encuestar a los parientes de individuos que habían fallecido recientemente. El mito de que los zurdos mueren más jóvenes se convirtió en una idea generalizada que ha perdurado durante muchos años. Sin embargo, estudios más recientes indican que los zurdos *no* viven menos que los diestros.

SOLUCIÓN

VERIFICACIÓN DE REQUISITOS **1.** Se trata de una muestra aleatoria simple. **2.** Se desconoce el valor de σ. **3.** Como el tamaño de muestra $n = 6$ no es mayor que 30, debemos verificar que la muestra parezca provenir de una población con una distribución normal. La siguiente gráfica cuantilar normal generada con STATDISK indica que los puntos no se acercan de manera razonable a una línea recta, de manera que el requisito de normalidad es muy cuestionable. Asimismo, parece que el dato de 5.40 es un valor atípico. Las pruebas formales de la hipótesis de normalidad también sugieren que los datos muestrales no se obtuvieron de una población con una distribución normal. Los requisitos no se satisfacen y el uso de los métodos de esta sección podría arrojar resultados inadecuados.

STATDISK

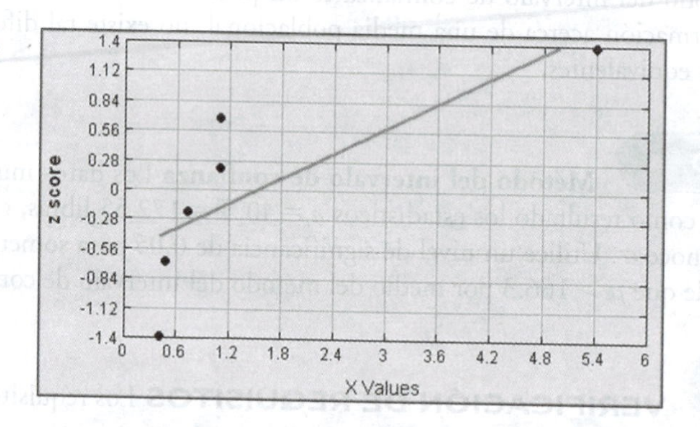

Si procediéramos con la prueba t, encontraríamos que el estadístico de prueba es $t = 0.049$, que el valor crítico es $t = 2.015$, y que el valor P es > 0.10. Con un recurso tecnológico, el valor P es 0.4814. No debemos rechazar la hipótesis nula de $\mu = 1.5$, de modo que no hay evidencia suficiente para sustentar la afirmación de que $\mu > 1.5$. No obstante, puesto que los requisitos no se cumplen, esta conclusión es cuestionable.

USO DE LA TECNOLOGÍA

STATDISK Si se trabaja con la lista de los valores muestrales originales, primero calcule el tamaño de muestra, la media muestral y la desviación estándar muestral por medio del procedimiento de STATDISK descrito en la sección 3-2. Después de obtener los valores de n, $\bar{x}$, y s, proceda a seleccionar **Analysis** de la barra del menú principal, después seleccione **Hypothesis Testing**, seguido por **Mean-One Sample.**

MINITAB Minitab le permite usar el resumen de estadísticos o una lista de los valores muestrales originales. Seleccione **Stat, Basic Statistics** y **1-Sample t** del menú. Introduzca el resumen de estadísticos o ingrese la columna que contiene la lista original de valores muestrales. Utilice el botón **Options** para cambiar el formato de la hipótesis alternativa.

En **Minitab 16**, también puede hacer clic en **Assistant**, luego en **Hypothesis Tests**; después, seleccione el caso para **1-Sample t.** Complete el cuadro de diálogo y luego haga clic en **OK** para obtener las tres ventanas de resultados que incluyen el valor P y otra información valiosa.

EXCEL Excel no posee una función para la prueba t, por lo tanto, utilice Data Desk XL, que es complemento de este libro. Primero introduzca los datos muestrales en la columna A. Seleccione **DDXL.** (Si utiliza Excel 2010 o Excel 2007, seleccione **Add-Ins** y después haga clic en **DDXL.** Si utiliza Excel 2003, haga clic en **DDXL**). En DDXL selecci **Hypothesis Tests.** En las opciones del tipo de función, seleccione **1 Var t Tes** Haga clic en el icono del lápiz e introduzca el rango de valores de datos, comc A1:A12, si tiene 12 valores listados en la columna A. Haga clic en **OK.** Siga l cuatro pasos del cuadro de diálogo. Después de hacer clic en **Compute** en el paso 4, obtendrá el valor P, el estadístico de prueba y la conclusión.

TI-83/84 PLUS Ii utiliza la calculadora TI-83/84 Plus, presion **STAT**, luego seleccione **TESTS** y elija la opción **T-Test**. Puede utilizar los dat originales (**Data**) o un resumen de los estadísticos (**Stats**) al suministrar las entradas indicadas en la pantalla. Los primeros tres elementos de los resultado de la calculadora TI-83/84 Plus incluirán la hipótesis alternativa, el estadístico prueba y el valor P.

Valores críticos de t: Para calcular valores críticos de t en la calculadora TI-84 Plus, presione 2ND VARS para obtener el menú DIST (distribución); luego, seleccione **invT**. Ingrese el área acumulada de la izquierda, agregue una coma luego ingrese el número de grados de libertad. El comando de invT(0.975,52) produce 2.006646761; para 52 grados de libertad, el valor t con un área de 0. a su izquierda es 2.006646761. La calculadora TI-83 Plus no tiene la función invT, por lo que deberá utilizar el programa **invt** que está en el sitio Web de este libro.

8-5 Destrezas y conceptos básicos

Conocimientos estadísticos y pensamiento crítico

1. Requisito de normalidad Considerando una muestra aleatoria simple de 20 velocidades de automóviles en la carretera 405 de California, se desea someter a prueba la afirmación de que los valores muestrales se obtuvieron de una población con una media mayor que la velocidad máxima permitida de 65 mi/h. ¿Es necesario determinar si la muestra proviene de una población distribuida de manera normal? Si su respuesta es afirmativa, ¿qué métodos se podrían utilizar para determinarlo?

2. gl En estadística, ¿qué significa *gl*? Si se utilizara una muestra aleatoria simple de 20 velocidades de automóviles en la carretera 405 de California para someter a prueba la afirmación de que los valores muestrales provienen de una población con una media mayor que la velocidad máxima permitida de 65 mi/h, ¿cuál es el valor específico de gl?

3. Prueba *t* ¿Qué es una prueba *t*? ¿Por qué se utiliza la letra *t*?

4. Verificación de la realidad A diferencia de la sección anterior, esta sección no incluye el requisito de que se conozca el valor de la desviación estándar poblacional. ¿Qué sección es más probable que se aplique en situaciones reales: esta o la anterior? ¿Por qué?

Uso de la distribución correcta. ***En los ejercicios 5 a 8, determine si la prueba de hipótesis incluye una distribución muestral de medias con distribución normal, distribución t de Student o ninguna de estas (Sugerencia: Consulte la figura 7-6 y la tabla 7-1).***

5. Afirmación respecto de puntuaciones de CI de profesores de estadística: $\mu > 100$. Datos muestrales: $n = 15$, $\bar{x} = 118$, $s = 11$. Los datos muestrales parecen provenir de una población distribuida normalmente, con μ y σ desconocidas.

6. Afirmación respecto de calificaciones de crédito FICO de adultos: $\mu = 678$. Datos muestrales: $n = 12$, $\bar{x} = 719$, $s = 92$. Los datos muestrales parecen provenir de una población con una distribución que no es normal, con σ desconocida.

7. Afirmación respecto de cantidades diarias de lluvia en Boston: $\mu < 0.20$ pulgadas. Datos muestrales: $n = 19$, $\bar{x} = 0.10$ pulgadas, $s = 0.26$ pulgadas. Los datos muestrales parecen provenir de una población que se aleja mucho de una distribución normal, con σ desconocida.

8. Afirmación respecto de cantidades diarias de lluvia en Boston: $\mu < 0.20$ pulgadas. Datos muestrales: $n = 52$, $\bar{x} = 0.10$ pulgadas, $s = 0.26$ pulgadas. Los datos muestrales parecen provenir de una población que se aleja mucho de una distribución normal, con σ conocida.

Cálculo de valores P. ***En los ejercicios 9 a 12, utilice algún recurso tecnológico para calcular el valor P o la tabla A-3 para calcular un rango de valores para el valor P.***

9. Dulces M&M Prueba de una afirmación sobre el peso medio de dulces M&M: Prueba de cola derecha con $n = 25$ y estadístico de prueba $t = 0.430$.

10. Clasificación de películas Prueba de dos colas con $n = 15$ y estadístico de prueba $t = 1.495$.

11. Pesos de monedas de 25 centavos Prueba de dos colas con $n = 9$ y estadístico de prueba $t = -1.905$.

12. Temperaturas corporales Prueba de una afirmación sobre la temperatura media corporal de adultos saludables: prueba de cola izquierda con $n = 11$ y estadístico de prueba $t = -3.518$.

Prueba de hipótesis. ***En los ejercicios 13 a 28, suponga que se seleccionó una muestra aleatoria simple de una población distribuida de manera normal y que se sometió a prueba la afirmación enunciada. A menos que su profesor le dé una indicación específica, utilice ya sea el método tradicional o el método del valor P para someter a prueba las hipótesis. Identifique la hipótesis nula y la hipótesis alternativa, el estadístico de prueba, el valor P (o rango de valores P), el valor (o valores) crítico(s) y establezca la conclusión final retomando la afirmación original.***

13. Composición de una canción exitosa En el manual "Cómo lograr un primer lugar con facilidad", de KLF Publications, se afirma que una canción "no debe durar más de tres minutos y 30 segundos" (o 210 segundos). Una muestra aleatoria simple de 40 canciones exitosas actuales tiene una duración media de 252.5 segundos y una desviación estándar de 54.5 segundos. (Las canciones son de Timberlake, Furtado, Daughtry, Stefani, Fergie, Akon, Ludacris, etcétera). Utilice un nivel de significancia de 0.05 y la siguiente pantalla de Minitab para someter a prueba la afirmación de que la muestra proviene de una población de canciones con una media mayor que 210 segundos. ¿Qué sugieren esos resultados respecto del consejo del manual?

MINITAB

One-Sample T
Test of mu = 210 vs > 210

N	Mean	StDev	SE Mean	95% Lower Bound	T	P
40	252.50	54.50	8.62	237.98	4.93	0.000

14. Conteo de glóbulos rojos en la sangre Se obtiene una muestra aleatoria simple de 50 adultos, y se hace un conteo de los glóbulos rojos de cada persona (en glóbulos por microlitro). La media muestral es 5.23 y la desviación estándar muestral es de 0.54. Utilice un nivel de significancia de 0.01 y la siguiente pantalla de la calculadora TI-83/84 Plus para someter a prueba la afirmación de que la muestra proviene de una población con una media menor que 5.4, un valor que a menudo se utiliza como límite superior para el rango de los valores normales. ¿Qué sugieren los resultados sobre el grupo de la muestra?

TI-83/84 PLUS

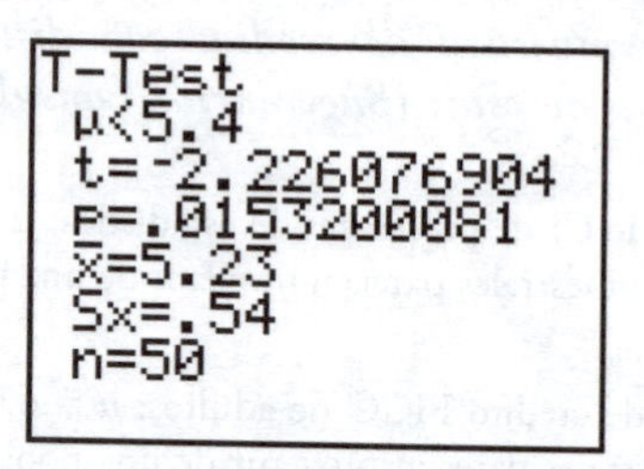

15. Alquitrán en cigarrillos Se obtiene una muestra aleatoria simple de 25 cigarrillos de 100 mm con filtro, y se mide el contenido de alquitrán de cada uno. La muestra tiene una media de 13.2 mg y una desviación estándar de 3.7 mg (de acuerdo con el conjunto de datos 4 del apéndice B). Utilice un nivel de significancia de 0.05 para someter a prueba la afirmación de que el contenido medio de alquitrán de cigarrillos de 100 mm con filtro es menor que 21.1 mg, que es la media para los cigarrillos tamaño grande sin filtro. ¿Qué sugieren los resultados sobre la eficacia de los filtros?

16. ¿La dieta es práctica? Cuando 40 personas utilizaron la dieta de Weight Watchers durante un año, su *pérdida* media de peso fue de 3.0 libras, con una desviación estándar de 4.9 libras (según datos de "Comparison of the Atkins, Ornish, Weight Watchers, and Zone Diets for Weight Loss and Heart Disease Reduction", de Dansinger *et al.*, *Journal of the American Medical Association*, vol. 293, núm. 1). Utilice un nivel de significancia de 0.01 para someter a prueba la afirmación de que la pérdida media de peso es mayor que 0 libras. Con base en esos resultados, ¿parece que la dieta es eficaz? ¿Parece que la dieta tiene una significancia práctica?

17. Pesos de monedas de un centavo Según una especificación de la Casa de Moneda estadounidense, las monedas de un centavo tienen un peso medio de 2.5 g. El conjunto de datos 20 del apéndice B incluye los pesos (en gramos) de 37 monedas de un centavo acuñadas después de 1983. Dichas monedas tienen un peso medio de 2.49910 g y una desviación estándar de 0.01648 g. Utilice un nivel de significancia de 0.05 para someter a prueba la afirmación de que esta muestra proviene de una población con un peso medio igual a 2.5 g. ¿Parece que las monedas de un centavo cumplen con las especificaciones de la Casa de Moneda estadounidense?

18. Análisis de monedas de un centavo En un análisis para investigar la utilidad de las monedas de un centavo, se registran los centavos de 100 cobros de tarjeta de crédito elegidos al azar. La muestra tiene una media de 47.6 centavos y una desviación estándar de 33.5 centavos. Si las cantidades desde 0 hasta 99 centavos son igualmente probables, la media esperada es de 49.5 centavos. Utilice un nivel de significancia de 0.01 para someter a prueba la afirmación de que la muestra proviene de una población con una media igual a 49.5 centavos. ¿Qué sugieren los resultados sobre los centavos de cobros de tarjetas de crédito?

19. Tiempo requerido para obtener el título de licenciatura Un grupo de investigadores reunió una muestra aleatoria simple del tiempo que 81 estudiantes universitarios tardaron en obtener su título de licenciatura. La muestra tiene una media de 4.8 años y una desviación estándar de 2.2 años (según datos del National Center for Education Statistics). Utilice un nivel de significancia de 0.05 para someter a prueba la afirmación de que el tiempo promedio de todos los estudiantes es mayor que 4.5 años.

20. Alimentación eléctrica ininterrumpida (UPS). El conjunto de datos 13 del apéndice B incluye las medidas de voltaje del UPS de respaldo del autor (APC modelo CS 350). Según el fabricante, el voltaje normal de salida es de 120 volts. Las 40 medidas de voltaje del conjunto de datos 13 tienen una media de 123.59 volts y una desviación estándar de 0.31 volts. Utilice un nivel de significancia de 0.05 para someter a prueba la afirmación de que la muestra proviene de una población con una media igual a 120 volts.

21. Análisis de monedas de un centavo En un análisis para investigar la utilidad de las monedas de un centavo, se registran los centavos de 100 cheques elegidos al azar. La muestra tiene una media de 23.8 centavos y una desviación estándar de 32.0 centavos. Si las cantidades desde 0 hasta 99 centavos son igualmente probables, la media esperada es de 49.5 centavos. Utilice un nivel de significancia de 0.01 para someter a prueba la afirmación de que la muestra proviene de una población con una media menor que 49.5 centavos. ¿Qué sugieren los resultados sobre los centavos de los cheques?

22. Exceso de velocidad en California Se obtiene una muestra aleatoria simple de 40 velocidades (en mi/h) de automóviles que viajaban en una sección de la carretera 405 en Los Ángeles. La muestra tiene una media de 68.4 mi/h y una desviación estándar de 5.7 mi/h (según datos de Sigalert). Utilice un nivel de significancia de 0.05 para someter a prueba la afirmación de que la velocidad media de todos los automóviles es mayor que la velocidad máxima permitida de 65 mi/h.

23. Emisiones de automóviles El conjunto de datos 16 del apéndice B incluye medidas de las emisiones de gases de invernadero de 32 automóviles diferentes. La muestra tiene una media de 7.78 toneladas y una desviación estándar de 1.08 toneladas. (Las cantidades se miden en toneladas por año, expresadas como equivalentes de CO_2). Utilice un nivel de significancia de 0.05 para someter a prueba la afirmación de que todos los automóviles tienen una emisión media de gases de invernadero de 8.00 toneladas.

24. Estaturas de supermodelos Se midió la estatura de una muestra aleatoria simple de las supermodelos Crawford, Bundchen, Pestova, Christenson, Hume, Moss, Campbell, Schiffer y Taylor. Tienen una estatura media de 70.0 pulgadas y una desviación estándar de 1.5 pulgadas. Utilice un nivel de significancia de 0.01 para someter a prueba la afirmación de que las supermodelos tienen estaturas con una media que es mayor a la media de 63.6 pulgadas de la población general de mujeres. Considerando que solo contamos con nueve estaturas, ¿realmente podemos concluir que las supermodelos son más altas que la mujer típica?

25. Pruebas de asientos de seguridad para niños La National Highway Traffic Safety Administration realizó pruebas de choques con asientos de automóvil para niños. A continuación se presentan los resultados de dichas pruebas, con las medidas dadas en hics (unidades estándar llamadas así por las siglas de *head injury condition*). La norma de seguridad establece que la medida hic debe ser menor que 1000 hics. Utilice un nivel de significancia de 0.01 para someter a prueba la afirmación de que la muestra proviene de una población con una media menor que 1000 hics. ¿Los resultados sugieren que todos los asientos de automóvil para niños cumplen con la norma requerida?

774 649 1210 546 431 612

26. Número de palabras del inglés Se obtiene una muestra aleatoria simple de páginas de la decimoprimera edición del *Merriam-Webster's Collegiate Dictionary*. A continuación se presenta el número de palabras definidas en esas páginas. Puesto que este diccionario tiene 1459 páginas con términos definidos, la afirmación de que hay más de 70,000 definiciones es igual a la afirmación de que el número medio de palabras definidas en una página es mayor que 48.0. Utilice un nivel de significancia de 0.05 para someter a prueba la afirmación de que el número medio de términos definidos en una página es mayor que 48.0. ¿Qué sugiere el resultado sobre la afirmación de que el diccionario incluye más de 70,000 definiciones?

51 63 36 43 34 62 73 39 53 79

27. Costos de choques de automóviles El Insurance Institute for Highway Safety realizó pruebas de choques con automóviles nuevos que viajaban a una velocidad de 6 mi/h, y se calculó el costo total de los daños. A continuación se presentan los resultados de una muestra aleatoria simple de los automóviles sometidos a prueba. Utilice un nivel de significancia de 0.05 para someter a prueba la afirmación de que, al probarse en las mismas condiciones estándar, los costos por los daños a la población de automóviles tienen una media de $5000.

$7448 $4911 $9051 $6374 $4277

28. IMC de Miss América La tendencia de ganadoras más delgadas en el concurso de Miss América ha provocado que se acuse al concurso de fomentar hábitos de alimentación poco saludables entre las mujeres jóvenes. A continuación se listan los índices de masa corporal (IMC) de ganadoras recientes de este concurso. Utilice un nivel de significancia de 0.01 para someter a prueba la afirmación de que las ganadoras recientes del concurso Miss América provienen de una población con un IMC menor que 20.16, que era el IMC de las ganadoras de las décadas de 1920 y 1930. ¿Parece que las ganadoras recientes son significativamente diferentes de las ganadoras de las décadas de 1920 y 1930?

19.5 20.3 19.6 20.2 17.8 17.9 19.1 18.8 17.6 16.8

Conjuntos grandes de datos. ***En los ejercicios 29 a 32, utilice el conjunto de datos del apéndice B para someter a prueba la afirmación enunciada.***

29. ¿Los tornillos miden 3/4 de pulgada de largo? Se obtiene una muestra aleatoria simple de 50 tornillos de lámina de acero inoxidable fabricados por Crown Bolt, Inc., y se mide la longitud de cada tornillo por medio de un calibrador Vernier o pie de rey. Las longitudes se incluyen en el conjunto de datos 19 del apéndice B. Utilice un nivel de significancia de 0.05 para someter a prueba la afirmación de que los tornillos tienen una longitud media igual a 3/4 de pulgada (o 0.75 pulgadas), como se indica en la etiqueta del empaque. ¿Parece que las longitudes de los tornillos concuerdan con lo indicado en la etiqueta?

30. Suministro de energía El conjunto de datos 13 del apéndice B incluye las cantidades de voltaje suministradas directamente a la casa del autor. La compañía de electricidad Central Hudson afirma que tiene un objetivo de suministro eléctrico de 120 volts. Utilice esos voltajes domésticos para someter a prueba la afirmación de que la media es de 120 volts. Utilice un nivel de significancia de 0.01.

31. ¿Son incorrectos 98.6°F? El conjunto de datos 2 del apéndice B incluye medidas de temperatura del cuerpo humano. Utilice las temperaturas de las 12 AM del día 2 para someter a prueba la creencia común de que la temperatura media corporal es de 98.6°F. ¿Parece que la creencia común es incorrecta?

32. FICO Credit Scores En el conjunto de datos 24 del apéndice B se incluye una muestra aleatoria simple de calificaciones de crédito FICO. Cuando se escribía este libro, la calificación media FICO era 678. Utilice un nivel de significancia de 0.05 para someter a prueba la afirmación de que la muestra de calificaciones FICO proviene de una población con una media igual a 678.

8-5 Más allá de lo básico

33. Método alternativo Cuando se somete a prueba una afirmación respecto de una media poblacional μ utilizando una muestra aleatoria simple, obtenida de una población distribuida normalmente, con σ, desconocida, un método alternativo (que no se utiliza en este libro) consiste en emplear los métodos de esta sección si la muestra es pequeña ($n \leq 30$), pero si la muestra es grande ($n > 30$) se sustituye σ por s y se procede como si se conociera σ (como en la sección 8-4). Una muestra de 32 puntuaciones de CI tiene $\bar{x} = 105.3$ y $s = 15.0$. Utilice un nivel de significancia de 0.05 para someter a prueba la afirmación de que la muestra proviene de una población con una media igual a 100. Utilice el método alternativo y compare los resultados con los obtenidos por medio del método de esta sección. ¿El método alternativo siempre arroja la misma conclusión que la prueba t?

34. Uso de la distribución incorrecta Cuando se somete a prueba una afirmación acerca de una media poblacional, con una muestra aleatoria simple seleccionada de una población distribuida normalmente, con σ, desconocida, se debe emplear la distribución t de Student para calcular los valores críticos y/o un valor P. Si, en vez de ello, usted utiliza de forma incorrecta una distribución normal estándar, ¿este error lo hace más o menos proclive a rechazar la hipótesis nula, o no hace ninguna diferencia? Explique.

35. Cálculo de los valores críticos t Cuando se calculan valores críticos, en ocasiones necesitamos niveles de significancia diferentes a los que están disponibles en la tabla A-3. Algunos programas de cómputo aproximan valores críticos t al calcular

$$t = \sqrt{\text{gl} \cdot (e^{A^2/\text{gl}} - 1)}$$

donde gl $= n - 1$, $e = 2.718$, $A = z(8 \cdot \text{gl} + 3)/(8 \cdot \text{gl} + 1)$, y z es la puntuación crítica z. Utilice esta aproximación para calcular la puntuación crítica t correspondiente a $n = 75$ y un nivel de significancia de 0.05 en un caso de cola derecha. Compare los resultados con el valor crítico t de 1.666 obtenido con STATDISK o una calculadora TI-83/84 Plus.

36. Interpretación de la potencia En el ejemplo 1 de esta sección, la prueba de hipótesis tiene una potencia de 0.2203 para sustentar la afirmación de que $\mu > 166.3$ libras, cuando la media poblacional verdadera es de 170 libras.

a) Interprete el valor de la potencia.

b) Identifique e interprete el valor de β.

37. Cálculo de la potencia de una prueba Para el ejemplo 1 de esta sección, calcule la potencia de la prueba para sustentar la afirmación de que $\mu > 166.3$ libras, cuando la media poblacional verdadera es de 180 libras. También calcule β, la probabilidad de un error tipo II. ¿La prueba es eficaz para sustentar la afirmación de que $\mu > 166.3$ libras, cuando la media poblacional verdadera es de 180 libras?

8-6 Prueba de una afirmación respecto de una desviación estándar o de una varianza

Concepto clave En esta sección se presentan métodos para someter a prueba una afirmación respecto de una desviación estándar poblacional σ o una varianza poblacional σ^2. Los métodos de esta sección utilizan la distribución chi cuadrada, que se explicó en la sección 7-5. A continuación se resumen los supuestos, el estadístico de prueba, el valor P y los valores críticos.

Prueba de afirmaciones acerca de σ o σ^2

Objetivo

Someter a prueba una afirmación respecto de una desviación estándar poblacional σ (o una varianza poblacional σ^2) utilizando un método formal de prueba de hipótesis.

Notación

n = tamaño de muestra

s = desviación estándar *muestral*

s^2 = varianza *muestral*

σ = valor establecido de la desviación estándar *poblacional*

σ^2 = valor establecido de la varianza *poblacional*

Requisitos

1. La muestra es aleatoria simple.
2. La población tiene una distribución normal. (Este es un requisito mucho más estricto que el de una distribución normal cuando se someten a prueba afirmaciones acerca de medias, como en las secciones 8-4 y 8-5).

Estadístico de prueba para probar una afirmación acerca de σ o σ^2

$$\chi^2 = \frac{(n-1)s^2}{\sigma^2}$$ (redondee a tres posiciones decimales, como en la tabla A-4).

Valores P y valores críticos: Utilice la tabla A-4, con gl $= n - 1$ para el número de grados de libertad. (La tabla A-4 está basada en *áreas acumuladas a la derecha*).

¿Cómo puede ayudar la estadística a salvar corazones débiles?

Un artículo de David Leonhardt, publicado en el *New York Times*, apareció bajo el encabezado "Cómo puede ayudar la estadística a salvar corazones débiles".

Leonhardt afirma que los pacientes tienen más probabilidades de recuperación si sus arterias obstruidas se abren dentro de las dos horas posteriores a un ataque cardiaco. En 2005, el U.S. Department of Health and Human Services comenzó a publicar datos de hospitales en su sitio Web www.hospitalcompare.hhs.gov, e incluyó el porcentaje de pacientes con ataques cardiacos que recibieron tratamiento para arterias bloqueadas en las primeras dos horas de su llegada al hospital. En un afán por evitar las críticas que suscitarían datos desfavorables, los médicos y los hospitales están reduciendo el tiempo que les toma desbloquear las arterias. Leonhardt escribe acerca de la University of California, San Francisco Medical Center, que redujo su tiempo a la mitad, desde casi tres horas hasta alrededor de 90 minutos. El uso eficaz de la estadística sencilla ayuda a salvar vidas.

ADVERTENCIA

La prueba χ^2 de esta sección no es *robusta* ante las desviaciones respecto de la normalidad, lo que significa que la prueba no funciona bien si la población tiene una distribución que se aleja mucho de la normal. Por lo tanto, la condición de una población con distribución normal es un requisito más estricto en esta sección que en las secciones 8-4 y 8-5.

La distribución chi cuadrada se estudió en la sección 7-5, donde se señalaron las siguientes propiedades importantes:

Propiedades de la distribución chi cuadrada

1. Todos los valores de χ^2 son no negativos y la distribución no es simétrica (véase la figura 8-17).
2. Existe una distribución χ^2 diferente para cada número de grados de libertad (véase la figura 8-18).
3. Todos los valores críticos se encuentran en la tabla A-4, utilizando

$$\textbf{grados de libertad} = n - 1$$

La tabla A-4 está basada en áreas acumuladas a la *derecha* (a diferencia de los datos de la tabla A-2 que representan áreas acumuladas a la izquierda). Para obtener los valores críticos en la tabla A-4, primero se localiza el renglón correspondiente al número apropiado de grados de libertad (donde gl $= n - 1$). Luego, se utiliza el nivel de significancia α para determinar la columna correcta. Los siguientes ejemplos se basan en un nivel de significancia de $\alpha = 0.05$, pero se puede emplear cualquier otro nivel de significancia de manera similar.

Prueba de cola derecha: Puesto que el área a la *derecha* del valor crítico es 0.05, localice 0.05 en la parte superior de la tabla A-4.

Prueba de cola izquierda: Con un área de cola izquierda de 0.05, el área a la *derecha* del valor crítico es 0.95, así que localice 0.95 en la parte superior de la tabla A-4.

Prueba de dos colas: A diferencia de las distribuciones normal y *t* de Student, los valores críticos en esta prueba χ^2 serán dos valores positivos diferentes (en vez de algo similar a ± 1.96). Divida un nivel de significancia de 0.05 entre las colas derecha e izquierda, de manera que las áreas a la *derecha* de los dos valores críticos sean 0.975 y 0.025, respectivamente. Localice 0.975 y 0.025 en la parte superior de la tabla A-4. (Véase la figura 7-10 y el ejemplo 1 en la página 372).

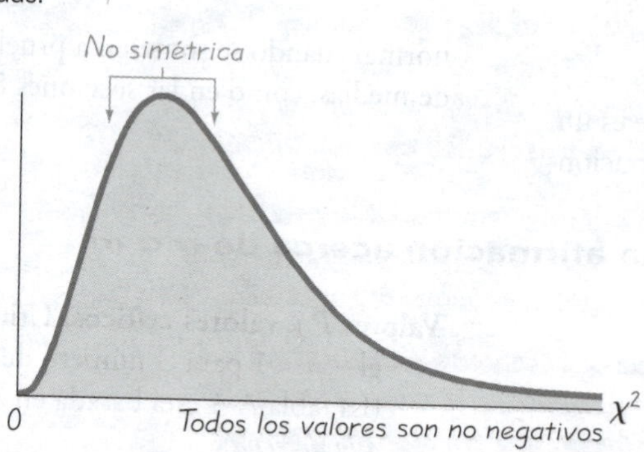

Figura 8-17 Propiedades de la distribución chi cuadrada

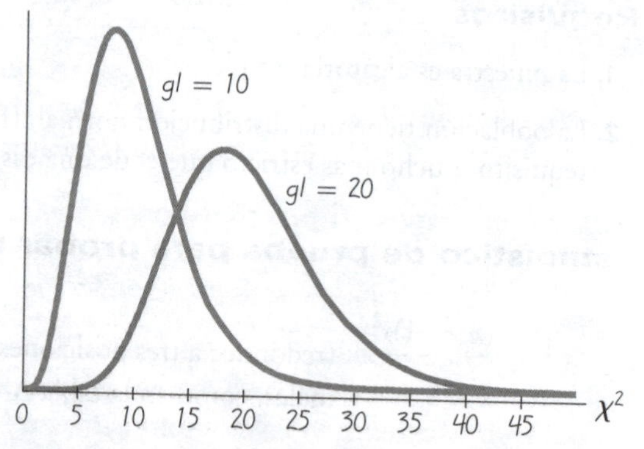

Figura 8-18 Distribución chi cuadrada para gl = 10 y gl = 20

EJEMPLO 1 **Control de calidad de monedas: Método tradicional** Las industrias y los negocios comparten esta meta común: mejorar la calidad de los servicios reduciendo la *variación*. Los ingenieros de control de calidad desean asegurarse de que un producto tenga una media aceptable, pero también quieren producir artículos con una calidad *consistente*, de manera que haya menos defectos. Si los pesos de las monedas tienen una media especificada, pero una gran variación, algunas tendrán un peso demasiado bajo o demasiado alto, y las máquinas expendedoras no trabajarán de manera correcta (a diferencia del excelente desempeño que ahora tienen). Considere la muestra aleatoria simple de los 37 pesos de monedas de un centavo acuñadas después de 1983, incluidas en el conjunto de datos 20 del apéndice B. Los 37 pesos tienen una media de 2.49910 g y una desviación estándar de 0.01648 g. Las especificaciones de la Casa de Moneda estadounidense determinan que las monedas de un centavo deben fabricarse con un peso medio de 2.500 g. Una prueba de hipótesis verificará que la muestra parezca provenir de una población con una media de 2.500 g, como se requiere, pero utilice un nivel de significancia de 0.05 para someter a prueba la afirmación de que la población de pesos tiene una *desviación estándar* menor que la especificación de 0.0230 g.

SOLUCIÓN **VERIFICACIÓN DE REQUISITOS** **1.** La muestra es aleatoria simple. **2.** Con base en el histograma y la gráfica cuantilar normal generados por STATDISK, parece que la muestra proviene de una población con una distribución normal. Al parecer, el histograma tiene forma de campana. Los puntos en la gráfica cuantilar normal se acercan mucho a un patrón de línea recta y no se observa ningún otro patrón. No hay valores atípicos. La distribución se aleja muy poco de la normalidad. Ambos requisitos se satisfacen. ✓

STATDISK

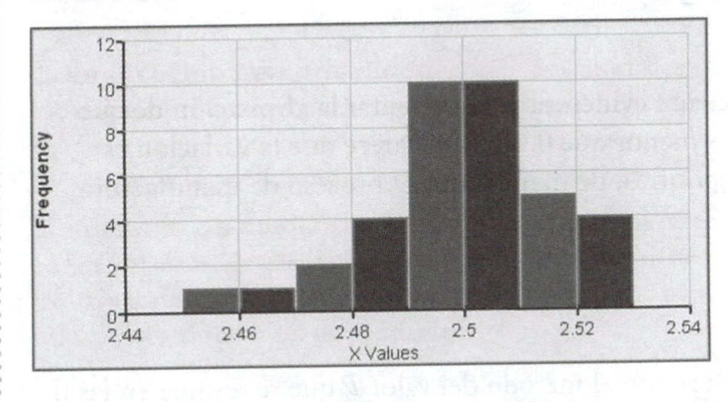

STATDISK

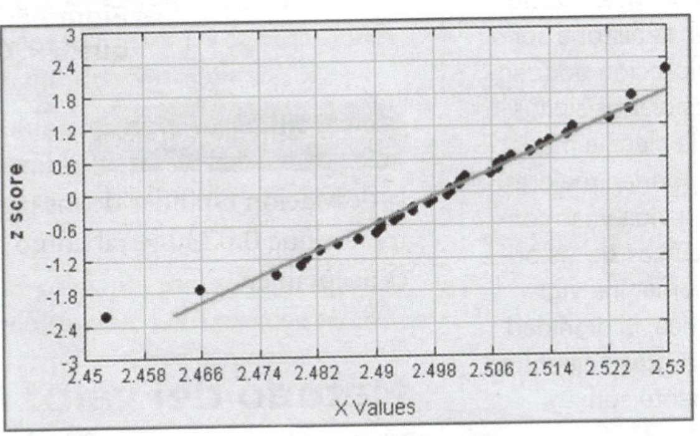

Usaremos el método tradicional de prueba de hipótesis, como se describe en la figura 8-9.

Paso 1: La expresión simbólica de la afirmación es $\sigma < 0.0230$ g.

Paso 2: Si la afirmación original es falsa, entonces $\sigma \geq 0.0230$ g.

Paso 3: La expresión $\sigma < 0.0230$ g no incluye igualdad, por lo que se convierte en la hipótesis alternativa. La hipótesis nula es la afirmación de que $\sigma = 0.0230$ g.

$$H_0: \sigma = 0.0230 \text{ g}$$

$$H_1: \sigma < 0.0230 \text{ g} \qquad \text{(afirmación original)}$$

Paso 4: El nivel de significancia es $\alpha = 0.05$.

Paso 5: Puesto de que la afirmación es respecto de σ, usamos la distribución chi cuadrada.

continúa

¿Es ético experimentar con presidiarios?

Hubo una época en que las compañías realizaban investigación con los presidiarios. Por ejemplo, entre 1962 y 1966, hubo 33 compañías farmacéuticas que probaron 153 fármacos experimentales en reclusos de la prisión Holmesburg en Filadelfia (según datos de "Biomedical Research Involving Prisoners", de Lawrence Gostin, *Journal of the American Medical Association,* vol. 297, núm 7). En la actualidad, las leyes federales protegen a todos los seres humanos como sujetos de investigación. Es necesario que los consejos institucionales revisen los estudios, obtengan consentimiento informado y realicen un análisis de riesgos y beneficios. Lawrence Gostin escribió que "prohibiciones casi absolutas de investigaciones basadas en la historia sórdida de la explotación podrían dejar a los presidiarios sin los beneficios de la ciencia moderna, los cuales podrían mejorar la calidad de su vida y las condiciones específicas de las prisiones. Si se ejerce una vigilancia sistemática, la dignidad humana y el progreso científico no necesariamente son incompatibles".

Paso 6: El estadístico de prueba es

$$\chi^2 = \frac{(n-1)s^2}{\sigma^2} = \frac{(37-1)(0.01648)^2}{0.0230^2} = 18.483$$

El valor crítico de la tabla A-4 corresponde a 36 grados de libertad y a un "área a la derecha" de 0.95 (considerando el nivel de significancia de 0.05 para una prueba de cola izquierda). La tabla A-4 no incluye 36 grados de libertad, pero indica que el valor crítico se localiza entre 18.493 y 26.509. (Si se utiliza un recurso tecnológico, el valor crítico es de 23.269). Véase la figura 8-19.

Paso 7: Puesto que el estadístico de prueba se encuentra en la región crítica, rechazamos la hipótesis nula.

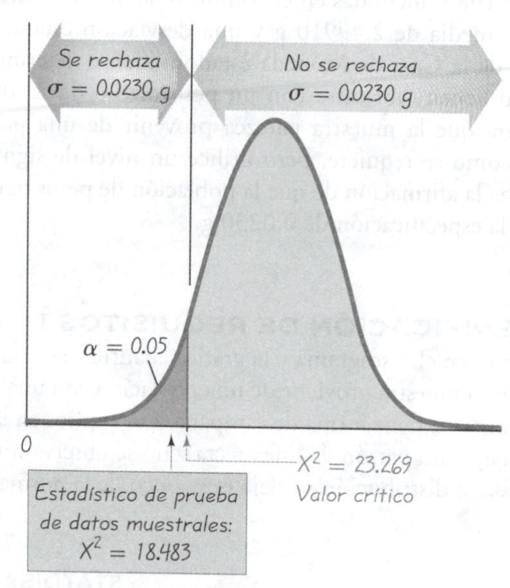

Figura 8-19 Prueba de la afirmación de que $\sigma < 0.023$ g

INTERPRETACIÓN Hay suficiente evidencia para sustentar la afirmación de que la desviación estándar de los pesos es menor que 0.0230 g. Parece que la variación es menor que 0.0230 g, tal como se especifica, de manera que el proceso de manufactura es aceptable.

Método del valor *P*

El ejemplo 1 también se puede resolver con el método del valor *P* que se resume en las figuras 8-5 y 8-8. Cuando se utiliza la tabla A-4, por lo general no se encuentran valores *P* *exactos,* ya que esa tabla de la distribución chi cuadrada solo incluye valores seleccionados de α y números seleccionados de grados de libertad. Sin embargo, es fácil calcular valores *P* exactos utilizando recursos tecnológicos.

EJEMPLO 2 **Control de calidad de monedas: Método del valor *P***

Repita el ejemplo 1 utilizando el método de prueba de hipótesis del valor *P*.

SOLUCIÓN Si se usan herramientas tecnológicas en el ejemplo anterior, se obtendrá el valor *P* de 0.0069. Puesto que el valor *P* es menor que el nivel de significancia de 0.05, rechazamos la hipótesis nula y llegamos a la misma conclusión que en el ejemplo 1.

Método del intervalo de confianza

El ejemplo 1 también se resuelve con el método del intervalo de confianza de prueba de hipótesis.

EJEMPLO 3 **Control de calidad de monedas: Método del intervalo de confianza** Repita la prueba de hipótesis del ejemplo 1 mediante la construcción de un intervalo de confianza adecuado.

SOLUCIÓN Como se trata de una prueba de hipótesis de cola izquierda, con un nivel de significancia de 0.05, debemos construir un intervalo de confianza del 90% (como se indica en la tabla 8-2 de la página 406). Si utilizamos los métodos descritos en la sección 7-5, podemos utilizar los datos muestrales ($n = 37$, $s = 0.01648$ g) para construir el siguiente intervalo de confianza del 90%: $0.01385 \text{ g} < \sigma < 0.02050 \text{ g}$. Con base en este intervalo de confianza, podemos sustentar la afirmación de que σ es menor que 0.0230 g (porque todos los valores del intervalo de confianza son menores que 0.0230 g). Llegamos a la misma conclusión que con el método tradicional y el método del valor P.

USO DE LA TECNOLOGÍA

STATDISK Seleccione **Analysis**, después **Hypothesis Testing** y luego **StDev-One Sample.** Proceda a introducir los datos requeridos en el cuadro de diálogo y después haga clic en **Evaluate.** STATDISK desplegará el estadístico de prueba, los valores críticos, el valor P, la conclusión y el intervalo de confianza.

MINITAB En Minitab Release 15 y versiones más recientes, seleccione **Stat**, luego **Basic Statistics** y después elija σ^2 **1 Variance** del menú. Haga clic en el recuadro **Summarized Data** e ingrese el tamaño de muestra y la desviación estándar muestral. Haga clic en el recuadro **Perform hypothesis test** e ingrese el valor supuesto de σ en la hipótesis nula. Haga clic en el botón **Options** y seleccione la forma correcta de la hipótesis alternativa. Haga doble clic en **OK** y obtendrá el valor P.

En **Minitab 16**, también puede hacer clic en **Assistant** y luego en **Hypothesis Tests.** Seleccione el caso para **1-Sample Standard Deviation**. Complete el cuadro de diálogo y luego haga clic en **OK** para obtener las tres ventanas de resultados que incluyen el valor P y otra información útil.

EXCEL Seleccione **DDXL**. (Si utiliza Excel 2010 o 2007, haga clic en **Add-Ins** y luego en **DDXL**. Si utiliza Excel 2003, haga clic en **DDXL**). En DDXL, seleccione **Chisquare for SD**. Haga clic en el icono en forma de lápiz e indique el rango de los datos muestrales, tal como A1:A24. Haga clic en **OK** para continuar.

TI-83/84 PLUS La calculadora TI-83/84 Plus no efectúa pruebas de hipótesis respecto de σ o σ^2 directamente, pero se puede utilizar el programa **S2TEST**. Ese programa fue desarrollado por Michael Lloyd de Henderson State University, y se puede descargar de www.pearsonenespañol.com/triola. El programa S2TEST utiliza el programa ZZINEWT, por lo que también se debe de instalar. Después de almacenar los programas en la calculadora, presione la tecla **PRGM**, seleccione **S2TEST** y proceda a ingresar la varianza establecida σ^2, la varianza muestral s^2 y el tamaño de muestra n. Seleccione el formato utilizado para la hipótesis alternativa y presione la tecla **ENTER**. La computadora mostrará el valor P.

Valores críticos de χ^2: Para calcular valores críticos de χ^2, utilice el programa **invx2** que está en el sitio Web de este libro.

8-6 Destrezas y conceptos básicos

Conocimientos estadísticos y pensamiento crítico

1. Requisito de normalidad Las pruebas de hipótesis sobre afirmaciones acerca de la media poblacional o de la desviación estándar poblacional requieren de una muestra aleatoria simple, obtenida de una población distribuida de manera normal. ¿En qué difiere el requisito de normalidad para una prueba de hipótesis de una afirmación sobre una desviación estándar del requisito de normalidad para una prueba de hipótesis de una afirmación sobre una media?

2. Método del intervalo de confianza de la prueba de hipótesis Se afirma que las manos de los hombres tienen longitudes con una desviación estándar menor que 200 mm. Usted planea someter a prueba esa afirmación con un nivel de significancia de 0.01 mediante la construcción de un intervalo de confianza. ¿Qué nivel de confianza debería utilizar para el intervalo? ¿La conclusión basada en el intervalo de confianza será igual a la conclusión basada en una prueba de hipótesis que utiliza el método tradicional o el método del valor P?

3. Requisitos Se afirma que las cantidades diarias de lluvia en Boston tienen una desviación estándar igual a 0.25 pulgadas. Los datos muestrales indican que las cantidades diarias de lluvia provienen de una población con una distribución muy diferente de la normal. ¿El uso de una muestra muy grande podría compensar la falta de normalidad, de manera que sea posible utilizar los métodos de esta sección para la prueba de hipótesis?

4. Prueba de una afirmación sobre una varianza Se afirma que los pies de los hombres tienen anchuras con una varianza igual a 36 mm^2. ¿La prueba de hipótesis de la afirmación de que la varianza es igual a 36 mm^2 es equivalente a una prueba de la afirmación de que la desviación estándar es igual a 6 mm?

Cálculo de componentes de prueba. ***En los ejercicios 5 a 8, calcule el estadístico de prueba y el valor (o los valores) crítico(s). También consulte la tabla A-4 para encontrar los límites que contienen el valor P y determine si existe evidencia suficiente para sustentar la hipótesis alternativa enunciada.***

5. Pesos al nacer H_1: $\sigma \neq 696$ g, $\alpha = 0.05$, $n = 25$, $s = 645$ g.

6. Pesos de supermodelos H_1: $\sigma < 29$ libras, $\alpha = 0.05$, $n = 8$, $s = 7.5$ libras.

7. Filas de espera de consumidores H_1: $\sigma > 3.5$ minutos, $\alpha = 0.01$, $n = 15$, $s = 4.8$ minutos.

8. Cantidades de lluvia H_1: $\sigma \neq 0.25$, $\alpha = 0.01$, $n = 26$, $s = 0.18$.

Prueba de afirmaciones sobre variación. ***En los ejercicios 9 a 20, someta a prueba la afirmación enunciada. Suponga que se selecciona una muestra aleatoria simple de una población distribuida normalmente. Utilice el método del valor P o el método tradicional de prueba de hipótesis, a menos que su profesor le dé otra instrucción.***

9. Pesos de monedas de un centavo Algunos ejemplos de esta sección incluyeron la afirmación de que las monedas de un centavo, acuñadas después de 1983, tienen pesos con una desviación estándar menor que 0.0230 g. El conjunto de datos 20 del apéndice B incluye los pesos de una muestra aleatoria simple de monedas de un centavo acuñadas antes de 1983, y esa muestra tiene una desviación estándar de 0.03910 g. Utilice un nivel de significancia de 0.05 para someter a prueba la afirmación de que los pesos de las monedas acuñadas antes de 1983 tienen una desviación estándar mayor que 0.0230 g. Con base en esos resultados y los obtenidos en el ejemplo 1, ¿parece que los pesos de las monedas acuñadas antes de 1983 varían más que los de las monedas acuñadas después de 1983?

10. Pulsos de hombres Una muestra aleatoria simple de 40 hombres da como resultado una desviación estándar de 11.3 latidos por minuto (de acuerdo con el conjunto de datos 1 del apéndice B). El rango normal del pulso de adultos suele reportarse entre 60 y 100 latidos por minuto. Si la regla práctica de las desviaciones se aplica al rango normal, el resultado es una desviación estándar de 10 latidos por minuto. Utilice los resultados muestrales con un nivel de significancia de 0.05 para someter a prueba la afirmación de que los pulsos de hombres tienen una desviación estándar mayor que 10 latidos por minuto.

11. Alquitrán en cigarrillos Se obtiene una muestra aleatoria simple de 25 cigarrillos de 100 mm con filtro, y se mide el contenido de alquitrán de cada uno. La muestra tiene una desviación estándar de 3.7 mg (de acuerdo con el conjunto de datos 4 del apéndice B). Utilice un nivel de significancia de 0.05 para someter a prueba la afirmación de que el contenido de alquitrán de cigarrillos de 100 mm con filtro tiene una desviación estándar distinta de 3.2 mg, que es la desviación estándar de los cigarrillos tamaño grande sin filtro.

12. Pérdida de peso con dieta Cuando 40 personas pusieron en práctica la dieta Weight Watchers durante un año, su *pérdida* media de peso tuvo una desviación estándar de 4.9 libras (según datos de "Comparison of the Atkins, Ornish, Weight Watchers, and Zone Diets for Weight Loss and Heart Disease Reduction", de Dansinger *et al.*, *Journal of the American Medical Association*, vol. 293, núm. 1). Utilice un nivel de significancia de 0.01 para someter a prueba la afirmación de que las cantidades de pérdida de peso tienen una desviación estándar igual a 6.0 libras, que parece ser la desviación estándar de las cantidades de pérdida de peso de la dieta Zone.

13. Estaturas de supermodelos Se midió la estatura de una muestra aleatoria simple de las supermodelos Crawford, Bundchen, Pestova, Christenson, Hume, Moss, Campbell, Schiffer y Taylor. Ellas tienen una media de 70.0 pulgadas y una desviación estándar de 1.5 pulgadas. Utilice un nivel de significancia de 0.05 para someter a prueba la afirmación de que las supermodelos tienen estaturas con una desviación estándar menor que 2.5 pulgadas, que es la desviación estándar de las estaturas de la población general de mujeres. ¿Qué revela la conclusión acerca de las estaturas de las supermodelos?

14. Calificaciones en examen de estadística Los exámenes en los grupos de estadística del autor tienen calificaciones con una desviación estándar igual a 14.1. Uno de sus últimos grupos tuvo 27 calificaciones de examen con una desviación estándar de 9.3. Utilice un nivel de significancia de 0.01 para someter a prueba la afirmación de que este grupo tiene menos variación que otros grupos anteriores. ¿Una desviación estándar menor sugiere que a este último grupo le fue mejor?

15. Pulsos de mujeres Una muestra aleatoria simple de los pulsos de 40 mujeres tiene una desviación estándar de 12.5 latidos por minuto (de acuerdo con el conjunto de datos 1 del apéndice B). El rango normal del pulso de adultos suele reportarse entre 60 y 100 latidos por minuto. Si la regla práctica de las desviaciones se aplica al rango normal, el resultado es una desviación estándar de 10 latidos por minuto. Utilice los resultados muestrales con un nivel de significancia de 0.05 para someter a prueba la afirmación de que los pulsos de mujeres tienen una desviación estándar igual a 10 latidos por minuto.

16. Análisis de monedas de un centavo En un análisis para investigar la utilidad de las monedas de un centavo, se registran los centavos de 100 cobros de tarjeta de crédito elegidos al azar. La muestra tiene una media de 47.6 centavos y una desviación estándar de 33.5 centavos. Si las cantidades desde 0 hasta 99 centavos son igualmente probables, la media esperada es de 49.5 centavos y la desviación estándar poblacional esperada es de 28.866 centavos. Utilice un nivel de significancia de 0.01 para someter a prueba la afirmación de que la muestra proviene de una población con una desviación estándar igual a 28.866 centavos. Si las cantidades desde 0 hasta 99 centavos son igualmente probables, ¿se satisface el requisito de una distribución normal? Si no es así, ¿cómo afecta esto a la conclusión?

17. IMC de Miss América A continuación se presentan los índices de masa corporal (IMC) de ganadoras recientes del concurso Miss América. Utilice un nivel de significancia de 0.01 para someter a prueba la afirmación de que las ganadoras recientes del concurso Miss América provienen de una población con una desviación estándar de 1.34, que era la desviación estándar del IMC de las ganadoras en las décadas de 1920 y 1930. ¿Parece que las ganadoras recientes tienen una variación que difiere de la variación de las ganadoras en las décadas de 1920 y 1930?

19.5 20.3 19.6 20.2 17.8 17.9 19.1 18.8 17.6 16.8

18. Suplemento vitamínico y peso al nacer A continuación se presentan los pesos al nacer (en kilogramos) de los hijos varones de madres que recibieron un complemento vitamínico especial (según datos del New York State Department of Health). Someta a prueba la afirmación de que esta muestra proviene de una población con una desviación estándar igual a 0.470 kg, que es la desviación estándar del peso de los varones en general al nacer. Utilice un nivel de significancia de 0.05. ¿Parece que el complemento vitamínico afecta la variación entre los pesos al nacer?

3.73 4.37 3.73 4.33 3.39 3.68 4.68 3.52
3.02 4.09 2.47 4.13 4.47 3.22 3.43 2.54

19. Altímetros para aviones La compañía Skytek Avionics utiliza un nuevo método de producción para fabricar altímetros de aviones. Una muestra aleatoria simple de altímetros nuevos presenta los errores que se listan a continuación. Utilice un nivel de significancia de 0.05 para someter a prueba la afirmación de que los errores del nuevo método de producción tienen una desviación estándar mayor que 32.2 pies, que era la desviación estándar del antiguo método de producción. Si resultara que la desviación estándar es mayor, ¿el nuevo método de producción es mejor o peor que el antiguo método? ¿La compañía debería tomar alguna medida?

−42 78 −22 −72 −45 15 17 51 −5 −53 −9 −109

20. Duración de canciones populares A continuación se listan las duraciones (en segundos) de canciones que eran populares cuando se escribió este libro. (Las canciones son de Timberlake, Furtado, Daughtry, Stefani, Fergie, Akon, Ludacris, Beyonce, Nickelback, Rihanna, Fray, Lavigne, Pink, Mims, Mumidee y Omarion). Utilice un nivel de significancia de 0.05 para someter a prueba la afirmación de que las canciones provienen de una población con una desviación estándar menor que un minuto.

448 242 231 246 246 293 280 227 244 213 262 239 213 258 255 257

8-6 Más allá de lo básico

21. Cálculo de valores críticos de χ^2 Para números grandes de grados de libertad, podemos aproximar los valores críticos de χ^2 de la siguiente forma:

$$\chi^2 = \frac{1}{2}\left(z + \sqrt{2k - 1}\right)^2$$

Aquí, k es el número de grados de libertad y z es el valor crítico, obtenido en la tabla A-2. Por ejemplo, si deseamos aproximar los dos valores críticos de χ^2 en una prueba de hipótesis de dos colas, con $\alpha = 0.01$ y un tamaño de muestra de 100, permitimos que $k = 99$ con $z = -2.575$, seguidos por $k = 99$ y $z = 2.575$. Utilice esta aproximación para estimar los valores críticos de χ^2 en una prueba de hipótesis de dos colas con $n = 100$ y $\alpha = 0.01$. Utilice este método para calcular los valores críticos correspondientes al ejercicio 16.

22. Cálculo de los valores críticos de χ^2 Repita el ejercicio 21 aplicando esta aproximación (con k y z como se describieron en el ejercicio 21):

$$\chi^2 = k\left(1 - \frac{2}{9k} + z\sqrt{\frac{2}{9k}}\right)^3$$

Repaso

Dos actividades principales de la estadística son la estimación de parámetros poblacionales (como los intervalos de confianza) y la prueba de hipótesis. En este capítulo se presentaron métodos básicos para la prueba de afirmaciones acerca de una proporción poblacional, una media poblacional o una desviación estándar (o varianza) poblacional.

En la sección 8-2 presentamos los conceptos fundamentales de una prueba de hipótesis: la hipótesis nula, la hipótesis alternativa, el estadístico de prueba, la región crítica, el nivel de significancia, el valor crítico, el valor P, el error tipo I y el error tipo II. También estudiamos las pruebas de dos colas, las pruebas de cola izquierda, las pruebas de cola derecha y el planteamiento de conclusiones. Empleamos estos componentes para identificar tres métodos diferentes de prueba de hipótesis:

1. El método del valor P (que se resume en la figura 8-8)

2. El método tradicional (que se resume en la figura 8-9)

3. Los intervalos de confianza (estudiados en el capítulo 7)

En las secciones 8-3 a 8-6 estudiamos métodos específicos para manejar distintos parámetros. Puesto que es tan importante seleccionar correctamente la distribución y el estadístico de prueba, presentamos la tabla 8-3, que resume los procedimientos de este capítulo para la prueba de hipótesis.

Tabla 8-3 Pruebas de hipótesis

Parámetro	Requisitos: Muestra aleatoria simple y . . .	Distribución y estadístico de prueba	Valores *P* y críticos
Proporción	$np \geq 5$ y $nq \geq 5$	Normal: $z = \dfrac{\hat{p} - p}{\sqrt{\dfrac{pq}{n}}}$	Tabla A-2
Media	σ conocida y población distribuida normalmente o σ conocida y $n > 30$	Normal: $z = \dfrac{\bar{x} - \mu_{\bar{x}}}{\dfrac{\sigma}{\sqrt{n}}}$	Tabla A-2
	σ desconocida y población distribuida normalmente o σ desconocida y $n > 30$	*t* de Student: $t = \dfrac{\bar{x} - \mu_{\bar{x}}}{\dfrac{s}{\sqrt{n}}}$	Tabla A-3
	Población no distribuida normalmente y $n \leq 30$	Usar método no paramétrico o *bootstrapping*	
Desviación estándar o varianza	Población distribuida normalmente	Chi cuadrada: $\chi^2 = \dfrac{(n-1)s^2}{\sigma^2}$	Tabla A-4

Conocimientos estadísticos y pensamiento crítico

1. Interpretación de valores *P* Considerando 52 cantidades de lluvia para los domingos en Boston, una prueba de la afirmación de que $\mu > 0$ in. produce un valor *P* de 0.0091. ¿Qué sugiere el valor *P* acerca de la afirmación? En general, ¿qué sugiere el siguiente auxiliar para la memoria sobre la interpretación de los valores *P*?: "Si *P* es un valor bajo, la hipótesis nula se rechaza; si *P* es un valor alto, la hipótesis nula se queda".

2. Significancia práctica Una muestra aleatoria simple muy grande consiste en las diferencias entre la estatura del primogénito varón recién nacido y la del segundo hijo varón. Con $n = 295{,}362$, $\bar{x} = 0.019$ pulgadas y $s = 3.91$ pulgadas, una prueba de la afirmación de que $\mu > 0$ pulgadas da por resultado un valor *P* de 0.0041. ¿Es estadísticamente significativo? ¿Tiene significancia práctica? Explique.

3. Muestra de respuesta voluntaria Algunas publicaciones realizan encuestas con muestras de respuesta voluntaria. ¿Qué es una muestra de respuesta voluntaria? En general, ¿se puede utilizar una muestra de respuesta voluntaria como esta con una prueba de hipótesis para hacer una conclusión válida sobre una población grande?

4. Robustez ¿Qué significa que un método de prueba de hipótesis en particular sea *robusto* frente a la desviación respecto de la normalidad? ¿La prueba *t* de una media poblacional es robusta frente a la desviación respecto de la normalidad? ¿La prueba χ^2 de una desviación estándar poblacional es robusta frente a la desviación respecto de la normalidad?

Examen rápido del capítulo

1. Identifique las hipótesis nula y alternativa que resultan de la afirmación de que la proporción de hombres es mayor que 0.5. Exprese las hipótesis en forma simbólica.

2. Si una población tiene una distribución normal, ¿qué distribución se utiliza para someter a prueba la afirmación de que $\mu < 98.6$, considerando una muestra de 25 valores con una media muestral de 98.2 y una desviación estándar muestral de 0.62? (normal, *t*, chi cuadrada, binomial, uniforme).

3. Si una población tiene una distribución normal, ¿qué distribución se utiliza para someter a prueba la afirmación de que una población tiene una desviación estándar igual a 0.75, considerando una muestra de 25 valores con una media muestral de 98.2 y una desviación estándar muestral de 0.62? (normal, *t*, chi cuadrada, binomial, uniforme).

4. Verdadero o falso: En la prueba de hipótesis, nunca es válido plantear una conclusión para sustentar la hipótesis nula.

5. Calcule el valor *P* en una prueba de la afirmación de que una media poblacional es igual a 100, si el estadístico de prueba es $z = 1.50$.

6. Calcule el estadístico de prueba que se obtiene cuando se somete a prueba la afirmación de que $p = 0.4$, cuando los datos muestrales consisten en $x = 30$ éxitos en $n = 100$ ensayos.

7. Calcule el valor o valores críticos que se obtienen al utilizar un nivel de significancia de 0.05 para someter a prueba la afirmación de que $\mu = 100$ cuando los datos muestrales consisten en $\bar{x} = 90$, $s = 10$ y $n = 20$.

8. Calcule el valor *P* que se obtiene cuando se somete a prueba la afirmación de que $p = 0.75$, cuando los datos muestrales dan como resultado un estadístico de prueba de $z = 1.20$.

9. ¿Cuál es la conclusión final que se obtiene cuando se somete a prueba la afirmación de que $p > 0.25$, si el valor *P* es 0.5555?

10. Verdadero o falso: Si se utilizan los métodos correctos de prueba de hipótesis con una muestra aleatoria simple grande, la conclusión siempre será correcta.

Ejercicios de repaso

1. Tasa de tabaquismo Se obtiene una muestra aleatoria simple de 1088 adultos de entre 18 y 44 años de edad, y se descubre que 261 de ellos fuman (según datos de la National Health Interview Survey). Utilice un nivel de significancia de 0.05 para someter a prueba la afirmación de que menos de 1/4 de los adultos fuman.

2. Tasa de graduados Se obtiene una muestra aleatoria simple de 1486 estudiantes universitarios que quieren obtener un título de licenciatura; la muestra incluye a 802 que obtienen el título de licenciatura en un periodo de cinco años. Utilice un nivel de significancia de 0.01 para someter a prueba la afirmación de que la mayoría de los estudiantes universitarios obtienen su título de licenciatura en un plazo de cinco años.

3. Pesos de automóviles Al planear la construcción de una calzada, los ingenieros deben tomar en cuenta los pesos de los automóviles, para asegurarse de que la superficie sea lo suficientemente fuerte. Una muestra aleatoria simple de 32 automóviles produce una media de 3605.3 libras y una desviación estándar de 501.7 libras (de acuerdo con el conjunto de datos 16 del apéndice B). Utilice un nivel de significancia de 0.01 para someter a prueba la afirmación de que el peso medio de los automóviles es menor que 3700 libras. Al considerar los pesos de automóviles para la construcción de un camino que sea lo suficientemente fuerte, ¿el estadístico más relevante es la media? Si no es así, ¿qué peso es el más relevante?

4. Pesos de automóviles Repita el ejercicio 3, suponiendo que los pesos de los automóviles tienen una desviación estándar conocida de 520 libras.

5. Consumo de hierbas De 30,617 adultos elegidos al azar, 5787 consumieron hierbas durante los últimos 12 meses (según datos de "Use of Herbs Among Adults Based on Evidence-Based Indications: Findings From the National Health Survey", de Bardia, *et al.*, *Mayo Clinic Proceedings*, vol. 82, núm. 5). Utilice un nivel de significancia de 0.01 para someter a prueba la afirmación de que menos del 20% de los adultos consumieron hierbas durante los últimos 12 meses.

6. ¿Las latas de aluminio delgado son más endebles? La carga axial de una lata de aluminio es el peso máximo que los costados pueden soportar antes de colapsar. La carga axial es una medida importante, ya que las tapas superiores ejercen presión sobre los costados con presiones que varían entre 158 y 165 libras. Pepsi experimentó con latas de aluminio más delgadas, y una muestra aleatoria de 175 latas más delgadas tiene una carga axial media de 267.1 lb y una desviación estándar de 22.1 lb. Utilice un nivel de significancia de 0.01 para someter a prueba la afirmación de que las latas más delgadas tienen una carga axial media menor que 281.8 lb, que es la carga axial media de las latas más gruesas que estaban en uso. ¿Parece que las latas más delgadas son lo suficientemente fuertes para no colapsar cuando las tapas superiores presionen los costados?

7. Generación aleatoria de datos La calculadora TI-83/84 Plus puede generar datos aleatorios a partir de una población distribuida normalmente. El comando **randNorm(74, 12.5, 100)** genera 100 valores de una población distribuida normalmente, con $\mu = 74$ y $\sigma = 12.5$ (para los pulsos de mujeres). Una muestra de 100 valores generada de esta forma tiene una media de 74.4 y una desviación estándar de 11.7. Suponga que se sabe que σ es igual a 12.5 y utilice un nivel de significancia de 0.05 para someter a prueba la afirmación de que la muestra en realidad proviene de una población con una media igual a 74. Con base en los resultados, ¿parecería que el generador de números aleatorios de la calculadora funciona correctamente?

8. Generación aleatoria de datos Repita el ejercicio 7, sin suponer que se conoce la desviación estándar poblacional.

9. Generación aleatoria de datos Utilice los resultados muestrales del ejercicio 7 para someter a prueba la afirmación de que los valores generados provienen de una población con una desviación estándar igual a 12.5. Utilice un nivel de significancia de 0.05.

10. Pesos de automóviles Una muestra aleatoria simple de 32 automóviles produce un peso medio de 3605.3 libras y una desviación estándar de 501.7 libras; parece que los pesos muestrales provienen de una población con distribución normal (de acuerdo con el conjunto de datos 16 del apéndice B). Utilice un nivel de significancia de 0.01 para someter a prueba la afirmación de que la desviación estándar de los pesos de automóviles es menor que 520 libras.

Ejercicios de repaso acumulativo

1. Ganadores olímpicos A continuación se presentan los tiempos ganadores (en segundos) de mujeres en la carrera de 100 m, en Juegos Olímpicos de verano consecutivos. Los datos están ordenados por año. Suponga que los tiempos son datos muestrales de una población más grande. Calcule los valores de los estadísticos indicados.

11.07 11.08 11.06 10.97 10.54 10.82 10.94 10.75 10.93

a) Media.

b) Mediana.

c) Desviación estándar.

d) Varianza.

e) Rango.

2. Ganadores olímpicos En el ejercicio 1 se incluyen los tiempos ganadores (en segundos) de mujeres en la carrera de 100 m, en Juegos Olímpicos de verano consecutivos.

a) ¿Cuál es el nivel de medición de los datos? (nominal, ordinal, de intervalo, de razón)

b) ¿Los valores son discretos o continuos?

c) ¿Los valores constituyen una muestra aleatoria simple?

d) ¿Qué característica importante de los datos no se tomó en cuenta al calcular los estadísticos muestrales indicados en el ejercicio 1?

e) ¿Cuál de las siguientes gráficas es más útil para entender características importantes de los datos: gráfica de tallo y hojas, gráfica de caja, histograma, gráfica circular, gráfica de series de tiempo, gráfica de Pareto?

3. Intervalo de confianza para ganadores olímpicos Utilice los valores muestrales del ejercicio 1 para construir un intervalo de confianza del 95% para la media poblacional. Suponga que la población tiene una distribución normal. ¿El resultado se puede utilizar para estimar los futuros tiempos ganadores? ¿Por qué?

4. Prueba de hipótesis para ganadores olímpicos Utilice los valores muestrales del ejercicio 1 para someter a prueba la afirmación de que el tiempo medio ganador es menor que 11 segundos. Utilice un nivel de significancia de 0.05. ¿Qué podemos concluir acerca de los tiempos ganadores en el futuro?

5. Histograma Se utiliza Minitab para construir un histograma de los pesos de una muestra aleatoria simple de dulces M&M, y los resultados se presentan en la siguiente página.

a) ¿Parece que la muestra proviene de una población con una distribución normal?

b) ¿Cuántos valores muestrales están representados en el histograma?

c) ¿Cuál es la anchura de clase que se utilizó en el histograma?

d) Utilice el histograma para estimar el peso medio.

e) ¿Se puede utilizar el histograma para identificar los valores exactos en la lista original de datos muestrales?

MINITAB

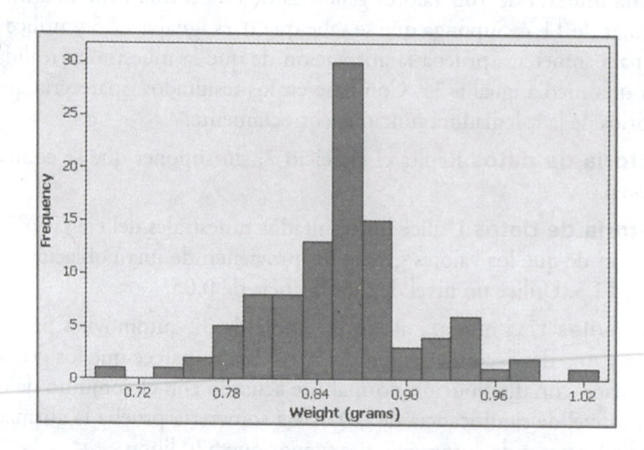

6. Histograma Se usa Minitab para generar un histograma de los resultados de 100 lanzamientos de un dado. ¿Qué es incorrecto en la gráfica?

MINITAB

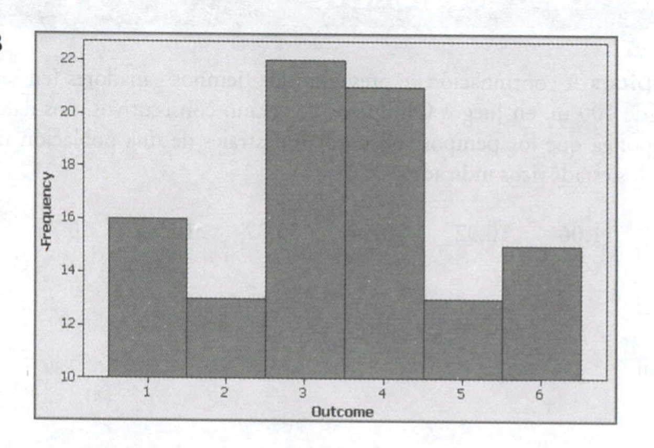

7. Distribución de frecuencias Remítase al histograma del ejercicio 6 y construya la distribución de frecuencias que resuma los resultados. Luego, calcule la media de los 100 resultados.

8. Probabilidad en pruebas de hipótesis Se realiza una prueba de hipótesis con un nivel de significancia de 0.05, de manera que existe una probabilidad de 0.05 de cometer el error de rechazar una hipótesis nula verdadera. Si se realizan dos pruebas de hipótesis independientes con un nivel de significancia de 0.05, ¿cuál es la probabilidad de que en ambas conclusiones se cometa el error de rechazar una hipótesis nula verdadera?

9. Altura de los ojos estando sentados Al diseñar una sala de cine con asientos en forma de estadio, los ingenieros deciden tomar en cuenta la altura de los ojos de mujeres cuando están sentadas. Dichas alturas tienen una media de 739 mm y una desviación estándar de 33 mm, y se distribuyen de manera normal (según datos de una encuesta antropométrica de Gordon, Churchill, Clauser).

a) Para una mujer elegida al azar, ¿cuál es la *probabilidad* de que tenga una altura de ojos menor que 700 mm al estar sentada?

b) ¿Qué *porcentaje* de mujeres tienen una altura de ojos mayor que 750 mm cuando están sentadas?

c) Para 50 mujeres elegidas al azar, ¿cuál es la probabilidad de que la altura media de sus ojos sea menor que 730 mm al estar sentadas?

d) Calcule el valor de P_{90}, que es el percentil 90, de las alturas de los ojos de mujeres al estar sentadas.

10. Altura de los ojos estando sentados: Prueba de normalidad A continuación se presenta una muestra aleatoria simple de la altura de los ojos (en milímetros) de hombres al estar sentados (según datos de una encuesta antropométrica de Gordon, Churchill, Clauser). Determine si estas alturas muestrales parecen provenir de una población con una distribución normal. Explique.

773 771 821 815 765 811 764 761 778 838 801 808 778 803 740 761 734 803 844 790

Proyecto tecnológico

¿El peso medio de plástico desechado es menor que 2 libras?

Este proyecto implica un conjunto de datos grande y un método de simulación como otra manera de someter hipótesis a prueba.

a) Utilice los pesos muestrales del plástico desechado del conjunto de datos 22 del apéndice B para someter a prueba la afirmación de que el peso medio del plástico desechado en una semana es menor que 2 libras. Utilice un nivel de significancia de 0.05.

b) La idea que subyace en una prueba de hipótesis es la regla del evento inusual para la estadística inferencial, que analizamos en el capítulo 4. Al utilizar esa regla, necesitamos determinar si una media muestral es "inusual" o si puede ocurrir fácilmente por azar. Determine esto utilizando simulaciones. De manera repetida, genere muestras de 62 pesos a partir de una población distribuida normalmente, con una media supuesta de 2 libras (como en la hipótesis nula). (Para la desviación estándar, utilice s calculada del conjunto de datos 22). Luego, con base en las medias muestrales que obtenga, determine si una media como la obtenida del conjunto de datos 22 es "inusual" o si puede ocurrir fácilmente por azar. Si una media muestral como la obtenida del conjunto de datos 22 (o una media muestral menor) se encuentra en menos del 5% de las muestras simuladas, concluya que la media muestral del conjunto de datos 22 no puede ocurrir fácilmente por azar, de manera que hay evidencia suficiente para sustentar la afirmación de que la media es menor que 2 libras. Genere suficientes muestras para tener una confianza razonable al determinar que una media muestral como la obtenida del conjunto de datos 22 (o cualquier media muestral menor) es inusual o puede ocurrir fácilmente por azar. Registre todos los resultados. ¿Qué sugieren los resultados en relación con la afirmación de que el peso medio del plástico desechado es menor que 2 libras?

Para el inciso *b*), utilice STATDISK, Minitab, Excel, la calculadora TI-83/84 Plus o cualquier otro recurso tecnológico que pueda generar datos aleatorios de una población distribuida normalmente, con una media y una desviación estándar dadas. A continuación se presentan las instrucciones para generar valores aleatorios de una población distribuida normalmente.

STATDISK: Haga clic en **Data** y después en **Normal Generator**. Proceda a llenar el cuadro de diálogo y luego haga clic en **Generate**. Utilice las funciones copiar y pegar para copiar los datos en la ventana de Sample Editor; luego, seleccione **Data** y **Descriptive Statistics** para calcular la media muestral.

Minitab: Haga clic en **Calc** del menú principal, después en **Random Data** y luego en **Normal**. En el cuadro de diálogo introduzca el tamaño de muestra para el número de renglones que se generarán, introduzca C1 para la columna en que se almacenarán los datos, introduzca la media y la desviación estándar, y después haga clic en **OK.** Calcule la media muestral al seleccionar **Stat**, **Basic Statistics** y luego **Display Descriptive Statistics**.

Excel: Si utiliza Excel 2003, haga clic en **Tools**, seleccione **Data Analysis;** si utiliza Excel 2010 o Excel 2007, haga clic en **Data** y luego seleccione **Data Analysis**. En la ventana de análisis de datos, seleccione **Random Number Generation** y haga clic en **OK.** En el cuadro de diálogo, introduzca 1 para el número de variables, ingrese el tamaño de muestra deseado para la cantidad de números aleatorios, seleccione la opción de distribución **Normal**, introduzca la media y la desviación estándar, y después haga clic en **OK.** Obtenga la media muestral al seleccionar **Descriptive Statistics** en la ventana de análisis de datos. En la ventana de estadísticos descriptivos, ingrese el rango de valores (como A1:A62) y asegúrese de hacer clic en el recuadro identificado como **Summary Statistics.**

TI-83/84 Plus: Presione MATH, después seleccione **PRB** y elija **randNorm(** del menú. Presione ENTER, y luego proceda a introducir la media, la desviación estándar y el tamaño de muestra. Por ejemplo, para generar 62 pesos de una población distribuida normalmente, con una media de 2 y una desviación estándar de 15, debe ingresar randNorm(2, 15, 62). Presione ENTER, y luego guarde los valores muestrales en la lista L1 presionando STO› **L1**, y luego la tecla ENTER. Ahora calcule la media de los valores muestrales en L1 presionando STAT; seleccione **CALC** y el primer elemento del menú **1-VAR Stats** e ingrese L1.

PROYECTO DE INTERNET

Prueba de hipótesis

Visite: **www.pearsonenespañol.com/triola**

En este capítulo se explicó la metodología para la prueba de hipótesis, una técnica esencial para la estadística inferencial. Este proyecto de Internet requerirá que realice pruebas utilizando una variedad de conjuntos de datos en diferentes áreas de estudio. Para cada sujeto se le pedirá que:

- reúna datos disponibles en Internet
- formule una hipótesis nula y una alternativa, con base en una pregunta determinada
- realice una prueba de hipótesis con un nivel específico de significancia
- resuma sus conclusiones

Localice el proyecto de Internet para este capítulo. Ahí encontrará investigaciones guiadas en los campos de educación, economía y deportes, así como un ejemplo clásico de las ciencias físicas.

PROYECTO APPLET

El sitio Web de este libro, contiene applets diseñados para ayudarlo a visualizar diversos conceptos. Abra el archivo de applets y haga doble clic en **Start.** Seleccione **Hypothesis test for a proportion.** del menú y realice las simulaciones basadas en la prueba de hipótesis de los ejemplos 1 y 2 de la sección 8-3. Escriba una breve explicación de lo que hace el applet y de lo que muestran los resultados. Incluya una impresión de los resultados.

DE LOS DATOS A LA DECISIÓN

Pensamiento crítico: Análisis de resultados de encuesta

El día que se elaboró este proyecto, AOL realizó una encuesta por Internet y pidió a los usuarios que respondieran la siguiente pregunta: "¿Dónde vive?". Si un usuario decidía responder, podía elegir entre "zona urbana" o "zona rural". Los resultados incluyeron 51,318 respuestas de "zona urbana" y 37,888 respuestas de "zona rural".

Análisis de los resultados

a) Utilice los resultados de la encuesta que se mencionan, con un nivel de significancia de 0.01, para someter a prueba la afirmación de que la mayoría de las personas viven en zonas urbanas.

b) ¿Cuál de los siguientes tipos describe mejor a la muestra: muestra de conveniencia, muestra aleatoria simple, muestra aleatoria, muestra de respuesta voluntaria, muestra estratificada, muestra por racimos?

c) Considerando el método de muestreo utilizado, ¿la prueba de hipótesis del inciso *a*) parece ser válida?

d) Considerando que el tamaño de la muestra es sumamente grande, ¿su tamaño podría compensar un método de muestreo inadecuado?

e) ¿Qué conclusión válida se puede obtener de los resultados muestrales? Con base en los resultados de la muestra, ¿podemos concluir algo acerca de la población completa?

Actividades de trabajo en equipo

1. Actividad en clase Sin utilizar ningún aparato de medición, cada estudiante debe dibujar una línea que, según sus cálculos, mida 3 pulgadas de longitud y otra que mida 3 centímetros de longitud. Después, utilicen reglas para medir y registrar las longitudes de las líneas. Calculen las medias y las desviaciones estándar de los dos conjuntos de longitudes. Sometan a prueba la afirmación de que las líneas que se supone que miden 3 pulgadas tienen una longitud media igual a 3 pulgadas. Sometan a prueba la afirmación de que las líneas que se supone que miden 3 cm tienen una longitud media igual a 3 cm. Comparen los resultados. ¿Las estimaciones de la línea de 3 pulgadas parecen ser más exactas que las de la línea de 3 cm?

2. Actividad en clase Supongan que un método de selección de género puede afectar la probabilidad de que un bebé sea niña, de manera que la probabilidad es de 1/4. Cada estudiante debe simular 20 nacimientos al sacar 20 cartas de un mazo barajado. Reemplacen cada carta después de ser elegida y barajen nuevamente. Consideren que las cartas de corazones son niñas, y que el resto de las cartas representan niños. Después de hacer 20 selecciones y registrar los "géneros" de los bebés, utilicen un nivel de significancia de 0.10 para someter a prueba la afirmación de que la proporción de niñas es igual a 1/4. ¿Cuántos estudiantes se espera que obtengan resultados que conduzcan a la conclusión errónea de que la proporción no es de 1/4? ¿Cómo se relaciona esto con la probabilidad de un error tipo I? ¿Al parecer este procedimiento sirve para identificar la eficacia del método de selección del género? (Si no disponen de un mazo de cartas, utilicen algún otro recurso para simular los nacimientos, como el generador de números aleatorios de una calculadora, o utilicen los dígitos de números telefónicos o números de seguridad social).

3. Actividad fuera de clase Grupos de tres o cuatro estudiantes deben acudir a la biblioteca y reunir una muestra de fechas de edición de libros (de acuerdo con las fechas de registro de derechos de autor). Organicen y describan el plan de muestreo, ejecuten el procedimiento de muestreo y luego utilicen los resultados para estimar la media de las antigüedades de todos los libros de la biblioteca.

4. Actividad en clase Cada estudiante debe anotar una estimación de la edad del presidente actual de Estados Unidos. Después, deben reunir todas las estimaciones y calcular la media muestral y la desviación estándar. Luego, los estudiantes deben someter a prueba la hipótesis de que la media de todas estas estimaciones es igual a la edad actual del presidente.

5. Actividad en clase Se debe diseñar un proyecto de clase para realizar una prueba en la que cada estudiante reciba una prueba de Coca-Cola y una de Pepsi. A cada estudiante se le pide que identifique cuál de las muestras corresponde a Coca-Cola. Después de reunir todos los resultados, sometan a prueba la afirmación de que la tasa de éxitos es mejor que la tasa que se esperaría si se hicieran conjeturas.

6. Actividad en clase Cada estudiante debe estimar la longitud del salón de clases. Los valores deben basarse en estimaciones visuales, es decir, no deben tomarse mediciones reales. Una vez que se han reunido las estimaciones, midan la longitud de la habitación, después sometan a prueba la afirmación de que la media muestral es igual a la longitud real del salón de clases. ¿Existe una "sabiduría colectiva" por la que la media de la clase es aproximadamente igual a la longitud real del aula?

7. Actividad fuera de clase Utilicen un reloj de pulso que sea razonablemente preciso y pónganlo a tiempo, escuchando una estación de radio o un reporte telefónico que diga "en el momento del tono, la hora es…". Si no pueden poner la hora exacta en segundos, registren el error del reloj que están utilizando. Ahora comparen la hora de su reloj con la hora de los demás. Registren los errores con signo positivo para los relojes que están adelantados y con signo negativo para los que están atrasados. Utilicen los datos para someter a prueba la afirmación de que el error medio de todos los relojes de pulso es igual a 0. ¿Están todos a tiempo, o están adelantados o atrasados? También sometan a prueba la afirmación de que la desviación estándar de los errores es menor que un minuto. ¿Cuáles son las implicaciones prácticas de una desviación estándar excesivamente grande?

8. Actividad en clase En grupos de tres o cuatro estudiantes, realicen un experimento de percepción extrasensorial (PES) seleccionando a uno de los miembros del grupo como sujeto. Dibujen un círculo en un trozo de papel y luego dibujen un cuadrado en otro papel del mismo tamaño. Repitan este experimento 20 veces: seleccionen al azar el círculo o el cuadrado y colóquenlo en la mano del sujeto colocada detrás de él para que no pueda ver el dibujo; después, pídanle que identifique la figura dibujada (sin verla); registren si la respuesta es correcta. Sometan a prueba la afirmación de que el sujeto tiene capacidades de PES porque la proporción de respuestas correctas es mayor que 0.5.

9. Actividad en clase Después de formar grupos de entre 10 y 20 estudiantes, cada miembro debe registrar su número de latidos cardiacos por minuto. Después de calcular $\bar{x}$ y s, cada grupo someterá a prueba la afirmación de que la media es mayor que 60, que es el resultado del autor. (Cuando las personas hacen ejercicio, tienden a registrar pulsos más bajos; por cierto, el autor corre 5 millas varias veces por semana. ¡Qué tipo!).

10. Actividad fuera de clase Como parte de una encuesta Gallup, se preguntó a unos sujetos: "¿Está usted a favor de la pena de muerte para las personas sentenciadas por homicidio?". El 65% de los individuos dijeron estar a favor, mientras que el 27% se manifestó en contra, y el 8% no opinó. Utilice los métodos de la sección 7-2 con la finalidad de determinar el tamaño de muestra necesario para estimar la proporción de estudiantes de su universidad que están a favor. La clase debe determinar un intervalo de confianza y un margen de error. Después, dividan el tamaño de muestra entre el número de estudiantes en la clase; realicen la encuesta, pidiendo a cada miembro de la clase que interrogue al número correspondiente de estudiantes de la universidad. Analicen los resultados para determinar si los estudiantes difieren significativamente de los resultados de la encuesta Gallup.

11. Actividad fuera de clase Cada estudiante debe buscar un artículo en una revista científica, que incluya una prueba de hipótesis como las que analizamos en este capítulo; también deberá redactar un breve informe que describa la prueba de hipótesis y su papel en el contexto del artículo.

12. Actividad en clase Los hombres adultos, al estar sentados, tienen una altura media de 91.4 cm y una desviación estándar de 3.6 cm; las mujeres adultas, al estar sentadas, tienen una altura media de 85.2 cm y una desviación estándar de 3.5 cm (según datos de un estudio antropométrico de Gordon, Churchill, *et al.*). Reúnan datos muestrales en la clase midiendo las alturas de los individuos sentados, y realicen las pruebas de hipótesis adecuadas para determinar si existen diferencias significativas respecto de los parámetros poblacionales.

NOMBRE: Michael Saccucci

PUESTO: Director de estadística y administración de calidad

COMPAÑÍA: Consumers Union

Michael Saccucci es Director de estadística y administración de calidad para Consumers Union. Esta compañía somete a prueba productos y servicios; con base en ello, otorga calificaciones y da recomendaciones a los consumidores en la revista Consumer Reports. *El autor se reunió con Michael Saccucci y visitó las instalaciones donde se someten a prueba los productos; quedó muy impresionado con la participación de los expertos en estadística, con el cuidado extremo y detallado en el diseño de los experimentos y con el uso cuidadoso y eficaz de los análisis estadísticos en la prueba de resultados.*

¿Qué conceptos y procedimientos estadísticos utiliza en Consumers Union?

Utilizamos varios procedimientos estadísticos, muchos de los cuales se estudian en este libro de texto. Por ejemplo, en un estudio reciente, realizado para evaluar la calidad y seguridad del pollo, desarrollamos un esquema de muestreo complejo para que los distintos fabricantes estuvieran bien representados. En un estudio reciente de protectores solares, utilizamos la distribución normal con la finalidad de determinar el número adecuado de réplicas necesarias para evaluar correctamente los productos. Dependiendo del tipo de prueba, el especialista en estadística puede necesitar construir un diseño completamente aleatorizado, un diseño aleatorizado por bloques o algún otro tipo de diseño experimental para asegurarse de que los resultados sean exactos y sin sesgos. Durante la fase de análisis, el especialista utiliza diversas técnicas, como los análisis de varianza, de regresión, de series de tiempo, el análisis categórico o el no paramétrico.

Creo tener uno de los trabajos más interesantes. Nunca sé qué esperar durante la jornada. Un día quizás esté sentado en una sesión de capacitación sobre cata de vinos para aprender acerca de los procedimientos de prueba; otro día tal vez tenga que discutir diversas formas para someter a prueba pinturas. Sin embargo, la mayoría de los días, paso gran parte del tiempo frente a una computadora para diseñar el próximo estudio o buscando entre grandes cantidades de datos aquellos que resultarán útiles como base para las evaluaciones de productos.

¿Qué pasos sigue para asegurar objetividad en sus procedimientos de prueba?

Es política de Consumers Union que todas las pruebas se realicen de manera objetiva y científica, y que se cuide la seguridad del personal de prueba. Hacemos grandes esfuerzos para respetar esta política. Por ejemplo, no aceptamos ningún tipo de publicidad externa en nuestras publicaciones. Empleamos a personas que se hacen pasar por compradores anónimos distribuidos en todo el territorio de Estados Unidos para adquirir nuestras muestras de prueba de las mismas formas disponibles a los consumidores. No aceptamos muestras gratuitas de nadie, incluyendo vendedores. Tampoco sometemos a prueba muestras que nos envían pero que no solicitamos. Además, los técnicos emplean diseños experimentales aleatorizados para asegurarse de que nuestras pruebas se realicen con integridad y objetividad científica. Cuando resulta práctico, los artículos que se someten a prueba se codifican de forma ciega, de tal manera que los encargados de efectuar la prueba no saben qué marcas están evaluando.

¿Las calificaciones y recomendaciones de la revista *Consumer Reports* solo se basan en la significancia estadística?

No. La información que ofrecemos debe ser útil para los consumidores. Nuestros técnicos realizan una variedad de pruebas para evaluar el desempeño de un producto. Estas pruebas están diseñadas para simular condiciones del uso predecible de los consumidores. Si resulta que existe una significancia estadística, pero no hay una diferencia importante en los resultados de la prueba, no consideramos una marca mejor que otra. Por ejemplo, al analizar selladores de agua, podríamos encontrar que existe una diferencia estadísticamente significativa entre las cantidades de agua que se filtra con dos marcas diferentes de sellador. Sin embargo, si la diferencia consiste en unas cuantas gotas de agua, calificaríamos a los productos de forma similar en relación con esa característica.

¿Cree usted que se tiene una mejor percepción de los solicitantes de empleo cuando estos han realizado algunos estudios de estadística?

Dado el nivel de oferta que existe ahora, creo que el conocimiento básico de la estadística se considera una característica favorable en casi cualquier campo de estudio, sobre todo en las áreas cuantitativas, como las ciencias, la ingeniería y los negocios. Es extremadamente importante que cada uno de nosotros comprenda la estadística para lograr procesar de forma efectiva las grandes cantidades de información que se nos presentan cada día en nuestras vidas profesionales y personales. Un enfoque en el pensamiento estadístico sería especialmente útil.

9 Inferencias a partir de dos muestras

PROBLEMA DEL CAPÍTULO

¿El fenómeno "Freshman 15" es real o es un mito?

Existe la creencia generalizada de que los estudiantes universitarios suelen aumentar 15 libras (o 6.8 kg) de peso durante su primer año de estudios. A esta ganancia de peso se le denomina fenómeno "Freshman 15", ya que, en Estados Unidos, a los estudiantes de primer ingreso a la universidad se les llama freshmen. Algunas explicaciones razonables para este fenómeno incluyen las nuevas presiones de la vida universitaria (sin incluir la clase de estadística, que es muy divertida), los nuevos hábitos de alimentación, mayores niveles de consumo de alcohol, menos tiempo libre para actividades físicas, comida de cafetería abundante en grasas y carbohidratos, la nueva libertad de elegir entre una variedad de alimentos (incluyendo exquisitas pizzas que se pueden encargar por teléfono), y la falta de sueño que produce bajos niveles de leptina, una hormona que ayuda a regular el apetito y el metabolismo. No obstante, ¿el fenómeno "freshman 15" es real o se trata de un mito que se ha perpetuado mediante evidencias anecdóticas y/o datos engañosos?

Varios estudios se han enfocado en la credibilidad del fenómeno "freshman 15". Aquí consideraremos los resultados de un estudio serio, cuyos resultados se publicaron en el artículo "Changes in Body Weight and Fat Mass of Men and Women in the First Year of College: A Study of the 'Freshman 15'", de Daniel Hoffman, Peggy Policastro, Virginia Quick y Soo-Kyung Lee, *Journal of American College Health*, vol. 55, núm. 1. Los autores del artículo nos proporcionaron los datos de su estudio, y la mayoría de ellos están incluidos en el conjunto de datos 3 del apéndice B. Si examina los pesos en el conjunto de datos 3, notará lo siguiente:

- Los pesos del conjunto de datos 3 están expresados en *kilogramos* y no en libras, y 15 libras equivalen a 6.8 kg. El fenómeno "freshman 15 (libras)" es equivalente al fenómeno "freshman 6.8 kg".
- El conjunto de datos 3 incluye dos pesos para cada uno de los 67 sujetos de estudio. Cada individuo fue pesado durante su primer año de estudios en el mes de septiembre y nuevamente en abril. Las dos mediciones se realizaron al principio y al final de los siete meses del año escolar universitario. Es importante reconocer que cada par individual de mediciones realizadas antes y después corresponden al mismo estudiante, de manera que las listas de los 67 pesos antes y los 67 pesos después constituyen datos *pareados* de los 67 sujetos que participaron en el estudio.
- Puesto que "freshman 15" se refiere al peso ganado, expresaremos los cambios de peso en la siguiente forma:

  (peso en abril) − (peso en septiembre)

  Si un estudiante subió 15 libras, el valor de (peso en abril) − (peso en septiembre) será igual a 15 libras o 6.8 kg. (Una "ganancia" de peso negativa indica que el estudiante bajó de peso).
- El artículo publicado sobre el estudio del fenómeno "freshman 15" tiene algunas limitaciones, incluyendo las siguientes:
  1. Todos los sujetos participaron como voluntarios en el estudio.
  2. Todos los sujetos asistían a Rutgers, la universidad estatal de Nueva Jersey.

El fenómeno "freshman 15" es una *afirmación* acerca de la población de estudiantes universitarios. Si utilizamos μ_d para denotar la media de las diferencias (peso en abril) − (peso en septiembre) de los estudiantes durante su primer año de estudios, el fenómeno "freshman 15" es la afirmación de que μ_d = 15 libras o μ_d = 6.8 kg. Como los pesos muestrales se midieron en kilogramos, consideraremos que la afirmación es μ_d = 6.8 kg. Más adelante en este capítulo se utilizará una prueba formal de hipótesis para evaluar esta afirmación. Entonces, seremos capaces de llegar a una de dos posibles conclusiones: existe evidencia suficiente para justificar el rechazo de la afirmación de que μ_d = 6.8 kg (de manera que se rechaza el fenómeno "freshman 15"), o concluimos que no hay suficiente evidencia para justificar el rechazo de la afirmación de que μ_d = 6.8 kg (de manera que no se puede rechazar el fenómeno "freshman 15"). Entonces seremos capaces de determinar si este fenómeno es un mito o no.

9-1 Repaso y preámbulo

En los capítulos 7 y 8 se estudiaron métodos de *estadística inferencial.* En el capítulo 7 se presentaron métodos para construir estimaciones de intervalos de confianza para parámetros poblacionales. En el capítulo 8 se presentaron métodos para someter a prueba afirmaciones acerca de parámetros poblacionales. Los capítulos 7 y 8 incluyen métodos que se aplican a una sola muestra, de una sola población. El objetivo de este capítulo consiste en extender tanto los métodos para *estimar* valores de parámetros poblacionales como los métodos de *prueba de hipótesis* a situaciones que incluyen *dos* conjuntos de datos muestrales, en lugar de uno solo. Los siguientes son ejemplos típicos incluidos en este capítulo, el cual presenta métodos para utilizar datos muestrales de dos poblaciones de manera que se puedan realizar inferencias acerca de tales poblaciones.

- Someter a prueba la afirmación de que, cuando estudiantes universitarios se pesan al principio y al final de su primer año de estudios, las diferencias indican un aumento medio de peso de 15 libras (de acuerdo con la creencia de "freshman 15").
- Someter a prueba la afirmación de que la proporción de niños que contraen poliomielitis es menor cuando reciben la vacuna de Salk que cuando reciben un placebo.
- Someter a prueba la afirmación de que los sujetos tratados con Lipitor tienen un nivel medio de colesterol más bajo que el nivel medio de colesterol de los sujetos que reciben un placebo.

Como existen muchos estudios que implican la comparación de *dos* muestras, los métodos de este capítulo se aplican a una gran variedad de situaciones reales.

9-2 Inferencias acerca de dos proporciones

Concepto clave En esta sección se presentan métodos para **1.** someter a prueba un afirmación acerca de dos proporciones poblacionales y **2.** construir un intervalo de confianza de la diferencia entre las dos proporciones poblacionales. Esta sección está basada en proporciones, pero es factible utilizar los mismos métodos para manejar probabilidades o los equivalentes decimales de porcentajes.

Objetivos

Someter a prueba una afirmación acerca de dos proporciones poblacionales o construir un intervalo de confianza de la diferencia entre dos proporciones poblacionales.

Notación para dos proporciones

Para la población 1, sean

p_1 = proporción *poblacional*

n_1 = tamaño de muestra

x_1 = número de éxitos en la muestra

$\hat{p}_1 = \dfrac{x_1}{n_1}$ (proporción *muestral*)

$\hat{q}_1 = 1 - \hat{p}_1$ (complemento de $\hat{p}_1$)

Las notaciones correspondientes a $p_2, n_2, x_2, \hat{p}_2$ y $\hat{q}_2$ se aplican a la población 2.

Proporción muestral agrupada

La **proporción muestral agrupada** se denota con $\bar{p}$ y está dada por:

$$\bar{p} = \frac{x_1 + x_2}{n_1 + n_2}$$

$$\bar{q} = 1 - \bar{p}.$$

Requisitos

1. Las proporciones muestrales provienen de dos muestras aleatorias simples que son *independientes*. (Las muestras son *independientes* si los valores muestrales seleccionados de una población no están relacionados ni pareados de forma natural con los valores muestrales seleccionados de la otra población).
2. Para cada una de las dos muestras, el número de éxitos es de al menos 5 y el número de fracasos es de al menos 5. (Es decir, $np \geq 5$ y $nq \geq 5$ para cada una de las dos muestras).

Estadístico de prueba para dos proporciones (con H_0: $p_1 = p_2$)

$$z = \frac{(\hat{p}_1 - \hat{p}_2) - (p_1 - p_2)}{\sqrt{\frac{\bar{p}\,\bar{q}}{n_1} + \frac{\bar{p}\,\bar{q}}{n_2}}}$$ donde $p_1 - p_2 = 0$ (supuesto en la hipótesis nula)

$$\hat{p}_1 = \frac{x_1}{n_1} \quad \text{y} \quad \hat{p}_2 = \frac{x_2}{n_2} \quad \text{(proporciones muestrales)}$$

$$\bar{p} = \frac{x_1 + x_2}{n_1 + n_2} \quad \text{(proporción muestral } agrupada\text{)} \quad \text{y} \quad \bar{q} = 1 - \bar{p}$$

Valor *P*: Utilice la tabla A-2. (Use el valor calculado del estadístico de prueba *z* y obtenga el valor *P* siguiendo el procedimiento que se resume en la figura 8-5).

Valores críticos: Utilice la tabla A-2. (Con base en el nivel de significancia α, obtenga valores críticos utilizando los procedimientos de la sección 8-2).

Estimación del intervalo de confianza de $p_1 - p_2$

La estimación del intervalo de confianza de la diferencia $p_1 - p_2$ es:

$$(\hat{p}_1 - \hat{p}_2) - E < (p_1 - p_2) < (\hat{p}_1 - \hat{p}_2) + E$$

donde el margen de error E está dado por $E = z_{\alpha/2}\sqrt{\frac{\hat{p}_1\hat{q}_1}{n_1} + \frac{\hat{p}_2\hat{q}_2}{n_2}}$

Redondeo: Redondee los límites del intervalo de confianza a tres decimales significativos.

Pruebas de hipótesis

Para pruebas de hipótesis acerca de dos proporciones poblacionales, solo consideramos las pruebas que tienen una hipótesis nula de $p_1 = p_2$. (Para afirmaciones de que la diferencia entre p_1 y p_2 es igual a una constante diferente de cero, consulte el ejercicio 39). El siguiente ejemplo ayudará a aclarar los papeles que desempeñan x_1, n_1, $\hat{p}_1$, $\bar{p}$, etcétera. Observe que, de acuerdo con el supuesto de igualdad de proporciones, la mejor estimación de la proporción común se obtiene al combinar ambas muestras en una muestra grande, de manera que $\bar{p}$ es el estimador de la proporción poblacional común.

El margen de error en las encuestas electorales

Los autores Stephen Ansolabehere y Thomas Belin escribieron lo siguiente en su artículo "Poll Faulting" (revista *Chance*): "Nuestra mayor crítica al reporte de los resultados de las encuestas es para el margen de error de una proporción individual (por lo general ±3%), cuando la atención de los medios de comunicación está claramente dirigida al *liderazgo* de un candidato". Señalan que el liderazgo es realmente la *diferencia* entre dos proporciones ($p_1 - p_2$) y explican cómo desarrollaron la siguiente regla práctica: el liderazgo es aproximadamente $\sqrt{3}$ veces más grande que el margen de error para cualquier proporción individual. Para una encuesta típica de preelección, un margen de error reportado de ±3% se convierte en alrededor de ±5% para el liderazgo de un candidato sobre el otro. Los autores señalan que debe informarse el margen de error en este tipo de encuestas.

EJEMPLO 1

¿Las bolsas de aire salvan vidas? La siguiente tabla incluye los resultados de una muestra aleatoria simple de ocupantes del asiento delantero involucrados en choques de automóviles (según datos de "Who Wants Airbags?", de Meyer y Finney, *Chance*, vol. 18, núm. 2). Utilice un nivel de significancia de 0.05 para someter a prueba la afirmación de que la tasa de mortalidad de los ocupantes es menor en el caso de los automóviles equipados con bolsas de aire.

	Con bolsa de aire	Sin bolsa de aire
Muertes de ocupantes	41	52
Número total de ocupantes	11,541	9,853

SOLUCIÓN

VERIFICACIÓN DE REQUISITOS Primero debemos verificar que se satisfagan los dos requisitos necesarios. **1.** Los datos provienen de dos muestras aleatorias simples, y las dos muestras son independientes una de otra. **2.** El grupo con bolsa de aire incluye 41 ocupantes muertos y 11,500 ocupantes que no murieron, de modo que el número de éxitos es de al menos 5 y el número de fracasos es de al menos 5. El segundo grupo incluye 52 ocupantes muertos y 9801 que no murieron, de modo que el número de éxitos es de al menos 5 y el número de fracasos es de al menos 5. Los requisitos se satisfacen. ✓

Ahora utilizaremos el método del valor *P* para la prueba de hipótesis, tal como se resume en la figura 8-8. En los siguientes pasos estipulamos que el grupo con bolsas de aire constituye la muestra 1, y que el grupo sin bolsas de aire constituye la muestra 2.

Paso 1: La afirmación de que la tasa de mortalidad es menor para los que viajaban en vehículos con bolsas de aire se expresa como $p_1 < p_2$.

Paso 2: Si $p_1 < p_2$ es falso, entonces $p_1 \geq p_2$.

Paso 3: Puesto que nuestra afirmación de $p_1 < p_2$ no contiene igualdad, se convierte en la hipótesis alternativa. La hipótesis nula es la afirmación de igualdad, de manera que tenemos

$$H_0\colon p_1 = p_2 \qquad H_1\colon p_1 < p_2 \text{ (afirmación original)}$$

Paso: El nivel de significancia es $\alpha = 0.05$.

Paso 5: Utilizaremos la distribución normal (con el estadístico de prueba dado con anterioridad en esta sección) como una aproximación de la distribución binomial. Estimamos el valor común de p_1 y p_2 con la estimación de la muestra agrupada $\bar{p}$ calculada como se indica a continuación, con espacios decimales adicionales para minimizar los errores de redondeo en cálculos posteriores.

$$\bar{p} = \frac{x_1 + x_2}{n_1 + n_2} = \frac{41 + 52}{11{,}541 + 9{,}853} = 0.004347$$

Con $\bar{p} = 0.004347$, se deduce que $\bar{q} = 1 - 0.004347 = 0.995653$.

Paso 6: Ahora podemos calcular el valor del estadístico de prueba.

$$z = \frac{(\hat{p}_1 - \hat{p}_2) - (p_1 - p_2)}{\sqrt{\dfrac{\bar{p}\,\bar{q}}{n_1} + \dfrac{\bar{p}\,\bar{q}}{n_2}}}$$

$$= \frac{\left(\dfrac{41}{11{,}541} - \dfrac{52}{9{,}853}\right) - 0}{\sqrt{\dfrac{(0.004347)(0.995653)}{11{,}541} + \dfrac{(0.004347)(0.995653)}{9{,}853}}}$$

$$= -1.91$$

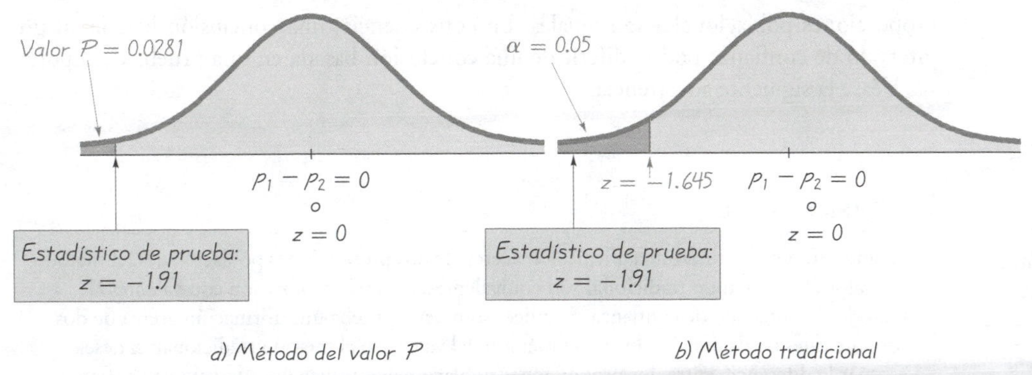

Figura 9-1 Prueba de la afirmación de menor tasa de mortalidad en vehículos equipados con bolsas de aire

Se trata de una prueba de cola izquierda, por lo que el valor *P* es el área ubicada a la izquierda del estadístico de prueba $z = -1.91$ (como se indica en la figura 8-5). Remítase a la tabla A-2 y encuentre que el área a la izquierda del estadístico de prueba $z = -1.91$ es 0.0281; por lo tanto, el valor *P* es 0.0281. (Los recursos tecnológicos proporcionan un valor *P* más exacto de 0.0280). El estadístico de prueba y el valor *P* se presentan en la figura 9-1*a*).

Paso 7: Puesto que el valor *P* de 0.0281 es menor que el nivel de significancia de $\alpha = 0.05$, rechazamos la hipótesis nula de $p_1 = p_2$.

INTERPRETACIÓN

Debemos retomar la afirmación original de que la tasa de mortalidad es menor en los ocupantes de automóviles equipados con bolsas de aire. Puesto que rechazamos la hipótesis nula, concluimos que existe evidencia suficiente para sustentar la afirmación de que la proporción de muertes por accidente de ocupantes en automóviles con bolsas de aire es menor que la proporción de muertes de ocupantes en automóviles sin bolsas de aire. (Véase la figura 8-7 para la redacción de la conclusión final). Con base en estos resultados, parece que las bolsas de aire sirven para salvar vidas.

Los datos muestrales utilizados en este ejemplo solo forman parte de los datos presentados en el artículo que se citó en el planteamiento del problema. Si se utilizan todos los datos disponibles, el estadístico de prueba es $z = -57.76$, y el valor *P* es muy cercano a 0, de manera que el uso de todos los datos brinda una evidencia aún más convincente de la eficacia de las bolsas de aire para salvar vidas.

Método tradicional de prueba de hipótesis

También se puede utilizar el método tradicional con el ejemplo 1. En el paso 6, en lugar de calcular el valor *P*, calcule el valor crítico. Con un nivel de significancia de $\alpha = 0.05$ en una prueba de cola izquierda basada en la distribución normal, nos remitimos a la tabla A-2 y encontramos que un área de $\alpha = 0.05$ en la cola izquierda corresponde al valor crítico de $z = -1.645$. Consulte la figura 9-1*b*), donde podemos observar que el estadístico de prueba de $z = -1.91$ se localiza en la región crítica limitada por el valor crítico de $z = -1.645$. Una vez más, rechazamos la hipótesis nula y concluimos lo mismo que en el ejemplo 1.

Intervalos de confianza

Si utilizamos el formato presentado antes en esta sección, podemos construir un intervalo de confianza para la diferencia entre las proporciones poblacionales $(p_1 - p_2)$. Si una estimación del intervalo de confianza de $p_1 - p_2$ no incluye a 0, tenemos evidencia que sugiere que p_1 y p_2 tienen valores diferentes. El intervalo de confianza utiliza una desviación estándar basada en valores estimados de las proporciones poblacionales, mientras que una prueba de hipótesis utiliza una desviación estándar basada en el supuesto de que las dos

El autor como testigo

El autor fue requerido para testificar ante la Suprema Corte del estado de Nueva York en el caso de un ex alumno que impugnaba una reelección perdida ante la oficina del ayuntamiento del condado Dutchess. El autor testificó utilizando la estadística para demostrar que el comportamiento de votación en un distrito impugnado fue significativamente diferente del comportamiento en todos los demás distritos. Cuando el abogado de la oposición se refirió a los resultados de un intervalo de confianza, preguntó si el 5% de error (de un intervalo de confianza del 95%) podría añadirse a los tres puntos porcentuales del margen de error para obtener un error total del 8%; de esa forma, reveló que no entendía el concepto básico de un intervalo de confianza. El juez citó el testimonio del autor, apoyó la demanda del ex alumno y ordenó una nueva elección en el distrito impugnado. Después, este juicio fue anulado por la corte de apelación con base en que las irregularidades de la votación debían haberse impugnado antes de la elección, no después.

Experimento en relación con la poliomielitis

En 1954 se realizó un experimento para probar la eficacia de la vacuna de Salk como protección contra los devastadores efectos de la poliomielitis. Aproximadamente 200,000 niños recibieron una inyección de solución salina inocua, y otros 200,000 una inyección de la vacuna. El experimento fue "doble ciego" porque los niños inyectados no sabían si estaban recibiendo la vacuna real o el placebo, en tanto que los doctores que aplicaban las inyecciones y evaluaban los resultados tampoco lo sabían. Solo 33 de los 200,000 niños vacunados contrajeron poliomielitis paralítica tiempo después, mientras que 115 de los 200,000 inyectados con la solución salina contrajeron posteriormente la enfermedad. Un análisis estadístico de estos y otros resultados llevó a la conclusión de que la vacuna de Salk realmente era eficaz contra la poliomielitis paralítica.

proporciones poblacionales son iguales. En consecuencia, una conclusión basada en un intervalo de confianza podría diferir de una conclusión basada en una prueba de hipótesis. Véase la siguiente advertencia.

ADVERTENCIA

Cuando someta a prueba una afirmación acerca de dos proporciones poblacionales, el método del valor P y el método tradicional son equivalentes; sin embargo, *no* son equivalentes al método del intervalo de confianza. Si quiere someter a prueba una afirmación acerca de dos proporciones poblacionales, utilice el método del valor P o el método tradicional; si desea estimar la diferencia entre dos proporciones poblacionales, utilice un intervalo de confianza.

Además, *no someta a prueba la igualdad de dos proporciones poblacionales determinando si existe un traslape entre dos estimaciones individuales del intervalo de confianza de las dos proporciones poblacionales individuales.* Cuando se compara con la estimación del intervalo de confianza de $p_1 - p_2$, el análisis del traslape de dos intervalos de confianza individuales es más conservador (ya que conduce a rechazar la igualdad con menos frecuencia) y tiene menos potencia (porque es menos probable rechazar $p_1 = p_2$ cuando en realidad $p_1 \neq p_2$). (Véase "On Judging the Significance of Differences by Examining the Overlap Between Confidence Intervals", de Schenker y Gentleman, *American Statistician*, vol. 55, núm. 3). Consulte el ejercicio 37.

EJEMPLO 2

Intervalo de confianza para bolsas de aire Utilice los datos muestrales del ejemplo 1 para construir un intervalo de confianza del 90% de la diferencia entre las dos proporciones poblacionales. (Como se observa en la tabla 8-2 de la página 406, el nivel de confianza del 90% es comparable al nivel de significancia de $\alpha = 0.05$ que se utilizó en la anterior prueba de hipótesis de cola izquierda). ¿Qué sugiere el resultado sobre la eficacia de las bolsas de aire en un accidente?

SOLUCIÓN

VERIFICACIÓN DE REQUISITOS Como estamos utilizando los mismos datos del ejemplo 1, aquí se aplica la misma verificación de requisitos, los cuales se satisfacen.

Con un nivel de confianza del 90%, $z_{\alpha/2} = 1.645$ (de la tabla A-2). Primero calculamos el valor del margen de error E como se indica.

$$E = z_{\alpha/2}\sqrt{\frac{\hat{p}_1\hat{q}_1}{n_1} + \frac{\hat{p}_2\hat{q}_2}{n_2}} = 1.645\sqrt{\frac{\left(\frac{41}{11{,}541}\right)\left(\frac{11{,}500}{11{,}541}\right)}{11{,}541} + \frac{\left(\frac{52}{9{,}853}\right)\left(\frac{9801}{9{,}853}\right)}{9{,}853}}$$
$$= 0.001507$$

Con $\hat{p}_1 = 41/11{,}541 = 0.003553$, $\hat{p}_2 = 52/9{,}853 = 0.005278$, y $E = 0.001507$, el intervalo de confianza se evalúa como sigue, con los límites del intervalo de confianza redondeados a tres decimales significativos:

$$(\hat{p}_1 - \hat{p}_2) - E < (p_1 - p_2) < (\hat{p}_1 - \hat{p}_2) + E$$
$$(0.003553 - 0.005278) - 0.001507 < (p_1 - p_2) < (0.003553 - 0.005278) + 0.001507$$
$$-0.00323 < (p_1 - p_2) < -0.000218$$

INTERPRETACIÓN Los límites del intervalo de confianza no contienen a 0, lo que sugiere que existe una diferencia significativa entre las dos proporciones. El intervalo de confianza sugiere que la tasa de mortalidad es menor para los ocupantes de automóviles con bolsas de aire que para los ocupantes de automóviles sin bolsas de aire. El intervalo de confianza también ofrece una estimación de la cantidad de la diferencia entre las dos tasas de mortalidad.

Fundamentos: ¿Por qué funcionan los procedimientos de esta sección?
El estadístico de prueba dado para la prueba de hipótesis se justifica por lo siguiente:

Con $n_1 p_1 \geq 5$ y $n_1 q_1 \geq 5$, la distribución de $\hat{p}_1$ puede aproximarse con una distribución normal con media p_1, una desviación estándar $\sqrt{p_1 q_1 / n_1}$, y una varianza $p_1 q_1 / n_1$ (de acuerdo con las secciones 6-6 y 7-2). También se aplican a la segunda muestra. Puesto que $\hat{p}_1$ y $\hat{p}_2$ se aproximan por medio de una distribución normal, la diferencia $\hat{p}_1 - \hat{p}_2$ también se aproximará por medio de una distribución normal con media $p_1 - p_2$ y varianza

$$\sigma^2_{(\hat{p}_1-\hat{p}_2)} = \sigma^2_{\hat{p}_1} + \sigma^2_{\hat{p}_2} = \frac{p_1 q_1}{n_1} + \frac{p_2 q_2}{n_2}$$

(El resultado anterior se basa en esta propiedad: la varianza de las *diferencias* entre dos variables aleatorias independientes es la *suma* de sus varianzas individuales). La estimación agrupada del valor común de p_1 y p_2 es $\bar{p} = (x_1 + x_2)/(n_1 + n_2)$. Si reemplazamos p_1 y p_2 por $\bar{p}$ y reemplazamos $q1$ y q_2 por $\bar{q} = 1 - \bar{p}$, la varianza anterior nos lleva a la siguiente desviación estándar:

$$\sigma_{(\hat{p}_1-\hat{p}_2)} = \sqrt{\frac{\bar{p}\,\bar{q}}{n_1} + \frac{\bar{p}\,\bar{q}}{n_2}}$$

Sabemos ahora que la distribución de $p_1 - p_2$ es aproximadamente normal, con media $p_1 - p_2$ y desviación estándar como se indica arriba; por lo tanto, el estadístico de prueba z tiene la forma indicada antes.

La forma del intervalo de confianza requiere una expresión para la varianza diferente de la que se indicó anteriormente. Cuando se construye una estimación de un intervalo de confianza de la diferencia entre dos proporciones, no suponemos que las dos proporciones son iguales, y estimamos la desviación estándar como

$$\sqrt{\frac{\hat{p}_1\hat{q}_1}{n_1} + \frac{\hat{p}_2\hat{q}_2}{n_2}}$$

En el estadístico de prueba

$$z = \frac{(p_1 - p_2) - (p_1 - p_2)}{\sqrt{\dfrac{\hat{p}_1\hat{q}_1}{n_1} + \dfrac{\hat{p}_2\hat{q}_2}{n_2}}}$$

utilice los valores positivos y negativos de z (para dos colas) y despeje $p_1 - p_2$. Los resultados son los límites del intervalo de confianza indicados anteriormente.

La pena de muerte como correctivo

Un argumento utilizado comúnmente para apoyar la pena de muerte es que esta desanima a otros individuos de cometer asesinatos. Jeffrey Grogger, de la Universidad de California, analizó los datos sobre los homicidios diarios en ese estado durante cuatro años, en una época en que las ejecuciones eran frecuentes. Entre sus conclusiones, publicadas en el *Journal of the American Statistical Association* (vol. 85, núm. 410), está la siguiente: "Los análisis realizados de forma consistente indican que estos datos no sustentan la hipótesis de que la ejecución desanima el asesinato en el corto plazo". Este es uno de los temas más importantes de política social y los esfuerzos de personas como el profesor Grogger ayudan a disipar las ideas erróneas, de manera que nos permiten tener información precisa para analizar temas como este.

USO DE LA TECNOLOGÍA

STATDISK Seleccione **Analysis** de la barra del menú principal, luego seleccione **Hypothesis Testing** o **Confidence Intervals.** Seleccione **Proportion-Two Samples** del menú principal. Ingrese los elementos requeridos en el cuadro de diálogo y luego haga clic en el botón **Evaluate**. La siguiente imagen es del primer ejemplo de esta sección.

STATDISK

```
Claim:     p1 < p2

Pooled proportion: 0.004347
Test Statistic, z: -1.9116
Critical z:        -1.6449
P-Value:           0.0280

90% Confidence interval:
-0.0032321 < p1-p2 < -0.0002179

Reject the Null Hypothesis
Sample provides evidence to support
the claim
```

MINITAB Seleccione **Stat** de la barra del menú principal; después, seleccione **Basic Statistics** y luego **2 Proportions.** Haga clic en el botón **Summarized data** e ingrese los valores muestrales. Haga clic en la barra de **Options**. Introduzca el nivel de confianza deseado. (Ingrese 95 para una prueba de hipótesis con un nivel de significancia de 0.05). Si realiza una prueba de hipótesis, ingrese el valor supuesto de $p_1 - p_2$, seleccione el formato para la hipótesis alternativa, y haga clic en el cuadro para utilizar la estimación agrupada de p para la prueba. Haga clic en **OK** dos veces.

En **Minitab 16** también haga clic en **Assistant,** luego en **Hypothesis Tests** y después seleccione el caso para **2-Sample % Defective.** Ingrese los elementos en el cuadro de diálogo y luego haga clic en **OK** para obtener tres ventanas con resultados que incluyen el valor *P* y otra información valiosa.

EXCEL Primero realice lo siguiente: en la celda A1 ingrese el número de éxitos para la muestra 1, en la celda B1 introduzca el número de ensayos para la muestra 1, en la celda C1 ingrese el número de éxitos para la muestra 2, y en la celda D1 introduzca el número de ensayos para la muestra 2. Si utiliza Excel 2010 o Excel 2007, haga clic en **Add-Ins** y luego en **DDXL**; si utiliza Excel 2003, seleccione **DDXL.** Elija **Hypothesis Tests** y **Summ 2 Var Prop Test** o seleccione **Confidence Intervals** y **Summ 2 Var Prop Interval.** En el cuadro de diálogo, haga clic en los cuatro iconos con forma de lápiz e introduzca !A1, !B1, !C1 y !D1 en los cuatro campos de entrada. Haga clic en **OK.** y proceda a completar el nuevo cuadro de diálogo.

TI-83/84 PLUS La calculadora TI-83/84 Plus puede utilizarse para pruebas de hipótesis e intervalos de confianza. Oprima **STAT** y seleccione **TESTS.** Luego elija la opción de **2-PropZTest** (para una prueba de hipótesis) o **2-PropZInt** (para un intervalo de confianza). Cuando se someten a prueba hipótesis, la calculadora TI-83/84 Plus mostrará en la pantalla un valor *P* en vez de valores críticos, por lo que utiliza el método del valor *P* para prueba de hipótesis.

9-2 Destrezas y conceptos básicos

Conocimientos estadísticos y pensamiento crítico

1. Verificación de requisitos Un alumno del autor encuestó a sus amigos y encontró que de 20 hombres, 4 fuman, y que de 30 mujeres, 6 fuman. Dé *dos* razones por las que estos resultados no deben utilizarse para una prueba de hipótesis de la afirmación de que las proporciones de hombres y mujeres fumadores son iguales.

2. Interpretación del intervalo de confianza En ensayos clínicos del fármaco Zocor, algunos sujetos fueron tratados con el medicamento y otros recibieron un placebo. La estimación del intervalo de confianza del 95% de la diferencia entre la proporción de sujetos que experimentaron dolores de cabeza es $-0.0518 < p_1 - p_2 < 0.0194$ (según datos de Merck & Co., Inc.). Redacte una afirmación que interprete ese intervalo de confianza.

3. Notación En ensayos clínicos del fármaco Zocor, 1583 sujetos fueron tratados con el medicamento y 15 experimentaron dolores de cabeza. Otros 157 sujetos recibieron un placebo, y 8 experimentaron dolores de cabeza (según datos de Merck & Co., Inc.). Se planea realizar una prueba de hipótesis de una afirmación acerca de las proporciones de dolores de cabeza de sujetos tratados con Zocor con respecto a los sujetos que recibieron un placebo. Identifique los valores de $\hat{p}_1$, $\hat{p}_2$ y $\bar{p}$. ¿Qué representan los símbolos p_1 y p_2?

4. Equivalencia de métodos Considerando una muestra aleatoria simple de hombres y una muestra aleatoria simple de mujeres, se desea utilizar un nivel de significancia de 0.05 para someter a prueba la afirmación de que el porcentaje de hombres que fuman es igual al porcentaje de mujeres que fuman. Un enfoque consiste en utilizar el método del valor *P* para la prueba de hipótesis, un segundo enfoque consiste en utilizar el método tradicional para la prueba de hipótesis, y un tercero consiste en basar la conclusión en la estimación del intervalo de confianza del 95% de $p_1 - p_2$. ¿Los tres métodos siempre conducen a la misma conclusión? Explique.

Cálculo del número de éxitos. ***En los ejercicios 5 y 6, calcule el número de éxitos x sugeridos por la afirmación que se incluye en cada caso.***

5. Marcapasos cardiacos De acuerdo con un artículo del *Journal of the American Medical Association:* de 8834 marcapasos con malfuncionamiento, el 15.8% de los casos se debían a las baterías.

6. Ensayo clínico de fármaco De Pfizer: de 129 sujetos que tomaron Chantix como ayuda para dejar de fumar, el 12.4% sintieron náuseas.

Cálculos para prueba de afirmaciones. ***En los ejercicios 7 y 8, suponga que planea utilizar un nivel de significancia $\alpha = 0.05$ para someter a prueba la afirmación de que $p_1 = p_2$. Utilice los tamaños de muestra y el número de éxitos indicados para calcular a) la estimación agrupada $\bar{p}$, b) el estadístico de prueba z, c) los valores críticos z, y d) el valor P.***

7. Solicitudes universitarias en línea A continuación se incluye el número de solicitudes en línea de muestras aleatorias simples de solicitudes de ingreso a la universidad para 2003 y para el año en curso (según datos del National Association of College Admission Counseling).

	2003	Año en curso
Número de solicitudes en la muestra	36	27
Número de solicitudes en línea en la muestra	13	14

8. Ensayo clínico de fármaco Chantix es un fármaco que se utiliza como auxiliar para dejar de fumar. A continuación se presenta el número de sujetos que sufren de insomnio en dos grupos de tratamiento de un ensayo clínico del fármaco Chantix (según datos de Pfizer):

	Tratamiento con Chantix	Placebo
Número en el grupo	129	805
Número que sufre de insomnio	19	13

Cálculos para intervalos de confianza. ***En los ejercicios 9 y 10, suponga que usted planea construir un intervalo de confianza del 95% utilizando los datos del ejercicio indicado. Calcule a) el margen de error E y b) el intervalo de confianza del 95%.***

9. Ejercicio 7 **10.** Ejercicio 8

Interpretación de pantallas de resultados. ***En los ejercicios 11 y 12, realice la prueba de hipótesis utilizando los resultados que se presentan en las pantallas.***

11. Ensayos clínicos de Lipitor El Lipitor es un fármaco que se utiliza para controlar el colesterol. En ensayos clínicos del Lipitor, 94 sujetos fueron tratados con el medicamento y 270 sujetos recibieron un placebo. De los que fueron tratados con Lipitor, 7 desarrollaron infecciones. De los que recibieron un placebo, 27 desarrollaron infecciones. Utilice un nivel de significancia de 0.05 para someter a prueba la afirmación de que la tasa de infecciones fue igual para los individuos tratados con Lipitor y los que recibieron un placebo.

TI-83/84 PLUS

```
2-PropZTest
 p1≠p2
 z=-.7326279116
 p=.4637852543
 p̂1=.0744680851
 p̂2=.1
↓p̂=.0934065934
```

12. Los mosquiteros reducen la malaria En un ensayo aleatorizado y controlado en Kenia, se probaron los mosquiteros tratados con insecticida como una forma de reducir la malaria. De 343 bebés en cuyas cunas se instalaron mosquiteros, 15 desarrollaron malaria. De los 294 bebés que no recibieron la protección de mosquiteros, 27 desarrollaron la enfermedad (según datos de "Sustainability of Reductions in Malaria Transmission and Infant Mortality in Western Kenya with Use of Insecticide-Treated Bednets", de Lindblade *et al.*, Journal of the American Medical Association, vol. 291, núm. 21). Utilice un nivel de significancia de 0.01 para someter a prueba la afirmación de que la incidencia de malaria es menor en los bebés que estuvieron protegidos con mosquiteros. Al parecer, ¿los mosquiteros son efectivos?

MINITAB

```
Difference = p (1) - p (2)
Estimate for difference:  -0.0481050
99% upper bound for difference:  -0.00125315
Test for difference = 0 (vs < 0):  Z = -2.44  P-Value = 0.007
```

13. Consumo de drogas en la universidad En 1993 se realizó una encuesta a 560 estudiantes universitarios, de los cuales, 171 afirmaron haber consumido drogas ilícitas durante el año anterior. En una encuesta reciente de 720 estudiantes universitarios, 263 dijeron haber utilizado drogas ilícitas durante el año anterior (según datos del National Center for Addiction and Substance Abuse at Columbia University). Utilice un nivel de significancia de 0.05 para someter a prueba la afirmación de que la proporción de estudiantes universitarios que consumieron drogas ilícitas en 1993 fue menor que la que se registra en la actualidad.

14. Consumo de drogas en la universidad Utilice los datos muestrales del ejercicio 13 para construir el intervalo de confianza correspondiente a la prueba de hipótesis realizada con un nivel de significancia de 0.05. ¿Qué conclusión sugiere el intervalo de confianza?

15. ¿Son eficaces los cinturones de seguridad? Se obtiene una muestra aleatoria simple de ocupantes del asiento delantero involucrados en choques de automóviles. De 2823 ocupantes que no usaban el cinturón de seguridad, 31 murieron. De los 7765 ocupantes que usaban el cinturón de seguridad, 16 murieron (según datos de "Who Wants Airbags?", de Meyer y Finney, *Chance*, vol. 18, núm 2). Construya un intervalo de confianza del 90% para la diferencia entre las tasas de mortalidad de los pasajeros que no usaban cinturones de seguridad y de los que usaban cinturones de seguridad. ¿Qué sugiere el resultado acerca de la eficacia de los cinturones de seguridad?

16. ¿Son eficaces los cinturones de seguridad? Utilice los datos muestrales del ejercicio 15 con un nivel de significancia de 0.05 para someter a prueba la afirmación de que la tasa de mortalidad es más alta entre los individuos que no usan cinturones de seguridad.

17. Moralidad y matrimonio Una encuesta del Pew Research Center preguntó a sujetos elegidos al azar si coincidían con la afirmación de que "es moralmente incorrecto que las personas casadas tengan un romance extramarital". De las 386 mujeres encuestadas, 347 estuvieron de acuerdo con la afirmación. De los 359 hombres encuestados, 305 estuvieron de acuerdo con la afirmación. Utilice un nivel de significancia de 0.05 para someter a prueba la afirmación de que el porcentaje de mujeres que están de acuerdo difiere del porcentaje de hombres que están de acuerdo. ¿Parece haber una diferencia en la forma en que los hombres y las mujeres piensan acerca de este tema?

18. Moralidad y matrimonio Utilice los datos muestrales del ejercicio 17 para construir el intervalo de confianza correspondiente a la prueba de hipótesis realizada con un nivel de significancia de 0.05. ¿Qué conclusión sugiere el intervalo de confianza?

19. Efectos del techo de un estadio de béisbol En una reciente Serie Mundial de béisbol, se ordenó a los Astros de Houston que mantuvieran abierto el techo de su estadio. El equipo de Houston afirmó que esto les haría perder la ventaja de ser locales, ya que las porras de los aficionados se escucharían menos. Durante la temporada regular, Houston ganó 36 de 53 partidos jugados con el techo cerrado, y ganó 15 de los 26 partidos jugados con el techo abierto. Considere estos resultados como muestras aleatorias simples y utilice un nivel de significancia de 0.05 para someter a prueba la afirmación de que la proporción de triunfos como local es mayor con el techo cerrado que con el techo abierto. ¿Parece que el techo cerrado es una ventaja?

20. Efecto del techo de un estadio de béisbol Utilice los datos muestrales del ejercicio 19 para construir el intervalo de confianza correspondiente a la prueba de hipótesis realizada con un nivel de significancia de 0.05. ¿Qué conclusión sugiere el intervalo de confianza?

21. ¿La equinácea es eficaz para los resfriados? Los rinovirus suelen causar resfriados comunes. En una prueba de la eficacia de la equinácea, 40 de los 45 sujetos tratados con equinácea desarrollaron infecciones de rinovirus. En un grupo de placebo, 88 de los 103 sujetos desarrollaron infecciones de rinovirus (según datos de "An Evaluation of Echinacea Angustifolia in Experimental Rhinovirus Infections", de Turner, *et al.*, *New England Journal of Medicine*, vol. 353, núm. 4). Construya un intervalo de confianza del 95% para la diferencia entre las dos tasas de infección. ¿Parece que la equinácea tiene algún efecto sobre la tasa de infección?

22. ¿La equinácea es eficaz para los resfriados? Utilice los datos del ejercicio 21 para someter a prueba la afirmación de que el tratamiento con equinácea tiene efecto. Si usted fuera médico, ¿recomendaría la equinácea?

23. Enfermedades en un crucero En un viaje del barco *Freedom of the Seas* de los cruceros Royal Caribbean, 338 de los 3823 pasajeros se enfermaron a causa de un norovirus. Casi al mismo tiempo, 276 de los 1652 pasajeros del barco *Queen Elizabeth II* se enfermaron a causa de un norovirus. Considere los resultados muestrales como muestras aleatorias simples de poblaciones más grandes, y utilice un nivel de significancia de 0.01 para someter a prueba la afirmación de que la tasa de enfermedad de norovirus en el barco *Freedom of the Seas* es menor que la tasa de enfermedad en el barco *Queen Elizabeth II.* Con base en el resultado, ¿parece que cuando ocurre un brote de norovirus en un barco, la proporción de pasajeros infectados puede variar de manera considerable?

24. Enfermedades en un crucero Utilice los datos muestrales del ejercicio 23 para construir el intervalo de confianza correspondiente a la prueba de hipótesis realizada con un nivel de significancia de 0.01. ¿Qué conclusión sugiere el intervalo de confianza?

25. Cuestionamientos en el tenis Cuando se introdujo el sistema Hawk-Eye de repetición instantánea para el tenis en el Torneo Abierto de Estados Unidos, los hombres cuestionaron 489 decisiones de los jueces, y 201 de ellas fueron respaldadas por el sistema Hawk-Eye. Las mujeres cuestionaron 350 decisiones de los jueces, y 126 de ellas fueron respaldadas por el sistema (según datos de *USA Today*). Construya un intervalo de confianza del 99% para la diferencia entre las tasas de éxito de los cuestionamientos de hombres y mujeres. ¿Qué sugiere el intervalo de confianza acerca de las tasas de éxito de los jugadores de tenis de uno y otro sexo?

26. Cuestionamientos en el tenis Utilice los datos del ejercicio 25 para someter a prueba la afirmación de que los jugadores de tenis de uno y otro sexo tienen tasas de éxito diferentes cuando cuestionan las decisiones de los jueces. Utilice un nivel de significancia de 0.01.

27. ¿Los efectos de la radiación son iguales para hombres y mujeres? De las 2739 mujeres sobrevivientes a la bomba atómica, 1397 desarrollaron enfermedades de la tiroides. De 1352 hombres sobrevivientes a la bomba atómica, 436 desarrollaron enfermedades de la tiroides (según datos de "Radiation Dose-Response Relationships for Thyroid Nodules and Autoimmune Thyroid Diseases in Hiroshima and Nagasaki Atomic Bomb Survivors 55-58 Years After Radiation Exposure", de Imaizumi, *et al.*, *Journal of the American Medical Association*, vol. 295, núm. 9). Utilice un nivel de significancia de 0.01 para someter a prueba la afirmación de que las mujeres y los hombres sobrevivientes tienen diferentes tasas de enfermedades de tiroides.

28. ¿Los efectos de la radiación son iguales para hombres y mujeres? Utilice los datos muestrales del ejercicio 27 para construir el intervalo de confianza correspondiente a la prueba de hipótesis realizada con un nivel de significancia de 0.01. ¿Qué conclusión sugiere el intervalo de confianza?

29. Encuesta sobre el calentamiento global Una encuesta del Pew Research Center preguntó lo siguiente: "¿Existen evidencias sólidas de que la Tierra se esté calentando?". El 69% de 731 hombres y el 70% de 770 mujeres respondieron afirmativamente. Construya un intervalo de confianza del 90% para la diferencia entre las proporciones de respuestas afirmativas de hombres y mujeres. ¿Qué concluye a partir de los resultados?

30. Encuesta sobre el calentamiento global Utilice los datos muestrales del ejercicio 29, con un nivel de significancia de 0.05, para someter a prueba la afirmación de que el porcentaje de hombres que respondieron afirmativamente es menor que el porcentaje de mujeres que respondieron afirmativamente.

31. Devoluciones de impuestos y fondos de campaña Las devoluciones de impuestos incluyen la opción de asignar $3 para las campañas de elección presidencial, y esto no representa ningún costo al contribuyente. En una muestra aleatoria simple de 250 devoluciones de impuestos correspondientes al año fiscal 1976, el 27.6% asignó los $3 para la campaña. En una muestra aleatoria simple de 300 devoluciones de impuestos recientes, en el 7.3% de estas se asignaron los $3 para la campaña (según datos de *USA Today*). Utilice un nivel de significancia de 0.01 para someter a prueba la afirmación de que el porcentaje de devoluciones que asignan los $3 para la campaña fue mayor en 1976 que en la actualidad.

32. Devoluciones de impuestos y fondos de campaña Utilice los datos muestrales del ejercicio 31 para construir el intervalo de confianza correspondiente a la prueba de hipótesis realizada con un nivel de significancia de 0.01. ¿Qué conclusión sugiere el intervalo de confianza?

33. Efectos adversos del Viagra En un experimento, el 16% de 734 sujetos tratados con Viagra tuvieron dolores de cabeza. En el mismo experimento, el 4% de 725 sujetos que recibieron un placebo tuvieron dolores de cabeza (según datos de Pfizer). Utilice un nivel de significancia de 0.01 para someter a prueba la afirmación de que la proporción de dolores de cabeza es mayor en los individuos tratados con Viagra. ¿Parece que los dolores de cabeza son un problema para los individuos que toman Viagra?

34. Efectos adversos del Viagra Utilice los datos muestrales del ejercicio 33 para construir el intervalo de confianza correspondiente a la prueba de hipótesis realizada con un nivel de significancia de 0.01. ¿Qué conclusión sugiere el intervalo de confianza?

35. Percepciones de empleados Un total de 61,647 personas respondieron una encuesta de *Elle*/MSNBC.COM. Se reportó que el 50% de los encuestados eran mujeres y el 50% eran hombres. De las mujeres, el 27% dijo que las jefas son muy críticas; de los hombres, el 25% dijo que las jefas son muy críticas. Construya un intervalo de confianza del 95% para la diferencia entre las proporciones de mujeres y hombres que dicen que las jefas son muy críticas. ¿Cómo se ve afectado el resultado por el hecho de que los encuestados decidieron voluntariamente participar en la encuesta?

36. Percepciones de empleados Utilice los datos muestrales del ejercicio 35, con un nivel de significancia de 0.05, para someter a prueba la afirmación de que el porcentaje de mujeres que afirman que las jefas son muy críticas es mayor que el porcentaje de hombres. ¿El nivel de significancia de 0.05 utilizado en este ejercicio corresponde al uso de un nivel de confianza del 95% en el ejercicio anterior? Considerando el método de muestreo, ¿es válida la prueba de hipótesis?

9-2 Más allá de lo básico

37. Interpretación del traslape de intervalos de confianza En el artículo "On Judging the Significance of Differences by Examining the Overlap Between Confidence Intervals", de Schenker y Gentleman (*American Statistician*, vol. 55, núm. 3), los autores consideran datos muestrales en esta afirmación: "Se han seleccionado muestras aleatorias simples independientes, cada una de tamaño 200; en la primera muestra, 112 personas tienen el atributo, mientras que 88 personas en la segunda muestra tienen el atributo".

a) Utilice los métodos de esta sección para construir un intervalo de confianza del 95% para la diferencia $p_1 - p_2$. ¿Qué sugiere el resultado acerca de la igualdad de p_1 y p_2?

b) Utilice los métodos de la sección 7-2 para construir estimaciones individuales del intervalo de confianza del 95% para cada una de las dos proporciones poblacionales. Después de comparar el traslape entre los dos intervalos de confianza, ¿qué concluye acerca de la igualdad de p_1 y p_2?

c) Utilice un nivel de significancia de 0.05 para someter a prueba la afirmación de que las dos proporciones poblacionales son iguales. ¿Qué concluye?

d) Con base en los resultados anteriores, ¿qué concluye acerca de la igualdad de p_1 y p_2? ¿Cuál de los tres métodos anteriores es el menos eficaz para someter a prueba la igualdad de p_1 y p_2?

38. Equivalencia de prueba de hipótesis e intervalo de confianza Se obtienen dos muestras aleatorias simples a partir de dos poblaciones diferentes. La primera muestra consiste en 20 personas, 10 de las cuales tienen un atributo en común. La segunda muestra consiste en 2000 personas, 1404 de las cuales tienen el mismo atributo en común. Compare los resultados a partir de una prueba de hipótesis de $p_1 = p_2$ (con un nivel de significancia de 0.05) y una estimación del intervalo de confianza del 95% de $p_1 - p_2$.

39. Prueba para diferencia constante Para someter a prueba la hipótesis nula de que la diferencia entre dos proporciones poblacionales es igual a una constante c diferente de 0, utilice el estadístico de prueba

$$z = \frac{(\hat{p}_1 - \hat{p}_2) - c}{\sqrt{\dfrac{\hat{p}_1\hat{q}_1}{n_1} + \dfrac{\hat{p}_2\hat{q}_2}{n_2}}}$$

Siempre que n_1 y n_2 sean grandes, la distribución muestral del estadístico de prueba z será aproximadamente la distribución normal estándar. Remítase al ejercicio 27 y utilice un nivel de significancia de 0.01 para someter a prueba la afirmación de que la tasa de enfermedades de tiroides entre las mujeres sobrevivientes a la bomba atómica es igual a 15 puntos porcentuales más que la de los hombres sobrevivientes a la bomba atómica.

40. Determinación del tamaño de muestra El tamaño de muestra necesario para estimar la diferencia entre dos proporciones poblacionales dentro de un margen de error E, con un nivel de confianza de $1 - \alpha$, se calcula por medio de la siguiente expresión.

$$E = z_{\alpha/2}\sqrt{\frac{p_1q_1}{n_1} + \frac{p_2q_2}{n_2}}$$

En la fórmula anterior, sustituya n_1 y n_2 por n (suponiendo que ambas muestras tienen el mismo tamaño) y sustituya p_1, q_1, p_2 y q_2 por 0.5 (puesto que sus valores no se conocen). Luego, despeje n.

Utilice este método para calcular el tamaño de cada muestra si quiere estimar la diferencia entre las proporciones de hombres y mujeres que poseen computadoras. Suponga que desea tener una confianza del 95% de que su error no sea mayor de 0.03.

Inferencias acerca de dos medias: muestras independientes

Concepto clave En esta sección se presentan métodos donde se utilizan datos muestrales de dos muestras independientes para someter a prueba hipótesis acerca de dos medias poblacionales o para construir estimaciones de intervalos de confianza para la diferencia entre dos medias poblacionales. En la parte 1 de esta sección se incluyen situaciones en las que se desconocen las desviaciones estándar de las dos poblaciones, entre las cuales no se supone igualdad. La parte 2 incluye otras dos situaciones: **1.** se conocen las dos desviaciones estándar poblacionales; **2.** se desconocen las dos desviaciones estándar poblacionales, pero se supone igualdad entre ellas. Debido a que en las situaciones reales generalmente se desconoce σ, se debe prestar especial atención a los métodos que se describen en la parte 1.

Parte 1: Muestras independientes con σ_1 y σ_2 desconocidas y sin suposición de igualdad

En esta sección se estudian dos muestras *independientes*, y en la siguiente sección se estudian muestras que son *dependientes*, de modo que es importante conocer la diferencia entre muestras independientes y dependientes.

DEFINICIONES

Dos muestras son **independientes** si los valores muestrales seleccionados de una población no están relacionados, pareados o asociados de alguna manera con los valores muestrales seleccionados de la otra población.

Dos muestras son **dependientes** si los valores muestrales están *pareados*. [Es decir, cada par de valores muestrales consiste en dos medidas del mismo sujeto (por ejemplo, datos de antes/después), o si cada par de valores muestrales consiste en datos asociados (por ejemplo, datos de esposo/esposa), donde la asociación se basa en alguna relación inherente].

Uso de la estadística para identificar ladrones

Los métodos de la estadística resultan útiles para determinar si un empleado está robando y también para estimar la cantidad robada. Los siguientes son algunos de los indicadores que se utilizan para ello. En periodos de tiempo comparables, las muestras de ventas tienen medias que son significativamente diferentes. La cantidad media de ventas decrece de manera significativa. Existe un incremento significativo en la proporción de registros de "no venta" en la caja registradora. Existe una disminución significativa en la proporción de la recepción de efectivo y de cheques. Se pueden aplicar los métodos de prueba de hipótesis para identificar indicadores como estos. (Véase "How to Catch a Thief", de Manly y Thomson, *Chance*, vol. 11, núm. 4).

EJEMPLO 1 **Muestras independientes** Psicólogos de la Universidad de Arizona realizaron un estudio en el que 210 mujeres y 186 hombres usaron micrófonos para registrar el número de palabras pronunciadas. Los conteos muestrales de palabras en el caso de las mujeres y los conteos muestrales de palabras en el caso de los hombres constituyen dos muestras independientes, ya que los sujetos no estaban pareados ni asociados.

EJEMPLO 2 **Muestras dependientes** Investigadores de la Universidad de Rutgers realizaron un estudio en el que 67 estudiantes fueron pesados en septiembre y en abril, durante su primer año de estudios. Las dos muestras son dependientes, ya que el peso registrado en septiembre está pareado con el peso de abril del mismo estudiante.

EJEMPLO 3

Experimento clínico En un experimento diseñado para estudiar la eficacia de tratamientos para infecciones respiratorias virales, 46 niños fueron tratados con un nivel bajo de humedad y 46 niños fueron tratados con un nivel alto de humedad. Se utilizó la puntuación Westley Croup para evaluar los resultados después de una hora. Ambas muestras tienen el mismo número de sujetos, y las puntuaciones muestrales se pueden ordenar en columnas adyacentes de la misma longitud; sin embargo, las puntuaciones provienen de dos grupos diferentes de sujetos, de manera que las muestras son independientes. (Véase "Controlled Delivery of High vs Low Humidity vs Mist Therapy for Croup Emergency Departments", de Scolnik, *et al.*, *Journal of the American Medical Association*, vol. 295, núm. 11).

En el siguiente cuadro se resumen elementos fundamentales de la prueba de hipótesis de una afirmación acerca de dos medias poblacionales independientes y una estimación del intervalo de confianza de la diferencia entre las medias de dos poblaciones independientes.

Objetivos

Someter a prueba una afirmación acerca de dos medias poblacionales independientes o construir un intervalo de confianza para la diferencia entre dos medias poblacionales independientes.

Notación

Para la población 1, sean

μ_1 = media *poblacional* $\bar{x}_1$ = media *muestral*

σ_1 = desviación estándar *poblacional* s_1 = desviación estándar *muestral*

n_1 = tamaño de la primera muestra

Las notaciones correspondientes a μ_2, σ_2, $\bar{x}_2$, s_2 y n_2 se aplican a la población 2.

Requisitos

1. σ_1 y σ_2 se desconocen y no se hace una suposición sobre la igualdad de σ_1 y $\sigma 2$.
2. Las dos muestras son *independientes*.
3. Ambas muestras son *aleatorias simples*.
4. Cualquiera o ambas de estas condiciones se satisfacen: los dos tamaños de muestra son *grandes* (con $n_1 > 30$ y $n_2 > 30$ o ambas muestras provienen de poblaciones que tienen distribuciones normales. (Estos métodos son robustos frente a desviaciones respecto de la normalidad, de manera que para muestras pequeñas, el requisito de normalidad es menos estricto, en el sentido de que los procedimientos se comportan bien siempre y cuando no existan valores atípicos ni desviaciones demasiado pronunciadas respecto de la normalidad).

Estadístico de prueba de hipótesis para dos medias: Muestras independientes

$$t = \frac{(\bar{x}_1 - \bar{x}_2) - (\mu_1 - \mu_2)}{\sqrt{\frac{s_1^2}{n_1} + \frac{s_2^2}{n_2}}}$$ (donde a menudo se supone que $\mu_1 = \mu_2$ es igual a 0)

continúa

Grados de libertad: Cuando calcule valores críticos o valores *P*, utilice lo siguiente para determinar el número de grados de libertad, denotados como gl. (Si bien estos dos métodos generalmente dan por resultado números diferentes de grados de libertad, la conclusión de una prueba de hipótesis rara vez se ve afectada por la elección del método).

1. En este libro utilizamos la estimación sencilla y conservadora: gl = el menor de $n_1 - 1$ y $n_2 - 1$.
2. Los programas estadísticos de cómputo por lo regular utilizan la estimación más exacta, pero más difícil, de la fórmula 9-1. (No utilizaremos la fórmula 9-1 en los ejemplos y ejercicios de este libro).

Fórmula 9-1

$$\text{gl} = \frac{(A+B)^2}{\dfrac{A^2}{n_1-1} + \dfrac{B^2}{n_2-1}}$$

$$\text{donde} \quad A = \frac{s_1^2}{n_1} \quad \text{y} \quad B = \frac{s_2^2}{n_2}$$

Valores *P*: Remítase a la distribución *t* en la tabla A-3. Utilice el procedimiento resumido en la figura 8-5.
Valores críticos: Remítase a la distribución *t* en la tabla A-3.

Estimación del intervalo de confianza de $\mu_1 - \mu_2$: Muestras independientes

La estimación del intervalo de confianza de la diferencia $\mu_1 - \mu_2$ es

$$(\bar{x}_1 - \bar{x}_2) - E < (\mu_1 - \mu_2) < (\bar{x}_1 - \bar{x}_2) + E$$

$$\text{donde} \qquad E = t_{\alpha/2}\sqrt{\frac{s_1^2}{n_1} + \frac{s_2^2}{n_2}}$$

y el número de grados de libertad gl se obtiene como se describió antes para las pruebas de hipótesis. (En este libro utilizamos gl = el menor de $n_1 - 1$ y $n_2 - 1$).

ADVERTENCIA

Antes de realizar una prueba de hipótesis, considere el contexto de los datos, la fuente de los datos y el método de muestreo; explore los datos con gráficas y estadística descriptiva. Asegúrese de verificar que se cumplan los requisitos.

Equivalencia de métodos El método del valor *P* para la prueba de hipótesis, el método tradicional para la prueba de hipótesis y los intervalos de confianza utilizan la misma distribución y el mismo error estándar, de manera que son equivalentes en el sentido de que dan como resultado las mismas conclusiones. En consecuencia, la hipótesis nula de $\mu_1 = \mu_2$ (o $\mu_1 - \mu_2 = 0$) puede someterse a prueba mediante el método del valor *P*, el método tradicional o determinando si el intervalo de confianza incluye al 0.

EJEMPLO 4 **¿Los hombres hablan tanto como las mujeres?** Un encabezado en *USA Today* afirmó que "los hombres hablan tanto como las mujeres". El encabezado se refería a un estudio del número de palabras que muestras de hombres y mujeres pronuncian en un día. A continuación se presentan los resultados del estudio, los cuales están incluidos en el conjunto de datos 8 del apéndice B (según datos de "Are Women Really More Talkative Than Men?", de Mehl, *et al.*, *Science*, vol. 317,

continúa

¿Los agentes inmobiliarios consiguen el mejor precio para sus clientes?

Cuando un agente inmobiliario vende una casa, ¿consigue el mejor precio para el vendedor? Steven Levitt y Stephen Dubner exploraron esta pregunta en *Freakonomics*. Los autores reunieron datos de miles de viviendas cerca de Chicago, incluyendo las casas de los propios agentes, y escribieron lo siguiente: "Existe una forma de descubrirlo: medir la diferencia entre los datos de ventas de las casas que pertenecen a los agentes inmobiliarios y las casas que venden a nombre de los clientes. Al utilizar los datos de ventas de 100,000 casas de Chicago, y controlando distintas variables (ubicación, antigüedad y calidad de la casa, características estéticas, etcétera), resultó que un agente inmobiliario mantiene su propia casa en el mercado un promedio de 10 días más y la vende por 3% más, lo que representa casi $10,000 más en el caso de una residencia de $300,000". Una conclusión como estas se puede obtener utilizando los métodos que se estudian en la presente sección.

núm. 5834). Utilice un nivel de significancia de 0.05 para someter a prueba la afirmación de que los hombres y las mujeres pronuncian el mismo número de palabras en un día, considerando la media. ¿Parece haber una diferencia?

Número de palabras pronunciadas en un día

Hombres	Mujeres
$n_1 = 186$	$n_2 = 210$
$\bar{x}_1 = 15{,}668.5$	$\bar{x}_2 = 16{,}215.0$
$s_1 = 8632.5$	$s_2 = 7301.2$

SOLUCIÓN

VERIFICACIÓN DE REQUISITOS **1.** Los valores de las dos desviaciones estándar poblacionales se desconocen, y no estamos haciendo una suposición de igualdad entre ellas. **2.** Las dos muestras son independientes porque los conteos de palabras de la muestra de hombres no están pareados ni asociados con los conteos de palabras de la muestra de mujeres. **3.** Suponemos que las muestras son aleatorias simples. (El artículo de la revista Science describe el diseño muestral). **4.** Ambas muestras son grandes, por lo que no es necesario verificar que cada muestra provenga de una población con una distribución normal; sin embargo, la siguiente pantalla de STATDISK, con el histograma del conteo de palabras (en miles) de los hombres, indica que la distribución no se aleja mucho de la normalidad. El histograma para el conteo de palabras de mujeres es muy similar. Los requisitos se satisfacen.

STATDISK

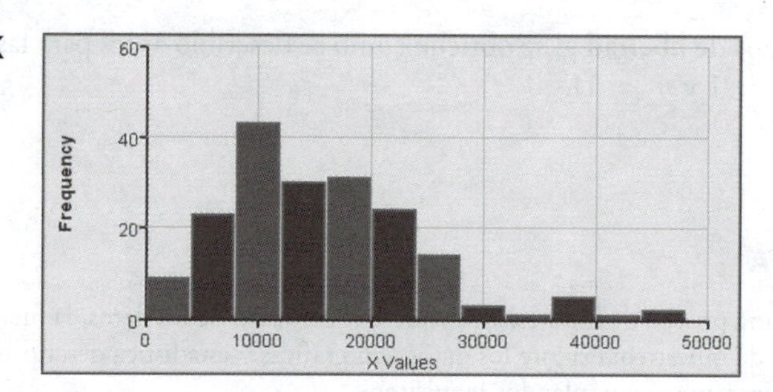

Ahora procedemos con la prueba de hipótesis; utilizaremos el método tradicional que se resume en la figura 8-9 de la página 406.

Paso 1: La afirmación de que los hombres y las mujeres tienen la misma media se puede expresar como $\mu_1 = \mu_2$.

Paso 2: Si la afirmación original es falsa, entonces $\mu_1 \neq \mu_2$.

Paso 3: La hipótesis alternativa es la expresión que no implica igualdad, y la hipótesis nula es una expresión de igualdad, de manera que tenemos

$$H_0: \mu_1 = \mu_2 \text{ (afirmación original)} \qquad H_1: \mu_1 \neq \mu_2$$

Ahora procedemos con la suposición de que $\mu_1 = \mu_2$ o $\mu_1 - \mu_2 = 0$.

Paso 4: El nivel de significancia es $\alpha = 0.05$.

Paso 5: Puesto que tenemos dos muestras independientes y estamos sometiendo a prueba una afirmación acerca de dos medias poblacionales, utilizamos una distribución t con el estadístico de prueba indicado antes en esta sección.

Paso 6: El estadístico de prueba se calcula como sigue:

$$t = \frac{(\bar{x}_1 - \bar{x}_2) - (\mu_1 - \mu_2)}{\sqrt{\frac{s_1^2}{n_1} + \frac{s_2^2}{n_2}}} = \frac{(15{,}668.5 - 16{,}215.0) - 0}{\sqrt{\frac{8632.5^2}{186} + \frac{7301.2^2}{210}}} = -0.676$$

Como estamos utilizando una distribución t, los valores críticos de $t = \pm 1.972$ se encuentran en la tabla A-3. Con un área de 0.05 en dos colas, buscamos el valor t correspondiente a 185 grados de libertad, que es el menor de $n_1 - 1$ y $n_2 - 1$ (o el menor de 185 y 209). La tabla A-3 no incluye 185 grados de libertad, de manera que utilizamos los valores más cercanos de ± 1.972. Los valores críticos más exactos son $t = \pm 1.966$. El estadístico de prueba, los valores críticos y la región crítica se muestran en la figura 9-2.

Si usamos STATDISK, Minitab, Excel o una calculadora TI-83/84 Plus, también encontramos que el valor P es 0.4998 (con base en gl = 364.2590).

Paso 7: Puesto que el estadístico de prueba no se ubica dentro de la región crítica, no se rechaza la hipótesis nula $\mu_1 = \mu_2$ (o $\mu_1 - \mu_2 = 0$).

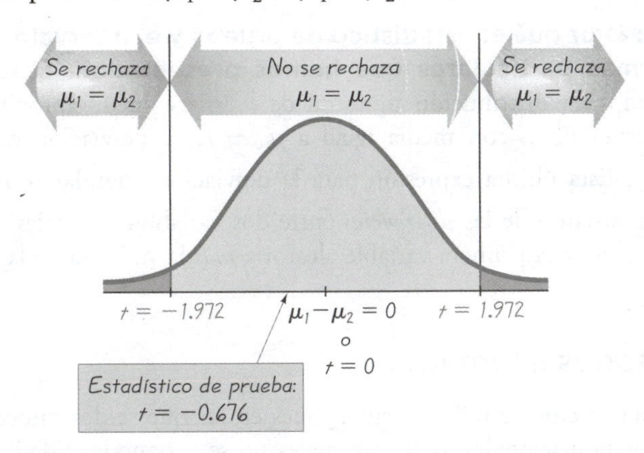

Figura 9-2 Prueba de la afirmación de medias iguales para hombres y mujeres

INTERPRETACIÓN No existe evidencia suficiente para sustentar el rechazo de la afirmación de que hombres y mujeres pronuncian el mismo número de palabras en un día. Parece que no hay una diferencia significativa entre las dos medias.

Costosa píldora de dieta

Existen muchos ejemplos pasados en los que se comercializaron tratamientos sin eficacia para obtener ganancias sustanciales. Las cápsulas de "Fat Trapper" y "Exercise in a Bottle", fabricadas por la compañía Enforma Natural Products, se anunciaron como si fueran tratamientos eficaces para bajar de peso. Los anuncios afirmaban que después de tomar las cápsulas, la grasa sería bloqueada y las calorías se quemarían, incluso sin realizar ejercicio. Puesto que la Federal Trade Commission identificó afirmaciones que parecían no tener fundamento, se multó a la compañía con $10 millones por publicidad engañosa.

La eficacia de tratamientos como estos puede determinarse con experimentos en los cuales se administra el tratamiento a un grupo de sujetos seleccionados al azar, mientras que se da un placebo a otro grupo de sujetos seleccionados al azar. Las pérdidas de peso resultantes se comparan utilizando métodos estadísticos, como los descritos en esta sección.

EJEMPLO 5 **Intervalo de confianza para el conteo de palabras de hombres y mujeres** Utilice los datos muestrales del ejemplo 4 para construir un intervalo de confianza del 95% de la diferencia entre el número de palabras que pronuncian los hombres y el número de palabras que pronuncian las mujeres, considerando las medias en ambos casos.

SOLUCIÓN **VERIFICACIÓN DE REQUISITOS** Puesto que estamos utilizando los mismos datos del ejemplo 4, se aplica la misma verificación de requisitos; así pues, los requisitos se satisfacen.

Primero calculamos el valor del margen de error E. Utilizamos el mismo valor crítico $t_{\alpha/2} = 1.972$, obtenido en el ejemplo 4. (Un valor crítico más exacto es 1.966).

$$E = t_{\alpha/2}\sqrt{\frac{s_1^2}{n_1} + \frac{s_2^2}{n_2}} = 1.972\sqrt{\frac{8632.5^2}{186} + \frac{7301.2^2}{210}} = 1595.4$$

continúa

Si utilizamos $E = 1595.4$ y $\bar{x}_1 = 15{,}668.5$ y $\bar{x}_2 = 16{,}215.0$, ahora calculamos el intervalo de confianza deseado como sigue:

$$(\bar{x}_1 - \bar{x}_2) - E < (\mu_1 - \mu_2) < (\bar{x}_1 - \bar{x}_2) + E$$
$$-2141.9 < (\mu_1 - \mu_2) < 1048.9$$

Si utilizamos programas de cómputo o la calculadora TI-83/84 Plus para obtener resultados más exactos, obtenemos el intervalo de confianza de $-2137.4 < (\mu_1 - \mu_2) < 1044.4$, y vemos que el intervalo de confianza indicado antes es bastante adecuado.

INTERPRETACIÓN Tenemos una confianza del 95% de que los límites de −2141.9 palabras y 1048.9 palabras realmente contienen la diferencia entre las dos medias poblacionales. Puesto que esos límites contienen a 0, este intervalo de confianza sugiere que es muy posible que las medias de las dos poblaciones sean iguales. No existe una diferencia significativa entre las dos medias.

Súper Bowl

Se invitó a un grupo de estudiantes a un juego del Súper Bowl, y a la mitad de ellos se les dieron tazones grandes, con capacidad de 4 litros, con botanas, mientras que la otra mitad recibió tazones más pequeños, de 2 litros, con el mismo tipo de contenido. Los que recibieron los tazones grandes consumieron un 56% más botanas que los que utilizaron los tazones pequeños. (Véase "Super Bowls: Serving Bowl Size and Food Consumption", de Wansink y Cheney, *Journal of the American Medical Association*, vol. 293, núm. 14).

Otro estudio demostró que existe "un incremento significativo de los accidentes automovilísticos fatales las horas posteriores a la transmisión del Súper Bowl en Estados Unidos". Los investigadores analizaron 20,377 muertes en 27 domingos de Súper Bowl y en otros 54 domingos que se utilizaron como control. Encontraron un incremento del 41% en las muertes después de los juegos del Súper Bowl. (Véase "Do Fatal Crashes Increase Following A Super Bowl Telecast?", de Redelmeier y Stewart, *Chance*, vol. 18, núm. 1).

Fundamentos: ¿Por qué el estadístico de prueba y el intervalo de confianza tienen las formas particulares que hemos presentado? Si se satisfacen los supuestos indicados, la distribución muestral de $\bar{x}_1 - \bar{x}_2$ puede aproximarse por medio de una distribución *t*, con media igual a $\mu_1 - \mu_2$ y desviación estándar igual a $\sqrt{s_1^2/n_1 + s_2^2/n_2}$. Esta última expresión para la desviación estándar se basa en la propiedad de que la varianza de las *diferencias* entre dos variables aleatorias independientes es igual a la varianza de la primera variable aleatoria *más* la varianza de la segunda variable aleatoria.

Parte 2: Métodos alternativos

La parte 1 de esta sección se refirió a situaciones en las que se desconocen las dos desviaciones estándar poblacionales, entre las cuales no se supone igualdad. En la parte 2, consideramos otras dos situaciones: **1.** se conocen las dos desviaciones estándar poblacionales; **2.** se desconocen las dos desviaciones estándar poblacionales, pero se supone igualdad entre ellas. Ahora describiremos los procedimientos para estos casos alternativos.

Método alternativo: σ_1 y σ_2 conocidas

En realidad, las desviaciones estándar poblacionales σ_1 y σ_2 casi siempre se desconocen, pero si acaso se conocen, el estadístico de prueba y el intervalo de confianza se basan en una distribución normal y no en una distribución *t*. Veamos el siguiente resumen.

Inferencias acerca de las medias de dos poblaciones independientes, cuando se conocen σ_1 y σ_2

Requisitos

1. Se conocen las dos desviaciones estándar poblacionales σ_1 y σ_2.
2. Las dos muestras son *independientes*.
3. Ambas muestras son *aleatorias simples*.
4. Cualquiera de estas condiciones (o ambas) se satisfacen: los dos tamaños de muestra son *grandes* (con $n_1 > 30$ y $n_2 > 30$) o las dos muestras provienen de poblaciones que tienen distribuciones normales. (Para muestras pequeñas, el requisito de normalidad es menos estricto en el sentido de que los procedimientos funcionan bien siempre y cuando no existan valores atípicos ni desviaciones demasiado pronunciadas respecto de la normalidad).

Prueba de hipótesis

Estadístico de prueba:

$$z = \frac{(\bar{x}_1 - \bar{x}_2) - (\mu_1 - \mu_2)}{\sqrt{\dfrac{\sigma_1^2}{n_1} + \dfrac{\sigma_2^2}{n_2}}}$$

Valor *P* y valores críticos: Remítase a la tabla A-2.

Estimación del intervalo de confianza de $\sigma_1 - \sigma_2$

Intervalo de confianza:

$$(\bar{x}_1 - \bar{x}_2) - E < (\mu_1 - \mu_2) < (\bar{x}_1 - \bar{x}_2) + E$$

donde $$E = z_{\alpha/2}\sqrt{\frac{\sigma_1^2}{n_1} + \frac{\sigma_2^2}{n_2}}$$

En la figura 9-3 se resumen los métodos para hacer inferencias acerca de dos medias poblacionales independientes.

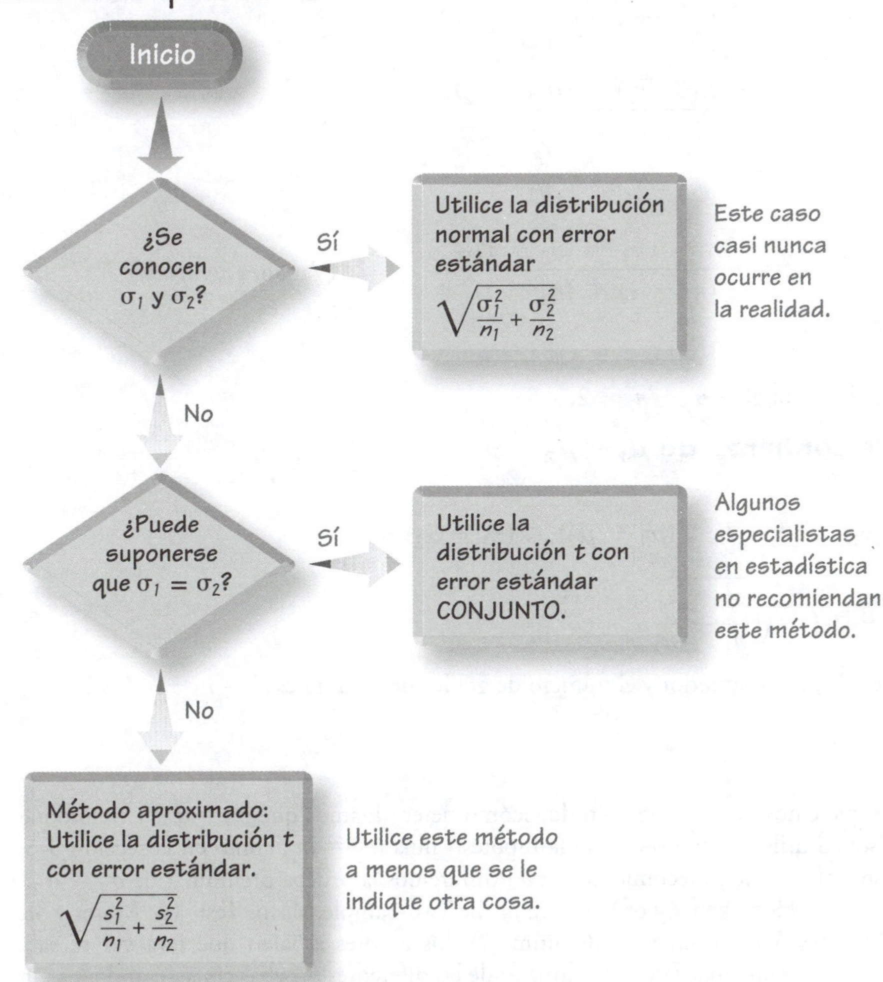

Figura 9-3 Métodos para inferencias acerca de dos medias independientes

Mejores resultados con grupos más pequeños

Un experimento realizado en la Universidad Estatal de Nueva York, en Stony Brook, reveló

que los estudiantes tenían mejores resultados en clases limitadas a 35 estudiantes, que en clases grandes donde hay entre 150 y 200 alumnos. En un curso de cálculo, los porcentajes de reprobación fueron del 19% en las clases pequeñas, en comparación con un 50% en las clases grandes. Los porcentajes de calificación A (equivalente a 10) fueron del 24% para las clases pequeñas y del 3% para las clases grandes. Estos resultados sugieren que los estudiantes se benefician de los grupos más pequeños, los cuales permiten una interacción más directa entre alumnos y profesores.

Método alternativo: Se supone que $\sigma_1 = \sigma_2$ y se *agrupan* las varianzas muestrales

Aun cuando los valores específicos de σ_1 y σ_2 se desconozcan, si se puede suponer que tienen el *mismo* valor, las varianzas muestrales s_1^2 y s_2^2 pueden *agruparse* para obtener una estimación de la varianza poblacional σ^2 común. La **estimación agrupada de σ^2** se denota con s_p^2 y es un promedio ponderado de s_1^2 y s_2^2, que se incluye en el siguiente cuadro.

Inferencias acerca de las medias de dos poblaciones independientes, suponiendo que $\sigma_1 = \sigma_2$

Requisitos

1. Se desconocen las dos desviaciones estándar poblacionales, pero se supone que son iguales. Es decir, $\sigma_1 = \sigma_2$.
2. Las dos muestras son *independientes*.
3. Ambas muestras son *aleatorias simples*.
4. Cualquiera de estas condiciones (o ambas) se satisfacen: los dos tamaños de muestra son *grandes* (con $n_1 > 30$ y $n_2 > 30$) o las dos muestras provienen de poblaciones que tienen distribuciones normales. (Para muestras pequeñas, el requisito de normalidad es menos estricto en el sentido de que los procedimientos funcionan bien siempre y cuando no existan valores atípicos ni desviaciones demasiado pronunciadas respecto de la normalidad).

Prueba de hipótesis

Estadístico de prueba:

$$t = \frac{(\bar{x}_1 - \bar{x}_2) - (\mu_1 - \mu_2)}{\sqrt{\dfrac{s_p^2}{n_1} + \dfrac{s_p^2}{n_2}}}$$

donde

$$s_p^2 = \frac{(n_1 - 1)s_1^2 + (n_2 - 1)s_2^2}{(n_1 - 1) + (n_2 - 1)} \qquad \text{(Varianza } \textit{agrupada}\text{)}$$

y el número de grados de libertad está dado por gl $= n_1 + n_2 - 2$.

Estimación del intervalo de confianza de $\mu_1 - \mu_2$

Intervalo de confianza:

$$(\bar{x}_1 - \bar{x}_2) - E < (\mu_1 - \mu_2) < (\bar{x}_1 - \bar{x}_2) + E$$

donde

$$E = t_{\alpha/2}\sqrt{\frac{s_p^2}{n_1} + \frac{s_p^2}{n_2}}$$

y s_p^2 es como se expresó en el estadístico de prueba anterior y el número de grados de libertad es gl $= n_1 + n_2 - 2$.

Si queremos utilizar este método, ¿cómo determinamos que $\sigma_1 = \sigma_2$? Un enfoque consiste en utilizar una prueba de la hipótesis nula $\sigma_1 = \sigma_2$, como en la sección 9-5, pero este enfoque no se recomienda y no utilizaremos la prueba preliminar de $\sigma_1 = \sigma_2$. En el artículo “Homogeneity of Variance in the Two-Sample Means Test” (de Moser y Stevens, *American Statistician,* vol. 46, núm. 1), los autores señalan que rara vez se sabe que $\sigma_1 = \sigma_2$. Ellos analizan el desempeño de las diferentes pruebas considerando los tamaños de muestra y la potencia de las pruebas; concluyen que debería dedicarse más esfuerzo al aprendizaje del método presentado en la parte 1 y que debe ponerse menos énfasis en el método basado en el supuesto de que $\sigma_1 = \sigma_2$. Si no se indica otra cosa, utilizamos la siguiente estrategia, que es congruente con las recomendaciones del artículo de Moser y Stevens:

Suponga que se desconocen σ_1 y σ_2, no suponga que $\sigma_1 = \sigma_2$, y utilice el estadístico de prueba y el intervalo de confianza indicados en la parte 1 de esta sección. (Véase la figura 9-3).

¿Por qué no solo se elimina el método de las varianzas muestrales agrupadas?

Si empleamos la aleatoriedad para asignar sujetos a grupos de tratamiento y placebo, sabemos que las muestras se obtienen de la misma población. Si realizamos una prueba de hipótesis suponiendo que dos medias poblacionales son iguales, no es razonable suponer también que las muestras provienen de poblaciones con las mismas desviaciones estándar (aunque debemos verificar esa suposición). La ventaja de este método alternativo de varianzas muestrales agrupadas es que el número de grados de libertad es un poco más alto, de manera que las pruebas de hipótesis tienen más potencia, y los intervalos de confianza son un poco más angostos. En consecuencia, los especialistas en estadística en ocasiones utilizan este método de agrupamiento, y por eso lo presentamos en este apartado.

USO DE LA TECNOLOGÍA

STATDISK Seleccione el elemento **Analysis** del menú, luego elija **Hypothesis Testing** o **Confidence Intervals;** luego seleccione **Mean-Two Independent Samples.** Ingrese los valores requeridos en el cuadro de diálogo. Usted tiene la opción de "Not Eq vars: NO POOL", "Eq vars: POOL" o "Prelim F Test". Se recomienda la opción de **Not Eq vars: NO POOL.** (La prueba F se describe en la sección 9-5).

MINITAB Minitab permite el uso del resumen de estadísticos o de listas de datos muestrales originales. Si se conocen los valores muestrales originales, ingréselos en las columnas C1 y C2. Seleccione las opciones **Stat, Basic Statistics** y **2-Sample t.** Ingrese la información requerida en la ventana que se abre. Utilice el botón **Options** para elegir un nivel de confianza, ingrese un valor supuesto de la diferencia o seleccione un formato para la hipótesis alternativa. El resultado de Minitab también incluye los límites del intervalo de confianza.

Si las dos varianzas poblacionales parecen ser iguales, Minitab permite utilizar una estimación agrupada de la varianza común. Aparecerá un cuadro junto a **Assume equal variances;** haga clic en este cuadro únicamente si usted desea suponer que las dos poblaciones tienen varianzas iguales. Este método no se recomienda.

En **Minitab 16** también puede hacer clic en **Assistant,** luego en **Hypothesis Tests** y después seleccione el caso para **2-Sample t.** Complete el cuadro de diálogo y haga clic en **OK** para obtener tres ventanas de resultados que incluyen el valor P y otra información valiosa.

EXCEL Excel requiere que se ingresen las listas originales de los datos muestrales. Ingrese los datos para las dos muestras en las columnas A y B, y utilice el complemento DDXL o el complemento Data Analysis.

Complemento DDXL: Si utiliza Excel 2010 o Excel 2007, haga clic en **Add-Ins,** luego en **DDXL;** si utiliza Excel 2003, haga clic en **DDXL,** seleccione **Hypothesis Tests** y **2 Var t Test** o seleccione **Confidence Intervals** y **2 Var t Interval.** En el cuadro de diálogo, haga clic en el icono del lápiz para la primera columna cuantitativa e ingrese el rango de valores para la primera muestra, como por ejemplo A1:A50. Haga clic en el icono del lápiz para la segunda columna cuantitativa e ingrese el rango de valores para la segunda muestra. Haga clic en **OK.** Ahora complete el nuevo cuadro de diálogo siguiendo los pasos indicados. En el paso 1, seleccione **2-sample** para la suposición de varianzas poblacionales desiguales. (También puede seleccionar **Pooled** para la suposición de varianzas poblacionales iguales, pero no se recomienda este método).

Complemento Data Analysis: Si utiliza Excel 2010 o Excel 2007, haga clic en **Data** y luego en **Data Analysis;** si utiliza Excel 2003, haga clic en **Tools** y seleccione **Data Analysis.** Elija uno de los siguientes dos elementos (recomendamos la suposición de *varianzas desiguales*):

prueba *t*: dos muestras suponiendo varianzas iguales
prueba *t*: dos muestras suponiendo varianzas desiguales

Proceda a ingresar el rango de valores de la primera muestra (como A1:A50) y después el rango de valores para la segunda muestra. Introduzca un valor para la diferencia supuesta entre las dos medias poblacionales, que con frecuencia será de 0. Ingrese el nivel de significancia en el cuadro Alpha y haga clic en **OK.** (Excel no proporciona un intervalo de confianza).

TI-83/84 PLUS Para realizar pruebas como las que se encuentran en esta sección, oprima **STAT,** luego seleccione **TESTS** y elija **2-SampTTest** (para una prueba de hipótesis) o **2-SampTInt** para un intervalo de confianza). La calculadora TI-83/84 Plus le da la opción de utilizar varianzas "agrupadas" (si usted cree que $\sigma_1^2 = \sigma_2^2$) o de no agruparlas, pero nosotros recomendamos que no se agrupen. Vea la siguiente pantalla de la calculadora TI-83/84 Plus correspondiente al ejemplo 4.

TI-83/84 PLUS

```
2-SampTTest
 μ1≠μ2
 t=-.6755202804
 p=.4997738726
 df=364.2590079
 x̄1=15668.5
↓x̄2=16215
```

9-3 Destrezas y conceptos básicos

Conocimientos estadísticos y pensamiento crítico

1. Interpretación de intervalos de confianza Si los pulsos de hombres y mujeres del conjunto de datos 1 del apéndice B se utilizan con la finalidad de construir un intervalo de confianza del 95% para la diferencia entre las dos medias poblacionales, el resultado es $-12.2 < \mu_1 - \mu_2 < -1.6$, donde los pulsos de los hombres corresponden a la población 1 y los pulsos de las mujeres corresponden a la población 2. Exprese el intervalo de confianza considerando los pulsos de mujeres como la población 1 y los pulsos de los hombres como la población 2.

2. Interpretación de intervalos de confianza ¿Qué sugiere el intervalo de confianza del ejercicio 1 acerca de los pulsos de hombres y mujeres?

3. Nivel de significancia y nivel de confianza Suponga que desea utilizar un nivel de significancia de 0.01 para someter a prueba la afirmación de que la media del pulso de hombres es menor que la media del pulso de mujeres. ¿Qué *nivel de confianza* debe utilizar si desea someter a prueba esa afirmación por medio de un intervalo de confianza?

4. Grados de libertad Suponga que desea utilizar un nivel de significancia de 0.01 para someter a prueba la afirmación de que la media del pulso de mujeres es mayor que la media del pulso de hombres, utilizando el conjunto de datos 1 del apéndice B. Ambas muestras tienen 40 valores. Si utilizamos gl = menor de $n_1 - 1$ y $n_2 - 1$, obtenemos gl = 39, y el valor crítico correspondiente es $t = 2.426$. Si calculamos gl con la fórmula 9-1, obtenemos gl = 77.2, y el valor crítico correspondiente es 2.376. ¿En qué sentido el uso de un valor crítico de $t = 2.426$ es "más conservador" que el uso de valor crítico de 2.376?

Muestras independientes y dependientes. ***En los ejercicios 5 a 8, determine si las muestras son independientes o dependientes.***

5. Presión sanguínea El conjunto de datos 1 del apéndice B incluye mediciones de la presión sanguínea sistólica de 40 hombres elegidos al azar y 40 mujeres elegidas al azar.

6. Ventas de casas El conjunto de datos 23 del apéndice B incluye los precios de lista y los precios de venta de 40 casas elegidas al azar.

7. Reducción del colesterol Para probar la eficacia del Lipitor, se miden los niveles de colesterol de 250 sujetos antes y después de recibir un tratamiento con Lipitor.

8. Voltaje En 40 días diferentes, el autor midió el voltaje suministrado a su casa, así como el voltaje producido por su generador de electricidad impulsado con gasolina. (Los valores se incluyen en el conjunto de datos 13 del apéndice B). Una muestra consiste en los voltajes de su casa y la segunda muestra consiste en los voltajes producidos por el generador.

En los ejercicios 9 a 32, suponga que las dos muestras son aleatorias simples independientes, seleccionadas de poblaciones distribuidas normalmente. No suponga que las desviaciones estándar poblacionales son iguales, a menos que su profesor indique otra cosa.

9. Prueba de hipótesis sobre la eficacia de la humedad en infecciones respiratorias En un ensayo aleatorizado y controlado realizado con niños que padecían infecciones respiratorias virales, 46 niños fueron tratados con bajos niveles de humedad, mientras que otros 46 niños fueron tratados con altos niveles de humedad. Los investigadores utilizaron la puntuación Westley Croup para evaluar los resultados después de una hora. El grupo con bajo nivel de humedad tuvo una puntuación media de 0.98, con una desviación estándar de 1.22, y el grupo con alto nivel de humedad tuvo una puntuación media de 1.09, con una desviación estándar de 1.11 (según datos de "Controlled Delivery of High vs Low Humidity vs Mist Therapy for Croup Emergency Department", de Scolnik, *et al., Journal of the American Medical Association*, vol. 295, núm. 11). Utilice un nivel de significancia de 0.05 para someter a prueba la afirmación de que los dos grupos provienen de poblaciones con la misma media. ¿Qué sugiere el resultado acerca del tratamiento común con humedad?

10. Intervalo de confianza para la eficacia de la humedad para tratar infecciones respiratorias Remítase a los datos muestrales del ejercicio 9 y construya un intervalo de confianza del 95% para la diferencia entre la puntuación Westley Croup media de niños tratados con bajo nivel de humedad y la puntuación media de niños tratados con alto nivel de humedad. ¿Qué sugiere el intervalo de confianza acerca de la humedad como tratamiento para las infecciones respiratorias virales?

11. Intervalo de confianza para alquitrán en cigarrillosr El contenido medio de alquitrán en una muestra aleatoria simple de 25 cigarrillos tamaño grande sin filtro es de 21.1 mg, con una desviación estándar de 3.2 mg. El contenido medio de alquitrán de una muestra aleatoria simple de 25 cigarrillos de 100 mm con filtro es de 13.2 mg, con una desviación estándar de 3.7 mg (de acuerdo con el conjunto de datos 4 del apéndice B). Construya un intervalo de confianza del 90% para la diferencia entre el contenido medio de alquitrán de los cigarrillos tamaño grande sin filtro y el contenido medio de alquitrán de los cigarrillos de 100 mm con filtro. ¿El resultado sugiere que los cigarrillos de 100 mm con filtro contienen menos alquitrán que los cigarrillos tamaño grande sin filtro?

12. Prueba de hipótesis para alquitrán en cigarrillos Remítase a los datos muestrales del ejercicio 11 y utilice un nivel de significancia de 0.05 para someter a prueba la afirmación de que los cigarrillos tamaño grande sin filtro tienen un contenido medio de alquitrán mayor que el de los cigarrillos de 100 mm con filtro. ¿Qué sugiere el resultado acerca de la eficacia de los filtros de los cigarrillos?

13. Prueba de hipótesis para cheques y cobros El autor reunió una muestra aleatoria simple de los centavos de 100 cheques y de 100 cobros con tarjeta de crédito. Los centavos de los cheques tienen una media de 23.8 centavos y una desviación estándar de 32.0 centavos. Los centavos de los cobros con tarjeta de crédito tienen una media de 47.6 centavos y una desviación estándar de 33.5 centavos. Utilice un nivel de significancia de 0.05 para someter a prueba la afirmación de que los centavos de los montos de los cheques tienen una media que es menor que la media de los centavos de los cobros con tarjeta de crédito. Dé una razón que explique la diferencia.

14. Intervalo de confianza para cheques y cobros Remítase a los datos muestrales del ejercicio 13 y construya un intervalo de confianza del 90% para la diferencia entre la media de los centavos de los cheques y la media de los centavos de los cobros con tarjeta de crédito. ¿Qué sugiere el intervalo de confianza acerca de las medias de esas cantidades?

15. Prueba de hipótesis para estaturas de supermodelos Se miden las estaturas de la muestra aleatoria simple de las supermodelos Crawford, Bundchen, Pestova, Christenson, Hume, Moss, Campbell, Schiffer y Taylor, la cual tiene una media de 70.0 pulgadas y una desviación estándar de 1.5 pulgadas. El conjunto de datos 1 del apéndice B incluye las estaturas de 40 mujeres que no son supermodelos, las cuales tienen una estatura media de 63.2 pulgadas y una desviación estándar de 2.7 pulgadas. Utilice un nivel de significancia de 0.01 para someter a prueba la afirmación de que la estatura media de la supermodelos es mayor que la estatura media de mujeres que no son supermodelos.

16. Intervalo de confianza para estaturas de supermodelos Utilice los datos muestrales del ejercicio 15 para construir un intervalo de confianza del 98% para la diferencia entre la estatura media de las supermodelos y la estatura media de las mujeres que no son supermodelos. ¿Qué sugiere el resultado acerca de esas dos medias?

17. Intervalo de confianza para distancias de frenado de automóviles Se obtiene una muestra aleatoria simple de 13 automóviles de cuatro cilindros, y se miden sus distancias de frenado. La distancia media de frenado es de 137.5 pies y la desviación estándar es de 5.8 pies. Se obtiene una muestra aleatoria simple de 12 automóviles de seis cilindros, y se observa que sus distancias de frenado tienen una media de 136.3 pies y una desviación estándar de 9.7 pies (de acuerdo con el conjunto de datos 16 del apéndice B). Construya un intervalo de confianza del 90% para la diferencia entre la distancia media de frenado de los automóviles de cuatro cilindros y la distancia media de frenado de los automóviles de seis cilindros. ¿Parece haber alguna diferencia entre las dos medias?

18. Prueba de hipótesis para distancias de frenado de automóviles Remítase a los datos muestrales del ejercicio 17 y utilice un nivel de significancia de 0.05 para someter a prueba la afirmación de que la distancia media de frenado de los automóviles de cuatro cilindros es mayor que la distancia media de frenado de los automóviles de seis cilindros.

19. Prueba de hipótesis para nicotina en cigarrillos Un grupo de científicos reúne una muestra aleatoria simple de 25 cigarrillos mentolados y de 25 cigarrillos no mentolados. Ambas muestras consisten en cigarrillos de 100 mm con filtro y que no son ligeros. Los cigarrillos mentolados tienen una cantidad media de nicotina de 0.87 mg y una desviación estándar de 0.24 mg. Los cigarrillos no mentolados tienen una cantidad media de nicotina de 0.92 mg y una desviación estándar de 0.25 mg. Utilice un nivel de significancia de 0.05 para someter a prueba la afirmación de que los cigarrillos mentolados y los no mentolados tienen cantidades diferentes de nicotina. ¿Parece que el mentol tiene un efecto sobre el contenido de nicotina?

20. Intervalo de confianza para nicotina en cigarrillos Remítase a los datos muestrales del ejercicio 19 y construya un intervalo de confianza del 95% para la diferencia entre la cantidad media de nicotina en los cigarrillos mentolados y la cantidad media de nicotina en los cigarrillos no mentolados. ¿Qué sugiere el resultado acerca del efecto del mentol?

21. Prueba de hipótesis para pagos de hipoteca Se obtienen muestras aleatorias simples de hipotecas con intereses elevados (8.9%) y de hipotecas con intereses bajos (6.3%). Para las 40 hipotecas con altos intereses, los usuarios del préstamo tenían una calificación de crédito FICO media de 594.8 y una desviación estándar de 12.2. Para las 40 hipotecas con bajos intereses, los usuarios del préstamo tenían una calificación de crédito FICO media de 785.2 y una desviación estándar de 16.3 (según datos de *USA Today*). Utilice un nivel de significancia de 0.01 para someter a prueba la afirmación de que la calificación FICO media de los prestatarios de hipotecas con intereses altos es menor que la calificación FICO media de los prestatarios de hipotecas con intereses bajos. ¿La calificación de crédito FICO parece afectar los pagos de la hipoteca? Si es así, ¿de qué manera?

22. Intervalo de confianza para pagos de hipoteca Utilice los datos muestrales del ejercicio 21 para construir un intervalo de confianza del 98% para la diferencia entre la calificación de crédito FICO de prestatarios de hipotecas con altas tasas de interés y la calificación de crédito FICO de los prestatarios de hipotecas con tasas bajas de interés. ¿Qué sugiere el resultado acerca de las calificaciones de crédito FICO de un prestatario de hipotecas y acerca de la tasa de interés que paga?

23. Prueba de hipótesis para discriminación Los Revenue Commissioners de Irlanda realizaron un concurso para otorgar ascensos. A continuación se presentan datos estadísticos sobre las edades de los solicitantes exitosos y sin éxito (según datos de "Debating the Use of Statistical Evidence in Allegations of Age Discrimination", de Barry y Boland, *American Statistician*, vol. 58, núm. 2). Algunos de los solicitantes que no tuvieron éxito para obtener el ascenso argumentaron que en la competencia hubo discriminación por la edad. Considere los datos como muestras de poblaciones más grandes y utilice un nivel de significancia de 0.05 para someter a prueba la afirmación de que los solicitantes sin éxito provienen de una población con una edad media mayor que la edad media de los solicitantes exitosos. Con base en el resultado, ¿parece haber discriminación por la edad?

Edades de solicitantes sin éxito $n = 23$, $\bar{x} = 47.0$ años, $s = 7.2$ años

Edades de solicitantes exitosos $n = 30$, $\bar{x} = 43.9$ años, $s = 5.9$ años

24. Intervalo de confianza para discriminación Utilice los datos muestrales del ejercicio 23 para construir un intervalo de confianza del 90% para la diferencia entre la edad media de los solicitantes sin éxito y la edad media de los solicitantes exitosos. ¿Qué sugiere el resultado acerca de la discriminación por edad?

25. Prueba de hipótesis del efecto del consumo de mariguana en estudiantes universitarios Se han realizado muchos estudios para probar los efectos del consumo de mariguana en las capacidades mentales. En uno de esos estudios se examinó la capacidad de recuperación de memoria en grupos de consumidores de mariguana ocasionales y frecuentes en la universidad, con los resultados que se presentan a continuación (según datos de "The Residual Cognitive Effects of Heavy Marijuana Use in College Students", de Pope y Yurgelun-Todd, *Journal of the American Medical Association*, vol. 275, núm. 7). Utilice un nivel de significancia de 0.01 para someter a prueba la afirmación de que la población de consumidores frecuentes de mariguana tiene una media más baja que la de los consumidores ocasionales. ¿Debería preocupar el consumo de mariguana a los estudiantes universitarios?

Artículos ordenados correctamente por consumidores ocasionales de mariguana:
$n = 64, \bar{x} = 53.3, s = 3.6$

Artículos ordenados correctamente por consumidores frecuentes de mariguana:
$n = 65, \bar{x} = 51.3, s = 4.5$

26. Intervalo de confianza del efecto del consumo de mariguana en estudiantes universitarios Remítase a los datos muestrales utilizados en el ejercicio 25 y construya un intervalo de confianza del 98% para la diferencia entre las dos medias poblacionales. ¿El intervalo de confianza incluye a 0? ¿Qué sugiere el intervalo de confianza acerca de la igualdad de las dos medias poblacionales?

27. Prueba de hipótesis en el tratamiento con imanes para disminuir el dolor La gente gasta enormes sumas de dinero (actualmente alrededor de $5,000 millones al año) en la compra de imanes que se utilizan para tratar una amplia diversidad de dolores. Investigadores realizaron un estudio para determinar si los imanes son eficaces en el tratamiento del dolor de espalda. El dolor se midió utilizando la escala análoga visual y los resultados que se presentan a continuación son algunos de los obtenidos en el estudio (según datos de "Bipolar Permanent Magnets for the Treatment of Chronic Lower Back Pain: A Pilot Study", de Collacott, Zimmerman, White y Rindone,

Journal of the American Medical Association, vol. 283, núm. 10). Utilice un nivel de significancia de 0.05 para someter a prueba la afirmación de que los sujetos tratados con imanes tienen una mayor reducción media del dolor que aquellos a quienes se dio un tratamiento simulado (similar a un placebo). ¿Parece que los imanes sirven para reducir el dolor de espalda? ¿Es válido argumentar que los imanes podrían parecer eficaces si los tamaños de muestra fueran mayores?

Reducción en el nivel del dolor después del tratamiento magnético: $n = 20, \bar{x} = 0.49, s = 0.96$

Reducción en el nivel del dolor después del tratamiento simulado: $n = 20, \bar{x} = 0.44, s = 1.4$

28. Intervalo de confianza en el tratamiento con imanes para disminuir el dolor Remítase a los datos muestrales del ejercicio 27 y construya un intervalo de confianza del 90% para la diferencia entre la reducción media del dolor para los sujetos tratados con imanes y la reducción media del dolor para quienes recibieron un tratamiento simulado. Con base en el resultado, ¿parece que los imanes sirven para reducir el dolor?

29. IMC para Miss América La tendencia de ganadoras más delgadas del concurso Miss América ha provocado que se acuse al concurso de fomentar hábitos alimentarios poco saludables entre las mujeres jóvenes. A continuación se presentan los índices de masa corporal (IMC) de ganadoras del concurso Miss América de dos periodos diferentes. Considere que los valores son muestras aleatorias simples elegidas de poblaciones más grandes.

a) Utilice un nivel de significancia de 0.05 para someter a prueba la afirmación de que las ganadoras más recientes tienen un IMC medio menor que las ganadoras de las décadas de 1920 y 1930.

b) Construya un intervalo de confianza del 90% para la diferencia entre el IMC medio de las ganadoras más recientes y el IMC medio de las ganadoras de las décadas de 1920 y 1930.

IMC (ganadoras recientes):	19.5	20.3	19.6	20.2	17.8	17.9	19.1	18.8	17.6	16.8
IMC (décadas de 1920 y 1930):	20.4	21.9	22.1	22.3	20.3	18.8	18.9	19.4	18.4	19.1

30. Radiación en dientes de leche A continuación se presentan las cantidades de estroncio-90 (en milibecquereles o mBq por gramo de calcio) en una muestra aleatoria simple de dientes de leche obtenidos de residentes de Pensilvania y Nueva York nacidos después de 1979 (según datos de "An Unexpected Rise in Strontium-90 in U.S. Deciduous Teeth in the 1990s", de Mangano *et al., Science of the Total Environment*).

a) Utilice un nivel de significancia de 0.05 para someter a prueba la afirmación de que la cantidad media de estroncio-90 de los residentes de Pensilvania es mayor que la cantidad media de los residentes de Nueva York.

b) Construya un intervalo de confianza del 90% para la diferencia entre la cantidad media de estroncio-90 de los residentes de Pensilvania y la cantidad media de los residentes de Nueva York.

Pensilvania:	155	142	149	130	151	163	151	142	156	133	138	161
Nueva York:	133	140	142	131	134	129	128	140	140	140	137	143

31. Longevidad A continuación se presenta el número de años de vida de los Papas y de los monarcas británicos (desde 1690) después de su elección o coronación, respectivamente (según datos de *Computer-Interactive Data Analysis*, de Lunn y McNeil, John Wiley & Sons). Considere los valores como muestras aleatorias simples de una población más grande.

a) Utilice un nivel de significancia de 0.01 para someter a prueba la afirmación de que la longevidad media de los Papas es menor que la longevidad media de los monarcas británicos después de la coronación.

b) Construya un intervalo de confianza del 98% para la diferencia entre la longevidad media de los Papas y la longevidad media de los monarcas británicos. ¿Qué sugiere el resultado acerca de estas dos medias?

Papas:	2	9	21	3	6	10	18	11	6	25	23	6	2	15	32
	25	11	8	17	19	5	15	0	26					
Reyes y reinas:	17	6	13	12	13	33	59	10	7	63	9	25	36	15

32. Sexo y conteo de glóbulos en la sangre Los conteos de glóbulos blancos en la sangre sirven para diagnosticar enfermedades del hígado, radiación, problemas de la médula ósea y enfermedades infecciosas. A continuación se presentan los conteos de glóbulos blancos de muestras aleatorias simples de hombres y mujeres (según datos de la Third National Health and Nutrition Examination Survey).

a) Utilice un nivel de significancia de 0.01 para someter a prueba la afirmación de que los hombres y las mujeres tienen conteos medios diferentes de glóbulos blancos.

b) Construya un intervalo de confianza del 99% para la diferencia entre el conteo medio de glóbulos blancos de hombres y mujeres. Con base en el resultado, ¿parece que hay una diferencia?

Mujeres:	8.90	6.50	9.45	7.65	6.40	5.15	16.60	5.75	11.60
	5.90	9.30	8.55	10.80	4.85	4.90	8.75	6.90	9.75
	4.05	9.05	5.05	6.40	4.05	7.60	4.95	3.00	9.10
Hombres:	5.25	5.95	10.05	5.45	5.30	5.55	6.85	6.65	6.30
	6.40	7.85	7.70	5.30	6.50	4.55	7.10	8.00	4.70
	4.40	4.90	10.75	11.00	9.60				

Grandes conjuntos de datos. ***En los ejercicios 33 a 36, utilice los conjuntos de datos del apéndice B que se indican. Suponga que las dos muestras son aleatorias simples independientes, seleccionadas de poblaciones distribuidas de manera normal. No suponga que las desviaciones estándar poblacionales son iguales.***

33. Ingresos de películas Remítase al conjunto de datos 9 del apéndice B. Utilice las cantidades de dinero obtenido por películas con clasificación PG o PG-13, y las cantidades de dinero obtenido por películas con clasificación R.

a) Utilice un nivel de significancia de 0.01 para someter a prueba la afirmación de que las películas con clasificación PG o PG-13 tienen una ganancia media mayor que las películas con clasificación R.

b) Construya un intervalo de confianza del 98% para la diferencia entre la cantidad media de dinero recaudado por películas con clasificación PG o PG-13 y la cantidad media de dinero recaudado por películas con clasificación R. ¿Qué sugiere el intervalo de confianza acerca de las películas como una inversión?

34. Conteos de palabras Remítase al conjunto de datos 8 del apéndice B. Utilice los conteos de palabras para estudiantes de psicología, hombres y mujeres, reclutados en México (consulte las columnas con los encabezados 3H y 3M).

a) Utilice un nivel de significancia de 0.05 para someter a prueba la afirmación de que los estudiantes de psicología, hombres y mujeres, pronuncian el mismo número de palabras en un día.

b) Construya un intervalo de confianza del 95% para la diferencia entre la media del número de palabras pronunciadas en un día por estudiantes de psicología, hombres y mujeres, en México. ¿Los límites del intervalo de confianza incluyen al 0? ¿Qué sugiere eso acerca de las dos medias?

35. Voltaje Remítase al conjunto de datos 13 del apéndice B. Utilice un nivel de significancia de 0.05 para someter a prueba la afirmación de que la muestra de voltajes domésticos y la muestra de voltajes del generador provienen de poblaciones con la misma media. Si hay una diferencia estadísticamente significativa, ¿tiene esta diferencia una significancia práctica?

36. Pesos de Coca-Cola Remítase al conjunto de datos 17 del apéndice B para someter a prueba la afirmación de que, debido a que contienen la misma cantidad de bebida de cola, los pesos de latas de Coca-Cola regular tienen la misma media que los pesos de latas de Coca-Cola dietética. Si existe una diferencia en los pesos medios, identifique la explicación más viable de esta diferencia.

Agrupamiento. ***En los ejercicios 37 a 40, suponga que las dos muestras son aleatorias simples independientes, seleccionadas de poblaciones distribuidas normalmente. También suponga que las desviaciones estándar poblacionales son iguales ($\sigma_1 = \sigma_2$), de manera que el error estándar de la diferencia entre las medias se obtiene agrupando las varianzas muestrales, como se describió en la parte 2 de esta sección.***

37. Prueba de hipótesis con agrupamiento Resuelva el ejercicio 9 con la suposición adicional de que $\sigma_1 = \sigma_2$. ¿De qué manera se ven afectados los resultados por esta suposición adicional?

38. Intervalo de confianza con agrupamiento Resuelva el ejercicio 10 con la suposición adicional de que $\sigma_1 = \sigma_2$. ¿De qué manera se ven afectados los resultados por esta suposición adicional?

39. Intervalo de confianza con agrupamiento Resuelva el ejercicio 11 con la suposición adicional de que $\sigma_1 = \sigma_2$. ¿De qué manera se ven afectados los resultados por esta suposición adicional?

40. Prueba de hipótesis con agrupamiento Resuelva el ejercicio 12 con la suposición adicional de que $\sigma_1 = \sigma_2$. ¿De qué manera se ven afectados los resultados por esta suposición adicional?

9-3 Más allá de lo básico

41. Efectos de un valor atípico Remítase al ejercicio 31 para crear un valor atípico al cambiar el primer valor de 17 años para los reyes y las reinas por 1700 años. Después de hacer el cambio, describa los efectos que tiene el valor atípico sobre la prueba de hipótesis y el intervalo de confianza. ¿Los resultados se ven muy afectados por la presencia del valor atípico?

42. Efectos de las unidades de medida ¿De qué manera se ven afectados los resultados del ejercicio 31, si todas las edades se convierten de años a meses? En general, ¿afecta la elección de la escala a las conclusiones acerca de la igualdad de dos medias poblacionales? ¿Afecta esa elección al intervalo de confianza?

43. Efecto de ausencia de variación en una muestra Se realizó un experimento para estudiar los efectos del alcohol. Se midieron los niveles de alcohol exhalado en un grupo de tratamiento de personas que bebieron etanol y en otro grupo al que se administró un placebo. Los resultados se presentan en la siguiente tabla. Utilice un nivel de significancia de 0.05 para someter a prueba la afirmación de que los dos grupos muestrales provienen de poblaciones con la misma media. Los resultados se basan en datos de "Effects of Alcohol Intoxication on Risk Taking, Strategy, and Error Rate in Visuomotor Performance", de Streufert *et al.*, *Journal of Applied Psychology*, vol. 77, núm. 4.

Grupo de tratamiento: $n_1 = 22$ $\bar{x}_1 = 0.049$ $s_1 = 0.015$

Grupo de placebo: $n_2 = 22$ $\bar{x}_2 = 0.000$ $s_2 = 0.000$

44. Cálculo de grados de libertad ¿De qué manera se ve afectado el número de grados de libertad en los ejercicios 9 y 10 si se utiliza la fórmula 9-1 en vez de seleccionar el menor entre $n_1 - 1$ y $n_2 - 1$? Si se utiliza la fórmula 9-1 para el número de grados de libertad en vez del menor entre $n_1 - 1$ y $n_2 - 1$, ¿de qué manera se ven afectados la prueba de hipótesis y el intervalo de confianza? ¿En qué sentido "gl = el menor entre $n_1 - 1$ y $n_2 - 1$" es una estimación más conservadora del número de grados de libertad que la estimación que se obtiene con la fórmula 9-1?

Crest y muestras dependientes

A fines de la década de 1950, Procter & Gamble lanzó al mercado la pasta dental Crest como el primer

dentífrico con fluoruro. Con la finalidad de probar la eficacia de Crest en la reducción de las caries, los investigadores realizaron experimentos con varios pares de gemelos. Uno de los gemelos de cada par usó Crest con fluoruro, mientras que el otro continuó utilizando una pasta dental ordinaria sin fluoruro. Se creía que cada par de gemelos tendría hábitos semejantes de alimentación y de cepillado, así como características genéticas similares. Los resultados indicaron que los gemelos que usaron Crest tenían un número significativamente menor de caries que los que no la usaron. Este empleo de gemelos como muestras dependientes permitió a los investigadores controlar muchas de las diferentes variables que afectan las caries.

9-4 Inferencias a partir de muestras dependientes

Concepto clave En esta sección presentamos métodos para la prueba de hipótesis y la construcción de intervalos de confianza que incluyen la media de las diferencias de los valores de dos poblaciones dependientes.

En las muestras dependientes, existe alguna relación para que cada valor en una muestra se aparee con un valor correspondiente en la otra muestra. A continuación se presentan dos ejemplos típicos de muestras dependientes:

- Cada par de valores muestrales consiste en dos medidas del mismo sujeto.
  Ejemplo: El peso de un estudiante de primer año en septiembre fue de 64 kg y su peso en abril fue de 68 kg.
- Cada par de valores muestrales consiste en datos pareados. *Ejemplo:* El índice de masa corporal (IMC) de un hombre es de 25.1 y el IMC de su esposa es de 19.7.

Como la prueba de hipótesis y el intervalo de confianza utilizan la misma distribución y el mismo error estándar, son *equivalentes* en el sentido de que arrojan las mismas conclusiones. En consecuencia, la hipótesis nula de que la diferencia media es igual a 0 puede someterse a prueba determinando si el intervalo de confianza incluye a 0.

No hay un procedimiento exacto para manejar muestras dependientes, pero la distribución t ofrece una aproximación razonablemente buena; por ello, es común que se utilicen los siguientes métodos.

Objetivos

Someter a prueba una afirmación acerca de la media de las diferencias entre muestras dependientes o construir un intervalo de confianza para la media de las diferencias entre muestras dependientes.

Notación para datos pareados

d = diferencia individual entre los dos valores de un par

μ_d = valor medio de las diferencias d para la *población* de todos los datos pareados

$\bar{d}$ = valor medio de las diferencias d para los datos *muestrales* pareados

s_d = desviación estándar de las diferencias d para la *muestra* de datos pareados

n = número de *pares* de datos

Requisitos

1. Los datos muestrales son dependientes.
2. Las muestras son aleatorias simples.
3. Cualquiera o ambas de estas condiciones se satisfacen: el número de datos pareados de datos muestrales es grande ($n > 30$) o los pares de valores tienen diferencias que provienen de una población con una distribución aproximadamente normal. (Estos métodos son robustos frente a desviaciones respecto de la normalidad, de manera que para muestras pequeñas el requisito de normalidad no es tan estricto en el sentido de que los procedimientos funcionan bien siempre y cuando no haya valores atípicos ni desviaciones demasiado pronunciadas respecto de la normalidad).

Estadístico de prueba de hipótesis para muestras dependientes

$$t = \frac{\bar{d} - \mu_d}{\frac{s_d}{\sqrt{n}}}$$

donde los grados de libertad $= n - 1$.

Valores P y valores críticos: Tabla A-3 (distribución t)

Intervalos de confianza para muestras dependientes

$$\bar{d} - E < \mu_d < \bar{d} + E$$

donde

$$E = t_{\alpha/2}\frac{s_d}{\sqrt{n}}$$

Valores críticos de $t_{\alpha/2}$: Utilice la tabla A-3 con $n - 1$ grados de libertad.

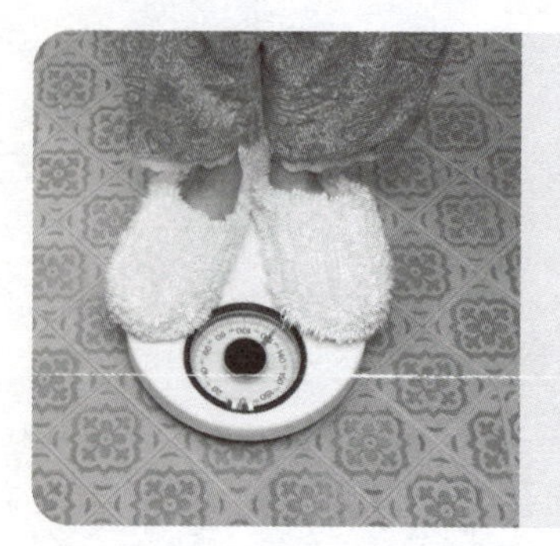

EJEMPLO 1

Prueba de hipótesis del supuesto aumento de peso de estudiantes de primer año El conjunto de datos 3 del apéndice B incluye pesos de estudiantes universitarios, medidos en los meses de septiembre y abril de su primer año de estudios. La tabla 9-1 incluye una pequeña porción de esos valores muestrales. (Solo utilizamos una pequeña porción de los datos disponibles, para ilustrar mejor el método de la prueba de hipótesis). Utilice los datos muestrales de la tabla 9-1 con un nivel de significancia de 0.05 para someter a prueba la afirmación de que, para la población de estudiantes, el cambio medio de peso desde septiembre hasta abril es igual a 0 kg.

Tabla 9-1 Medidas del peso (kg) de estudiantes en su primer año

Peso en abril	66	52	68	69	71
Peso en septiembre	67	53	64	71	70
Diferencia d = (peso en abril) − (peso en septiembre)	−1	−1	4	−2	1

SOLUCIÓN

VERIFICACIÓN DE REQUISITOS Consideramos cada uno de los tres requisitos descritos antes en esta sección. **1.** Las muestras son dependientes porque los datos son pareados, donde cada par de medidas corresponde al mismo estudiante. **2.** En vez de tratarse de una muestra aleatoria simple de estudiantes seleccionados, todos los sujetos participaron en el estudio de manera voluntaria, por lo que el segundo requisito no se satisface. Esta limitación está citada en el artículo científico que describe los resultados del estudio. Procederemos como si se cumpliera el requisito de una muestra aleatoria simple; lea los comentarios en la *interpretación* después de la solución. **3.** El número de pares no es grande, por lo que debemos verificar la normalidad de las diferencias, así como la existencia de valores atípicos. Una inspección de las diferencias revela que no hay valores atípicos, y en la siguiente imagen de resultados de STATDISK se observa el histograma con una distribución que no se aleja mucho de la normalidad. (Una gráfica cuantilar normal también sugiere que las diferencias provienen de una población con una distribución que es aproximadamente normal). Los requisitos se satisfacen.

STATDISK

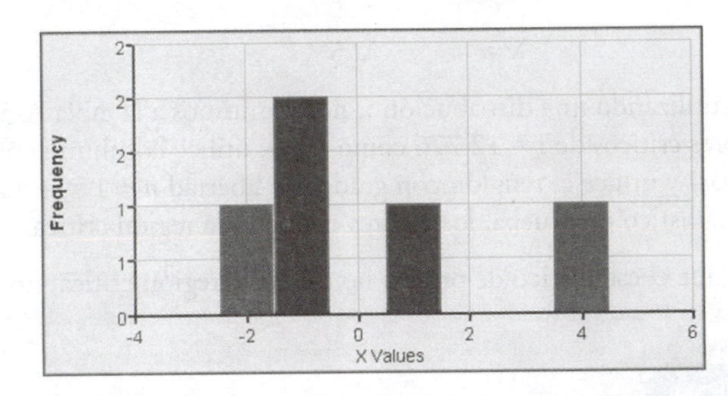

Expresemos las cantidades de incremento de peso de septiembre a abril considerando las diferencias en la siguiente forma: (peso en abril) − (peso en septiembre). Si utilizamos μ_d (donde el subíndice d denota "diferencias") para indicar la media de las diferencias "abril − septiembre" en el peso de los estudiantes universitarios durante su primer año, la afirmación es que $\mu_d = 0$ kg.

Seguiremos el mismo método básico de prueba de hipótesis que se empleó en el capítulo 8, pero utilizaremos el estadístico de prueba para muestras dependientes que se presentó antes en esta sección.

Paso 1: La afirmación es que $\mu_d = 0$ kg. (Es decir, el incremento medio del peso es igual a 0 kg).

Paso 2: Si la afirmación original no es verdadera, tenemos que $\mu_d \neq 0$ kg.

Paso 3: La hipótesis nula debe expresar igualdad y la hipótesis alternativa no puede incluir igualdad, por lo tanto, tenemos

$$H_0: \mu_d = 0 \text{ kg (afirmación original)} \qquad H_1: \mu_d \neq 0 \text{ kg}$$

Paso 4: El nivel de significancia es $\alpha = 0.05$.

Paso 5: Utilizamos la distribución t de Student.

Paso 6: Antes de calcular el valor del estadístico de prueba, primero debemos calcular los valores de $\bar{d}$, y s_d. Remítase a la tabla 9-1 y utilice las diferencias de −1, −1, 4, −2 y 1 para calcular estos estadísticos muestrales: $\bar{d} = 0.2$ y $s_d = 2.4$. Utilizando estos

continúa

Gemelos en Twinsburg

Durante el primer fin de semana de agosto de cada año, Twinsburg, Ohio, celebra su festival anual "Día de los gemelos en Twinsburg". Miles de gemelos de todo el mundo han acudido a este festival en el pasado. Los científicos consideraron el festival como una oportunidad para estudiar a gemelos idénticos. Puesto que tienen la misma estructura genética básica, los gemelos idénticos son ideales para estudiar los distintos efectos de la herencia y del ambiente en una gran variedad de rasgos, como la calvicie masculina, las enfermedades cardiacas y la sordera (rasgos que se estudiaron recientemente en uno de los festivales de Twinsburg). Un estudio de gemelos demostró que la miopía se ve muy afectada por factores hereditarios y no por factores ambientales como ver televisión, navegar en Internet o participar en juegos de video o de computadora.

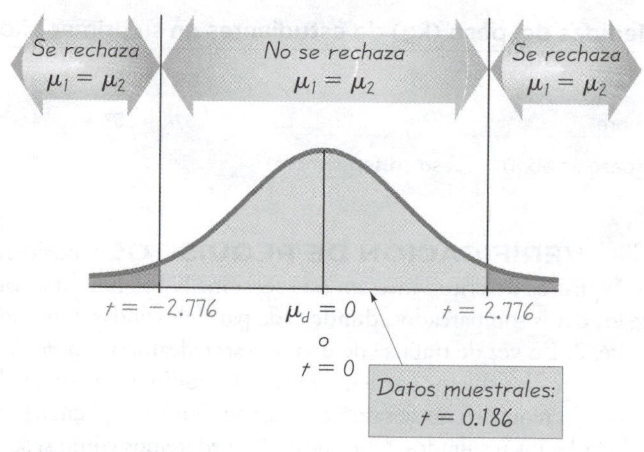

Figura 9-4 Distribución de diferencias *d* entre datos muestrales pareados

estadísticos muestrales y la suposición de la prueba de hipótesis de que $\mu_d = 0$ kg, ahora podemos calcular el valor del estadístico de prueba. (Las herramientas tecnológicas utilizan más decimales y brindan el estadístico de prueba más exacto de $t = 0.187$).

$$t = \frac{\bar{d} - \mu_d}{\frac{s_d}{\sqrt{n}}} = \frac{0.2 - 0}{\frac{2.4}{\sqrt{5}}} = 0.186$$

Como estamos utilizando una distribución t, nos remitimos a la tabla A-3 para encontrar los valores críticos de $t = \pm 2.776$ como sigue: utilice la columna para 0.05 (área en dos colas) y utilice el renglón con grados de libertad $n - 1 = 4$. La figura 9-4 nos indica el estadístico de prueba, los valores críticos y la región crítica.

Paso 7: Puesto que el estadístico de prueba no cae en la región crítica, no rechazamos la hipótesis nula.

INTERPRETACIÓN Concluimos que no hay evidencia suficiente para justificar el rechazo de la afirmación de que el cambio medio en el peso de los estudiantes desde septiembre hasta abril es igual a 0 kg. Con base en los resultados muestrales de la tabla 9-1, no parece haber un aumento de peso significativo desde septiembre hasta abril.

La conclusión debe plantearse con las limitaciones señaladas en el artículo que describe el estudio. No se satisface el requisito de una muestra aleatoria simple, ya que solo se utilizaron estudiantes de la Universidad de Rutgers. Además, los sujetos del estudio son voluntarios y existe el potencial de un sesgo por autoselección. En el artículo que describe el estudio, los autores citan estas limitaciones y comentan que "los investigadores deberían realizar estudios adicionales para describir mejor los patrones alimentarios o de actividades que pueden pronosticar el aumento de peso entre los adultos jóvenes que ingresan a la universidad o a la fuerza laboral durante este periodo crítico de la vida".

Método del valor *P* En el ejemplo 1 se utilizó el método tradicional, pero se puede usar el método del valor *P*. Utilizando tecnología, obtenemos un valor *P* de 0.8605. (Si se emplea la tabla A-3 con el estadístico de prueba $t = 0.186$ y 4 grados de libertad, podemos determinar que el valor *P* es mayor que 0.20). Una vez más, no rechazamos la hipótesis nula, puesto que el valor *P* es mayor que el nivel de significancia de $\alpha = 0.05$.

En el ejemplo 2 se utiliza el método del valor *P* con los 67 pares de datos (del conjunto de datos 3 del apéndice B), en lugar de los 5 pares de datos que se incluyen en la tabla 9-1.

EJEMPLO 2

Prueba de hipótesis del supuesto aumento de peso de estudiantes de primer año En el ejemplo 1 solo se utilizaron los cinco pares de valores muestrales de la tabla 9-1, pero el conjunto de datos 3 del apéndice B incluye los resultados de 67 sujetos. Si resolvemos el ejemplo 1 utilizando Minitab con los 67 pares de datos muestrales, obtenemos la siguiente pantalla. Minitab indica que, con los 67 pares de datos muestrales, el estadístico de prueba es $t = 2.48$, y el valor P es 0.016. Debido a que el valor P es menor que el nivel de significancia de 0.05, ahora rechazamos la hipótesis nula, y podemos concluir que hay evidencia suficiente para justificar el rechazo de la afirmación de que la diferencia entre las medias es igual a 0 kg.

MINITAB

```
T-Test of mean difference = 0 (vs not = 0):
T-Value = 2.48  P-Value = 0.016
```

Los ejemplos 1 y 2 ilustran el método de prueba de hipótesis. Los ejemplos 3 y 4 ilustran la construcción de intervalos de confianza.

EJEMPLO 3

Intervalo de confianza para estimar el cambio medio de peso Utilice los mismos datos pareados de la tabla 9-1 y construya un intervalo de confianza del 95% para μ_d, que es la media de las diferencias de peso "abril-septiembre" de los estudiantes universitarios durante su primer año.

SOLUCIÓN

VERIFICACIÓN DE REQUISITOS La solución del ejemplo 1 incluye la verificación de que los requisitos se cumplen. ✓

Utilizamos los valores $\bar{d} = 0.2$, $s_d = 2.4$, $n = 5$, y $t_{\alpha/2} = 2.776$ (encontrado en la tabla A-3 con $n - 1 = 4$ grados de libertad y área de 0.05 en dos colas). Primero calculamos el valor del margen de error E.

$$E = t_{\alpha/2}\frac{s_d}{\sqrt{n}} = 2.776 \cdot \frac{2.4}{\sqrt{5}} = 3.0$$

Ahora puede calcularse el intervalo de confianza.

$$\bar{d} - E < \mu_d < \bar{d} + E$$
$$0.2 - 3.0 < \mu_d < 0.2 + 3.0$$
$$-2.8 < \mu_d < 3.2$$

INTERPRETACIÓN

Tenemos una confianza del 95% de que los límites de -2.8 kg y 3.2 kg contienen el valor verdadero del cambio medio de peso desde septiembre hasta abril. A largo plazo, el 95% de este tipo de muestras conducirá a límites del intervalo de confianza que incluyen la media poblacional verdadera de las diferencias. Observe que el intervalo de confianza incluye el valor de 0 kg, de manera que es muy posible que la media de los cambios de peso sea igual a 0 kg.

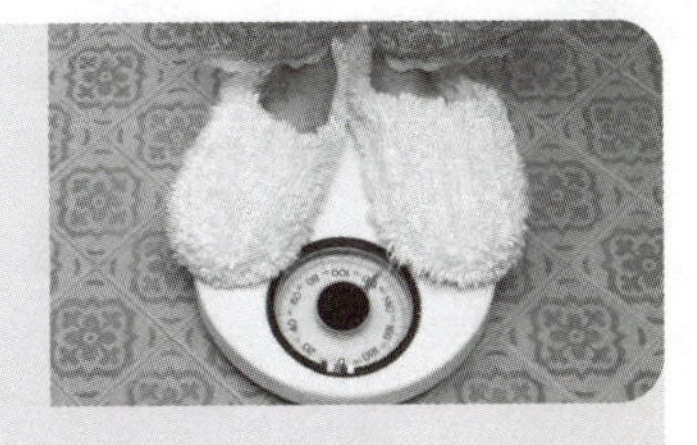

EJEMPLO 4

Intervalo de confianza para estimar el cambio medio de peso El conjunto de datos 3 del apéndice B incluye los resultados de 67 sujetos. Si resolvemos el ejemplo 3 utilizando STATDISK con los 67 pares de datos muestrales, obtenemos el siguiente resultado.

Intervalo de confianza del 95%: $0.2306722 < \mu_d < 2.127537$

continúa

INTERPRETACIÓN Este intervalo de confianza sugiere que es probable que el aumento medio de peso se localice entre 0.2 y 2.1 kg. Este intervalo de confianza no incluye el valor de 0 kg, de manera que el grupo de datos más grande sugiere que el estudiante universitario típico aumenta de peso durante el primer año de estudios, y se estima que la cantidad media de aumento de peso se localiza entre 0.2 y 2.1 kg.

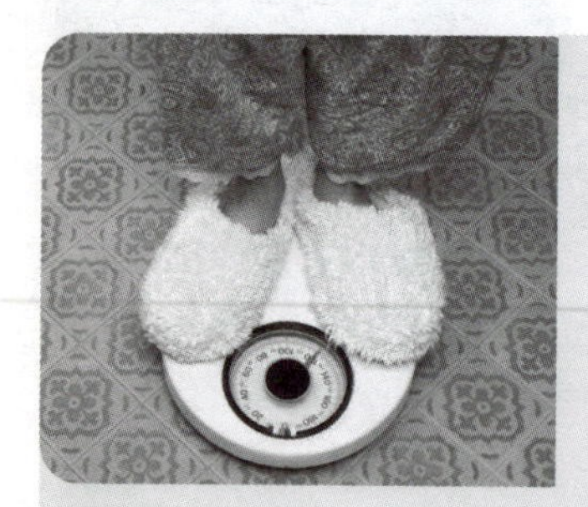

EJEMPLO 5 **¿El fenómeno *Freshman 15* es un mito?** En el problema del capítulo se describe la leyenda conocida como el fenómeno *Freshman 15*, que es la creencia común de que los estudiantes universitarios aumentan en promedio 15 libras (o 6.8 kg) durante su primer año de estudios. Expresemos nuevamente las cantidades de aumento de peso desde septiembre hasta abril, considerando los valores muestrales de la siguiente forma: (peso en abril) − (peso en septiembre). (Con este formato, las diferencias positivas representan *ganancias* de peso, mientras que las diferencias negativas representan *pérdidas* de peso. Con base en este formato, la afirmación del fenómeno *Freshman 15* es que la media de las diferencias es de 15 libras o 6.8 kg). Si utilizamos μ_d para denotar la media de las diferencias "abril-septiembre" en el peso de los estudiantes universitarios durante su primer año, el fenómeno "freshman 15" es la afirmación de que $\mu_d = 15$ libras o $\mu_d = 6.8$ kg. Si sometemos a prueba $\mu_d = \delta$ 6.8 kg utilizando un nivel de significancia de 0.05 con los 67 sujetos del conjunto de datos 3 del apéndice B, obtenemos los resultados de Minitab que se muestran en la parte inferior de este recuadro.

Minitab indica que el estadístico de prueba es $t = -11.83$ y el valor P es 0.000 (redondeado a tres posiciones decimales). Como el valor P es menor que el nivel de significancia de 0.05, rechazamos la hipótesis nula. Existe evidencia suficiente para justificar el rechazo de la afirmación de que el cambio medio de peso es igual a 6.8 kg (o 15 libras).

El intervalo de confianza del ejemplo 4 indica que es probable que el aumento medio de peso se localice entre 0.2 y 2.1 kg (o entre 0.4 y 4.6 libras), de manera que la afirmación de un aumento medio de peso de 15 libras parece ser infundada. Tales resultados sugieren que el fenómeno *Freshman 15* es un mito. Nuevamente, esta conclusión debe plantearse con las limitaciones del estudio. Solo participaron estudiantes de la Universidad de Rutgers, y los sujetos eran voluntarios en lugar de ser elegidos al azar. Sin embargo, los hallazgos de este estudio son congruentes con los de otros estudios similares, por lo que el fenómeno *Freshman 15* parece ser un mito. Con base en el conjunto de datos 3 del apéndice B, parece que los estudiantes aumentan un poco de peso durante su primer año, pero el aumento de peso es mucho más modesto que las 15 libras que plantea el mito *Freshman 15*.

MINITAB

```
T-Test of mean difference = 6.8 (vs not = 6.8):
T-Value = -11.83  P-Value = 0.000
```

Diseño experimental Suponga que deseamos realizar un experimento para comparar la eficacia de dos tipos de fertilizantes (uno orgánico y uno químico). Los fertilizantes se van a utilizar en 20 parcelas de terreno con la misma área, pero con diferente calidad del suelo. Para hacer una comparación justa, debemos dividir cada una de las 20 parcelas a la mitad y tratar una mitad con el fertilizante orgánico y la otra con el fertilizante químico, creando así muestras dependientes. Después, se podrían emparejar las cosechas por las parcelas que comparten, creando así datos pareados. La gran ventaja de utilizar datos pareados es que se reduce la variación extraña, lo que ocurriría si cada parcela fuera tratada con un tipo de fertilizante y no con ambos (es decir, si las muestras fueran independientes). Esta estrategia para diseñar un experimento se puede generalizar por medio del siguiente principio de diseño.

Al diseñar un experimento o planear un estudio observacional, generalmente es mejor utilizar muestras dependientes con datos pareados que dos muestras independientes.

USO DE LA TECNOLOGÍA

STATDISK Primero ingrese los datos pareados en columnas de la ventana de datos de STATDISK, luego seleccione **Analysis** del menú principal. Elija **Hypothesis Testing** o **Confidence Intervals** y luego seleccione **Mean-Matched Pairs.** Complete las entradas, indique las selecciones en el cuadro de diálogo y luego dé clic en **Evaluate.** (Para utilizar STATDISK en una prueba de hipótesis en la que el valor supuesto de μd no es cero, ingrese los datos pareados en las columnas 1 y 2, luego utilice **Data/Sample Transformations** para crear una tercera columna de las diferencias; después utilice **Data/Descriptive Statistics** para calcular la media y la desviación estándar de dichas diferencias. Seleccione **Analysis, Hypothesis Testing** y **Mean - One Sample,** e ingrese la media supuesta diferente de cero, la media de las diferencias y la desviación estándar de las diferencias).

MINITAB Ingrese los datos pareados en las columnas C1 y C2. Haga clic en **Stat,** seleccione **Basic Statistics** y luego **Paired t.** Ingrese C1 para la primera muestra, C2 para la segunda, y luego haga clic en el cuadro de **Options** para cambiar el nivel de confianza o el formato de la hipótesis alternativa, o para utilizar un valor de Ìd diferente de cero.

En **Minitab 16,** también puede hacer clic en **Assistant,** después en **Hypothesis Tests,** y luego seleccione el caso para **Paired t.** Ingrese la información en el cuadro de diálogo y haga clic en **OK** para obtener tres ventanas de resultados que incluyen el valor P y otra información útil.

EXCEL Ingrese los datos muestrales pareados en las columnas A y B.

Data Desk XL add-in: Si utiliza Excel 2010 o Excel 2007, haga clic en **Add-Ins** y luego en **DDXL;** si utiliza Excel 2003, haga clic en **DDXL,** seleccione **Hypothesis Tests** y **Paired t Test** o elija **Confidence Intervals** and **Paired t Interval.** En el cuadro de diálogo, haga clic en el icono del lápiz para la primera columna cuantitativa e ingrese el rango de valores para la primera muestra, por ejemplo, A1:A25. Haga clic en el icono del lápiz para la segunda columna cuantitativa e ingrese el rango de valores para la segunda muestra. Haga clic en **OK.** Ahora complete el nuevo cuadro de diálogo siguiendo los pasos indicados.

Complemento Data Analysis: Si utiliza Excel 2010 o Excel 2007, haga clic en **Data** y luego en **Data Analysis;** si utiliza Excel 2003, seleccione **Tools** de la barra del menú principal, luego seleccione **Data Analysis** y proceda a seleccionar **t-test Paired Two Sample for Means.** En el cuadro de diálogo, ingrese el rango de valores para cada una de las dos muestras, ingrese el valor supuesto de la diferencia media poblacional (generalmente 0) e ingrese el nivel de significancia. Los resultados en la pantalla incluirán el estadístico de prueba, los valores P para una prueba de una cola y para una prueba de dos colas, así como los valores críticos para una prueba de una cola y para una de dos colas.

TI-83/84 PLUS *Advertencia:* No utilice el elemento del menú **2-SampTTest,** porque este se aplica a muestras *independientes.* En vez de ello, ingrese los datos de la primera variable en la lista L1, ingrese los datos de la segunda variable en la lista L2, luego despeje la pantalla e ingrese **L1 – L2 → L3,** de manera que la lista L3 contenga las diferencias individuales *d.* Después oprima **STAT,** luego seleccione **TESTS** y elija la opción de **T-Test** (para una prueba de hipótesis) o **TInterval** (para un intervalo de confianza). Utilice la opción de alimentación de **Data.** Para la lista, ingrese L3. Si utiliza **T-Test,** también ingrese el valor supuesto de la diferencia media poblacional (que suele ser 0) para σ_0. Oprima **ENTER** cuando termine.

9-4 Destrezas y conceptos básicos

Conocimientos estadísticos y pensamiento crítico

1. Notación A continuación se presentan los intervalos (en minutos) previos y posteriores a las erupciones del géiser Old Faithful. Calcule los valores de $\overline{d}$ y s_d. En general, ¿qué representa μ_d?

Intervalo previo a la erupción	98	92	95	87	96
Intervalo posterior a la erupción	92	95	92	100	90

2. Prueba clínica El fármaco Dozenol se prueba en 40 hombres reclutados de Nueva York y en 40 mujeres reclutadas de California. El investigador parea a los 40 hombres con las 40 mujeres. ¿Se pueden utilizar los métodos de esta sección para analizar los resultados? ¿Por qué?

3. Parear pulsos y niveles de colesterol Con el conjunto de datos 1 del apéndice B, un investigador parea los pulsos y los niveles de colesterol de las 40 mujeres. ¿Se pueden utilizar los métodos de esta sección para construir un intervalo de confianza? ¿Por qué?

4. Intervalos de confianza El ejemplo 4 indicó que las 67 medidas de peso *dependientes* de abril y septiembre, incluidas en el conjunto de datos 3 del apéndice B, dieron como resultado el siguiente intervalo de confianza del 95%: 0.2 kg $< \mu_d <$2.1 kg. Si los mismos datos se consideran como dos muestras *independientes*, se obtiene el siguiente intervalo de confianza del 95%: $-2.7 \text{ kg} < \mu_1 - \mu_2 < 5.0 \text{ kg}$. ¿Cuál es la diferencia fundamental entre las interpretaciones de estos dos intervalos de confianza?

Cálculos para datos muestrales pareados. ***En los ejercicios 5 y 6, suponga que usted desea utilizar un nivel de significancia de 0.05 para someter a prueba la afirmación de que los datos muestrales pareados provienen de una población en la que la diferencia media es $\mu_d = 0$. Calcule a) $\bar{d}$, b) s_d, c) el estadístico de prueba t y d) los valores críticos.***

5. Rendimiento de automóviles A continuación se presentan las cantidades medidas de consumo de combustible (en millas/gal) de una muestra de automóviles (Acura RL, Acura TSX, Audi A6, BMW 525i), tomadas del conjunto de datos 16 del apéndice B.

Consumo de combustible en la ciudad	18	22	21	21
Consumo de combustible en carretera	26	31	29	29

6. Temperaturas pronosticadas A continuación se presentan las temperaturas máximas que fueron pronosticadas con diferentes días de anticipación (de acuerdo con el conjunto de datos 11 del apéndice B).

Temperatura máxima pronosticada con 3 días de anticipación	79	86	79	83	80
Temperatura máxima pronosticada con 5 días de anticipación	80	80	79	80	79

7. Intervalo de confianza Utilice los datos muestrales pareados del ejercicio 5 y construya un intervalo de confianza del 95% para la media poblacional de todas las diferencias, con el siguiente formato: (consumo de combustible en la ciudad) − (consumo de combustible en carretera).

8. Intervalo de confianza Utilice los datos muestrales pareados del ejercicio 6 y construya un intervalo de confianza del 99% para la media poblacional de todas las diferencias, con el siguiente formato: (temperatura máxima pronosticada con tres días de anticipación) − (temperatura máxima pronosticada con cinco días de anticipación).

En los ejercicios 9 a 20, suponga que los datos muestrales pareados son muestras aleatorias simples y que las diferencias tienen una distribución aproximadamente normal.

9. ¿El IMC cambia durante el primer año de la universidad? A continuación se presentan los índices de masa corporal (IMC) de los mismos estudiantes incluidos en la tabla 9-1 de la página 489. Se midió el IMC de cada estudiante en septiembre y en abril del primer año de estudios (según datos de "Changes in Body Weight and Fat Mass of Men and Women in the First Year of College: A Study of the 'Freshman 15'", de Hoffman, Policastro, Quick y Lee, *Journal of American College Health*, vol. 55, núm. 1). Utilice un nivel de significancia de 0.05 para someter a prueba la afirmación de que el cambio medio en el IMC de todos los estudiantes es igual a 0. ¿Parece que el IMC cambia durante el primer año de estudios?

IMC en abril	20.15	19.24	20.77	23.85	21.32
IMC en septiembre	20.68	19.48	19.59	24.57	20.96

10. Intervalo de confianza para cambios en el IMC Utilice los mismos datos pareados del ejercicio 9 para construir un intervalo de confianza del 95% para el cambio en el IMC durante el primer año de estudios. ¿El intervalo de confianza incluye al 0? ¿Qué sugiere eso acerca del IMC durante el primer año de estudios?

11. ¿Las mejores actrices son más jóvenes que los mejores actores? A continuación se presentan las edades de actrices y actores en el momento de que ganaron un Óscar. Los datos están pareados de acuerdo con los años de la premiación. Utilice un nivel de significancia de 0.05 para someter a prueba la creencia común de que las mejores actrices son más jóvenes que los mejores actores. ¿El resultado sugiere algún problema en nuestra cultura?

Mejores actrices	28	32	27	27	26	24	25	29	41	40	27	42	33	21	35
Mejores actores	62	41	52	41	34	40	56	41	39	49	48	56	42	62	29

12. ¿Los vuelos son más económicos cuando se reservan con anticipación? A continuación se presentan los costos (en dólares) de vuelos desde Nueva York (JFK) hasta San Francisco de las líneas US Air, Continental, Delta, United, American, Alaska y Northwest. Utilice un nivel de significancia de 0.01 para someter a prueba la afirmación de que los vuelos que se reservan con un día de anticipación cuestan más que los vuelos reservados con 30 días de anticipación. ¿Cuál estrategia parece ser más eficaz para ahorrar dinero al viajar por avión?

Vuelo reservado con un día de anticipación	456	614	628	1088	943	567	536
Vuelo reservado con 30 días de anticipación	244	260	264	264	278	318	280

13. ¿Su temperatura corporal cambia durante el día? A continuación se presentan temperaturas corporales (en °F) medidas en sujetos a las 8:00 A.M. y a las 12:00 A.M. (según médicos de la Universidad de Maryland, incluidas en el conjunto de datos 2 del apéndice B). Construya un intervalo de confianza del 95% para la diferencia entre las temperaturas registradas a las 8:00 A.M. y las registradas a las 12:00 A.M. ¿La temperatura corporal es básicamente la misma en los dos momentos?

8:00 AM	97.0	96.2	97.6	96.4	97.8	99.2
12:00 AM	98.0	98.6	98.8	98.0	98.6	97.6

14. ¿La presión sanguínea es igual en ambos brazos? A continuación se presentan medidas de la presión sanguínea sistólica (en mm Hg), tomadas de los brazos derecho e izquierdo de la misma mujer (según datos de "Consistency of Blood Pressure Differences Between the Left and Right Arms", de Eguchi, *et al.*, *Archives of Internal Medicine*, vol. 167). Utilice un nivel de significancia de 0.05 para someter a prueba la diferencia entre las mediciones de ambos brazos. ¿Qué concluye?

Brazo derecho	102	101	94	79	79
Brazo izquierdo	175	169	182	146	144

15. ¿El viernes 13 es de mala suerte? Investigadores reunieron datos del número de admisiones hospitalarias por accidentes automovilísticos; a continuación se incluyen los resultados de los días viernes 6 del mes y del siguiente viernes 13 del mismo mes (según datos de "Is Friday the 13th Bad for Your Health?", de Scanlon *et al.*, *British Medical Journal*, vol. 307, tal como aparece en *Data and Story Line*, el recurso en línea de conjuntos de datos). Utilice un nivel de significancia de 0.05 para someter a prueba la afirmación de que cuando el día 13 de un mes cae en viernes, el número de admisiones hospitalarias por accidentes automovilísticos no se ve afectado.

Viernes 6:	9	6	11	11	3	5
Viernes 13:	13	12	14	10	4	12

16. Tabaco y alcohol en películas infantiles A continuación se presentan los tiempos (en segundos) durante los cuales se exhibe el consumo de tabaco y alcohol en películas de dibujos animados de Disney. (Véase el conjunto de datos 7 del apéndice B). Utilice un nivel de significancia de 0.05 para someter a prueba la afirmación de que la media de las diferencias es mayor que 0 segundos, de manera que el consumo de tabaco se exhibe durante más tiempo que el consumo de alcohol. ¿Cuánto tiempo se debe exhibir el consumo de tabaco y alcohol en las películas de dibujos animados para niños?

Consumo de tabaco (seg)	176	51	0	299	74	2	23	205	6	155
Consumo de alcohol (seg)	88	33	113	51	0	3	46	73	5	74

17. Costos de reparación de automóviles A continuación se presentan los costos (en dólares) de la reparación de las partes frontal y trasera de diferentes automóviles después de los daños sufridos en choques controlados a baja velocidad (según datos del Insurance Institute for Highway Safety). Las marcas de los automóviles son Toyota, Mazda, Volvo, Saturn, Subaru, Hyundai, Volkswagen y Nissan. Construya un intervalo de confianza del 95% para la media de las diferencias entre los costos de reparación de la parte frontal y los costos de reparación de la parte trasera. ¿Hay alguna diferencia?

Costo de la reparación de la parte frontal	936	978	2252	1032	3911	4312	3469	2598	4535
Costo de la reparación de la parte trasera	1480	1202	802	3191	1122	739	2769	3375	1787

18. Estaturas de hombres reportadas y medidas Como parte de la National Health and Nutrition Examination Survey realizada por el Department of Health and Human Services, se obtuvieron estaturas (en pulgadas) reportadas y medidas de hombres de 12 a 16 años de edad. A continuación se listan resultados muestrales.

a) ¿Existe evidencia suficiente para sustentar la afirmación de que existe una diferencia entre las estaturas reportadas y las estaturas medidas de hombres de 12 a 16 años de edad? Utilice un nivel de significancia de 0.05.

b) Construya un intervalo de confianza del 95% para la diferencia media entre las estaturas reportadas y las estaturas medidas. Interprete el intervalo de confianza resultante y comente las implicaciones sobre si los límites del intervalo de confianza contienen a 0.

Estatura reportada	68	71	63	70	71	60	65	64	54	63	66	72
Estatura medida	67.9	69.9	64.9	68.3	70.3	60.6	64.5	67.0	55.6	74.2	65.0	70.8

19. Calificación con base en el consumo de combustible de automóviles A continuación se incluyen las calificaciones con base en el consumo de combustible (en millas/gal) combinadas para la ciudad y para la carretera de diferentes automóviles, otorgadas según el antiguo sistema de calificación y el nuevo sistema que fue introducido en 2008 (según datos de *USA Today*). El nuevo sistema de calificación se implementó en respuesta a las quejas de que las calificaciones del antiguo sistema eran demasiado elevadas. Utilice un nivel de significancia de 0.01 para someter a prueba la afirmación de que las calificaciones del antiguo sistema eran más elevadas que las del nuevo sistema.

Antiguo sistema de calificación	16	18	27	17	33	28	33	18	24	19	18	27	22	18	20	29	19	27	20	21
Nuevo sistema de calificación	15	16	24	15	29	25	29	16	22	17	16	24	20	16	18	26	17	25	18	19

20. Estaturas de ganadores y segundos lugares A continuación se presentan las estaturas (en pulgadas) de candidatos que ganaron las elecciones presidenciales en Estados Unidos y las estaturas de candidatos con el siguiente número más alto de votos del electorado. Los datos se encuentran en orden cronológico, de manera que las estaturas correspondientes de las dos listas están pareadas. Para los candidatos que ganaron más de una vez, solo se incluyen las estaturas de la primera elección; no se incluyen elecciones previas a 1900.

a) Una hipótesis conocida plantea que los candidatos ganadores tienden a ser más altos que sus contrincantes que pierden la elección. Utilice un nivel de significancia de 0.05 para someter a prueba esa hipótesis. ¿Parece que la estatura es un factor importante para ganar la presidencia?

b) Si usted planea someter a prueba la afirmación del inciso *a)* utilizando un intervalo de confianza, ¿qué nivel de confianza debería usar? Construya un intervalo de confianza con ese nivel de confianza y luego interprete el resultado.

Ganador de la presidencia								Segundo lugar							
71	74.5	74	73	69.5	71.5	75	72	73	74	68	69.5	72	71	72	71.5
70.5	69	74	70	71	72	70	67	70	68	71	72	70	72	72	72

Grandes conjuntos de datos. ***En los ejercicios 21 a 24, utilice los conjuntos de datos del apéndice B que se indican. Suponga que los datos muestrales pareados son muestras aleatorias simples, y que las diferencias tienen una distribución aproximadamente normal.***

21. Voltaje Remítase a los voltajes incluidos en el conjunto de datos 13 del apéndice B.

a) La lista de los voltajes domésticos se midieron en la casa del autor, y la lista de los voltajes UPS se midieron del sistema de alimentación ininterrumpida del autor, los cuales fueron suministrados el mismo día por la misma compañía de electricidad. Utilice un nivel de significancia de 0.05 para someter a prueba la afirmación de que esos valores muestrales pareados tienen diferencias que provienen de una población con una media de 0 volts. ¿Qué concluye?

b) ¿Por qué no se deben utilizar los métodos de esta sección con los voltajes domésticos y los voltajes del generador?

22. Resuelva el ejercicio 9 utilizando las medidas del IMC de los 67 sujetos incluidos en el conjunto de datos 3 del apéndice B.

23. ¿Papel o plástico? Remítase al conjunto de datos 22 del apéndice B y construya un intervalo de confianza del 95% para la media de las diferencias entre los pesos de papel desechado y los pesos del plástico desechado. ¿Cuál parece pesar más: el papel desechado o el plástico desechado?

24. Vidrio y alimentos Remítase al conjunto de datos 22 del apéndice B y construya un intervalo de confianza del 95% para la media de las diferencias entre los pesos de vidrio desechado y los pesos de alimentos desechados. ¿Cuál parece pesar más: el vidrio desechado o los alimentos desechados? ¿Qué causa más problemas en el ambiente: el vidrio desechado o los alimentos desechados? ¿Por qué?

9-4 Más allá de lo básico

25. Prueba de tiempos de reacción Se probaron los tiempos de reacción (en milésimas de segundo) de alumnos del autor, considerando las manos derecha e izquierda. (Cada valor representa el tiempo transcurrido entre la liberación de una tira de papel y el instante en que el sujeto la toma). En la siguiente gráfica se incluyen los resultados de cinco estudiantes. Utilice un nivel de significancia de 0.05 para someter a prueba la afirmación de que no existe diferencia entre los tiempos de reacción de la mano derecha y de la mano izquierda.

MINITAB

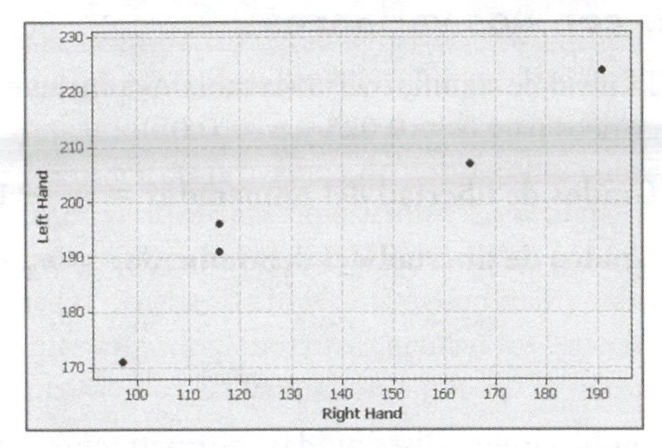

26. Efectos de un valor atípico y unidades de medida

a) Al utilizar los métodos de esta sección, ¿puede un valor atípico tener un efecto drástico en la prueba de hipótesis y en el intervalo de confianza?

b) Para los ejemplos de esta sección se utilizaron pesos medidos en kilogramos. Si convertimos todos los pesos muestrales a libras, ¿se ve afectada la prueba de hipótesis por un cambio en las unidades? ¿Resultan afectados los intervalos de confianza por un cambio de este tipo en las unidades? ¿Cómo?

9-5 Comparación de la variación en dos muestras

Concepto clave En esta sección estudiaremos la prueba F para comparar dos varianzas poblacionales (o desviaciones estándar). La prueba F (denominada así en honor del especialista en estadística Sir Ronald Fisher) utiliza la distribución F que se presenta en esta sección. La prueba F requiere que ambas poblaciones tengan distribuciones normales, y esta prueba es *muy* sensible a las desviaciones que se alejan de la distribución normal. En la parte 1 se describe el procedimiento de la prueba F, y la parte 2 ofrece una breve descripción de dos métodos alternativos para comparar la variación en dos muestras.

Parte 1: Prueba F para comparar varianzas

Recuerde que la varianza muestral s^2 es el cuadrado de la desviación estándar muestral s. En esta sección designamos a la *mayor* de las dos varianzas muestrales como s_1^2 (para que los cálculos sean más fáciles). Denotamos la varianza muestral más pequeña como s_2^2.

Objetivo

Someter a prueba una afirmación acerca de dos desviaciones estándar o varianzas poblacionales.

Notación para las pruebas de hipótesis con dos varianzas o desviaciones estándar

s_1^2 = la *mayor* de dos varianzas muestrales

n_1 = tamaño de la muestra que tiene la varianza *más grande*

σ_1^2 = varianza de la población de donde se obtiene la muestra con la varianza *más grande*

Los símbolos s_2^2, n_2 y σ_2^2 se utilizan para la otra muestra y la otra población.

continúa

Requisitos

1. Las dos poblaciones son *independientes*.
2. Las dos muestras son aleatorias simples.
3. Las dos poblaciones están *distribuidas normalmente*. (Esta prueba F *no es robusta*, lo que significa que no tiene un buen desempeño si una o ambas poblaciones tienen una distribución que no es normal. Por lo tanto, el requisito de distribuciones normales es muy estricto para la prueba F).

Estadístico de prueba para pruebas de hipótesis con dos varianzas

$F = \frac{s_1^2}{s_2^2}$ donde s_1^2 es la *mayor* de las dos varianzas muestrales)

Valores críticos: Utilice la tabla A-5 para obtener valores críticos F que se determinan por lo siguiente:

1. El nivel de significancia · (la tabla A-5 incluye valores críticos para $\alpha = 0.025$ y $\alpha = 0.05$).
2. **Grados de libertad del numerador $= n_1 - 1$**
3. **Grados de libertad del denominador $= n_2 - 1$**

Distribución *F* Para dos poblaciones distribuidas normalmente con varianzas iguales (es decir, $\sigma_1^2 = \sigma_2^2$), la distribución muestral del estadístico de prueba $F = s_1^2/s_2^2$ es la **distribución *F*** que se muestra en la figura 9-5 (siempre y cuando aún no se haya establecido que la varianza de la muestra más grande es s_1^2). Si usted continúa repitiendo el proceso de seleccionar muestras a partir de dos poblaciones distribuidas normalmente con varianzas iguales, la distribución de la proporción s_1^2/s_2^2 es la distribución F.

En la figura 9-5, observe las siguientes propiedades de la distribución F:

- La distribución F no es simétrica.
- Los valores de la distribución F no pueden ser negativos.
- La forma exacta de la distribución F depende de dos diferentes grados de libertad.

Cálculo de valores *F* críticos Para calcular un valor crítico F correspondiente a un nivel de significancia de 0.05, remítase a la tabla A-5 y utilice el área de cola derecha de 0.025 o 0.05, dependiendo del tipo de prueba:

- Prueba de *dos colas:* Utilice la tabla A-5 con 0.025 en la cola derecha. (Tenemos $\alpha = 0.05$ dividida entre dos colas, de manera que el área en la cola derecha es 0.025).
- Prueba de *una cola:* Utilice la tabla A-5 con $\alpha = 0.05$ en la cola derecha.

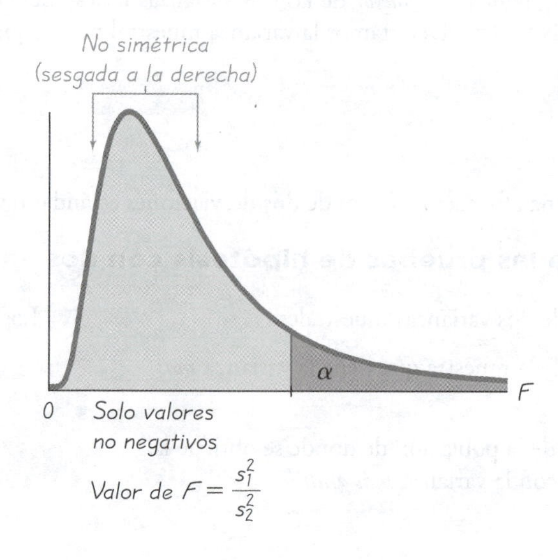

Figura 9-5
Distribución *F*
Existe una distribución F distinta para cada par diferente de grados de libertad para el numerador y el denominador.

Calcule el valor crítico de F en la columna con el número $n_1 - 1$ y en el renglón con el número $n_2 - 1$. Puesto que estamos estipulando que la varianza muestral más grande es s_1^2, todas las pruebas de una cola serán de cola derecha, y todas las pruebas de dos colas requerirán que encontremos solo el valor crítico localizado a la derecha. (No necesitamos encontrar un valor crítico en la cola izquierda, lo que sería un poco difícil. Véase el ejercicio 23).

La tabla A-5 incluye valores críticos para ciertos tamaños de muestra y niveles de significancia, pero las herramientas tecnológicas proporcionan valores *P* o valores críticos para cualquier tamaño de muestra y nivel de significancia.

Interpretación del estadístico de prueba *F* Si en realidad las dos poblaciones tienen varianzas iguales, entonces la proporción s_1^2/s_2^2 tiende a 1, puesto que los valores de s_1^2 y s_2^2 tienden a acercarse. Pero si las dos poblaciones tienen varianzas radicalmente diferentes, s_1^2 y s_2^2 tienden a ser números muy distintos. Si denotamos la más grande de las varianzas muestrales como s_1^2, vemos que la proporción s_1^2/s_2^2 será un número grande siempre que s_1^2 y s_2^2 tengan valores lejanos entre sí. En consecuencia, un valor de *F* cercano a 1 será evidencia a favor de la conclusión de que $\sigma_1^2 = \sigma_2^2$, y un valor grande de *F* será evidencia en contra de la conclusión de igualdad de las varianzas poblacionales.

Los valores de *F grandes* son evidencia en contra de $\sigma_1^2 = \sigma_2^2$.

Afirmaciones acerca de desviaciones estándar El estadístico de prueba *F* se aplica a una afirmación acerca de dos varianzas, pero también podemos utilizarlo para afirmaciones acerca de dos desviaciones estándar poblacionales. Cualquier afirmación acerca de dos desviaciones estándar poblacionales puede replantearse en términos de las varianzas correspondientes.

¡Explore los datos! Puesto que el requisito de distribuciones normales para la prueba *F* es muy importante y muy estricto, debemos comenzar examinando las distribuciones de las muestras mediante histogramas, gráficas de caja y gráficas cuantilares normales; luego, debemos buscar valores atípicos. Examine la verificación de requisitos en el siguiente ejemplo.

EJEMPLO 1

Comparación de la variación en los pesos de monedas de 25 centavos En el conjunto de datos 20 del apéndice B se incluyen los pesos (en gramos) de monedas de 25 centavos de dólar acuñadas antes de 1964, y los pesos de monedas de 25 centavos acuñadas después de 1964. A continuación se presentan los estadísticos muestrales. Al diseñar máquinas expendedoras para monedas, debemos tomar en cuenta las desviaciones estándar de las monedas de 25 centavos acuñadas antes y después de 1964. Utilice un nivel de significancia de 0.05 para someter a prueba la afirmación de que los pesos de las monedas de 25 centavos acuñadas antes de 1964 y los pesos de las monedas de 25 centavos acuñadas después de 1964 provienen de poblaciones con la misma desviación estándar.

Monedas de 25¢ acuñadas antes de 1964	Monedas de 25¢ acuñadas después de 1964
$n = 40$	$n = 40$
$s = 0.08700$ g	$s = 0.06194$ g

SOLUCIÓN

VERIFICACIÓN DE REQUISITOS 1. Las dos poblaciones son claramente independientes entre sí. Las monedas acuñadas antes de 1964 no tiene ninguna relación con las acuñadas después de 1964; las monedas no están asociadas o pareadas de forma alguna. **2.** Las dos muestras son aleatorias simples, seleccionadas de monedas en circulación. **3.** Las dos muestras parecen provenir de poblaciones con distribuciones normales, según indican los histogramas y las gráficas cuantilares normales generados por STATDISK que se muestran a continuación. Además, no hay valores atípicos, de manera que los requisitos se satisfacen.

Menor variación, mayor calidad

Ford y Mazda producían transmisiones similares que, al parecer, se fabricaban con las mismas especificaciones. Pero las transmisiones producidas en Estados Unidos requerían más reparaciones por garantía que las transmisiones fabricadas en Japón. Cuando los investigadores inspeccionaron muestras de las cajas de engranajes de las transmisiones japonesas, al principio pensaron que sus instrumentos de medición estaban defectuosos porque no detectaban ninguna variabilidad entre las cajas de engranajes de las transmisiones Mazda. Se dieron cuenta de que, aunque las transmisiones estadounidenses cumplían con las especificaciones, las transmisiones Mazda no solo estaban dentro de las especificaciones, sino que también se acercaban de manera consistente al valor deseado. Al reducir la variabilidad entre las cajas de engranajes de las transmisiones, Mazda redujo los costos de inspección, desecho, corrección y reparaciones por garantía.

continúa

MONEDAS DE 25¢ ACUÑADAS ANTES DE 1964

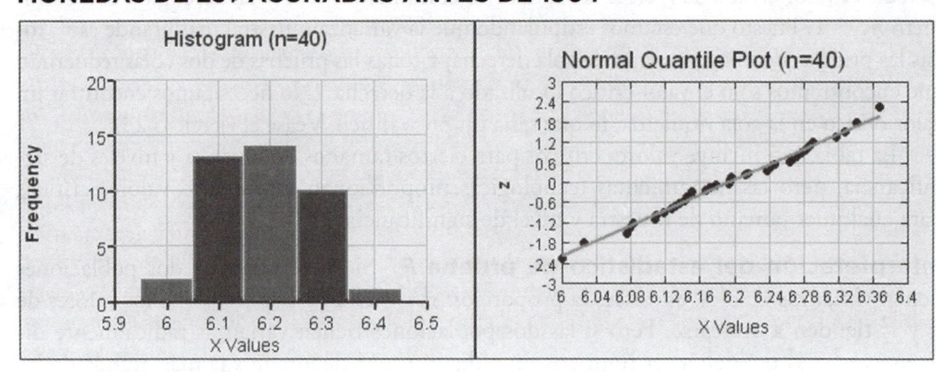

MONEDAS DE 25¢ ACUÑADAS DESPUÉS DE 1964

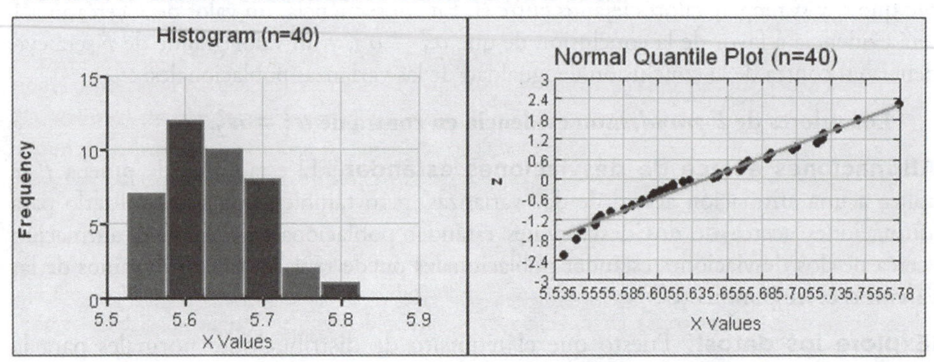

En vez de utilizar las desviaciones estándar muestrales para someter a prueba la afirmación de desviaciones estándar poblacionales iguales, utilizamos las varianzas muestrales para someter a prueba la afirmación de varianzas poblacionales iguales, pero podemos plantear conclusiones en términos de desviaciones estándar. Puesto que en esta sección estipulamos que la varianza mayor se denota con s_1^2, permitimos que $s_2^2 = 0.08700_2$ y $s_2^2 = 0.06194^2$. Ahora procedemos a utilizar el método tradicional de prueba de hipótesis como se describe en la figura 8-9.

Paso 1: La afirmación de desviaciones estándar iguales es equivalente a una afirmación de varianzas iguales, lo cual se expresa simbólicamente como $\sigma_1^2 = \sigma_2^2$.

Paso 2: Si la afirmación original es falsa, entonces $\sigma_1^2 \neq \sigma_2^2$.

Paso 3: Puesto que la hipótesis nula es la afirmación de igualdad y como la hipótesis alternativa no puede contener igualdad, tenemos

$$H_0: \sigma_1^2 = \sigma_2^2 \text{ (afirmación original)} \qquad H_1: \sigma_1^2 \neq \sigma_2^2$$

Paso 4: El nivel de significancia es $\alpha = 0.05$.

Paso 5: Como esta prueba implica dos varianzas poblacionales, utilizamos la distribución F.

Paso 6: El estadístico de prueba es

$$F = \frac{s_1^2}{s_2^2} = \frac{0.08700^2}{0.06194^2} = 1.9729$$

En cuanto a los valores críticos en esta prueba de dos colas, nos remitimos a la tabla A-5 para el área de 0.025 en la cola derecha. Como estipulamos que la varianza más grande se coloca en el numerador para el estadístico de prueba F, necesitamos encontrar solamente el valor crítico de cola derecha. En la tabla de A-5 vemos que el valor crítico de F está entre 1.8752 y 2.0739, que se acerca mucho más a 1.8752.

La interpolación nos da un valor crítico de 1.8951, pero STATDISK, Excel y Minitab proporcionan el valor crítico exacto de 1.8907.

Paso 7: La figura 9-6 indica que el estadístico de prueba $F = 1.9729$ se localiza dentro de la región crítica, por lo tanto, rechazamos la hipótesis nula de varianzas iguales. Existe evidencia suficiente para sustentar el rechazo de la afirmación de desviaciones estándar iguales.

INTERPRETACIÓN Existe evidencia suficiente para sustentar el rechazo de la afirmación de que las dos desviaciones estándar son iguales. La variación entre los pesos de las monedas de 25 centavos acuñadas después de 1964 es significativamente diferente de la variación entre los pesos de las monedas de 25 centavos acuñadas antes de 1964.

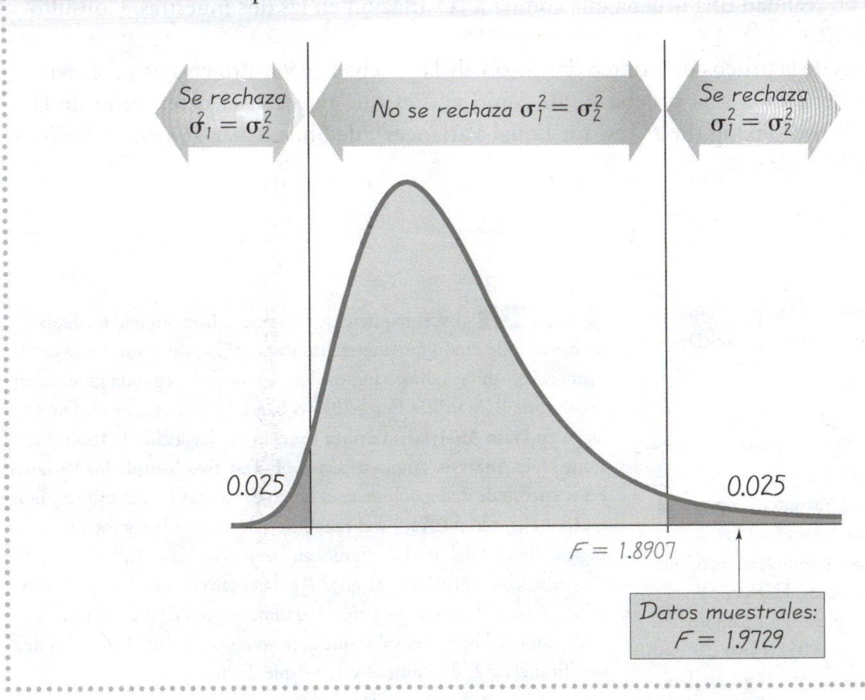

Figura 9-6
Distribución de s_1^2/s_2^2 para pesos de monedas de 25 centavos acuñadas antes y después de 1964

En el ejemplo anterior utilizamos una prueba de dos colas para la afirmación de varianzas iguales. Una prueba de cola derecha produciría el mismo estadístico de prueba $F = 1.9729$, pero un valor crítico de F diferente.

Método del valor *P* e intervalos de confianza En el ejemplo 1 se utiliza el método tradicional para la aplicación de la prueba F. El método del valor P es fácil de usar con programas de cómputo capaces de calcular valores P. Si el valor P es menor que o igual al nivel de significancia, se rechaza la hipótesis nula. ("Si P es bajo, se rechaza la hipótesis nula"). En el ejemplo anterior, STATDISK, Excel, Minitab y la calculadora TI-83/84 Plus dan un valor P de 0.0368. El ejercicio 24 se refiere a la construcción de intervalos de confianza.

Parte 2: Métodos alternativos

En la parte 1 de esta sección se presentó la prueba F para comparar varianzas. Como esa prueba es muy sensible a distribuciones alejadas de la normalidad, a continuación se describen brevemente algunas alternativas que son más robustas.

Conteo de cinco El método del *conteo de cinco* constituye una alternativa para la prueba F y es relativamente sencillo; además, no requiere de poblaciones con distribución normal. (Véase "A Quick, Compact, Two-Sample Dispersion Test: Count Five", de

McGrath y Yeh, *American Statistician*, vol. 59, núm. 1). Si los dos tamaños de muestra son iguales, y una de las muestras tiene al menos cinco de las desviaciones medias absolutas (DMA) más grandes, entonces concluimos que su población tiene una varianza mayor. Véase el ejercicio 21, donde se describe el procedimiento específico.

Prueba Levene-Brown-Forsythe La *prueba Levene-Brown-Forsythe* (o prueba de Levene modificada) es otra alternativa a la prueba F y es mucho más robusta. Esta prueba comienza con una transformación de cada conjunto de valores muestrales. Dentro de la primera muestra, reemplace cada valor x por $|x - \text{mediana}|$ y haga lo mismo en la segunda muestra. Con los valores transformados, realice una prueba t de igualdad de medias para muestras independientes, como se describió en la parte 1 de la sección 9-3. Puesto que los valores transformados ahora son desviaciones, la prueba t para igualdad de medias es en realidad una prueba que compara la variación en las dos muestras. Consulte el ejercicio 22.

Además de la prueba del conteo de cinco y de la prueba Levene-Brown-Forsythe, existen otras alternativas a la prueba F, así como ajustes que mejoran el desempeño de la prueba F. Véase "Fixing the F Test for Equal Variances", de Shoemaker, *American Statistician*, vol. 57, núm. 2.

USO DE LA TECNOLOGÍA

STATDISK Seleccione **Analysis** del menú principal, después seleccione **Hypothesis Testing** o **Confidence Intervals** y luego **StDev-Two Samples.** Ingrese los elementos requeridos en el cuadro de diálogo y después haga clic en el botón **Evaluate**.

MINITAB Obtenga el resumen de estadísticos de ambas muestras o ingrese todos los datos muestrales individuales en dos columnas. Seleccione **Stat,** luego **Basic Statistics** y después **2 Variances.** Aparecerá un cuadro de diálogo: seleccione la opción de "Samples in different columns" y proceda a ingresar los nombres de las columnas, o seleccione "Summarized data" e ingrese el resumen de estadísticos. Haga clic en el botón **Options** e ingrese el nivel de confianza. (Ingrese 0.95 para una prueba de hipótesis con un nivel de significancia de 0.05). Haga clic en **OK** y luego clic en **OK** en el cuadro de diálogo principal. Minitab dará el valor P para una prueba de dos colas; divídalo entre 2 para una prueba de una cola.

En **Minitab 16** también puede hacer clic en **Assistant** y luego en **Hypothesis Tests;** después, seleccione el caso para **2-Sample Standard Deviation.** Complete el cuadro de diálogo, y luego haga clic en **OK** para obtener tres ventanas de resultados que incluyen el valor P y otra información útil.

EXCEL Excel requiere que ingrese la lista original de datos muestrales, de modo que ingrese los datos de la primera muestra en la primera columna A, luego ingrese los valores de la segunda muestra en la columna B. Si utiliza Excel 2010 o Excel 2007, haga clic en **Data,** luego en **Data Analysis;** si utiliza Excel 2003, haga clic en **Tools** y seleccione **Data Analysis.** Ahora seleccione **F-Test Two-Sample for Variances.** En el cuadro de diálogo, ingrese el rango de valores para la primera muestra (por ejemplo A1:A40) y el rango de valores para la segunda muestra. Ingrese el valor del nivel de significancia en el cuadro "Alpha". Excel dará el estadístico de prueba F, el valor P para el caso de una cola y el valor crítico F para el caso de una cola. Para una prueba de dos colas realice dos ajustes: **1.** ingrese el valor que corresponde a la mitad del nivel de significancia y **2.** duplique el valor P que da Excel.

TI-83/84 PLUS Oprima la tecla **STAT,** luego seleccione **TESTS** y después **2-SampFTEST.** Puede utilizar el resumen de estadísticos o los datos que se ingresaron como listas.

Valores críticos de F: Para obtener valores críticos de F, utilice el programa **invf** del sitio Web de este libro.

9-5 Destrezas y conceptos básicos

Conocimientos estadísticos y pensamiento crítico

1. Interpretación de F Al someter a prueba la afirmación de que dos muestras aleatorias simples diferentes de estaturas de hombres provienen de poblaciones con la misma desviación estándar, el autor obtuvo el estadístico de prueba F de 1.010 (con base en datos de la National Health and Nutrition Examination Survey). ¿Qué revela el valor del estadístico de prueba F acerca de los datos muestrales?

2. Distribución F El autor repitió el proceso de seleccionar dos muestras aleatorias diferentes de estaturas de hombres (de datos obtenidos de la National Health and Nutrition Examination Survey). En cada caso, el cociente s_1^2/s_2^2 se registró sin la estipulación de que s_1 es la más grande de las dos desviaciones estándar. Identifique dos propiedades diferentes de la distribución de valores de ese cociente.

3. Robustez ¿Qué significa cuando decimos que la prueba F descrita en esta sección no es *robusta* frente a desviaciones respecto de la normalidad? Mencione dos alternativas que sean más robustas en este sentido.

4. Prueba de normalidad Puesto que la prueba F no es robusta frente a desviaciones respecto de la normalidad, se vuelve necesario verificar que las dos muestras provengan de poblaciones con distribuciones muy cercanas a la normal. Suponga que desea someter a prueba la afirmación de igualdad de desviaciones estándar utilizando las muestras de los niveles de colesterol de hombres y mujeres, incluidas en el conjunto de datos 1 del apéndice B. ¿Cuáles son algunos métodos que se pueden utilizar para verificar la normalidad?

Prueba de hipótesis de varianzas iguales. ***En los ejercicios 5 y 6, someta a prueba la afirmación enunciada. Utilice un nivel de significancia $\alpha = 0.05$ y suponga que todas las poblaciones están distribuidas normalmente.***

5. Tratamiento con cinc Afirmación: Los pesos de bebés nacidos de madres que recibieron placebos varían más que los pesos de los bebés nacidos de madres que recibieron suplementos de cinc (según datos de "The Effect of Zinc Supplementation on Pregnancy Outcome", de Goldenberg, *et al.*, *Journal of the American Medical Association*, vol. 274, núm. 6). A continuación se resumen los resultados muestrales.

Grupo de placebo: $n = 16, \bar{x} = 3088$ g, $s = 728$ g

Grupo de tratamiento: $n = 16, \bar{x} = 3214$ g, $s = 669$ g

6. Pesos de monedas de un centavo Afirmación: Los pesos de monedas de un centavo acuñadas antes de 1983 y los pesos de monedas de un centavo acuñadas después de 1983 muestran la misma cantidad de variación. (Los resultados se basan en el conjunto de datos 20 del apéndice B).

Pesos de monedas de 1¢ acuñadas antes de 1983: $n = 35, \bar{x} = 3.07478$ g, $s = 0.03910$ g

Pesos de monedas de 1¢ acuñadas después de 1983: $n = 37, \bar{x} = 2.49910$ g, $s = 0.01648$ g

7. Interpretación de resultados de cargas sobre latas La carga axial (en libras) de una lata de bebida de cola es el peso máximo que puede aplicarse sobre su cara superior antes de que la lata colapse. Al someter a prueba la afirmación de que las cargas axiales de latas de bebidas de cola que tienen costados con un grosor de 0.0111 pulgadas tienen la misma desviación estándar que las cargas axiales de latas de bebidas de cola que tienen costados con un grosor de 0.0109 pulgadas, obtenemos la siguiente pantalla de la calculadora TI-83/84 Plus. (Los datos originales se incluyen en el conjunto de datos 21 del apéndice B). Utilice la pantalla y un nivel de significancia de 0.01 para someter a prueba la afirmación de que las dos muestras provienen de poblaciones con la misma desviación estándar.

TI-83/84 Plus

```
2-SampFTest
 σ1≠σ2
 F=1.577726851
 p=.0027873066
 Sx1=27.7746881
 Sx2=22.1122677
↓x̄1=281.8057143
```

8. Interpretación de resultados de antigüedad de automóviles de estudiantes y profesores Estudiantes de la universidad del autor seleccionaron al azar muestras de automóviles de estudiantes y de automóviles de profesores, y registraron su antigüedad con base en las calcomanías de registro. Vea la siguiente pantalla de resultados de Excel. ¿Cuál es el valor P de una prueba de hipótesis de igualdad de desviaciones estándar? ¿Hay suficiente evidencia para sustentar la afirmación de que la antigüedad de los automóviles de los profesores y la antigüedad de los automóviles de los estudiantes muestran diferentes cantidades de variación?

EXCEL

F-Test Two-Sample for Variances		
	Variable 1	*Variable 2*
Mean	7.890022573	5.990152447
Variance	13.46556454	13.31957893
Observations	217	152
df	216	151
F	1.010960227	
P(F<=f) one-tail	0.474614068	
F Critical one-tail	1.284757846	

Pruebas de hipótesis de afirmaciones sobre la variación. ***En los ejercicios 9 a 18, someta a prueba la afirmación expresada. Suponga que ambas muestras son aleatorias simples independientes, de poblaciones con distribuciones normales.***

9. Características de línea base En artículos científicos sobre experimentos clínicos, es común que se incluyan *características de línea base* de los diferentes grupos de tratamiento, con fines comparativos. En un artículo acerca de los efectos de diferentes dietas, una tabla de características de línea base reveló que 40 sujetos tratados con la dieta Atkins tuvieron una edad media de 47 años, con una desviación estándar de 12 años. Asimismo, 40 sujetos tratados con la dieta Zone tuvieron una edad media de 51 años y una desviación estándar de 9 años. Utilice un nivel de significancia de 0.05 para someter a prueba la afirmación de que los sujetos de ambos grupos de tratamiento tienen edades con la misma cantidad de variación. ¿Cómo resultan afectadas las comparaciones de los tratamientos si los grupos de tratamiento tienen diferentes características?

10. Distancias de frenado de automóviles Se obtiene una muestra aleatoria de 13 automóviles de cuatro cilindros; se miden sus distancias de frenado y se observa que tienen una media de 137.5 pies, con una desviación estándar de 5.8 pies. Se obtiene una muestra aleatoria de 12 automóviles de seis cilindros y se miden sus distancias de frenado, las cuales tienen una media de 136.3 pies y una desviación estándar de 9.7 pies (de acuerdo con el conjunto de datos 16 del apéndice B). Utilice un nivel de significancia de 0.05 para someter a prueba la afirmación de que las distancias de frenado de los automóviles de cuatro cilindros y las distancias de frenado de los automóviles de seis cilindros tienen la misma desviación estándar.

11. Prueba de los efectos del alcohol Investigadores realizaron un experimento para estudiar los efectos del alcohol. Se registraron los errores en una prueba de destreza visual y motriz de un grupo de tratamiento de 22 personas que bebieron etanol y de otro grupo de 22 personas que recibieron un placebo. Los errores del grupo de tratamiento tienen una desviación estándar de 2.20, y los errores del grupo de placebo tienen una desviación estándar de 0.72 (según datos de "Effects of Alcohol Intoxication on Risk Taking, Strategy, and Error Rate in Visuomotor Performance", de Streufert *et al.*, *Journal of Applied Psychology*, vol. 77, núm. 4). Utilice un nivel de significancia de 0.05 para someter a prueba la afirmación de que el grupo de tratamiento tiene errores que varían más que los errores del grupo de placebo.

12. Tamaño de casas y precio de venta Al utilizar los datos muestrales del conjunto 23 del apéndice B, 21 casas con áreas habitacionales menores de 2000 ft^2 tienen precios de venta con una desviación estándar de \$32,159.73. Hay 19 casas con áreas habitacionales mayores que 2000 ft^2, las cuales tienen precios de venta con una desviación estándar de \$66,628.50. Utilice un nivel de significancia de 0.05 para someter a prueba la afirmación de un agente inmobiliario de que las casas con una superficie mayor que 2000 ft^2 tienen precios de venta con mayor variación que las casas más pequeñas.

13. Tratamiento con imanes para disminuir el dolor Investigadores realizaron un estudio para determinar si los imanes son eficaces en el tratamiento del dolor de espalda, con los resultados que se dan a continuación (según datos de "Bipolar Permanent Magnets for the Treatment of Chronic Lower Back Pain: A Pilot Study", de Collacott, Zimmerman, White y Rindone, Journal of the American Medical Association, vol. 283, núm. 10). Los valores representan mediciones del dolor empleando la escala análoga visual. Utilice un nivel de significancia de 0.05 para someter a prueba la afirmación de que quienes recibieron un tratamiento simulado (similar a un placebo) presentan reducciones del dolor que varían más que las reducciones del dolor en quienes recibieron el tratamiento con imanes.

Reducción en el nivel de dolor después del tratamiento simulado: $n = 20, \bar{x} = 0.44, s = 1.4$

Reducción en el nivel de dolor después del tratamiento con imanes: $n = 20, \bar{x} = 0.49, s = 0.96$

14. Prueba de hipótesis para el efecto del consumo de mariguana en estudiantes universitarios En un estudio sobre los efectos del consumo de mariguana en una universidad se midió la capacidad de memoria de consumidores ocasionales y frecuentes de mariguana, con los resultados que se presentan a continuación (según datos de "The Residual Cognitive Effects of Heavy Marijuana Use in College Students", de Pope y Yurgelun-Todd, *Journal of the American Medical Association*, vol. 275, núm. 7). Utilice un nivel de significancia de 0.05 para someter a prueba la afirmación de que la población de consumidores frecuentes de mariguana tiene una desviación estándar diferente de la de los consumidores ocasionales.

Artículos acomodados correctamente por consumidores ocasionales de mariguana: $n = 64, \bar{x} = 53.3, s = 3.6$

Artículos acomodados correctamente por consumidores frecuentes de mariguana: $n = 65, \bar{x} = 51.3, s = 4.5$

15. Radiación en dientes de leche A continuación se presentan las cantidades de estroncio-90 (en milibecquereles o mBq por gramo de calcio) en una muestra aleatoria simple de dientes de leche obtenidos de residentes de Pensilvania y de residentes de Nueva York, nacidos después de 1979 (según datos de "An Unexpected Rise in Strontium-90 in U.S. Deciduous Teeth in the 1990s", de Mangano *et al., Science of the Total Environment*). Utilice un nivel de significancia de 0.05 para someter a prueba la afirmación de que las cantidades de estroncio-90 de residentes de Pensilvania varían más que las de residentes de Nueva York.

Pensilvania:	155	142	149	130	151	163	151	142	156	133	138	161
Nueva York:	133	140	142	131	134	129	128	140	140	140	137	143

16. IMC de Miss América A continuación se listan los índices de masa corporal (IMC) de ganadoras del concurso Miss América en dos periodos diferentes. Utilice un nivel de significancia de 0.05 para someter a prueba la afirmación de que las ganadoras de ambos periodos tienen valores del IMC con la misma cantidad de variación.

IMC (de ganadoras recientes):	19.5	20.3	19.6	20.2	17.8	17.9	19.1	18.8	17.6	16.8
IMC (de las décadas de 1920 y 1930):	20.4	21.9	22.1	22.3	20.3	18.8	18.9	19.4	18.4	19.1

17. Discriminación Los Revenue Commissioners de Irlanda realizaron un concurso para otorgar ascensos. A continuación se presentan las edades de los solicitantes con éxito y sin éxito (según datos de "Debating the Use of Statistical Evidence in Allegations of Age Discrimination" de Barry y Boland, *American Statistician*, vol. 58, núm. 2). Utilice un nivel de significancia de 0.05 para someter a prueba la afirmación de que ambas muestras provienen de poblaciones con la misma desviación estándar.

Solicitantes sin éxito:	34	37	37	38	41	42	43	44	44	45	45	45
	46	48	49	53	53	54	54	55	56	57	60	
Solicitantes exitosos:	27	33	36	37	38	38	39	42	42	43	43	44
	44	44	45	45	45	45	46	46	47	47	48	48
	49	49	51	51	52	54						

18. Conteos de plaquetas A continuación se incluyen muestras de conteos de plaquetas (número por mm3) de hombres y mujeres elegidos al azar (según datos de la National Health and Nutrition Examination Survey). Los conteos bajos de plaquetas pueden provocar sangrado excesivo, mientras que los conteos muy elevados aumentan el riesgo de una trombosis. Utilice un nivel de significancia de 0.05 para someter a prueba la afirmación de que los hombres y las mujeres tienen conteos de plaquetas con la misma desviación estándar.

Mujeres:	224.0	364.5	468.0	323.5	306.5	264.5	233.0	254.5	463.0
	282.5	307.5	360.5	315.0	284.0	259.5	259.5	369.0	471.0
	198.0	390.0	269.5	344.5	386.5	256.0	226.0	259.0	271.5
Hombres:	264.5	360.0	384.5	171.0	328.5	267.0	238.0	251.0	321.5
	282.5	291.5	164.0	199.5	220.0	245.0	266.0	369.0	210.5
	234.0	244.5	365.5	265.0	225.0				

Grandes conjuntos de datos. ***En los ejercicios 19 y 20, utilice el conjunto de datos indicado del apéndice B. Suponga que ambas muestras son aleatorias simples independientes, de poblaciones que tienen distribuciones normales.***

19. Estudio "Freshman 15" Utilice los pesos muestrales (en kg) de estudiantes universitarios, hombres y mujeres, medidos en el mes de abril de su primer año de estudios, como aparecen en el conjunto de datos 3 del apéndice B. Utilice un nivel de significancia de 0.05 para someter a prueba la afirmación de que, casi al final del primer año de estudios, los pesos de los estudiantes varones varían más que los pesos de sus compañeras.

20. Estaturas Utilice las muestras de estaturas de hombres y mujeres que se incluyen en el conjunto de datos 1 del apéndice B y utilice un nivel de significancia de 0.05 para someter a prueba la afirmación de que las estaturas de los hombres varían más que las estaturas de las mujeres.

9-5 Más allá de lo básico

21. Prueba del conteo de cinco para comparar la variación en dos poblaciones Utilice los pesos originales de monedas de 25 centavos acuñadas antes y después de 1964, incluidas en el conjunto de datos 20 del apéndice B. En vez de utilizar la prueba F como en el ejemplo 1 de esta sección, utilice el siguiente procedimiento para una prueba de "conteo de cinco" de una igualdad de variación. ¿Qué concluye usted?

a) Para la primera muestra, calcule la desviación media absoluta de cada valor. La desviación media absoluta de un valor muestral x es $|x - \bar{x}|$. Ordene los valores de desviación absoluta. Haga lo mismo con la segunda muestra.

b) Permita que c_1 sea el conteo del número de valores de desviación absoluta en la primera muestra que son mayores que el valor de desviación absoluta más grande en la otra muestra. También permita que c_2 sea el conteo del número de valores de desviación absoluta en la segunda muestra que son mayores que el valor de desviación absoluta más grande en la otra muestra. (Uno de estos conteos siempre será igual a cero).

c) Si los tamaños de muestra son iguales ($n_1 = n_2$), utilice el valor crítico de 5. Si $n_1 \neq n_2$, calcule el valor crítico que se muestra a continuación

$$\frac{\log(\alpha/2)}{\log\left(\frac{n_1}{n_1 + n_2}\right)}$$

d) Si $c_1 \geq$ el valor crítico, entonces concluya que $\sigma_1^2 > \sigma_2^2$. Si $c_2 \geq$ el valor crítico, entonces concluya que $\sigma_2^2 > \sigma_1^2$. De cualquier otra forma, no rechace la hipótesis nula de $\sigma_1^2 = \sigma_2^2$.

22. Prueba Levene-Brown-Forsythe para comparar la variación en dos poblaciones Resuelva el ejemplo 1 de esta sección utilizando la prueba Levene-Brown-Forsythe. ¿Qué concluye usted?

23. Cálculo de valores críticos *F* inferiores Para las pruebas de hipótesis de dos colas, la parte 1 requiere que calculemos solo el valor crítico superior. Denotemos este valor por F_D, donde el subíndice indica el valor crítico para la cola derecha. El valor crítico inferior F_I (para la cola izquierda) puede calcularse como sigue: primero intercambie los grados de libertad y después tome el recíproco del valor F resultante encontrado en la tabla A-5. Suponga un nivel de significancia de 0.05 y calcule los valores críticos F_I y F_D para pruebas de hipótesis de dos colas con un tamaño de muestra de 10 y otro tamaño de muestra de 21.

24. Construcción de intervalos de confianza Además de someter a prueba afirmaciones que implican a σ_1^2 y σ_2^2, también podemos construir estimaciones del intervalo de confianza para la proporción σ_1^2/σ_2^2, utilizando la siguiente expresión.

$$\left(\frac{s_1^2}{s_2^2} \cdot \frac{1}{F_D}\right) < \frac{\sigma_1^2}{\sigma_2^2} < \left(\frac{s_1^2}{s_2^2} \cdot \frac{1}{F_I}\right)$$

Aquí F_D y F_I son tal como se describe en el ejercicio 23. Remítase al conjunto de datos 18 del apéndice B y construya un intervalo de confianza del 95% para la razón entre la desviación estándar de los pesos de dulces M&M rojos y la desviación estándar de los pesos de dulces M&M amarillos. ¿Los límites del intervalo de confianza contienen a 1, y que puede concluir si los límites del intervalo de confianza contienen a 1?

Repaso

Dos de las principales actividades de la estadística inferencial son: **1.** la construcción de estimaciones de intervalos de confianza de parámetros poblacionales y **2.** el uso de los métodos de la prueba de hipótesis sobre afirmaciones acerca de parámetros poblacionales. En los capítulos 7 y 8 analizamos la estimación de parámetros poblacionales y los métodos de prueba de hipótesis acerca de parámetros poblacionales; sin embargo, únicamente se consideraron casos con una sola población. En este capítulo consideramos dos muestras obtenidas de dos poblaciones. También se presentaron métodos para construir estimaciones de intervalos de confianza y pruebas de hipótesis para dos proporciones poblacionales (sección 9-2), para las medias de dos poblaciones independientes (sección 9-3), para la diferencia media de dos poblaciones dependientes (sección 9-4), y para dos desviaciones estándar o varianzas poblacionales (sección 9-5).

Conocimientos estadísticos y pensamiento crítico

1. Robustez ¿Qué significa que algunos métodos de este capítulo sean *robustos* frente a desviaciones respecto de la normalidad? ¿Qué método de este capítulo no es robusto frente a desviaciones respecto de la normalidad?

2. Descomunal La palabra inglesa *ginormous* (que significa "descomunal") fue añadida al diccionario Merriam-Webster por la época en que se redactó este ejercicio. AOL realizó una encuesta en línea, en la que preguntó a los usuarios de Internet lo siguiente: "¿Qué piensa de la palabra 'ginormous'?". De los usuarios que decidieron responder, 12,908 aprobaron el término, mientras que 12,224 usuarios lo desaprobaron. ¿Qué nos indican estos resultados acerca del sentimiento de la población general con respecto al término *ginormous*? ¿Qué métodos estadísticos se pueden utilizar con los datos muestrales para hacer inferencias acerca de la población general? Explique.

3. ¿Muestras independientes o dependientes? Un nutriólogo seleccionó una muestra aleatoria simple de 50 latas de Coca-Cola y otra muestra aleatoria simple de cinco latas de Pepsi. Las latas se ordenan en 50 pares, y luego se mide el contenido de azúcar de cada una. ¿Las dos muestras (Coca-Cola y Pepsi) son dependientes o independientes? Explique.

4. Comparación de edades Un empleado del Departamento de Trabajo de Estados Unidos obtiene la edad media de hombres y la edad media de mujeres de cada estado de ese país. Después, utiliza esas medias para construir un intervalo de confianza para la diferencia entre la edad media de hombres en Estados Unidos y la edad media de mujeres en Estados Unidos. ¿Por qué ese procedimiento *no* es válido?

Examen rápido del capítulo

1. Identifique las hipótesis nula y alternativa que resultan de la afirmación de que la proporción de maestros varones en California es mayor que la proporción de maestros varones en Texas.

2. Calcule el valor de la proporción agrupada $\bar{p}$ obtenida al someter a prueba la afirmación de que $p_1 = p_2$, con los datos muestrales $x_1 = 20$, $n_1 = 50$ y $x^2 = 55$, $n_2 = 100$.

3. Calcule el valor del estadístico de prueba que resulta de la prueba de hipótesis descrita en el ejercicio 2.

4. Al someter a prueba la afirmación de que $p_1 = p2$, se obtiene el estadístico de prueba $z = -2.05$. Calcule el valor P.

5. Al someter a prueba la afirmación de que $\mu_1 > \mu_2$, se obtiene un valor P de 0.0001. ¿Cuál es la conclusión final?

6. Identifique las hipótesis nula y alternativa que resultan de la afirmación de que, al comparar las estaturas de hombres con las estaturas de sus esposas, la media de las diferencias es igual a cero. Exprese esas hipótesis en forma simbólica.

7. Identifique las hipótesis nula y alternativa que resultan de la afirmación de que la edad media de los votantes de California es menor que la edad media de los votantes de Iowa.

8. ¿Qué distribución se utiliza para someter a prueba la afirmación de que la desviación estándar de las edades de votantes de Florida es igual a la desviación estándar de votantes de Nueva York? (normal, *t*, chi cuadrada, *F*, binomial).

9. Al someter a prueba la afirmación de que dos poblaciones tienen medias diferentes, se obtiene el valor P de 0.0009. ¿Qué concluye?

10. Verdadero o falso: Al probar una afirmación acerca de las medias de dos poblaciones independientes, la hipótesis alternativa nunca puede contener la condición de igualdad.

Ejercicios de repaso

1. Tratamientos para el síndrome del túnel carpiano El síndrome del túnel carpiano es un problema común de la muñeca, que resulta de la compresión de un nervio, y que a menudo es causado por movimientos repetitivos de la muñeca. En un ensayo aleatorizado y controlado que incluyó a 73 pacientes tratados con cirugía y evaluados un año después, en 67 de ellos el tratamiento tuvo éxito. De 83 pacientes tratados con entablillado y evaluados un año después, en 60 de ellos el tratamiento tuvo éxito (según datos de "Splinting vs Surgery in the Treatment of Carpal Tunnel Syndrome", de Gerritsen *et al.*, *Journal of the American Medical Association*, vol. 288, núm. 10). En un artículo científico acerca del ensayo, los autores afirmaron que "el tratamiento de cirugía para la liberación del túnel carpiano produjo mejores resultados que el tratamiento de entablillado de la muñeca en pacientes con STC (síndrome del túnel carpiano)". Utilice un nivel de significancia de 0.01 para someter a prueba esa afirmación. ¿Qué estrategia de tratamiento sugieren los resultados?

2. Efectos de la cocaína en niños Se realizó un estudio para evaluar los efectos de la exposición a la cocaína antes del nacimiento. Cuando los niños tenían 4 años de edad, se evaluó su habilidad para ensamblar objetos, la cual fue descrita como "una tarea que requiere de destrezas visoespaciales relacionadas con las habilidades matemáticas". Los 190 hijos de consumidoras de cocaína tuvieron una media de 7.3 y una desviación estándar de 3.0. Los 186 niños que no estuvieron expuestos a la cocaína obtuvieron una puntuación media de 8.2, con una desviación estándar de 3.0. (Los datos están basados en "Cognitive Outcomes of Preschool Children with Prenatal Cocaine Exposure", de Singer *et al.*, *Journal of the American Medical Association*, vol. 291, núm. 20). Utilice un nivel de significancia de 0.05 para someter a prueba la afirmación de que la exposición prenatal a la cocaína está asociada con puntuaciones más bajas en niños de cuatro años en la prueba de ensamblar objetos.

3. Conjunto de datos históricos En 1908 "Student" (William Gosset) publicó el artículo "The Probable Error of a Mean" (*Biometrika*, vol. 6, núm. 1). Él incluyó los datos listados más adelante en este ejercicio para dos tipos diferentes de semillas de paja (común y secada al horno) que se utilizaron en terrenos adyacentes. Los valores listados son las cosechas de paja en quintales (cwt) por acre, y las cosechas están pareadas por la parcela de terreno que comparten.

a) Utilice un nivel de significancia de 0.05 y someta a prueba la afirmación de que no existe diferencia entre las cosechas de los dos tipos de semilla.

b) Construya un intervalo de confianza del 95% para la diferencia media entre las cosechas de los dos tipos de semillas.

c) ¿Parece que algún tipo de semilla es mejor?

Común	19.25	22.75	23	23	22.5	19.75	24.5	15.5	18	14.25	17
Secada al horno	25	24	24	28	22.5	19.5	22.25	16	17.25	15.75	17.25

4. Efectos de evaluación ciega De 13,200 resúmenes enviados que fueron evaluados de manera ciega (esto es, sin identificar a los autores ni a las instituciones), el 26.7% se aceptó para su publicación. De 13,433 resúmenes que no se evaluaron de manera ciega, el 29.0% se aceptó (según datos de "Effect of Blinded Peer Review on Abstract Acceptance", de Ross, *et al.*, *Journal of the American Medical Association*, vol. 295, núm. 14). Utilice un nivel de significancia de 0.01 para someter a prueba la afirmación de que la tasa de aceptación es la misma si se evalúa de forma ciega o a sabiendas de quién es el autor. ¿Cómo podrían explicarse los resultados?

5. Comparación de facilidad de lectura de J. K. Rowling y León Tolstoi A continuación se presentan las puntuaciones Flesch de facilidad de lectura, tomadas de páginas elegidas al azar del libro *Harry Potter y la piedra filosofal*, de J. K. Rowling, y del libro *La guerra y la paz*, de León Tolstoi. (Las puntuaciones Flesch más altas de facilidad de lectura indican que un escrito es más fácil de leer). Utilice un nivel de significancia de 0.05 para someter a prueba la afirmación de que es más fácil leer *Harry Potter y la piedra filosofal*, de J. K. Rowling, que *La guerra y la paz*, de León Tolstoi. ¿El resultado es el que se esperaba?

Rowling:	85.3	84.3	79.5	82.5	80.2	84.6	79.2	70.9	78.6	86.2	74.0	83.7
Tolstoy:	69.4	64.2	71.4	71.6	68.5	51.9	72.2	74.4	52.8	58.4	65.4	73.6

6. Efectos antes y después de tomar un fármaco El Captopril es un fármaco diseñado para reducir la presión sanguínea sistólica. Cuando se probó el fármaco con sujetos, se midió su presión sanguínea sistólica (en mm Hg) antes y después del tratamiento con el fármaco, y los resultados se presentan en la siguiente tabla (según datos de "Essential Hypertension: Effect of an Oral Inhibitor of Angiotesin-Converting Enzyme", de MacGregor, *et al.*, *British Medical Journal*, vol. 2).

a) Utilice los datos muestrales para construir un intervalo de confianza del 99% para la diferencia media entre las lecturas anteriores y posteriores al tratamiento.

b) ¿Existe evidencia suficiente para sustentar la afirmación de que el Captopril es eficaz para reducir la presión sanguínea sistólica?

Sujeto	A	B	C	D	E	F	G	H	I	J	K	L
Antes	200	174	198	170	179	182	193	209	185	155	169	210
Después	191	170	177	167	159	151	176	183	159	145	146	177

7. Tabaquismo y género Una muestra aleatoria simple de 280 hombres incluyó a 71 fumadores, y una muestra aleatoria simple de 340 mujeres incluyó a 68 fumadoras (según datos de la National Health and Nutrition Examination Survey). Utilice un nivel de significancia de 0.05 para someter a prueba la afirmación de que la proporción de hombres que fuman es mayor que la proporción de mujeres que fuman.

8. Ingreso y educación Se obtiene una muestra aleatoria simple de 80 empleados con certificado de preparatoria; su ingreso anual tiene una media de $37,622 y una desviación estándar de $14,115. Se obtiene otra muestra aleatoria simple de 39 empleados con título universitario; su ingreso anual tiene una media de $77,689, con una desviación estándar de $24,227. Utilice un nivel de significancia de 0.01 para someter a prueba la afirmación de que los empleados con certificado de preparatoria tienen un ingreso anual medio más bajo que los empleados con título universitario. ¿Resolver este ejercicio contribuye a la obtención de un ingreso más alto?

9. Comparación de variación Utilice los datos muestrales del ejercicio 8 y un nivel de significancia de 0.05, para someter a prueba la afirmación de que las dos muestras provienen de poblaciones con la misma desviación estándar.

10. Comparación de variación Los artículos científicos suelen incluir las *características de línea base* de diferentes grupos de tratamiento. En un estudio, 84 sujetos del grupo de tratamiento obtuvieron puntuaciones en la prueba Mini-Mental State Examination con una media de 18.6 y una desviación estándar de 5.9. En el mismo examen, 69 sujetos del grupo de control tuvieron una puntuación media de 17.5, con una desviación estándar de 5.2 (según datos de "Effectiveness of Collaborative Care for Older Adults With Alzheimer Disease in Primary Care", de Callahan, *et al.*, *Journal of the American Medical Association*, vol. 295, núm. 18). Utilice un nivel de significancia de 0.05 para someter a prueba la afirmación de que las dos muestras provienen de poblaciones con la misma cantidad de variación.

Ejercicios de repaso acumulativo

1. Conteos de palabras A continuación se presenta el número de palabras (en miles) que hombres y mujeres de *parejas* elegidas al azar pronuncian en un día (según datos de "Are Women Really More Talkative Than Men?", de Mehl, Vazire, Ramirez-Esparza, Slatcher y Pennebaker, *Science*, vol. 317, núm. 5834).

Hombres	9	25	16	21	15	8	14	19	8	14
Mujeres	9	12	38	28	21	16	34	20	18	21

a) ¿Las dos muestras son independientes o dependientes? ¿Por qué?

b) Calcule la media, la mediana, la moda, el rango y la desviación estándar de los conteos de palabras para los hombres. Exprese los resultados en las unidades adecuadas.

c) ¿Cuál es el nivel de medición de los datos muestrales? (nominal, ordinal, de intervalo, de razón).

2. Conteos de palabras Utilice los datos muestrales de las parejas del ejercicio 1, y utilice un nivel de significancia de 0.05 para someter a prueba la afirmación de que, entre las parejas, las mujeres hablan más que los hombres.

3. Conteos de palabras Remítase a los datos muestrales del ejercicio 1 y suponga que, en vez de ser parejas, los hombres y las mujeres no están relacionados entre sí, de manera que los valores no están pareados. Utilice un nivel de significancia de 0.05 para someter a prueba la afirmación de que las dos muestras provienen de poblaciones con la misma media.

4. Intervalo de confianza para conteos de palabras Utilice los conteos de palabras de los hombres incluidos en el ejercicio 1 y construya un intervalo de confianza del 95% para el número de palabras que los hombres en una relación de pareja pronuncian en un día.

5. Construcción de una distribución de frecuencias Las distribuciones de frecuencias generalmente se utilizan para conjuntos de datos más grandes que las muestras del ejercicio 1; sin embargo, construya una distribución de frecuencias que resuma el conteo de palabras de los hombres. Utilice una anchura de clase de 4 y un límite inferior igual a 6 para la primera clase.

6. Distribución normal Suponga que el número de palabras que los hombres pronuncian en un día se distribuye de manera normal, con una media de 15,000 palabras y una desviación estándar de 6000 palabras.

a) Si se selecciona un hombre al azar, calcule la probabilidad de que pronuncie más de 17,000 palabras en un día.

b) Si se seleccionan 9 hombres al azar, calcule la probabilidad de que la media del número de palabras que pronuncian en un día sea mayor que 17,000.

c) Calcule P_{90}.

7. Tamaño de muestra para encuesta Ford Motor Company está considerando nombrar *Chameleon* a su nuevo modelo de automóvil híbrido. La división de marketing desea realizar una encuesta para estimar el porcentaje de dueños de automóvil que responden afirmativamente al preguntarles si el nombre *Chameleon* transmite una imagen positiva. ¿A cuántos dueños de automóviles se debe encuestar para tener una confianza del 90% de que el error del porcentaje muestral no rebasa los 2.5 puntos porcentuales?

8. Encuesta sobre discriminación En una encuesta de ejecutivos, se les preguntó si habían sido testigos de discriminación por género dentro de su compañía. De los que respondieron, 126 afirmaron haber sido testigos de este tipo de discriminación, y 250 dijeron no haberla observado (según datos de Ladders.com). Utilice los resultados muestrales para construir un intervalo de confianza del 95% para el porcentaje de ejecutivos que han sido testigos de discriminación por género dentro de su compañía.

9. Estudiantes que trabajan Suponga que el 50% de los estudiantes universitarios de tiempo completo tienen un empleo (de acuerdo con datos del Departamento de Educación y de *USA Today*). También suponga que se obtiene una muestra aleatoria simple de 50 estudiantes universitarios de tiempo completo.

a) Para muestras aleatorias simples de grupos de 50 estudiantes universitarios de tiempo completo, ¿cuál es la media del número de estudiantes que tienen un empleo?

b) Para muestras aleatorias simples de grupos de 50 estudiantes universitarios de tiempo completo, ¿cuál es la desviación estándar del número de estudiantes que tienen un empleo?

c) Calcule la probabilidad de que, de 50 estudiantes universitarios de tiempo completo elegidos al azar, al menos 20 tengan un empleo.

10. Rechazo de armas de fuego En un año reciente, el 1.6% de las solicitudes de transferencia de armas de fuego fueron rechazadas (según datos del U.S. Bureau of Justice Statistics). Si se seleccionan al azar 20 solicitudes de este tipo, calcule la probabilidad de que ninguna de ellas sea rechazada. ¿Un evento como este es inusual? ¿Por qué?

Proyecto tecnológico

Los programas STATDISK, Minitab y Excel, la calculadora TI-83/84 Plus y muchos otros paquetes estadísticos de cómputo pueden generar datos distribuidos normalmente, obtenidos de una población con una media y una desviación estándar especificadas. Las puntuaciones de CI de la Escala Wechsler de Inteligencia para Adultos (WAIS) se distribuyen de manera normal, con una media de 100 y una desviación estándar de 15. Genere dos conjuntos de datos muestrales que representen puntuaciones de CI simuladas, como se muestra a continuación.

Puntuaciones de CI del grupo de tratamiento: Genere 10 valores muestrales a partir de una población distribuida normalmente con media 100 y desviación estándar 15.

Puntuaciones de CI del grupo de placebo: Genere 12 valores muestrales de una población distribuida normalmente, con media 100 y desviación estándar 15.

STATDISK: Seleccione **Data,** luego seleccione **Normal Generator.**

Minitab: Seleccione **Calc, Random Data, Normal.**

Excel: Si utiliza Excel 2007, seleccione **Data**; si utiliza Excel 2003, seleccione **Tools.** Después elija **Data Analysis, Random Number Generator,** y asegúrese de seleccionar **Normal** para la distribución.

TI-83/84 Plus: Oprima MATH, seleccione **PRB** y luego **randNorm(** y proceda a ingresar la media, la desviación estándar y el número de puntuaciones (como 100, 15, 10).

Como se dará cuenta, por la forma en que los datos se generan, ambos conjuntos de datos provienen de la misma población, de manera que no debería existir ninguna diferencia entre las dos medias muestrales.

a) Después de generar los dos conjuntos de datos, utilice un nivel de significancia de 0.10 para someter a prueba la afirmación de que las dos muestras provienen de poblaciones con la misma media.

b) Si este experimento se repitiera muchas veces, ¿cuál sería el porcentaje esperado de ensayos que nos llevarían a la conclusión de que las dos medias poblacionales son diferentes? ¿Cómo se relaciona esto con un error tipo I?

c) Si sus datos generados lo llevaran a la conclusión de que las dos medias poblacionales son diferentes, ¿sería en realidad correcta o incorrecta esta conclusión? ¿Cómo lo sabe?

d) Si el inciso *a)* se repitiera 20 veces, ¿cuál es la probabilidad de que ninguna de las pruebas de hipótesis nos conduzca al rechazo de la hipótesis nula?

e) Repita el inciso *a)* 20 veces. ¿Con qué frecuencia se rechazó la hipótesis nula de medias iguales? ¿Es este el resultado que usted esperaba?

PROYECTO DE INTERNET

Comparación de poblaciones

Visite: **www.pearsonenespañol.com/triola**

El capítulo anterior le presentó métodos para realizar pruebas de hipótesis acerca de una sola población. Este capítulo amplía esas ideas, permitiéndole someter a prueba hipótesis acerca de las relaciones entre dos poblaciones. De forma similar, el proyecto de Internet para este capítulo difiere del proyecto del capítulo anterior en que usted necesitará datos de dos poblaciones o grupos para realizar las investigaciones.

En este proyecto de Internet encontrará varios problemas de prueba de hipótesis que implican múltiples poblaciones. En esos problemas, usted analizará la justicia en las remuneraciones, la demografía y la superstición tradicional. En cada caso formule el problema como una prueba de hipótesis, reúna datos relevantes y después realice y resuma la prueba adecuada.

PROYECTO APPLET

Abra el archivo de applets que está en el sitio Web del libro y haga doble clic en **Start.** Seleccione **Simulate the probability of a head with an unfair coin [$P(H) = 0.2$]** del menú. Obtenga resultados simulados de 100 lanzamientos, luego seleccion **Simulate the probability of a head with a fair coin** del menú. Obtenga resultados simulados de 100 lanzamientos. Utilice los métodos de esta sección para someter a prueba la igualdad de la proporción de caras con la moneda cargada y la proporción de caras con la moneda legal. Repita ambas simulaciones usando 1000 lanzamientos y repita la prueba de hipótesis. ¿Qué concluye?

DE LOS DATOS A LA DECISIÓN

Pensamiento crítico: ¿En los premios de la Academia hay discriminación por edad?

A continuación se presentan las edades de actrices y actores en el momento de ganar el Óscar por las categorías de mejor actriz y de mejor actor. Las edades aparecen en orden cronológico por renglón, de manera que las ubicaciones correspondientes en las dos tablas corresponden al mismo año. (*Notas:* En 1968 hubo un empate en la categoría de mejor actriz, y se utilizó la media de las dos edades; en 1932 hubo un empate en la categoría de mejor actor, y se utilizó la media de las dos edades. Los datos fueron sugeridos por el artículo "Ages of Oscar-winning Best Actors and Actresses", de Richard Brown y Gretchen Davis, publicado en la revista *Mathematics Teacher*. En dicho artículo, el año de nacimiento del ganador se restó del año en que se celebró la ceremonia de premiación, pero las edades en las siguientes tablas se basan en la fecha de nacimiento del ganador y la fecha de la ceremonia de premiación).

Análisis de los resultados

1. Primero *explore* los datos utilizando estadísticos y gráficas adecuadas. Use los resultados para hacer comparaciones informales.
2. Determine si existen diferencias significativas entre las edades de las mejores actrices y las edades de los mejores actores. Utilice pruebas de hipótesis adecuadas. Describa los métodos empleados y las conclusiones.
3. Analice las implicaciones culturales de los resultados. ¿Parece que las actrices y los actores fueron juzgados estrictamente con base en sus habilidades histriónicas? ¿O parece haber discriminación por la edad, de modo que las mejores actrices tienden a ser más jóvenes que los mejores actores? ¿Observa alguna otra diferencia evidente?

Mejores actrices

22	37	28	63	32	26	31	27	27	28
30	26	29	24	38	25	29	41	30	35
35	33	29	38	54	24	25	46	41	28
40	39	29	27	31	38	29	25	35	60
43	35	34	34	27	37	42	41	36	32
41	33	31	74	33	50	38	61	21	41
26	80	42	29	33	35	45	49	39	34
26	25	33	35	35	28	30	29	61	

Mejores actores

44	41	62	52	41	34	34	52	41	37
38	34	32	40	43	56	41	39	49	57
41	38	42	52	51	35	30	39	41	44
49	35	47	31	47	37	57	42	45	42
44	62	43	42	48	49	56	38	60	30
40	42	36	76	39	53	45	36	62	43
51	32	42	54	52	37	38	32	45	60
46	40	36	47	29	43	37	38	45	

Actividades de trabajo en equipo

1. Actividad fuera de clase Encuesten a parejas casadas y registren el número de tarjetas de crédito de cada persona. Analicen los datos pareados para determinar si los maridos tienen más tarjetas de crédito, si las esposas tienen más tarjetas de crédito o si ambos tienen aproximadamente la misma cantidad de tarjetas de crédito. Traten de identificar las razones de cualquier discrepancia.

2. Actividad fuera de clase Midan y registren la estatura del esposo y la estatura de la esposa de varias parejas casadas diferentes. Estimen la media de las diferencias entre las estaturas de los hombres y las estaturas de sus esposas. Comparen el resultado con la diferencia entre la estatura media de los hombres y la estatura media de las mujeres del conjunto de datos 1 del apéndice B. ¿Los resultados sugieren que la estatura es un factor importante al elegir parejas para casarse?

3. Actividad fuera de clase ¿Las estimaciones se ven afectadas por números anclados? Remítase a la actividad de cooperación en grupos relacionada en el capítulo 3. En ese capítulo señalamos que, según el autor John Rubin, cuando las personas tienen que estimar un valor, su estimación suele estar "anclada" a (o influida por) un número anterior. En esa actividad del capítulo 3, se pidió a algunos sujetos que estimaran rápidamente el valor de $8 \times 7 \times 6 \times 5 \times 4 \times 3 \times 2 \times 1$, y a otros se les pidió que estimaran rápidamente el valor de $1 \times 2 \times 3 \times 4 \times 5 \times 6 \times 7 \times 8$. En el capítulo 3 pudimos comparar los dos conjuntos de resultados utilizando estadísticos (como la media) y gráficas (como las gráficas de caja). Ahora los métodos del capítulo 9 nos permiten comparar los resultados con una prueba formal de hipótesis. En específico, reúnan sus propios datos muestrales y sometan a prueba la afirmación de que cuando comenzamos con números mayores (como en $8 \times 7 \times 6$), nuestras estimaciones tienden a ser más grandes.

4. Actividad en clase Dividan la clase en grupos de acuerdo al género, con alrededor de 10 o 12 estudiantes en cada grupo. Cada miembro del grupo deberá registrar su pulso contando el número de latidos en un minuto; luego se calcularán los estadísticos del grupo (n, $\bar{x}$ y s). Los grupos deben someter a prueba la hipótesis nula de que no hay diferencia entre sus pulsos medios y la media del pulso de la población de la que se seleccionaron los sujetos del mismo género para el conjunto de datos 1 en el apéndice B.

5. Actividad fuera de clase Seleccionen al azar una muestra de estudiantes varones y otra de estudiantes mujeres; pregunten a cada persona seleccionada si apoya la pena de muerte para individuos sentenciados por homicidio o si cree que el gobierno debe apoyar la investigación sobre las células madre. Registren la respuesta, el género del participante y el género de la persona que plantea la pregunta. Utilicen una prueba formal de hipótesis para determinar si existe una diferencia entre la proporción de respuestas afirmativas de hombres y mujeres. Además, determinen si las respuestas parecen verse influidas por el género del entrevistador.

6. Actividad fuera de clase Utilicen un reloj para registrar los tiempos de espera de una muestra de clientes de McDonald's y los tiempos de espera de una muestra de clientes de Burger King. Realicen una prueba de hipótesis para determinar si existe una diferencia significativa.

7. Actividad fuera de clase Elaboren una encuesta breve, de solo unas cuantas preguntas, incluyendo una pregunta que pida al sujeto que reporte su estatura. Cuando el sujeto termine de responder la encuesta, midan su estatura (sin zapatos) por medio de un sistema de medición exacto. Registren el género, la estatura reportada y la estatura medida de cada sujeto. ¿Parece que los hombres exageran su estatura? ¿Parece que las mujeres exageran su estatura? ¿Parece que los errores de los hombres tienen la misma media que los errores de las mujeres?

8. Actividad en clase Sin utilizar un instrumento de medición, cada estudiante debe dibujar una línea que, según sus cálculos, mida 3 pulgadas de longitud y luego otra línea de 3 cm de longitud. Luego, utilicen reglas para medir y registrar las longitudes de las líneas dibujadas. Registren los errores y el género de los estudiantes que hicieron las estimaciones. Sometan a prueba la afirmación de que, cuando se estima la longitud de una línea de 3 pulgadas, el error medio de los hombres es igual al error medio de las mujeres. Asimismo, ¿los resultados indican que comprendemos mejor el sistema de medida inglés (pulgadas) que el sistema decimal (centímetros)?

9. Actividad en clase Utilicen una regla para medir el tiempo de reacción. Una persona debe suspender la regla sosteniéndola de un extremo, mientras el sujeto de estudio coloca sus dedos pulgar e índice en el extremo inferior, preparado para atrapar la regla cuando sea soltada. Registren la distancia que cae la regla antes de ser atrapada. Conviertan esa distancia en el tiempo (en segundos) que tardó el sujeto en reaccionar y atrapar la regla. (Si la distancia se mide en pulgadas, utilicen $t = \sqrt{d/192}$. Si la distancia se mide en centímetros, utilicen $t = \sqrt{d/487.68}$.) Realicen la prueba a cada sujeto una vez con la mano dominante y una vez con la otra mano, y luego registren los datos pareados. ¿Al parecer existe una diferencia entre la media de los tiempos de reacción de la mano dominante y la media de la otra mano? ¿Los hombres y las mujeres parecen tener diferentes tiempos de reacción?

10. Actividad fuera de clase Obtengan muestras aleatorias simples de automóviles en los estacionamientos de estudiantes y profesores, y sometan a prueba la afirmación de que los estudiantes y los profesores tienen la misma proporción de automóviles de marca japonesa.

11. Actividad fuera de clase Obtengan muestras aleatorias simples de automóviles en el estacionamiento de una tienda de descuento y de una lujosa tienda departamental, y sometan a prueba la afirmación de que los automóviles en el estacionamiento de la lujosa tienda departamental son de modelo más reciente.

12. Actividad fuera de clase Obtengan datos muestrales y sometan a prueba la afirmación de que los esposos son mayores que sus esposas.

13. Actividad fuera de clase Obtengan una muestra para someter a prueba la afirmación de que, en la biblioteca de la universidad, los libros de ciencias tienen una antigüedad media menor que la antigüedad media de los libros de inglés.

14. Actividad fuera de clase Obtengan datos muestrales y sometan a prueba la afirmación de que, cuando las personas reportan su estatura, tienden a dar valores que son mayores que los de su estatura real.

15. Actividad fuera de clase Realicen experimentos y reúnan datos para someter a prueba la afirmación de que no hay diferencias entre el sabor del agua simple ordinaria y diferentes marcas de agua embotellada.

16. Actividad fuera de clase Reúnan datos muestrales para someter a prueba la afirmación de que la gente que hace ejercicio suele tener pulsos más bajos que las personas que no se ejercitan.

17. Actividad fuera de clase Reúnan datos muestrales y sometan a prueba la afirmación de que la proporción de estudiantes mujeres que fuman es igual a la proporción de estudiantes varones que fuman.

NOMBRE: Mark T. Lycett

PUESTO: Profesor e investigador del Departamento de Antropología, en la Universidad de Chicago

NOMBRE: Kathleen Morrison

PUESTO: Profesora e investigadora del Departamento de Antropología, en la Universidad de Chicago

Mark T. Lycett y Kathleen Morrison forman parte del personal docente del Departamento de Antropología en la Universidad de Chicago. La investigación del doctor Lycett se relaciona con temas de transformación económica, social y política asociados con el colonialismo español en el suroeste de Estados Unidos, y la investigación de la doctora Morrison en el sur de India trata con problemas de cambios en la agricultura, el imperialismo y la organización económica regional.

¿Qué tan importante es la estadística en la arqueología?

Sería imposible realizar investigación arqueológica sin tener al menos un conocimiento funcional de estadística básica.

¿Qué conceptos de estadística utilizan ustedes?

Los arqueólogos hacemos un uso extensivo de la estadística descriptiva e inferencial a diario. El análisis exploratorio de datos mediante una variedad de resúmenes gráficos y numéricos cada vez es más común en la arqueología moderna. Los problemas arqueológicos incluyen estudios de asociación para variables categóricas, pruebas de hipótesis para datos de dos muestras y *k* muestras, problemas de correlación y regresión, así como una serie de métodos no paramétricos.

Por favor, expongan un ejemplo específico que ilustre el uso de la estadística en su trabajo.

Hemos explorado la distribución del tamaño de granos de polen de plantas antiguas para investigar los cambios en la agricultura en el Viejo Mundo y en América durante los primeros siglos de la expansión colonial europea. Aunque casi todos los cultivos importantes son de plantas con polen morfológicamente similar, los cultivos alimenticios básicos del Nuevo Mundo (como el maíz) tienen granos de polen mucho más grandes que la hierba silvestre, en tanto que los cultivos del Viejo Mundo (principalmente de trigo, cebada y arroz) son de tamaño intermedio. Estudiando la distribución de tamaño de muestras de referencia de estos cultivos alimenticios, así como el polen de pasto fosilizado a partir de contextos arqueológicos, hemos logrado especificar el rango de los cultivos que se introdujeron y crecieron en lugares del periodo colonial en Nuevo México y la India.

Nuestros datos se han utilizado para hacer inferencias acerca del número y el tipo de lugares arqueológicos que existieron en nuestras áreas de estudio, para reconstruir patrones de vegetación, de agricultura y de economía del pasado, así como para estudiar los efectos del colonialismo y el imperialismo en las prácticas sociales, económicas y religiosas locales.

¿El uso que ustedes hacen de la probabilidad y la estadística está aumentando, disminuyendo o se mantiene estable?

El número y la variedad de aplicaciones estadísticas en la arqueología va en aumento, particularmente a medida que las bases de datos espaciales más complejas se vuelven disponibles a través del uso muy difundido de la tecnología de los Sistemas de Información Geográfica.

En términos de la estadística, ¿qué recomendarían a los futuros empleados en el campo de la arqueología?

Cuando éramos estudiantes universitarios, comprendimos que la estadística sería parte de nuestras vidas profesionales, pero nunca imaginamos cuánto la utilizaríamos diariamente. Los estudiantes interesados en la arqueología deberían comenzar con un curso introductorio de probabilidad y estadística. Aquellos con metas profesionales o académicas deben considerar un curso más avanzado en la licenciatura o a nivel de posgrado en análisis de datos cuantitativos.

10 Correlación y regresión

PROBLEMA DEL CAPÍTULO

¿Podemos predecir el precio del boleto del metro a partir del precio de una rebanada de pizza?

En 1964, Eric Bram, un típico adolescente de la ciudad de Nueva York, observó que el precio de una rebanada de pizza con queso era igual al precio de un boleto del metro. Con el paso de los años, se dio cuenta de que ambos precios aumentaban aproximadamente en la misma cantidad. En 1980, cuando se incrementó el precio de una rebanada de pizza, Bram comunicó al *New York Times* que el precio del boleto del metro aumentaría, y su predicción resultó correcta.

En el reciente artículo del *New York Times* titulado "Will Subway Fares Rise? Check Your Pizza Place", el reportero Clyde Haberman escribió que en la ciudad de Nueva York el precio del boleto del metro y el de una rebanada de pizza "han tenido un paralelismo sorprendente durante décadas". En la tabla 10-1 se presenta una muestra aleatoria de los precios (en dólares) de pizza y del boleto del metro. La tabla también incluye valores del Índice de precios al consumidor (IPC) para la región metropolitana de Nueva York, donde se asignó un índice de 100 al periodo base de 1982 a 1984. El Índice de precios al consumidor refleja los precios de un conjunto estándar de bienes y servicios, incluyendo artículos como un galón de leche y una barra de pan.

Tabla 10-1 Precio de una rebanada de pizza, tarifa del metro y el IPC

Año	1960	1973	1986	1995	2002	2003
Precio de pizza	0.15	0.35	1.00	1.25	1.75	2.00
Tarifa del metro	0.15	0.35	1.00	1.35	1.50	2.00
IPC	30.2	48.3	112.3	162.2	191.9	197.8

En la tabla 10-1 podemos ver que los precios pareados de la pizza y el boleto del metro son aproximadamente los mismos para los años considerados. Como primer paso, debemos examinar los datos de manera visual. En la sección 2-4 vimos que un diagrama de dispersión es una gráfica de los datos pareados (x, y). El patrón de los puntos graficados a menudo sirve para determinar si existe una *correlación* o asociación entre las dos variables. El diagrama de dispersión generado por Minitab que se muestra en la figura 10-1 sugiere que hay una correlación entre el precio de una rebanada de pizza y el precio de un boleto del metro. Puesto que una conclusión informal basada en la inspección del diagrama de dispersión sería muy subjetiva, debemos utilizar otras herramientas para responder preguntas como las siguientes:

- Si hay una correlación entre dos variables, ¿cómo se puede describir? ¿Hay alguna *ecuación* que permita predecir el precio de un boleto del metro, a partir del precio de una rebanada de pizza?
- Si pudiéramos predecir el precio de un boleto del metro, ¿qué tan exacta sería la predicción?
- ¿Existe también una correlación entre el IPC y el precio de un boleto del metro? Si es así, ¿el IPC es mejor para predecir el precio de un boleto del metro?

En este capítulo se responderán estas preguntas.

MINITAB

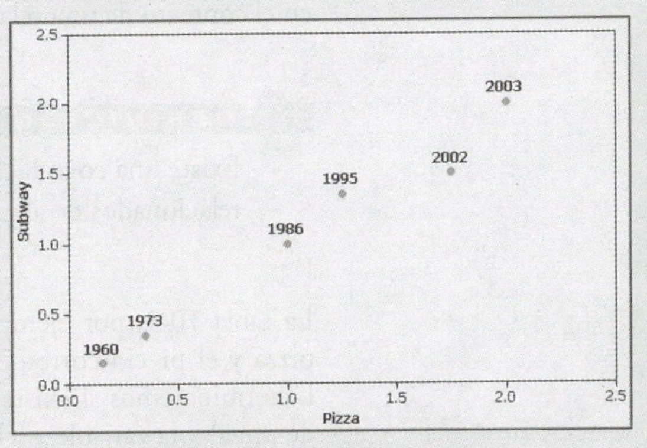

Figura 10-1 Diagrama de dispersión de los precios de la pizza y del boleto del metro

10-1 Repaso y preámbulo

En el capítulo 9 se presentaron métodos para hacer inferencias a partir de dos muestras. En la sección 9-4 se consideraron dos muestras dependientes, donde cada valor de una muestra está asociado de alguna forma con un valor de la otra. En esa sección también se estudiaron las diferencias entre los valores pareados, y se ilustró el uso de la prueba de hipótesis sobre afirmaciones acerca de la población de diferencias. También se exploró la construcción de estimaciones de intervalos de confianza para la media de este tipo de diferencias. En el presente capítulo consideramos nuevamente datos muestrales pareados, aunque el objetivo difiere fundamentalmente del de la sección 9-4. Este capítulo presenta métodos para determinar si existe una *correlación* o asociación entre dos variables, y si la correlación es lineal. En el caso de las correlaciones lineales, podemos identificar la ecuación que se ajusta mejor a los datos, y podemos utilizar esa ecuación para predecir el valor de una variable a partir del valor de la otra variable. En este capítulo también se presentan métodos para analizar diferencias entre valores predichos y valores reales. Asimismo, estudiamos métodos que permitan identificar ecuaciones lineales para correlaciones entre tres o más variables. Concluiremos el capítulo con algunos métodos básicos para desarrollar un modelo matemático que permita describir correlaciones no lineales entre dos variables.

10-2 Correlación

Concepto clave En la parte 1 de esta sección se explica el *coeficiente de correlación lineal r*, que es una medida numérica de la fuerza de la relación entre dos variables que representan datos cuantitativos. Utilizando datos muestrales pareados (que en ocasiones se llaman **datos bivariados**), calculamos el valor de r (generalmente con la ayuda de recursos tecnológicos) y luego utilizamos este valor para concluir que existe (o no) una relación entre las dos variables. En esta sección solo consideramos las relaciones *lineales,* lo que quiere decir que cuando se grafican los puntos, se aproximan al patrón de una línea recta. En la parte 2, analizaremos métodos para pruebas de hipótesis de correlaciones.

Parte 1: Conceptos básicos de correlación

Iniciamos con la definición básica de *correlación*, un término que se utiliza comúnmente en el contexto de una relación entre dos variables.

DEFINICIÓN

Existe una **correlación** entre dos variables cuando los valores de una de ellas están relacionados de alguna manera con los valores de la otra.

La tabla 10-1, por ejemplo, consiste en datos pareados del precio de una rebanada de pizza y el precio correspondiente de un boleto del metro en la ciudad de Nueva York. Determinaremos si existe una correlación entre la variable x (el precio de una rebanada de pizza) y la variable y (el precio de un boleto del metro).

Exploración de los datos

Antes de realizar cualquier análisis estadístico formal, primero debemos utilizar un diagrama de dispersión para explorar los datos de manera visual. Podemos examinar el diagrama de dispersión para ver si existen patrones diferentes y valores atípicos, que son los puntos que se alejan mucho de los demás valores. Si los puntos graficados muestran un patrón distintivo, podemos concluir que existe una correlación entre las dos variables en una muestra de datos pareados.

La figura 10-2 muestra cuatro diagramas de dispersión con características diferentes. El diagrama de dispersión de la figura 10-2*a*) presenta una recta distintiva o un patrón lineal. Decimos que existe una correlación *positiva* entre *x* y *y*, cuando a los valores crecientes de *x* les corresponden valores crecientes de *y*. El diagrama de dispersión de la figura 10-2*b*) presenta un patrón lineal distintivo. Decimos que existe una correlación *negativa* entre *x* y *y*, cuando a los valores crecientes de *x* les corresponden valores decrecientes de *y*. En el diagrama de dispersión de la figura 10-2*c*) no se observa un patrón distintivo, lo que sugiere que no hay una correlación entre *x* y *y*. El diagrama de dispersión de la figura 10-2*d*) exhibe un patrón distintivo que sugiere una correlación entre *x* y *y*, pero no se trata de un patrón lineal.

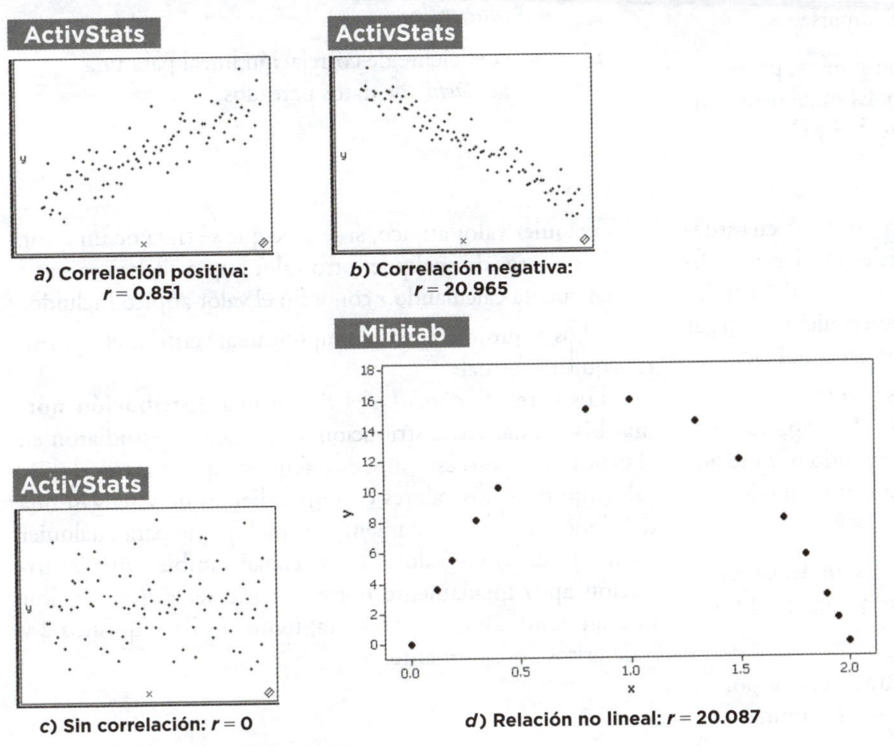

***a*) Correlación positiva: $r = 0.851$**

***b*) Correlación negativa: $r = 20.965$**

***c*) Sin correlación: $r = 0$**

***d*) Relación no lineal: $r = 20.087$**

Figura 10-2 Diagramas de dispersión

Coeficiente de correlación lineal

Puesto que las conclusiones que se basan en el examen visual de los diagramas de dispersión son muy subjetivas, necesitamos medidas más objetivas. Empleamos el coeficiente de correlación lineal *r*, que sirve para detectar patrones lineales.

DEFINICIÓN

El **coeficiente de correlación lineal *r*** mide la fuerza de la relación lineal entre los valores cuantitativos pareados *x* y *y* en una *muestra*. [Su valor se calcula con la fórmula 10-1 o la 10-2, que aparecen en el recuadro de la página 520. El coeficiente de correlación lineal también se conoce como **coeficiente de correlación producto momento de Pearson**, en honor de Karl Pearson (1857-1936), quien lo desarrolló originalmente].

Puesto que el coeficiente de correlación lineal *r* se calcula utilizando datos muestrales, se trata de un estadístico muestral empleado para medir la fuerza de la correlación lineal entre *x* y *y*. Si tuviéramos cada par de los valores poblacionales de *x* y *y*, el resultado de la fórmula 10-1 o de la 10-2 sería un parámetro poblacional, representado por ρ (la letra griega rho).

¿Los conductores foráneos que rebasan el límite de velocidad son multados con mayor frecuencia?

¿Es más probable que la policía multe a un conductor foráneo que a un conductor local? Michael Makowsky y Thomas Stratmann, investigadores de la Universidad George Mason, analizaron esta pregunta al examinar más de 60,000 advertencias y multas impuestas por la policía de Massachusetts durante un año. Los autores encontraron que los conductores foráneos tenían un 10% más de probabilidad de ser multados que los conductores locales, y la cifra del 10% llegó al 20% en el caso de los conductores que eran de otro estado. También encontraron una relación estadística entre la economía de la ciudad y las multas por exceso de velocidad. Los conductores foráneos, comparados con los conductores locales, tenían un 37% más probabilidad de ser multados al exceder la velocidad límite en una ciudad donde los votantes habían rechazado la propuesta de aumentar los impuestos en una cantidad 2.5% mayor que lo permitido por las leyes estatales. Estos análisis son posibles gracias a los métodos de correlación y regresión.

Objetivo

Determinar si existe una correlación lineal entre dos variables.

Notación para el coeficiente de correlación lineal

n = número de pares de datos muestrales

Σ denota la suma de los elementos indicados.

Σx = suma de todos los valores de x.

Σx^2 indica que cada valor de x debe elevarse al cuadrado y que después deben sumarse.

$(\Sigma x)^2$ indica que los valores de x deben sumarse para luego elevar el total al cuadrado. Es sumamente importante evitar confundirse entre Σx^2 y $(\Sigma x)^2$.

Σxy indica que cada valor de x debe multiplicarse primero por su valor correspondiente de y. Después de obtener todos estos productos, se calcula la suma.

r = coeficiente de correlación lineal para datos *muestrales*.

ρ = coeficiente de correlación lineal para una *población* de datos pareados.

Requisitos

Cuando nos enfrentamos a un conjunto de datos cuantitativos muestrales pareados, siempre se puede calcular el coeficiente de correlación lineal r, pero se deben satisfacer los siguientes requisitos al utilizar los datos muestrales para llegar a una conclusión acerca de una correlación en la población.

1. La muestra de datos pareados (x, y) es una muestra aleatoria simple de datos cuantitativos. (Es importante que los datos muestrales no se hayan reunido por medio de algún método inadecuado, como una muestra de respuesta voluntaria).
2. El examen visual del diagrama de dispersión debe confirmar que los puntos se acercan al patrón de una línea recta.
3. Como los resultados se pueden ver muy afectados por la presencia de valores atípicos, es necesario eliminar cualquier valor atípico, si se sabe que se trata de un error. Los efectos de cualquier otro valor atípico deben tomarse en cuenta calculando r con y sin el valor atípico incluido.

Nota: Los requisitos 2 y 3 se simplifican al verificar el siguiente requisito formal:

Los pares de datos (x, y) tienen una **distribución normal bivariada**. Las distribuciones normales se estudiaron en el capítulo 6, pero este supuesto requiere que, para cualquier valor fijo de x, los valores correspondientes de y tengan una distribución aproximadamente normal, y que para cualquier valor fijo de y, los valores de x tengan también una distribución aproximadamente normal. Suele ser difícil verificar este supuesto, así que, por ahora, usaremos los requisitos 2 y 3 descritos anteriormente.

Fórmulas para calcular r

Fórmula 10-1

$$r = \frac{n(\Sigma xy) - (\Sigma x)(\Sigma y)}{\sqrt{n(\Sigma x^2) - (\Sigma x)^2}\sqrt{n(\Sigma y^2) - (\Sigma y)^2}}$$

Esta forma breve simplifica los cálculos manuales, aunque por lo general r se calcula por medio de un programa de cómputo o una calculadora.

Fórmula 10-2

$$r = \frac{\sum (z_x z_y)}{n - 1}$$

donde z_x es la puntuación z para el valor muestral x, y z_y es la puntuación z para el valor muestral y.

Interpretación del coeficiente de correlación lineal r

- ***Uso de un programa de cómputo para interpretar r:*** Si el valor P calculado de r es menor que o igual al nivel de significancia, se concluye que existe una correlación lineal. De lo contrario, no existe evidencia suficiente para sustentar la conclusión de una correlación lineal.
- ***Uso de la tabla A-6 para interpretar r:*** Si el valor absoluto de r, que se denota con $|r|$, excede el valor en la tabla A-6, se concluye que existe una correlación lineal. De lo contrario, no existe evidencia suficiente para sustentar la conclusión de una correlación lineal.

ADVERTENCIA

Recuerde que los métodos de esta sección se aplican a una correlación *lineal*. Si concluye que, al parecer, no existe una correlación lineal, es posible que exista algún otro tipo de relación que no sea lineal.

Redondeo del coeficiente de correlación lineal *r*

Redondee el coeficiente de correlación lineal r a tres decimales (de manera que su valor pueda compararse directamente con los valores críticos de la tabla A-6). Al calcular a mano r y otros estadísticos de este capítulo, hacer un redondeo a la mitad de un cálculo suele generar errores importantes, así que trate de utilizar la memoria de su calculadora para almacenar los resultados inmediatos y redondee solo hasta el final.

Propiedades del coeficiente de correlación lineal *r*

1. El valor de r está siempre entre -1 y 1, inclusive. Es decir,

$$-1 \leq r \leq 1$$

2. *El valor de r no cambia si todos los valores de cualquiera de las variables se convierten a una escala diferente.*
3. *El valor de r no se ve afectado por la elección de x o y.* Intercambie todos los valores de x y y, y el valor de r no sufrirá cambios.
4. *r mide la fuerza de una relación lineal.* No está diseñada para medir la fuerza de una relación que no sea lineal [como en la figura 10-2*d*)].
5. r es muy sensible a los valores atípicos, en el sentido de que un solo valor atípico puede afectar su valor de manera drástica.

Cálculo del coeficiente de correlación lineal *r*

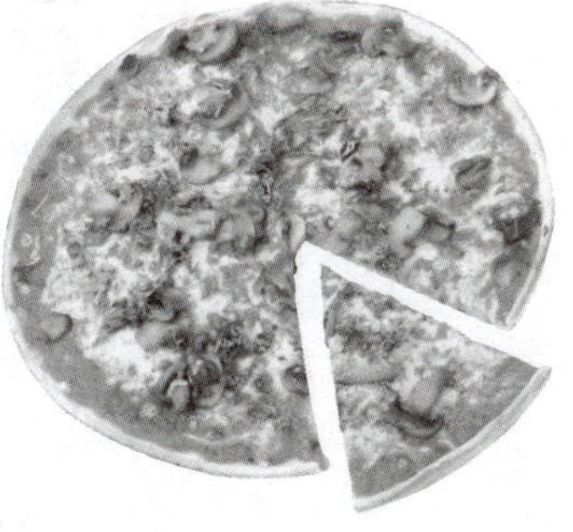

Los siguientes tres ejemplos ilustran tres métodos diferentes para calcular el valor del coeficiente de correlación lineal r, pero solo es necesario utilizar un método. *Se recomienda ampliamente el uso de un programa de cómputo (como en el ejemplo 1).* Si es absolutamente necesario realizar cálculos a mano, se recomienda el uso de la fórmula 10-1 (como en el ejemplo 2). Si se desea lograr una mayor comprensión de r, se recomienda el uso de la fórmula 10-2 (como en el ejemplo 3).

Tabla 10-2 Precio de una rebanada de pizza y de un boleto del metro (en dólares)

Precio de la pizza	0.15	0.35	1.00	1.25	1.75	2.00
Tarifa del metro	0.15	0.35	1.00	1.35	1.50	2.00

EJEMPLO 1 **Cálculo de *r* por medio de un programa de cómputo**

Los precios pareados de la pizza y del boleto del metro que se presentan en la tabla 10-1 se muestran aquí en la tabla 10-2. Utilice un programa de cómputo con estos valores muestrales pareados para calcular el valor del coeficiente de correlación lineal r correspondiente.

SOLUCIÓN

VERIFICACIÓN DE REQUISITOS Siempre es posible calcular el coeficiente de correlación lineal r con datos cuantitativos pareados, pero debemos verificar los requisitos si queremos utilizar ese valor para llegar a una conclusión acerca de una correlación. **1.** Los datos constituyen una muestra aleatoria simple de datos cuantitativos. **2.** Los puntos del diagrama de dispersión generado por Minitab, de la figura 10-1,

continúa

se aproximan al patrón de una recta. El diagrama de dispersión de la figura 10-1 también indica que no hay valores atípicos, de manera que los requisitos se satisfacen.

Si utiliza un programa de cómputo o una calculadora, el valor de r se producirá de manera automática. Por ejemplo, observe la siguiente pantalla de Minitab, que indica que $r = 0.988$. STATDISK, Excel, la calculadora TI-83/84 Plus y muchos otros paquetes de cómputo y calculadoras nos dan el mismo valor de $r = 0.988$.

MINITAB

Correlations: Pizza, Subway

```
Pearson correlation of Pizza and Subway = 0.988
P-Value = 0.000
```

EJEMPLO 2

Cálculo de r por medio de la fórmula 10-1 Con base en la fórmula 10-1, calcule el valor del coeficiente de correlación lineal r para los precios pareados de la pizza y del boleto del metro listados en la tabla 10-2.

SOLUCIÓN

VERIFICACIÓN DE REQUISITOS Vea el análisis de la verificación de requisitos del ejemplo 1. En este caso se aplican los mismos comentarios.

Si se utiliza la fórmula 10-1, el valor de r se obtiene como se muestra a continuación. Observe que la variable x se utilizó para el precio de la pizza, y que la variable y se utilizó para el precio del boleto del metro. Como hay seis pares de datos, $n = 6$. En la tabla 10-3 aparecen otros valores requeridos.

Tabla 10-3 Cálculo de r con la fórmula 10-1

x (pizza)	y (metro)	x^2	y^2	xy
0.15	0.15	0.0225	0.0225	0.0225
0.35	0.35	0.1225	0.1225	0.1225
1.00	1.00	1.0000	1.0000	1.0000
1.25	1.35	1.5625	1.8225	1.6875
1.75	1.50	3.0625	2.2500	2.6250
2.00	2.00	4.0000	4.0000	4.0000
$\Sigma x = 6.50$	$\Sigma y = 6.35$	$\Sigma x^2 = 9.77$	$\Sigma y^2 = 9.2175$	$\Sigma xy = 9.4575$

Con los valores de la tabla 10-3 y la fórmula 10-1, calculamos r como sigue:

$$r = \frac{n\Sigma xy - (\Sigma x)(\Sigma y)}{\sqrt{n(\Sigma x^2) - (\Sigma x)^2}\sqrt{n(\Sigma y^2) - (\Sigma y)^2}}$$

$$= \frac{6(9.4575) - (6.50)(6.35)}{\sqrt{6(9.77) - (6.50)^2}\sqrt{6(9.2175) - (6.35)^2}}$$

$$= \frac{15.47}{\sqrt{16.37}\sqrt{14.9825}} = 0.988$$

EJEMPLO 3

Cálculo de r por medio de la fórmula 10-2 Con base en la fórmula 10-2, calcule el valor del coeficiente de correlación lineal r para los precios pareados de la pizza y del boleto del metro incluidos en la tabla 10-2.

SOLUCIÓN **VERIFICACIÓN DE REQUISITOS** Vea el análisis de la verificación de requisitos del ejemplo 1. En este caso se aplican los mismos comentarios. ✓

Si es absolutamente necesario realizar cálculos a mano, es mucho más fácil utilizar la fórmula 10-1 que la 10-2, aunque esta última tiene la ventaja de facilitar la *comprensión* del funcionamiento de r. (Consulte los *fundamentos* de r que se analizan más adelante en esta sección). Al igual que en el ejemplo 2, la variable x se utiliza para el precio de la pizza, y la variable y se utiliza para el precio del boleto del metro. En la fórmula 10-2, cada valor muestral se sustituye por su puntuación z correspondiente. Por ejemplo, los precios de la pizza tienen una media de $\bar{x} = 1.083333$ y una desviación estándar de $s_x = 0.738693$, de manera que el primer precio de la pizza de 0.15 da por resultado la siguiente puntuación z:

$$z_x = \frac{x - \bar{x}}{s_x} = \frac{0.15 - 1.083333}{0.738693} = -1.26349$$

El cálculo anterior indica que el primer precio de la pizza de $x = 0.15$ se transforma en la puntuación z de -1.26349. En la tabla 10-4 se incluyen las puntuaciones z de todos los precios de la pizza (véase la tercera columna) y las puntuaciones z de todos los precios del boleto del metro (véase la cuarta columna). (Los precios del boleto del metro tienen una media de $\bar{y} = 1.058333$ y una desviación estándar de $s_y = 0.706694$). La última columna de la tabla 10-4 corresponde a los productos $z_x \cdot z_y$.

Tabla 10-4 Cálculo de r con la fórmula 10-2

x (pizza)	y (metro)	z_x	z_y	$z_x \cdot z_y$
0.15	0.15	−1.26349	−1.28533	1.62400
0.35	0.35	−0.99274	−1.00232	0.99504
1.00	1.00	−0.11281	−0.08254	0.00931
1.25	1.35	0.22562	0.41272	0.09312
1.75	1.50	0.90250	0.62498	0.56404
2.00	2.00	1.24093	1.33250	1.65354
				$\Sigma(z_x z_y) = 4.93905$

Si usamos $\Sigma(z_x \cdot z_y) = 4.93905$ de la tabla 10-4, el valor de r se calcula utilizando la fórmula 10-2, como se muestra a continuación.

$$r = \frac{\Sigma(z_x z_y)}{n - 1} = \frac{4.93905}{5} = 0.988$$

Interpretación del coeficiente de correlación lineal r

Después de calcular el coeficiente de correlación lineal r, necesitamos interpretar su significado. Si utilizamos los criterios presentados en el recuadro anterior, podemos basar nuestra interpretación en un valor P o en un valor crítico de la tabla A-6. Al utilizar dicha tabla, concluimos que existe una correlación lineal si $|r|$ excede el valor utilizado en la tabla. Esto equivale a la condición de que r es mayor que el valor de la tabla A-6 o menor que el negativo del valor de dicha tabla. Es útil considerar los valores críticos de la tabla A-6 como positivos y negativos. Para los datos del precio de la pizza y del boleto del metro, la tabla produce $r = 0.811$ (para seis pares de datos y un nivel de significancia de 0.05). Así, podemos comparar el valor calculado de $r = 0.988$ con los valores de ± 0.811, como se observa en la figura 10-3 de la siguiente página. (Las respuestas a los ejercicios en el apéndice D incluyen valores críticos en un formato como ± 0.811). Herramientas como la figura 10-3 sirven para visualizar y comprender la relación que existe entre la r calculada y los valores

Las evaluaciones de profesores se correlacionan con las calificaciones

Con frecuencia, las evaluaciones que hacen los estudiantes de los profesores se utilizan para medir la eficacia de la enseñanza. Muchos estudios revelan una correlación de altas calificaciones de los estudiantes con evaluaciones positivas de los profesores. Un estudio realizado en la Universidad Duke incluyó evaluaciones de los estudiantes, recabadas antes y después de la entrega de las calificaciones finales. El estudio reveló que "las expectativas de las calificaciones o las calificaciones recibidas causaron un cambio en la forma en que los estudiantes percibían a los maestros y la calidad de su enseñanza". Se señaló que las evaluaciones de los estudiantes "aumentan los incentivos de los profesores para manipular sus políticas de calificación con la intención de mejorar sus evaluaciones". Se concluyó que "la consecuencia final de este tipo de manipulaciones es la degradación de la calidad de la educación en Estados Unidos". (Véase "Teacher Course Evaluations and Student Grades: An Academic Tango", de Valen Johnson, *Chance*, vol. 15, núm. 3).

críticos de la tabla A-6, las cuales siguen el mismo patrón general de las gráficas que se incluyen en los capítulos 8 y 9.

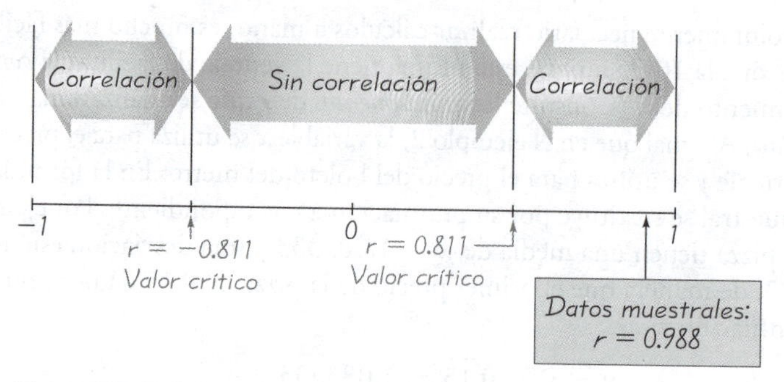

Figura 10-3 Valores críticos de la tabla A-6 y el valor calculado de r

EJEMPLO 4

Interpretación de r Interprete el valor de $r = 0.988$ obtenido en los ejemplos 1, 2 y 3 (según los precios de la pizza y del boleto del metro incluidos en la tabla 10-2). Utilice un nivel de significancia de 0.05. ¿Existe evidencia suficiente para sustentar la afirmación de que existe una correlación lineal entre el precio de una rebanada de pizza y el precio del boleto del metro?

SOLUCIÓN

VERIFICACIÓN DE REQUISITOS En este caso también se aplica la verificación de requisitos del ejemplo 1.

Podemos basar nuestra conclusión acerca de la correlación en el valor P obtenido con un programa de cómputo o en el valor crítico encontrado en la tabla A-6.

Uso de un programa de cómputo para interpretar r: Si el valor P calculado es menor que o igual al nivel de significancia, se concluye que existe una correlación lineal. De lo contrario, no existe evidencia suficiente para sustentar la conclusión de una correlación lineal.

La pantalla de Minitab del ejemplo 1 revela un valor $P = 0.000$, el cual es menor que el nivel de significancia de 0.05. Por lo tanto, concluimos que *hay evidencia suficiente para sustentar la conclusión de que existe una correlación lineal entre el precio de la pizza y el precio del boleto del metro.*

Uso de la tabla A-6 para interpretar r: Si $|r|$ excede el valor de la tabla A-6, se concluye que existe una correlación lineal. De lo contrario, no existe evidencia suficiente para sustentar la conclusión de una correlación lineal.

Si nos remitimos a la tabla A-6 con $n = 6$ pares de datos muestrales del precio de la pizza y del boleto del metro, obtenemos el valor crítico de 0.811 para $\alpha = 0.05$. (Los valores críticos y el papel de α se describen detalladamente en los capítulos 7 y 8. Con 6 pares de datos y ninguna correlación lineal entre los precios de la pizza y del boleto del metro, existe una probabilidad del 5% de que $|r|$ exceda el valor de 0.811). Debido a que $|0.988|$ excede el valor de 0.811 de la tabla A-6, concluimos que existe una correlación lineal. (En lugar de utilizar la condición con el valor absoluto, podríamos construir una gráfica como la que se presenta en la figura 10-3, la cual muestra la relación entre el valor de r calculado y los valores críticos de la tabla A-6). *Hay evidencia suficiente para sustentar la conclusión de que existe una correlación lineal entre el precio de la pizza y el precio del boleto del metro.*

EJEMPLO 5

Interpretación de r Utilice un nivel de significancia de 0.05 para interpretar el valor de $r = 0.117$, obtenido al considerar los 62 pares de pesos de papel y vidrio desechados, del conjunto de datos 22 del apéndice B. Cuando los datos pareados se utilizan con un programa de cómputo, el valor P es de 0.364. ¿Existe evidencia suficiente para sustentar la afirmación de que existe una correlación lineal entre los pesos de papel y vidrio desechados?

SOLUCIÓN

VERIFICACIÓN DE REQUISITOS **1.** Se trata de una muestra aleatoria simple de datos cuantitativos. **2.** El diagrama de dispersión indica que los puntos se aproximan al patrón de una recta (aun cuando los puntos no estén muy cercanos a la línea recta a la que se aproximan). **3.** No se observan valores atípicos que se alejen de los otros pares de datos. ✓

Uso de un programa de cómputo para interpretar r: El valor P obtenido del programa de cómputo es 0.364. Debido a que el valor P *no* es igual a ni menor que 0.05, se concluye que no hay evidencia suficiente para sustentar la afirmación de una correlación lineal entre los pesos de papel y vidrio desechados.

Uso de la tabla A-6 para interpretar r: Si nos remitimos a la tabla A-6, con $n = 62$ pares de datos muestrales, obtenemos el valor crítico de 0.254 (aproximadamente) para $\alpha = 0.05$. Debido a que $|0.117|$ *no* excede el valor de 0.254 de la tabla A-6, concluimos que no existe evidencia suficiente para sustentar la afirmación de una correlación lineal entre los pesos de papel y vidrio desechados.

Lectura de las manos

Algunas personas piensan que la longitud de la línea de la vida de la palma de las manos puede utilizarse para predecir la longevidad. En una carta publicada en el *Journal of the American Medical Association*, los autores M. E. Wilson y L. E. Mather refutaron esta creencia con un estudio de cadáveres. Se registraron las edades de los sujetos al morir, junto con las longitudes de la línea de la vida de sus palmas. Los autores concluyeron que no existe una correlación significativa entre la edad al morir y la longitud de la línea de la vida. La quiromancia pierde: ¡Abajo las manos!

Interpretación de r: Variación explicada

Si concluimos que existe una correlación lineal entre x y y, podemos obtener una ecuación lineal que exprese y en términos de x, y la ecuación puede utilizarse para predecir valores de y a partir de valores dados de x. En la sección 10-3 describiremos un procedimiento para el cálculo de tales ecuaciones y mostraremos cómo predecir valores de y cuando se tienen valores de x. Pero un valor predicho de y no será necesariamente el resultado exacto porque, además de x, existen otros factores que afectan a y, como la variación aleatoria y otras características que no están incluidas en el estudio. En la sección 10-4 presentaremos los fundamentos y más detalles acerca de este principio importante:

El valor de r^2 es la proporción de la variación de y que se explica por la relación lineal entre x y y.

EJEMPLO 6

Variación explicada Con los datos de los precios de la pizza y del boleto del metro que se presentan en la tabla 10-2, encontramos que el coeficiente de correlación lineal es $r = 0.988$. ¿Qué proporción de la variación en el precio del boleto del metro puede explicarse por la variación en el precio de la rebanada de pizza?

SOLUCIÓN

Con $r = 0.988$, obtenemos $r^2 = 0.976$.

INTERPRETACIÓN

Concluimos que 0.976 (o aproximadamente el 98%) de la variación en el precio de un boleto del metro puede explicarse por la relación lineal entre los precios de la pizza y del boleto del metro. Esto implica que cerca del 2% de la variación de los precios del boleto del metro no puede explicarse por los precios de la pizza.

Errores comunes en las correlaciones

Ahora identificamos tres de las fuentes más comunes de errores que se cometen al interpretar los resultados de correlaciones:

1. *Un error común es concluir que la correlación implica causalidad.* Con los datos muestrales de la tabla 10-2, podemos concluir que existe una correlación entre los precios de la pizza y los precios de los boletos del metro, pero no podemos concluir que un incremento en el precio de la pizza *cause* un incremento en el precio del boleto del metro. Ambos precios pueden verse afectados por alguna otra variable interventora en los antecedentes. (Una **variable interventora** es aquella que afecta a las variables que se estudian, pero que no está incluida en la investigación).
2. *Otro error proviene de los datos basados en promedios.* Los promedios eliminan la variación individual y pueden inflar el coeficiente de correlación. Un estudio produjo un coeficiente de correlación lineal de 0.4 para datos pareados que relacionaban el ingreso y la escolaridad de individuos, pero el coeficiente de correlación lineal se convirtió en 0.7 cuando se utilizaron promedios regionales.
3. *Un tercer error implica la propiedad de linealidad.* Si no hay una correlación lineal, podría existir una correlación no lineal, como se observa en la figura 10-2*d*), la cual ilustra un diagrama de dispersión que representa la relación entre la distancia por encima del suelo y el tiempo que tarda un objeto lanzado hacia arriba en llegar a su punto máximo.

ADVERTENCIA

Recuerde que *correlación no implica causalidad.*

Parte 2: Prueba formal de hipótesis (requiere el estudio del capítulo 8)

Una prueba formal de hipótesis suele utilizarse para determinar si existe una correlación lineal significativa entre dos variables. En el siguiente recuadro se incluyen los elementos fundamentales de una prueba de hipótesis.

Prueba de hipótesis para una correlación lineal (uso del estadístico de prueba *r*)

Notación

n = número de pares de datos muestrales.

r = coeficiente de correlación lineal para una *muestra* de datos pareados.

ρ = coeficiente de correlación lineal para una *población* de datos pareados.

Requisitos

Se aplican los mismos requisitos que en el recuadro anterior.

Hipótesis

H_0: $\rho = 0$ (No existe una correlación lineal).

H_1: $\rho \neq 0$ (Existe una correlación lineal).

Estadístico de prueba: *r*

Valores críticos: Remítase a la tabla A-6.

Conclusión

- Si $|r| >$ el valor crítico de la tabla A-6, rechace H_0 y concluya que no existe evidencia suficiente para sustentar la afirmación de una correlación lineal.
- Si $|r| \leq$ valor crítico, no rechace H_0 y concluya que no hay evidencia suficiente para sustentar la afirmación de una correlación lineal.

EJEMPLO 7 **Prueba de hipótesis con los precios del boleto del metro y de la pizza** Utilice los datos pareados de los precios de la pizza y del boleto del metro que se incluyen en la tabla 10-2 para someter a prueba la afirmación de que existe una correlación lineal entre el precio de una rebanada de pizza y el precio del boleto del metro. Utilice un nivel de significancia de 0.05.

SOLUCIÓN **VERIFICACIÓN DE REQUISITOS** La solución del ejemplo 1 ya incluye la verificación de que los requisitos se satisfacen.

Afirmar que existe una correlación lineal equivale a aseverar que el coeficiente de correlación lineal poblacional ρ es diferente de 0. Por lo tanto, tenemos las siguientes hipótesis:

H_0: $\rho = 0$ (No existe una correlación lineal).

H_1: $\rho \neq 0$ (Existe una correlación lineal).

El estadístico de prueba es $r = 0.988$ (de los ejemplos 1, 2 y 3). El valor crítico de $r = 0.811$ se encuentra en la tabla A-6 con $n = 6$ y $\alpha = 0.05$. Puesto que $|0.988| > 0.811$, rechazamos H_0: $\rho = 0$. (El rechazo de "ninguna correlación lineal" indica que existe una correlación lineal).

INTERPRETACIÓN Concluimos que existe evidencia suficiente para sustentar la afirmación de una correlación lineal entre los precios de una rebanada de pizza y los precios del boleto del metro.

Método del valor *P* para la prueba de hipótesis de una correlación

El método de prueba de hipótesis anterior supone cálculos relativamente sencillos. Los paquetes de cómputo suelen utilizar el método del valor *P* basado en una prueba *t*. Los siguientes son los componentes fundamentales de una prueba *t*.

Prueba de hipótesis para una correlación (usando el valor P de una prueba *t*)

Hipótesis

H_0: $\rho = 0$ (No existe una correlación lineal).

H_1: $\rho \neq 0$ (Existe una correlación lineal).

Estadístico de prueba

$$t = \frac{r}{\sqrt{\dfrac{1 - r^2}{n - 2}}}$$

Valor *P*: Utilice un programa de cómputo o la tabla A-3 con $n - 2$ grados de libertad para calcular el valor *P* correspondiente al estadístico de prueba *t*.

Conclusión

- Si el valor *P* es menor que o igual al nivel de significancia, rechace H_0 y concluya que existe evidencia suficiente para sustentar la afirmación de una correlación lineal.
- Si el valor *P* es mayor que el nivel de significancia, no rechace H_0 y concluya que no hay evidencia suficiente para sustentar la afirmación de una correlación lineal.

EJEMPLO 8 **Prueba de hipótesis con los precios del boleto del metro y de la pizza** Utilice los datos pareados de los precios de la pizza y del boleto del metro que se incluyen en la tabla 10-2, y utilice el método del valor P para someter a prueba la afirmación de que existe una correlación lineal entre el precio de una rebanada de pizza y el precio de un boleto del metro. Utilice un nivel de significancia de 0.05.

SOLUCIÓN

VERIFICACIÓN DE REQUISITOS La solución del ejemplo 1 ya incluye la verificación de que los requisitos se satisfacen.

Afirmar que existe una correlación lineal equivale a aseverar que el coeficiente de correlación lineal poblacional ρ es diferente de 0. Por lo tanto, tenemos las siguientes hipótesis:

H_0: $\rho = 0$ (No existe una correlación lineal).

H_1: $\rho \neq 0$ (Existe una correlación lineal).

El coeficiente de correlación lineal es $r = 0.988$ (de los ejemplos 1, 2 y 3) y $n = 6$ (porque hay seis pares de datos muestrales), de manera que el estadístico de prueba es

$$t = \frac{r}{\sqrt{\frac{1 - r^2}{n - 2}}} = \frac{0.988}{\sqrt{\frac{1 - 0.988^2}{6 - 2}}} = 12.793$$

Los paquetes de cómputo utilizan mayor precisión para obtener el estadístico de prueba más exacto de $t = 12.692$. Con 4 grados de libertad, la tabla A-3 indica que el estadístico de prueba $t = 12.793$ produce un valor P que es menor que 0.01. Los paquetes de cómputo dan un valor P de 0.00022. Como el valor P es menor que el nivel de significancia de 0.05, rechazamos H_0.

INTERPRETACIÓN Concluimos que existe evidencia suficiente para sustentar la afirmación de una correlación lineal entre el precio de una rebanada de pizza y el precio del boleto del metro.

Pruebas de una cola: Los ejemplos 7 y 8 ilustran una prueba de hipótesis de dos colas. En general, los ejemplos y ejercicios de esta sección implicarán únicamente pruebas de dos colas; sin embargo, es posible que se presenten pruebas de una cola en una afirmación de una correlación lineal positiva o una afirmación de una correlación lineal negativa. En estos casos, las hipótesis serán como las que se presentan a continuación.

Afirmación de correlación *negativa* **(prueba de cola izquierda)**	**Afirmación de correlación *positiva*** **(prueba de cola derecha)**
H_0: $\rho = 0$ H_1: $\rho < 0$	H_0: $\rho = 0$ H_1: $\rho > 0$

Con estas pruebas de una cola puede utilizarse el método del valor P, como se hizo en capítulos anteriores.

Fundamentos: Ya presentamos las fórmulas 10-1 y 10-2 para el cálculo de r e ilustramos su uso. A continuación se presentan las dos fórmulas, junto con algunas otras que son "equivalentes" en el sentido de que todas producen los mismos valores.

Fórmula 10-1

$$r = \frac{n\Sigma xy - (\Sigma x)(\Sigma y)}{\sqrt{n(\Sigma x^2) - (\Sigma x)^2}\sqrt{n(\Sigma y^2) - (\Sigma y)^2}}$$

Fórmula 10-2

$$r = \frac{\sum (z_x z_y)}{n - 1}$$

$$r = \frac{\Sigma(x - \bar{x})(y - \bar{y})}{(n - 1)s_x s_y} \qquad r = \frac{\sum \left[\frac{(x - \bar{x})}{s_x} \frac{(y - \bar{y})}{s_y} \right]}{n - 1} \qquad r = \frac{s_{xy}}{\sqrt{s_{xx}}\sqrt{s_{yy}}}$$

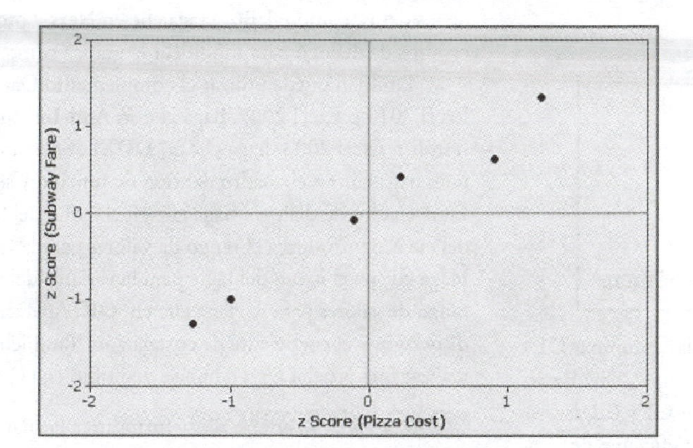

Figura 10-4 Diagrama de dispersión de las puntuaciones *z* de los datos de la pizza y del metro

Utilizaremos la fórmula 10-2 para comprender el razonamiento que subyace en el desarrollo del coeficiente de correlación lineal. Como la fórmula 10-2 utiliza puntuaciones *z*, el valor de $\Sigma(z_x z_y)$ no depende de la escala que se emplee. La figura 10-1 presenta el diagrama de dispersión de los datos originales de los precios de la pizza y del boleto del metro, y la figura 10-4 ilustra el diagrama de dispersión de las puntuaciones *z* de los datos pareados de la pizza y del metro. Compare la figura 10-1 con la 10-4 y observe que, en esencia, se trata de los mismos diagramas de dispersión, solo que con diferentes escalas. Las líneas negras de la figura 10-4 forman las mismas coordenadas que aprendimos y reconocemos desde los cursos básicos de matemáticas. Esas líneas separan a la figura 10-4 en cuatro cuadrantes. Si los puntos del diagrama de dispersión se aproximan a una línea ascendente (como se observa en la figura), los valores individuales del producto z_x y z_y tienden a ser positivos (puesto que la mayoría de los puntos se localizan en el primer cuadrante y en el tercero, donde los valores de z_x y z_y son ambos positivos o ambos negativos), de manera que $\Sigma(z_x z_y)$ tiende a ser positiva. Si los puntos del diagrama de dispersión se aproximan a una línea descendente, la mayoría de los puntos se localizan en el segundo cuadrante y en el cuarto, donde los valores de z_x y z_y tienen signo contrario, de manera que $\Sigma(z_x z_y)$ tiende a ser negativa. Los puntos que no siguen un patrón lineal tienden a estar dispersos en los cuatro cuadrantes, de manera que el valor de $\Sigma(z_x z_y)$ se aproxima a 0. Por lo tanto, podemos utilizar $\Sigma(z_x z_y)$ para determinar la configuración de los puntos en los cuatro cuadrantes. Una suma positiva elevada sugiere que los puntos se encuentran predominantemente en el primer y en el tercer cuadrantes (lo que corresponde a una correlación lineal positiva); una suma negativa elevada sugiere que los puntos están predominantemente en el segundo y cuarto cuadrantes (lo que corresponde a una correlación lineal negativa); y una suma cercana al 0 sugiere que los puntos están distribuidos en los cuatro cuadrantes (sin una correlación lineal). Dividimos $\Sigma(z_x z_y)$ entre $n - 1$ para obtener un tipo de promedio en lugar de un estadístico que se incrementa simplemente porque hay más datos. (Las razones para dividir entre $n - 1$ en vez de n son esencialmente las mismas razones relacionadas con la desviación estándar). El resultado final es la fórmula 10-2, que se puede transformar algebraicamente en cualquiera de las otras expresiones para *r*.

USO DE LA TECNOLOGÍA

STATDISK Ingrese los datos pareados en columnas de la ventana de datos de Statdisk. Seleccione **Analysis** de la barra del menú principal; después, utilice la opción **Correlation and Regression.** Introduzca un valor para el nivel de significancia. Haga clic en el botón **Evaluate.** Los resultados de STATDISK incluirán el valor del coeficiente de correlación lineal, junto con el valor crítico de *r*, la conclusión y otros resultados que se estudiarán en secciones posteriores. También es posible obtener un diagrama de dispersión al hacer clic en el botón de **Scatterplot.** Observe la siguiente pantalla de resultados de Statdisk sobre los precios de la pizza y del boleto del metro incluidos en el problema del capítulo.

STATDISK

```
Correlation Results:
Correlation coeff, r:  0.9878109
Critical r:           ±0.8114016
P-value (two-tailed):  0.00022

Reject the Null Hypothesis.
Sample provides evidence to support linear correlation.
```

MINITAB Introduzca los datos pareados en las columnas C1 y C2, después seleccione **Stat** de la barra del menú principal, elija **Basic Statistics** y después **Correlation;** aproceda a introducir C1 y C2, las columnas que se utilizarán. Minitab dará el valor del coeficiente de correlación lineal *r*, así como un valor *P*. Para obtener un diagrama de dispersión, seleccione **Graph,** luego **Scatterplot** y después introduzca C1 y C2 para *X* y *Y*; finalmente, haga clic en **OK.**

En **Minitab 16,** también puede hacer clic en **Assistant** y luego en **Regression.** Seleccione el cuadro con el mensaje **Click to perform analysis.** Complete el cuadro de diálogo y seleccione **Linear** para utilizar los métodos de las secciones 10-2 y 10-3. Haga clic en **OK** para obtener cuatro ventanas de resultados que incluyen el valor del coeficiente de correlación lineal r, el valor *P*, un diagrama de dispersión y otra información útil.

EXCEL Excel tiene una función que calcula el valor del coeficiente de correlación lineal. Primero introduzca los datos muestrales pareados en las columnas A y B. Haga clic en la tecla de función ***fx*** localizada en la barra del menú principal. Seleccione la categoría **Statistical** y el nombre de la función **CORREL;** después, haga clic en **OK.** En el cuadro de diálogo ingrese el rango de la celda de los valores para x, como A1:A6. También ingrese el rango de la celda de los valores para y, como B1:B6. Para obtener un diagrama de dispersión, haga clic en el Chart Wizard del menú principal, después seleccione la gráfica identificada como **XY(Scatter).** En el cuadro de diálogo introduzca el rango de entrada de los datos, como A1:B6. Haga clic en **Next** y proceda a utilizar los cuadros de diálogo para modificar la gráfica como lo desee.

También puede utilizar el complemento Data Desk XL. Si utiliza Excel 2010 o Excel 2007, haga clic en **Add-Ins,** luego seleccione **DDXL;** si utiliza Excel 2003, haga clic en **DDXL.** Seleccione **Regression,** después haga clic en el cuadro del tipo de función y seleccione **Correlation.** En el cuadro de diálogo, haga clic en el icono del lápiz para la variable del eje X e introduzca el rango de valores para la variable *x*, como A1:A6. Haga clic en el icono del lápiz para la variable del eje Y e introduzca el rango de valores para y. Haga clic en **OK.** Aparecerán el diagrama de dispersión y el coeficiente de correlación. También hay una opción para realizar una prueba *t*, tal como se describió en la parte 2 de esta sección.

TI-83/84 PLUS Introduzca los datos pareados en las listas L1 y L2; después, presione **STAT** y seleccione **TESTS.** Si utiliza la opción de **LinRegTTest** resultarán diversos valores, incluyendo el valor del coeficiente de correlación lineal *r*. Para obtener un diagrama de dispersión, presione **2nd,** después **Y =** (para STAT PLOT). Presione **Enter** dos veces para activar Plot 1, después seleccione el primer tipo de gráfica, que representa un diagrama de dispersión. Coloque las etiquetas de la lista *X* y *Y* para L1 y L2; presione la tecla **ZOOM.** Finalmente, elija **ZoomStat** y presione la tecla **Enter.**

10-2 Destrezas y conceptos básicos

Conocimientos estadísticos y pensamiento crítico

1. Notación Para cada año de varios seleccionados al azar, se registra el número total de puntos anotados en el juego de futbol del Súper Bowl y el número total de automóviles nuevos vendidos en Estados Unidos. Para esta muestra de datos pareados, ¿qué representa r? ¿Qué representa ρ? Sin realizar investigación ni cálculos, estime el valor de r.

2. Correlación y causalidad ¿Qué quiere decir la afirmación de que la correlación no implica causalidad?

3. Causa del calentamiento global Si encontramos que existe una correlación lineal entre la concentración de dióxido de carbono (CO_2) en nuestra atmósfera y la temperatura que prevalece en el planeta, ¿eso indica que los cambios en la concentración de dióxido de carbono provocan cambios en la temperatura del planeta? ¿Por qué?

4. Pérdida de peso y correlación En una prueba del programa Weight Watchers, se registran los pesos de 40 personas antes y después de someterse al régimen. Suponga que los pesos antes/después dan como resultado $r = 0.876$. ¿Existe evidencia suficiente para sustentar la afirmación de que existe una correlación lineal entre los pesos antes/después? ¿El valor de r indica que el programa es eficaz para bajar de peso? ¿Por qué?

Interpretación de r**.** ***En los ejercicios 5 a 8, utilice un nivel de significancia de*** $\alpha = 0.05$**.**

5. Basura desechada y tamaño de la familia En un estudio realizado por investigadores de la Universidad de Arizona, se obtuvo el peso total (en libras) de basura desechada en una semana, y se registró el tamaño de la familia de 62 hogares. Se utilizó Minitab para calcular el valor del coeficiente de correlación lineal de 0.758. ¿Existe evidencia suficiente para sustentar la afirmación de que existe una correlación lineal entre el peso de la basura desechada y el tamaño de la familia? Explique.

6. Estaturas de madres e hijas Se miden las estaturas (en pulgadas) de una muestra de ocho pares de sujetos compuestos de madre e hija. Al utilizar Excel con las estaturas de madre e hija, se encuentra un coeficiente de correlación lineal de 0.693 (según datos de la National Health Examination Survey). ¿Existe evidencia suficiente para sustentar la afirmación de que existe una correlación lineal entre las estaturas de las madres y las de sus hijas? Explique.

7. Estatura y pulso Se miden las estaturas (en pulgadas) y el pulso (en latidos por minuto) en una muestra de 40 mujeres. Al utilizar STATDISK con los datos pareados de la estatura y el pulso, se encuentra un coeficiente de correlación lineal de 0.202 (según datos de la National Health Examination Survey). ¿Existe evidencia suficiente para sustentar la afirmación de que existe una correlación lineal entre las estaturas y los pulsos de las mujeres? Explique.

8. Estaturas y pesos de supermodelos Se miden las estaturas y los pesos de una muestra de 9 supermodelos. Al utilizar una calculadora TI-83/84 Plus, se encuentra que el coeficiente de correlación lineal de los 9 pares de medidas es de 0.360. (La supermodelos son Alves, Avermann, Hilton, Dyer, Turlington, Hall, Campbell, Mazza y Hume). ¿Existe evidencia suficiente para sustentar la afirmación de que existe una correlación lineal entre las estaturas y los pesos de las supermodelos? Explique.

Importancia de las gráficas. ***En los ejercicios 9 y 10 se presentan dos conjuntos de datos de "Graphs in Statistical Analysis", de F. J. Anscombe. The American Statistician, vol. 27. Para cada ejercicio,***

a) Construya un diagrama de dispersión.

b) Calcule el valor del coeficiente de correlación lineal r; luego, determine si hay evidencia suficiente para justificar la afirmación de que existe una correlación lineal entre las dos variables.

c) Identifique la característica de los datos que se perderían si el inciso *b*) se calculara sin construir el diagrama de dispersión.

9.

x	10	8	13	9	11	14	6	4	12	7	5
y	9.14	8.14	8.74	8.77	9.26	8.10	6.13	3.10	9.13	7.26	4.74

10.

x	10	8	13	9	11	14	6	4	12	7	5
y	7.46	6.77	12.74	7.11	7.81	8.84	6.08	5.39	8.15	6.42	5.73

11. Efectos de un valor atípico Remítase al diagrama de dispersión generado por Minitab que aparece al margen.

a) Examine el patrón de los 10 puntos y determine de forma subjetiva si parece existir una correlación entre x y y.

b) Después de identificar los 10 pares de coordenadas correspondientes a los 10 puntos, calcule el valor del coeficiente de correlación r y determine si existe una correlación lineal.

c) Ahora elimine el punto con las coordenadas (10, 10) y repita los incisos *a*) y *b*).

d) ¿Qué concluye acerca del posible efecto de un solo par de valores?

MINITAB

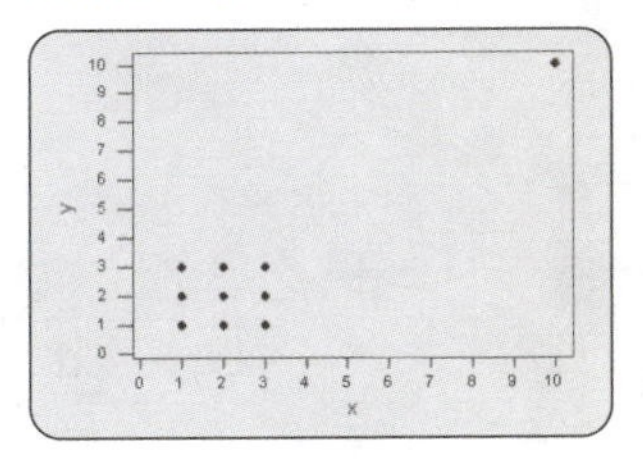

12. Efectos de conglomerados Remítase al diagrama de dispersión generado por Minitab que aparece en la siguiente página. Los cuatro puntos de la parte inferior izquierda son mediciones de mujeres, y los cuatro puntos de la parte superior derecha son de hombres.

a) Examine únicamente el patrón de los cuatro puntos en la parte inferior izquierda (de mujeres) y determine subjetivamente si parece haber una correlación entre x y y para las mujeres.

b) Examine únicamente el patrón de los cuatro puntos en la parte superior derecha (de hombres) y determine subjetivamente si parece haber una correlación entre x y y para los hombres.

c) Calcule el coeficiente de correlación lineal utilizando únicamente los cuatro puntos de la parte inferior izquierda (para mujeres). ¿Los cuatro puntos de la parte superior izquierda (para hombres) tendrán el mismo coeficiente de correlación lineal?

MINITAB

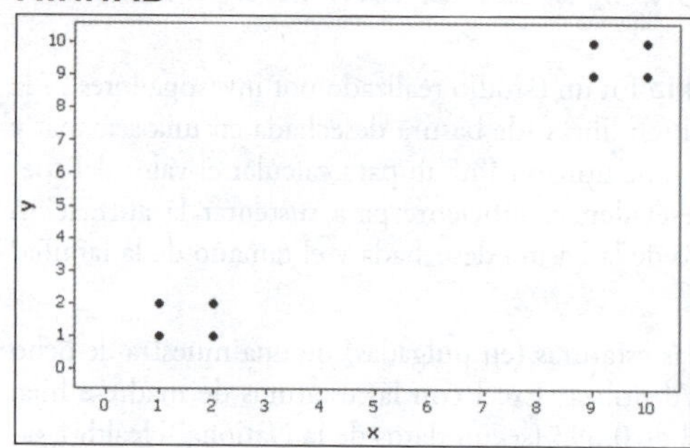

d) Calcule el valor del coeficiente de correlación lineal utilizando los ocho puntos. ¿Qué sugiere ese valor acerca de la relación entre x y y?

e) Con base en los resultados anteriores, ¿qué concluye? ¿Se deben considerar en conjunto los datos de hombres y mujeres o, al parecer, representan dos poblaciones diferentes que deben analizarse por separado?

Prueba de una correlación lineal. ***En los ejercicios 13 a 28, construya un diagrama de dispersión, calcule el valor del coeficiente de correlación lineal r, calcule los valores críticos de r a partir de la tabla A-6 utilizando $\alpha = 0.05$, y determine si existe evidencia suficiente para sustentar la afirmación de que existe una correlación lineal entre las dos variables. (Guarde su trabajo, ya que utilizaremos los mismos conjuntos de datos en los ejercicios de la sección 10-3).***

13. IPC y pizza A continuación se presentan los valores pareados del Índice de precios al consumidor (IPC) y el precio de una rebanada de pizza, incluidos en la tabla 10-1 del problema del capítulo. ¿Existe una correlación lineal entre el IPC y el costo de una rebanada de pizza?

IPC	30.2	48.3	112.3	162.2	191.9	197.8
Costo de pizza	0.15	0.35	1.00	1.25	1.75	2.00

14. IPC y precio del boleto del metro A continuación se presentan los valores pareados del Índice de precios al consumidor (IPC) y el precio del boleto del metro, incluidos en la tabla 10-1 del problema del capítulo. ¿Existe una correlación lineal entre el IPC y el precio del boleto del metro?

IPC	30.2	48.3	112.3	162.2	191.9	197.8
Tarifa del metro	0.15	0.35	1.00	1.35	1.50	2.00

15. Medidas de presión sanguínea A continuación se presentan las mediciones de presión sanguínea sistólica (en mm Hg) obtenidas de la misma mujer (según datos de "Consistency of Blood Pressure Differences Between the Left and Right Arms", de Eguchi, *et al.*, *Archives of Internal Medicine*, vol. 167). ¿Existe evidencia suficiente para concluir que hay una correlación lineal entre las mediciones de la presión sanguínea sistólica del brazo derecho y del izquierdo?

Brazo derecho	102	101	94	79	79
Brazo izquierdo	175	169	182	146	144

16. Estaturas de presidentes y finalistas Se han desarrollado teorías acerca de las estaturas de los candidatos ganadores de la presidencia de Estados Unidos y las estaturas de candidatos que ocuparon el segundo lugar. A continuación se presentan las estaturas (en pulgadas) de elecciones presidenciales recientes en Estados Unidos. ¿Existe una correlación lineal entre las estaturas de los candidatos que ganaron y las estaturas de los que ocuparon el segundo lugar?

Ganador	69.5	73	73	74	74.5	74.5	71	71
Segundo lugar	72	69.5	70	68	74	74	73	76

17. Medición de focas a partir de fotografías A continuación se presentan las anchuras de la cabeza (en cm) de focas a partir de fotografías, y los pesos (en kg) de las focas (según datos de "Mass Estimation of Weddell Seals Using Techniques of Photogrammetry", de R. Garrot, de Montana State

University). El objetivo del estudio consistía en determinar si era posible calcular los pesos de las focas a partir de fotografías de sus cabezas. ¿Existe evidencia suficiente para concluir que hay una correlación lineal entre las anchuras de las cabezas de las focas a partir de fotografías y los pesos de las focas?

Anchura de la cabeza	7.2	7.4	9.8	9.4	8.8	8.4
Peso	116	154	245	202	200	191

18. Tamaño de casinos e ingresos A continuación se presentan los tamaños (en miles de pies cuadrados) y los ingresos (en millones de dólares) de casinos de Atlantic City (según datos del *New York Times*). ¿Existe evidencia suficiente para concluir que existe una correlación lineal entre el tamaño de los casinos y sus ingresos?

Tamaño	160	227	140	144	161	147	141
Ganancias	189	157	140	127	123	106	101

19. Tarifas aéreas A continuación se presentan los precios (en dólares) de tarifas aéreas de diferentes aerolíneas que vuelan de la ciudad de Nueva York (JFK) a San Francisco. Los precios se basan en boletos comprados con 30 días de anticipación y un día de anticipación; las aerolíneas son US Air, Continental, Delta, United, American, Alaska y Northwest. ¿Hay evidencia suficiente para concluir que existe una correlación lineal entre los precios de los boletos comprados con 30 días de anticipación y los boletos comprados con un día de anticipación?

30 días	244	260	264	264	278	318	280
Un día	456	614	567	943	628	1088	536

20. Pasajeros y espacios de estacionamiento A continuación se presentan los números de pasajeros y los números de espacios de estacionamiento en diferentes estaciones del tren Metro-North (según datos de Metro-North). ¿Existe una correlación lineal entre los números de pasajeros y los números de espacios de estacionamiento?

Pasajeros	3453	1350	1126	3120	2641	277	579	2532
Espacios de estacionamiento	1653	676	294	950	1216	179	466	1454

21. Costos de reparación de automóviles A continuación se presentan los costos de reparación (en dólares) para automóviles que participaron en pruebas de choques frontales a una velocidad de 6 mi/h y en pruebas de choques traseros a una velocidad de 6 mi/h (según datos del Insurance Institute for Highway Safety). Los automóviles son Toyota Camry, Mazda 6, Volvo S40, Saturn Aura, Subaru Legacy, Hyundai Sonata y Honda Accord. ¿Hay evidencia suficiente para concluir que existe una correlación lineal entre los costos de reparación de los choques frontales y de los choques traseros?

Choques frontales	936	978	2252	1032	3911	4312	3469
Choques traseros	1480	1202	802	3191	1122	739	2767

22. Nueva clasificación de rendimiento de combustible de automóviles A continuación se presentan los rendimientos combinados de combustible (en mi/gal) en ciudad y en carretera para diferentes automóviles. La antigua clasificación se basaba en pruebas utilizadas antes de 2008, y la nueva clasificación se basa en pruebas que entraron en vigor en 2008. ¿Hay evidencia suficiente para concluir que existe una correlación lineal entre la antigua clasificación y la nueva clasificación?

Antigua	16	27	17	33	28	24	18	22	20	29	21
Nueva	15	24	15	29	25	22	16	20	18	26	19

23. Calentamiento global La preocupación por el calentamiento global ha conducido a la realización de estudios de la relación entre la temperatura global y la concentración de dióxido de carbono (CO_2). A continuación se presentan las concentraciones (en partes por millón) de CO_2 y las temperaturas (en °C) para diferentes años (según datos del Earth Policy Institute). ¿Existe una correlación lineal entre la temperatura y la concentración de CO_2?

CO_2	314	317	320	326	331	339	346	354	361	369
Temperatura	13.9	14.0	13.9	14.1	14.0	14.3	14.1	14.5	14.5	14.4

24. Costos de televisores A continuación se presentan los precios (en dólares) y las calificaciones de calidad de televisores de retroproyección (según datos de *Consumer Reports*). Todos los televisores tienen pantallas de 55 o 56 pulgadas. ¿Hay evidencia suficiente para concluir que existe una correlación lineal entre el precio y la calificación de calidad de los televisores de retroproyección? ¿Parece que conforme el precio se incrementa, la calidad también aumenta? ¿Los resultados sugieren que a mayor precio se obtiene una mejor calidad?

Precio	2300	1800	2500	2700	2000	1700	1500	2700
Calificación de calidad	74	73	70	66	63	62	52	68

25. Béisbol A continuación se presentan datos estadísticos de equipos de béisbol que consisten en las proporciones de triunfos y los resultados de la siguiente diferencia: Diferencia = (número de carreras anotadas) − (número de carreras permitidas). Los datos corresponden a un año reciente, y los equipos son NY (Yanquis), Toronto, Boston, Cleveland, Texas, Houston, San Francisco y Kansas City. ¿Hay suficiente evidencia para concluir que existe una correlación lineal entre la proporción de triunfos y la diferencia anterior?

Diferencia	163	55	−5	88	51	16	−214
Triunfos	0.599	0.537	0.531	0.481	0.494	0.506	0.383

26. Grillos y temperatura Una aplicación clásica de la correlación es la asociación entre la temperatura y el número de chirridos que emite un grillo en un minuto. A continuación se indican los números de chirridos en un minuto y las temperaturas correspondientes en grados Fahrenheit (según datos de *The Song of Insects*, de George W. Pierce, Harvard University Press). ¿Hay evidencia suficiente para concluir que existe una relación entre el número de chirridos en un minuto y la temperatura?

Chirridos en un minuto	882	1188	1104	864	1200	1032	960	900
Temperatura (°F)	69.7	93.3	84.3	76.3	88.6	82.6	71.6	79.6

27. Tamaño del cerebro e inteligencia A continuación se presentan las mediciones del tamaño del cerebro (en cm3) y las puntuaciones de CI de Wechsler de un grupo de sujetos (según datos de StatLib y "Brain Size, Head Size, and Intelligence Quotient in Monozygotic Twins", de Tramo, *et al.*, *Neurology*, vol. 50, núm. 5). ¿Hay evidencia suficiente para concluir que existe una correlación lineal entre el tamaño del cerebro y la puntuación de CI? ¿Parece que las personas con cerebros más grandes son más inteligentes?

Tamaño del cerebro	965	1029	1030	1285	1049	1077	1037	1068	1176	1105
CI	90	85	86	102	103	97	124	125	102	114

28. Edades de mejores actrices y actores A continuación se presentan las edades de actrices y actores en el momento en que ganaron el Óscar. Las edades correspondientes están pareadas de acuerdo al año. ¿Hay evidencia suficiente para concluir que existe una correlación lineal entre las edades de los mejor actores y de las mejores actrices?

Mejores actrices

26	80	42	29	33	35	45	49	39	34
26	25	33	35	35	28	30	29	61	

Mejores actores

51	32	42	54	52	37	38	32	45	60
46	40	36	47	29	43	37	38	45	

Grandes conjuntos de datos. ***En los ejercicios 29 a 32, utilice los datos del apéndice B para construir un diagrama de dispersión; calcule el valor del coeficiente de correlación lineal r y calcule los valores críticos de r a partir de la tabla A-6 con α = 0.05. Determine si existe evidencia suficiente para sustentar la afirmación de una correlación lineal entre las dos variables. (Guarde su trabajo porque se utilizarán los mismos conjuntos de datos en los ejercicios de la sección 10-3).***

29. Presupuestos y ganancias brutas de películas Remítase al conjunto de datos 9 del apéndice B y utilice los datos pareados que consisten en los presupuestos invertidos en las películas y las ganancias brutas que generaron.

30. Pesos de automóviles y distancia de frenado Remítase al conjunto de datos 16 del apéndice B y utilice los pesos de automóviles y las distancias de frenado correspondientes.

31. Conteos de palabras de hombres y mujeres Remítase al conjunto de datos 8 del apéndice B y utilice los conteos de palabras medidos de hombres y mujeres en relaciones de pareja, incluidos en las primeras dos columnas.

32. Alquitrán y nicotina de cigarrillos Remítase al conjunto de datos 4 del apéndice B y utilice los datos de alquitrán y nicotina de los cigarrillos tamaño grande.

Identificación de errores de correlación. ***En los ejercicios 33 a 36, describa el error en la conclusión. (Consulte la lista de errores comunes incluida en esta sección).***

33. *Se sabe que:* Existe una correlación lineal entre el número de cigarrillos consumidos cada día y el pulso, de manera que un mayor nivel de tabaquismo está asociado con un pulso más elevado.

Conclusión: El tabaquismo provoca un aumento en el pulso.

34. *Se sabe que:* Existe una correlación lineal entre los ingresos personales y los años de escolaridad.

Conclusión: Una mayor escolaridad causa que se incrementen los ingresos de una persona.

35. *Se sabe que:* Existe una correlación lineal entre el tiempo promedio de traslado al trabajo en un estado y los costos promedio de traslado en ese estado.

Conclusión: Existe una correlación lineal entre los tiempos individuales de traslado al trabajo y los costos individuales de traslado al trabajo.

36. *Se sabe que:* El coeficiente de correlación lineal para las puntuaciones de pruebas de CI y las circunferencias de la cabeza de los sujetos evaluados es muy cercana a 0.

Conclusión: Las puntuaciones de CI y las circunferencias de la cabeza no tienen ninguna relación.

10-2 Más allá de lo básico

37. Datos transformados Además de someter a prueba una correlación lineal entre x y y, con frecuencia podemos utilizar *transformaciones* de datos para explorar otras relaciones. Por ejemplo, podríamos reemplazar cada valor de x por x^2 y emplear los métodos de esta sección para determinar si existe una correlación lineal entre y y x^2. A partir de los datos pareados en la siguiente tabla, construya el diagrama de dispersión y luego realice una prueba de correlación lineal entre y y cada uno de los siguientes elementos. ¿Cuál de estos casos da por resultado el valor más grande de r?

a) x **b)** x^2 **c)** $\log x$ **d)** $\sqrt{x}$ **e)** $1/x$

x	1	2	3	4	5	8
y	0	0.3	0.5	0.6	0.7	0.9

38. Cálculo de valores críticos de *r* Los valores críticos de r en la tabla A-6 se calculan despejando r a partir de la expresión

$$r = \frac{t}{\sqrt{t^2 + n - 2}}$$

donde el valor t se obtiene de la tabla A-3, suponiendo un caso de dos colas con $n - 2$ grados de libertad. La tabla A-6 lista los resultados para valores seleccionados de n y α. Aplique la fórmula para r que dimos aquí y consulte la tabla A-3 (con $n - 2$ grados de libertad) para calcular los valores críticos de r en los siguientes casos.

a) $H_1: \rho \neq 0, n = 47, \alpha = 0.05$

b) $H_1: \rho \neq 0, n = 102, \alpha = 0.01$

c) $H_1: \rho < 0, n = 40, \alpha = 0.05$

d) $H_1: \rho > 0, n = 72, \alpha = 0.01$

Regresión

Concepto clave En la sección 10-2 se presentaron métodos para calcular el valor del coeficiente de correlación lineal r y para determinar si existe una correlación lineal entre dos variables. En la parte 1 de la presente sección, describimos la ecuación de la recta que se ajusta mejor a los datos muestrales pareados. Dicha fórmula describe algebraicamente la relación entre las dos variables. A la recta con el mejor ajuste se le conoce como recta de regresión, y su ecuación se denomina ecuación de regresión. Es posible graficar la ecuación de regresión en un diagrama de dispersión para determinar de manera visual qué tan bien se ajusta a los datos. También se presentan métodos para hacer predicciones a partir de la ecuación de regresión. En la parte 2 se analiza el cambio marginal, los puntos influyentes y las gráficas residuales como herramientas para analizar los resultados de correlación y regresión.

Parte 1: Conceptos básicos de regresión

En algunos casos, dos variables están relacionadas de una forma *determinista*, es decir, a partir de un valor de una variable, el valor de la otra variable se determina automáticamente sin error, como en la ecuación $y = 12x$ que se utiliza para convertir una distancia x de pies a pulgadas. Este tipo de ecuaciones se estudian ampliamente en los cursos de álgebra, pero los cursos de estadística se enfocan en los modelos *probabilísticos*, en los que una variable no está determinada por completo por la otra variable. Por ejemplo, la estatura de un niño no está completamente determinada por la estatura del padre (o de la madre). Sir Francis Galton (1822-1911) estudió el fenómeno de la herencia y demostró que cuando parejas de estatura alta o baja tienen hijos, las estaturas de estos tienden a *regresar* o a revertirse a la estatura media más común de las personas del mismo género. Continuaremos utilizando la terminología de "regresión" de Galton, aun cuando nuestros datos no incluyen los mismos fenómenos de estatura que estudió Galton.

DEFINICIÓN

A partir un conjunto de datos muestrales pareados, la **ecuación de regresión**

$$\hat{y} = b_0 + b_1x$$

describe algebraicamente la relación entre las dos variables x y y. La gráfica de la ecuación de regresión se denomina **recta de regresión** (o *recta del mejor ajuste o recta de mínimos cuadrados*).

La ecuación de regresión expresa una relación entre x (llamada **variable explicativa**, **variable de predicción** o **variable independiente**) y $\hat{y}$ (llamada **variable de respuesta** o **variable dependiente**). La definición anterior indica que en estadística, la ecuación típica de una línea recta $y = mx + b$ se expresa en la forma $\hat{y} = b_0 + b_1x$, donde b_0 es la intersección con el eje y, y b_1 es la pendiente.

La pendiente b_1 y la intersección con el eje y, b_0, también se pueden calcular utilizando las siguientes fórmulas.

$$b_1 = \frac{n(\Sigma xy) - (\Sigma x)(\Sigma y)}{n(\Sigma x^2) - (\Sigma x)^2} \qquad b_0 = \frac{(\Sigma y)(\Sigma x^2) - (\Sigma x)(\Sigma xy)}{n(\Sigma x^2) - (\Sigma x)^2}$$

Los valores de b_0 y b_1 se calculan fácilmente utilizando cualquiera de los programas de cómputo o de las calculadoras diseñadas para proporcionar esos valores. (Véase la sección "Uso de la tecnología" al final de esta sección). Una vez que evaluamos b_0 y b_1, podemos identificar la ecuación de la recta de regresión estimada, la cual tiene la siguiente propiedad especial: *la recta de regresión es la que mejor se ajusta a los puntos muestrales.* (El criterio específico que se utiliza para determinar qué recta se ajusta "mejor" es la propiedad de los mínimos cuadrados, que se describe más adelante).

Error de pronóstico de 1°F = mil millones de dólares

A pesar de que el pronóstico de las temperaturas parezca una ciencia inexacta, muchas compañías están trabajando con ahínco para obtener estimaciones más precisas. El reportero de *USA Today*, Del Jones, escribió que "el costo anual de la electricidad podría disminuir por lo menos $1000 millones si se mejorara la exactitud de las predicciones del tiempo en 1 grado Fahrenheit". Al referirse a las autoridades de Tennessee Valley, afirma que "los pronósticos sobre sus 80,000 millas cuadradas han fallado un promedio de 2.35 grados durante los últimos 2 años, lo cual es bastante representativo de los pronósticos que se hacen a nivel nacional. Si se mejorara en 1.35 grados, esto ahorraría a Tennessee Valley tanto como $100,000 diarios y tal vez más". El pronóstico de temperaturas se utiliza para determinar la distribución de la energía proveniente de generadores, plantas nucleares, plantas hidroeléctricas, de carbón, de gas natural y eólicas. Las técnicas de pronóstico estadístico se encuentran en proceso de refinamiento, de manera que permitan ahorrar dinero y recursos naturales.

Objetivo

Calcular la ecuación de una recta de regresión.

Notación para la ecuación de regresión

	Parámetro poblacional	Estadístico muestral
Intersección de la ecuación de regresión con el eje y	β_0	b_0
Pendiente de la ecuación de regresión	β_1	b_1
Ecuación de la recta de regresión	$y = \beta_0 + \beta_1 x$	$\hat{y} = b_0 + b_1 x$

Requisitos

1. La muestra de datos pareados (x, y) es una muestra *aleatoria* de datos cuantitativos.
2. El examen visual del diagrama de dispersión indica que los puntos se aproximan al patrón de una línea recta.
3. Los valores atípicos pueden tener un gran efecto sobre la ecuación de regresión, por lo que se debe eliminar cualquier valor atípico, si se sabe que es un error. Es importante tomar en cuenta los efectos de cualquier valor atípico que no sea un error conocido.

Nota: Los requisitos 2 y 3 representan una verificación simplificada de los siguientes requisitos formales del análisis de regresión:

- Para cada valor fijo de x, los valores correspondientes de y tienen una distribución en forma de campana.
- Para los distintos valores fijos de x, las distribuciones de los valores correspondientes de y tienen la misma desviación estándar. (Esto se viola si parte del diagrama de dispersión presenta puntos muy cercanos a la recta de regresión, mientras otra porción del diagrama presenta puntos que se alejan mucho de la recta de regresión. Consulte la explicación de las gráficas residuales en la parte 2 de esta sección).
- Para los distintos valores fijos de x, las distribuciones de los valores correspondientes de y tienen medias que se ubican en la misma línea recta.

Los métodos de esta sección no se ven muy afectados si los supuestos de distribución normal e igualdad de las desviaciones estándar no se satisfacen totalmente.

Fórmulas para calcular la pendiente b_1 y la intersección con el eje y, b_0, en la ecuación de regresión $\bar{y} = b_0 + b_1 x$

Fórmula 10-3

Pendiente: $$b_1 = r\frac{s_y}{s_x}$$

donde r es el coeficiente de correlación lineal, s_y es la desviación estándar de los valores de y, y s_x es la desviación estándar de los valores de x.

Fórmula 10-4

intersección con el eje y: $$b_0 = \bar{y} - b_1\bar{x}$$

Redondeo de la pendiente b_1 y de b_0 (la intersección con el eje y)

Redondeo de b_1 y b_0 a tres dígitos significativos. Es difícil dar una regla universal sencilla para redondear los valores de b_1 y b_0, pero esta regla servirá en la mayor parte de las situaciones de este libro. (Dependiendo de la forma de redondeo, las respuestas a los ejemplos y ejercicios de este libro podrían variar un poco de las respuestas de usted).

EJEMPLO 1 **Uso de la tecnología para determinar la ecuación de regresión** Remítase a los datos muestrales de la tabla 10-1 en el problema del capítulo. Use alguna herramienta tecnológica para determinar la ecuación de la recta de regresión en la que la variable explicativa (o variable x) es el precio de una rebanada de pizza, y la variable de respuesta (o variable y) es el precio correspondiente de un boleto del metro.

SOLUCIÓN **VERIFICACIÓN DE REQUISITOS** **1.** Suponemos que se trata de una muestra aleatoria simple. **2.** La figura 10-1 es un diagrama de dispersión que presenta un patrón de puntos similares al patrón de una recta. **3.** No hay valores atípicos. Los requisitos se satisfacen. ✓

Uso de un programa de cómputo: Se recomienda el uso de un programa de cómputo o de una calculadora para determinar la ecuación de una recta de regresión. A continuación se incluyen los resultados de STATDISK, Minitab, Excel y la calculadora TI-83/84 Plus. Note que Minitab proporciona la ecuación, mientras que STATDISK, Excel y la calculadora TI-83/84 Plus listan la pendiente y los valores de la intersección con el eje y. Todas estas herramientas tecnológicas indican que la ecuación de regresión se puede expresar como $\hat{y} = 0.0346 + 0.945x$, donde $\hat{y}$ es la predicción del precio de un boleto del metro y x es el precio de una rebanada de pizza.

STATDISK

```
Regression Results:
Y= b0 + b1x:
Y Intercept, b0:          0.0345602
Slope, b1:                0.9450214
```

EXCEL

	Coefficients	Standard Error
Intercept	0.034560171	0.095012806
X Variable 1	0.945021381	0.074457849

MINITAB

```
Regression Analysis: Subway versus Pizza

The regression equation is
Subway = 0.0346 + 0.945 Pizza
```

TI-83/84 PLUS

```
LinRegTTest
 y=a+bx
 β≠0 and ρ≠0
↑a=.034560171
 b=.9450213806
 s=.1229869984
↓r²=.9757704494
```

Debemos señalar que la ecuación de regresión es una *estimación* de la ecuación de regresión verdadera. Esta estimación se basa en un conjunto de datos muestrales específico, pero otra muestra obtenida de la misma población podría dar por resultado una ecuación ligeramente diferente.

EJEMPLO 2 **Uso de cálculos manuales para determinar la ecuación de regresión** Remítase a los datos muestrales de la tabla 10-1 en el problema del capítulo. Utilice las fórmulas 10-3 y 10-4 para determinar la ecuación de la recta de regresión en la que la variable explicativa (o variable x) es el precio de una rebanada de pizza, y la variable de respuesta (o variable y) es el precio correspondiente de un boleto del metro.

SOLUCIÓN **VERIFICACIÓN DE REQUISITOS** Los requisitos se verificaron en el ejemplo 1. ✓

Primero calculamos la pendiente b_1 usando la fórmula 10-3, como sigue (con decimales adicionales para una mayor exactitud).

$$b_1 = r\frac{s_y}{s_x} = 0.987811 \cdot \frac{0.706694}{0.738693} = 0.945 \text{ (redondeado a tres decimales significativos)}$$

Después de calcular la pendiente b_1, podemos utilizar la fórmula 10-4 para calcular la intersección con el eje y, de la siguiente manera.

$$b_0 = \bar{y} - b_1\bar{x} = 1.058333 - (0.945)(1.083333) = 0.0346 \text{ (redondeado a tres decimales significativos)}$$

Si utilizamos estos resultados para b_1 y b_0, ahora podemos expresar la ecuación de la recta de regresión como $\hat{y} = 0.0346 + 0.945x$, donde $\hat{y}$ es la predicción del precio de un boleto del metro y x es el precio de una rebanada de pizza.

INTERPRETACIÓN Como en el ejemplo 1, la ecuación de regresión es una *estimación* de la verdadera ecuación de regresión $y = \beta_0 + \beta_1 x$, y es probable que otros datos muestrales generen una ecuación diferente.

EJEMPLO 3 **Graficación de la regresión lineal** Grafique la ecuación de regresión $\hat{y} = 0.0346 + 0.945x$ (obtenida en los ejemplos 1 y 2) sobre el diagrama de dispersión de los precios de la pizza y del boleto del metro, y examine la gráfica para determinar de manera subjetiva si la recta de regresión se ajusta bien a los datos.

SOLUCIÓN A continuación se presenta la pantalla de Minitab del diagrama de dispersión con la gráfica que incluye la recta de regresión. Se observa que la recta de regresión se ajusta muy bien a los datos.

MINITAB

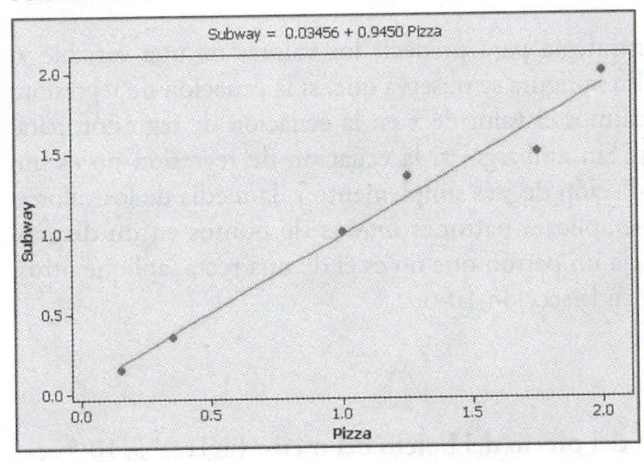

Uso de la ecuación de regresión para efectuar predicciones

Las ecuaciones de regresión a menudo sirven para *predecir* el valor de una variable, a partir de algún valor específico de la otra variable. Es necesario considerar lo siguiente al realizar predicciones:

1. Use la ecuación de regresión para hacer predicciones únicamente si la gráfica de la recta de regresión en el diagrama de dispersión confirma que la recta de regresión se ajusta a los puntos razonablemente bien.

2. Use la ecuación de regresión para hacer predicciones únicamente si el coeficiente de correlación lineal r indica que existe una correlación lineal entre las dos variables (como se describió en la sección 10-2).
3. Use la recta de regresión para realizar predicciones únicamente si los datos no se alejan mucho del ámbito de los datos muestrales disponibles. (La acción de predecir mucho más allá del ámbito de los datos muestrales disponibles se llama *extrapolación*, lo cual puede dar como resultado predicciones erróneas).
4. Si la ecuación de regresión no parece ser útil para realizar predicciones, el mejor valor de predicción de una variable es su estimación puntual, que es la media muestral.

Estrategia para predecir valores de *Y*

¿La ecuación de regresión es un buen modelo?
- La recta de regresión dibujada en el diagrama de dispersión indica que la recta se ajusta bien a los puntos.
- r indica que existe una correlación lineal.
- La predicción no se aleja mucho del ámbito de los datos muestrales disponibles.

Sí, la ecuación de regresión es un buen modelo.

Sustituya el valor dado de x en la ecuación de regresión $\hat{y} = b_0 + b_1x$.

No, la ecuación de regresión no es un buen modelo.

Sin importar el valor de x, el mejor valor de predicción de y es el valor de $\bar{y}$ (la media de los valores de y).

Figura 10-5 Estrategia recomendada para los valores de predicción de *y*

En la figura 10-5 se resume una estrategia para predecir los valores de una variable y cuando se conoce algún valor de x. En la figura se observa que, si la ecuación de regresión es un buen modelo, entonces sustituimos el valor de x en la ecuación de regresión para calcular el valor de predicción de y. Sin embargo, si la ecuación de regresión no es un buen modelo, el mejor valor de predicción de y es simplemente $\bar{y}$, la media de los valores de y. Recuerde que esta estrategia se aplica a patrones *lineales* de puntos en un diagrama de dispersión. Si este último revela un patrón que no es el de una recta, aplique otros métodos, como los que se describen en la sección 10-6.

EJEMPLO 4

Predicción del precio del boleto del metro En la tabla 10-5 se incluyen los precios de la pizza y boleto del metro descritos en el problema del capítulo, así como el número total de carreras anotadas en la Serie Mundial de béisbol en seis años diferentes. Cuando se escribía este libro, una rebanada de pizza costaba $2.25 en la ciudad de Nueva York, y se habían anotado 33 carreras en la última Serie Mundial.

a) Utilice los datos de los precios de la pizza y del boleto del metro, incluidos en la tabla 10-5 para predecir el costo de un boleto del metro, considerando que el precio de una rebanada de pizza es de $2.25.

b) Utilice los datos de las carreras y el precio del boleto del metro que se incluyen en la tabla 10-5 para predecir el precio de un boleto del metro en un año en el que se anotaron 33 carreras en la Serie Mundial.

Tabla 10-5 Precio de una rebanada de pizza, número total de carreras anotadas en la Serie Mundial y precio del boleto del metro

Año	1960	1973	1986	1995	2002	2003
Precio de la pizza	0.15	0.35	1.00	1.25	1.75	2.00
Runs Scored in World Series	82	45	59	42	85	38
Subway Fare	0.15	0.35	1.00	1.35	1.50	2.00

SOLUCIÓN A continuación se describen elementos fundamentales para la solución de los incisos *a*) y *b*). Observe que en el inciso *a*), los datos de los precios de la pizza y del boleto del metro generan un buen modelo de regresión, de manera que la predicción del precio del boleto del metro se calcula sustituyendo $x = \$2.25$ en la ecuación de regresión. Sin embargo, el inciso *b*) revela que los datos del béisbol y del metro no producen un buen modelo de regresión, de manera que la predicción del precio del boleto del metro es $\bar{y}$, la media de los precios del boleto del metro.

a) Si utilizamos los datos del precio de la pizza y del boleto del metro para predecir el precio de este último cuando la pizza cuesta $2.25:

La recta de regresión se ajusta bien a los puntos, como se observa en la imagen.

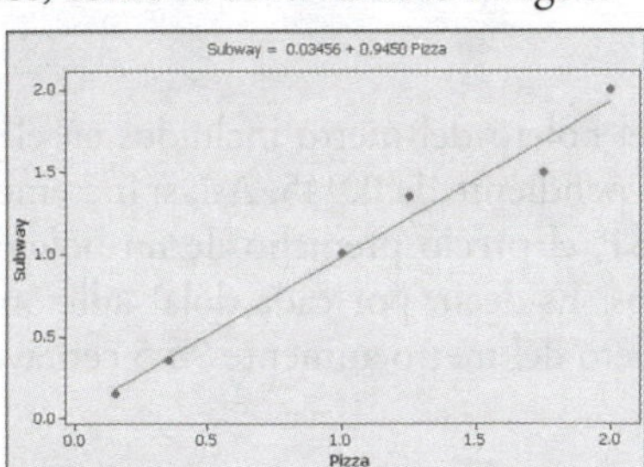

$r = 0.988$, lo que sugiere que existe una correlación lineal entre el precio de la pizza y el del boleto del metro. (El valor P es 0.00022).

El precio de la pizza de $2.25 no se aleja demasiado del ámbito de los datos disponibles.

↓

Como la ecuación de regresión $\hat{y} = 0.0346 + 0.945x$ es un buen modelo, sustituya $x = \$2.25$ para obtener la predicción del precio del boleto del metro de $\hat{y} = \$2.16$.

b) Si utilizamos las carreras y los precios del metro para predecir el precio del boleto del metro cuando se anotaron 33 carreras en la Serie Mundial:

La ecuación de regresión *no* se ajusta bien a los puntos, como se observa en la imagen.

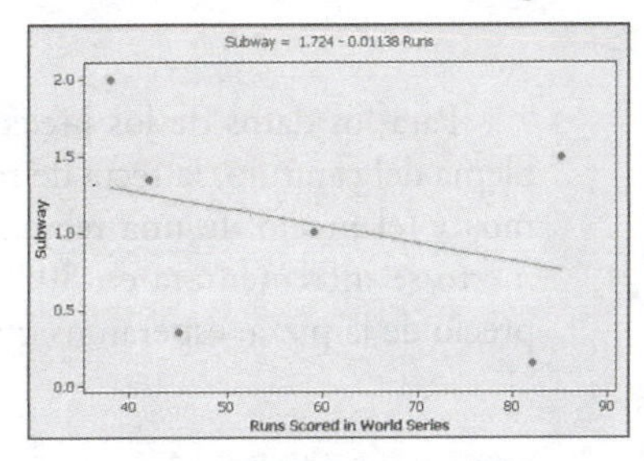

$r = -0.332$, lo que sugiere que *no* existe una correlación lineal entre las carreras anotadas en la Serie Mundial y el precio del boleto del metro. (El valor P es 0.520).

33 carreras no se alejan demasiado del ámbito de los datos disponibles.

↓

Como la ecuación de regresión *no* es un buen modelo, la mejor predicción del precio del boleto del metro es $\bar{y} = \$1.06$.

INTERPRETACIÓN Advierta los aspectos fundamentales de este ejemplo: utilice la ecuación de regresión para realizar predicciones únicamente si es un buen modelo. Si la ecuación de regresión no es un buen modelo, utilice el valor de predicción de $\bar{y}$.

continúa

Posposición de la muerte

Varios estudios tratan sobre la capacidad de las personas para retrasar su muerte hasta después de un suceso importante. Por ejemplo, el sociólogo David Phillips analizó las tasas de mortalidad de hombres judíos que murieron cerca de la Pascua judía, y descubrió que la tasa de mortalidad disminuía drásticamente una semana antes de esa festividad, pero que aumentaba la semana posterior a ella. Un estudio más reciente sugiere que las personas no tienen esta capacidad de posponer la muerte. Con base en los registros de 1.3 millones de muertes, este estudio no encontró una relación entre el momento de la muerte y la Navidad, el Día de Acción de Gracias o el cumpleaños del individuo. El doctor Donn Young, uno de los investigadores, dijo que "el hecho es que la muerte no toma en cuenta el calendario. Usted no puede anotar en su Palm Pilot 'Bien, cenemos el viernes y planearé mi muerte para el domingo'". David Phillips rebatió estos resultados y dijo que el estudio se enfocó en pacientes con cáncer, quienes tienen menos probabilidades de presentar efectos psicosomáticos.

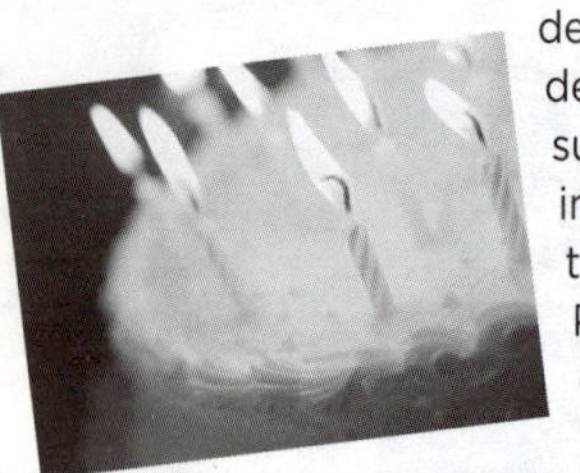

En el inciso *a*), es poco probable que la predicción del precio del boleto del metro sea la inconveniente cantidad de $2.16. Una tarifa más probable sería la de $2.25 (que es de $2.16, redondeado al múltiplo de 25 centavos más cercano). En el inciso *b*), el valor de predicción de $1.06 ignora el patrón de que el precio del boleto del metro aumenta con el tiempo. Considerando el patrón anterior de precios del boleto del metro, un mejor valor de predicción para el inciso *b*) es el precio más reciente de $2.00.

Parte 2: Más allá de los conceptos básicos de regresión

En la parte 2 estudiaremos el concepto de cambio marginal, que sirve para interpretar una ecuación de regresión; después consideraremos los efectos de los valores atípicos y unos puntos especiales llamados *puntos influyentes*.

Interpretación de la ecuación de regresión: Cambio marginal

Podemos utilizar la ecuación de regresión para observar el efecto en una variable, cuando la otra variable cambia por una cantidad específica.

DEFINICIÓN

Cuando se trabaja con dos variables relacionadas por una ecuación de regresión, el **cambio marginal** en una variable es la cantidad que esta se modifica cuando la otra variable cambia exactamente una unidad. La pendiente b_1 en la ecuación de regresión representa el cambio marginal que ocurre en y cuando x cambia una unidad.

Para los datos de los precios de la pizza y del boleto del metro incluidos en el problema del capítulo, la recta de regresión tiene una pendiente de 0.945. Así, si incrementamos x (el precio de una rebanada de pizza) en $1, el precio predicho de un boleto del metro se incrementará en $0.945 o 94.5 centavos. Es decir, por cada dólar adicional al precio de la pizza, esperamos que el precio del boleto del metro aumente 94.5 centavos.

Valores atípicos y puntos influyentes

Un análisis de correlación/regresión de datos bivariados (pareados) debe incluir la investigación de *valores atípicos* y *puntos influyentes*, los cuales se definen a continuación.

En un diagrama de dispersión, un **valor atípico** es un punto que aparece muy lejos de los otros puntos de datos.

Los datos muestrales pareados pueden incluir uno o más **puntos influyentes**, los cuales son puntos que afectan fuertemente la gráfica de la recta de regresión.

Para determinar si un punto es un valor atípico, examine el diagrama de dispersión para ver si ese punto se aleja demasiado de los demás. He aquí cómo determinamos un punto influyente: grafique la recta de regresión que resulta de los datos con el punto incluido; después, grafique la recta de regresión resultante de los datos sin incluir el punto. Si la gráfica cambia de forma considerable, se trata de un punto influyente. Los puntos influyentes a menudo se encuentran al identificar los valores atípicos que están alejados *horizontalmente* de los demás puntos.

EJEMPLO 5

Punto influyente Considere los datos del precio de la pizza y del boleto del metro incluidos en el problema del capítulo. El diagrama de dispersión que se observa abajo a la izquierda indica la recta de regresión. Si incluimos el siguiente par de datos adicional: $x = 2.00$, $y = -20.00$ (la rebanada de pizza aún cuesta \$2.00, pero el boleto del metro cuesta −\$20.00, lo que significa que a las personas se les paga \$20 por viajar en el metro), este dato adicional sería un punto influyente porque la gráfica de la recta de regresión cambiaría de manera considerable, como se observa en la recta de regresión que se ubica abajo a la derecha. Compare las dos gráficas y verá con claridad que el hecho de agregar un par de valores puede tener un efecto drástico en la recta de regresión, de manera que el punto adicional es un punto influyente. El punto adicional también es un valor atípico, ya que se aleja mucho de los otros puntos.

DATOS DE LA PIZZA Y DEL METRO DEL PROBLEMA DEL CAPÍTULO

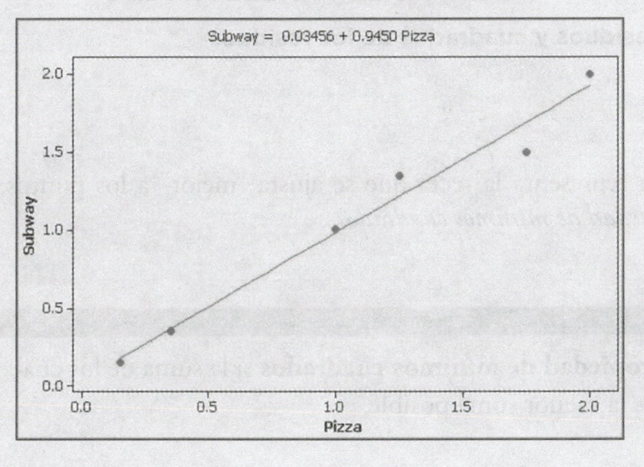

DATOS DE LA PIZZA Y DEL METRO CON UN PUNTO INFLUYENTE

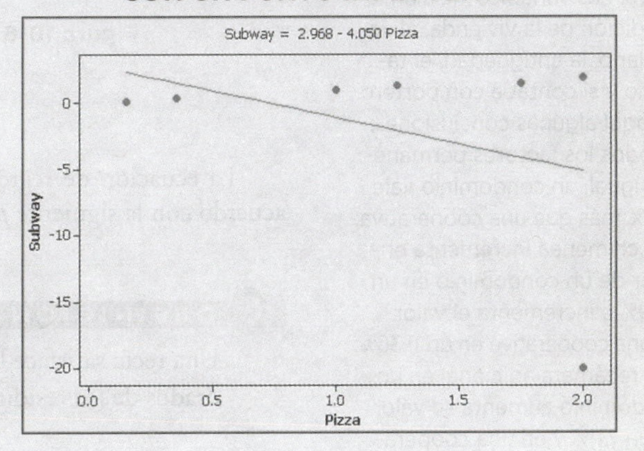

Residuos y la propiedad de los mínimos cuadrados

Hemos establecido que la ecuación de regresión representa la recta que se ajusta "mejor" a los datos. El criterio utilizado para determinar cuál recta es mejor que todas las demás se basa en las distancias verticales entre los puntos de datos originales y la recta de regresión. Tales distancias se denominan *residuos*.

DEFINICIÓN

Para una muestra de datos pareados *x* y *y*, un **residuo** es la diferencia entre un valor *y* muestral *observado* y el valor de *y predicho* por medio de la ecuación de regresión. Es decir,

$$\text{residuo} = y \text{ observada} - y \text{ predicha} = y - \hat{y}$$

x	1	2	4	5
y	4	24	8	32

Esta definición no ha ganado premios por su sencillez, pero usted comprenderá fácilmente los residuos si se remite a la figura 10-6 de la siguiente página, que corresponde a los datos muestrales pareados que se presentan al margen. En la figura 10-6, los residuos están representados por las líneas punteadas.

Considere el punto muestral con las coordenadas (5, 32). Si sustituimos $x = 5$ en la ecuación de regresión $\hat{y} = 5 + 4x$, obtenemos un valor *predicho* de $\hat{y} = 25$. Sin embargo, el valor muestral real *observado* es $y = 32$. La diferencia $y - \hat{y} = 32 - 25 = 7$ es un residuo.

Predicción de precios de condominios

Un estudio extenso incluyó 99,491 operaciones de venta de condominios y unidades habitacionales en cooperativa en Manhattan. El estudio utilizó 41 variables diferentes para predecir el valor del condominio o de la cooperativa. Las variables incluían la condición de la vivienda, el vecindario, la antigüedad, el tamaño y si contaba con portero. He aquí algunas conclusiones: si todos los factores permanecen igual, un condominio vale 15.5% más que una cooperativa; una chimenea incrementa el valor de un condominio en un 9.69% e incrementa el valor de una cooperativa en un 11.36%; una recámara adicional en un condominio aumenta su valor en un 7.11% y en una cooperativa en un 18.53%. Este uso de los métodos estadísticos permite a los compradores y vendedores estimar el valor con mucha mayor exactitud. Los métodos de regresión múltiple (sección 10-5) se utilizan cuando existe más de una variable de predicción, como en este estudio. (Según datos de "So How Much Is That... Worth", de Dennis Hevesi, *New York Times*).

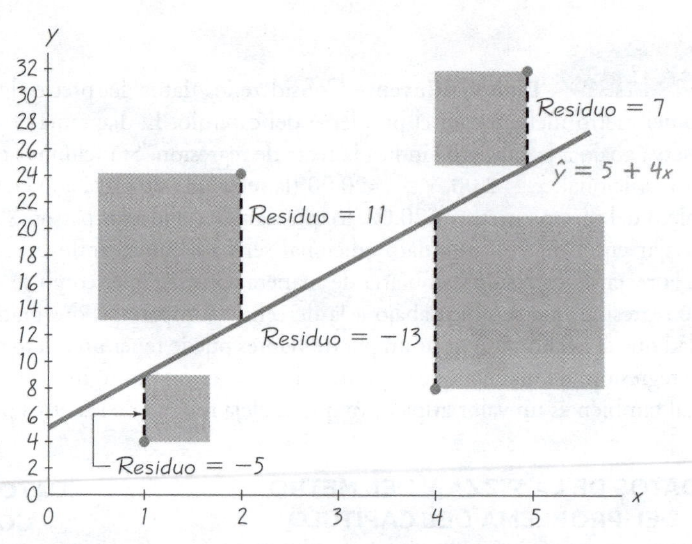

Figura 10-6 Residuos y cuadrados de los residuos

La ecuación de regresión representa la recta que se ajusta "mejor" a los puntos, de acuerdo con la siguiente *propiedad de mínimos cuadrados.*

DEFINICIÓN

Una recta satisface la **propiedad de mínimos cuadrados** si la suma de los cuadrados de los residuos es la menor suma posible.

En la figura 10-6 podemos observar que los residuos son −5, 11, −13 y 7, de manera que la suma de sus cuadrados es

$$(-5)^2 + 11^2 + (-13)^2 + 7^2 = 364$$

Podemos visualizar la propiedad de mínimos cuadrados si nos remitimos a la figura 10-6, donde los cuadrados de los residuos están representados por las áreas de los cuadrados sombreados. La suma de las áreas sombreadas cuadradas es 364, que es la menor suma posible. Utilice cualquier otra recta, y los cuadrados sombreados se combinarán para producir un área mayor que el área sombreada combinada de 364.

Por fortuna, no necesitamos lidiar directamente con la propiedad de mínimos cuadrados cuando deseamos obtener la ecuación de la recta de regresión. Ya se realizaron los cálculos para satisfacer la propiedad de mínimos cuadrados en las fórmulas 10-3 y 10-4. Puesto que la obtención de estas fórmulas requiere del cálculo, no las incluimos en este libro.

Gráficas residuales

En esta sección, al igual que en la anterior, describimos requisitos simplificados para el análisis eficaz de los resultados de correlación y regresión. Indicamos que siempre debemos comenzar con un diagrama de dispersión y que debemos verificar que el patrón de puntos se aproxime a una línea recta. También es necesario tomar en cuenta los valores atípicos. La *gráfica de residuos* es otra herramienta útil para analizar resultados de correlación y regresión, así como para verificar los requisitos necesarios para hacer inferencias sobre correlación y regresión.

DEFINICIÓN

Una **gráfica de residuos** es un diagrama de dispersión de los valores (x, y) una vez que cada uno de los valores de la coordenada y se han reemplazado por el valor residual $y - \hat{y}$ (donde $\hat{y}$ denota el valor predicho de y). Es decir, una gráfica de residuos es una gráfica de los puntos $(x, y - \hat{y})$.

Para construir una gráfica de residuos, utilice el mismo eje x que en el diagrama de dispersión, pero use un eje vertical de valores residuales. Dibuje una línea horizontal de referencia a partir del valor residual de 0 y luego grafique los valores pareados de $(x, y - \hat{y})$. Puesto que la construcción manual de gráficas residuales podría ser tediosa, se recomienda el uso de un programa de cómputo. Cuando analice una gráfica de residuos, busque un patrón en la configuración de los puntos y utilice los siguientes criterios:

- La gráfica de residuos no debe tener un patrón evidente que no sea el de una recta. (Esto confirma que un diagrama de dispersión de los datos muestrales es el patrón de una línea recta y no algún otro).
- La gráfica de residuos no debe volverse más ancha (ni más angosta) al observarla de izquierda a derecha. (Esto confirma el requisito de que, para los diferentes valores fijos de x, las distribuciones de los valores y correspondientes tienen la misma desviación estándar).

EJEMPLO 6

Gráfica de residuos Se utilizan los datos del precio de la pizza y del boleto del metro incluidos en el problema del capítulo para obtener las siguientes gráficas residuales de Minitab y STATDISK. El primer valor muestral x de 0.15 para el precio de una rebanada de pizza se sustituye en la ecuación de regresión de $\hat{y} = 0.0346 + 0.945x$ (obtenida en los ejemplos 1 y 2). El resultado es el valor predicho de $\hat{y} = 0.17635$. Para el primer valor de $x = 0.15$, el valor de y correspondiente es 0.15, de manera que el valor del residuo es $y - \hat{y} = 0.15 - 0.17635 = -0.02635$. Si utilizamos el valor de x de 0.15 y el residuo de -0.02635, obtenemos las coordenadas del punto $(0.15, -0.02635)$, que es el punto localizado a la extrema izquierda en cada una de las gráficas residuales que se muestran aquí. Esta gráfica de residuos se vuelve más ancha, lo que sugiere que la ecuación de regresión tal vez no sea un buen modelo.

MINITAB

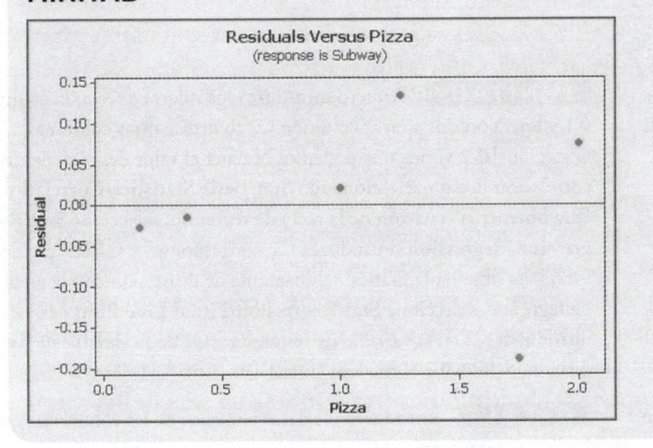

STATDISK

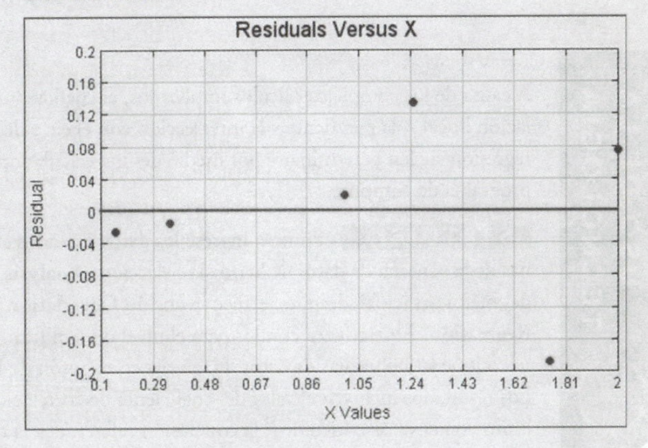

Observe las siguientes tres gráficas residuales. La que se localiza a la izquierda sugiere que la ecuación de regresión es un buen modelo. La que se localiza en medio revela un patrón distinto, el cual sugiere que los datos muestrales no siguen el patrón de una línea recta, como se requiere. La gráfica de residuos de la derecha se vuelve más ancha, lo cual sugiere que se viola el requisito de igualdad de desviaciones estándar.

MINITAB

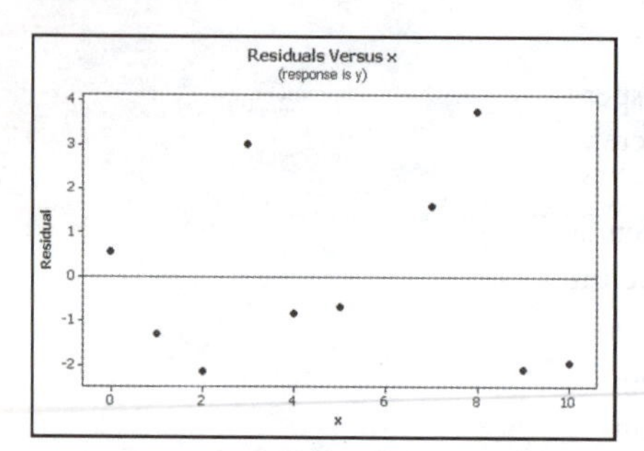

Gráfica de residuos que sugiere que la ecuación de regresión es un buen modelo

MINITAB

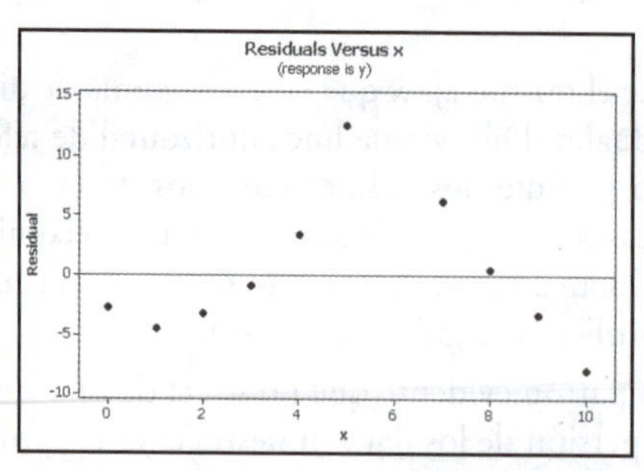

Gráfica de residuos con un patrón evidente, lo cual sugiere que la ecuación de regresión no es un buen modelo

MINITAB

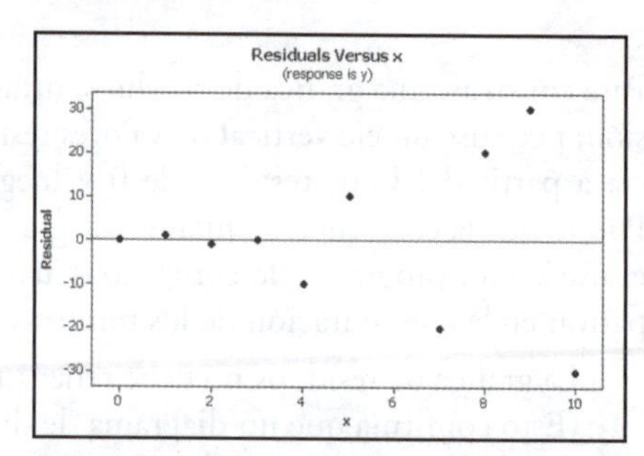

Gráfica de regresión que se vuelve más ancha, lo cual sugiere que la ecuación de regresión no es un buen modelo

Análisis completo de regresión

En la parte 1 de esta sección identificamos criterios simplificados para determinar si una ecuación de regresión es un buen modelo. Con los siguientes pasos se puede implementar un análisis más completo y profundo.

1. Construya un diagrama de dispersión y verifique que el patrón de puntos se aproxime al de una línea recta, sin valores atípicos. (Si hay valores atípicos, considere sus efectos al comparar los resultados incluyendo dichos valores con los resultados que se obtienen sin esos valores atípicos).
2. Construya una gráfica de residuos y verifique que no haya un patrón (diferente del de una línea recta) y también verifique que la gráfica de residuos no se vuelva más ancha (o más angosta).
3. Utilice un histograma y/o una gráfica cuantilar normal para confirmar que los valores de los residuos tienen una distribución aproximadamente normal.
4. Considere cualquier efecto de un patrón debido al paso del tiempo.

USO DE LA TECNOLOGÍA

A causa de los complejos cálculos implicados, el coeficiente de correlación lineal r, la pendiente y la intersección con el eje y de la recta de regresión suelen determinarse por medio de una calculadora o un programa de cómputo.

STATDISK Primero ingrese los datos pareados en columnas de la ventana de datos de Statdisk. Seleccione **Analysis** de la barra del menú principal; después, utilice la opción **Correlation and Regression.** EIntroduzca el valor para el nivel de significancia y seleccione las columnas de datos. Haga clic en el botón de **Evaluate.** Los resultados incluyen el valor del coeficiente de correlación lineal, junto con el valor crítico de r, la conclusión referente a la correlación, la intersección y la pendiente de la ecuación de regresión, así como otros resultados. Haga clic en **Scatterplot** para obtener una gráfica del diagrama de dispersión con la recta de regresión incluida. Seleccione **Residual Plot** para obtener una gráfica de residuos.

MINITAB Primero introduzca los valores de x en la columna C1 y los valores de y en la columna C2 (o utilice otras columnas). En la sección 10-2 vimos que podemos obtener el valor del coeficiente de correlación lineal r seleccionando **Stat/Basic Statistics/Correlation**. Para obtener la ecuación de la recta de regresión, seleccione **Stat/Regression/Regression**, introduzca C2 en "response" y C1 en "predictor". Para obtener la gráfica del diagrama de dispersión con la recta de regresión, seleccione **Stat/Regression/Fitted Line Plot**; después, introduzca C2 en la variable de respuesta y C1 en la variable de predicción. Seleccione el modelo "lineal".

EXCEL Introduzca los datos pareados en las columnas A y B. Utilice el complemento Data Analysis de Excel. Si utiliza Excel 2010 o Excel 2007, haga clic en **Data** y luego en **Data Analysis;** si utiliza Excel 2003, haga clic en **Tools,** después seleccione **Data Analysis** y **Regression;** luego haga clic en **OK.** Introduzca el rango para los

valores de y, como B1:B10. Introduzca el rango para los valores de x, como A1:A10. Haga clic en el recuadro adyacente a Line Fit Plots; después, haga clic en **OK.** De toda la información que brinda Excel, la pendiente y la intersección de la ecuación de regresión aparecen en la tabla con el encabezado "Coefficient". La gráfica presentada incluirá un diagrama de dispersión de los puntos muestrales originales, junto con los puntos que serían predichos mediante la ecuación de regresión. La recta de regresión se obtiene fácilmente conectando los puntos "predichos de y".

Para emplear el complemento Data Desk XL, seleccione **Regression** y luego **Simple Regression.**

TI-83/84 PLUS Introduzca los datos pareados en las listas L1 y L2, luego presione **STAT** y seleccione **TESTS**; después, elija la opción **LinRegTTest**. El despliegue de resultados incluirá la intersección con el eje y y la pendiente de la ecuación de regresión. La calculadora TI-83/84 Plus representa los valores b_0 y b_1 como a y b.

10-3 Destrezas y conceptos básicos

Conocimientos estadísticos y pensamiento crítico

1. Notación y terminología Un médico midió los pesos y los niveles de colesterol de una muestra aleatoria de hombres. La ecuación de regresión es $\hat{y} = -116 + 2.44x$, donde x representa el peso (en libras). ¿Qué representa el símbolo $\hat{y}$? ¿Qué representa la variable de predicción? ¿Qué representa la variable de respuestas?

2. Recta con el mejor ajuste ¿En qué sentido la recta de regresión es la línea recta que se ajusta "mejor" a los puntos en un diagrama de dispersión?

3. Correlación y pendiente La fórmula 10-3 indica que la pendiente de una recta de regresión se puede calcular evaluando $r \cdot s_y/s_x$. ¿Qué sabemos acerca de la gráfica de la recta de regresión si r es un valor positivo? ¿Qué sabemos acerca de la gráfica de la recta de regresión si r es un valor negativo?

4. Notación ¿Qué diferencia hay entre la ecuación de regresión $\hat{y} = b_0 + b_1x$ y la ecuación de regresión $y = \beta_0 + \beta_1x$?

Realización de predicciones. ***En los ejercicios 5 a 8, utilice los datos indicados para calcular el mejor valor predicho de la variable dependiente. Asegúrese de seguir el procedimiento para predicciones descrito en la figura 10-5.***

5. Basura desechada y tamaño de la familia En un estudio realizado por investigadores de la Universidad de Arizona, se registró el peso total (en libras) de la basura desechada en una semana y el tamaño de la familia para 62 hogares. El coeficiente de correlación lineal es $r = 0.759$, y la ecuación de regresión es $\hat{y} = 0.445 + 0.119x$, donde x representa el peso total de la basura desechada. La media de los 62 pesos de la basura es de 27.4 libras, y los 62 hogares tienen un tamaño medio de 3.71 personas. ¿Cuál es la mejor predicción del número de personas en un hogar que desecha 50 libras de basura?

6. Estaturas de madres e hijas Se obtuvo una muestra de ocho pares de madres e hijas, y se midieron sus estaturas (en pulgadas). El coeficiente de correlación lineal es 0.693 y la ecuación de regresión es $\hat{y} = 69.0 - 0.0849x$, donde x representa la estatura de la madre (según datos de la National Health Examination Survey). La estatura media de las madres es de 63.1 pulgadas, y la estatura media de las hijas es de 63.3 pulgadas. Calcule la mejor estatura predicha de una hija, si la madre tiene una estatura de 60 pulgadas.

7. Estatura y pulso Se obtiene una muestra de 40 mujeres, y se mide su estatura (en pulgadas) y su pulso (en latidos por minuto). El coeficiente de correlación lineal es 0.202 y la ecuación de la recta de regresión es $\hat{y} = 18.2 + 0.920x$, donde x representa la estatura (según datos de la

National Health Examination Survey). La media de las 40 estaturas es 63.2 pulgadas, y la media de los 40 pulsos es 76.3 latidos por minuto. Calcule el mejor pulso predicho de una mujer que mide 70 pulgadas de estatura.

8. Estaturas y pesos de supermodelos Se obtienen las estaturas (en pulgadas) y los pesos (en libras) de una muestra aleatoria de nueve supermodelos (Alves, Avermann, Hilton, Dyer, Turlington, Hall, Campbell, Mazza y Hume). El coeficiente de correlación lineal es 0.360 y la ecuación de la recta de regresión es $\hat{y} = 31.8 + 1.23x$, donde x representa la estatura. La media de las nueve estaturas es 69.3 pulgadas, y la media de los nueve pesos es 117 libras. ¿Cuál es el mejor peso predicho de una supermodelo que mide 72 pulgadas de estatura?

Cálculo de la ecuación de la recta de regresión. ***En los ejercicios 9 y 10, utilice los datos indicados para determinar la ecuación de la recta de regresión. Examine el diagrama de dispersión e identifique una característica de los datos que es ignorada por la recta de regresión.***

9.

x	10	8	13	9	11	14	6	4	12	7	5
y	9.14	8.14	8.74	8.77	9.26	8.10	6.13	3.10	9.13	7.26	4.74

10.

x	10	8	13	9	11	14	6	4	12	7	5
y	7.46	6.77	12.74	7.11	7.81	8.84	6.08	5.39	8.15	6.42	5.73

11. Efectos de un valor atípico Remítase al diagrama de dispersión generado por Minitab en el ejercicio 11 de la sección 10-2.

a) Utilice los pares de valores de los 10 puntos y calcule la ecuación de la recta de regresión.

b) Después de eliminar el punto con las coordenadas (10, 10), utilice los pares de valores de los nueve puntos restantes y calcule la ecuación de la recta de regresión.

c) Compare los resultados de los incisos *a*) y *b*).

12. Efectos de conglomerados Remítase al diagrama de dispersión generado por Minitab del ejercicio 12 de la sección 10-2.

a) Utilice los pares de valores de los 8 puntos y calcule la ecuación de la recta de regresión.

b) Utilice únicamente los pares de valores de los cuatro puntos en la esquina inferior izquierda y calcule la ecuación de la recta de regresión.

c) Utilice únicamente los pares de valores de los cuatro puntos en la esquina superior derecha y calcule la ecuación de la recta de regresión.

d) Compare los resultados de los incisos *a*), *b*) y *c*).

Determinación de la ecuación de la recta de regresión y predicciones. ***En los ejercicios 13 a 28, utilice los mismos conjuntos de datos que en los ejercicios de la sección 10-2. En cada caso, determine la ecuación de regresión, permitiendo que la primera variable sea la variable de predicción (x). Calcule los valores predichos indicados siguiendo el procedimiento de predicción descrito en la figura 10-5.***

13. IPC y pizza Calcule el mejor costo predicho de una rebanada de pizza cuando el Índice de precios al consumidor (IPC) es de 182.5 (en el año 2000).

IPC	30.2	48.3	112.3	162.2	191.9	197.8
Costo de pizza	0.15	0.35	1.00	1.25	1.75	2.00

14. IPC y precio del boleto del metro Calcule el mejor precio predicho del boleto del metro cuando el Índice de precios al consumidor (IPC) es de 182.5 (en el año 2000).

IPC	30.2	48.3	112.3	162.2	191.9	197.8
Tarifa del metro	0.15	0.35	1.00	1.35	1.50	2.00

15. Medidas de presión sanguínea Calcule la mejor presión sanguínea sistólica predicha en el brazo izquierdo, si la presión sanguínea sistólica del brazo derecho es de 100 mm Hg.

Brazo derecho	102	101	94	79	79
Brazo izquierdo	175	169	182	146	144

16. Estaturas de presidentes y finalistas Calcule la mejor estatura predicha de Goldwater, el candidato que obtuvo el segundo lugar, si la estatura de Johnson, el candidato presidencial ganador, es de 75 pulgadas. ¿La estatura predicha de Goldwater se acerca a su estatura real de 72 pulgadas?

Ganador	69.5	73	73	74	74.5	74.5	71	71
Segundo lugar	72	69.5	70	68	74	74	73	76

17. Medición de focas a partir de fotografías Calcule el mejor peso predicho (en kg) de una foca, si la anchura de la cabeza medida a partir de una fotografía es de 9.0 cm.

Anchura de cabeza	7.2	7.4	9.8	9.4	8.8	8.4
Peso	116	154	245	202	200	191

18. Tamaño de casinos y ganancias Calcule el mejor monto de las ganancias predicho (en millones de dólares), considerando que el casino Trump Plaza tiene un tamaño de 87,000 pies cuadrados. ¿Qué diferencia hay entre el resultado y las ganancias reales que son de $65.1 millones?

Tamaño	160	227	140	144	161	147	141
Ganancias	189	157	140	127	123	106	101

19. Tarifas aéreas Calcule el mejor precio predicho de un boleto comprado con un día de anticipación, considerando que el precio del boleto es de $300 si se compra 30 días antes del vuelo.

30 días	244	260	264	264	278	318	280
Un día	456	614	567	943	628	1088	536

20. Pasajeros y espacios de estacionamiento La estación del tren Metro-North de Greenwich, CT, recibe a 2804 pasajeros que se trasladan a su trabajo. Calcule el mejor número predicho de lugares de espacios de estacionamiento en esa estación. ¿El valor predicho se acerca al valor real de 1274?

Pasajeros	3453	1350	1126	3120	2641	277	579	2532
Espacios de estacionamiento	1653	676	294	950	1216	179	466	1454

21. Costos de reparación de automóviles Calcule el mejor costo de reparación predicho para un choque trasero de un Volkswagen Passat, si su costo de reparación para un choque frontal es de $4594. ¿En qué difiere el resultado con el costo real de reparación de $982 para un choque trasero?

Choque frontal	936	978	2252	1032	3911	4312	3469
Choque trasero	1480	1202	802	3191	1122	739	2767

22. Nueva clasificación de rendimiento de combustible de automóviles Calcule el mejor rendimiento de combustible predicho de una camioneta Jeep Grand Cherokee, si la antigua clasificación de rendimiento es de 19 mi/gal. ¿El valor predicho se acerca al valor real de 17 mi/gal?

Antigua	16	27	17	33	28	24	18	22	20	29	21
Nueva	15	24	15	29	25	22	16	20	18	26	19

23. Calentamiento global Calcule la mejor temperatura predicha para un año reciente en el que la concentración de CO_2 (en partes por millón) es de 370.9. ¿La temperatura predicha se acerca a la temperatura real de 14.5° (Celsius)?

CO_2	314	317	320	326	331	339	346	354	361	369
Temperatura	13.9	14.0	13.9	14.1	14.0	14.3	14.1	14.5	14.5	14.4

24. Costos de televisores Calcule la mejor calificación de calidad predicha de un televisor Hitachi que tiene un precio de $1900. ¿La calificación de calidad predicha se acerca a la calificación real de 56?

Precio	2300	1800	2500	2700	2000	1700	1500	2700
Calificación de calidad	74	73	70	66	63	62	52	68

25. Béisbol A continuación se presentan estadísticas de equipos de béisbol, que consisten en las proporciones de triunfos y los resultados de la siguiente diferencia: Diferencia = (número de carreras anotadas) − (número de carreras permitidas) de un año reciente. Calcule la mejor proporción de triunfos predicha para el equipo de San Diego, que tiene una diferencia de 52 carreras. ¿La proporción predicha se acerca a la proporción real de 0.543?

Diferencia	163	55	−5	88	51	16	−214
Triunfos	0.599	0.537	0.531	0.481	0.494	0.506	0.383

26. Grillos y temperatura Calcule la mejor temperatura predicha (en °F) cuando un grillo chirría 3000 veces en un minuto. ¿Cuál es el error de este valor predicho?

Chirridos en un minuto	882	1188	1104	864	1200	1032	960	900
Temperatura (°F)	69.7	93.3	84.3	76.3	88.6	82.6	71.6	79.6

27. Tamaño del cerebro e inteligencia Calcule la mejor puntuación de CI predicha de una persona cuyo cerebro tiene un tamaño de 1275 cm^3.

Tamaño del cerebro	965	1029	1030	1285	1049	1077	1037	1068	1176	1105
CI	90	85	86	102	103	97	124	125	102	114

28. Edades de mejores actrices y actores Calcule la mejor edad predicha para el mejor actor en el momento en que la edad de la mejor actriz es de 75 años.

Mejores actrices

26 80 42 29 33 35 45 49 39 34
26 25 33 35 35 28 30 29 61

Mejores actores

51 32 42 54 52 37 38 32 45 60
46 40 36 47 29 43 37 38 45

Grandes conjuntos de datos. ***En los ejercicios 29 a 32, utilice los mismos conjuntos de datos del apéndice B que se utilizaron en los ejercicios 29 a 32 de la sección 10-2. En cada caso, determine la ecuación de regresión, permitiendo que la primera variable sea la variable de predicción (x). Calcule los valores predichos indicados siguiendo el procedimiento de predicción descrito en la figura 10-5.***

29. Presupuestos y ganancias brutas de películas Remítase al conjunto de datos 9 del apéndice B y utilice los datos pareados que consisten en los presupuestos invertidos en las películas y las ganancias brutas obtenidas. Calcule la mejor ganancia predicha para una película cuyo presupuesto es de $120 millones.

30. Pesos de automóviles y distancia de frenado Remítase al conjunto de datos 16 del apéndice B y utilice los pesos de automóviles y las distancias de frenado correspondientes. Calcule la mejor distancia de frenado predicha para un automóvil que pesa 4000 libras.

31. Conteos de palabras de hombres y mujeres Remítase al conjunto de datos 8 del apéndice B y utilice los conteos de palabras medidos de hombres y mujeres en relaciones de pareja, incluidos en las primeras dos columnas. Calcule el mejor conteo de palabras predicho para una mujer, considerando que su pareja pronuncia 6000 palabras en un día.

32. Alquitrán y nicotina de cigarrillos Remítase al conjunto de datos 4 del apéndice B y utilice los datos de alquitrán y nicotina de los cigarrillos de tamaño grande. Calcule la mejor cantidad de nicotina predicha en un cigarrillo de tamaño grande con 10 mg de alquitrán.

10-3 Más allá de lo básico

33. Prueba de hipótesis equivalentes Explique por qué la prueba de la hipótesis nula H_0: $\rho = 0$ es equivalente a la prueba de la hipótesis nula H_0: $\beta_1 = 0$, donde ρ es el coeficiente de correlación lineal para una población de datos pareados, y β_1 es la pendiente de la recta de regresión para la misma población.

34. Prueba de la propiedad de mínimos cuadrados Según la propiedad de mínimos cuadrados, la recta de regresión minimiza la suma de los cuadrados de los residuos. Remítase al conjunto de datos 1 del apéndice B y utilice los datos pareados que consisten en los primeros seis pulsos y las primeras seis presiones sanguíneas sistólicas de los hombres.

a) Determine la ecuación de la recta de regresión.

b) Identifique los residuos, y calcule la suma de cuadrados de los residuos.

c) Demuestre que la ecuación $\hat{y} = 70 + 0.5x$ da por resultado una suma más grande de cuadrados de residuos.

35. Gráfica de residuos Remítase al conjunto de datos 1 del apéndice B y utilice los datos pareados que consisten en los primeros seis pulsos y las primeras seis presiones sanguíneas sistólicas de los hombres. Construya la gráfica de residuos. ¿La gráfica de residuos sugiere que la ecuación de regresión es un modelo inadecuado? ¿Por qué? ¿El diagrama de dispersión sugiere que la ecuación de regresión es un modelo inadecuado? ¿Por qué?

36. Uso de logaritmos para transformar datos Si un diagrama de dispersión revela un patrón no lineal (es decir, diferente de una recta), que usted reconoce como otro tipo de curva, se podrían aplicar los métodos de esta sección. Para los datos presentados al margen, determine la ecuación lineal ($\hat{y} = b_0 + b_1x$) que se ajuste mejor a los datos muestrales y determine la ecuación logarítmica ($\hat{y} = a + b \ln x$) que se ajuste mejor a los datos muestrales. (*Sugerencia:* Inicie reemplazando cada valor de x por $\ln x$). ¿Cuál de estas dos ecuaciones se ajusta mejor a los datos? ¿Por qué?

x	2	48	377	4215
y	1	4	6	10

10-4 Variación e intervalos de predicción

Concepto clave En la sección 10-3 se presentó un método para utilizar una ecuación de regresión con la finalidad de calcular un valor de predicción de y. En esta sección se presenta un método para construir un *intervalo de predicción*, que es una estimación del intervalo de un valor predicho de y. (Las estimaciones de intervalos de parámetros se conocen como *intervalos de confianza*, en tanto que las estimaciones de intervalos de variables se denominan *intervalos de predicción*).

Variación explicada y sin explicar

Primero examinaremos medidas de *desviación* y *variación* para un par de valores (x, y). Consideremos el caso específico descrito en la figura 10-7. Imagine una muestra de datos pareados (x, y) que incluye los valores específicos de (5, 19). Suponga que utilizamos esta muestra de datos pareados para calcular los siguientes resultados:

- Existe evidencia suficiente para sustentar la afirmación de una correlación lineal entre x y y.
- La ecuación de la recta de regresión es $\hat{y} = 3 + 2x$.

El Súper Bowl como factor de predicción del mercado de valores

La "superstición del Súper Bowl" afirma que una victoria por parte de un equipo que originalmente formó parte de la NFL es seguida por un año en el que aumenta el índice de cotizaciones del mercado de valores de Nueva York; si no resulta victorioso un equipo que originalmente formó parte de la NFL, el índice cae. (En 1970, la NFL y la AFL se unieron para formar la NFL actual). Después de los primeros 29 juegos del Súper Bowl, la predicción fue correcta el 90% de las veces, pero ha tenido mucho menos éxito en años recientes. Hasta el momento en que se escribe esto, ha sido correcta en 31 de 40 juegos del Súper Bowl, con una tasa de éxito del 78%. Los pronósticos y las predicciones son objetivos importantes de los especialistas en estadística y de los consejeros de inversiones, pero el sentido común sugiere que nadie debe basar sus inversiones en el resultado de un juego de futbol. Otros indicadores que se utilizan para pronosticar el desempeño del mercado de valores incluyen el aumento del tamaño del dobladillo de las faldas, las ventas de aspirina, las limusinas en Wall Street, los pedidos de cajas de cartón, las ventas de cerveza contra las ventas de vino, y el tránsito de los elevadores en la Bolsa de Valores de Nueva York.

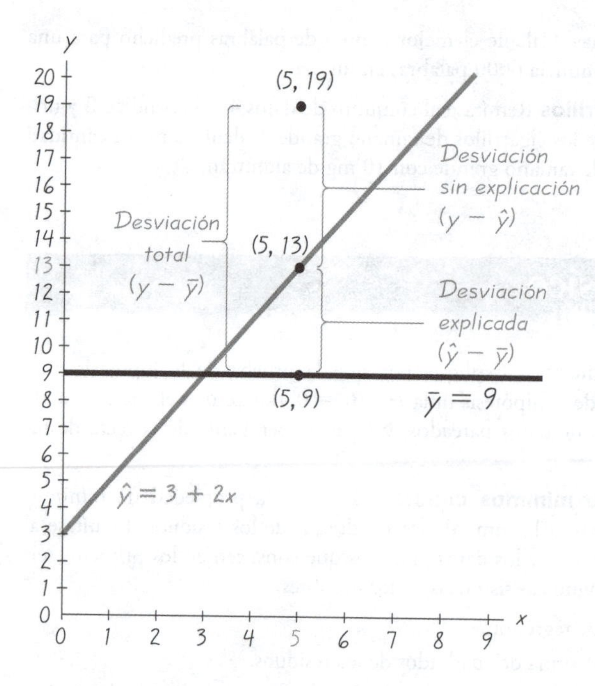

Figura 10-7
Desviación sin explicación, explicada y total

- La media de los valores de y está dada por $\bar{y} = 9$.
- Uno de los pares de datos muestrales es $x = 5$ y $y = 19$.
- El punto (5, 13) es uno de los puntos sobre la recta de regresión, ya que la sustitución de $x = 5$ en la ecuación de regresión $\hat{y} = 3 + 2x$ produce $\hat{y} = 13$.

La figura 10-7 indica que el punto (5, 13) está sobre la recta de regresión, pero el punto (5, 19) del conjunto de datos original no se ubica en la recta de regresión. Si ignoramos por completo los conceptos de correlación y regresión, y deseamos predecir un valor de y a partir de un valor de x y un conjunto de datos pareados (x, y), nuestra mejor conjetura sería la media $\bar{y}$. Pero en este caso existe una correlación lineal significativa entre x y y, por lo que la forma de predecir el valor de y cuando $x = 5$ consiste en sustituir $x = 5$ en la ecuación de regresión para obtener $\hat{y} = 13$. Podemos explicar la discrepancia entre $\bar{y} = 9$ y $\hat{y} = 13$ al señalar que existe una relación lineal mejor descrita por medio de la recta de regresión. Como consecuencia, cuando $x = 5$, el valor predicho de y es 13 y no el valor medio de 9. Para $x = 5$, el valor predicho de y es 13, pero el valor muestral observado de y en realidad es 19. La discrepancia entre $\hat{y} = 13$ $y = 19$ no puede explicarse por medio de la recta de regresión y se le denomina desviación sin explicación o residuo. Esta desviación sin explicar se expresa en símbolos como $y - \hat{y}$.

Igual que en la sección 3-3, donde definimos la desviación estándar, nuevamente considere que una *desviación* es la diferencia entre un valor y la media. (En este caso, la media es $\bar{y} = 9$.) Examine con atención la figura 10-7 y observe las siguientes desviaciones específicas a partir de $\bar{y} = 9$:

Desviación total (a partir de $\bar{y} = 9$) del punto (5, 19) $= y - \bar{y} = 19 - 9 = 10$

Desviación explicada (a partir de $\bar{y} = 9$) del punto (5, 19) $= \hat{y} - \bar{y} = 13 - 9 = 4$

Desviación sin explicar (a partir de $\bar{y} = 9$) del punto (5, 19) $= y - \hat{y} = 19 - 13 = 6$

Estas desviaciones a partir de la media se generalizan y definen formalmente como sigue.

DEFINICIONES

Suponga que tenemos un conjunto de datos pareados que contienen el punto muestral (x, y), que $\hat{y}$ es el valor predicho de y (obtenido por medio de la ecuación de regresión), y que la media de los valores y muestrales es $\bar{y}$.

La **desviación total** de (x, y) es la distancia vertical $y - \bar{y}$, que es la distancia entre el punto (x, y) y la recta horizontal que pasa por la media muestral $\bar{y}$.

La **desviación explicada** es la distancia vertical $\hat{y} - \bar{y}$, que es la distancia entre el valor predicho y y la recta horizontal que pasa por la media muestral $\bar{y}$. $\bar{y}$.

La **desviación sin explicar** es la distancia vertical $y - \hat{y}$, que es la distancia vertical entre el punto (x, y) y la recta de regresión. (La distancia $y - \hat{y}$ también se conoce como *residuo*, tal como se definió en la sección 10-3).

En la figura 10-7 podemos apreciar la siguiente relación:

$$\text{(desviación total)} = \text{(desviacón explicada)} + \text{(desviación sin explicar)}$$
$$(y - \bar{y}) \quad = \quad (\hat{y} - \bar{y}) \quad + \quad (y - \hat{y})$$

La expresión anterior implica desviaciones a partir de la media y se aplica a cualquier punto (x, y) particular. Si sumamos los cuadrados de las desviaciones utilizando todos los puntos (x, y), obtenemos cantidades de *variación*, y la misma relación se aplica a las sumas de cuadrados que se muestran en la fórmula 10-5, aunque esta última expresión no es algebraicamente equivalente a la fórmula 10-5. En esa fórmula, la **variación total** se expresa como la suma de los cuadrados de los valores de desviación totales, la **variación explicada** es la suma de los cuadrados de los valores de desviación explicados, y la **variación sin explicar** es la suma de los cuadrados de los valores de desviación sin explicar.

Fórmula 10-5

$$\text{(variación total)} = \text{(variación explicada)} + \text{(variación sin explicar)}$$
$$\text{o} \quad \Sigma(y - \bar{y})^2 \quad = \quad \Sigma(\hat{y} - \bar{y})^2 \quad + \quad \Sigma(y - \hat{y})^2$$

En la sección 10-2 vimos que el coeficiente de correlación lineal r se utiliza para calcular la proporción de la variación total en y que puede explicarse por medio de la correlación lineal. En la sección 10-2 hicimos la siguiente afirmación:

El valor de r^2 es la proporción de la variación en y que se explica por la relación lineal entre x y y.

Esta afirmación sobre la variación explicada se formaliza en la siguiente definición.

DEFINICIÓN

El **coeficiente de determinación** es la cantidad de variación en y que se explica por la recta de regresión. Se calcula como

$$r^2 = \frac{\text{variación explicada}}{\text{variación total}}$$

Podemos calcular r^2 por medio de la definición que dimos con la fórmula 10-5, o bien, podemos simplemente elevar al cuadrado el coeficiente de correlación lineal r.

EJEMPLO 1

Precio de la pizza y del boleto del metro: Cálculo del coeficiente de determinación En la sección 10-2 utilizamos los precios pareados de la pizza y del boleto del metro incluidos en el problema del capítulo para encontrar que $r = 0.988$. Calcule el coeficiente de determinación. También, obtenga el porcentaje de la variación total en y (precio del boleto del metro) que puede explicarse por medio de la relación lineal entre el precio de una rebanada de pizza y el precio de un boleto del metro.

continúa

SOLUCIÓN El coeficiente de determinación es $r^2 = 0.988^2 = 0.976$. Como r^2 es la proporción de la variación total que está explicada, concluimos que aproximadamente el 97.6% de la variación total en las tarifas del metro se pueden explicar por los precios de una rebanada de pizza. Esto significa que el 2.4% de la variación total del precio del boleto del metro está explicada por otros factores y no por el precio de una rebanada de pizza. Sin embargo, recuerde que esos resultados son estimaciones que se basan en los datos muestrales con que se cuenta. Es probable que otros datos muestrales produzcan estimaciones diferentes.

Intervalos de predicción

En la sección 10-3 empleamos los datos muestrales de la tabla 10-1 para determinar la ecuación de regresión $\hat{y} = 0.0346 + 0.945x$, donde representa el precio predicho de un boleto del metro, en tanto que x representa el precio de una rebanada de pizza. Luego utilizamos esa ecuación para predecir el precio de un boleto del metro, considerando que el precio de una rebanada de pizza es $x = \$2.25$, y encontramos que el mejor precio predicho de un boleto del metro es $2.16. (Véase el ejemplo 4 en la sección 10-3). Puesto que el precio predicho de un boleto del metro de $2.16 es un único valor, se le conoce como *estimación puntual*. En el capítulo 7 aprendimos que las estimaciones puntuales tienen la grave desventaja de no darnos ninguna información acerca de su exactitud. Aquí, sabemos que $2.16 es el mejor valor predicho, pero no sabemos qué tan exacto es. En el capítulo 7 elaboramos estimaciones del intervalo de confianza para superar esa desventaja, y en esta sección seguiremos el mismo método; utilizaremos un *intervalo de predicción*.

DEFINICIÓN

Un **intervalo de predicción** es una estimación del intervalo de un valor predicho de y.

Una estimación del intervalo de un *parámetro* (como la media de todos los precios del boleto del metro) suele denominarse *intervalo de confianza*, mientras que la estimación del intervalo de una *variable* (como el precio predicho del boleto del metro) se conoce como *intervalo de predicción*.

El desarrollo de un intervalo de predicción requiere una medida de la dispersión de los puntos muestrales alrededor de la recta de regresión. Recuerde que la desviación sin explicar (o residuo) es la distancia vertical entre un punto muestral y la recta de regresión, tal como se ilustra en la figura 10-7. El *error estándar de la estimación* es una medida colectiva de la dispersión de los puntos muestrales alrededor de la recta de regresión, y se define de manera formal como sigue.

DEFINICIÓN

El **error estándar de la estimación**, denotado con s_e, es una medida de las diferencias (o distancias) entre los valores muestrales observados de y y los valores predichos $\hat{y}$ que se obtienen por medio de la ecuación de regresión. Está dado por

$$s_e = \sqrt{\frac{\Sigma(y - \hat{y})^2}{n - 2}} \qquad \text{(donde } \hat{y} \text{ es el valor predicho de } y\text{)}$$

o por medio de la siguiente fórmula equivalente:

Fórmula 10-6
$$s_e = \sqrt{\frac{\Sigma y^2 - b_0 \Sigma y - b_1 \Sigma xy}{n - 2}}$$

STATDISK, Minitab, Excel y la calculadora TI-83/84 Plus están diseñados para calcular de manera automática el valor de s_e. (Véase el recuadro "Uso de la tecnología" al final de esta sección).

El cálculo del error estándar de la estimación s_e se asemeja mucho al de la desviación estándar ordinaria que se explicó en la sección 3-3. Así como la desviación estándar es una medida de la desviación de los valores a partir de su media, el error estándar de la estimación se es una medida de la desviación de los puntos de los datos muestrales a partir de su recta de regresión. La lógica que subyace en la división entre $n - 2$ es similar a la lógica que condujo a la división entre $n - 1$ para la desviación estándar ordinaria. Es importante señalar que valores relativamente pequeños de se reflejan puntos que están cercanos a la recta de regresión, y los valores relativamente grandes se presentan cuando hay puntos que se alejan de la recta de regresión.

La fórmula 10-6 es algebraicamente equivalente a la otra ecuación en la definición, pero la fórmula 10-6 suele ser más fácil ya que no requiere que calculemos cada uno de los valores predichos $\hat{y}$ por medio de sustitución en la ecuación de regresión. Sin embargo, la fórmula 10-6 sí requiere que calculemos la intersección con el eje y, b_0, y la pendiente b_1 de la recta de regresión estimada.

EJEMPLO 2 **Precio de la pizza y del boleto del metro: Cálculo de s_e**

Utilice la fórmula 10-6 para calcular el error estándar de la estimación se para los datos pareados de los precios de la pizza y del boleto del metro que se incluyen en la tabla 10-1 del problema del capítulo.

SOLUCIÓN Con los datos muestrales de la tabla 10-1, calculamos estos valores:

$$n = 6 \qquad \Sigma y^2 = 9.2175 \qquad \Sigma y = 6.35 \qquad \Sigma xy = 9.4575$$

En la sección 10-3 empleamos los datos muestrales de los precios de la pizza y del boleto del metro para obtener la intersección con el eje y y la pendiente de la recta de regresión. Esos valores se presentan aquí con más decimales para una mayor precisión.

$$b_0 = 0.034560171 \qquad b_1 = 0.94502138$$

Ahora podemos usar estos valores en la fórmula 10-6 para calcular el error estándar de la estimación s_e.

$$s_e = \sqrt{\frac{\Sigma y^2 - b_0 \Sigma y - b_1 \Sigma xy}{n - 2}}$$

$$= \sqrt{\frac{9.2175 - (0.034560171)(6.35) - (0.94502138)(9.4575)}{6 - 2}}$$

$$= 0.12298700 = 0.123 \quad \text{(redondeado)}$$

Es posible medir la dispersión de los puntos muestrales alrededor de la recta de regresión con el error estándar de la estimación $s_e = 0.123$. Podemos emplear el error estándar de la estimación se para construir estimaciones de intervalo que nos ayuden a ver qué tan confiables son realmente nuestras estimaciones puntuales de y. Suponga que para cada valor fijo de x, los valores muestrales correspondientes de y se distribuyen normalmente alrededor de la recta de regresión, y que estas distribuciones normales tienen la misma varianza. La siguiente estimación del intervalo se aplica a un valor *y individual*. (Consulte el ejercicio 26 para ver un intervalo de confianza utilizado con la finalidad de predecir la *media* de todos los valores de y, para algún valor dado de x).

Intervalo de predicción para una *y* individual

Considerando el valor fijo x_0, el intervalo de predicción para una y individual es

$$\hat{y} - E < y < \hat{y} + E$$

continúa

donde el margen de error E es

$$E = t_{\alpha/2}s_e\sqrt{1 + \frac{1}{n} + \frac{n(x_0 - \bar{x})^2}{n(\Sigma x^2) - (\Sigma x)^2}}$$

y x_0 representa el valor dado de x, $t_{\alpha/2}$ tiene $n - 2$ grados de libertad, y se se calcula partir de la fórmula 10-6.

EJEMPLO 3

Precio de la pizza y del boleto del metro: Cálculo de un intervalo de predicción Para los pares de datos del problema del capítulo sobre el precio de la pizza y del boleto del metro, encontramos que para un precio de la pizza de \$2.25, el mejor precio predicho de un boleto del metro es de \$2.16. Construya un intervalo de predicción del 95% para el precio de un boleto del metro, considerando que una rebanada de pizza cuesta \$2.25 (de manera que $x = 2.25$).

SOLUCIÓN

De la sección 10-2 sabemos que $r = 0.988$, de manera que existe evidencia suficiente para sustentar la afirmación de una correlación lineal (con un nivel de significancia de 0.05), y la ecuación de regresión es $\hat{y} = 0.0346 + 0.945x$. En el ejemplo 2 encontramos que $s_e = 0.12298700$. Los siguientes estadísticos se obtienen de los datos de la tabla 10-1 sobre los precios de la pizza y del boleto del metro:

$$n = 6 \qquad \bar{x} = 1.0833333 \qquad \Sigma x = 6.50 \qquad \Sigma x^2 = 9.77$$

En la tabla A-3 encontramos que $t_{\alpha/2} = 2.776$ (utilizamos $6 - 2 = 4$ grados de libertad, con $\alpha = 0.05$ en dos colas). Primero calculamos el margen de error E permitiendo que $x_0 = 2.25$ (ya que buscamos el intervalo de predicción del precio del boleto del metro, considerando que una rebanada de pizza cuesta $x = 2.25$).

$$E = t_{\alpha/2}s_e\sqrt{1 + \frac{1}{n} + \frac{n(x_0 - \bar{x})^2}{n(\Sigma x^2) - (\Sigma x)^2}}$$

$$= (2.776)(0.12298700)\sqrt{1 + \frac{1}{6} + \frac{6(2.25 - 1.0833333)^2}{6(9.77) - (6.50)^2}}$$

$$= (2.776)(0.12298700)(1.2905606) = 0.441 \qquad \text{(redondeado)}$$

Con $\hat{y} = 2.16$ y $E = 0.441$, obtenemos el intervalo de predicción de la siguiente forma:

$$\hat{y} - E < y < \hat{y} + E$$
$$2.16 - 0.441 < y < 2.16 + 0.441$$
$$1.72 < y < 2.60$$

INTERPRETACIÓN

Si el precio de una rebanada de pizza es de \$2.25, tenemos una certeza del 95% de que el precio del boleto del metro está entre \$1.72 y \$2.60. Se trata de un rango relativamente grande de posibles valores, y uno de los factores que contribuye a la gran dimensión del rango es el tamaño tan pequeño de la muestra, con $n = 6$.

Se puede emplear Minitab para calcular los límites del intervalo de predicción. Si utilizamos Minitab, obtendremos el resultado de (1.7202, 2.6015), bajo el encabezado "95.0% P.I.". Este corresponde al mismo intervalo de predicción calculado antes.

Además de saber que si una rebanada de pizza cuesta \$2.25, el costo predicho de un boleto del metro es de \$2.16, ahora tenemos una idea de qué tan confiable es realmente la estimación. El intervalo de predicción del 95% calculado en este ejemplo indica que el precio real de un boleto del metro puede variar sustancialmente del valor predicho de \$2.16.

USO DE LA TECNOLOGÍA

STATDISK Introduzca los datos pareados en las columnas de la ventana de datos de STATDISK y seleccione **Analysis** de la barra del menú principal; después, utilice la opción **Correlation and Regression.** Introduzca un valor para el nivel de significancia (como 0.05) y seleccione las dos columnas de datos que usará. Haga clic en el botón **Evaluate.** Los resultados de STATDISK incluirán el coeficiente de correlación lineal r, el coeficiente de determinación, la ecuación de regresión, el valor del error estándar de la estimación s_e, la variación total, la variación explicada y la variación sin explicación.

MINITAB Minitab puede utilizarse para encontrar la ecuación de regresión, el error estándar de la estimación s_e (denotado con S), el valor del coeficiente de determinación (denotado con R-sq) y los límites del intervalo de predicción. Ingrese los datos de x en la columna C1 y los datos de y en la columna C2; luego, seleccione las opciones **Stat**, **Regression** y **Regression**. Introduzca C2 en el recuadro denominado "Response" e introduzca C1 en el recuadro denominado "Predictors". Si busca un intervalo de predicción para algún valor dado de x, haga clic en **Options** e introduzca el valor deseado de x_0 en el recuadro denominado "Prediction intervals for new observations".

EXCEL Excel sirve para encontrar la ecuación de regresión, el error estándar de la estimación s_e y el coeficiente de determinación (denotado con R square). Primero introduzca los datos pareados en las columnas A y B.

Utilice el complemento Data Analysis de Excel. Si utiliza Excel 2010 o 2007, haga clic en **Data** y luego en **Data Analysis**; si utiliza Excel 2003, seleccione **Tools**, después elija **Data Analysis**, seguido por **Regression**, y después haga clic en **OK**. Ingrese el rango para los valores de y, como B1:B6. Ingrese el rango para los valores de x, como A1:A6. Haga clic en **OK**.

El complemento Data Desk XL también se puede utilizar seleccionando **Regression** y después **Simple Regression.**

TI-83/84 PLUS La calculadora TI-83/84 Plus se puede utilizar para calcular el coeficiente de correlación lineal r, la ecuación de la recta de regresión, el error estándar de la estimación s_e y el coeficiente de determinación (denominado r^2). Ingrese los datos pareados en las listas L1 y L2, después presione **STAT** y seleccione **TESTS**; luego elija la opción **LinRegTTest.** Para Xlist ingrese L1, para Ylist ingrese L2, utilice un valor Freq (frecuencia) de 1 y seleccione $\neq 0$. Desplace la pantalla hacia abajo hasta Calculate y luego presione la tecla **ENTER**.

10-4 Destrezas y conceptos básicos

Conocimientos estadísticos y pensamiento crítico

1. Notación s_e Suponga que tiene valores pareados que consisten en las estaturas (en pulgadas) y los pesos (en libras) de 40 hombres elegidos al azar (como en el conjunto de datos 1 del apéndice B), y que planea utilizar una estatura de 70 pulgadas para predecir el peso. Describa con sus propias palabras lo que representa s_e.

2. Intervalo de predicción Utilice las estaturas y los pesos descritos en el ejercicio 1. Se utiliza una estatura de 70 pulgadas para calcular que el peso predicho es de 180 libras. Describa con sus propias palabras un intervalo de predicción en esta situación.

3. Intervalo de predicción Utilice las estaturas y los pesos descritos en el ejercicio 1. Se utiliza una estatura de 70 pulgadas para calcular que el peso predicho es de 180 libras. ¿Cuál es la principal ventaja de utilizar un intervalo de predicción en vez del peso predicho de 180 libras? ¿Por qué se utiliza el término *intervalo de predicción* en vez del término *intervalo de confianza*?

4. Coeficiente de determinación Utilice las estaturas y los pesos descritos en el ejercicio 1. El coeficiente de correlación lineal r es 0.522. Calcule el valor del coeficiente de determinación. ¿Qué información práctica nos da el coeficiente de determinación?

Interpretación del coeficiente de determinación. ***En los ejercicios 5 a 8, utilice el valor del coeficiente de correlación lineal r para calcular el coeficiente de determinación y el porcentaje de la variación total que se explica por medio de la relación lineal entre las dos variables de los conjuntos de datos del apéndice B.***

5. $r = 0.873$ (x = alquitrán en cigarrillos mentolados, y = nicotina en cigarrillos mentolados)

6. $r = 0.744$ (x = presupuesto para película, y = ganancia bruta de película)

7. $r = -0.865$ (x = peso de automóvil, y = consumo de combustible en la ciudad, en mi/gal)

8. $r = -0.488$ (x = antigüedad de casa, y = precio de venta de casa)

Interpretación de resultados de un programa de cómputo. ***En los ejercicios 9 a 12, remítase a los resultados de Minitab que se obtuvieron utilizando datos pareados de los pesos (en libras) de 32 automóviles y sus cantidades de consumo de combustible en***

carretera (en mi/gal), como se listan en el conjunto de datos 16 del apéndice B. Además de los datos muestrales pareados, se dio la indicación a Minitab de que usara un peso de un automóvil de 4000 libras para predecir la cantidad de combustible consumido en carretera.

MINITAB

```
The regression equation is
Highway = 50.5 - 0.00587 Weight

Predictor        Coef     SE Coef      T       P
Constant       50.502       2.860  17.66   0.000
Weight     -0.0058685   0.0007859  -7.47   0.000

S = 2.19498    R-Sq = 65.0%    R-Sq(adj) = 63.9%

Predicted Values for New Observations

New
Obs     Fit  SE Fit        95% CI               95% PI
  1  27.028   0.497  (26.013, 28.042)  (22.431, 31.624)

Values of Predictors for New Observations
New
Obs  Weight
  1    4000
```

9. Prueba de correlación Utilice la información de la pantalla para determinar el valor del coeficiente de correlación lineal. (*Advertencia:* Tenga cuidado de identificar de manera correcta el signo del coeficiente de correlación). Considerando que hay 32 pares de datos, ¿existe evidencia suficiente para sustentar la afirmación de una correlación lineal entre los pesos de automóviles y las cantidades de combustible que consumen en carretera?

10. Identificación de la variación total ¿Qué porcentaje de la variación total del consumo de combustible en carretera puede explicarse por la correlación lineal entre el peso y el consumo de combustible en carretera?

11. Predicción del consumo de combustible en carretera Si un automóvil pesa 4000 libras, ¿cuál es el valor que predice mejor el consumo de combustible en carretera? (Suponga que existe una correlación lineal entre el peso y el consumo de combustible en carretera).

12. Cálculo del intervalo de predicción Para un automóvil que pesa 4000 libras, identifique la estimación del intervalo de predicción del 95% para el consumo de combustible en carretera y redacte un enunciado que interprete ese intervalo.

Cálculo de medidas de variación. ***En los ejercicios 13 a 16, calcule a) la variación explicada, b) la variación no explicada, c) la variación total, d) el coeficiente de determinación y e) el error estándar de la estimación s_e. En cada caso existe evidencia suficiente para sustentar una afirmación de una correlación lineal, de manera que es razonable utilizar la ecuación de regresión para hacer predicciones. (Los resultados se utilizan en los ejercicios 17 a 20).***

13. IPC y pizza A continuación se presentan los valores del Índice de precios al consumidor (IPC) y el precio de una rebanada de pizza, incluidos en la tabla 10-1 del problema del capítulo.

IPC	30.2	48.3	112.3	162.2	191.9	197.8
Costo de pizza	0.15	0.35	1.00	1.25	1.75	2.00

14. IPC y precio del boleto del metro A continuación se presentan los valores del Índice de precios al consumidor (IPC) y el precio del boleto del metro, incluidos en la tabla 10-1 del problema del capítulo.

IPC	30.2	48.3	112.3	162.2	191.9	197.8
Tarifa del metro	0.15	0.35	1.00	1.35	1.50	2.00

15. Medición de focas a partir de fotografías A continuación se presentan las anchuras de cabeza (en cm) de focas, a partir de fotografías, y los pesos (en kg) de las focas (según datos de "Mass Estimation of Weddell Seals Using Techniques of Photogrammetry", de R. Garrot de Montana State University).

Anchura de cabeza	7.2	7.4	9.8	9.4	8.8	8.4
Peso	116	154	245	202	200	191

16. Calentamiento global A continuación se presentan las concentraciones de CO_2 (en partes por millón) y las temperaturas (en °C) para diferentes años (según datos del Earth Policy Institute).

CO_2	314	317	320	326	331	339	346	354	361	369
Temperatura	13.9	14.0	13.9	14.1	14.0	14.3	14.1	14.5	14.5	14.4

17. Efecto de la variación en un intervalo de predicción Remítase a los datos del ejercicio 13.

a) Calcule el precio predicho de una rebanada de pizza para el año 2001, cuando el IPC era de 187.1.

b) Calcule una estimación de un intervalo de predicción del 95% del precio de una rebanada de pizza, cuando el IPC era de 187.1.

18. Cálculo del valor predicho y del intervalo de predicción Remítase al ejercicio 14.

a) Calcule el precio predicho del boleto del metro para el año 2001, cuando el IPC era de 187.1.

b) Calcule una estimación de un intervalo de predicción del 95% del precio de un boleto del metro, cuando el IPC era de 187.1.

19. Cálculo del valor predicho y del intervalo de predicción Remítase a los datos del ejercicio 15.

a) Calcule el peso predicho (en kg) de una foca determinada, cuya anchura de la cabeza determinada por medio de una fotografía es de 9.0 cm.

b) Calcule una estimación de un intervalo de predicción del 95% del peso (en kilogramos) de una foca, dado que la anchura de la cabeza determinada a partir de una fotografía es de 9.0 cm.

20. Cálculo del valor predicho y del intervalo de predicción Remítase a los datos del ejercicio 16.

a) Calcule la temperatura predicha (en °C) cuando la concentración de CO_2 es de 370.9 partes por millón.

b) Calcule una estimación de un intervalo de predicción del 99% de la temperatura (en °C), cuando la concentración de CO_2 es de 370.9 partes por millón.

Cálculo de un intervalo de predicción. ***En los ejercicios 21 a 24, remítase a los datos muestrales de la pizza y del boleto del metro incluidos en el problema del capítulo. Permita que x represente el precio de la rebanada de pizza y permita que y represente el precio correspondiente del boleto del metro. Utilice el precio de la pizza y el nivel de confianza indicados para construir una estimación del intervalo de predicción para el precio del boleto del metro. (Véase el ejemplo 3 en esta sección).***

21. Costo de una rebanada de pizza: $2.10; 99% de confianza

22. Costo de una rebanada de pizza: $2.10; 90% de confianza

23. Costo de una rebanada de pizza: $0.50; 95% de confianza

24. Costo de una rebanada de pizza: $0.75; 99% de confianza

10-4 Más allá de lo básico

25. Intervalos de confianza para β_0 y β_1 Los intervalos de confianza para β_0, la intersección con el eje y, y la pendiente β_1 de una recta de regresión ($y = \beta_0 + \beta_1 x$) se pueden obtener evaluando los límites en los intervalos indicados a continuación.

$$b_0 - E < \beta_0 < b_0 + E$$

donde

$$E = t_{\alpha/2} s_e \sqrt{\frac{1}{n} + \frac{\bar{x}^2}{\Sigma x^2 - \frac{(\Sigma x)^2}{n}}}$$

continúa

$$b_1 - E < \beta_1 < b_1 + E$$

donde

$$E = t_{\alpha/2} \cdot \frac{s_e}{\sqrt{\Sigma x^2 - \frac{(\Sigma x)^2}{n}}}$$

En estas expresiones b_0 (la intersección con el eje y) y la pendiente b_1 se calculan a partir de los datos muestrales, y $t_{\alpha/2}$ se obtiene de la tabla A-3 utilizando $n - 2$ grados de libertad. Con los datos del precio de la pizza y del boleto del metro, incluidos en el problema del capítulo, calcule las estimaciones del intervalo de confianza del 95% para β_0 y β_1.

26. Intervalo de confianza para un valor predicho de la media El ejemplo 3 de esta sección ilustra el procedimiento de cálculo de un intervalo de predicción para un valor de y *individual*. Cuando se utiliza un valor específico x_0 para predecir la *media* de todos los valores de y, el intervalo de confianza es el siguiente:

$$\hat{y} - E < \bar{y} < \hat{y} + E$$

donde

$$E = t_{\alpha/2} \cdot s_e \sqrt{\frac{1}{n} + \frac{n(x_0 - \bar{x})^2}{n(\Sigma x^2) - (\Sigma x)^2}}$$

El valor crítico $t_{\alpha/2}$ se calcula con $n - 2$ grados de libertad. Utilice los datos de los precios de la pizza y del boleto del metro incluidos en el problema del capítulo con la finalidad de calcular una estimación del intervalo de confianza del 95% para la media de la tarifa del metro, si el precio de una rebanada de pizza es de \$2.25.

10-5 Regresión múltiple

Concepto clave Las secciones anteriores de este capítulo se aplican a una relación entre *dos* variables. En esta sección presentamos un método para analizar una relación lineal que incluye *más de dos variables*. Nos enfocamos en tres elementos fundamentales: **1.** la ecuación de regresión múltiple, **2.** el valor de R^2 ajustada y **3.** el valor P. Debido a la naturaleza tan compleja de las operaciones requeridas, los cálculos manuales son poco prácticos y constituyen una amenaza para la salud mental; así que en esta sección se destaca el uso y la interpretación de los resultados obtenidos con un programa estadístico de cómputo o una calculadora TI-83/84 Plus.

Parte 1: Conceptos básicos de una ecuación de regresión múltiple

Al igual que en las secciones anteriores de este capítulo, solo estudiaremos relaciones *lineales*. Utilizamos la siguiente *ecuación de regresión múltiple* para describir relaciones lineales que incluyen más de dos variables.

DEFINICIÓN

Una **ecuación de regresión múltiple** expresa una relación lineal entre una variable de respuesta y y dos o más variables de predicción ($x_1, x_2, \ldots, x_k$). La forma general de una ecuación de regresión múltiple obtenida a partir de datos muestrales es

$$\hat{y} = b_0 + b_1 x_1 + b_2 x_2 + \cdots + b_k x_k.$$

Emplearemos la siguiente notación, que surge de manera natural de la notación utilizada en la sección 10-3.

Factores de predicción de éxito en la universidad

Cuando una universidad acepta a un nuevo estudiante, desearía tener algunos indicadores positivos de que este tendrá éxito en sus estudios. En Estados Unidos, los decanos universitarios de admisiones toman en cuenta las calificaciones de la prueba SAT, las pruebas estándar de aprovechamiento, el lugar que ocupa el alumno en la clase, la dificultad de los cursos de preparatoria, las calificaciones de preparatoria y las actividades extracurriculares. En un estudio de las características que suelen ser buenos factores de predicción de éxito en la universidad, se encontró que el lugar de clasificación que se tiene en la clase y las puntuaciones en pruebas estándar de aprovechamiento son mejores factores de predicción que las calificaciones del SAT. Una ecuación de regresión múltiple con el promedio general en la universidad, que se predijo por el lugar de clasificación que ocupaba el alumno en la clase y su puntuación en pruebas de aprovechamiento, no mejoró al incluir la calificación de la prueba SAT como otra variable. Este estudio en particular sugiere que las calificaciones de la prueba SAT no deben incluirse entre los criterios de admisión, aunque otros argumentan que las calificaciones de esta prueba son útiles para comparar estudiantes de diferentes regiones y de distintas preparatorias de procedencia.

Cálculo de una ecuación de regresión múltiple

Objetivo

Usar datos muestrales para calcular una ecuación de regresión múltiple que sirva para predecir valores de la variable de respuesta y.

Notación

$\hat{y} = b_0 + b_1x_1 + b_2x_2 + \cdots + b_kx_k$ (Forma general de la ecuación de regresión múltiple)

n = tamaño de la muestra

k = número de variables de *predicción*. (Las variables de predicción también se conocen como *variables independientes* o variables x)

$\hat{y}$ = valor predicho de y (calculado por medio de la ecuación de regresión múltiple)

$x_1, x_2,\ldots, x_k$ son las variables de predicción

$\beta_0, \beta_1, \beta_2,\ldots, \beta_k$ son los parámetros de la ecuación de regresión múltiple

$y = \beta_0 + \beta_1x_1 + \beta_2x_2 + \ldots + \beta_kx_k$ obtenidos de la *población* de datos.

$b_0, b_1, b_2,\ldots, b_k$ son las *estimaciones muestrales* de los parámetros $\beta_0, \beta_1, \beta_2,\ldots, \beta_k$.

Requisitos

Para cualquier conjunto específico de valores de x, la ecuación de regresión está asociada con un error aleatorio que suele denotarse con ε. Suponemos que estos errores se distribuyen normalmente, con una media de 0 y una desviación estándar de σ, y que los errores aleatorios son independientes. Es difícil verificar tales supuestos. A lo largo de esta sección suponemos que los requisitos necesarios se satisfacen.

Procedimiento para calcular una ecuación de regresión múltiple

Los cálculos que se requieren para la regresión múltiple son tan complicados que debe utilizarse un programa de cómputo como STATDISK, Minitab, Excel o una calculadora TI-83/84 Plus. (Consulte los procedimientos específicos al final de esta sección).

Debido a que se utilizará un programa de cómputo o una calculadora para determinar las ecuaciones de regresión múltiple, ignoraremos los cálculos reales y nos concentraremos en *interpretar* las pantallas de resultados de los programas de cómputo.

EJEMPLO 1

Estaturas de madres, padres e hijas La tabla 10-6 de la siguiente página incluye una muestra aleatoria simple de las estaturas de madres, padres y sus hijas (según datos de la National Health and Nutrition Examination). Encuentre la ecuación de regresión múltiple donde la variable de respuesta (y) es la estatura de una hija y las variables de predicción (x) son las estaturas de la madre y del padre.

Con Minitab obtenemos los resultados que se presentan a continuación.

MINITAB

```
The regression equation is
Height = 7.5 + 0.707 Mother + 0.164 Father
Predictor      Coef   SE Coef      T      P
Constant       7.45     10.88   0.69  0.503
Mother       0.7072    0.1289   5.49  0.000
Father       0.1636    0.1266   1.29  0.213

S = 1.93990    R-Sq = 67.5%    R-Sq(adj) = 63.7%

Analysis of Variance
Source           DF       SS      MS      F      P
Regression        2  132.997  66.499  17.67  0.000
Residual Error   17   63.975   3.763
Total            19  196.972
```

continúa

Tabla 10-6 Estaturas (en pulgadas) de madres, padres y sus hijas

Estatura de la madre	Estatura del padre	Estatura de la hija
63	64	58.6
67	65	64.7
64	67	65.3
60	72	61.0
65	72	65.4
67	72	67.4
59	67	60.9
60	71	63.1
58	66	60.0
72	75	71.1
63	69	62.2
67	70	67.2
62	69	63.4
69	62	68.4
63	66	62.2
64	76	64.7
63	69	59.6
64	68	61.0
60	66	64.0
65	68	65.4

En la pantalla de resultados observamos que la ecuación de regresión múltiple es

$$\text{Estatura} = 7.5 + 0.707 \text{ madre} + 0.164 \text{ padre}$$

Si utilizamos la notación presentada antes en esta sección, podemos escribir esta ecuación de la siguiente forma

$$\hat{y} = 7.5 + 0.707x_1 + 0.164x_2$$

donde $\hat{y}$ es la estatura predicha de una hija, x_1 es la estatura de la madre y x_2 es la estatura del padre.

Si una ecuación de regresión múltiple se ajusta bien a los datos muestrales, se puede emplear para hacer predicciones. Por ejemplo, si determinamos que la ecuación de regresión múltiple del ejemplo 1 es adecuada para hacer predicciones, y si una mujer tiene una estatura de 63 pulgadas y su esposo una de 69 pulgadas, podemos predecir la estatura de la hija de ambos sustituyendo esos valores en la ecuación de regresión, para obtener una estatura predicha para su hija de 63.4 pulgadas.

R^2 y R^2 ajustada

R^2 denota el **coeficiente múltiple de determinación**, que es una medida de lo bien que se ajusta la ecuación de regresión múltiple a los datos muestrales. Un ajuste perfecto daría como resultado $R^2 = 1$, y un ajuste muy bueno daría por resultado un valor cercano a 1. Un ajuste muy deficiente se relaciona con un valor de R^2 cercano a 0. El valor de $R^2 = 67.5\%$ en los resultados de Minitab para el ejemplo 1 indica que el 67.5% de la variación en las estaturas de las hijas puede explicarse por las estaturas de las madres y de los padres. Sin embargo, el coeficiente múltiple de determinación R^2 tiene una grave desventaja: a mayor número de variables incluidas, se incrementa R^2. (R^2 podría permanecer igual, pero suele incrementarse). La R^2 más grande se obtiene por el simple hecho de incluir todas las variables disponibles, pero la mejor ecuación de regresión múltiple no necesariamente utiliza todas las variables disponibles. A causa de esta desventaja, la comparación de diferentes ecuaciones de regresión múltiple se logra mejor con el *coeficiente ajustado de determinación*, que es R^2 ajustada para el número de variables y el tamaño de la muestra.

DEFINICIÓN

El **coeficiente ajustado de determinación** es el coeficiente múltiple de determinación R^2 modificado para tener en cuenta el número de variables y el tamaño de la muestra. (Se calcula por medio de la fórmula 10-7).

Fórmula 10-7

$$R^2 \text{ ajustada} = \bar{R}^2 = 1 - \frac{(n-1)}{[n-(k+1)]}(1-R^2)$$

donde n = tamaño de la muestra

k = número de variables de predicción (x)

Los resultados anteriores de Minitab para los datos indican que el coeficiente ajustado de determinación es R-sq(adj) = 63.7%. Si utilizamos la fórmula 10-7 con el valor de $R^2 = 0.675$, $n = 20$ y $k = 2$, encontramos que el valor ajustado de R^2 es 0.637, lo que confirma el valor de 63.7% de los resultados de Minitab. Cuando comparamos esta ecuación de regresión múltiple con otras, es mejor utilizar la R^2 ajustada de 63.7% (o 0.637).

Valor P

El valor P es una medida de la significancia general de la ecuación de regresión múltiple. El valor P de 0.000 (redondeado a tres decimales) de los resultados de Minitab es pequeño, lo que indica que la ecuación de regresión múltiple tiene una buena significancia general y es útil para realizar predicciones. Es decir, tiene sentido predecir las estaturas de las hijas con base en las estaturas de las madres y de los padres. Al igual que la R^2 ajustada, este valor P es una buena medida de qué tan bien se ajusta la ecuación a los datos muestrales. El valor de 0.000 resulta de una prueba de la hipótesis nula de que $\beta_1 = \beta_2 = 0$. El rechazo de $\beta_1 = \beta_2 =$ implica que al menos uno de β_1 y β_2 no es 0, lo que indica que esta ecuación de regresión es eficaz para determinar las estaturas de las hijas. Un análisis completo de los resultados de Minitab podría llevarnos a incluir otros elementos importantes, como la significancia de los coeficientes individuales, pero limitaremos nuestra explicación a los tres componentes principales: la ecuación de regresión múltiple, la R^2 ajustada y el valor P.

Determinación de la mejor ecuación de regresión múltiple

Al tratar de determinar la mejor ecuación de regresión múltiple, no necesariamente se deben incluir todas las variables de predicción disponibles. La determinación de la mejor ecuación de regresión múltiple requiere de una buena dosis de juicio, y no existe un procedimiento exacto y automático que se pueda utilizar para encontrar la mejor ecuación de regresión múltiple. *La determinación de la mejor ecuación de regresión múltiple suele ser una tarea difícil que rebasa el alcance de este libro*; sin embargo, los siguientes lineamientos deben ser útiles.

Lineamientos para la determinación de la mejor ecuación de regresión múltiple

1. *Utilice el sentido común y consideraciones prácticas para incluir o excluir variables.* Por ejemplo, al tratar de determinar una buena ecuación de regresión múltiple para predecir la estatura de una hija, se debe excluir la estatura del médico que atendió su nacimiento, ya que esa estatura es completamente irrelevante.
2. *Considere el valor P.* Seleccione una ecuación que tenga significancia general, tal como lo determina el valor P indicado en los resultados del programa de cómputo.
3. *Considere ecuaciones con valores altos de R^2 ajustada y trate de incluir solo unas cuantas variables.* En vez de incluir casi todas las variables disponibles, trate de incluir relativamente pocas variables de predicción (x). Utilice los siguientes lineamientos:
   - Seleccione una ecuación que tenga un valor de R^2 ajustada con esta propiedad: si se incluye una variable adicional de predicción, el valor de R^2 ajustada no se incrementa de manera sustancial.
   - Para un número dado de variables de predicción (x), seleccione la ecuación con el valor más grande de la R^2 ajustada.
   - Para eliminar las variables de predicción (x) que no tienen mucho efecto sobre la variable de respuesta (y), sería útil calcular el coeficiente de correlación lineal r para cada par de variables en consideración. Si dos variables de predicción tienen un coeficiente de correlación lineal muy alto, no es necesario incluir ambas, y debemos excluir la variable con el valor más bajo de r.

Creación de música utilizando regresión múltiple

Sony fabrica millones de discos compactos en Terre Haute, Indiana. En un punto del proceso de fabricación, se expone una placa fotográfica a un láser, de manera que pueda transferirse una señal musical a una señal digital codificada con 0 y 1. Este proceso se analizó estadísticamente para identificar los efectos de diferentes variables, tales como el tiempo de exposición y el grosor de la emulsión fotográfica. Métodos de regresión múltiple demostraron que, entre todas las variables consideradas, cuatro eran las más significativas. El proceso fotográfico se ajustó, con base en estas cuatro variables, para obtener resultados óptimos. Esto permitió disminuir el número de discos defectuosos y mantener la calidad. El uso de métodos de regresión múltiple condujo a costos más bajos de producción y a un mejor control del proceso de fabricación.

EJEMPLO 2 **Predicción del tamaño de la familia a partir de la basura desechada** El conjunto de datos 22 del apéndice B incluye el tamaño de la familia (número de integrantes) y los pesos individuales de materiales de desecho como metal, papel, plástico, vidrio, alimentos, basura de jardín, materiales textiles y todo tipo de artículos, así como el peso total de desechos de 62 hogares. Uno de los objetivos del estudio era determinar si podrían hacerse conteos de población al medir la basura desechada. Considere algunas o todas las variables de predicción y determine la ecuación de regresión múltiple que predice *mejor* el tamaño de la familia. ¿La mejor ecuación de regresión múltiple es una *buena* ecuación para predecir el tamaño de la familia?

continúa

Salarios de la NBA y desempeño

El investigador Matthew Weeks estudió la correlación entre los salarios de la NBA y los datos estadísticos del juego de basquetbol. Además del salario (S), consideró los minutos jugados (M), las asistencias (A), los rebotes (R) y los puntos anotados (P); utilizó datos de 30 jugadores. La ecuación de regresión múltiple resultó ser $S = -0.716 - 0.0756M - 0.425A + 0.0536R + 0.742P$ con $R^2 = 0.458$. Debido a una alta correlación entre los minutos jugados (M) y los puntos anotados (P), y puesto que estos últimos tuvieron una alta correlación con el salario, la variable de minutos jugados se eliminó de la ecuación de regresión múltiple. Además, no se encontró que las variables de asistencias (A) y rebotes (R) fueran significativas, por lo que también se eliminaron. La variable de los puntos anotados pareció ser la mejor elección para predecir los salarios de la NBA, pero se encontró que las predicciones no eran muy exactas ya que no se consideraron otras variables, como la popularidad del jugador.

SOLUCIÓN Primero excluimos la variable del peso total, ya que es simplemente la suma de los pesos de las otras categorías. La tabla 10-7 incluye algunas de las muchas otras posibilidades de las variables de predicción. En la tabla se observa que la combinación de las variables de predicción de plástico, vidrio, metal y otros artículos parece ser la mejor debido a que esa combinación tiene la mayor R^2 ajustada de 0.672, y el menor valor P de 0.000. Si quisiéramos considerar cada una de las otras combinaciones posibles de las variables de predicción, encontraríamos que la mejor es la que incluye plástico/vidrio/metal/otros artículos. Sin embargo, podríamos preguntarnos si la R^2 ajustada de 0.672 es suficientemente mayor que la R^2 ajustada de 0.556, que se obtiene al utilizar el plástico como la única variable de predicción. Ante las dificultades que implica separar y pesar las diferentes categorías de basura, parece que sería mejor utilizar el plástico como la única variable de predicción. Por lo tanto, la mejor ecuación de regresión es $\hat{y} = 1.08 + 1.38x$, donde $\hat{y}$ es el tamaño predicho de la familia y x es el peso del plástico desechado. Como esta ecuación de regresión tiene una R^2 ajustada de 0.556 y un pequeño valor P de 0.000, es adecuada para predecir el tamaño de la familia.

Tabla 10-7 Búsqueda de la mejor ecuación de regresión múltiple

Variables de predicción	R^2 ajustada	Valor P	
Jardín	0.005	0.256	← **No es la mejor:** el valor P es demasiado alto.
Plástico, vidrio, metal y otros artículos	**0.672**	0.000	← **La mejor:** R^2 ajustada más alta y valor P más bajo.
Plástico	0.556	0.000	← **Es la mejor si solo se utiliza una variable de predicción.**
Plástico y alimentos	0.551	0.000	← **No es la mejor:** La R^2 ajustada no es la más alta.

Los lineamientos anteriores para la determinación de la mejor ecuación de regresión múltiple se basan en la R^2 ajustada y en el valor P, pero también podemos realizar pruebas de hipótesis individuales, basadas en los valores de los coeficientes de regresión. Considere el coeficiente de regresión de β_1. Una prueba de la hipótesis nula $\beta_1 = 0$ nos puede indicar si la variable de predicción correspondiente debe incluirse en la ecuación de regresión. El rechazo de $\beta_1 = 0$ sugiere que ,1 tiene un valor diferente de cero y, por lo tanto, sirve para predecir el valor de la variable de respuesta. En el ejercicio 17 se describen procedimientos para este tipo de pruebas.

Parte 2: Variables ficticias o indicadoras y regresión logística

En esta sección todas las variables han sido de naturaleza continua. La estatura de una hija puede ser cualquier valor dentro de un rango continuo de estaturas, por lo que es un buen ejemplo de una variable continua. Sin embargo, muchas aplicaciones incluyen una **variable dicotómica**, que solo tiene dos valores discretos posibles (como hombre/mujer, vivo/muerto o sano/enfermo). Un procedimiento común consiste en representar las dos variables discretas posibles con 0 y 1, donde 0 representa un "fracaso" (como muerte) y 1 representa un éxito. Una variable dicotómica con los dos valores posibles de 0 y 1 se denomina *variable ficticia o indicadora.*

Los procedimientos de análisis difieren de manera drástica, dependiendo de si la variable ficticia es una variable de predicción (x) o la variable de respuesta (y). Si incluimos una variable ficticia como otra variable de predicción (x), podemos utilizar los métodos de esta sección, como se ilustra en el ejemplo 3.

Tabla 10-8 **Estaturas (en pulgadas) de madres, padres e hijos**

Estatura de la madre	Estatura del padre	Sexo del hijo	Estatura del hijo
66	70	H	62.5
66	64	H	69.1
64	68	H	67.1
66	74	H	71.1
64	62	H	67.4
64	67	H	64.9
62	72	H	66.5
62	72	H	66.5
63	71	H	67.5
65	71	H	71.9
63	64	M	58.6
64	67	M	65.3
65	72	M	65.4
59	67	M	60.9
58	66	M	60.0
63	69	M	62.2
62	69	M	63.4
63	66	M	62.2
63	69	M	59.6
60	66	M	64.0

Congelar al pateador

Una estrategia común en el futbol americano consiste en que, justo en el momento en que un pateador está a punto de tratar de anotar un gol de campo, el entrenador del equipo opuesto pide un tiempo fuera para "congelar" al pateador. La teoría sostiene que el pateador tiene tiempo para pensar, sentirse nervioso y perder la confianza. Sin embargo, ¿realmente funciona esta práctica? En el artículo "The Cold-Foot Effect", publicado por la revista *Chance*, Scott M. Berry reportó su análisis estadístico de los resultados de dos temporadas de la NFL. Utilizó un modelo de regresión logística con variables como el viento, las nubes, la lluvia, la temperatura, la presión de realizar la patada y si hubo o no una petición de tiempo fuera antes de esta acción. El autor escribió: "La conclusión a partir del modelo es que congelar al pateador sí funciona: parece que congelar al pateador reduce la probabilidad de una patada exitosa".

EJEMPLO 3

Uso de una variable ficticia Utilice los datos de la tabla 10-8 y, como la variable de predicción, utilice la variable ficticia del sexo (codificada como 0 = mujer, 1 = hombre). (Los datos de la tabla 10-8 se basan en valores del National Health and Nutrition Examination). Si la mamá mide 63 pulgadas y el papá mide 69 pulgadas, determine la ecuación de regresión múltiple y úsela para predecir la estatura de *a*) una hija y de *b*) un hijo varón.

SOLUCIÓN

Si utilizamos los métodos de esta sección con un programa de cómputo, obtenemos la siguiente ecuación de regresión:

$$\text{Estatura del hijo} = 25.6 + 0.377(\text{estatura de la madre}) + 0.195(\text{estatura del padre}) + 4.15(\text{sexo})$$

donde el valor de la variable ficticia es 0 para una hija y 1 para un hijo.

a) Para calcular la estatura predicha de una *hija*, sustituimos la variable del sexo por 0 y también sustituimos la estatura de la madre por 63 pulgadas, y la estatura del padre por 69 pulgadas. El resultado es una estatura predicha de 62.8 pulgadas para una hija.

b) Para calcular la estatura predicha de un *hijo*, sustituimos la variable del sexo por 1, y también sustituimos la estatura de la madre por 63 pulgadas, y la estatura del padre por 69 pulgadas. El resultado es una estatura predicha de 67.0 pulgadas para un hijo varón.

El coeficiente de 4.15 en la ecuación de regresión indica que, considerando las estaturas de la madre y del padre, el hijo de estos tendrá una estatura predicha que rebasará en 4.15 pulgadas la estatura de una hija.

Regresión logística En el ejemplo 3 pudimos utilizar los métodos de esta sección porque la variable ficticia del sexo es una variable de *predicción*. Si la variable ficticia es la variable de respuesta (y), no podemos emplear los métodos de esta sección, sino que debemos utilizar un método diferente, conocido como **regresión logística**. El ejemplo 4 ilustra este método de regresión logística.

EJEMPLO 4

Regresión logística Suponga que un conjunto de datos muestrales consiste en la estatura, el peso, la medida de cintura y el pulso de hombres y mujeres, tal como aparecen listados en el conjunto de datos 1 del apéndice B. Permita que la variable de *respuesta* y represente el género (0 = mujer, 1 = hombre). Si usamos los 80 valores de y, y la lista combinada de estaturas, pesos, medidas de cintura y pulsos correspondientes, podemos aplicar la regresión logística para obtener el siguiente modelo:

$$\ln\left(\frac{p}{1-p}\right) = -41.8193 + 0.679195(\text{ESTATURA}) - 0.0106791(\text{PESO})$$

$$+ 0.0375373(\text{CINTURA}) - 0.0606805(\text{PULSO})$$

En esta expresión, p representa una probabilidad. Un valor de $p = 0$ indica que el sujeto es mujer, y $p = 1$ que es hombre. Un valor de $p = 0.2$ indica que existe una probabilidad de 0.2 de que el sujeto sea hombre, y se infiere que existe la probabilidad de 0.8 de que la persona sea mujer. Si utilizamos el modelo anterior y sustituimos una estatura de 72 in, un peso de 200 lb, una circunferencia de cintura de 90 cm y un pulso de 85 latidos por minuto, podemos despejar p y así obtener $p = 0.960$, lo que indica que lo más probable es que una persona con esas dimensiones sea hombre. En contraste, una persona pequeña, con una estatura de 60 in, un peso de 90 lb, una circunferencia de cintura de 68 cm y un pulso de 85 latidos por minuto da por resultado un valor de $p = 0.00962$, y esto indica que lo más probable es que se trate de una mujer.

En este libro no se incluyen procedimientos detallados para el uso de la regresión logística, pero existen diversos libros dedicados al tema, y muchos otros libros de texto incluyen información detallada sobre este modelo.

Cuando estudiamos la regresión en la sección 10-3, indicamos cuatro errores comunes que deben evitarse al utilizar ecuaciones de regresión para hacer predicciones. Estos mismos errores deben evitarse cuando se emplean ecuaciones de regresión múltiple. Sea especialmente cuidadoso al concluir que existe una relación causa-efecto.

USO DE LA TECNOLOGÍA

STATDISK Primero ingrese los datos muestrales en las columnas de la ventana de datos de STATDISK; luego, seleccione **Analysis** y después **Multiple Regression**. Seleccione las columnas que se incluirán y también identifique la columna que corresponde a la variable dependiente y (de predicción). Haga clic en **Evaluate** y obtendrá la ecuación de regresión múltiple y otros elementos, incluyendo el coeficiente múltiple de determinación R^2, la R^2 ajustada y el valor P.

MINITAB Primero introduzca los valores en las distintas columnas. Para evitar confusiones entre las diferentes variables, escriba un nombre para cada variable en el cuadro que se encuentra en la parte superior de la columna de datos. Seleccione **Stat** del menú principal, después **Regression** y luego **Regression** una vez más. En el cuadro de diálogo, ingrese la variable que se empleará como variable de respuesta (y) y las variables que desea incluir como variables de predicción. Haga clic en **OK**. Los resultados incluirán la ecuación de regresión múltiple y otros elementos, incluyendo el coeficiente de determinación múltiple R^2, la R^2 ajustada y el valor P.

EXCEL Primero ingrese los datos muestrales en las columnas. Utilice el complemento Data Analysis de Excel. Si utiliza Excel 2010 o

2007, haga clic en **Data**, luego en **Data Analysis**; si utiliza Excel 2003, haga clic en **Tools** y después en **Data Analysis.** Seleccione **Regression**. En el cuadro de diálogo introduzca el rango de valores para la variable dependiente Y, después el rango de valores para las variables independientes X, que deben estar en columnas adyacentes. (Utilice las funciones copiar/pegar para mover las columnas como desee). Los resultados incluirán el coeficiente múltiple de determinación R^2, la R^2 ajustada y una lista de los valores de la intersección y el coeficiente utilizados para la ecuación de regresión múltiple. El valor P aparecerá bajo el encabezado de *Significance F*.

TI-83/84 PLUS El programa A2MULREG de la calculadora TI-83/84 Plus puede descargarse del sitio Web de este libro. Seleccione el archivo *software*, luego elija el archivo con los programas de TI; el programa se cargará en su calculadora.

Los datos muestrales se deben introducir primero como columnas de una matriz D, donde la primera columna contenga los valores de la variable de respuesta (y). Para ingresar manualmente los datos en la matriz D, presione **2nd** y la tecla $\boldsymbol{x^{-1}}$, desplácese hacia la derecha hasta **EDIT**, desplácese hacia abajo hasta **[D]**, después presione **ENTER**, y proceda a introducir las dimensiones de la matriz en el formato de renglones por columnas. Para el número de renglones, introduzca el número de valores muestrales listados para cada variable. Para el número de columnas, ingrese el número total de variables x y y. Proceda a ingresar los valores muestrales. Si los datos ya están almacenados en forma de listas, estas se pueden combinar y almacenar en la matriz D. Presione **2nd** y la tecla $\boldsymbol{x^{-1}}$, seleccione **MATH**, el elemento que aparece en la parte superior del menú, y elija **List→matr**; luego, introduzca los nombres de la lista, de manera que el primero corresponda a la variable y, y también introduzca el nombre de la matriz de [D], todos separados con comas. (Por ejemplo, **List→matr(NICOT, TAR, CO, [D])** crea una matriz D con los valores de NICOT en la primera columna, los valores de alquitrán (TAR) en la segunda columna y los valores de CO en la tercera columna).

Ahora presione **PRGM**, seleccione **A2MULREG** y luego **ENTER** tres veces; a continuación, seleccione **MULT REGRESSION** y presione **ENTER**. Cuando se le solicite, ingrese el número de variables independientes (x), después introduzca los números de las columnas de las variables independientes (x) que desea incluir. La pantalla dará un resultado que incluye el valor P y el valor de R^2 ajustada. Presione **ENTER** para ver los valores que se utilizarán en la ecuación de regresión múltiple. Presione **ENTER** de nuevo para obtener el menú que incluye opciones para generar intervalos de confianza, intervalos de predicción, residuos, o bien, para salir. Si desea generar intervalos de confianza y de predicción, utilice el número indicado de grados de libertad, consulte la tabla A-3 y busque el valor t crítico correspondiente; introdúzcalo y proceda a ingresar los valores que se emplearán para las variables de predicción (x). Presione **ENTER** para seleccionar la opción **QUIT**.

10-5 Destrezas y conceptos básicos

Conocimientos estadísticos y pensamiento crítico

1. Notación En las ecuaciones de regresión múltiple, ¿qué representan b_1 y β_1? ¿En qué difieren?

2. Coeficiente ajustado de discriminación

a) Al comparar diferentes ecuaciones de regresión múltiple para predecir el precio de venta de un Corvette 1960, ¿por qué la R^2 ajustada es una mejor medida que R^2?

b) Al utilizar los datos muestrales de la tabla 10-6, la variable única de predicción de la estatura de la madre produce una R^2 ajustada de 0.623, y las dos variables de predicción (la estatura de la madre y la estatura del padre) dan como resultado una R^2 ajustada de 0.637. Si el uso de las dos variables de predicción produce una R^2 ajustada mayor, ¿por qué es mejor la ecuación de regresión con una sola variable de predicción?

3. Predicción del color de ojos Un genetista desea desarrollar un método para predecir el color de ojos de un bebé, a partir del color de ojos de cada uno de los padres. ¿Se pueden emplear los métodos de esta sección? ¿Por qué?

4. Respuesta y variables de predicción Se obtiene la ecuación de regresión $\hat{y} = -3528 + 1.02x_1 - 1.94x_2$ utilizando datos muestrales que consisten en los precios de venta de casas (según el conjunto de datos 23 del apéndice B). En esa ecuación, $\hat{y}$ representa el precio de venta predicho, x_1 representa el precio de lista y x_2 representa el impuesto anual. Identifique las variables de respuesta y las variables de predicción. En general, ¿en qué difieren una variable de respuesta y una variable de predicción?

Interpretación de resultados de programas de cómputo. ***En los ejercicios 5 a 8, remítase al resultado de Minitab y responda las preguntas formuladas o identifique los elementos indicados. El resultado de Minitab se basa en las cantidades medidas de alquitrán, monóxido de carbono (CO) y nicotina en una muestra de 25 cigarrillos de tamaño grande, incluidas en el conjunto de datos 4 del apéndice B.***

MINITAB

```
The regression equation is
Nicotine = 1.59 + 0.0231 Tar - 0.0525 CO

Predictor       Coef  SE Coef      T      P
Constant      1.5937   0.7931   2.01  0.057
Tar          0.02310  0.01560   1.48  0.153
CO          -0.05251  0.05386  -0.98  0.340

S = 0.230864   R-Sq = 9.9%   R-Sq(adj) = 1.7%

Analysis of Variance
Source          DF       SS       MS     F      P
Regression       2  0.12904  0.06452  1.21  0.317
Residual Error  22  1.17256  0.05330
Total           24  1.30160
```

5. Mediciones de cigarrillos Identifique la ecuación de regresión múltiple que expresa la cantidad de nicotina en términos de la cantidad de alquitrán y de monóxido de carbono (CO).

6. Mediciones de cigarrillos Identifique lo siguiente:

a) El valor P correspondiente a la significancia general de la ecuación de regresión múltiple

b) El valor del coeficiente múltiple de determinación R^2

c) El valor ajustado de R^2

7. Mediciones de cigarrillos ¿Es útil la ecuación de regresión múltiple para predecir la cantidad de nicotina a partir de las cantidades de alquitrán y de CO? ¿Por qué?

8. Mediciones de cigarrillos Un cigarrillo tiene 26 mg de alquitrán y 15 mg de CO. Utilice la ecuación de regresión múltiple para determinar la cantidad predicha de nicotina. ¿Es probable que el resultado sea un buen valor de predicción? ¿Por qué?

Precios de venta de casas: Cálculo de la mejor ecuación de regresión múltiple. ***En los ejercicios 9 a 12, remítase a la siguiente tabla, que se obtuvo utilizando los datos de las casas vendidas (del conjunto de datos 23 del apéndice B). La variable de respuesta*** (y) ***es el precio de venta (en dólares) y las variables de predicción*** (x) ***son PL (precio de lista en dólares), AH (área habitable de la casa, en pies cuadrados) y T (tamaño del terreno en acres).***

Variables de predicción (x)	Valor P	R^2	R^2 ajustada	Ecuación de regresión
PL, AH, T	0.000	0.990	0.989	$\hat{y} = 1120 + 0.972\ \text{PL} + 0.281\ \text{AH} + 465\ \text{T}$
PL, AH	0.000	0.990	0.989	$\hat{y} = -40.5 + 0.985\ \text{PL} - 0.985\ \text{AH}$
PL, T	0.000	0.990	0.989	$\hat{y} = 1004 + 0.974\ \text{PL} + 429\ \text{T}$
AH, T	0.000	0.815	0.805	$\hat{y} = 111{,}309 + 98.2\ \text{AH} + 17{,}269\ \text{T}$
PL	0.000	0.990	0.990	$\hat{y} = 99.2 + 0.979\ \text{PL}$
AH	0.000	0.643	0.633	$\hat{y} = 133{,}936 + 101\ \text{AH}$
T	0.003	0.215	0.194	$\hat{y} = 310{,}191 + 19{,}217\ \text{T}$

9. Si solo se utiliza una variable de predicción (x) para predecir el precio de venta de una casa, ¿cuál variable es mejor? ¿Por qué?

10. Si se utilizaran exactamente dos variables de predicción (x) para predecir el precio de una casa, ¿cuáles dos variables deberían elegirse? ¿Por qué?

11. ¿Cuál ecuación de regresión es mejor para predecir el precio de venta? ¿Por qué?

12. Una casa está en venta, con un precio de lista de $400,000; tiene un área habitacional de 3000 pies cuadrados y está construida sobre un terreno de 2 acres. ¿Cuál es el mejor valor predicho del precio de venta? ¿Es posible que ese precio de venta predicho constituya una buena estimación? ¿Es posible que ese precio de venta predicho sea muy exacto?

Conjuntos de datos del apéndice B. ***En los ejercicios 13 a 16, remítase al conjunto de datos indicado del apéndice B.***

13. Predicción de nicotina en cigarrillos Remítase al conjunto de datos 4 del apéndice B y utilice las cantidades de alquitrán, nicotina y CO de los cigarrillos de 100 mm, con filtro, que no son mentolados ni ligeros (el último conjunto de mediciones). Calcule la mejor ecuación de regresión para predecir la cantidad de nicotina en un cigarrillo. ¿Por qué es la mejor? ¿La mejor ecuación de regresión es una buena ecuación de regresión para predecir el contenido de nicotina? ¿Por qué?

14. Predicción de ganancias brutas de películas Remítase al conjunto de datos 9 del apéndice B y determine la mejor ecuación de regresión, donde las ganancias brutas de películas (en millones de dólares) sea la variable de respuesta (y). Ignore la clasificación MPAA. ¿Por qué es la mejor ecuación? ¿La "mejor" ecuación es adecuada para predecir las ganancias que obtendrá una película? ¿Tiene sentido combinar variables de predicción?

15. Rendimiento de automóviles Remítase al conjunto de datos 16 del apéndice B y determine la mejor ecuación de regresión, donde el consumo de combustible en carretera (en mi/gal) sea la variable de respuesta (y). Como es fácil medir el peso del automóvil, su longitud y su desplazamiento (o capacidad volumétrica o cilindrada) utilice únicamente esas variables como posibles variables de predicción. ¿La "mejor" ecuación es buena para predecir el consumo de combustible en carretera?

16. Old Faithful Remítase al conjunto de datos 15 del apéndice B y determine la mejor ecuación de regresión para expresar la variable de respuesta (y) del tiempo que transcurre después de una erupción, en términos de una o más de las variables de duración, el tiempo que transcurre antes de la erupción y la altura de la erupción. Explique su decisión.

10-5 Más allá de lo básico

17. Prueba de hipótesis sobre coeficientes de regresión Si el coeficiente β_1 tiene un valor que no es cero, entonces sirve para predecir el valor de la variable de respuesta. Si $\beta_1 = 0$, no es útil para predecir el valor de la variable de respuesta y puede eliminarse de la ecuación de regresión. Para someter a prueba la afirmación de que $\beta_1 = 0$, utilice el estadístico de prueba $t = (b_1 - 0)/s_{b_1}$. Los valores críticos o los valores P se pueden obtener utilizando la distribución t con $n - (k + 1)$ grados de libertad, donde k es el número de variables de predicción (x) y n es el número de observaciones en la muestra. Con frecuencia los programas de cómputo dan el error estándar s_{b_1} Por ejemplo, los resultados de Minitab del ejemplo 1 indican que $s_{b_1} = 0.1289$ (localizado en la columna con el encabezado de SE Coeff y en el renglón correspondiente a la primera variable de predicción de la estatura de la madre). Utilice los datos muestrales de la tabla 10-6 y los resultados de Minitab del ejemplo 1 para someter a prueba la afirmación de que $\beta_1 = 0$. También someta a prueba la afirmación de que $\beta_2 = 0$. ¿Qué implican los resultados sobre la ecuación de regresión?

18. Intervalo de confianza para un coeficiente de regresión Un intervalo de confianza para el coeficiente de regresión β_1 se expresa como

$$b_1 - E < \beta_1 < b_1 + E$$

donde

$$E = t_{\alpha/2} s_{b_1}$$

La puntuación crítica t se calcula utilizando $n - (k + 1)$ grados de libertad, donde k, n y s_{b_1} son como se describe en el ejercicio 17. Utilice los datos muestrales de la tabla 10-6 y los resultados de Minitab del ejemplo 1 con la finalidad construir intervalos de confianza del 95% para β_1 (el coeficiente de la variable que representa la estatura de la madre) y β_2 (el coeficiente de la variable que representa la estatura del padre). ¿Alguno de los intervalos de confianza incluye a 0, lo que sugeriría que se elimine la variable de la ecuación de regresión?

19. Variable ficticia Remítase al conjunto de datos 6 del apéndice B y considere el sexo, la edad y el peso de los osos. Para el sexo, permita que 0 represente una hembra y que 1 represente un macho. (En el conjunto de datos 6 los machos ya están representados por 1, pero para las hembras cambie los valores de sexo de 2 a 0). Permita que la variable de respuesta (y) sea el peso, y utilice la variable de edad y la variable ficticia de sexo para determinar la ecuación de regresión múltiple. Luego, utilice la ecuación para calcular el peso predicho de un oso con las siguientes características. ¿Parecería que el sexo tiene un gran efecto sobre el peso de un oso?

a) Oso hembra de 20 años de edad

b) Oso macho de 20 años de edad

Elaboración de modelos

Concepto clave En las secciones anteriores de este capítulo se estudiaron únicamente relaciones *lineales*, pero en esta sección se introducen algunos conceptos básicos para calcular una función *no lineal* que se ajuste a los datos muestrales. Esta función se denomina **modelo matemático**, el cual es simplemente una función matemática que se "ajusta" a datos del mundo real o que los describe. En vez de utilizar datos muestrales seleccionados al azar, consideraremos datos reunidos periódicamente a través del tiempo o alguna otra unidad básica de medición. Existen algunos métodos estadísticos poderosos que podemos estudiar (tales como las *series de tiempo*), pero el principal objetivo de esta sección es describir brevemente la manera en que puede utilizarse la tecnología para obtener un buen modelo matemático.

A continuación se presentan algunos modelos genéricos, tal como aparecen en un menú de la calculadora TI-83/84 Plus (presione **STAT** y luego seleccione **CALC**):

Lineal: $y = a + bx$ Cuadrático: $y = ax^2 + bx + c$

Logarítmico: $y = a + b \ln x$ Exponencial: $y = ab^x$

Potencia: $y = ax^b$

El modelo particular que usted seleccione depende de la naturaleza de los datos muestrales, y un diagrama de dispersión resultará muy útil para tomar esta determinación. Las ilustraciones que aparecen a continuación son gráficas de algunos modelos comunes elaborados en una calculadora TI-83/84 Plus.

TI-83/84 PLUS

Lineal: $y = 1 + 2x$

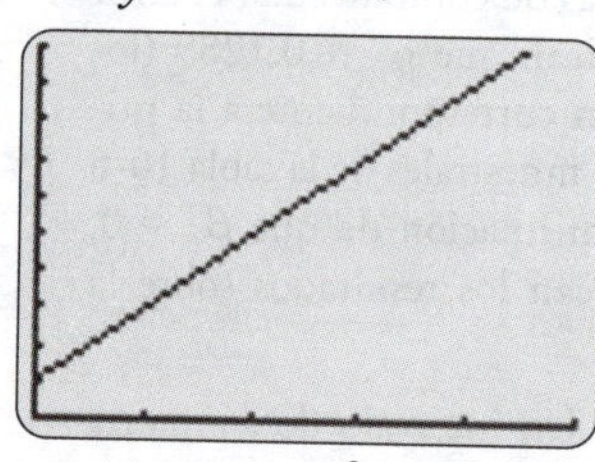

Logarítmico: $y = 1 + 2 \ln x$

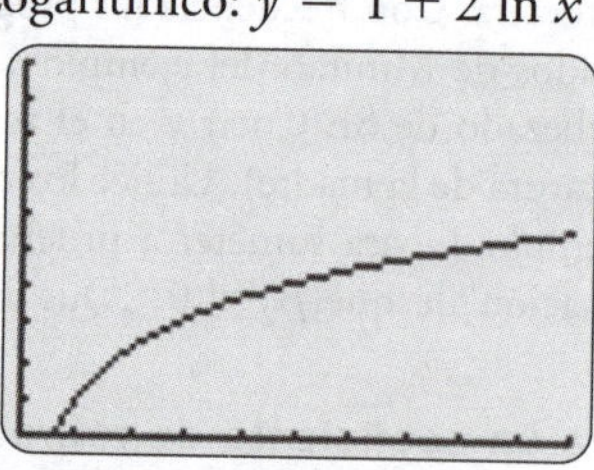

Potencia: $y = 3x^{2.5}$

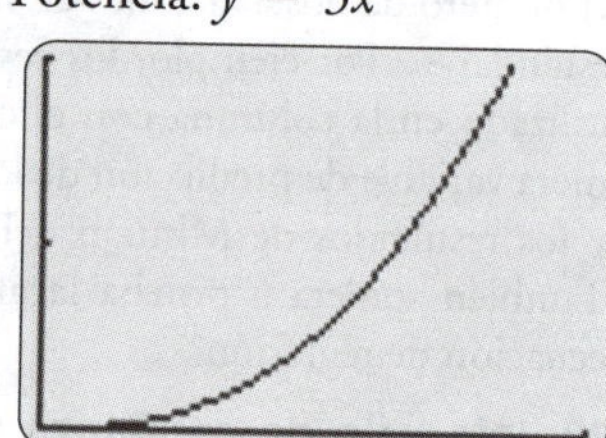

Cuadrático: $y = x^2 - 8x + 18$

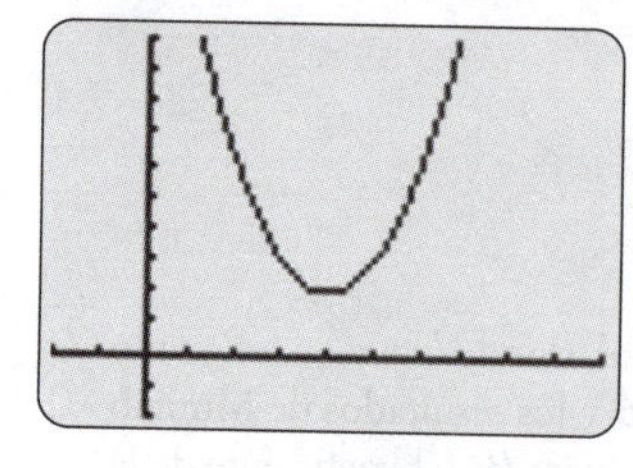

Exponencial: $y = 2^x$

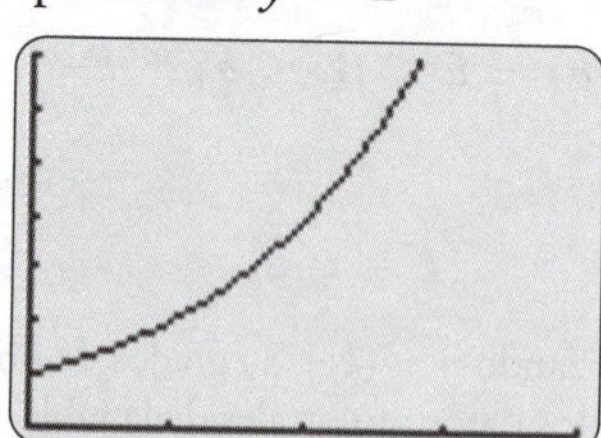

Estas son las reglas básicas para desarrollar un buen modelo matemático:

1. *Busque un patrón en la gráfica.* Utilice los datos muestrales para construir una gráfica (por ejemplo, un diagrama de dispersión). Luego compare el patrón básico con las gráficas genéricas conocidas de las funciones lineales, cuadráticas, logarítmicas, exponenciales y potencia. (Vea cuál de las gráficas de los resultados de la calculadora TI-83/84 Plus se acerca más a la gráfica de los datos muestrales).

2. *Calcule y compare valores de R^2.* Para cada modelo que considere, utilice programas de cómputo o una calculadora TI-83/84 Plus para obtener el valor del coeficiente de determinación R^2. Los valores de R^2 se pueden interpretar aquí de la misma forma que se interpretaron en la sección 10-5: seleccione funciones que den como resultado valores más grandes de R^2, ya que corresponden a funciones que se ajustan mejor a los puntos observados. Sin embargo, no dé demasiada importancia a las diferencias pequeñas, como la diferencia entre $R^2 = 0.984$ y $R^2 = 0.989$. (Otra medición utilizada para evaluar la calidad de un modelo es la suma de cuadrados de los residuos. Véase el ejercicio 19).

3. *Reflexione.* Aplique el sentido común. No utilice un modelo que conduzca a valores predichos que son poco realistas. Utilice el modelo para calcular valores futuros, valores pasados y valores faltantes; luego determine si los resultados son realistas y lógicos.

Atajo para ensayo clínico

¿Qué haría usted si estuviera sometiendo a prueba un tratamiento y, antes de concluir su estudio, se da cuenta de que es claramente eficaz? Debe acortar el estudio e informar a todos los participantes acerca de la eficacia del tratamiento. Esto sucedió cuando se sometió a prueba la hidroxiurea como tratamiento para la anemia falciforme. El estudio estaba programado para durar cerca de 40 meses, pero la eficacia del tratamiento se hizo evidente y el estudio se detuvo después de 36 meses (véase "Trial Halted as Sickle Cell Treatment Proves Itself", de Charles Marwick, *Journal of the American Medical Association*, vol. 273, núm. 8).

EJEMPLO 1 **Cálculo del mejor modelo de población** La tabla 10-9 lista la población de Estados Unidos en diferentes años. Encuentre un buen modelo matemático para el tamaño poblacional; después, realice una predicción del tamaño de la población de Estados Unidos para el año 2020.

Tabla 10-9 Población (en millones) de Estados Unidos

Año	1800	1820	1840	1860	1880	1900	1920	1940	1960	1980	2000
Año codificado	1	2	3	4	5	6	7	8	9	10	11
Población	5	10	17	31	50	76	106	132	179	227	281

SOLUCIÓN Primero "codificamos" los valores del año utilizando 1, 2, 3…, en vez de 1800, 1820, 1840… La razón de tal codificación es que, de esta forma, los valores de x son mucho más pequeños y tienen menos posibilidades de causar problemas de cálculo.

1. *Busque un patrón en la gráfica.* Examine el patrón de los valores de los datos en los resultados de la calculadora TI-83/84 Plus (mostrados al margen) y compare el patrón con los modelos genéricos presentados antes en esta sección. Sin duda, el patrón de estos puntos no es una recta, por lo que descartamos un modelo lineal. Parece que los buenos candidatos para el modelo son las funciones cuadrática, exponencial y potencia.

TI-83/84 PLUS

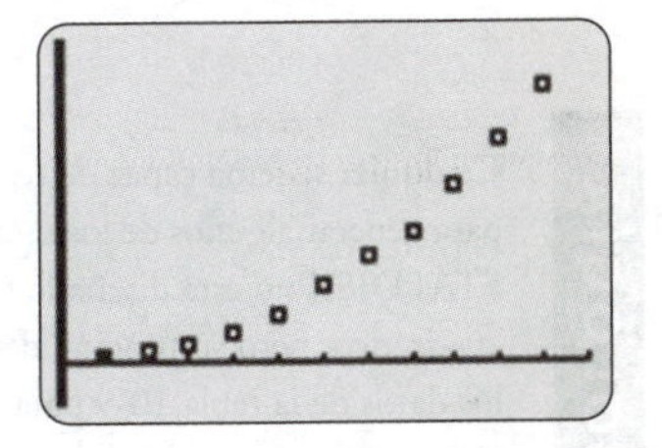

2. *Calcule y compare valores de R^2.* Las siguientes pantallas muestran resultados de la calculadora TI-83/84 Plus basados en los modelos cuadrático, exponencial y potencia. Al comparar los valores del coeficiente R^2, parece que el modelo cuadrático es el mejor, ya que tiene el valor más alto de 0.9992, aunque los otros valores mostrados también son bastante altos. Si seleccionamos la función cuadrática como el mejor modelo, concluimos que la ecuación $y = 2.77x^2 - 6.00x + 10.01$ describe mejor la relación entre el año x (codificado de manera que $x = 1$ representa 1800, $x = 2$ representa 1820, y así sucesivamente) y la población y (en millones).

TI-83/84 PLUS

```
QuadReg
 y=ax²+bx+c
 a=2.766899767
 b=-6.002797203
 c=10.01212121
 R²=.9991688446
```

TI-83/84 PLUS

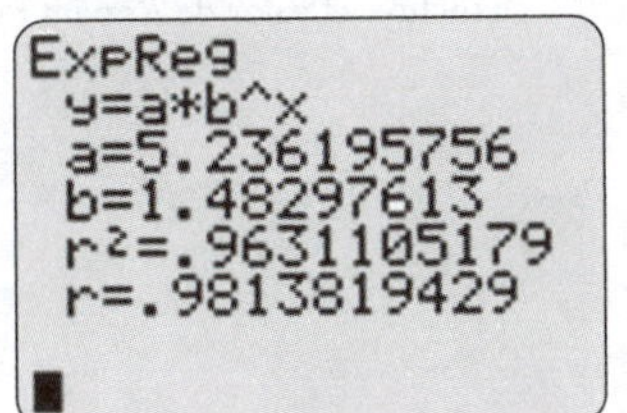

TI-83/84 PLUS

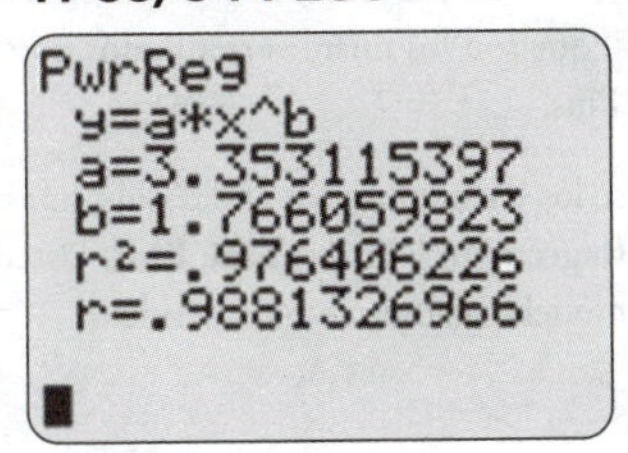

continúa

Para predecir la población de Estados Unidos para el año 2020, primero observe que el año 2020 está codificado como $x = 12$ (véase la tabla 10-9). Sustituyendo $x = 12$ en el modelo cuadrático de $y = 2.77x^2 - 6.00x + 10.01$, obtenemos el resultado $y = 337$, lo cual indica que se estima que la población de Estados Unidos será de 337 millones en el año 2020.

3. *Reflexione.* El resultado predicho de 337 millones en 2020 parece razonable. (Cuando se escribía este libro, la última proyección de la Oficina de Censos de Estados Unidos sugería que la población en 2020 será de alrededor de 336 millones). Sin embargo, existe un gran riesgo al hacer estimaciones de tiempos que están más allá del alcance de los datos disponibles. Por ejemplo, el modelo cuadrático sugiere que en 1492 la población de Estados Unidos era de 671 millones, un resultado absurdo.
El modelo cuadrático parece ser bueno para los datos disponibles (1800-2000), pero otros modelos podrían ser mejores si es absolutamente necesario efectuar estimaciones poblacionales más allá de este periodo.

EJEMPLO 2

Interpretación de R^2 En el ejemplo 1 se obtuvo el valor de $R^2 = 0.9992$ para el modelo cuadrático. Interprete ese valor en su relación con la variable de predicción del año y la variable de respuesta del tamaño de la población.

SOLUCIÓN

En el contexto de los datos del año y la población de la tabla 10-9, el valor de $R^2 = 0.9992$ se interpreta como sigue: 99.92% de la variación en el tamaño de la población puede explicarse por la ecuación cuadrática de regresión (dada en el ejemplo 1) que relaciona el año con el tamaño de la población.

En su artículo "Modeling the U.S. Population" (*AMATYC Review*, vol. 20, núm. 2), Sheldon Gordon emplea más datos que los de la tabla 10-9 y utiliza técnicas mucho más avanzadas para obtener mejores modelos poblacionales. En ese artículo, comenta algo importante:

"La mejor opción (de un modelo) depende del conjunto de datos que se analizan y requiere no solo de cálculos, sino también de ejercitar el juicio".

USO DE LA TECNOLOGÍA

Cualquier sistema capaz de realizar regresión múltiple puede emplearse para generar algunos de los modelos descritos en esta sección. Por ejemplo, STATDISK no está diseñado para trabajar directamente con el modelo cuadrático, pero su función de regresión múltiple puede emplearse con los datos de la tabla 10-9 para generar el modelo cuadrático de la siguiente manera: primero introduzca los valores poblacionales en la columna 1 de la ventana de datos de STATDISK. Introduzca 1, 2, 3,…, 11 en la columna 2 e introduzca 1, 4, 9,…, 121 en la columna 3. Haga clic en **Analysis** y luego seleccione **Multiple Regression.** Utilice las columnas 1, 2, 3, con la columna 1 como variable dependiente. Después de hacer clic en **Evaluate**, STATDISK genera la ecuación $y = 10.012 - 6.0028x + 2.7669x^2$, junto con $R^2 = 0.99917$, que son los mismos resultados obtenidos con la calculadora TI-83/84 Plus.

MINITAB Primero ingrese los datos pareados en las columnas C1 y C2, después seleccione **Stat, Regression** y **Fitted Line Plot**. Usted puede elegir un modelo lineal, un modelo cuadrático o un modelo cúbico. Los resultados incluyen la ecuación, el valor de R^2 y la suma de cuadrados de los residuos.

TI-83/84 PLUS Primero inicie la función diagnóstica de la siguiente manera: presione **2nd CATALOG**, después baje hasta **DiagnosticON** y presione la tecla **ENTER** dos veces. Introduzca los datos pareados en las listas L1 y L2. Presione **STAT**, seleccione **CALC** y luego elija el modelo deseado de las opciones disponibles. Presione **ENTER**, luego ingrese L1, L2 (con la coma) y presione **ENTER** nuevamente. Los resultados incluyen el formato de la ecuación junto con los coeficientes utilizados en la ecuación; también se incluye el valor de R^2 para muchos de los modelos.

10-6 Destrezas y conceptos básicos

Conocimientos estadísticos y pensamiento crítico

1. Valor establecido de R^2 Un analista afirma que cuando utilizó datos que consistían en el número de vehículos automotores producidos en Estados Unidos cada año, durante los últimos 30 años, obtuvo un valor de $R^2 = 1$. ¿Qué indica ese valor acerca de los datos? ¿Cree en la afirmación del analista? ¿Por qué?

2. Súper Bowl y R^2 Al utilizar las cantidades de puntos anotados en cada Súper Bowl desde 1980 hasta el último que se había realizado cuando se escribió este libro, obtuvimos los siguientes valores de R^2 para los diferentes modelos: lineal, 0.002; cuadrático, 0.082; logarítmico, 0.003; exponencial, 0.005; potencia, 0.001. Con base en estos resultados, ¿cuál modelo es mejor? ¿El mejor modelo es un buen modelo? ¿Qué sugieren los resultados sobre la predicción de la cantidad de puntos anotados en un juego futuro del Súper Bowl?

3. Interpretación de R^2 En el ejercicio 2, el modelo cuadrático da como resultado $R^2 = 0.082$. Identifique el porcentaje de la variación en los puntos anotados en el Súper Bowl que puede explicar el modelo cuadrático al relacionar la variable del año con la variable de los puntos anotados. (*Sugerencia:* Véase el ejemplo 2). ¿Qué sugiere el resultado acerca de la utilidad del modelo cuadrático?

4. Proyecciones En esta sección utilizamos los valores poblacionales del año 1800 al año 2000, y encontramos que el mejor modelo es el que está descrito por $y = 2.77x^2 - 6.00x + 10.01$, donde el valor poblacional de y está dado en millones. ¿Por qué sería erróneo utilizar este modelo si se desea proyectar el tamaño de la población para el año 2999?

Obtención del mejor modelo. ***En los ejercicios 5 a 16, construya un diagrama de dispersión e identifique el modelo matemático que se ajusta mejor a los datos indicados. Suponga que el modelo se va a emplear únicamente para el alcance que tienen los datos y considere solo los modelos lineal, cuadrático, logarítmico, exponencial y potencia.***

5. La tabla lista las cantidades de los incrementos semanales de los salarios y (en dólares), especificadas en un contrato laboral negociado con empleados de la corporación Telektronic.

Año	1	2	3	4	5
Incremento (y)	10	12	14	16	18

6. La tabla lista el valor y (en dólares) de \$100 invertidos en un certificado de depósito del MetLife Bank.

Año	1	2	3	4	5	6	7
Valor	100	105	110.25	115.76	121.55	127.63	134.01

7. La tabla lista la distancia d (en pies) por encima del suelo para el caso de un objeto que se deja caer en el vacío desde una altura de 500 pies. El tiempo t (en segundos) es el tiempo que transcurre desde que se suelta el objeto.

t	1	2	3	4	5
d	484	436	356	244	100

8. La tabla lista los costos y (en dólares) de la compra de cierto volumen de tierra vegetal, donde dicho volumen es un cubo en el que cada lado tiene una longitud de x pies.

x	1	2	3	4	5
Costo	1.10	8.80	29.70	70.40	137.50

9. Precio del boleto del metro Utilice los datos del año y del precio del boleto del metro, incluidos en la tabla 10-1 del problema del capítulo. Sea x el año, con 1960 codificado como 1, 1973 codificado como 14, y así sucesivamente. Sea y el precio del boleto del metro. ¿Parece que el mejor modelo es un buen modelo? ¿Por qué? Utilice el mejor modelo para efectuar una proyección del precio del boleto del metro para el año 2020.

10. Muertes por choques de vehículos automotores A continuación se presenta el número de muertes en Estados Unidos, como resultado de choques de vehículos automotores. Utilice el mejor modelo y el segundo mejor modelo con la finalidad de calcular el número proyectado de este tipo de muertes para el año 2010. ¿Difieren mucho las dos estimaciones?

Año	1975	1980	1985	1990	1995	2000	2005
Muertes	44,525	51,091	43,825	44,599	41,817	41,945	43,443

11. Muertes de manatíes por barcos La siguiente tabla lista el número de muertes anuales de manatíes en Florida por impactos con embarcaciones a partir de 1980 (según datos de Florida Fish and Wildlife Conservation). ¿El mejor modelo es mucho mejor que los demás? Calcule el número proyectado de este tipo de muertes para 2006. El número real de muertes en 2006 fue de 92. ¿Qué diferencia hay entre el número real de muertes de manatíes y el número de muertes proyectadas?

16 24 20 15 34 33 33 39 43 50 47 53 38 35 49 42 60 54 67 82 78 81 95 73 69 80

12. Muertes de manatíes por causas naturales La siguiente tabla incluye el número de muertes anuales de manatíes en Florida por causas naturales, a partir de 1980 (según datos de Florida Fish and Wildlife Conservation). ¿El mejor modelo es muy buen modelo? ¿Por qué? Calcule el número proyectado de este tipo de muertes para 2006. El número real de muertes por causas naturales en 2006 fue de 81. ¿Qué diferencia hay entre el número real de muertes por causas naturales y el número proyectado de muertes por causas naturales?

5 9 41 6 24 19 1 10 15 18 21 13 20 22 33 35 101 42 12 37 37 34 59 102 25 88

13. Experimento de física Un experimento para una clase de física implica dejar caer una pelota de golf y registrar la distancia (en metros) que cae en diferentes tiempos (en segundos) después de ser soltada. Los datos se incluyen en la siguiente tabla. Proyecte la distancia para un tiempo de 12 segundos, considerando que la pelota de golf se dejó caer de un edificio con una altura de 50 m.

Tiempo	0	0.5	1	1.5	2	2.5	3
Distancia	0	1.2	4.9	11.0	19.5	30.5	44.0

14. Mercado bursátil A continuación se listan, por renglón, los valores máximos anuales del Promedio Industrial Dow Jones para cada año a partir de 1980. ¿Cuál es el mejor valor predicho para el año 2006? Si el valor real máximo en 2006 fue de 12,464, ¿qué tan bueno fue el valor predicho? ¿Qué sugiere el patrón acerca del mercado bursátil para fines de inversión?

1000 1024 1071 1287 1287 1553 1956 2722 2184 2791 3000 3169 3413 3794 3978
5216 6561 8259 9374 11,568 11,401 11,350 10,635 10,454 10,855 10,941

15. Calentamiento global A continuación se presentan las temperaturas medias globales (en °C) de la superficie de la Tierra para los años 1950, 1955, 1960, 1965, 1970, 1975, 1980, 1985, 1990, 1995, 2000 y 2005. Calcule la temperatura predicha para el año 2010.

13.8 13.9 14.0 13.9 14.1 14.0 14.3 14.1 14.5 14.5 14.4 14.8

16. Dióxido de carbono A continuación se presentan las concentraciones de dióxido de carbono (en partes por millón) en la atmósfera de la Tierra para los años 1950, 1955, 1960, 1965, 1970, 1975, 1980, 1985, 1990, 1995, 2000 y 2005. Calcule la concentración predicha de dióxido de carbono para el año 2010.

311 314 317 320 326 331 339 346 354 361 369 381

10-6 Más allá de lo básico

17. Ley de Moore En 1965 el cofundador de Intel, Gordon Moore, determinó lo que ahora se conoce como *ley de Moore:* el número de transistores por pulgada cuadrada, en circuitos integrados, se duplica aproximadamente cada 18 meses. A continuación se incluyen datos que describen el número de transistores (en miles) para distintos años.

Año	1971	1974	1978	1982	1985	1989	1993	1997	2000	2002	2003	2007
Transistores	2.3	5	29	120	275	1180	3100	7500	42,000	220,000	410,000	789,000

a) Suponiendo que la ley de Moore es correcta y que los transistores se duplican cada 18 meses, ¿cuál modelo matemático describe mejor esta ley: lineal, cuadrático, logarítmico, exponencial, potencia? ¿Qué función específica describe la ley de Moore?

b) ¿Cuál modelo matemático se ajusta mejor a los datos muestrales listados?

c) Compare los resultados de los incisos *a)* y *b)*. ¿Parece que la ley de Moore funciona razonablemente bien?

18. Población en 2050 Cuando se escribía este libro, la Oficina de Censos de Estados Unidos utilizó su propio modelo para predecir una población de 420 millones de habitantes en Estados Unidos para el año 2050. Con base en los datos de la tabla 10-9 de la página 571, calcule el valor de R^2 y la población proyectada para 2050 con los modelos lineal, cuadrático, logarítmico, exponencial y potencia. ¿Alguno de los modelos da por resultado una población proyectada cercana a los 420 millones en 2050?

19. Criterio para la suma de cuadrados Además del valor de R^2, otra medición utilizada para evaluar la calidad de un modelo es la *suma de cuadrados de los residuos.* En la sección 10-3 vimos que un residuo es la diferencia entre un valor observado y y el valor y predicho a partir del modelo, que se denota por $\hat{y}$. Los mejores modelos poseen las sumas de cuadrados más pequeñas. Remítase a los datos de la tabla 10-9.

a) Calcule $\Sigma(y - \hat{y})^2$, la suma de cuadrados de los residuos que resultan del modelo lineal.

b) Calcule la suma de cuadrados de los residuos que resultan del modelo cuadrático.

c) Compruebe que, de acuerdo con el criterio de la suma de cuadrados, el modelo cuadrático es mejor que el modelo lineal.

Repaso

Este capítulo presentó métodos básicos para investigar correlaciones entre dos o más variables.

- En la sección 10-2 se presentaron métodos para el uso de diagramas de dispersión y del coeficiente de correlación lineal r con la finalidad de decidir si existe evidencia suficiente para sustentar la afirmación de que existe una correlación lineal entre dos variables.
- La sección 10-3 presentó métodos para el cálculo de la ecuación de la recta de regresión que se ajusta mejor a los datos pareados. Cuando la recta de regresión se ajusta a los datos razonablemente bien, la ecuación de regresión puede utilizarse para predecir el valor de una variable, a partir de algún valor de la otra variable.
- En la sección 10-4 se estudió el concepto de variación total, con componentes de variación explicada y sin explicar. El coeficiente de determinación r^2 nos brinda la proporción de la variación en la variable de respuesta (y) que puede explicarse por medio de la correlación lineal entre x y y. Desarrollamos métodos para construir intervalos de predicción, los cuales sirven para juzgar la exactitud de valores predichos.
- En la sección 10-5 se estudiaron los métodos para calcular una ecuación de regresión múltiple, la cual expresa la relación de una variable de respuesta con dos o más variables de predicción. También describimos procedimientos para obtener el valor del coeficiente múltiple de determinación R^2, la R^2 ajustada y el valor P para la significancia general de la ecuación. Esos valores sirven para comparar diferentes ecuaciones de regresión múltiple, así como para determinar la mejor ecuación de regresión múltiple. Dada la naturaleza de los cálculos implicados en esta sección, los métodos se basan en la interpretación de los resultados de programas de cómputo.
- En la sección 10-6 exploramos métodos básicos para el desarrollo de un modelo matemático, consistente en una función que puede emplearse para describir una relación entre dos variables. A diferencia de las secciones anteriores de este capítulo, la sección 10-6 incluyó varias funciones no lineales.

Conocimientos estadísticos y pensamiento crítico

1. Datos pareados La sección 10-2 presenta la correlación, mientras que la sección 9-4 se refiere a las inferencias hechas a partir de datos pareados. Puesto que ambas secciones se refieren a datos muestrales pareados, ¿cuál es la diferencia básica entre los objetivos de ambas secciones?

2. Correlación Con las mediciones de 54 osos, se encontró que la correlación lineal entre el tamaño del pecho (la distancia alrededor del pecho) y el peso de los osos es $r = 0.963$ (según el conjunto de datos 6 del apéndice B). ¿Existe evidencia suficiente para sustentar la afirmación de que existe una correlación lineal entre el tamaño del pecho y el peso? Si es así, ¿esto implica que un mayor tamaño del pecho de un oso es la causa de que su peso sea mayor?

3. Interpretación de *r* Un joyero de Tiffany & Company calcula el valor del coeficiente de correlación lineal para pares de datos muestrales que consisten en los precios de argollas de oro para bodas Tiffany y los precios correspondientes en una tienda de descuento. El joyero obtiene un valor de $r = 1$ y concluye que los precios de ambas compañías son iguales. ¿Está en lo correcto? ¿Por qué?

4. Interpretación de *r* Un investigador de la compañía Telektronics obtiene datos pareados que consisten en el costo de fabricación de microcircuitos de memoria de distintos tamaños y la cantidad de memoria que se puede almacenar en dichos microcircuitos. Después de encontrar que $r = 0$, concluye que no existe relación entre ambas variables. ¿Es correcta su conclusión? ¿Por qué?

Examen rápido del capítulo

1. Con base en 10 pares de datos muestrales, usted calcula el valor del coeficiente de correlación lineal r y obtiene un resultado de 2.650. ¿Qué concluye?

2. Con base en 10 pares de datos muestrales, usted calcula el valor del coeficiente de correlación lineal r y obtiene el resultado de 0.989. ¿Qué concluye?

3. Verdadero o falso: Si datos muestrales dan como resultado un coeficiente de correlación lineal de $r = -0.999$, los datos se acercan mucho al patrón de una línea recta descendente (al observarla de izquierda a derecha).

4. Al utilizar 10 pares de datos muestrales se obtiene el valor de $r = 0.099$. ¿Qué concluye?

5. Verdadero o falso: Si no hay una correlación lineal entre dos variables, entonces esas variables no están relacionadas de ninguna forma.

6. Calcule los valores críticos de r para una prueba de la afirmación de que existe una correlación lineal entre dos variables, considerando que la muestra consiste en 15 pares de datos y el nivel de significancia es de 0.05.

7. Un diagrama de dispersión revela que 20 puntos se ajustan al patrón perfecto de una línea recta que desciende de izquierda a derecha. ¿Cuál es el valor del coeficiente de correlación lineal?

8. Si los datos muestrales dan como resultado la ecuación de regresión $\hat{y} = -5 + 2x$ y un coeficiente de correlación lineal de $r = 0.999$, calcule el mejor valor predicho de y para $x = 10$.

9. Si los datos muestrales dan como resultado un coeficiente de correlación lineal de $r = 0.400$, ¿qué proporción de la variación en y se explica por la relación lineal entre x y y?

10. Verdadero o falso: Si se utilizan 50 pares de datos para calcular $r = 0.999$, donde x representa el consumo de sal y y representa la presión sanguínea, entonces podemos concluir que un mayor consumo de sal causa un aumento de la presión sanguínea.

Ejercicios de repaso

1. Temperatura corporal La tabla que se incluye a continuación lista las temperaturas corporales (en °F) de sujetos cuyas mediciones se tomaron a las 8:00 AM y después a la medianoche (según el conjunto de datos 2 del apéndice B).

a) Construya un diagrama de dispersión. ¿Qué sugiere el diagrama de dispersión acerca de una correlación lineal entre las temperaturas corporales de las 8:00 AM y las temperaturas corporales a medianoche?

b) Calcule el valor del coeficiente de correlación lineal y determine si existe evidencia suficiente para sustentar la afirmación de una correlación lineal entre las temperaturas corporales medidas a las 8:00 A.M. y nuevamente a la medianoche.

c) Permita que y represente las temperaturas a la medianoche y que x represente las temperaturas a las 8:00 A.M.; determine la ecuación de regresión.

d) Con base en los datos muestrales, ¿cuál es la mejor temperatura corporal predicha para la medianoche de alguien que tiene una temperatura corporal de 98.3 °F, medida a las 8:00 AM?

8:00 AM	98.2	97.7	97.3	97.5	97.1	98.6
Medianoche	97.4	99.4	98.4	98.6	98.4	98.5

2. Estatura y peso A continuación se presentan resultados seleccionados de Minitab, obtenidos con las estaturas (en pulgadas) y los pesos (en libras) de 40 hombres elegidos al azar (según el conjunto de datos 1 del apéndice B).

a) Determine si existe evidencia suficiente para sustentar la afirmación de una correlación lineal entre las estaturas y los pesos de los hombres.

b) ¿Qué porcentaje de la variación en los pesos de los hombres se puede explicar por medio de la correlación lineal entre la estatura y el peso?

c) Permita que y represente los pesos de los hombres y que x represente las estaturas de los hombres; determine la ecuación de regresión.

d) Calcule el mejor peso predicho de un hombre que mide 72 pulgadas.

```
Pearson correlation of HT and WT = 0.522
P-Value = 0.001

The regression equation is
WT = - 139 + 4.55 HT
```

3. Altura y peso A continuación se presentan las alturas (en pulgadas) y los pesos (en libras) de osos elegidos al azar.

a) Construya un diagrama de dispersión. ¿Qué sugiere el diagrama de dispersión acerca de una correlación lineal entre la altura y el peso de los osos?

b) Calcule el valor del coeficiente de correlación lineal y determine si existe evidencia suficiente para sustentar la afirmación de una correlación lineal entre las alturas de los osos y su peso.

c) Permita que y represente los pesos de los osos y que x represente sus alturas; determine la ecuación de regresión.

d) Con base en los datos muestrales, ¿cuál es el mejor peso predicho de un oso que mide 72.0 pulgadas?

Altura	40	64	65	49	47
Peso	65	356	316	94	86

Predicción de la estatura. ***La siguiente tabla incluye las longitudes del muslo, las circunferencias del brazo y las estaturas de hombres elegidos al azar (de acuerdo con el conjunto de datos 1 del apéndice B). Todas las medidas están en centímetros. Utilice esos datos para resolver los ejercicios 4 y 5.***

Muslo	40.9	43.1	38.0	41.0	46.0
Brazo	33.7	30.3	32.8	31.0	36.2
Estatura	166	178	160	174	173

4. a) Construya un diagrama de dispersión con los datos pareados del muslo y la estatura. ¿Qué sugiere el diagrama de dispersión acerca de una correlación lineal entre la longitud del muslo y la estatura?

b) Calcule el valor del coeficiente de correlación lineal y determine si existe evidencia suficiente para sustentar la afirmación de una correlación lineal entre la longitud del muslo y la estatura de los hombres.

c) Permita que y represente las estaturas de los hombres y que x represente las longitudes del muslo de los hombres; determine la ecuación de regresión.

d) Con base en los datos muestrales, ¿cuál es la mejor estatura predicha de un hombre cuyo muslo mide 45 cm de longitud?

5. Utilice un programa de cómputo para determinar la ecuación de regresión múltiple de la forma $\hat{y} = b_0 + b_1x_1 + b_2x_2$, donde la variable de respuesta y representa las estaturas, x_1 representa las longitudes del muslo y x_2 representa la circunferencia de los brazos de los hombres. Identifique el valor del coeficiente múltiple de determinación R^2, la R^2 ajustada y el valor P que representan la significancia general de la ecuación de regresión múltiple. Utilice un nivel de significancia de 0.05 y determine si la ecuación de regresión se puede utilizar para predecir la estatura de un hombre, a partir de la longitud del muslo y la circunferencia del brazo.

Ejercicios de repaso acumulativo

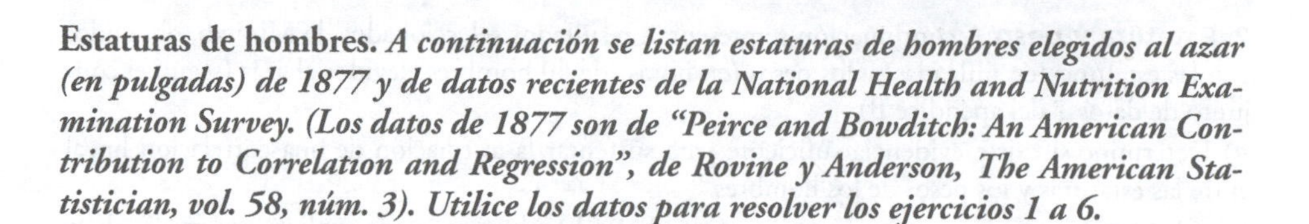

Estaturas de hombres. ***A continuación se listan estaturas de hombres elegidos al azar (en pulgadas) de 1877 y de datos recientes de la National Health and Nutrition Examination Survey. (Los datos de 1877 son de "Peirce and Bowditch: An American Contribution to Correlation and Regression", de Rovine y Anderson, The American Statistician, vol. 58, núm. 3). Utilice los datos para resolver los ejercicios 1 a 6.***

Estaturas de 1877	71	62	64	68	68	67	65	65	66	66
Estaturas recientes	63	66	68	72	73	62	71	69	69	68

1. Calcule la media, la mediana y la desviación estándar para cada par de muestras.

2. Utilice un nivel de significancia de 0.05 para someter a prueba la afirmación de que en 1877 los hombres tenían una estatura media menor que la estatura media de los hombres en la actualidad.

3. Utilice un nivel de significancia de 0.05 para someter a prueba la afirmación de que en 1877 las estaturas de los hombres tenían una media menor que 69.1 pulgadas, que es la estatura media de los hombres en la actualidad (según datos antropométricos de Gordon, Churchill, *et al.*).

4. Construya una estimación de un intervalo de confianza del 95% para la estatura media para los hombres en 1877.

5. Construya una estimación de un intervalo de confianza del 95% para la diferencia entre la estatura media de los hombres en la actualidad y la estatura media de los hombres en 1877. (Como primera muestra, utilice las estaturas recientes). ¿El intervalo de confianza incluye a 0? ¿Qué nos indica esto acerca de las dos medias poblacionales?

6. ¿Por qué no tendría sentido utilizar los datos en una prueba de una correlación lineal entre las estaturas de 1877 y las estaturas recientes?

7. a) ¿Cuál es la diferencia entre un *estadístico* y un *parámetro*?

b) ¿Qué es una muestra aleatoria simple?

c) ¿Qué es una *muestra de respuesta voluntaria*, y por qué este tipo de muestras suelen ser inadecuadas para la aplicación de métodos estadísticos que sirven para hacer inferencias acerca de poblaciones?

8. El índice de masa corporal de adultos se distribuye normalmente con una media de 26 y una desviación estándar de 5 (según el conjunto de datos 1 del apéndice B). ¿Un índice de masa corporal de 40 es un valor atípico? ¿Por qué?

9. El índice de masa corporal de adultos se distribuye normalmente con una media de 26 y una desviación estándar de 5 (según el conjunto de datos 1 del apéndice B).

a) Calcule la probabilidad de elegir al azar a una persona con un índice de masa corporal mayor que 28.

b) Si se seleccionan 16 personas al azar, calcule la probabilidad de que su índice medio de masa corporal sea mayor que 28.

10. Según un estudio realizado por el doctor P. Sorita Soni, de la Universidad de Indiana, el 12% de la población de Estados Unidos tiene ojos verdes. Si se seleccionan cuatro personas al azar para un estudio sobre la pigmentación de los ojos, calcule la probabilidad de que todas tengan ojos verdes. Si se contrata a un investigador para seleccionar al azar a los sujetos de estudio, y regresa con cuatro sujetos de ojos verdes, ¿qué concluiría usted?

Proyecto tecnológico

La siguiente tabla resume estadísticos básicos para cada equipo de béisbol, en un año reciente.

a) Utilice los datos pareados que consisten en las proporciones de triunfos y el número de carreras anotadas para calcular el coeficiente de correlación lineal r; determine si existe evidencia suficiente para sustentar la afirmación de una correlación lineal entre las dos variables. Luego, determine la ecuación de regresión donde la variable de respuesta y representa la proporción de triunfos y la variable de predicción x representa el número de carreras anotadas.

b) Utilice los datos pareados que consisten en las proporciones de triunfos y el número de carreras permitidas para calcular el coeficiente de correlación lineal r; determine si existe evidencia suficiente para sustentar la afirmación de una correlación lineal entre las dos variables. Luego, determine la ecuación de regresión donde la variable de respuesta y representa la proporción de triunfos y la variable de predicción x representa el número de carreras permitidas.

c) Utilice los datos pareados que consisten en las proporciones de triunfos y las siguientes diferencias: (carreras anotadas) − (carreras permitidas). Calcule el coeficiente de correlación lineal r y determine si existe evidencia suficiente para sustentar la afirmación de una correlación lineal entre las dos variables. Luego, determine la ecuación de regresión donde la variable de respuesta y representa la proporción de triunfos, y la variable de predicción x representa las diferencias de (carreras anotadas) − (carreras permitidas).

d) Compare los resultados anteriores. ¿Cuál estrategia parece ser más eficaz para ganar los partidos de béisbol: una defensiva fuerte o una ofensiva fuerte? Explique.

e) Determine la ecuación de regresión donde la variable de respuesta y representa el porcentaje de triunfos, y las dos variables de predicción son las carreras anotadas y carreras permitidas. ¿Parece que la ecuación sirve para predecir la proporción de triunfos de un equipo con base en el número de carreras anotadas y el número de carreras permitidas? Explique.

f) Utilice los datos pareados que consisten en el número de carreras anotadas y el número de carreras permitidas para calcular el coeficiente de correlación lineal r; determine si existe evidencia suficiente para sustentar la afirmación de una correlación lineal entre las dos variables. ¿Qué sugiere el resultado acerca de la fortaleza ofensiva y la fortaleza defensiva de los diferentes equipos?

Equipo	Ganados	Perdidos	Proporción de ganados	Carreras anotadas	Carreras permitidas	(carreras anotadas) − (carreras permitidas)
N. Y.(AL)	97	65	0.599	930	767	163
Toronto	87	75	0.537	809	754	55
Boston	86	76	0.531	820	825	−5
Baltimore	70	92	0.432	768	899	−131
Tampa Bay	61	101	0.377	689	856	−167
Minnesota	96	66	0.593	801	683	118
Detroit	95	67	0.586	822	675	147
Chi. (AL)	90	72	0.556	868	794	74
Cleveland	78	84	0.481	870	782	88
Kansas City	62	100	0.383	757	971	−214
Oakland	93	69	0.574	771	727	44
L. A. (AL)	89	73	0.549	766	732	34
Texas	80	82	0.494	835	784	51
Seattle	78	84	0.481	756	792	−36
N. Y. (NL)	97	65	0.599	834	731	103
Philadelphia	85	77	0.525	865	812	53
Atlanta	79	83	0.488	849	805	44
Florida	78	84	0.481	758	772	−14
Washington	71	91	0.438	746	872	−126
St. Louis	83	78	0.516	781	762	19
Houston	82	80	0.506	735	719	16
Cincinnati	80	82	0.494	749	801	−52
Milwaukee	75	87	0.463	730	833	−103
Pittsburgh	67	95	0.414	691	797	−106
Chi. (NL)	66	96	0.407	716	834	−118
San Diego	88	74	0.543	731	679	52
Los Angeles	88	74	0.543	820	751	69
S. F.	76	85	0.472	746	790	−44
Arizona	76	86	0.469	773	788	−15
Colorado	76	86	0.469	813	812	1

PROYECTO DE INTERNET

Regresión lineal

Visite: **www.pearsonenespañol.com/triola**

El coeficiente de correlación lineal es una herramienta que se utiliza para medir la fuerza de una relación lineal entre dos conjuntos de mediciones. Desde el punto de vista de los cálculos, el coeficiente de correlación puede obtenerse para dos conjuntos cualesquiera de datos de valores pareados, sin importar lo que estos representen. Por esta razón, se deben plantear ciertas preguntas cuando se investiga una correlación. ¿Es razonable esperar una correlación lineal? ¿Podría una correlación obtenida ser causada por una tercera cantidad relacionada con cada una de las variables estudiadas?

El proyecto de Internet para este capítulo lo guiará hasta varios conjuntos de datos pareados en las áreas de deportes, medicina y economía. Usted tendrá que aplicar los métodos de este capítulo, calcular coeficientes de correlación y determinar rectas de regresión mientras considera las verdaderas relaciones que existen entre las variables implicadas.

PROYECTO APPLET

Abra el archivo de Applets que está en el sitio Web del libro y haga doble clic en **Start.** Seleccione **Correlation by eye** del menú y utilice el applet para desarrollar la habilidad de estimar el valor del coeficiente de correlación lineal r al hacer un examen visual del diagrama de dispersión. Trate de especular el valor de r para 10 conjuntos de datos diferentes; intente crear un conjunto de datos con un valor de r que sea de aproximadamente 0.9; intente crear un conjunto de da-tos con un valor de r que se aproxime a 0.

Utilice también **Regression by eye** del menú. Trate de mover la línea verde para que se convierta en la línea de regresión. Repita esta operación hasta que logre identificar la línea de regresión razonablemente bien.

Pensamiento crítico: ¿El analgésico Duragesic es eficaz para reducir el dolor?

A continuación se listan las medidas de la intensidad del dolor antes y después de utilizar el medicamento patentado Duragesic (según datos de Janssen Pharmaceutical Products, L.P.). Los datos aparecen en orden por renglón, y las medidas correspondientes son del mismo sujeto antes y después del tratamiento. Por ejemplo, el primer sujeto tuvo una medida de 1.2 antes del tratamiento, y una medida de 0.4 después del tratamiento. Cada par de mediciones corresponde a un sujeto, y la intensidad del dolor se midió utilizando la puntuación análoga visual estándar.

Intensidad del dolor antes del tratamiento con Duragesic

1.2	1.3	1.5	1.6	8.0	3.4	3.5	2.8	2.6	2.2
3.0	7.1	2.3	2.1	3.4	6.4	5.0	4.2	2.8	3.9
5.2	6.9	6.9	5.0	5.5	6.0	5.5	8.6	9.4	10.0
7.6									

Intensidad del dolor después del tratamiento con Duragesic

0.4	1.4	1.8	2.9	6.0	1.4	0.7	3.9	0.9	1.8
0.9	9.3	8.0	6.8	2.3	0.4	0.7	1.2	4.5	2.0
1.6	2.0	2.0	6.8	6.6	4.1	4.6	2.9	5.4	4.8
4.1									

Análisis de los resultados

1. Utilice los datos indicados para construir un diagrama de dispersión y luego aplique los métodos de la sección 10-2 para hacer una prueba de correlación lineal entre la intensidad del dolor antes y después del tratamiento. Si existe una correlación lineal significativa, ¿se infiere que el tratamiento con el fármaco es eficaz?

2. Utilice los datos para calcular la ecuación de la recta de regresión. Permita que la variable de respuesta (y) sea la intensidad del dolor después del tratamiento. ¿Cuál sería la ecuación de la recta de regresión para un tratamiento que no tiene ningún efecto?

3. Los métodos de la sección 9-3 se pueden utilizar para someter a prueba la afirmación de que dos poblaciones tienen la misma media. Identifique la afirmación específica de que el tratamiento es eficaz y luego utilice los métodos de la sección 9-3 para someter a prueba esa afirmación. Los métodos de la sección 9-3 se basan en el requisito de que las muestras son independientes. ¿Son independientes en este caso?

4. Los métodos de la sección 9-4 permiten someter a prueba una afirmación acerca de datos pareados. Identifique la afirmación específica de que el tratamiento es eficaz y luego aplique los métodos de la sección 9-4 para someter a prueba esa afirmación.

5. ¿Cuál de los resultados anteriores es mejor para determinar si el tratamiento con el fármaco es eficaz para reducir el dolor? Con base en los resultados anteriores, ¿parece que el fármaco es eficaz?

Actividades de trabajo en equipo

1. Actividad en clase Organicen grupos de 8 a 12 personas. Midan la estatura de cada uno de los integrantes del equipo, y también midan su estatura umbilical, que es la altura desde el piso hasta el ombligo. ¿Existe una correlación entre la estatura del individuo y su estatura umbilical? Si es así, determinen la ecuación de regresión con la estatura expresada en términos de la estatura umbilical. Según una antigua teoría, la razón entre la estatura y la estatura umbilical de la persona promedio es la proporción áurea: $(1 + \sqrt{5})/2 \approx 1.6$. ¿Esta teoría parece ser razonablemente exacta?

2. Actividad en clase Formen grupos de 8 a 12 personas. Midan la estatura de cada uno de los integrantes del equipo, y también midan la envergadura de los brazos. Para la envergadura de los brazos, el sujeto debe estar de pie con los brazos extendidos, como las alas de un avión. Es fácil marcar la estatura y la envergadura de los brazos en el pizarrón y después medir las distancias sobre esa superficie. Con los datos muestrales pareados, ¿existe una correlación entre la estatura y la envergadura de los brazos? Si es así, determinen la ecuación de regresión con la estatura expresada en términos de la envergadura de los brazos. ¿Puede emplearse la envergadura de los brazos como un factor de predicción razonablemente bueno de la estatura?

3. Actividad en clase Formen grupos de 8 a 12 personas. Para cada sujeto, utilicen un hilo y una regla para medir la circunferencia de la cabeza y la longitud del antebrazo. ¿Existe relación entre estas dos variables? Si es así, ¿cuál es?

4. Actividad en clase Usen una regla para medir el tiempo de reacción. Una persona debe suspender una regla sosteniéndola de un extremo, mientras el sujeto coloca sus dedos pulgar e índice en el extremo inferior, listo para atrapar la regla cuando sea soltada. Registre la distancia que cae la regla antes de ser atrapada. Convierta esa distancia en el tiempo (en segundos) que tardó el sujeto en reaccionar y atrapar la regla. (Si la distancia se mide en pulgadas, utilice $t = \sqrt{d/192}$. Si la distancia se mide en centímetros, utilice $t = \sqrt{d/487.68}$.) Someta a prueba a cada sujeto una vez con la mano derecha y una vez con la mano izquierda, y luego registre los datos pareados. Realice una prueba de correlación. Determine la ecuación de la recta de regresión. ¿La ecuación de la recta de regresión sugiere que la mano dominante tiene un tiempo de reacción más veloz?

5. Actividad en clase Formen grupos de 8 a 12 personas. Para cada miembro del grupo, registren el pulso contando el número de latidos del corazón por minuto. También registren la estatura. ¿Existe una relación entre el pulso y la estatura? Si es así, ¿cuál es?

6. Actividad en clase Reúnan datos de cada estudiante referentes al número de tarjetas de crédito y el número de llaves que posee cada uno. ¿Existe una correlación? Si es así, ¿cuál es? Traten de identificar al menos una explicación razonable para la presencia o ausencia de una correlación.

7. Actividad en clase Dividan la clase en grupos de tres o cuatro personas. El apéndice B incluye muchos conjuntos de datos que aún no se han utilizado en los ejemplos o ejercicios de este capítulo. Busquen en el apéndice B un par de variables de interés, y luego investiguen la correlación y la regresión. Establezcan sus conclusiones y traten de identificar aplicaciones prácticas.

8. Actividad fuera de clase Dividan la clase en grupos de tres o cuatro personas. Investiguen la relación entre dos variables reuniendo sus propios datos muestrales pareados y utilizando los métodos de este capítulo para determinar si existe una correlación lineal significativa. También identifiquen la ecuación de regresión y describan un procedimiento para predecir valores de una de las variables, cuando se tienen valores de la otra variable. Temas sugeridos:

- ¿Existe una relación entre el sabor y el costo de distintas marcas de galletas de chocolate (o bebidas de cola)? El sabor puede medirse con base en una escala numérica, como del 1 al 10.
- ¿Existe una relación entre los salarios de los jugadores profesionales de béisbol (basquetbol o futbol) y sus logros por temporada?
- ¿Existe una relación entre el largo de los pies de hombres (o mujeres) y su estatura?
- ¿Existe una relación entre el promedio de calificaciones de los estudiantes y la cantidad de tiempo que ven televisión? Si es así, ¿cuál es?
- ¿Existe una relación entre las horas de estudio por semana y el promedio de calificaciones? Si es así, ¿cuál es?

ESTADÍSTICA EN EL PRONÓSTICO DE NEGOCIOS

NOMBRE:	Mark D. Haskell
PUESTO:	Director de pronósticos y análisis
COMPAÑÍA:	Walt Disney World Resort

Como director de pronósticos y análisis de Walt Disney World Resort, Mark D. Haskell dirige un equipo de personas responsables de planear y pronosticar valores como la asistencia, la ocupación de hoteles y las ganancias proyectadas. Al analizar diversos factores, Mark y su equipo ayudan a que Disney continúe trabajando para asegurarse de que cada huésped tenga una experiencia divertida e inolvidable en Walt Disney World Resort.

¿En qué consiste su trabajo?

Dirijo un equipo de personas responsables de planear y pronosticar medidas tales como la asistencia al parque, la ocupación en cada uno de nuestros hoteles y las utilidades que Walt Disney World obtendrá por estos negocios básicos.

¿Cómo usa la estadística y qué conceptos específicos de esta materia emplea?

La estadística es fundamental para elaborar pronósticos. Muchas de nuestras herramientas de pronóstico se basan en técnicas de regresión múltiple, y algunos de esos modelos son más complejos que otros. También empleamos cotidianamente muchos conceptos estadísticos básicos, como el reporte del "error porcentual absoluto medio" de nuestros pronósticos, la comprensión de las medidas de tendencia central, las distribuciones y las técnicas de muestreo cuando realizamos la investigación de mercado, o la aplicación de correlaciones para entender la manera en que diferentes variables se asocian con nuestros principales negocios. Se dispone de muchos enfoques para elaborar pronósticos de alta calidad, pero la estadística es un bloque de construcción básico para casi cualquiera de ellos.

Describa un ejemplo específico de cómo el uso de la estadística sirvió para mejorar un producto o servicio.

Recientemente, mi equipo utilizó el análisis de correlación para entender qué fuentes de datos serían más útiles para predecir la asistencia y los gastos en uno de nuestros centros de venta al detalle. Con base en ese trabajo, desarrollamos un modelo de regresión que sirve para que los líderes de la empresa conozcan las ganancias potenciales, determinen las necesidades de personal, establezcan las horas de operación, identifiquen nuevas oportunidades de productos y nuevas necesidades de inversión de capital, solo por nombrar algunas aplicaciones.

¿Qué conocimientos de estadística se requieren para obtener un empleo como el suyo?

Yo tengo una maestría en economía, con especialidad en métodos de análisis cuantitativo. Por lo general, se requiere de algún título de posgrado con énfasis en análisis estadístico para tener éxito en un puesto como el mío.

¿Considera que las personas que solicitan empleo en su compañía tienen una ventaja si realizaron algunos estudios de estadística?

Se requiere de cierto nivel de experiencia con la estadística para tener un puesto en el equipo de pronóstico y análisis. Hay muchos otros puestos en Walt Disney World para los que se vería de manera más favorable a los solicitantes que tienen estudios de estadística.

¿Recomendaría a los estudiantes universitarios de hoy que estudien estadística? ¿Por qué?

Definitivamente sí. En un mundo de negocios que se muestra fascinado con los números y con los datos, la estadística es fundamental para poder analizar y resumir adecuadamente grandes cantidades de datos. Incluso si uno no es el responsable de realizar el análisis, necesita una comprensión básica para utilizar adecuadamente la información en la toma de decisiones. Es necesario aprender a utilizar la estadística de manera apropiada, o se corre el riesgo de que los individuos que saben más de estadística la utilicen en contra de uno.

¿Qué otras habilidades son importantes para los estudiantes universitarios de hoy?

Las habilidades de comunicación, tanto verbales como escritas. Se considera muy valiosas a las personas que saben analizar información compleja, para luego simplificarla y comunicarla con claridad y sencillez.

11 Bondad de ajuste y tablas de contingencia

PROBLEMA DEL CAPÍTULO

¿La enfermera es una asesina serial?

Tres perceptivas enfermeras del Veteran's Affairs Medical Center en Northampton, Massachusetts, observaron un número inusualmente elevado de muertes durante los turnos de trabajo de otra enfermera, llamada Kristen Gilbert. Las mismas tres enfermeras notaron posteriormente la falta del fármaco epinefrina, que es un tipo de adrenalina sintética que estimula el corazón. Después, expresaron su creciente preocupación hasta que se abrió una investigación. Kristen Gilbert fue arrestada y acusada de cuatro cargos de homicidio y dos cargos de intento de asesinato. Al tratar de conseguir una acusación formal por parte del gran jurado, la fiscalía presentó una evidencia que consistía en una tabla de dos entradas con el número de muertes que se registraron cuando Gilbert estaba en sus turnos de trabajo. Véase la tabla 11-1.

Tabla 11-1 Tabla de dos entradas con el registro de muertes mientras Gilbert estaba trabajando

	Turnos con muertes	Turnos sin muertes
Gilbert estaba trabajando	40	217
Gilbert no estaba trabajando	34	1350

Es probable que las cifras de la tabla 11-1 se visualicen mejor con la ayuda de una gráfica, como la que se presenta en la figura 11-1. Esta gráfica muestra las tasas de mortalidad durante los turnos de trabajo de Gilbert y en los turnos en que no estaba trabajando. Al parecer, la figura 11-1 deja muy claro que durante los turnos de trabajo de Gilbert la tasa de mortalidad fue mucho más alta que en los turnos en que ella no estaba en funciones, pero es necesario determinar si esos resultados son estadísticamente significativos.

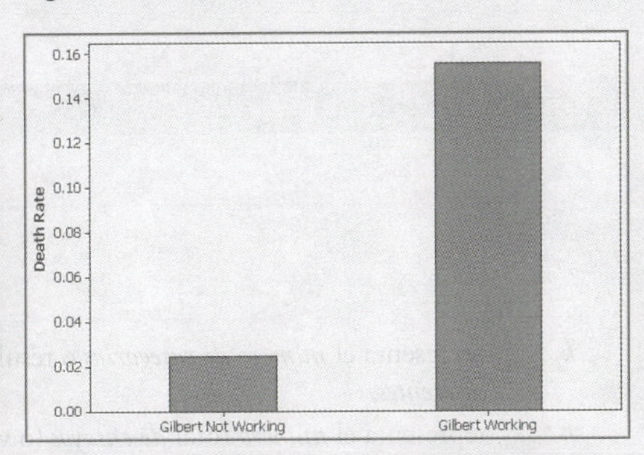

Figura 11-1 Gráfica de barras de las tasas de mortalidad cuando Gilbert estaba trabajando y cuando no.

George Cobb, un reconocido especialista y profesor de estadística, participó en la defensa del caso Gilbert ante la petición de un abogado. Cobb redactó un informe en el que afirmaba que los datos de la tabla 11-1 debían haberse presentado al gran jurado (como se hizo) para la acusación formal de ese organismo, pero que no debía haberse presentado en el juicio real. Cobb señaló que los datos de la tabla 11-1 se basan en observaciones y que no demuestran que Gilbert haya *causado* realmente las muertes. Asimismo, la tabla incluye información acerca de muchas otras muertes que no eran relevantes para el juicio. El juez determinó que los datos de la tabla 11-1 no podían usarse en el juicio. Kristen Gilbert fue condenada con base en otras evidencias, y actualmente cumple una sentencia de por vida en prisión, sin la posibilidad de salir bajo palabra.

En este capítulo se incluyen métodos para analizar datos incluidos en tablas, como la 11-1. Analizaremos esa tabla para ver cuáles conclusiones podrían presentarse ante el gran jurado que inició la acusación formal.

11-1 Repaso y preámbulo

En el capítulo 7 comenzamos a estudiar la estadística inferencial cuando se presentaron los métodos para estimar un parámetro de una sola población, y en el capítulo 8 cuando se presentaron los métodos para estimar afirmaciones acerca de una sola población. En el capítulo 9 ampliamos esos métodos a situaciones que implican dos poblaciones. En el capítulo 10 estudiamos métodos de correlación y regresión para datos muestrales pareados. Por otro lado, en este capítulo usaremos métodos para analizar datos categóricos (cualitativos o de atributo) que pueden separarse en diferentes celdas. Revisaremos pruebas de hipótesis de la afirmación de que los conteos de frecuencia observados concuerdan con alguna distribución establecida. También consideraremos tablas de contingencia (o tablas de frecuencias de dos factores), que consisten en conteos de frecuencias ordenados en una tabla con al menos dos renglones y dos columnas. El capítulo concluye con las tablas de dos entradas que incluyen datos pareados.

Los métodos de este capítulo utilizan la misma distribución χ^2 (chi cuadrada) que se estudió en la sección 7-5. Consulte esa sección para un repaso rápido de las propiedades de la distribución χ^2.

11-2 Bondad de ajuste

Concepto clave En esta sección consideramos datos muestrales que consisten en conteos de frecuencias observadas que están ordenadas en un solo renglón o columna (lo que se conoce como tabla de frecuencias de una entrada). Utilizaremos una prueba de hipótesis para la afirmación de que los conteos de la frecuencia observada concuerdan con alguna distribución establecida, de modo que hay un *buen ajuste* de los datos observados con la distribución establecida.

Puesto que hacemos una prueba de qué tan bien se ajusta una frecuencia de distribución observada a alguna distribución teórica especificada, el método de esta sección se llama *prueba de bondad de ajuste*.

DEFINICIÓN

La **prueba de bondad de ajuste** se utiliza para someter a prueba la hipótesis de que una distribución de frecuencias se ajusta a (o coincide con) alguna distribución establecida.

Objetivo

Realizar una prueba de bondad de ajuste.

Notación

O representa la *frecuencia observada* de un resultado, la cual se obtiene al tabular los datos muestrales.

E representa la *frecuencia esperada* de un resultado, que se obtiene al suponer que la distribución es tal como se afirma.

k representa el *número de categorías* o resultados *diferentes*.

n representa el *número* total *de ensayos* (o valores muestrales observados).

Requisitos

1. Los datos se seleccionaron al azar.
2. Los datos muestrales consisten en conteos de frecuencias para cada una de las diferentes categorías.

3. Para cada categoría, la frecuencia *esperada* es al menos de 5. (La frecuencia esperada para una categoría es la frecuencia que ocurriría si los datos realmente tuvieran la distribución que se afirma. No existe ningún requisito de que la frecuencia *observada* para cada categoría deba ser al menos de 5).

Estadístico de prueba para pruebas de bondad de ajuste

$$\chi^2 = \sum \frac{(O - E)^2}{E}$$

Valores críticos

1. Los valores críticos se encuentran en la tabla A-4, utilizando $k - 1$ grados de libertad, donde k = número de categorías.
2. Las pruebas de hipótesis de bondad de ajuste siempre son de *cola derecha*.

Valores *P*

Por lo general, los valores P se obtienen por medio de un programa de cómputo, o bien, en la tabla A-4 se puede encontrar un rango de valores P.

Cálculo de frecuencias esperadas

Para realizar una prueba de bondad de ajuste es necesario identificar las frecuencias observadas, y luego determinar las frecuencias esperadas con la distribución establecida. En la tabla 11-2 de la siguiente página, se incluyen frecuencias observadas con una suma de 80, de manera que $n = 80$. Si suponemos que los 80 dígitos se obtuvieron de una población en la que todos los dígitos son igualmente probables, entonces *esperamos* que cada dígito se presente en 1/10 de los 80 ensayos, de manera que cada una de las 10 frecuencias esperadas está dada por $E = 8$. En general, si suponemos que todas las frecuencias esperadas son iguales, cada frecuencia esperada es $E = n/k$, donde n es el número total de observaciones, y k es el número de categorías. En otros casos donde no todas las frecuencias esperadas son iguales, a menudo podemos calcular las frecuencias esperadas para cada categoría multiplicando la suma de todas las frecuencias observadas por la probabilidad p de la categoría, de manera que $E = np$. Aquí resumimos estos dos procedimientos.

- **Las frecuencias esperadas son iguales: $E = n/k$.**
- **No todas las frecuencias esperadas son iguales: $E = np$ para cada categoría individual.**

Aun cuando estas dos fórmulas para E pueden ser muy buenas, sería mejor utilizar un método informal. Solo pregúntese: “¿Cómo se pueden repartir las frecuencias observadas entre las diferentes categorías, de manera que exista una coincidencia perfecta con la distribución establecida?”. Además, advierta que todas las frecuencias *observadas* deben ser números enteros, puesto que representan conteos reales, en tanto que las frecuencias *esperadas* no requieren ser números enteros. Por ejemplo, cuando se lanza un dado 33 veces, la frecuencia esperada para cada posible resultado es $33/6 = 5.5$. Se espera que el número 3 se presente con una frecuencia de 5.5, aunque es imposible obtener el resultado de que el 3 se presente exactamente 5.5 veces.

Sabemos que las frecuencias muestrales por lo regular se desvían un poco de los valores que esperamos teóricamente, y ahora planteamos la pregunta clave: ¿Son estadísticamente significativas las diferencias entre los valores *observados* O y los valores teóricos *esperados* E? Necesitamos una medida de la discrepancia entre los valores O y E, así que utilizamos el estadístico de prueba dado con los supuestos y los valores críticos. (Más adelante explicaremos cómo se desarrolló este estadístico de prueba, pero usted puede ver que incluye diferencias de $O - E$ como componente clave).

El estadístico de prueba χ^2 se basa en las diferencias entre los valores observados y los esperados. Si los valores observados y los esperados son *cercanos*, entonces el estadístico de prueba χ^2 será pequeño y el valor P será grande. Si las frecuencias observadas y las espe-

Figura 11-2

Relaciones entre el estadístico de prueba χ^2 el valor P y la bondad de ajuste

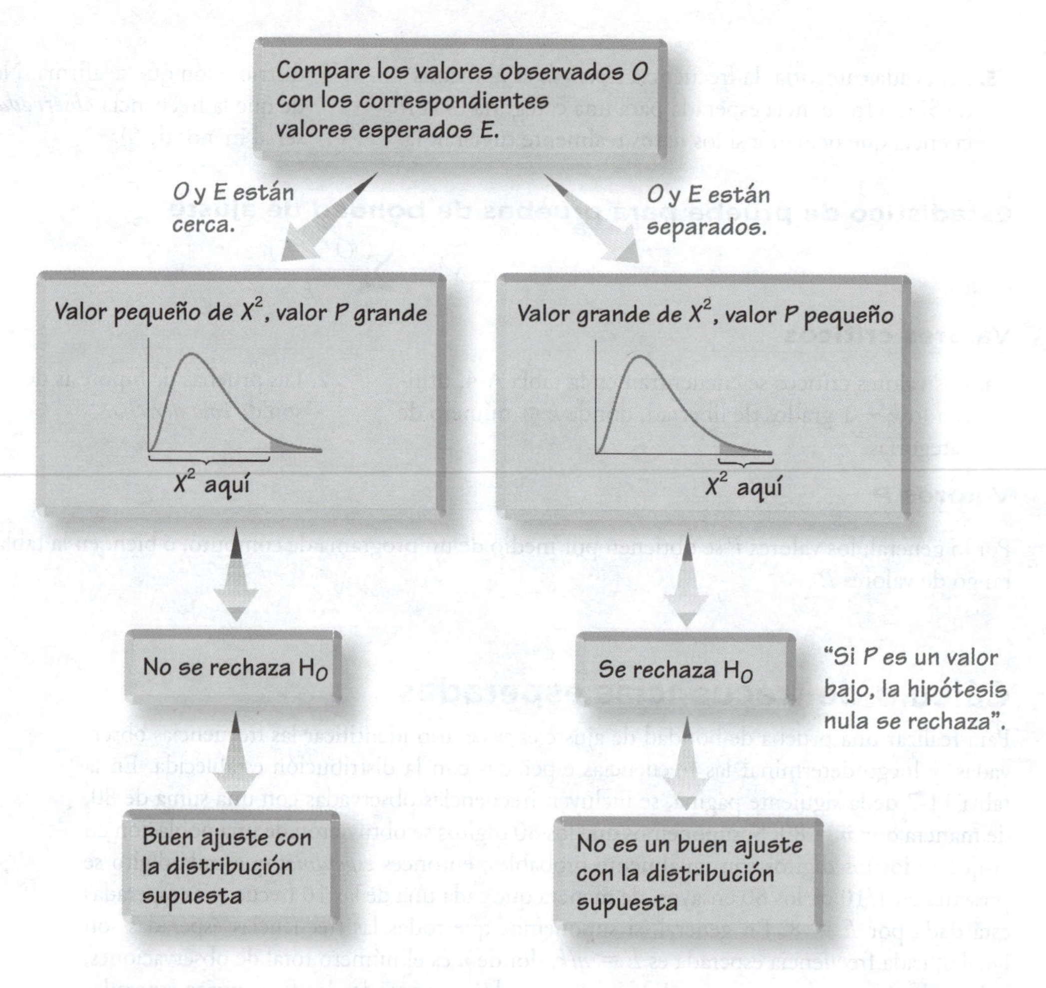

radas *no son cercanas*, entonces el estadístico de prueba χ^2 será grande y el valor P será pequeño. En la figura 11-2 se resume esta relación. Las pruebas de hipótesis de esta sección siempre son de cola derecha, ya que el valor crítico y la región crítica se localizan en el extremo derecho de la distribución. Si se confunde, solo recuerde lo siguiente:

"Si P es un valor bajo, se rechaza la hipótesis nula".
(Si el valor P es pequeño, rechace la hipótesis nula de que la distribución es como se afirma).

Una vez que aprendimos a calcular el valor del estadístico de prueba y el valor crítico, podemos someter a prueba hipótesis utilizando los mismos procedimientos generales que se presentaron en el capítulo 8.

Tabla 11-2 Últimos dígitos de pesos

Último dígito	Frecuencia
0	7
1	14
2	6
3	10
4	8
5	4
6	5
7	6
8	12
9	8

EJEMPLO 1

Últimos dígitos de pesos El conjunto de datos 1 del apéndice B incluye los pesos de 40 hombres adultos y de 40 mujeres adultas, todos ellos elegidos al azar. Estos pesos se obtuvieron como parte de la National Health Examination Survey. Cuando se obtienen pesos de sujetos, es sumamente importante pesarlos de verdad en vez de pedirles que reporten su peso. Al analizar los *últimos dígitos* de los pesos, los investigadores pueden verificar que los pesos se obtuvieron a través de medidas reales y no por medio de reportes. Cuando la gente reporta su peso, por lo general lo redondea a un número entero, de manera que los pesos reportados suelen incluir una gran cantidad de ceros como último dígito. En contraste, cuando realmente se pesa a los individuos con una báscula que tiene una precisión cercana a 0.1 libras, los últimos dígitos tienden a distribuirse de manera uniforme, de modo que 0, 1, 2,…, 9 se presentan aproximadamente con la misma frecuencia. En la tabla 11-2 se presenta la distribución de frecuencias de los últimos dígitos de los 80 pesos incluidos en el conjunto de datos 1 del apéndice B. (Por ejemplo, el último dígito del peso de 201.5 libras es 5, y este es uno de los datos incluidos en la tabla 11-2).

Someta a prueba la afirmación de que la muestra proviene de una población de pesos en la que los últimos dígitos *no* ocurren con la misma frecuencia. Con base en los resultados, ¿qué podemos concluir acerca del procedimiento utilizado para obtener los pesos?

SOLUCIÓN

VERIFICACIÓN DE REQUISITOS **1.** Los datos provienen de sujetos elegidos al azar. **2.** Los datos consisten en conteos de frecuencias, tal como se observa en la tabla 11-2. **3.** Con 80 valores muestrales y 10 categorías que se suponen igualmente probables, cada frecuencia esperada es 8, de manera que cada frecuencia esperada satisface el requisito de tener un valor al menos de 5. Todos los requisitos se satisfacen.

La afirmación de que los dígitos no se presentan con la misma frecuencia es equivalente a la afirmación de que las frecuencias relativas o las probabilidades de las 10 celdas ($p_0, p_1,\ldots, p_9$) no son todas iguales. Aplicaremos el método tradicional para prueba de hipótesis (véase la figura 8-9).

Paso 1: La afirmación original es que los dígitos no se presentan con la misma frecuencia. Es decir, al menos una de las probabilidades $p_0, p_1,\ldots, p_9$ es diferente de las otras.

Paso 2: Si la afirmación original es falsa, entonces todas las probabilidades son iguales. Es decir, $p_0 = p_1 = p_2 = p_3 = p_4 = p_5 = p_6 = p_7 = p_8 = p_9$.

Paso 3: La hipótesis nula debe contener la condición de igualdad, así que tenemos

H_0: $p_0 = p_1 = p_2 = p_3 = p_4 = p_5 = p_6 = p_7 = p_8 = p_9$

H_1: Al menos una de las probabilidades es diferente de las otras.

Paso 4: No se especificó un nivel de significancia, así que seleccionamos $\alpha = 0.05$.

Paso 5: Puesto que estamos sometiendo a prueba la afirmación de que la distribución de los últimos dígitos es una distribución uniforme, utilizamos la prueba de bondad de ajuste descrita en esta sección. Se utiliza la distribución χ^2 con el estadístico de prueba que se dio al principio.

Paso 6: Las frecuencias observadas O se listan en la tabla 11-2. Cada frecuencia esperada E correspondiente es igual a 8 (porque los 80 dígitos estarían distribuidos de manera uniforme a lo largo de las 10 categorías). La tabla 11-3 muestra el cálculo del estadístico de prueba χ^2 El estadístico de prueba es $\chi^2 = 11.250$. El valor crítico es $\chi^2 = 16.919$ (obtenido de la tabla A-4 con $\alpha = 0.05$ en la cola derecha y con grados de libertad $k - 1 = 9$). El estadístico de prueba y el valor crítico se muestran en la figura 11-3.

Paso 7: Puesto que el estadístico de prueba no se localiza dentro de la región crítica, no existe evidencia suficiente para rechazar la hipótesis nula.

Paso 8: No existe suficiente evidencia para sustentar la afirmación de que los últimos dígitos no se presentan con la misma frecuencia relativa.

INTERPRETACIÓN

Esta prueba de bondad de ajuste sugiere que los últimos dígitos tienen un ajuste razonablemente bueno con la distribución establecida de frecuencias igualmente probables. Parece que, en vez de preguntar a los sujetos su peso, realmente se les pesó, como debía hacerse.

El ejemplo 1 se refiere a una situación donde las frecuencias establecidas para las diferentes categorías son todas iguales. Los métodos de esta sección también se pueden aplicar cuando las probabilidades (o frecuencias) hipotetizadas son diferentes, como se ilustra en el ejemplo 2.

¿Los datos de Mendel se falsificaron?

Debido a que algunos de los datos de los famosos experimentos genéticos de Mendel parecen demasiado perfectos para ser verdaderos, el especialista en estadística R. A. Fisher concluyó que los datos probablemente se falsificaron; utilizó una distribución chi cuadrada para demostrar que, cuando un estadístico de prueba se localiza a la extrema izquierda y da como resultado un valor *P* muy cercano a 1, los datos muestrales se ajustan a la distribución establecida casi de manera perfecta, lo cual es evidencia de que los datos muestrales no fueron seleccionados al azar. Se ha sugerido que el jardinero de Mendel sabía cuáles valores eran los esperados según la teoría de Mendel, y que ajustó los resultados para que coincidieran con esta.

Ira Pilgrim escribió en *The Journal of Heredity* que este uso de la distribución chi cuadrada no es adecuado; señaló que no se trata de la bondad de ajuste con una distribución en particular, sino más bien de determinar si los datos provienen de una muestra realmente aleatoria. Pilgrim utilizó la fórmula de probabilidad binomial para calcular las probabilidades de los resultados obtenidos en los experimentos de Mendel. Con base en tales resultados, Pilgrim concluyó que "no hay razón alguna para cuestionar la honestidad de Mendel". Al parecer, sus resultados no son demasiado buenos para ser verdaderos, y pudieron haberse obtenido de un proceso realmente aleatorio.

¿Qué asientos de automóvil son los más seguros?

Muchas personas consideran que el lugar más seguro de un automóvil es el asiento trasero. ¿Será verdad? Investigadores de la Universidad de Buffalo analizaron más de 60,000 accidentes automovilísticos fatales, y encontraron que el asiento trasero intermedio es el lugar más seguro en un automóvil. Los autores descubrieron que, al sentarse en ese lugar, los pasajeros tienen 86% más probabilidades de sobrevivir que los pasajeros sentados en los asientos delanteros, y 25% más probabilidades de sobrevivir que los pasajeros que se ubican en el asiento trasero, junto a las ventanas. Un análisis del uso del cinturón de seguridad reveló que, cuando los pasajeros no lo utilizan en el asiento trasero, tienen tres veces más probabilidades de morir en un accidente que los que sí utilizan el cinturón. Las personas preocupadas por la seguridad deben sentarse en la parte media del asiento trasero y utilizar siempre el cinturón de seguridad.

Tabla 11-3 Cálculo del estadístico de prueba χ^2 para los últimos dígitos de pesos

Último dígito	Frecuencia observada O	Frecuencia esperada E	$O - E$	$(O - E)^2$	$\frac{(O-E)^2}{E}$
0	7	8	−1	1	0.125
1	14	8	6	36	4.500
2	6	8	−2	4	0.500
3	10	8	2	4	0.500
4	8	8	0	0	0.000
5	4	8	−4	16	2.000
6	5	8	−3	9	1.125
7	6	8	−2	4	0.500
8	12	8	4	16	2.000
9	8	8	0	0	0.000

$$\chi^2 = \sum \frac{(O - E)^2}{E} = 11.250$$

No se rechaza $p_0 = p_1 = \cdots = p_9$

Se rechaza $p_0 = p_1 = \cdots = p_9$

0

$\chi^2 = 16.919$

Datos muestrales: $\chi^2 = 11.250$

Figura 11-3 Prueba de $p_0 = p_1 = p_2 = p_3 = p_4 = p_5 = p_6 = p_7 = p_8 = p_9$

EJEMPLO 2

Juegos de la Serie Mundial En la tabla 11-4 se incluye el número de juegos realizados en la Serie Mundial de béisbol, hasta el momento en que se escribió este ejemplo. La tabla también incluye las proporciones esperadas para el número de juegos en una Serie Mundial, suponiendo que en cada serie los dos equipos tienen las mismas probabilidades de ganar. Utilice un nivel de significancia de 0.05 para someter a prueba la afirmación de que los números reales de juegos se ajustan a la distribución indicada según las probabilidades.

Tabla 11-4 Número de juegos en la Serie Mundial

Juegos realizados	4	5	6	7
Series Mundiales reales	19	21	22	37
Proporción esperada	2/16	4/16	5/16	5/16

SOLUCIÓN

VERIFICACIÓN DE REQUISITOS 1. Comenzaremos señalando que los números de juegos observados no se seleccionaron al azar de una población más grande. Sin embargo, los manejamos como si fueran aleatorios para determinar si son los resultados típicos que se obtendrían de una muestra aleatoria. **2.** Los datos consisten en conteos de frecuencias. **3.** Cada frecuencia esperada es al menos de 5, como se demostrará más adelante en esta solución. Todos los requisitos se satisfacen.

Paso 1: La afirmación original dice que los números reales de juegos se ajustan a la distribución indicada por las proporciones esperadas. Si usamos los subíndices correspondientes al número de juegos, podemos expresar esta afirmación como $p_4 = 2/16$ y $p_5 = 4/16$ y $p_6 = 5/16$ y $p_7 = 5/16$.

Paso 2: Si la afirmación original es falsa, entonces al menos una de las proporciones no tiene el valor establecido.

Paso 3: La hipótesis nula debe contener la condición de igualdad, por lo que tenemos

H_0: $p_4 = 2/16$ y $p_5 = 4/16$ y $p_6 = 5/16$ y $p_7 = 5/16$.

H_1: Al menos una de las proporciones no es igual al valor establecido.

Paso 4: El nivel de significancia es $\alpha = 0.05$.

Paso 5: Puesto que estamos sometiendo a prueba la afirmación de que la distribución de los números de juegos en la Serie Mundial es la que se establece, utilizamos la prueba de bondad de ajuste descrita en esta sección. Se utiliza la distribución χ^2 con el estadístico de prueba que se dio anteriormente.

Paso 6: En la tabla 11-5 se presentan los cálculos que dan como resultado el estadístico de prueba $\chi^2 = 7.885$. El valor crítico es $\chi^2 = 7.815$ (obtenido de la tabla A-4 con $\alpha = 0.05$ en la cola derecha y con grados de libertad iguales a $k - 1 = 3$). La pantalla de resultados de Minitab muestra el valor del estadístico de prueba, así como el valor P de 0.048.

MINITAB

```
                         Test                Contribution
Category  Observed  Proportion  Expected      to Chi-Sq
1               19      0.1250   12.3750        3.54672
2               21      0.2500   24.7500        0.56818
3               22      0.3125   30.9375        2.58194
4               37      0.3125   30.9375        1.18801

 N  DF   Chi-Sq  P-Value
99   3  7.88485    0.048
```

Tabla 11-5 Cálculo del estadístico de prueba χ^2 para el número de juegos de la Serie Mundial

Número de juegos	Frecuencia observada O	Frecuencia esperada $E = np$	$O - E$	$(O - E)^2$	$\frac{(O-E)^2}{E}$
4	19	$99 \cdot \frac{2}{16} = 12.3750$	6.6250	43.8906	3.5467
5	21	$99 \cdot \frac{4}{16} = 24.7500$	−3.7500	14.0625	0.5682
6	22	$99 \cdot \frac{5}{16} = 30.9375$	−8.9375	79.8789	2.5819
7	37	$99 \cdot \frac{5}{16} = 30.9375$	6.0625	36.7539	1.1880

$$\chi^2 = \sum \frac{(O - E)^2}{E} = 7.885$$

¿Cuáles son los asientos más seguros en un avión?

Debido a que la mayoría de los accidentes aéreos ocurren durante el despegue o el aterrizaje, los pasajeros pueden aumentar su seguridad al tomar vuelos sin escalas. Asimismo, los aviones más grandes son más seguros. Muchos de nosotros creemos que, en un accidente aéreo, los asientos de la parte de atrás son los más seguros. Todd Curtis es experto en seguridad aérea, y posee una base de datos de los incidentes de las aerolíneas. Curtis sostiene que no es posible concluir que algunos asientos sean más seguros que otros, ya que cada accidente es único y hay que considerar muchas variables. Matt McCormick, experto en supervivencia del National Transportation Safety Board, declaró a la revista *Travel* que "no existe ningún lugar seguro para sentarse".

Se pueden utilizar pruebas de bondad de ajuste con la hipótesis nula de que todas las secciones de un avión son igualmente seguras. Los accidentes aéreos podrían clasificarse de acuerdo con las secciones que resultan más dañadas (frontal, media o posterior). Luego, las frecuencias observadas de muertes podrían compararse con las frecuencias que se esperarían con una distribución uniforme de fallecimientos. El estadístico de prueba χ^2 refleja el tamaño de las discrepancias entre las frecuencias observadas y las esperadas, y revelaría si algunas secciones son más seguras que otras.

Paso 7: El valor P de 0.048 es menor que el nivel de significancia de 0.05, de manera que existe evidencia suficiente para rechazar la hipótesis nula. (Además, el estadístico de prueba $\chi^2 = 7.885$ se localiza dentro de la región crítica limitada por el valor crítico de 7.815, de manera que hay suficiente evidencia para rechazar la hipótesis nula).

Paso 8: Hay evidencia suficiente para sustentar el rechazo de la afirmación de que el número real de juegos en la Serie Mundial se ajusta a la distribución indicada por las proporciones esperadas de la tabla 11-4.

INTERPRETACIÓN La prueba de bondad de ajuste sugiere que el número de juegos en la Serie Mundial no se ajusta a la distribución esperada por los cálculos de probabilidad. Los informes de diferentes medios han señalado que las series con siete juegos ocurren mucho más que lo esperado. Los resultados incluidos en la tabla 11-4 indican que el 37% de las veces la serie incluye siete juegos, aunque se esperaba que esa cifra se presentara únicamente el 31% de las veces. (Un encabezado de *USA Today* afirmó que "Siete juegos desafían las probabilidades"). Hasta ahora no existen explicaciones razonables para esta discrepancia.

En la figura 11-4 graficamos las proporciones esperadas de 2/16, 4/16, 5/16 y 5/16 junto con las proporciones observadas de 19/99, 21/99, 22/99 y 37/99, para visualizar la discrepancia entre la distribución establecida y las frecuencias que se observaron. Los puntos a lo largo de la línea negra representan las proporciones esperadas, y los puntos a lo largo de la línea gris representan las proporciones observadas. En la figura 11-4 se observa una disparidad entre las proporciones esperadas (línea negra) y las proporciones observadas (línea gris); además, la prueba de hipótesis del ejemplo 2 indica que la discrepancia es estadísticamente significativa.

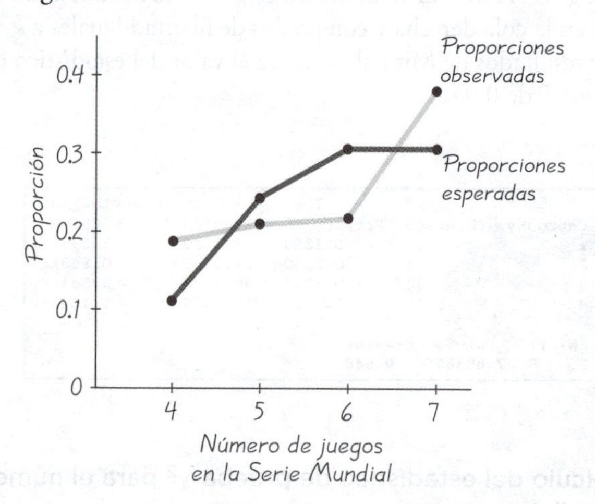

Figura 11-4
Proporciones observadas y esperadas en el número de juegos de la Serie Mundial

Valores *P*

Los valores P se obtienen automáticamente con un programa de cómputo cuando se realizan pruebas de bondad de ajuste. Si no dispone de un programa de este tipo, en la tabla A-4 encontrará un rango de valores P. El ejemplo 2 dio como resultado un estadístico de prueba $\chi^2 = 7.885$, y si nos remitimos a la tabla A-4 con tres grados de libertad, vemos que el estadístico de prueba de 7.885 se localiza entre los valores 7.815 y 9.348 de la tabla. Por lo tanto, el valor P se localiza entre 0.025 y 0.05. En este caso, podríamos afirmar que "el valor $P < 0.05$". La pantalla de resultados de Minitab indica que el valor P es 0.048. Como este valor es menor que el nivel de significancia de 0.05, rechazamos la hipótesis nula. Recuerde que rechazamos la hipótesis nula cuando el valor P es bajo.

Fundamentos del estadístico de prueba: Los ejemplos 1 y 2 demuestran que el estadístico de prueba χ^2 es una medida de la discrepancia entre las frecuencias observadas y las esperadas. Sumar simplemente las diferencias entre los valores observados y los esperados no da como resultado una medida eficaz, puesto que esa suma siempre es 0. Se obtiene un mejor estadístico al elevar al cuadrado los valores $O - E$. (Las razones para elevar al cuadrado los valores $O - E$ son esencialmente las mismas que las razones para elevar al cuadrado los valores $x - \bar{x}$ en la fórmula de la desviación estándar). El valor de $\Sigma (O - E)^2$ solo mide la magnitud de las diferencias, pero necesitamos calcular la magnitud de las diferencias en relación con lo que se esperaba. Esta magnitud relativa se calcula mediante la división entre las frecuencias esperadas, como en el estadístico de prueba.

La distribución teórica de $\Sigma (O - E)^2/E$ es una distribución discreta, puesto que el número de valores posibles es finito. La distribución puede aproximarse por medio de una distribución chi cuadrada, que es continua. Esta aproximación por lo regular se considera aceptable, siempre y cuando todos los valores esperados E sean al menos de 5. (Existen maneras de superar el problema de una frecuencia esperada menor que 5, como combinar las categorías para que todas las frecuencias esperadas sean al menos de 5. Asimismo, existen otros métodos que se pueden utilizar cuando no todas las frecuencias esperadas son al menos de 5).

El número de grados de libertad refleja el hecho de que podemos asignar libremente frecuencias a $k - 1$ categorías, antes de que se determine la frecuencia para cada categoría. (Aunque decimos que podemos asignar "con libertad" frecuencias a $k - 1$ categorías, no podemos tener frecuencias negativas, ni podemos tener frecuencias tan grandes que su suma exceda el total de las frecuencias observadas de todas las categorías combinadas).

USO DE LA TECNOLOGÍA

STATDISK Primero registre las frecuencias observadas en la primera columna de la ventana de datos. Si las frecuencias esperadas no son todas iguales, también incluya una segunda columna que indique las proporciones esperadas o las frecuencias esperadas reales. Seleccione **Analysis** de la barra del menú principal, luego seleccione la opción **Goodness-of-Fit**. Elija entre "equal expected frequencies" y "unequal expected frequencies", e ingrese los datos en el cuadro de diálogo; luego, haga clic en **Evaluate.**

MINITAB Anote las frecuencias observadas en la columna C1. Si las frecuencias esperadas no son todas iguales, ingréselas como proporciones en la columna C2. Seleccione **Stat, Tables** y **Chi-Square Goodness-of-Fit Test.** Complete la información que se le pide en la ventana y haga clic en **OK.**

EXCEL Primero ingrese los nombres de las categorías en una columna, registre las frecuencias observadas en una segunda columna y utilice una tercera columna para ingresar las *proporciones* esperadas en forma decimal (como 0.20, 0.25, 0.25 y 0.30). Si utiliza Excel 2010 o 2007, seleccione **Add-Ins** y haga clic en **DDXL**; si utiliza Excel 2003, haga clic en **DDXL.** Seleccione **Tables** del menú. En el menú denominado **Function Type**, seleccione **Goodness-of-Fit.** Haga clic en el icono del lápiz para Category Names e indique el rango de celdas que contenga los nombres de la categoría, como A1:A5. Haga clic en el icono del lápiz para Observed Counts e indique el rango de celdas que contengan las frecuencias observadas, como B1:B5. Haga clic en el icono del lápiz para Test Distribution e indique el rango de celdas que contenga las proporciones esperadas en forma decimal, como C1:C5. Haga clic en **OK** para obtener el estadístico de prueba chi cuadrada y el valor *P*.

TI-83/84 PLUS Ingrese las frecuencias observadas en la lista L1; luego, identifique las frecuencias esperadas y regístrelas en la lista L2. En la calculadora TI-84 Plus presione **STAT**, seleccione **TESTS**, luego χ^2 **GOF-Test** e ingrese L1 y L2 y el número de grados de libertad cuando se le pida hacerlo. (El número de grados de libertad es 1 menos que el número de categorías). Con la calculadora TI-83 Plus se utiliza el programa **X2GOF.** Presione la tecla **PRGM**, seleccione **X2GOF** e ingrese L1 y L2 cuando se le pida hacerlo. Los resultados incluyen el estadístico de prueba y el valor *P*.

11-2 Destrezas y conceptos básicos

Conocimientos estadísticos y pensamiento crítico

1. Bondad de ajuste Las encuestas de *New York Times*/CBS News suelen implicar la selección de números aleatorios para elegir números telefónicos. El *New York Times* afirma que "en cada intercambio (telefónico), se agregaron dígitos al azar para formar un número telefónico completo, permitiendo así el acceso a números que están incluidos o no en los directorios telefónicos". Cuando este tipo de dígitos se generan al azar, ¿cuál es su distribución? Considerando este tipo de dígitos generados al azar, ¿cuál sería una prueba de la "bondad de ajuste"?

2. Interpretación de valores de χ^2 Cuando se generan dígitos aleatorios, como en el ejercicio 1, es posible someter a prueba la bondad de ajuste de los dígitos generados con la distribución en la que todos estos son igualmente probables. ¿Qué sugiere un valor excepcionalmente grande del estadístico de prueba χ^2 acerca de la bondad de ajuste? ¿Qué sugiere un valor excepcionalmente pequeño del estadístico de prueba χ^2 (como 0.002) acerca de la bondad de ajuste?

3. Frecuencias observadas y esperadas Un organizador de bodas selecciona al azar a clientes de algunos años anteriores y registra los meses en que se realizaron los banquetes de bodas. A continuación se presentan los resultados (según datos de *The Amazing Almanac*). Suponga que desea someter a prueba la afirmación de que las bodas se realizaron en diferentes meses con la misma frecuencia. Describa brevemente lo que representan *O* y *E*, y luego calcule los valores de *O* y *E*.

Mes	Ene.	Feb.	Mar.	Abr.	Mayo	Jun.	Jul.	Ago.	Sept.	Oct.	Nov.	Dic.
Número	5	8	7	9	13	17	11	10	10	12	8	10

4. Valor *P* Al utilizar los datos del ejercicio 3 para someter a prueba la hipótesis de la afirmación de que las bodas se celebraron durante los 12 meses con la misma frecuencia, se obtiene el valor *P* de 0.477. ¿Qué indica el valor *P* acerca de los datos muestrales? ¿A qué conclusión se puede llegar?

En los ejercicios 5 a 20, realice la prueba de hipótesis y proporcione el estadístico de prueba, el valor crítico y/o el valor P, y formule la conclusión.

5. Prueba de una máquina tragamonedas El autor compró una máquina tragamonedas (Bally modelo 809) y la probó jugando 1197 veces. Existen 10 categorías de resultados diferentes, incluyendo no ganar, ganar el premio mayor, ganar con tres campanas, etcétera. Al someter a prueba la afirmación de que los resultados observados coinciden con las frecuencias esperadas, el autor obtuvo el estadístico de prueba $\chi^2 = 8.185$. Utilice un nivel de significancia de 0.05 para someter a prueba la afirmación de que los resultados reales coinciden con las frecuencias esperadas. ¿Parece que la máquina tragamonedas funciona correctamente?

6. Calificaciones y lugar para sentarse ¿Los estudiantes con calificación "A" (o 10) tienden a sentarse en una zona particular del salón de clases? El autor registró los lugares de los estudiantes que obtuvieron calificaciones de "A", con estos resultados: 17 se sentaron al frente, 9 se sentaron en medio y 5 se sentaron en la parte posterior del salón. Al someter a prueba la suposición de que los estudiantes con calificación "A" se distribuyen de manera uniforme en todo el salón, el autor obtuvo el estadístico de prueba $\chi^2 = 7.226$. Si se utiliza un nivel de significancia de 0.05, ¿existe suficiente evidencia para sustentar la afirmación de que los estudiantes de calificación "A" no están distribuidos de manera uniforme en la totalidad del salón? Si esto fuera así, ¿significa que usted puede aumentar su probabilidad de obtener una A si se sienta al frente?

7. Centavos y cheques Al considerar los efectos de eliminar el centavo como unidad monetaria en Estados Unidos, el autor seleccionó al azar 100 cheques y registró los centavos en dichos cheques. La siguiente tabla incluye esas cantidades, ordenadas según los valores indicados. Utilice un nivel de significancia de 0.05 para someter a prueba la afirmación de que las cuatro categorías son igualmente probables. El autor esperaba que muchos cheques por montos de cantidades enteras de dólares dieran como resultado una frecuencia desproporcionadamente elevada para la primera categoría, pero ¿los resultados sustentan esa expectativa?

Centavos en los cheques	0–24	25–49	50–74	75–99
Número	61	17	10	12

8. El neumático desinflado y la clase perdida Un cuento clásico se refiere a cuatro estudiantes que van juntos en un automóvil y no llegan a un examen; como excusa, dijeron al profesor que un neumático se desinfló en el camino. En el examen de recuperación, el profesor pidió a los estudiantes que identificaran el neumático en particular que se desinfló. Si en realidad no tuvieron el percance, ¿serían capaces de identificar el mismo neumático? El autor pidió a otros 41 estudiantes que identificaran el neumático que ellos seleccionarían. Los resultados están listados en la siguiente tabla (excepto el de un estudiante que seleccionó el neumático de refacción). Utilice un nivel de significancia de 0.05 para someter a prueba la afirmación del autor de que los resultados se ajustan a una distribución uniforme. ¿Qué sugiere el resultado acerca de la capacidad de los cuatro estudiantes de seleccionar el mismo neumático cuando en realidad su excusa fue una mentira?

Neumático	Frontal izquierdo	Frontal derecho	Trasero izquierdo	Trasero derecho
Número seleccionado	11	15	8	6

9. Centavos y compras con tarjetas de crédito Al considerar los efectos de eliminar el centavo como unidad monetaria en Estados Unidos, el autor seleccionó al azar los montos de 100 compras con tarjeta de crédito y registró los centavos en dichos montos. La siguiente tabla incluye esas cantidades, ordenadas según los valores indicados. Utilice un nivel de significancia de 0.05 para someter a prueba la afirmación de que las cuatro categorías son igualmente probables. El autor esperaba que muchas compras con tarjeta de crédito por montos de cantidades enteras de dólares dieran como resultado una frecuencia desproporcionadamente elevada para la primera categoría, pero ¿los resultados sustentan esta expectativa?

Centavos	0–24	25–49	50–74	75–99
Número	33	16	23	28

10. Lesiones laborales Lesiones y enfermedades laborales (que no resultaron en fallecimiento) seleccionadas al azar se ordenan según el día de la semana en que ocurrieron por primera vez, con los resultados que se presentan a continuación (según datos de la Oficina de Censos de Estados Unidos). Utilice el nivel de significancia de 0.05 para someter a prueba la afirmación de que este tipo de lesiones y enfermedades ocurren con la misma frecuencia durante los diferentes días de la semana.

Día	Lun.	Mar.	Miér.	Jue.	Vier.
Número	23	23	21	21	19

11. Dado cargado El autor taladró un hoyo en un dado, lo rellenó con plomo y procedió a lanzar el dado 200 veces. Las siguientes son las frecuencias observadas para los resultados de 1, 2, 3, 4, 5 y 6, respectivamente: 27, 31, 42, 40, 28 y 32. Utilice un nivel de significancia de 0.05 para someter a prueba la afirmación de que los resultados no son igualmente probables. Comparado con un dado legal, ¿parece que el dado cargado se comporta de forma diferente?

12. Nacimientos Se obtuvieron registros de nacimientos elegidos al azar y se ordenaron según el día de la semana en que ocurrieron (según datos del National Center for Health Statistics). Puesto que los bebés no están familiarizados con nuestro calendario, donde los fines de semana suelen ser de descanso, sería razonable afirmar que los nacimientos ocurren con la misma frecuencia los diferentes días de la semana. Utilice un nivel de significancia de 0.01 para someter a prueba esa afirmación. ¿Cómo explicaría los resultados?

Día	Dom.	Lun.	Mar.	Miér.	Jue.	Vier.	Sáb.
Número de nacimientos	77	110	124	122	120	123	97

13. Derby de Kentucky En la siguiente tabla se presenta la frecuencia de triunfos para diferentes puestos de salida de las carreras de caballos en el Derby de Kentucky. El primer puesto es el más cercano a la barandilla interna, de manera que el caballo debe recorrer la distancia más corta. (Como el número de caballos varía de un año a otro, solo se incluyen las primeras 10 posiciones). Utilice un nivel de significancia de 0.05 para someter a prueba la afirmación de que la probabilidad de ganar es la misma para todos los puestos de salida. Con base en el resultado, ¿los apostadores deben tomar en cuenta el puesto de salida en una carrera de caballos del Derby de Kentucky?

Puesto de salida	1	2	3	4	5	6	7	8	9	10
Triunfos	19	14	11	14	14	7	8	11	5	11

14. Medición de pesos El ejemplo 1 de esta sección se basa en el principio que establece que cuando se miden ciertas cantidades, los últimos dígitos tienden a distribuirse de manera uniforme; sin embargo, si las cantidades se estiman o se reportan, los últimos dígitos tienden a incluir de manera desproporcionada más ceros o cincos. En la siguiente tabla se resumen los últimos dígitos de los pesos de septiembre incluidos en el conjunto de datos 3 del apéndice B. Utilice un nivel de significancia de 0.05 para someter a prueba la afirmación de que los últimos dígitos de 0, 1, 2,…, 9 ocurren con la misma frecuencia. Con base en los dígitos observados, ¿qué se puede inferir acerca del procedimiento utilizado para obtener los pesos?

Último dígito	0	1	2	3	4	5	6	7	8	9
Número	7	5	6	7	14	5	5	8	6	4

15. Avistamientos de OVNIS Se seleccionan al azar casos de avistamiento de OVNIS y se ordenan de acuerdo al mes en que ocurrieron. Los resultados se presentan en la siguiente tabla (según datos de Larry Hatch). Utilice un nivel de significancia de 0.05 para someter a prueba la afirmación de que los avistamientos de OVNIS ocurren con la misma frecuencia en los diferentes meses. ¿Hay alguna explicación razonable para los dos meses que tienen las frecuencias más altas?

Mes	Ene.	Feb.	Mar.	Abr.	Mayo	Jun.	Jul.	Ago.	Sept.	Oct.	Nov.	Dic.
Número	1239	1111	1428	1276	1102	1225	2233	2012	1680	1994	1648	1125

16. Crímenes con violencia Se eligen al azar crímenes violentos y se ordenan de acuerdo al mes en que ocurrieron; los resultados se presentan en la siguiente tabla (basada en datos del FBI). Utilice un nivel de significancia de 0.01 para someter a prueba la afirmación de que la tasa de crímenes con violencia es la misma para cada mes. ¿Podría explicar el resultado?

Mes	Ene.	Feb.	Mar.	Abr.	Mayo	Jun.	Jul.	Ago.	Sept.	Oct.	Nov.	Dic.
Número	786	704	835	826	900	868	920	901	856	862	783	797

17. Genética La clase de biología avanzada de la preparatoria Mount Pearl realizó experimentos genéticos con moscas de la fruta, y los datos que se presentan en la siguiente tabla corresponden a los resultados obtenidos. Utilice un nivel de significancia de 0.05 para someter a prueba la afirmación de que las frecuencias observadas coinciden con las proporciones que se esperaban según los principios de la genética.

Característica	Ojo rojo/ ala normal	Ojo sepia/ ala normal	Ojo rojo/ ala vestigial	Ojo sepia/ ala vestigial
Frecuencia	59	15	2	4
Proporción esperada	9/16	3/16	3/16	1/16

18. ¿Los impactos de las bombas de la Segunda Guerra Mundial se ajustan a una distribución de Poisson? Para analizar los impactos de bombas V-1 en la Segunda Guerra Mundial, el sur de Londres se subdividió en regiones, cada una con un área de 0.25 km^2. A continuación se presenta una tabla con las frecuencias reales y las frecuencias esperadas de impactos con la distribución de Poisson. (La distribución de Poisson se describió en la sección 5-5). Utilice los valores que se listan aquí y un nivel de significancia de 0.05 para someter a prueba la afirmación de que las frecuencias reales se ajustan a una distribución de Poisson.

Número de impactos de bomba	0	1	2	3	4 o más
Número real de regiones	229	211	93	35	8
Número esperado de regiones (de la distribución de Poisson).	227.5	211.4	97.9	30.5	8.7

19. Dulces M&M Mars, Inc., afirma que sus dulces M&M clásicos se distribuyen con los siguientes porcentajes de color: 16% verdes, 20% anaranjados, 14% amarillos, 24% azules, 13% rojos y 13% cafés. Remítase al conjunto de datos 18 del apéndice B y utilice los datos muestrales para someter a prueba la afirmación de que la distribución de colores es como lo afirma Mars, Inc. Utilice un nivel de significancia de 0.05.

20. ¿Sesgo en ensayos clínicos? Se realizó un estudio para investigar el tema de la raza y la igualdad de acceso a ensayos clínicos. La siguiente tabla presenta la distribución de la población y el número de participantes en ensayos clínicos relacionados con el cáncer pulmonar (según datos de "Participation in Clinical Trials", de Murthy, Krumholz y Gross, *Journal of the American Medical Association*, vol. 291, núm. 22). Utilice un nivel de significancia de 0.01 para someter a prueba la afirmación de que los participantes en ensayos clínicos se ajustan bien a la distribución de la población. ¿Hay algún grupo racial o étnico que parezca tener una menor representación?

Raza/origen étnico	Caucásico no hispano	Hispano	Afroestadounidense	Asiático/isleño del Pacífico	Indígena estadounidense/ nativo de Alaska
Distribución de la población	75.6%	9.1%	10.8%	3.8%	0.7%
Número de ensayos clínicos para cáncer pulmonar	3855	60	316	54	12

Ley de Benford. ***Según la ley de Benford, una variedad de conjuntos de datos diferentes incluyen números con primeros dígitos que siguen la distribución que se muestra en la siguiente tabla. En los ejercicios 21 a 24, someta a prueba la bondad de ajuste con la ley de Benford.***

Primer dígito	1	2	3	4	5	6	7	8	9
Ley de Benford: distribución de primeros dígitos	30.1%	17.6%	12.5%	9.7%	7.9%	6.7%	5.8%	5.1%	4.6%

21. Detección de fraude Cuando trabajaba para el fiscal del distrito de Brooklyn, el investigador Robert Burton analizó los primeros dígitos de los montos de 784 cheques emitidos por siete compañías sospechosas de fraude. Las frecuencias obtenidas fueron 0, 15, 0, 76, 479, 183, 8, 23 y 0, y estos dígitos corresponden a los primeros dígitos de 1, 2, 3, 4, 5, 6, 7, 8 y 9, respectivamente. Si las frecuencias observadas difirieran mucho de las frecuencias esperadas según la ley de Benford, entonces parecería que los montos de los cheques son el resultado de un fraude. Utilice un nivel de significancia de 0.01 para someter a prueba la bondad de ajuste con la ley de Benford. ¿Parece que los cheques son el resultado de un fraude?

22. Montos de cheques del autor En el ejercicio 21 se incluyen las frecuencias observadas de los primeros dígitos de los cheques emitidos por siete compañías sospechosas de fraude. Las siguientes son las frecuencias observadas de los primeros dígitos de los montos de cheques emitidos por el autor: 68, 40, 18, 19, 8, 20, 6, 9, 12. (Estas frecuencias observadas corresponden a los primeros dígitos de 1, 2, 3, 4, 5, 6, 7, 8 y 9, respectivamente). Utilice un nivel de significancia de 0.05 para someter a prueba la afirmación de que estos primeros dígitos provienen de una población de primeros dígitos que se ajustan a la ley de Benford. ¿Los montos de los cheques del autor parecen ser legítimos?

23. Aportaciones a campañas políticas Se seleccionaron al azar montos de aportaciones a campañas políticas recientes, y las frecuencias de los primeros dígitos son las siguientes: 52, 40, 23, 20, 21, 9, 8, 9 y 30. (Dichas frecuencias observadas corresponden a los primeros dígitos de 1, 2, 3, 4, 5, 6, 7, 8 y 9, respectivamente, y se basan en datos de "Breaking the (Benford) Law: Statistical Fraud Detection in Campaign Finance", de Cho y Gaines, *American Statistician*, vol. 61, núm. 3). Utilice un nivel de significancia de 0.01 para someter a prueba la bondad de ajuste de las frecuencias observadas con la ley de Benford. ¿Parece que las aportaciones a las campañas políticas son legítimas?

24. Montos de cheques En el juicio del *Estado de Arizona contra Wayne James Nelson*, el individuo fue acusado de emitir cheques a un vendedor que no existía. A continuación se presentan los montos de los cheques ordenados por renglón. Al realizar pruebas para la bondad de ajuste con las proporciones esperadas según la ley de Benford, es necesario combinar las categorías porque no todos los valores esperados son al menos de 5. Utilice una categoría donde el primer dígito sea 1, una segunda categoría donde el primer dígito sea 2, 3, 4, 5, y una tercera categoría donde el primer dígito sea 6, 7, 8, 9. Con un nivel de significancia de 0.01, ¿existe evidencia suficiente para concluir que los primeros dígitos de los cheques no se ajustan a la ley de Benford?

$ 1,927.48	$27,902.31	$86,241.90	$72,117.46	$81,321.75	$97,473.96
$93,249.11	$89,658.16	$87,776.89	$92,105.83	$79,949.16	$87,602.93
$96,879.27	$91,806.47	$84,991.67	$90,831.83	$93,766.67	$88,336.72
$94,639.49	$83,709.26	$96,412.21	$88,432.86	$71,552.16	

11-2 Más allá de lo básico

25. Prueba de efectos de valores atípicos Al realizar una prueba para la bondad de ajuste, como se describe en esta sección, ¿un valor atípico tendrá un gran efecto sobre el valor del estadístico de prueba χ^2. Someta a prueba el efecto de un valor atípico repitiendo el ejemplo 1, después de cambiar la primera frecuencia en la tabla 11-2 de 7 a 70. Describa el efecto general de un valor atípico.

26. Prueba de bondad de ajuste con una distribución normal Remítase al conjunto de datos 21 del apéndice B, con las cargas axiales (en libras) de las latas de aluminio que tienen un grosor de 0.0109 pulgadas.

Carga axial	Menor que 239.5	239.5–259.5	259.5–279.5	Mayor que 279.5
Frecuencia				

a) Ingrese las frecuencias observadas en la tabla anterior.

b) Suponga una distribución normal con media y desviación estándar dadas por la media y la desviación estándar muestrales, utilice los métodos del capítulo 6 para calcular la probabilidad de que una carga axial seleccionada al azar pertenezca a cada clase.

c) Utilice las probabilidades calculadas en el inciso *b)* y calcule la frecuencia esperada para cada categoría.

d) Utilice un nivel de significancia de 0.01 para someter a prueba la afirmación de que las cargas axiales fueron seleccionadas al azar de una población distribuida normalmente. ¿La prueba de bondad de ajuste sugiere que los datos provienen de una población distribuida normalmente?

Un falso positivo durante ocho años

La Associated Press publicó recientemente una nota informativa acerca de Jim Malone, quien había recibido un resultado de prueba positivo de VIH. Durante ocho años, Jim acudió a reuniones de grupos de apoyo, luchó contra la depresión y perdió peso mientras temía morir de SIDA. Finalmente, se le informó que la prueba original era errónea: él no estaba infectado con VIH. Se había realizado una prueba de seguimiento después del primer resultado positivo, y la prueba de confirmación demostró que no tenía una infección de VIH, pero nadie informó a Malone el nuevo resultado. Jim Malone sufrió durante ocho años por el resultado de una prueba que, en realidad, era un falso positivo.

11-3 Tablas de contingencia

Concepto clave En esta sección estudiaremos *tablas de contingencia* (o *tablas de frecuencias de dos factores*), que incluyen conteos de frecuencia para datos categóricos ordenados en una tabla, con al menos dos renglones y al menos dos columnas. En la parte 1 de esta sección, presentamos un método para someter a prueba la hipótesis nula de que las variables de renglones y de columnas son independientes unas de otras. Esta prueba de independencia se utiliza con gran frecuencia en aplicaciones reales. En la parte 2 utilizaremos el mismo método para realizar una prueba de homogeneidad, en la cual se somete a prueba la afirmación de que distintas poblaciones tienen la misma proporción de algunas características.

Parte 1: Conceptos básicos de una prueba de independencia

En esta sección utilizamos métodos estadísticos estándar para analizar conteos de frecuencias en una tabla de contingencia (o una tabla de frecuencias de dos factores). Comenzamos con la definición de una tabla de contingencia.

DEFINICIÓN

Una **tabla de contingencia** (o **tabla de frecuencias de dos factores**) es una tabla donde las frecuencias corresponden a dos variables. (Una variable se utiliza para categorizar renglones, y una segunda variable se utiliza para categorizar columnas).

EJEMPLO 1 **Tabla de contingencia para un experimento con equinácea**

La tabla 11-6 es una tabla de contingencia con dos renglones y tres columnas, y los datos en las celdas son conteos de frecuencias. La variable de renglón indica si los sujetos se infectaron, y la variable de columna identifica al grupo de tratamiento (placebo, grupo al que se administró extracto al 20% o grupo al que se suministró extracto al 60%).

Tabla 11-6 Resultados de experimento con equinácea

	Grupo de tratamiento		
	Placebo	Extracto de equinácea al 20%	Extracto de equinácea al 60%
Infectado	88	48	42
No infectado	15	4	10

Ahora consideraremos una prueba de hipótesis de independencia entre las variables de renglón y de columna en una tabla de contingencia, pero primero definiremos el concepto *prueba de independencia*.

DEFINICIÓN

Una **prueba de independencia** somete a prueba la hipótesis nula de que en una tabla de contingencia, las variables de renglón y de columna son independientes.

Objetivo

Realizar una prueba de hipótesis de la independencia entre la variable de renglón y la variable de columna en una tabla de contingencia.

Notación

O representa la *frecuencia observada* en una celda de una tabla de contingencia.

E representa la *frecuencia esperada* en una celda, obtenida al suponer que las variables de renglón y de columna son independientes.

r representa el número de renglones en una tabla de contingencia (sin incluir etiquetas).

c representa el número de columnas en una tabla de contingencia (sin incluir etiquetas).

Requisitos

1. Los datos muestrales son seleccionados al azar.
2. Los datos muestrales se representan como conteos de frecuencias en una tabla de dos factores.
3. Para cada celda de la tabla de contingencia, la frecuencia *esperada* E es al menos de 5. (No existe el requisito de que cada frecuencia *observada* deba ser al menos de 5. Además, no existe el requisito de que la población deba tener una distribución normal o cualquier otra distribución específica).

Hipótesis nula y alternativa

Las hipótesis nula y alternativa son como sigue:

H_0: Las variables de renglón y de columna son *independientes.*

H_1: Las variables de renglón y de columna son dependientes.

Estadístico de prueba para una prueba de independencia

$$\chi^2 = \sum \frac{(O - E)^2}{E}$$

donde O es la frecuencia observada en una celda y E es la frecuencia esperada que se obtiene al evaluar:

$$E = \frac{\text{(total de renglón) (total de columna)}}{\text{(gran total)}}$$

Valores críticos

1. Los valores críticos se encuentran en la tabla A-4, utilizando

   grados de libertad = $(r - 1)(c - 1)$

   donde r es el número de renglones y c es el número de columnas.
2. Las pruebas de independencia de una tabla de contingencia siempre son de *cola derecha.*

Valores *P*

Por lo general, los valores P se calculan con un programa de cómputo, o bien, es posible encontrar un rango de valores P en la tabla A-4.

El estadístico de prueba nos permite medir el grado de discordancia entre las frecuencias observadas en la realidad y aquellas que se esperarían teóricamente cuando las dos variables son independientes. Los valores grandes del estadístico de prueba χ^2 se ubican en la región de la extrema derecha de la distribución chi cuadrada y reflejan diferencias significativas entre las frecuencias observadas y esperadas. La distribución del estadístico de prueba χ^2 puede aproximarse por medio de la distribución chi cuadrada, siempre y cuando todas las frecuencias esperadas sean al menos de 5. El número de grados de libertad $(r - 1)(c - 1)$ refleja el hecho de que, puesto que conocemos el total de las frecuencias en una tabla de contingencia, podemos asignar con libertad frecuencias a solo $r - 1$ renglones y $c - 1$ columnas antes de que se determine la frecuencia para cada celda. [Sin embargo, no podemos tener frecuencias negativas o frecuencias tan grandes que la suma de cualquier renglón (o columna) exceda el total de las frecuencias observadas para ese renglón (o columna)].

Cálculo de los valores esperados *E*

El estadístico de prueba χ^2 se obtiene utilizando los valores de O (frecuencias observadas) y los valores de E (frecuencias esperadas). La frecuencia esperada E para una celda se puede calcular al multiplicar el total de las frecuencias de renglón por el total de las frecuencias de columna, y luego dividir el resultado entre el gran total de todas las frecuencias, como se muestra en el ejemplo 2.

EJEMPLO 2 **Cálculo de la frecuencia esperada** Remítase a la tabla 11-6 y calcule la frecuencia esperada para la primera celda, donde la frecuencia observada es 88.

SOLUCIÓN La primera celda se ubica en el primer renglón (con una frecuencia total de 178) y la primera columna (con una frecuencia total de 103). El "gran total" es la suma de todas las frecuencias de la tabla, que es 207. La frecuencia esperada de la primera celda es

$$E = \frac{\text{(total por renglón) (total por columna)}}{\text{(gran total)}} = \frac{(178)(103)}{207} = 88.570$$

INTERPRETACIÓN Sabemos que la primera celda tiene una frecuencia observada de $O = 88$ y una frecuencia esperada de $E = 88.570$. Podemos interpretar el valor esperado al afirmar que, si suponemos que contraer una infección es independiente del tratamiento, entonces esperamos encontrar que 88.570 de los sujetos recibirían un placebo y contraerían una infección. Existe una discrepancia entre $O = 88$ y $E = 88.570$, y este tipo de discrepancias son componentes fundamentales del estadístico de prueba.

Para comprender mejor las frecuencias esperadas, suponga que conocemos solo los totales del renglón y de la columna, como en la tabla 11-7, y que debemos llenar la celda de las frecuencias esperadas suponiendo independencia (o ausencia de relación) entre las variables de renglón y de columna. En el primer renglón, 178 de los 207 sujetos contrajeron una infección, de manera que $P(\text{infección}) = 178/207$. En la primera columna, 103 de los 207 sujetos recibieron un placebo, de manera que $P(\text{placebo}) = 103/207$. Puesto que estamos suponiendo independencia entre contraer una infección y el grupo de tratamiento, la regla de la multiplicación para eventos independientes $[P(A \text{ y } B) = P(A) \cdot P(B)]$ se expresa como

$$P(\text{infección y placebo}) = P(\text{infección}) \cdot P(\text{placebo})$$
$$= \frac{178}{207} \cdot \frac{103}{207}$$

Tabla 11-7 Resultados del experimento con equinácea

	Grupo de tratamiento			Totales de renglón:
	Placebo	Extracto de equinácea al 20%	Extracto de equinácea al 60%	
Infectados				178
No infectados				29
Totales de columna:	**103**	**52**	**52**	**Gran total: 207**

Ahora podemos calcular el *valor esperado* para la primera celda al multiplicar la probabilidad para esa celda por el número total de sujetos, como en la siguiente ecuación:

$$E = n \cdot p = 207\left[\frac{178}{207} \cdot \frac{103}{207}\right] = 88.570$$

La forma de este producto sugiere una manera general para obtener la frecuencia esperada de una celda:

$$\text{Frecuencia esperada } E = (\text{gran total}) \cdot \frac{(\text{total de renglón})}{(\text{gran total})} \cdot \frac{(\text{total de columna})}{(\text{gran total})}$$

Esta expresión se simplifica para obtener

$$E = \frac{(\text{total de renglón}) \cdot (\text{total de columna})}{(\text{gran total})}$$

Ahora procedemos a realizar la prueba de hipótesis de independencia, como en el ejemplo 3.

EJEMPLO 3

¿La equinácea tiene algún efecto sobre los resfriados? El resfriado común suele ser causado por un rinovirus. En una prueba de la eficacia de la equinácea, algunos sujetos de prueba fueron tratados con extracto de equinácea con 20% de etanol, otros fueron tratados con extracto de equinácea con 60% de etanol, y otros recibieron un placebo. Después, todos los sujetos de prueba fueron expuestos al rinovirus, y los resultados se resumen en la tabla 11-6 (según datos de "An Evaluation of *Echinacea angustifolia* in Experimental Rhinovirus Infections", de Turner, *et al.*, *New England Journal of Medicine*, vol. 353, núm. 4). Utilice un nivel de significancia de 0.05 para someter a prueba la afirmación de que contraer una infección (en este caso, un resfriado) es independiente del grupo de tratamiento. ¿Qué indica el resultado acerca de la eficacia de la equinácea como tratamiento para el resfriado?

SOLUCIÓN

VERIFICACIÓN DE REQUISITOS 1. Los sujetos se reclutaron y se asignaron aleatoriamente a los diferentes grupos de tratamiento. **2.** Los resultados se expresan como conteos de frecuencias en la tabla 11-6. **3.** Todas las frecuencias esperadas son al menos de 5. (Las frecuencias esperadas son 88.570, 44.715, 44.715, 14.430, 7.285 y 7.285). Los requisitos se satisfacen.

La hipótesis nula y la hipótesis alternativa son las siguientes:

H_0: Contraer una infección es independiente del tratamiento.

H_1: Contraer una infección y el tratamiento son dependientes.

El nivel de significancia es $\alpha = 0.05$.

Puesto que los datos se presentan en una tabla de contingencia, utilizamos la distribución χ^2 con este estadístico de prueba:

$$\chi^2 = \sum\frac{(O-E)^2}{E} = \frac{(88-88.570)^2}{88.570} + \cdots + \frac{(10-7.285)^2}{7.285}$$
$$= 2.925$$

El valor crítico de $\chi^2 = 5.991$ se encuentra en la tabla A-4 con $\alpha = 0.05$ en la cola derecha, y el número de grados de libertad está dado por $(r-1)(c-1) = (2-1)(3-1) = 2$. El estadístico de prueba y el valor crítico se muestran en la figura 11-5. Como el estadístico de prueba no se localiza dentro de la región crítica, no rechazamos la hipótesis nula de independencia entre contraer una infección y el tratamiento.

INTERPRETACIÓN Al parecer, contraer una infección es independiente del grupo de tratamiento. Esto sugiere que la equinácea no es un tratamiento eficaz para aliviar el resfriado.

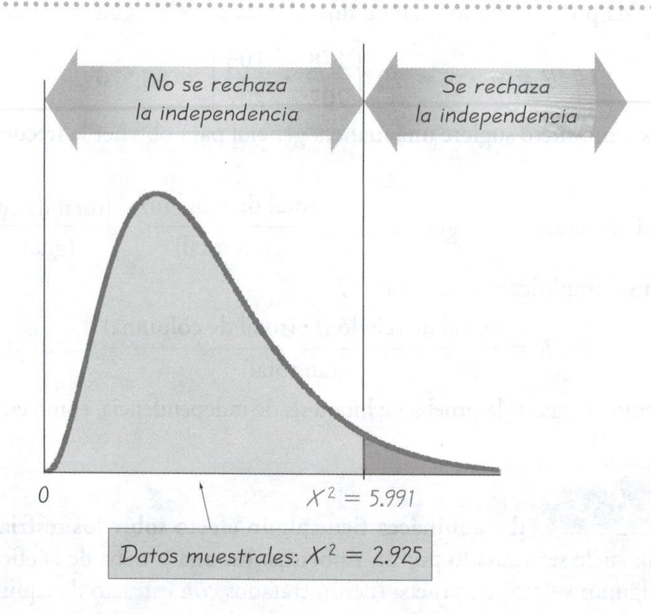

Figura 11-5
Prueba de independencia para los datos de equinácea

Valores *P*

En el ejemplo anterior se utilizó el método tradicional de prueba de hipótesis, pero podemos utilizar con facilidad el método del valor *P*. STATDISK, Minitab, Excel y la calculadora TI-83/84 Plus nos dan valores *P* para pruebas de independencia de tablas de contingencia. (Véase el ejemplo 4). Si usted no tiene una calculadora o un programa de cómputo adecuados, puede estimar los valores *P* con la tabla A-4, localizando el estadístico de prueba en el renglón correspondiente al número adecuado de grados de libertad.

EJEMPLO 4 **¿La enfermera es una asesina serial?** La tabla 11-1, incluida en el problema del capítulo, consiste en una tabla de contingencia con una variable de renglón (si Kristen Gilbert estaba trabajando) y una variable de columna (si hubo alguna muerte durante el turno). Someta a prueba la afirmación de que el hecho de que Gilbert estuviera en un turno de trabajo es independiente de que muriera un paciente durante ese turno. Como se trata de un análisis tan serio, utilice un nivel de significancia de 0.01. ¿Qué sugiere el resultado acerca de la acusación de que Gilbert asesinó a algunos pacientes?

SOLUCIÓN **VERIFICACIÓN DE REQUISITOS 1.** Los datos de la tabla 11-1 se pueden considerar como datos aleatorios para determinar si es posible que esos datos aleatorios se presenten fácilmente por azar. **2.** Los datos muestrales están representados como conteos de frecuencia en una tabla de dos factores. **3.** Cada frecuencia esperada es al menos de 5. (Las frecuencias esperadas son 11.589, 245.411, 62.411 y 1321.589). Los requisitos se satisfacen.

La hipótesis nula y la hipótesis alternativa son las siguientes:

H_0: El hecho de que Gilbert estuviera trabajando es independiente de la ocurrencia de alguna muerte durante el turno.

H_1: El hecho de que Gilbert estuviera trabajando y la ocurrencia de alguna muerte durante el turno son dependientes.

Minitab indica que el estadístico de prueba es $\chi^2 = 86.481$ y el valor *P* es 0.000. Como el valor *P* es menor que el nivel de significancia de 0.01, rechazamos la hipótesis nula de independencia. Existe evidencia suficiente para justificar el rechazo de la independencia entre las variables de renglón y de columna.

MINITAB

```
Expected counts are printed below observed counts
Chi-Square contributions are printed below expected counts

          Death  No Death  Total
    1        40       217    257
          11.59    245.41
         69.648     3.289

    2        34      1350   1384
          62.41   1321.59
         12.933     0.611

Total        74      1567   1641

Chi-Sq = 86.481, DF = 1, P-Value = 0.000
```

INTERPRETACIÓN Rechazamos la independencia entre el hecho de que Gilbert estuviera trabajando y la muerte de un paciente durante un turno. Al parecer, existe una asociación entre la presencia de Gilbert en el trabajo y la muerte de los pacientes. (Observe que esto no demuestra que Gilbert haya *causado* las muertes, de manera que no es evidencia que pueda utilizarse en el juicio; más bien, fue un hecho que llevó a los investigadores a buscar otras evidencias que finalmente condujeron a una sentencia por homicidio).

Igual que en la sección 11-2, si las frecuencias observada y esperada son cercanas, el estadístico de prueba χ^2 será pequeño y el valor *P* será grande. Si las frecuencias observada y esperada se alejan mucho entre sí, el estadístico de prueba χ^2 será grande y el valor *P* será pequeño. Estas relaciones se resumen e ilustran en la figura 11-6.

Parte 2: Prueba de homogeneidad y la prueba exacta de Fisher

Prueba de homogeneidad

En la parte 1 de esta sección nos enfocamos en la prueba de independencia entre las variables de renglón y de columna en una tabla de contingencia. En la parte 1, los datos muestrales provenían de una población, y los resultados de una muestra individual se clasificaban con las variables de renglón y de columna. Sin embargo, algunas otras muestras se obtienen de poblaciones *diferentes*, y queremos determinar si esas poblaciones tienen las mismas proporciones de las características en consideración. En estos casos se utiliza la *prueba de homogeneidad*. (La palabra *homogéneo* significa "que tiene la misma composición" y, en este contexto, estamos haciendo una prueba para determinar si las proporciones son iguales).

DEFINICIÓN

En una **prueba de homogeneidad** sometemos a prueba la afirmación de que *poblaciones diferentes* tienen algunas características con las mismas proporciones.

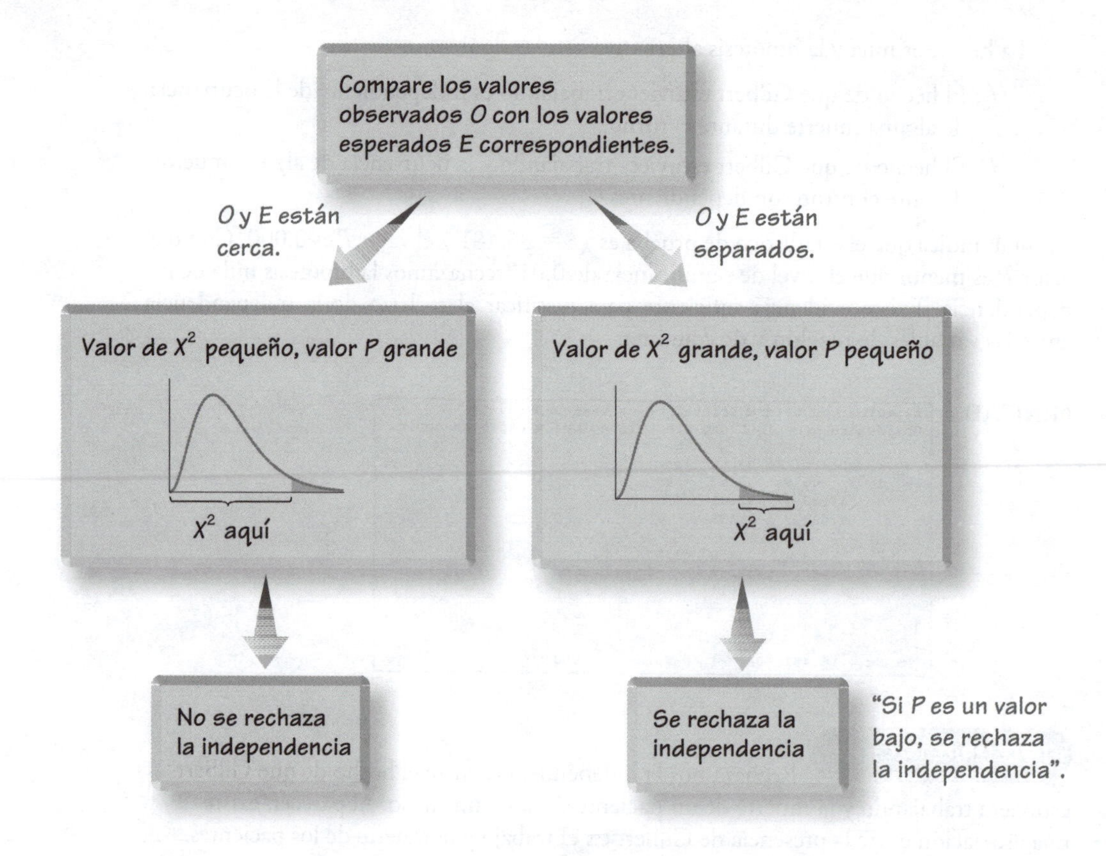

Figura 11-6
Relaciones entre componentes clave en la prueba de independencia

Al realizar una prueba de homogeneidad, podemos utilizar la misma notación, requisitos, estadístico de prueba, valor crítico y procedimientos descritos en la parte 1 de esta sección, con una excepción: en vez de someter a prueba la hipótesis nula de *independencia* entre las variables de renglón y de columna, sometemos a prueba la hipótesis nula de que *las poblaciones diferentes tienen las mismas proporciones de algunas características.*

EJEMPLO 5

Influencia del género ¿Tiene efecto el género del encuestador en las respuestas de encuesta de varones? En un artículo del *U.S. News & World Report* acerca de encuestas se afirmó: "En temas sensibles, los individuos tienden a dar respuestas 'aceptables' en vez de respuestas honestas; sus respuestas podrían depender del género o del origen étnico del entrevistador". Para sustentar esta afirmación, el Eagleton Institute proporcionó los datos de una encuesta en la cual se preguntó a hombres si estaban de acuerdo con esta afirmación: "El aborto es un asunto privado que la mujer debe decidir sin intervención gubernamental". Analizaremos el efecto del género solo en los hombres encuestados. La tabla 11-8 se basa en estas respuestas de hombres encuestados. Suponga que la encuesta se diseñó de manera que los entrevistadores varones recibieron instrucciones para obtener 800 respuestas de sujetos varones, y las entrevistadoras recibieron instrucciones para obtener 400 respuestas de sujetos varones. Utilice un nivel de significancia de 0.05 y someta a prueba la afirmación de que las proporciones de las respuestas de acuerdo/en desacuerdo son las mismas para los sujetos entrevistados por hombres y los entrevistados por mujeres.

Tabla 11-8 Género y respuestas de encuesta

	Género del entrevistador	
	Hombre	Mujer
Hombres que están de acuerdo	560	308
Hombres que están en desacuerdo	240	92

SOLUCIÓN

VERIFICACIÓN DE REQUISITOS **1.** Los datos son aleatorios. **2.** Los datos muestrales están representados como conteos de frecuencias en una tabla de dos factores. **3.** Las frecuencias esperadas (que en la tabla de resultados de Minitab aparecen como 578.67, 289.33, 221.33 y 110.67) son al menos de 5. Todos los requisitos se satisfacen.

Como se trata de una prueba de homogeneidad, sometemos a prueba la afirmación de que las proporciones de respuestas de acuerdo/en desacuerdo son iguales para los sujetos entrevistados por hombres y para los entrevistados por mujeres. Tenemos dos poblaciones separadas (sujetos entrevistados por hombres y sujetos entrevistados por mujeres) y sometemos a prueba la homogeneidad con estas hipótesis:

H_0: Las proporciones de las respuestas acuerdo/en desacuerdo son iguales para los sujetos entrevistados por hombres y los entrevistados por mujeres.

H_1: Las proporciones son diferentes.

El nivel de significancia es $\alpha = 0.05$. Utilizamos el mismo estadístico de prueba χ^2 descrito antes, el cual se calcula por medio del mismo procedimiento. En vez de hacer una lista de los detalles de este cálculo, presentamos la pantalla de Minitab que resulta de los datos de la tabla 11-8.

MINITAB

```
Expected counts are printed below observed counts
Chi-Square contributions are printed below expected counts

          C1      C2  Total
  1      560     308    868
      578.67  289.33
       0.602   1.204

  2      240      92    332
      221.33  110.67
       1.574   3.149

Total    800     400   1200

Chi-Sq = 6.529, DF = 1, P-Value = 0.011
```

La pantalla de Minitab indica las frecuencias esperadas de 578.67, 289.33, 221.33 y 110.67. Los resultados también incluyen el estadístico de prueba $\chi^2 = 6.529$ y el valor P de 0.011. Utilizando el método del valor P para someter a prueba la hipótesis, rechazamos la hipótesis nula de proporciones iguales (homogéneas) (puesto que el valor P de 0.011 es menor que 0.05). Existe suficiente evidencia para sustentar el rechazo de la afirmación de que las proporciones son iguales.

INTERPRETACIÓN

Parece que la respuesta y el género del entrevistador son dependientes. Aunque este análisis estadístico no puede utilizarse para justificar ninguna afirmación acerca de la causalidad, parece que los hombres se ven influidos por el género del entrevistador.

Prueba exacta de Fisher

Los procedimientos para realizar pruebas de hipótesis con tablas de contingencia que incluyen dos renglones y dos columnas (2×2) requieren que cada celda tenga una frecuencia esperada al menos de 5. Este requisito es necesario para que la distribución χ^2 sea una aproximación adecuada para la distribución exacta del estadístico de prueba χ^2. A menudo se utiliza la *prueba exacta de Fisher* para una tabla de contingencia de 2×2 con una o más de las frecuencias esperadas menores que 5. La prueba exacta de Fisher da un valor *P exacto* y no requiere de una técnica de aproximación. Como por lo general los cálculos son muy complejos, es mejor utilizar un programa de cómputo cuando se utiliza una prueba exacta de Fisher. Tanto STATDISK como Minitab pueden realizar la prueba exacta de Fisher.

USO DE LA TECNOLOGÍA

STATDISK Registre las frecuencias observadas en la ventana de datos, tal como aparecen en la tabla de contingencia. Seleccione **Analysis** de la barra del menú principal y luego seleccione **Contingency Tables.** Ingrese un nivel de significancia y proceda a identificar las columnas que contienen las frecuencias. Haga clic en **Evaluate**. El resultado de STATDISK incluye el estadístico de prueba, el valor crítico, el valor P y la conclusión, tal como se muestra en la pantalla de resultados de la tabla 11-1.

STATDISK

```
Degrees of freedom: 1

Test Statistic, X^2: 86.4809
Critical X^2:        6.634903
P-Value:             0.0000

Reject the Null Hypothesis.
Data provides evidence that the
rows and columns are related.
```

MINITAB Primero ingrese las frecuencias observadas en columnas; luego, seleccione **Stat** de la barra del menú principal. Después, seleccione la opción **Tables**; luego, seleccione **Chi Square Test (Two-Way Table in Worksheet)** y proceda a ingresar los nombres de las columnas que contienen las frecuencias observadas, como C1 C2 C3 C4. Minitab da el estadístico de prueba y el valor P, las frecuencias esperadas y los términos individuales del estadístico de prueba χ^2. Observe las pantallas de Minitab incluidas en los ejemplos 4 y 5.

EXCEL Usted debe ingresar las frecuencias observadas y también debe determinar e ingresar las frecuencias esperadas. Cuando termine, haga clic en el icono ***fx*** en la barra del menú, seleccione la categoría de función **Statistical** y luego seleccione el nombre de la función **CHITEST** (o **CHISQ.TEST** en Excel 2010). Debe ingresar el rango de valores para las frecuencias observadas y el rango de valores para las frecuencias esperadas. Solo aparecerá el valor P. (También se puede utilizar DDXL seleccionando **Tables**, y luego **Indep. Test for Summ Data**).

TI-83/84 PLUS Primero ingrese la tabla de contingencia como una *matriz* presionando **2nd** x^{-1} para obtener el menú **MATRIX** (o la tecla **MATRIX** de la TI-83). Seleccione **EDIT** y presione **ENTER.** Ingrese las dimensiones de la matriz (renglones por columnas) y proceda a ingresar las frecuencias individuales. Cuando termine, oprima **STAT,** seleccione **TESTS**, y luego seleccione la opción χ^2 **Test**. Asegúrese de haber ingresado la matriz observada, como la matriz A. Las frecuencias esperadas se calcularán automáticamente y se guardarán en la matriz separada identificada como esperada ("expected"). Descienda con el cursor hasta **Calculate** y oprima **ENTER** para obtener el estadístico de prueba, el valor P y el número de grados de libertad.

11-3 Destrezas y conceptos básicos

Conocimientos estadísticos y pensamiento crítico

1. Vacuna para la poliomielitis En la siguiente tabla se resumen los resultados de una prueba de la vacuna de Salk contra la poliomielitis. Si sometemos a prueba la afirmación de que contraer poliomielitis paralítica es independiente del hecho de que el niño haya recibido tratamiento con la vacuna de Salk o haya recibido un placebo, la calculadora TI-83/84 Plus nos da un valor P de 1.732517E-11, en notación científica. Escriba el valor P en una forma estándar que no sea la notación científica. Con base en el valor P, ¿a qué conclusión debemos llegar? ¿La vacuna parece ser eficaz?

	Poliomielitis paralítica	Sin poliomielitis paralítica
Vacuna de Salk	33	200,712
Placebo	115	201,114

2. Causa y efecto Según los datos de la tabla incluida en el ejercicio 1, ¿podemos concluir que la vacuna de Salk causa una reducción en la tasa de la poliomielitis paralítica? ¿Por qué?

3. Interpretación de valor *P* Remítase al valor P que se dio en el ejercicio 1 e interprételo completando la siguiente afirmación: El valor P es la probabilidad de ________.

4. Prueba de cola derecha ¿Por qué las pruebas de hipótesis descritas en esta sección siempre son de cola derecha, como en el ejemplo 1?

En los ejercicios 5 y 6, someta a prueba la afirmación enunciada utilizando los resultados del programa de cómputo.

5. Ventaja del equipo local Se reunieron datos del equipo ganador, para equipos de diferentes deportes, y los resultados se presentan en la siguiente tabla (según datos de "Predicting Professional Sports Game Outcomes from Intermediate Game Scores", de Cooper, DeNeve y Mosteller, *Chance*, vol. 5, núms. 3-4). También se muestran los resultados de la calculadora TI-83/84 Plus. Utilice un nivel de significancia de 0.05 para someter a prueba la afirmación de que los triunfos del equipo local y del equipo visitante son independientes del deporte.

	Basquetbol	Béisbol	Hockey	Futbol
Triunfos del equipo local	127	53	50	57
Triunfos del equipo visitante	71	47	43	42

TI-83/84 PLUS

```
X²-Test
 X²=4.737208763
 P=.1920828463
 df=3
```

6. Crimen y extraños Minitab presenta los resultados de la siguiente tabla, que incluye datos obtenidos de víctimas de crímenes elegidas al azar (según datos del Departamento de Justicia de Estados Unidos). [Recuerde que DF significa grados de libertad (GL)]. ¿Qué podemos concluir?

	Homicidio	Robo	Asalto
El criminal era un extraño	12	379	727
El criminal era conocido o pariente	39	106	642

MINITAB

Chi−Sq = 119.330, DF = 2, P−Value = 0.000

En los ejercicios 7 a 22, someta a prueba la afirmación enunciada.

7. Repetición instantánea en el tenis La siguiente tabla resume los cuestionamientos de jugadores de tenis en el primer Torneo Abierto de Estados Unidos que utilizó el sistema electrónico de repetición instantánea Hawk-Eye. Utilice un nivel de significancia de 0.05 para someter a prueba la afirmación de que el éxito en los cuestionamientos es independiente del género del jugador. ¿Parece que algún género tiene más éxito?

	¿El cuestionamiento de la decisión fue exitoso?	
	Sí	No
Hombres	201	288
Mujeres	126	224

8. ¿Techo abierto o techo cerrado? En una Serie Mundial de béisbol reciente, los Astros de Houston querían cerrar el techo de su estadio con domo, para que se pudieran escuchar las porras de los aficionados y esto les diera una ventaja como equipo local. Sin embargo, se les ordenó mantener el techo abierto, a menos que las condiciones climáticas justificaran su cierre. Pero, ¿el cierre del techo realmente ayuda a los Astros? En la siguiente tabla se presentan los resultados de juegos como locales durante la temporada que condujo a la Serie Mundial. Utilice un nivel de significancia de 0.05 para someter a prueba la independencia entre los triunfos y el hecho de que el techo esté abierto o cerrado. ¿Parece que el techo cerrado realmente da una ventaja a los Astros?

	Ganados	Perdidos
Techo cerrado	36	17
Techo abierto	15	11

9. Prueba de un detector de mentiras La siguiente tabla incluye los resultados de los experimentos con polígrafo (detector de mentiras), realizados por los investigadores Charles R. Honts (Boise State University) y Gordon H. Barland (Department of Defense Polygraph Institute). En cada caso se sabía si el sujeto había mentido o no, de manera que la tabla indica si la prueba de polígrafo fue correcta. Utilice un nivel de significancia de 0.05 para someter a prueba la afirmación de que la indicación de la prueba del polígrafo es independiente de si el sujeto miente. ¿Los resultados sugieren que los polígrafos son eficaces para distinguir entre verdades y mentiras?

	¿El sujeto realmente mintió?	
	No (no mintió)	Sí (mintió)
La prueba de polígrafo indicó que el sujeto *mintió*.	15	42
La prueba de polígrafo indicó que el sujeto *no mintió*.	32	9

10. Ensayo clínico de Chantix Chantix es un fármaco que se utiliza como auxiliar para las personas que desean dejar de fumar. La reacción adversa de las náuseas se ha estudiado en ensayos clínicos, y la siguiente tabla resume los resultados (según datos de Pfizer). Utilice un nivel de significancia de 0.01 para someter a prueba la afirmación de que las náuseas son independientes de si el sujeto tomó un placebo o Chantix. ¿Parece que quienes consumen Chantix se deben preocupar por las náuseas?

	Placebo	Chantix
Con náuseas	10	30
Sin náuseas	795	791

11. Amalgamas para los dientes La siguiente tabla presenta los resultados de un estudio en el que algunos pacientes fueron tratados con una restauración de amalgama y otros fueron tratados con una restauración compuesta que no contiene mercurio (según datos de "Neuropsychological and Renal Effects of Dental Amalgam in Children", de Bellinger, *et al., Journal of the American Medical Association,* vol. 295, núm. 15). Utilice un nivel de significancia de 0.05 para someter a prueba la independencia entre el tipo de restauración y la presencia de cualquier situación adversa de salud. ¿La restauración con amalgama parece afectar la salud?

	Amalgama	Compuesto
Reporte de situación adversa de salud	135	145
Sin reporte de situación adversa de salud	132	122

12. Amalgamas para los dientes En años recientes, se han expresado preocupaciones sobre efectos adversos sobre la salud de las restauraciones dentales con amalgama, las cuales contienen mercurio. La siguiente tabla presenta los resultados de un estudio en el que algunos pacientes fueron tratados con una restauración de amalgama y otros fueron tratados con una restauración compuesta que no contiene mercurio (según datos de "Neuropsychological and Renal Effects of Dental Amalgam in Children", de Bellinger, *et al., Journal of the American Medical Association,* vol. 295, núm. 15). Utilice un nivel de significancia de 0.05 para someter a prueba la independencia entre el tipo de restauración y los trastornos sensoriales. ¿La restauración con amalgama parece tener algún efecto sobre los trastornos sensoriales?

	Amalgama	Compuesto
Trastorno sensorial	36	28
Sin trastorno sensorial	231	239

13. ¿La sentencia de un acusado depende de su declaración? Muchas personas creen que los criminales que se declaran culpables tienden a obtener sentencias más cortas que aquellos que son sentenciados en un juicio. La siguiente tabla resume datos muestrales, seleccionados al azar, de casos de acusados de robo en San Francisco (según datos de "Does It Pay to Plead Guilty? Differential Sentencing and the Functioning of the Criminal Courts", de Brereton y Casper, *Law and Society Review,* vol. 16, núm. 1). Todos los sujetos tenían sentencias previas. Con un nivel de significancia de 0.05, someta a prueba la afirmación de que la sentencia (enviar a prisión o no enviar a prisión) es independiente de la declaración de culpabilidad. Si usted fuera el abogado defensor de un acusado culpable, ¿sugieren estos resultados que usted debe alentar una declaración de culpabilidad por parte de su defendido?

	Declaración de culpabilidad	Declaración de inocencia
Enviados a prisión	392	58
No enviados a prisión	564	14

14. ¿La vacuna es eficaz? En un artículo de *USA Today,* sobre una vacuna experimental para niños, se publicó la siguiente afirmación: "En una prueba con 1602 niños, solo 14 (el 1%) de los 1070 que recibieron la vacuna desarrollaron gripe, en comparación con 95 (el 18%) de los 532 que recibieron un placebo". Los datos se incluyen en la siguiente tabla. Utilice un nivel de significancia de 0.05 para realizar una prueba de independencia entre la variable de tratamiento (vacuna o placebo) y la variable que representa la gripe (desarrolló gripe, no desarrolló gripe). ¿Parece que la vacuna es eficaz?

	¿Desarrolló gripe?	
	Sí	No
Tratamiento con la vacuna	14	1056
Placebo	95	437

15. ¿Cuál tratamiento es mejor? Se diseñó una prueba controlada y aleatorizada para comparar la eficacia del entablillado y de la cirugía en el tratamiento del síndrome del túnel carpiano. Los resultados se presentan en la siguiente tabla (según datos de "Splinting vs. Surgery in the Treatment of Carpal Tunnel Syndrome", de Gerritsen *et al.*, *Journal of the American Medical Association*, vol. 288, núm. 10). Los resultados se basan en evaluaciones efectuadas un año después del tratamiento. Con un nivel de significancia de 0.01, someta a prueba la afirmación de que el éxito es independiente del tipo de tratamiento. ¿Qué sugieren los resultados acerca del tratamiento del síndrome del túnel carpiano?

	Tratamiento exitoso	Tratamiento sin éxito
Tratamiento con entablillado	60	23
Tratamiento con cirugía	67	6

16. Norovirus en cruceros En los cruceros *Queen Elizabeth II* y *Freedom of the Seas* se registraron epidemias de norovirus con dos meses de diferencia. En la siguiente tabla se muestran los resultados. Utilice un nivel de significancia de 0.05 para someter a prueba la afirmación de que contagiarse de norovirus es independiente del barco en que se viajaba. Según esos resultados, ¿parece que la epidemia de norovirus tiene el mismo efecto en diferentes barcos?

	Norovirus	Sin norovirus
Queen Elizabeth II	276	1376
Freedom of the Seas	338	3485

17. Encuesta sobre el calentamiento global Pew Research llevó a cabo una encuesta para investigar las opiniones acerca del calentamiento global. A los participantes que respondieron afirmativamente ante la pregunta de si había evidencia sólida del calentamiento del planeta, se les pidió que nombraran una causa del calentamiento global. Los resultados se presentan en la siguiente tabla. Utilice un nivel de significancia de 0.05 para someter a prueba la afirmación de que el género del participante es independiente de la opción elegida como causa del calentamiento global. ¿Parece que los hombres y las mujeres coinciden, o existe una diferencia sustancial?

	Actividad humana	Patrones naturales	No sabe o rehusó contestar
Hombre	314	146	44
Mujer	308	162	46

18. Encuesta sobre el calentamiento global Pew Research llevó a cabo una encuesta para investigar las opiniones acerca del calentamiento global. A los participantes que respondieron afirmativamente ante la pregunta de si había evidencia sólida del calentamiento del planeta se les pidió que nombraran una causa del calentamiento global. Los resultados para dos grupos de edad se presentan en la siguiente tabla. Utilice un nivel de significancia de 0.01 para someter a prueba la afirmación de que el grupo de edad del encuestado es independiente de la opción elegida como causa del calentamiento global. ¿Parece que los participantes de ambos grupos de edad coinciden, o existe una diferencia sustancial?

	Actividad humana	Patrones naturales	No sabe o rehusó contestar
Menores de 30	108	41	7
65 años o más	121	71	43

19. Ensayo clínico de Campral Campral es un fármaco que se utiliza para ayudar a los pacientes a continuar la abstinencia del consumo de alcohol. Se han estudiado las reacciones adversas del Campral en ensayos clínicos, y en la siguiente tabla se resumen los resultados de los efectos en el aparato digestivo entre los pacientes de diferentes grupos de tratamiento (según datos de Forest Pharmaceuticals, Inc.). Utilice un nivel de significancia de 0.01 para someter a prueba la afirmación de que el hecho de sufrir una reacción adversa en el aparato digestivo es independiente del grupo de tratamiento. ¿Parece que el tratamiento con Campral tiene un efecto sobre el aparato digestivo?

	Placebo	Campral 1332 mg	Campral 1998 mg
Efectos adversos en el aparato digestivo	344	89	8
Sin efectos adversos en el aparato digestivo	1362	774	71

20. ¿Es independiente el uso de cinturón de seguridad del tabaquismo? Un estudio entre usuarios y no usuarios del cinturón de seguridad produjo los datos seleccionados al azar que se resumen en la siguiente tabla (según datos de "What Kinds of People Do Not Use Seat Belts?", de Helsing y Comstock, *American Journal of Public Health*, vol. 67, núm. 11). Someta a prueba la afirmación de que la cantidad de cigarrillos fumados es independiente del uso del cinturón de seguridad. Una posible hipótesis es que la gente que fuma mucho está menos preocupada por su salud y su seguridad y, por lo tanto, es menos proclive a utilizar el cinturón de seguridad. ¿Los datos muestrales sustentan esta hipótesis?

	Número de cigarrillos fumados al día			
	0	1 a 14	15 a 34	35 o más
Utilizan cinturones de seguridad	175	20	42	6
No utilizan cinturones de seguridad	149	17	41	9

21. Ensayo clínico de Lipitor Lipitor es el nombre comercial del fármaco atorvastatina, que se utiliza para reducir los niveles de colesterol. (Se trata del fármaco con mayor venta en el mundo, con ventas de $13,000 millones en un año reciente). Las reacciones adversas se han estudiado en ensayos clínicos, y la siguiente tabla resume los resultados de infecciones en pacientes de diferentes grupos de tratamiento (según datos de Parke-Davis). Utilice un nivel de significancia de 0.05 para someter a prueba la afirmación de que el hecho de contraer una infección es independiente del tratamiento. ¿El tratamiento con atorvastatina parece tener un efecto sobre las infecciones?

	Placebo	Atorvastatina de 10 mg	Atorvastatina de 40 mg	Atorvastatina de 80 mg
Con infección	27	89	8	7
Sin infección	243	774	71	87

22. Lesiones y color del casco de motociclistas Se realizó un estudio de control de caso (o retrospectivo) para investigar la relación entre el color del casco utilizado por motociclistas y el hecho de haber sufrido lesiones o de haber muerto en un accidente. Los resultados se presentan en la siguiente tabla (según datos de "Motorcycle Rider Conspicuity and Crash Related Injury: Case-Control Study", de Wells, *et al.*, *BMJ USA*, vol. 4). Someta a prueba la afirmación de que las lesiones son independientes del color del casco. ¿Los motociclistas deberían elegir cascos de un color en particular? Si es así, ¿cuál color parece ser mejor?

	Color del casco				
	Negro	Blanco	Amarillo/anaranjado	Rojo	Azul
Controles (sin lesiones)	491	377	31	170	55
Casos (lesionados o fallecidos)	213	112	8	70	26

11-3 Más allá de lo básico

23. Prueba de homogeneidad En la tabla 11-8 se resumen los datos de hombres encuestados, pero la tabla de la siguiente página resume los datos para una muestra de mujeres (según datos de una encuesta realizada por Eagleton Institute). Utilice un nivel de significancia de 0.01 y suponga que los tamaños de muestra de 800 hombres y 400 mujeres están predeterminados. Someta a prueba la afirmación de que las proporciones de respuestas de acuerdo/en desacuerdo son iguales para los sujetos entrevistados por hombres y los entrevistados por mujeres. ¿Parece que el género del entrevistador afecta las respuestas de las mujeres?

	Género del entrevistador	
	Hombre	Mujer
Mujeres que están de acuerdo	512	336
Mujeres que están en desacuerdo	288	64

24. Uso de la corrección de Yates por continuidad La distribución chi cuadrada es continua, mientras que el estadístico de prueba que se utilizó en esta sección es discreto. Algunos especialistas en estadística utilizan la *corrección por continuidad de Yates* en celdas con una frecuencia esperada menor que 10 o en todas las celdas de una tabla de contingencia con dos renglones y dos columnas. Con la corrección de Yates, reemplazamos

$$\sum\frac{(O-E)^2}{E} \quad \text{con} \quad \sum\frac{(|O-E|-0.5)^2}{E}$$

Con base en la tabla de contingencia del ejercicio 7, calcule el valor del estadístico de prueba χ^2 con y sin la corrección de Yates. ¿Qué efecto tiene la corrección de Yates?

25. Pruebas equivalentes Una prueba χ^2 que implica una tabla de 2×2 es equivalente a la prueba para la diferencia entre dos proporciones, como se describe en la sección 9-2. Con base en la tabla del ejercicio 7, verifique que el estadístico de prueba χ^2 y el estadístico de prueba z (obtenido de la prueba de igualdad de dos proporciones) están relacionados como sigue: $z^2 = \chi^2$. También demuestre que los valores críticos tienen la misma relación.

11-4 Prueba de McNemar para datos pareados

Concepto clave Los métodos de la sección 11-3 para el análisis de tablas con dos factores se basan en datos *independientes.* Para las tablas de 2×2 que consisten en conteos de frecuencias que resultan de *datos pareados*, los conteos de frecuencias dentro de cada par de datos pareados no tienen independencia y, en tales casos, podemos utilizar la prueba de McNemar para datos pareados. En esta sección se presentan los métodos para utilizar la prueba de McNemar con la finalidad de someter a prueba la hipótesis nula de que las frecuencias de las categorías discordantes (diferentes) ocurren en la misma proporción.

La tabla 11-9 presenta un formato general que resume los resultados de datos que consisten en conteos de frecuencias de datos pareados. Esta tabla se refiere a dos tratamientos diferentes (como dos diferentes soluciones en gotas para los ojos), aplicados en dos partes diferentes de cada sujeto (como el ojo izquierdo y el ojo derecho). Es un poco difícil leer correctamente una tabla como la 11-9. El número total de sujetos es $a + b + c + d$, y cada uno de esos sujetos produce un resultado de cada una de las dos partes de un par de datos asociados. Si $a = 100$, entonces 100 sujetos fueron curados con ambos tratamientos. Si $b = 50$ en la tabla 11-9, entonces ninguno de los 50 sujetos se curó con el tratamiento X, pero todos se curaron con el tratamiento Y. Recuerde que los datos de la tabla 11-9 son conteos de frecuencias de *sujetos*, y no el número total de componentes individuales en los datos pareados. Si 500 personas reciben un tratamiento en cada ojo con dos ungüentos diferentes, el valor de $a + b + c + d$ es 500 (el número de sujetos) y no 1000 (el número de ojos tratados).

Tabla 11-9 2 × 2 con conteos de frecuencias para datos pareados

		Tratamiento X	
		Curados	No curados
Tratamiento Y	Curados	*a*	*b*
	No curados	*c*	*d*

Puesto que los conteos de frecuencias de la tabla 11-9 resultan de los datos *pareados*, los datos no son independientes y no podemos utilizar los métodos de la sección 11-3. En vez de ello, usamos la prueba de McNemar.

DEFINICIÓN

La **prueba de McNemar** utiliza conteos de frecuencias de *datos pareados* nominales de dos categorías para someter a prueba la hipótesis nula de que, para una tabla de 2 × 2 como la 11-9, las frecuencias *b* y *c* ocurren en la misma proporción.

Objetivo

Someter a prueba una diferencia en proporciones utilizando la prueba de McNemar para datos pareados.

Notación

a, *b*, *c* y *d* representan los conteos de frecuencias en una tabla de 2 × 2 que consiste en conteos de frecuencias de *datos pareados*. (El número total de sujetos es $a + b + c + d$).

Requisitos

1. Los datos muestrales se eligieron al azar.
2. Los datos muestrales consisten en *datos pareados* de conteos de frecuencias.
3. Los datos tienen un nivel de medición nominal, y cada observación se puede clasificar de dos maneras: **1.** según la categoría que distingue valores con cada par de datos (como ojo izquierdo y ojo derecho) y **2.** según otra categoría con dos valores posibles (como curado y no curado).
4. Para tablas como la 11-9, las frecuencias son tales que $b + c \geq 10$.

Hipótesis nula y alternativa

H_0: Las proporciones de las frecuencias *b* y *c* (como en la tabla 11-9) son iguales.

H_1: Las proporciones de las frecuencias *b* y *c* (como en la tabla 11-9) son diferentes.

Estadístico de prueba (para someter a prueba la hipótesis nula de que, para tablas como la 11-9, las frecuencias *b* y *c* ocurren en la misma proporción):

$$\chi^2 = \frac{(|b - c| - 1)^2}{b + c}$$

donde las frecuencias de *b* y *c* se obtienen de la tabla de 2 × 2 con un formato similar al de la tabla 11-9. [Las frecuencias *b* y *c* deben provenir de pares "discordantes" (o diferentes), como se describe más adelante en esta sección].

Valores críticos

1. La región crítica se localiza *únicamente en la cola derecha.*
2. Los valores críticos se encuentran en la tabla A-4, utilizando **grados de libertad** = **1**.

Valores *P*

Los valores *P* suelen obtenerse por medio de un programa de cómputo, o bien, en la tabla A-4 se puede encontrar un rango de valores *P*.

EJEMPLO 1

¿Los protectores de cadera son eficaces? Se diseñó un ensayo aleatorizado y controlado para someter a prueba la eficacia de los protectores de cadera para prevenir la fractura de esos huesos en las personas mayores. Residentes de casas de asistencia usaron la protección en una de sus caderas, pero no en la otra, y los resultados se resumen en la tabla 11-10 (según datos de "Efficacy of Hip Protector to Prevent Hip Fracture in Nursing Home Residents", de Kiel, *et al.*, *Journal of the American Medical Association*, vol. 298, núm. 4). Utilice un nivel de significancia de 0.05 y aplique la prueba de McNemar para someter a prueba la hipótesis nula de que las siguientes dos proporciones son iguales:

- La proporción de sujetos sin fractura en la cadera protegida y con fractura en la cadera sin protección.
- La proporción de sujetos con fractura en la cadera protegida y sin fractura de la cadera sin protección.

Con base en los resultados, ¿parece que los protectores de cadera son eficaces en la prevención de fracturas de cadera?

SOLUCIÓN

VERIFICACIÓN DE REQUISITOS **1.** Los datos provienen de sujetos elegidos al azar. **2.** Los datos consisten en pares de conteos de frecuencias. **3.** Los datos tienen un nivel de medición nominal y cada observación se puede categorizar de acuerdo con dos variables. (Una variable tiene los valores de "uso de protector de cadera" y "sin uso de protector de cadera", y la otra variable tiene los valores de "cadera fracturada" y "cadera sin fractura"). **4.** Para la tabla 11-10, $b = 10$ y $c = 15$, de manera que $b + c = 25$, que es al menos 10. Por lo tanto, todos los requisitos se satisfacen.

Aunque la tabla 11-10 podría parecer una tabla de contingencia de 2×2 no podemos usar los procedimientos de la sección 11-3 porque se trata de *datos pareados* (en vez de ser independientes). En su lugar, empleamos la prueba de McNemar.

Después de comparar los conteos de frecuencia de la tabla 11-9 con los de la tabla 11-10, observamos que $b = 10$ y $c = 15$, y el estadístico de prueba se calcula de la siguiente manera:

$$\chi^2 = \frac{(|b - c| - 1)^2}{b + c} = \frac{(|10 - 15| - 1)^2}{10 + 15} = 0.640$$

Con un nivel de significancia de 0.05 y grados de libertad gl = 1, nos remitimos a la tabla A-4 para encontrar el valor crítico de $\chi^2 = 3.841$ para esta prueba de cola derecha. El estadístico de prueba $\chi^2 = 0.640$ no excede el valor crítico $\chi^2 = 3.841$, de manera que no rechazamos la hipótesis nula. (Además, el valor *P* es 0.424, que es mayor que 0.05, lo que indica que se debe rechazar la hipótesis nula).

INTERPRETACIÓN

La proporción de fracturas de cadera con el uso de protectores no difiere de manera significativa de la proporción de fracturas de cadera sin el uso de los protectores. Parece que los protectores de cadera no son eficaces para prevenir las fracturas.

Tabla 11-10 Pruebas clínicas aleatorizadas y controladas de protectores de cadera

		Sin uso de protector de cadera	
		Sin fractura de cadera	Con fractura de cadera
Uso de protector de cadera	Sin fractura de cadera	309	10
	Con fractura de cadera	15	2

Observe que en el cálculo del estadístico de prueba del ejemplo 1 no incluimos a los 309 sujetos sin fracturas de cadera, y tampoco incluimos la frecuencia de 2 que representa a los sujetos con fractura en ambas caderas. Solo consideramos a los sujetos que tenían fractura en una cadera y no en la otra. Es decir, solo estamos utilizando los resultados de las categorías que son *diferentes*. A este tipo de categorías diferentes se les denomina *pares discordantes.*

DEFINICIÓN

Los **pares discordantes** de resultados provienen de datos pareados de resultados en los que ambas categorías son diferentes (como en las frecuencias b y c de la tabla 11-9).

Al tratar de determinar si los protectores de cadera son eficaces, no nos resultan útiles los sujetos que no tienen fracturas, ni tampoco aquellos que tienen ambas caderas fracturadas. Las diferencias se reflejan en los resultados discordantes de los sujetos que tienen fractura solo en una de las caderas. Como consecuencia, el estadístico de prueba solo incluye las dos frecuencias que resultan de los dos pares discordantes (o diferentes) de categorías.

ADVERTENCIA

Cuando aplique la prueba de McNemar, tenga cuidado de usar únicamente las frecuencias de los pares de categorías que son *diferentes*. No utilice a ciegas las frecuencias en las esquinas superior derecha e inferior izquierda, porque no necesariamente representan los pares discordantes. Si reordenara la tabla 11-10 como se indica a continuación, tendría un formato inconsistente, pero técnicamente la tabla sería correcta al resumir los mismos resultados de la tabla 11-10; sin embargo, el uso irreflexivo de las frecuencias de 2 y 309 produciría el estadístico de prueba *incorrecto*.

		Sin uso de protector de cadera	
		Sin fractura de cadera	Con fractura de cadera
Uso de protector de cadera	Con fractura de cadera	15	2
	Sin fractura de cadera	309	10

En esta tabla reconfigurada, los pares discordantes de frecuencias son:

Con fractura de cadera/sin fractura de cadera: 15

Sin fractura de cadera/con fractura de cadera: 10

Con esta tabla reconfigurada, nuevamente debemos usar las frecuencias de 15 y 10 (como en el ejemplo 1) y no las de 2 y 309. En un mundo más perfecto, todas las tablas de 2×2 estarían configuradas con un formato consistente y seríamos mucho menos proclives a utilizar las frecuencias incorrectas.

Además de comparar tratamientos aplicados a datos pareados (como en el ejemplo 1), la prueba de McNemar a menudo se utiliza para someter a prueba la hipótesis nula de que no hay cambios en experimentos basados en condiciones antes y después de algún evento. (Consulte los ejercicios 5 a 12).

STATDISK Seleccione **Analysis** y luego **McNemar's Test.** Proceda a registrar las frecuencias en la tabla que aparece, indique el nivel de significancia y luego haga clic en **Evaluate**. Los resultados de STATDISK incluyen el estadístico de prueba, el valor crítico, el valor P y la conclusión.

MINITAB, EXCEL y la calculadora TI-83/84 Plus: La prueba de McNemar no está disponible.

11-4 Destrezas y conceptos básicos

Conocimientos estadísticos y pensamiento crítico

1. Prueba de McNemar La siguiente tabla resume los resultados de un estudio en el que a 186 estudiantes de un curso de introducción a la estadística se les asignaron problemas de álgebra en dos formatos diferentes: un formato simbólico y un formato verbal (según datos de "Changing Student's Perspectives of McNemar's Test of Change", de Levin y Serlin, *Journal of Statistics Education*, vol. 8, núm. 2). Suponga que los datos se eligieron al azar. Si únicamente se examinan los datos de la tabla, ¿parece que alguno de los formatos es mejor? Si es así, ¿cuál? ¿Por qué?

		Formato verbal	
		Dominio	Sin dominio
Formato simbólico	Dominio	74	31
	Sin dominio	33	48

2. Pares discordantes Remítase a la tabla del ejercicio 1 e identifique los pares discordantes de resultados.

3. Pares discordantes Remítase a los datos del ejercicio 1 y explique por qué la prueba de McNemar ignora las frecuencias de 74 y 48.

4. Verificación de requisitos Remítase a los datos del ejercicio 1 e identifique cuáles requisitos para la prueba de McNemar se satisfacen.

En los ejercicios 5 a 12, remítase a la siguiente tabla, la cual resume los resultados de un experimento en el que primero se clasificó a los sujetos como fumadores o no fumadores, luego se les administró un tratamiento y después se les volvió a clasificar como fumadores o no fumadores (según datos de Pfizer Pharmaceuticals en ensayos clínicos de Chantix).

		Antes del tratamiento	
		Fuman	No fuman
Después del tratamiento	Fuman	460	4
	No fuman	361	192

5. Tamaño de muestra ¿Cuántos sujetos se incluyeron en el experimento?

6. Eficacia del tratamiento ¿Cuántos sujetos cambiaron su estatus de fumadores después del tratamiento?

7. Ineficacia del tratamiento ¿A cuántos sujetos parece no haberles afectado el tratamiento de una u otra forma?

8. ¿Por qué no usar una prueba *t*? En la sección 9-4 se presentaron procedimientos para manejar datos pareados. ¿Por qué no podemos usar esos procedimientos para el análisis de los resultados que se resumen en la tabla?

9. Pares discordantes ¿Cuáles de los siguientes pares de resultados antes/después son *discordantes*?

a) fuma/fuma

b) fuma/no fuma

c) no fuma/fuma

d) no fuma/no fuma

10. Estadístico de prueba Utilice las frecuencias adecuadas para calcular el valor del estadístico de prueba.

11. Valor crítico Utilice un nivel de significancia de 0.01 para calcular el valor crítico.

12. Conclusión Con base en los resultados anteriores, ¿qué concluye? ¿Qué sentido tiene la conclusión en términos de los resultados muestrales originales?

13. Prueba de protectores para la cadera En el ejemplo 1 de esta sección se usaron los resultados de sujetos que utilizaron protectores de cadera al menos el 80% del tiempo. Se obtuvieron los resultados de un conjunto de datos más grande del mismo estudio, los cuales se presentan en la siguiente tabla (según datos de "Efficacy of Hip Protector to Prevent Hip Fracture in Nursing Home Residents", de Kiel, *et al.*, *Journal of the American Medical Association*, vol. 298, núm. 4). Utilice un nivel de significancia de 0.05 para someter a prueba la eficacia de los protectores para cadera.

		Sin uso de protector de cadera	
		Sin fractura de cadera	Con fractura de cadera
Uso de protector de cadera	Sin fractura de cadera	1004	17
	Con fractura de cadera	21	0

14. Predicción de inmunidad contra el sarampión Se realizó un estudio para determinar la inmunidad de mujeres embarazadas contra el virus de la rubeola; también se les realizaron pruebas de inmunidad contra el sarampión, y los resultados se presentan en la siguiente tabla (según datos de "Does Rubella Predict Measles Immunity? A Serosurvey of Pregnant Women", de Kennedy, *et al.*, *Infectious Diseases in Obstetrics and Gynecology*, vol. 2006). Utilice un nivel de significancia de 0.05 para aplicar la prueba de McNemar. ¿Qué nos indica el resultado? Si una mujer tiene probabilidades de quedar embarazada y se descubre que tiene inmunidad contra la rubeola, ¿también se le debe aplicar la prueba de inmunidad contra el sarampión?

		Sarampión	
		Inmune	Sin inmunidad
Rubeola	Inmune	780	62
	Sin inmunidad	10	7

15. Tratamiento para el pie de atleta Un grupo de individuos elegidos al azar están infectados con tinea pedis (pie de atleta) en ambos pies. Un pie es tratado con una solución fungicida, mientras que el otro recibe un placebo. Los resultados se presentan en la siguiente tabla. Utilice un nivel de significancia de 0.05 para someter a prueba la eficacia del tratamiento.

		Tratamiento con fungicida	
		Curados	No curados
Placebo	Curados	5	12
	No curados	22	55

16. Tratamiento para el pie de atleta Repita el ejercicio 15 después de cambiar la frecuencia de 22 por 66.

17. Comparación de TEP/TC con IRM En el artículo "Whole-Body Dual-Modality PET/CT and Whole Body MRI for Tumor Staging in Oncology" (Antoch *et al.*, *Journal of the American Medical Association*, vol. 290, núm. 24), los autores citan la importancia de identificar con exactitud la etapa de desarrollo de un tumor, ya que esto es crucial para determinar la terapia adecuada. El artículo analiza un estudio que compara la exactitud de la tomografía por emisión de positrones (TEP) y la tomografía computarizada (TC) con la imagen por resonancia magnética (IRM). Utilice los datos de la tabla sobre 50 tumores analizados con ambas tecnologías. Al parecer, ¿hay una diferencia en la exactitud? ¿Alguna de las tecnologías parece ser mejor?

		TEP/TC	
		Correcto	Incorrecto
IRM	Correcto	36	1
	Incorrecto	11	2

18. Prueba de un tratamiento. En el artículo "Eradication of Small Intestinal Bacterial Overgrowth Reduces Symptoms of Irritable Bowel Syndrome" (Pimentel, Chow, Lin, *American Journal of Gastroenterology*, vol. 95, núm. 12), los autores analizan si el tratamiento antibiótico del crecimiento excesivo de bacterias reduce las molestias intestinales. Se utilizó una prueba de McNemar para analizar los resultados de los sujetos con erradicación del crecimiento bacterial excesivo. Utilice los datos de la siguiente tabla. Al parecer, ¿el tratamiento es eficaz para reducir el dolor abdominal?

		¿Dolor abdominal antes del tratamiento?	
		Sí	No
¿Dolor abdominal después del tratamiento?	Sí	11	1
	No	14	3

11-4 Más allá de lo básico

19. Corrección por continuidad El estadístico de prueba que estudiamos en esta sección incluye una corrección por continuidad. El estadístico de prueba que se muestra a continuación no la incluye, y en ocasiones se utiliza como estadístico para la prueba de McNemar. Remítase al ejercicio 18 y calcule el valor del estadístico de prueba utilizando la siguiente expresión; compare el resultado con el que se obtuvo en el ejercicio.

$$\chi^2 = \frac{(b - c)^2}{b + c}$$

20. Uso del sentido común Considere la tabla del ejercicio 17. Las frecuencias de 36 y 2 no se incluyeron en los cálculos. ¿Cómo se modificarían sus conclusiones si ambas frecuencias se cambiaran por 8000 y 7000, respectivamente?

21. Caso de muestra pequeña Los requisitos de la prueba de McNemar incluyen la condición de que $b + c \geq 10$ de manera que la distribución del estadístico de prueba se puede aproximar por medio de la distribución chi cuadrada. Remítase a la tabla de la siguiente página. No se debe utilizar la prueba de McNemar, ya que la condición de $b + c \geq 10$ no se satisface con $b = 2$ y $c = 6$. En vez de ello, utilice la distribución binomial para calcular la probabilidad de que, de 8 resultados igualmente probables, estos consistan en 6 elementos en una categoría y 2 en la otra categoría, o la probabilidad de que los resultados sean más extremos. Esto es, utilice un valor de 0.5 para calcular la probabilidad de que, en $n = 8$ ensayos, el número de éxitos x sea 6, 7 u 8. Duplique esa probabilidad para calcular el valor P para esta prueba. Compare el resultado con el valor P de 0.289, que se obtiene al utilizar la aproximación chi cuadrada, aun cuando se viole la condición de $b + c \geq 10$. ¿Qué concluye acerca de los dos tratamientos?

		Tratamiento con Pedacream	
		Curados	No curados
Tratamiento con Fungacream	Curados	12	2
	No curados	6	20

Repaso

Las tres secciones de este capítulo implican aplicaciones de la distribución χ^2 para datos categóricos que consisten en conteos de frecuencias. En la sección 11-2 describimos métodos para usar conteos de frecuencias de diferentes categorías con la finalidad de someter a prueba la bondad de ajuste con alguna distribución establecida. El siguiente estadístico de prueba se utiliza en una prueba de cola derecha en la que la distribución χ^2 tiene $k - 1$ grados de libertad, donde k es el número de categorías. Esta prueba requiere que cada una de las frecuencias esperadas sea al menos de 5.

$$\text{El estadístico de prueba es } \chi^2 = \sum \frac{(O - E)^2}{E}$$

En la sección 11-3 describimos métodos para someter a prueba afirmaciones que implican tablas de contingencia (o tablas de frecuencias de dos factores), que tienen al menos dos renglones y dos columnas. Las tablas de contingencia incorporan dos variables: una de ellas se utiliza para determinar el renglón que describe un valor muestral, y la segunda variable se utiliza para determinar la columna que describe un valor muestral. Realizamos una prueba de independencia entre las variables de renglón y de columna por medio del estadístico de prueba que se presenta a continuación. Este estadístico de prueba se utiliza en una prueba de cola derecha en la que la distribución χ^2 tiene un número de grados de libertad determinado por $(r - 1)(c - 1)$, donde r es el número de renglones y c es el número de columnas. Esta prueba requiere que cada una de las frecuencias esperadas sea al menos de 5.

$$\text{El estadístico de prueba es } \chi^2 = \sum \frac{(O - E)^2}{E}$$

En la sección 11-4 se estudió la prueba de McNemar para someter a prueba la hipótesis nula de que una muestra de datos pareados proviene de una población en la que los pares discordantes (diferentes) ocurren en la misma proporción. A continuación se presenta el estadístico de prueba. Las frecuencias de b y c deben provenir de pares "discordantes". El estadístico de prueba se utiliza en una prueba de cola derecha, en la que la distribución χ^2 tiene 1 grado de libertad.

$$\text{El estadístico de prueba es } \chi^2 = \frac{(|b - c| - 1)^2}{b + c}$$

Conocimientos estadísticos y pensamiento crítico

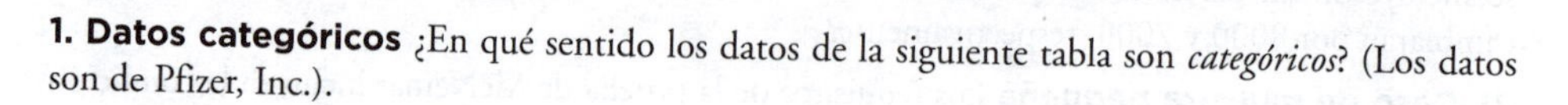

1. Datos categóricos ¿En qué sentido los datos de la siguiente tabla son *categóricos*? (Los datos son de Pfizer, Inc.).

	Celebrex	Ibuprofen	Placebo
Náuseas	145	23	78
Sin náuseas	4001	322	1786

2. Terminología Remítase a la tabla del ejercicio 1. ¿Por qué se le denomina tabla *de dos factores*?

3. Causa/efecto Remítase a la tabla del ejercicio 1. Después de analizar los datos en este tipo de tabla, ¿podríamos concluir que el tratamiento con Celebrex y/o Ibuprofeno *causa* náuseas? ¿Por qué?

4. Frecuencias observadas y esperadas Remítase a la tabla del ejercicio 1. La celda con la frecuencia observada de 145 tiene una frecuencia esperada de 160.490. Describa qué representa esa frecuencia esperada.

Examen rápido del capítulo

Las preguntas 1 a 4 se refieren a los datos muestrales de la siguiente tabla (según datos del programa STOP-DWI del condado Dutchess). En la tabla se resumen los resultados de accidentes automovilísticos fatales elegidos al azar, en los que el conductor tenía un nivel de alcohol en la sangre mayor que 0.10.

Día	Dom.	Lun.	Mar.	Miér.	Jue.	Vier.	Sáb.
Número	40	24	25	28	29	32	38

1. ¿Cuáles son las hipótesis nula y alternativa correspondientes a una prueba de la afirmación de que los accidentes fatales relacionados con la conducción en estado de ebriedad ocurren con la misma frecuencia los diferentes días de la semana?

2. Al someter a prueba la afirmación de la pregunta 1, ¿cuáles son las frecuencias observadas y esperadas para el domingo?

3. Si se utiliza un nivel de significancia de 0.05 para someter a prueba la afirmación de que las proporciones de muertes relacionadas con la conducción en estado de ebriedad son las mismas para los diferentes días de la semana, ¿cuál es el valor crítico?

4. Considerando que el valor P para la prueba de hipótesis es 0.2840, ¿qué concluye?

5. Al someter a prueba la hipótesis nula de independencia entre las variables de renglón y de columna en una tabla de contingencia, ¿la prueba es de dos colas, de cola izquierda o de cola derecha?

6. ¿Qué distribución se utiliza para someter a prueba la hipótesis nula de que las variables de renglón y de columna en una tabla de contingencia son independientes? (normal, t, F, chi cuadrada, uniforme).

Las preguntas 7 a 10 se refieren a los datos muestrales de la siguiente tabla (según datos de una encuesta Gallup). En la tabla se resumen los resultados de una encuesta realizada entre empleados y jefes de alto nivel, a quienes se les preguntó si revisar el correo electrónico de los empleados era un problema ético grave.

	Sí	No
Empleados	192	244
Jefes	40	81

7. Si se utilizan los datos muestrales para una prueba de hipótesis, ¿cuáles serían las hipótesis nula y alternativa adecuadas?

8. Calcule el valor crítico, si se somete a prueba la hipótesis nula con un nivel de significancia de 0.05.

9. Considerando que el valor P para la prueba de hipótesis es 0.0302, ¿qué concluye si utiliza un nivel de significancia de 0.05?

10. Considerando que el valor P para la prueba de hipótesis es 0.0302, ¿qué concluye si utiliza un nivel de significancia de 0.01?

Ejercicios de repaso

1. Prueba de reacciones adversas La siguiente tabla resume los resultados de un ensayo clínico (según datos de Pfizer, Inc.). Utilice un nivel de significancia de 0.05 para someter a prueba la afirmación de que la sensación de náuseas es independiente de que el sujeto haya sido tratado con Celebrex, Ibuprofeno o con un placebo. ¿Parece que la reacción adversa de las náuseas es aproximadamente la misma para los diferentes tratamientos?

	Celebrex	Ibuprofen	Placebo
Náuseas	145	23	78
Sin náuseas	4001	322	1786

2. Muertes por relámpagos A continuación se presentan los números de muertes por relámpagos durante los distintos días de la semana. Las muertes se registraron en un periodo reciente de 35 años (según datos de la National Oceanic and Atmospheric Administration). Utilice un nivel de significancia de 0.01 para someter a prueba la afirmación de que las muertes por relámpagos ocurren con la misma frecuencia en los diferentes días de la semana. ¿Podría dar una explicación para el resultado?

Día	Dom.	Lun.	Mar.	Miér.	Jue.	Vier.	Sáb.
Número de muertes	574	445	429	473	428	422	467

3. Participación en ensayos clínicos por raza Se realizó un estudio para investigar la diversidad racial de los participantes en ensayos clínicos relacionados con el cáncer. Entre los participantes elegidos al azar, había 644 caucásicos, 23 hispanos, 69 afroestadounidenses, 14 asiáticos/isleños del Pacífico y 2 indígenas estadounidenses/nativos de Alaska. Las proporciones de dichos grupos en la población estadounidense son 0.757, 0.091, 0.108, 0.038 y 0.007, respectivamente. (De acuerdo con datos de "Participation in Clinical Trials", de Murthy, Krumholz y Gross, *Journal of the American Medical Association*, vol. 291, núm. 22). Utilice un nivel de significancia de 0.05 para someter a prueba la afirmación de que los participantes se ajustan bien a la distribución de la población estadounidense. ¿Por qué es importante que haya una representación proporcional en este tipo de ensayos clínicos?

4. Eficacia de tratamiento Un ensayo clínico tuvo por objetivo determinar la eficacia del bupropión hidrocloruro para las personas que desean dejar de fumar. En la siguiente tabla se presentan los resultados de abstinencia del tabaquismo 52 semanas después del tratamiento (según datos de "A Double-Blind, Placebo-Controlled, Randomized Trial of Bupropion for Smoking Cessation in Primary Care", de Fossatti, *et al.*, *Archives of Internal Medicine*, vol. 167, núm. 16). Utilice un nivel de significancia de 0.05 para someter a prueba la afirmación de que el hecho de que un sujeto fume es independiente de si fue tratado con bupropión hidrocloruro o un placebo. ¿Parece que el tratamiento con bupropión hidrocloruro es mejor que un placebo? ¿El tratamiento con bupropión hidrocloruro es sumamente eficaz?

	Bupropión hidrocloruro	Placebo
Fuma	299	167
No fuma	101	26

5. Prueba de McNemar En un estudio sobre el aparato respiratorio de los niños se entrevistó a los padres y a sus hijos. A uno y otros se les preguntó si los niños tosían temprano por la mañana, y los resultados se muestran en la siguiente tabla (según datos de "Cigarette Smoking and Children's Respiratory Symptoms: Validity of Questionnaire Method", de Bland, *et al.*, *Revue d'Épidémiologie et Santé Publique*, vol. 27). Utilice un nivel de significancia de 0.05 para someter a prueba la afirmación de que las siguientes proporciones son iguales: 1. La proporción de casos en que el niño dice que no tose, mientras que el padre dice que sí tose; 2. La proporción de casos en que el niño dice que tose, mientras que el padre indica que no tose. ¿Qué indican los resultados?

		Respuesta del niño	
		Tose	No tose
Respuesta del padre	Tose	29	104
	No tose	172	5097

Ejercicios de repaso acumulativo

1. Limpieza La American Society for Microbiology y la Soap and Detergent Association publicaron resultados de encuesta que indican que, de 3065 hombres observados en sanitarios públicos, 2023 se lavaron las manos, y de 3011 mujeres observadas, 2650 se lavaron las manos (según datos de *USA Today*).

a) ¿La investigación es un experimento o un estudio observacional?

b) ¿Los números indicados son discretos o continuos?

c) ¿Los números indicados son estadísticos o parámetros?

d) ¿Algún aspecto del estudio podría ocasionar que los resultados fueran dudosos?

2. Limpieza Remítase a los resultados del ejercicio 1 y utilice un nivel de significancia de 0.05 para someter a prueba la afirmación de que la proporción de hombres que se lavan las manos es igual a la proporción de mujeres que se lavan las manos. ¿Hay una diferencia significativa?

3. Limpieza Remítase a los resultados del ejercicio 1. Construya una tabla de frecuencias de dos factores y utilice un nivel de significancia de 0.05 para someter a prueba la afirmación de que la conducta de lavarse las manos es independiente del género.

4. Puntuaciones de golf A continuación se presentan las puntuaciones de golf, en la primera y cuarta rondas, de golfistas seleccionados al azar que participaron en un campeonato de la Professional Golf Association (según datos del *New York Times*). Calcule la media, la mediana, el rango y la desviación estándar de las puntuaciones de la primera ronda, y luego calcule los mismos estadísticos para las puntuaciones de la cuarta ronda. Compare los resultados.

Primera ronda	71	68	75	72	74	67
Cuarta ronda	69	69	69	72	70	73

5. Puntuaciones de golf Remítase a los datos muestrales del ejercicio 4. Utilice un nivel de significancia de 0.05 para someter a prueba una correlación lineal entre las puntuaciones de la primera ronda y las puntuaciones de la cuarta ronda.

6. Puntuaciones de golf Utilice solo las primeras puntuaciones de la ronda de golf del ejercicio 4 y construya un intervalo de confianza del 95% para la puntuación media de la primera ronda de golf para todos los golfistas. Interprete el resultado.

7. Conducta inteligente de aspirantes a empleo En una encuesta de Accountemps con 150 altos ejecutivos elegidos al azar, el 88% dijo que el envío de una nota de agradecimiento después de una entrevista de trabajo incrementa las probabilidades de que el aspirante sea contratado (según datos de *USA Today*). Construya un intervalo de confianza del 95% para el porcentaje de todos los altos ejecutivos que creen en la utilidad de una nota de agradecimiento. ¿Qué consejo práctico se puede dar a partir de estos resultados?

8. Prueba de una afirmación Remítase a los resultados muestrales del ejercicio 7 y utilice un nivel de significancia de 0.01 para someter a prueba la afirmación de que más del 75% de los altos ejecutivos creen que el envío de una nota de agradecimiento después de una entrevista de trabajo incrementa las probabilidades de que el aspirante sea contratado.

9. Ergonomía Cuando se diseña la cabina de pilotos de una aeronave de un solo motor, los ingenieros deben tomar en cuenta la longitud del muslo de los hombres. Dicha longitud se distribuye normalmente con una media de 42.6 cm y una desviación estándar de 2.9 cm (de acuerdo con el conjunto de datos 1 del apéndice B).

a) Si se selecciona a un hombre al azar, calcule la probabilidad de que la longitud de su muslo sea mayor que 45 cm.

b) Si se seleccionan 16 hombres al azar, calcule la probabilidad de que la longitud media de sus muslos sea mayor que 45 cm.

c) Al diseñar la cabina de pilotos de la aeronave, ¿qué resultado es más significativo: el resultado del inciso *a)* o el del inciso *b)*? ¿Por qué?

10. Mujeres altas La probabilidad de elegir al azar a una mujer que mida más de 5 pies de altura es de 0.925 (según datos de la National Health and Nutrition Examination Survey). Calcule la probabilidad de elegir a cinco mujeres al azar y encontrar que todas miden más de 5 pies de estatura. ¿Sería inusual seleccionar al azar a cinco mujeres y encontrar que todas miden más de 5 pies de estatura? ¿Por qué?

Proyecto tecnológico

Utilice STATDISK, Minitab, Excel, la calculadora TI-83/84 Plus o cualquier otro programa de cómputo o calculadora capaz de generar dígitos aleatorios igualmente probables entre 0 y 9, inclusive. Genere 5000 dígitos y registre los resultados en la tabla adjunta. Utilice un nivel de significancia de 0.05 para someter a prueba la afirmación de que los dígitos muestrales provienen de una población con una distribución uniforme (de manera que todos los dígitos son igualmente probables). ¿El generador de números aleatorios parece funcionar como debiera?

Dígito	0	1	2	3	4	5	6	7	8	9
Frecuencia										

PROYECTO DE INTERNET

Tablas de contingencia

Visite: **http:pearsonenespañol.com/triola**

AUna característica importante de las pruebas de independencia con tablas de contingencia es que los datos reunidos no requieren ser de naturaleza cuantitativa. Una tabla de contingencia resume observaciones por medio de las categorías o rótulos de los renglones y las columnas. Por consiguiente, características como el género, la raza y la filiación política se convierten en información que puede someterse a los procedimientos formales de prueba de hipótesis. En el proyecto de Internet para este capítulo usted encontrará vínculos en una variedad de datos demográficos. Con estos conjuntos de datos, realizará pruebas en áreas tan diversas como la académica, la política y la industria del entretenimiento. En cada prueba, obtendrá conclusiones relacionadas con la independencia de características interesantes.

PROYECTO APPLET

Abra el archivo de Applets que está en el sitio Web del libro y haga doble clic en **Start.** Seleccione **Random numbers.** de la barra del menú y genere al azar 100 números enteros entre 0 y 9 inclusive. Construya una distribución de frecuencias de los resultados, y luego utilice los métodos de este capítulo para someter a prueba la afirmación de que los números enteros entre 0 y 9 son igualmente probables.

DE LOS DATOS A LA DECISIÓN

Pensamiento crítico: ¿Se cumplió la ley de "mujeres y niños primero" durante el hundimiento del *Titanic*?

Uno de los desastres marinos más célebres ocurrió cuando el *Titanic* se hundió el lunes 15 de abril de 1912. La siguiente tabla resume el destino de los pasajeros y de la tripulación. Una regla común en el mar es que, cuando un barco sufre la amenaza de un hundimiento, las mujeres y los niños deben ser los primeros en ponerse a salvo.

Destino de los pasajeros y de la tripulación del *Titanic*

	Hombres	Mujeres	Niños	Niñas
Sobrevivieron	332	318	29	27
Murieron	1360	104	35	18

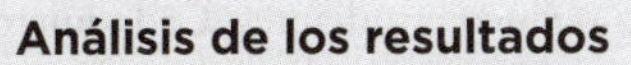

Análisis de los resultados

Si examinamos los datos, vemos que sobrevivieron el 19.6% de los hombres (332 de 1692), el 75.4% de las mujeres (318 de 422), el 45.3% de los niños (29 de 64) y el 60% de las niñas (27 de 45). Parece que hay diferencias; pero, ¿esas diferencias son realmente *significativas*?

Primero, construya una gráfica de barras que muestre el porcentaje de sobrevivientes en cada una de las cuatro categorías (hombres, mujeres, niños, niñas). ¿Qué sugiere la gráfica?

Después, trate a las 2223 personas a bordo del *Titanic* como una *muestra.* Podríamos adoptar la postura de que los datos del *Titanic* que se incluyen en la tabla anterior constituyen una *población* y, por lo tanto, no se aplican los métodos de la estadística inferencial. Sin embargo, establezcamos que los datos de la tabla son datos muestrales obtenidos al azar de la población de todas las personas que teóricamente se encontrarían en la misma situación. Siendo realistas, ninguna otra persona estará alguna vez en la misma situación, pero haremos esa suposición para este análisis y discusión. Entonces, podemos determinar si las diferencias observadas tienen una significancia estadística. Utilice una o más pruebas formales de hipótesis para investigar la afirmación de que, aunque algunos hombres sobrevivieron y algunas mujeres y niños murieron, la regla de poner a salvo a "las mujeres y los niños primero" se cumplió. Identifique la(s) prueba(s) de hipótesis utilizada(s) e interprete los resultados al analizar la afirmación de que, cuando el *Titanic* se hundió durante su primer viaje, se cumplió la regla de salvar a "las mujeres y los niños primero".

Actividades de trabajo en equipo

1. Actividad fuera de clase Formen grupos de cuatro o cinco estudiantes. Las instrucciones para los ejercicios 21 a 24 de la sección 11-2 indican que, según la ley de Benford, diversos conjuntos de datos diferentes incluyen números con primeros dígitos que siguen la distribución que se muestra en la siguiente tabla. Reúnan datos originales y utilicen los métodos de la sección 11-2 para sustentar o rechazar la afirmación de que los datos se ajustan razonablemente bien a la ley de Benford. Las siguientes son algunas posibilidades que deben considerarse: **1.** los montos de los cheques que ustedes emiten; **2.** los precios de las acciones; **3.** las poblaciones de los condados de Estados Unidos o de algún otro país; **4.** los números de direcciones; **5.** las longitudes de los ríos del mundo.

Primer dígito	1	2	3	4	5	6	7	8	9
Ley de Benford:	30.1%	17.6%	12.5%	9.7%	7.9%	6.7%	5.8%	5.1%	4.6%

2. Actividad fuera de clase Dividan la clase en grupos de cuatro o cinco estudiantes y reúnan resultados pasados de una lotería estatal. Este tipo de resultados suelen estar disponibles en los sitios Web de las loterías estatales específicas. Utilicen los métodos de la sección 11-2 para someter a prueba la afirmación de que los números se seleccionan de manera que todos los posibles resultados son igualmente probables.

3. Actividad fuera de clase Formen grupos de cuatro o cinco estudiantes. Cada miembro del grupo debe encuestar al menos a 15 estudiantes varones y a 15 estudiantes mujeres en la misma universidad, haciéndoles dos preguntas: **1.** ¿A cuál partido político favorece más el sujeto? **2.** Si el sujeto inventara la excusa de un neumático desinflado para explicar su inasistencia a un examen, ante la pregunta explícita del profesor, ¿cuál neumático diría que se desinfló? (Véase el ejercicio 8 en la sección 11-2). Pida al sujeto que escriba las dos respuestas en una tarjeta; también registre el género del sujeto y si el sujeto escribió con la mano derecha o con la izquierda. Utilice los métodos de este capítulo para analizar los datos reunidos. Incluya estas pruebas:

- Las cuatro respuestas posibles para un neumático desinflado se seleccionan con la misma frecuencia.
- El neumático identificado como desinflado es independiente del género del sujeto.
- La elección de un partido político es independiente del género del sujeto.
- La elección de un partido político es independiente de si el sujeto es diestro o zurdo.
- El neumático identificado como desinflado es independiente de si el sujeto es diestro o zurdo.
- El género es independiente de si el sujeto es diestro o zurdo.
- La elección de un partido político es independiente del neumático identificado como desinflado.

4. Actividad fuera de clase Formen grupos de cuatro o cinco estudiantes. Cada miembro del grupo debe seleccionar a 15 estudiantes y pedir primero a cada uno que elija "al azar" cuatro dígitos. Después de que los cuatro dígitos se hayan registrado, pidan a cada sujeto que escriba los últimos cuatro dígitos de su número del sistema de seguridad social. Tomen los resultados muestrales "aleatorios" y mézclenlos para formar una gran muestra; luego, mezclen los dígitos del número de seguridad social en una segunda gran muestra. Utilicen el conjunto de datos "aleatorios" para someter a prueba la afirmación de que los estudiantes seleccionan dígitos al azar. Luego, utilicen los dígitos del número de seguridad social para someter a prueba la afirmación de que provienen de una población de dígitos aleatorios. Comparen los resultados. ¿Parece que los estudiantes pueden seleccionar dígitos al azar? ¿Son proclives a seleccionar algunos dígitos con más frecuencia que otros? ¿Son proclives a seleccionar algunos dígitos con menor frecuencia que otros? ¿Parece que los últimos dígitos de los números de seguridad social fueron seleccionados al azar?

5. Actividad en clase Formen grupos de tres o cuatro estudiantes. A cada grupo se le debe entregar un dado junto con la instrucción de que debe someterlo a prueba para ver si es legal. ¿El dado es legal o está cargado? Describa el análisis y los resultados.

6. Actividad fuera de clase Formen grupos de dos o tres estudiantes. El análisis de los últimos dígitos de los datos en ocasiones puede revelar si los valores son el resultado de mediciones reales o si son estimaciones reportadas. Remítanse a un almanaque y encuentren las longitudes de los ríos del mundo; luego, analicen los últimos dígitos para determinar si estas longitudes parecen ser mediciones reales o el reporte de estimaciones. (En vez de longitudes de ríos, se podrían utilizar alturas de montañas, alturas de los edificios más altos, longitudes de puentes, etcétera).

NOMBRE: Jackie Macmullan

PUESTO: Editora asociada, columnista de deportes

COMPAÑÍA: *Boston Globe*

En una edición anterior de este libro se incluyó una entrevista con Bill James, un reconocido experto en béisbol, que se especializa en el análisis de los datos estadísticos de este deporte y en identificar las mejores estrategias de juego con base en resultados previos. Los Medias Rojas de Boston contrataron a Bill James como asesor y actualmente se le considera responsable de algunos de los cambios que condujeron a la primera victoria de los Medias Rojas en la Serie Mundial en 86 años. Jackie Macmullan es otra originaria de Boston que utiliza ampliamente la estadística en el mundo de los deportes. Es editora asociada y columnista de deportes del Boston Globe.

¿Cómo usa usted la estadística cuando escribe acerca de los deportes?

Los deportes están muy relacionados con la estadística, en especial el béisbol. Ayer escribí sobre las razones por las que C. C. Sabathia recibió el premio Cy Young en lugar de Josh Beckett, quien tenía más triunfos pero perdió contra Sabathia debido a "números más profundos", es decir, a los estadísticos subyacentes. El aspecto más relevante en este caso fueron los inicios de calidad, un indicador bastante adecuado de la eficacia sobre el montículo (25 de Sabathia contra 20 de Beckett). En muchas de mis notas sobre deportes, y sobre el béisbol en particular, el uso de la estadística permite que los lectores comprendan con mayor profundidad el juego y a sus jugadores.

Por favor, describa un ejemplo específico de cómo usa la estadística.

Durante muchos años, mientras cubría las actividades de la NBA, en particular de los Celtics de Boston, tenía una carpeta llena de información sobre cada aspecto de los juegos. Después de cada partido, registraba todo: los puntos obtenidos por juego, los reemplazos, las asistencias y otros aspectos para cada jugador del equipo. También hacía un seguimiento del equipo contrario y de su actuación; por ejemplo, registraba a cualquier jugador que anotaba 10 puntos o más. Dividía toda la acción en cuartos, y señalaba el momento en que los Celtics daban la vuelta al marcador. Gracias a estos registros meticulosos, tenía toda la información sobre cada jugador y sus tendencias. También me basé en esa libreta para informar sobre una enorme cantidad de pequeños asuntos oscuros, lo cual conforma a un buen cronista de deportes.

¿El uso que usted hace de la probabilidad y de la estadística está aumentando, disminuyendo o se mantiene estable?

En la actualidad todos hacen un uso muy sofisticado de la estadística. Cada equipo universitario y profesional tiene su propio equipo estadístico, el cual registra todos los datos mientras juegan. Todos los equipos de todos los deportes cuentan con su propio sistema de exploración que calcula cada estadístico. He aquí un ejemplo. Una compañía contratada por los toros de Chicago registraba todo lo que hacía Michael Jordan para determinar, por ejemplo, que "cuando Jordan tiene la pelota en la zona izquierda, tira el 36% de las veces, cuando la tiene en la zona derecha, tira el 31% de las veces", de manera que se sabía de dónde prefería tirar y su tasa de éxito en cada lugar. Los datos nos indican que a los jugadores les gusta hacer más ciertas cosas, pero que no necesariamente son más exitosos en ellas. Esto realmente influye en otros equipos y estrategias, ya que saben todo lo que hacen esos jugadores y qué tan buenos son en ello.

¿Qué tan importantes son los conocimientos de estadística para realizar su trabajo?

El uso de la estadística realmente mejora mi labor periodística: la gente no acostumbra llevar sus propias estadísticas pero, si uno quiere hacerlo, es un trabajo que requiere tiempo, esfuerzo y concentración, y los datos se vuelven muy valiosos. Reunir datos como estos brinda información que uno no necesariamente conocía o buscaba. Por ejemplo, gracias a mi carpeta de la NBA, a menudo descubría que casi al final de la temporada había registrado tendencias de un jugador a quien no había observado con especial atención o a quien ni siquiera sabía que estaba registrando.

En términos de la estadística, ¿qué recomendaría usted a los futuros empleados?

Un curso introductorio sería adecuado. En mi trabajo realmente debo saber manejar números de manera eficiente. Algunas de las mejores notas las escriben periodistas que hacen estas observaciones estadísticas únicas.

12 Análisis de varianza

PROBLEMA DEL CAPÍTULO

¿Los maniquíes que se utilizan en pruebas de choque de autos nos indican que los vehículos más grandes son más seguros?

La seguridad de los automóviles se determina por medio de diversas pruebas. Una de ellas consiste en hacer chocar automóviles contra una barrera fija a 35 mi/h, con un maniquí colocado en el asiento del conductor. Aunque pareciera que esos automóviles van conducidos por humanos, en realidad se trata de maniquíes diseñados para registrar el daño resultante del choque frontal. En la tabla 12-1 se presentan mediciones de desaceleración del pecho (en g, donde g significa fuerza de gravedad). Los valores más grandes indican mayores cantidades de desaceleración, las cuales suelen provocar lesiones graves en los conductores.

Los datos de la tabla 12-1 fueron los más recientes que se obtuvieron cuando se escribió este libro. Los automóviles compactos incluyen los siguientes: Honda Civic, Ford Focus, Chevrolet Aveo, Volkswagen Jetta, Toyota Corolla, Kia Spectra, Saturn Ion, Mazda 3, Subaru Imprezza y Suzuki Forenza. Los automóviles medianos son Honda Accord, Volkswagen Passat, Pontiac Grand Prix, Toyota Camry, Volvo S40, Nissan Altima, Chevrolet Malibu, Ford Fusion, Saturn Aura y Chrysler Sebring. Los automóviles grandes son Toyota Avalon, Dodge Charger, Ford Five Hundred, Hyundai Azera, Chrysler 300, Buick Lucerne, Mercury Grand Marquis, Cadillac STS, Lincoln MKZ y Saab 9-5.

Se muestran las gráficas de caja generadas por STATDISK para los automóviles compactos (gráfica de caja superior), automóviles medianos (gráfica de caja intermedia) y automóviles grandes (gráfica de caja inferior). Debido a su posición relativa, las gráficas de caja sugieren que los automóviles más grandes son más seguros porque tienen mediciones menores de desaceleración del pecho. Sin embargo, ¿las diferencias observadas son *significativas*?

En la tabla 12-1 se observa que los automóviles compactos tienen la medición media de desaceleración del pecho más alta (44.7 g), y que los automóviles grandes tienen la medición media de desaceleración del pecho más baja (39.0 g). Los valores de las medias muestrales sugieren que los automóviles más grandes son más seguros que los automóviles compactos. Sin embargo, ¿dichas diferencias numéricas son *significativas*?

En este caso queremos comparar las medias de las tres muestras independientes. En el presente capítulo se describe un método común para comparar tres o más medias muestrales; determinaremos si las diferencias entre las medias de los datos incluidos en la tabla 12-1 son significativas. Luego, determinaremos si los automóviles más grandes son más seguros en el sentido de que tienen las mediciones de desaceleración del pecho más bajas.

Tabla 12-1 Mediciones de desaceleración del pecho (en g) en pruebas de choque de automóviles

Automóviles compactos	44	43	44	54	38	43	42	45	44	50	: $\bar{x} = 44.7$ g
Automóviles medianos	41	49	43	41	47	42	37	43	44	34	: $\bar{x} = 42.1$ g
Automóviles grandes	32	37	38	45	37	33	38	45	43	42	: $\bar{x} = 39.0$ g

STATDISK

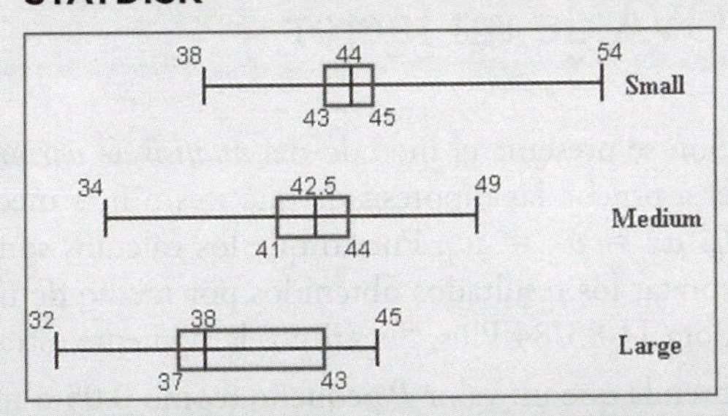

12-1 Repaso y preámbulo

En la sección 9-3 presentamos métodos para comparar las medias de dos muestras independientes. En este capítulo aprenderemos a someter a prueba la igualdad de tres o más medias poblacionales utilizando el método del análisis de varianza de un factor. El término *un factor* se utiliza porque los datos muestrales se separan en grupos de acuerdo con *una* característica. En vez de referirnos al objetivo principal de someter a prueba la igualdad de medias, el término *análisis de varianza* se refiere al *método* que empleamos, el cual está basado en un análisis de varianzas muestrales.

También aprenderemos a comparar poblaciones separadas en categorías considerando *dos* características (o factores), como el género y el color de los ojos. Como los datos muestrales se clasifican de acuerdo con dos factores diferentes, el método se denomina análisis de varianza de *dos factores*.

Distribución *F*

Los métodos del análisis de varianza (ANOVA) de este capítulo requieren de la distribución *F* que se presentó por primera vez en la sección 9-5; como se recordará, la distribución *F* tiene las siguientes propiedades (véase la figura 12-1):

1. La distribución *F* no es simétrica.
2. Los valores de *F* no pueden ser negativos.
3. La forma exacta de la distribución *F* depende de los dos grados de libertad.

Los valores críticos de *F* se localizan en la tabla A-5.

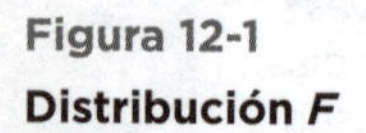

Figura 12-1
Distribución *F*

Existe una distribución *F* distinta para cada par diferente de grados de libertad del numerador y el denominador.

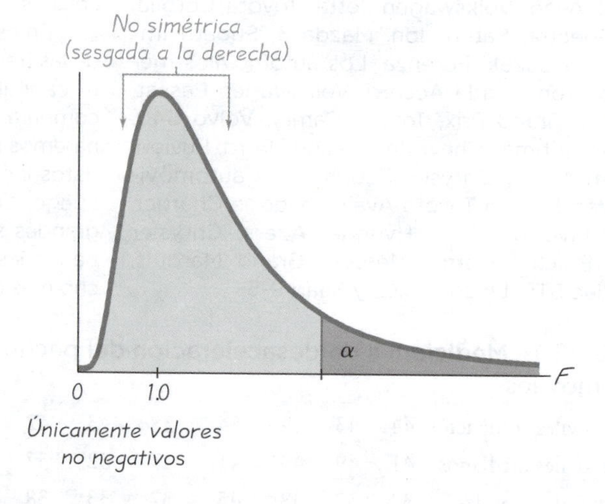

12-2 ANOVA de un factor

En esta sección se presenta el método del *análisis de varianza de un factor*, que se utiliza para someter a prueba las hipótesis de que tres o más medias poblacionales son iguales, como en H_0: $\mu_1 = \mu_2 = \mu_3$. Puesto que los cálculos son muy complicados, recomendamos interpretar los resultados obtenidos por medio de un programa de cómputo o de una calculadora TI-83/84 Plus. Sugerimos la siguiente estrategia de estudio:

1. Comprenda que un valor *P* pequeño (como 0.05 o menos) conduce al rechazo de la hipótesis nula de igualdad de medias. ("Si *P* es un valor bajo, la hipótesis nula se rechaza"). Con un valor *P* grande (como uno mayor que 0.05), no rechace la hipótesis nula de igualdad de medias.

2. Trate de comprender el fundamento subyacente al estudiar los ejemplos de esta sección.

Parte 1: Fundamentos del análisis de varianza de un factor

Para someter a prueba la igualdad de tres o más medias poblacionales, utilice el método del análisis de varianza de un factor.

DEFINICIÓN

El **análisis de varianza (ANOVA)** es un método de prueba de igualdad de tres o más medias poblacionales, por medio del análisis de las varianzas muestrales. El análisis de varianza de un factor se utiliza con datos clasificados con base en *un* **tratamiento** (o **factor**), que es una característica que nos permite distinguir entre sí a las distintas poblaciones.

Se utiliza el término *tratamiento* porque las primeras aplicaciones del análisis de varianza implicaron experimentos de agricultura en los que distintas porciones de tierra se trataban con diferentes fertilizantes, tipos de semillas, insecticidas, etcétera. En la tabla 12-1 se utiliza el "tratamiento" (o factor) del tamaño de un automóvil, el cual tiene tres categorías diferentes: compacto, mediano y grande.

Aplicación del análisis de varianza de un factor para someter a prueba la igualdad de tres o más medias poblacionales

Objetivo

Someter a prueba la afirmación de que tres o más poblaciones tienen la misma media.

Requisitos

1. Las poblaciones tienen distribuciones que son aproximadamente normales. (Este requisito no es demasiado estricto, ya que el método funciona bien a menos que la población tenga una distribución muy diferente de la normal. Si una población tiene una distribución muy diferente de la normal, utilice la prueba de Kruskal-Wallis, descrita en la sección 13-5).
2. Las poblaciones tienen la misma varianza σ^2 (o desviación estándar σ). [Este requisito no es demasiado estricto, ya que el método funciona bien a menos que las varianzas poblacionales difieran por grandes cantidades. El especialista en estadística George E. P. Box demostró que, siempre y cuando los tamaños de muestra sean iguales (o casi iguales), las varianzas pueden diferir de tal forma que la más grande sea hasta nueve veces el tamaño de la más pequeña, y los resultados del ANOVA continúan siendo confiables en esencia).
3. Las muestras son aleatorias simples de datos cuantitativos.
4. Las muestras son independientes entre sí (es decir, no están pareadas o asociadas de ninguna forma).
5. Las diferentes muestras provienen de poblaciones que están categorizadas de una sola forma.

Procedimiento de prueba de H_0: $\mu_1 = \mu_2 = \mu_3 = \ldots$

1. Utilice STATDISK, Minitab, Excel o una calculadora TI-83/84 Plus para obtener los resultados.
2. Identifique el valor P en los resultados.
3. Plantee una conclusión con base en estos criterios:
   - Si el valor $P \leq \alpha$, rechace la hipótesis nula de medias iguales y concluya que al menos una de las medias poblacionales es diferente de las otras.
   - Si el valor $P > \alpha$, no rechace la hipótesis nula de medias iguales.

EJEMPLO 1

Mediciones de pruebas de choque de automóviles Utilice las mediciones de desaceleración del pecho incluidas en la tabla 12-1 y un nivel de significancia de $\alpha = 0.05$ para someter a prueba la afirmación de que las tres muestras provienen de poblaciones con medias iguales.

SOLUCIÓN

VERIFICACIÓN DE REQUISITOS 1. Con base en las tres muestras incluidas en la tabla 12-1, parece que las tres poblaciones tienen distribuciones aproximadamente normales, como indican las gráficas cuantilares normales. **2.** Las tres muestras de la tabla 12-1 tienen desviaciones estándar de 4.4, 4.4 y 4.6 g, de manera que parece que las varianzas de las tres poblaciones son aproximadamente iguales. **3.** Se trata de muestras aleatorias simples de automóviles seleccionadas por el autor. **4.** Las muestras son independientes entre sí; los automóviles no están asociados de manera alguna. **5.** Las tres muestras provienen de poblaciones clasificadas de acuerdo con el factor del tamaño (compacto, mediano, grande). Los requisitos se satisfacen.

Las hipótesis nula y alternativa son las siguientes:

H_0: $\mu_1 = \mu_2 = \mu_3.$

H_1: Al menos una de las medias es diferente de las otras.

El nivel de significancia es $\alpha = 0.05$.

Paso 1: Utilice algún recurso tecnológico para obtener los resultados del ANOVA, como alguno de los que se muestran en este ejemplo.

STATDISK

Source:	DF:	SS:	MS:	Test Stat, F:	Critical F:	P-Value:
Treatment:	2	162.866667	81.433333	4.094413	3.354128	0.027986
Error:	27	537.00	19.888889			
Total:	29	699.866667				

Reject the Null Hypothesis
Reject equality of means

MINITAB

One-way ANOVA: Small, Medium, Large

Source	DF	SS	MS	F	P
Factor	2	162.9	81.4	4.09	0.028
Error	27	537.0	19.9		
Total	29	699.9			

S = 4.460 R-Sq = 23.27% R-Sq(adj) = 17.59%

EXCEL

ANOVA

Source of Variation	SS	df	MS	F	P-value	F crit
Between Groups	162.8667	2	81.43333	4.094413	0.027986	3.354131
Within Groups	537	27	19.88889			
Total	699.8667	29				

TI-83/84 PLUS

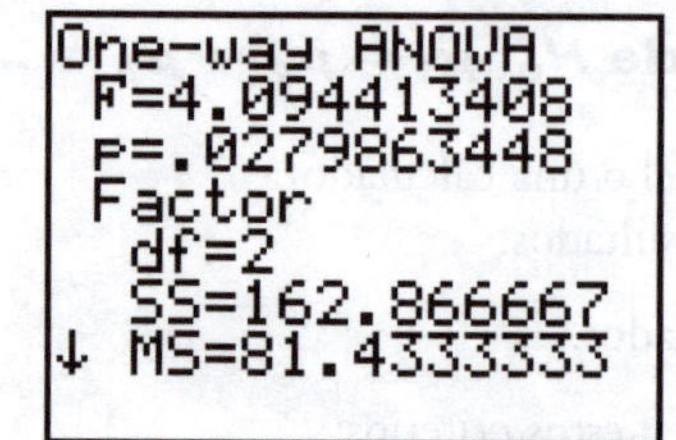

One-way ANOVA
↑ MS=81.4333333
Error
df=27
SS=537
MS=19.8888889
Sxp=4.45969605

Paso 2: Todas las pantallas de resultados indican que el valor P es 0.028, redondeado.

Paso 3: Puesto que el valor P de 0.028 es menor que el nivel de significancia de $\alpha = 0.05$, rechazamos la hipótesis nula de igualdad de medias.

INTERPRETACIÓN

Existe evidencia suficiente para justificar el rechazo de la afirmación de que las tres muestras provienen de poblaciones con medias iguales. Con base en las mediciones muestrales incluidas en la tabla 12-1, concluimos que esos valores provienen de poblaciones con medias que no son iguales. Con base en esta prueba de ANOVA, no podemos concluir que cualquier media en particular sea diferente de las demás, pero podemos señalar de manera informal que la media muestral de los automóviles grandes es más pequeña. Como las mediciones pequeñas corresponden a un traumatismo menor experimentado por los maniquíes para pruebas de choque, parece que los automóviles más grandes son más seguros, aunque tal conclusión no está justificada formalmente por esta prueba de ANOVA.

El medio de la encuesta puede afectar los resultados

En una encuesta realizada en Boston, se preguntó a individuos católicos si los anticonceptivos debían ponerse a la disposición de las mujeres solteras. En entrevistas personales, el 44% de los participantes respondieron afirmativamente; sin embargo, en un grupo similar al que se encuestó por correo o por teléfono, el 75% respondió de manera afirmativa a la misma pregunta.

ADVERTENCIA

Cuando concluimos que existe suficiente evidencia para rechazar la afirmación de medias poblacionales iguales, no podemos concluir a partir del ANOVA que cualquier media en particular es distinta de las demás. (Existen otras pruebas que pueden utilizarse para identificar las medias específicas que son diferentes, y algunas de ellas se analizan en la parte 2 de esta sección).

¿Qué relación hay entre el valor P y el estadístico de prueba? Los valores *más grandes* del estadístico de prueba dan como resultado valores P *más pequeños*, de manera que la prueba ANOVA es de cola derecha. La figura 12-2 indica la relación entre el estadístico de prueba F y el valor P. Suponiendo que las poblaciones tienen la misma varianza σ^2 (que es un requisito para la prueba), el estadístico de prueba F es la razón o el cociente de las siguientes dos estimaciones de σ^2: **1.** la variación *entre* muestras (con base en la variación entre medias muestrales), y **2.** variación *dentro* de muestras (con base en las varianzas muestrales).

Estadístico de prueba del ANOVA de un factor: $F = \dfrac{\text{varianza entre las muestras}}{\text{varianza dentro de las muestras}}$

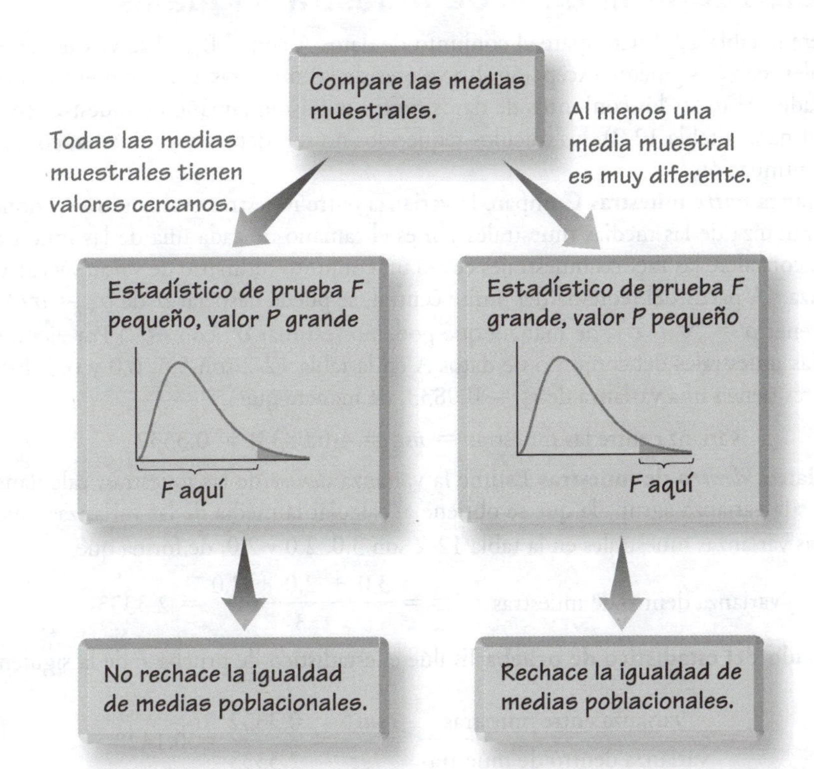

Figura 12-2
Relación entre el estadístico de prueba F y el valor P

El numerador del estadístico de prueba F mide la variación entre medias muestrales. La estimación de la varianza en el denominador depende únicamente de las varianzas muestrales y no se ve afectada por las diferencias entre las medias muestrales. Como consecuencia, las medias muestrales que tienen valores cercanos dan como resultado un estadístico de prueba F pequeño y un valor P grande, así que concluimos que no existen diferencias significativas entre las medias muestrales. Las medias muestrales que tienen valores muy diferentes dan como resultado un estadístico de prueba F grande y un valor P pequeño, por lo que rechazamos la afirmación de medias iguales.

¿Por qué no simplemente se someten a prueba dos muestras al mismo tiempo? Si queremos someter a prueba la igualdad entre tres o más medias poblacionales, ¿por qué necesitamos un nuevo procedimiento si podemos someter a prueba la igualdad de dos medias utilizando los métodos presentados en la sección 9-3? Por ejemplo, si deseamos utilizar los datos muestrales de la tabla 12-1 para someter a prueba la afirmación de que las tres poblaciones tienen la misma media, ¿por qué no simplemente tomamos dos a la vez y sometemos a prueba H_0: $\mu_1 = \mu_2$, luego H_0: $\mu_2 = \mu_3$, y finalmente H_0: $\mu_1 = \mu_3$? Con los datos de la tabla 12-1, el método para someter a prueba la igualdad de dos medias a la vez requiere de tres diferentes pruebas de hipótesis. Si utilizamos un nivel de significancia de 0.05 para cada una de las tres pruebas de hipótesis, el nivel de confianza general podría ser tan bajo como 0.95^3 (o 0.857). En general, conforme incrementamos el número de pruebas de significancia individuales, aumentamos el riesgo de obtener una diferencia únicamente por azar (en vez de una diferencia real en las medias). El riesgo de un error tipo I (es decir, de encontrar una diferencia en uno de los pares cuando en realidad no existe tal diferencia) es demasiado alto. El método del análisis de varianza nos ayuda a evitar este problema en particular (rechazar una hipótesis nula verdadera) utilizando *una prueba* de igualdad de varias medias, en lugar de varias pruebas donde se comparan dos medias a la vez.

ADVERTENCIA

Cuando realice pruebas de la igualdad de tres o más poblaciones, utilice el análisis de varianza. *No* utilice múltiples pruebas de hipótesis con dos muestras a la vez.

Parte 2: Cálculos e identificación de medias que son diferentes

Cálculos con tamaños de muestra *n* iguales

Considere la tabla 12-2. Compare el conjunto de datos A con el B y observe que ambos son iguales, con la siguiente excepción: los valores de las muestras 1 difieren entre sí por 10 unidades. Si todos los conjuntos de datos tienen el mismo tamaño de muestra (como en $n = 4$ para la tabla 12-2), los cálculos requeridos no son demasiado difíciles, como se verá a continuación.

Varianza *entre* muestras Compare la varianza entre muestras evaluando $ns_{\bar{x}}^2$, donde $s_{\bar{x}}^2$ es la varianza de las medias muestrales y n es el tamaño de cada una de las muestras. Es decir, considere las medias muestrales como un conjunto ordinario de valores y calcule la varianza. (A partir del teorema del límite central, se puede despejar σ de $\sigma_{\bar{x}} = \sigma/\sqrt{n}$ para obtener $\sigma = \sqrt{n} \cdot \sigma_{\bar{x}}$, de manera que podemos estimar σ^2 con $ns_{\bar{x}}^2$.) Por ejemplo, las medias muestrales del conjunto de datos A en la tabla 12-2 son 5.5, 6.0 y 6.0. Estos tres valores tienen una varianza de $s_{\bar{x}}^2 = 0.0833$, de manera que

$$\text{varianza entre las muestras} = ns_{\bar{x}}^2 = 4(0.0833) = 0.3332$$

Varianza *dentro* de muestras Estime la varianza *dentro* de las muestras, calculando s_p^2, que es la varianza agrupada que se obtiene al calcular la media de las varianzas muestrales. Las varianzas muestrales en la tabla 12-2 son 3.0, 2.0 y 2.0, de forma que

$$\text{varianza dentro de muestras} = s_p^2 = \frac{3.0 + 2.0 + 2.0}{3} = 2.3333$$

Cálculo del estadístico de prueba Evalúe el estadístico de prueba F de la siguiente manera:

$$F = \frac{\text{varianza entre muestras}}{\text{varianza dentro de muestras}} = \frac{ns_{\bar{x}}^2}{s_p^2} = \frac{0.3332}{2.3333} = 0.1428$$

Tabla 12-2 Efecto de una media sobre el estadístico de prueba *F*

A — añadir 10 → B

	Muestra 1	Muestra 2	Muestra 3	Muestra 1	Muestra 2	Muestra 3
	7	6	4	**17**	6	4
	3	5	7	**13**	5	7
	6	5	6	**16**	5	6
	6	8	7	**16**	8	7
	$n_1 = 4$	$n_2 = 4$	$n_3 = 4$	$n_1 = 4$	$n_2 = 4$	$n_3 = 4$
	$\bar{x}_1 = 5.5$	$\bar{x}_2 = 6.0$	$\bar{x}_3 = 6.0$	$\bar{x}_1 = \mathbf{15.5}$	$\bar{x}_2 = 6.0$	$\bar{x}_3 = 6.0$
	$s_1^2 = 3.0$	$s_2^2 = 2.0$	$s_3^2 = 2.0$	$s_1^2 = 3.0$	$s_2^2 = 2.0$	$s_3^2 = 2.0$
Varianza entre muestras	$ns_{\bar{x}}^2 = 4(0.0833) = 0.3332$			$ns_{\bar{x}}^2 = 4(30.0833) = 120.3332$		
Varianza dentro de muestras	$s_p^2 = \dfrac{3.0 + 2.0 + 2.0}{3} = 2.3333$			$s_p^2 = \dfrac{3.0 + 2.0 + 2.0}{3} = 2.3333$		
Estadístico de prueba *F*	$F = \dfrac{ns_{\bar{x}}^2}{s_p^2} = \dfrac{0.3332}{2.3333} = \mathbf{0.1428}$			$F = \dfrac{ns_{\bar{x}}^2}{s_p^2} = \dfrac{120.3332}{2.3333} = \mathbf{51.5721}$		
Valor *P* (obtenido con Excel)	Valor $P = 0.8688$			Valor $P = 0.0000118$		

El valor crítico de *F* se calcula suponiendo una prueba de cola derecha, ya que los valores grandes de *F* corresponden a diferencias significativas entre medias. Con *k* muestras, cada una con *n* valores, el número de grados de libertad se obtiene como sigue.

Grados de libertad:(k = número de muestras y n = tamaño de muestra)

$$\text{grados de libertad del numerador} = k - 1$$

$$\text{grados de libertad del denominador} = k(n - 1)$$

Para el conjunto de datos A de la tabla 12-2, $k = 3$ y $n = 4$, de manera que los grados de libertad son 2 para el numerador y $3(4 - 1) = 9$ para el denominador. Con $\alpha = 0.05$, 2 grados de libertad para el numerador y 9 grados de libertad para el denominador, el valor crítico *F* de la tabla A-5 es 4.2565. Si utilizáramos el método tradicional de prueba de hipótesis con el conjunto de datos A de la tabla 12-2, veríamos que esta prueba de cola derecha tiene un estadístico de prueba $F = 0.1428$ y un valor crítico de $F = 4.2565$, de manera que el estadístico de prueba no se encuentra en la región crítica y, por lo tanto, no rechazamos la hipótesis nula de igualdad de medias.

Para ver realmente cómo funciona el estadístico de prueba *F*, considere ambos conjuntos de datos muestrales en la tabla 12-2. Observe que las tres muestras del conjunto de datos A son idénticas a las tres muestras del conjunto B, excepto que cada valor en la muestra 1 del conjunto de datos B es 10 unidades más grande que el valor correspondiente en el conjunto de datos A. Las tres medias muestrales de A son muy cercanas, pero existen diferencias sustanciales en el conjunto B. Sin embargo, las tres varianzas muestrales de A son idénticas a las de B.

La suma de 10 a cada dato de la primera muestra de la tabla 12-2 tiene un efecto drástico en el estadístico de prueba, ya que *F* cambia de 0.1428 a 51.5721. La suma de 10 a cada dato de la primera muestra también tiene un efecto drástico en el valor *P*, el cual cambia de 0.8688 (no significativo) a 0.0000118 (significativo). Observe que la varianza entre muestras en el conjunto A es 0.3332, pero en B es 120.3332 (lo que indica que las medias muestrales en B están más separadas). Observe también que la varianza *dentro* de las muestras es de 2.3333 en ambas partes, ya que la varianza dentro de una muestra no se ve afectada cuando sumamos una constante a cada valor muestral. *El cambio en el estadístico de prueba F y el valor P es atribuible únicamente a los cambios en* $\bar{x}_1$. Esto ilustra un aspecto fundamental del método del análisis de varianza de un factor: **El estadístico de prueba *F* es muy sensible a las *medias* muestrales, aun cuando se obtenga a través de dos estimaciones distintas de la *varianza* poblacional común.**

La suma de 10 a cada valor de la primera muestra causa que las tres medias muestrales se aparten más, con el resultado de que el estadístico de prueba *F* se incrementa y el valor *P* disminuye.

Cálculos con tamaños de muestra desiguales

Mientras que los cálculos requeridos para los casos con tamaños de muestra iguales son razonables, la situación se complica bastante cuando los tamaños de muestra no son iguales. Se aplica el mismo razonamiento básico, porque calculamos un estadístico de prueba *F* que es el cociente de dos estimaciones diferentes de la varianza poblacional común σ^2, pero esas estimaciones implican medidas *ponderadas* que toman en cuenta los tamaños de muestra, tal como se indica a continuación.

$$F = \frac{\text{varianza entre muestras}}{\text{varianza dentro de muestras}} = \frac{\left[\dfrac{\Sigma n_i(\bar{x}_i - \bar{\bar{x}})^2}{k-1}\right]}{\left[\dfrac{\Sigma(n_i-1)s_i^2}{\Sigma(n_i-1)}\right]}$$

donde

$\bar{\bar{x}}$ = media de todos los valores muestrales combinados

k = número de medias poblacionales que se están comparando

n_i = número de valores en la *i*-ésima muestra

$\bar{x}_i$ = media de los valores en la *i*-ésima muestra

s_i^2 = varianza de los valores en la *i*-ésima muestra

El factor de n_i está incluido de manera que las muestras más grandes llevan más peso. El denominador del estadístico de prueba es sencillamente la media de las varianzas muestrales, pero se trata de una media ponderada cuyos pesos se basan en los tamaños de muestra.

Como el cálculo de este estadístico de prueba puede conducir a grandes errores de redondeo, los diferentes programas estadísticos de cómputo suelen emplear una expresión distinta (pero equivalente) que implica la notación de SC (suma de cuadrados) y CM (cuadrado medio). A pesar de que la siguiente notación y sus componentes son complicados y tediosos, la idea básica es la misma: el estadístico de prueba *F* es una razón con un numerador que refleja la variación *entre* las medias de las muestras y un denominador que refleja la variación *dentro* de las muestras. Si las poblaciones tienen medias iguales, el cociente *F* tiende a ser pequeño, pero si las medias poblacionales no son iguales, el cociente *F* tiende a ser significativamente grande. A continuación se describen los componentes más importantes del método ANOVA.

La **SC(total)** o suma total de cuadrados es una medida de la variación total (alrededor de $\bar{\bar{x}}$) en todos los datos muestrales combinados.

Fórmula 12-1

$$\text{SC(total)} = \Sigma(x - \bar{\bar{x}})^2$$

La SC(total) se puede separar en los componentes de la SC(del tratamiento) y la SC(del error), como se describe a continuación.

La **SC(del tratamiento)**, también llamada SC(del factor), SC(entre grupos) o SC(entre muestras), es una medida de la variación *entre* las medias muestrales.

Fórmula 12-2

$$\text{SC(del tratamiento)} = n_1(\bar{x}_1 - \bar{\bar{x}})^2 + n_2(\bar{x}_2 - \bar{\bar{x}})^2 + \cdots + n_k(\bar{x}_k - \bar{\bar{x}})^2$$
$$= \Sigma n_i(\bar{x}_i - \bar{\bar{x}})^2$$

Si las medias poblacionales ($\mu_1, \mu_2, \ldots, \mu_k$) son iguales, entonces las medias muestrales $\bar{x}_1, \bar{x}_2, \ldots, \bar{x}_k$ tenderán a acercarse entre sí y también hacia $\bar{\bar{x}}$. El resultado será un valor de SC(del tratamiento) relativamente pequeño. Sin embargo, si las medias poblacionales no son todas iguales, entonces al menos una de $\bar{x}_1, \bar{x}_2, \ldots, \bar{x}_k$ tenderá a estar lejos de las demás y también de $\bar{\bar{x}}$. El resultado será un valor relativamente grande de SC(del tratamiento).

La **SC(del error)**, también conocida como SC(dentro de grupos) o SC(dentro de muestras), es una suma de cuadrados que representa la variación que se supone común a todas las poblaciones consideradas.

Fórmula 12-3

$$\text{SC(del error)} = (n_1 - 1)s_1^2 + (n_2 - 1)s_2^2 + \cdots + (n_k - 1)s_k^2$$
$$= \Sigma(n_i - 1)s_i^2$$

Dadas las expresiones anteriores para SC(total), SC(del tratamiento) y SC(del error), siempre deben mantenerse las siguientes relaciones.

Fórmula 12-4

$$\text{SC(total)} = \text{SC(del tratamiento)} + \text{SC(del error)}$$

SC(del tratamiento) y SC(del error) son sumas de cuadrados, y si dividimos cada una de ellas entre su número correspondiente de grados de libertad, obtenemos los cuadrados *medios*. Algunas de las siguientes expresiones para los cuadrados medios incluyen la notación N:

N = número total de valores en todas las muestras combinadas

CM(del tratamiento) es un cuadrado medio de tratamiento, que se obtiene como sigue:

Fórmula 12-5

$$\text{CM(del tratamiento)} = \frac{\text{SC(del tratamiento)}}{k - 1}$$

CM(del error) es un cuadrado medio del error, que se obtiene como sigue:

Fórmula 12-6

$$\text{CM(del error)} = \frac{\text{SC(del error)}}{N - k}$$

CM(total) es un cuadrado medio de la variación total, que se obtiene como sigue:

Fórmula 12-7

$$\text{CM(total)} = \frac{\text{SC(total)}}{N - 1}$$

Estadístico de prueba para ANOVA con tamaños de muestra desiguales

Al probar la hipótesis nula H_0: $\mu_1 = \mu_2 = \ldots = \mu_k$ contra la hipótesis alternativa H_1, resulta que: No todas las medias son iguales, el estadístico de prueba

Fórmula 12-8

$$F = \frac{\text{CM(del tratamiento)}}{\text{CM(del error)}}$$

tiene una distribución F (cuando la hipótesis nula H_0 es verdadera) con grados de libertad determinados por

$$\text{grados de libertad del numerador} = k - 1$$
$$\text{grados de libertad del denominador} = N - k$$

Este estadístico de prueba es esencialmente el mismo que se utilizó antes, y su interpretación también es igual a la descrita con anterioridad. El denominador depende únicamente de las varianzas muestrales que miden la variación dentro de los tratamientos y no se ve afectado por las diferencias entre las medias muestrales. En contraste, el numerador se ve afectado por las diferencias entre las medias muestrales. Si las diferencias entre las medias muestrales son extremas, el numerador será excesivamente grande, por lo que F también será excesivamente grande. Como consecuencia, los valores muy grandes de F sugieren medias desiguales y, por lo tanto, la prueba ANOVA es de cola derecha.

Diseño del experimento En el análisis de varianza de un factor (o de una entrada), utilizamos un factor como base para separar los datos en diferentes categorías. Si concluimos que las diferencias entre las medias son significativas, no podemos estar absolutamente seguros de que las diferencias se puedan explicar por el factor utilizado. Es posible que la variación de algún otro factor desconocido sea el responsable. Una forma de reducir el efecto de factores extraños es planear el experimento de manera que tenga un **diseño completamente aleatorizado**, en el que cada elemento muestre la misma probabilidad de pertenecer a las diferentes categorías o tratamientos. Por ejemplo, usted podría asignar sujetos a dos diferentes grupos de tratamiento y a un grupo de placebo por medio de un proceso de selección aleatoria equivalente a sacar papeles de un tazón. Otra forma de reducir el efecto de factores extraños es el uso de un **diseño rigurosamente controlado**, en el cual los elementos se eligen con tal cuidado que el resto de los factores no tengan variabilidad. En general, los buenos resultados requieren que el experimento se diseñe y ejecute de forma cuidadosa.

Identificación de las medias diferentes

Después de realizar una prueba con el análisis de varianza, podemos concluir que existe evidencia suficiente para rechazar una afirmación de igualdad de medias poblacionales, pero no podemos concluir a partir de un ANOVA que alguna media *en particular* sea diferente de las demás. Existen varios procedimientos formales e informales para identificar las medias específicas que son diferentes. Los siguientes son dos métodos *informales* para la comparación de medias:

- Construir gráficas de caja con los conjuntos de datos, para ver si uno o más de ellos son muy diferentes de los otros.
- Construir estimaciones de intervalos de confianza para las medias a partir de los conjuntos de datos, y luego comparar esos intervalos de confianza para ver si uno o más de ellos no se traslapan con los demás.

Existen varios procedimientos para identificar cuáles medias difieren de las demás. Algunas de las pruebas, llamadas **pruebas de rango**, nos permiten identificar subconjuntos de medias que no son significativamente diferentes entre sí. Otras pruebas, denominadas **pruebas de comparación múltiple**, utilizan pares de medias, pero hacen ajustes para superar el problema de tener un nivel de significancia que aumenta conforme se incrementa el número de pruebas individuales. No existe consenso sobre cuál es la mejor prueba, pero algunas de las más comunes son la prueba de Duncan, la prueba de Student-Newman-Keuls (o prueba SNK), la prueba de Tukey (o prueba de diferencia significativa de Tukey), la prueba de Scheffé, la prueba de Dunnett, la prueba de la diferencia mínima significativa y la prueba de Bonferroni. Ahora aplicaremos esta última para ver un ejemplo de una prueba de comparación múltiple. El procedimiento es el siguiente:

Prueba de comparación múltiple de Bonferroni

Paso 1. Realice una prueba t separada para cada par de muestras, pero realice los ajustes que se describen en los siguientes pasos.

Paso 2. Para obtener una estimación de la varianza σ^2 que es común a todas las poblaciones implicadas, utilice el valor del CM(del error), que utiliza todos los datos muestrales disponibles. El valor del CM(del error) generalmente se obtiene al realizar la prueba del análisis de varianza. Utilice el valor del CM(del error) para calcular el valor del estadístico de prueba t, como se indica a continuación. Este estadístico de prueba en particular se basa en la opción de la muestra 1 y de la muestra 2; cambie los subíndices y utilice otro par de muestras hasta haber sometido a prueba todos los pares de muestras posibles.

$$t = \frac{\bar{x}_1 - \bar{x}_2}{\sqrt{\text{CM(del error)} \cdot \left(\frac{1}{n_1} + \frac{1}{n_2}\right)}}$$

Paso 3. Después de calcular el valor del estadístico de prueba t para un par específico de muestras, calcule el valor t crítico o el valor P, pero realice el siguiente ajuste para que el nivel de significancia general no se incremente.

Valor *P*: Utilice el estadístico de prueba t con gl $= N - k$, donde N es el número total de valores muestrales y k es el número de muestras, y calcule el valor P de la manera acostumbrada, pero ajústelo multiplicándolo por el número de pares de muestras diferentes posibles. (Por ejemplo, con tres muestras, existen tres pares posibles diferentes, de manera que el valor P se ajusta multiplicándolo por 3).

Valor crítico: Cuando calcule el valor crítico, ajuste el nivel de significancia α dividiéndolo entre el número de pares de muestras posibles. (Por ejemplo, con tres muestras, existen tres pares posibles diferentes, de manera que el nivel de significancia se ajusta dividiéndolo entre 3).

Observe que en el paso 3 del procedimiento de Bonferroni se realiza una prueba individual con un nivel de significancia mucho más bajo, o bien, el valor P aumenta de manera importante. Por lo tanto, el rechazo de la igualdad de medias requiere de diferencias que estén muy separadas. Este ajuste en el paso 3 compensa el hecho de que estamos realizando varias pruebas en vez de una sola.

EJEMPLO 2

Prueba de Bonferroni En el ejemplo 1 de esta sección se utilizó el análisis de varianza con los datos muestrales de la tabla 12-1. Concluimos que existe evidencia suficiente para justificar el rechazo de la afirmación de igualdad de medias. Utilice la prueba de Bonferroni, con un nivel de significancia de 0.05, para identificar cuál de las medias difiere de las demás.

SOLUCIÓN

La prueba de Bonferroni requiere de una prueba *t* separada para cada diferente par de muestras posible. Las hipótesis nulas que deben someterse a prueba son las siguientes:

$$H_0: \mu_1 = \mu_2 \qquad H_0: \mu_1 = \mu_3 \qquad H_0: \mu_2 = \mu_3$$

Comencemos con H_0: $\mu_1 = \mu_2$. En la tabla 12-1 observamos que $\bar{x}_1 = 44.7$, $n_1 = 10$, $\bar{x}_2 = 42.1$, y $n_2 = 10$. A partir de los resultados obtenidos con los recursos tecnológicos en el ejemplo 1, también sabemos que CM(del error) = 19.888889. Ahora podemos evaluar el estadístico de prueba:

$$t = \frac{\bar{x}_1 - \bar{x}_2}{\sqrt{\text{CM(del error)} \cdot \left(\frac{1}{n_1} + \frac{1}{n_2}\right)}}$$

$$= \frac{44.7 - 42.1}{\sqrt{19.888889 \cdot \left(\frac{1}{10} + \frac{1}{10}\right)}} = 1.303626224$$

El número de grados de libertad es gl $= N - k = 30 - 3 = 27$. Con un estadístico de prueba $t = 1.303626244$ y con gl = 27, el valor *P* de dos colas es 0.203368, pero ajustamos este valor *P* al multiplicarlo por 3 (el número de diferentes pares de muestras posibles) para obtener un valor *P* final de 0.610. Como este valor *P* no es pequeño (menor que 0.05), no rechazamos la hipótesis nula. Parece que las muestras 1 y 2 no tienen medias significativamente diferentes.

En vez de continuar realizando las pruebas de hipótesis separadas para los dos pares restantes, observe la pantalla de SPSS, que incluye todos los resultados de la prueba de Bonferroni. (El primer renglón de los resultados numéricos corresponde a los resultados obtenidos aquí; observe el valor de 0.610 que se calculó aquí). La pantalla indica que la media de la muestra 1 (automóviles compactos) difiere significativamente de la media de la muestra 3 (automóviles grandes). Con base en la prueba de Bonferroni, parece que las mediciones de los automóviles compactos tienen una media que difiere significativamente de la media de los automóviles grandes.

RESULTADOS DE SPSS PARA LA PRUEBA DE BONFERRONI

Dependent Variable: Chest
Bonferroni

(I) Sample	(J) Sample	Mean Difference (I-J)	Std. Error	Sig.	95% Confidence Interval Lower Bound	Upper Bound
1	2	2.60000	1.99444	.610	-2.4907	7.6907
	3	5.70000*	1.99444	.024	.6093	10.7907
2	1	-2.60000	1.99444	.610	-7.6907	2.4907
	3	3.10000	1.99444	.395	-1.9907	8.1907
3	1	-5.70000*	1.99444	.024	-10.7907	-.6093
	2	-3.10000	1.99444	.395	-8.1907	1.9907

*. The mean difference is significant at the .05 level.

USO DE LA TECNOLOGÍA

STATDISK Anote los datos en las columnas de la ventana de datos. Seleccione **Analysis** de la barra del menú principal, luego seleccione **One-Way Analysis of Variance** y proceda a elegir las columnas de los datos muestrales. Haga clic en **Evaluate**.

MINITAB Primero ingrese los datos muestrales en las columnas C1, C2, C3,... Después seleccione **Stat, ANOVA, ONEWAY (UNSTACKED)** e introduzca C1 C2 C3... en el recuadro identificado como "Responses" (en columnas separadas).

En Minitab 16 también puede hacer clic en **Assistant** y luego en **Hypothesis Tests**; después, seleccione el caso para **One-Way ANOVA**. Complete el cuadro de diálogo y luego haga clic en **OK** para obtener cuatro ventanas de resultados que incluyen el valor *P* y otra información útil.

EXCEL Primero anote los datos en las columnas A, B, C,... En Excel 2010 y 2007, haga clic en **Data**; en Excel 2003, seleccione **Tools**, luego **Data Analysis**, seguido por **Anova: Single Factor**. En el cuadro de diálogo, introduzca el rango que contiene los datos muestrales. (Por ejemplo, ingrese A1:C30 si el primer valor está en el renglón 1 de la columna A y la columna más grande incluye 30 valores).

TI-83/84 PLUS Primero registre los datos como listas en L1, L2, L3,...; después presione **STAT**, seleccione **TESTS** y elija la opción **ANOVA**. Ingrese los rótulos de las columnas. Por ejemplo, si los datos están en las columnas L1, L2 y L3, ingrese esas columnas para obtener **ANOVA (L1, L2, L3)** y presione la tecla **ENTER**.

12-2 Destrezas y conceptos básicos

Conocimientos estadísticos y pensamiento crítico

1. ANOVA A continuación se incluyen las anchuras del cráneo, obtenidas de los cráneos de hombres egipcios de tres épocas diferentes (según datos de *Ancient Races of the Thebaid*, de Thomson y Randall-Maciver). Suponga que planeamos usar una prueba de análisis de varianza con un nivel de significancia de 0.05 para someter a prueba la afirmación de que las diferentes épocas tienen la misma media.

a) En este contexto, ¿qué característica de los datos indica que deberíamos utilizar análisis de varianza de *un factor*?

b) Si el objetivo fuera someter a prueba la afirmación de que las tres épocas tienen la misma media, ¿por qué el método se denomina análisis de *varianza*?

400 a.C.	131	138	125	129	132	135	132	134	138
1850 a.C.	129	134	136	137	137	129	136	138	134
150 d.C.	128	138	136	139	141	142	137	145	137

2. ¿Por qué una prueba? Remítase a los datos muestrales del ejercicio 1. Si queremos someter a prueba la igualdad de las tres medias, ¿por qué no utilizamos tres pruebas de hipótesis separadas para $\mu_1 = \mu_2$, $\mu_2 = \mu_3$ y $\mu_1 = \mu_3$?

3. Interpretación de valor *P* Si usamos un nivel de significancia de 0.05 en un análisis de varianza con los datos muestrales del ejercicio 1, obtenemos un valor *P* de 0.031. ¿Qué debemos concluir?

4. ¿Cuál media es diferente? Remítase a los datos muestrales del ejercicio 1. Si las tres medidas muestrales son 132.7, 134.4 y 138.1, ¿podemos utilizar el análisis de varianza para concluir que la anchura media del cráneo del año 150 d. C. es diferente de las medias de los años 400 a. C. y 1850 a. C.? ¿Por qué?

En los ejercicios 5 a 16, utilice el análisis de varianza para la prueba indicada.

5. Medidas de facilidad de lectura Se seleccionaron al azar páginas de *El oso y el dragón*, de Tom Clancy, *Harry Potter y la piedra filosofal*, de J. K. Rowling, y *La guerra y la paz*, de León Tolstoi. Se obtuvieron puntuaciones sobre la facilidad de lectura de cada página en la escala de Flesch, así como los resultados de la calculadora TI-83/84 Plus del análisis de varianza, los cuales aparecen al margen. Utilice un nivel de significancia de 0.05 para someter a prueba la afirmación de que los tres libros tienen la misma puntuación media de facilidad de lectura de Flesch.

TI-83/84 PLUS

```
One-way ANOVA
 F=9.469487401
 p=5.6213335E-4
 Factor
  df=2
  SS=1338.00222
↓ MS=669.001111
```

```
One-way ANOVA
↑ MS=669.001111
 Error
  df=33
  SS=2331.38667
  MS=70.6480808
 Sxp=8.40524127
```

6. Palabras por oración Se seleccionaron al azar muestras de páginas de los tres libros considerados en el ejercicio 5. Se calculó el número promedio de palabras por oración de cada página; a continuación se muestran los resultados de Minitab para el análisis de varianza. Utilice un nivel de significancia de 0.05 para someter a prueba la afirmación de que los tres libros tienen el mismo número medio de palabras por oración.

MINITAB

Source	DF	SS	MS	F	P
Factor	2	266.5	133.3	3.91	0.030
Error	33	1123.7	34.1		
Total	35	1390.3			

7. Pérdida de peso con diferentes dietas En un estudio de los programas Atkins, Zone, Weight Watchers y Ornish para perder peso, 160 sujetos siguieron los regímenes, de tal manera que cada dieta fue adoptada por 40 sujetos. Se pesó a los individuos antes de iniciar el programa y nuevamente un año después de seguir la dieta. A continuación se presentan los resultados del ANOVA, realizado con Excel (según datos de "Comparison of the Atkins, Ornish, Weight Watchers, and Zone Diets for Weight Loss and Heart Disease Risk Reduction", de Dansinger *et al.*, *Journal of the American Medical Association*, vol. 293, núm. 1). Utilice un nivel de significancia de 0.05 para someter a prueba la afirmación de que la pérdida media de peso es igual con todas las dietas. Considerando que las cantidades medias de pérdida de peso después de un año son 2.1, 3.2, 3.0 y 3.3 lb para las cuatro dietas, ¿parece que estas son eficaces?

EXCEL

ANOVA

Source of Variation	*SS*	*df*	*MS*	*F*	*P-value*	*F crit*
Between Groups	35.99984	3	11.99995	0.35206	0.787709	2.662569
Within Groups	5317.256	156	34.08497			
Total	5353.256	159				

8. Pesos de dulces M&M Utilice los pesos de dulces M&M (en gramos) de seis categorías diferentes de colores, listados en el conjunto de datos 18 del apéndice B. A continuación se presentan los resultados del análisis de varianza de STATDISK con un nivel de significancia de 0.05. Identifique el estadístico de prueba, el valor crítico y el valor *P*. ¿Qué concluye?

STATDISK

Source:	DF:	SS:	MS:	Test Stat, F:	Critical F:	P-Value:
Treatment:	5	0.006115	0.001223	0.443039	2.311272	0.81734
Error:	94	0.259466	0.00276			
Total:	99	0.265581				

9. Ganancias brutas de películas Si consideramos las ganancias brutas (en millones de dólares) de películas con clasificaciones PG, PG-13 y R, obtenemos los siguientes resultados del análisis de varianza del programa SPSS. Los datos muestrales originales se listan en el conjunto de datos 9 del apéndice B. Utilice un nivel de significancia de 0.05 para someter a prueba la afirmación de que las películas con clasificaciones PG, PG-13 y R tienen las mismas ganancias medias.

SPSS

Gross

	Sum of Squares	df	Mean Square	F	Sig.
Between Groups	84801.867	2	42400.933	5.313	.010
Within Groups	255396.1	32	7981.129		
Total	340198.0	34			

10. Cantidades de voltaje En el conjunto de datos 13 del apéndice B se listan las cantidades de voltaje medidas de la electricidad suministrada directamente a la casa del autor, de un generador Generac independiente (modelo PP 5000), y de un alimentador de electricidad ininterrumpida (APC modelo CS 350) conectado al suministro eléctrico de la casa del autor. A continuación se presentan los resultados del análisis de varianza, obtenidos por medio del programa JMP. Utilice un nivel de significancia de 0.05 para someter a prueba la afirmación de que los tres suministros de electricidad tienen la misma media de voltaje. ¿Se puede esperar que los aparatos eléctricos se comporten de la misma forma cuando reciben alimentación de las tres fuentes diferentes de electricidad?

JMP

Source	DF	Sum of Squares	Mean Square	F Ratio	Prob > F
Column 2	2	28.816667	14.4083	183.0126	<.0001*
Error	117	9.211250	0.0787		
C. Total	119	38.027917			

11. Lesiones en la cabeza en un choque de automóvil A continuación se presentan los datos de lesiones en la cabeza de los maniquíes para pruebas de choque utilizados en los mismos automóviles del problema del capítulo. Se utilizan las unidades de medida hic (por las siglas de *head injury condition*), que representan un criterio estándar de lesiones en la cabeza. Utilice un nivel de significancia de 0.05 para someter a prueba la hipótesis nula de que las diferentes categorías de automóviles tienen la misma media. ¿Los datos sugieren que los automóviles grandes son más seguros?

Compactos:	290	406	371	544	374	501	376	499	479	475
Medianos:	245	502	474	505	393	264	368	510	296	349
Grandes:	342	216	335	698	216	169	608	432	510	332

12. Lesión del fémur en un choque de automóvil A continuación se presentan las cargas medidas (en libras) sobre el fémur izquierdo, en maniquíes para pruebas de choque utilizados en los mismos automóviles del problema del capítulo. Utilice un nivel de significancia de 0.05 para someter a prueba la hipótesis nula de que las diferentes categorías de automóviles tienen la misma media. ¿Los datos sugieren que los automóviles grandes son más seguros?

Compactos:	548	782	1188	707	324	320	634	501	274	437
Medianos:	194	280	1076	411	617	133	719	656	874	445
Grandes:	215	937	953	1636	937	472	882	562	656	433

13. Tiempos en triatlón Jeff Parent es un profesor de estadística que participa en triatlones. A continuación se presentan los tiempos (en minutos y segundos) que registró en una prueba de bicicleta (que comprendió cinco vueltas) a lo largo de cada milla, en un circuito de 3 millas. Utilice un nivel de significancia de 0.05 para someter a prueba la afirmación de que el profesor tarda el mismo tiempo en recorrer cada milla. ¿Parece que alguna de las millas tiene una pendiente de subida?

Milla 1	3:15	3:24	3:23	3:22	3:21
Milla 2	3:19	3:22	3:21	3:17	3:19
Milla 3	3:34	3:31	3:29	3:31	3:29

14. Emisiones de automóviles A continuación se listan las cantidades medidas de gas de invernadero emitido por tres categorías diferentes de automóviles (según el conjunto de datos 16 del apéndice B). Las mediciones se expresan en toneladas por año, en equivalentes de CO_2. Utilice un nivel de significancia de 0.05 para someter a prueba la afirmación de que las diferentes categorías de automóviles emiten la misma cantidad media de gas de invernadero. Con base en los resultados, ¿parece que el número de cilindros afecta la cantidad de emisiones de gas de invernadero?

Cuatro cilindros	7.2	7.9	6.8	7.4	6.5	6.6	6.7	6.5	6.5	7.1	6.7	5.5	7.3
Seis cilindros	8.7	7.7	7.7	8.7	8.2	9.0	9.3	7.4	7.0	7.2	7.2	8.2	
Ocho cilindros	9.3	9.3	9.3	8.6	8.7	9.3	9.3						

En los ejercicios 15 y 16 utilice los conjuntos de datos del apéndice B.

15. Nicotina en cigarrillos Remítase al conjunto de datos 4 del apéndice B y utilice las cantidades de nicotina (en mg por cigarrillo) de los cigarrillos tamaño grande, de los mentolados de 100 mm y de los no mentolados de 100 mm. Los cigarrillos tamaño grande son sin filtro, no son mentolados ni ligeros. Los cigarrillos mentolados de 100 mm tienen filtro y no son ligeros, al igual que los no mentolados. Utilice un nivel de significancia de 0.05 para someter a prueba la afirmación de que las tres categorías de cigarrillos producen la misma cantidad media de nicotina. Puesto que los cigarrillos tamaño grande son los únicos que no tienen filtro, ¿parece que el filtro marca alguna diferencia?

16. Alquitrán en cigarrillos Remítase al conjunto de datos 4 del apéndice B y utilice las cantidades de alquitrán (en mg por cigarrillo) de las tres categorías de cigarrillos descritas en el ejercicio 15. Utilice un nivel de significancia de 0.05 para someter a prueba la afirmación de que las tres categorías de cigarrillos producen la misma cantidad media de alquitrán. Puesto que los cigarrillos tamaño grande son los únicos que no tienen filtro, ¿parece que el filtro marca alguna diferencia?

12-2 Más allá de lo básico

17. Uso de la prueba de Tukey En esta sección se incluyó una pantalla de resultados de la prueba de Bonferroni con los datos de la tabla 12-1, presentados en el problema del capítulo. A continuación se muestran los resultados generados por SPSS de la prueba de Tukey para los mismos datos. Compare los resultados de la prueba de Tukey con los de la prueba de Bonferroni.

SPSS

Dependent Variable: Chest
Tukey HSD

(I) VAR00002	(J) VAR00002	Mean Difference (I-J)	Std. Error	Sig.	95% Confidence Interval Lower Bound	95% Confidence Interval Upper Bound
1	2	2.600	1.994	.405	-2.35	7.55
	3	5.700*	1.994	.021	.75	10.65
2	1	-2.600	1.994	.405	-7.55	2.35
	3	3.100	1.994	.282	-1.85	8.05
3	1	-5.700*	1.994	.021	-10.65	-.75
	2	-3.100	1.994	.282	-8.05	1.85

*. The mean difference is significant at the .05 level.

18. Uso de la prueba de Bonferroni A continuación se presentan los resultados parciales de la prueba de Bonferroni con los datos muestrales utilizados en el ejercicio 14. Suponga que se utiliza un nivel de significancia de 0.05.

a) ¿Qué nos indica la pantalla de resultados?

b) Utilice el procedimiento de la prueba de Bonferroni para determinar si existe una diferencia significativa entre la cantidad media de gas de invernadero emitido por los automóviles de seis cilindros y la media de los automóviles de ocho cilindros. Identifique el estadístico de prueba y el valor *P* o los valores críticos. ¿Qué indican los resultados?

SPSS

(I) Sample	(J) Sample	Mean Difference (I-J)	Std. Error	Sig.	95% Confidence Interval Lower Bound	95% Confidence Interval Upper Bound
1	2	-1.2019*	.2494	.000	-1.836	-.568
	3	-2.2912*	.2920	.000	-3.033	-1.549

12-3 ANOVA de dos factores

Concepto clave En esta sección estudiaremos el método del *análisis de varianza de dos factores,* que se utiliza con datos separados en categorías formadas de acuerdo con *dos* factores. El método de esta sección requiere que primero realicemos una prueba de *interacción* entre los dos factores. Después, efectuamos una prueba para determinar si el factor de renglón tiene algún efecto, y también para determinar si el factor de columna tiene algún efecto.

La tabla 12-3 es un ejemplo de datos clasificados de acuerdo con *dos* factores.

1. Tipo: Un factor es la variable de renglón del tipo de automóvil (extranjero, nacional).
2. Tamaño: El segundo factor es la variable de columna del tamaño del automóvil (compacto, mediano, grande).

A las subcategorías de la tabla 12-3 se les conoce a menudo como *celdas,* de manera que la tabla 12-3 tiene seis celdas, con tres valores cada una.

Cuando analizamos los datos muestrales de la tabla 12-3, estudiamos el análisis de varianza de un solo factor, por lo que parecería razonable realizar simplemente un ANOVA de una entrada para el factor del tamaño, otro ANOVA de una entrada para el factor de tipo; sin embargo, perderíamos información e ignoraríamos totalmente una característica muy importante: el posible efecto de la interacción entre los dos factores.

Tabla 12-3 Mediciones de desaceleración del pecho (en g) en pruebas de choque de automóviles

	Tamaño del automóvil		
	Compacto	Mediano	Grande
Extranjero	44	41	32
	54	49	45
	43	47	42
Nacional	43	43	37
	44	37	38
	42	34	33

DEFINICIÓN

Existe una **interacción** entre dos factores si el efecto de uno de los factores cambia en las diferentes categorías del otro factor.

Como ejemplo de una *interacción* entre dos factores, considere la combinación de alimentos. La crema de maní y la mermelada interactúan bien, pero la salsa de tomate y el helado interactúan de tal forma que el resultado es un sabor desagradable, por lo que es muy poco probable ver a alguien que come un helado cubierto con salsa *ketchup*. Los médicos deben tener cuidado de evitar la prescripción de fármacos cuyas interacciones producen efectos adversos. Se descubrió que el fármaco antimicótico Nizoral (ketoconazole) interactuaba con el fármaco antihistamínico Seldane (terfenadine) de tal manera que el Seldane no se metabolizaba de manera adecuada, provocando arritmias cardiacas en algunos pacientes. Posteriormente, el Seldane fue retirado del mercado. Considere el efecto de interacción como aquel que se debe a la combinación de dos factores.

Exploración de los datos Exploremos los datos de la tabla 12-3 calculando la media de cada celda y construyendo una gráfica. En la tabla 12-4 se listan las medias de las celdas individuales. Esas medias van de 36.0 hasta 47.0, de manera que parecen variar considerablemente. La figura 12-3 es una *gráfica de interacción*, la cual muestra gráficas de dichas medias y tiene dos características sobresalientes:

Tabla 12-4 Medias (en g) de las celdas de la tabla 12-3

	Tamaño del automóvil		
	Compacto	Mediano	Grande
Extranjero	47.0	45.7	39.7
Nacional	43.0	38.0	36.0

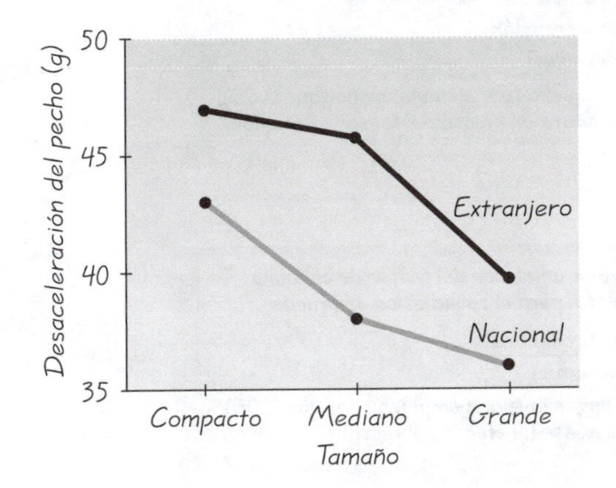

Figura 12-3
Gráfica de interacción de medias de las celdas de la tabla 12-3

Resistencia a las encuestas

Las encuestas basadas en muestras relativamente pequeñas pueden ser bastante precisas, siempre y cuando sean aleatorias o representativas de la población. Sin embargo, el incremento en las tasas de rechazo a responder encuestas está haciendo que sea más difícil obtener muestras aleatorias. El Council of American Survey Research Organizations informó que, en un año reciente, el 38% de los consumidores rehusaron responder encuestas. El director de una compañía de investigación de mercados declaró: "Las personas tienen temor de la autoselección y les preocupa que las generalizaciones se realicen con base únicamente en aquellos que cooperan". Los resultados de la industria de investigación de mercados, que maneja miles de millones de dólares, afectan los productos que compramos, los programas de televisión que vemos y muchas otras facetas de nuestras vidas.

- **Medias más grandes:** Puesto que los segmentos de recta que representan a los automóviles extranjeros se ubican en una posición *más alta* que los segmentos de recta correspondientes a los automóviles nacionales, parece que los automóviles extranjeros tienen medidas consistentemente *mayores* de desaceleración del pecho.
- **Interacción:** Puesto que los segmentos de recta que representan a los automóviles extranjeros parecen ser aproximadamente *paralelos* a los segmentos de recta de los automóviles nacionales, parece que los automóviles extranjeros y los nacionales tienen el mismo comportamiento en los diferentes tamaños, de manera que no parece haber un efecto de interacción.

En general, si una gráfica como la que se incluye en la figura 12-3 da como resultado segmentos de recta que son aproximadamente *paralelos*, entonces tenemos evidencia de que *no hay una interacción* entre las variables de renglón y de columna. Si los segmentos de recta de los automóviles extranjeros y nacionales no fueran paralelos, tendríamos evidencia de una interacción entre el tamaño y el tipo. Estas observaciones basadas en la tabla 12-4 y en la figura 12-3 son muy subjetivas, por lo que procederemos con el método más objetivo del análisis de varianza de dos factores.

Ahora presentaremos los requisitos y el procedimiento básico para el análisis de varianza (ANOVA) de dos factores. El procedimiento también se resume en la figura 12-4.

Figura 12-4
Procedimiento del análisis de varianza de dos factores

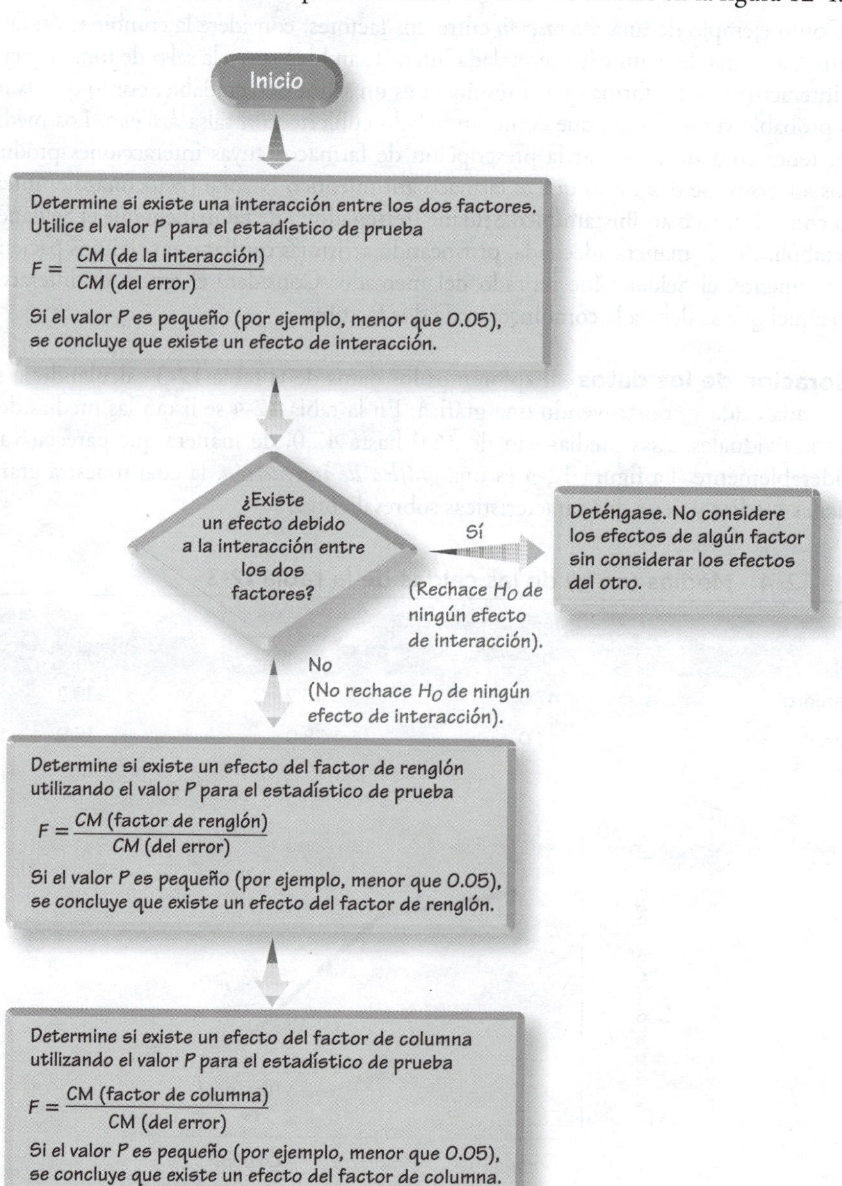

Objetivo

Con datos muestrales clasificados con base en una variable de renglón y una variable de columna, utilizar un análisis de varianza de dos factores para determinar si existe un efecto de interacción, un efecto del factor de renglón y un efecto del factor de columna.

Requisitos

1. Para cada celda, los valores muestrales provienen de una población con distribución aproximadamente normal. (Este procedimiento es robusto frente a desviaciones razonables de las distribuciones normales).
2. Las poblaciones tienen la misma varianza σ^2 (o desviación estándar σ). (Este procedimiento es robusto frente a desviaciones razonables del requisito de igualdad de varianzas).
3. Las muestras son aleatorias simples de datos cuantitativos.
4. Las muestras son independientes entre sí. (Este procedimiento no se aplica a muestras que no son independientes).
5. Los valores muestrales se categorizan en dos factores. (Esta es la base del nombre del método: análisis de varianza de *dos factores*).
6. Todas las celdas tienen el mismo número de valores muestrales. (Este diseño se conoce como diseño *balanceado*).

Procedimiento del ANOVA de dos factores (véase la figura 12-4)

Paso 1: *Efecto de interacción:* En el análisis de varianza de dos factores, inicie sometiendo a prueba la hipótesis nula de que no existe interacción entre los dos factores. Utilice herramientas tecnológicas para calcular el valor P correspondiente al siguiente estadístico de prueba:

$$F = \frac{\text{CM(de la interacción)}}{\text{CM(del error)}}$$

Conclusión:

- Si el valor P correspondiente al estadístico de prueba anterior es pequeño (por ejemplo, menor que o igual a 0.05), rechace la hipótesis nula de ausencia de interacción. Concluya que existe un efecto de interacción.
- Si el valor P es grande (por ejemplo, mayor que 0.05), no rechace la hipótesis nula de ausencia de interacción entre los dos factores. Concluya que no existe un efecto de interacción.

Paso 2: *Efectos de renglón/columna:* Si concluimos que existe un efecto de interacción, entonces tenemos que detenernos aquí; no debemos proceder con las dos pruebas adicionales. (Si existe una interacción entre los factores, no debemos considerar los efectos de alguno de los factores sin considerar los del otro).

Si concluimos que no hay un efecto de interacción, entonces debemos proceder a someter a prueba las dos siguientes hipótesis.

Factor de renglón: Para el factor de renglón, someta a prueba la hipótesis nula H_0: No existen efectos del factor de renglón (es decir, las medias de renglón son iguales). Calcule el valor P correspondiente al estadístico de prueba $F =$ CM(renglón)/CM(del error).

Conclusion:

- Si el valor P correspondiente al estadístico de prueba es pequeño (por ejemplo, menor que o igual a 0.05), rechace la hipótesis nula de que no hay efecto del factor de renglón. Concluya que existe un efecto del factor de renglón.
- Si el valor P es grande (por ejemplo, mayor que 0.05), no rechace la hipótesis nula de que no hay efecto del factor de renglón. Concluya que no hay un efecto del factor de renglón.

Factor de columna: Para el factor de columna, someta a prueba la hipótesis nula H_0: No existen efectos del factor de columna (es decir, las medias de columna son iguales). Calcule el valor P correspondiente al estadístico de prueba $F =$ CM(columna)/CM(del error).

Conclusión:

- Si el valor P correspondiente al estadístico de prueba es pequeño (por ejemplo, menor que o igual a 0.05), rechace la hipótesis nula de que no hay efecto del factor de columna. Concluya que existe un efecto del factor de columna.
- Si el valor P es grande (por ejemplo, mayor que 0.05), no rechace la hipótesis nula de que no hay efecto del factor de columna. Concluya que no hay un efecto del factor de columna.

EJEMPLO 1

Mediciones de pruebas de choque de automóviles Considerando las mediciones de desaceleración del pecho incluidas en la tabla 12-3, utilice un análisis de varianza de dos factores para determinar si existe un efecto de interacción, un efecto del factor de renglón del tipo de automóvil (extranjero, nacional) y un efecto del factor de columna del tamaño del automóvil (compacto, mediano, grande). Utilice un nivel de significancia de 0.05.

SOLUCIÓN

VERIFICACIÓN DE REQUISITOS **1.** Para cada celda, parece que los valores muestrales provienen de una población distribuida normalmente, tal como lo indican las gráficas cuantilares normales. **2.** Las varianzas de las celdas son 37.0, 1.0, 17.3, 21.0, 46.3 y 7.0; sus valores varían de manera considerable, pero solo hay tres valores muestrales en cada celda y necesitamos diferencias extremas para rechazar la igualdad entre varianzas. La prueba es robusta frente a desviaciones de la igualdad de varianzas, pero podríamos tener cierta reserva acerca de este requisito. Supondremos que este requisito se satisface. **3.** Se trata de muestras aleatorias simples de automóviles elegidos por el autor. **4.** Las muestras son independientes entre sí; los automóviles no están relacionados de forma alguna. **5.** Los valores muestrales se clasifican de dos maneras (si el automóvil es extranjero o nacional, y si el automóvil es compacto, mediano o grande). **6.** Todas las celdas tienen el mismo número de valores muestrales (tres). Los requisitos se satisfacen.

Los cálculos son complejos, de manera que utilizaremos un programa de cómputo o una calculadora TI-83/84 Plus. A continuación se presenta la pantalla del análisis de varianza de dos factores de Minitab, realizado con los datos de la tabla 12-3.

MINITAB

Source	DF	SS	MS	F	P
Type	1	117.556	117.556	**5.44**	**0.038**
Size	2	154.778	77.389	**3.58**	**0.060**
Interaction	2	14.778	7.389	**0.34**	**0.717**
Error	12	259.333	21.611		
Total	17	546.444			

Paso 1: Efecto de interacción Comenzamos por someter a prueba la hipótesis nula de que no existe interacción entre los dos factores. Si utilizamos Minitab para los datos de la tabla 12-3, obtenemos el resultado mostrado en la pantalla anterior de Minitab, y calculamos el siguiente estadístico de prueba:

$$F = \frac{\text{CM(de interacción)}}{\text{CM(del error)}} = \frac{7.389}{21.611} = 0.34$$

Interpretación: El valor P correspondiente aparece en los resultados de Minitab como 0.717, por lo que no rechazamos la hipótesis nula de ninguna interacción entre los dos factores. No parece que las mediciones de desaceleración del pecho estén afectadas por una interacción entre el tamaño del automóvil (compacto, mediano, grande) y el tipo de automóvil (extranjero, nacional). Al parecer, no hay efecto de interacción.

Paso 2: Efectos de renglón/columna: Como, al parecer, no hay efecto de interacción, procedemos a investigar los efectos de los factores de renglón y de columna. Las dos pruebas de hipótesis utilizan las siguientes hipótesis nulas:

H_0: No existen efectos del factor de renglón (es decir, las medias de renglón son iguales).

H_0: No existen efectos del factor de columna (es decir, las medias de columna son iguales).

Factor de renglón: Para el factor de renglón (tipo), nos remitimos a la pantalla anterior de resultados de Minitab para calcular el valor P correspondiente al siguiente estadístico de prueba:

$$F = \frac{\text{CM(tipo)}}{\text{CM(del error)}} = \frac{117.556}{21.611} = 5.44$$

Conclusión: El valor P correspondiente aparece en los resultados de Minitab como 0.038. Como ese valor P es menor que el nivel de significancia de 0.05, rechazamos la hipótesis nula de que no existen efectos por el tipo de automóvil. Es decir, las mediciones de desaceleración del pecho parecen verse afectadas por el hecho de que el automóvil sea extranjero o nacional.

Factor de columna: Para el factor de columna (tamaño), nos remitimos a la pantalla anterior de resultados de Minitab para calcular el valor P correspondiente al siguiente estadístico de prueba:

$$F = \frac{\text{CM(tamaño)}}{\text{CM(del error)}} = \frac{77.389}{21.611} = 3.58$$

Conclusión: El valor P correspondiente aparece en la pantalla de Minitab como 0.060. Como el valor P es mayor que el nivel de significancia de 0.05, no rechazamos la hipótesis nula de que no existen efectos derivados del tamaño. Es decir, parece que las mediciones de desaceleración del pecho no se ven afectadas si el automóvil es compacto, mediano o grande.

Con base en los datos muestrales de la tabla 12-3, concluimos que las mediciones de desaceleración del pecho parecen verse afectadas por el hecho de que el automóvil sea nacional o extranjero, pero esas mediciones no parecen estar influidas por el tamaño del automóvil.

ADVERTENCIA

El análisis de varianza de dos factores no es un análisis de varianza de un factor aplicado dos veces. Asegúrese de investigar si existe *interacción* entre los dos factores.

Caso especial: Una observación por celda y ninguna interacción La tabla 12-3 contiene 3 observaciones por celda. Si nuestros datos muestrales consisten únicamente en una observación por celda, perdemos CM(de la interacción), SC(de la interacción) y gl(de la interacción), ya que estos valores están basados en varianzas muestrales calculadas para cada celda individual. Si existe solo una observación por celda, no hay variación dentro de las celdas individuales y esas varianzas muestrales no se pueden calcular. En ese caso, utilizamos el siguiente procedimiento.

Procedimiento para un análisis de varianza de dos factores con una observación por celda

Si parece razonable suponer (con base en el conocimiento de las circunstancias) que no existe interacción entre los dos factores, haga esa suposición y después proceda como antes a someter a prueba las siguientes dos hipótesis por separado:

H_0: No existen efectos del factor de renglón.

H_0: No existen efectos del factor de columna.

EJEMPLO 2 **Una observación por celda: Mediciones en pruebas de choque de automóviles** La tabla 12-5, que se presenta a continuación, tiene una observación por celda. (La tabla 12-5 se obtuvo de la tabla 12-3). Debajo de la tabla se muestran los resultados de Minitab de la tabla 12-5. Utilice un nivel de significancia de 0.05 para determinar si existe un efecto del factor de renglón del tipo de automóvil (extranjero, nacional), y también determine si existe un efecto del factor de columna del tamaño del automóvil. Suponga que no hay un efecto de interacción entre el tipo y el tamaño del automóvil.

continúa

Tabla 12-5 Una observación por celda: Mediciones de desaceleración del pecho

	Tamaño del automóvil		
	Compacto	Mediano	Grande
Extranjero	44	41	32
Nacional	43	43	37

MINITAB

```
Source  DF   SS    MS      F      P
Type     1    6   6.0   1.33  0.368
Size     2   93  46.5  10.33  0.088
Error    2    9   4.5
Total    5  108
```

SOLUCIÓN

Factor de renglón: Primero utilizamos los resultados de la pantalla de Minitab para someter a prueba la hipótesis nula de que no hay efecto del factor de renglón referente al tipo de automóvil (extranjero o nacional).

$$F = \frac{\text{CM(tipo)}}{\text{CM(del error)}} = \frac{6}{4.5} = 1.33$$

Este estadístico de prueba no es significativo, debido a que el valor P correspondiente en la pantalla de Minitab es 0.368. No rechazamos la hipótesis nula; parece que las mediciones de desaceleración del pecho no se ven afectadas por el hecho de que el automóvil sea nacional o extranjero.

Factor de columna: Ahora utilizamos la pantalla de Minitab para someter a prueba la hipótesis nula de que no hay efecto del factor de columna del tamaño del automóvil. El estadístico de prueba es

$$F = \frac{\text{CM(tamaño)}}{\text{CM(del error)}} = \frac{46.5}{4.5} = 10.33$$

Este estadístico de prueba no es significativo, ya que el valor P correspondiente en la pantalla de Minitab es 0.088. No rechazamos la hipótesis nula, de manera que parece que las mediciones de desaceleración del pecho no se ven afectadas por el tamaño del automóvil.

En esta sección explicamos brevemente una rama importante de la estadística. Pusimos énfasis en la interpretación de resultados de computadora y omitimos los cálculos manuales y las fórmulas, que son bastante complicados.

USO DE LA TECNOLOGÍA

STATDISK Haga clic en **Analysis** y seleccione **Two-Way Analysis of Variance**. Complete lo que se le pide en la ventana y luego haga clic en **Continue**. Proceda a ingresar o copiar los datos en la columna "Values" y luego haga clic en **Evaluate**.

MINITAB Primero ingrese todos los valores muestrales en la columna C1. Registre los números (o nombres) de renglón correspondientes en la columna C2. Ingrese los números (o nombres) de columna correspondientes en la columna C3. Seleccione **Stat** de la barra del menú principal, después **ANOVA** y luego **Two-Way**. En el cuadro de diálogo ingrese C1 para Response, C2 para Row factor y C3 Para Column factor. Haga clic en **OK**. *Sugerencia:* Evite confusiones y ponga rótulos a las columnas C1, C2 y C3 con nombres que tengan algún significado.

EXCEL Para tablas de dos factores con más de un dato por celda: los datos de la misma celda deben listarse en una columna, no en un renglón. Ingrese los rótulos correspondientes al conjunto de datos en la columna A y el renglón 1, como en este ejemplo, que corresponde a la tabla 12-3:

	A	B	C	D
1		Compacto	Mediano	Grande
2	Extranjero	44	41	32
3	Extranjero	54	49	45
⋮	⋮	⋮	⋮	⋮

Si utiliza Excel 2010 o 2007, haga clic en **Data**, luego en **Data Analysis**; si utiliza Excel 2003, seleccione **Tools** y después en **Data Analysis**. Elija **Anova: Two-Factor With Replication** del menú. En el cuadro de diálogo ingrese el rango de entrada. Para los datos de la tabla 12-3, ingrese A1:D7. Para "rows per sample", introduzca el número de valores en cada celda; ingrese 3 para los datos de la tabla 12-3. Haga clic en **OK**.

Para tablas de dos factores con exactamente un dato por celda, no se requieren los rótulos. Ingrese los datos muestrales como aparecen en la tabla. Si utiliza Excel 2007, haga clic en **Data**, luego en **Data Analysis**; si utiliza Excel 2003, seleccione **Tools**, luego **Data Analysis** y después **Anova: Two-Factor Without Replication**. En el cuadro de diálogo, introduzca el rango de entrada únicamente de los valores muestrales; no incluya rótulos en el rango de entrada. Haga clic en **OK**.

TI-83/84 PLUS El programa A1ANOVA de la calculadora TI-83/84 Plus puede descargarse del sitio Web de este libro. Seleccione el archivo del *software*. El programa debe descargarse a la calculadora; luego, los datos muestrales deben ingresarse como una matriz D con tres columnas. Presione 2ND x^{-1}, Muévase a la derecha hasta **EDIT**, desplácese hacia abajo hasta **[D]**, luego presione ENTER y proceda a ingresar el número total de valores de datos, seguido por 3 (para las tres columnas). La primera columna de D lista todos los datos muestrales, la segunda columna lista el número de renglón correspondiente, y la tercera columna lista el número de columna correspondiente. Después de ingresar todos los datos y los números de renglón y de columna en la matriz D, presione PRGM, seleccione **A1ANOVA** y presione ENTER dos veces; luego, elija **RAN BLOCK DESI** (para diseño de bloque aleatorio) y presione ENTER dos veces. Seleccione **CONTINUE** y presione ENTER. En un momento aparecen los resultados. F(A) es el estadístico de prueba F para el factor de renglón, el cual será seguido por el valor P correspondiente. F(B) es el estadístico de prueba F para el factor de columna, el cual será seguido por el valor P correspondiente. (Es necesario presionar ENTER para ver el resto de los resultados). F(AB) es el estadístico de prueba F para el efecto de interacción, y va seguido por el valor P correspondiente.

12-3 Destrezas y conceptos básicos

Conocimientos estadísticos y pensamiento crítico

1. ANOVA de dos factores Un grupo de investigadores elige al azar a hombres y mujeres y los pesan (como en el conjunto de datos 1 del apéndice B). Sus pesos se presentan en la siguiente tabla, de manera que cada celda incluye cinco pesos. ¿Qué característica de los datos sugiere que el método de análisis adecuado es un ANOVA de *dos factores*? Es decir, ¿qué aspecto de los datos indica "dos factores"?

	Edad		
	Menos de 30	De 30 a 40	Más de 40
Mujer			
Hombre			

2. ANOVA de dos factores Si los pesos se registran en la tabla descrita en el ejercicio 1, ¿qué podríamos determinar al utilizar el método del análisis de varianza de dos factores?

3. Diseño balanceado Si los pesos se registran en la tabla descrita en el ejercicio 1, ¿el resultado es un *diseño balanceado*? ¿Por qué?

4. Interacción A continuación aparece una gráfica de interacción generada con Minitab, que representa los pesos de álamos cultivados en terrenos diferentes (terreno 1 y terreno 2) con diferentes tratamientos (ninguno, fertilizante, riego, fertilizante y riego). ¿Qué sugiere esta gráfica acerca de la interacción entre los dos factores?

MINITAB

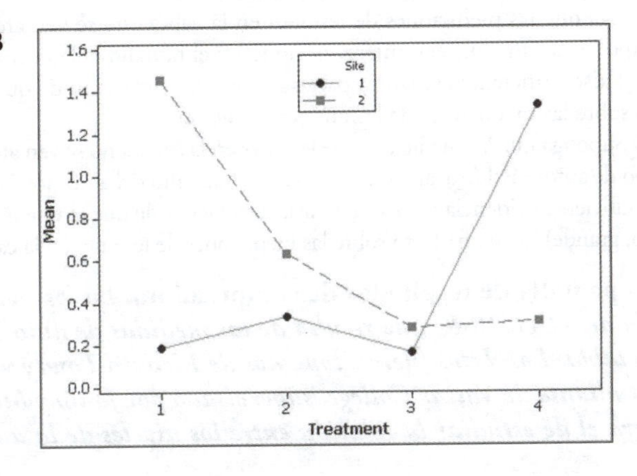

Interpretación de la pantalla de resultados de una computadora. *En los ejercicios 5 a 7 utilice la pantalla de Minitab, que es el resultado de las estaturas de 32 hombres y 32 mujeres elegidos al azar, incluidas en el conjunto de datos 1 del apéndice B. La variable del género que aparece en el renglón tiene dos valores (hombre, mujer), y la variable de la edad, que aparece en la columna, consiste en dos grupos de edades (menos de 30 y más de 30 años). Utilice un nivel de significancia de 0.05 para someter a prueba la hipótesis.*

MINITAB

Source	DF	SS	MS	F	P
Sex	1	439.426	439.426	53.11	0.000
Age	1	24.379	24.379	2.95	0.091
Interaction	1	1.995	1.995	0.24	0.625
Error	60	496.479	8.275		
Total	63	962.280			

5. Efecto de interacción Someta a prueba la hipótesis nula de que las estaturas no se ven afectadas por una interacción entre el género y el grupo de edad. ¿Qué concluye?

6. Efecto del género Suponga que las estaturas no se ven afectadas por una interacción entre el género y el grupo de edad. ¿Existe evidencia suficiente para sustentar la afirmación de que el género tiene un efecto sobre la estatura?

7. Efecto del grupo de edad Suponga que las estaturas no se ven afectadas por una interacción entre el género y el grupo de edad. ¿Existe evidencia suficiente para sustentar la afirmación de que el grupo de edad tiene un efecto sobre la estatura?

Interpretación de una pantalla de resultados de computadora. *En los ejercicios 8 a 10, utilice la pantalla de Minitab, que es el resultado de las siguientes mediciones de lesiones en la cabeza de maniquíes utilizados en pruebas de choque de automóviles. Las mediciones están en unidades hic (criterio para determinar una lesión en la cabeza, por las siglas de head injury condition) y corresponden a los mismos automóviles utilizados para la tabla 12-3. Utilice un nivel de significancia de 0.05 para someter a prueba la afirmación enunciada.*

	Tamaño del automóvil		
	Compacto	Mediano	Grande
Extranjero	290	245	342
	544	502	698
	501	393	332
Nacional	406	474	216
	371	368	335
	376	349	169

MINITAB

Source	DF	SS	MS	F	P
Type	1	34061	34060.5	2.25	0.159
Size	2	13255	6627.4	0.44	0.655
Interaction	2	42744	21372.2	1.41	0.281
Error	12	181603	15133.6		
Total	17	271663			

8. Efecto de interacción Someta a prueba la hipótesis nula de que las mediciones de lesiones en la cabeza no se ven afectadas por una interacción entre el tipo de automóvil (extranjero, nacional) y el tamaño del automóvil (compacto, mediano, grande). ¿Qué concluye?

9. Efecto del tipo Suponga que las mediciones de lesiones en la cabeza no se ven afectadas por una interacción entre el tipo de automóvil (extranjero, nacional) y el tamaño del automóvil (compacto, mediano, grande). ¿Existe suficiente evidencia para sustentar la afirmación de que el tipo de automóvil tiene un efecto sobre las mediciones de lesiones en la cabeza?

10. Efecto del tamaño Suponga que las mediciones de lesiones en la cabeza no se ven afectadas por una interacción entre el tipo de automóvil (extranjero, nacional) y el tamaño del automóvil (compacto, mediano, grande). ¿Existe suficiente evidencia para sustentar la afirmación de que el tamaño del automóvil (compacto, mediano, grande) tiene un efecto sobre las mediciones de lesiones en la cabeza?

Interpretación de una pantalla de resultados de computadora. *En los ejercicios 11 a 13 utilice la pantalla de STATDISK, que resulta de las medidas de autoestima incluidas en la siguiente tabla. Los datos fueron tomados de Richard Lowry y se basan en el proyecto de un estudiante de Vassar College, supervisado por Jannay Morrow. El objetivo del proyecto era el de estudiar la relación entre los niveles de la autoestima*

de los sujetos y su percepción de la autoestima de otras personas que se describían en un material escrito. Los niveles de autoestima se midieron utilizando el Inventario de Autoestima de Coopersmith, y la prueba funciona bien aun cuando los datos tienen un nivel de medición ordinal. Utilice un nivel de significancia de 0.05 para someter a prueba la afirmación enunciada.

		Autoestima del sujeto		
		Baja	Media	Alta
Autoestima de la otra persona	Baja	4 4	3 3	3 1
		3 5	3 4	3 3
		4 4	4 2	3 5
		5 4	4 4	3 2
		2 4	1 2	3 3
		4 2	2 3	3 3
	Alta	2 2	4 3	3 2
		4 2	1 2	3 2
		2 3	1 3	3 4
		2 4	2 4	3 4
		2 2	3 1	4 3
		2 3	1 4	3 4

STATDISK

Source:	DF:	SS:	MS:	Test Stat, F:	Critical F:	P-Value:
Interaction:	2	6.75	3.375	3.73	3.1359	0.0291
Row Variable:	1	4.5	4.5	4.9777	3.9863	0.0291
Column Variable:	2	2.8611	1.4306	1.5824	3.1359	0.2132

11. Efecto de interacción Someta a prueba la hipótesis nula de que las mediciones de la autoestima no se ven afectadas por una interacción entre la autoestima del sujeto y la autoestima de la otra persona. ¿Qué concluye?

12. Efecto de la otra persona Suponga que las mediciones de la autoestima no se ven afectadas por una interacción entre la autoestima del sujeto y la autoestima de la otra persona. ¿Existe evidencia suficiente para sustentar la afirmación de que la categoría de la otra persona (baja, alta) tiene un efecto sobre las medidas de la autoestima?

13. Efecto del sujeto Suponga que las mediciones de la autoestima no se ven afectadas por una interacción entre la autoestima del sujeto y la autoestima de la otra persona. ¿Existe evidencia suficiente para sustentar la afirmación de que la autoestima del sujeto (baja, media, alta) tiene un efecto sobre las mediciones de la autoestima?

En los ejercicios 14 y 15, utilice un programa de cómputo o una calculadora TI-83/84 Plus para obtener los resultados del análisis de varianza de dos factores.

14. Niveles de colesterol La siguiente tabla lista niveles de colesterol medidos, provenientes del conjunto de datos 1 del apéndice B. ¿Se ven afectados los niveles de colesterol por una interacción entre el género y la edad? ¿Se ven afectados los niveles de colesterol por el género? ¿Se ven afectados los niveles de colesterol por la edad?

	Edad		
	Menos de 30	De 30 a 50	Más de 50
Hombre	265 303 1252 230 957	702 277 176 416 120	75 189 288 578 31
Mujer	325 112 62 301 223	146 173 149 462 94	254 384 318 600 309

15. Experimento de panecillos A continuación se presentan las calificaciones de panecillos otorgadas por expertos (de acuerdo con datos de Minitab). Los diferentes panecillos se hornearon con o sin un ingrediente adicional, y se utilizaron diferentes cantidades de suero de leche. ¿Las calificaciones se ven afectadas por una interacción entre el uso del ingrediente adicional y la cantidad de suero de leche? ¿Las calificaciones se ven afectadas por el uso del ingrediente adicional? ¿Las calificaciones se ven afectadas por la cantidad de suero de leche?

	Suero de leche			
	0%	10%	20%	30%
Sin ingrediente adicional	4.4 4.5 4.3	4.6 4.5 4.8	4.5 4.8 4.8	4.6 4.7 5.1
Con ingrediente adicional	3.3 3.2 3.1	3.8 3.7 3.6	5.0 5.3 4.8	5.4 5.6 5.3

Una observación por celda. ***En los ejercicios 16 y 17, remítase a los datos indicados y utilice un nivel de significancia de 0.05 para la prueba de hipótesis.***

16. Niveles de colesterol Remítase a los datos muestrales del ejercicio 14 y utilice únicamente el primer dato de cada celda. Suponga que no hay un efecto sobre los niveles de colesterol provocado por una interacción entre el grupo de edad y el género. ¿Existe evidencia suficiente para sustentar la afirmación de que los niveles de colesterol se ven afectados por el género? ¿Existe evidencia suficiente para sustentar la afirmación de que los niveles de colesterol se ven afectados por el grupo de edad?

17. Lista de experimento de panecillos Remítase a los datos muestrales del ejercicio 15 y utilice únicamente el primer dato de cada celda. Suponga que no hay un efecto sobre la calificación de una interacción entre el uso del ingrediente adicional y la cantidad de suero de leche. ¿Existe evidencia suficiente para sustentar la afirmación de que las calificaciones se ven afectadas por el uso del ingrediente adicional? ¿Existe evidencia suficiente para sustentar la afirmación de que las calificaciones se ven afectadas por la cantidad de suero de leche?

12-3 Más allá de lo básico

18. Transformaciones de datos En el ejemplo 1 se ilustra el uso de un ANOVA de dos factores para analizar los datos muestrales de la tabla 12-3. ¿De qué manera se ven afectados los resultados en cada uno de los siguientes casos?

a) Se añade la misma constante a cada valor muestral.

b) Cada valor muestral se multiplica por la misma constante distinta de cero.

c) Se transpone el formato de la tabla, de manera que se intercambien los factores de renglón y de columna.

d) Se cambia el primer valor muestral de la primera celda, de manera que se convierte en un valor atípico.

Repaso

Análisis de varianza de un factor En la sección 12-2 presentamos el método del análisis de varianza de un factor, el cual se utiliza para someter a prueba la igualdad de tres o más medias poblacionales. (Los requisitos y el procedimiento se describen en la sección 12-2). Debido a la naturaleza compleja de los cálculos requeridos, nos enfocamos en la interpretación de los valores P obtenidos por medio de herramientas tecnológicas. Cuando se utiliza un análisis de varianza de un factor para someter a prueba la igualdad de tres o más medias poblacionales, se aplican los siguientes criterios de decisión:

• Si el valor P es pequeño (por ejemplo, 0.05 o menor), rechace la hipótesis nula de medias poblacionales iguales y concluya que al menos una de las medias poblacionales es diferente de las demás.

• Si el valor P es grande (por ejemplo, mayor que 0.05), no rechace la hipótesis nula de igualdad de medias poblacionales. Concluya que no existe evidencia suficiente para justificar el rechazo de igualdad de medias poblacionales.

Análisis de varianza de dos factores En la sección 12-3 consideramos el análisis de varianza de dos factores, que se utiliza con los datos categorizados de acuerdo con dos factores diferentes. Un factor se utiliza para ordenar los datos muestrales en renglones diferentes, mientras que el otro factor se emplea para ordenarlos en columnas distintas. A continuación se resume el procedimiento del análisis de varianza de dos factores:

1. Interacción Determine si existe una interacción entre los dos factores.

• Si el valor P para la interacción es pequeño (por ejemplo, 0.05 o menor), entonces parece que existe un efecto de interacción y debemos detenernos aquí y no proceder con las siguientes dos pruebas.

• Si el valor P es grande (por ejemplo, mayor que 0.05), entonces parece que no existe un efecto de interacción y debemos proceder con las siguientes dos pruebas.

2. Factor de renglón Investigue si existe un efecto del factor utilizado para ordenar los datos muestrales en diferentes renglones.

• Si el valor P para el factor de renglón es pequeño (por ejemplo, 0.05 o menor), entonces parece que existe un efecto del factor de renglón.

• Si el valor P para el factor de renglón es grande (por ejemplo, mayor que 0.05), entonces parece que no existe un efecto del factor de renglón.

3. Factor de columna Investigue si existe un efecto del factor utilizado para ordenar los datos muestrales en diferentes columnas.

- Si el valor *P* para el factor de columna es pequeño (por ejemplo, 0.05 o menor), entonces parece que existe un efecto del factor de columna.
- Si el valor *P* para el factor de columna es grande (por ejemplo, mayor que 0.05), entonces parece que no existe un efecto del factor de columna.

En la sección 12-3 también consideramos el uso del análisis de varianza de dos factores para el caso especial en el que solo haya una observación por celda.

Conocimientos estadísticos y pensamiento crítico

1. Datos muestrales independientes El conjunto de datos 13 del apéndice B incluye las cantidades de voltaje medidas de un generador a gasolina, de un sistema eléctrico residencial y de un aparato de suministro de electricidad sin interrupción, alimentado con el mismo sistema eléctrico residencial. Si se miden las cantidades de voltaje muestrales de las tres fuentes exactamente en los mismos momentos, ¿los datos son independientes? ¿Debemos utilizar un análisis de varianza de un factor? ¿Por qué?

2. ANOVA de un factor y ANOVA de dos factores ¿Cuál es la principal diferencia entre el análisis de varianza de un factor y el análisis de varianza de dos factores?

3. Datos de películas En el conjunto de datos 9 del apéndice B se listan los datos de 35 películas. Si se incluyeran más películas y las clasificaciones de la MPAA (PG, PG-13, R) se ordenaran según la duración de la película (menos de 2 horas, más de 2 horas) y el presupuesto invertido (menos de $75 millones, más de $75 millones), ¿se pueden utilizar los métodos de este capítulo para determinar los efectos de la duración de la película y del nivel de presupuesto? ¿Por qué?

4. Pruebas de choque de automóviles En las dos secciones de este capítulo se utilizaron los resultados de las pruebas de choque de automóviles. (Véase los datos muestrales de las tablas 12-1 y 12-3). Si se reducen los costos de futuras pruebas de choque de automóviles al utilizar únicamente los automóviles menos costosos en las categorías de compacto, mediano y grande, ¿se podrían hacer inferencias acerca de la seguridad de todos los automóviles? ¿Por qué?

Examen rápido del capítulo

1. ¿Para qué se utiliza el análisis de varianza de un factor?

2. ¿Las pruebas de análisis de varianza de un factor son de cola izquierda, de cola derecha o de dos colas?

3. En las pruebas de análisis de varianza de un factor, ¿los estadísticos de prueba más grandes producen valores *P* más grandes, valores *P* más pequeños o valores *P* que no están relacionados con el valor del estadístico de prueba?

4. La siguiente pantalla de resultados de Minitab corresponde al análisis de un factor de datos muestrales, consistentes de las puntuaciones medidas del nivel de lectura de 12 páginas elegidas al azar, en tres libros diferentes (de Rowling, Clancy y Tolstoi). ¿Cuál es el valor del estadístico de prueba?

MINITAB

Source	DF	SS	MS	F	P
Factor	2	68.19	34.09	8.98	0.001
Error	33	125.31	3.80		
Total	35	193.50			

5. Con el mismo análisis de un factor y los resultados del ejercicio 4, ¿cuál es la hipótesis nula y qué concluye acerca de ella?

6. Con el mismo análisis de un factor y los resultados del ejercicio 4, ¿cuál es la conclusión final?

7. ¿Cuál es la diferencia fundamental entre el análisis de varianza de un factor y el análisis de varianza de dos factores?

8. A continuación se presenta la pantalla de Minitab que resulta del análisis de varianza de dos factores, con datos muestrales que consisten en 18 estimaciones diferentes del largo de un salón de clases, realizadas por estudiantes. Los valores están ordenados según el género y el área de estudios (matemáticas, negocios, humanidades). ¿Qué concluye acerca de una interacción entre el género y el área de estudios?

MINITAB

Source	DF	SS	MS	F	P
Sex	1	29.389	29.3889	0.78	0.395
Major	2	10.111	5.0556	0.13	0.876
Interaction	2	14.111	7.0556	0.19	0.832
Error	12	453.333	37.7778		
Total	17	506.944			

9. Con los mismos resultados del ejercicio 8, ¿parece que las estimaciones del largo del salón de clases se ven afectadas por el género del sujeto?

10. Con los mismos resultados del ejercicio 8, ¿parece que las estimaciones del largo del salón de clase se ven afectadas por el área de estudios del sujeto?

Ejercicios de repaso

1. Características de la línea base Los experimentos y los ensayos clínicos con diferentes grupos de tratamiento suelen incluir información acerca de las características de dichos grupos. En un estudio de cuatro programas diferentes de pérdida de peso, cada programa tenía 40 sujetos. Las medias y las desviaciones estándar de las edades de los sujetos en cada grupo son las siguientes: Atkins ($\bar{x}$ = 47 años, s = 12 años); Zone ($\bar{x}$ = 51 años, s = 9 años); Weight Watchers ($\bar{x}$ = 49 años, s = 10 años); Ornish ($\bar{x}$ = 49 años, s = 12 años). Dichos estadísticos se listan junto con un valor P de 0.41. Los resultados se tomaron de "Comparison of the Atkins, Ornish, Weight Watchers, and Zone Diets for Weight Loss and Heart Disease Risk Reduction", de Dansinger *et al.*, *Journal of the American Medical Association*, vol. 293, núm. 1.

a) ¿Cuántas variables se utilizan para categorizar los datos muestrales que consisten en las edades?

b) ¿Qué método específico se utiliza para calcular el valor P de 0.41?

c) ¿Qué indica el valor P de 0.41 acerca de las características de la línea base de la edad?

d) ¿Qué indicaría un valor P pequeño (como 0.001) acerca de las edades, y cómo afectaría los resultados del estudio?

2. Pesos de automóviles A continuación se presentan los pesos (en libras) de automóviles en tres categorías diferentes (según el conjunto de datos 16 del apéndice B). También se muestra la pantalla de resultados de Minitab para estos datos. Utilice un nivel de significancia de 0.05 para someter a prueba la afirmación de que las diferentes categorías de automóviles tienen el mismo peso medio. ¿Los automóviles con más cilindros pesan más?

Cuatro cilindros	3315	3565	3135	3190	2760	3195	2980	2875	3060	3235	2865	2595	3465
Seis cilindros	4035	4115	3650	4030	3710	4095	4020	3915	3745	3475	3600	3630	
Ocho cilindros	4105	4170	4180	3860	4205	4415	4180						

MINITAB

Source	DF	SS	MS	F	P
Factor	2	6166725	3083363	54.70	0.000
Error	29	1634821	56373		
Total	31	7801547			

Interpretación de una pantalla de resultados de computadora. ***En los ejercicios 3 a 5, utilice la pantalla de resultados de Minitab, de la siguiente página, que se deriva de los valores listados en la siguiente tabla. Los tipos de automóvil son extranjeros y nacionales; los valores son las cargas (en libras) sobre el fémur izquierdo, de maniquíes usados en pruebas de choque de los mismos automóviles incluidos en el ejemplo 1 de la sección 12-3.***

	Tamaño del automóvil		
	Compacto	Mediano	Grande
Extranjero	548	194	215
	707	280	1636
	320	617	433
Nacional	782	1076	937
	1188	719	953
	634	445	472

MINITAB

Source	DF	SS	MS	F	P
Type	1	282752	282752	1.82	0.202
Size	2	148134	74067	0.48	0.632
Interaction	2	114769	57385	0.37	0.698
Error	12	1861029	155086		
Total	17	2406684			

3. Efecto de interacción Someta a prueba la hipótesis nula de que las cargas sobre el fémur izquierdo no se ven afectadas por una interacción entre el tipo y el tamaño del automóvil.

4. Efecto del tipo Suponga que las cargas sobre el fémur izquierdo no se ven afectadas por una interacción entre el tipo de automóvil (extranjero, nacional) y el tamaño del automóvil (compacto, mediano, grande). ¿Existe evidencia suficiente para sustentar la afirmación de que el tipo de automóvil tiene un efecto sobre las cargas medidas sobre el fémur izquierdo?

5. Efecto del tamaño Suponga que las cargas sobre el fémur izquierdo no se ven afectadas por una interacción entre el tipo de automóvil (extranjero, nacional) y el tamaño del automóvil (compacto, mediano, grande). ¿Existe evidencia suficiente para sustentar la afirmación de que el tamaño del automóvil (compacto, mediano, grande) tiene un efecto en las cargas medidas sobre el fémur izquierdo?

6. Monóxido de carbono en cigarrillos A continuación se presentan las cantidades de monóxido de carbono (en mg por cigarrillo) en muestras de cigarrillos tamaño grande, de cigarrillos mentolados y no mentolados de 100 mm (según el conjunto de datos 4 del apéndice B). Los cigarrillos de tamaño grande son sin filtro, no son mentolados y no son ligeros. Los cigarrillos mentolados de 100 mm tienen filtro y no son ligeros, al igual que los no mentolados. Utilice un nivel de significancia de 0.05 para someter a prueba la afirmación de que las tres categorías de cigarrillos producen la misma cantidad media de monóxido de carbono. Puesto que los cigarrillos tamaño grande son los únicos que no tienen filtro, ¿parece que los filtros marcan una diferencia?

Tamaño grande 16 16 16 16 16 17 16 15 16 14 16 16 16 16 16 14 16 16
14 18 15 16 14 16 16

Mentolados 15 17 19 9 17 17 15 17 15 17 17 15 17 17 18 11 18 3
17 14 15 22 16 7 9

No mentolados 4 19 17 18 18 13 17 15 15 12 18 17 18 16 3 18 15 18
15 17 15 15 7 16 14

7. Tabaquismo, temperatura corporal y género La siguiente tabla lista temperaturas corporales obtenidas de sujetos elegidos al azar (según el conjunto de datos 2 del apéndice B). Las temperaturas están clasificadas de acuerdo con el género y considerando si el sujeto fuma o no. Utilice un nivel de significancia de 0.05 para investigar si existe interacción entre el género y el hábito del tabaquismo, si existe un efecto del género y si existe efecto del hábito del tabaquismo. ¿Qué concluye?

	Fuma				No fuma			
Hombre	98.4	98.4	99.4	98.6	98.0	98.0	98.8	97.0
Mujer	98.8	98.0	98.7	98.4	97.7	98.0	98.2	99.1

8. Longevidad La siguiente tabla lista el número de años (desde 1690) que los presidentes estadounidenses, los Papas y los monarcas británicos vivieron después de que asumieron su respectivo cargo. Cuando se escribió este documento, el último presidente considerado era Gerald Ford, el último Papa era Juan Pablo II y el último monarca británico era Jorge VI. Determine si los tiempos de supervivencia de los tres grupos difieren. (Tabla basada en datos de *Computer-Interactive Data Analysis*, de Lunn y McNeil, John Wiley & Sons).

Presidentes 10 29 26 28 15 23 17 25 0 20 4 1 24 16 12 4 10 17 16
0 7 24 12 4 18 21 11 2 9 36 12 28 3 16 9 25 23 32

Papas 2 9 21 3 6 10 18 11 6 25 23 6 2 15 32 25 11 8 17
19 5 15 0 26

Monarcas 17 6 13 12 13 33 59 10 7 63 9 25 36 15

Ejercicios de repaso acumulativo

En los ejercicios 1 a 4 remítase al número de años que los presidentes estadounidenses, los Papas y los monarcas británicos vivieron después de asumir el cargo. Los datos se presentan en la tabla del ejercicio de repaso 8.

1. *a)* Calcule la media para cada uno de los tres grupos.

b) Calcule la desviación estándar para cada uno de los tres grupos.

2. Someta a prueba la afirmación de que existe una diferencia entre la media de los presidentes y la media de los monarcas británicos.
3. Considere la longevidad de los presidentes y determine si los datos parecen provenir de una población con una distribución normal. Explique por qué la distribución parece o no ser normal.
4. Considere la longevidad de los presidentes y construya un intervalo de confianza del 95% para la media poblacional.
5. Temperaturas corporales A continuación se presentan temperaturas corporales (en °F) elegidas al azar de la muestra más grande del conjunto de datos 2 del apéndice B.

98.3 96.5 97.3 98.9 98.2 97.6 98.4 98.0 97.6

a) ¿Cuál es el nivel de medición de esas temperaturas?
b) ¿Las temperaturas corporales son datos discretos o continuos?
c) ¿Cuál es la media muestral?
d) ¿Cuál es la mediana muestral?
e) ¿Cuál es el rango muestral?
f) ¿Cuál es la desviación estándar de la muestra?
g) ¿Cuál es la varianza de la muestra?
6. Clasificación de películas: Distribución de frecuencias A continuación se presentan las calificaciones asignadas por los espectadores a un grupo de películas (del conjunto de datos 9 del apéndice B). Construya una distribución de frecuencias con una anchura de clase de 1.0, y utilice 1.0 para el límite inferior de la primera clase.

6.7 2.2 7.6 8.0 7.4 5.8 4.8 7.7 8.3 5.7 6.5 8.6 1.9 7.8 5.8 2.0 7.8 8.4
7.5 2.7 6.0 6.3 7.0 6.6 2.0 7.8 8.0 6.4 8.5 6.6 5.3 6.8 8.1 6.7 7.3

7. Clasificación de películas: Histograma Utilice la distribución de frecuencias del ejercicio anterior para construir el histograma correspondiente. Con base en los resultados, ¿parece que las calificaciones de los espectadores provienen de una población con distribución normal? ¿Por qué?
8. Clasificación de películas y clasificación de la MPAA A continuación se incluyen muestras de calificaciones de películas otorgadas por los espectadores, ordenadas según la clasificación de la MPAA de PG, PG-13 y R (según el conjunto de datos 9 del apéndice B). Primero, compare de manera informal las tres medias muestrales; luego, realice una prueba formal de la afirmación de que las tres muestras proceden de poblaciones con la misma media. Utilice un nivel de significancia de 0.05.

PG 5.8 6.4 7.7
PG–13 2.0 2.2 2.7 4.8 5.3 6.0 6.5 6.7 6.8 7.0 7.3 7.4 7.5 7.8 7.8 7.8 8.0 8.1 8.4 8.5
R 1.9 2.0 5.7 5.8 6.3 6.6 6.6 6.7 7.6 8.0 8.3 8.6

9. Basura A continuación se listan las cantidades de papel y plástico (en libras) desechadas en hogares seleccionados al azar (del conjunto de datos 22 del apéndice B).
a) Efectúe una prueba para determinar si existe una correlación lineal entre las cantidades de papel y plástico desechadas.
b) Calcule la ecuación de la recta de regresión. Permita que la variable x represente cantidades de papel desechado y permita que y represente cantidades de plástico desechado.
c) ¿La ecuación de regresión obtenida en el inciso *b*) es un buen modelo para predecir una cantidad de plástico desechado, a partir de cierta cantidad específica de papel desechado? ¿Por qué?

Papel	9.55	11.42	11.36	10.99	9.09
Plástico	2.19	3.05	2.44	1.44	1.28

10. Lesiones por armas de fuego La siguiente tabla lista los números de lesiones por armas de fuego, ordenadas según las circunstancias y considerando si el arma de fuego era una pistola, un rifle o una escopeta (según datos de "Hospitalization Charges, Costs, and Income for Firearm-Related Injuries at a University Trauma Center", de Kizer, *et al.*, *Journal of the American Medical Association*, vol. 273, núm. 22). Utilice un nivel de significancia de 0.05 para someter a prueba la afirmación de que la categoría de lesión es independiente del tipo de arma.

	Accidental	Autoinfligida	Asalto
Pistola	31	35	162
Rifle o escopeta	13	7	67

Proyecto tecnológico

Remítase al conjunto de datos 8 del apéndice B. Utilice un programa de cómputo de estadística o una calculadora TI-83/84 Plus para realizar lo siguiente.

a) Someta a prueba la hipótesis nula de que las seis muestras de conteos de palabras de *hombres* (columnas 1, 3, 5, 7, 9, 11) provienen de poblaciones con la misma media. Imprima los resultados y redacte un breve resumen de sus conclusiones.

b) Someta a prueba la hipótesis nula de que las seis muestras de conteos de palabras de *mujeres* (columnas 2, 4, 6, 8, 10, 12) provienen de poblaciones con la misma media. Imprima los resultados y redacte un breve resumen de sus conclusiones.

c) Si queremos comparar el número de palabras pronunciadas por los hombres con el número de palabras pronunciadas por las mujeres, ¿tiene sentido combinar las seis columnas del conteo de palabras de los hombres y combinar las seis columnas del conteo de palabras de las mujeres, y luego comparar las dos muestras? ¿Por qué?

PROYECTO DE INTERNET

Análisis de varianza

Visite: **www.pearsonenespañol.com/triola**

Siga el vínculo del Proyecto de Internet de este capítulo. El proyecto incluye antecedentes para experimentos en áreas tan variadas como el desempeño atlético, la etiquetación de productos de consumo y la biología del cuerpo humano. En cada caso, los datos asociados se podrán agrupar de forma ideal para la aplicación de las técnicas de este capítulo. Usted tendrá que formular las hipótesis adecuadas, además de realizar y resumir pruebas ANOVA.

PROYECTO APPLET

Abra el archivo de Applets que se encuentra en el sitio Web de este libro y haga doble clic en **Start**.

a) Seleccione **Random numbers** del menú y genere 10 números enteros aleatorios entre 0 y 9 inclusive.

b) Repita el inciso *a*).

c) Seleccione **Random numbers** del menú y genere 10 números enteros aleatorios entre 5 y 14 inclusive.

d) Utilice un análisis de varianza de un factor para someter a prueba la afirmación de que las tres muestras provienen de poblaciones con la misma media. Asegúrese de verificar los requisitos para el análisis de varianza de un factor. ¿Qué concluye?

Actividades de trabajo en equipo

1. Actividad fuera de clase El *World Almanac and Book of Facts* incluye una sección llamada "Personalidades notables", con apartados correspondientes a arquitectos, artistas, líderes de negocios, líderes militares, filósofos, líderes políticos, científicos, escritores, animadores y otros. Diseñen y realicen un estudio observacional que inicie con la selección de muestras a partir de grupos elegidos, seguida por una comparación de la longevidad de personas de distintas categorías. ¿Algunos grupos en particular parecen tener una longevidad diferente en comparación con los otros grupos? ¿Podrían explicar estas diferencias?

2. Actividad en clase Pidan a cada estudiante en la clase que estime la longitud del salón de clases. Especifiquen que la longitud es la distancia entre el pizarrón y la pared opuesta. En la misma hoja de papel, cada estudiante debe anotar también su género (hombre/mujer) y área de estudios. Después, formen grupos de tres o cuatro estudiantes y utilicen los datos de toda la clase para plantear estas preguntas:

- ¿Existe una diferencia significativa entre la estimación media de los hombres y la estimación media de las mujeres?
- ¿Existe evidencia suficiente para rechazar la igualdad de las estimaciones medias en las diferentes áreas de estudio? Describan cómo se clasificaron las áreas de estudio.
- ¿La interacción entre el género y el área de estudios tiene algún efecto sobre la longitud estimada?
- ¿Parece que el género tiene un efecto sobre la longitud estimada?
- ¿Parece que el área de estudios tiene un efecto sobre la longitud estimada?

3. Actividad fuera de clase Formen grupos de tres o cuatro estudiantes. Cada grupo debe encuestar a otros estudiantes de la misma universidad y pedirles que identifiquen su área de estudios y género. También podrían incluir otros factores, tales como el empleo (ninguno, de medio tiempo, de tiempo completo) y la edad (menos de 21, de 21 a 30, más de 30). Para cada sujeto encuestado, determinen la exactitud de la hora de su reloj de pulso. Primero, pongan su propio reloj a la hora correcta por medio de una fuente exacta y confiable del tipo "Cuando escuche el tono, la hora es…". Registren una hora positiva para los relojes que están adelantados. Registren una hora negativa para los relojes que están atrasados. Utilicen los datos muestrales para plantear preguntas como estas:

- ¿Parece que el género tiene algún efecto sobre la exactitud de los relojes de pulso?
- ¿El área de estudios tiene algún efecto sobre la exactitud de los relojes de pulso?
- ¿La interacción entre el género y el área de estudios tiene algún efecto sobre la exactitud de los relojes de pulso?

4. Actividad fuera de clase Formen grupos de tres o cuatro estudiantes. Cada estudiante debe ir a un restaurante diferente de comida rápida (McDonald's, Burger King, Wendy's) y seleccionar al azar clientes conforme llegan a la fila a hacer un pedido. Registren el tiempo desde el momento en que los clientes llegan a la fila hasta que reciben su orden completa. Utilicen una muestra de al menos 10 clientes diferentes. Háganlo el mismo día de la semana y a la misma hora. Realicen pruebas sobre la igualdad de los tiempos de servicio.

DE LOS DATOS A LA DECISIÓN

Pensamiento crítico: ¿El Lipitor es eficaz para reducir el colesterol de baja densidad?

Puesto que las ventas actuales de Lipitor rebasan los $13,000 millones anuales, este producto se ha convertido en el medicamento más vendido de todos los tiempos. El autor pidió a Pfizer los datos originales de ensayos clínicos con Lipitor, pero la compañía se negó a proporcionarlos. Los siguientes datos se basan en los resultados mencionados en un memorando de Parke-Davis, enviado por el médico David G. Orloff, líder del equipo médico de ensayos clínicos. Los siguientes datos se refieren a la atorvastatina, y Lipitor es el nombre comercial de esta sustancia. El colesterol de baja densidad se considera dañino, de manera que la condición de un sujeto suele mejorar si se reduce este tipo de colesterol. Los cambios en el colesterol de baja densidad que se incluyen en la tabla están medidos en mg/dL. Observe que, comparados con valores de la línea base, los valores negativos en los siguientes datos indican que se redujo el colesterol de baja densidad.

Cambios en el colesterol de baja densidad a partir de los valores de la línea base (un valor negativo representa una reducción)

Grupo de placebo: −3 5 6 −2 −7 8 5 −6 −1 7 −4 3

Grupo tratado con 10 mg de atorvastatina: −28 −27 −23 −25 −27 −29 −22 −22 −26 −23 −23 −22 −24 −21 −25 −26 −23 −24 −23 −22 −22 −20 −29 −29 −27 −24 −28 −26 −22 −26 −23 −26 −25 −29 −27 −27 −23

Grupo tratado con 20 mg de atorvastatina: −28 −32 −29 −39 −31 −35 −25 −36 −35 −26 −29 −34 −30

Grupo tratado con 80 mg de atorvastatina: −42 −41 −38 −42 −41 −41 −40 −44 −32 −37 −41 −37 −34 −31

Análisis de los resultados

Analice los datos. ¿Parece que el tratamiento con atorvastatina tiene algún efecto? Si el tratamiento con atorvastatina tiene algún efecto, ¿este es el deseado? ¿Parece que dosis mayores de atorvastatina tienen efectos más benéficos? Redacte un breve informe en el que resuma sus hallazgos e incluya pruebas y resultados estadísticos específicos.

NOMBRE:	Jeffrey Foy
PUESTO:	Toxicólogo
COMPAÑÍA:	Cabot Corporation

Jeffrey Foy es toxicólogo y trabaja en Cabot Corporation, donde es responsable de evaluar los peligros de las sustancias químicas que se producen. Su trabajo consiste en entender de qué manera los productos de la empresa podrían afectar a los seres humanos o al ambiente, lo que sirve de base para determinar cuáles son las mejores formas de protegerlos.

¿En qué consiste su trabajo?

Mis responsabilidades incluyen organizar y evaluar estudios toxicológicos, elaborar hojas de cálculo sobre la seguridad de los materiales, y ayudar a nuestros grupos de investigación y desarrollo a producir materiales que sean seguros tanto para las personas como para el ambiente. Mi trabajo también ayuda a comprender los daños que podrían ocasionar esos materiales.

¿Qué conceptos de estadística utiliza?

El principal concepto que utilizo es la prueba de hipótesis (pruebas de probabilidad).

¿Cómo utiliza la estadística en el trabajo?

Utilizo la estadística todos los días. Los métodos estadísticos se han empleado y se siguen empleando de dos formas en mi trabajo. En primer lugar, la estadística me ayuda a determinar la forma en que diseño los experimentos. En segundo lugar, me permite determinar si los datos generados son significativos o si son lo suficientemente buenos para utilizarse.

Los estudios en que participo pueden costar desde $1000 hasta $500,000 o más, y si no determino de manera adecuada la forma en que voy a evaluar los datos, esto podría costar a la empresa una gran cantidad de tiempo y dinero. Si el experimento se realiza adecuadamente, entonces procedemos a analizar la información. Los datos de los estudios que realizamos se utilizan para evaluar cualquier efecto potencial que muchos productos pueden tener en la salud de nuestros empleados, clientes o en el ambiente. Los resultados sirven para determinar la manera en que se pueden vender o manejar los productos químicos. Cuando se realizan experimentos en un laboratorio de pruebas o en una compañía farmacéutica, se busca determinar si los materiales tienen algún efecto, ya sea deseable (como un fármaco que cura una enfermedad) o indeseable (por ejemplo, si un fármaco es tóxico). La estadística tiene un papel muy importante en nuestra evaluación de la significancia de los efectos.

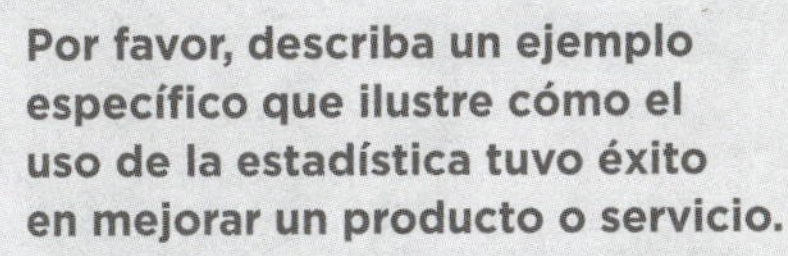

Por favor, describa un ejemplo específico que ilustre cómo el uso de la estadística tuvo éxito en mejorar un producto o servicio.

Hace poco tiempo realizamos un estudio toxicológico que costó alrededor de $300,000. Los datos del estudio se utilizarían para determinar si cierto producto químico causaba algún efecto en los sujetos estudiados. Después de que se llevó a cabo el análisis, se descubrieron fallas en los datos y en los estadísticos utilizados. Se requirieron dos años más para revisar los datos adecuadamente y finalizar la evaluación de salud. Si se hubieran elegido los métodos y los términos adecuados, tal vez no habría sido necesario invertir tiempo y dinero adicionales. La comprensión de los datos y la evaluación estadística correcta ayudaron a prevenir un fracaso y una posible repetición del estudio.

13 Estadística no paramétrica

PROBLEMA DEL CAPÍTULO

¿Es más difícil ingresar a las "mejores" universidades?

La tabla 13-1 lista las puntuaciones y la clasificación de universidades estadounidenses elegidas al azar. Las universidades son Stanford, Rochester, Syracuse, Columbia, Georgetown, Tufts, Wake Forest y Johns Hopkins. La primera puntuación es una medida de la calidad general (las puntuaciones más altas indican una mayor calidad). Las puntuaciones se basan en factores que abarcan evaluaciones de los administradores, recursos de la facultad, índices de graduación y la conservación de estudiantes. Los rangos de selección se basan en factores que incluyen las puntuaciones de los aspirantes en pruebas estandarizadas, la tasa de aceptación y la proporción de estudiantes que al graduarse de la preparatoria se encontraban entre el 10% más alto de su clase. Un rango de selección bajo corresponde a las escuelas más selectivas. La clasificación se basa en las universidades incluidas en la muestra y no en toda la población de universidades. Las puntuaciones y los rangos se basan en datos de la revista *U.S. News and World Report* magazine.

¿Es más difícil ingresar a una de las universidades con las puntuaciones de calidad general más altas? Es decir, ¿existe una relación entre la puntuación general de calidad y el rango de selección? De ser así, ¿dicha relación indica que las puntuaciones generales de calidad *más altas* están asociadas con un rango de selección *más bajo*?

Siempre debemos comenzar con la exploración de los datos, y el siguiente diagrama de dispersión, generado por Minitab, indica que parece haber una relación entre las dos variables. Al examinar el diagrama de dispersión de izquierda a derecha, se observa una tendencia descendente, pero no está claro si el patrón es lo suficientemente fuerte para justificar la conclusión de que existe una correlación entre las dos variables. Es necesaria una medida más objetiva de correlación.

En el capítulo 10 se estudió la forma de determinar si existe una correlación entre las dos variables, pero se trata de un método paramétrico en el sentido de que se requiere de una distribución normal. Como los valores de selección son datos del 1 al 8, violan el requisito de normalidad, por lo que no es posible utilizar los métodos de la sección 10-2. En vez de ello, cuando no se cumpla el requisito de una distribución normal, utilizaremos métodos no paramétricos. En la sección 13-6 se emplean datos ordenados para determinar si existe una correlación entre dos variables. Este método se puede aplicar a los datos muestrales de la tabla 13-1.

MINITAB

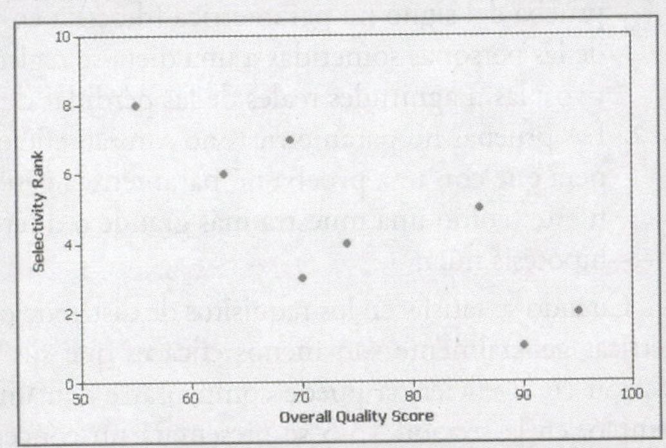

Tabla 13-1 Puntuaciones generales de calidad y rangos de selección de universidades estadounidenses

Calidad general	95	63	55	90	74	70	69	86
Rango de selección	2	6	8	1	4	3	7	5

13-1 Repaso y preámbulo

En los capítulos anteriores se presentó una variedad de métodos de estadística inferencial. Muchos de esos métodos requieren de poblaciones distribuidas de manera normal y se basan en el muestreo de una población con parámetros específicos, como la media μ, la desviación estándar σ o la proporción poblacional p. El objetivo fundamental de este capítulo es presentar métodos estadísticos *no paramétricos*, los cuales no tienen que cumplir con los requisitos más estrictos correspondientes a los métodos paramétricos.

DEFINICIÓN

Las **pruebas paramétricas** tienen requisitos acerca de la naturaleza o la forma de las poblaciones implicadas; las **pruebas no paramétricas** no requieren que las muestras provengan de poblaciones con distribuciones normales o con cualquier otro tipo particular de distribución. En consecuencia, las pruebas de hipótesis no paramétricas suelen llamarse **pruebas de distribución libre**.

Aunque el término *no paramétrica* sugiere que la prueba no está basada en un parámetro, existen algunas pruebas no paramétricas que sí dependen de un parámetro como la mediana. Sin embargo, las pruebas no paramétricas no requieren de una distribución particular, por lo que algunas veces se les conoce como pruebas de *distribución libre*. A continuación se enuncian las principales ventajas y desventajas de los métodos no paramétricos.

Ventajas de los métodos no paramétricos

1. Los métodos no paramétricos pueden aplicarse a una amplia variedad de situaciones, puesto que no tienen los requisitos más estrictos de los métodos paramétricos correspondientes. En particular, los métodos no paramétricos no requieren de poblaciones distribuidas normalmente.
2. A diferencia de los métodos paramétricos, los métodos no paramétricos a menudo pueden aplicarse a datos categóricos, como el género de quienes responden una encuesta.

Desventajas de los métodos no paramétricos

1. Los métodos no paramétricos tienden a desperdiciar información porque los datos numéricos exactos suelen reducirse a una forma cualitativa. Por ejemplo, en la prueba del signo no paramétrica (descrita en la sección 13-2), las pérdidas de peso de las personas sometidas a una dieta se registran simplemente como signos negativos; las magnitudes reales de las pérdidas de peso se ignoran.
2. Las pruebas no paramétricas no son tan eficientes como las paramétricas, de manera que con una prueba no paramétrica generalmente necesitamos evidencia más fuerte (como una muestra más grande o diferencias mayores) para rechazar una hipótesis nula.

Cuando se satisfacen los requisitos de distribuciones poblacionales, las pruebas no paramétricas generalmente son menos eficaces que sus contrapartes paramétricas, pero la reducción en la eficiencia puede compensarse con un tamaño de muestra más grande. Por ejemplo, en la sección 13-6 se presentará un concepto llamado *correlación de rangos*, que tiene una tasa de eficiencia de 0.91 cuando se compara con la correlación lineal presentada en el capítulo 10. Esto significa que, si todo permanece igual, la correlación de rangos no paramétrica requiere 100 observaciones muestrales para obtener los mismos resultados que 91 observaciones muestrales analizadas por medio de la correlación lineal paramétrica, suponiendo que se satisfacen los requisitos más estrictos para la aplicación del método paramétrico. La tabla 13-2 lista los métodos no paramétricos que se estudian en este capítulo, junto con el método paramétrico correspondiente y la tasa de **eficiencia**. La tabla 13-2 indica que varias pruebas no paramétricas tienen tasas de eficiencia por encima de 0.90, por lo que la eficiencia más baja tal vez no sea un factor esencial para elegir entre los métodos paramétricos y no paramétricos. Sin embargo, puesto que las pruebas paramétricas tienen

Tabla 13-2 **Eficiencia: Comparación de pruebas paramétricas y no paramétricas**

Aplicación	Prueba paramétrica	Prueba no paramétrica	Tasa de eficiencia de una prueba no paramétrica con población normal
Datos muestrales pareados	Prueba *t* o prueba *z*	Prueba del signo	0.63
		Prueba de rangos con signo de Wilcoxon	0.95
Dos muestras independientes	Prueba *t* o prueba *z*	Prueba de la suma de rangos de Wilcoxon	0.95
Varias muestras independientes	Análisis de varianza (prueba *F*)	Prueba de Kruskal-Wallis	0.95
Correlación	Correlación lineal	Prueba de correlación de rangos	0.91
Aleatoriedad	Prueba no paramétrica	Prueba de rachas	Sin bases para comparar

tasas de eficiencia más altas que sus contrapartes no paramétricas, generalmente es mejor utilizar las pruebas paramétricas cuando sus supuestos requeridos se satisfacen.

Rangos

Las secciones 13-3 a 13-6 utilizan métodos basados en rangos, que describiremos a continuación.

DEFINICIÓN

Los datos están *ordenados* cuando se acomodan de acuerdo con algún criterio; por ejemplo, del más pequeño al más grande, o del mejor al peor. Un **rango** es un número asignado a un elemento muestral individual de acuerdo con su lugar en la lista ordenada. Al primer elemento se le asigna un rango de 1, al segundo elemento un rango de 2, y así sucesivamente.

Manejo de rangos empatados: Si ocurre un empate en los rangos, el procedimiento habitual es calcular la media de los rangos implicados y luego asignar ese rango medio a cada uno de los elementos empatados, como en el siguiente ejemplo.

EJEMPLO 1 Los números 4, 5, 5, 5, 10, 11, 12 y 12 tienen rangos dados de 1, 3, 3, 3, 5, 6, 7.5 y 7.5, respectivamente. Vea la siguiente tabla y observe el procedimiento para manejar empates.

Datos ordenados	Rango preliminar	Rango
4	1	**1**
5	2	**3**
5	3 La media es 3.	**3**
5	4	**3**
10	5	**5**
11	6	**6**
12	7 La media es 7.5.	**7.5**
12	8	**7.5**

13-2 Prueba del signo

Concepto clave En esta sección se analiza la manera de aplicar la *prueba del signo*, la cual se puede utilizar con afirmaciones acerca de datos que consisten en valores pareados, afirmaciones que incluyen datos nominales, o bien, con afirmaciones acerca de la mediana de una población. La prueba del signo implica convertir valores de datos en signos positivos y negativos, y luego realizar una prueba para ver si hay una cantidad desproporcionadamente mayor de uno u otro signo.

DEFINICIÓN

La **prueba del signo** es una prueba no paramétrica (de distribución libre) que utiliza signos positivos y negativos para someter a prueba diferentes afirmaciones, incluyendo:

1. Afirmaciones que implican datos muestrales pareados
2. Afirmaciones que implican datos nominales
3. Afirmaciones acerca de la mediana de una sola población

Concepto básico de la prueba del signo La idea básica que subyace en la prueba del signo es el análisis de las frecuencias de los signos positivos y negativos para determinar si son significativamente diferentes. Por ejemplo, considere los resultados de ensayos clínicos del método MicroSort para la selección del género. De 726 parejas que utilizaron el método XSORT para tener una niña, 668 lo lograron. ¿Es *significativo* el resultado de 668 niñas en 726 nacimientos? Tal vez el sentido común sugiera que 668 niñas en 726 nacimientos es un número significativo; pero, ¿qué sucede con 365 niñas en 726 nacimientos? ¿O con 400 niñas en 726 nacimientos? La prueba del signo nos permite determinar cuándo los resultados de este tipo son significativos. En la figura 13-1 se resume el procedimiento para la prueba del signo.

En aras de la consistencia y sencillez, se usará un estadístico de prueba basado en el número de veces que se presenta el signo ***menos frecuente***.

Prueba del signo

Objetivo

Someter a prueba una afirmación sobre datos pareados, someter a prueba una afirmación acerca de datos nominales con dos categorías, o bien, someter a prueba una afirmación acerca de la mediana de una población utilizando la prueba del signo.

Notación

x = el número de veces que se presenta el signo *menos frecuente*

n = el número total de signos positivos y negativos combinados

Requisitos

Los datos muestrales constituyen una muestra aleatoria simple.

Nota: No existe el requisito de que los datos muestrales provengan de una población con una distribución particular, como una distribución normal.

Estadístico de prueba

Para $n \leq 25$: x (el número de veces que se presenta el signo menos frecuente)

$$\text{Para } n > 25\text{: } z = \frac{(x + 0.5) - \left(\dfrac{n}{2}\right)}{\dfrac{\sqrt{n}}{2}}$$

Valores críticos

1. Para $n \leq 25$, los valores críticos x se encuentran en la tabla A-7.
2. Para $n > 25$, los valores críticos z se encuentran en la tabla A-2. *Sugerencia:* Como z se basa en el signo *menos* frecuente, todas las pruebas de una cola se tratan como si fueran pruebas de cola izquierda.

Valores *P*

En ocasiones los programas de cómputo nos dan los valores P, o bien, estos se pueden calcular utilizando el estadístico de prueba.

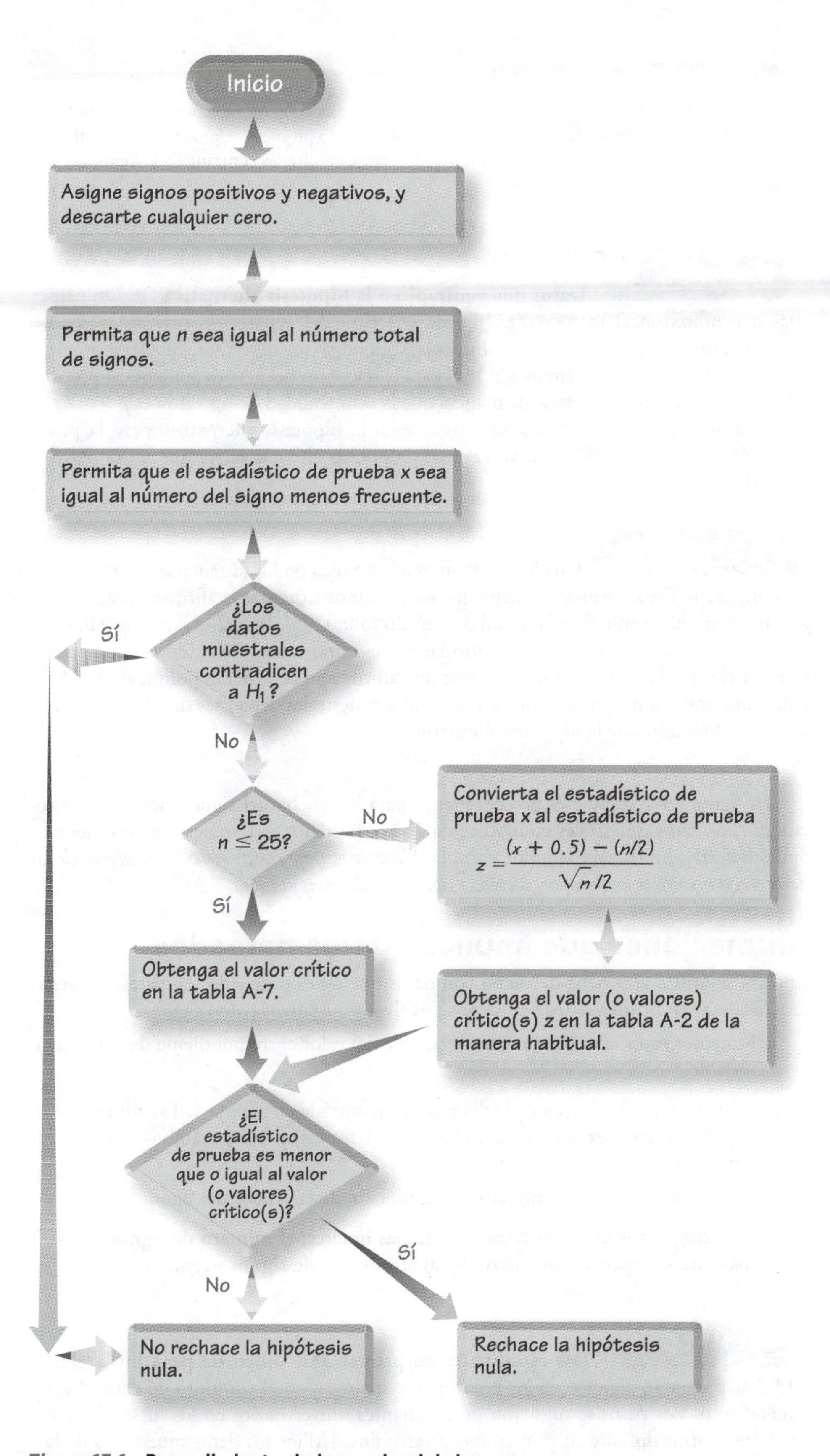

Figura 13-1 Procedimiento de la prueba del signo

Asistencia a clases y calificaciones

En un estudio de 424 estudiantes de licenciatura de la Universidad de Michigan, se encontró que aquellos con los peores registros de asistencia tendían a obtener las calificaciones más bajas. (¿Quién se sorprende?). Aquellos que estuvieron ausentes menos del 10% del tiempo tendieron a recibir calificaciones de B o superiores. El estudio también reveló que los estudiantes que se sientan al frente en el salón de clases tienden a obtener calificaciones significativamente mejores.

Brecha de género en las pruebas de fármacos

Un estudio de la relación entre los ataques cardiacos y las dosis administradas de aspirina incluyó a 22,000 médicos varones. Este estudio, como muchos otros, excluyó a las mujeres. La General Accounting Office criticó hace poco a los Institutos Nacionales de Salud (National Institutes of Health) por no incluir a ambos sexos en muchos estudios, ya que los resultados de pruebas médicas en hombres no necesariamente se aplican a las mujeres. Por ejemplo, los corazones de las mujeres son diferentes de los de los hombres en muchos aspectos importantes. Cuando saquemos conclusiones con base en resultados muestrales, debemos ser cuidadosos al generalizar las inferencias a una población más grande que aquella de la cual se obtuvo la muestra.

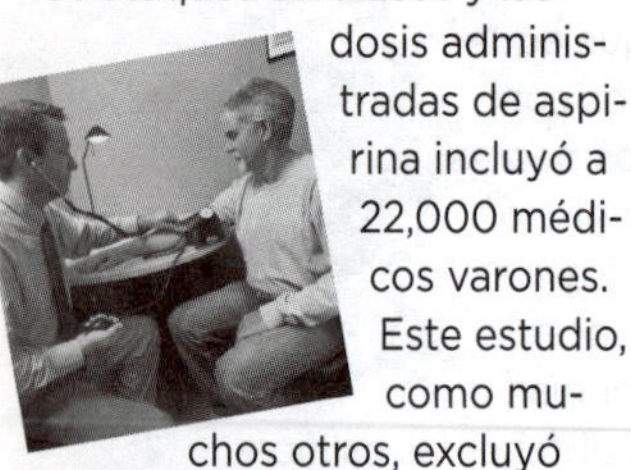

ADVERTENCIA

Cuando se aplica la prueba del signo en una prueba de una cola, necesitamos ser muy cuidadosos para evitar obtener la conclusión equivocada cuando un signo se presenta significativamente con más frecuencia que el otro, pero los datos muestrales contradicen la hipótesis alternativa. Vea el siguiente ejemplo.

EJEMPLO 1

Datos que contradicen la hipótesis alternativa De 726 parejas que utilizaron el método XSORT de selección del género, 58 tuvieron varones (según datos del Genetics and IVF Institute). Suponga que deseamos someter a prueba la afirmación de que el método XSORT para la selección del género aumenta la probabilidad de que nazcan *varones*, de manera que la probabilidad de un varón es $p > 0.5$.

La afirmación de $p > 0.5$ se convierte en la hipótesis alternativa, pero la proporción muestral de 58/726 *contradice* a la hipótesis alternativa, ya que no es mayor que 0.5.

INTERPRETACIÓN

Una hipótesis alternativa nunca podrá sustentarse con datos que la contradicen. Debe resultar evidente que no podemos sustentar la afirmación de que $p > 0.5$ con una proporción muestral de 58/726 (o 0.0799), la cual es *menor que* 0.5.

Cuando se somete a prueba una afirmación, es importante tener cuidado de evitar cometer el error fundamental de creer que una afirmación se sustenta porque los resultados muestrales son significativos; los resultados muestrales deben ser significativos en la misma dirección que la hipótesis alternativa.

La figura 13-1 resume el procedimiento para la prueba del signo e incluye esta revisión: ¿Los datos muestrales contradicen a H_1? Si los datos muestrales van en el sentido opuesto de H_1, no rechace la hipótesis nula. *Siempre es importante reflexionar acerca de los datos y evitar confiar a ciegas en cálculos o resultados de computadora.*

Afirmaciones que implican datos pareados

Cuando se utiliza la prueba del signo con datos que están ordenados en pares, convertimos los datos en bruto a datos con signos positivos y negativos como sigue:

1. Restamos cada valor de la segunda variable del valor correspondiente de la primera variable.
2. Registramos solo el *signo* de la diferencia encontrada en el paso 1. Excluimos los *empates*: es decir, excluimos todos los datos pareados en los que ambos valores son iguales.

Este es el concepto clave que subyace en la aplicación de la prueba del signo:

Si dos conjuntos de datos tienen medianas iguales, el número de signos positivos debe ser aproximadamente igual al número de signos negativos.

EJEMPLO 2

Los estudiantes de primer año suben de peso En la tabla 13-3 se presentan algunos de los pesos que se incluyen en el conjunto de datos 3 del apéndice B. Los pesos se midieron de estudiantes universitarios en los meses de septiembre y abril durante su primer año de estudios. Utilice los datos muestrales de la tabla 13-3, con un nivel de significancia de 0.05, para someter a prueba la afirmación de que no existen diferencias entre los pesos de septiembre y los pesos de abril. Utilice la prueba del signo.

Tabla 13-3 **Mediciones de pesos de estudiantes en su primer año en la universidad**

Peso en septiembre	67	53	64	74	67	70	55	74	62	57
Peso en abril	66	52	68	77	67	71	60	82	65	58
Signo de la diferencia	+	+	−	−	0	−	−	−	−	−

SOLUCIÓN

VERIFICACIÓN DE REQUISITOS El único requisito de la prueba del signo es que los datos correspondan a una muestra aleatoria simple. En vez de ser una muestra aleatoria simple de estudiantes elegidos, todos los sujetos participaron de manera voluntaria en el estudio, de modo que el requisito no se satisface. Esta limitación se cita en el artículo científico que describe los resultados del estudio. Procederemos como si se cumpliera el requisito de una muestra aleatoria simple. ✓

Si no existe diferencia entre los pesos de abril y los pesos correspondientes de septiembre, el número de signos positivos y negativos debe ser aproximadamente igual. En la tabla 13-3 tenemos 7 signos negativos, 2 signos positivos y una diferencia de 0. La prueba del signo nos indica si la cantidad de números positivos y negativos es aproximadamente igual.

La hipótesis nula es la afirmación de que no hay diferencia entre los pesos de abril y los pesos de septiembre, y la hipótesis alternativa es la afirmación de que existe una diferencia.

H_0: No existe diferencia. (La mediana de las diferencias es igual a 0).

H_1: Existe una diferencia. (La mediana de las diferencias no es igual a 0).

Según la figura 13-1, permitimos que $n = 9$ (el número total de signos) y permitimos que $x = 2$ (el número del signo con menor frecuencia, o el más pequeño de 2 y 7).

Los datos muestrales no contradicen a H_1, ya que hay una diferencia entre los 2 signos positivos y los 7 signos negativos. Los datos muestrales revelan una diferencia, y necesitamos continuar con la prueba para determinar si la diferencia es significativa.

La figura 13-1 indica que, con $n = 9$, debemos proceder a calcular el valor crítico en la tabla A-7. Nos referimos a dicha tabla, donde obtenemos el valor crítico de 1 para $n = 9$ y $\alpha = 0.05$ en dos colas.

Puesto que $n \leq 25$, el estadístico de prueba es $x = 2$. Por lo tanto, no rechazamos la hipótesis nula de que no existe diferencia. [Véase la nota 2 incluida en la tabla A-7: "La hipótesis nula se rechaza si el número del signo menos frecuente (x) es menor o igual que el valor en la tabla". Puesto que $x = 2$ *no* es menor que o igual al valor crítico de 1, no rechazamos la hipótesis nula].

No hay suficiente evidencia para sustentar el rechazo de la afirmación de que la mediana de las diferencias es igual a 0.

INTERPRETACIÓN

Concluimos que los pesos de septiembre y de abril no son diferentes. (Si utilizamos la prueba t paramétrica para datos pareados (sección 9-4), concluimos que la media de la diferencia no es cero, de manera que los pesos de septiembre y de abril parecen ser diferentes).

La conclusión debe plantearse de acuerdo con las limitaciones señaladas en el artículo que habla acerca del estudio. Solo se incluyeron estudiantes de Rutgers, y ellos participaron de manera voluntaria en lugar de ser elegidos como una muestra aleatoria simple.

Afirmaciones que implican datos nominales con dos categorías

En el capítulo 1 definimos los datos nominales como aquellos que consisten solo en nombres, etiquetas o categorías. La naturaleza de los datos nominales limita los cálculos posibles, pero podemos identificar la *proporción* de datos muestrales que pertenecen a una categoría en particular, y podemos someter a prueba afirmaciones acerca de la proporción poblacional p correspondiente. El siguiente ejemplo utiliza datos nominales que consisten en el género (niñas/niños). La prueba del signo se utiliza representando a las niñas con signos positivos (+) y a los niños con signos negativos (−). (Créanme, estos signos se eligieron arbitrariamente).

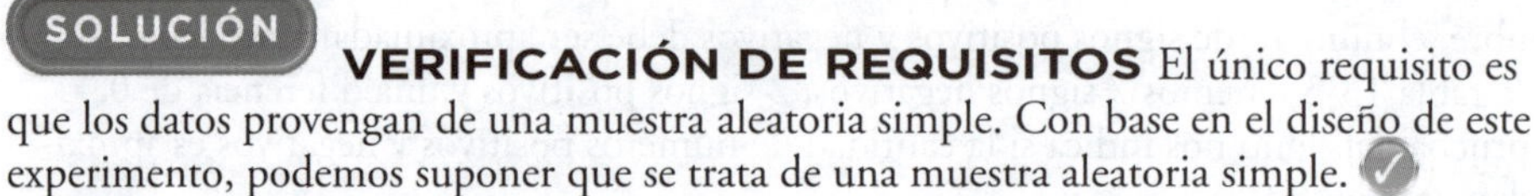

EJEMPLO 3

Selección del género El Genetics and IVF Institute realizó un ensayo clínico de sus métodos de selección del género. Para cuando se escribió este libro, 668 de 726 bebés nacidos de padres que utilizaron el método XSORT fueron niñas. Utilice la prueba del signo con un nivel de significancia de 0.05 y someta a prueba la afirmación de que este método de selección del género es eficaz para incrementar la probabilidad de que nazca una niña.

SOLUCIÓN

VERIFICACIÓN DE REQUISITOS El único requisito es que los datos provengan de una muestra aleatoria simple. Con base en el diseño de este experimento, podemos suponer que se trata de una muestra aleatoria simple. ✓

Permita que p denote la proporción poblacional de niñas. La afirmación de que las niñas son más probables con el método XSORT se puede expresar como $p > 0.5$, de manera que las hipótesis nula y alternativa se establecen de la siguiente manera:

H_0: $p = 0.5$ (la proporción de niñas es igual a 0.5)

H_1: $p > 0.5$ (las niñas son más probables)

Si denotamos a las niñas con signo positivo (+) y a los niños con signo negativo (−), tenemos 668 signos positivos y 58 signos negativos. Si utilizamos el procedimiento de la prueba del signo que se resume en la figura 13-1, permitimos que el estadístico de prueba x sea el menor de 668 y 58, de manera que $x = 58$ niños. *En lugar de tratar de determinar si 668 niñas constituyen un número suficientemente grande para que sea significativo, procedemos con la tarea equivalente de tratar de determinar si 58 niños son un número suficientemente pequeño para considerarlo significativo, y por lo tanto, tratamos la prueba como una prueba de* cola izquierda.

Los datos muestrales no contradicen la hipótesis alternativa, puesto que la proporción muestral de niñas es 668/726, la cual es mayor que 0.5, como en la hipótesis alternativa anterior. Continuando con el procedimiento de la figura 13-1, notamos que el valor de $n = 726$ es mayor que 25, por lo que el estadístico de prueba $x = 58$ se convierte (utilizando una corrección por continuidad) al estadístico de prueba z como sigue:

$$z = \frac{(x + 0.5) - \left(\frac{n}{2}\right)}{\frac{\sqrt{n}}{2}}$$

$$= \frac{(58 + 0.5) - \left(\frac{726}{2}\right)}{\frac{\sqrt{726}}{2}} = -22.60$$

Con $\alpha = 0.05$ en una prueba de cola izquierda, el valor crítico es $z = -1.645$. La figura 13-2 indica que el estadístico de prueba $z = -22.60$ se localiza en la región crítica limitada por $z = -1.645$, por lo que rechazamos la hipótesis nula de que la proporción de niñas es igual a 0.5. Existe evidencia muestral suficiente para justificar la afirmación de que las niñas son más probables si se utiliza el método XSORT.

INTERPRETACIÓN

Parece que el método XSORT para la selección del género aumenta la probabilidad de que nazca una niña.

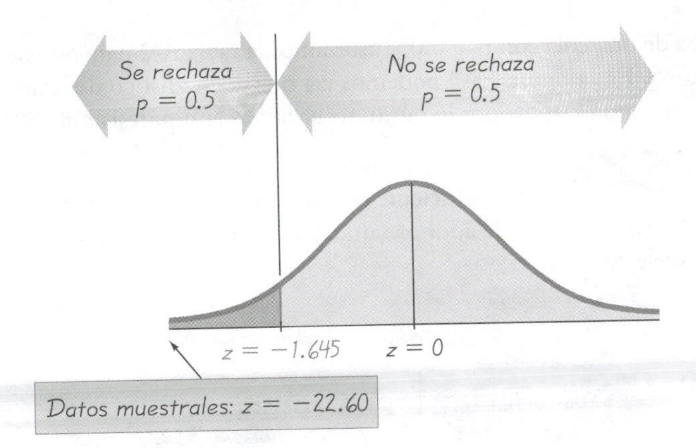

Figura 13-2

Prueba de la eficacia del método XSORT para la selección del género

Afirmaciones acerca de la mediana de una sola población

El siguiente ejemplo ilustra el procedimiento para utilizar la prueba del signo al someter a prueba una afirmación acerca de la mediana de una sola población. Observe cómo los signos positivos y negativos se basan en el valor establecido de la mediana.

EJEMPLO 4 **Temperaturas corporales** El conjunto de datos 2 del apéndice B incluye temperaturas corporales medidas en adultos. Utilice las 106 temperaturas listadas para las 12:00 A.M. del día 2 con la prueba del signo para someter a prueba la afirmación de que la mediana es menor que 98.6°F. De los 106 sujetos, 68 registraron temperaturas por debajo de 98.6°F, 23 tuvieron temperaturas por arriba de 98.6°F, y 15 registraron temperaturas iguales a 98.6°F.

SOLUCIÓN **VERIFICACIÓN DE REQUISITOS** El único requisito es que los datos provengan de una muestra aleatoria simple. Con base en el diseño de este experimento, suponemos que se trata de una muestra aleatoria simple. ✓

La afirmación de que la mediana es menor que 98.6°F constituye la hipótesis alternativa, mientras que la hipótesis nula es la afirmación de que la mediana es igual a 98.6°F.

H_0: La mediana es igual a 98.6°F. (mediana = 98.6°F)

H_1: La mediana es menor que 98.6°F. (mediana $<$ 98.6°F)

Siguiendo el procedimiento descrito en la figura 13-1, utilizamos el signo negativo (−) para denotar cada temperatura que está por debajo de 98.6°F, y utilizamos el signo positivo (+) para denotar cada temperatura que está por encima de 98.6°F. Observe que descartamos los 15 valores de 98.6, ya que producen diferencias de cero. Por lo tanto, tenemos 68 signos negativos y 23 signos positivos, entonces $n = 91$ y $x = 23$ (el número del signo menos frecuente). Los datos muestrales no contradicen la hipótesis alternativa, puesto que la mayoría de las 91 temperaturas están por debajo de 98.6°F. El valor de n excede 25, por lo que convertimos el estadístico de prueba x al estadístico de prueba z:

$$z = \frac{(x + 0.5) - \left(\frac{n}{2}\right)}{\frac{\sqrt{n}}{2}}$$

$$= \frac{(23 + 0.5) - \left(\frac{91}{2}\right)}{\frac{\sqrt{91}}{2}} = -4.61$$

continúa

En esta prueba de una cola con $\alpha = 0.05$, utilizamos la tabla A-2 para obtener el valor crítico z de -1.645. En la figura 13-3 podemos ver que el estadístico de prueba $z = -4.61$ cae dentro de la región crítica; por lo tanto, rechazamos la hipótesis nula.

INTERPRETACIÓN Existe suficiente evidencia muestral para afirmar que la mediana de la temperatura corporal de adultos saludables es menor que 98.6°F. No es igual a 98.6, como suele creerse.

Figura 13-3
Prueba de la afirmación de que la mediana es menor que 98.6°F

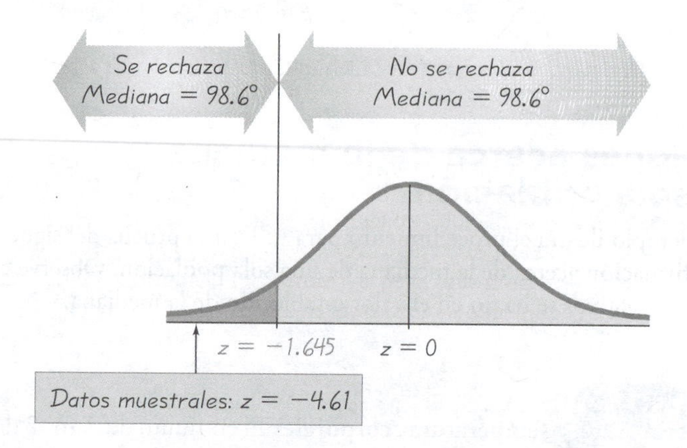

En el ejemplo 4, la prueba del signo para la afirmación de que la mediana está por debajo de 98.6°F da como resultado un estadístico de prueba $z = -4.61$ y un valor P de 0.00000202. Sin embargo, una prueba paramétrica de la afirmación de que $\mu < 98.6$°F produce un estadístico de prueba $t = -6.611$, con un valor P de 0.000000000813. Como el valor P de la prueba del signo no es tan bajo como el valor P de la prueba paramétrica, vemos que la prueba del signo no es tan sensible como la prueba paramétrica. Ambas pruebas nos llevan al rechazo de la hipótesis nula, pero la prueba del signo no considera que los datos muestrales sean tan extremos, en parte porque solo utiliza información acerca de la *dirección* de los datos, ignorando las *magnitudes* de los valores de los datos. En la siguiente sección se estudiará la prueba de rangos con signo de Wilcoxon, la cual supera con creces esta desventaja.

Fundamentos para el estadístico de prueba que se utiliza cuando $n > 25$: Cuando se calculan valores críticos para la prueba del signo, utilizamos la tabla A-7 solo cuando n no excede de 25. Cuando $n > 25$, el estadístico de prueba z se basa en una aproximación normal a la distribución de probabilidad binomial con $p = q = 1/2$. En la sección 6-6 vimos que la aproximación normal a la distribución binomial es aceptable cuando $np \geq 5$ y $nq \geq 5$. En la sección 5-4 vimos que $\mu = np$ y $\sigma = \sqrt{npq}$ para distribuciones de probabilidad binomial. Puesto que esta prueba del signo supone que $p = q = 1/2$, satisfacemos los prerrequisitos de que $np \geq 5$ y $nq \geq 5$ siempre y cuando $n \geq 10$. Además, con el supuesto de que $p = q = 1/2$, obtenemos $\mu = np = n/2$ y $\sqrt{npq} = \sqrt{n/4} = \sqrt{n}/2$, por lo tanto,

$$z = \frac{x - \mu}{\sigma}$$

se convierte en

$$z = \frac{x - \left(\frac{n}{2}\right)}{\frac{\sqrt{n}}{2}}$$

Finalmente, reemplazamos x por $x + 0.5$ como una corrección por continuidad. Esto es, los valores de x son discretos, pero como estamos utilizando una distribución de probabilidad continua, un valor discreto como 10 se representa en realidad con el intervalo de 9.5 a 10.5. Como x representa el signo menos frecuente, actuamos conservadoramente interesándonos solo por $x + 0.5$; así obtenemos el estadístico de prueba z, como en la ecuación y en la figura 13-1.

USO DE LA TECNOLOGÍA

STATDISK Seleccione **Analysis** de la barra del menú principal, y luego **Sign Test**. Elija la opción **Given Number of Signs** si conoce el número de signos positivos y negativos, o seleccione **Given Pairs of Values** si hay datos pareados en la ventana de datos. Después de realizar las entradas requeridas en el cuadro de diálogo, los resultados en la pantalla incluirán el estadístico de prueba, el valor crítico y la conclusión.

MINITAB Primero debe crear una columna de valores. En el caso de datos pareados, ingrese una columna con las diferencias. Para datos nominales con dos categorías (como niño/niña), registre −1 para cada valor de una categoría y registre 1 para cada valor de la otra categoría; utilice 0 como el valor establecido de la mediana. Cuando someta a prueba una lista de valores individuales con una mediana establecida, ingrese los valores muestrales en una sola columna.

Seleccione **Stat**, luego **Nonparametrics** y después **1-Sample Sign**. Haga clic en el botón para **Test Median**. Ingrese el valor de la mediana y seleccione el tipo de prueba, luego haga clic en **OK**. Minitab dará el valor P. Usted debe rechazar la hipótesis nula si el valor P es menor que o igual al nivel de significancia. De otra forma, no rechace la hipótesis nula.

EXCEL Excel no tiene una función predeterminada para la prueba del signo, pero usted puede utilizar la función BINOMDIST de Excel con la finalidad de calcular el valor P para una prueba del signo. Haga clic en ***fx*** en la barra del menú principal, luego seleccione la categoría de función **Statistical** y después **BINOMDIST**. En el cuadro de diálogo, ingrese primero x, luego el número de ensayos n y luego una probabilidad de 0.5. Ingrese **TRUE** en el cuadro para "cumulative". El valor resultante es la probabilidad de obtener x o menos éxitos entre n ensayos. *Duplique este valor para pruebas de dos colas.* El resultado final es el valor P.

También se puede utilizar el complemento DDXL al seleccionar **Nonparametric Tests** y luego **Sign Test**.

TI-83/84 PLUS La calculadora TI-83/84 Plus no tiene una función predeterminada para la prueba del signo, pero se puede utilizar la función binomcdf con la finalidad de calcular el valor P para una prueba del signo. Oprima 2ND VARS (para obtener el menú **DISTR**); luego baje el cursor para seleccionar **binomcdf**. Complete la entrada de **binomcdf(n, p, x)** con n para el número total de signos positivos y negativos, 0.5 para p, y el número del signo menos frecuente para x. Ahora oprima ENTER; el resultado será la probabilidad de obtener x o menos éxitos entre n ensayos. *Duplique este valor para pruebas de dos colas.* El resultado final es el valor P; por lo tanto, rechace la hipótesis nula si el valor P es menor que o igual al nivel de significancia. De otra forma, no rechace la hipótesis nula. Por ejemplo, vea la siguiente pantalla de resultados del ejemplo 2. Con 7 signos negativos y 2 signos positivos, $n = 9$. La prueba de hipótesis en el ejemplo 2 es de dos colas, de manera que la probabilidad indicada se duplica para obtener un valor P de 0.1796875.

TI-83/84 PLUS

```
binomcdf(9,.5,2)
             .08984375
```

13-2 Destrezas y conceptos básicos

Conocimientos estadísticos y pensamiento crítico

1. Prueba no paramétrica El Genetics and IVF Institute realizó un ensayo clínico de sus métodos para seleccionar el género. Cuando se escribió este ejercicio, 172 de 211 bebés nacidos de padres que utilizaron el método YSORT fueron niños. Si se utiliza la prueba del signo, ¿por qué se considera que es una prueba "no paramétrica" o una prueba "de distribución libre"?

2. Prueba del signo Para la prueba de hipótesis del ejercicio 1, ¿qué aspectos de procedimiento determinan que se le llame prueba del "signo"?

3. Procedimiento de la prueba del signo El Genetics and IVF Institute realizó un ensayo clínico de su YSORT para seleccionar el género. Los resultados consistieron en 172 niños y 39 niñas. Suponga que debe realizar una prueba para la afirmación de que el método YSORT aumenta la probabilidad de que nazcan *niñas*. ¿En qué sentido los datos contradicen a la hipótesis alternativa? ¿Por qué no es necesario llevar a cabo la prueba?

4. Eficiencia de la prueba del signo Remítase a la tabla 13-2 en la página 663 e identifique la eficiencia de la prueba del signo. ¿Qué nos indica ese valor acerca de la prueba del signo?

En los ejercicios 5 a 8, suponga que los datos pareados dan por resultado el número dado de signos cuando el valor de la segunda variable se resta del valor correspondiente de la primera variable. Utilice la prueba del signo con un nivel de significancia de 0.05 y someta a prueba la hipótesis nula de que no hay ninguna diferencia.

5. Signos positivos: 13; signos negativos: 1; empates: 0 (de una prueba preliminar del método MicroSort para la selección del género).

6. Signos positivos: 5; signos negativos: 7; empates: 1 (de un proyecto de clase realizado para someter a prueba la diferencia entre las estaturas reportadas y medidas de hombres).

7. Signos positivos: 360; signos negativos: 374; empates: 22 (de una encuesta Gallup a usuarios de Internet, a quienes se les preguntó si hacían planes de viaje a través de Internet).

8. Signos positivos: 512; signos negativos: 327; empates: 0 (de cuestionamientos a las decisiones de los árbitros en el Torneo Abierto de Tenis de Estados Unidos).

En los ejercicios 9 a 12, utilice la prueba del signo de los datos que consisten en valores pareados.

9. Ganadores del Óscar A continuación se presentan las edades de actrices y actores en el momento en que ganaron el Óscar. Los datos se parearon con base en el año en que ganaron. Utilice un nivel de significancia de 0.05 para someter a prueba la afirmación de que no existe diferencia entre las edades de las mejores actrices y las edades de los mejores actores en el momento en que se entregaron los premios.

Mejores actrices	28	32	27	27	26	24	25	29	41	40	27	42	33	21	35
Mejores actores	62	41	52	41	34	40	56	41	39	49	48	56	42	62	29

10. Tarifas de aerolíneas A continuación se presentan los costos (en dólares) de vuelos de Nueva York (JFK) a San Francisco de US Air, Continental, Delta, United, American, Alaska y Northwest. Utilice un nivel de significancia de 0.05 para someter a prueba la afirmación de que no hay una diferencia en el costo entre los pasajes adquiridos con un día de anticipación y los pasajes adquiridos con 30 días de anticipación. ¿Cuál parece ser una buena estrategia de compra?

Pasaje adquirido con un día de anticipación	456	614	628	1088	943	567	536
Pasaje adquirido con 30 días de anticipación	244	260	264	264	278	318	280

11. Tabaco y alcohol en películas infantiles A continuación se presenta el tiempo (en segundos) que películas animadas de Disney muestran el uso de tabaco y alcohol. (Véase el conjunto de datos 7 del apéndice B). Utilice un nivel de significancia de 0.05 para someter a prueba la afirmación de que, para una película animada típica, el tiempo de exhibición del consumo de alcohol es menor que el tiempo de exhibición del consumo de tabaco.

Consumo de tabaco (segundos)	176	51	0	299	74	2	23	205	6	155
Consumo de alcohol (segundos)	88	33	113	51	0	3	46	73	5	74

12. Calificaciones de consumo de combustible de automóviles A continuación se presentan las calificaciones combinadas en ciudad y en carretera del consumo de combustible (en millas/gal) para diferentes automóviles de acuerdo con el antiguo sistema de calificación y con un nuevo sistema que entró en vigor en 2008 (según datos de *USA Today*). El nuevo sistema se implementó en respuesta a las quejas de que las antiguas calificaciones eran demasiado elevadas. Utilice un nivel de significancia de 0.01 para someter a prueba la afirmación de que las calificaciones antiguas son más altas que las calificaciones nuevas.

Calificación antigua	16	18	27	17	33	28	33	18	24	19	18	27	22	18	20	29	19	27	20	21
Calificación nueva	15	16	24	15	29	25	29	16	22	17	16	24	20	16	18	26	17	25	18	19

En los ejercicios 13 a 16, utilice la prueba del signo para la afirmación que incluye datos nominales.

13. Selección del género El Genetics and IVF Institute realizó un ensayo clínico de sus métodos para seleccionar el género. Cuando se escribió este ejercicio, 172 de 211 bebés nacidos de padres que utilizaron el método YSORT fueron niños. Utilice un nivel de significancia de 0.01 para someter a prueba la afirmación de que el método YSORT incrementa la probabilidad de que nazca un niño.

14. Bombas de gasolina alteradas Cuando se sometió a prueba la exactitud de las bombas de gasolina en Michigan, especialistas en la legislación sobre la calidad del combustible estudiaron bombas expendedoras y encontraron que 1299 no eran exactas (dentro de 3.3 onzas cuando se bombean 5 galones), y 5686 eran exactas. Utilice un nivel de significancia de 0.01 para someter a prueba la afirmación de un representante industrial, de que menos de la mitad de las bombas de gasolina en Michigan no son exactas.

15. Predicción del género del bebé En un estudio se analizó el tema de si las mujeres tienen la habilidad de predecir el género de sus bebés. De 104 sujetos reclutados, el 55% adivinó correctamente el género del bebé (según datos de "Are Women Carrying 'Basketballs' Really Having Boys? Testing Pregnancy Folklore", de Perry, DiPietro y Constigan, *Birth*, vol. 26, núm. 3). Utilice un nivel de significancia de 0.05 para someter a prueba la afirmación de que las mujeres no tienen la habilidad de predecir el género de sus bebés.

16. Encuesta sobre células madre A individuos elegidos al azar para una encuesta de *Newsweek* se les preguntó "si estaban a favor o en contra de utilizar dinero de los impuestos federales para financiar investigaciones médicas con células madre obtenidas de embriones humanos". De los sujetos encuestados, 481 se mostraron a favor, 401 en contra y 120 no estaban seguros. Un político asegura que la gente realmente no comprende el tema de las células madre, y que sus respuestas a este tipo de preguntas son respuestas aleatorias que equivalen al lanzamiento de una moneda. Utilice un nivel de significancia de 0.01 para someter a prueba la afirmación de que la proporción de sujetos que respondieron a favor es igual a 0.5. ¿Qué sugiere el resultado acerca de la afirmación del político?

Conjuntos de datos del apéndice B. ***En los ejercicios 17 a 20, remítase al conjunto de datos indicado del apéndice B y utilice la prueba del signo para la afirmación acerca de la mediana de una población.***

17. Prueba de la mediana del peso de monedas de 25 centavos Remítase al conjunto de datos 20 del apéndice B, que incluye los pesos (en gramos) de monedas de 25 centavos acuñadas después de 1964, elegidas al azar. Se supone que la mediana del peso de las monedas es de 5.670 g. Utilice un nivel de significancia de 0.01 para someter a prueba la afirmación de que la mediana es igual a 5.670 g. ¿Parece que las monedas fueron acuñadas según las especificaciones?

18. Niveles de voltaje Remítase al conjunto de datos 13 del apéndice B, que incluye los niveles de voltaje de una casa. El proveedor de electricidad (Central Hudson) afirma que el voltaje adecuado es de 120 V. Utilice un nivel de significancia de 0.01 para someter a prueba la afirmación de que la mediana del voltaje es igual a 120 V.

19. Contenidos de Coca-Cola Remítase al conjunto de datos 17 del apéndice B, que incluye las cantidades (en onzas) contenidas en latas de Coca-Cola regular. Las latas tienen una etiqueta que indica que el contenido es de 12 onzas de Coca-Cola. Utilice un nivel de significancia de 0.05 para someter a prueba la afirmación de que las latas de Coca-Cola están llenas de tal forma que la mediana de la cantidad es de 12 onzas. Si la mediana no es de 12 onzas, ¿se está engañando a los consumidores?

20. Longitudes de tornillos de hoja de metal Remítase al conjunto de datos 19 del apéndice B, que incluye las longitudes (en pulgadas) de una muestra aleatoria simple de 50 tornillos fabricados con hoja de acero inoxidable por Crown Bolt, Inc. Los tornillos están empacados con una etiqueta que indica una longitud de 3/4 de pulgada. Utilice un nivel de significancia de 0.05 para someter a prueba la afirmación de que los tornillos tienen una mediana igual a 3/4 de pulgada (o 0.75 pulgadas). ¿Parece que las longitudes de los tornillos son congruentes con la etiqueta?

13-2 Más allá de lo básico

21. Procedimientos para manejar empates En el procedimiento de la prueba del signo descrito en esta sección, excluimos los empates (representados por 0 en vez de un signo + o −). Un segundo método consiste en tratar a la mitad de los ceros como signos positivos, y a la otra mitad como negativos. (Si el número de ceros es impar, excluya uno para que puedan dividirse por igual). Con un tercer método, en pruebas de dos colas, haga la mitad de los ceros positivos y la mitad negativos. En pruebas de una cola haga todos los ceros positivos o negativos, según el que apoye la hipótesis nula. Resuelva el ejemplo 4 con el segundo y el tercer métodos para el manejo de empates. ¿Los distintos métodos conducen a resultados muy diferentes?

22. Cálculo de valores críticos La tabla A-7 lista valores críticos para alternativas limitadas de α. Utilice la tabla de A-1 para añadir una nueva columna en la tabla A-7 (bajando hasta $n = 15$) que represente un nivel de significancia de 0.03 en una cola o de 0.06 en dos colas. Para cualquier n particular, utilice $p = 0.5$, puesto que la prueba del signo requiere el supuesto de que P(signo positivo) $= P$(signo negativo) $= 0.5$. La probabilidad de x o menos signos del mismo tipo es la suma de las probabilidades de los valores hasta x, inclusive.

13-3 Prueba de rangos con signo de Wilcoxon para datos pareados

Concepto clave Esta sección se ocupa de la *prueba de rangos con signo de Wilcoxon*, la cual implica la transformación de los datos muestrales en rangos. Esta prueba se puede utilizar para las dos aplicaciones diferentes que se describen en la siguiente definición.

DEFINICIÓN

La **prueba de rangos con signo de Wilcoxon** es una prueba no paramétrica que utiliza rangos para las siguientes aplicaciones:

1. Someter a prueba la hipótesis nula de que la población de datos pareados tiene diferencias con una mediana igual a cero.
2. Someter a prueba la hipótesis nula de que una sola población tiene un valor establecido de la mediana.

Afirmaciones que incluyen datos pareados

La prueba del signo (sección 13-2) también se puede usar con datos pareados, pero la prueba del signo solo utiliza los signos de las diferencias. Al utilizar los rangos, la prueba de rangos con signo de Wilcoxon toma en cuenta las magnitudes de las diferencias. Puesto que la prueba de rangos con signo de Wilcoxon incorpora y utiliza más información que la prueba del signo, tiende a arrojar conclusiones que reflejan mejor la verdadera naturaleza de los datos.

Prueba de rangos con signo de Wilcoxon

Objetivo

Utilizar la prueba de rangos con signo de Wilcoxon con datos pareados para las siguientes hipótesis nula y alternativa:

H_0: Los datos pareados tienen diferencias que provienen de una población con una mediana igual a cero.

H_1: Los datos pareados tienen diferencias que provienen de una población con una mediana diferente de cero.

Notación

T = la más pequeña de las dos siguientes sumas:

1. La suma de los rangos positivos de las diferencias d que no sean cero.
2. El valor absoluto de la suma de los rangos negativos de las diferencias d que no sean cero.

Requisitos

1. Los datos consisten en datos pareados que constituyen una muestra aleatoria simple.
2. La población de las diferencias (calculadas a partir de los pares de datos) tiene una distribución que es aproximadamente *simétrica*, lo que significa que la mitad izquierda de su histograma es aproximadamente una imagen de espejo de la mitad derecha.

Nota: No existe el requisito de que los datos tengan una distribución normal.

Estadístico de prueba

Si $n \leq 30$, el estadístico de prueba es T.

Si $n > 30$, el estadístico de prueba es

$$z = \frac{T - \frac{n(n+1)}{4}}{\sqrt{\frac{n(n+1)(2n+1)}{24}}}$$

Valores críticos

1. Si $n \leq 30$, el valor crítico T se encuentra en la tabla A-8.
2. Si $n > 30$, los valores críticos z se encuentran en la tabla A-2.

Procedimiento de la prueba de rangos con signo de Wilcoxon Para entender cómo se aplican los siguientes pasos, remítase a los datos muestrales de la tabla 13-4.

Paso 1: Para cada par de datos, calcule la diferencia d restando el segundo valor del primero. Descarte cualquier par que tenga una diferencia de 0.

EJEMPLO: El tercer renglón de la tabla 13-4 lista las diferencias obtenidas al restar los pesos en abril de los pesos correspondientes en septiembre.

Paso 2: *Ignore los signos de las diferencias*, luego acomode las diferencias de la menor a la mayor y reemplácelas por el valor del rango correspondiente (como se describe en la sección 13-1). Cuando las diferencias tengan el mismo valor numérico, asígneles la media de los rangos implicados en el empate.

EJEMPLO: El cuarto renglón de la tabla 13-4 presenta los rangos de los valores de $|d|$. Considere los valores d de 1, 1, −1, −1. Si ignoramos sus signos, hay empates para los rangos de 1, 2, 3, 4, de manera que a cada uno se le asigna un rango de 2.5, que es la media de los rangos implicados en el empate (o la media de 1, 2, 3, 4).

Paso 3: Agregue a cada rango el signo de la diferencia de la que provino. Esto es, inserte aquellos signos que se ignoraron en el paso 2.

EJEMPLO: El renglón inferior de la tabla 13-4 lista los mismos rangos del cuarto renglón, pero incluye los signos de las diferencias observadas en el tercer renglón.

Paso 4: Calcule la suma de los rangos positivos. También calcule el valor absoluto de la suma de los rangos negativos.

EJEMPLO: El renglón inferior de la tabla 13-4 lista los rangos con signo. La suma de los rangos positivos es $2.5 + 2.5 = 5$. La suma de los rangos negativos es $(-7) + (-5.5) + (-2.5) + (-8) + (-9) + (-5.5) + (-2.5) = -40$, y el valor absoluto de esta suma es 40. Las dos sumas de los rangos son 5 y 40.

Paso 5: Permita que T sea *la más pequeña* de las dos sumas calculadas en el paso 4. Podría utilizarse cualquier suma, pero para simplificar el procedimiento seleccionamos arbitrariamente la más pequeña de las dos sumas.

EJEMPLO: Los datos de la tabla 13-4 dan como resultado la suma de rangos de 5 y 40, de modo que 5 es la suma más pequeña.

Paso 6: Permita que n sea el número de pares de datos para los que la diferencia d no es 0.

EJEMPLO: Los datos de la tabla 13-4 incluyen 9 diferencias que no son iguales a 0, de modo que $n = 9$.

Paso 7: Determine el estadístico de prueba y los valores críticos con base en el tamaño de muestra, como se indica en el recuadro anterior.

EJEMPLO: Para los datos de la tabla 13-4 el estadístico de prueba es $T = 5$. El tamaño de muestra es $n = 9$, de manera que el valor crítico se encuentra en la tabla A-8. Al utilizar un nivel de significancia de 0.05, con una prueba de dos colas, el valor crítico de la tabla A-8 es 6.

Tabla 13-4 Pesos (en kg) de estudiantes en su primer año en la universidad

Peso en septiembre	67	53	64	74	67	70	55	74	62	57
Peso en abril	66	52	68	77	67	71	60	82	65	58
d (diferencia)	1	1	−4	−3	0	−1	−5	−8	−3	−1
Rango de $\lvert d \rvert$	2.5	2.5	7	5.5		2.5	8	9	5.5	2.5
Rango con signo	2.5	2.5	−7	−5.5		−2.5	−8	−9	−5.5	−2.5

Paso 8: Cuando formule la conclusión, rechace la hipótesis nula si los datos muestrales conducen a un estadístico de prueba que se ubica en la región crítica, esto es, cuando el estadístico de prueba sea menor que o igual al valor (o los valores) crítico(s). De otra forma, no rechace la hipótesis nula.

EJEMPLO: Si el estadístico de prueba es T (en lugar de z), rechace la hipótesis nula si T es menor que o igual al valor crítico. No rechace la hipótesis nula si T es mayor que el valor crítico. Como $T = 5$ y el valor crítico es 6, rechazamos la hipótesis nula.

EJEMPLO 1

Aumento de peso de estudiantes de primer año Los primeros dos renglones de la tabla 13-4 incluyen algunos de los pesos del conjunto de datos 3 del apéndice B. Dichos pesos corresponden a estudiantes universitarios durante los meses de septiembre y abril de su primer año de estudios. Utilice los datos muestrales de los primeros dos renglones de la tabla 13-4 para someter a prueba la afirmación de que no existe una diferencia entre los pesos de septiembre y los pesos de abril. Utilice la prueba de rangos con signo de Wilcoxon con un nivel de significancia de 0.05.

SOLUCIÓN

VERIFICACIÓN DE REQUISITOS 1. Los datos deben consistir en una muestra aleatoria simple. En lugar de conformar una muestra aleatoria simple de estudiantes seleccionados, todos fueron voluntarios, y este aspecto se discute en el artículo científico que describe los resultados del estudio. Procederemos como si se cumpliera el requisito de una muestra aleatoria simple. **2.** A continuación se presenta el histograma generado por STATDISK de las diferencias en el tercer renglón de la tabla 13-4. El lado izquierdo de la gráfica debe ser una imagen de espejo del lado derecho, lo que al parecer no ocurre. Sin embargo, con solo 9 valores, la diferencia entre el lado izquierdo y el derecho no es demasiado pronunciada, y consideraremos que este requisito se satisface.

STATDISK

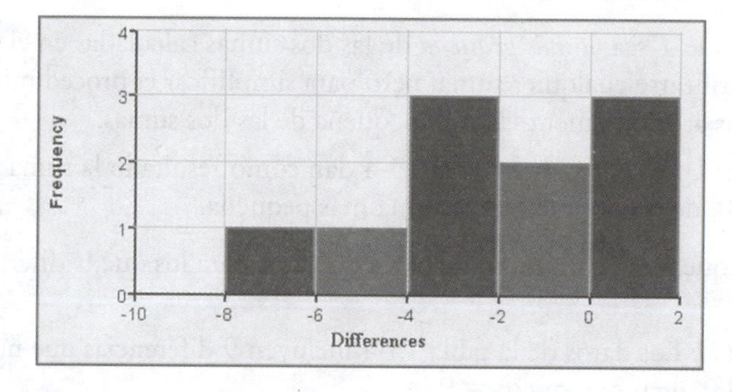

La hipótesis nula es la afirmación de que no hay diferencias entre los pesos de abril y los pesos de septiembre, y la hipótesis alternativa es la afirmación de que existe una diferencia.

H_0: No hay diferencia. (La mediana de las diferencias es igual a cero).

H_1: Hay diferencia. (La mediana de las diferencias no es igual a cero).

Estadístico de prueba: Como estamos utilizando el procedimiento de la prueba de rangos con signo de Wilcoxon, el estadístico de prueba se calcula aplicando el procedimiento de ocho pasos presentado con anterioridad en esta sección. Dichos pasos incluyen ejemplos que ilustran el cálculo del estadístico de prueba con los datos muestrales de la tabla 13-4, y el resultado es el estadístico de prueba $T = 5$.

Valor crítico: El tamaño de muestra es $n = 9$, de manera que el valor crítico se encuentra en la tabla A-8. Con un nivel de significancia de 0.05 y una prueba de dos colas, el valor crítico de la tabla A-8 es 6.

Conclusión: La tabla A-8 incluye una nota que dice que se debe rechazar la hipótesis nula si el estadístico de prueba T es menor que o igual al valor crítico. Como el estadístico de prueba $T = 5$ es menor que el valor crítico de 6, rechazamos la hipótesis nula.

INTERPRETACIÓN

Concluimos que los pesos de septiembre y abril *no* parecen ser iguales. La gran cantidad de diferencias negativas indica que la mayoría de los estudiantes aumentaron de peso durante su primer año de estudios. La conclusión se debe plantear con las limitaciones señaladas en el artículo que habla acerca del estudio. Solo se incluyeron estudiantes de la Universidad de Rutgers, los cuales participaron de manera voluntaria y no como parte de una muestra aleatoria simple.

En el ejemplo 1, si utilizamos la prueba paramétrica t para datos pareados (sección 9-4), concluimos que la diferencia media no es cero, de manera que los pesos de septiembre y los de abril parecen ser diferentes, como en el ejemplo 1. Sin embargo, la prueba del signo de la sección 13-2 condujo a la conclusión de que no hay diferencia. Si se utilizan únicamente los signos positivos y negativos, la prueba del signo no toma en cuenta las magnitudes de las diferencias, pero la prueba de rangos con signo de Wilcoxon fue más sensible a dichas magnitudes gracias al uso de rangos.

Afirmaciones acerca de la mediana de una sola población

La prueba de rangos con signo de Wilcoxon también se puede utilizar para someter a prueba la afirmación de que una sola población tiene algún valor establecido de la mediana. Los procedimientos anteriores se pueden aplicar, haciendo un solo ajuste:

Al calcular las diferencias *d* en el paso 1, reste el valor establecido de la mediana a cada uno de los valores muestrales (en vez de calcular la diferencia entre cada par de valores muestrales pareados).

Este ajuste permite tratar la muestra de valores individuales como una muestra consistente en datos pareados, de manera que se puede utilizar el mismo procedimiento descrito antes en esta sección.

EJEMPLO 2

Temperaturas corporales El conjunto de datos 2 del apéndice B incluye temperaturas corporales medidas en adultos. Utilice las 106 temperaturas listadas para las 12:00 A.M. del día 2 con la prueba de rangos con signo de Wilcoxon, para someter a prueba la afirmación de que la mediana es menor que 98.6°F.

SOLUCIÓN

VERIFICACIÓN DE REQUISITOS 1. Al parear cada valor muestral con la mediana de 98.6°F, se satisface el requisito de contar con datos pareados. El diseño del experimento que produjo los valores del conjunto de datos 2 justifica que se les trate como una muestra aleatoria simple. **2.** El requisito de una distribución de diferencias aproximadamente simétrica se satisface, ya que el histograma de dichas diferencias es aproximadamente simétrico. ✓

A continuación se presenta la pantalla de resultados de Minitab de esta prueba de hipótesis. Se observa que $T = 661$ (que se convierte en el estadístico de prueba $z = -5.67$). El valor P es 0.000 (redondeado), de manera que rechazamos la hipótesis nula de que la población de las diferencias entre las temperaturas corporales y la mediana establecida de 98.6°F es cero. Existe evidencia suficiente para sustentar la afirmación de que la mediana de la temperatura corporal es menor que 98.6°F. Es la misma conclusión a la que se llegó con la prueba del signo, como en el ejemplo 4 de la sección 13-2.

MINITAB

```
Test of median = 0.000000 versus median < 0.000000

                   N for   Wilcoxon            Estimated
               N    Test  Statistic      P        Median
Differences   91      91      661.0  0.000       -0.4500
```

Fundamentos: En el ejemplo 1 los rangos sin signo de 1 hasta 9 tienen un total de 45, de manera que si no existen diferencias significativas, cada uno de los dos totales de rangos con signo debe ser de alrededor de $45 \div 2$, o 22.5. Esto es, los rangos negativos y los positivos deberían repartirse en 22.5-22.5 o algo cercano, tal como 21-24. La tabla de valores críticos indica que a un nivel de significancia de 0.05, con 9 pares de datos, un reparto de 6-39 representa una desviación significativa respecto de la hipótesis nula, y cualquier reparto que esté más separado (como 5-40 o 2-43) también representará una desviación significativa de la hipótesis nula. Por el contrario, repartos como 7-38 no representan desviaciones significativas de un reparto de 22.5-22.5, y no justificarían el rechazo de la hipótesis nula. La prueba de rangos con signo de Wilcoxon se basa en el total del rango más bajo, por lo que en vez de analizar los dos números que constituyen el reparto, consideramos solo el número más bajo.

La suma $1 + 2 + 3 + \cdots + n$ de todos los rangos es igual a $n(n + 1)/2$, y si esta es una suma de rangos que habrá de dividirse por igual entre dos categorías (positivo y negativo), cada uno de los dos totales debería estar cerca de $n(n + 1)/4$, que es la mitad de $n(n + 1)/2$. El reconocimiento de este principio nos ayuda a entender el estadístico de prueba que se usa cuando $n > 30$.

USO DE LA TECNOLOGÍA

STATDISK Primero ingrese las columnas de datos en la ventana de datos. Seleccione **Analysis** de la barra del menú principal, y luego **Wilcoxon Tests**. Ahora elija **Wilcoxon (Matched Pairs)** y proceda a seleccionar las columnas de datos. Haga clic en **Evaluate**.

MINITAB Primero es necesario crear una columna C3 que consista en las diferencias entre los datos pareados. Ingrese los datos pareados en las columnas C1 y C2. Haga clic en la porción "Session" de la pantalla, haga clic en **Editor**, luego en **Enable Command Editor**, e ingrese el comando **LET C3 = C1 − C2**. Oprima la tecla **Enter**.

Seleccione las opciones **Stat**, **Nonparametrics** y **1-Sample Wilcoxon**. Ingrese C3 para la variable y haga clic en el botón para **Test Median**. La pantalla de Minitab incluirá el valor *P*. Vea la pantalla de resultados de Minitab para el ejemplo 2. El valor *P* de 0.000 es menor que el nivel de significancia de 0.05, por lo que se rechaza la hipótesis nula.

EXCEL Excel no está programado para la prueba de rangos con signo de Wilcoxon, pero se puede emplear el complemento DDXL al seleccionar **Non-parametric Tests** y luego **Paired Wilcoxon.**

TI-83/84 PLUS La calculadora TI-83/84 Plus no está programada para la prueba de rangos con signo de Wilcoxon, pero se puede usar el programa SRTEST (de Michael Lloyd), el cual se puede descargar del sitio www.pearsonenespañol.com/triola. Primero descargue e instale el programa. (También descargue el programa ZZRANK, necesario para el programa SRTEST). Luego, elabore una lista de las diferencias entre los valores de los datos pareados. (El primer conjunto de valores se puede insertar en la lista L1, el segundo conjunto de valores en la lista L2, y luego las diferencias se pueden almacenar en la lista L3 ingresando L1 − L2 − L3, donde la tecla **STO** se utiliza para la flecha). Presione la tecla PRGM y seleccione **SRTEST.** Presione la tecla ENTER dos veces. Cuando aparezca el indicador de DATA=, introduzca la lista que contiene las diferencias. Presione ENTER para ver la suma de los rangos positivos y la suma de los rangos negativos. Presione ENTER nuevamente para ver la media y la desviación estándar, y presione ENTER una vez más para ver la puntuación *z*. Si $n \le 30$, busque el valor crítico *T* en la tabla A-8; pero si $n > 30$, obtenga los valores críticos *z* en la tabla A-2.

13-3 Destrezas y conceptos básicos

Conocimientos estadísticos y pensamiento crítico

1. Prueba de rangos con signo de Wilcoxon y prueba del signo Se utilizaron los mismos datos muestrales para la prueba del signo del ejemplo 2 en la sección 13-2 y para la prueba de rangos con signo de Wilcoxon del ejemplo 1 de esta sección. ¿Por qué las dos pruebas condujeron a conclusiones diferentes? ¿Cuál conclusión es mejor? ¿Por qué?

2. Gemelos fraternos En un estudio de gemelos fraternos de diferente género, los investigadores midieron la estatura de cada sujeto. Los valores indican que, para cada par de datos, la estatura del varón es mayor que la estatura de su hermana gemela. ¿Cuál es el valor de *T*?

3. Tamaño de muestra y valor crítico En 1908, William Gosset publicó el artículo "The Probable Error of a Mean", utilizando el seudónimo de "Student" (*Biometrika*, vol. 6, núm. 1). Él incluyó los datos que se listan a continuación para dos tipos diferentes de semillas (normales y secadas en horno), que se utilizaron en parcelas de tierra adyacentes. Los valores corresponden a las cosechas de paja en cwt (o quintales) por acre, donde cwt representa 100 libras. Si se utiliza la prueba de rangos con signo de Wilcoxon para someter a prueba la afirmación de que no hay diferencia entre las cosechas de los dos tipos de semillas, ¿cuál es el tamaño de muestra *n*? Si el nivel de significancia es de 0.05, ¿cuál es el valor crítico?

Semillas normales	19.25	22.75	23	23	22.5	19.75	24.5	15.5	18	14.25	17
Semillas secadas en horno	25	24	24	28	22.5	19.5	22.25	16	17.25	15.75	17.25

4. Rangos Si se utilizan los datos pareados del ejercicio 3, las diferencias son las siguientes: −5.75, −1.25, −1, −5, 0, 0.25, 2.25, −0.5, 0.75, −1.5 y −0.25. Liste los rangos correspondientes de dichas diferencias, después de descartar los 0 e ignorar sus signos.

Uso de la prueba de rangos con signo de Wilcoxon. ***En los ejercicios 5 y 6, remítase a los datos muestrales pareados indicados y utilice la prueba de rangos con signo de Wilcoxon para someter a prueba la afirmación de que los datos pareados tienen diferencias que provienen de una población con una mediana igual a cero.***

5. ¿El viernes 13 es de mala suerte? Investigadores reunieron datos sobre el número de admisiones hospitalarias resultantes de choques de vehículos, y a continuación se presentan los resultados de los viernes 6 de un mes y de los viernes 13 del mismo mes (según datos de "Is Friday the 13th Bad for Your Health?, de Scanlon *et al.*, *BMJ*, vol. 307, tal como aparece en el recurso de datos en línea *Data and Story Line*). Utilice un nivel de significancia de 0.05 para someter a prueba la afirmación de que, cuando el día 13 del mes cae en viernes, el número de admisiones hospitalarias por choques de vehículos no se ve afectado.

Viernes 6:	9	6	11	11	3	5
Viernes 13:	13	12	14	10	4	12

6. ¿Pronóstico del clima? A continuación se presentan las temperaturas máximas reales y las temperaturas máximas pronosticadas un día antes (de acuerdo con el conjunto de datos 11 del apéndice B). Utilice un nivel de significancia de 0.05 para someter a prueba la afirmación de que la población de diferencias tiene una mediana de cero. ¿Qué sugieren los resultados acerca de la exactitud de las predicciones?

Temperatura máxima real	80	77	81	85	73	73	80	72
Temperatura máxima pronosticada un día antes	78	75	81	85	76	75	79	74

Uso de la prueba de rangos con signo de Wilcoxon. ***En los ejercicios 7 a 10, remítase a los datos muestrales para los ejercicios de la sección 13-2. Utilice la prueba de rangos con signo de Wilcoxon para someter a prueba la afirmación de que los datos pareados tienen diferencias que provienen de una población con una mediana igual a cero. Use un nivel de significancia de 0.05.***

7. Ejercicio 9
8. Ejercicio 10
9. Ejercicio 11
10. Ejercicio 12

Conjuntos de datos del apéndice B. ***En los ejercicios 11 a 14, remítase a los datos muestrales utilizados para los ejercicios de la sección 13-2. Utilice la prueba de rangos con signo de Wilcoxon para la afirmación acerca de la mediana de una población.***

11. Ejercicio 17
12. Ejercicio 18
13. Ejercicio 19
14. Ejercicio 20

La ética en los informes de encuestas

La American Association for Public Opinion Research creó un código de ética con la intención de que se utilice voluntariamente en los reportes noticiosos de los resultados de encuestas. Dicho código exige que se incluya lo siguiente: **1.** identificación del patrocinador de la encuesta, **2.** fecha en que se realizó la encuesta, **3.** tamaño de la muestra, **4.** naturaleza de la población de donde se obtuvo la muestra, **5.** tipo de encuesta utilizada, y **6.** la redacción exacta de las preguntas de la encuesta. Las encuestas financiadas por el gobierno de Estados Unidos están sujetas a un examen preliminar en el que se evalúan los riesgos para los participantes, el valor científico de la encuesta y la garantía de que los sujetos aceptaron participar.

13-3 Más allá de lo básico

15. Suma de rangos

a) Si tenemos datos muestrales pareados con 50 diferencias que no son iguales a cero, y la suma de los rangos positivos es 300, calcule el valor absoluto de la suma de los rangos negativos.

b) Si tenemos datos muestrales pareados con n diferencias que no son iguales a cero, y una de las dos sumas de rangos es k, encuentre la expresión para la otra suma de rangos.

13-4 Prueba de la suma de rangos de Wilcoxon para dos muestras independientes

Concepto clave Esta sección describe *la prueba de la suma de rangos de Wilcoxon*, la cual utiliza los rangos de los valores de dos muestras independientes para someter a prueba la hipótesis nula de que las dos poblaciones tienen medianas iguales. La prueba de la suma de rangos de Wilcoxon es equivalente a la **prueba *U* de Mann-Whitney** (véase el ejercicio 13), que se incluye en algunos otros libros de texto y programas de cómputo (como Minitab). La idea fundamental que subyace en la prueba de la suma de rangos de Wilcoxon es la siguiente: si dos muestras se obtienen de poblaciones idénticas y los valores individuales se acomodan en rangos como un conjunto combinado de valores, entonces el rango alto y el bajo deberían caer de manera similar entre las dos muestras. Si los rangos bajos se encuentran de forma predominante en una muestra y los rangos altos se encuentran de forma predominante en la otra muestra, sospechamos que las dos poblaciones tienen medianas diferentes.

A diferencia de las pruebas paramétricas de la sección 9-3, la prueba de la suma de rangos de Wilcoxon *no* requiere de poblaciones distribuidas de manera normal, y se puede utilizar con datos a nivel ordinal de medición, como datos consistentes en rangos. En la tabla 13-2 observamos que la prueba de la suma de rangos de Wilcoxon tiene una tasa de eficiencia de 0.95, comparada con la prueba paramétrica. Como esta prueba tiene una tasa de eficiencia tan elevada, y sus cálculos son más sencillos, a menudo se prefiere frente a las pruebas paramétricas, incluso cuando se satisface el requisito de normalidad.

ADVERTENCIA

No confunda la prueba de suma de rangos de Wilcoxon para dos muestras *independientes* con la prueba de rangos con signo de Wilcoxon para datos pareados. Considere el uso de las siglas ISR del Impuesto Sobre la Renta como recurso mnemotécnico para recordar "Independiente: Suma de Rangos").

DEFINICIÓN

La **prueba de la suma de rangos de Wilcoxon** es una prueba no paramétrica que utiliza rangos de datos muestrales de dos poblaciones independientes para someter a prueba la hipótesis nula de que las dos muestras independientes provienen de poblaciones con medianas iguales. (La hipótesis alternativa es la afirmación de que las dos poblaciones tienen medianas diferentes, o de que la primera población tiene una mediana mayor que la mediana de la segunda población, o que la primera población tiene una mediana menor que la mediana de la segunda población).

Prueba de la suma de rangos de Wilcoxon

Objetivo

Usar la prueba de la suma de rangos de Wilcoxon con muestras de dos poblaciones independientes para las siguientes hipótesis nula y alternativa:

H_0: Las dos muestras provienen de poblaciones con medianas iguales.
H_1: La mediana de la primera población es diferente (ya sea mayor o menor) de la mediana de la segunda población.

Notación

n_1 = tamaño de la muestra 1
n_2 = tamaño de la muestra 2
R_1 = suma de rangos de la muestra 1
R_2 = suma de rangos de la muestra 2
R = lo mismo que R_1 (suma de rangos de la muestra 1)

μ_R = media de los valores muestrales R que se espera cuando las dos poblaciones tienen medianas iguales
σ_R = desviación estándar de los valores muestrales R que se espera cuando las dos poblaciones tienen medianas iguales

Requisitos

1. Hay dos muestras aleatorias simples independientes.
2. Cada una de las dos muestras tiene más de 10 valores. (Para muestras con 10 valores o menos, en libros de referencia están disponibles tablas especiales, como las *CRC Standard Probability and Statistics Tables and Formulae*, publicadas por CRC Press).

Nota: No existe el requisito de que las dos poblaciones tengan una distribución normal o cualquier otra distribución particular.

Estadístico de prueba

$$z = \frac{R - \mu_R}{\sigma_R}$$

donde

$$\mu_R = \frac{n_1(n_1 + n_2 + 1)}{2}$$

$$\sigma_R = \sqrt{\frac{n_1 n_2(n_1 + n_2 + 1)}{12}}$$

n_1 = tamaño de la muestra a partir de la cual se calcula la suma de rangos R
n_2 = tamaño de la otra muestra
R = suma de rangos de la muestra con tamaño n_1

Valores críticos

Los valores críticos pueden encontrarse en la tabla A-2 (puesto que el estadístico de prueba está basado en la distribución normal).

Valores *P* Los valores *P* se pueden calcular utilizando el estadístico de prueba z y la tabla A-2.

Procedimiento para calcular el valor del estadístico de prueba Para comprender cómo se aplican los siguientes pasos, remítase a los datos muestrales incluidos en la tabla 13-5, en la siguiente página.

1. Combine temporalmente las dos muestras en una muestra grande; luego, reemplace cada valor muestral por su rango. (El valor más bajo toma un rango de 1, el siguiente valor más bajo toma un rango de 2, y así sucesivamente. Si los valores están empatados, asígneles la media de los rangos implicados en el empate. Consulte la sección 13-1 para ver una descripción de los rangos y el procedimiento para manejar empates).

   EJEMPLO: En la tabla 13-5, los rangos del conjunto de datos combinados aparecen entre paréntesis. El rango de 1 se asigna al valor más bajo de 122. El rango de 2 se asigna al siguiente valor más bajo de 127. El rango de 3 se asigna al siguiente valor más bajo de 128. El rango de 4.5 se asigna a los valores de 129 y 129, ya que están empatados en los rangos de 4 y 5.

Tabla 13-5

Distancia de frenado (pies)	
4 cilindros	6 cilindros
136 (12.5)	131 (7.5)
146 (23)	129 (4.5)
139 (15.5)	127 (2)
131 (7.5)	146 (23)
137 (14)	155 (25)
144 (20)	122 (1)
133 (9.5)	143 (18)
144 (20)	133 (9.5)
129 (4.5)	128 (3)
144 (20)	146 (23)
130 (6)	139 (15.5)
140 (17)	136 (12.5)
135 (11)	
$n_1 = 13$	$n_2 = 12$
$R_1 = 180.5$	$R_2 = 144.5$

2. Calcule la suma de los rangos para cualquiera de las dos muestras.
   EJEMPLO: En la tabla 13-5, la suma de los rangos de la primera muestra es 180.5. (Es decir, 12.5 + 23 + ... + 11 = 180.5).
3. Calcule el valor del estadístico de prueba z como se indicó en el recuadro anterior, donde cualquier muestra puede utilizarse como la "muestra 1". (Si ambos tamaños de muestra son mayores que 10, entonces la distribución muestral de R es aproximadamente normal, con media μ_R y desviación estándar σ_R, y el estadístico de prueba es como se mostró en el recuadro anterior).
   EJEMPLO: En el ejemplo 1 se presentan los cálculos para μ_R, σ_R y z.

EJEMPLO 1

Distancias de frenado de automóviles En la tabla 13-5 se listan las distancias de frenado (en pies) de muestras de automóviles de 4 y de 6 cilindros (de acuerdo con el conjunto de datos 16 del apéndice B). Utilice un nivel de significancia de 0.05 para someter a prueba la afirmación de que los automóviles de 4 cilindros y los automóviles de 6 cilindros tienen la misma mediana de la distancia de frenado.

SOLUCIÓN

VERIFICACIÓN DE REQUISITOS 1. Los datos muestrales corresponden a dos muestras aleatorias simples independientes. **2.** Los tamaños de muestra son 13 y 12, de manera que ambos tamaños de muestra son mayores que 10. Los requisitos se satisfacen.

Las hipótesis nula y alternativa son las siguientes:

H_0: Las distancias de frenado de los automóviles de 4 cilindros y de los automóviles de 6 cilindros tienen medianas iguales.

H_1: Las distancias de frenado de los automóviles de 4 cilindros y de los automóviles de 6 cilindros tienen medianas diferentes.

Acomode en rangos las 25 distancias de frenado combinadas, comenzando con un rango de 1 (asignado al valor más bajo de 122). En la tabla 13-5, los rangos correspondientes a los valores muestrales individuales se presentan entre paréntesis. R denota la suma de los rangos para la muestra que elegimos como muestra 1. Si elegimos los automóviles de 4 cilindros como muestra 1, obtenemos

$$R = 12.5 + 23 + \cdots + 11 = 180.5$$

Puesto que existen 13 automóviles con 4 cilindros, tenemos $n_1 = 13$. Además, $n_2 = 12$, ya que hay 12 automóviles con 6 cilindros. Ahora podemos determinar los valores de μ_R, σ_R y el estadístico de prueba z.

$$\mu_R = \frac{n_1(n_1 + n_2 + 1)}{2} = \frac{13(13 + 12 + 1)}{2} = 169$$

$$\sigma_R = \sqrt{\frac{n_1 n_2(n_1 + n_2 + 1)}{12}} = \sqrt{\frac{(13)(12)(13 + 12 + 1)}{12}} = 18.385$$

$$z = \frac{R - \mu_R}{\sigma_R} = \frac{180.5 - 169}{18.385} = 0.63$$

La prueba es de dos colas, puesto que un valor positivo grande de z indicaría que los rangos más altos se encuentran de forma desproporcionada en la muestra 1, y un valor negativo grande de z indicaría que la muestra 1 tuvo una parte desproporcionada de los rangos más bajos en la muestra 1. En cualquier caso, tendríamos una fuerte evidencia en contra de la afirmación de que las dos muestras provienen de poblaciones con medianas iguales.

La significancia del estadístico de prueba z puede tratarse de la misma forma que en los capítulos anteriores. Ahora estamos sometiendo a prueba (con $\alpha = 0.05$) la hipótesis de que las dos poblaciones tienen medianas iguales, de manera que tenemos una prueba de dos colas con valores críticos z de $+1.96$. El estadístico de prueba de $z - 0.63$ *no* cae dentro de la región crítica, por lo que no rechazamos la hipótesis nula de que las distancias de frenado de los automóviles de 4 y de 6 cilindros tienen medianas iguales.

INTERPRETACIÓN No existe evidencia suficiente para justificar el rechazo de la afirmación de que los automóviles de 4 y de 6 cilindros tienen la misma mediana de distancia de frenado. Con base en los datos muestrales disponibles, parece que los automóviles de 4 cilindros y los de 6 tienen distancias de frenado con una mediana aproximadamente igual.

En el ejemplo 1, si intercambiamos los dos conjuntos de valores muestrales y consideramos que la muestra de los automóviles de 6 cilindros es la primera, $R = 144.5$, $\mu_R = 156$, $\sigma_R = 18.385$ y $z = -0.63$, así que la conclusión es exactamente la misma.

USO DE LA TECNOLOGÍA

STATDISK Ingrese los datos en las columnas de la ventana de datos de Statdisk. Seleccione **Analysis** de la barra del menú principal, luego **Wilcoxon Tests**, y después la opción **Wilcoxon (Indep. Samples)**. Seleccione las columnas de los datos y luego haga clic en **Evaluate** para obtener una pantalla que incluye las sumas de rangos, el tamaño de la muestra, el estadístico de prueba, el valor crítico y la conclusión. Observe la pantalla de resultados que corresponde al ejemplo 1.

STATDISK

```
Total Num Values: 25
Rank Sum 1:     180.5000
Rank Sum 2:     144.5000

Mean, μ:        169
St Dev:         18.38478
Test Statistic, z: 0.6255
Critical z:     ±1.959962

Fail to Reject the Null Hypothesis.
Data does not provide enough evidence to indicate that
the samples come from populations with different medians.
```

MINITAB Primero ingrese los dos conjuntos de datos muestrales en las columnas C1 y C2. Luego seleccione las opciones **Stat, Nonparametrics** y **Mann-Whitney**, y proceda a ingresar C1 para la primera muestra y C2 para la segunda muestra. El nivel de confianza de 95.0 corresponde a un nivel de significancia de $\alpha = 0.05$, y el cuadro "alternate: not equal" se refiere a la hipótesis alternativa, donde "not equal" corresponde a una prueba de hipótesis de dos colas. Minitab da el valor P y la conclusión.

EXCEL EExcel no está programado para la prueba de la suma de rangos de Wilcoxon, pero el complemento DDXL se puede utilizar al seleccionar **Nonparametric Tests** y luego **Mann-Whitney Rank Sum.**

TI-83/84 PLUS La calculadora TI-83/84 Plus no está programada para la prueba de la suma de rangos de Wilcoxon, pero se puede utilizar el programa RSTEST. Este programa (diseñado por Michael Lloyd) se puede descargar del sitio Web www.pearsonenespañol.com/triola. Primero descargue e instale el programa. (También descargue el programa ZZRANK, necesario para el programa RSTEST). Luego, registre los dos conjuntos de datos muestrales en forma de lista en L1 y L2. Presione la tecla PRGM y seleccione **RSTEST**. Presione la tecla ENTER dos veces. Cuando aparezca el indicador de GROUP A=, ingrese **L1** y presione la tecla ENTER. Cuando aparezca el indicador de GROUP B=, ingrese **L2** y presione la tecla ENTER. La segunda suma de rangos se presentará como el valor de R. También aparecerán la media y la desviación estándar basadas en ese valor de R. Presione ENTER nuevamente para obtener la puntuación z basada en la segunda suma de rangos.

13-4 Destrezas y conceptos básicos

Conocimientos estadísticos y pensamiento crítico

1. Pruebas paramétricas y no paramétricas A continuación se presentan valores elegidos al azar de STATDISK y de la calculadora TI-83/84 Plus. Las dos muestras se obtuvieron al seleccionar una distribución uniforme de números enteros entre 1 y 1000 inclusive. Al tratar de hacer una prueba para saber si existe diferencia entre la población de este tipo de números aleatorios de las dos fuentes, ¿qué prueba *no* debería usarse: la prueba t paramétrica o la prueba de la suma de rangos de Wilcoxon? ¿Por qué?

STATDISK:	606	561	834	421	481	716	272	703	556	94	172	161
TI-83/84 Plus	929	71	678	798	485	768	853	990	297	392	904	644

2. Muestras independientes ¿Las dos muestras del ejercicio 1 son independientes o dependientes? Explique.

3. ¿Qué estamos determinando? Remítase a los datos muestrales del ejercicio 1.

a) Puesto que cada muestra se generó a partir de una distribución uniforme de números enteros entre 1 y 1000, ¿cuál es la mediana de cada población?

b) Suponga que se utiliza la prueba de la suma de rangos de Wilcoxon con los datos del ejercicio 1. ¿Estamos tratando de determinar si cada una de las dos muestras proviene de una población con la mediana que se obtuvo en el inciso *a*)?

4. Eficiencia Remítase a la tabla 13-2 en la página 663 e identifique la eficiencia de la prueba de la suma de rangos de Wilcoxon. ¿Qué nos indica ese valor acerca de la prueba?

Uso de la prueba de la suma de rangos de Wilcoxon. En los ejercicios 5 a 8, utilice la prueba de la suma de rangos de Wilcoxon.

5. Discriminación por edad Los Revenue Commissioners de Irlanda realizaron un concurso de promoción. A continuación se listan las edades de los solicitantes que tuvieron éxito y de los que no (según datos de "Debating the Use of Statistical Evidence in Allegations of Age Discrimination", de Barry y Boland, *The American Statistician*, vol. 58, núm. 2). Algunos de los solicitantes que no tuvieron éxito para obtener la promoción se quejaron de que hubo discriminación por edad en la competencia. Utilice un nivel de significancia de 0.05 para someter a prueba la afirmación de que los solicitantes sin éxito provienen de una población con la misma mediana de la edad de los solicitantes que tuvieron éxito. Con base en el resultado, ¿parece haber discriminación por la edad?

Edades de solicitantes sin éxito	Edades de solicitantes con éxito
34 37 37 38 41 42 43 44 44 45	27 33 36 37 38 38 39 42 42 43
45 45 46 48 49 53 53 54 54 55	43 44 44 44 45 45 45 45 46 46
56 57 60	47 47 48 48 49 49 51 51 52 54

6. Radiación en dientes de leche A continuación se presentan las cantidades de estroncio-90 (en milibecquereles o mBq por gramo de calcio) en una muestra aleatoria simple de dientes de leche obtenidos de residentes de Pensilvania y Nueva York nacidos después de 1979 (según datos de "An Unexpected Rise in Strontium-90 in U.S. Deciduous Teeth in the 1990s", de Mangano *et al., Science of the Total Environment*). Utilice un nivel de significancia de 0.05 para someter a prueba la afirmación de que la cantidad mediana de estroncio-90 de los residentes de Pensilvania es igual que la mediana de los residentes de Nueva York.

Pensilvania	155	142	149	130	151	163	151	142	156	133	138	161
Nueva York	133	140	142	131	134	129	128	140	140	140	137	143

7. Papas y monarcas La siguiente tabla lista el número de años (desde 1690) que los presidentes estadounidenses, los Papas y los monarcas británicos vivieron después de que asumieron su respectivo cargo. Cuando se escribió este documento, el último presidente que se consideró fue Gerald Ford y el último Papa tomado en consideración fue Juan Pablo II. (Los datos se basan en *Computer-Interactive Data Analysis*, de Lunn y McNeil, John Wiley & Sons). Utilice un nivel de significancia de 0.05 para someter a prueba la afirmación de que las dos muestras de longevidades de los Papas y los monarcas provienen de poblaciones con medianas iguales.

Presidentes	10 29 26 28 15 23 17 25 0 20 4 1 24 16 12 4 10 17 16 0 7 24 12 4
	18 21 11 2 9 36 12 28 3 16 9 25 23 32
Papas	2 9 21 3 6 10 18 11 6 25 23 6 2 15 32 25 11 8 17 19 5 15 0 26
Monarcas	17 6 13 12 13 33 59 10 7 63 9 25 36 15

8. Presidentes y Papas Remítase a los datos de longevidad de los presidentes estadounidenses y de los Papas incluidos en el ejercicio 7. Utilice un nivel de significancia de 0.05 para someter a prueba la afirmación de que las dos muestras provienen de poblaciones con medianas iguales.

Conjuntos de datos del apéndice B. ***En los ejercicios 9 a 12, remítase al conjunto de datos del apéndice B indicado, y utilice la prueba de la suma de rangos de Wilcoxon.***

9. Cigarrillos Remítase al conjunto de datos 4 del apéndice B, acerca de las cantidades de nicotina (en mg por cigarrillo) para la muestra de cigarrillos tamaño grande, sin filtro, que no son mentolados ni ligeros, y de las cantidades de nicotina de los cigarrillos de 100 mm con filtro, que no son mentolados ni ligeros. Utilice un nivel de significancia de 0.01 para someter a prueba la afirmación de que la cantidad mediana de nicotina de los cigarrillos tamaño grande sin filtro es mayor que la cantidad mediana de nicotina de los cigarrillos de 100 mm con filtro.

10. Cigarrillos Remítase al conjunto de datos 4 del apéndice B, acerca de las cantidades de alquitrán en la muestra de cigarrillos tamaño grande, sin filtro, que no son mentolados ni ligeros, y de las cantidades de alquitrán de los cigarrillos de 100 mm con filtro, que no son mentolados ni ligeros. Utilice un nivel de significancia de 0.01 para someter a prueba la afirmación de que la cantidad mediana de alquitrán de los cigarrillos tamaño grande sin filtro es mayor que la cantidad mediana de alquitrán de los cigarrillos de 100 mm con filtro.

11. Ganancias de películas Remítase al conjunto de datos 9 del apéndice B. Utilice los datos sobre las ganancias obtenidas por películas con clasificación PG o PG-13 como una muestra, y utilice los datos sobre las ganancias obtenidas por películas con clasificación *R* como segunda muestra. Utilice un nivel de significancia de 0.05 para someter a prueba la afirmación de que las películas con clasificación PG o PG-13 tienen ganancias medianas mayores que las películas con clasificación *R*.

12. El índice de masa corporal Remítase el conjunto de datos 1 del apéndice B para las medidas del índice de masa corporal (IMC) de muestras aleatorias de hombres y mujeres. Utilice un nivel de significancia de 0.05 para someter a prueba la afirmación de que los hombres y las mujeres tienen valores medianos diferentes de IMC.

13-4 Más allá de lo básico

13. Uso de la prueba *U* de Mann-Whitney La prueba U de Mann-Whitney es equivalente a la prueba de la suma de rangos de Wilcoxon para muestras independientes, ya que ambas se aplican a las mismas situaciones y siempre llevan a las mismas conclusiones. En la prueba U de Mann-Whitney calculamos

$$z = \frac{U - \dfrac{n_1 n_2}{2}}{\sqrt{\dfrac{n_1 n_2 (n_1 + n_2 + 1)}{12}}}$$

donde

$$U = n_1 n_2 + \frac{n_1(n_1 + 1)}{2} - R$$

Utilice las medidas de las distancias de frenado de la tabla 13-5, en la página 682, y calcule el estadístico de prueba z para la prueba U de Mann-Whitney. Compare ese valor con el estadístico de prueba z que se calculó utilizando la prueba de la suma de rangos de Wilcoxon.

14. Cálculo de valores críticos Suponga que tenemos dos tratamientos (A y B) que producen resultados cuantitativos, y que tenemos solo dos observaciones del tratamiento A y dos observaciones del tratamiento B. No podemos utilizar el estadístico de prueba descrito en esta sección, puesto que ninguno de los dos tamaños de muestra excede de 10.

Rango				Suma de rangos del tratamiento A
1	2	3	4	
A	A	B	B	3

a) Complete la tabla adjunta listando los cinco renglones que corresponden a los otros cinco casos y registre las sumas de rangos correspondientes del tratamiento A.

b) Elabore una lista de los valores posibles de R, junto con sus probabilidades correspondientes. [Suponga que los renglones de la tabla del inciso *a)* son igualmente probables].

c) ¿Es posible, con un nivel de significancia de 0.10, rechazar la hipótesis nula de que no existe diferencia entre los tratamientos A y B? Explique.

Encuestas y psicólogos

Los resultados de las encuestas se pueden ver muy afectados por la redacción de las preguntas. Los individuos interpretan de forma diferente una frase como "durante los últimos años". De hecho, durante los últimos años (en realidad, desde 1980), los investigadores de encuestas y los psicólogos han trabajado en conjunto para mejorar las encuestas disminuyendo el sesgo e incrementando la exactitud. En un caso, los psicólogos estudiaron el hallazgo de que del 10 al 15% de los encuestados afirmaron haber votado en la última elección, cuando en realidad no fue así. Experimentaron con teorías de problemas de memoria, el deseo de ser considerado responsable y la tendencia que manifiestan quienes generalmente votan al decir que votaron en la elección más reciente, aun cuando no sea verdad. Se encontró que solo esta última explicación formaba parte del problema.

13-5 Prueba de Kruskal-Wallis

Concepto clave En esta sección se describe la *prueba de Kruskal-Wallis*, que utiliza rangos de datos de tres o más muestras aleatorias simples independientes para someter a prueba la hipótesis nula de que las muestras provienen de poblaciones con medianas iguales.

En la sección 12-2 utilizamos el análisis de varianza de un factor (ANOVA) para someter a prueba la hipótesis nula de que tres o más poblaciones tienen la misma *media*; pero el ANOVA requiere que todas las poblaciones implicadas tengan distribuciones normales. La prueba de Kruskal-Wallis para *medianas* iguales no requiere distribuciones normales.

DEFINICIÓN

La **prueba de Kruskal-Wallis** (también llamada la **prueba *H***) es una prueba no paramétrica que utiliza rangos de muestras aleatorias simples de tres o más poblaciones independientes. Se utiliza para someter a prueba la hipótesis nula de que las poblaciones tienen medianas iguales. (La hipótesis alternativa es la afirmación de que las poblaciones tienen medianas que no son iguales).

Para aplicar la prueba de Kruskal-Wallis, calculamos el *estadístico de prueba H, el cual tiene una distribución que puede aproximarse por medio de la distribución chi cuadrada, siempre y cuando cada muestra tenga al menos cinco observaciones.* Cuando utilizamos la distribución chi cuadrada en este contexto, el número de grados de libertad es $k - 1$, donde k es el número de muestras. (Para una revisión rápida de las características clave de la distribución chi cuadrada, véase la sección 7-5).

El estadístico de prueba H es básicamente una medida de la varianza de las sumas de rangos $R_1, R_2, \ldots, R_k$. Si los rangos están distribuidos de forma equitativa entre los grupos muestrales, entonces H debe ser un número relativamente pequeño. Si las muestras son muy diferentes, entonces los rangos serán excesivamente bajos en algunos grupos y altos en otros, con el efecto neto de que H será grande. En consecuencia, solo los valores grandes de H nos conducen al rechazo de la hipótesis nula de que las muestras provienen de poblaciones idénticas. *La prueba de Kruskal-Wallis es, por lo tanto, una prueba de cola derecha.*

Prueba de Kruskal-Wallis

Objetivo

Usar la prueba de Kruskal-Wallis con muestras aleatorias simples de tres o más poblaciones independientes, para las siguientes hipótesis nula y alternativa:

H_0: Las muestras provienen de poblaciones con medianas iguales.

H_1: Las muestras provienen de poblaciones con medianas que no son iguales.

Notación

N = número total de observaciones en todas las muestras combinadas

k = número de muestras diferentes

R_1 = suma de los rangos de la muestra 1

n_1 = número de observaciones de la muestra 1

Para la muestra 2, la suma de los rangos es R_2 y el número de observaciones es n_2, y se utiliza una notación similar para las otras muestras.

Requisitos

1. Tenemos al menos tres muestras aleatorias simples independientes.
2. Cada muestra tiene al menos cinco observaciones. (Si las muestras tienen menos de cinco observaciones, remítase a tablas especiales de valores críticos, como las *CRC Standard Probability and Statistics Tables and Formulae*, publicadas por CRC Press).

Nota: No existe el requisito de que las poblaciones tengan una distribución normal o alguna otra distribución particular.

Estadístico de prueba

$$H = \frac{12}{N(N+1)}\left(\frac{R_1^2}{n_1} + \frac{R_2^2}{n_2} + \cdots + \frac{R_k^2}{n_k}\right) - 3(N+1)$$

Valores críticos

1. La prueba es de *cola derecha*.
2. gl $= k - 1$ (puesto que el estadístico de prueba H puede aproximarse por medio de una distribución chi cuadrada, y los valores críticos se encuentran en la tabla A-4 con $k - 1$ grados de libertad, donde k es el número de muestras diferentes).

Procedimiento para calcular el valor del estadístico de prueba H Para entender cómo se aplican los siguientes pasos, remítase a los datos muestrales de la tabla 13-6.

1. Combine temporalmente todas las muestras en una muestra grande y asigne un rango a cada valor muestral. (Ordene los valores del menor al mayor, y en caso de empates, asigne a cada observación la media de los rangos implicados).

   EJEMPLO: En la tabla 13-6, los números entre paréntesis corresponden a los rangos del conjunto de datos combinado. El rango de 1 se asigna al valor más bajo de 32, el rango de 2 se asigna al siguiente valor más bajo de 33, y así sucesivamente. En el caso de empates, a cada valor se le asigna la media de los rangos implicados en el empate.

2. En cada muestra, calcule la suma de los rangos y calcule el tamaño de la muestra.

   EJEMPLO: En la tabla 13-6, la suma de los rangos de la primera muestra es 203.5, la de la segunda muestra es 152.5, y la de la tercera es 109.

3. Calcule H utilizando los resultados del paso 2, con la notación y el estadístico de prueba descritos en el recuadro anterior.

   EJEMPLO: El estadístico de prueba se calcula en el ejemplo 1.

Tabla 13-6 Mediciones de desaceleración del pecho (en g) en pruebas de choque de automóviles

Compacto		Mediano		Grande	
44	(21.5)	41	(10.5)	32	(1)
43	(17)	49	(28)	37	(5)
44	(21.5)	43	(17)	38	(8)
54	(30)	41	(10.5)	45	(25)
38	(8)	47	(27)	37	(5)
43	(17)	42	(13)	33	(2)
42	(13)	37	(5)	38	(8)
45	(25)	43	(17)	45	(25)
44	(21.5)	44	(21.5)	43	(17)
50	(29)	34	(3)	42	(13)
$n_1 = 10$		$n_2 = 10$		$n_3 = 10$	
$R_1 = 203.5$		$R_2 = 152.5$		$R_3 = 109$	

EJEMPLO 1

Mediciones en pruebas de choque de automóviles En la tabla 13-6 se incluyen las mediciones de desaceleración del pecho, en pruebas de choque de automóviles. Los datos se tomaron del problema del capítulo 12. Someta a prueba la afirmación de que las tres muestras provienen de poblaciones con medianas iguales. Utilice un nivel de significancia de 0.05.

continúa

SOLUCIÓN

VERIFICACIÓN DE REQUISITOS **1.** Las tres muestras son aleatorias simples independientes. **2.** Cada muestra tiene un tamaño de al menos 5. Los requisitos se satisfacen. ✓

Las hipótesis nula y alternativa son las siguientes:

H_0: Las poblaciones de las mediciones de desaceleración del pecho de las tres categorías tienen medianas iguales.

H_1: Las poblaciones de las mediciones de desaceleración del pecho de las tres categorías tienen medianas que no son iguales.

Estadístico de prueba Para determinar el valor del estadístico de prueba *H*, primero se ordenan todos los datos y luego se calcula la suma de los rangos para cada categoría. En la tabla 13-6 los rangos aparecen entre paréntesis, junto a los valores muestrales originales. Después, calculamos el tamaño de muestra *n* y la suma de rangos *R* para cada muestra, los cuales se presentan en la parte inferior de la tabla 13-6. Puesto que el número total de observaciones es 30, tenemos $N = 30$. Ahora podemos evaluar el estadístico de prueba de la siguiente manera:

$$H = \frac{12}{N(N+1)}\left(\frac{R_1^2}{n_1} + \frac{R_2^2}{n_2} + \cdots + \frac{R_k^2}{n_k}\right) - 3(N+1)$$

$$= \frac{12}{30(30+1)}\left(\frac{203.5^2}{10} + \frac{152.5^2}{10} + \frac{109^2}{10}\right) - 3(30+1)$$

$$= 5.774$$

Valor crítico Puesto que cada muestra tiene al menos cinco observaciones, la distribución de *H* se aproxima a una distribución chi cuadrada con $k - 1$ grados de libertad. El número de muestras es $k = 3$, por lo que tenemos $3 - 1 = 2$ grados de libertad. Remítase a la tabla A-4 para encontrar el valor crítico de 5.991, que corresponde a 2 grados de libertad y a un nivel de significancia de 0.05 (con un área de 0.05 en la cola derecha). El valor crítico de 5.991 se observa en la figura 13-4. (La distribución chi cuadrada tiene la forma general que se presenta en la figura 13-4, siempre que el número de grados de libertad sea 1 o 2).

La figura 13-4 indica que el estadístico de prueba $H = 5.774$ no se encuentra en la región crítica acotada por 5.991; por lo tanto, no se rechaza la hipótesis nula de medianas iguales. (En la sección 12-2 utilizamos el análisis de varianza para rechazar la hipótesis nula de *medias* iguales).

INTERPRETACIÓN

No existe suficiente evidencia para rechazar la afirmación de que las mediciones de desaceleración del pecho de automóviles compactos, medianos y grandes tienen medianas iguales. Parece que las medianas no son diferentes.

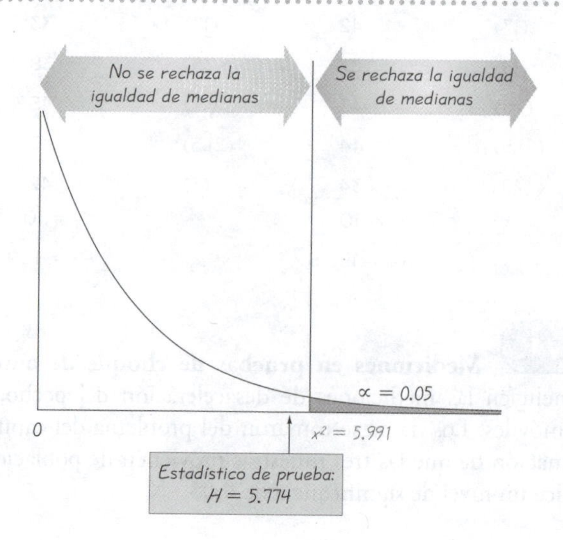

Figura 13-4
Distribución chi cuadrada para el ejemplo 1

Fundamentos: El estadístico de prueba H de la prueba de Kruskal-Wallis es la versión con rangos del estadístico de prueba F utilizado en el análisis de varianza que se estudió en el capítulo 12. Cuando tratamos con rangos R en vez de valores x originales, muchos componentes están predeterminados. Por ejemplo, la suma de todos los rangos puede expresarse como $N(N + 1)/2$, donde N es el número total de valores en todas las muestras combinadas. La expresión

$$H = \frac{12}{N(N+1)}\Sigma n_i(\overline{R}_i - \overline{\overline{R}})^2$$

donde

$$\overline{R}_i = \frac{R_i}{n_i} \quad \text{y} \quad \overline{\overline{R}} = \frac{\Sigma R_i}{\Sigma n_i}$$

combina varianzas ponderadas de rangos para generar el estadístico de prueba H que se dio aquí. Esta expresión de H es equivalente en términos algebraicos a la expresión de H que se dio antes como estadístico de prueba.

USO DE LA TECNOLOGÍA

STATDISK Ingrese los datos en las columnas de la ventana de datos. Seleccione **Analysis** de la barra del menú principal, luego seleccione **Kruskal-Wallis Test** y proceda a elegir las columnas de datos. STATDISK desplegará en la pantalla la suma de los rangos para cada muestra, el estadístico de prueba H, el valor crítico y la conclusión.

MINITAB Remítase al *Minitab Student Laboratory Manual and Workbook* para ver el procedimiento que se requiere para utilizar las opciones **Stat, Nonparametrics** y **Kruskal-Wallis.** La idea básica es hacer una lista de todos los datos muestrales en una gran columna, con otra columna que identifique la muestra para los valores correspondientes. Para los datos de la tabla 13-6, en la página 687, ingrese los 30 valores en la columna C1 de Minitab. En la columna C2, ingrese 10 números 1 seguidos de 10 números 2 y de 10 números 3. Ahora seleccione **Stat, Nonparametrics** y **Kruskal-Wallis.** En el cuadro de diálogo, ingrese C1 para la respuesta, C2 para el factor y haga clic en **OK.** La pantalla de Minitab incluye el estadístico de prueba H y el valor P.

EXCEL Excel no está programado para la prueba de Kruskal-Wallis, pero se puede usar el complemento DDXL seleccionando **Nonparametric Tests** y **Kruskal-Wallis.** Los datos muestrales deben aparecer en una columna y los nombres de las muestras deben aparecer en otra columna (Factor).

TI-83/84 PLUS La calculadora TI-83/84 Plus no está programada para la prueba de Kruskal-Wallis, pero se puede usar el programa KWTEST. Este programa (desarrollado por Michael Lloyd) se descarga del sitio www.pearsonenespañol.com/triola. Primero descargue e instale el programa. (También descargue el programa ZZRANK, necesario para el programa KWTEST). Después, registre la lista de datos muestrales en columnas separadas de la matriz [A]. Presione la tecla PRGM, seleccione **KWTEST** y luego presione la tecla ENTER. La calculadora dará el valor del estadístico de prueba y el número de grados de libertad. (*Nota:* Si las muestras tienen tamaños diferentes y uno de los valores de los datos es cero, añada una constante adecuada a todos los valores muestrales para evitar la presencia de ceros).

13-5 Destrezas y conceptos básicos

Conocimientos estadísticos y pensamiento crítico

1. Muestras independientes A continuación se presentan las anchuras obtenidas de los cráneos de hombres egipcios de tres épocas diferentes (según datos de *Ancient Races of the Thebaid*, de Thomson y Randall-Maciver). La prueba de Kruskal-Wallis de medianas iguales requiere muestras independientes. ¿Las muestras presentadas son independientes? ¿Por qué?

4000 a. C.	125	129	131	132	132	134	135	138	138
1850 a. C.	129	129	134	134	136	137	137	138	136
150 d. C.	128	136	137	137	138	139	141	142	145

2. Muestras aleatorias simples Si se utilizara la prueba de Kruskal-Wallis con los datos del ejercicio 1, las muestras deberían ser aleatorias simples. ¿Qué es una muestra aleatoria simple?

3. Rangos Remítase a los datos muestrales del ejercicio 1 y suponga que se utilizará la prueba de Kruskal-Wallis para someter a prueba la hipótesis nula de medias iguales. Después de ordenar todos los valores muestrales, calcule el valor de R_1, que es la suma de los rangos para la primera muestra.

4. Eficiencia Remítase a la tabla 13-2 de la página 663 e identifique la eficiencia de la prueba de Kruskal-Wallis. ¿Qué nos indica ese valor acerca de la prueba?

Uso de la prueba de Kruskal-Wallis. *En los ejercicios 5 a 10, utilice la prueba de Kruskal-Wallis.*

5. Arqueología Remítase a las tres muestras de anchuras de cráneos del ejercicio 1 y utilice un nivel de significancia de 0.05 para someter a prueba la afirmación de que las muestras provienen de poblaciones con medianas iguales. Los cambios en la forma de la cabeza ocurridos con el tiempo sugieren que hubo mestizaje con las poblaciones de inmigrantes. ¿Los datos sugieren el mestizaje de culturas?

Datos del ejercicio 6

Laboratorio

1	2	3	4	5
2.9	2.7	3.3	3.3	4.1
3.1	3.4	3.3	3.2	4.1
3.1	3.6	3.5	3.4	3.7
3.7	3.2	3.5	2.7	4.2
3.1	4.0	2.8	2.7	3.1
4.2	4.1	2.8	3.3	3.5
3.7	3.8	3.2	2.9	2.8
3.9	3.8	2.8	3.2	
3.1	4.3	3.8	2.9	
3.0	3.4	3.5		
2.9	3.3			

6. Prueba de laboratorio de inflamabilidad de ropa de dormir para niños Se realizaron pruebas de inflamabilidad en ropa de dormir para niños. Se utilizó la prueba Vertical Semirestrained, en la cual se quemaron piezas de tela en condiciones controladas. Después de apagar el fuego, se midió y registró la longitud de la porción quemada. Al margen se presentan los resultados para la misma tela sometida a prueba en distintos laboratorios. ¿Los diferentes laboratorios obtuvieron los mismos resultados?

7. Lesiones en la cabeza en choques de automóviles A continuación se presentan los datos de lesiones en la cabeza en choques realizados con maniquíes. (Los datos se obtuvieron de los mismos automóviles utilizados en el problema del capítulo 12). Las medidas están en hics, que se refieren al criterio estándar de lesiones en la cabeza (por las siglas de *head injury condition*). Utilice un nivel de significancia de 0.05 para someter a prueba la hipótesis nula de que las diferentes categorías de automóviles tienen la misma mediana. ¿Los datos sugieren que los automóviles más grandes son más seguros?

Automóviles compactos:	290	406	371	544	374	501	376	499	479	475
Automóviles medianos:	245	502	474	505	393	264	368	510	296	349
Automóviles grandes:	342	216	335	698	216	169	608	432	510	332

8. Lesión del fémur en choques de automóviles A continuación se presentan las cargas medidas (en libras) sobre el fémur izquierdo de maniquíes utilizados en pruebas de choque. (Los datos se obtuvieron de los mismos automóviles utilizados en el problema del capítulo 12). Utilice un nivel de significancia de 0.05 para someter a prueba la hipótesis nula de que las diferentes categorías de automóviles tienen la misma mediana. ¿Los datos sugieren que los automóviles más grandes son más seguros?

Automóviles compactos:	548	782	1188	707	324	320	634	501	274	437
Automóviles medianos:	194	280	1076	411	617	133	719	656	874	445
Automóviles grandes:	215	937	953	1636	937	472	882	562	656	433

9. Emisiones de automóviles A continuación se presentan las cantidades medidas de gases de invernadero, emitidas por tres categorías de automóviles (del conjunto de datos 16 del apéndice B). Las mediciones representan toneladas por año y están expresadas como equivalentes de CO_2. Utilice un nivel de significancia de 0.05 para someter a prueba la afirmación de que las diferentes categorías de automóviles emiten la misma cantidad mediana de gases de invernadero. Con base en los resultados, ¿parece que el número de cilindros afecta la cantidad de emisiones de gases de invernadero?

Cuatro cilindros	7.2	7.9	6.8	7.4	6.5	6.6	6.7	6.5	6.5	7.1	6.7	5.5	7.3
Seis cilindros	8.7	7.7	7.7	8.7	8.2	9.0	9.3	7.4	7.0	7.2	7.2	8.2	
Ocho cilindros	9.3	9.3	9.3	8.6	8.7	9.3	9.3						

10. Consumo de combustible de automóviles A continuación se listan las cantidades de combustible consumidas en carretera (en mi/gal) por tres categorías de automóviles (del conjunto de datos 16 del apéndice B). Utilice un nivel de significancia de 0.05 para someter a prueba la afirmación de que las diferentes categorías de automóviles consumen la misma cantidad mediana de combustible en carretera. Con base en los resultados, ¿parece que el número de cilindros afecta el consumo de combustible en carretera?

Cuatro cilindros	31	30	32	30	32	34	32	34	32	29	32	38	31
Seis cilindros	26	29	29	27	27	25	25	30	37	32	31	27	
Ocho cilindros	25	25	25	27	25	25	25						

Conjuntos de datos del apéndice B. ***En los ejercicios 11 y 12, use la prueba de Kruskal-Wallis con el conjunto de datos del apéndice B.***

11. Nicotina en cigarrillos Remítase al conjunto de datos 4 del apéndice B y utilice las cantidades de nicotina (en mg por cigarrillo) de los cigarrillos tamaño grande, los cigarrillos mentolados y no mentolados de 100 mm. Los cigarrillos tamaño grande no tienen filtro, no son mentolados ni ligeros. Los cigarrillos mentolados de 100 mm tienen filtro y no son ligeros, al igual que los no mentolados. Utilice un nivel de significancia de 0.05 para someter a prueba la afirmación de que las tres categorías de cigarrillos producen la misma cantidad mediana de nicotina. Puesto que los cigarrillos tamaño grande son los únicos que no tienen filtro, ¿parece que los filtros marcan una diferencia?

12. Alquitrán en cigarrillos Remítase al conjunto de datos 4 del apéndice B y utilice las cantidades de alquitrán (en mg por cigarrillo) de las tres categorías de cigarrillos descritas en el ejercicio 11. Utilice un nivel de significancia de 0.05 para someter a prueba la afirmación de que las tres categorías de cigarrillos producen la misma cantidad mediana de alquitrán. Puesto que los cigarrillos tamaño grande son los únicos que no tienen filtro, ¿parece que los filtros marcan una diferencia?

13-5 Más allá de lo básico

13. Corrección del estadístico de prueba *H* por empates Al utilizar la prueba de Kruskal-Wallis, existe un factor de corrección que debería aplicarse siempre que existan muchos empates: divida H entre

$$1 - \frac{\Sigma T}{N^3 - N}$$

Para cada grupo de observaciones empatadas en el conjunto combinado de datos muestrales, calcule $T = t^3 - t$, donde t es el número de observaciones que están empatadas en el grupo individual. Calcule t para cada grupo de valores empatados, luego calcule el valor de T para cada grupo, y después sume los valores T para obtener ΣT. El número total de observaciones en todas las muestras combinadas es N. Utilice este procedimiento para calcular el valor corregido de H para el ejemplo 1. ¿El valor corregido de H difiere sustancialmente del valor calculado en el ejemplo 1?

Correlación de rangos

Concepto clave En esta sección se describe el método no paramétrico de la *prueba de correlación de rangos*, la cual se utiliza con datos pareados para someter a prueba una asociación entre dos variables. En el capítulo 10 utilizamos datos muestrales pareados para calcular valores del coeficiente de correlación lineal r, pero en esta sección utilizaremos *rangos* como base para calcular el coeficiente de correlación de rangos r_s. Como en el capítulo 10, iniciamos el análisis de datos pareados con la construcción de un diagrama de dispersión para identificar cualquier patrón en los datos.

DEFINICIÓN

La **prueba de correlación de rangos** (o **prueba de correlación de rangos de Spearman**) es una prueba no paramétrica que utiliza rangos de datos muestrales consistentes en datos pareados. Se utiliza para determinar si existe una asociación entre dos variables.

Utilizamos la notación r_s para el coeficiente de correlación de rangos, por lo que es importante no confundirlo con el coeficiente de correlación lineal r. El subíndice s no se refiere a la desviación estándar, sino que se utiliza en honor de Charles Spearman (1863-1945), creador del método de correlación de rangos. De hecho, a menudo nos referimos a r_s como **coeficiente de correlación de rangos de Spearman**. En el siguiente recuadro se presentan los componentes básicos de la prueba de correlación de rangos, y en la figura 13-5 se resume el procedimiento para su cálculo.

Correlación de rangos

Objetivo

Calcular el coeficiente de correlación de rangos r_s y utilizarlo para determinar si existe una relación entre dos variables. Las hipótesis nula y alternativa son las siguientes:

H_0: $\rho_s = 0$ (*No* existe correlación entre las dos variables).

H_1: $\rho_s \neq 0$ (Existe una correlación entre las dos variables).

Notación

r_s = coeficiente de correlación de rangos para datos muestrales pareados (r_s es un estadístico muestral)

ρ_s = coeficiente de correlación de rangos para todos los datos poblacionales (ρ_s es un parámetro poblacional)

n = número de pares de datos muestrales

d = diferencia entre los rangos de los dos valores dentro de un par

Requisitos

Los datos pareados constituyen una muestra aleatoria simple. *Nota:* A diferencia de los métodos paramétricos de la sección 10-2, *no* existe el requisito de que los datos muestrales pareados tengan una distribución normal bivariada (como se describió en la sección 10-2). *No* existe el requisito de una distribución normal para cualquier población.

Estadístico de prueba

Sin empates: Después de convertir los datos de cada muestra a rangos, si no existen empates entre los rangos para la primera variable y no existen empates entre los rangos para la segunda variable, el valor exacto del estadístico de prueba puede calcularse utilizando esta fórmula:

$$r_s = 1 - \frac{6\Sigma d^2}{n(n^2 - 1)}$$

Empates: Después de convertir los datos de cada muestra a rangos, si cualquier variable tiene empates entre sus rangos, el valor exacto del estadístico de prueba r_s puede calcularse utilizando la fórmula 10-1 con los rangos:

$$r_s = \frac{n\Sigma xy - (\Sigma x)(\Sigma y)}{\sqrt{n(\Sigma x^2) - (\Sigma x)^2}\sqrt{n(\Sigma y^2) - (\Sigma y)^2}}$$

Valores críticos

1. Si $n \leq 30$, los valores críticos se encuentran en la tabla A-9.
2. Si $n > 30$, los valores críticos de r_s se calculan utilizando la fórmula 13-1.

Fórmula 13-1

$$r_s = \frac{\pm z}{\sqrt{n - 1}} \quad \text{(valores críticos cuando } n > 30\text{)}$$

donde el valor de z corresponde al nivel de significancia. (Por ejemplo, si $\alpha = 0.05$, $z = 1.96$).

Ventajas: La correlación de rangos tiene las siguientes ventajas sobre los métodos paramétricos analizados en el capítulo 10:

1. El método no paramétrico de correlación de rangos puede utilizarse en una variedad más amplia de circunstancias que el método paramétrico de correlación lineal. Con la correlación de rangos, podemos analizar datos pareados que sean rangos o que puedan convertirse en rangos. Por ejemplo, si dos jueces califican a 30 gimnastas, podemos utilizar la correlación de rangos, pero no la correlación lineal. A diferencia de los métodos paramétricos del capítulo 10, el método de correlación de rangos *no* requiere una distribución normal de cualquier población.

2. La correlación de rangos puede utilizarse para detectar algunas relaciones (no todas) que no son lineales.

Desventaja: Una desventaja de la correlación de rangos es su tasa de eficiencia de 0.91, como se describe en la sección 13-1. Esta tasa de eficiencia indica que, con todas las demás circunstancias iguales, el método no paramétrico de correlación de rangos requiere de 100 pares de datos muestrales para tener los mismos resultados que solo 91 pares de observaciones muestrales analizadas a través del método paramétrico, suponiendo que los requisitos más estrictos del método paramétrico se satisfacen.

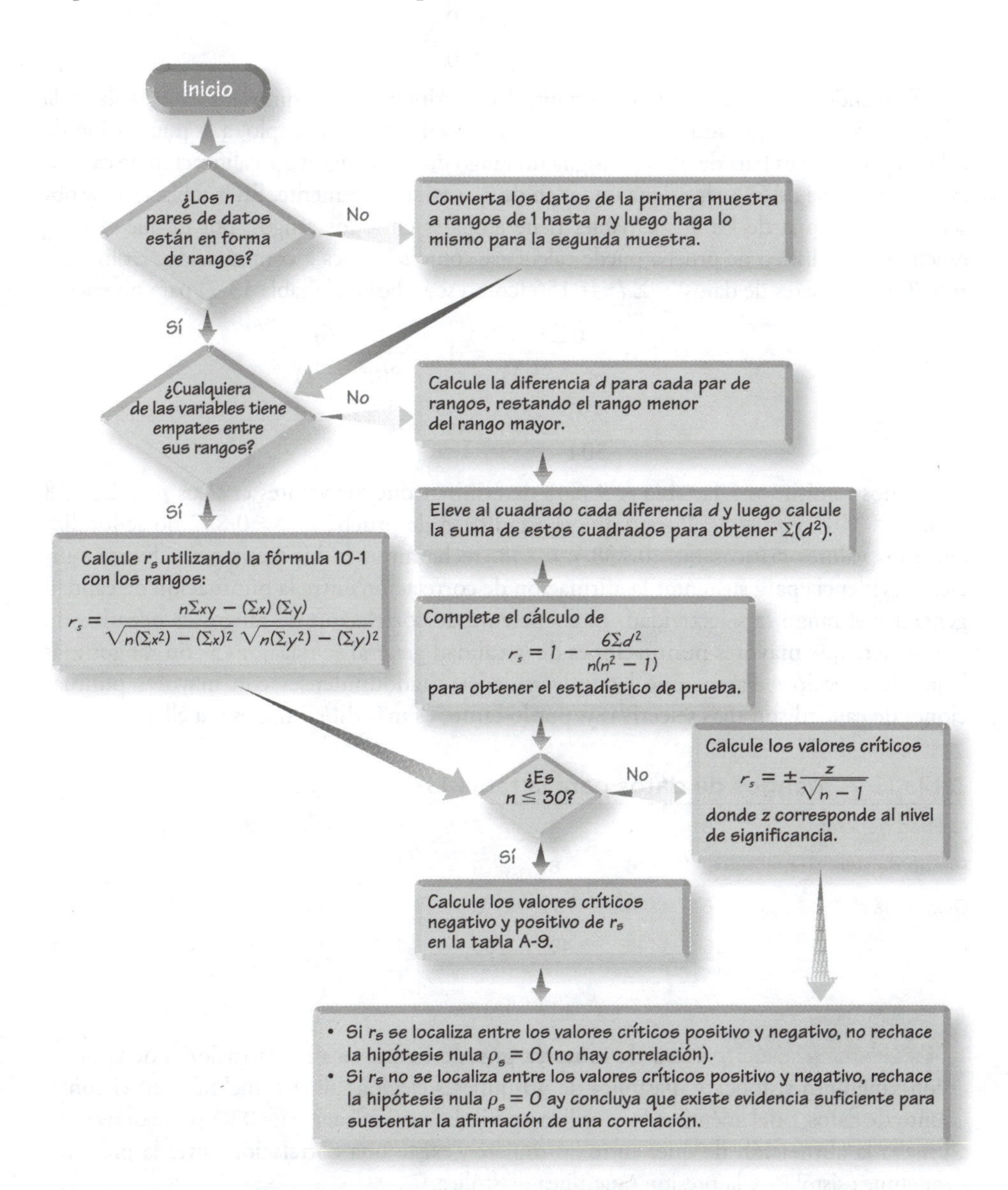

Figura 13-5 Procedimiento de correlación de rangos para someter a prueba H_0: $\rho_s = 0$

Vínculo directo entre el tabaquismo y el cáncer

Cuando encontramos una correlación estadística entre dos variables, debemos ser sumamente cuidadosos para evitar el error de concluir que existe un vínculo de causa y efecto. La industria tabacalera ha enfatizado una y otra vez que la correlación no implica causalidad. Sin embargo, el doctor David Sidransky, de la Universidad Johns Hopkins, asegura: "Tenemos pruebas moleculares tan fuertes que podemos estudiar un caso de cáncer individual y, potencialmente, con base en los patrones de cambio genético, determinar si el tabaquismo fue la causa de ese cáncer". A partir de sus hallazgos, también afirma que "el fumador tuvo una incidencia mucho más alta de mutación, lo que se confirmó con el patrón tan claro de mutaciones, así que prácticamente encontramos 'la pistola humeante'". Aunque los métodos estadísticos no permiten determinar que fumar *causa* cáncer, con evidencia física como la que presenta el doctor Sidransky, es posible establecer demostraciones como esta.

EJEMPLO 1

¿Es más difícil ingresar a las "mejores" universidades? La tabla 13-1 lista las puntuaciones de calidad general y el rango de selección de una muestra de universidades estadounidenses (según datos de *U.S. News and World Report*). Calcule el valor del coeficiente de correlación de rangos y utilícelo para determinar si existe una correlación entre las puntuaciones de calidad general y los rangos de selección. Utilice un nivel de significancia de 0.05. Con base en el resultado, ¿parece que es más difícil ingresar a las universidades estadounidenses que tienen mayores puntuaciones de calidad general?

SOLUCIÓN

VERIFICACIÓN DE REQUISITOS El único requisito es que los datos muestrales correspondan a una muestra aleatoria simple. Las universidades incluidas son una muestra aleatoria simple de aquellas que estaban disponibles. ✓

Los datos de la selectividad consisten en rangos que no están distribuidos normalmente. Por lo tanto, utilizamos el coeficiente de correlación de rangos para someter a prueba una relación entre las puntuaciones de calidad general y los rangos de selección.

Las hipótesis nula y alternativa son las siguientes:

$$H_0\colon \rho_s = 0$$
$$H_1\colon \rho_s \neq 0$$

Siguiendo el procedimiento de la figura 13-5, primero convertimos los datos de la tabla 13-1 en los rangos que aquí se presentan en la tabla 13-7. Por ejemplo, a la puntuación de calidad general más baja de 55 se le asigna un rango de 1, a la siguiente calificación de calidad general más baja de 63 se le asigna un rango de 2, y así sucesivamente. En la tabla 13-7 se observa que ninguna de las dos variables tiene empates entre los rangos, por lo que el valor exacto del estadístico de prueba puede calcularse como se indica a continuación. Utilizamos $n = 8$ (para 8 pares de datos) y $\Sigma d^2 = 156$ (como se indica en la tabla 13-7) para obtener

$$r_s = 1 - \frac{6\Sigma d^2}{n(n^2 - 1)} = 1 - \frac{6(156)}{8(8^2 - 1)}$$
$$= 1 - \frac{936}{504} = -0.857$$

Ahora nos remitimos a la tabla A-9 para determinar que los valores críticos son ± 0.738 (con $\alpha = 0.05$ y $n = 8$). Puesto que el estadístico de prueba $r_s = -0.857$ no se localiza entre los valores críticos de -0.738 y 0.738, rechazamos la hipótesis nula. Existe suficiente evidencia para sustentar la afirmación de correlación entre la puntuación de calidad general y el rango la selectividad. El coeficiente de correlación de rangos es negativo, lo que sugiere que mayores puntuaciones de la calidad general se relacionan con rangos más bajos de selección. Parece que las universidades estadounidenses con mayores puntuaciones de calidad son más selectivas y, por lo tanto, es más difícil ingresar a ellas.

Tabla 13-7 Rangos de datos para la tabla 13-1

Calidad general	8	2	1	7	5	4	3	6	
Rango de selección	2	6	8	1	4	3	7	5	
Diferencia d	6	4	7	6	1	1	4	1	
d^2	36	16	49	36	1	1	16	1	$\Sigma d^2 = 156$

EJEMPLO 2

Caso de muestra grande Remítase a las mediciones de la presión sanguínea sistólica y diastólica de 40 mujeres elegidas al azar, incluidas en el conjunto de datos 1 del apéndice B, y utilice un nivel de significancia de 0.05 para someter a prueba la afirmación de que, entre las mujeres, existe una correlación entre la presión sanguínea sistólica y la presión sanguínea diastólica.

SOLUCIÓN

VERIFICACIÓN DE REQUISITOS Los datos provienen de una muestra aleatoria simple. 

Estadístico de prueba El valor del coeficiente de correlación de rangos es $r_s = 0.780$, el cual se puede obtener con un programa de cómputo o una calculadora TI-83/84 Plus.

Valores críticos Puesto que existen 40 pares de datos, tenemos $n = 40$. Como n excede a 30, calculamos los valores críticos con la fórmula 13-1, en vez de emplear la tabla A-9. Con $\alpha = 0.05$ en dos colas, permitimos que $z = 1.96$ para obtener los valores críticos de -0.314 y 0.314, como se muestra a continuación.

$$r_s = \frac{\pm 1.96}{\sqrt{40 - 1}} = \pm 0.314$$

El estadístico de prueba $r_s = 0.780$ no se localiza entre los valores críticos de -0.314 y 0.314; por lo tanto, rechazamos la hipótesis nula de $\rho_s = 0$. Existe suficiente evidencia para sustentar la afirmación de que entre las mujeres existe una correlación entre la presión sanguínea sistólica y la presión sanguínea diastólica.

El siguiente ejemplo ilustra el principio de que la correlación de rangos algunas veces se puede utilizar para detectar relaciones que no son lineales.

EJEMPLO 3

Detección de un patrón no lineal Se realiza un experimento con una población creciente de bacterias. La tabla 13-8 lista tiempos elegidos al azar (en horas) después del inicio del experimento, así como el número de bacterias presentes. Utilice un nivel de significancia de 0.05 para someter a prueba la afirmación de que existe una correlación entre el tiempo y el tamaño de la población.

SOLUCIÓN

VERIFICACIÓN DE REQUISITOS Los datos corresponden a una muestra aleatoria simple. 

Las hipótesis nula y alternativa son las siguientes:

$$H_0: \rho_s = 0 \quad \text{(no hay correlación)}$$
$$H_1: \rho_s \neq 0 \quad \text{(correlación)}$$

Utilizamos el procedimiento para la correlación de rangos que se resume en la figura 13-5. Los valores originales no son rangos, así que los convertimos a rangos y anotamos los resultados en la tabla 13-9. (En la sección 13-1 se describe el procedimiento para convertir puntuaciones en rangos). No hay empates entre los rangos para los tiempos, y tampoco hay empates entre los rangos para el tamaño de la población, de manera que procedemos a calcular las diferencias d y luego las elevamos al cuadrado. Ahora calcu-

Tabla 13-8 Número de bacterias en una población creciente

Tiempo (hrs)	6	107	109	125	126	128	133	143	177	606
Tamaño de la población	2	3	4	10	16	29	35	38	41	45

Tabla 13-9 Rangos de la tabla 13-8

Rangos de tiempos	1	2	3	4	5	6	7	8	9	10
Rangos de poblaciones	1	2	3	4	5	6	7	8	9	10
Diferencia d	0	0	0	0	0	0	0	0	0	0
d^2	0	0	0	0	0	0	0	0	0	0

lamos la suma de los valores de d^2, que es 0. Luego obtenemos el valor del estadístico de prueba:

$$r_s = 1 - \frac{6\Sigma d^2}{n(n^2 - 1)} = 1 - \frac{6(0)}{10(10^2 - 1)}$$
$$= 1 - \frac{0}{990} = 1$$

Como $n = 10$, utilizamos la tabla A-9 para obtener los valores críticos de ± 0.648. Finalmente, el estadístico de prueba $r_s = 1$ no se localiza entre -0.648 y 0.648, de modo que rechazamos la hipótesis nula de $\rho_s = 0$. Existe evidencia suficiente para concluir que existe una correlación entre el tiempo y el tamaño de la población.

En el ejemplo 3, si realizamos una prueba de correlación lineal por medio de los métodos de la sección 10-2, obtenemos el estadístico de prueba $r = 0.621$ y los valores críticos de -0.632 y 0.632, lo que nos lleva a la conclusión de que no existe evidencia suficiente para sustentar la afirmación de una correlación lineal entre el tiempo y el tamaño de la población. Si examinamos el diagrama de dispersión de Minitab, podemos ver que el patrón de puntos no es el de una línea recta. El ejemplo 3 ilustra la siguiente ventaja del método no paramétrico sobre el método paramétrico: *con la correlación de rangos, algunas veces podemos detectar relaciones que no son lineales.*

MINITAB

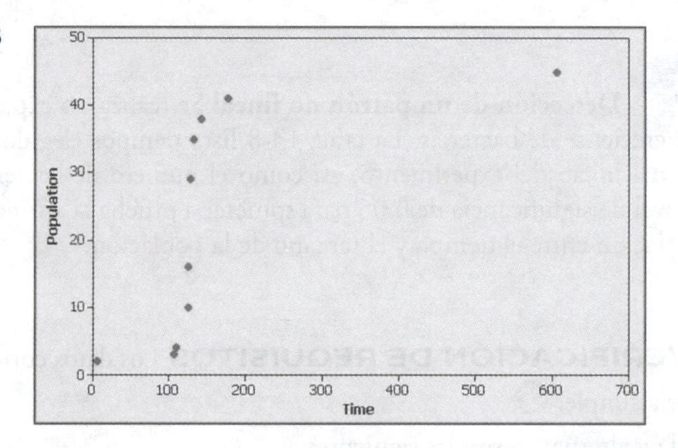

USO DE LA TECNOLOGÍA

STATDISK Anote los datos muestrales en las columnas de la ventana de datos. Seleccione **Analysis** de la barra del menú principal, luego elija **Rank Correlation**. Seleccione las dos columnas de datos que se incluirán y luego haga clic en **Evaluate**. Los resultados de STATDISK incluyen el valor exacto del estadístico de prueba r_s, el valor crítico y la conclusión.

MINITAB Ingrese los datos pareados en las columnas C1 y C2. Si los datos todavía no son rangos, utilice las opciones **Data** y **Rank** para convertir los datos a rangos, después seleccione **Stat**, seguido por **Basic Statistics**, y luego **Correlation**. Minitab mostrará en la pantalla el valor exacto del estadístico de prueba r_s. Aunque Minitab identifica esto como el coeficiente de correlación de Pearson descrito en la sección 10-2, en realidad se trata del coeficiente de correlación de Spearman descrito en esta sección (puesto que se basa en rangos).

EXCEL Excel no tiene una función que calcule el coeficiente de correlación de rangos a partir de valores muestrales originales, pero el valor exacto del estadístico de prueba r_s se puede calcular como sigue. Primero reemplace cada uno de los valores muestrales originales por su rango correspondiente. Ingrese estos rangos en las columnas A y B. Haga clic en el botón de función ***fx*** localizado en la barra del menú principal. Seleccione la categoría de función **Statistical** y el nombre de la función **CORREL**; luego, haga clic en **OK.** En el cuadro de diálogo, ingrese el rango de la celda de los valores para *x*, como A1:A10. También ingrese el rango de la celda de los valores para *y*, como B1:B10. Excel mostrará en la pantalla el valor exacto del coeficiente de correlación de rango r_s. También es posible usar el complemento DDXL al seleccionar **Nonparametric Tests** y luego **Spearman Rank Test.**

TI-83/84 PLUS Si utilizamos una calculadora TI-83/84 Plus o cualquier otra calculadora con estadísticos para 2 variables, es posible calcular el valor exacto de r_s como sigue: **1.** reemplace cada valor muestral por su rango correspondiente; luego, **2.** calcule el valor del coeficiente de correlación lineal *r* con los mismos procedimientos utilizados en la sección 10-2. Ingrese los rangos pareados en las listas L1 y L2, después oprima STAT y seleccione **TESTS**. El uso de la opción **LinRegTTest** dará como resultado varios valores, incluyendo el valor exacto del coeficiente de correlación de rangos r_s.
Advertencia: Ignore el valor *P* resultante, ya que no está calculado con la distribución correcta para la correlación de rangos de Spearman.

El programa **srcorr** del sitio Web de este libro se puede utilizar para calcular el coeficiente de correlación de rangos, pero no nos da el valor correcto si alguna de las variables tiene valores muestrales que consisten en empates.

13-6 Destrezas y conceptos básicos

Conocimientos estadísticos y pensamiento crítico

1. Regresión Suponga que los métodos de esta sección se utilizan con datos muestrales pareados, y que se concluye que existe suficiente evidencia para sustentar la afirmación de una correlación entre las dos variables. ¿Podemos utilizar los métodos de la sección 10-3 para encontrar la ecuación de regresión que permita realizar predicciones? ¿Por qué?

2. Rangos, diferencias y r_s La siguiente tabla lista los valores de automóviles nuevos vendidos por concesionarios, así como los valores de ropa vendida en tiendas en cinco años recientes (según datos de la Oficina de Censos de Estados Unidos). Todos los valores están en miles de millones de dólares. Responda lo siguiente sin utilizar un programa de cómputo o una calculadora.

a) Identifique los rangos que corresponden a cada una de las variables.

b) Identifique las diferencias d.

c) ¿Cuál es el valor de Σd^2?

d) ¿Cuál es el valor de r_s?

Automóviles nuevos	56.8	58.7	59.4	61.8	63.5	67.5
Ropa	111.8	118.2	119.4	123.0	127.4	136.8

3. Notación Remítase a los datos muestrales pareados del ejercicio 2. En este contexto, ¿cuál es la diferencia entre r_s y ρ_s? ¿Por qué se utiliza el subíndice s? ¿El subíndice s representa la misma desviación estándar s que se estudió en la sección 3-3?

4. Eficiencia Remítase a la tabla 13-2 de la página 663 e identifique la eficiencia de la prueba de correlación de rangos. ¿Qué nos indica ese valor acerca de la prueba?

En los ejercicios 5 y 6, utilice el diagrama de dispersión para calcular el valor del coeficiente de correlación del rango r_s y los valores críticos correspondientes a un nivel de significancia de 0.05, utilizados para someter a prueba la hipótesis nula de $\rho_s = 0$. Determine si existe una correlación.

5. Datos de distancia/tiempo para un objeto que se deja caer

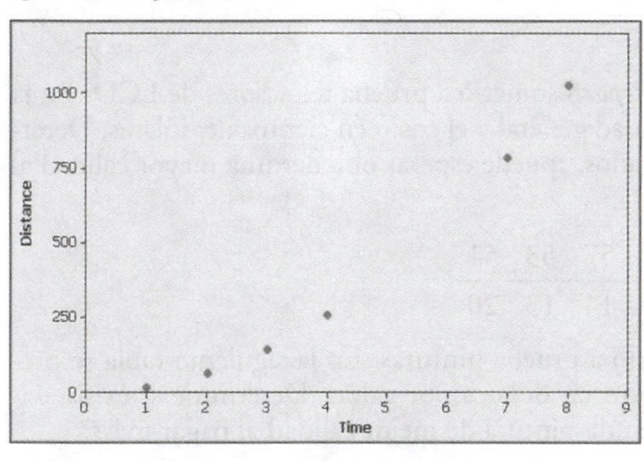

6. Datos de altitud/tiempo para una aeronave en descenso

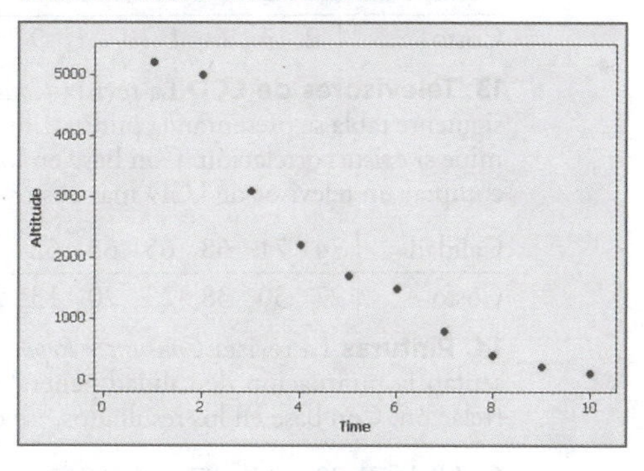

Cálculo de valores críticos. ***En los ejercicios 7 y 8, calcule el valor o valores críticos r_s utilizando la tabla A-9 o la fórmula 13-1, según sea más adecuado. Suponga que la hipótesis nula es $\rho_s = 0$, de manera que la prueba es de dos colas. Además, n denota el número de pares de datos.***

7. a) $n = 15$, $\alpha = 0.05$
b) $n = 24$, $\alpha = 0.01$
c) $n = 100$, $\alpha = 0.05$
d) $n = 65$, $\alpha = 0.01$

8. a) $n = 9$, $\alpha = 0.01$
b) $n = 16$, $\alpha = 0.05$
c) $n = 37$, $\alpha = 0.05$
d) $n = 82$, $\alpha = 0.01$

Prueba para correlación de rangos. ***En los ejercicios 9 a 16, utilice el coeficiente de correlación de rangos para determinar si existe correlación entre las dos variables. Utilice un nivel de significancia de $\alpha = 0.05$.***

9. Jueces de bandas marciales Dos jueces calificaron a siete bandas en la final de la competencia estatal de Texas de bandas marciales (Coppell, Keller, Grapevine, Dickinson, Poteet, Fossil

Ridge, Heritage), y sus calificaciones se presentan a continuación (según datos de la University Interscholastic League). Determine si existe una correlación entre los dos jueces. ¿Parece que los jueces califican de manera similar o de manera muy diferente?

Banda	Cpl	Klr	Grp	Dck	Ptt	FR	Her
Primer juez	1	3	4	7	5	6	2
Segundo juez	6	4	5	1	3	2	7

10. Jueces de bandas marciales En la misma competencia descrita en el ejercicio 9, un tercer juez calificó a las bandas; los resultados se muestran a continuación. Determine si existe una correlación entre el primer juez y el tercero. ¿Parece que los jueces califican de manera similar o de manera muy diferente?

Banda	Cpl	Klr	Grp	Dck	Ptt	FR	Her
Primer juez	1	3	4	7	5	6	2
Tercer juez	3	4	1	5	7	6	2

11. Clasificación de jueces en casos de conducción en estado de ebriedad Se clasificó a los jueces del condado de Bernalillo en Nuevo México, según sus índices de condenas dictadas por conducción en estado de ebriedad y los índices de reincidencia de los sujetos, entendiendo por reincidencia el arresto posterior por conducción en estado de ebriedad de una persona previamente acusada del mismo delito. A continuación se muestran los resultados para los jueces Gentry, Ashanti, Niemczyk, Baca, Clinton, Gomez, Barnhart, Walton, Nakamura, Kavanaugh, Brown y Barela (según datos de Steven Flint del DWI Resource Center). Determine si existe una correlación entre el índice de condenas y el índice de reincidencia. ¿Parece que los índices de condenas se relacionan con los índices de reincidencia?

Condenas	1	2	3	4	5	6	7	8	9	10	11	12
Reincidencia	6	2	10	4	12	9	8	7	1	5	3	11

12. Televisores de plasma La revista *Consumer Reports* sometió a prueba televisores de plasma grandes. En la siguiente tabla se presenta la clasificación de los televisores según su calidad general y costo. A los valores elevados se les asignan rangos bajos, de manera que un televisor con un rango de calidad de 1 corresponde a la puntuación de mayor calidad, y un televisor con un rango de costo de 1 es el más costoso. Determine si existe correlación. Con base en los resultados, ¿puede esperar obtener una mayor calidad al comprar un televisor de plasma más costoso?

Calidad	1	2	3	4	5	6	7	8	9	10
Costo	2	3	6	1	10	4	9	5	8	7

13. Televisores de LCD La revista *Consumer Reports* sometió a prueba televisores de LCD. En la siguiente tabla se presentan la puntuación de calidad general y el costo en cientos de dólares. Determine si existe correlación. Con base en los resultados, ¿puede esperar obtener una mayor calidad al comprar un televisor de LCD más costoso?

Calidad	74	71	68	65	63	62	59	57	57	53	51
Costo	27	30	38	23	20	13	27	23	14	13	20

14. Pinturas La revista *Consumer Reports* sometió a prueba pinturas. En la siguiente tabla se presentan la puntuación de calidad general y el costo en dólares por galón. Determine si existe correlación. Con base en los resultados, ¿se obtiene una pintura de mejor calidad al pagar más?

Calidad	90	87	87	86	86	86	82	81	78	62	61	59	23
Costo	27	32	34	30	20	19	19	36	15	39	24	25	15

15. Medición de focas a partir de fotografías A continuación se presentan las anchuras de cabeza (en cm) de focas a partir de fotografías, y los pesos (en kg) de las focas. Los datos se basan en "Mass Estimation of Weddell Seals Using Techniques of Photogrammetry", de R. Garrot de Montana State University. El objetivo del estudio consistía en determinar si era posible calcular los pesos de las focas a partir de fotografías de sus cabezas. ¿Existe evidencia suficiente para concluir que hay una correlación entre las anchuras de las cabezas de las focas a partir de fotografías y los pesos de las focas?

Anchura de la cabeza	7.2	7.4	9.8	9.4	8.8	8.4
Peso	116	154	245	202	200	191

16. Grillos y temperatura Se estudió la relación entre la temperatura y el número de chirridos que emite un grillo en un minuto. A continuación se listan los números de chirridos por minuto y las temperaturas correspondientes en grados Fahrenheit (según datos de *The Song of Insects*, de George W. Pierce, Harvard University Press). ¿Existe evidencia suficiente para concluir que existe una relación entre el número de chirridos por minuto y la temperatura?

Chirridos en un minuto	882	1188	1104	864	1200	1032	960	900
Temperatura (°F)	69.7	93.3	84.3	76.3	88.6	82.6	71.6	79.6

Conjuntos de datos del apéndice B. ***En los ejercicios 17 y 18, utilice los conjuntos de datos del apéndice B para hacer una prueba de correlación de rango con un nivel de significancia de 0.05.***

17. Conteos de palabras de hombres y mujeres Remítase al conjunto de datos 8 del apéndice B, y utilice los conteos de palabras medidos de hombres y mujeres, de las parejas incluidas en el conjunto de datos. Dichos conteos de palabras se listan en las primeras dos columnas del conjunto de datos 8.

18. Alquitrán y nicotina en cigarrillos Remítase al conjunto de datos 4 del apéndice B y utilice los datos de alquitrán y nicotina de los cigarrillos tamaño grande.

13-6 Más allá de lo básico

19. Efecto de empates en r_s Remítase al conjunto de datos 14 del apéndice B para las cantidades de lluvia en Boston de domingos y lunes. Calcule el valor del estadístico de prueba r_s utilizando cada una de las dos fórmulas para el estadístico del prueba r_s que se presentan en la figura 13-5. ¿Existe una diferencia sustancial entre los dos resultados? ¿Cuál resultado es mejor? ¿La conclusión se ve afectada por la fórmula utilizada?

13-7 Prueba de rachas para detectar aleatoriedad

Concepto clave En esta sección estudiaremos la *prueba de rachas para detectar aleatoriedad*, la cual puede utilizarse para determinar si los datos muestrales en una secuencia están en un orden aleatorio. Esta prueba se basa en datos muestrales que tienen dos características y analiza *rachas* de esas características para determinar si las rachas parecen ser el resultado de algún proceso aleatorio, o si las rachas sugieren que el orden de los datos no es aleatorio.

DEFINICIONES

Una **racha** es una secuencia de datos que tienen la misma característica; la secuencia va precedida y seguida por datos con una característica diferente o por ningún dato en absoluto.

La **prueba de rachas** utiliza el número de rachas en una secuencia de datos muestrales para determinar si existe aleatoriedad del orden de los datos.

Principio fundamental de la prueba de rachas

El principio fundamental de la prueba de rachas puede establecerse brevemente como sigue:

Rechace la aleatoriedad si el número de rachas es muy bajo o muy alto.

- Ejemplo: La secuencia de géneros MMMMMHHHHH no es aleatoria puesto que tiene solo dos rachas, es decir, el número de rachas es muy *bajo*.
- Ejemplo: La secuencia de géneros MHMHMHMHMH no es aleatoria puesto que existen 10 rachas, lo cual se considera un número muy *alto*.

ADVERTENCIA

La prueba de rachas para detectar aleatoriedad se basa en el *orden* en el que se presentan los datos; *no* está basada en la *frecuencia* de los datos. Por ejemplo, una secuencia de 3 hombres y 20 mujeres podría parecer aleatoria, pero la prueba de rachas *no* se ocupa del problema de si 3 hombres y 20 mujeres constituyen una muestra *sesgada* (con un número desproporcionadamente mayor de mujeres).

¿La reproducción del iPod es realmente aleatoria?

En *The Guardian*, Steven Levy escribió acerca de una entrevista realizada a Steve Jobs, el extinto director de Apple, en la que le planteó el siguiente dilema: "Tengo un problema con mi iPod. La función de reproducción aleatoria no parece realmente aleatoria. Algunos artistas aparecen demasiado y algunos no aparecen nunca". Según Jeff Robbin, directivo del equipo de desarrollo de iTunes, "se trata de una aleatoriedad inequívoca". El matemático John Allen Paulos comentó que "a menudo interpretamos e imponemos patrones sobre eventos que son aleatorios". Levy también afirma que, cuando pensamos que la función de reproducción aleatoria del iPod no es aleatoria, el problema reside en nuestra percepción. Nuestra mente percibe patrones y tendencias que en realidad no existen. Con frecuencia escuchamos rachas de canciones consecutivas del mismo artista, y creemos que esto no se debe al azar; pero, con una verdadera aleatoriedad, este tipo de rachas consecutivas son mucho más probables de lo esperado.

La percepción incorrecta de ausencia de aleatoriedad provocó que Apple introdujera una característica de "reproducción inteligente" en una nueva versión de iTunes. Esta característica permite que los usuarios controlen múltiples canciones consecutivas del mismo artista, para evitar rachas consecutivas del mismo cantante. Según declaró Steve Jobs en aquella ocasión: "Lo estamos haciendo menos aleatorio para que se perciba más aleatorio".

Los criterios exactos para determinar si un número de rachas es muy alto o muy bajo se encuentran en el recuadro de la siguiente página, el cual resume los elementos clave de la prueba de rachas para detectar aleatoriedad. El procedimiento de la prueba de rachas para detectar aleatoriedad también se resume en la figura 13-6.

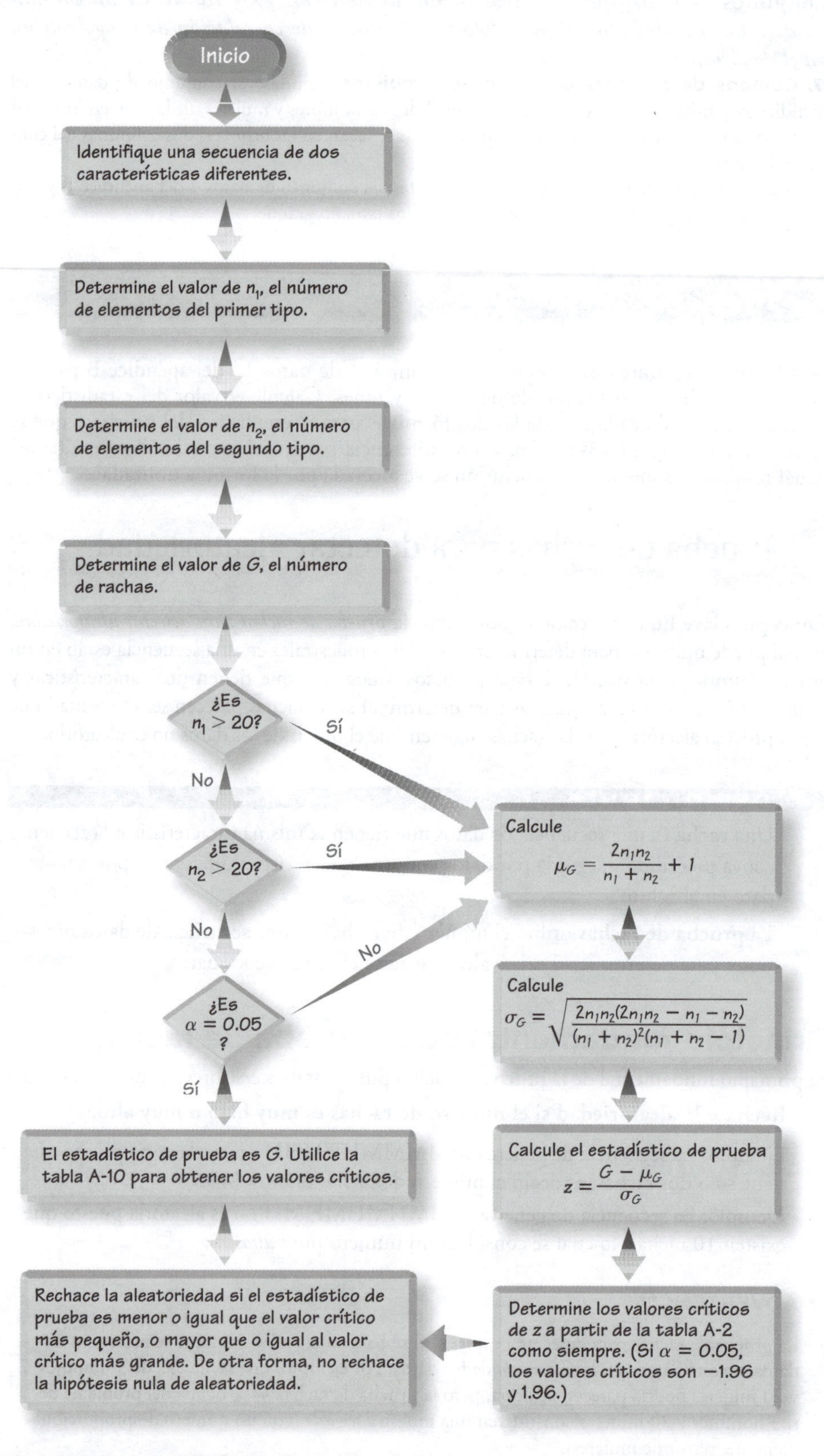

Figura 13-6 Procedimiento de prueba de rachas para detectar aleatoriedad

Prueba de rachas para detectar aleatoriedad

Objetivo

Aplicar la prueba de rachas para detectar aleatoriedad a una *secuencia* de datos muestrales, con la finalidad de determinar si existe aleatoriedad en el *orden* de los datos. Utilice las siguientes hipótesis nula y alternativa.

H_0: Los datos siguen una secuencia aleatoria.

H_1: Los datos siguen una secuencia no aleatoria.

Notación

n_1 = número de elementos en la secuencia que tienen una característica particular. (La característica elegida para n_1 es arbitraria).

n_2 = número de elementos en la secuencia que tienen la otra característica

G = número de rachas

Requisitos

1. Los datos muestrales están acomodados de acuerdo con algún esquema de orden, por ejemplo, el orden en el que se obtuvieron los valores muestrales.
2. Cada dato se puede clasificar en una de *dos* categorías separadas (como hombre/mujer).

Estadístico de prueba y valores críticos

Para muestras pequeñas y $\alpha = 0.05$: Si $n_1 \leq 20$ y $n_2 \leq 20$, y el nivel de significancia es $\alpha = 0.05$, el estadístico de prueba y los valores críticos son los siguientes:

Estadístico de prueba: G.

Valores críticos: Usar la tabla A-10.

Criterio de decisión: Rechace la aleatoriedad si el número de rachas G es

- menor que o igual al valor crítico más pequeño encontrado en la tabla A-10,

o

- mayor que o igual al valor crítico más grande encontrado en la tabla A-10.

Para muestras grandes o $\alpha \neq 0.05$: Si $n_1 > 20$ o $n_2 > 20$ o $\alpha \neq 0.05$, el estadístico de prueba y los valores críticos son los siguientes.

Estadístico de prueba:

$$z = \frac{G - \mu_G}{\sigma_G}$$

donde

$$\mu_G = \frac{2n_1 n_2}{n_1 + n_2} + 1$$

y

$$\sigma_G = \sqrt{\frac{(2n_1 n_2)(2n_1 n_2 - n_1 - n_2)}{(n_1 + n_2)^2(n_1 + n_2 - 1)}}$$

Valores críticos de z: Utilice la tabla A-2.

Criterio de decisión: Rechace la aleatoriedad si el estadístico de prueba z es

- menor que o igual a la puntuación z crítica negativa (como -1.96)

o

- mayor que o igual a la puntuación z crítica positiva (como 1.96)

Rachas de suerte en los deportes

Existe la creencia de que los atletas suelen tener "rachas de suerte", es decir, periodos breves de éxito extraordinario. El psicólogo Amos Tversky, de la Universidad de Stanford, y otros investigadores utilizaron la estadística para analizar los miles de tiros de los 76 de Filadelfia en una temporada completa y la mitad de otra. Encontraron que el número de "rachas de suerte" no difería de lo que se esperaría en pruebas aleatorias, donde el resultado de cada prueba es independiente de cualquier resultado previo. Es decir, la probabilidad de una anotación no depende de las anotaciones o fallas anteriores.

EJEMPLO 1

Muestra pequeña: Género de participantes en un estudio A continuación se listan los géneros de los primeros 15 sujetos que participaron en el estudio "Freshman 15", cuyos resultados se incluyen en el conjunto de datos 3 del apéndice B. Utilice un nivel de significancia de 0.05 para someter a prueba la aleatoriedad de la secuencia de géneros

H H H H M H M M M M M H H M M

SOLUCIÓN

VERIFICACIÓN DE REQUISITOS 1. Los datos están acomodados en orden. **2.** Cada valor está clasificado en una de dos categorías separadas (hombre/mujer). Los requisitos se satisfacen.

Seguiremos el procedimiento que se resume en la figura 13-6. Se ha identificado la secuencia de dos características (hombre y mujer). Ahora debemos calcular los valores de n_1, n_2 y el número de rachas G. La secuencia se muestra a continuación con espacios que se usan para identificar mejor las rachas separadas.

H H H H	M	H	M M M M M	H H	M M
1a. racha	2a. racha	3a. racha	4a. racha	5a. racha	6a. racha

Podemos ver que hay 7 hombres y 8 mujeres, y que el número de rachas es 6. Por lo tanto, tenemos

$$n_1 = \text{número total de hombres} = 7$$

$$n_2 = \text{número total de mujeres} = 8$$

$$G = \text{número de rachas} = 6$$

Puesto que $n_1 \leq 20$, $n_2 \leq 20$ y $\alpha = 0.05$, el estadístico de prueba es $G = 6$ (el número de rachas), y nos remitimos a la tabla A-10 para encontrar los valores críticos de 4 y 13. Como $G = 6$ no es menor o igual que el valor crítico de 4, ni tampoco es mayor que o igual al valor crítico de 13, *no rechazamos la aleatoriedad.* No existe evidencia suficiente para rechazar la aleatoriedad en la secuencia de géneros. Parece que la secuencia de géneros es aleatoria.

Datos numéricos: Aleatoriedad por arriba o por debajo de la media o de la mediana En el ejemplo 1 indagamos si existía la aleatoriedad en la secuencia de datos que se ajustaban claramente dentro de dos categorías. También podemos determinar si existe aleatoriedad por la forma como los datos numéricos fluctúan por encima o por debajo de una media o mediana. Para realizar una prueba de aleatoriedad por arriba o por debajo de la mediana, por ejemplo, utilice los datos muestrales para calcular el valor de la mediana; luego, reemplace cada valor individual con la letra A si este se encuentra por *arriba* de la mediana, y reemplácelo con D si se encuentra por *debajo* de la mediana. Excluya cualquier valor que sea igual a la mediana. Es útil escribir las letras A y las D directamente arriba o debajo de los números que estas representan, ya que esto hace más sencilla la revisión y, además, reduce la posibilidad de tener un número equivocado de letras. Después de encontrar la secuencia de las letras A y D, procedemos a aplicar la prueba de rachas tal como se describió. Los economistas utilizan la prueba de rachas para detectar aleatoriedad por arriba y por debajo de la media cuando tratan de identificar tendencias o ciclos. Una tendencia económica al alza contendría una predominancia de D al principio y de A al final, de manera que el número de rachas sería pequeño. En una tendencia a la baja las A dominarían al principio y las D al final, con un número bajo de rachas. Un patrón cíclico produciría una secuencia que cambia sistemáticamente, de manera que el número de rachas tendería a ser grande.

EJEMPLO 2

Aleatoriedad por arriba y por debajo de la mediana A continuación se presenta la secuencia de muertes anuales por vehículos automotores en Estados Unidos, durante periodos consecutivos de 10 años (se trata de los últimos datos disponibles en el momento en que se escribió este libro). Utilice un nivel de significancia de 0.05 para realizar una prueba de aleatoriedad por arriba y por debajo de la mediana. ¿Qué sugiere el resultado acerca de las muertes por vehículos automotores?

42,065	42,013	41,501	41,717	41,945	42,196	43,005	42,884	42,836	43,443
↓	↓	↓	↓	↓	↓	↓	↓	↓	↓
D	D	D	D	D	A	A	A	A	A

SOLUCIÓN

VERIFICACIÓN DE REQUISITOS 1. Los datos están acomodados en orden. **2.** Cada dato está clasificado en una de dos categorías separadas (por debajo de la mediana o por arriba de esta). Los requisitos se satisfacen. ✓

La mediana de los valores muestrales listados es 42,130.5. Al valor que está por debajo de la mediana de 42,130.5 lo denotamos con D (debajo), y al valor que está por arriba de la mediana lo denotamos con A (arriba). Si hubiera valores iguales a la mediana de 42,130.5, tendrían que haberse eliminado. La secuencia de letras D y A se observa debajo de los valores muestrales. Dicha secuencia tiene 5 letras D, por lo que $n_1 = 5$; tiene 5 letras A, de manera que $n_2 = 5$. Hay dos rachas, por lo que $G = 2$.

Puesto que $n_1 \leq 20$, $n_2 \leq 20$ y $\alpha = 0.05$, el estadístico de prueba es $G = 2$ (el número de rachas), y nos remitimos a la tabla A-10 para encontrar los valores críticos de 2 y 10. Puesto que $G = 2$ es menor que o igual al valor crítico de 2, *rechazamos la hipótesis nula de aleatoriedad.* Como todos los valores por debajo de la mediana están al inicio de la secuencia, y todos los valores por arriba de la mediana se encuentran al final de la secuencia, parece que existe una tendencia ascendente en el número de muertes por vehículos automotores.

EJEMPLO 3

Muestra grande: Calentamiento global A continuación se presentan las temperaturas medias globales (en °C) de la superficie de la Tierra (según datos del Goddard Institute for Space Studies). Cada temperatura representa un año, y están acomodadas en orden por renglón. Utilice un nivel de significancia de 0.05 para efectuar una prueba de aleatoriedad por arriba y por debajo de la media. ¿Qué sugiere el resultado acerca de la temperatura de la Tierra?

13.88	13.88	14.00	13.96	13.59	13.77	13.75	13.55	13.77	14.04	13.78	13.44	13.60	13.61	13.68
13.68	13.73	13.85	13.79	13.76	13.95	13.95	13.70	13.64	13.58	13.75	13.85	13.60	13.70	13.69
13.79	13.74	13.67	13.72	13.98	14.06	13.80	13.54	13.67	13.91	13.85	13.95	13.91	13.84	13.89
13.85	14.04	13.95	14.00	13.78	13.97	14.03	14.04	13.89	14.05	13.92	14.01	14.12	14.15	13.98
14.14	14.11	14.10	14.06	14.11	13.99	14.01	14.12	13.97	13.91	13.83	13.98	14.03	14.12	13.91
13.91	13.82	14.08	14.10	14.05	13.98	14.10	14.05	14.03	13.65	13.75	13.93	13.98	13.91	14.00
14.04	13.90	13.95	14.18	13.94	13.98	13.79	14.16	14.07	14.13	14.27	14.40	14.10	14.34	14.16
14.13	14.19	14.35	14.42	14.28	14.49	14.44	14.16	14.18	14.31	14.47	14.36	14.40	14.71	14.44
14.41	14.56	14.70	14.64	14.60	14.77									

SOLUCIÓN

VERIFICACIÓN DE REQUISITOS 1. Los datos están acomodados en orden. **2.** Cada dato está clasificado en una de dos categorías separadas (por debajo de la media o por arriba de esta). Los requisitos se satisfacen. ✓

Las hipótesis nula y alternativa son las siguientes:

H_0: La secuencia es aleatoria.

H_1: La secuencia no es aleatoria.

continúa

La media de las 126 temperaturas es 13.998°C. El estadístico de prueba se obtiene calculando primero el número de temperaturas por debajo de la media y el número de temperaturas por arriba de la media. Un examen de la secuencia da por resultado los siguientes valores:

n_1 = número de temperaturas por debajo de la media = 68

n_2 = número de temperaturas por arriba de la media = 58

G = número de rachas = 32

Puesto que $n_1 > 20$, necesitamos calcular el estadístico de prueba z. Primero debemos evaluar μ_G y σ_G como sigue:

$$\mu_G = \frac{2n_1n_2}{n_1 + n_2} + 1 = \frac{2(68)(58)}{68 + 58} + 1 = 63.6032$$

$$\sigma_G = \sqrt{\frac{(2n_1n_2)(2n_1n_2 - n_1 - n_2)}{(n_1 + n_2)^2(n_1 + n_2 - 1)}}$$

$$= \sqrt{\frac{(2)(68)(58)[2(68)(58) - 68 - 58]}{(68 + 58)^2(68 + 58 - 1)}} = 5.55450$$

Ahora podemos calcular el estadístico de prueba:

$$z = \frac{G - \mu_G}{\sigma_G} = \frac{32 - 63.6032}{5.55450} = -5.69$$

Puesto que el nivel de significancia es $\alpha = 0.05$ y tenemos una prueba de dos colas, los valores críticos son $z = -1.96$ y $z = 1.96$. El estadístico de prueba de $z = -5.69$ cae dentro de la región crítica, por lo que rechazamos la hipótesis nula de aleatoriedad. La secuencia en cuestión no parece ser aleatoria.

INTERPRETACIÓN Esta prueba de hipótesis indica que la secuencia de temperaturas globales durante los últimos 126 años no es aleatoria. La siguiente gráfica de Minitab revela que existe una tendencia ascendente. Las afirmaciones sobre el calentamiento global parecen estar sustentadas por los datos.

MINITAB

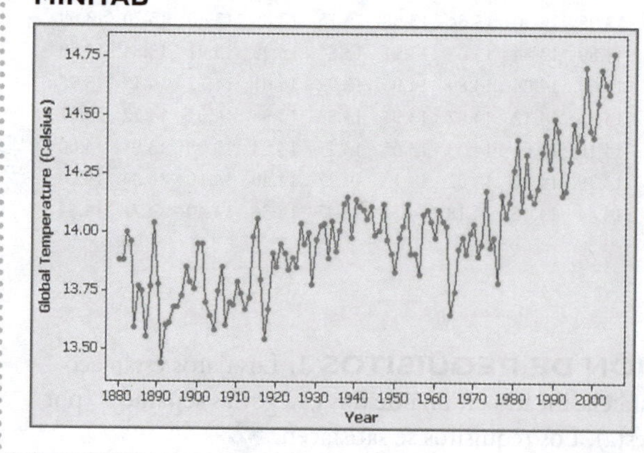

USO DE LA TECNOLOGÍA

STATDISK Primero determine los valores n_1, n_2 y el número de rachas G. Seleccione **Analysis** de la barra del menú principal; luego, seleccione **Runs Test** y proceda a ingresar los datos requeridos en el cuadro de diálogo. La pantalla de STATDISK incluirá el estadístico de prueba (G o z, según sea lo adecuado), los valores críticos y la conclusión.

MINITAB Minitab efectuará una prueba de rachas únicamente con una secuencia de datos numéricos, pero consulte el *Minitab Student Laboratory Manual and Workbook* para eludir esta restricción. Ingrese los datos numéricos en la columna C1; luego, seleccione **Stat**, **Nonparametrics** y **Runs Test**. En el cuadro de diálogo, ingrese C1 para la variable, luego elija realizar una prueba de aleatoriedad por arriba o por debajo de la media, o ingrese un valor a utilizar. Haga clic en **OK**. Los resultados de Minitab incluyen el número de rachas y el valor P ("la prueba es significativa a...").

EXCEL Excel no está programado para la prueba de rachas que detecta aleatoriedad.

TI-83/84 PLUS La calculadora TI-83/84 Plus no está programada para la prueba de rachas que detecta aleatoriedad.

13-7 Destrezas y conceptos básicos

Conocimientos estadísticos y pensamiento crítico

1. Prueba de sesgo Las últimas 103 temporadas de béisbol (en el momento en que se escribió este libro) terminaron con 61 triunfos de la Serie Mundial para equipos de la Liga Americana y 42 triunfos para equipos de la Liga Nacional. ¿Es posible utilizar la prueba de rachas para demostrar que la Liga Americana es mejor debido a que sus equipos ganan de manera desproporcionada más Series Mundiales?

2. Notación A continuación se presenta el género de los primeros 25 sujetos incluidos en el conjunto de datos 3 del apéndice B. Utilice esa secuencia para identificar los valores de n_1, n_2 y G que se usarían en las pruebas de rachas para detectar aleatoriedad.

H H H H H H H H H H H H H H H H H H M M H M H H H

3. Prueba de rachas Si utilizamos una prueba de rachas para la secuencia de géneros de los 107 sujetos incluidos en el conjunto de datos 3 del apéndice B, no rechazamos la hipótesis nula de que la secuencia es aleatoria. ¿Podemos concluir que los sujetos se seleccionaron de una forma adecuada para fines estadísticos?

4. Datos en secuencia Suponga que se reordenan los resultados de los 107 sujetos incluidos en el conjunto de datos 3 del apéndice B, de manera que todos los hombres se colocan al principio de la lista y todas las mujeres al final de la lista. ¿Se puede utilizar la prueba de rachas para determinar si los géneros de los sujetos están en un orden aleatorio?

Uso de pruebas de rachas para aleatoriedad. ***En los ejercicios 5 a 10, utilice la prueba de rachas con un nivel de significancia de $\alpha = 0.05$. (Todos los datos se listan en orden por renglón).***

5. Ganadores del Óscar A continuación se listan los géneros de los ganadores más jóvenes en las categorías de mejor actor y mejor actriz para un grupo de años consecutivos recientes. ¿Parece que los géneros de los ganadores más jóvenes se presentan al azar?

M M M H H M M M M M M H H H H H

6. Suscripciones de teléfono celular A continuación se listan los números de suscripciones de telefonía celular (en miles) en Estados Unidos para 11 años recientes. Debajo de los números, aparecen las letras que indican si el número está por debajo (D) o por arriba (A) de la media, que es de 63,526.2. Realice una prueba de aleatoriedad de los números por debajo y por arriba de la media. Al parecer, ¿existe una tendencia?

Año	1985	1987	1989	1991	1993	1995	1997	1999	2001	2003	2005
Número	340	1231	3509	7557	16,009	33,786	55,312	86,047	128,375	158,722	207,900
	↓	↓	↓	↓	↓	↓	↓	↓	↓	↓	↓
	D	D	D	D	D	D	D	A	A	A	A

7. Prueba de aleatoriedad de ganadores de elecciones presidenciales A continuación se presentan los partidos políticos de los candidatos ganadores para una secuencia reciente de elecciones presidenciales en Estados Unidos. La D representa al partido Demócrata y R al partido Republicano. ¿Parece que los estadounidenses eligen candidatos demócratas y republicanos en una secuencia aleatoria?

R R D R D R R R R D D R R R D D
D D R R D D R R D R R R D D R R

8. Dígitos pares e impares en pi Un artículo del *New York Times* acerca del cálculo de lugares decimales de π señaló que "los matemáticos están bastante seguros de que los dígitos de π son indistinguibles de cualquier secuencia aleatoria". A continuación se presentan los primeros 30 lugares decimales de π. Realice una prueba de aleatoriedad de dígitos impares (I) y pares (P).

1 4 1 5 9 2 6 5 3 5 8 9 7 9 3 2 3 8 4 6 2 6 4 3 3 8 3 2 7 9

9. Sorteo de reclutamiento En 1970 se usó un sistema de sorteo para determinar quiénes serían reclutados en el ejército estadounidense. Las 366 fechas del año se colocaron en cápsulas individuales, se mezclaron y luego se seleccionaron algunas para identificar fechas de nacimiento de los hombres que se reclutarían primero. A continuación se presentan los primeros 30 resultados. Realice una prueba de aleatoriedad antes y después de la mitad del año, que es el 1 de julio.

14 sept.	24 abr.	30 dic.	14 feb.	18 oct.	6 sept.	26 oct.	7 sept.	22 nov.	6 dic.	31 ago.	7 dic.
8 jul.	11 abr.	12 jul.	29 dic.	15 ene.	26 sept.	1 nov.	4 jun.	10 ago.	26 jun.	24 jul.	5 oct.
19 feb.	14 dic.	21 jul.	5 jun.	2 mar.	31 mar.						

10. Temperaturas A continuación se presentan las temperaturas máximas (en °F) cerca de la casa del autor, durante días consecutivos, desde el 1 de septiembre de un año reciente (de acuerdo con el conjunto de datos 11 del apéndice B). La media de dichas temperaturas máximas es 73.8°F. Realice una prueba de aleatoriedad por arriba y por debajo de la media.

80 77 81 85 73 73 80 72 83 81 75 78 80 71 73 78 75 63
63 70 77 82 81 76 77 76 74 66 66 62 71 68 66 71 58

Prueba de rachas con muestras grandes. ***En los ejercicios 11 a 14, utilice la prueba de rachas con un nivel de significancia de $\alpha = 0.05$. (Todos los datos están listados en orden por renglón).***

11. Prueba de aleatoriedad de victorias en el Súper Bowl A continuación se lista la conferencia a la que pertenecen los equipos que han ganado el Súper Bowl, donde N denota un equipo de la NFC y A denota un equipo de la AFC. ¿Los resultados sugieren que alguna de las conferencias es mejor?

N N A A A N A A A A A N A A A N N A N N N N N N N N N N N N N N N N A N A A N A A N A

12. Victorias en la Serie Mundial de béisbol Someta a prueba la afirmación de que la secuencia de triunfos en la Serie Mundial de los equipos de la Liga Americana y la Liga Nacional es aleatoria. A continuación se presentan resultados recientes, donde los equipos de la Liga Americana y los equipos de la Liga Nacional están representados por A y N, respectivamente.

A N A N N N A A A A N A A A A N A N N A A N N A A A A N A N
N A A A A A N A N A N A N A A A A A A N N A N A N N A A N
N N A N A N A N A A A N N A A N N N N A A A N A N A N A A A
N A N A A A N A N A A N A

13. Bolsa de Valores: Prueba de aleatoriedad por arriba y por debajo de la mediana A continuación se listan los puntajes máximos anuales del Promedio Industrial Dow Jones para una secuencia de años recientes. Realice una prueba de aleatoriedad por arriba y por debajo de la mediana. ¿Qué sugiere el resultado acerca del mercado bursátil como una opción para invertir?

969 995 943 985 969 842 951 1036 1052 892 882 1015 1000 908 898
1000 1024 1071 1287 1287 1553 1956 2722 2184 2791 3000 3169 3413 3794 3978
5216 6561 8259 9374 11568 11401 11350 10635 10454 10855 10941 12464 14198

14. Calentamiento global A continuación se listan las concentraciones de dióxido de carbono (en partes por millón) en la superficie terrestre para 50 años recientes y consecutivos (según datos del Goddard Institute for Space Studies). Realice una prueba de aleatoriedad por arriba y por debajo de la media.

314.3 314.8 315.3 316.0 316.9 317.6 318.5 319.0 319.5 320.1 321.3 322.1 323.1 324.6 325.7
326.3 327.5 329.6 330.3 331.2 332.2 333.9 335.5 336.9 338.7 340.0 341.1 342.8 344.4 345.9
347.1 349.0 351.4 352.9 354.2 355.6 356.4 357.1 358.9 360.9 362.6 363.8 366.6 368.3 369.5
371.0 373.1 375.6 377.4 379.6

13-7 Más allá de lo básico

15. Cálculo de valores críticos

a) Utilice todos los elementos A, A, A, B, B, B, B, B y B, y haga una lista de las 84 secuencias diferentes posibles.

b) Calcule el número de rachas para cada una de las 84 secuencias.

c) Utilice los resultados de los incisos *a)* y *b)* para calcular sus propios valores críticos de G.

d) Compare sus resultados con los de la tabla A-10.

Repaso

En este capítulo examinamos seis pruebas no paramétricas diferentes, también llamadas pruebas de distribución libre porque no requieren que las poblaciones tengan una distribución en particular, como la distribución normal. Sin embargo, las pruebas no paramétricas no son tan eficientes como las pruebas paramétricas, de manera que generalmente necesitamos una evidencia más fuerte antes de rechazar la hipótesis nula.

La tabla 13-10 lista las pruebas no paramétricas presentadas en este capítulo, junto con sus funciones. La tabla lista además las pruebas paramétricas correspondientes.

Tabla 13-10 Resumen de pruebas no paramétricas

Prueba no paramétrica	Función	Prueba paramétrica
Prueba del signo (sección 13-2)	Prueba del valor establecido de la mediana con una muestra	Prueba z o prueba t (secciones 8-4, 8-5)
	Prueba de las diferencias entre datos pareados	Prueba t (sección 9-4)
	Prueba del valor establecido de una proporción	Prueba z (sección 8-3)
Prueba de rangos con signo de Wilcoxon (sección 13-3)	Prueba de las diferencias entre datos pareados	Prueba t (sección 9-4)
Prueba de la suma de rangos de Wilcoxon (sección 13-4)	Prueba de la diferencia entre dos muestras independientes	Prueba t o prueba z (sección 9-3)
Prueba de Kruskal-Wallis (sección 13-5)	Prueba si más de dos poblaciones independientes tienen la misma mediana	Análisis de varianza (sección 12-2)
Correlación de rangos (sección 13-6)	Prueba de la relación entre dos variables	Correlación lineal (sección 10-2)
Prueba de rachas (sección 13-7)	Prueba de la aleatoriedad de datos muestrales	No hay prueba paramétrica

Conocimientos estadísticos y pensamiento crítico

1. Prueba no paramétrica ¿Qué es una prueba *no paramétrica*? ¿Qué es una prueba paramétrica?

2. Prueba de distribución libre ¿Cuál es la diferencia entre una prueba no paramétrica y una prueba de distribución libre?

3. Rango Muchas pruebas no paramétricas se basan en rangos. ¿Qué es un rango? ¿Cuáles son los rangos de las siguientes duraciones (en horas) de vuelos del Space Shuttle Transport System de la NASA (de acuerdo con el conjunto de datos 10 del apéndice B): 54, 54, 192, 169, 122?

4. Eficiencia Las pruebas no paramétricas no suelen ser tan *eficientes* como las pruebas paramétricas correspondientes, suponiendo que los requisitos necesarios se satisfacen. ¿Qué mide la eficiencia? Si las pruebas no paramétricas son menos eficientes que las paramétricas, ¿por qué debemos usarlas?

Examen rápido del capítulo

1. Algunos métodos no paramétricos se basan en los rangos de datos muestrales. Calcule los rangos correspondientes para los siguientes valores muestrales: 77, 65, 88, 88, 95.
2. ¿Cuál es el objetivo de la prueba de rachas para detectar aleatoriedad?
3. Describa una ventaja del uso de la correlación del rango en lugar de la correlación lineal.
4. ¿Qué significa decir que una prueba no paramétrica es menos *eficiente* cuando se compara con el método paramétrico correspondiente?
5. ¿Cuál de los siguientes términos se utiliza en lugar de prueba "no paramétrica": prueba de normalidad, prueba de anormalidad, prueba de distribución libre, último testamento?
6. Verdadero o falso: Una ventaja importante de utilizar la correlación del rango es que puede detectar cualquier patrón de puntos, incluso si el patrón no corresponde a una línea recta.
7. Entre las siguientes configuraciones de datos muestrales, identifique la que *no puede* utilizarse con la prueba del signo: datos pareados, cuatro muestras independientes, datos con un nivel de medición nominal.
8. Entre las siguientes configuraciones de datos muestrales, identifique la que puede utilizarse con la prueba de suma de rangos de Wilcoxon: una muestra de valores individuales, dos muestras independientes, cuatro muestras independientes, datos pareados.
9. Entre las siguientes configuraciones de datos muestrales, identifique la que puede utilizarse con la prueba de rangos con signo de Wilcoxon: una muestra de valores individuales, dos muestras independientes, cuatro muestras independientes, datos pareados.
10. Entre las siguientes configuraciones de los datos muestrales, identifique la que puede utilizarse con la prueba de Kruskal-Wallis: una muestra de valores individuales, dos muestras independientes, cuatro muestras independientes, datos pareados.

Ejercicios de repaso

Uso de pruebas no paramétricas. ***En los ejercicios 1 a 10, utilice un nivel de significancia de 0.05 con la prueba indicada. Si no se especifica una prueba en particular, utilice la prueba no paramétrica adecuada de este capítulo.***

1. Serie Mundial Las últimas 103 temporadas de béisbol (en el momento en que se escribió este libro) terminaron con 61 triunfos de los equipos de la Liga Americana y 42 triunfos de los equipos de la Liga Nacional. Utilice la prueba del signo con un nivel de significancia de 0.05, para someter a prueba la afirmación de que en cada Serie Mundial, el equipo de la Liga Americana tiene una probabilidad de 0.5 de ganar.

2. Temperaturas corporales A continuación se listan las temperaturas corporales medidas (en °F) de sujetos elegidos al azar (del conjunto de datos 2 del apéndice B). Utilice la prueba del signo con un nivel de significancia de 0.05 para someter a prueba la afirmación de que las temperaturas corporales tienen una mediana igual a 98.6°F.

98.0 98.0 97.0 97.7 98.2 98.4 96.5 98.8 97.4 98.6

3. Temperaturas corporales Resuelva el ejercicio 2 utilizando la prueba de rangos con signo de Wilcoxon.

4. Aleatoriedad Remítase a las temperaturas corporales del ejercicio 2. Utilice únicamente las porciones decimales de las temperaturas (0, 0, 0, 7, etcétera) para someter a prueba la afirmación de que la secuencia de dígitos pares e impares es aleatoria.

5. Estudiantes y clasificación de universidades según *U.S. News and World Report* Cada año, la revista *U.S. News and World Report* publica la clasificación de las universidades con base en datos estadísticos como las tasas de admisión, las tasas de graduación, el tamaño de los grupos, la razón entre número de profesores y número de estudiantes, los salarios del personal docente, y las calificaciones que otorgan los administradores a sus compañeros. Los economistas Christopher Avery, Mark Glickman, Caroline Minter Hoxby y Andrew Metrick utilizaron un método alternativo para analizar las elecciones universitarias de 3240 estudiantes del último año de preparatoria con un alto aprovechamiento académico. Ellos examinaron las universidades que ofrecían admisiones, junto con las universidades que los estudiantes eligieron. La siguiente tabla incluye la clasificación de una pequeña muestra de universidades. Calcule el valor del coeficiente de correlación del rango y utilícelo para determinar si existe una correlación entre la clasificación de los estudiantes y la clasificación de la revista.

Clasificación de los estudiantes	1	2	3	4	5	6	7	8
Clasificación de *U.S. News and World Report*	1	2	5	4	7	6	3	8

6. Pronóstico del clima A continuación se presentan las temperaturas máximas reales y las temperaturas máximas pronosticadas con cinco días de anticipación (de acuerdo con el conjunto de datos 11 del apéndice B). Utilice un nivel de significancia de 0.05 y la prueba del signo para someter a prueba la afirmación de que la población de las diferencias tiene una mediana de cero. ¿Qué sugieren los resultados acerca de la exactitud de los pronósticos?

Temperatura máxima real	78	80	71	73	78	75	63	63	70	77
Temperatura máxima pronosticada 5 días antes	79	74	75	76	78	76	75	77	71	74

7. Pronóstico del clima Resuelva el ejercicio anterior utilizando la prueba de rangos con signo de Wilcoxon.

8. Lesión del fémur en un choque de automóvil A continuación se listan las cargas medidas (en libras) sobre el fémur derecho en maniquíes para pruebas de choque. (Los datos provienen de los mismos automóviles utilizados en el problema del capítulo 12). Someta a prueba la afirmación de que las diferentes categorías de automóviles tienen la misma mediana. ¿Los datos sugieren que los automóviles más grandes son más seguros?

Automóviles compactos	63	1001	1261	1048	307	925	491	917	750	1008
Automóviles medianos	257	905	756	547	461	787	677	1023	1444	632
Automóviles grandes	752	669	740	1202	669	1290	554	683	1023	786

9. Temperaturas descendentes A continuación se listan las temperaturas mínimas (en °F) de la primera mitad de septiembre y de la segunda mitad de septiembre (de acuerdo con el conjunto de datos 11 en el apéndice B). Utilice la prueba de la suma de rangos de Wilcoxon para someter a prueba la afirmación de que las temperaturas de la primera mitad de septiembre y las temperaturas en la segunda mitad de septiembre tienen medianas iguales. Se sabe que la región cercana a la casa del autor, donde se registraron las temperaturas, se va enfriando conforme avanza el otoño. ¿Los datos muestrales sustentan esa tendencia?

1 a 15 de septiembre	54	54	55	60	64	51	59	61	68	62	53	52	56	56	54
16 a 30 de septiembre	64	62	55	48	40	47	49	53	51	54	58	48	61	57	53

10. Temperaturas y aleatoriedad Remítase las temperaturas del ejercicio 9 y considérelas como una secuencia consecutiva de 30 temperaturas. Realice una prueba de aleatoriedad de temperaturas pares e impares.

Ejercicios de repaso acumulativo

En los ejercicios 1 a 5, use los datos de la siguiente tabla, los cuales representan los niveles de colesterol (en mg por dL de sangre) y los pesos correspondientes (en libras) de mujeres adultas elegidas al azar del conjunto de datos 1 del apéndice B.

Colesterol (mg)	264	181	267	384	98	62	126	89	531	130
Peso (libras)	114.8	149.3	107.8	160.1	127.1	123.1	111.7	156.3	218.8	110.2

1. Cálculo de estadísticos Calcule la media, la mediana, el rango, la desviación estándar y la varianza de los niveles de colesterol. Considerando que los niveles de colesterol están en mg, exprese los resultados en las unidades adecuadas.

2. Diagrama de dispersión Construya un diagrama de dispersión de los datos pareados del nivel de colesterol y el peso.

3. Correlación lineal Utilice un nivel de significancia de 0.05 para determinar una correlación lineal entre el nivel de colesterol y el peso.

4. Regresión Calcule la ecuación de la recta de regresión para los datos del colesterol y el peso. ¿Cuál es el mejor peso predicho de una mujer con un nivel de colesterol de 100 mg?

5. Correlación del rango Utilice un nivel de significancia de 0.05 con una correlación del rango para determinar si existe correlación entre el nivel de colesterol y el peso.

En los ejercicios 6 a 9, utilice las medidas de Flesch-Kincaid de páginas elegidas al azar de las obras* El oso y el dragón, *de Tom Clancy,* Harry Potter y la piedra filosofal, *de J. K. Rowling, y* La guerra y la paz, *de León Tolstoi. Esas medidas reflejan el nivel de lectura de una muestra de texto.

Clancy	8.8	5.4	5.0	7.6	9.0	3.2	12.0	4.9	4.6	5.0	6.4	6.1
Rowling	5.2	3.7	6.1	4.9	4.4	3.2	5.6	6.9	5.7	4.1	6.7	4.4
Tolstoi	8.6	9.8	6.1	5.9	7.7	10.9	8.2	7.2	11.0	11.5	8.4	5.9

6. ANOVA Utilice un nivel de significancia de 0.05 con un análisis de varianza para someter a prueba la afirmación de que los tres libros tienen la misma calificación media de Flesch-Kincaid. ¿Parece que los tres libros suponen un mismo nivel de lectura?

7. Prueba de Kruskal-Wallis Utilice un nivel de significancia de 0.05 con la prueba de Kruskal-Wallis para someter a prueba la afirmación de que las muestras de mediciones de las calificaciones de Flesch-Kincaid provienen de libros con la misma mediana del nivel de lectura.

8. Prueba *t* Utilice un nivel de significancia de 0.05 con una prueba t para someter a prueba la afirmación de que las muestras de calificaciones de lectura de Flesch-Kincaid de Clancy y Rowling tienen la misma media.

9. Prueba de la suma de rangos de Wilcoxon Utilice un nivel de significancia de 0.05 con una prueba de la suma de rangos de Wilcoxon para someter a prueba la afirmación de que las muestras de las calificaciones de lectura de Flesch-Kincaid de Clancy y Rowling provienen de poblaciones con medianas iguales.

10. Teléfonos celulares y choques: Análisis del informe de un periódico En una nota informativa de Associated Press, se informó que un grupo de investigadores "eligieron al azar a 100 conductores de Nueva York que estuvieron involucrados en un accidente, y a 100 que nunca estuvieron involucrados en un accidente. De los involucrados en accidentes, el 13.7 por ciento poseía un teléfono celular, mientras que solo el 10.6 por ciento de los conductores no involucrados en accidentes tenían teléfono en el automóvil". ¿Qué es incorrecto en estos resultados?

Proyecto tecnológico

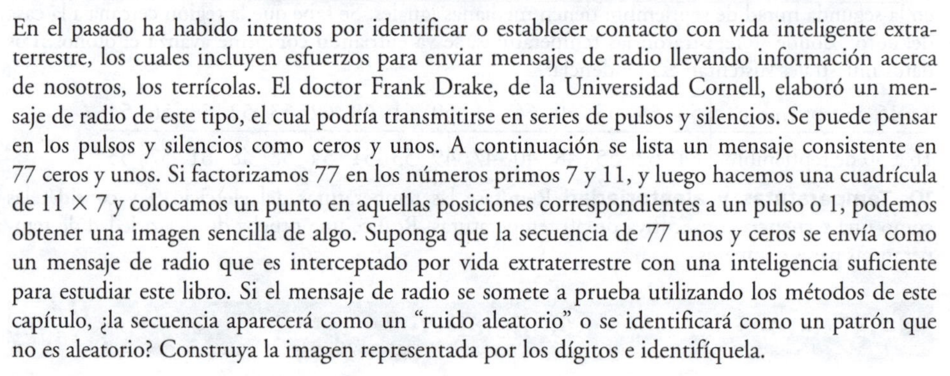

En el pasado ha habido intentos por identificar o establecer contacto con vida inteligente extraterrestre, los cuales incluyen esfuerzos para enviar mensajes de radio llevando información acerca de nosotros, los terrícolas. El doctor Frank Drake, de la Universidad Cornell, elaboró un mensaje de radio de este tipo, el cual podría transmitirse en series de pulsos y silencios. Se puede pensar en los pulsos y silencios como ceros y unos. A continuación se lista un mensaje consistente en 77 ceros y unos. Si factorizamos 77 en los números primos 7 y 11, y luego hacemos una cuadrícula de 11×7 y colocamos un punto en aquellas posiciones correspondientes a un pulso o 1, podemos obtener una imagen sencilla de algo. Suponga que la secuencia de 77 unos y ceros se envía como un mensaje de radio que es interceptado por vida extraterrestre con una inteligencia suficiente para estudiar este libro. Si el mensaje de radio se somete a prueba utilizando los métodos de este capítulo, ¿la secuencia aparecerá como un "ruido aleatorio" o se identificará como un patrón que no es aleatorio? Construya la imagen representada por los dígitos e identifíquela.

0 0 1 1 1 0 0 0 0 1 1 1 0 0 0 0 0 1 0 0 0

1 1 1 1 1 1 1 0 0 1 1 1 0 0 0 0 1 1 1 0 0

0 0 1 1 1 0 0 0 1 0 0 0 1 0 1 0 0 0 0 1 0

1 0 0 0 0 1 0 1 0 0 0 0 1 0

PROYECTO DE INTERNET

Pruebas no paramétricas

Visite **www.pearsonenespañol.com/triola**

En este capítulo se estudiaron métodos de prueba de hipótesis de carácter no paramétrico o de distribución libre. Los métodos no paramétricos le permiten someter a prueba hipótesis sin hacer suposiciones respecto de la distribución poblacional subyacente que se está muestreando.

En el proyecto de Internet usted aplicará pruebas no paramétricas con un nuevo conjunto de datos, así como con datos que fueron analizados en proyectos anteriores. Además, examinará secuencias de números aleatorios que surgen tanto de forma teórica como en las ciencias empíricas.

PROYECTO APPLET

Abra el archivo de Applets que está en el sitio Web de este libro y haga doble clic en **Start.** Seleccione **Random numbers** del menú y genere 50 números aleatorios entre 0 y 1 inclusive. Aplique la prueba de rachas para detectar aleatoriedad con los resultados. ¿Qué concluye?

DE LOS DATOS A LA DECISIÓN

Pensamiento crítico: ¿Fue aleatorio el sorteo de reclutamiento?

En 1970 se utilizó un sistema de sorteo para determinar quién sería reclutado en el ejército estadounidense. Las 366 fechas del año se colocaron en cápsulas individuales. Primero, las 31 cápsulas de enero se ubicaron en una caja; luego se añadieron las 29 cápsulas de febrero y se mezclaron los dos meses. Después, se agregaron las 31 cápsulas de marzo y se mezclaron los tres meses. El procedimiento continuó hasta que se incluyeron todos los meses. La primera cápsula seleccionada fue el 14 de septiembre, por lo tanto, los hombres que nacieron en esa fecha fueron reclutados primero. La lista adjunta muestra las 366 fechas en el orden de su selección.

Análisis de los resultados

a) Utilice la prueba de rachas para realizar una prueba de aleatoriedad de la secuencia por arriba y por debajo de la mediana de 183.5.

b) Utilice la prueba de Kruskal-Wallis para someter a prueba la afirmación de que los 12 meses tuvieron números prioritarios obtenidos de la misma población.

c) Calcule las 12 medias mensuales. Luego registre esas 12 medias en una gráfica. (El eje horizontal representa los 12 meses, y el eje vertical debe representar desde 100 hasta 260). Observe cualquier patrón que sugiera que los números prioritarios originales no fueron seleccionados aleatoriamente.

d) Con base en los resultados de los incisos *a*), *b*) y *c*), determine si este sorteo en particular fue justo. Redacte un enunciado sustentando su postura de que fue justo, o explicando por qué cree que no fue justo. Si usted decide que este sorteo no fue justo, describa un procedimiento para seleccionar los números que habrían sido justos.

Ene.	305	159	251	215	101	224	306	199	194	325	329	221	318	238	017	121
	235	140	058	280	186	337	118	059	052	092	355	077	349	164	211	
Feb.	086	144	297	210	214	347	091	181	338	216	150	068	152	004	089	212
	189	292	025	302	363	290	057	236	179	365	205	299	285			
Mar.	108	029	267	275	293	139	122	213	317	323	136	300	259	354	169	166
	033	332	200	239	334	265	256	258	343	170	268	223	362	217	030	
Abr.	032	271	083	081	269	253	147	312	219	218	014	346	124	231	273	148
	260	090	336	345	062	316	252	002	351	340	074	262	191	208		
Mayo	330	298	040	276	364	155	035	321	197	065	037	133	295	178	130	055
	112	278	075	183	250	326	319	031	361	357	296	308	226	103	313	
Jun.	249	228	301	020	028	110	085	366	335	206	134	272	069	356	180	274
	073	341	104	360	060	247	109	358	137	022	064	222	353	209		
Jul.	093	350	115	279	188	327	050	013	277	284	248	015	042	331	322	120
	098	190	227	187	027	153	172	023	067	303	289	088	270	287	193	
Ago.	111	045	261	145	054	114	168	048	106	021	324	142	307	198	102	044
	154	141	311	344	291	339	116	036	286	245	352	167	061	333	011	
Sept.	225	161	049	232	082	006	008	184	263	071	158	242	175	001	113	207
	255	246	177	063	204	160	119	195	149	018	233	257	151	315		
Oct.	359	125	244	202	024	087	234	283	342	220	237	072	138	294	171	254
	288	005	241	192	243	117	201	196	176	007	264	094	229	038	079	
Nov.	019	034	348	266	310	076	051	097	080	282	046	066	126	127	131	107
	143	146	203	185	156	009	182	230	132	309	047	281	099	174		
Dic.	129	328	157	165	056	010	012	105	043	041	039	314	163	026	320	096
	304	128	240	135	070	053	162	095	084	173	078	123	016	003	100	

Actividades de trabajo en equipo

1. Actividad en clase Utilicen el orden de los asientos en su clase y apliquen la prueba de rachas para determinar si los estudiantes se acomodan aleatoriamente de acuerdo con el género. Después de registrar el orden de asientos, se puede realizar el análisis en subgrupos de tres o cuatro estudiantes.

2. Actividad en clase Formen grupos de 8 a 12 personas. Para cada miembro del grupo, *midan* su estatura y *midan* la envergadura de sus brazos. Para medir la envergadura de los brazos, el sujeto debe ponerse de pie con los brazos extendidos horizontalmente, como las alas de un avión. Es fácil marcar la altura y la envergadura de los brazos en un pizarrón y luego medir las distancias ahí. Dividan las siguientes tareas en subgrupos de tres o cuatro personas.

a) Utilicen la correlación de rangos con los datos muestrales pareados para determinar si existe una correlación entre la estatura y la envergadura de los brazos.

b) Utilicen la prueba del signo para determinar si existe diferencia entre las dos variables.

c) Utilicen la prueba de rangos con signo de Wilcoxon para determinar si existe diferencia entre las dos variables.

3. Actividad en clase Realicen la actividad 2 utilizando el pulso en vez de la envergadura de los brazos. Midan los pulsos contando el número de latidos cardiacos en un minuto.

4. Actividad fuera de clase Formen grupos de tres o cuatro estudiantes. Investiguen la relación entre dos variables reuniendo sus propios datos muestrales pareados y utilizando los métodos de la sección 13-6 para determinar si existe una correlación. Temas sugeridos:

• ¿Existe una relación entre el sabor y el costo de marcas diferentes de galletas con chispas de chocolate (o bebidas de cola)? (El sabor puede medirse en alguna escala numérica, por ejemplo, del 1 al 10).

• ¿Existe una relación entre los salarios de los jugadores profesionales de béisbol (o basquetbol, o futbol) y sus logros por temporada?

• Tasas frente a pesos: ¿Existe una relación entre las tasas de consumo de combustible de los automóviles y los pesos de los automóviles?

• ¿Existe una relación entre la longitud de los pies de los hombres (o de las mujeres) y su estatura?

• ¿Existe una relación entre el promedio de las calificaciones de los estudiantes y la cantidad de tiempo que ven televisión?

• ¿Existe una relación entre la estatura de los padres (o de las madres) y las estaturas de sus hijos (o hijas) primogénitos?

5. Actividad fuera de clase Vean el proyecto "De los datos a la decisión", relacionado con el análisis del sorteo de 1970 utilizado para reclutar a hombres en el ejército estadounidense. Puesto que los resultados de 1970 generaron preocupación por la aleatoriedad al seleccionar números prioritarios, diseñe un nuevo procedimiento para generar los 366 números prioritarios. Utilice su procedimiento para generar los 366 números y someta a prueba sus resultados utilizando las técnicas que se sugieren en los incisos *a*), *b*) y *c*) del proyecto "De los datos a la decisión". ¿Cómo se comparan sus resultados con los obtenidos en 1970? ¿Su procedimiento de selección aleatoria parece ser mejor que el que se usó en 1970? Redacte un informe que describa con claridad el proceso que diseñó. También incluya su análisis y conclusiones.

6. Actividad fuera de clase Formen grupos de tres o cuatro personas. Encuesten a estudiantes, pidiéndoles que indiquen su área de estudios y su género. Para cada sujeto entrevistado, determinen la exactitud de la hora en su reloj. Primero ajusten sus propios relojes a la hora correcta utilizando una fuente precisa y confiable (del tipo "Al escuchar el tono, la hora es..."). Para los relojes que estén adelantados, registren tiempos positivos; para los relojes que estén atrasados, registren tiempos negativos. Utilicen los datos muestrales para responder estas preguntas:

• Al parecer, ¿ambos géneros tienen los mismos errores?

• Al parecer, ¿las diferentes áreas de estudio tienen los mismos errores?

7. Actividad en clase Formen grupos de 8 a 12 personas. Para cada miembro del grupo, midan su estatura y la altura de su ombligo, que es la altura desde el piso hasta el ombligo. Utilicen el coeficiente de correlación de rangos para determinar si existe una correlación entre la estatura y la altura del ombligo.

8. Actividad en clase Formen grupos de tres o cuatro personas. El apéndice B incluye muchos conjuntos de datos que todavía no pueden resolverse por medio de los métodos de este capítulo. Revisen el apéndice B y busquen las variables de interés; luego, investiguen empleando los métodos adecuados de estadística no paramétrica. Enuncien sus conclusiones y traten de identificar aplicaciones prácticas.

9. Actividad fuera de clase Formen grupos de tres o cuatro estudiantes; al menos uno de los miembros de cada grupo debe tener un iPod. Establezcan dos categorías de canciones, por ejemplo, las interpretadas por hombres o mujeres, y luego realicen una prueba de aleatoriedad para la secuencia de las canciones en el iPod.

NOMBRE: Joanna Burger

PUESTO: Profesora

COMPAÑÍA: Rutgers University

Joanna Burger es profesora distinguida de biología en Rutgers University y miembro del Environmental and Occupational Health Sciences Institute. Joanna Burger es catedrática, realiza investigaciones y forma parte de diversos comités ambientales nacionales e internacionales que estudian las especies en peligro de extinción, los contaminantes de la vida silvestre, los efectos de las sustancias químicas en el comportamiento animal y los efectos de la actividad humana en los ecosistemas.

¿Qué conceptos de la estadística utiliza en su trabajo?

Utilizo diversos métodos estadísticos, incluidos los paramétricos y los no paramétricos. Sin un firme entendimiento de la estadística, yo no sería capaz de determinar si los factores ambientales afectan el éxito reproductivo. Utilizo la estadística para someter a prueba hipótesis que planteo al observar animales dentro de sus ambientes naturales. Mientras que la observación nos conduce a formular hipótesis, solo es posible responder a las preguntas de investigación mediante el uso de experimentos bien diseñados y pruebas estadísticas. El conocimiento de la estadística es esencial para obtener y conservar un buen trabajo en la investigación y la enseñanza dentro los campos de la ecología, el comportamiento animal y la ecotoxicología.

¿Podría dar un ejemplo específico de cómo utiliza la estadística?

La estadística es muy útil para identificar factores importantes que influyen en el comportamiento animal. Los pájaros anidan en hábitat particulares, pero nos preguntamos si anidan de manera aleatoria o si eligen sitios específicos para hacer sus nidos. Esto es importante porque la conservación requiere conocer las necesidades de los animales; solo así es posible crear, proteger y/o manejar ese hábitat. Yo sometí a prueba la hipótesis de que las golondrinas de mar comunes seleccionaban islas de pantanos salados específicos. Al comparar estadísticamente un amplio rango de factores ambientales de todas las islas (como la altitud, la superficie del territorio, el tipo y la densidad de la vegetación) con el mismo conjunto de factores de las islas en que las golondrinas de mar acostumbran anidar, pudimos demostrar que estas aves en realidad seleccionan un conjunto de características muy específicas. Aunque existen más de 250 islas en la bahía donde se realizó el estudio, solo 36 reúnen los criterios que usan las golondrinas de mar. Estas aves eligen islas que son lo bastante altas para evitar las mareas en las tormentas de verano, pero lo bastante bajas para que los depredadores no puedan sobrevivir durante el invierno. Las islas que son suficientemente altas para evitar las mareas de las tormentas de invierno pueden tener poblaciones viables de depredadores, como zorros y mapaches, que se comerían los huevos y los polluelos de las golondrinas.

¿El conocimiento de la estadística es esencial para su trabajo?

Una sólida comprensión de la estadística es absolutamente esencial para realizar investigación con seres humanos y animales. Gracias a las pruebas de hipótesis y a los análisis de regresión múltiple, es posible comenzar a identificar y evaluar los factores que inciden en el comportamiento animal, tales como la conducta de pesca y de consumo de las personas, el comportamiento de alimentación de las aves costeras y la construcción de nidos de las aves marinas.

En términos de estadística, ¿qué recomendaría a los aspirantes a obtener un empleo en su campo?

Toda persona que desee trabajar en el campo de la biología de la conservación, la ecotoxicología, el comportamiento animal o la ecología necesita poseer una amplia gama de habilidades estadísticas. Sería recomendable tomar dos o tres cursos, incluyendo estadística general, regresión y métodos no paramétricos. La naturaleza de cada problema y las características de los datos determinan los estadísticos que se requieren, y uno no debe limitarse por una falta de conocimiento de esta disciplina.

14 Control estadístico de procesos

PROBLEMA DEL CAPÍTULO

Calentamiento global: ¿La temperatura de la Tierra está fuera de control?

Los negocios utilizan de manera habitual principios de control estadístico de procesos para supervisar la calidad de los bienes que producen y de los servicios que ofrecen. En este capítulo se incluyen algunas de las aplicaciones típicas de las empresas, pero el problema del capítulo considera el proceso de monitoreo de las temperaturas de la Tierra. En la tabla 14-1 se incluye la temperatura media global (en °C) de la Tierra para cada año desde 1880; para los últimos cuatro años se utilizaron proyecciones. En cada renglón de la tabla se observan las temperaturas ordenadas de cada década. Por ejemplo, las temperaturas de 1880, 1881 y 1882 son 13.88, 13.88 y 14.00, respectivamente. Las últimas dos columnas indican la media y el rango de cada década.

Los datos de la tabla 14-1 se analizarán como cualquier proceso de negocios, por ejemplo, el llenado de latas de Coca-Cola o los tiempos necesarios para reparar iPods defectuosos. Al tocar el tema del calentamiento global, destacamos que las aplicaciones del control estadístico de procesos van más allá de la estadística de negocios.

Muchos científicos creen que estamos experimentando un calentamiento global causado por la actividad humana, como la producción de dióxido de carbono al quemar combustibles fósiles. Muchos otros consideran que en realidad no hay calentamiento global. Estudiaremos la forma en que los métodos estadísticos se pueden utilizar para monitorear la temperatura de la Tierra. En específico, determinaremos si dicha temperatura es el resultado de un proceso que está fuera de control o si se trata del comportamiento normal de la Tierra.

Tabla 14-1 Temperaturas (°C) anuales de la Tierra

											$\overline{x}$	Rango
1880	13.88	13.88	14.00	13.96	13.59	13.77	13.75	13.55	13.77	14.04	13.819	0.490
1890	13.78	13.44	13.60	13.61	13.68	13.68	13.73	13.85	13.79	13.76	13.692	0.410
1900	13.95	13.95	13.70	13.64	13.58	13.75	13.85	13.60	13.70	13.69	13.741	0.370
1910	13.79	13.74	13.67	13.72	13.98	14.06	13.80	13.54	13.67	13.91	13.788	0.520
1920	13.85	13.95	13.91	13.84	13.89	13.85	14.04	13.95	14.00	13.78	13.906	0.260
1930	13.97	14.03	14.04	13.89	14.05	13.92	14.01	14.12	14.15	13.98	14.016	0.260
1940	14.14	14.11	14.10	14.06	14.11	13.99	14.01	14.12	13.97	13.91	14.052	0.230
1950	13.83	13.98	14.03	14.12	13.91	13.91	13.82	14.08	14.10	14.05	13.983	0.300
1960	13.98	14.10	14.05	14.03	13.65	13.75	13.93	13.98	13.91	14.00	13.938	0.450
1970	14.04	13.90	13.95	14.18	13.94	13.98	13.79	14.16	14.07	14.13	14.014	0.390
1980	14.27	14.40	14.10	14.34	14.16	14.13	14.19	14.35	14.42	14.28	14.264	0.320
1990	14.49	14.44	14.16	14.18	14.31	14.47	14.36	14.40	14.71	14.44	14.396	0.550
2000	14.41	14.56	14.70	14.64	14.60	14.77	14.64	14.66	14.68	14.70	14.636	0.360

14-1 Repaso y preámbulo

En la sección 2-1 señalamos que una de las características importantes de los datos es que su patrón cambia con el paso del tiempo. Algunas poblaciones cambian con el tiempo y, por lo tanto, también cambian los valores de los parámetros. El principal objetivo de este capítulo es aprender a construir e interpretar *gráficas de control* que puedan utilizarse para monitorear las características de los datos que cambian con el tiempo. Ese conocimiento nos preparará para trabajar con negocios que tratan de mejorar la calidad de sus bienes y servicios.

Minitab y otros paquetes estadísticos de cómputo incluyen programas para generar automáticamente el tipo de gráficas que se estudia en este capítulo: incluiremos diversos ejemplos de tales representaciones gráficas. Las gráficas de control son un buen ejemplo de los recursos gráficos que nos permiten *ver* y *comprender* algunas propiedades de los datos que, de otra forma, serían muy difíciles o imposibles de entender. El mundo necesita más personas capaces de construir e interpretar gráficas, tales como las gráficas de control descritas en este capítulo.

14-2 Gráficas de control para la variación y la media

Concepto clave En esta sección estudiamos la construcción de gráficas de rachas, gráficas R y gráficas $\bar{x}$ para monitorear características importantes de datos a lo largo del tiempo. Usaremos este tipo de gráficas para determinar si un proceso es estadísticamente estable (o si está bajo control estadístico).

La siguiente definición describe formalmente el tipo de datos que manejaremos en este capítulo.

DEFINICIÓN

Los **datos de proceso** son datos ordenados de acuerdo con alguna secuencia de tiempo. Son mediciones de una característica de bienes o servicios que resultan de alguna combinación de equipo, personas, materiales, métodos y condiciones.

EJEMPLO 1

Las temperaturas de la Tierra como datos de proceso La tabla 14-1 incluye datos de proceso que consisten en la temperatura media de la Tierra cada año, durante las últimas 13 décadas. Puesto que los datos en la tabla 14-1 están ordenados de acuerdo con el momento en que se seleccionaron, se trata de datos de proceso.

Es muy importante reconocer este aspecto:

Las características de los datos de proceso pueden cambiar a lo largo del tiempo.

Existen compañías que han ido a la bancarrota por haber permitido, involuntariamente, que el proceso de fabricación se deteriorara al no ejercer una supervisión constante. Estas compañías tienen problemas para monitorear los datos de proceso.

Gráficas de rachas

Existen varios métodos que pueden emplearse para monitorear un proceso y así asegurar que las características deseadas no cambien; el análisis de una *gráfica de rachas* es un método de este tipo.

DEFINICIÓN

Una **gráfica de rachas** es una gráfica secuencial de datos *individuales* a lo largo del tiempo. Un eje (generalmente el vertical) se utiliza para representar los datos, y el otro eje (generalmente el horizontal) se emplea para la secuencia de tiempo.

EJEMPLO 2

Gráfica de rachas para temperaturas de la Tierra Considere las 130 temperaturas medias de la Tierra incluidas en la tabla 14-1 como una serie de mediciones consecutivas, y construya una gráfica de rachas, con las temperaturas en el eje vertical y el orden cronológico de los datos muestrales en el eje horizontal. Inicie con el primer año de la década de 1880.

SOLUCIÓN

La figura 14-1 es la gráfica de rachas generada por Minitab para los datos de la tabla 14-1. La escala vertical va desde 13.0 hasta 15.0 y se diseñó para ajustarse a las temperaturas mínima y máxima de 13.44°C y 14.77°C, respectivamente. El eje horizontal incluye los 130 valores ordenados en secuencia por año. El primer punto representa el primer valor de 13.38°C, y así sucesivamente.

MINITAB

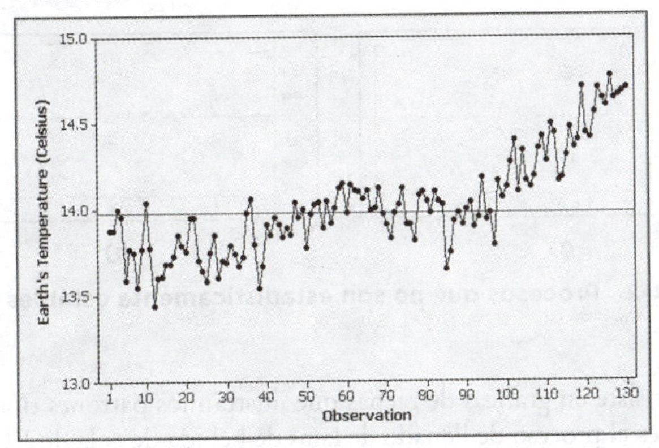

Figura 14-1 Gráfica de rachas de las temperaturas individuales de la tabla 14-1

En la figura 14-1, el eje horizontal identifica el número de la muestra, de manera que el número 20 indica la vigésima temperatura. El eje vertical representa la temperatura de la Tierra. Ahora examine la figura 14-1 y trate de identificar cualquier *patrón* que salte a la vista. La figura 14-1 revela que, conforme el tiempo avanza de izquierda a derecha, las alturas de los puntos parecen mostrar un patrón de variación creciente. Si este patrón continúa, el incremento de la temperatura provocará el derretimiento de grandes formaciones de hielo e inundaciones generalizadas, así como importantes cambios climáticos. La figura 14-1 es evidencia del calentamiento global, el cual implica una amenaza para nosotros de muchas formas diferentes.

DEFINICIÓN

Un proceso es **estadísticamente estable** (o está **bajo control estadístico**) si solo varía de forma natural, sin patrones, ciclos o puntos fuera de lo común.

Interpretación de las gráficas de rachas Los datos de un proceso se pueden tratar como si provinieran de una población con media, desviación estándar, distribución y otras características constantes únicamente cuando el proceso es *estadísticamente estable*.

El efecto Flynn: Tendencia al alza en las puntuaciones de CI

Una gráfica de rachas o una gráfica de control de las puntuaciones de CI revelarían que estas exhiben una tendencia a incrementarse, ya que las puntuaciones de CI han aumentado de forma estable desde que comenzaron a utilizarse hace casi 70 años. Esta tendencia es mundial y es igual en los distintos tipos de pruebas de inteligencia, incluso en aquellas que se basan casi por completo en el razonamiento abstracto y no verbal, con mínima influencia de la cultura. Esta tendencia al incremento se conoce como *efecto Flynn*, ya que el científico político James R. Flynn descubrió esta tendencia en sus estudios con reclutas del ejército estadounidense. La cantidad del incremento es muy sustancial: con base en la puntuación media del CI de 100, se estima que esta era de aproximadamente 77 en 1920. Por lo tanto, el estudiante común actual es brillante, si se le compara con sus bisabuelos. Hasta ahora no hay una explicación aceptable para el efecto Flynn.

Variación asignable costosa

El Mars Climate Orbiter fue lanzado por la NASA hacia Marte, pero se destruyó cuando voló demasiado cerca de su planeta de destino. La pérdida se calculó en $125 millones. Se descubrió que la causa de la colisión fue la confusión en el empleo de las unidades utilizadas para realizar cálculos. Los datos de la aceleración estaban en las unidades inglesas de libras de fuerza, pero el Jet Propulsion Laboratory supuso que las unidades utilizadas eran "newtons" métricos en vez de libras. Quienes dirigían la nave espacial dieron consecutivamente cantidades erróneas de la fuerza para ajustar la posición de la nave. Los errores causados por la discrepancia fueron muy pequeños al principio, pero el error acumulado a lo largo de los meses de travesía de la nave espacial fue la causa de su fracaso.

En 1962 la nave espacial que transportaba al satélite Mariner 1 fue destruida por controladores en la Tierra, cuando se salió de curso debido a la falta de un signo menos en un programa de cómputo.

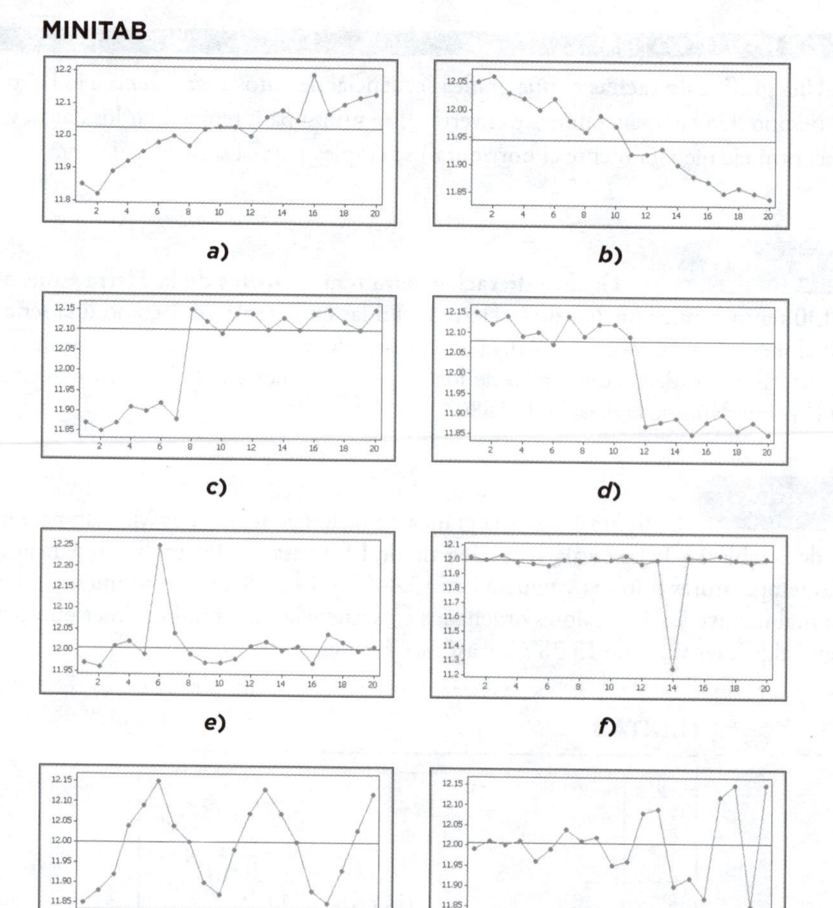

Figura 14-2 Procesos que no son estadísticamente estables

La figura 14-2 consiste en gráficas de rachas que ilustran los patrones típicos que indican formas en las cuales el proceso de llenado de latas de bebida de cola de 12 onzas puede no ser estadísticamente estable.

- **Figura 14-2*a*):** Hay una evidente *tendencia creciente*, que corresponde a valores que se incrementan con el paso del tiempo. Si el proceso de llenado continuara con este tipo de patrón, las latas se llenarían con más y más bebida de cola hasta que el líquido comenzara a derramarse, y los empleados terminarían nadando en medio de la fábrica.
- **Figura 14-2*b*):** Hay una evidente *tendencia descendente* que corresponde a valores que disminuyen de manera estable. Las latas se llenarían con menos y menos bebida de cola hasta quedar casi vacías. Un proceso como este requeriría de una revisión completa de las latas, con la finalidad de llenarlas con suficiente cantidad para distribuirlas a los consumidores.
- **Figura 14-2*c*):** Hay un *desplazamiento hacia arriba*. Una gráfica de rachas como esta podría resultar de un ajuste en el proceso de llenado, provocando que los valores posteriores sean más altos.
- **Figura 14-2*d*):** Existe un *desplazamiento hacia abajo*. Los primeros valores son relativamente estables, pero después algo sucede, pues los últimos valores son relativamente estables, aunque en un nivel mucho más bajo.
- **Figura 14-2*e*):** El proceso es estable, salvo por un *valor excepcionalmente alto*. La causa de un valor tan fuera de lo común debe investigarse. Tal vez las latas se atascaron temporalmente y una lata en particular se llenó dos veces en lugar de una.

- **Figura 14-2*f*):** Existe un *valor excepcionalmente bajo*. Es necesario investigar la causa de dicho valor. Quizá la boquilla de llenado se atascó temporalmente.
- **Figura 14-2*g*):** Hay un *patrón cíclico* (o repetitivo). Como es evidente, este patrón no es aleatorio y, por lo tanto, revela un proceso estadísticamente inestable. Tal vez se hayan efectuado reajustes periódicos excesivos a la maquinaria, lo cual provocó que se busque continuamente algún valor deseado, pero sin éxito.
- **Figura 14-2*h*):** La *variación aumenta con el paso del tiempo*. Este es un problema común en el control de calidad. El efecto neto es que los productos varían más y más hasta que casi todos resultan defectuosos. Por ejemplo, algunas latas de bebida de cola se derramarán, desperdiciando el producto, y otras no se llenarán por completo y no podrán distribuirse a los consumidores.

Muchos métodos diferentes de control de calidad tienen el objetivo de *reducir la variación* de un producto o servicio. Por ejemplo, Ford se preocupó por la variación cuando se dio cuenta de que sus transmisiones requerían significativamente más reparaciones por garantía que el mismo tipo de transmisiones fabricadas por Mazda en Japón. Un estudio reveló que las transmisiones de Mazda tenían mucho menos variación en las cajas de velocidades; es decir, las medidas cruciales en las cajas de velocidades variaban mucho menos en las transmisiones Mazda. Aun cuando las transmisiones Ford estaban construidas dentro de los límites permitidos, las transmisiones Mazda eran más confiables gracias a su menor variación. La variación en un proceso puede ser el resultado de dos causas.

¡Cuidado con los ajustes excesivos!

La empresa Nashua Corp. tuvo problemas con su máquina para recubrimiento de papel y consideró gastar millones de dólares con la finalidad de reemplazarla. La máquina estaba funcionando bien y con un proceso estable, pero las muestras se empezaron a tomar con mucha frecuencia; con base en esos resultados, se le hicieron ajustes. Tales ajustes excesivos, denominados *alteración indebida*, causaron desviaciones de la distribución que hasta entonces había sido buena. El efecto fue un incremento en los defectos. Cuando el experto en estadística y control W. Edwards Deming estudió el proceso, recomendó que no se le hicieran ajustes, a menos que hubiera una señal de que el proceso había cambiado o se había vuelto inestable. La compañía funcionó mejor sin ajustes que con la alteración realizada.

DEFINICIONES

La **variación aleatoria** se debe al azar; es el tipo de variación inherente a cualquier proceso que no es capaz de producir un bien o servicio exactamente de la misma forma cada vez.

La **variación asignable** resulta de causas identificables (como maquinaria defectuosa, empleados sin capacitación adecuada, etcétera).

Más adelante en este capítulo, consideraremos formas de distinguir entre la variación asignable y la variación aleatoria.

La gráfica de rachas es una herramienta para supervisar la estabilidad de un proceso. Ahora estudiaremos las *gráficas de control*, que también son sumamente útiles para los mismos propósitos.

Gráfica de control para supervisar la variación: Gráfica *R*

En el artículo “The State of Statistical Process Control As We Proceed into the 21st Century” (Stoumbos, Reynolds, Ryan y Woodall, *Journal of the American Statistical Association*, vol. 95, núm. 451), los autores afirman que “las gráficas de control son una de las herramientas más importantes y más utilizadas en estadística. Sus aplicaciones han pasado de los procesos de fabricación a la ingeniería, las ciencias ambientales, la biología, la genética, la epidemiología, la medicina, las finanzas e incluso al cumplimiento de la ley y los deportes”. Iniciamos con la definición de una gráfica de control.

DEFINICIÓN

Una **gráfica de control** de una característica de proceso (como la media o la variación) consiste en valores graficados en secuencia a lo largo del tiempo e incluye una **línea central** así como un **límite de control inferior** (LCI) y un **límite de control superior** (LCS). La línea central representa un valor central de las mediciones características, mientras que los límites de control son las fronteras utilizadas para separar e identificar cualquiera de los puntos considerados *inusuales*.

Supondremos que desconocemos la desviación estándar poblacional σ, mientras consideramos únicamente dos diversos tipos de *gráficas de control*:

1. las gráficas R (o gráficas de rangos), que se utilizan para hacer un seguimiento de la variación
2. las gráficas $\bar{x}$, que se emplean para monitorear medias.

Al utilizar gráficas de control para supervisar un proceso, es común que se consideren las gráficas R y las gráficas $\bar{x}$ en conjunto, ya que un proceso estadísticamente inestable puede ser el resultado de un aumento en la *variación*, de cambios en las *medias* o de ambos.

Una **gráfica *R*** (o **gráfica de rangos**) es una gráfica de los rangos muestrales, en vez de valores muestrales individuales, y se aplica para monitorear la *variación* en un proceso. [Tal vez parezca más sensato utilizar desviaciones estándar, pero las gráficas de rangos son bastante eficaces en casos en los que el tamaño de las muestras (o los subgrupos) es de 10 o menos. Si todas las muestras tienen un tamaño muestral mayor que 10, se recomienda el uso de una gráficas en vez de una gráfica R. (Véase el ejercicio 21)]. Además de graficar los valores de los rangos, incluimos una línea central localizada en $\bar{R}$, que denota la media de todos los rangos muestrales, así como otra línea para el límite de control inferior, y una tercera línea para el límite de control superior. A continuación se presenta un resumen de la notación y de los componentes de la gráfica R.

Variación del control de procesos: Gráfica de control para *R*

Objetivo

Construir una gráfica de control para R (o una "gráfica R"), que puede utilizarse con la finalidad de determinar si la *variación* de los datos de un proceso está bajo control estadístico.

Requisitos

1. Los valores son datos de proceso que consisten en una secuencia de muestras, todas del mismo tamaño n.
2. La distribución de los datos de proceso es esencialmente normal.
3. Los valores de los datos muestrales individuales son independientes.

Notación

n = tamaño de cada muestra o *subgrupo*

$\bar{R}$ = media de los rangos muestrales (es decir, la suma de los rangos muestrales dividida entre el número de muestras)

Gráfica

Puntos graficados: Rangos muestrales (un punto por cada muestra o subgrupo)

Línea central: $\bar{R}$ (la media de los rangos muestrales)

Límite de control superior (LCS): $D_4\bar{R}$ (donde D_4 se encuentra en la tabla 14-2)

Límite de control inferior (LCI): $D_3\bar{R}$ (donde D_3 se encuentra en la tabla 14-2)

Los valores D4 y D3 fueron calculados por expertos en control de calidad y sirven para simplificar los cálculos. Los límites de control superior e inferior de $D_4\bar{R}$ y $D_3\bar{R}$ son valores casi equivalentes a los límites de un intervalo de confianza del 99.7%. Por lo tanto, es muy poco probable que los valores de un proceso estadísticamente estable caigan más allá de estos límites. Si un valor cae fuera de esos límites, es muy probable que el proceso no sea estadísticamente estable.

Tabla 14-2 **Constantes de una gráfica de control**

n: Número de observaciones en subgrupo	$\bar{x}$		s		R	
	A_2	A_3	B_3	B_4	D_3	D_4
2	1.880	2.659	0.000	3.267	0.000	3.267
3	1.023	1.954	0.000	2.568	0.000	2.574
4	0.729	1.628	0.000	2.266	0.000	2.282
5	0.577	1.427	0.000	2.089	0.000	2.114
6	0.483	1.287	0.030	1.970	0.000	2.004
7	0.419	1.182	0.118	1.882	0.076	1.924
8	0.373	1.099	0.185	1.815	0.136	1.864
9	0.337	1.032	0.239	1.761	0.184	1.816
10	0.308	0.975	0.284	1.716	0.223	1.777
11	0.285	0.927	0.321	1.679	0.256	1.744
12	0.266	0.886	0.354	1.646	0.283	1.717
13	0.249	0.850	0.382	1.618	0.307	1.693
14	0.235	0.817	0.406	1.594	0.328	1.672
15	0.223	0.789	0.428	1.572	0.347	1.653
16	0.212	0.763	0.448	1.552	0.363	1.637
17	0.203	0.739	0.466	1.534	0.378	1.622
18	0.194	0.718	0.482	1.518	0.391	1.608
19	0.187	0.698	0.497	1.503	0.403	1.597
20	0.180	0.680	0.510	1.490	0.415	1.585
21	0.173	0.663	0.523	1.477	0.425	1.575
22	0.167	0.647	0.534	1.466	0.434	1.566
23	0.162	0.633	0.545	1.455	0.443	1.557
24	0.157	0.619	0.555	1.445	0.451	1.548
25	0.153	0.606	0.565	1.435	0.459	1.541

Fuente: Adaptado del *ASTM Manual on the Presentation of Data and Control Chart Analysis*, © 1976 ASTM, pp. 134-136. Reproducido con permiso de American Society for Testing and Materials.

Detección de soborno con gráficas de control

Las gráficas de control se utilizaron para enviar a prisión a una persona que sobornaba a jugadores de jai alai de Florida para que perdieran. (Véase "Using Control Charts to Corroborate Bribery in Jai Alai", de Charnes y Gitlow, *The American Statistician*, vol. 49, núm. 4). El auditor de una cancha de jai alai notó que cantidades anormalmente grandes de dinero se jugaban en ciertos tipos de apuestas, y que algunos participantes no ganaban tanto como se esperaba cuando se realizaban tales apuestas. Se utilizaron gráficas R y $\bar{x}$ en la Corte como evidencia de patrones sumamente inusuales de apuestas. El examen de las gráficas de control señala claramente puntos que se encuentran muy lejos del límite de control superior, lo que indica que el proceso de apuestas estaba fuera de control estadístico. El especialista en estadística fue capaz de identificar una fecha en la cual la variación asignable parecía detenerse, y los fiscales supieron que se trataba de la fecha del arresto del sospechoso.

EJEMPLO 3

Gráfica R de las temperaturas de la Tierra Remítase a las temperaturas de la Tierra incluidas en la tabla 14-1. Empleando muestras de tamaño $n = 10$ para cada década, construya una gráfica de control para R.

SOLUCIÓN

Observe que en la última columna de la tabla 14-1 se incluyen los rangos muestrales. $\bar{R}$ es la media de esos 13 rangos muestrales, por lo que su valor se calcula de la siguiente manera:

$$\bar{R} = \frac{0.49 + 0.41 + \cdots + 0.36}{13} = 0.3777$$

continúa

El alto costo de la baja calidad

Microsoft anunció que gastaría $1,150 millones para reparar las consolas del juego Xbox 360. Analistas de la industria estiman que alrededor de una tercera parte de las unidades están defectuosas y necesitan reparación. Muchos usuarios reportaron que la máquina se apagaba después de que tres luces rojas intermitentes aparecían en la consola.

Por otro lado, la Federal Drug Administration (FDA) recientemente llegó a un acuerdo en el que una compañía farmacéutica, la Schering-Plough Corporation, pagaría la cantidad récord de $500 millones por no lograr corregir problemas en la producción de fármacos. Según un artículo del *New York Times*, de Melody Petersen, "algunos de los problemas se relacionan con la falta de controles que identifican medicamentos defectuosos, mientras otros provienen de equipos demasiado viejos. Tales problemas están relacionados con unos 200 medicamentos, incluyendo el Claritin, el fármaco contra alergias que es el producto de mayor venta de Schering".

Por lo tanto, la línea central de la gráfica R está ubicada en $\overline{R} = 0.3777$. Para calcular los límites de control superior e inferior, primero debemos obtener los valores de D_3 y D_4. Si nos remitimos a la tabla 14-2 para $n = 10$, obtenemos $D_4 = 1.777$ y $D_3 = 0.223$, de manera que los límites de control son los siguientes:

$$\text{Límite de control superior: } D_4\overline{R} = (1.777)(0.3777) = 0.6712$$
$$\text{Límite de control inferior: } D_3\overline{R} = (0.223)(0.3777) = 0.0842$$

Con un valor de línea central de $\overline{R} = 0.3777$ y límites de control de 0.6712 y 0.0842, ahora procedemos a graficar los 13 rangos muestrales como 13 puntos individuales. Los resultados se presentan en la pantalla de Minitab. (UCL significa límite de control superior, por las siglas de *upper control limit*; LCL significa límite de control inferior, por las siglas de *lower control limit*).

MINITAB

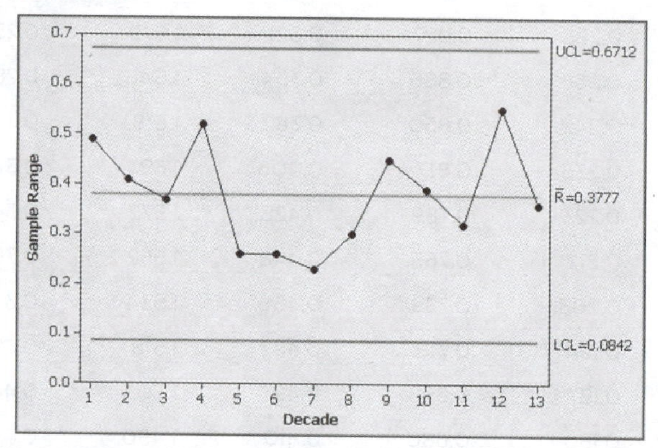

Interpretación de las gráficas de control

Al interpretar las gráficas de control, la siguiente advertencia es extremadamente importante:

ADVERTENCIA

Los límites de control superior e inferior de una gráfica de control se basan en el comportamiento real del proceso, y no en el comportamiento *deseado*. Los límites de control superior e inferior se desvinculan totalmente de cualquier *especificación* del proceso estipulada por el fabricante.

Al investigar la calidad de algún proceso, hay comúnmente dos preguntas importantes que deben plantearse:

1. Con base en el comportamiento actual del proceso, ¿podemos concluir que el proceso está bajo control estadístico?
2. ¿Los bienes o servicios del proceso cumplen con las especificaciones del diseño?

Los métodos de este capítulo se dirigen a responder la primera pregunta, pero no la segunda. Es decir, nos enfocamos en el comportamiento del proceso con el objetivo de determinar si este se encuentra bajo control estadístico.

Además, debemos comprender con claridad los criterios específicos para determinar si un proceso está bajo control estadístico (es decir, si es estadísticamente estable). Hasta ahora, hemos señalado que un proceso no es estadísticamente estable si su patrón se asemeja a cualquiera de los presentados en la figura 14-2. Este criterio se incluye con algunos otros de la siguiente lista.

Criterios para determinar cuándo un proceso no es estadísticamente estable (es decir, cuando está fuera de control estadístico)

1. Hay un patrón, una tendencia o un ciclo que evidentemente no es aleatorio (como los que se incluyen en la figura 14-2).
2. Hay un punto que está fuera de la región entre los límites de control superior e inferior. (Es decir, existe un punto por encima del límite de control superior o por debajo del límite de control inferior).
3. *Regla de la racha de 8:* Existen ocho puntos consecutivos, todos por encima o por debajo de la línea central. (En un proceso estadísticamente estable, existe una probabilidad de 0.5 de que un punto esté por encima o por debajo de la línea central, de manera que es muy poco probable que ocho puntos consecutivos aparezcan por encima o por debajo de la línea central).

Únicamente utilizaremos los tres criterios listados antes para establecer una falta de control, pero algunas empresas utilizan criterios adicionales como estos:

- Existen seis puntos consecutivos, todos crecientes o decrecientes.
- Hay 14 puntos consecutivos alternantes arriba y abajo (que indican incremento, decremento, incremento, decremento, y así sucesivamente).
- Dos de cada tres puntos consecutivos están más allá de los límites de control que se encuentran a dos desviaciones estándar de la línea central.
- Cuatro de cada cinco puntos consecutivos están más allá de los límites de control que están a una desviación estándar de la línea central.

EJEMPLO 4 **Interpretación de una gráfica *R* de las temperaturas de la Tierra** Examine la gráfica R del ejemplo 3 que aparece en la pantalla de Minitab, y determine si la variación del proceso está bajo control estadístico.

SOLUCIÓN Podemos interpretar gráficas de control *R* aplicando los tres criterios para establecer una falta de control que listamos anteriormente. Si aplicamos los tres criterios a la gráfica *R* de la pantalla de resultados de Minitab, concluimos que la variación de este proceso está bajo control estadístico. **1.** No existe un patrón o una tendencia evidente que no sea aleatorio. **2.** No hay ningún punto fuera de la región localizada entre los límites de control superior e inferior. **3.** No hay ocho puntos consecutivos por arriba o por debajo de la línea central.

INTERPRETACIÓN Concluimos que la *variación* (no necesariamente la media) del proceso está bajo control estadístico.

Gráfica de control para monitorear medias: Gráfica $\bar{x}$

Una **gráfica $\bar{x}$** es una gráfica de las medias muestrales y se utiliza para monitorear el *centro* en un proceso. Además de graficar las medias muestrales, incluimos una línea central localizada en $\bar{\bar{x}}$, que denota la media de todas las medias muestrales (igual a la media de todos los valores muestrales combinados), así como otra línea para el límite de control inferior, y una tercera para el límite de control superior. Utilizando el método común en los negocios y en la industria, la línea central y los límites de control están basados en rangos y no en desviaciones estándar. (Véase el ejercicio 22, que incluye una gráfica $\bar{x}$ basada en desviaciones estándar).

Monitoreo de la media del proceso: Gráfica de control para $\bar{x}$

Objetivo

Construir una gráfica de control para $\bar{x}$ (o una gráfica $\bar{x}$) que pueda utilizarse con la finalidad de determinar si el centro de datos de proceso está bajo control estadístico.

Requisitos

1. Los valores son datos de proceso que consisten en una secuencia de muestras, todas del mismo tamaño n.
2. La distribución de los datos de proceso es esencialmente normal.
3. Los valores de los datos muestrales individuales son independientes.

Notación

n = tamaño de cada muestra o *subgrupo*

$\bar{\bar{x}}$ = media de todas las medias muestrales (igual a la media de todos los valores muestrales combinados)

Gráfica

Puntos graficados: Medias muestrales

Línea central: $\bar{\bar{x}}$ = media de todas las medias muestrales

Límite de control superior (LCS): $\bar{\bar{x}} + A_2\bar{R}$ (donde A_2 se encuentra en la tabla 14-2)

Límite de control inferior (LCI): $\bar{\bar{x}} - A_2\bar{R}$ (donde A_2 se encuentra en la tabla 14-2)

EJEMPLO 5

Gráfica $\bar{x}$ de las temperaturas de la Tierra Remítase a las temperaturas de la Tierra incluidas en la tabla 14-1. Empleando muestras de tamaño $n = 10$ para cada década, construya una gráfica de control de $\bar{x}$. Con base únicamente en la gráfica de control para $\bar{x}$, determine si la media del proceso está bajo control estadístico.

SOLUCIÓN

Antes de graficar los 13 puntos correspondientes a los 13 valores de $\bar{x}$, primero debemos calcular los valores de la línea central y de los límites de control. Obtenemos

$$\bar{\bar{x}} = \frac{13.819 + 13.692 + \cdots + 14.636}{13} = 14.019$$

$$\bar{R} = \frac{0.49 + 0.41 + \cdots + 0.36}{13} = 0.3777$$

Si nos remitimos a la tabla 14-2, encontramos que para $n = 10$, $A_2 = 0.308$. Conociendo los valores de $\bar{\bar{x}}$, A_2, y $\bar{R}$, ahora podemos evaluar los límites de control.

Límite de control superior: $\bar{\bar{x}} + A_2\bar{R} = 14.019 + (0.308)(0.3777) = 14.135$

Límite de control inferior: $\bar{\bar{x}} - A_2\bar{R} = 14.019 - (0.308)(0.3777) = 13.903$

La gráfica de control de $\bar{x}$ resultante sería como la que aparece en la pantalla de Minitab de la siguiente página.

INTERPRETACIÓN

El examen de la gráfica $\bar{x}$ indica que la media del proceso está fuera de control estadístico, porque al menos uno de los tres criterios para establecer una falta de control no se satisface. Específicamente, el primer criterio no se cumple porque hay una tendencia creciente de los valores con el tiempo, y el segundo criterio no se satisface porque existen puntos que se ubican más allá de los límites de control.

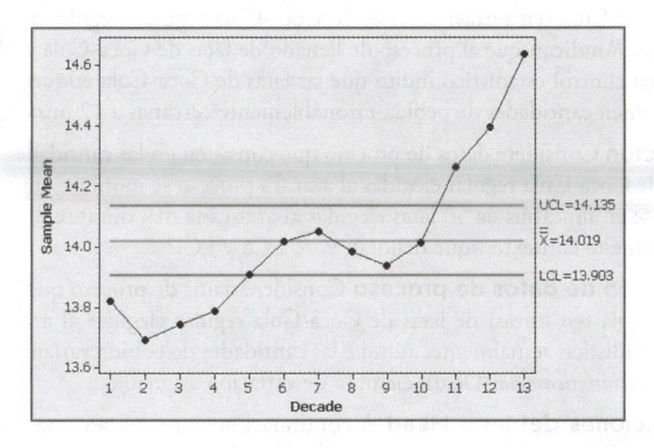

Al analizar los datos de las temperaturas incluidos en la tabla 14-1 con una gráfica de rachas, una gráfica R y una gráfica $\bar{x}$, podemos ver que el proceso está fuera de control estadístico debido al patrón creciente con el paso del tiempo. Con base en los datos de los últimos 130 años, parece que la Tierra se está calentando. Muchos científicos respetables atribuyen la causa a las actividades humanas, incluyendo un efecto de invernadero causado por la emisión de gases como dióxido de carbono, metano y óxido nítrico. Si este fuera el caso, sería necesario tomar medidas correctivas para lograr que el proceso esté bajo control estadístico y terminar así con el patrón de temperaturas crecientes.

USO DE LA TECNOLOGÍA

STATDISK Véase el *Student Laboratory Manual and Workbook* de STATDISK que complementa este libro.

MINITAB **Gráfica de rachas:** Para construir la gráfica de rachas, como la de la figura 14-1, inicie anotando todos los datos muestrales en la columna C1. Seleccione la opción **Stat**, luego **Quality Tools** y después **Run Chart.** En los recuadros indicados, registre C1 en la única variable de columna, 1 para el tamaño del subgrupo y después haga clic en **OK.**

Gráfica R: Primero anote en la columna C1 los valores muestrales individuales de manera secuencial. Después, seleccione las opciones **Stat**, **Control Charts, Variables Charts for Subgroups** y **R**. Ingrese C1 en el recuadro de datos, indique el tamaño de muestra en el recuadro del tamaño del subgrupo y haga clic en **R Options** y luego en **estimate**. Seleccione **Rbar**. (La selección de la estimación R bar hace que la variación de la distribución poblacional se estime con los rangos muestrales en vez de las desviaciones estándar muestrales, que es la función predeterminada). Haga clic en **OK** dos veces.

Gráfica $\bar{x}$: Primero ingrese los valores muestrales individuales de manera secuencial en la columna C1. Después, seleccione las opciones **Stat**, **Control Charts, Variables Charts for Subgroups** y **Xbar**. Ingrese C1 en el recuadro de datos y anote el tamaño de cada muestra en el recuadro "subgroup sizes". Haga clic en **Xbar Options**, luego seleccione **estimate** y elija la opción **Rbar**. Haga clic en **OK** dos veces.

En **Minitab 16** también puede elegir **Assistant**, luego **Control Charts** y después seleccione **xbar-R Chart** (la cual se puede utilizar incluso si el tamaño del subgrupo es mayor que 8). Para los límites de control y la línea central, seleccione la opción de **Estimate from the data**, luego haga clic en **OK** para obtener tres ventanas de resultados que incluyen las gráficas de control y otra información útil.

EXCEL Utilice el complemento Data Desk XL. Seleccione **DDXL** y **Process Control**. Proceda a seleccionar el tipo de gráfica que desea. (Primero debe registrar los datos en la columna A y los códigos identificadores de muestra ingresados en la columna B. Por ejemplo, para los datos de la tabla 14-1, ingrese un 1 en la columna B, adyacente a cada valor de la primera década, un 2 para cada valor de la segunda década, y así sucesivamente).

Es posible utilizar el elemento de construcción de gráficas de Excel para crear gráficas de control, pero el procedimiento es difícil. Véase el *Excel Student Laboratory Manual and Workbook* que complementa a este libro.

14-2 Destrezas y conceptos básicos

Conocimientos estadísticos y pensamiento crítico

1. Especificaciones de producto Considere datos de proceso que consisten en las cantidades de Coca-Cola (en onzas) de latas de Coca-Cola regular elegidas al azar. Recientes gráficas de control $\bar{x}$ y R indican que el proceso de llenado de latas de Coca-Cola está bajo control estadístico. ¿Estar bajo control estadístico indica que las latas de Coca-Cola etiquetadas con 12 onzas en realidad contienen cantidades de bebida razonablemente cercanas a 12 onzas? ¿Por qué?

2. Notación Considere datos de proceso que consisten en las cantidades de Coca-Cola (en onzas) de latas de Coca-Cola regular elegidas al azar. El proceso se monitoreará con gráficas de control $\bar{x}$ y R con base en muestras de 50 latas elegidas al azar cada día, durante 20 días de producción consecutivos. En este contexto, ¿qué denotan $\bar{\bar{x}}$, $\bar{R}$, LCS y LCI?

3. Variación de datos de proceso Considere datos de proceso que consisten en las cantidades de Coca-Cola (en onzas) de latas de Coca-Cola regular elegidas al azar. Dicho proceso está bajo control estadístico actualmente, aunque las cantidades de bebida varían. En este contexto, ¿qué significa *variación aleatoria*? Dé un ejemplo de variación asignable.

4. Elevaciones del lago Mead A continuación se presentan una gráfica $\bar{x}$ (parte superior) y una gráfica R (parte inferior), obtenidas con las elevaciones mensuales del lago Mead en la presa Hoover (según datos del Departamento del Interior de Estados Unidos). Las elevaciones están expresadas en pies sobre el nivel del mar. Las gráficas de control se basan en las 12 elevaciones mensuales de cada uno de 71 años consecutivos recientes, disponibles cuando se escribió este libro. ¿Qué indican las gráficas de control acerca del lago Mead?

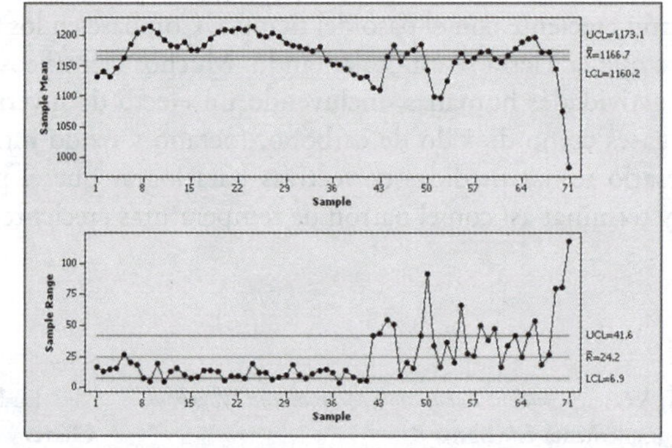

Interpretación de gráficas de rachas. ***En los ejercicios 5 a 8, examine la gráfica de rachas de un proceso de llenado de latas de 12 oz de bebida de cola y realice lo siguiente: a) Determine si el proceso está bajo control estadístico; b) si el proceso no está bajo control estadístico, identifique las razones de ello; c) sin tomar en cuenta el control estadístico, ¿parece que el proceso se comporta como debe hacerlo?***

5.

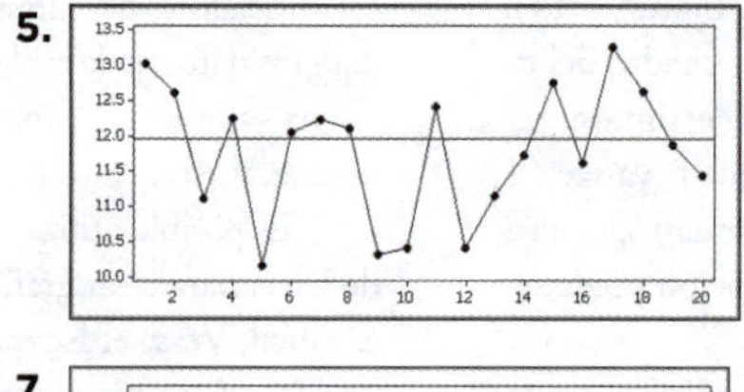

6.

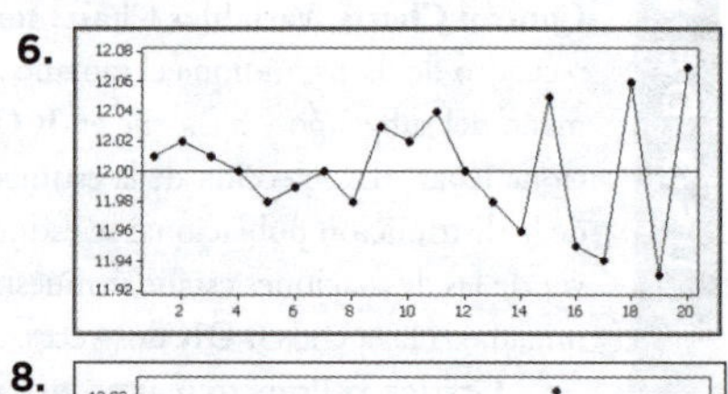

7.

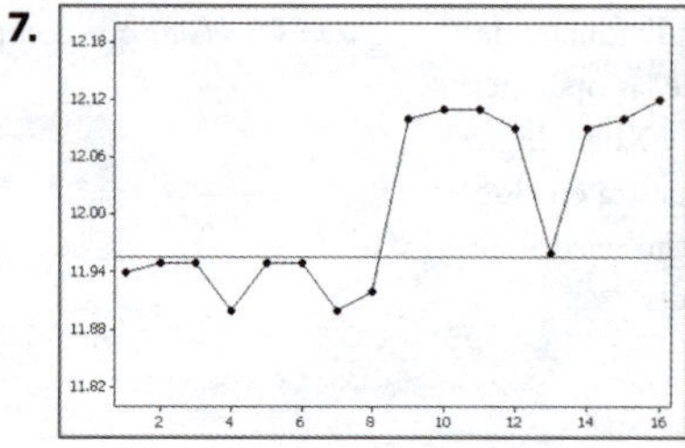

8.

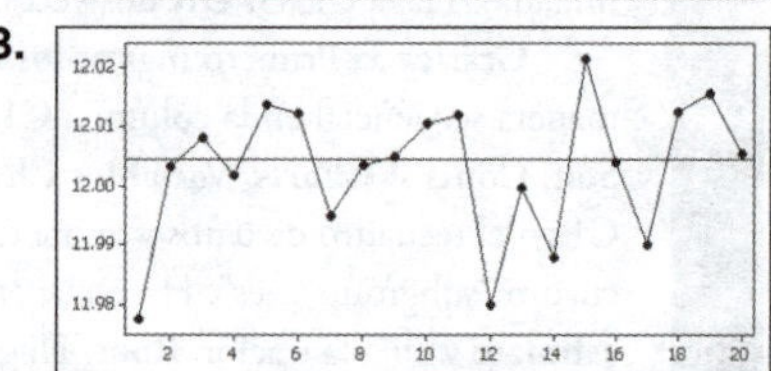

Dióxido de carbono atmosférico. ***En los ejercicios 9 a 12, utilice los datos de la siguiente tabla, la cual incluye concentraciones de dióxido de carbono (en partes por millón) anuales desde 1880 hasta 2009; para los últimos cuatro años se utilizaron valores proyectados. Se cree que el dióxido de carbono atmosférico es el resultado de la actividad humana y una de las principales causas del efecto de invernadero responsable, al menos en parte, del calentamiento global.***

Concentraciones de dióxido de carbono atmosférico (en partes por millón)
(La primera columna indica el año de inicio de la década)

1880	290.7	291.0	291.2	291.4	291.6	291.9	292.1	292.3	292.6	292.9
1890	293.2	293.5	293.8	294.1	294.3	294.6	294.9	295.2	295.5	295.8
1900	295.6	295.3	295.1	294.8	295.9	296.9	297.5	298.1	298.6	299.2
1910	299.4	299.6	299.9	300.1	300.3	300.5	300.7	300.9	301.1	301.2
1920	301.4	301.6	302.3	302.9	303.6	304.2	304.9	305.5	305.6	305.8
1930	305.9	306.1	306.2	306.3	306.5	306.6	306.8	306.9	307.1	307.3
1940	307.4	307.6	307.7	307.9	308.4	308.9	309.3	309.8	310.3	310.8
1950	311.3	311.7	312.2	312.7	313.2	313.7	314.3	314.8	315.3	316.0
1960	316.9	317.6	318.5	319.0	319.5	320.1	321.3	322.1	323.1	324.6
1970	325.7	326.3	327.5	329.6	330.3	331.2	332.2	333.9	335.5	336.9
1980	338.7	340.0	341.1	342.8	344.4	345.9	347.1	349.0	351.4	352.9
1990	354.2	355.6	356.4	357.1	358.9	360.9	362.6	363.8	366.6	368.3
2000	369.5	371.0	373.1	375.6	377.4	379.6	379.6	381.2	382.8	384.4

9. Dióxido de carbono: Notación Después de calcular los valores de la media y el rango para cada década, calcule los valores de $\bar{\bar{x}}$ y $\bar{R}$. También obtenga los valores de LCS y LCI para una gráfica R, y los valores de LCS y LCI para una gráfica $\bar{x}$.

10. Dióxido de carbono: Gráfica de rachas Construya una gráfica de rachas para los 130 valores. Al parecer, ¿existe un patrón que sugiera que el proceso no está bajo control estadístico? ¿Cuáles son las implicaciones prácticas de la gráfica de rachas?

11. Dióxido de carbono: Gráfica *R* Permita que cada subgrupo consista en los 10 valores de una década. Construya una gráfica R y determine si la variación del proceso está bajo control estadístico. De no ser así, identifique cuál de los tres criterios para determinar que un proceso está fuera de control condujo al rechazo de una variación estadísticamente estable.

12. Dióxido de carbono: Gráfica $\bar{x}$ Permita que cada subgrupo consista en los 10 valores de una década. Construya una gráfican $\bar{x}$ y determine si la media del proceso está bajo control estadístico. De no ser así, identifique cuál de los tres criterios para determinar que un proceso está fuera de control condujo al rechazo de una media estadísticamente estable.

Consumo de energía. ***En los ejercicios 13 a 16, remítase al conjunto de datos 12 del apéndice B y utilice las cantidades de electricidad consumida (en kWh) en la casa del autor. Permita que cada subgrupo consista en las seis cantidades del mismo año, de manera que haya ocho subgrupos con seis cantidades cada uno.***

13. Consumo de energía: Notación Después de calcular los valores de la media y el rango para cada año, calcule los valores de $\bar{\bar{x}}$ y $\bar{R}$. También obtenga los valores de LCS y LCI para una gráfica R, y los valores de LCS y LCI para una gráfica $\bar{x}$.

14. Consumo de energía: Gráfica *R* Permita que cada subgrupo consista en los 6 valores de un año. Construya una gráfica R y determine si la variación del proceso está bajo control estadístico. De no ser así, identifique cuál de los tres criterios para determinar que un proceso está fuera de control condujo al rechazo de una variación estadísticamente estable.

15. Consumo de energía: Gráfica $\bar{x}$ Permita que cada subgrupo consista en los 6 valores de un año. Construya una gráfica $\bar{x}$ y determine si la media del proceso está bajo control estadístico. De no ser así, identifique cuál de los tres criterios para determinar que un proceso está fuera de control condujo al rechazo de una media estadísticamente estable.

16. Consumo de energía: Gráfica de rachas Construya una gráfica de rachas para los 48 valores. Al parecer, ¿existe un patrón que sugiera que el proceso no está bajo control estadístico?

Control de calidad en Perstorp

Perstorp Components, Inc. utiliza una computadora que genera automáticamente gráficas de control para monitorear el grosor del aislamiento del piso que fabrica para las camionetas Ford Ranger y Jeep Grand Cherokee. El costo de la computadora de $20,000 se compensó con los ahorros de $40,000 del primer año de operaciones, dinero que se empleaba anteriormente para generar gráficas de control de forma manual que aseguraban que el grosor del aislamiento cumpliera con las especificaciones establecidas entre 2.912 y 2.988 mm. Por medio de gráficas de control y de otros métodos de control de calidad, Perstorp redujo sus mermas en más de dos tercios.

Consumo de energía. ***En los ejercicios 17 a 20, remítase al conjunto de datos 13 del apéndice B y utilice las cantidades de voltaje medidas para la energía suministrada directamente a la casa del autor. Permita que cada subgrupo consista en las cinco cantidades de los días hábiles de la semana, de manera que los primeros cinco voltajes constituyan el primer subgrupo, los siguientes cinco voltajes constituyan el segundo grupo, y así sucesivamente. El resultado incluye ocho subgrupos con cinco valores cada uno.***

17. Voltaje residencial: Notación Después de calcular los valores de la media y el rango para cada subgrupo, calcule los valores de $\bar{\bar{x}}$ y $\bar{R}$. También obtenga los valores de LCS y LCI para una gráfica R, y para una gráfica $\bar{x}$.

18. Voltaje residencial: Gráfica $\bar{x}$ Utilice subgrupos de cinco cantidades de voltaje para construir una gráfica $\bar{x}$ y determine si la media del proceso está bajo control estadístico. De no ser así, identifique cuál de los tres criterios para determinar que un proceso está fuera de control condujo al rechazo de una media estadísticamente estable.

19. Voltaje residencial: Gráfica de rachas Construya una gráfica de rachas para las 40 cantidades de voltaje. Al parecer, ¿existe un patrón que sugiera que el proceso no está bajo control estadístico?

20. Voltaje residencial: Gráfica R Utilice subgrupos de cinco cantidades de voltaje para construir una gráfica R y determine si la variación del proceso está bajo control estadístico. De no ser así, identifique cuál de los tres criterios para determinar que un proceso está fuera de control condujo al rechazo de una variación estadísticamente estable.

14-2 Más allá de lo básico

21. Gráfica s En esta sección describimos las gráficas de control para R y $\bar{x}$ basadas en rangos. Las gráficas de control para monitorear la variación y el centro (media) también se pueden basar en desviaciones estándar. Una *gráfica s* para monitorear la variación se construye graficando desviaciones estándar muestrales, con una línea central en $\bar{s}$ (la media de las desviaciones estándar muestrales) y los límites de control en $B_4\bar{s}$ y $B_3\bar{s}$, donde B_4 y B_3 se obtienen de la tabla 14-2 en la página 721. Construya una gráfica s para los datos de la tabla 14-1. Compare el resultado con la gráfica R del ejemplo 3.

22. Construcción de una gráfica $\bar{x}$ basada en desviaciones estándar Una gráfica $\bar{x}$ basada en desviaciones estándar (y no en rangos) se construye graficando las medias muestrales con una línea central en $\bar{\bar{x}}$ y los límites de control en $\bar{\bar{x}} + A_3\bar{s}$ y $\bar{\bar{x}} - A_3\bar{s}$, donde A_3 se obtiene de la tabla 14-2 en la página 721 y $\bar{s}$ es la media de las desviaciones estándar muestrales. Utilice los datos de la tabla 14-1 para construir una gráfica $\bar{x}$ basada en desviaciones estándar. Compare el resultado con la gráfica $\bar{x}$ basada en rangos muestrales (como en el ejemplo 5).

14-3 Gráficas de control para atributos

Concepto clave En esta sección se presenta un método para construir una gráfica de control con la finalidad de monitorear la proporción p de algún *atributo* y así saber si el servicio o artículo manufacturado está defectuoso o es discordante. (Un bien o servicio es discordante si no cumple con ciertas especificaciones o requisitos; en ocasiones los bienes discordantes se desechan, se reparan o se denominan "de segunda" y se venden a precios más bajos). La gráfica de control se interpreta usando los mismos tres criterios de la sección 14-2 para determinar si el proceso es estadísticamente estable. Como en la sección 14-2, seleccionamos muestras de tamaño n a intervalos de tiempo regulares y dibujamos los puntos en una gráfica secuencial con una línea central y límites de control. (Hay formas de manejar muestras de tamaños diferentes, pero no las estudiaremos aquí).

DEFINICIÓN

La **gráfica de control para p** (o **gráfica p**) es una gráfica de proporciones de algún atributo (por ejemplo, el carácter defectuoso de los productos) que se dibuja en secuencia en función del paso del tiempo y que incluye una línea central, un límite de control inferior (LCI) y un límite de control superior (LCS).

En el siguiente recuadro se resumen la notación y los valores de la gráfica de control. El atributo de “defectuoso” se puede reemplazar por cualquier otro atributo relevante (de manera que cada artículo de la muestra pertenezca a una de dos categorías diferentes).

Control de un atributo de un proceso: Gráfica de control para *p*

Objetivo

Construir una gráfica de control para p (o una “gráfica p”) que pueda utilizarse con la finalidad de determinar si la proporción de algún atributo (por ejemplo, el carácter defectuoso de los productos) de datos de proceso está bajo control estadístico.

Requisitos

1. Los valores son datos de proceso que consisten en una secuencia de muestras, todas del mismo tamaño n.
2. Cada artículo muestral pertenece a una de dos categorías (por ejemplo, defectuoso o no defectuoso).
3. Los valores de los datos muestrales individuales son independientes.

Notación

$\bar{p}$ = estimación agrupada de la proporción de artículos defectuosos en el proceso

$$= \frac{\text{número total de defectos encontrados en todos los artículos muestreados}}{\text{número total de artículos muestreados}}$$

$\bar{q}$ = estimación agrupada de la proporción de artículos del proceso que *no* están defectuosos

$= 1 - \bar{p}$

n = tamaño de cada muestra o subgrupo

Gráfica

Puntos graficados: Proporciones de las muestras individuales de tamaño n

Línea central: $\bar{p}$

Límite de control superior: $\bar{p} + 3\sqrt{\dfrac{\bar{p}\,\bar{q}}{n}}$ (Utilice 1 si este resultado es mayor que 1).

Límite de control inferior: $\bar{p} - 3\sqrt{\dfrac{\bar{p}\,\bar{q}}{n}}$ (Utilice 0 si este resultado es negativo).

ADVERTENCIA

Los límites de control superior e inferior de una gráfica de control para una proporción p están basados en el comportamiento *real* del proceso, y no en el comportamiento *deseado*. Los límites de control superior e inferior se desvinculan totalmente de cualquier *especificación* del proceso estipulada por el fabricante.

Utilizamos $\bar{p}$ para la línea central porque es la mejor estimación de la proporción de defectos del proceso. Las expresiones de los límites de control corresponden a límites de un intervalo de confianza del 99.7%, como se describió en la sección 7-2.

EJEMPLO 1

Desfibriladores cardiacos defectuosos Guidant Corporation fabrica desfibriladores cardiacos implantables. Familiares de individuos que murieron utilizando estos aparatos están demandando a la compañía. Según *USA Today*, "Guidant no notificó a los médicos cuando se enteró de que 150 de cada 100,000 desfibriladores Prizm 2DR podían tener problemas de funcionamiento cada año". Debido al riesgo de muerte, es importante supervisar de cerca el proceso de fabricación de los desfibriladores cardiacos implantables.

Considere un proceso de fabricación que incluye la evaluación cuidadosa de cada desfibrilador. A continuación se presenta el número de desfibriladores defectuosos, en lotes sucesivos de 10,000. Construya una gráfica de control para la proporción p de aparatos defectuosos y determine si el proceso está bajo control estadístico. De no ser así, identifique cuáles de los tres criterios para establecer un proceso fuera de control se aplican.

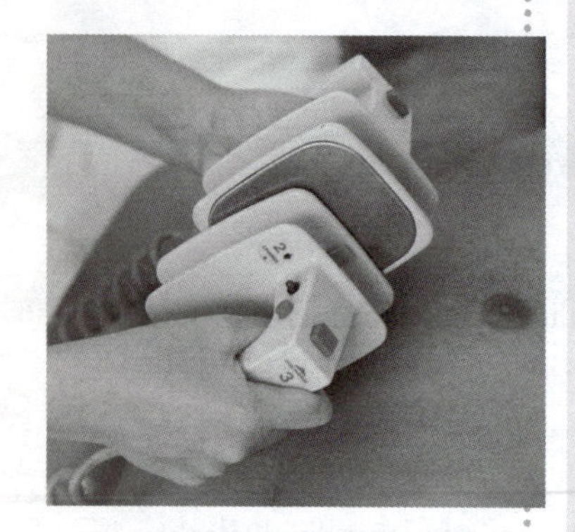

Defectos	15	12	14	14	11	16	17	11	16	7	8	5	7	6	6	8	5	7	8	7

SOLUCIÓN

La línea central de la gráfica de control se localiza mediante el valor de $\bar{p}$:

$$\bar{p} = \frac{\text{número total de defectos de todas las muestras combinadas}}{\text{número total de desfibriladores muestreados}}$$

$$= \frac{15 + 12 + 14 + \cdots + 7}{20 \cdot 10{,}000} = \frac{200}{200{,}000} = 0.001$$

Puesto que $\bar{p} = 0.001$, se infiere que $\bar{q} = 1 - \bar{p} = 0.999$. Al utilizar $\bar{p} = 0.001$, $\bar{q} = 0.999$, y $n = 10{,}000$, calculamos las posiciones de la línea central y de los límites de control de la siguiente manera:

Línea central: $\bar{p} = 0.001$

Límite de control superior:

$$\bar{p} + 3\sqrt{\frac{\bar{p}\bar{q}}{n}} = 0.001 + 3\sqrt{\frac{(0.001)(0.999)}{10{,}000}} = 0.001948$$

Límite de control inferior:

$$\bar{p} - 3\sqrt{\frac{\bar{p}\bar{q}}{n}} = 0.001 - 3\sqrt{\frac{(0.001)(0.999)}{10{,}000}} = 0.000052$$

Una vez que calculamos los valores de la línea central y los límites de control, procedemos a graficar la proporción de desfibriladores defectuosos. La gráfica de control de p de Minitab se presenta en la siguiente pantalla.

MINITAB

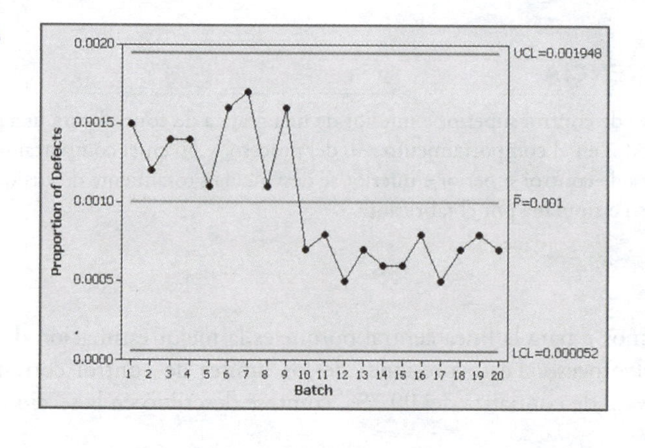

Seis Sigma en la industria

Seis Sigma es el término utilizado en la industria para describir un proceso que da por resultado una tasa de no más de 3.4 defectos en un millón. La referencia a Seis Sigma sugiere seis desviaciones estándar a partir del centro de una distribución normal, pero el supuesto de un proceso perfectamente estable se reemplaza por el supuesto de un proceso que cambia ligeramente, de manera que la tasa de defectos no es mayor que 3 o 4 por millón.

Los programas Seis Sigma, iniciados alrededor de 1985 en Motorola, ahora intentan mejorar la calidad e incrementar las utilidades al reducir la variación de los procesos. Motorola ahorró más de $940 millones en tres años. Allied Signal registró ahorros de $1,500 millones. GE, Polaroid, Ford, Honeywell, Sony y Texas Instruments son otras compañías grandes que han adoptado la meta Seis Sigma.

INTERPRETACIÓN

Podemos interpretar la gráfica de control p considerando los tres criterios para establecer una falta de control que se listan en la sección 14-2. Con esos criterios podemos concluir que el proceso está fuera de control estadístico por la siguiente razón: parece existir una tendencia decreciente. Además, existen 8 puntos consecutivos por arriba de la línea central y 8 puntos consecutivos por debajo de la línea central. Aunque el proceso está fuera de control estadístico, parece que *mejoró* de alguna manera, ya que la proporción de defectos ha disminuido. La empresa debe investigar el proceso para conocer la causa de la reducción en la tasa de defectos y lograr que continúe reduciéndose.

USO DE LA TECNOLOGÍA

MINITAB Ingrese los números de defectos (o artículos con algún atributo particular) en la columna C1. Seleccione la opción **Stat**, luego **Control Charts, Attributes Charts** y después **P**. Ingrese C1 en el recuadro identificado como variable e ingrese el tamaño de las muestras en el recuadro identificado como tamaño del subgrupo; después, haga clic en **OK**.

En **Minitab 16** también puede hacer clic en **Assistant** y luego en **Control Charts**. Seleccione **P Chart**. Para los límites de control y la línea central, seleccione la opción de **Estimate from the data**, luego haga clic en **OK** para obtener tres ventanas de resultados que incluyen la gráfica de control y otra información útil.

EXCEL **Uso de DDXL:** Para utilizar el complemento DDXL, primero ingrese los números de defectos o éxitos en la columna A y registre los tamaños muestrales en la columna B. Para el ejemplo 1, los primeros tres artículos se ingresarían en la hoja de cálculo de Excel como se indica a continuación.

	A	B
1	15	10000
2	12	10000
3	14	10000

Haga clic en **DDXL**, seleccione **Process Control** y después **Summ Prop Control Chart** (para la gráfica de control del resumen de proporciones). Debe aparecer un cuadro de diálogo. Haga clic en el icono del lápiz de "Success Variable" e indique el rango de valores para la columna A, tal como A1:A12. Haga clic en el icono del lápiz de "Totals Variable" e indique el rango de valores para la columna B, tal como B1:B12. Haga clic en **OK**. Ahora haga clic en la barra **Open Control Chart** y aparecerá la gráfica de control.

Uso del Chart Wizard de Excel: Anote las proporciones muestrales en la columna A. Haga clic en el icono de **Chart Wizard**, que tiene la apariencia de una gráfica de barras. Para el tipo de gráfica, seleccione **Line**. Para el subtipo de gráfica, seleccione la primera gráfica del segundo renglón y luego haga clic en **Next**. Continúe haciendo clic en **Next** y luego en **Finish**. La gráfica puede editarse para incluir rótulos, borrar líneas, etcétera. Usted puede insertar la línea central y los límites de control inferior y superior requeridos, editando la gráfica. Haga clic sobre la línea de la parte inferior de la pantalla, luego haga clic y arrastre el *mouse* para colocar la línea en la posición correcta.

14-3 Destrezas y conceptos básicos

Conocimientos estadísticos y pensamiento crítico

1. Monitoreo de la aspirina La etiqueta en un frasco de aspirina Bayer indica que las tabletas contienen 325 mg de aspirina. Suponga que las especificaciones de fabricación exigen que las tabletas tengan entre 315 y 335 mg de aspirina, de manera que una tableta se considera defectuosa si la cantidad de aspirina está fuera de esos límites. Si la proporción de defectos se monitorea con una gráfica p y se descubre que está bajo control estadístico, ¿podemos concluir que casi todas las tabletas cubren con las especificaciones de fabricación? ¿Por qué?

2. Notación Suponga que se monitorean las tabletas de aspirina Bayer para garantizar que las proporciones de defectos estén bajo control estadístico. Un inspector de control de calidad selecciona al azar muestras de 100 tabletas cada una. Si los números de defectos en las primeras cinco muestras son 2, 1, 0, 4 y 3, calcule el valor de $\bar{p}$.

3. Límites de control Remítase al ejercicio 2 y calcule los valores de los límites de control superior e inferior. ¿Alguno de esos valores necesita algún ajuste? Explique.

4. Interpretación de una gráfica de control Suponga que se monitorea la proporción de tabletas de aspirina Bayer defectuosas por medio de una gráfica de control, y se concluye que el proceso no está bajo control estadístico, debido a que existe un patrón decreciente que no es aleatorio. ¿Se debe corregir el patrón decreciente? ¿Qué debe hacer la compañía?

Determinar si un proceso está bajo control. ***En los ejercicios 5 a 8, examine la gráfica de control p que se presenta y determine si el proceso está bajo control estadístico. Si no es así, identifique cuál de los tres criterios para establecer una falta de control se aplica.***

5.

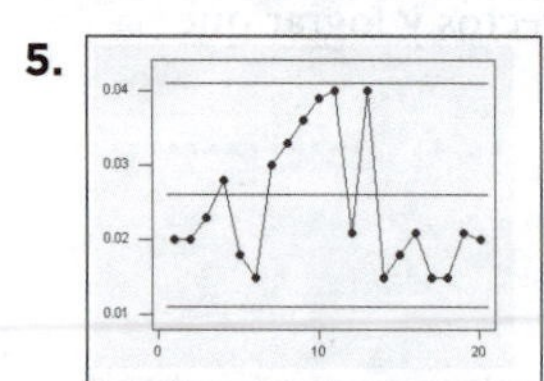

6.

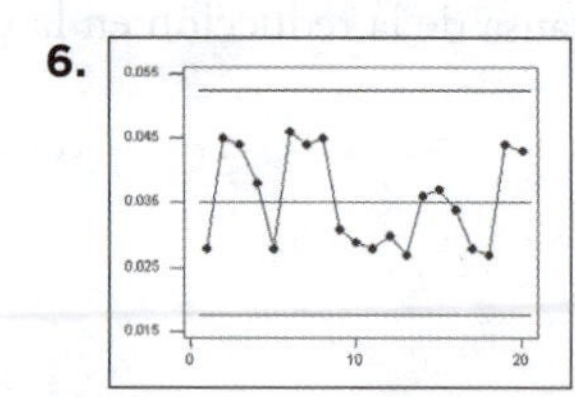

7.

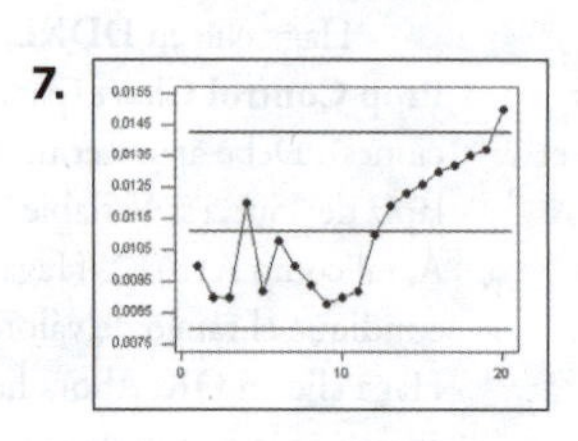

8.

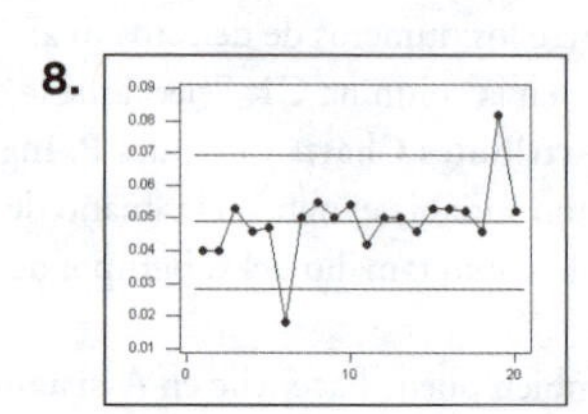

Construcción de gráficas de control *p*. ***En los ejercicios 9 a 14, utilice los datos de proceso para construir una gráfica de control p. En cada caso, utilice los tres criterios para establecer una falta de control listados en la sección 14-2 y determine si el proceso está bajo control estadístico. Si no es así, identifique cuál de los tres criterios para establecer una falta de control se aplica.***

9. Gráfica *p* para desfibriladores defectuosos Considere un proceso que incluye la evaluación cuidadosa de cada desfibrilador fabricado (como en el ejemplo 1). A continuación se lista el número de desfibriladores defectuosos en lotes sucesivos de 10,000. Construya una gráfica de control para la proporción p de desfibriladores defectuosos y determine si el proceso está bajo control estadístico. Si no es así, identifique cuál de los tres criterios para establecer una falta de control se aplica.

Defectos: 20 14 22 27 12 12 18 23 25 19 24 28 21 25 17 19 17 22 15 20

10. Gráfica *p* para desfibriladores defectuosos Resuelva el ejercicio 9 suponiendo que el tamaño de cada lote es de 100 en vez de 10,000. Compare la gráfica de control con la del ejercicio 9. Comente sobre la calidad general del proceso de fabricación descrito en el ejercicio 9 y compárelo con el proceso de fabricación descrito en este ejercicio.

11. Gráfica *p* para matriculación en la universidad En cada uno de 15 años recientes y consecutivos, se seleccionaron al azar 1000 graduados de preparatoria y se determinó el número de aquellos que se inscribieron en la universidad. Los resultados se listan a continuación. ¿La gráfica p indica que este tipo de inscripciones son lo suficientemente altas? (Los valores se basan en datos del U.S. National Center for Education Statistics, y son los más recientes que estaban disponibles cuando se escribió este libro).

601 625 619 626 619 619 650 670 656 629 633 618 652 639 667

12. Gráfica *p* para crímenes violentos En cada uno de 15 años recientes y consecutivos, se seleccionaron al azar 100,000 habitantes de Estados Unidos y se determinó el número de víctimas de crímenes violentos. Los resultados se listan a continuación. ¿Parece que el índice de crímenes violentos revela un comportamiento aceptable? (Los valores se basan en datos del Departamento de Justicia de Estados Unidos, y son los más recientes que estaban disponibles cuando se escribió este libro).

730 758 758 747 714 685 637 611 568 523 507 505 474 476 486

13. Gráfica *p* para votantes En cada uno de 23 años recientes y consecutivos de elecciones nacionales, se seleccionaron al azar 1000 estadounidenses en edad de votar, y se determinó el número de individuos que votaron. Los resultados se listan a continuación. Los años impares corresponden a los años de elecciones presidenciales. Comente acerca del comportamiento de votación de la población. (Los valores se basan en datos de la Oficina de Censos de Estados Unidos, y son los más recientes que estaban disponibles cuando se escribió este libro).

585 454 577 454 550 436 506 357 488 345 475 377
474 336 449 336 513 365 459 331 471 347 514

14. Gráfica *p* para índice de nacimientos En cada uno de 20 años recientes y consecutivos, se seleccionaron al azar 10,000 personas y se determinó el número de nacimientos que generaron. Los resultados se listan a continuación. ¿Cómo podrían explicarse los resultados? (Los valores se basan en datos del U.S. Department of Health and Human Services, y son los más recientes que estaban disponibles cuando se escribió este libro).

157 160 164 167 167 162 158 154 150 146 144 142 143 142 144 141 139 141 140 140

14-3 Más allá de lo básico

15. Construcción de una gráfica *np* Una variante de la gráfica de control *p* es la **gráfica *np***, en la cual se grafica el *número real* de defectos, en vez de las *proporciones* de defectos. La gráfica *np* tiene un valor de línea central $n\bar{p}$, y los límites de control tienen valores de $n\bar{p} + 3\sqrt{n\bar{p}\,\bar{q}}$ y $n\bar{p} - 3\sqrt{n\bar{p}\,\bar{q}}$. La gráfica *p* y la gráfica *np* difieren únicamente en la escala de valores empleada en el eje vertical. Construya una gráfica *np* para el ejemplo 1 de esta sección. Compare el resultado con la gráfica de control *p* obtenida en esta sección.

Repaso

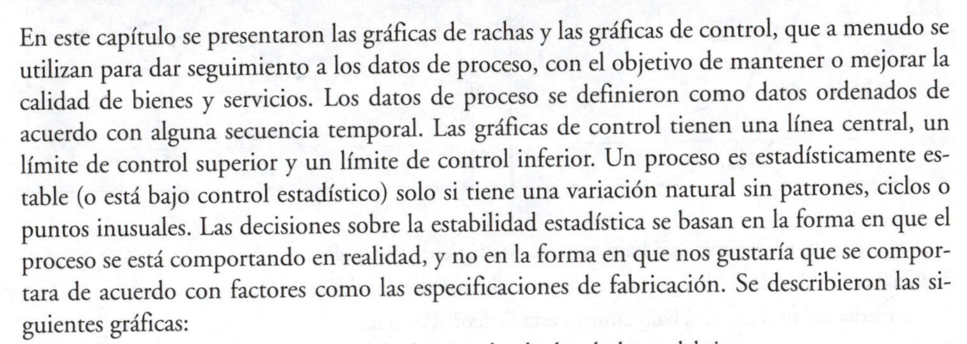

En este capítulo se presentaron las gráficas de rachas y las gráficas de control, que a menudo se utilizan para dar seguimiento a los datos de proceso, con el objetivo de mantener o mejorar la calidad de bienes y servicios. Los datos de proceso se definieron como datos ordenados de acuerdo con alguna secuencia temporal. Las gráficas de control tienen una línea central, un límite de control superior y un límite de control inferior. Un proceso es estadísticamente estable (o está bajo control estadístico) solo si tiene una variación natural sin patrones, ciclos o puntos inusuales. Las decisiones sobre la estabilidad estadística se basan en la forma en que el proceso se está comportando en realidad, y no en la forma en que nos gustaría que se comportara de acuerdo con factores como las especificaciones de fabricación. Se describieron las siguientes gráficas:

- *Gráfica de rachas:* gráfica secuencial de datos *individuales* a lo largo del tiempo
- *Gráfica R:* gráfica de control que utiliza rangos en un intento por monitorear la *variación* en un proceso
- *Gráfica $\bar{x}$:* gráfica de control utilizada para determinar si la *media* del proceso está bajo control estadístico
- *Gráfica p:* gráfica de control utilizada para monitorear la proporción de algún *atributo* del proceso, por ejemplo, el carácter defectuoso de los artículos.

Conocimientos estadísticos y pensamiento crítico

1. Control estadístico de procesos El título de este capítulo es “Control estadístico de procesos”. ¿Qué significa esto?

2. Monitoreo de un proceso a través del tiempo El Lipitor es un fármaco diseñado para reducir los niveles de colesterol. Puesto que en la actualidad las ventas de Lipitor rebasan los $13,000 millones anuales, se ha convertido en el medicamento más vendido de la historia. Una dosis de Lipitor se administra con tabletas que contienen 10 mg del fármaco atorvastatina. Si se establece un proceso de manufactura para producir tabletas que contengan entre 9.5 y 10.5 mg de atorvastatina, ¿por qué es importante monitorear el proceso de fabricación a través del tiempo? ¿Cuál podría ser una posible consecuencia negativa de un proceso de fabricación del Lipitor sin monitoreo?

3. Gráficas de control Remítase al proceso descrito en el ejercicio 2. Al monitorear la cantidad de atorvastatina en tabletas de Lipitor, ¿por qué sería importante utilizar una gráfica $\bar{x}$ y una gráfica R en conjunto?

4. Interpretación de gráficas de control Remítase al proceso descrito en el ejercicio 2. Si las gráficas $\bar{x}$ y R revelan que el proceso está bajo control estadístico, ¿podemos concluir que casi todas las tabletas contienen entre 9.5 y 10.5 mg de atorvastatina? ¿Por qué?

Examen rápido del capítulo

1. ¿Qué son los datos de *proceso*?

2. ¿Qué diferencia hay entre *variación aleatoria* y *variación asignable*?

3. Identifique tres criterios específicos para determinar si un proceso está fuera de control estadístico.

4. ¿Qué diferencia hay entre una gráfica R y una gráfica $\bar{x}$?

En los ejercicios 5 a 8, utilice las siguientes dos gráficas de control que resultaron de la evaluación de altímetros de aeronaves recién fabricados. Los valores muestrales originales son los errores obtenidos cuando los altímetros se sometieron a prueba a una altitud de 1000 pies.

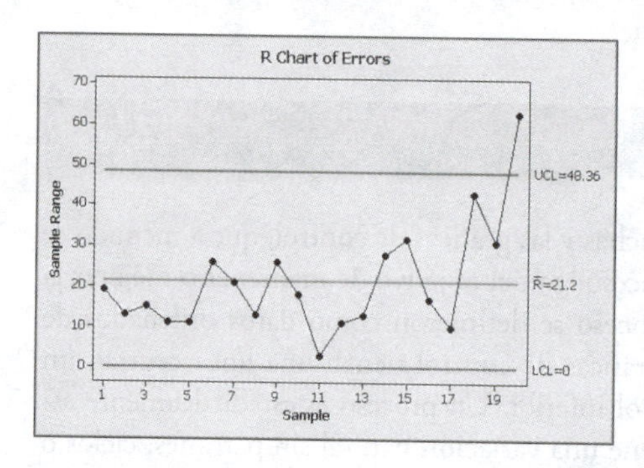

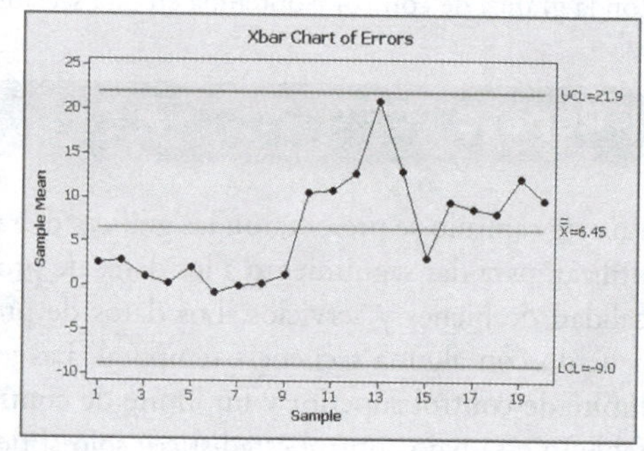

5. ¿La variación del proceso está bajo control estadístico? ¿Por qué?

6. ¿Cuál es el valor de $\bar{R}$? En general, ¿cómo se obtuvo el valor de $\bar{R}$?

7. ¿La media del proceso está bajo control estadístico? ¿Por qué?

8. ¿Cuál es el valor de $\bar{\bar{x}}$? En general, ¿cómo se obtiene el valor de $\bar{\bar{x}}$?

9. ¿Qué es una gráfica p?

10. Verdadero o falso: Un proceso de fabricación da como resultado una mayor proporción de defectos siempre que una gráfica p de los artículos defectuosos revela una condición fuera de control.

Ejercicios de repaso

Construcción de gráficas de control para latas de aluminio. ***Los ejercicios 1 a 5 se refieren a las cargas axiales de latas de aluminio con un grosor de 0.0109 pulgadas incluidas en el conjunto de datos 21 del apéndice B. Cada día se seleccionaron al azar siete latas y después se sometieron a prueba; el conjunto de datos 21 presenta los resultados de 25 días consecutivos de fabricación. La carga axial es la carga***

máxima (en libras) que una lata puede soportar antes de colapsar por la presión aplicada a la parte superior. (La tapa superior se somete a presiones que varían entre 158 y 165 libras).

1. Gráfica de rachas Construya una gráfica de rachas para las 21 cargas axiales de los primeros tres días, tal como se listan a continuación. Con base en el resultado, ¿parece haber un patrón que sugiera que el proceso no está bajo control estadístico?

Día 1	270	273	258	204	254	228	282
Día 2	278	201	264	265	223	274	230
Día 3	250	275	281	271	263	277	275

2. Gráfica *R* Utilice subgrupos de tamaño $n = 7$, correspondientes a los renglones de la tabla para los primeros tres días incluidos en el ejercicio 1, y calcule los valores de $\overline{R}$, el límite de control inferior y el límite de control superior que se utilizarían para construir una gráfica R. (No construya la gráfica R).

3. Gráfica *R* Si utilizamos subgrupos de tamaño $n = 7$, correspondientes a los renglones de la tabla, y utilizamos todos los datos de los 25 días de producción, obtenemos la siguiente gráfica R. Interprete la gráfica.

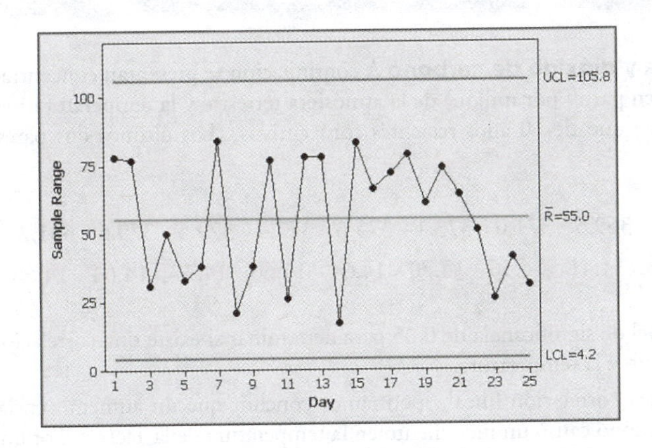

4. Gráfica $\overline{x}$ Utilice subgrupos de tamaño $n = 7$, correspondientes a los renglones de la tabla para los primeros tres días incluidos en el ejercicio 1, y calcule los valores de $\overline{\overline{x}}$, el límite de control inferior y el límite de control superior que se utilizarían para construir una gráfica $\overline{x}$. (No construya la gráfica).

5. Gráfica $\overline{x}$ Si utilizamos subgrupos de tamaño $n = 7$, correspondientes a los renglones de la tabla, y utilizamos todos los datos de los 25 días de producción, obtenemos la siguiente gráfica $\overline{x}$. Interprete la gráfica.

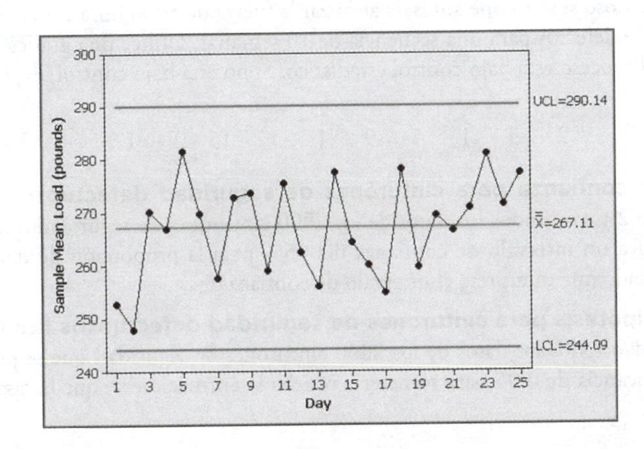

6. Gráfica de control para homicidios En cada uno de 15 años consecutivos recientes, se seleccionaron al azar un millón de estadounidenses, y se determinó el número de víctimas de homicidio; los resultados se presentan a continuación. ¿Las proporciones de homicidios están bajo control estadístico? ¿Qué sugiere la gráfica de control acerca de la tendencia? (Los valores se basan en datos del Departamento de Justicia de Estados Unidos y son los más recientes disponibles cuando se escribió este libro).

85 87 94 98 93 95 90 82 74 68 63 57 55 56 56

7. Gráfica de control de defectos Acton Pharmaceutical Company fabrica tabletas de antiácido que, se supone, contienen 750 mg de carbonato de calcio, similar a las tabletas Tums fabricadas por GlaxoSmithKline. Cada día se eligen al azar 100 tabletas y se mide la cantidad de carbonato de calcio. Se considera que una tableta es defectuosa si presenta deformidades físicas evidentes o si el contenido de carbonato de calcio no se encuentra entre 735 y 765 mg. A continuación se listan los números de defectos identificados en días consecutivos. Construya una gráfica de control adecuada y determine si el proceso está bajo control estadístico. Si no es así, identifique cuáles criterios condujeron al rechazo de la estabilidad estadística.

Defectos	5	4	3	6	7	5	9	2	10	3	2	5	12	7	1

Ejercicios de repaso acumulativo

1. Temperatura y dióxido de carbono A continuación se presentan concentraciones de dióxido de carbono (en partes por millón) de la atmósfera terrestre y la temperatura media de la Tierra (en °C) para cada uno de 10 años recientes consecutivos. (Los últimos dos pares de valores son proyecciones).

Dióxido de carbono	369.5	371.0	373.1	375.6	377.4	379.6	379.6	381.2	382.8	384.4
Temperatura	14.41	14.56	14.70	14.64	14.60	14.77	14.64	14.66	14.68	14.70

a) Utilice un nivel de significancia de 0.05 para determinar si existe una correlación lineal entre el dióxido de carbono y la temperatura.

b) Si existiera una correlación lineal, ¿podríamos concluir que un aumento en la concentración de dióxido de carbono causó un incremento en la temperatura de la Tierra? ¿Por qué?

c) Calcule la ecuación de la recta que se ajusta mejor a los datos muestrales. Permita que x represente la concentración de dióxido de carbono.

d) ¿Cuál es la mejor temperatura predicha para un año en el que la concentración de dióxido de carbono fue de 290.7 partes por millón? ¿Qué tan cercana se encuentra la temperatura predicha de la temperatura real de 13.88°C?

2. Gráfica de control para cinturones de seguridad defectuosos Flint Accessory Corporation fabrica cinturones de seguridad para automóvil. Las especificaciones federales exigen que la banda tenga una fuerza de rompimiento de al menos 5000 libras. Durante cada semana de producción, se seleccionan al azar 200 cinturones y se prueba su fuerza de rompimiento; un cinturón se considera defectuoso si se rompe antes de alcanzar la fuerza de 5000 libras. A continuación se listan los números de defectos para una secuencia de 10 semanas. Utilice una gráfica de control de p para verificar si el proceso está bajo control estadístico. Si no está bajo control, explique por qué.

2 3 1 5 9 1 12 15 2 17

3. Intervalo de confianza para cinturones de seguridad defectuosos Remítase a los datos del ejercicio 2 y, con todos los datos de los 2000 cinturones de seguridad que se sometieron a prueba, construya un intervalo de confianza del 95% para la proporción de defectos. Además, redacte un enunciado que interprete el intervalo de confianza.

4. Prueba de hipótesis para cinturones de seguridad defectuosos Remítase a los datos del ejercicio 2 y, con todos los datos de los 2000 cinturones de seguridad que se probaron, utilice un nivel de significancia de 0.05 para someter a prueba la afirmación de que la tasa de defectos es mayor que el 3%.

5. Uso de la probabilidad en gráficas de control Al interpretar gráficas de control, uno de los tres criterios para establecer la falta de control es la presencia de ocho puntos consecutivos por arriba o por debajo de la línea central. En un proceso estadísticamente estable, hay una probabilidad de 0.5 de que un punto se ubique por arriba de la línea central y una probabilidad de 0.5 de que un punto esté por debajo de la línea central. Para resolver lo siguiente, suponga que los valores muestrales son independientes y que el proceso es estadísticamente estable.

a) Calcule la probabilidad de que, cuando se seleccionen ocho puntos consecutivos al azar, todos se ubiquen por arriba de la línea central.

b) Calcule la probabilidad de que, cuando se seleccionen ocho puntos consecutivos al azar, todos se ubiquen por debajo de la línea central.

c) Calcule la probabilidad de que, cuando se seleccionen ocho puntos consecutivos al azar, todos se ubiquen por arriba o por debajo de la línea central.

6. Diseño de cascos para motociclista Los ingenieros deben tomar en cuenta la anchura de la cabeza de los hombres al diseñar cascos para motociclista. Los hombres tienen anchuras de cabeza que se distribuyen de manera normal, con una media de 6.0 pulgadas y una desviación estándar de 1.0 pulgada (según datos de una encuesta antropométrica de Gordon, Churchill *et al.*).

a) ¿Qué porcentaje de los hombres tienen anchuras de cabeza mayores que 7.0 pulgadas? Si se fabricaran cascos adecuados únicamente para hombres con anchuras de cabeza menores que 7.0 pulgadas, ¿se excluiría a muchos hombres?

b) Si, debido a limitaciones económicas, los cascos se diseñaran para ajustarse a todos los hombres, excepto a aquellos con anchuras de cabeza ubicadas en el 5% menor o en el 5% mayor, calcule las anchuras mínima y máxima de cabeza que se ajustarán a los cascos.

7. Encuesta de AOL America Online realizó una encuesta en línea, en la que preguntó a usuarios de Internet: "¿Alguna vez ha visto un OVNI?". En los resultados, 37,021 usuarios de Internet respondieron de manera afirmativa y 80,806 usuarios de Internet respondieron de manera negativa. Con base en los resultados, ¿podemos concluir que la mayoría de las personas no han visto un OVNI? ¿Por qué?

8. Evaluación de la normalidad El autor realizó una encuesta entre sus alumnos, y les preguntó el valor de las monedas que cada uno tenía en ese momento. A continuación se listan algunos de los resultados (en centavos). ¿Parece que esos valores provienen de una población con una distribución normal? ¿Por qué?

0	100	0	23	185	0	0	43	35	250	178	10	90	0	200
0	40	73	20	500	0	0	35	130	62	5	0	0	0	0

9. Estadísticos muestrales Remítase a los valores muestrales incluidos en el ejercicio 8 y calcule la media, la mediana y la desviación estándar.

10. Proporción establecida Utilice los valores muestrales incluidos en el ejercicio 8 para someter a prueba la afirmación de que la mayoría de los estudiantes poseen cierta cantidad de cambio. Utilice un nivel de significancia de 0.05.

Proyecto tecnológico

a) Simule el siguiente proceso durante 20 días: cada día se fabrican 200 calculadoras, con una tasa del 5% de unidades defectuosas; la proporción de defectos se registra durante cada uno de los 20 días. Las calculadoras de un día se simulan generando aleatoriamente 200 números, cada uno de los cuales está entre 1 y 100. Considere que un resultado de 1, 2, 3, 4 o 5 es un defecto, mientras que uno del 6 al 100 es aceptable. Esto corresponde a una tasa de defectos del 5%. (Véase más adelante las instrucciones para el uso de herramientas tecnológicas).

b) Construya una gráfica p para la proporción de calculadoras defectuosas y determine si el proceso está bajo control estadístico. Como sabemos que el proceso en realidad es estable, con $p = 0.05$, la conclusión de que no es estable sería un error tipo I; es decir, tendríamos una señal falsa positiva, lo que nos haría suponer que el proceso necesita ajustarse, cuando en realidad se debe dejar como está.

c) El resultado del inciso *a)* es una simulación de 20 días. Ahora simule otros 10 días de fabricación de calculadoras, pero modifique estos últimos 10 días de manera que la tasa de defectos sea del 10% en vez del 5%.

d) Combine los datos generados en los incisos *a)* y *c)* para representar un total de 30 días de resultados muestrales. Construya una gráfica p para este conjunto de datos combinado. ¿El proceso está fuera de control? Si concluimos que el proceso no está fuera de control, estaríamos cometiendo un error tipo II; es decir, pensaríamos que el proceso está bien cuando en realidad debería modificarse o ajustarse para corregir el cambio a una tasa de defectos del 10%.

Instrucciones para el uso de la tecnología en el inciso *a)*

STATDISK Seleccione **Data**, **Uniform Generator** y proceda a generar 200 valores con un mínimo de 1 y un máximo de 100. Copie los valores en la ventana de datos y luego ordénelos con el botón Data Tools. Repita este procedimiento hasta obtener los 20 días simulados.

MINITAB Seleccione **Calc**, **Random Data** y luego **Integer**. Anote 200 en el recuadro para el número de renglones de datos, ingrese C1 como la columna para almacenar los datos, 1 para el valor mínimo, y 100 para el valor máximo. Repita este procedimiento hasta obtener los resultados de 20 días simulados.

EXCEL Haga clic en el icono ***fx*** en la barra del menú principal, luego seleccione la categoría de la función **Math & Trig**, seguida por **RANDBETWEEN**. En el cuadro de diálogo, anote 1 para la parte más baja y 100 para la parte más alta. Debe aparecer un valor aleatorio en el primer renglón de la columna A. Utilice el mouse para hacer clic y arrastrar la esquina inferior derecha de esa celda; después, baje la celda para cubrir los primeros 200 renglones de la columna A. Cuando suelte el botón del *mouse*, la columna A debe contener 200 números aleatorios. También puede hacer clic y arrastrar la esquina inferior derecha de la celda inferior moviendo el *mouse* a la derecha, de manera que obtenga 20 columnas de 200 números cada una. Las diferentes columnas representan los distintos días de fabricación.

TI-83/84 PLUS Prsione la tecla **MATH**. Seleccione **PRB**, y luego el quinto elemento del menú, **randInt(**, y proceda a ingresar 1, 100, 200; después, presione la tecla **ENTER**. Presione **STO** y **L1** para almacenar los datos en la lista L1. Después de registrar el número de defectos, repita este procedimiento hasta obtener resultados para 20 días simulados.

PROYECTO DE INTERNET

Gráficas de control

Visite: **www.pearsonenespañol.com/triola**

Este capítulo describe diferentes técnicas de graficación utilizadas para resumir y estudiar datos asociados con un proceso, junto con métodos para analizar la estabilidad de ese proceso. Con excepción de la gráfica de rachas, no se requieren datos individuales para construir una gráfica. Por ejemplo, la gráfica *R* se elabora a partir de rangos muestrales, mientras que la gráfica p se basa en proporciones muestrales. Este es un aspecto importante, ya que los datos reunidos de fuentes terciarias suelen presentarse en términos de estadísticos resumidos.

Localice el proyecto de Internet que se refiere a gráficas de control. Desde ahí tendrá que remitirse a conjuntos de datos y fuentes de información que utilizará en la construcción de gráficas de control. Se le pedirá que interprete y discuta las tendencias en los procesos subyacentes a partir de las gráficas resultantes.

PROYECTO APPLET

Abra el archivo de Applets que se localiza en el sitio Web de este libro y haga doble clic en **Start**. Seleccione el elemento de **Simulating the probability of rolling a 6** del menú.

a) Simule 50 lanzamientos de un dado y registre la proporción de seises.

b) Repita el inciso *a*) 19 veces más.

c) Utilice los métodos de este capítulo para determinar si las proporciones de seises están bajo control estadístico o no. ¿Qué concluye?

DE LOS DATOS A LA DECISIÓN

Pensamiento crítico: ¿Están bajo control estadístico las cargas axiales? ¿El proceso de fabricación de latas procede como debería?

En los ejercicios de repaso 1 a 5 se utilizaron datos de proceso de una compañía de Nueva York que fabrica latas de aluminio con un grosor de 0.0109 pulgadas para un distribuidor importante de bebidas. Remítase al conjunto de datos 21 del apéndice B y realice un análisis de los datos de proceso para las latas que miden 0.0111 pulgadas de grosor. Los valores en el conjunto de datos son las cargas axiales medidas de las latas, y las tapas superiores se colocan en su lugar con presiones que varían entre 158 y 165 libras.

Análisis de los resultados

Con base en los datos de proceso indicados, ¿la empresa debería tomar acciones correctivas? Escriba un informe que resuma sus conclusiones. Haga hincapié no solo en el tema de la estabilidad estadística, sino también en la capacidad de las latas para soportar la presión aplicada cuando se colocan las tapas superiores. También compare el comportamiento de las latas de 0.0111 pulgadas con el comportamiento de las latas de 0.0109 pulgadas y recomiende el grosor que debe utilizarse.

Actividades de trabajo en equipo

1. Actividad fuera de clase Reúnan su propio conjunto de datos de proceso y analícenlos utilizando los métodos de esta sección. Sería ideal que pudieran reunir datos de un proceso real de fabricación, aunque esto tal vez resulte difícil. Si es así, consideren realizar una simulación o remitirse a datos publicados, tales como los que se encuentran en un almanaque. He aquí algunas sugerencias:

- Lancen cinco tiros libres de basquetbol (o lancen cinco hojas de papel arrugadas en un bote de basura) y registren el número de canastas anotadas; después, repitan este procedimiento 20 veces y utilicen una gráfica p para determinar la estabilidad estadística de la proporción de canastas anotadas.
- Pueden medir su pulso contando el número de latidos de su corazón en un minuto. Midan su pulso cuatro veces cada hora, durante varias horas; después, construyan gráficas de control adecuadas. ¿Qué factores contribuyen a la variación aleatoria? ¿Y a la variación asignable?
- Busquen periódicos de las 12 últimas semanas y registren el cierre del Promedio Industrial Dow Jones (DJIA) para cada día hábil. Utilicen gráficas de rachas y de control para explorar la estabilidad estadística del DJIA. Identifiquen al menos una consecuencia práctica de que este proceso sea estadísticamente estable e identifiquen al menos una consecuencia práctica de que este proceso esté fuera de control estadístico.

• Calculen la tasa de matrimonios por 10,000 habitantes para varios años. (Véase el *Information Please Almanac o el Statistical Abstract of the United States*). Supongan que se seleccionaron 10,000 personas cada año y que se encuestaron para determinar si estaban casadas o no. Utilicen una gráfica p para determinar la estabilidad estadística de la tasa de matrimonios. (Otras tasas posibles: muertes, muertes en accidentes, crímenes).

Impriman una copia de los resultados del programa de cómputo y escriban un informe que resuma sus conclusiones.

2. Actividad en clase Si el profesor registra el número de ausencias en cada clase, grupos de tres o cuatro estudiantes pueden analizar las cifras para conocer su estabilidad estadística y hacer recomendaciones con base en las conclusiones.

3. Actividad fuera de clase Realicen una investigación para identificar el *experimento del embudo de Deming*; después, utilicen un embudo y canicas para reunir datos respecto de las diferentes reglas con la finalidad de ajustar la ubicación del embudo. Construyan gráficas de control adecuadas para las diferentes reglas del ajuste del embudo. ¿Qué ilustra el experimento del embudo? ¿Qué concluyen?

NOMBRE: Andrew Chang

PUESTO: Gerente de estrategias de marketing

COMPAÑÍA: AirTran Airways

Andrew Chang trabaja como gerente de estrategias de marketing para AirTran Airways. Se ocupa del programa de pasajero frecuente, de la investigación de mercados y del análisis de marketing.

¿Cómo utiliza la estadística en su trabajo?

Usamos la estadística casi todos los días. Llevamos a cabo varias campañas donde sometemos a prueba diferentes mensajes y analizamos las reacciones de los sujetos ante ellos para determinar cuáles combinaciones de variables optimizan las tasas de respuesta y, por lo tanto, las utilidades. También utilizamos las regresiones multivariadas para crear modelos combinados de medios con la finalidad de planear y determinar los tipos de canales que se deben utilizar para un mercado o una temporada determinados.

Describa un ejemplo específico de cómo el uso de la estadística sirvió para mejorar un producto o servicio.

Cada semana realizamos varias pruebas con nuestras comunicaciones semanales vía correo electrónico para determinar la manera de aumentar al máximo la proporción de apertura de correos y la proporción de clics, lo que nos ayuda a reducir la cancelación de suscripciones. Empleamos pruebas sencillas de chi cuadrada para determinar cuáles versiones se desempeñan mejor en cada categoría, y utilizamos los resultados para los correos de la siguiente semana.

¿El uso que usted hace de la probabilidad y de la estadística está aumentando, disminuyendo o se mantiene estable?

Nuestro uso de la probabilidad y la estadística va en aumento, y requerimos que cada empleado nuevo que se contrata tenga experiencia y conocimientos de estadística.

¿Qué tan importantes son los conocimientos de estadística para realizar su trabajo?

Son muy importantes. Ante una competencia feroz e inteligente, estamos obligados a ir un paso adelante en nuestras acciones e ideas. El uso de la estadística nos brinda un marco de referencia para pensar, analizar y resolver problemas, algo que se diferencia radicalmente de la práctica de adivinar qué les gusta y les disgusta a los clientes.

En términos de la estadística, ¿qué recomendaría a los futuros empleados?

Definitivamente recomiendo que todos tomen al menos un curso de introducción a la estadística. Ya sea que la persona vaya o no a realizar sus propios análisis, debe ser capaz de cuestionar, validar y entender el trabajo de los demás.

¿Considera que las personas que solicitan empleo en su campo de estudio gozan de una ventaja si realizaron algunos estudios de estadística?

Sí. Algunos puestos requieren de experiencia y conocimientos de estadística.

Cuando estudiaba en la universidad, ¿creía que usaría la estadística en el trabajo?

La mayoría de los estudiantes universitarios no creen que utilizarán la estadística en el trabajo, y yo era uno de ellos. Sin embargo, una vez que entendí su aplicación en marketing, me volví adicto a ella y me gusta utilizarla en todos los trabajos que realizo.

¿Recomendaría a los estudiantes universitarios de hoy que estudien estadística?

Definitivamente sí. Es más, diría que es un requisito. En el entorno competitivo actual, es irresponsable tomar decisiones con base únicamente en la intuición y las emociones.

15 Proyectos, procedimientos y perspectivas

15-1 Proyectos

Concepto clave Un proyecto final es una excelente actividad que puede convertirse en una experiencia valiosa y gratificante para los estudiantes del curso de introducción a la estadística. Este proyecto final ofrece a los alumnos la oportunidad de utilizar los principios de la estadística en una aplicación real e interesante. En esta sección se presenta una sugerencia de formato para este proyecto.

Proyecto grupal o proyecto individual Los temas se pueden asignar de forma individual, pero los proyectos en grupo son particularmente eficaces puesto que ayudan a desarrollar las destrezas interpersonales que son tan necesarias en el ambiente laboral actual. Un estudio reveló que la "incapacidad para llevarse bien con los demás" es el motivo principal del despido de empleados, por lo que un proyecto grupal resultará muy útil si se quiere preparar a los estudiantes para sus ambientes de trabajo futuros. Los grupos de tres a cinco estudiantes funcionan bien. El profesor debe elegir grupos tomando en cuenta factores importantes como el desempeño en la clase y la asistencia.

Reporte oral Todos los miembros del grupo deben participar en una presentación en clase de 10 a 15 minutos de duración, en un esfuerzo combinado para describir claramente los componentes esenciales del estudio. Por lo regular, los estudiantes manifiestan cierta reticencia a hablar en público, por lo que un breve reporte oral resultará muy útil para desarrollar confianza. El reporte oral es una actividad que ayuda a los estudiantes a estar mejor preparados para actividades profesionales futuras.

Reporte escrito El objetivo principal del proyecto no es producir un documento escrito equivalente a un trabajo final, pero se debe presentar un reporte escrito que incluya los siguientes componentes:

1. Lista de los datos reunidos, junto con la descripción de cómo se obtuvieron
2. Descripción del método de análisis
3. Gráficas y/o estadísticos relevantes, incluyendo pantallas de resultados de STATDISK, Minitab, Excel o la calculadora TI-83/84 Plus
4. Planteamiento de las conclusiones
5. Las razones por las que los resultados podrían ser incorrectos, junto con una descripción de las formas en las cuales el estudio podría mejorarse, contando con el tiempo y dinero suficientes.

Grupos grandes o clases en línea: Carteles o PowerPoint Algunos grupos son demasiado grandes para trabajar proyectos individuales o proyectos grupales. Algunas clases que se imparten en línea no ofrecen la posibilidad de reunirse como grupo. En estos casos es factible presentar reportes de proyectos individuales o de grupos pequeños a través de carteles, similares a las sesiones de conferencias con carteles. Los estudiantes podrían enviar a los profesores carteles o presentaciones de PowerPoint que resuman los elementos importantes de un proyecto.

Temas para el proyecto Las "actividades de trabajo en equipo" que se describen al final de cada capítulo incluyen más de 100 sugerencias para proyectos. Los siguientes comentarios acerca de una encuesta también podrían ser otra fuente excelente de temas para proyectos.

Encuesta Una encuesta es una excelente fuente de datos para un proyecto de estadística. El ejemplo de encuesta que se presenta en el recuadro inferior de esta página brinda una información que permitirá responder preguntas como las siguientes:

1. Cuando las personas eligen dígitos "aleatoriamente" (como en la pregunta 2), ¿los resultados son realmente aleatorios?
2. Al parecer, ¿los cuatro últimos dígitos de los números del sistema de seguridad social son aleatorios?
3. ¿Los hombres y las mujeres llevan consigo diferentes cantidades de cambio?
4. ¿Los hombres y las mujeres tienen números de tarjetas de crédito diferentes?
5. ¿Hay una diferencia en el pulso de las personas que hacen ejercicio y las que no lo practican?
6. ¿Hay una diferencia en el pulso de las personas que fuman y las que no lo hacen?
7. ¿Existe una relación entre la práctica de ejercicio y el tabaquismo?
8. ¿Existe una relación entre el color de ojos y la práctica de ejercicio?
9. ¿Hay una relación entre la práctica de ejercicio y el número de horas trabajadas por semana?
10. ¿Hay una correlación entre la estatura y el pulso?

Encuesta

1. _______ Mujer _______ Hombre
2. Elija al azar cuatro dígitos y anótelos aquí:
_______ _______ _______ _______
3. Color de ojos: _______________
4. Anote su estatura en pulgadas: _______________
5. ¿Cuál es el valor total de las monedas que lleva con usted? _______________
6. ¿Cuántas llaves tiene en este momento?
____
7. ¿Cuántas tarjetas de crédito tiene en este momento?
____
8. Anote los cuatro últimos dígitos de su número de seguridad social. (Por motivos de seguridad, puede cambiar el orden de los dígitos). _______ _______ _______ _______
9. Registre su pulso contando el número de latidos por minuto: _______________
10. ¿Se ejercita vigorosamente (corre, nada, practica ciclismo, tenis, basquetbol, etcétera) durante al menos 20 minutos dos veces a la semana? _______ Sí _______ No
11. ¿Cuántas horas de clase acreditables está cursando este semestre? _______________
12. ¿Trabaja actualmente? _______ Sí _______ No
Si su respuesta es afirmativa, ¿cuántas horas trabaja cada semana? _______________
13. Durante los últimos 12 meses, ¿condujo algún automóvil que estuviera involucrado en un choque?
_______ Sí _______ No
14. ¿Fuma? _______ Sí _______ No
15. _______ Zurdo _______ Diestro _______ Ambidiestro

15-2 Procedimientos

Concepto clave En esta sección se describe un procedimiento general para realizar un análisis estadístico de datos.

Contexto, fuente, método de muestreo En vez de incluir datos de forma descuidada en un procedimiento estadístico específico, debemos iniciar con algunas consideraciones básicas, como las siguientes:

1. Identifique claramente el *contexto* de los datos (como se estudió en la sección 1-2).
2. Considere la *fuente* de los datos y determine si dicha fuente plantea algún problema de sesgo que pudiera afectar la validez de los datos (como se estudió en la sección 1-2).
3. Considere el *método de muestreo* para asegurarse de que el tipo de muestra pueda dar como resultado datos representativos de la población. Desconfíe especialmente de las muestras de respuesta voluntaria.

Exploración, comparación y descripción Después de reunir los datos, primero considere la exploración, descripción y comparación de los datos. Inicie con una *gráfica* adecuada para los datos. (Por ejemplo, para datos muestrales que consisten en valores únicos, construya un histograma, una gráfica cuantilar normal y una gráfica de caja. Para datos pareados, construya un diagrama de dispersión). Utilizando las herramientas básicas incluidas en los capítulos 2 y 3, considere lo siguiente:

1. *Centro:* Calcule la media y la mediana, que son medidas de tendencia central que nos indican dónde se encuentra la parte media del conjunto de datos.
2. *Variación:* Calcule el rango y la desviación estándar, que son medidas de la cantidad en que los valores muestrales varían entre sí.
3. *Distribución:* Construya un histograma para ver la forma de la distribución de los datos. También construya una gráfica cuantilar normal para determinar si los datos provienen de una población con una distribución normal.
4. *Valores atípicos:* Identifique cualquier valor muestral que se encuentre muy alejado de la gran mayoría de los demás valores muestrales. Si hay valores atípicos, trate de determinar si se trata de errores que deben corregirse. Si los valores atípicos son datos correctos, estudie sus efectos repitiendo el análisis sin incluirlos.
5. *Tiempo:* Determine si la población es estable o si sus características cambian con el tiempo.

Inferencias: Estimación de parámetros y prueba de hipótesis Cuando se trata de utilizar datos muestrales para hacer inferencias acerca de una población, suele ser difícil elegir el procedimiento más adecuado. En la figura 15-1 se incluyen los principales métodos que estudió en el libro, junto con un esquema para determinar cuál de los métodos conviene utilizar. Dicha figura se aplica a una población fija. Si los datos se derivan de un proceso que puede cambiar con el tiempo, construya una gráfica de control (véase el capítulo 14) para determinar si el proceso es estadísticamente estable. La figura 15-1 se aplica a datos de proceso solo si dicho proceso es estadísticamente estable. Además de los procedimientos identificados en la figura 15-1, existen muchos otros métodos que podrían ser más adecuados para un análisis estadístico en particular. Consulte a un experto en estadística para que le asesore con otros métodos.

Conclusiones e implicaciones prácticas Después de realizar el análisis estadístico, debemos plantear conclusiones de forma clara para quienes no están familiarizados con la estadística y su terminología, y debemos ser cuidadosos de evitar hacer afirmaciones que no estén justificadas por el análisis estadístico (como el uso de una correlación para concluir que una variable es la *causa* de la otra). Asimismo, es necesario identificar las implicaciones prácticas de los resultados.

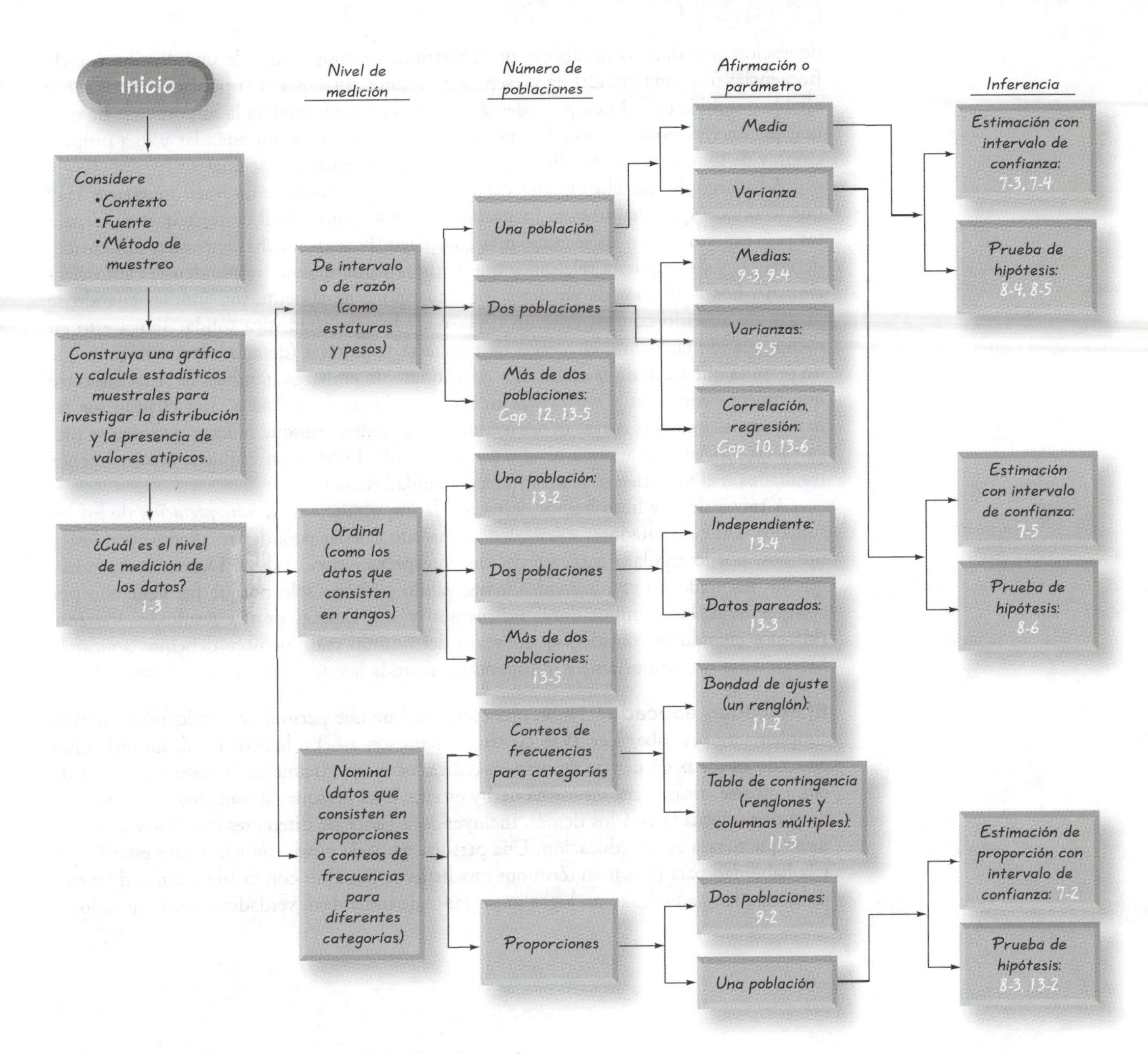

Figura 15-1 Selección del procedimiento adecuado

15-3 Perspectivas

Concepto clave Ningún curso de introducción a la estadística logrará transformar a alguien en un experto en la materia. El curso de introducción tiene un enfoque limitado y no incluye muchos temas importantes.

Concluir con éxito un curso de introducción a la estadística genera beneficios que van más allá de la obtención de créditos para un título universitario. Usted también fortalecerá su cualificación para conseguir empleo; estará más preparado para analizar de forma crítica informes de los medios de comunicación y de revistas científicas; comprenderá los conceptos básicos de la probabilidad y el azar. También sabrá que, para entender un conjunto de datos, es importante considerar su contexto y su fuente, así como los métodos muestrales empleados. Sabrá que, a partir de ciertos datos muestrales, debe investigar medidas de tendencia central (como la media y la mediana), medidas de variación (como el rango y la desviación estándar), la naturaleza de la distribución (por medio de una distribución de frecuencias o de una gráfica), la presencia de valores atípicos y si la población permanece estable o cambia con el tiempo. Además, conocerá y comprenderá la importancia de estimar parámetros poblacionales (como una media, una desviación estándar y una proporción), y de someter a prueba afirmaciones sobre parámetros poblacionales.

A lo largo de este libro hemos destacado la importancia de un buen muestreo. Hay que reconocer que una muestra inadecuada suele ser muy difícil de reparar, incluso para los más expertos y con las técnicas más complejas. Existen muchas encuestas por correo, de revistas y de respuesta telefónica que permiten que quienes responden se "autoseleccionen". Los resultados de encuestas de este tipo generalmente son inútiles cuando se juzgan de acuerdo con los criterios de la metodología estadística sólida. Tenga esto en mente cuando encuentre encuestas de respuesta voluntaria (de autoselección), para que no permita que afecten sus creencias y decisiones. Sin embargo, también debe reconocerse que muchas encuestas y entrevistas tienen muy buenos resultados, aun cuando los tamaños de las muestras parezcan relativamente pequeños. Aunque muchas personas se niegan a creerlo, una encuesta a nivel nacional de solo 1200 votantes puede arrojar buenos resultados si el muestreo se planea y ejecuta cuidadosamente.

A través de este libro hemos destacado la importancia de la *interpretación* de los resultados. Las computadoras y las calculadoras son buenas para dar resultados, pero estos últimos, por lo regular, requieren de una interpretación cuidadosa. Debemos reconocer que un resultado no es automáticamente válido y bueno solo porque fue generado por computadora. Las computadoras no piensan y son capaces de dar resultados bastante ridículos cuando se considera el contexto del mundo real. Siempre debemos aplicar la herramienta más importante e indispensable en toda la estadística: *¡el sentido común!*

El individuo educado Hubo una época en que una persona se consideraba educada simplemente por saber leer. Pero las cosas ya no son así. En la actualidad, un individuo educado es capaz de pensar de manera crítica; es intelectualmente curioso y es capaz de comunicarse eficazmente en forma oral y escrita. Una persona educada logra relacionarse de forma adecuada con los demás, incluyendo a gente de diferentes culturas y a individuos que tienen escasa educación. Una persona educada posee conocimientos estadísticos y la habilidad para pensar en términos estadísticos. Concluir con éxito un curso de introducción a la estadística es un logro importante de individuos verdaderamente educados.

Apéndices

Apéndice A: Tablas

Tabla A-1	Probabilidades binomiales
Tabla A-2	Distribución normal estándar
Tabla A-3	Distribución t
Tabla A-4	Distribución chi cuadrada (χ^2)
Tabla A-5	Distribución F
Tabla A-6	Valores críticos del coeficiente de correlación r de Pearson
Tabla A-7	Valores críticos para la prueba del signo
Tabla A-8	Valores críticos de T para la prueba de rangos con signo de Wilcoxon
Tabla A-9	Valores críticos del coeficiente de correlación de rangos r_s de Spearman
Tabla A-10	Valores críticos para el número de rachas G

TABLA A-1 Probabilidades binomiales

		p													
n	*x*	.01	.05	.10	.20	.30	.40	.50	.60	.70	.80	.90	.95	.99	*x*
2	0	.980	.902	.810	.640	.490	.360	.250	.160	.090	.040	.010	.002	0+	0
	1	.020	.095	.180	.320	.420	.480	.500	.480	.420	.320	.180	.095	.020	1
	2	0+	.002	.010	.040	.090	.160	.250	.360	.490	.640	.810	.902	.980	2
3	0	.970	.857	.729	.512	.343	.216	.125	.064	.027	.008	.001	0+	0+	0
	1	.029	.135	.243	.384	.441	.432	.375	.288	.189	.096	.027	.007	0+	1
	2	0+	.007	.027	.096	.189	.288	.375	.432	.441	.384	.243	.135	.029	2
	3	0+	0+	.001	.008	.027	.064	.125	.216	.343	.512	.729	.857	.970	3
4	0	.961	.815	.656	.410	.240	.130	.062	.026	.008	.002	0+	0+	0+	0
	1	.039	.171	.292	.410	.412	.346	.250	.154	.076	.026	.004	0+	0+	1
	2	.001	.014	.049	.154	.265	.346	.375	.346	.265	.154	.049	.014	.001	2
	3	0+	0+	.004	.026	.076	.154	.250	.346	.412	.410	.292	.171	.039	3
	4	0+	0+	0+	.002	.008	.026	.062	.130	.240	.410	.656	.815	.961	4
5	0	.951	.774	.590	.328	.168	.078	.031	.010	.002	0+	0+	0+	0+	0
	1	.048	.204	.328	.410	.360	.259	.156	.077	.028	.006	0+	0+	0+	1
	2	.001	.021	.073	.205	.309	.346	.312	.230	.132	.051	.008	.001	0+	2
	3	0+	.001	.008	.051	.132	.230	.312	.346	.309	.205	.073	.021	.001	3
	4	0+	0+	0+	.006	.028	.077	.156	.259	.360	.410	.328	.204	.048	4
	5	0+	0+	0+	0+	.002	.010	.031	.078	.168	.328	.590	.774	.951	5
6	0	.941	.735	.531	.262	.118	.047	.016	.004	.001	0+	0+	0+	0+	0
	1	.057	.232	.354	.393	.303	.187	.094	.037	.010	.002	0+	0+	0+	1
	2	.001	.031	.098	.246	.324	.311	.234	.138	.060	.015	.001	0+	0+	2
	3	0+	.002	.015	.082	.185	.276	.312	.276	.185	.082	.015	.002	0+	3
	4	0+	0+	.001	.015	.060	.138	.234	.311	.324	.246	.098	.031	.001	4
	5	0+	0+	0+	.002	.010	.037	.094	.187	.303	.393	.354	.232	.057	5
	6	0+	0+	0+	0+	.001	.004	.016	.047	.118	.262	.531	.735	.941	6
7	0	.932	.698	.478	.210	.082	.028	.008	.002	0+	0+	0+	0+	0+	0
	1	.066	.257	.372	.367	.247	.131	.055	.017	.004	0+	0+	0+	0+	1
	2	.002	.041	.124	.275	.318	.261	.164	.077	.025	.004	0+	0+	0+	2
	3	0+	.004	.023	.115	.227	.290	.273	.194	.097	.029	.003	0+	0+	3
	4	0+	0+	.003	.029	.097	.194	.273	.290	.227	.115	.023	.004	0+	4
	5	0+	0+	0+	.004	.025	.077	.164	.261	.318	.275	.124	.041	.002	5
	6	0+	0+	0+	0+	.004	.017	.055	.131	.247	.367	.372	.257	.066	6
	7	0+	0+	0+	0+	0+	.002	.008	.028	.082	.210	.478	.698	.932	7
8	0	.923	.663	.430	.168	.058	.017	.004	.001	0+	0+	0+	0+	0+	0
	1	.075	.279	.383	.336	.198	.090	.031	.008	.001	0+	0+	0+	0+	1
	2	.003	.051	.149	.294	.296	.209	.109	.041	.010	.001	0+	0+	0+	2
	3	0+	.005	.033	.147	.254	.279	.219	.124	.047	.009	0+	0+	0+	3
	4	0+	0+	.005	.046	.136	.232	.273	.232	.136	.046	.005	0+	0+	4
	5	0+	0+	0+	.009	.047	.124	.219	.279	.254	.147	.033	.005	0+	5
	6	0+	0+	0+	.001	.010	.041	.109	.209	.296	.294	.149	.051	.003	6
	7	0+	0+	0+	0+	.001	.008	.031	.090	.198	.336	.383	.279	.075	7
	8	0+	0+	0+	0+	0+	.001	.004	.017	.058	.168	.430	.663	.923	8

NOTA: 0+ representa una probabilidad positiva menor que 0.0005.

(continúa)

Tabla A-1 Probabilidades binomiales (*continuación*)

n	x	.01	.05	.10	.20	.30	.40	.50	.60	.70	.80	.90	.95	.99	x
9	0	.914	.630	.387	.134	.040	.010	.002	0+	0+	0+	0+	0+	0+	0
	1	.083	.299	.387	.302	.156	.060	.018	.004	0+	0+	0+	0+	0+	1
	2	.003	.063	.172	.302	.267	.161	.070	.021	.004	0+	0+	0+	0+	2
	3	0+	.008	.045	.176	.267	.251	.164	.074	.021	.003	0+	0+	0+	3
	4	0+	.001	.007	.066	.172	.251	.246	.167	.074	.017	.001	0+	0+	4
	5	0+	0+	.001	.017	.074	.167	.246	.251	.172	.066	.007	.001	0+	5
	6	0+	0+	0+	.003	.021	.074	.164	.251	.267	.176	.045	.008	0+	6
	7	0+	0+	0+	0+	.004	.021	.070	.161	.267	.302	.172	.063	.003	7
	8	0+	0+	0+	0+	0+	.004	.018	.060	.156	.302	.387	.299	.083	8
	9	0+	0+	0+	0+	0+	0+	.002	.010	.040	.134	.387	.630	.914	9
10	0	.904	.599	.349	.107	.028	.006	.001	0+	0+	0+	0+	0+	0+	0
	1	.091	.315	.387	.268	.121	.040	.010	.002	0+	0+	0+	0+	0+	1
	2	.004	.075	.194	.302	.233	.121	.044	.011	.001	0+	0+	0+	0+	2
	3	0+	.010	.057	.201	.267	.215	.117	.042	.009	.001	0+	0+	0+	3
	4	0+	.001	.011	.088	.200	.251	.205	.111	.037	.006	0+	0+	0+	4
	5	0+	0+	.001	.026	.103	.201	.246	.201	.103	.026	.001	0+	0+	5
	6	0+	0+	0+	.006	.037	.111	.205	.251	.200	.088	.011	.001	0+	6
	7	0+	0+	0+	.001	.009	.042	.117	.215	.267	.201	.057	.010	0+	7
	8	0+	0+	0+	0+	.001	.011	.044	.121	.233	.302	.194	.075	.004	8
	9	0+	0+	0+	0+	0+	.002	.010	.040	.121	.268	.387	.315	.091	9
	10	0+	0+	0+	0+	0+	0+	.001	.006	.028	.107	.349	.599	.904	10
11	0	.895	.569	.314	.086	.020	.004	0+	0+	0+	0+	0+	0+	0+	0
	1	.099	.329	.384	.236	.093	.027	.005	.001	0+	0+	0+	0+	0+	1
	2	.005	.087	.213	.295	.200	.089	.027	.005	.001	0+	0+	0+	0+	2
	3	0+	.014	.071	.221	.257	.177	.081	.023	.004	0+	0+	0+	0+	3
	4	0+	.001	.016	.111	.220	.236	.161	.070	.017	.002	0+	0+	0+	4
	5	0+	0+	.002	.039	.132	.221	.226	.147	.057	.010	0+	0+	0+	5
	6	0+	0+	0+	.010	.057	.147	.226	.221	.132	.039	.002	0+	0+	6
	7	0+	0+	0+	.002	.017	.070	.161	.236	.220	.111	.016	.001	0+	7
	8	0+	0+	0+	0+	.004	.023	.081	.177	.257	.221	.071	.014	0+	8
	9	0+	0+	0+	0+	.001	.005	.027	.089	.200	.295	.213	.087	.005	9
	10	0+	0+	0+	0+	0+	.001	.005	.027	.093	.236	.384	.329	.099	10
	11	0+	0+	0+	0+	0+	0+	0+	.004	.020	.086	.314	.569	.895	11
12	0	.886	.540	.282	.069	.014	.002	0+	0+	0+	0+	0+	0+	0+	0
	1	.107	.341	.377	.206	.071	.017	.003	0+	0+	0+	0+	0+	0+	1
	2	.006	.099	.230	.283	.168	.064	.016	.002	0+	0+	0+	0+	0+	2
	3	0+	.017	.085	.236	.240	.142	.054	.012	.001	0+	0+	0+	0+	3
	4	0+	.002	.021	.133	.231	.213	.121	.042	.008	.001	0+	0+	0+	4
	5	0+	0+	.004	.053	.158	.227	.193	.101	.029	.003	0+	0+	0+	5
	6	0+	0+	0+	.016	.079	.177	.226	.177	.079	.016	0+	0+	0+	6
	7	0+	0+	0+	.003	.029	.101	.193	.227	.158	.053	.004	0+	0+	7
	8	0+	0+	0+	.001	.008	.042	.121	.213	.231	.133	.021	.002	0+	8
	9	0+	0+	0+	0+	.001	.012	.054	.142	.240	.236	.085	.017	0+	9
	10	0+	0+	0+	0+	0+	.002	.016	.064	.168	.283	.230	.099	.006	10
	11	0+	0+	0+	0+	0+	0+	.003	.017	.071	.206	.377	.341	.107	11
	12	0+	0+	0+	0+	0+	0+	0+	.002	.014	.069	.282	.540	.886	12

NOTA: 0+ representa una probabilidad positiva menor que 0.0005.

(*continúa*)

TABLA A-1 Probabilidades binomiales (*continuación*)

n	x	p .01	.05	.10	.20	.30	.40	.50	.60	.70	.80	.90	.95	.99	x
13	0	.878	.513	.254	.055	.010	.001	0+	0+	0+	0+	0+	0+	0+	0
	1	.115	.351	.367	.179	.054	.011	.002	0+	0+	0+	0+	0+	0+	1
	2	.007	.111	.245	.268	.139	.045	.010	.001	0+	0+	0+	0+	0+	2
	3	0+	.021	.100	.246	.218	.111	.035	.006	.001	0+	0+	0+	0+	3
	4	0+	.003	.028	.154	.234	.184	.087	.024	.003	0+	0+	0+	0+	4
	5	0+	0+	.006	.069	.180	.221	.157	.066	.014	.001	0+	0+	0+	5
	6	0+	0+	.001	.023	.103	.197	.209	.131	.044	.006	0+	0+	0+	6
	7	0+	0+	0+	.006	.044	.131	.209	.197	.103	.023	.001	0+	0+	7
	8	0+	0+	0+	.001	.014	.066	.157	.221	.180	.069	.006	0+	0+	8
	9	0+	0+	0+	0+	.003	.024	.087	.184	.234	.154	.028	.003	0+	9
	10	0+	0+	0+	0+	.001	.006	.035	.111	.218	.246	.100	.021	0+	10
	11	0+	0+	0+	0+	0+	.001	.010	.045	.139	.268	.245	.111	.007	11
	12	0+	0+	0+	0+	0+	0+	.002	.011	.054	.179	.367	.351	.115	12
	13	0+	0+	0+	0+	0+	0+	0+	.001	.010	.055	.254	.513	.878	13
14	0	.869	.488	.229	.044	.007	.001	0+	0+	0+	0+	0+	0+	0+	0
	1	.123	.359	.356	.154	.041	.007	.001	0+	0+	0+	0+	0+	0+	1
	2	.008	.123	.257	.250	.113	.032	.006	.001	0+	0+	0+	0+	0+	2
	3	0+	.026	.114	.250	.194	.085	.022	.003	0+	0+	0+	0+	0+	3
	4	0+	.004	.035	.172	.229	.155	.061	.014	.001	0+	0+	0+	0+	4
	5	0+	0+	.008	.086	.196	.207	.122	.041	.007	0+	0+	0+	0+	5
	6	0+	0+	.001	.032	.126	.207	.183	.092	.023	.002	0+	0+	0+	6
	7	0+	0+	0+	.009	.062	.157	.209	.157	.062	.009	0+	0+	0+	7
	8	0+	0+	0+	.002	.023	.092	.183	.207	.126	.032	.001	0+	0+	8
	9	0+	0+	0+	0+	.007	.041	.122	.207	.196	.086	.008	0+	0+	9
	10	0+	0+	0+	0+	.001	.014	.061	.155	.229	.172	.035	.004	0+	10
	11	0+	0+	0+	0+	0+	.003	.022	.085	.194	.250	.114	.026	0+	11
	12	0+	0+	0+	0+	0+	.001	.006	.032	.113	.250	.257	.123	.008	12
	13	0+	0+	0+	0+	0+	0+	.001	.007	.041	.154	.356	.359	.123	13
	14	0+	0+	0+	0+	0+	0+	0+	.001	.007	.044	.229	.488	.869	14
15	0	.860	.463	.206	.035	.005	0+	0+	0+	0+	0+	0+	0+	0+	0
	1	.130	.366	.343	.132	.031	.005	0+	0+	0+	0+	0+	0+	0+	1
	2	.009	.135	.267	.231	.092	.022	.003	0+	0+	0+	0+	0+	0+	2
	3	0+	.031	.129	.250	.170	.063	.014	.002	0+	0+	0+	0+	0+	3
	4	0+	.005	.043	.188	.219	.127	.042	.007	.001	0+	0+	0+	0+	4
	5	0+	.001	.010	.103	.206	.186	.092	.024	.003	0+	0+	0+	0+	5
	6	0+	0+	.002	.043	.147	.207	.153	.061	.012	.001	0+	0+	0+	6
	7	0+	0+	0+	.014	.081	.177	.196	.118	.035	.003	0+	0+	0+	7
	8	0+	0+	0+	.003	.035	.118	.196	.177	.081	.014	0+	0+	0+	8
	9	0+	0+	0+	.001	.012	.061	.153	.207	.147	.043	.002	0+	0+	9
	10	0+	0+	0+	0+	.003	.024	.092	.186	.206	.103	.010	.001	0+	10
	11	0+	0+	0+	0+	.001	.007	.042	.127	.219	.188	.043	.005	0+	11
	12	0+	0+	0+	0+	0+	.002	.014	.063	.170	.250	.129	.031	0+	12
	13	0+	0+	0+	0+	0+	0+	.003	.022	.092	.231	.267	.135	.009	13
	14	0+	0+	0+	0+	0+	0+	0+	.005	.031	.132	.343	.366	.130	14
	15	0+	0+	0+	0+	0+	0+	0+	0+	.005	.035	.206	.463	.860	15

NOTA: 0+ representa una probabilidad positiva menor que 0.0005.

Puntuaciones *z* NEGATIVAS

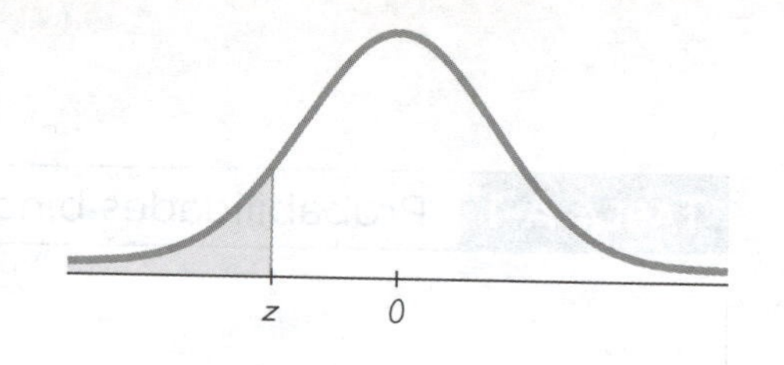

TABLA A-2 Distribución normal estándar (z): Área acumulativa desde la IZQUIERDA

z	.00	.01	.02	.03	.04	.05	.06	.07	.08	.09
−3.50 y menores	.0001									
−3.4	.0003	.0003	.0003	.0003	.0003	.0003	.0003	.0003	.0003	.0002
−3.3	.0005	.0005	.0005	.0004	.0004	.0004	.0004	.0004	.0004	.0003
−3.2	.0007	.0007	.0006	.0006	.0006	.0006	.0006	.0005	.0005	.0005
−3.1	.0010	.0009	.0009	.0009	.0008	.0008	.0008	.0008	.0007	.0007
−3.0	.0013	.0013	.0013	.0012	.0012	.0011	.0011	.0011	.0010	.0010
−2.9	.0019	.0018	.0018	.0017	.0016	.0016	.0015	.0015	.0014	.0014
−2.8	.0026	.0025	.0024	.0023	.0023	.0022	.0021	.0021	.0020	.0019
−2.7	.0035	.0034	.0033	.0032	.0031	.0030	.0029	.0028	.0027	.0026
−2.6	.0047	.0045	.0044	.0043	.0041	.0040	.0039	.0038	.0037	.0036
−2.5	.0062	.0060	.0059	.0057	.0055	.0054	.0052	.0051	* .0049	.0048
−2.4	.0082	.0080	.0078	.0075	.0073	.0071	.0069	.0068	.0066	.0064
−2.3	.0107	.0104	.0102	.0099	.0096	.0094	.0091	.0089	.0087	.0084
−2.2	.0139	.0136	.0132	.0129	.0125	.0122	.0119	.0116	.0113	.0110
−2.1	.0179	.0174	.0170	.0166	.0162	.0158	.0154	.0150	.0146	.0143
−2.0	.0228	.0222	.0217	.0212	.0207	.0202	.0197	.0192	.0188	.0183
−1.9	.0287	.0281	.0274	.0268	.0262	.0256	.0250	.0244	.0239	.0233
−1.8	.0359	.0351	.0344	.0336	.0329	.0322	.0314	.0307	.0301	.0294
−1.7	.0446	.0436	.0427	.0418	.0409	.0401	.0392	.0384	.0375	.0367
−1.6	.0548	.0537	.0526	.0516	.0505	* .0495	.0485	.0475	.0465	.0455
−1.5	.0668	.0655	.0643	.0630	.0618	.0606	.0594	.0582	.0571	.0559
−1.4	.0808	.0793	.0778	.0764	.0749	.0735	.0721	.0708	.0694	.0681
−1.3	.0968	.0951	.0934	.0918	.0901	.0885	.0869	.0853	.0838	.0823
−1.2	.1151	.1131	.1112	.1093	.1075	.1056	.1038	.1020	.1003	.0985
−1.1	.1357	.1335	.1314	.1292	.1271	.1251	.1230	.1210	.1190	.1170
−1.0	.1587	.1562	.1539	.1515	.1492	.1469	.1446	.1423	.1401	.1379
−0.9	.1841	.1814	.1788	.1762	.1736	.1711	.1685	.1660	.1635	.1611
−0.8	.2119	.2090	.2061	.2033	.2005	.1977	.1949	.1922	.1894	.1867
−0.7	.2420	.2389	.2358	.2327	.2296	.2266	.2236	.2206	.2177	.2148
−0.6	.2743	.2709	.2676	.2643	.2611	.2578	.2546	.2514	.2483	.2451
−0.5	.3085	.3050	.3015	.2981	.2946	.2912	.2877	.2843	.2810	.2776
−0.4	.3446	.3409	.3372	.3336	.3300	.3264	.3228	.3192	.3156	.3121
−0.3	.3821	.3783	.3745	.3707	.3669	.3632	.3594	.3557	.3520	.3483
−0.2	.4207	.4168	.4129	.4090	.4052	.4013	.3974	.3936	.3897	.3859
−0.1	.4602	.4562	.4522	.4483	.4443	.4404	.4364	.4325	.4286	.4247
−0.0	.5000	.4960	.4920	.4880	.4840	.4801	.4761	.4721	.4681	.4641

NOTA: En el caso de valores de z por debajo de −3.49, utilice 0.0001 para el área.

*Utilice estos valores comunes que resultan de la interpolación:

Puntuación z	Área
−1.645	0.0500
−2.575	0.0050

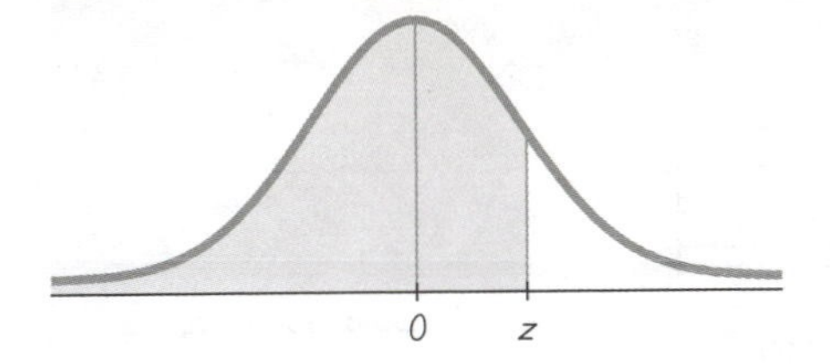

Puntuaciones *z* POSITIVAS

TABLA A-2 (*continuación*) Área acumulativa desde la IZQUIERDA

z	.00	.01	.02	.03	.04	.05	.06	.07	.08	.09
0.0	.5000	.5040	.5080	.5120	.5160	.5199	.5239	.5279	.5319	.5359
0.1	.5398	.5438	.5478	.5517	.5557	.5596	.5636	.5675	.5714	.5753
0.2	.5793	.5832	.5871	.5910	.5948	.5987	.6026	.6064	.6103	.6141
0.3	.6179	.6217	.6255	.6293	.6331	.6368	.6406	.6443	.6480	.6517
0.4	.6554	.6591	.6628	.6664	.6700	.6736	.6772	.6808	.6844	.6879
0.5	.6915	.6950	.6985	.7019	.7054	.7088	.7123	.7157	.7190	.7224
0.6	.7257	.7291	.7324	.7357	.7389	.7422	.7454	.7486	.7517	.7549
0.7	.7580	.7611	.7642	.7673	.7704	.7734	.7764	.7794	.7823	.7852
0.8	.7881	.7910	.7939	.7967	.7995	.8023	.8051	.8078	.8106	.8133
0.9	.8159	.8186	.8212	.8238	.8264	.8289	.8315	.8340	.8365	.8389
1.0	.8413	.8438	.8461	.8485	.8508	.8531	.8554	.8577	.8599	.8621
1.1	.8643	.8665	.8686	.8708	.8729	.8749	.8770	.8790	.8810	.8830
1.2	.8849	.8869	.8888	.8907	.8925	.8944	.8962	.8980	.8997	.9015
1.3	.9032	.9049	.9066	.9082	.9099	.9115	.9131	.9147	.9162	.9177
1.4	.9192	.9207	.9222	.9236	.9251	.9265	.9279	.9292	.9306	.9319
1.5	.9332	.9345	.9357	.9370	.9382	.9394	.9406	.9418	.9429	.9441
1.6	.9452	.9463	.9474	.9484	.9495 *	.9505	.9515	.9525	.9535	.9545
1.7	.9554	.9564	.9573	.9582	.9591	.9599	.9608	.9616	.9625	.9633
1.8	.9641	.9649	.9656	.9664	.9671	.9678	.9686	.9693	.9699	.9706
1.9	.9713	.9719	.9726	.9732	.9738	.9744	.9750	.9756	.9761	.9767
2.0	.9772	.9778	.9783	.9788	.9793	.9798	.9803	.9808	.9812	.9817
2.1	.9821	.9826	.9830	.9834	.9838	.9842	.9846	.9850	.9854	.9857
2.2	.9861	.9864	.9868	.9871	.9875	.9878	.9881	.9884	.9887	.9890
2.3	.9893	.9896	.9898	.9901	.9904	.9906	.9909	.9911	.9913	.9916
2.4	.9918	.9920	.9922	.9925	.9927	.9929	.9931	.9932	.9934	.9936
2.5	.9938	.9940	.9941	.9943	.9945	.9946	.9948	.9949 *	.9951	.9952
2.6	.9953	.9955	.9956	.9957	.9959	.9960	.9961	.9962	.9963	.9964
2.7	.9965	.9966	.9967	.9968	.9969	.9970	.9971	.9972	.9973	.9974
2.8	.9974	.9975	.9976	.9977	.9977	.9978	.9979	.9979	.9980	.9981
2.9	.9981	.9982	.9982	.9983	.9984	.9984	.9985	.9985	.9986	.9986
3.0	.9987	.9987	.9987	.9988	.9988	.9989	.9989	.9989	.9990	.9990
3.1	.9990	.9991	.9991	.9991	.9992	.9992	.9992	.9992	.9993	.9993
3.2	.9993	.9993	.9994	.9994	.9994	.9994	.9994	.9995	.9995	.9995
3.3	.9995	.9995	.9995	.9996	.9996	.9996	.9996	.9996	.9996	.9997
3.4	.9997	.9997	.9997	.9997	.9997	.9997	.9997	.9997	.9997	.9998
3.50 y mayores	.9999									

NOTA: En el caso de valores de *z* por encima de 3.49, utilice 0.9999 para el área.

*Utilice estos valores comunes que resultan de la interpolación:

Puntuación *z*	Área
1.645	0.9500
2.575	0.9950

Valores críticos comunes

Niveles de confianza	Valor crítico
0.90	1.645
0.95	1.96
0.99	2.575

TABLA A-3 Distribución t: Valores críticos t

	Área en una cola				
	0.005	0.01	0.025	0.05	0.10
Grados de libertad	**Área en dos colas**				
	0.01	0.02	0.05	0.10	0.20
1	63.657	31.821	12.706	6.314	3.078
2	9.925	6.965	4.303	2.920	1.886
3	5.841	4.541	3.182	2.353	1.638
4	4.604	3.747	2.776	2.132	1.533
5	4.032	3.365	2.571	2.015	1.476
6	3.707	3.143	2.447	1.943	1.440
7	3.499	2.998	2.365	1.895	1.415
8	3.355	2.896	2.306	1.860	1.397
9	3.250	2.821	2.262	1.833	1.383
10	3.169	2.764	2.228	1.812	1.372
11	3.106	2.718	2.201	1.796	1.363
12	3.055	2.681	2.179	1.782	1.356
13	3.012	2.650	2.160	1.771	1.350
14	2.977	2.624	2.145	1.761	1.345
15	2.947	2.602	2.131	1.753	1.341
16	2.921	2.583	2.120	1.746	1.337
17	2.898	2.567	2.110	1.740	1.333
18	2.878	2.552	2.101	1.734	1.330
19	2.861	2.539	2.093	1.729	1.328
20	2.845	2.528	2.086	1.725	1.325
21	2.831	2.518	2.080	1.721	1.323
22	2.819	2.508	2.074	1.717	1.321
23	2.807	2.500	2.069	1.714	1.319
24	2.797	2.492	2.064	1.711	1.318
25	2.787	2.485	2.060	1.708	1.316
26	2.779	2.479	2.056	1.706	1.315
27	2.771	2.473	2.052	1.703	1.314
28	2.763	2.467	2.048	1.701	1.313
29	2.756	2.462	2.045	1.699	1.311
30	2.750	2.457	2.042	1.697	1.310
31	2.744	2.453	2.040	1.696	1.309
32	2.738	2.449	2.037	1.694	1.309
33	2.733	2.445	2.035	1.692	1.308
34	2.728	2.441	2.032	1.691	1.307
35	2.724	2.438	2.030	1.690	1.306
36	2.719	2.434	2.028	1.688	1.306
37	2.715	2.431	2.026	1.687	1.305
38	2.712	2.429	2.024	1.686	1.304
39	2.708	2.426	2.023	1.685	1.304
40	2.704	2.423	2.021	1.684	1.303
45	2.690	2.412	2.014	1.679	1.301
50	2.678	2.403	2.009	1.676	1.299
60	2.660	2.390	2.000	1.671	1.296
70	2.648	2.381	1.994	1.667	1.294
80	2.639	2.374	1.990	1.664	1.292
90	2.632	2.368	1.987	1.662	1.291
100	2.626	2.364	1.984	1.660	1.290
200	2.601	2.345	1.972	1.653	1.286
300	2.592	2.339	1.968	1.650	1.284
400	2.588	2.336	1.966	1.649	1.284
500	2.586	2.334	1.965	1.648	1.283
1000	2.581	2.330	1.962	1.646	1.282
2000	2.578	2.328	1.961	1.646	1.282
Grande	2.576	2.326	1.960	1.645	1.282

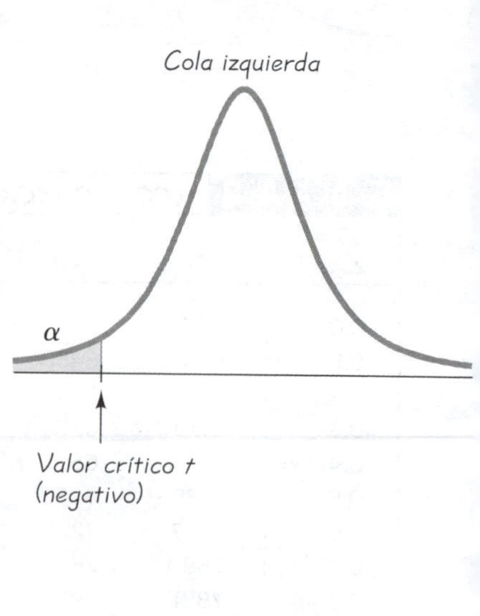

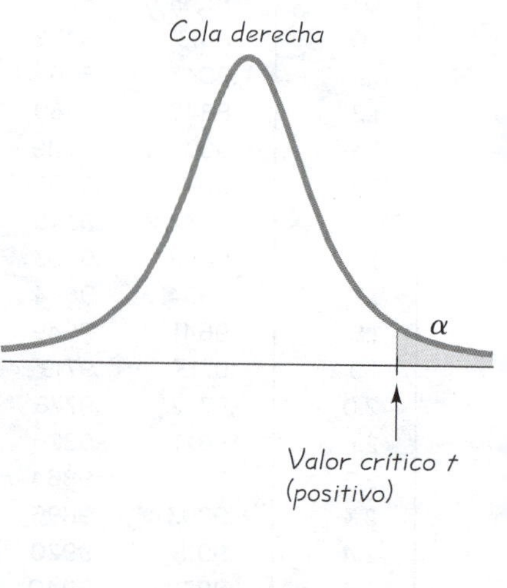

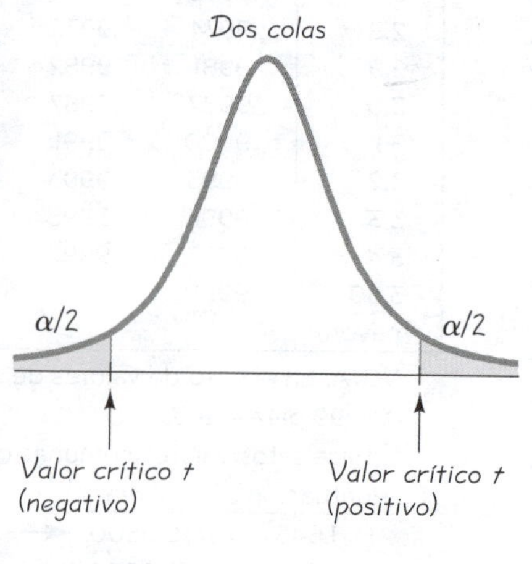

TABLA A-4 Distribución chi cuadrada (χ^2)

Grados de libertad	Área a la derecha del valor crítico									
	0.995	0.99	0.975	0.95	0.90	0.10	0.05	0.025	0.01	0.005
1	—	—	0.001	0.004	0.016	2.706	3.841	5.024	6.635	7.879
2	0.010	0.020	0.051	0.103	0.211	4.605	5.991	7.378	9.210	10.597
3	0.072	0.115	0.216	0.352	0.584	6.251	7.815	9.348	11.345	12.838
4	0.207	0.297	0.484	0.711	1.064	7.779	9.488	11.143	13.277	14.860
5	0.412	0.554	0.831	1.145	1.610	9.236	11.071	12.833	15.086	16.750
6	0.676	0.872	1.237	1.635	2.204	10.645	12.592	14.449	16.812	18.548
7	0.989	1.239	1.690	2.167	2.833	12.017	14.067	16.013	18.475	20.278
8	1.344	1.646	2.180	2.733	3.490	13.362	15.507	17.535	20.090	21.955
9	1.735	2.088	2.700	3.325	4.168	14.684	16.919	19.023	21.666	23.589
10	2.156	2.558	3.247	3.940	4.865	15.987	18.307	20.483	23.209	25.188
11	2.603	3.053	3.816	4.575	5.578	17.275	19.675	21.920	24.725	26.757
12	3.074	3.571	4.404	5.226	6.304	18.549	21.026	23.337	26.217	28.299
13	3.565	4.107	5.009	5.892	7.042	19.812	22.362	24.736	27.688	29.819
14	4.075	4.660	5.629	6.571	7.790	21.064	23.685	26.119	29.141	31.319
15	4.601	5.229	6.262	7.261	8.547	22.307	24.996	27.488	30.578	32.801
16	5.142	5.812	6.908	7.962	9.312	23.542	26.296	28.845	32.000	34.267
17	5.697	6.408	7.564	8.672	10.085	24.769	27.587	30.191	33.409	35.718
18	6.265	7.015	8.231	9.390	10.865	25.989	28.869	31.526	34.805	37.156
19	6.844	7.633	8.907	10.117	11.651	27.204	30.144	32.852	36.191	38.582
20	7.434	8.260	9.591	10.851	12.443	28.412	31.410	34.170	37.566	39.997
21	8.034	8.897	10.283	11.591	13.240	29.615	32.671	35.479	38.932	41.401
22	8.643	9.542	10.982	12.338	14.042	30.813	33.924	36.781	40.289	42.796
23	9.260	10.196	11.689	13.091	14.848	32.007	35.172	38.076	41.638	44.181
24	9.886	10.856	12.401	13.848	15.659	33.196	36.415	39.364	42.980	45.559
25	10.520	11.524	13.120	14.611	16.473	34.382	37.652	40.646	44.314	46.928
26	11.160	12.198	13.844	15.379	17.292	35.563	38.885	41.923	45.642	48.290
27	11.808	12.879	14.573	16.151	18.114	36.741	40.113	43.194	46.963	49.645
28	12.461	13.565	15.308	16.928	18.939	37.916	41.337	44.461	48.278	50.993
29	13.121	14.257	16.047	17.708	19.768	39.087	42.557	45.722	49.588	52.336
30	13.787	14.954	16.791	18.493	20.599	40.256	43.773	46.979	50.892	53.672
40	20.707	22.164	24.433	26.509	29.051	51.805	55.758	59.342	63.691	66.766
50	27.991	29.707	32.357	34.764	37.689	63.167	67.505	71.420	76.154	79.490
60	35.534	37.485	40.482	43.188	46.459	74.397	79.082	83.298	88.379	91.952
70	43.275	45.442	48.758	51.739	55.329	85.527	90.531	95.023	100.425	104.215
80	51.172	53.540	57.153	60.391	64.278	96.578	101.879	106.629	112.329	116.321
90	59.196	61.754	65.647	69.126	73.291	107.565	113.145	118.136	124.116	128.299
100	67.328	70.065	74.222	77.929	82.358	118.498	124.342	129.561	135.807	140.169

Grados de libertad

$n - 1$	para intervalos de confianza o pruebas de hipótesis con desviación estándar o varianza
$k - 1$	para bondad de ajuste con k categorías
$(r - 1)(c - 1)$	para tablas de contingencia con r renglones y c columnas
$k - 1$	para la prueba de Kruskal-Wallis con k muestras

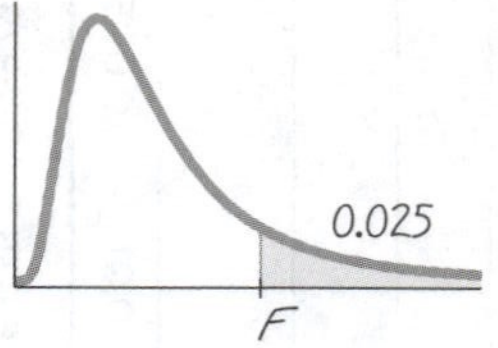

TABLA A-5 Distribución F ($\alpha = 0.025$ en la cola derecha)

Grados de libertad del numerador (gl_1); Grados de libertad del denominador (gl_2)

gl_2 \ gl_1	1	2	3	4	5	6	7	8	9
1	647.79	799.50	864.16	899.58	921.85	937.11	948.22	956.66	963.28
2	38.506	39.000	39.165	39.248	39.298	39.331	39.335	39.373	39.387
3	17.443	16.044	15.439	15.101	14.885	14.735	14.624	14.540	14.473
4	12.218	10.649	9.9792	9.6045	9.3645	9.1973	9.0741	8.9796	8.9047
5	10.007	8.4336	7.7636	7.3879	7.1464	6.9777	6.8531	6.7572	6.6811
6	8.8131	7.2599	6.5988	6.2272	5.9876	5.8198	5.6955	5.5996	5.5234
7	8.0727	6.5415	5.8898	5.5226	5.2852	5.1186	4.9949	4.8993	4.8232
8	7.5709	6.0595	5.4160	5.0526	4.8173	4.6517	4.5286	4.4333	4.3572
9	7.2093	5.7147	5.0781	4.7181	4.4844	4.3197	4.1970	4.1020	4.0260
10	6.9367	5.4564	4.8256	4.4683	4.2361	4.0721	3.9498	3.8549	3.7790
11	6.7241	5.2559	4.6300	4.2751	4.0440	3.8807	3.7586	3.6638	3.5879
12	6.5538	5.0959	4.4742	4.1212	3.8911	3.7283	3.6065	3.5118	3.4358
13	6.4143	4.9653	4.3472	3.9959	3.7667	3.6043	3.4827	3.3880	3.3120
14	6.2979	4.8567	4.2417	3.8919	3.6634	3.5014	3.3799	3.2853	3.2093
15	6.1995	4.7650	4.1528	3.8043	3.5764	3.4147	3.2934	3.1987	3.1227
16	6.1151	4.6867	4.0768	3.7294	3.5021	3.3406	3.2194	3.1248	3.0488
17	6.0420	4.6189	4.0112	3.6648	3.4379	3.2767	3.1556	3.0610	2.9849
18	5.9781	4.5597	3.9539	3.6083	3.3820	3.2209	3.0999	3.0053	2.9291
19	5.9216	4.5075	3.9034	3.5587	3.3327	3.1718	3.0509	2.9563	2.8801
20	5.8715	4.4613	3.8587	3.5147	3.2891	3.1283	3.0074	2.9128	2.8365
21	5.8266	4.4199	3.8188	3.4754	3.2501	3.0895	2.9686	2.8740	2.7977
22	5.7863	4.3828	3.7829	3.4401	3.2151	3.0546	2.9338	2.8392	2.7628
23	5.7498	4.3492	3.7505	3.4083	3.1835	3.0232	2.9023	2.8077	2.7313
24	5.7166	4.3187	3.7211	3.3794	3.1548	2.9946	2.8738	2.7791	2.7027
25	5.6864	4.2909	3.6943	3.3530	3.1287	2.9685	2.8478	2.7531	2.6766
26	5.6586	4.2655	3.6697	3.3289	3.1048	2.9447	2.8240	2.7293	2.6528
27	5.6331	4.2421	3.6472	3.3067	3.0828	2.9228	2.8021	2.7074	2.6309
28	5.6096	4.2205	3.6264	3.2863	3.0626	2.9027	2.7820	2.6872	2.6106
29	5.5878	4.2006	3.6072	3.2674	3.0438	2.8840	2.7633	2.6686	2.5919
30	5.5675	4.1821	3.5894	3.2499	3.0265	2.8667	2.7460	2.6513	2.5746
40	5.4239	4.0510	3.4633	3.1261	2.9037	2.7444	2.6238	2.5289	2.4519
60	5.2856	3.9253	3.3425	3.0077	2.7863	2.6274	2.5068	2.4117	2.3344
120	5.1523	3.8046	3.2269	2.8943	2.6740	2.5154	2.3948	2.2994	2.2217
∞	5.0239	3.6889	3.1161	2.7858	2.5665	2.4082	2.2875	2.1918	2.1136

(continúa)

Tabla A-5 Distribución F ($\alpha = 0.025$ en la cola derecha) (*continuación*)

Grados de libertad del numerador (gl_1)

Grados de libertad del denominador (gl_2)	10	12	15	20	24	30	40	60	120	∞
1	968.63	976.71	984.87	993.10	997.25	1001.4	1005.6	1009.8	1014.0	1018.3
2	39.398	39.415	39.431	39.448	39.456	39.465	39.473	39.481	39.490	39.498
3	14.419	14.337	14.253	14.167	14.124	14.081	14.037	13.992	13.947	13.902
4	8.8439	8.7512	8.6565	8.5599	8.5109	8.4613	8.4111	8.3604	8.3092	8.2573
5	6.6192	6.5245	6.4277	6.3286	6.2780	6.2269	6.1750	6.1225	6.0693	6.0153
6	5.4613	5.3662	5.2687	5.1684	5.1172	5.0652	5.0125	4.9589	4.9044	4.8491
7	4.7611	4.6658	4.5678	4.4667	4.4150	4.3624	4.3089	4.2544	4.1989	4.1423
8	4.2951	4.1997	4.1012	3.9995	3.9472	3.8940	3.8398	3.7844	3.7279	3.6702
9	3.9639	3.8682	3.7694	3.6669	3.6142	3.5604	3.5055	3.4493	3.3918	3.3329
10	3.7168	3.6209	3.5217	3.4185	3.3654	3.3110	3.2554	3.1984	3.1399	3.0798
11	3.5257	3.4296	3.3299	3.2261	3.1725	3.1176	3.0613	3.0035	2.9441	2.8828
12	3.3736	3.2773	3.1772	3.0728	3.0187	2.9633	2.9063	2.8478	2.7874	2.7249
13	3.2497	3.1532	3.0527	2.9477	2.8932	2.8372	2.7797	2.7204	2.6590	2.5955
14	3.1469	3.0502	2.9493	2.8437	2.7888	2.7324	2.6742	2.6142	2.5519	2.4872
15	3.0602	2.9633	2.8621	2.7559	2.7006	2.6437	2.5850	2.5242	2.4611	2.3953
16	2.9862	2.8890	2.7875	2.6808	2.6252	2.5678	2.5085	2.4471	2.3831	2.3163
17	2.9222	2.8249	2.7230	2.6158	2.5598	2.5020	2.4422	2.3801	2.3153	2.2474
18	2.8664	2.7689	2.6667	2.5590	2.5027	2.4445	2.3842	2.3214	2.2558	2.1869
19	2.8172	2.7196	2.6171	2.5089	2.4523	2.3937	2.3329	2.2696	2.2032	2.1333
20	2.7737	2.6758	2.5731	2.4645	2.4076	2.3486	2.2873	2.2234	2.1562	2.0853
21	2.7348	2.6368	2.5338	2.4247	2.3675	2.3082	2.2465	2.1819	2.1141	2.0422
22	2.6998	2.6017	2.4984	2.3890	2.3315	2.2718	2.2097	2.1446	2.0760	2.0032
23	2.6682	2.5699	2.4665	2.3567	2.2989	2.2389	2.1763	2.1107	2.0415	1.9677
24	2.6396	2.5411	2.4374	2.3273	2.2693	2.2090	2.1460	2.0799	2.0099	1.9353
25	2.6135	2.5149	2.4110	2.3005	2.2422	2.1816	2.1183	2.0516	1.9811	1.9055
26	2.5896	2.4908	2.3867	2.2759	2.2174	2.1565	2.0928	2.0257	1.9545	1.8781
27	2.5676	2.4688	2.3644	2.2533	2.1946	2.1334	2.0693	2.0018	1.9299	1.8527
28	2.5473	2.4484	2.3438	2.2324	2.1735	2.1121	2.0477	1.9797	1.9072	1.8291
29	2.5286	2.4295	2.3248	2.2131	2.1540	2.0923	2.0276	1.9591	1.8861	1.8072
30	2.5112	2.4120	2.3072	2.1952	2.1359	2.0739	2.0089	1.9400	1.8664	1.7867
40	2.3882	2.2882	2.1819	2.0677	2.0069	1.9429	1.8752	1.8028	1.7242	1.6371
60	2.2702	2.1692	2.0613	1.9445	1.8817	1.8152	1.7440	1.6668	1.5810	1.4821
120	2.1570	2.0548	1.9450	1.8249	1.7597	1.6899	1.6141	1.5299	1.4327	1.3104
∞	2.0483	1.9447	1.8326	1.7085	1.6402	1.5660	1.4835	1.3883	1.2684	1.0000

De Maxine Merrington y Catherine M. Thompson, “Tables of Percentage Points of the Inverted Beta (F) Distribution”, *Biometrika 33* (1943): 80-84. Reproducido con autorización de Biometrika Trustees.

TABLA A-5 Distribución F ($\alpha = 0.05$ en la cola derecha) (*continuación*)

Grados de libertad del denominador (gl_2)	Grados de libertad del numerador (gl_1)								
	1	2	3	4	5	6	7	8	9
1	161.45	199.50	215.71	224.58	230.16	233.99	236.77	238.88	240.54
2	18.513	19.000	19.164	19.247	19.296	19.330	19.353	19.371	19.385
3	10.128	9.5521	9.2766	9.1172	9.0135	8.9406	8.8867	8.8452	8.8123
4	7.7086	6.9443	6.5914	6.3882	6.2561	6.1631	6.0942	6.0410	6.9988
5	6.6079	5.7861	5.4095	5.1922	5.0503	4.9503	4.8759	4.8183	4.7725
6	5.9874	5.1433	4.7571	4.5337	4.3874	4.2839	4.2067	4.1468	4.0990
7	5.5914	4.7374	4.3468	4.1203	3.9715	3.8660	3.7870	3.7257	3.6767
8	5.3177	4.4590	4.0662	3.8379	3.6875	3.5806	3.5005	3.4381	3.3881
9	5.1174	4.2565	3.8625	3.6331	3.4817	3.3738	3.2927	3.2296	3.1789
10	4.9646	4.1028	3.7083	3.4780	3.3258	3.2172	3.1355	3.0717	3.0204
11	4.8443	3.9823	3.5874	3.3567	3.2039	3.0946	3.0123	2.9480	2.8962
12	4.7472	3.8853	3.4903	3.2592	3.1059	2.9961	2.9134	2.8486	2.7964
13	4.6672	3.8056	3.4105	3.1791	3.0254	2.9153	2.8321	2.7669	2.7144
14	4.6001	3.7389	3.3439	3.1122	2.9582	2.8477	2.7642	2.6987	2.6458
15	4.5431	3.6823	3.2874	3.0556	2.9013	2.7905	2.7066	2.6408	2.5876
16	4.4940	3.6337	3.2389	3.0069	2.8524	2.7413	2.6572	2.5911	2.5377
17	4.4513	3.5915	3.1968	2.9647	2.8100	2.6987	2.6143	2.5480	2.4943
18	4.4139	3.5546	3.1599	2.9277	2.7729	2.6613	2.5767	2.5102	2.4563
19	4.3807	3.5219	3.1274	2.8951	2.7401	2.6283	2.5435	2.4768	2.4227
20	4.3512	3.4928	3.0984	2.8661	2.7109	2.5990	2.5140	2.4471	2.3928
21	4.3248	3.4668	3.0725	2.8401	2.6848	2.5727	2.4876	2.4205	2.3660
22	4.3009	3.4434	3.0491	2.8167	2.6613	2.5491	2.4638	2.3965	2.3419
23	4.2793	3.4221	3.0280	2.7955	2.6400	2.5277	2.4422	2.3748	2.3201
24	4.2597	3.4028	3.0088	2.7763	2.6207	2.5082	2.4226	2.3551	2.3002
25	4.2417	3.3852	2.9912	2.7587	2.6030	2.4904	2.4047	2.3371	2.2821
26	4.2252	3.3690	2.9752	2.7426	2.5868	2.4741	2.3883	2.3205	2.2655
27	4.2100	3.3541	2.9604	2.7278	2.5719	2.4591	2.3732	2.3053	2.2501
28	4.1960	3.3404	2.9467	2.7141	2.5581	2.4453	2.3593	2.2913	2.2360
29	4.1830	3.3277	2.9340	2.7014	2.5454	2.4324	2.3463	2.2783	2.2229
30	4.1709	3.3158	2.9223	2.6896	2.5336	2.4205	2.3343	2.2662	2.2107
40	4.0847	3.2317	2.8387	2.6060	2.4495	2.3359	2.2490	2.1802	2.1240
60	4.0012	3.1504	2.7581	2.5252	2.3683	2.2541	2.1665	2.0970	2.0401
120	3.9201	3.0718	2.6802	2.4472	2.2899	2.1750	2.0868	2.0164	1.9588
∞	3.8415	2.9957	2.6049	2.3719	2.2141	2.0986	2.0096	1.9384	1.8799

(*continúa*)

TABLA A-5 Distribución F ($\alpha = 0.05$ en la cola derecha) (*continuación*)

Grados de libertad del numerador (gl_1)

Grados de libertad del denominador (gl_2)	10	12	15	20	24	30	40	60	120	∞
1	241.88	243.91	245.95	248.01	249.05	250.10	251.14	252.20	253.25	254.31
2	19.396	19.413	19.429	19.446	19.454	19.462	19.471	19.479	19.487	19.496
3	8.7855	8.7446	8.7029	8.6602	8.6385	8.6166	8.5944	8.5720	8.5494	8.5264
4	5.9644	5.9117	5.8578	5.8025	5.7744	5.7459	5.7170	5.6877	5.6581	5.6281
5	4.7351	4.6777	4.6188	4.5581	4.5272	4.4957	4.4638	4.4314	4.3985	4.3650
6	4.0600	3.9999	3.9381	3.8742	3.8415	3.8082	3.7743	3.7398	3.7047	3.6689
7	3.6365	3.5747	3.5107	3.4445	3.4105	3.3758	3.3404	3.3043	3.2674	3.2298
8	3.3472	3.2839	3.2184	3.1503	3.1152	3.0794	3.0428	3.0053	2.9669	2.9276
9	3.1373	3.0729	3.0061	2.9365	2.9005	2.8637	2.8259	2.7872	2.7475	2.7067
10	2.9782	2.9130	2.8450	2.7740	2.7372	2.6996	2.6609	2.6211	2.5801	2.5379
11	2.8536	2.7876	2.7186	2.6464	2.6090	2.5705	2.5309	2.4901	2.4480	2.4045
12	2.7534	2.6866	2.6169	2.5436	2.5055	2.4663	2.4259	2.3842	2.3410	2.2962
13	2.6710	2.6037	2.5331	2.4589	2.4202	2.3803	2.3392	2.2966	2.2524	2.2064
14	2.6022	2.5342	2.4630	2.3879	2.3487	2.3082	2.2664	2.2229	2.1778	2.1307
15	2.5437	2.4753	2.4034	2.3275	2.2878	2.2468	2.2043	2.1601	2.1141	2.0658
16	2.4935	2.4247	2.3522	2.2756	2.2354	2.1938	2.1507	2.1058	2.0589	2.0096
17	2.4499	2.3807	2.3077	2.2304	2.1898	2.1477	2.1040	2.0584	2.0107	1.9604
18	2.4117	2.3421	2.2686	2.1906	2.1497	2.1071	2.0629	2.0166	1.9681	1.9168
19	2.3779	2.3080	2.2341	2.1555	2.1141	2.0712	2.0264	1.9795	1.9302	1.8780
20	2.3479	2.2776	2.2033	2.1242	2.0825	2.0391	1.9938	1.9464	1.8963	1.8432
21	2.3210	2.2504	2.1757	2.0960	2.0540	2.0102	1.9645	1.9165	1.8657	1.8117
22	2.2967	2.2258	2.1508	2.0707	2.0283	1.9842	1.9380	1.8894	1.8380	1.7831
23	2.2747	2.2036	2.1282	2.0476	2.0050	1.9605	1.9139	1.8648	1.8128	1.7570
24	2.2547	2.1834	2.1077	2.0267	1.9838	1.9390	1.8920	1.8424	1.7896	1.7330
25	2.2365	2.1649	2.0889	2.0075	1.9643	1.9192	1.8718	1.8217	1.7684	1.7110
26	2.2197	2.1479	2.0716	1.9898	1.9464	1.9010	1.8533	1.8027	1.7488	1.6906
27	2.2043	2.1323	2.0558	1.9736	1.9299	1.8842	1.8361	1.7851	1.7306	1.6717
28	2.1900	2.1179	2.0411	1.9586	1.9147	1.8687	1.8203	1.7689	1.7138	1.6541
29	2.1768	2.1045	2.0275	1.9446	1.9005	1.8543	1.8055	1.7537	1.6981	1.6376
30	2.1646	2.0921	2.0148	1.9317	1.8874	1.8409	1.7918	1.7396	1.6835	1.6223
40	2.0772	2.0035	1.9245	1.8389	1.7929	1.7444	1.6928	1.6373	1.5766	1.5089
60	1.9926	1.9174	1.8364	1.7480	1.7001	1.6491	1.5943	1.5343	1.4673	1.3893
120	1.9105	1.8337	1.7505	1.6587	1.6084	1.5543	1.4952	1.4290	1.3519	1.2539
∞	1.8307	1.7522	1.6664	1.5705	1.5173	1.4591	1.3940	1.3180	1.2214	1.0000

De Maxine Merrington y Catherine M. Thompson, "Tables of Percentage Points of the Inverted Beta (*F*) Distribution", *Biometrika* 33 (1943): 80-84. Reproducido con autorización de Biometrika Trustees.

TABLA A-6 Valores críticos del coeficiente de correlación *r* de Pearson

n	$\alpha = .05$	$\alpha = .01$
4	.950	.990
5	.878	.959
6	.811	.917
7	.754	.875
8	.707	.834
9	.666	.798
10	.632	.765
11	.602	.735
12	.576	.708
13	.553	.684
14	.532	.661
15	.514	.641
16	.497	.623
17	.482	.606
18	.468	.590
19	.456	.575
20	.444	.561
25	.396	.505
30	.361	.463
35	.335	.430
40	.312	.402
45	.294	.378
50	.279	.361
60	.254	.330
70	.236	.305
80	.220	.286
90	.207	.269
100	.196	.256

NOTA: Para someter a prueba H_0: $\rho = 0$ contra H_1: $\rho \neq 0$, rechace H_0 si el valor absoluto de r es mayor que el valor crítico en la tabla.

TABLA A-7 Valores críticos para la prueba del signo

	α			
n	.005 (una cola) .01 (dos colas)	.01 (una cola) .02 (dos colas)	.025 (una cola) .05 (dos colas)	.05 (una cola) .10 (dos colas)
1	*	*	*	*
2	*	*	*	*
3	*	*	*	*
4	*	*	*	*
5	*	*	*	0
6	*	*	0	0
7	*	0	0	0
8	0	0	0	1
9	0	0	1	1
10	0	0	1	1
11	0	1	1	2
12	1	1	2	2
13	1	1	2	3
14	1	2	2	3
15	2	2	3	3
16	2	2	3	4
17	2	3	4	4
18	3	3	4	5
19	3	4	4	5
20	3	4	5	5
21	4	4	5	6
22	4	5	5	6
23	4	5	6	7
24	5	5	6	7
25	5	6	7	7

NOTAS:

1. * indica que no es posible obtener un valor en la región crítica.
2. Rechace la hipótesis nula si el número del signo menos frecuente (x) es menor que o igual al valor en la tabla.
3. Para valores de n mayores que 25, se utiliza una aproximación normal con

$$z = \frac{(x + 0.5) - \left(\frac{n}{2}\right)}{\frac{\sqrt{n}}{2}}$$

TABLA A-8 Valores críticos de T para la prueba de rangos con signo de Wilcoxon

	α			
n	.005 (una cola) .01 (dos colas)	.01 (una cola) .02 (dos colas)	.025 (una cola) .05 (dos colas)	.05 (una cola) .10 (dos colas)
5	*	*	*	1
6	*	*	1	2
7	*	0	2	4
8	0	2	4	6
9	2	3	6	8
10	3	5	8	11
11	5	7	11	14
12	7	10	14	17
13	10	13	17	21
14	13	16	21	26
15	16	20	25	30
16	19	24	30	36
17	23	28	35	41
18	28	33	40	47
19	32	38	46	54
20	37	43	52	60
21	43	49	59	68
22	49	56	66	75
23	55	62	73	83
24	61	69	81	92
25	68	77	90	101
26	76	85	98	110
27	84	93	107	120
28	92	102	117	130
29	100	111	127	141
30	109	120	137	152

NOTAS:

1. * indica que no es posible obtener un valor en la región crítica.
2. Rechace la hipótesis nula si el estadístico de prueba T es menor que o igual al valor crítico encontrado en esta tabla. No rechace la hipótesis nula si el estadístico de prueba T es mayor que el valor crítico encontrado en la tabla.

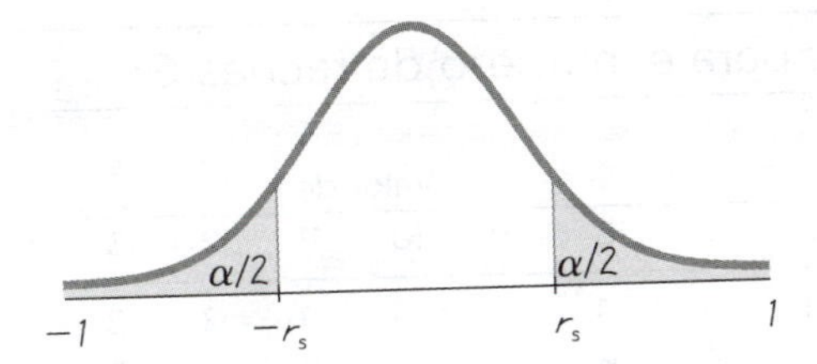

TABLA A-9 Valores críticos del coeficiente de correlación de rangos r_s de Spearman

n	$\alpha = 0.10$	$\alpha = 0.05$	$\alpha = 0.02$	$\alpha = 0.01$
5	.900	—	—	—
6	.829	.886	.943	—
7	.714	.786	.893	.929
8	.643	.738	.833	.881
9	.600	.700	.783	.833
10	.564	.648	.745	.794
11	.536	.618	.709	.755
12	.503	.587	.678	.727
13	.484	.560	.648	.703
14	.464	.538	.626	.679
15	.446	.521	.604	.654
16	.429	.503	.582	.635
17	.414	.485	.566	.615
18	.401	.472	.550	.600
19	.391	.460	.535	.584
20	.380	.447	.520	.570
21	.370	.435	.508	.556
22	.361	.425	.496	.544
23	.353	.415	.486	.532
24	.344	.406	.476	.521
25	.337	.398	.466	.511
26	.331	.390	.457	.501
27	.324	.382	.448	.491
28	.317	.375	.440	.483
29	.312	.368	.433	.475
30	.306	.362	.425	.467

NOTAS:

1. Para $n > 30$, utilice $r_s = \pm z/\sqrt{n-1}$ donde z corresponde al nivel de significancia. Por ejemplo, si $\alpha = 0.05$, entonces $z = 1.96$.
2. Si el valor absoluto del estadístico de prueba r_s excede el valor crítico positivo, entonces rechace H_0: $\rho_s = 0$ y concluya que existe una correlación.

Con base en datos de "*Biostatistical Analysis*, 4th edition", © 1999, de Jerrold Zar, Prentice Hall, Inc., Upper Saddle River, Nueva Jersey, y "Distribution of Sums of Squares of Rank Differences to Small Numbers with Individuals", *The Annals of Mathematical Statistics*, vol. 9, núm. 2.

TABLA A-10 Valores críticos para el número de rachas G

Valor de n_2	Valor de n_1: 2	3	4	5	6	7	8	9	10	11	12	13	14	15	16	17	18	19	20
2	1	1	1	1	1	1	1	1	1	1	2	2	2	2	2	2	2	2	2
	6	6	6	6	6	6	6	6	6	6	6	6	6	6	6	6	6	6	6
3	1	1	1	1	2	2	2	2	2	2	2	2	2	3	3	3	3	3	3
	6	8	8	8	8	8	8	8	8	8	8	8	8	8	8	8	8	8	8
4	1	1	1	2	2	2	3	3	3	3	3	3	3	3	4	4	4	4	4
	6	8	9	9	9	10	10	10	10	10	10	10	10	10	10	10	10	10	10
5	1	1	2	2	3	3	3	3	3	4	4	4	4	4	4	4	5	5	5
	6	8	9	10	10	11	11	12	12	12	12	12	12	12	12	12	12	12	12
6	1	2	2	3	3	3	3	4	4	4	4	5	5	5	5	5	5	6	6
	6	8	9	10	11	12	12	13	13	13	13	14	14	14	14	14	14	14	14
7	1	2	2	3	3	3	4	4	5	5	5	5	5	6	6	6	6	6	6
	6	8	10	11	12	13	13	14	14	14	14	15	15	15	16	16	16	16	16
8	1	2	3	3	3	4	4	5	5	5	6	6	6	6	6	7	7	7	7
	6	8	10	11	12	13	14	14	15	15	16	16	16	16	17	17	17	17	17
9	1	2	3	3	4	4	5	5	5	6	6	6	7	7	7	7	8	8	8
	6	8	10	12	13	14	14	15	16	16	16	17	17	18	18	18	18	18	18
10	1	2	3	3	4	5	5	5	6	6	7	7	7	7	8	8	8	8	9
	6	8	10	12	13	14	15	16	16	17	17	18	18	18	19	19	19	20	20
11	1	2	3	4	4	5	5	6	6	7	7	7	8	8	8	9	9	9	9
	6	8	10	12	13	14	15	16	17	17	18	19	19	19	20	20	20	21	21
12	2	2	3	4	4	5	6	6	7	7	7	8	8	8	9	9	9	10	10
	6	8	10	12	13	14	16	16	17	18	19	19	20	20	21	21	21	22	22
13	2	2	3	4	5	5	6	6	7	7	8	8	9	9	9	10	10	10	10
	6	8	10	12	14	15	16	17	18	19	19	20	20	21	21	22	22	23	23
14	2	2	3	4	5	5	6	7	7	8	8	9	9	9	10	10	10	11	11
	6	8	10	12	14	15	16	17	18	19	20	20	21	22	22	23	23	23	24
15	2	3	3	4	5	6	6	7	7	8	8	9	9	10	10	11	11	11	12
	6	8	10	12	14	15	16	18	18	19	20	21	22	22	23	23	24	24	25
16	2	3	4	4	5	6	6	7	8	8	9	9	10	10	11	11	11	12	12
	6	8	10	12	14	16	17	18	19	20	21	21	22	23	23	24	25	25	25
17	2	3	4	4	5	6	7	7	8	9	9	10	10	11	11	11	12	12	13
	6	8	10	12	14	16	17	18	19	20	21	22	23	23	24	25	25	26	26
18	2	3	4	5	5	6	7	8	8	9	9	10	10	11	11	12	12	13	13
	6	8	10	12	14	16	17	18	19	20	21	22	23	24	25	25	26	26	27
19	2	3	4	5	6	6	7	8	8	9	10	10	11	11	12	12	13	13	13
	6	8	10	12	14	16	17	18	20	21	22	23	23	24	25	26	26	27	27
20	2	3	4	5	6	6	7	8	9	9	10	10	11	12	12	13	13	13	14
	6	8	10	12	14	16	17	18	20	21	22	23	24	25	25	26	27	27	28

NOTAS:

1. Los valores en esta tabla son los valores críticos G, suponiendo una prueba de dos colas con un nivel de significancia de $\alpha = 0.05$.
2. La hipótesis nula de aleatoriedad se rechaza si el número total de rachas G es menor que o igual al valor más bajo, o si es mayor que o igual al valor más alto.

De "Tables for Testing Randomness of Groupings in a Sequence of Alternatives", *The Annals of Mathematical Statistics*, vol. 14, núm. 1. Reproducido con autorización del Institute of Mathematical Statistics.

Apéndice B: Conjuntos de datos

Conjunto de datos 1: Resultados de exámenes de salud
Conjunto de datos 2: Temperaturas corporales (en grados Fahrenheit) de adultos saludables
Conjunto de datos 3: Datos del fenómeno "Freshman 15"
Conjunto de datos 4: Alquitrán, nicotina y monóxido de carbono de cigarrillos
Conjunto de datos 5: Fumadores activos y pasivos
Conjunto de datos 6: Osos (salvajes anestesiados)
Conjunto de datos 7: Consumo de alcohol y tabaco en películas de dibujos animados para niños
Conjunto de datos 8: Conteos de palabras pronunciadas por hombres y mujeres
Conjunto de datos 9: Películas
Conjunto de datos 10: Datos del Sistema de Transporte Espacial de la NASA
Conjunto de datos 11: Temperaturas reales y pronosticadas
Conjunto de datos 12: Consumo de electricidad de una casa
Conjunto de datos 13: Mediciones de voltaje de una casa
Conjunto de datos 14: Cantidad de lluvia (en pulgadas) en Boston durante un año
Conjunto de datos 15: Géiser Old Faithful
Conjunto de datos 16: Automóviles
Conjunto de datos 17: Pesos y volúmenes de bebidas de cola
Conjunto de datos 18: Pesos (en gramos) de una muestra de dulces M&M clásicos
Conjunto de datos 19: Longitudes de tornillos (en pulgadas)
Conjunto de datos 20: Pesos de monedas (en gramos)
Conjunto de datos 21: Cargas axiales de latas de aluminio
Conjunto de datos 22: Pesos de basura de una semana
Conjunto de datos 23: Ventas de casas
Conjunto de datos 24: Puntuaciones de crédito FICO

En el sitio Web www.pearsonenespañol.com/triola encontrará conjuntos de datos adicionales.

Conjunto de datos 1: Resultados de exámenes de salud

La EDAD está dada en años, EST es estatura (en pulgadas), PE es peso (en libras), CINT es circunferencia de la cintura (en cm), PULSO es frecuencia del pulso (en latidos por minuto), SIST es presión sanguínea sistólica (en mm Hg), DIAS es presión sanguínea diastólica (en mm Hg), COL es colesterol (en mg), IMC es índice de masa corporal, MUS es longitud del muslo (en cm), CODO es anchura del codo (en cm), MUÑ es anchura de la muñeca (en cm) y BRA es circunferencia del brazo (en cm). Los datos son del Departamento de Salud y Servicios Humanos de Estados Unidos (National Center for Health Statistics, Third National Health and Nutrition Examination Survey).

WEB

STATDISK:	**El nombre del conjunto de datos para hombres es Mhealth.**
Minitab:	**El nombre de la hoja de cálculo para hombres es MHEALTH.MTW.**
Excel:	**El nombre del libro de trabajo para hombres es MHEALTH.XLS.**
TI-83/84 Plus:	**El nombre de la aplicación para datos de hombres es MHEALTH y los nombres de los archivos son los mismos que para los archivos de texto.**
Nombres de los archivos de texto para hombres:	**MAGE, MHT, MWT, MWAST, MPULS, MSYS, MDIAS, MCHOL, MBMI, MLEG, MELBW, MWRST, MARM.**

Hombres

Edad	EST	PE	Cint	Pulso	SIST	DIAS	COL	IMC	Mus	Codo	Muñ	Bra
58	70.8	169.1	90.6	68	125	78	522	23.8	42.5	7.7	6.4	31.9
22	66.2	144.2	78.1	64	107	54	127	23.2	40.2	7.6	6.2	31.0
32	71.7	179.3	96.5	88	126	81	740	24.6	44.4	7.3	5.8	32.7
31	68.7	175.8	87.7	72	110	68	49	26.2	42.8	7.5	5.9	33.4
28	67.6	152.6	87.1	64	110	66	230	23.5	40.0	7.1	6.0	30.1
46	69.2	166.8	92.4	72	107	83	316	24.5	47.3	7.1	5.8	30.5
41	66.5	135.0	78.8	60	113	71	590	21.5	43.4	6.5	5.2	27.6
56	67.2	201.5	103.3	88	126	72	466	31.4	40.1	7.5	5.6	38.0
20	68.3	175.2	89.1	76	137	85	121	26.4	42.1	7.5	5.5	32.0
54	65.6	139.0	82.5	60	110	71	578	22.7	36.0	6.9	5.5	29.3
17	63.0	156.3	86.7	96	109	65	78	27.8	44.2	7.1	5.3	31.7
73	68.3	186.6	103.3	72	153	87	265	28.1	36.7	8.1	6.7	30.7
52	73.1	191.1	91.8	56	112	77	250	25.2	48.4	8.0	5.2	34.7
25	67.6	151.3	75.6	64	119	81	265	23.3	41.0	7.0	5.7	30.6
29	68.0	209.4	105.5	60	113	82	273	31.9	39.8	6.9	6.0	34.2
17	71.0	237.1	108.7	64	125	76	272	33.1	45.2	8.3	6.6	41.1
41	61.3	176.7	104.0	84	131	80	972	33.2	40.2	6.7	5.7	33.1
52	76.2	220.6	103.0	76	121	75	75	26.7	46.2	7.9	6.0	32.2
32	66.3	166.1	91.3	84	132	81	138	26.6	39.0	7.5	5.7	31.2
20	69.7	137.4	75.2	88	112	44	139	19.9	44.8	6.9	5.6	25.9
20	65.4	164.2	87.7	72	121	65	638	27.1	40.9	7.0	5.6	33.7
29	70.0	162.4	77.0	56	116	64	613	23.4	43.1	7.5	5.2	30.3
18	62.9	151.8	85.0	68	95	58	762	27.0	38.0	7.4	5.8	32.8
26	68.5	144.1	79.6	64	110	70	303	21.6	41.0	6.8	5.7	31.0
33	68.3	204.6	103.8	60	110	66	690	30.9	46.0	7.4	6.1	36.2
55	69.4	193.8	103.0	68	125	82	31	28.3	41.4	7.2	6.0	33.6
53	69.2	172.9	97.1	60	124	79	189	25.5	42.7	6.6	5.9	31.9
28	68.0	161.9	86.9	60	131	69	957	24.6	40.5	7.3	5.7	32.9
28	71.9	174.8	88.0	56	109	64	339	23.8	44.2	7.8	6.0	30.9
37	66.1	169.8	91.5	84	112	79	416	27.4	41.8	7.0	6.1	34.0
40	72.4	213.3	102.9	72	127	72	120	28.7	47.2	7.5	5.9	34.8
33	73.0	198.0	93.1	84	132	74	702	26.2	48.2	7.8	6.0	33.6
26	68.0	173.3	98.9	88	116	81	1252	26.4	42.9	6.7	5.8	31.3
53	68.7	214.5	107.5	56	125	84	288	32.1	42.8	8.2	5.9	37.6
36	70.3	137.1	81.6	64	112	77	176	19.6	40.8	7.1	5.3	27.9
34	63.7	119.5	75.7	56	125	77	277	20.7	42.6	6.6	5.3	26.9
42	71.1	189.1	95.0	56	120	83	649	26.3	44.9	7.4	6.0	36.9
18	65.6	164.7	91.1	60	118	68	113	26.9	41.1	7.0	6.1	34.5
44	68.3	170.1	94.9	64	115	75	656	25.6	44.5	7.3	5.8	32.1
20	66.3	151.0	79.9	72	115	65	172	24.2	44.0	7.1	5.4	30.7

(continúa)

Conjunto de datos 1: Resultados de exámenes de salud (*continuación*)

WEB

STATDISK:	**El nombre del conjunto de datos para mujeres es Fhealth.**
Minitab:	**El nombre de la hoja de cálculo para mujeres es FHEALTH.MTW.**
Excel:	**El nombre del libro de trabajo para mujeres es FHEALTH.XLS.**
TI-83/84 Plus:	**El nombre de la aplicación para datos de mujeres es FHEALTH y los nombres de los archivos son los mismos que para los archivos de texto.**
Nombres de los archivos de texto para mujeres:	**FAGE, FHT, FWT, FWAST, FPULS, FSYS, FDIAS, FCHOL, FBMI, FLEG, FELBW, FWRST, FARM.**

Mujeres

Edad	EST	PE	Cint	Pulso	SIST	DIAS	COL	IMC	Mus	Codo	Muñ	Bra
17	64.3	114.8	67.2	76	104	61	264	19.6	41.6	6.0	4.6	23.6
32	66.4	149.3	82.5	72	99	64	181	23.8	42.8	6.7	5.5	26.3
25	62.3	107.8	66.7	88	102	65	267	19.6	39.0	5.7	4.6	26.3
55	62.3	160.1	93.0	60	114	76	384	29.1	40.2	6.2	5.0	32.6
27	59.6	127.1	82.6	72	94	58	98	25.2	36.2	5.5	4.8	29.2
29	63.6	123.1	75.4	68	101	66	62	21.4	43.2	6.0	4.9	26.4
25	59.8	111.7	73.6	80	108	61	126	22.0	38.7	5.7	5.1	27.9
12	63.3	156.3	81.4	64	104	41	89	27.5	41.0	6.8	5.5	33.0
41	67.9	218.8	99.4	68	123	72	531	33.5	43.8	7.8	5.8	38.6
32	61.4	110.2	67.7	68	93	61	130	20.6	37.3	6.3	5.0	26.5
31	66.7	188.3	100.7	80	89	56	175	29.9	42.3	6.6	5.2	34.4
19	64.8	105.4	72.9	76	112	62	44	17.7	39.1	5.7	4.8	23.7
19	63.1	136.1	85.0	68	107	48	8	24.0	40.3	6.6	5.1	28.4
23	66.7	182.4	85.7	72	116	62	112	28.9	48.6	7.2	5.6	34.0
40	66.8	238.4	126.0	96	181	102	462	37.7	33.2	7.0	5.4	35.2
23	64.7	108.8	74.5	72	98	61	62	18.3	43.4	6.2	5.2	24.7
27	65.1	119.0	74.5	68	100	53	98	19.8	41.5	6.3	5.3	27.0
45	61.9	161.9	94.0	72	127	74	447	29.8	40.0	6.8	5.0	35.0
41	64.3	174.1	92.8	64	107	67	125	29.7	38.2	6.8	4.7	33.1
56	63.4	181.2	105.5	80	116	71	318	31.7	38.2	6.9	5.4	39.6
22	60.7	124.3	75.5	64	97	64	325	23.8	38.2	5.9	5.0	27.0
57	63.4	255.9	126.5	80	155	85	600	44.9	41.0	8.0	5.6	43.8
24	62.6	106.7	70.0	76	106	59	237	19.2	38.1	6.1	5.0	23.6
37	60.6	149.9	98.0	76	110	70	173	28.7	38.0	7.0	5.1	34.3
59	63.5	163.1	104.7	76	105	69	309	28.5	36.0	6.7	5.1	34.4
40	58.6	94.3	67.8	80	118	82	94	19.3	32.1	5.4	4.2	23.3
45	60.2	159.7	99.3	104	133	83	280	31.0	31.1	6.4	5.2	35.6
52	67.6	162.8	91.1	88	113	75	254	25.1	39.4	7.1	5.3	31.8
31	63.4	130.0	74.5	60	113	66	123	22.8	40.2	5.9	5.1	27.0
32	64.1	179.9	95.5	76	107	67	596	30.9	39.2	6.2	5.0	32.8
23	62.7	147.8	79.5	72	95	59	301	26.5	39.0	6.3	4.9	31.0
23	61.3	112.9	69.1	72	108	72	223	21.2	36.6	5.9	4.7	27.0
47	58.2	195.6	105.5	88	114	79	293	40.6	27.0	7.5	5.5	41.2
36	63.2	124.2	78.8	80	104	73	146	21.9	38.5	5.6	4.7	25.5
34	60.5	135.0	85.7	60	125	73	149	26.0	39.9	6.4	5.2	30.9
37	65.0	141.4	92.8	72	124	85	149	23.5	37.5	6.1	4.8	27.9
18	61.8	123.9	72.7	88	92	46	920	22.8	39.7	5.8	5.0	26.5
29	68.0	135.5	75.9	88	119	81	271	20.7	39.0	6.3	4.9	27.8
48	67.0	130.4	68.6	124	93	64	207	20.5	41.6	6.0	5.3	23.0
16	57.0	100.7	68.7	64	106	64	2	21.9	33.8	5.6	4.6	26.4

Conjunto de datos 2: Temperaturas corporales (en grados Fahrenheit) de adultos saludables

Datos proporcionados por los doctores Steven Wasserman, Philip Mackowiak y Myron Levine de la Universidad de Maryland.

WEB

STATDISK:	**El nombre del conjunto de datos para las temperaturas de las 12 A.M. del día 2 es Bodytemp.**
Minitab:	**El nombre de la hoja de cálculo para las temperaturas de las 12 A.M. del día 2 es BODYTEMP.MTW.**
Excel:	**El nombre del libro de trabajo para las temperaturas de las 12 A.M. del día 2 es BODYTEMP.XLS.**
TI-83/84 Plus:	**El nombre de la aplicación para las temperaturas de las 12 A.M. del día 2 es BTEMP y el nombre del archivo es BTEMP.**
Archivos de texto:	**El nombre del archivo de texto es BTEMP.**

				Temperatura día 1		Temperatura día 2	
Sujeto	Edad	Género	Fuma	8 AM	12 AM	8 AM	12 AM
1	22	H	Sí	98.0	98.0	98.0	98.6
2	23	H	Sí	97.0	97.6	97.4	—
3	22	H	Sí	98.6	98.8	97.8	98.6
4	19	H	No	97.4	98.0	97.0	98.0
5	18	H	No	98.2	98.8	97.0	98.0
6	20	H	Sí	98.2	98.8	96.6	99.0
7	27	H	Sí	98.2	97.6	97.0	98.4
8	19	H	Sí	96.6	98.6	96.8	98.4
9	19	H	Sí	97.4	98.6	96.6	98.4
10	24	H	No	97.4	98.8	96.6	98.4
11	35	H	Sí	98.2	98.0	96.2	98.6
12	25	H	Sí	97.4	98.2	97.6	98.6
13	25	H	No	97.8	98.0	98.6	98.8
14	35	H	Sí	98.4	98.0	97.0	98.6
15	21	H	No	97.6	97.0	97.4	97.0
16	33	H	No	96.2	97.2	98.0	97.0
17	19	H	Sí	98.0	98.2	97.6	98.8
18	24	H	Sí	—	—	97.2	97.6
19	18	M	No	—	—	97.0	97.7
20	22	M	Sí	—	—	98.0	98.8
21	20	H	Sí	—	—	97.0	98.0
22	30	M	Sí	—	—	96.4	98.0
23	29	H	No	—	—	96.1	98.3
24	18	H	Sí	—	—	98.0	98.5
25	31	H	Sí	—	98.1	96.8	97.3
26	28	M	Sí	—	98.2	98.2	98.7
27	27	H	Sí	—	98.5	97.8	97.4
28	21	H	Sí	—	98.5	98.2	98.9
29	30	H	Sí	—	99.0	97.8	98.6
30	27	H	No	—	98.0	99.0	99.5
31	32	H	Sí	—	97.0	97.4	97.5
32	33	H	Sí	—	97.3	97.4	97.3
33	23	H	Sí	—	97.3	97.5	97.6
34	29	H	Sí	—	98.1	97.8	98.2
35	25	H	Sí	—	—	97.9	99.6
36	31	H	No	—	97.8	97.8	98.7
37	25	H	Sí	—	99.0	98.3	99.4
38	28	H	No	—	97.6	98.0	98.2
39	30	H	Sí	—	97.4	—	98.0
40	33	H	Sí	—	98.0	—	98.6
41	28	H	Sí	98.0	97.4	—	98.6
42	22	H	Sí	98.8	98.0	—	97.2
43	21	M	Sí	99.0	—	—	98.4
44	30	H	No	—	98.6	—	98.6

(continúa)

Conjunto de datos 2: Temperaturas corporales (*continuación*)

Sujeto	Edad	Género	Fuma	Temperatura día 1		Temperatura día 2	
				8 AM	12 AM	8 AM	12 AM
45	22	H	Sí	—	98.6	—	98.2
46	22	M	No	98.0	98.4	—	98.0
47	20	H	Sí	—	97.0	—	97.8
48	19	H	Sí	—	—	—	98.0
49	33	H	No	—	98.4	—	98.4
50	31	H	Sí	99.0	99.0	—	98.6
51	26	H	No	—	98.0	—	98.6
52	18	H	No	—	—	—	97.8
53	23	H	No	—	99.4	—	99.0
54	28	H	Sí	—	—	—	96.5
55	19	H	Sí	—	97.8	—	97.6
56	21	H	No	—	—	—	98.0
57	27	H	Sí	—	98.2	—	96.9
58	29	H	Sí	—	99.2	—	97.6
59	38	H	No	—	99.0	—	97.1
60	29	M	Sí	—	97.7	—	97.9
61	22	H	Sí	—	98.2	—	98.4
62	22	H	Sí	—	98.2	—	97.3
63	26	H	Sí	—	98.8	—	98.0
64	32	H	No	—	98.1	—	97.5
65	25	H	Sí	—	98.5	—	97.6
66	21	M	No	—	97.2	—	98.2
67	25	H	Sí	—	98.5	—	98.5
68	24	H	Sí	—	99.2	97.0	98.8
69	25	H	Sí	—	98.3	97.6	98.7
70	35	H	Sí	—	98.7	97.5	97.8
71	23	M	Sí	—	98.8	98.8	98.0
72	31	H	Sí	—	98.6	98.4	97.1
73	28	H	Sí	—	98.0	98.2	97.4
74	29	H	Sí	—	99.1	97.7	99.4
75	26	H	Sí	—	97.2	97.3	98.4
76	32	H	No	—	97.6	97.5	98.6
77	32	H	Sí	—	97.9	97.1	98.4
78	21	M	Sí	—	98.8	98.6	98.5
79	20	H	Sí	—	98.6	98.6	98.6
80	24	M	Sí	—	98.6	97.8	98.3
81	21	M	Sí	—	99.3	98.7	98.7
82	28	H	Sí	—	97.8	97.9	98.8
83	27	M	No	98.8	98.7	97.8	99.1
84	28	H	No	99.4	99.3	97.8	98.6
85	29	H	Sí	98.8	97.8	97.6	97.9
86	19	H	No	97.7	98.4	96.8	98.8
87	24	H	Sí	99.0	97.7	96.0	98.0
88	29	H	No	98.1	98.3	98.0	98.7
89	25	H	Sí	98.7	97.7	97.0	98.5
90	27	H	No	97.5	97.1	97.4	98.9
91	25	H	Sí	98.9	98.4	97.6	98.4
92	21	H	Sí	98.4	98.6	97.6	98.6
93	19	H	Sí	97.2	97.4	96.2	97.1
94	27	H	Sí	—	—	96.2	97.9
95	32	H	No	98.8	96.7	98.1	98.8
96	24	H	Sí	97.3	96.9	97.1	98.7
97	32	H	Sí	98.7	98.4	98.2	97.6
98	19	M	Sí	98.9	98.2	96.4	98.2
99	18	M	Sí	99.2	98.6	96.9	99.2
100	27	H	No	—	97.0	—	97.8
101	34	H	Sí	—	97.4	—	98.0
102	25	H	No	—	98.4	—	98.4
103	18	H	No	—	97.4	—	97.8
104	32	H	Sí	—	96.8	—	98.4
105	31	H	Sí	—	98.2	—	97.4
106	26	H	No	—	97.4	—	98.0
107	23	H	No	—	98.0	—	97.0

Conjunto de datos 3: Datos del fenómeno "Freshman 15"

Los pesos están en kilogramos, e IMC representa el índice de masa corporal medido. Las mediciones se hicieron durante el mes de septiembre del primer año de estudios universitarios y después durante abril del mismo año escolar. Los resultados están publicados en "Changes in Body Weight and Fat Mass of Men and Women in the First Year of College: A Study of the 'Freshman 15'" de Hoffman, Policastro, Quick y Lee, *Journal of American College Health*, vol. 55, núm. 1. Reproducido con autorización de Helen Dwight Reid Educational Foundation. Publicado por Heldref Publications, 1319 Eighteenth St., NW, Washington DC 20036-1802. Derechos reservados © (2006).

WEB

STATDISK:	El nombre del conjunto de datos es Freshman15.
Minitab:	El nombre de la hoja de cálculo es FRESH15.MTW.
Excel:	El nombre del libro de trabajo es FRESH15.XLS.
TI-83/84 Plus:	El nombre de la aplicación es FRESH y los archivos tienen los mismos nombres que los archivos de texto.
Archivos de género:	WTSEP, WTAPR, BMISP, BMIAP.

Gén.	Peso en septiembre	Peso en abril	IMC en septiembre	IMC en abril
H	72	59	22.02	18.14
H	97	86	19.70	17.44
H	74	69	24.09	22.43
H	93	88	26.97	25.57
M	68	64	21.51	20.10
H	59	55	18.69	17.40
M	64	60	24.24	22.88
M	56	53	21.23	20.23
M	70	68	30.26	29.24
M	58	56	21.88	21.02
M	50	47	17.63	16.89
H	71	69	24.57	23.85
H	67	66	20.68	20.15
M	56	55	20.97	20.36
M	70	68	27.30	26.73
M	61	60	23.30	22.88
M	53	52	19.48	19.24
H	92	92	24.74	24.69
M	57	58	20.69	20.79
H	67	67	20.49	20.60
M	58	58	21.09	21.24
M	49	50	18.37	18.53
H	68	68	22.40	22.61
M	69	69	28.17	28.43
H	87	88	23.60	23.81
H	81	82	26.52	26.78
H	60	61	18.89	19.27
M	52	53	19.31	19.75
H	70	71	20.96	21.32
M	63	64	21.78	22.22
M	56	57	19.78	20.23
H	68	69	22.40	22.82
H	68	69	22.76	23.19
M	54	56	20.15	20.69
H	80	82	22.14	22.57
H	64	66	20.27	20.76
M	57	59	22.15	22.93
M	63	65	23.87	24.67
M	54	56	18.61	19.34
M	56	58	21.73	22.58
H	54	56	18.93	19.72
H	73	75	25.88	26.72
H	77	79	28.59	29.53
M	63	66	21.89	22.79
M	51	54	18.31	19.28
M	59	62	19.64	20.63
M	65	68	23.02	24.10
M	53	56	20.63	21.91
M	62	65	22.61	23.81
M	55	58	22.03	23.42
H	74	77	20.31	21.34
H	74	78	20.31	21.36
H	64	68	19.59	20.77
H	64	68	21.05	22.31
M	57	61	23.47	25.11
M	64	68	22.84	24.29
M	60	64	19.50	20.90
H	64	68	18.51	19.83
H	66	71	21.40	22.97
M	52	57	17.72	19.42
H	71	77	22.26	23.87
M	55	60	21.64	23.81
H	65	71	22.51	24.45
H	75	82	23.69	25.80
M	42	49	15.08	17.74
H	74	82	22.64	25.33
H	94	105	36.57	40.86

Conjunto de datos 4: Alquitrán, nicotina y monóxido de carbono de cigarrillos

Todas las mediciones están expresadas en miligramos por cigarrillo. CO denota monóxido de carbono. Los cigarrillos tamaño grande no tienen filtro, no son mentolados ni son ligeros. Los cigarrillos mentolados son de 100 mm de largo, con filtro y no son ligeros. Los cigarrillos en el tercer grupo son de 100 mm de largo, con filtro, no son mentolados y no son ligeros. Los datos son de la Federal Trade Commission.

WEB

STATDISK: El nombre del conjunto de datos es Cigaret.
Minitab: El nombre de la hoja de cálculo es CIGARET.MTW.
Excel: El nombre del libro de trabajo es CIGARET.XLS.
TI-83/84 Plus: El nombre de la aplicación es CIGARET y los nombres de los archivos son los mismos que para los archivos de texto.
Nombres de los archivos de texto: KGTAR, KGNIC, KGCO, MNTAR, MNNIC, MNCO, FLTAR, FLNIC, FLCO (KG representa los cigarrilos tamaño grande, MN los cigarrillos mentolados y FL los cigarrillos con filtro que no son mentolados).

Tamaño grande

Marca	Alq.	Nicotina	CO
Austin	20	1.1	16
Basic	27	1.7	16
Bristol	27	1.7	16
Cardinal	20	1.1	16
Cavalier	20	1.1	16
Chesterfield	24	1.4	17
Cimarron	20	1.1	16
Class A	23	1.4	15
Doral	20	1.0	16
GPC	22	1.2	14
Highway	20	1.1	16
Jacks	20	1.1	16
Marker	20	1.1	16
Monaco	20	1.1	16
Monarch	20	1.1	16
Old Gold	10	1.8	14
Pall Mall	24	1.6	16
Pilot	20	1.1	16
Prime	21	1.2	14
Pyramid	25	1.5	18
Raleigh Extra	23	1.3	15
Sebring	20	1.1	16
Summit	22	1.3	14
Sundance	20	1.1	16
Worth	20	1.1	16

Mentolados

Marca	Alq.	Nicotina	CO
Alpine	16	1.1	15
Austin	13	0.8	17
Basic	16	1.0	19
Belair	9	0.9	9
Best Value	14	0.8	17
Cavalier	13	0.8	17
Doral	12	0.8	15
Focus	14	0.8	17
GPC	14	0.9	15
Highway	13	0.8	17
Jacks	13	0.8	17
Kool	16	1.2	15
Legend	13	0.8	17
Marker	13	0.8	17
Maverick	18	1.3	18
Merit	9	0.7	11
Newport	19	1.4	18
Now	2	0.2	3
Pilot	13	0.8	17
Players	14	1.0	14
Prime	14	0.8	15
Pyramid	15	0.8	22
Salem	16	1.2	16
True	6	0.6	7
Vantage	8	0.7	9

De 100 mm de largo, con filtro y no mentolados

Marca	Alq.	Nicotina	CO
Barclay	5	0.4	4
Basic	16	1.0	19
Camel	17	1.2	17
Highway	13	0.8	18
Jacks	13	0.8	18
Kent	14	1.0	13
Lark	15	1.1	17
Marlboro	15	1.1	15
Maverick	15	1.1	15
Merit	9	0.8	12
Monaco	13	0.8	18
Monarch	13	0.8	17
Mustang	13	0.8	18
Newport	15	1.0	16
Now	2	0.2	3
Old Gold	15	1.1	18
Pall Mall	15	1.0	15
Pilot	13	0.8	18
Players	14	1.0	15
Prime	15	0.9	17
Raleigh	16	1.1	15
Tareyton	15	1.1	15
True	7	0.6	7
Viceroy	17	1.3	16
Winston	15	1.1	14

Conjunto de datos 5: Fumadores activos y pasivos

Todos los valores son mediciones de niveles de cotinina en suero (en ng/ml), un metabolito de la nicotina. (Cuando el cuerpo absorbe la nicotina, se produce la cotinina). Los datos tienen las siguientes fuentes: Departamento de Salud y Servicios Humanos de Estados Unidos, National Center for Health Statistics, Third National Health and Nutrition Examination Survey.

WEB

STATDISK:	El nombre del conjunto de datos es Cotinine.
Minitab:	El nombre de la hoja de cálculo es COTININE.MTW.
Excel:	El nombre del libro de trabajo es COTININE.XLS.
TI-83/84 Plus:	El nombre de la aplicación es COTININE y los nombres de los archivos son los mismos que para los archivos de texto.
Nombres de los archivos de texto:	SMKR, ETS, NOETS.

SMKR (fumadores o sujetos que reportan consumo de tabaco)

1	0	131	173	265	210	44	277	32	3
35	112	477	289	227	103	222	149	313	491
130	234	164	198	17	253	87	121	266	290
123	167	250	245	48	86	284	1	208	173

ETS (no fumadores expuestos al humo de tabaco ambiental en su casa o en el trabajo)

384	0	69	19	1	0	178	2	13	1
4	0	543	17	1	0	51	0	197	3
0	3	1	45	13	3	1	1	1	0
0	551	2	1	1	1	0	74	1	241

NOETS (no fumadores sin exposición al humo de tabaco ambiental en su casa o en el trabajo)

0	0	0	0	0	0	0	0	0	0
0	9	0	0	0	0	0	0	244	0
1	0	0	0	90	1	0	309	0	0
0	0	0	0	0	0	0	0	0	0

Conjunto de datos 6: Osos (salvajes anestesiados)

La edad está en meses, Mes es el mes de la medición (1 = enero), Sexo está codificado como 1 = macho y 2 = hembra, CabezaL es la longitud de la cabeza (en pulgadas), CabezaA es la anchura de la cabeza (en pulgadas), Cuello es la circunferencia del cuello (en pulgadas), Alt es la altura del cuerpo (en pulgadas), Pecho es la circunferencia torácica (en pulgadas) y el Peso está medido en libras. Los datos son de Gary Alt y Minitab, Inc.

WEB

STATDISK: El nombre del conjunto de datos es Bears.
Minitab: El nombre de la hoja de cálculo es BEARS.MTW.
Excel: El nombre del libro de trabajo es BEARS.XLS.
TI-83/84 Plus: El nombre de la aplicación es BEARS y los nombres de los archivos son los mismos que para los archivos de texto.
Nombres de los archivos de texto: BAGE, BMNTH, BSEX, BHDLN, BHDWD, BNECK, BLEN, BCHST, BWGHT.

Edad	Mes	Sexo	CabezaL	CabezaA	Cuello	Alt	Pecho	Peso
19	7	1	11.0	5.5	16.0	53.0	26.0	80
55	7	1	16.5	9.0	28.0	67.5	45.0	344
81	9	1	15.5	8.0	31.0	72.0	54.0	416
115	7	1	17.0	10.0	31.5	72.0	49.0	348
104	8	2	15.5	6.5	22.0	62.0	35.0	166
100	4	2	13.0	7.0	21.0	70.0	41.0	220
56	7	1	15.0	7.5	26.5	73.5	41.0	262
51	4	1	13.5	8.0	27.0	68.5	49.0	360
57	9	2	13.5	7.0	20.0	64.0	38.0	204
53	5	2	12.5	6.0	18.0	58.0	31.0	144
68	8	1	16.0	9.0	29.0	73.0	44.0	332
8	8	1	9.0	4.5	13.0	37.0	19.0	34
44	8	2	12.5	4.5	10.5	63.0	32.0	140
32	8	1	14.0	5.0	21.5	67.0	37.0	180
20	8	2	11.5	5.0	17.5	52.0	29.0	105
32	8	1	13.0	8.0	21.5	59.0	33.0	166
45	9	1	13.5	7.0	24.0	64.0	39.0	204
9	9	2	9.0	4.5	12.0	36.0	19.0	26
21	9	1	13.0	6.0	19.0	59.0	30.0	120
177	9	1	16.0	9.5	30.0	72.0	48.0	436
57	9	2	12.5	5.0	19.0	57.5	32.0	125
81	9	2	13.0	5.0	20.0	61.0	33.0	132
21	9	1	13.0	5.0	17.0	54.0	28.0	90
9	9	1	10.0	4.0	13.0	40.0	23.0	40
45	9	1	16.0	6.0	24.0	63.0	42.0	220
9	9	1	10.0	4.0	13.5	43.0	23.0	46
33	9	1	13.5	6.0	22.0	66.5	34.0	154
57	9	2	13.0	5.5	17.5	60.5	31.0	116
45	9	2	13.0	6.5	21.0	60.0	34.5	182
21	9	1	14.5	5.5	20.0	61.0	34.0	150
10	10	1	9.5	4.5	16.0	40.0	26.0	65
82	10	2	13.5	6.5	28.0	64.0	48.0	356
70	10	2	14.5	6.5	26.0	65.0	48.0	316
10	10	1	11.0	5.0	17.0	49.0	29.0	94
10	10	1	11.5	5.0	17.0	47.0	29.5	86
34	10	1	13.0	7.0	21.0	59.0	35.0	150
34	10	1	16.5	6.5	27.0	72.0	44.5	270
34	10	1	14.0	5.5	24.0	65.0	39.0	202
58	10	2	13.5	6.5	21.5	63.0	40.0	202
58	10	1	15.5	7.0	28.0	70.5	50.0	365
11	11	1	11.5	6.0	16.5	48.0	31.0	79
23	11	1	12.0	6.5	19.0	50.0	38.0	148
70	10	1	15.5	7.0	28.0	76.5	55.0	446
11	11	2	9.0	5.0	15.0	46.0	27.0	62
83	11	2	14.5	7.0	23.0	61.5	44.0	236
35	11	1	13.5	8.5	23.0	63.5	44.0	212
16	4	1	10.0	4.0	15.5	48.0	26.0	60
16	4	1	10.0	5.0	15.0	41.0	26.0	64
17	5	1	11.5	5.0	17.0	53.0	30.5	114
17	5	2	11.5	5.0	15.0	52.5	28.0	76
17	5	2	11.0	4.5	13.0	46.0	23.0	48
8	8	2	10.0	4.5	10.0	43.5	24.0	29
83	11	1	15.5	8.0	30.5	75.0	54.0	514
18	6	1	12.5	8.5	18.0	57.3	32.8	140

Conjunto de datos 7: Consumo de alcohol y tabaco en películas de dibujos animados para niños

WEB

Los datos se basan en "Tobacco and Alcohol Use in G-Rated Children's Animated Films", de Goldstein, Sobel y Newman, *Journal of the American Medical Association*, vol. 281, núm. 12.

STATDISK:	**El nombre del conjunto de datos es Chmovie.**
Minitab:	**El nombre de la hoja de cálculo es CHMOVIE.MTW.**
Excel:	**El nombre del libro de trabajo es CHMOVIE.XLS.**
TI-83/84 Plus:	**El nombre de la aplicación es CHMOVIE y los nombres de los archivos son los mismos que para los archivos de texto.**
Nombres de los archivos de texto:	**CHLEN, CHTOB, CHALC.**

Película	Compañía	Duración (min)	Consumo de tabaco (seg)	Consumo de alcohol (seg)
Blanca Nieves	Disney	83	0	0
Pinocho	Disney	88	223	80
Fantasía	Disney	120	0	0
Dumbo	Disney	64	176	88
Bambi	Disney	69	0	0
Los tres caballeros	Disney	71	548	8
Mickey y las habichuelas mágicas	Disney	76	0	4
Cenicienta	Disney	74	37	0
Alicia en el País de las Maravillas	Disney	75	158	0
Peter Pan	Disney	76	51	33
La dama y el vagabundo	Disney	75	0	0
La bella durmiente	Disney	75	0	113
101 dálmatas	Disney	79	299	51
La espada en la piedra	Disney	80	37	20
El libro de la selva	Disney	78	0	0
Los Aristógatos	Disney	78	11	142
Robin Hood	Disney	83	0	39
Los rescatadores	Disney	77	0	0
Winnie Pooh	Disney	71	0	0
El zorro y el sabueso	Disney	83	0	0
El corsario negro	Disney	80	0	34
Policías y ratones	Disney	73	165	414
Oliver y su pandilla	Disney	72	74	0
La sirenita	Disney	82	9	0
Los rescatadores en Cangurolandia	Disney	74	0	76
La bella y la bestia	Disney	84	0	123
Aladino	Disney	90	2	3
El rey león	Disney	89	0	0
Pocahontas	Disney	81	6	7
Toy Story	Disney	81	0	0
El jorobado de Notre Dame	Disney	90	23	46
Jim y el durazno gigante	Disney	79	206	38
Hércules	Disney	92	9	13
NIMH, el ratoncito valiente	MGM	82	0	0
Todos los perros van al cielo	MGM	89	205	73
Todos los perros van al cielo 2	MGM	82	162	72
Jake y Jill en Villa de Juguete	MGM	74	0	0
Pulgarcita	Warner Bros	86	6	5
El jardín mágico de Stanley	Warner Bros	76	1	0
Space Jam	Warner Bros	81	117	0
Pippi Longstocking	Warner Bros	75	5	0
Los gatos no bailan	Warner Bros	75	91	0
Un cuento americano	Universal	77	155	74
En busca del valle encantado	Universal	70	0	0
Fievel va al Oeste	Universal	75	24	28
Rex, un dinosaurio en Nueva York	Universal	64	55	0
En busca del valle encantado 2	Universal	73	0	0
Balto	Universal	74	0	0
El bosque de colores	20th Century Fox	71	0	0
Anastasia	20th Century Fox	94	17	39

Conjunto de datos 8: Conteos de palabras pronunciadas por hombres y mujeres

Las columnas son conteos del número de palabras pronunciadas en un día por hombres (H) y mujeres (M) en seis grupos muestrales diferentes. La columna 1H corresponde al conteo de palabras de los hombres en la muestra 1, la 1M corresponde al conteo de palabras de mujeres en la muestra 1, etcétera.

Muestra 1: Parejas de 18 a 29 años de edad
Muestra 2: Estudiantes de cursos de introducción a la psicología, de 17 a 23 años de edad
Muestra 3: Estudiantes de cursos de introducción a la psicología en México, de 17 a 25 años de edad
Muestra 4: Estudiantes de cursos de introducción a la psicología, de 17 a 22 años de edad
Muestra 5: Estudiantes de cursos de introducción a la psicología, de 18 a 26 años de edad
Muestra 6: Estudiantes de cursos de introducción a la psicología, de 17 a 23 años de edad

Los resultados se publicaron en "Are Women Really More Talkative Than Men?", de Matthias R. Mehl, Simine Vazire, Nairan Ramirez-Esparza, Richard B. Slatcher, James W. Pennebaker, *Science*, vol. 317, núm. 5834.

WEB

STATDISK:	El nombre del conjunto de datos es WORDS.
Minitab:	El nombre de la hoja de cálculo es WORDS.MTW.
Excel:	El nombre del libro de trabajo es WORDS.XLS.
TI-83/84 Plus:	El nombre de la aplicación es WORDS y los nombres de los archivos son M1, F1, M2, F2, M3, F3, M4, F4, M5, F5, M6, F6.
Nombres de los archivos de texto:	Los nombres de los archivos corresponden a las columnas 1M, 1F, 2M, 2F, 3M, 3F, 4M, 4F, 5M, 5F, 6M, 6F.

1H	1M	2H	2M	3H	3M	4H	4M	5H	5M	6H	6M
27531	20737	23871	16109	21143	6705	47016	11849	39207	15962	28408	15357
15684	24625	5180	10592	17791	21613	27308	25317	20868	16610	10084	13618
5638	5198	9951	24608	36571	11935	42709	40055	18857	22497	15931	9783
27997	18712	12460	13739	6724	15790	20565	18797	17271	5004	21688	26451
25433	12002	17155	22376	15430	17865	21034	20104		10171	37786	12151
8077	15702	10344	9351	11552	13035	24150	17225		31327	10575	8391
21319	11661	9811	7694	11748	24834	24547	14356		8758	12880	19763
17572	19624	12387	16812	12169	7747	22712	20571			11071	25246
26429	13397	29920	21066	15581	3852	20858	12240			17799	8427
21966	18776	21791	32291	23858	11648	3189	10031			13182	6998
11680	15863	9789	12320	5269	25862	10379	13260			8918	24876
10818	12549	31127	19839	12384	17183	15750	22871			6495	6272
12650	17014	8572	22018	11576	11010	4288	26533			8153	10047
21683	23511	6942	16624	17707	11156	12398	26139			7015	15569
19153	6017	2539	5139	15229	11351	25120	15204			4429	39681
1411	18338	36345	17384	18160	25693	7415	18393			10054	23079
20242	23020	6858	17740	22482	13383	7642	16363			3998	24814
10117	18602	24024	7309	18626	19992	16459	21293			12639	19287
20206	16518	5488	14699	1118	14926	19928	12562			10974	10351
16874	13770	9960	21450	5319	14128	26615	15422			5255	8866
16135	29940	11118	14602		10345	21885	29011				10827
20734	8419	4970	18360		13516	10009	17085				12584
7771	17791	10710	12345		12831	35142	13932				12764
6792	5596	15011	17379		9671	3593	2220				19086
26194	11467	1569	14394		17011	15728	5909				26852
10671	18372	23794	11907		28575	19230	10623				17639
13462	13657	23689	8319		23557	17108	20388				16616
12474	21420	11769	16046		13656	23852	13052				
13560	21261	26846	5112		8231	11276	12098				
18876	12964	17386	8034		10601	14456	19643				

(continúa)

Conjunto de datos 8: Conteos de palabras pronunciadas por hombres y mujeres (*continuación*)

1H	1M	2H	2M	3H	3M	4H	4M	5H	5M	6H	6M
13825	33789	7987	7845		8124	11067	21747				
9274	8709	25638	7796			18527	26601				
20547	10508	695	20910			11478	17835				
17190	11909	2366	8756			6025	14030				
10578	29730	16075	5683			12975	7990				
14821	20981	16789	8372			14124	16667				
15477	16937	9308	17191			22942	5342				
10483	19049		8380			12985	12729				
19377	20224		16741			18360	18920				
11767	15872		16417			9643	24261				
13793	18717		2363			8788	8741				
5908	12685		24349			7755	14981				
18821	17646					9725	1674				
14069	16255					11033	20635				
16072	28838					10372	16154				
16414	38154					16869	4148				
19017	25510					16248	5322				
37649	34869					9202					
17427	24480					11395					
46978	31553										
25835	18667										
10302	7059										
15686	25168										
10072	16143										
6885	14730										
20848	28117										

Conjunto de datos 9: Películas

WEB

STATDISK:	**El nombre del conjunto de datos es Movies.**
Minitab:	**El nombre de la hoja de cálculo es MOVIES.MTW.**
Excel:	**El nombre del libro de trabajo es MOVIES.XLS.**
TI-83/84 Plus:	**El nombre de la aplicación es MOVIES y los nombres de los archivos son los mismos que para los archivos de texto.**
Nombres de los archivos de texto:	**MVBUD, MVGRS, MVLEN, MVRAT.**

Título	Clasificación de la MPAA	Presupuesto en millones (de $)	Ganancias en millones (de $)	Duración (min)	Calificación del público
8 millas	R	41.0	117	110	6.7
Solo en la oscuridad	R	20.0	5	96	2.2
El aviador	PG-13	116.0	103	170	7.6
El gran pez	PG-13	70.0	66	125	8.0
Identidad desconocida	PG-13	75.0	121	119	7.4
Viviendo con mi ex	PG-13	52.0	116	105	5.8
Los ángeles de Charlie: Al límite	PG-13	120.0	101	106	4.8
Colateral	R	65.0	100	120	7.7
Alto impacto	R	6.5	55	113	8.3
La guardería de papá	PG	60.0	104	92	5.7
El código Da Vinci	PG-13	125.0	213	149	6.5
Eterno resplandor	R	20.0	34	108	8.6
From Justin to Kelly	PG	5.0	12	81	1.9
Harry Potter y el cáliz de fuego	PG-13	150.0	290	157	7.8
Hostal	R	4.5	47	94	5.8
La casa del espanto	R	7.0	10	90	2.0
El último samurai	R	100.0	111	154	7.8
Golpes del destino	PG-13	30.0	100	132	8.4
Piratas del Caribe (II)	PG-13	225.0	322	150	7.5
Rollerball	PG-13	70.0	19	97	2.7
S.W.A.T.	PG-13	80.0	117	117	6.0
La ventana secreta	PG-13	40.0	48	96	6.3
Señales	PG-13	70.0	228	106	7.0
Silent Hill	R	50.0	47	127	6.6
El hijo de la máscara	PG	74.0	17	94	2.0
Spider-Man 2	PG-13	200.0	373	127	7.8
La guerra de las galaxias III	PG-13	113.0	380	140	8.0
La suma de todos los miedos	PG-13	68.0	118	124	6.4
El pianista	R	35.0	33	150	8.5
La aldea	PG-13	72.0	114	108	6.6
Van Helsing	PG-13	160.0	120	132	5.3
Vanilla Sky	R	68.0	101	136	6.8
En la cuerda floja	PG-13	29.0	120	136	8.1
La guerra de los mundos	PG-13	132.0	234	116	6.7
Los cazanovias	R	40.0	209	119	7.3

Conjunto de datos 10: Datos del sistema de transporte espacial de la NASA

WEB

STATDISK:	El nombre del conjunto de datos es NASA.
Minitab:	El nombre de la hoja de cálculo es NASA.MTW.
Excel:	El nombre del libro de trabajo es NASA.XLS.
TI-83/84 Plus:	El nombre de la aplicación es NASA y los nombres de los archivos son los mismos que para los archivos de texto.
Nombres de los archivos de texto:	NASA1, NASA2.

Duraciones de vuelos espaciales (horas)

54	54	192	169	122	120	146	145	247	191	167	144	197	191	73	167	168	169	190	170
97	168	165	146	0	97	105	119	96	121	119	120	261	106	121	98	117	215	143	199
218	213	128	166	193	214	213	331	191	190	236	175	143	222	239	239	236	336	259	174
335	269	353	262	269	262	198	399	235	214	260	381	196	214	377	221	240	405	243	423
244	239	95	221	376	284	259	376	211	381	235	213	283	235	118	191	269	237	283	309
259	309	307	285	306	285	283	262	259	332	259	330	382	333	306					

Número de vuelos espaciales por astronauta

2	4	2	3	2	3	1	0	2	0	4	0	2	3	2	3	4	0	3	2
2	0	5	3	4	3	0	4	2	0	5	1	4	4	1	6	1	2	4	2
1	4	4	0	0	0	0	3	1	1	1	1	4	3	0	0	7	0	2	1
3	1	2	3	3	5	2	3	2	4	2	4	0	3	4	3	1	2	4	3
0	4	1	5	1	1	1	2	1	2	0	0	1	1	1	6	0	0	1	0
0	1	2	0	2	2	2	3	4	1	5	0	2	4	0	2	3	4	0	0
1	1	2	4	2	1	5	0	2	4	2	1	3	3	5	5	1	4	1	1
0	4	1	1	1	5	0	4	0	2	1	5	1	5	3	0	0	4	3	0
1	1	1	2	0	4	3	4	3	1	1	3	2	3	0	2	3	0	3	1
0	4	3	3	5	1	1	1	3	0	3	1	2	1	1	2	3	1	3	0
2	0	0	1	0	1	3	6	4	3	4	2	0	0	4	2	0	0	0	2
3	2	4	2	0	1	1	1	1	0	1	4	3	2	2	0	1	1	4	3
0	2	5	1	7	3	3	1	1	1	3	2	3	3	0	2	1	3	2	0
3	1	0	4	1	2	4	0	2	0	2	3	0	1	1	3	5	3	4	3
4	2	3	2	2	2	0	5	5	1	4	0	4	2	2	6	0	1	1	4
0	2	1	0	0	0	4	3	0	1	6	0								

Conjunto de datos 11: Temperaturas reales y pronosticadas

Las temperaturas están en grados Fahrenheit. Todas las mediciones se registraron cerca de la casa del autor.

WEB

STATDISK:	El nombre del conjunto de datos es Weather.
Minitab:	El nombre de la hoja de cálculo es WEATHER.MTW.
Excel:	El nombre del libro de trabajo es WEATHER.XLS.
TI-83/84 Plus:	El nombre de la aplicación es WEATHER y los nombres de los archivos son los mismos que para los archivos de texto.
Nombres de los archivos de texto:	ACTHI, ACTLO, PHI1, PLO1, PHI3, PLO3, PHI5, PLO5, PREC.

Fecha	Real máxima	Real mínima	Pronóstico 1 día máxima	Pronóstico 1 día mínima	Pronóstico 3 días máxima	Pronóstico 3 días mínima	Pronóstico 5 días máxima	Pronóstico 5 días mínima	Lluvia (en in)
1 sept.	80	54	78	52	79	52	80	56	0.00
2 sept.	77	54	75	53	86	63	80	57	0.00
3 sept.	81	55	81	55	79	59	79	59	0.00
4 sept.	85	60	85	62	83	59	80	56	0.00
5 sept.	73	64	76	53	80	63	79	64	0.00
6 sept.	73	51	75	58	76	61	82	57	0.00
7 sept.	80	59	79	66	80	63	76	61	0.00
8 sept.	72	61	74	66	79	67	73	63	0.47
9 sept.	83	68	75	66	76	66	77	59	1.59
10 sept.	81	62	80	53	79	58	83	61	0.07
11 sept.	75	53	75	51	78	58	77	58	0.01
12 sept.	78	52	79	55	75	54	79	56	0.00
13 sept.	80	56	80	53	74	48	74	50	0.01
14 sept.	71	56	70	53	73	55	75	52	0.00
15 sept.	73	54	72	60	73	59	76	54	0.00
16 sept.	78	64	79	63	76	60	78	62	0.06
17 sept.	75	62	75	60	76	56	76	58	0.01
18 sept.	63	55	67	43	73	52	75	60	2.85
19 sept.	63	48	64	43	75	53	77	55	0.00
20 sept.	70	40	69	46	68	53	71	50	0.00
21 sept.	77	47	77	50	77	51	74	54	0.00
22 sept.	82	49	81	55	83	54	73	56	0.00
23 sept.	81	53	81	51	78	57	75	53	0.01
24 sept.	76	51	80	53	75	54	79	56	0.00
25 sept.	77	54	78	54	77	51	74	53	0.00
26 sept.	76	58	76	50	72	46	71	44	0.00
27 sept.	74	48	76	60	74	56	70	45	0.01
28 sept.	66	61	70	49	74	49	73	52	1.99
29 sept.	66	57	69	41	68	41	72	48	0.67
30 sept.	62	53	68	45	72	50	69	47	0.21
1 oct.	71	51	75	49	72	49	70	47	0.02
2 oct.	68	46	71	47	73	52	68	46	0.01
3 oct.	66	44	68	42	66	43	67	46	0.05
4 oct.	71	39	69	44	68	44	61	40	0.00
5 oct.	58	43	56	29	62	38	64	42	0.00

Conjunto de datos 12: Consumo de electricidad de una casa

Todas las mediciones se realizaron en la casa del autor.

WEB

STATDISK:	**El nombre del conjunto de datos es Electric.**
Minitab:	**El nombre de la hoja de cálculo es ELECTRIC.MTW.**
Excel:	**El nombre del libro de trabajo es ELECTRIC.XLS.**
TI-83/84 Plus:	**El nombre de la aplicación es ELECTRIC y los nombres de los archivos son los mismos que para los archivos de texto.**
Nombres de los archivos de texto:	**Los nombres de los archivos de texto son KWH, COST, HDD, ADT.**

Periodo	Consumo de electricidad (kWh)	Costo (dólares)	Grados día de calefacción	Temperatura promedio diaria (°F)
Año 1: ene/feb	3637	295.33	2226	29
Año 1: mar/abr	2888	230.08	1616	37
Año 1: mayo/junio	2359	213.43	479	57
Año 1: julio/ago	3704	338.16	19	74
Año 1: sept/oct	3432	299.76	184	66
Año 1: nov/dic	2446	214.44	1105	47
Año 2: ene/feb	4463	384.13	2351	28
Año 2: mar/abr	2482	295.82	1508	41
Año 2: mayo/junio	2762	255.85	657	54
Año 2: julio/ago	2288	219.72	35	68
Año 2: sept/oct	2423	256.59	308	62
Año 2: nov/dic	2483	276.13	1257	42
Año 3: ene/feb	3375	321.94	2421	26
Año 3: mar/abr	2661	221.11	1841	34
Año 3: mayo/junio	2073	205.16	438	58
Año 3: julio/ago	2579	251.07	15	72
Año 3: sept/oct	2858	279.80	152	67
Año 3: nov/dic	2296	183.84	1028	48
Año 4: ene/feb	2812	244.93	1967	33
Año 4: mar/abr	2433	218.59	1627	39
Año 4: mayo/junio	2266	213.09	537	66
Año 4: julio/ago	3128	333.49	26	71
Año 4: sept/oct	3286	370.35	116	
Año 4: nov/dic	2749	222.79	1457	
Año 5: ene/feb	3427	316.18	253	
Año 5: mar/abr	578	77.39	1811	
Año 5: mayo/junio	3792	385.44	632	
Año 5: julio/ago	3348	334.72	35	
Año 5: sept/oct	2937	330.47	215	
Año 5: nov/dic	2774	237.00	1300	
Año 6: ene/feb	3016	303.78	2435	
Año 6: mar/abr	2458	263.75	1540	
Año 6: mayo/junio	2395	207.08	395	
Año 6: julio/ago	3249	304.83	26	
Año 6: sept/oct	3003	305.67	153	
Año 6: nov/dic	2118	197.65	1095	
Año 7: ene/feb	4261	470.02	2554	
Año 7: mar/abr	1946	217.36	1708	
Año 7: mayo/junio	2063	217.08	569	
Año 7: julio/ago	4081	541.01	3	
Año 7: sept/oct	1919	423.17	58	
Año 7: nov/dic	2360	256.06	1232	
Año 8: ene/feb	2853	309.40	2070	
Año 8: mar/abr	2174	254.91	1620	
Año 8: mayo/junio	2370	290.98	542	
Año 8: julio/ago	3480	370.74	29	
Año 8: sept/oct	2710	329.72	228	
Año 8: nov/dic	2327	229.05	1053	

Conjunto de datos 13: Mediciones de voltaje de una casa

Todas las mediciones se realizaron en la casa del autor. Las mediciones de voltaje corresponden a la electricidad que se suministra directamente a la casa, a un generador independiente Generac (modelo PP 5000) y a un dispositivo de alimentación eléctrica ininterrumpida (APC modelo CS 350) conectado al suministro de electricidad de la casa.

STATDISK:	El nombre del conjunto de datos es Voltage.
Minitab:	El nombre de la hoja de cálculo es VOLTAGE.MTW.
Excel:	El nombre del libro de trabajo es VOLTAGE.XLS.
TI-83/84 Plus:	El nombre de la aplicación es VOLTAGE y los nombres de los archivos son los mismos que para los archivos de texto.
Nombres de los archivos de texto:	Los nombres de los archivos de texto son VHOME, VGEN, VUPS.

Día	Casa (volts)	Generador (volts)	Dispositivo (volts)
1	123.8	124.8	123.1
2	123.9	124.3	123.1
3	123.9	125.2	123.6
4	123.3	124.5	123.6
5	123.4	125.1	123.6
6	123.3	124.8	123.7
7	123.3	125.1	123.7
8	123.6	125.0	123.6
9	123.5	124.8	123.6
10	123.5	124.7	123.8
11	123.5	124.5	123.7
12	123.7	125.2	123.8
13	123.6	124.4	123.5
14	123.7	124.7	123.7
15	123.9	124.9	123.0
16	124.0	124.5	123.8
17	124.2	124.8	123.8
18	123.9	124.8	123.1
19	123.8	124.5	123.7
20	123.8	124.6	123.7
21	124.0	125.0	123.8
22	123.9	124.7	123.8
23	123.6	124.9	123.7
24	123.5	124.9	123.8
25	123.4	124.7	123.7
26	123.4	124.2	123.8
27	123.4	124.7	123.8
28	123.4	124.8	123.8
29	123.3	124.4	123.9
30	123.3	124.6	123.8
31	123.5	124.4	123.9
32	123.6	124.0	123.9
33	123.8	124.7	123.9
34	123.9	124.4	123.9
35	123.9	124.6	123.6
36	123.8	124.6	123.2
37	123.9	124.6	123.1
38	123.7	124.8	123.0
39	123.8	124.3	122.9
40	123.8	124.0	123.0

Conjunto de datos 14: Cantidad de lluvia (en pulgadas) en Boston durante un año

WEB

STATDISK: El nombre del conjunto de datos es Bostrain.
Minitab: El nombre de la hoja de cálculo es BOSTRAIN.MTW.
Excel: El nombre del libro de trabajo es BOSTRAIN.XLS.
TI-83/84 Plus: El nombre de la aplicación es BOSTRAIN y los nombres de los archivos son los mismos que para los archivos de texto.
Nombres de los archivos de texto: RNMON, RNTUE, RNWED, RNTHU, RNFRI, RNSAT, RNSUN.

Lun.	Mar.	Miér.	Jue.	Vie.	Sab.	Dom.
0	0	0	0.04	0.04	0	0.05
0	0	0	0.06	0.03	0.1	0
0	0	0	0.71	0	0	0
0	0.44	0.14	0.04	0.04	0.64	0
0.05	0	0	0	0.01	0.05	0
0	0	0.64	0	0	0	0
0.01	0	0	0	0.3	0.05	0
0	0	0.01	0	0	0	0
0	0.01	0.01	0.16	0	0	0.09
0.12	0.06	0.18	0.39	0	0.1	0
0	0	0	0	0.78	0.49	0
0	0.02	0	0	0.01	0.17	0
1.41	0.65	0.31	0	0	0.54	0
0	0	0	0	0	0	0
0	0	0	0	0	0.4	0.28
0	0	0	0.3	0.87	0.49	0
0.47	0	0	0	0	0	0
0	0.09	0	0.24	0	0.05	0
0	0.14	0	0	0.04	0.07	0
0.92	0.36	0.02	0.09	0.27	0	0
0.01	0	0.06	0	0	0	0.27
0.01	0	0	0	0	0	0.01
0	0	0	0	0	0	0
0	0	0	0	0.71	0	0
0	0	0.27	0.08	0	0	0.33
0	0	0	0	0	0	0
0.03	0	0.08	0.14	0	0	0
0	0.11	0.06	0.02	0	0	0
0.01	0.05	0	0.01	0	0	0
0	0	0	0	0.12	0	0
0.11	0.03	0	0	0	0	0.44
0.01	0.01	0	0	0.11	0.18	0
0.49	0	0.64	0.01	0	0	0.01
0	0	0.08	0.85	0.01	0	0
0.01	0.02	0	0	0.03	0	0
0	0	0.12	0	0	0	0
0	0	0.01	0.04	0.26	0.04	0
0	0	0	0	0	0.4	0
0.12	0	0	0	0	0	0
0	0	0	0	0.24	0	0.23
0	0	0	0.02	0	0	0
0	0	0	0.02	0	0	0
0.59	0	0	0	0	0.68	0
0	0.01	0	0	0	1.48	0.21
0.01	0	0	0	0.05	0.69	1.28
0	0	0	0	0.96	0	0.01
0	0	0	0	0	0.79	0.02
0.41	0	0.06	0.01	0	0	0.28
0	0	0	0.08	0.04	0	0
0	0	0	0	0	0	0
0	0.74	0	0	0	0	0
0.43	0.3	0	0.26	0	0.02	0.01

Conjunto de datos 15: Géiser Old Faithful

Las mediciones provienen de erupciones del géiser Old Faithful del Parque Nacional Yellowstone. Los errores de predicción se basan en los momentos predichos para la erupción, donde un valor negativo corresponde a una erupción que ocurrió antes del momento predicho.

WEB

STATDISK: El nombre del conjunto de datos es OldFaith.

Minitab: El nombre de la hoja de cálculo es OLDFAITH.MTW.

Excel: El nombre del libro de trabajo es OLDFAITH.XLS.

TI-83/84 Plus: El nombre de la aplicación es OLDFAITH y los nombres de los archivos son los mismos que para los archivos de texto.

Nombres de los archivos de texto: Los nombres de los archivos de texto son OFDUR, OFBEF, OFAFT, OFHT, OFERR.

Duración (seg)	Intervalo previo (min)	Intervalo posterior (min)	Altura (pies)	Error de predicción (min)
240	98	92	140	4
237	92	95	140	−2
250	95	92	148	1
243	87	100	130	−7
255	96	90	125	2
120	90	65	110	−4
260	65	92	136	0
178	92	72	125	−2
259	95	93	115	1
245	93	98	120	−1
234	98	94	120	4
213	94	80	120	0
255	93	93	150	−1
235	93	83	140	−1
250	96	89	136	2
110	89	66	120	−5
245	93	89	148	−1
269	89	86	130	−5
251	86	97	130	−8
234	69	105	136	4
252	105	92	130	13
254	92	89	115	0
273	89	93	136	−3
266	93	112	130	1
284	112	88	138	20
252	95	105	120	3
269	105	94	120	13
250	94	90	120	2
261	90	98	95	−2
253	98	81	140	6
255	81	101	125	−11
280	69	94	130	4
270	94	92	130	2
241	92	106	110	0
272	106	93	110	14
294	93	96	125	1
220	108	87	150	21
253	87	97	130	−5
245	97	86	120	5
274	102	92	95	10

Conjunto de datos 16: Automóviles

Los pesos de los automóviles están en libras, las longitudes están en pulgadas, las distancias de frenado corresponden a la distancia requerida (en pies) para frenar desde una velocidad de 60 mi/h, los desplazamientos (capacidad volumétrica o cilindrada del motor) están en litros, las cantidades de consumo de combustible en la ciudad están en millas por galón, las cantidades de consumo de combustible en carretera están en millas por galón, y GI denota las emisiones de gas de invernadero en toneladas por año y están expresadas en equivalentes de CO_2.

WEB

STATDISK:	**El nombre del conjunto de datos es Cars.**
Minitab:	**El nombre de la hoja de cálculo es CARS.MTW.**
Excel:	**El nombre del libro de trabajo es CARS.XLS.**
TI-83/84 Plus:	**El nombre de la aplicación es CARS y los nombres de los archivos son los mismos que para los archivos de texto.**
Nombres de los archivos de texto:	**CRWT, CRLEN, CRBRK, CRCYL, CRDSP, CRCTY, CRHWY, CRGHG.**

Automóvil	Peso	Longitud	Frenado	Cilindros	Despl.	Ciudad	Carretera	GI
Acura RL	4035	194	131	6	3.5	18	26	8.7
Acura TSX	3315	183	136	4	2.4	22	31	7.2
Audi A6	4115	194	129	6	3.2	21	29	7.7
BMW 525i	3650	191	127	6	3.0	21	29	7.7
Buick LaCrosse	3565	198	146	4	3.8	20	30	7.9
Cadillac STS	4030	196	146	6	3.6	18	27	8.7
Chevrolet Impala	3710	200	155	6	3.9	19	27	8.2
Chevrolet Malibu	3135	188	139	4	2.2	24	32	6.8
Chrysler 300	4105	197	133	8	5.7	17	25	9.3
Dodge Charger	4170	200	131	8	5.7	17	25	9.3
Dodge Stratus	3190	191	131	4	2.4	22	30	7.4
Ford Crown Vic	4180	212	140	8	4.6	17	25	9.3
Ford Focus	2760	168	137	4	2.0	26	32	6.5
Honda Accord	3195	190	144	4	2.4	24	34	6.6
Hyundai Elantra	2980	177	133	4	2.0	24	32	6.7
Infiniti M35	4095	193	122	6	3.5	18	25	9.0
Jaguar XJ8	3860	200	133	8	4.2	18	27	8.6
Kia Amanti	4020	196	143	6	3.5	17	25	9.3
Kia Spectra	2875	176	144	4	2.0	25	34	6.5
Lexus GS300	3915	190	133	6	3.0	22	30	7.4
Lexus LS	4205	197	134	8	4.3	18	25	8.7
Lincoln Town Car	4415	215	143	8	4.6	17	25	9.3
Mazda 3	3060	177	129	4	2.3	26	32	6.5
Mercedes-Benz E	3745	190	128	6	3.2	27	37	7.0
Mercury Gr. Marq.	4180	212	140	8	4.6	17	25	9.3
Nissan Altima	3235	192	144	4	2.5	23	29	7.1
Pontiac G6	3475	189	146	6	3.5	22	32	7.2
Saturn Ion	2865	185	130	4	2.2	24	32	6.7
Toyota Avalon	3600	197	139	6	3.5	22	31	7.2
Toyota Corolla	2595	178	140	4	1.8	30	38	5.5
VW Passat	3465	188	135	4	2.0	22	31	7.3
Volvo S80	3630	190	136	6	2.9	20	27	8.2

Conjunto de datos 17: Pesos y volúmenes de bebidas de cola

Los pesos están en libras y los volúmenes en onzas.

WEB

STATDISK:	**El nombre del conjunto de datos es Cola.**
Minitab:	**El nombre de la hoja de cálculo es COLA.MTW.**
Excel:	**El nombre del libro de trabajo es COLA.XLS.**
TI-83/84 Plus:	**El nombre de la aplicación es COLA, y los nombres de los archivos son los mismos que para los archivos de texto.**
Nombres de los archivos de texto:	**CRGWT, CRGVL, CDTWT, CDTVL, PRGWT, PRGVL, PDTWT, PDTVL.**

Peso Coca clásica	Volumen Coca clásica	Peso Coca dietética	Volumen Coca dietética	Peso Pepsi clásica	Volumen Pepsi clásica	Peso Pepsi dietética	Volumen Pepsi dietética
0.8192	12.3	0.7773	12.1	0.8258	12.4	0.7925	12.3
0.8150	12.1	0.7758	12.1	0.8156	12.2	0.7868	12.2
0.8163	12.2	0.7896	12.3	0.8211	12.2	0.7846	12.2
0.8211	12.3	0.7868	12.3	0.8170	12.2	0.7938	12.3
0.8181	12.2	0.7844	12.2	0.8216	12.2	0.7861	12.2
0.8247	12.3	0.7861	12.3	0.8302	12.4	0.7844	12.2
0.8062	12.0	0.7806	12.2	0.8192	12.2	0.7795	12.2
0.8128	12.1	0.7830	12.2	0.8192	12.2	0.7883	12.3
0.8172	12.2	0.7852	12.2	0.8271	12.3	0.7879	12.2
0.8110	12.1	0.7879	12.3	0.8251	12.3	0.7850	12.3
0.8251	12.3	0.7881	12.3	0.8227	12.2	0.7899	12.3
0.8264	12.3	0.7826	12.3	0.8256	12.3	0.7877	12.2
0.7901	11.8	0.7923	12.3	0.8139	12.2	0.7852	12.2
0.8244	12.3	0.7852	12.3	0.8260	12.3	0.7756	12.1
0.8073	12.1	0.7872	12.3	0.8227	12.2	0.7837	12.2
0.8079	12.1	0.7813	12.2	0.8388	12.5	0.7879	12.2
0.8044	12.0	0.7885	12.3	0.8260	12.3	0.7839	12.2
0.8170	12.2	0.7760	12.1	0.8317	12.4	0.7817	12.2
0.8161	12.2	0.7822	12.2	0.8247	12.3	0.7822	12.2
0.8194	12.2	0.7874	12.3	0.8200	12.2	0.7742	12.1
0.8189	12.2	0.7822	12.2	0.8172	12.2	0.7833	12.2
0.8194	12.2	0.7839	12.2	0.8227	12.3	0.7835	12.2
0.8176	12.2	0.7802	12.1	0.8244	12.3	0.7855	12.2
0.8284	12.4	0.7892	12.3	0.8244	12.2	0.7859	12.2
0.8165	12.2	0.7874	12.2	0.8319	12.4	0.7775	12.1
0.8143	12.2	0.7907	12.3	0.8247	12.3	0.7833	12.2
0.8229	12.3	0.7771	12.1	0.8214	12.2	0.7835	12.2
0.8150	12.2	0.7870	12.2	0.8291	12.4	0.7826	12.2
0.8152	12.2	0.7833	12.3	0.8227	12.3	0.7815	12.2
0.8244	12.3	0.7822	12.2	0.8211	12.3	0.7791	12.1
0.8207	12.2	0.7837	12.3	0.8401	12.5	0.7866	12.3
0.8152	12.2	0.7910	12.4	0.8233	12.3	0.7855	12.2
0.8126	12.1	0.7879	12.3	0.8291	12.4	0.7848	12.2
0.8295	12.4	0.7923	12.4	0.8172	12.2	0.7806	12.2
0.8161	12.2	0.7859	12.3	0.8233	12.4	0.7773	12.1
0.8192	12.2	0.7811	12.2	0.8211	12.3	0.7775	12.1

Conjunto de datos 18: Pesos (en gramos) de una muestra de dulces M&M clásicos

WEB

STATDISK:	El nombre del conjunto de datos es M&M.
Minitab:	El nombre de la hoja de cálculo es M&M.MTW.
Excel:	El nombre del libro de trabajo es M&M.XLS.
TI-83/84 Plus:	El nombre de la aplicación es MM, y los nombres de los archivos son los mismos que para los archivos de texto.
Nombres de los archivos de texto:	Los nombres de los archivos de texto son RED, ORNG, YLLW, BROWN, BLUE, GREEN.

Rojo	Naranja	Amarillo	Café	Azul	Verde
0.751	0.735	0.883	0.696	0.881	0.925
0.841	0.895	0.769	0.876	0.863	0.914
0.856	0.865	0.859	0.855	0.775	0.881
0.799	0.864	0.784	0.806	0.854	0.865
0.966	0.852	0.824	0.840	0.810	0.865
0.859	0.866	0.858	0.868	0.858	1.015
0.857	0.859	0.848	0.859	0.818	0.876
0.942	0.838	0.851	0.982	0.868	0.809
0.873	0.863			0.803	0.865
0.809	0.888			0.932	0.848
0.890	0.925			0.842	0.940
0.878	0.793			0.832	0.833
0.905	0.977			0.807	0.845
	0.850			0.841	0.852
	0.830			0.932	0.778
	0.856			0.833	0.814
	0.842			0.881	0.791
	0.778			0.818	0.810
	0.786			0.864	0.881
	0.853			0.825	
	0.864			0.855	
	0.873			0.942	
	0.880			0.825	
	0.882			0.869	
	0.931			0.912	
				0.887	
				0.886	

Conjunto de datos 19: Longitudes de tornillos (en pulgadas)

Todos los tornillos están fabricados con hojas de metal de acero inoxidable, y provienen de paquetes con etiquetas que indican que tienen una longitud de 3/4 de pulgada (o 0.75 pulgadas). Crown Bolt, Inc., es el proveedor de los tornillos y el autor realizó las mediciones por medio de un calibrador Vernier o pie de rey.

WEB

STATDISK:	El nombre del conjunto de datos es Screws.
Minitab:	El nombre de la hoja de cálculo es SCREWS.MTW.
Excel:	El nombre del libro de trabajo es SCREWS.XLS.
TI-83/84 Plus:	El nombre de la aplicación es SCREWS, y los nombres de los archivos son los mismos que para los archivos de texto.
Nombres de los archivos de texto:	El nombre del archivo de texto es SCRWS.

0.757	0.723	0.754	0.737	0.757	0.741	0.722	0.741	0.743	0.742
0.740	0.758	0.724	0.739	0.736	0.735	0.760	0.750	0.759	0.754
0.744	0.758	0.765	0.756	0.738	0.742	0.758	0.757	0.724	0.757
0.744	0.738	0.763	0.756	0.760	0.768	0.761	0.742	0.734	0.754
0.758	0.735	0.740	0.743	0.737	0.737	0.725	0.761	0.758	0.756

Conjunto de datos 20: Pesos de monedas (en gramos)

Las monedas de un centavo de dólar acuñadas antes de 1983 se fabricaron después de los centavos indios y de trigo, y contenían un 97% de cobre y un 3% de cinc. Las monedas de un centavo acuñadas después de 1983 contienen un 3% de cobre y un 97% de cinc. Las monedas de 25 centavos de plata acuñadas antes de 1964 contienen un 90% de plata y un 10% de cobre. Las monedas de 25 centavos acuñadas después de 1964 contienen una aleación de cobre y níquel.

WEB

STATDISK:	El nombre del conjunto de datos es Coins.
Minitab:	El nombre de la hoja de cálculo es COINS.MTW.
Excel:	El nombre del libro de trabajo es COINS.XLS.
TI-83/84 Plus:	El nombre de la aplicación es COINS, y los nombres de los archivos son los mismos que para los archivos de texto.
Nombres de los archivos de texto:	Los nombres de los archivos de texto son CPIND, CPWHT, CPPRE, CPPST, CPCAN, CQPRE, CQPST, CDOL.

Centavos indios	Centavos de trigo	Centavos antes de 1983	Centavos después de 1983	Centavos canadienses	Monedas de $0.25 antes de 1964	Monedas de $0.25 después de 1964	Monedas de dólar
3.0630	3.1366	3.1582	2.5113	3.2214	6.2771	5.7027	8.1008
3.0487	3.0755	3.0406	2.4907	3.2326	6.2371	5.7495	8.1072
2.9149	3.1692	3.0762	2.5024	2.4662	6.1501	5.7050	8.0271
3.1358	3.0476	3.0398	2.5298	2.8357	6.0002	5.5941	8.0813
2.9753	3.1029	3.1043	2.4950	3.3189	6.1275	5.7247	8.0241
	3.0377	3.1274	2.5127	3.2612	6.2151	5.6114	8.0510
	3.1083	3.0775	2.4998	3.2441	6.2866	5.6160	7.9817
	3.1141	3.1038	2.4848	2.4679	6.0760	5.5999	8.0954
	3.0976	3.1086	2.4823	2.7202	6.1426	5.7790	8.0658
	3.0862	3.0586	2.5163	2.5120	6.3415	5.6841	8.1238
	3.0570	3.0603	2.5222		6.1309	5.6234	8.1281
	3.0765	3.0502	2.5004		6.2412	5.5928	8.0307
	3.1114	3.1028	2.5248		6.1442	5.6486	8.0719
	3.0965	3.0522	2.5058		6.1073	5.6661	8.0345
	3.0816	3.0546	2.4900		6.1181	5.5361	8.0775
	3.0054	3.0185	2.5068		6.1352	5.5491	8.1384
	3.1934	3.0712	2.5016		6.2821	5.7239	8.1041
	3.1461	3.0717	2.4797		6.2647	5.6555	8.0894
	3.0185	3.0546	2.5067		6.2908	5.6063	8.0538
	3.1267	3.0817	2.5139		6.1661	5.5709	8.0342
	3.1524	3.0704	2.4762		6.2674	5.5591	
	3.0786	3.0797	2.5004		6.2718	5.5864	
	3.0131	3.0713	2.5170		6.1949	5.6872	
	3.1535	3.0631	2.4925		6.2465	5.6274	
	3.0480	3.0866	2.4876		6.3172	5.6157	
	3.0050	3.0763	2.4933		6.1487	5.6668	
	3.0290	3.1299	2.4806		6.0829	5.7198	
	3.1038	3.0846	2.4907		6.1423	5.6694	
	3.0357	3.0917	2.5017		6.1970	5.5454	
	3.0064	3.0877	2.4950		6.2441	5.6646	
	3.0936	2.9593	2.4973		6.3669	5.5636	
	3.1031	3.0966	2.5252		6.0775	5.6485	
	3.0408	2.9800	2.4978		6.1095	5.6703	
	3.0561	3.0934	2.5073		6.1787	5.6848	
	3.0994	3.1340	2.4658		6.2130	5.5609	
			2.4529		6.1947	5.7344	
			2.5085		6.1940	5.6449	
					6.0257	5.5804	
					6.1719	5.6010	
					6.3278	5.6022	

Conjunto de datos 21: Cargas axiales de latas de aluminio

WEB

STATDISK:	El nombre del conjunto de datos es Cans.
Minitab:	El nombre de la hoja de cálculo es CANS.MTW.
Excel:	El nombre del libro de trabajo es CANS.XLS.
TI-83/84 Plus:	El nombre de la aplicación es CANS, y los nombres de los archivos son los mismos que para los archivos de texto.
Nombres de los archivos de texto:	CN109, CN111.

Muestra	Latas de aluminio de 0.0109 pulgadas Carga (en libras)						
1	270	273	258	204	254	228	282
2	278	201	264	265	223	274	230
3	250	275	281	271	263	277	275
4	278	260	262	273	274	286	236
5	290	286	278	283	262	277	295
6	274	272	265	275	263	251	289
7	242	284	241	276	200	278	283
8	269	282	267	282	272	277	261
9	257	278	295	270	268	286	262
10	272	268	283	256	206	277	252
11	265	263	281	268	280	289	283
12	263	273	209	259	287	269	277
13	234	282	276	272	257	267	204
14	270	285	273	269	284	276	286
15	273	289	263	270	279	206	270
16	270	268	218	251	252	284	278
17	277	208	271	208	280	269	270
18	294	292	289	290	215	284	283
19	279	275	223	220	281	268	272
20	268	279	217	259	291	291	281
21	230	276	225	282	276	289	288
22	268	242	283	277	285	293	248
23	278	285	292	282	287	277	266
24	268	273	270	256	297	280	256
25	262	268	262	293	290	274	292

Muestra	Latas de aluminio de 0.0111 pulgadas Carga (en libras)						
1	287	216	260	291	210	272	260
2	294	253	292	280	262	295	230
3	283	255	295	271	268	225	246
4	297	302	282	310	305	306	262
5	222	276	270	280	288	296	281
6	300	290	284	304	291	277	317
7	292	215	287	280	311	283	293
8	285	276	301	285	277	270	275
9	290	288	287	282	275	279	300
10	293	290	313	299	300	265	285
11	294	262	297	272	284	291	306
12	263	304	288	256	290	284	307
13	273	283	250	244	231	266	504
14	284	227	269	282	292	286	281
15	296	287	285	281	298	289	283
16	247	279	276	288	284	301	309
17	284	284	286	303	308	288	303
18	306	285	289	292	295	283	315
19	290	247	268	283	305	279	287
20	285	298	279	274	205	302	296
21	282	300	284	281	279	255	210
22	279	286	293	285	288	289	281
23	297	314	295	257	298	211	275
24	247	279	303	286	287	287	275
25	243	274	299	291	281	303	269

Conjunto de datos 22: Pesos de basura de una semana

Los pesos están en libras. TAMAÑO es el tamaño del hogar. Datos proporcionados por Masakuza Tani, Proyecto Garbage, Universidad de Arizona.

WEB

STATDISK:	**El nombre del conjunto de datos es Garbage.**
Minitab:	**El nombre de la hoja de cálculo es GARBAGE.MTW.**
Excel:	**El nombre del libro de trabajo es GARBAGE.XLS.**
TI-83/84 Plus:	**El nombre de la aplicación es GARBAGE, y los nombres de los archivos son los mismos que para los archivos de texto.**
Nombres de los archivos de texto:	**HHSIZ, METAL, PAPER, PLAS, GLASS, FOOD, YARD, TEXT, OTHER, TOTAL.**

Hogar	Tamaño	Metal	Papel	Plástico	Vidrio	Comida	Patio	Textiles	Otros	Total
1	2	1.09	2.41	0.27	0.86	1.04	0.38	0.05	4.66	10.76
2	3	1.04	7.57	1.41	3.46	3.68	0.00	0.46	2.34	19.96
3	3	2.57	9.55	2.19	4.52	4.43	0.24	0.50	3.60	27.60
4	6	3.02	8.82	2.83	4.92	2.98	0.63	2.26	12.65	38.11
5	4	1.50	8.72	2.19	6.31	6.30	0.15	0.55	2.18	27.90
6	2	2.10	6.96	1.81	2.49	1.46	4.58	0.36	2.14	21.90
7	1	1.93	6.83	0.85	0.51	8.82	0.07	0.60	2.22	21.83
8	5	3.57	11.42	3.05	5.81	9.62	4.76	0.21	10.83	49.27
9	6	2.32	16.08	3.42	1.96	4.41	0.13	0.81	4.14	33.27
10	4	1.89	6.38	2.10	17.67	2.73	3.86	0.66	0.25	35.54
11	4	3.26	13.05	2.93	3.21	9.31	0.70	0.37	11.61	44.44
12	7	3.99	11.36	2.44	4.94	3.59	13.45	4.25	1.15	45.17
13	3	2.04	15.09	2.17	3.10	5.36	0.74	0.42	4.15	33.07
14	5	0.99	2.80	1.41	1.39	1.47	0.82	0.44	1.03	10.35
15	6	2.96	6.44	2.00	5.21	7.06	6.14	0.20	14.43	44.44
16	2	1.50	5.86	0.93	2.03	2.52	1.37	0.27	9.65	24.13
17	4	2.43	11.08	2.97	1.74	1.75	14.70	0.39	2.54	37.60
18	4	2.97	12.43	2.04	3.99	5.64	0.22	2.47	9.20	38.96
19	3	1.42	6.05	0.65	6.26	1.93	0.00	0.86	0.00	17.17
20	3	3.60	13.61	2.13	3.52	6.46	0.00	0.96	1.32	31.60
21	2	4.48	6.98	0.63	2.01	6.72	2.00	0.11	0.18	23.11
22	2	1.36	14.33	1.53	2.21	5.76	0.58	0.17	1.62	27.56
23	4	2.11	13.31	4.69	0.25	9.72	0.02	0.46	0.40	30.96
24	1	0.41	3.27	0.15	0.09	0.16	0.00	0.00	0.00	4.08
25	4	2.02	6.67	1.45	6.85	5.52	0.00	0.68	0.03	23.22
26	6	3.27	17.65	2.68	2.33	11.92	0.83	0.28	4.03	42.99
27	11	4.95	12.73	3.53	5.45	4.68	0.00	0.67	19.89	51.90
28	3	1.00	9.83	1.49	2.04	4.76	0.42	0.54	0.12	20.20
29	4	1.55	16.39	2.31	4.98	7.85	2.04	0.20	1.48	36.80
30	3	1.41	6.33	0.92	3.54	2.90	3.85	0.03	0.04	19.02
31	2	1.05	9.19	0.89	1.06	2.87	0.33	0.01	0.03	15.43
32	2	1.31	9.41	0.80	2.70	5.09	0.64	0.05	0.71	20.71
33	2	2.50	9.45	0.72	1.14	3.17	0.00	0.02	0.01	17.01
34	4	2.35	12.32	2.66	12.24	2.40	7.87	4.73	0.78	45.35
35	6	3.69	20.12	4.37	5.67	13.20	0.00	1.15	1.17	49.37
36	2	3.61	7.72	0.92	2.43	2.07	0.68	0.63	0.00	18.06

(continúa)

Conjunto de datos 22: Pesos de basura de una semana (*continuación*)

Hogar	Tamaño	Metal	Papel	Plástico	Vidrio	Comida	Patio	Textiles	Otros	Total
37	2	1.49	6.16	1.40	4.02	4.00	0.30	0.04	0.00	17.41
38	2	1.36	7.98	1.45	6.45	4.27	0.02	0.12	2.02	23.67
39	2	1.73	9.64	1.68	1.89	1.87	0.01	1.73	0.58	19.13
40	2	0.94	8.08	1.53	1.78	8.13	0.36	0.12	0.05	20.99
41	3	1.33	10.99	1.44	2.93	3.51	0.00	0.39	0.59	21.18
42	3	2.62	13.11	1.44	1.82	4.21	4.73	0.64	0.49	29.06
43	2	1.25	3.26	1.36	2.89	3.34	2.69	0.00	0.16	14.95
44	2	0.26	1.65	0.38	0.99	0.77	0.34	0.04	0.00	4.43
45	3	4.41	10.00	1.74	1.93	1.14	0.92	0.08	4.60	24.82
46	6	3.22	8.96	2.35	3.61	1.45	0.00	0.09	1.12	20.80
47	4	1.86	9.46	2.30	2.53	6.54	0.00	0.65	2.45	25.79
48	4	1.76	5.88	1.14	3.76	0.92	1.12	0.00	0.04	14.62
49	3	2.83	8.26	2.88	1.32	5.14	5.60	0.35	2.03	28.41
50	3	2.74	12.45	2.13	2.64	4.59	1.07	0.41	1.14	27.17
51	10	4.63	10.58	5.28	12.33	2.94	0.12	2.94	15.65	54.47
52	3	1.70	5.87	1.48	1.79	1.42	0.00	0.27	0.59	13.12
53	6	3.29	8.78	3.36	3.99	10.44	0.90	1.71	13.30	45.77
54	5	1.22	11.03	2.83	4.44	3.00	4.30	1.95	6.02	34.79
55	4	3.20	12.29	2.87	9.25	5.91	1.32	1.87	0.55	37.26
56	7	3.09	20.58	2.96	4.02	16.81	0.47	1.52	2.13	51.58
57	5	2.58	12.56	1.61	1.38	5.01	0.00	0.21	1.46	24.81
58	4	1.67	9.92	1.58	1.59	9.96	0.13	0.20	1.13	26.18
59	2	0.85	3.45	1.15	0.85	3.89	0.00	0.02	1.04	11.25
60	4	1.52	9.09	1.28	8.87	4.83	0.00	0.95	1.61	28.15
61	2	1.37	3.69	0.58	3.64	1.78	0.08	0.00	0.00	11.14
62	2	1.32	2.61	0.74	3.03	3.37	0.17	0.00	0.46	11.70

Conjunto de datos 23: Ventas de casas

Casas vendidas en el Condado Dutchess, Nueva York.

WEB

STATDISK:	El nombre del conjunto de datos es Homes.
Minitab:	El nombre de la hoja de cálculo es HOMES.MTW.
Excel:	El nombre del libro de trabajo es HOMES.XLS.
TI-83/84 Plus:	El nombre de la aplicación es HOMES, y los nombres de los archivos son los mismos que para los archivos de texto.
Nombres de los archivos de texto:	Los nombres de los archivos de texto son HMSP, HMLST, HMLA, HMACR, HMAGE, HMTAX, HMRMS, HMBRS, HMBTH.

Precio de venta (en dólares)	Precio de lista (en dólares)	Área habitable (en ft^2)	Acres	Antigüedad (en años)	Impuestos (en dólares)	Habitaciones	Dormitorios	Baños (completos)
400000	414000	2704	2.27	27	4920	9	3	3
370000	379000	2096	0.75	21	4113	8	4	2
382500	389900	2737	1.00	36	6072	9	4	2
300000	299900	1800	0.43	34	4024	8	4	2
305000	319900	1066	3.60	69	3562	6	3	2
320000	319900	1820	1.70	34	4672	7	3	2
321000	328900	2700	0.81	35	3645	8	3	1
445000	450000	2316	2.00	19	6256	9	4	2
377500	385000	2448	1.50	40	5469	9	4	3
460000	479000	3040	1.09	20	6740	10	4	2
265000	275000	1500	1.60	39	4046	6	2	2
299000	299000	1448	0.42	44	3481	7	3	1
385000	379000	2400	0.89	33	4411	9	4	3
430000	435000	2200	4.79	6	5714	8	4	2
214900	219900	1635	0.25	49	2560	5	3	1
475000	485000	2224	11.58	21	7885	7	3	2
280000	289000	1738	0.46	49	3011	8	3	2
457000	499900	3432	1.84	14	9809	11	4	3
210000	224900	1175	0.94	64	1367	7	3	1
272500	274900	1393	1.39	44	2317	6	3	1
268000	275000	1196	0.83	44	3360	4	2	1
300000	319900	1860	0.57	32	4294	9	3	2
477000	479000	3867	1.10	19	9135	10	4	4
292000	294900	1800	0.52	47	3690	8	2	1
379000	383900	2722	1.00	29	6283	10	4	3
295000	299900	2240	0.90	144	3286	6	3	1
499000	499000	2174	5.98	62	3894	6	3	2
292000	299000	1650	2.93	52	3476	7	3	1
305000	299900	2000	0.33	36	4146	8	3	3
520000	529700	3350	1.53	6	8350	11	4	2
308000	320000	1776	0.63	42	4584	8	4	2
316000	310000	1850	2.00	25	4380	7	3	2
355500	362500	2600	0.44	46	4009	10	5	2
225000	229000	1300	0.62	49	3047	6	3	1
270000	290000	1352	0.68	24	2801	6	3	1
253000	259900	1312	0.68	44	4048	6	2	1
310000	314900	1664	1.69	53	2940	6	3	2
300000	309900	1700	0.83	33	4281	8	4	2
295000	295000	1650	2.90	34	4299	6	2	2
478000	479000	2400	2.14	6	6688	8	4	2

Conjunto de datos 24: Puntuaciones de crédito FICO

Las puntuaciones FICO son calificaciones de crédito que se basan en el modelo desarrollado por Fair Isaac Corporation, a partir de datos de Experian.

WEB

STATDISK:	**El nombre del conjunto de datos es FICO.**
Minitab:	**El nombre de la hoja de cálculo es FICO.MTW.**
Excel:	**El nombre del libro de trabajo es FICO.XLS.**
TI-83/84 Plus:	**El nombre de la aplicación es FICO, y los nombres de los archivos son los mismos que para los archivos de texto.**
Nombres de los archivos de texto:	**El nombre del archivo de texto es FICO.**

708	713	781	809	797	793	711	681	768	611
698	836	768	532	657	559	741	792	701	753
745	681	598	693	743	444	502	739	755	835
714	517	787	714	497	636	637	797	568	714
618	830	579	818	654	617	849	798	751	731
850	591	802	756	689	789	628	692	779	756
782	760	503	784	591	834	694	795	660	651
696	638	635	795	519	682	824	603	709	777
829	744	752	783	630	753	661	604	729	722
706	594	664	782	579	796	611	709	697	732

Apéndice C: Bibliografía y sitios Web

Libros

***El asterisco indica que se recomienda la lectura del libro. Los demás libros se recomiendan como textos de referencia.**

Bennett, D. 1998. *Randomness.* Cambridge, Mass.: Harvard University Press.

*Best, J. 2001. *Damned Lies and Statistics.* Berkeley: University of California Press.

*Campbell, S. 2004. *Flaws and Fallacies in Statistical Thinking.* Mineola, N.Y.: Dover Publications.

*Crossen, C. 1994. *Tainted Truth: The Manipulation of Fact in America.* Nueva York: Simon & Schuster.

*Freedman, D., R. Pisani, R. Purves y A. Adhikari. 1997. *Statistics.* 3a. ed. Nueva York: Norton.

*Gonick, L. y W Smith. 1993. *The Cartoon Guide to Statistics.* Nueva York: HarperCollins.

Halsey, J. y E. Reda. 2010. *Excel Student Laboratory Manual and Workbook.* Boston: Addison-Wesley.

*Heyde, C. y E. Seneta, eds. 2001. *Statisticians of the Centuries.* Nueva York: Springer-Verlag.

*Hollander, M. y F. Proschan. 1984. *The Statistical Exorcist: Dispelling Statistics Anxiety.* Nueva York: Marcel Dekker.

*Holmes, C. 1990. *The Honest Truth About Lying with Statistics.* Springfield, Ill.: Charles C. Thomas.

*Hooke, R. 1983. *How to Tell the Liars from the Statisticians.* Nueva York: Marcel Dekker.

*Huff, D. 1993. *How to Lie with Statistics.* Nueva York: Norton.

Humphrey, P. 2010. *Graphing Calculator Manual for the TI-83 Plus, TI-84 Plus, and the TI-89.* Boston: Addison-Wesley.

*Jaffe, A. y H. Spirer. 1987. *Misused Statistics.* Nueva York: Marcel Dekker.

*Kimble, G. 1978. *How to Use (and Misuse) Statistics.* Englewood Cliffs, N.J.: Prentice-Hall.

Kotz, S. y D. Stroup. 1983. *Educated Guessing—How to Cope in an Uncertain World.* Nueva York: Marcel Dekker.

*Loyer, M. 2010. *Student Solutions Manual to Accompany Elementary Statistics.* 11a. ed. Boston: Addison-Wesley.

*Moore, D. y W. Notz. 2005. *Statistics: Concepts and Controversies.* 6a. ed. San Francisco: Freeman.

Morgan, J. 2009. *SAS Student Laboratory Manual and Workbook.* 4a. ed. Boston: Addison-Wesley.

*Paulos, J. 2001. *Innumeracy: Mathematical Illiteracy and Its Consequences.* Nueva York: Hill and Wang.

Peck, R. 2010. *SPSS Student Laboratory Manual and Workbook.* Boston: Addison-Wesley.

*Reichard, R. 1974. *The Figure Finaglers.* Nueva York: McGraw-Hill.

*Reichmann, W. 1962. *Use and Abuse of Statistics.* Nueva York: Oxford University Press.

*Rossman, A. 2008. *Workshop Statistics: Discovery with Data.* Emeryville, Calif.: Key Curriculum Press.

*Salsburg, D. 2000. *The Lady Tasting Tea: How Statistics Revolutionized the Twentieth Century.* Nueva York: W. H. Freeman.

Sheskin, D. 1997. *Handbook of Parametric and Nonparametric Statistical Procedures.* Boca Raton, Fla.: CRC Press.

Simon, J. 1997. *Resampling: The New Statistics.* 2a. ed. Arlington, VA.: Resampling Stats.

*Stigler, S. 1986. *The History of Statistics.* Cambridge, Mass.: Harvard University Press.

*Tanur, J. *et al.* 2006. *Statistics: A Guide to the Unknown.* 4a. ed. Pacific Grove, Calif: Brooks/Cole.

Triola, M. 2010. *Minitab Student Laboratory Manual and Workbook.* 11a. ed. Boston: Addison-Wesley.

Triola, M. 2010. *STATDISK 11 Student Laboratory Manual and Workbook.* 11a. ed. Boston: Addison-Wesley.

Triola, M. y L. Franklin. 1994. *Business Statistics.* Boston: Addison-Wesley.

Triola, M. y M. Triola. 2006. *Biostatistics for the Biological and Health Sciences.* Boston: Addison-Wesley.

*Tufte, E. 2001. *The Visual Display of Quantitative Information.* 2a. ed. Cheshire, Conn.: Graphics Press.

Tukey, J. 1977. *Exploratory Data Analysis.* Boston: Addison-Wesley.

Zwillinger, D. y S. Kokoska. 2000. *CRC Standard Probability and Statistics Tables and Formulae.* Boca Raton, Fla.: CRC Press.

Sitios Web

Estadística de Triola: www.pearsonenespañol.com/triola
Biblioteca histórica y de datos: http://lib.stat.cmu.edu/DASL/
Conjuntos de datos de la página Statistical Science: http://www.statsci.org/datasets.html
Archivos de datos del JSE *(Journal of Statistics Education)*: http://www.amstat.org/publications/jse/archive.htm
Conjuntos de datos estadísticos de la UCLA: http://www.stat.ucla.edu/data/

Apéndice D: Soluciones de los ejercicios con numeración impar y de todos los ejercicios de las secciones "Conocimientos estadísticos y pensamiento crítico" (al final de cada capítulo), de los exámenes rápidos y de los ejercicios de repaso

Respuestas del capítulo 1

Sección 1-2

1. Una muestra de respuesta voluntaria es aquella en la que los propios sujetos deciden si participan en el estudio.
3. Se indica la significancia estadística cuando se utilizan métodos estadísticos para llegar a la conclusión de que algún tratamiento o hallazgo es eficaz; sin embargo, el sentido común podría sugerir que dicho tratamiento o hallazgo no es lo suficientemente diferente para justificar su uso.
5. Aunque parece que el programa tiene una significancia estadística, carece de significancia práctica debido a que la pérdida media de 3.0 libras después de un año no justifica su adopción. La pérdida media de peso no es lo suficientemente grande.
7. Posible, pero muy poco probable
9. Posible y probable
11. Posible, pero muy poco probable
13. Imposible
15. Los valores *x* no están pareados con los valores *y*, de manera que no tiene sentido utilizar la diferencia entre cada valor *x* y el valor *y* que se localiza en la misma columna.
17. Considerando el contexto de los datos, se podría responder la pregunta de si los dos tipos de cigarrillos proporcionan los mismos niveles de nicotina, o si existe una diferencia entre los dos tipos de cigarrillos.
19. Los valores *x* están pareados con los valores *y*. No tiene sentido utilizar la diferencia entre cada valor *x* y el valor *y* que se localiza en la misma columna. Los valores *x* corresponden a pesos (en libras) y los valores *y* representan las cantidades de combustible consumido (en mi/gal), de manera que las diferencias no tienen significado alguno.
21. Los consumidores saben que algunos automóviles son más costosos de operar, ya que consumen más combustible, por lo que tal vez prefieran adquirir automóviles con un consumo más eficiente de combustible. Por lo tanto, los fabricantes de automóviles pueden obtener ganancias al vender vehículos que aparentemente sean muy eficientes, por lo que podrían sentirse motivados a presentar las cantidades de consumo de combustible de la manera más favorable posible. En este caso, se tendría una fuente de datos sospechosa, con un sesgo potencial.
23. El programa Ornish de pérdida de peso es estadísticamente significativo, ya que los resultados tienen muy pocas probabilidades (3 posibilidades en 1000) de ocurrir por el azar. El programa no tiene una significancia práctica debido a que la pérdida de peso (3.3 libras) es muy pequeña.
25. Sí. Si la tasa establecida del 50% es correcta, existen muy pocas probabilidades de que la encuesta produzca un resultado del 85%. El resultado del 85% es sustancialmente mayor que la tasa establecida del 50%.
27. *a*) Sí. Todas las cantidades de consumo de combustible en carretera son mucho más grandes que las cantidades correspondientes de consumo de combustible en la ciudad.
    b) Sí, parece que las diferencias son sustanciales.
    c) La diferencia tiene implicaciones prácticas. Por ejemplo, podemos reducir los costos del combustible al conducir en horarios con poco tránsito. Si debemos atravesar una gran ciudad y tenemos poco combustible, podríamos llenar el tanque para evitar que se termine debido a un mayor consumo.

Sección 1-3

1. Un parámetro es una medición numérica que describe alguna característica de una población, mientras que un estadístico es una medición numérica que describe alguna característica de una muestra.
3. Los datos discretos resultan cuando el número de valores posibles es finito o puede contarse (donde el número de valores posibles es 0 o 1 o 2, etcétera), mientras que los datos continuos resultan de un número infinito de valores posibles, que corresponden a alguna escala continua que cubre un rango de valores sin espacios entre sí, interrupciones o saltos.
5. Estadístico
7. Parámetro
9. Parámetro
11. Estadístico
13. Discreto
15. Continuo
17. Discreto
19. Continuo
21. De razón
23. Ordinal
25. Nominal
27. De intervalo
29. Muestra: Los lectores que devolvieron la encuesta respondida. Población: Las respuestas varían, pero todos los lectores de *USA Today* es una buena respuesta. Es poco probable que la muestra sea representativa de la población, ya que se trata de una muestra de respuesta voluntaria.
31. Muestra: La gente que respondió. Población: Tal vez la muestra conste de todos los adultos de al menos 18 años de edad. Es probable que la muestra no sea representativa de la población, ya que los individuos con opiniones extremas acerca del aborto se sentirán más inclinados a responder.
33. Al carecer de un punto natural de inicio, las temperaturas tienen un nivel de medición de intervalo, de manera que razones como "dos veces más" carecen de significado.
35. Ordinal o de intervalo son respuestas razonables, aunque ordinal es más lógico debido a que es probable que las diferencias entre valores no tengan un significado. Por ejemplo, es probable que la diferencia entre un alimento con calificación de 1 y uno con calificación de 2 no sea igual a la diferencia entre un alimento con calificación de 9 y uno con calificación de 10.

Sección 1-4

1. Una muestra de respuesta voluntaria (o muestra autoseleccionada) es aquella en la que los sujetos deciden si participan o no. Es inadecuada porque las personas con intereses especiales son más proclives a participar y la muestra tiende a estar sesgada.
3. No, porque una correlación entre dos variables no implica que una sea causa de la otra. No, una reducción en el número de armas automáticas registradas no necesariamente dará como resultado una menor tasa de homicidios.
5. Es probable que exista una relación entre el estudio y una vida más larga, pero eso no significa que una variable sea causa de la otra. Es probable que las personas que se gradúan de la universidad

tengan ingresos más altos y puedan pagar mejores servicios de salud, lo que les permite vivir durante más tiempo.

7. Quizá los oficiales de policía son más proclives a detener a individuos de grupos minoritarios que a individuos caucásicos, por lo que los primeros reciben un mayor número de multas.
9. Cuando se pregunta a las personas si se lavan las manos en un baño público, suelen responder afirmativamente, ya que esta respuesta refleja una mejor higiene personal y transmite una imagen más positiva. Es probable que la tasa del 82% sea más exacta, ya que se basa en una conducta real y no en lo que la gente dijo.
11. Como el estudio fue financiado por un fabricante de dulces y por la Chocolate Manufacturers Association, existe la posibilidad real de que los investigadores estuvieran motivados hasta cierto punto a obtener resultados que favorezcan el consumo de chocolates.
13. La muestra de respuesta voluntaria no puede utilizarse para concluir cualquier cosa acerca de la población general. De hecho, Ted Koppel informó que una encuesta "científica" de 500 personas reveló que el 72% de los estadounidenses desean que las Naciones Unidas permanezcan en su país. En esta encuesta de 500 personas, el investigador eligió al azar a los participantes, por lo que es más probable que los resultados reflejen la verdadera opinión de la población general.
15. Los motociclistas que murieron.
17. No. Los estados con poblaciones pequeñas se contaron igual que los estados más grandes, pero debería haber alguna compensación para que los ingresos de los estados pequeños contaran menos. Se debe tomar en cuenta el tamaño de las poblaciones.
19. Nada. Se trata de una muestra de respuesta voluntaria, por lo que es muy posible que hayan respondido las mujeres que estaban muy interesadas en el tema. La muestra no necesariamente es representativa de la población de todas las mujeres.
21. *a*) 62.5%
    b) 0.234
    c) 185
    d) 12.7%
23. *a*) 360
    b) 44%
25. *a*) 1921
    b) 47%
    c) No. Como se trata de una muestra de respuesta voluntaria, las personas que están más interesadas en el tema se sienten más inclinadas a responder; es poco probable que la muestra sea representativa de la población.
27. Si la inversión extranjera se redujera en un 100%, se eliminaría por completo, por lo que no es posible que se reduzca más del 100%.
29. Todos los porcentajes de éxito deben ser múltiplos de 5. Los porcentajes dados no pueden ser correctos.

Sección 1-5

1. En una muestra aleatoria, cada individuo tiene las mismas probabilidades de ser elegido. En una muestra aleatoria simple, todas las muestras del mismo tamaño tienen las mismas probabilidades de ser elegidas.
3. No, es poco probable que la muestra de conveniencia de amigos sea representativa de la población adulta, no importa cómo se obtenga la muestra de dichos amigos. Lo más probable es que la muestra represente únicamente a la población de amigos.
5. Estudio observacional
7. Experimento
9. De conveniencia
11. Por conglomerados
13. Estratificado
15. Sistemático
17. Aleatorio
19. Por conglomerados
21. Sí; sí. Todas las píldoras tienen la misma probabilidad de ser elegidas. Todas las muestras de tamaño 30 tienen la misma probabilidad de ser elegidas.
23. La muestra es aleatoria debido a que todos los sujetos tienen la misma posibilidad de ser elegidos. No se trata de una muestra aleatoria simple, ya que algunas muestras no son posibles, como una muestra que incluye a sujetos de distritos electorales que no fueron seleccionados.
25. No, no. No todos tienen la misma probabilidad de ser elegidos, y algunas muestras no tienen probabilidad alguna de ser elegidas.
27. Retrospectivo
29. Transversal
31. Un estudio ciego es un método en el que un sujeto (o investigador) en un experimento no sabe si tal sujeto está recibiendo un tratamiento o un placebo. Es importante el uso de los estudios ciegos para que los resultados no se vean distorsionados debido a un efecto placebo, en el que los sujetos creen que experimentan mejorías solo por el hecho de recibir tratamiento.
33. Las respuestas varían.

Conocimientos estadísticos y pensamiento crítico, capítulo 1

1. No, porque se trata de una muestra de respuesta voluntaria.
2. *a*) Cuantitativo
   b) Continuo
   c) Estudio observacional
   d) Nominal
   e) De razón
3. Los sujetos deben elegirse al azar, de modo que todas las muestras del mismo tamaño tengan la misma probabilidad de ser elegidas.
4. No. Los resultados deben ponderarse para que representen a los diferentes números de trabajadores en los distintos estados.

Examen rápido del capítulo 1

1. Verdadero
2. Datos continuos
3. Falso
4. Falso
5. Experimento
6. Falso
7. Población
8. Cuantitativo
9. Nominal
10. No

Ejercicios de repaso del capítulo 1

1. *a*) Utiliza una muestra de respuesta voluntaria y los individuos con un interés especial tienen mayor probabilidad de responder; por lo tanto, es muy probable que la muestra no sea representativa de la población.
   b) Como el enunciado se refiere al 72% de los estadounidenses, se trata de un parámetro (aunque es probable que esté basado en una tasa del 72% de la muestra, y el porcentaje muestral es un estadístico).
   c) Estudio observacional

2. No, es muy posible que los que aceptaron responder constituyan una población que es fundamentalmente diferente de los individuos que rehusaron responder. Al enfrentarse a una persona que no quiere responder, la encuestadora debe hacer varios intentos por lograr su cooperación. Tal vez podrían llamar nuevamente y utilizar una estrategia diseñada para conseguir su cooperación.
3. *a*) De razón
   b) Nominal
   c) De intervalo
   d) Ordinal
4. *a*) Nominal
   b) De razón
   c) Ordinal
   d) De intervalo
5. *a*) Discreto
   b) De razón
   c) Estratificado
   d) Estadístico
   e) Las respuestas enviadas por correo corresponderían a una muestra de respuesta voluntaria; los individuos con fuertes opiniones acerca del tema serían más proclives a responder, por lo que es poco probable que los resultados reflejen las verdaderas opiniones de la población de todos los accionistas.
6. *a*) Sistemático; representativa
   b) De conveniencia; no representativa
   c) Por conglomerados; representativa
   d) Aleatorio; representativa
   e) Estratificado; no representativa
7. *a*) 34%
   b) 818
8. *a*) Parámetro
   b) Discretos
   c) 34,226,000
9. *a*) Si no contienen grasa, tienen 100% menos que cualquier otra cantidad con grasa, de manera que la cifra del 125% no puede ser correcta.
   b) 686
   c) 28%
10. La encuesta Gallup utilizó participantes elegidos al azar, pero la encuesta de AOL utiliza una muestra de respuesta voluntaria. Los sujetos de la encuesta de AOL son más proclives a participar si tienen alguna opinión sólida acerca de los candidatos, y este grupo no necesariamente es representativo de la población. Es más probable que los resultados de la encuesta Gallup reflejen las verdaderas opiniones de los votantes estadounidenses.

Ejercicios de repaso acumulativo del capítulo 1

1. 1.256 mg
2. 119.9 min
3. 1.52
4. 5.31
5. 2401
6. 0.9581
7. 0.12
8. 0.346
9. 0.000016777216
10. 30,517,578,125 (La mayoría de las calculadoras no muestran los últimos dígitos, de manera que un resultado como 30,517,578,000 es aceptable).
11. 31,381,059,609 (La mayoría de las calculadoras no muestran los últimos dígitos, de manera que un resultado como 31,381,059,000 es aceptable).
12. 0.000244140625

Respuestas del capítulo 2
Sección 2-2

1. No. Para cada clase, la frecuencia nos indica cuántos valores se ubican dentro del rango de valores dado, pero no hay forma de determinar los pesos exactos representados en la clase.
3. No. La tabla no muestra la distribución de un conjunto de datos entre muchas categorías diferentes. La suma de las frecuencias es 81% y no 100%. Debe faltar una categoría, como “ninguno”, y no queda claro si los individuos podrían seleccionar más de una categoría.
5. Anchura de clase: 4. Marcas de clase: 11.5, 15.5, 19.5, 23.5, 27.5. Fronteras de clase: 9.5, 13.5, 17.5, 21.5, 25.5, 29.5.
7. Anchura de clase: 1.00. Marcas de clase: 0.495, 1.495, 2.495, 3.495, 4.495. Fronteras de clase: −0.005, 0.995, 1.995, 2.995, 3.995, 4.995.
9. Si los criterios se interpretan de manera muy estricta, parece que la distribución no es normal (principalmente debido a la falta de simetría entre las frecuencias de 0 y 7); sin embargo, si los criterios se interpretan de manera poco estricta, parece que la distribución es normal.
11. Los cigarrillos sin filtro tienen mucho más alquitrán. Los cigarrillos con filtro están asociados con menores cantidades de alquitrán, de manera que parece que los filtros son eficaces.

Alquitrán (mg)	Frecuencia relativa (sin filtro)	Frecuencia relativa (con filtro)
2–5	0%	8%
6–9	0%	8%
10–13	4%	24%
14–17	0%	60%
18–21	60%	0%
22–25	28%	0%
26–29	8%	0%

13.

Alquitrán (mg) en cigarrillos sin filtro	Frecuencia acumulativa
Menos de 14	1
Menos de 18	1
Menos de 22	16
Menos de 26	23
Menos de 30	25

15.

Categoría	Frecuencia relativa
Hombres sobrevivientes	16.2%
Hombres que murieron	62.8%
Mujeres sobrevivientes	15.5%
Mujeres que murieron	5.5%

17. Como hay más 0 y 5 de manera desproporcionada, parece que las estaturas se reportaron y no se midieron. En consecuencia, es probable que los resultados no sean muy precisos.

x	Frecuencia
0	9
1	2
2	1
3	3
4	1
5	15
6	2
7	0
8	3
9	1

19.

Nicotina (mg)	Frecuencia
1.0–1.1	14
1.2–1.3	4
1.4–1.5	3
1.6–1.7	3
1.8–1.9	1

21. Parece que la distribución no es normal. Las frecuencias no son bajas al inicio, alcanzan un máximo y luego disminuyen. Parece que las frecuencias no son simétricas.

Voltaje (volts)	Frecuencia
123.3–123.4	10
123.5–123.6	9
123.7–123.8	10
123.9–124.0	10
124.1–124.2	1

23. Parece que la distribución de frecuencias es congruente con la etiqueta de 3/4 de pulgada. Parece que la distribución de frecuencias se distribuye alrededor de la longitud de 0.75 pulgadas.

Longitud (pulgadas)	Frecuencia
0.720–0.729	5
0.730–0.739	10
0.740–0.749	11
0.750–0.759	17
0.760–0.769	7

25. Parece que la distribución no es normal, ya que las frecuencias no son simétricas alrededor de la frecuencia máxima.

Puntuación FICO	Frecuencia
400–449	1
450–499	1
500–549	5
550–599	8
600–649	12
650–699	16
700–749	19
750–799	27
800–849	10
850–899	1

27.

Peso (g)	Frecuencia
6.0000–6.0499	2
6.0500–6.0999	3
6.1000–6.1499	10
6.1500–6.1999	8
6.2000–6.2499	6
6.2500–6.2999	7
6.3000–6.3499	3
6.3500–6.3999	1

29.

Grupo sanguíneo	Frecuencia
O	22
A	20
B	5
AB	3

31. Un valor atípico puede afectar de manera drástica la tabla de frecuencias.

Peso (libras)	Con valor atípico	Sin valor atípico
200–219	6	6
220–239	5	5
240–259	12	12
260–279	36	36
280–299	87	87
300–319	28	28
320–339	0	
340–359	0	
360–379	0	
380–399	0	
400–419	0	
420–439	0	
440–459	0	
460–479	0	
480–499	0	
500–519	1	

Sección 2-3

1. Es más fácil ver la forma de la distribución de los datos al examinar el histograma que al estudiar las cifras en una distribución de frecuencias.
3. Con un conjunto de datos tan pequeño, la verdadera naturaleza de la distribución no se puede observar en un histograma.
5. 60; 20
7. 2500 millas; 42,500 millas
9. Los dígitos 0 y 5 se presentan con una frecuencia desproporcionadamente mayor que los demás, por lo que parece que las estaturas fueron reportadas y no medidas.

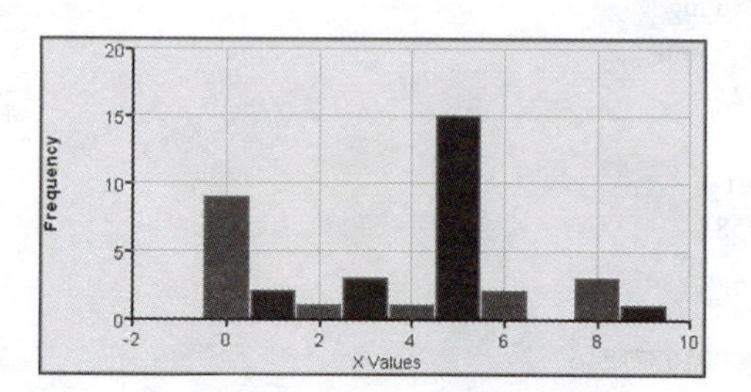

11.

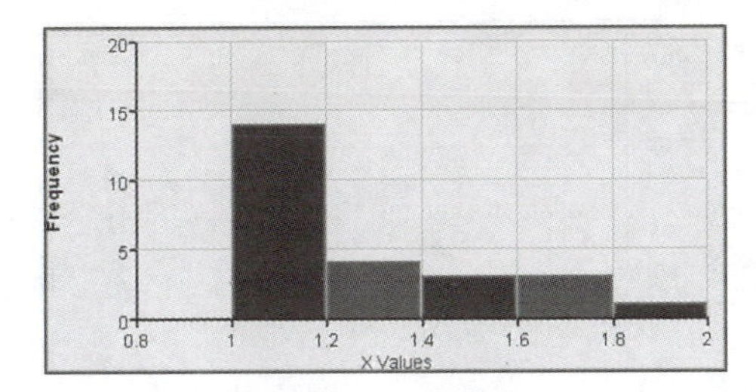

13. Parece que la distribución no es normal. Las frecuencias no son bajas al inicio, alcanzan un máximo y luego disminuyen. Parece que las frecuencias no son simétricas.

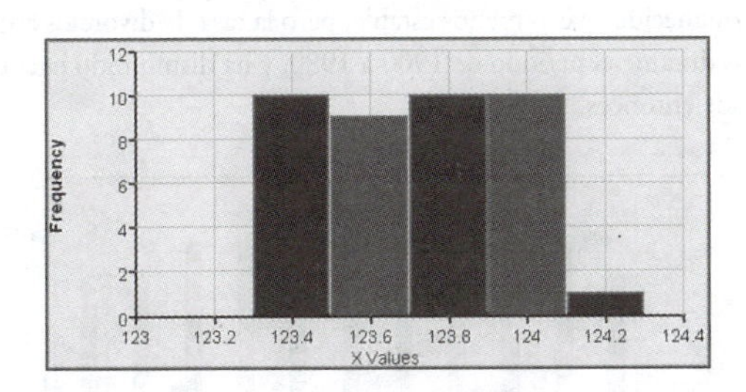

15. Parece que las longitudes se distribuyen alrededor de la longitud de 0.75 pulgadas. Parece que la distribución de frecuencias es congruente con la etiqueta de 3/4 de pulgada.

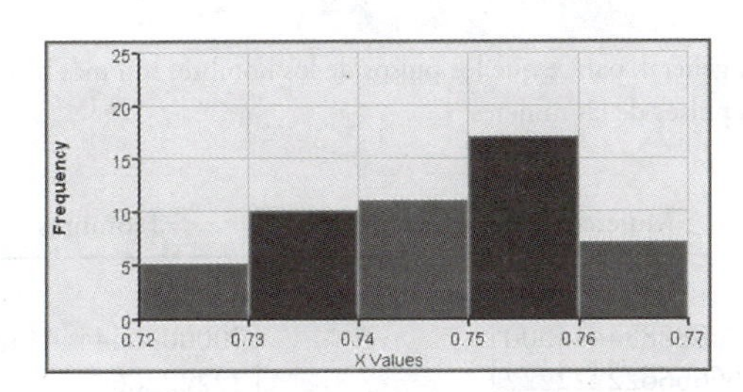

17. Parece que la distribución no es normal porque la gráfica no es simétrica.

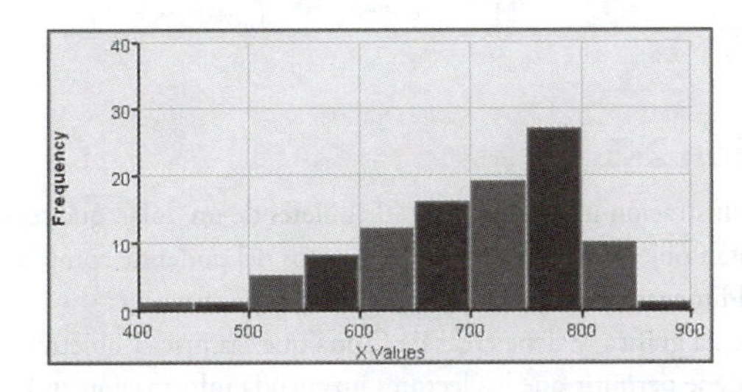

19.

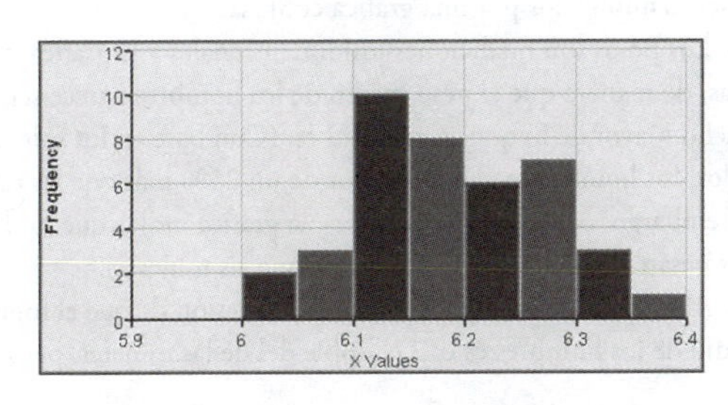

21.

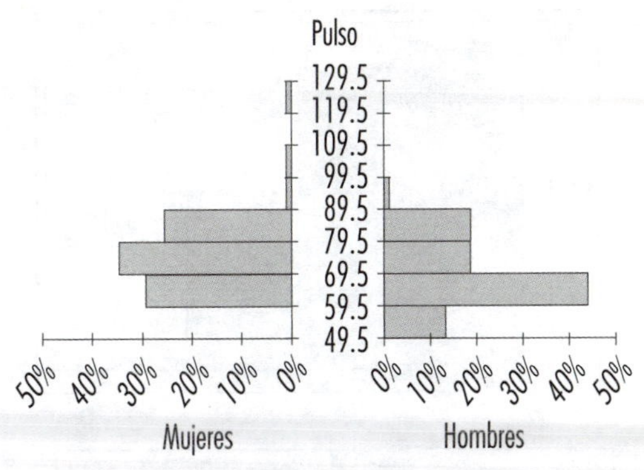

Sección 2-4

1. La gráfica de puntos permite identificar todos los datos originales. La gráfica de puntos es más sencilla y más fácil de construir.
3. Si se utilizan frecuencias relativas que consisten en proporciones o porcentajes, ambos conjuntos de datos utilizan medidas que pueden compararse. Si se construyen polígonos de frecuencias con dos muestras que tienen números de elementos muy diferentes, la comparación es difícil porque las frecuencias serán muy diferentes.
5. La gráfica de puntos sugiere que las cantidades tienen una distribución aproximadamente normal, y se distribuye alrededor de 150 milibecquereles.

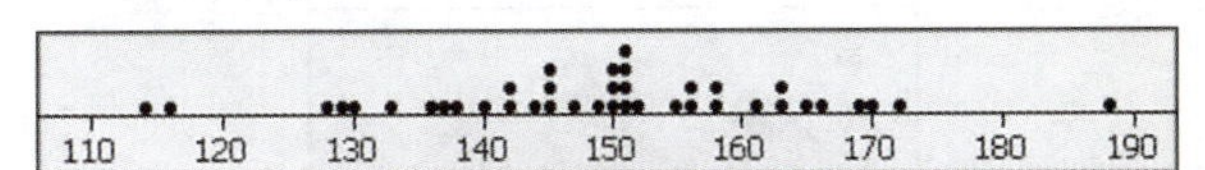

7.

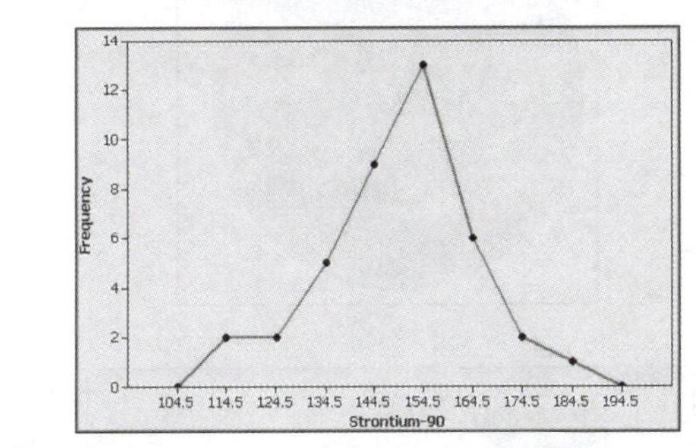

9. La gráfica de tallo y hojas sugiere que los pesos del plástico desechado tienen una distribución sesgada hacia la derecha, aunque no se aleja mucho de una distribución normal.

0.	12356677888999
1.	11234444444445556678
2.	001111113334668888999
3.	0345
4.	36
5.	2

11. 59 de los pesos están por debajo de 4 libras.

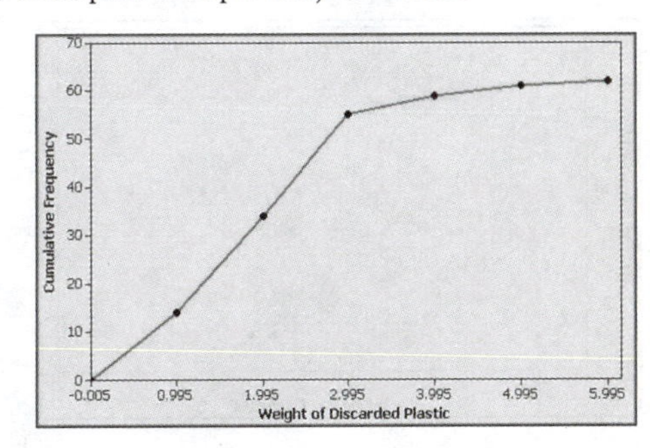

13.

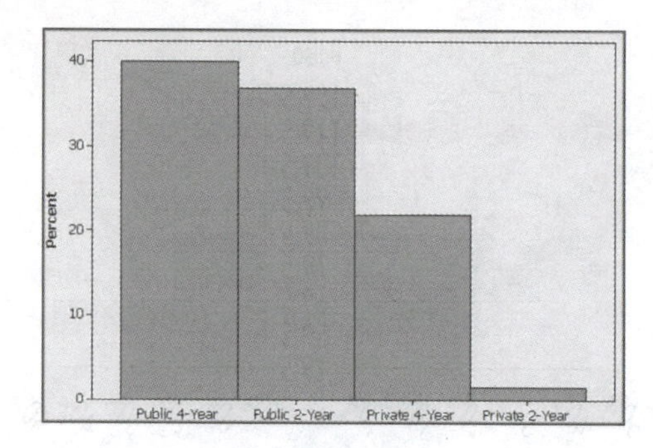

15.

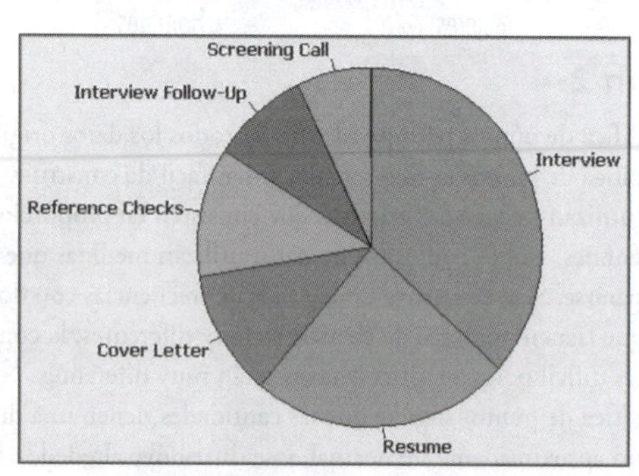

17.

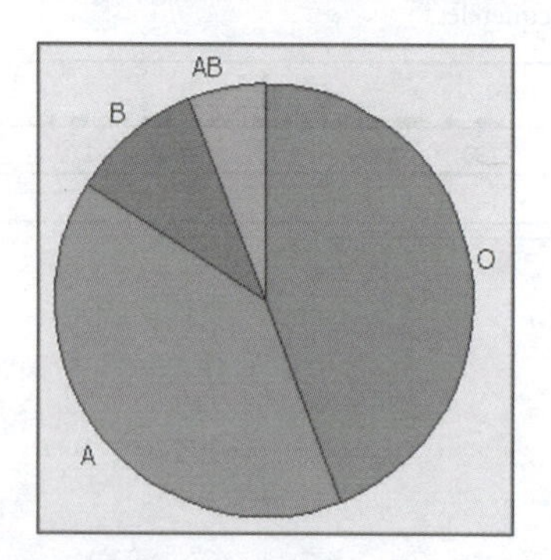

19.

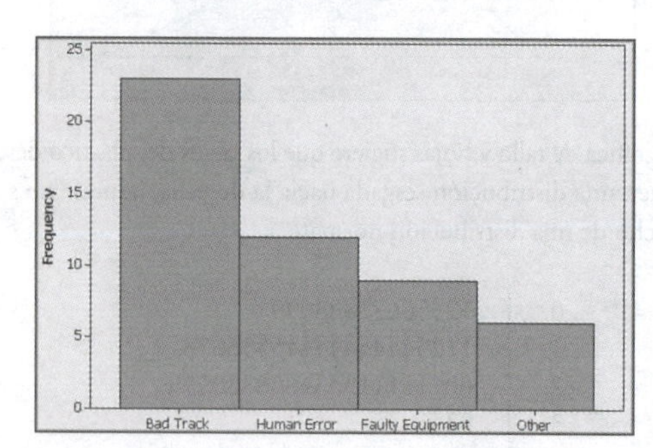

21. En los cigarrillos tamaño grande no parece haber una relación entre el alquitrán y el monóxido de carbono.

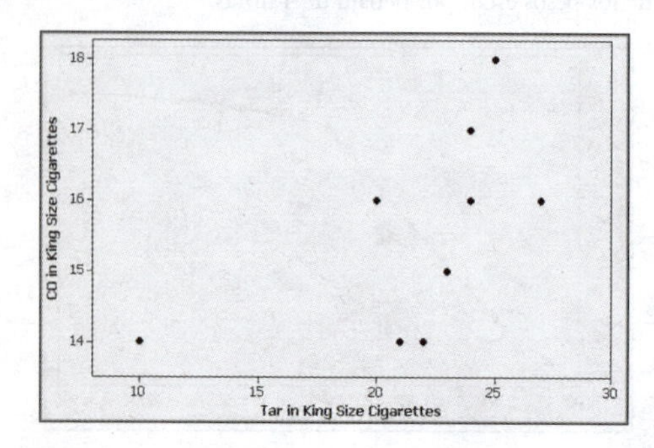

23.

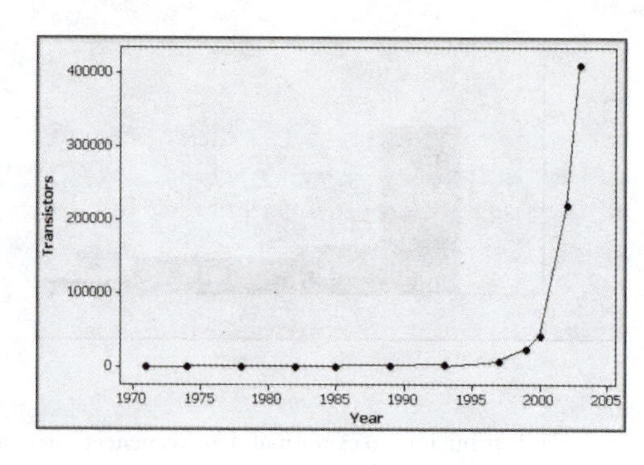

25. Los totales en ambas categorías han aumentado debido al crecimiento de la población, de manera que las tasas proporcionan mejor información acerca de las tendencias. La tasa de matrimonios ha permanecido más o menos estable, pero la tasa de divorcios aumentó más durante el periodo de 1900 a 1980, y ha disminuido ligeramente desde entonces.

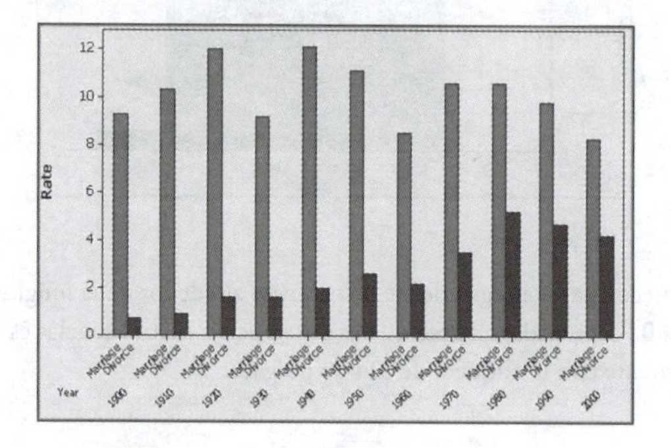

27. En general, parece que los pulsos de los hombres son más bajos que los pulsos de las mujeres.

Mujeres	Tallo (decenas)	Hombres
	5	666666
888884444000	6	00000004444444888
66666622222222	7	22222266
88888000000	8	44448888
6	9	6
4	10	
	11	
4	12	

Sección 2-5

1. La ilustración utiliza imágenes de billetes de un dólar, que representan objetos del área, pero los montos del poder de compra son unidimensionales, por lo que la gráfica es confusa.
3. No. La gráfica se debe crear de forma que sea justa y objetiva. Se debe permitir que los lectores juzguen la información en lugar de ser manipulados por una gráfica confusa.
5. No. Los pesos son mediciones unidimensionales y la gráfica utiliza áreas, de manera que el peso medio de los hombres parece ser mucho mayor de lo que en realidad es. (Con base en los valores dados, los hombres pesan alrededor de un 25% más que las mujeres. Sin embargo, con el uso de las áreas, la gráfica indica que los hombres pesan alrededor de un 58% más que las mujeres).
7. No. Al utilizar áreas, la gráfica crea la impresión de que el ingreso medio de los hombres es casi el doble del de las mujeres, pero los

valores reales indican que el ingreso medio de los hombres es aproximadamente 43% más alto que el de las mujeres.

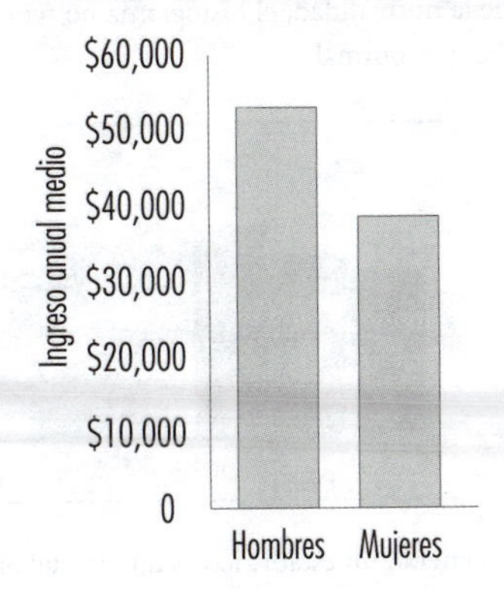

9. Al iniciarse la escala horizontal en 100 pies, la gráfica corta las porciones de la izquierda de las barras, lo cual distorsiona la percepción. La gráfica crea la impresión falsa de que el Acura RL tiene una distancia de frenado de más del doble que la del Volvo S80, pero una comparación de las cifras reales indica que la distancia de frenado del Acura RL es aproximadamente un 40% mayor que la del Volvo S80 y no 100% mayor.

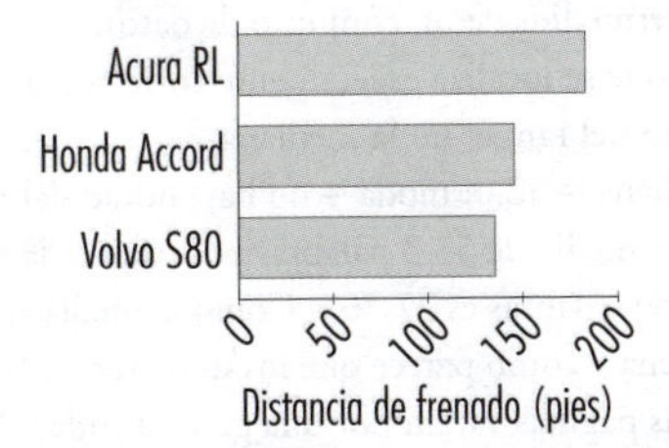

11. La gráfica es confusa porque se trata básicamente de una gráfica circular que se distorsiona al colocarla sobre la cabeza del estereotipo de un director general; estaría mejor representada por medio de una gráfica circular estándar, e incluso sería mejor utilizar una gráfica de barras donde el eje horizontal represente las categorías sucesivas de los grupos de edad listados en orden creciente. En el eje vertical se deben representar los porcentajes, y se debería iniciar en 0%.

Conocimientos estadísticos y pensamiento crítico, capítulo 2

1. El histograma es más efectivo porque ofrece una imagen, la cual es mucho más fácil de entender que la tabla con números.
2. La gráfica de series de tiempo sería mejor porque mostraría los cambios que ocurren con el tiempo, mientras que el histograma ocultaría dichos cambios.
3. Al utilizar imágenes con estaturas y anchuras, la gráfica tiende a crear una percepción distorsionada. El número de hombres es casi el doble del número de mujeres, pero la gráfica exagera esa diferencia al utilizar objetos con áreas.
4. Las barras del histograma inician relativamente bajas, luego aumentan hasta cierta altura máxima y luego disminuyen. El histograma debería ser simétrico, donde la mitad izquierda sea casi una imagen especular de la mitad derecha.

Examen rápido del capítulo 2

1. 10
2. −0.5 y 9.5
3. No
4. Falso
5. Variación
6. 52, 52, 59
7. Diagrama de dispersión
8. Verdadero
9. Distribución de los datos
10. Gráfica de Pareto

Ejercicios de repaso del capítulo 2

1. Los pulsos de los hombres suelen ser más bajos que los de las mujeres.

Pulso	Frecuencia
50–59	6
60–69	17
70–79	8
80–89	8
90–99	1

2. La forma de la distribución es casi la misma, pero parece que los pulsos de los hombres suelen ser más bajos que los de las mujeres.

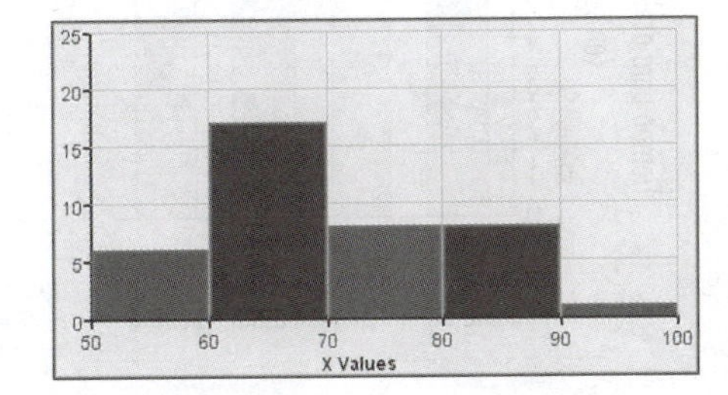

3. La gráfica de puntos muestra pulsos que suelen ser más bajos que los pulsos de las mujeres.

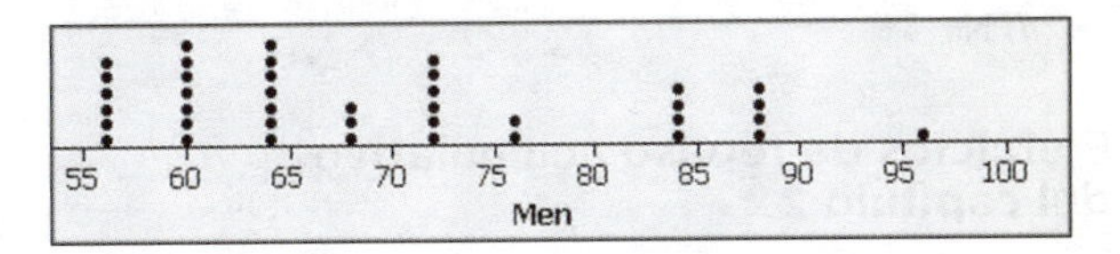

4. Los pulsos de los hombres suelen ser más bajos que los de las mujeres.

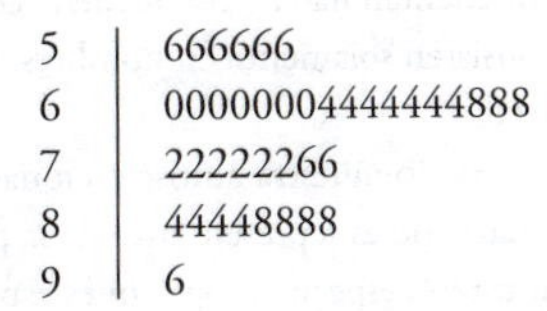

5	666666
6	00000004444444888
7	22222266
8	44448888
9	6

5. Al parecer, no existe una relación entre el peso y la distancia de frenado.

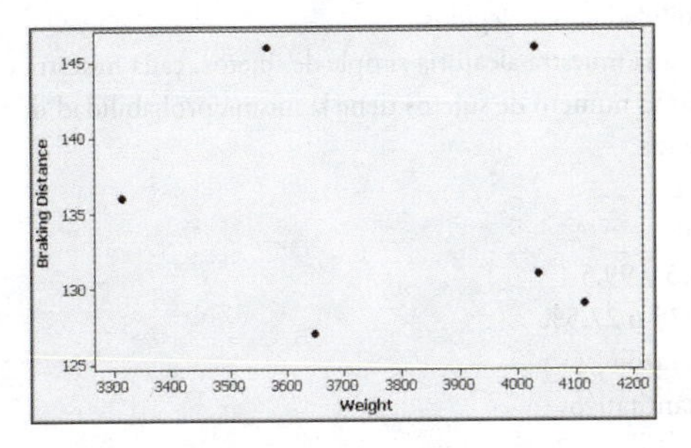

6. Hay una tendencia que consiste en la repetición cíclica.

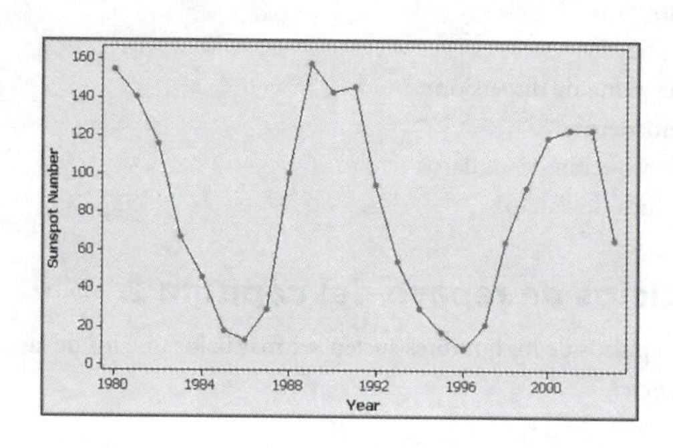

7. La gráfica es engañosa. Las diferencias están exageradas porque el eje vertical no inicia en cero.

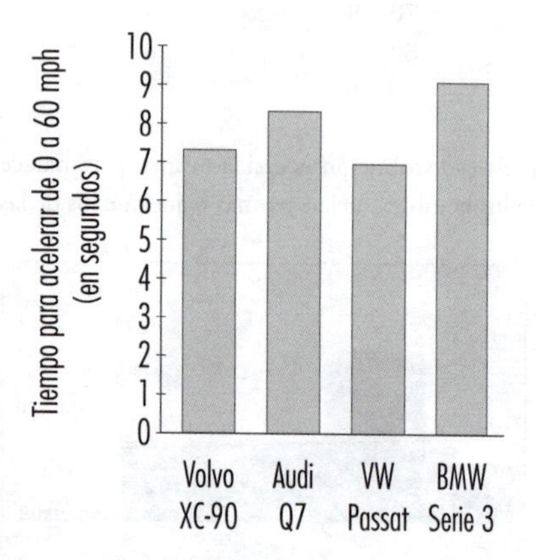

8. *a*) 25
   b) 100 y 124
   c) 99.5 y 124.5
   d) No

Ejercicios de repaso acumulativo del capítulo 2

1. Sí. Todas las respuestas se resumen en la tabla, y la suma de los porcentajes es 100%.
2. Nominal, porque las respuestas consisten en "sí", "no" o "tal vez". Esas respuestas no miden ni cuentan nada y no pueden acomodarse en orden. Las respuestas consisten solamente en nombres.
3. Sí: 884; no: 433; tal vez: 416
4. Muestra de respuesta voluntaria (o muestra autoseleccionada). La muestra de respuesta voluntaria no es representativa de la población, ya que las personas con un interés especial u opiniones específicas acerca del tema son más proclives a responder, y es probable que difieran mucho de la población general.
5. *a*) En una muestra aleatoria todos los sujetos tienen la misma probabilidad de ser elegidos.
   b) En una muestra aleatoria simple de sujetos, cada muestra con el mismo número de sujetos tiene la misma probabilidad de ser elegida.
   c) Sí; no
6. *a*) 100
   b) −0.5 y 99.5
   c) 0.275 o 27.5%
   d) De razón
   e) Cuantitativos

7. Los datos tienen una distribución normal si el histograma se aproxima a la forma de una campana. Si se utiliza una interpretación bastante estricta de la normalidad, el histograma no representa datos con una distribución normal.

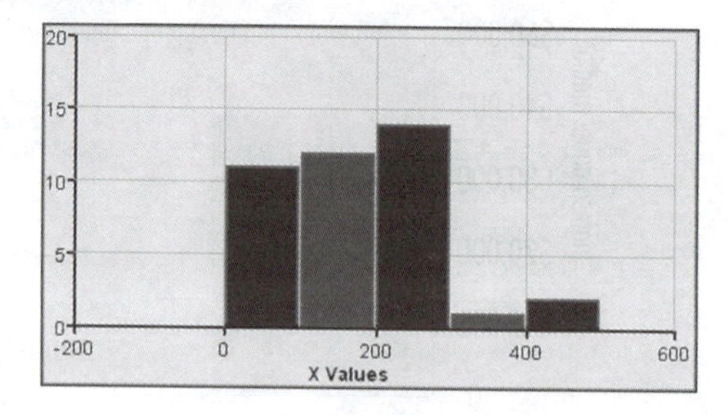

8. Estadístico. En general, un estadístico es una medición que describe alguna característica de una muestra, mientras que un parámetro es una medida numérica que describe alguna característica de una población.

Respuestas del capítulo 3
Sección 3-2

1. Utilizan diferentes métodos para proporcionar un valor (o valores) centrales o intermedios de un conjunto de datos.
3. No. El precio que se localiza exactamente entre el más alto y el más bajo es la mitad del rango, no la mediana.
5. $\bar{x} = 53.3$; mediana = 52.0; moda = no hay; mitad del rango = 56.5. Si utilizamos la media de 53.3 palabras por página, la estimación del número total de palabras es 77,765. Como la media se basa en una muestra pequeña y como parece que los números de las palabras definidas en las páginas varían por una gran cantidad, lo más probable es que la estimación no sea muy precisa.
7. $\bar{x} = \$6412.2$; mediana = \$6374.0; moda = no hay; mitad del rango = \$6664.0. Las diferentes medidas de tendencia central no difieren en grandes cantidades.
9. $\bar{x} = \$20.4$ millones; mediana = \$14.0 millones; moda = no hay; mitad del rango = \$23.2 millones. Como los valores muestrales son los 10 más altos, casi no dan información acerca de los salarios de las personalidades de la televisión en general. Este tipo de listas de los *10 más altos* no nos sirven para conocer información sobre la población general.
11. $\bar{x} = 217.3$ horas; mediana = 235.0 horas; moda = 235.0 horas; mitad del rango = 190.5 horas. La duración de 0 horas es muy inusual, y podría representar un vuelo cancelado. (En realidad, representa la duración del vuelo del *Challenger* que resultó en una explosión catastrófica casi inmediatamente después del despegue).
13. $\bar{x} = 2.4$ mi/gal; mediana = 2.0 mi/gal; moda = 2 mi/gal; mitad del rango = 2.5 mi/gal. Como las cantidades de disminución no parecen variar mucho, el error no sería grande.
15. $\bar{x} = 259.6$ seg; mediana = 246.0 seg; moda: 213 seg y 246 seg; mitad del rango = 350.5 seg. El tiempo de 448 segundos difiere mucho de los demás.
17. $\bar{x} = 6.5$ años; mediana = 4.5 años; moda: 4 y 4.5; mitad del rango = 9.5 años. Es común obtener un título de licenciatura en cuatro años, pero el estudiante universitario típico requiere más de cuatro años.
19. $\bar{x} = 110.0$; mediana = 97.5; moda: no hay; mitad del rango = 192.5. Después de octubre entraron en vigor leyes federales más estrictas en relación con los procesos de bancarrota, de manera que las declaraciones de bancarrota aumentaron hasta que se promulgaron las nuevas leyes, y después disminuyeron de manera sustancial.

21. 30 días de anticipación: $\bar{x} = \$272.6$; mediana = $264.0. Un día de anticipación: $\bar{x} = \$690.3$; mediana = $614.0. Existe un ahorro sustancial al adquirir los boletos con 30 días de anticipación en lugar de con un día de anticipación.
23. Sin filtro: $\bar{x} = 1.26$ mg; mediana = 1.10 mg. Con filtro: $\bar{x} = 0.92$ mg; mediana = 1.00 mg. Parece que los cigarrillos con filtro tienen menos nicotina. Parece que los cigarrillos con filtro están asociados con menores niveles de nicotina.
25. $\bar{x} = 98.20$°F; mediana = 98.40°F. Los resultados sugieren que la media es menor que 98.6°F.
27. Casa: $\bar{x} = 123.66$ volts; mediana = 123.70 volts. Generador: $\bar{x} = 124.66$ volts; mediana = 124.70 volts. UPS: $\bar{x} = 123.59$ volts; mediana = 123.70 volts. Parece que los tres grupos tienen aproximadamente el mismo voltaje.
29. $\bar{x} = 20.9$ mg. La media de la tabla de frecuencias se aproxima a la media de 21.1 mg para la lista original de datos.
31. 46.8 mi/h, que es muy cercano al valor obtenido con la lista original de valores. Las velocidades están muy por arriba del límite de 30 mi/h (probablemente porque la policía multó solo a aquellos que viajaban muy por arriba de la velocidad límite publicada).
33. 2.93; no
35. *a*) 642.51 microgramos
    b) $n - 1$
37. $\bar{x} = 703.1$; media recortada del 10%: 709.7; media recortada del 20%: 713.7. Los resultados no difieren de manera drástica. Parece que los resultados indican la tendencia de un incremento en los valores conforme aumenta el porcentaje de recorte, de manera que parece que la distribución de los datos está sesgada hacia la izquierda.
39. 1.056; 5.6%. El resultado no es igual a la media del 10%, 5% y 2%, que es del 5.7%.
41. 20.9 mg; el valor de 20.0 mg es mejor porque se basa en los datos originales y no incluye una interpolación.

Sección 3-3

1. La variación es un término descriptivo general que se refiere a la cantidad de dispersión que existe entre los datos, pero la varianza se refiere específicamente al cuadrado de la desviación estándar.
3. Los ingresos de adultos de la población general deberían tener mayor variación, ya que los profesores de estadística constituyen un grupo mucho más homogéneo, que probablemente tienen ingresos mucho más similares.
5. Rango = 45.0 palabras; $s^2 = 245.1$ palabras^2; $s = 15.7$ palabras. Parece que el número de palabras tiene una gran variación, por lo que no podemos confiar en la precisión de la estimación.
7. Rango = $4774.0; $s^2 = 3{,}712{,}571.7$ dólares^2; $s = \$1926.8$. Un daño de $10,000 no es inusual porque está dentro de dos desviaciones estándar de la media.
9. Rango = $29.6 millones; $s^2 = 148.1$ (millones de dólares)^2; $s = \$12.2$ millones. Como los valores muestrales son los 10 más altos, casi no nos dan información acerca de la variación de los salarios de las personalidades de la televisión en general.
11. Rango = 381.0 horas; $s^2 = 11{,}219.1$ horas^2; $s = 105.9$ horas. La duración de 0 horas es inusual, ya que se encuentra a más de dos desviaciones estándar por debajo de la media.
13. Rango = 3.0 mi/gal; $s^2 = 0.6$ (mi/gal)^2; $s = 0.7$ mi/gal. La disminución de 4 mi/gal es inusual porque está a más de dos desviaciones estándar por arriba de la media.
15. Rango = 235.0 seg; $s^2 = 2975.6$ seg^2; $s = 54.5$ seg. Sí, cambia de 54.5 a 22.0 seg.
17. Rango = 11.0 años; $s^2 = 12.3$ años^2; $s = 3.5$ años. No, porque 12 años está dentro de dos desviaciones estándar a partir de la media.
19. Rango = 357.0; $s^2 = 8307.3$; $s = 91.1$. El único valor inusual es 371.
21. 30 días de anticipación: 8.5% (con herramienta tecnológica: 8.6%). Un día de anticipación: 33.8% (con herramienta tecnológica: 33.7%). El costo de los boletos que se adquieren con 30 días de anticipación varía mucho menos que el costo de los boletos que se adquieren con un día de anticipación. Existe un ahorro sustancial al comprar los boletos con 30 días de anticipación en lugar de con un día de anticipación.
23. Sin filtro: 18.3% (con recurso tecnológico: 18.5%). Con filtro: 27.2% (con recurso tecnológico: 27.1%). Los cigarrillos sin filtro tienen menos variación.
25. Rango = 3.10°F; $s^2 = 0.39$ (grados Fahrenheit)^2; $s = 0.62$°F.
27. Casa: Rango = 0.90 volts; $s^2 = 0.06$ volts^2; $s = 0.24$ volts. Generador: Rango = 1.20 volts; $s^2 = 0.08$ volts^2; $s = 0.29$ volts. UPS: Rango = 1.00 volts; $s^2 = 0.09$ volts^2; $s = 0.31$ volts. Parece que los tres grupos tienen aproximadamente la misma cantidad de variación, que es muy baja en cada caso. (Los coeficientes de variación son 0.19%, 0.23% y 0.25%).
29. $s = 3.2$ mg. La desviación estándar es la misma que para la lista original de datos.
31. $s \approx 1.5$ años
33. *a*) 68%
    b) 95%
35. Al menos el 75% de las estaturas están dentro de dos desviaciones estándar de la media. El mínimo es 147 cm y el máximo es 175 cm.
37. *a*) 32.7
    b) 32.7
    c) 16.3
    d) El inciso *b*), porque las muestras repetidas producen varianzas que proporcionan el mismo valor (32.7) que la varianza poblacional. Utilice $n - 1$.
    e) No. La media de las varianzas muestrales (32.7) es igual a la varianza poblacional (32.7), pero la media de las desviaciones estándar muestrales (4.1) no es igual a la media de la desviación estándar poblacional (5.7).

Sección 3-4

1. Por debajo de la media. Su edad está a 0.61 desviaciones estándar por debajo de la media.
3. 0 horas es la duración del vuelo más corto, el primer cuartil Q_1 es 166 horas, el segundo cuartil Q_2 (o mediana) es 215 horas, el tercer cuartil Q_3 es 269 horas, y el máximo es 423 horas.
5. *a*) 25.2 años
   b) 2.23
   c) 2.23
   d) Unusual
7. *a*) 135 sec
   b) 3.71
   c) −3.71
   d) Inusual
9. *a*) 4.52; inusual
   b) −2.10; inusual
   c) −1.97; común
11. 2.67; inusual

13. La puntuación de 1840 se convierte a $z = 0.99$, y la puntuación de 26.0 se convierte a $z = 1.02$, de manera que la puntuación de 26.0 es relativamente mejor porque tiene la puntuación z más grande.
15. Percentil 38
17. Percentil 50
19. 39
21. 60
23. 53.5
25. 42
27.

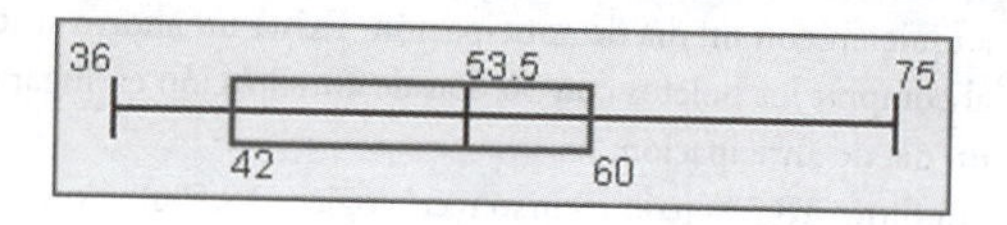

29.

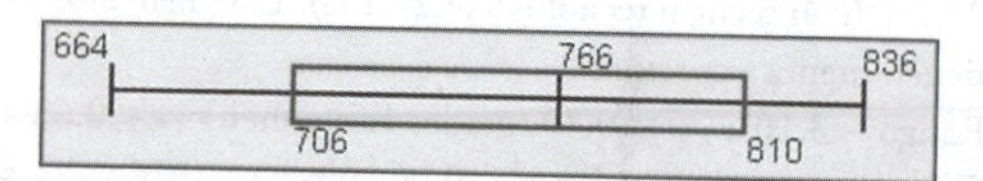

31. Parece que, en general, los pesos de la Coca-Cola dietética son menores que los de la Coca-Cola regular, probablemente debido al azúcar contenida en las latas de esta última.

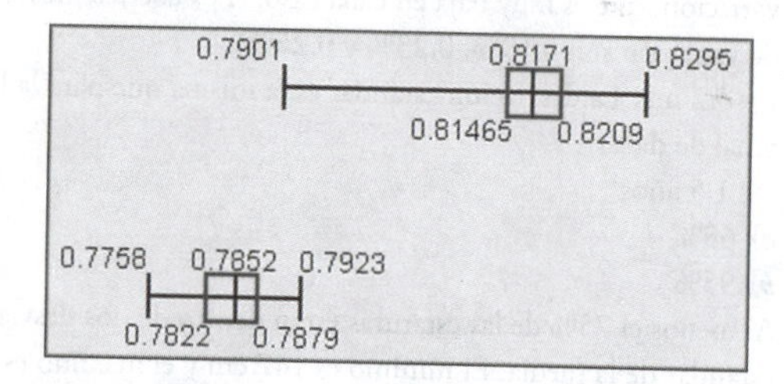

33. Parece que los pesos de las monedas de 25 centavos acuñadas antes de 1964 son mucho más altos que los de las monedas acuñadas después de ese año.

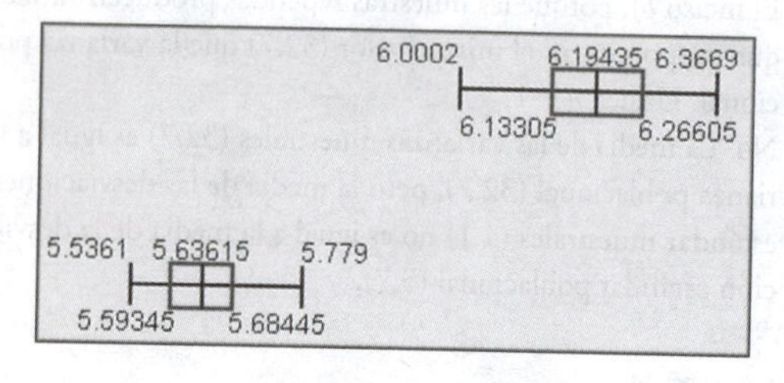

35. Valores atípicos: 27.0 cm, 31.1 cm, 32.1 cm, 48.6 cm.

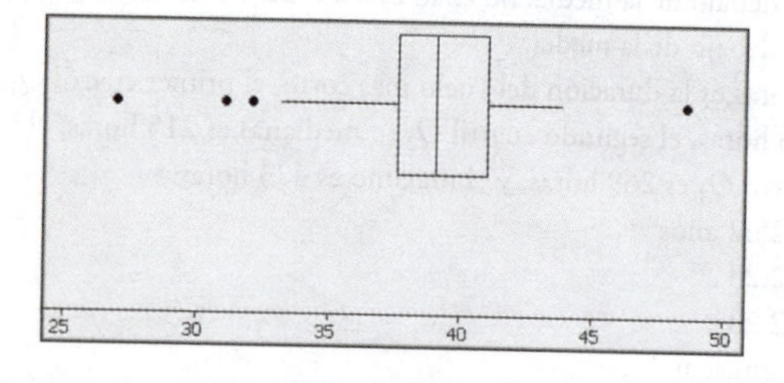

37. El resultado es 33.75 con interpolación y 35 sin interpolación. Los dos resultados no se alejan demasiado.

Conocimientos estadísticos y pensamiento crítico, capítulo 3

1. No, además de tener una media de 12 onzas, las cantidades de bebida de cola no deben variar demasiado. Si tuvieran una media de 12 onzas y variaran mucho, algunas de las latas tendrían cantidades inaceptablemente bajas, mientras que otras se llenarían en exceso, y el proceso de producción debería corregirse.
2. Como los códigos postales no son medidas ni conteos y no hay un orden consistente, se trata de datos a nivel nominal de medición, de manera que la media y la desviación estándar no tienen significado alguno en este contexto.
3. La media, la desviación estándar y el rango cambiarían mucho, aunque la mediana no variaría mucho.
4. Tendencia o patrón a lo largo del tiempo.

Examen rápido del capítulo 3

1. 4.0 cm
2. 3.0 cm
3. 2 cm
4. 25.0 pies^2
5. −3
6. Variación
7. Muestra: s; población: σ
8. Muestra: $\bar{x}$; población: μ
9. 75
10. Verdadero

Ejercicios de repaso del capítulo 3

1. *a*) 19.3 oz
   b) 19.5 oz
   c) 20 oz
   d) 19.0 oz
   e) 4.0 oz
   f) 1.3 oz
   g) 1.8 oz^2
   h) 18 oz
   i) 20 oz
2.

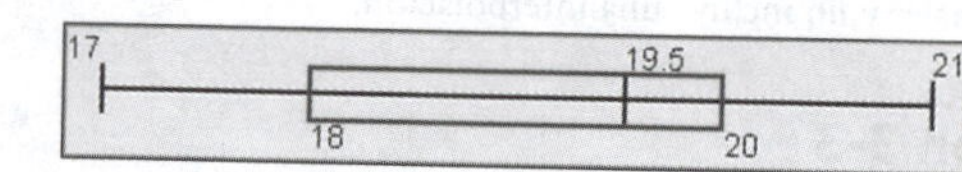

3. *a*) 918.8 mm
   b) 928.0 mm
   c) 936 mm
   d) 907.0 mm
   e) 58.0 mm
   f) 23.0 mm
   g) 530.9 mm^2
   h) 923 mm
   i) 934 mm
4. La puntuación z es −1.77. Como la puntuación z se encuentra entre −2 y 2, la estatura de 878 mm al estar sentado no es inusual.
5. Como la mediana y los cuartiles se localizan en la porción ubicada a la extrema derecha de la gráfica de puntos, dicha gráfica sugiere que los datos provienen de una población con una distribución sesgada y no de una distribución normal (o con forma de campana).

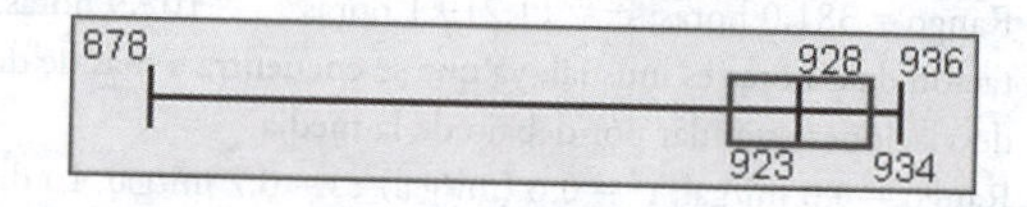

6. La puntuación de 1030 se convierte a $z = -1.50$, y la puntuación de 14.0 se convierte a $z = -1.48$, de manera que la puntuación de 14.0 es relativamente mejor porque tiene la puntuación z más grande.

7. *a*) La respuesta varía, pero una estimación de alrededor de 4 años es razonable.
   b) La respuesta varía, pero si se utiliza un mínimo de 0 años y un máximo de 20 años, se obtiene el resultado de $s = 5.0$ años.
8. *a*) La respuesta varía, pero suponiendo que los tiempos varían entre 15 y 90 segundos, una media de aproximadamente 50 o 60 segundos es razonable.
   b) La respuesta varía, pero suponiendo que los tiempos varían entre 15 y 90 segundos, una desviación estándar de aproximadamente 18 o 20 segundos es razonable.
9. Mínimo: 1110 mm; máximo: 1314 mm. Como el diseño se debe ajustar a la mayoría de las mujeres pilotos, el espacio de 1110 mm es más relevante. No se deben colocar instrumentos o controles a más de 1110 mm de una mujer adulta sentada.
10. Mínimo: 83.7 cm; máximo: 111.3 cm. La estatura de 87.8 cm no es inusual, de manera que el médico no debería de preocuparse.

Ejercicios de repaso acumulativo del capítulo 3

1. *a*) Continua
   b) De razón
2.

Estatura al estar sentado (mm)	Frecuencia
870–879	1
880–889	1
890–899	0
900–909	0
910–919	0
920–929	3
930–939	4

3. Parece que la distribución está sesgada.

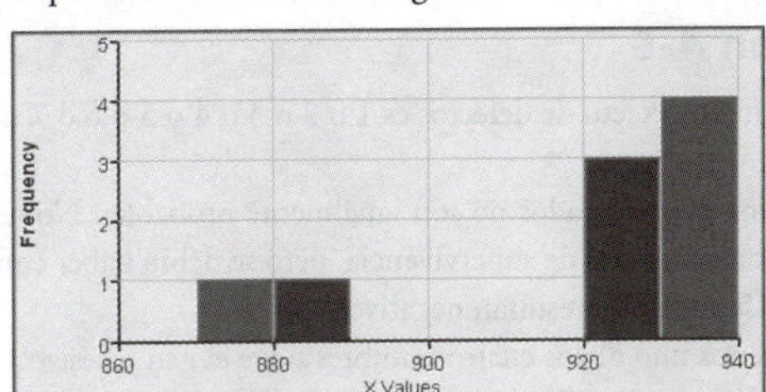

4.

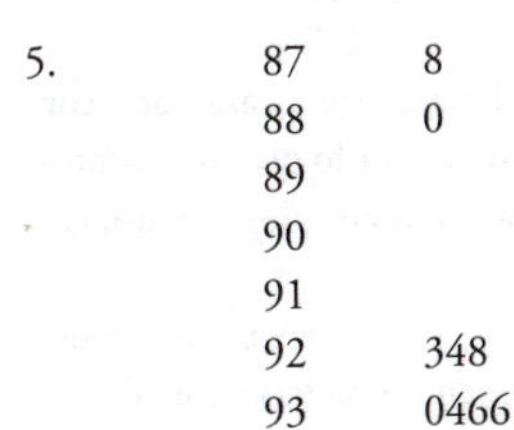

5.

87	8
88	0
89	
90	
91	
92	348
93	0466

6. *a*) La moda es más adecuada porque identifica la opción más común. Las otras medidas de tendencia central no se aplican a datos con un nivel de medición nominal.
   b) De conveniencia
   c) Por conglomerados
   d) Se debe reducir la desviación estándar.
7. No. Aunque la muestra es grande, es de respuesta voluntaria y las respuestas no se pueden considerar representativas de la población de Estados Unidos.
8. Una muestra aleatoria simple de *n* sujetos se elige de forma que toda *muestra del mismo tamaño n* posible tiene las mismas probabilidades de ser elegida. Una muestra de respuesta voluntaria es aquella en la que los sujetos deciden si serán o no incluidos en el estudio. Por lo general, es mejor utilizar una muestra aleatoria simple que una muestra de respuesta voluntaria.
9. En un estudio observacional se miden características específicas, pero no se busca modificar a los sujetos que se estudian. En un experimento se aplica algún *tratamiento* y luego se procede a observar sus efectos sobre los sujetos.
10. Como el eje vertical no inicia en 0, la gráfica exagera las diferencias entre las frecuencias.

Respuestas del capítulo 4

Sección 4-2

1. La probabilidad de lesionarse mientras se utiliza equipo deportivo de recreación es muy baja. Este tipo de lesiones ocurre alrededor de una vez en 500. Como la probabilidad es tan baja, una lesión de este tipo es inusual.
3. $\overline{A}$ denota el complemento del evento *A*, lo que significa que el evento *A* no ocurre. Si $P(A) = 0.995$, $P(\overline{A}) = 0.005$. Si $P(A) = 0.995$, $\overline{A}$ es inusual porque es muy poco probable que ocurra.
5. 4/21 o 0.190
7. 1/2 o 0.5
9. 6/36 o 1/6 o 0.167
11. 0
13. 3:1, 5/2, −0.5, 321/123
15. *a*) 3/8
    b) 3/8
    c) 1/8
17. *a*) 98
    b) 41
    c) 41/98
    d) 0.418
19. 0.153. La probabilidad de este error es alta, por lo que la prueba no es muy precisa.
21. 0.16. No, la probabilidad se aleja tanto del valor de 0.5 que correspondería a la misma probabilidad para hombres y mujeres. Parece que más hombres resultan electos como senadores.
23. 0.000000966. No, la probabilidad de ser alcanzado por un relámpago es mucho mayor en un campo de golf abierto durante una tormenta. La persona debe buscar un refugio.
25. *a*) 1/365
    b) Sí
    c) Él ya sabía.
    d) 0
27. 0.0571. No, una falla en el programa impreso en el circuito no es inusual entre las fallas.
29. 0.0124; sí, es inusual. Tal vez haya más resistencia a sentenciar a muerte a las mujeres, pero un mayor número de hombres cometen crímenes graves en comparación con el número de mujeres.
31. 0.0811; no es inusual
33. *a*) hh, hm, mh, mm
    b) 1/4
    c) 1/2

35. *a*) Café/café, café/azul, azul/café, azul/azul
    b) 1/4
    c) 3/4
37. 423:77 o aproximadamente 5.5:1 u 11:2
39. *a*) $12.20
    b) 6.1:1 o aproximadamente 6:1
    c) 443:57 o aproximadamente 8:1
    d) $17.54 o aproximadamente $18
41. Riesgo relativo: 0.939; razón de probabilidad: 0.938; la probabilidad de sufrir un dolor de cabeza con Nasonex (0.0124) es ligeramente menor que la probabilidad de un dolor de cabeza con el placebo (0.0132); por lo tanto, parece que Nasonex no plantea un riesgo de dolor de cabeza.
43. 1/4

Sección 4-3

1. No pueden ocurrir al mismo tiempo los dos eventos.
3. $P(A \text{ y } B)$ denota la probabilidad de que, en un solo ensayo, los eventos A y B ocurren al mismo tiempo.
5. No es disjunto
7. Disjunto
9. No es disjunto
11. No es disjunto
13. $P(\overline{M})$ denota la probabilidad de obtener a un usuario de STATDISK que no está utilizando una computadora Macintosh, y $P(\overline{M}) = 0.95$.
15. 0.21
17. 89/98 o 0.908
19. 32/98 o 16/49 o 0.327
21. 512/839 o 0.610
23. 615/839 o 0.733
25. 713/839 o 0.850
27. 156/1205 = 0.129. Sí, una tasa elevada de rechazo produce una muestra que no es necesariamente representativa de la población, ya que los individuos que se niegan a responder podrían constituir un grupo específico con opiniones que difieren de las de los demás.
29. 1060/1205 = 0.880
31. 1102/1205 = 0.915
33. *a*) 300
    b) 178
    c) 178/300 = 0.593
35. 0.603
37. 27/300 = 0.090. Con una tasa de error de 0.090 (o 9%), parece que la prueba no es muy precisa.
39. 3/4 = 0.75
41. $P(A \text{ o } B) = P(A) + P(B) - 2P(A \text{ y } B)$
43. *a*) $1 - P(A) - P(B) + P(A \text{ y } B)$
    b) $1 - P(A \text{ y } B)$
    c) Diferente

Sección 4-4

1. Las respuestas varían.
3. Los eventos son dependientes. Como se utilizan diferentes números, las selecciones se hacen sin reemplazo; por lo tanto, la probabilidad de elegir a un adulto cambia conforme se hagan las selecciones.
5. Independientes
7. Dependientes
9. Dependientes (la misma energía eléctrica)
11. Independientes
13. 0.0221. Sí, es inusual porque su probabilidad es muy baja, como menor que 0.05.
15. 0.109. El evento no es inusual porque la probabilidad no es muy baja, como menor que 0.05.
17. *a*) 0.152
    b) 0.150
19. *a*) 0.0000130
    b) 0.00000383
21. *a*) Sí
    b) 1/8 = 0.125
    c) No, es mejor estar preparado.
23. $0.95^9 = 0.630$. Con nueve encuestas independientes, existe una probabilidad razonable (0.370) de que al menos una no se ubique dentro de los márgenes de error establecidos.
25. 1/8 = 0.125. La probabilidad de obtener 3 niñas en 3 nacimientos por el azar es alta, de manera que los resultados no indican que el método sea eficaz.
27. *a*) 0.1
    b) 0.01
    c) 0.99
    d) Sí, la probabilidad de no despertar se reduce de 1 en 10 a 1 en 100.
29. *a*) 0.849
    b) 0.0169. Sí, porque es muy baja la probabilidad de que los 100 neumáticos estén en buenas condiciones.
31. *a*) 0.9999
    b) 0.9801
    c) La conexión en serie ofrece una mejor protección.
33. 0.0192

Sección 4-5

1. El número exacto de defectos es 1 o 2 o 3 o 4 o 5 o 6 o 7 u 8 o 9 o 10.
3. No, los dos resultados no son igualmente probables. No se tomó en cuenta la tasa real de supervivencia, pero se debió haber considerado.
5. Los 15 jugadores resultan negativos.
7. Al menos uno de los cuatro hombres tiene el gen recesivo vinculado con el cromosoma X.
9. 0.984. Sí.
11. 0.590. Hay una buena probabilidad de aprobar al hacer conjeturas, pero no sería razonable esperar aprobar mediante conjeturas.
13. 0.5. No.
15. 0.179. Los cuatro automóviles no se seleccionaron al azar. Son conducidos por miembros de la misma familia, por lo que es más probable que tengan hábitos similares para conducir; por lo tanto, la probabilidad podría ser incorrecta.
17. 0.944. Sí, la probabilidad es bastante alta, por lo que pueden tener una confianza razonable de obtener al menos una larva con alas vestigiales.
19. 15/47 = 0.319. Esta es la probabilidad de indicar de manera injusta que el sujeto mintió cuando en realidad no lo hizo.
21. 9/41 = 0.220. Los resultados son diferentes.
23. *a*) 1/3 o 0.333
    b) 0.5
25. 0.5
27. 0.999. Sí. Con un solo despertador, existe una probabilidad de 0.10 de que el despertador no funcione, pero con tres despertadores la probabilidad de que todos fallen es de solo 0.001. La probabilidad de

que la alarma del despertador funcione bien aumenta drásticamente con tres despertadores. Los resultados cambian si los despertadores dejan de recibir energía eléctrica, porque dejan de ser independientes. El estudiante debería utilizar despertadores alimentados con baterías para mantener la independencia.

29. 0.271
31. *a)* 0.431
 b) 0.569
33. 1/12; 35

Sección 4-6

1. No. Los números generados entre 2 y 12 serían igualmente probables, pero no son igualmente probables con dados reales.
3. Sí. Cada uno de los 365 cumpleaños tiene la misma probabilidad de resultar elegido; las tarjetas se reincorporan, por lo que es posible elegir el mismo cumpleaños más de una vez.
5. Generar 50 números aleatorios, cada uno entre 1 y 100. Considere que los números 1 a 95 son adultos que reconocen el nombre de McDonald's, mientras que los números 96 al 100 representan adultos que no reconocen el nombre.
7. Generar al azar un número entre 1 y 1000. Considere que un resultado entre 1 y 528 es un tiro libre encestado y que un resultado entre 529 y 1000 es un tiro libre fallado.
9. *a)* La respuesta varía.
 b) Sería inusual elegir al azar a 50 consumidores y descubrir que aproximadamente la mitad de ellos reconocen el nombre de McDonald's.
11. *a)* La respuesta varía.
 b) Sería inusual que O'Neal enceste cinco tiros libres en un juego.
13. La respuesta exacta es 0.5, de manera que la respuesta de una simulación debe ser aproximadamente 0.5. Este tipo de rachas no son inusuales.
15. Para la simulación, se generan 152 números aleatorios entre 0 y 1, inclusive. Se suman los resultados para calcular el número de niños. La repetición de la simulación debería indicar que un resultado de 127 niños es inusual, lo que sugiere que el método YSORT es eficaz.
17. Con cambio, $P(\text{ganar}) = 2/3$. Sin cambio, $P(\text{ganar}) = 1/3$.
19. No; no

Sección 4-7

1. En el caso de las permutaciones, los diferentes acomodos de los mismos objetos se cuentan de manera separada, lo que no ocurre con las combinaciones.
3. Como el orden de los primeros tres ganadores establece una diferencia, la trifecta implica permutaciones.
5. 120
7. 1326
9. 15,120
11. 5,245,786
13. 1/25,827,165
15. 1/376,992
17. *a)* 1/1,000,000,000
 b) 1/100,000. No, pero si continuaran realizando más intentos, tarde o temprano obtendrían su número de seguridad social.
19. 27,907,200
21. 10
23. 256; sí, porque el teclado típico tiene alrededor de 94 caracteres.
25. De 120 formas; JUMBO; 1/120
27. *a)* 7920
 b) 330
29. *a)* 16,384
 b) 14
 c) 14/16,384 o 0.000854
 d) Sí, porque la probabilidad es tan baja y se aleja tanto del resultado típico de 7 niñas/7 niños.
31. 2/252 o 1/128. Sí, si todos los sujetos que reciben tratamiento son del mismo sexo y todos los sujetos del grupo de placebo son del sexo opuesto, no sabríamos si las diferentes reacciones se deben al tratamiento o al género.
33. 1/146,107,962
35. 144
37. 2,095,681,645,538 (alrededor de 2 billones)
39. *a)* Calculadora: 3.0414093×10^{64}; aproximación: 3.0363452×10^{64}
 b) 615
41. 293

Conocimientos estadísticos y pensamiento crítico, capítulo 4

1. Es muy poco probable que los resultados ocurran por azar. Los resultados ocurrirían en promedio solo 4 veces en 1000.
2. No, porque continúan teniendo una fuente de energía eléctrica común. Si la casa pierde toda su energía, todos los detectores de humo dejarían de operar.
3. No. El cálculo supone que los eventos son independientes, pero el mismo detective está manejando ambos casos, y es probable que los dos hayan ocurrido en el mismo lugar general, por lo que no son independientes. La probabilidad de aclarar ambos casos depende principalmente de su compromiso, capacidad, recursos y apoyo.
4. No. Aquí se aplica el principio de independencia. Con base en la forma en que se obtienen los números de lotería, los resultados previos no tienen ningún efecto en la probabilidad de los resultados futuros, así que no hay manera de predecir cuáles números tienen más o menos probabilidades de ocurrir.

Examen rápido del capítulo 4

1. 0.30
2. 0.49
3. La respuesta varía, pero una respuesta como 0.01 o más baja sería razonable.
4. No, porque los resultados podrían haber ocurrido fácilmente por azar.
5. 0.6
6. 427/586 = 0.729
7. 572/586 = 0.976
8. 0.00161
9. 10/586 = 0.0171
10. 10/24 = 0.417

Ejercicios de repaso del capítulo 4

1. 576/3562 = 0.162
2. 752/3562 = 0.211
3. 1232/3562 = 0.346

4. 3466/3562 = 0.973
5. 96/3562 = 0.0270
6. 2330/3562 = 0.654
7. 0.0445 (no 0.0446)
8. 0.0261
9. 480/576 = 0.833
10. 656/752 = 0.872
11. Con base en datos de J. D. Power and Associates, el 16.7% de los automóviles son color negro, de manera que cualquier estimación entre 0.05 y 0.25 sería razonable.
12. *a*) 0.65
    b) 0.0150
    c) Sí. Como la probabilidad es tan baja (0.0150), no es probable que ocurra por el azar.
13. *a*) 1/365
    b) 31/365
    c) La respuesta varía, pero probablemente sea pequeña, como 0.02.
    d) Sí
14. *a*) 0.000152
    b) 0.0000000231
    c) 0.999696
15. *a*) 0.60
    b) No. Como la encuesta utiliza una muestra de respuesta voluntaria, sus resultados se aplican únicamente a los individuos que decidieron responder. Los resultados no necesariamente se aplican a la población de todos los estadounidenses.
16. 0.0315. No es probable que este tipo de muestras combinadas resulten positivas.
17. $0.85^{30} = 0.00763$. Como la probabilidad de obtener 30 demócratas por azar es tan baja, el azar no sería una explicación razonable; parece que la compañía encuestadora está mintiendo.
18. *a*) 0.998856
    b) 0.998
    c) 0.999
    d) Los hombres tienen más probabilidades de morir como resultado de actividades militares, choques automovilísticos, crímenes violentos y otro tipo de actividades de alto riesgo.
19. 501,942; 1/501,942. Es inusual que una persona en particular compre un boleto y gane, pero no es inusual que *cualquiera* gane, ya que a menudo alguien gana.
20. 10,000,000,000,000

Ejercicios de repaso acumulativo del capítulo 4

1. *a*) 19.3 oz
   b) 19.5 oz
   c) 1.1 oz
   d) 1.2 oz^2
   e) No. La media está muy por debajo del valor deseado de 21 onzas, y todos los bistecs pesan menos de 21 onzas antes de cocinarlos.
2. *a*) 58.2%
   b) 0.582
   c) Se trata de una muestra de respuesta voluntaria (o muestra autoseleccionada) y no es adecuada para sacar conclusiones acerca de cualquier población más grande; solo sirve para describir las opiniones de las personas que decidieron responder.
   d) La encuesta incluyó a 5226 sujetos. Una muestra aleatoria simple de 5226 sujetos se seleccionaría de tal manera que todas las muestras de 5226 sujetos tengan la misma probabilidad de ser elegidas. Definitivamente una muestra aleatoria simple es mejor que una muestra de respuesta voluntaria.
3. *a*) Regular: 371.5 g; dietética: 355.5 g. Parece que la Coca-Cola dietética pesa mucho menos.
   b) Regular: 371.5 g; dietética: 356.5 g. Parece que la Coca-Cola dietética pesa mucho menos.
   c) Regular: 1.5 g; dietética: 2.4 g. Parece que los pesos de la Coca-Cola dietética varían más.
   d) Regular: 2.3 g^2; dietética: 5.9 g^2
   e) No, parece que la Coca-Cola dietética pesa mucho menos que la Coca-Cola regular.
4. *a*) Sí, porque 38 es más que dos desviaciones estándar por debajo de la media.
   b) 1/1024 o 0.000977. Como la probabilidad es tan baja, el resultado de una puntuación perfecta es inusual.
5. *a*) Muestra de conveniencia.
   b) Si los estudiantes de la universidad provienen de una región de los alrededores que incluye a una gran proporción de un solo grupo étnico, los resultados no reflejarán la población general de Estados Unidos.
   c) 0.75
   d) 0.64
6. 14,348,907

Respuestas del capítulo 5

Sección 5-2

1. Una variable aleatoria es aquella que tiene un solo valor numérico, determinado por el azar, para cada resultado de un procedimiento. La variable aleatoria x es el número de billetes ganadores en 52 semanas, y sus valores posibles son 0, 1, 2,…, 52.
3. La variable aleatoria x representa todos los eventos posibles en el espacio muestral completo, de manera que tenemos la certeza (con probabilidad igual a 1) de que ocurrirá uno de los eventos.
5. *a*) Discreta
   b) Continua
   c) Continua
   d) Discreta
   e) Continua
7. Distribución de probabilidad con $\mu = 1.5$ y $\sigma = 0.9$.
9. No se trata de una distribución de probabilidad porque $\Sigma P(x) = 0.984 \neq 1$.
11. Distribución de probabilidad con $\mu = 2.8$ y $\sigma = 1.3$.
13. $\mu = 6.0$ guisantes; $\sigma = 1.2$ guisantes.
15. *a*) 0.267
    b) 0.367
    c) El inciso *b*)
    d) No, porque la probabilidad de 7 o más guisantes con vainas verdes es alta. (0.367 es mayor que 0.05).
17. *a*) Sí
    b) $\mu = 5.8$ juegos y $\sigma = 1.1$ juegos.
    c) No, puesto que la probabilidad de 4 juegos no es baja (como menor que 0.05), el evento de arrasar en cuatro juegos no es inusual.
19. *a*) Sí
    b) $\mu = 0.4$ calcomanías en el parachoques y $\sigma = 1.3$ calcomanías en el parachoques.
    c) −2.2 a 3.0
    d) No, puesto que la probabilidad de más de una calcomanía en el parachoques es 0.093, que no es baja.

21. $\mu = 1.5$; $\sigma = 0.9$. No es inusual que resulten 3 niñas, ya que la probabilidad de 3 niñas es alta (1/8), lo que indica que fácilmente pueden resultar 3 niñas por azar.
23. $\mu = 4.5$; $\sigma = 2.9$. El histograma de probabilidad es plano.
25. *a)* 1000
    b) 1/1000 o 0.001
    c) $249.50
    d) −25¢
    e) Como los dos juegos tienen el mismo valor esperado, ninguno es mejor que el otro.
27. *a)* −39¢
    b) Es mejor apostar por el número 13, porque su valor esperado de −26 centavos es mayor que el valor esperado de −39 centavos para la otra apuesta.
29. *a)* −$161 y $99,839
    b) −$21
    c) Sí. El valor esperado para la compañía de seguros es $21, lo que indica que la compañía puede esperar obtener una media de $21 por cada póliza de este tipo.
31. Los bonos A son mejores porque el valor esperado es de $49.40, que es más alto que el valor esperado de $26 para los bonos B. Ella debería elegir el bono A porque el valor esperado es positivo, lo que indica una posible ganancia.
33. Marque 1, 2, 3, 4, 5, 6 en un dado y 0, 0, 0, 6, 6, 6 en el otro dado.

Sección 5-3

1. El evento dado describe únicamente una manera en la que, de entre 5 personas elegidas al azar, 2 tengan ojos azules, pero existen otras formas de obtener 2 personas con ojos azules de un total de 5 individuos, y sus probabilidades correspondientes también se deben incluir en el resultado.
3. Sí. Aunque las selecciones no son independientes, se pueden tratar como si fueran independientes al aplicar el lineamiento del 5%. Del grupo de 1236 personas, solo 30 fueron elegidas al azar, lo que corresponde a menos del 5%.
5. Binomial
7. No es binomial; hay más de dos resultados posibles.
9. No es binomial. Como los senadores se seleccionan sin reemplazo, los eventos no son independientes y no pueden tratarse como si lo fueran.
11. Binomial. Aunque los eventos no son independientes, pueden tratarse como si fueran independientes al aplicar el lineamiento del 5%.
13. *a)* 0.128
    b) IIC, ICI, CII; 0.128 para cada uno
    c) 0.384
15. 0.420
17. 0+
19. 0.075
21. 0.232
23. 0.182
25. 0.950; sí
27. 0.0185. Sí, con una probabilidad que es baja (como menor que 0.05), es inusual.
29. 0.387; 0.613
31. 0.001 o 0.000609. Es inusual porque la probabilidad es muy baja, como menor que 0.05.
33. 0.244. No es inusual porque la probabilidad de 0.244 no es muy baja, como menor que 0.05.
35. *a)* 0.882
    b) Sí, porque la probabilidad de 7 o menos graduados es baja (menor que 0.05).
37. *a)* 0.00695
    b) 0.993
    c) 0.0461
    d) Sí. Con una puntuación de 22, existe una probabilidad muy baja de que al menos 1 de los hogares esté sintonizando *NBC Sunday Night Football*, por lo que parece que la puntuación no es de 22.
39. *a)* 0.209
    b) A diferencia del inciso *a)*, los 20 sujetos elegidos corresponden a más del 5% de los 320 sujetos disponibles, de manera que no se puede suponer independencia por medio de lineamiento del 5%. No se satisface el requisito de independencia para la fórmula de probabilidad binomial.
41. 0.662. La probabilidad indica que alrededor de 2/3 de todos los embarques serán aceptados.
43. 0.000139. El valor de probabilidad tan bajo sugiere que el número reducido de mujeres contratadas no es el resultado del azar. Parece que la probabilidad baja sustenta la acusación de discriminación por género.
45. 0.030. El resultado es inusual, pero con 580 guisantes, cualquier número individual es inusual. El resultado no sugiere que 0.75 sea incorrecto. El valor de probabilidad de 0.75 parecería incorrecto si 428 guisantes con vainas verdes fuera un número inusualmente bajo, lo que no es así.
47. *a)* 0.0000000222
    b) 0.00000706
    c) 0.0104
    d) 0.510

Sección 5-4

1. Sí. Puesto que $q = 1 - p$, las dos expresiones son equivalentes en el sentido de que siempre proporcionarán los mismos resultados.
3. 59.3 personas^2 (o 58.7 personas^2 si se utilizan resultados sin redondeo).
5. $\mu = 10.0$; $\sigma = 2.8$; mínimo = 4.4; máximo = 15.6
7. $\mu = 144.0$; $\sigma = 8.7$; mínimo = 126.6; máximo = 161.4
9. *a)* $\mu = 37.5$; $\sigma = 4.3$.
    b) No sería inusual aprobar al obtener al menos 45 respuestas correctas, ya que el rango de números comunes de respuestas correctas va de 28.9 a 46.1, y 45 está dentro del rango de valores comunes.
11. *a)* $\mu = 16.0$ y $\sigma = 3.7$.
    b) El resultado de 19 dulces M&M verdes no es inusual porque está dentro del rango de valores comunes, que va de 8.6 a 23.4. Parece que la tasa establecida del 16% no es incorrecta.
13. *a)* $\mu = 287.0$; $\sigma = 12.0$.
    b) El resultado de 525 niñas es inusual porque está fuera del rango de valores comunes, que va de 263 a 311. Los resultados sugieren que el método XSORT es eficaz.
15. *a)* $\mu = 160.0$ y $\sigma = 8.9$
    b) 142.2 a 177.8
    c) 250, que es inusual porque está fuera del rango de valores comunes dados en el inciso *b)*. Los resultados sugieren que el encabezado está justificado.
    d) Como la muestra de 320 participantes es de respuesta voluntaria, todos los resultados son muy cuestionables.

17. *a)* $\mu = 611.2, \sigma = 15.4$
    b) No, porque el rango de valores comunes va de 580.4 a 642.0. El resultado de 701 tiene pocas probabilidades de ocurrir ya que está fuera del rango de valores comunes.
    c) No, parece que el número de personas que dicen haber votado es mucho mayor que el número de personas que realmente votaron.
19. *a)* $\mu = 10.2$ y $\sigma = 3.2$.
    b) 30 es inusual porque está fuera del rango de valores comunes, que va de 3.8 a 16.6.
    c) Parece que Chantrix es el causante de algunas náuseas, pero el índice de náuseas con este medicamento es bastante bajo; por lo tanto, parece que las náuseas son una reacción adversa que no ocurre con mucha frecuencia.
21. $\mu = 3.0$ y $\sigma = 1.3$ (no 1.5).

Sección 5-5

1. La variable aleatoria x es el número de ocurrencias de un evento en un intervalo, las ocurrencias son aleatorias, independientes entre sí, y se distribuyen de manera uniforme en el intervalo.
3. La probabilidad es tan baja que, para fines prácticos, consideramos que es igual a cero.
5. 0.180
7. 0.0332
9. *a)* 0.0970
   b) 0.000141
   c) Sí, porque la probabilidad es muy baja, como menor que 0.05.
11. *a)* 62.2
    b) 0.0155 (0.0156 utilizando la media redondeada)
13. *a)* 0.728
    b) 0.231
    c) 0.0368
    d) 0.00389
    e) 0.000309
    Si se utilizan las probabilidades calculadas, las frecuencias esperadas son 266, 84, 13, 1.4 y 0.1, y coinciden muy bien con las frecuencias reales.
15. *a)* 2.24
    b) 0.811 (o 0.812 si se utiliza la binomial). No, la probabilidad de una ganancia es alta, pero no lo suficiente para estar "casi segura".
17. Las probabilidades de Poisson no se acercan lo suficiente a las probabilidades binomiales. Por ejemplo, $P(6) = 0.205$ con la distribución binomial, pero $P(6) = 0.146$ con la distribución de Poisson.

Conocimientos estadísticos y pensamiento crítico, capítulo 5

1. Una variable aleatoria es aquella que tiene un solo resultado numérico, determinado por el azar, para cada resultado de un procedimiento. Es posible que una variable aleatoria discreta tenga un número infinito de valores.
2. Una variable aleatoria discreta tiene un número finito de valores o un número contable de valores, pero una variable aleatoria continua tiene una infinidad de valores, los cuales se pueden asociar con las mediciones en una escala continua sin brechas o interrupciones.
3. La suma de p y q es 1, o $p + q = 1$, o $p = 1 - q$, o $q = 1 - p$.
4. No. Existen muchas distribuciones de probabilidad discreta que no satisfacen los requisitos de una distribución binomial o de una distribución de Poisson.

Examen rápido del capítulo 5

1. No
2. 0.7
3. 200
4. 10
5. Sí
6. Sí
7. 0.5904 o 0.590
8. 0.0016
9. 0.1792
10. Sí

Ejercicios de repaso del capítulo 5

1.

x	p
0	0.004
1	0.031
2	0.109
3	0.219
4	0.273
5	0.219
6	0.109
7	0.031
8	0.004

2. $\mu = 4.0$ y $\sigma = 1.4$. Los valores comunes van de 1.2 a 6.8. La ocurrencia de 8 muertes durante la semana previa al Día de Acción de Gracias es inusual porque está fuera del rango de valores comunes (o porque su probabilidad de 0.004 es muy baja).
3. *a)* 0.0370
   b) Sí, porque la probabilidad de 0.0370 es muy baja.
   c) No. La determinación de si 14 es un número inusualmente alto de muertes debería basarse en la probabilidad de 14 o más muertes, y no en la probabilidad de exactamente 14 muertes (o podría utilizarse el rango de valores comunes).
4. $315,075. Como la oferta está muy por debajo de su valor esperado, debería continuar el juego (aunque el precio garantizado de $193,000 es muy atractivo). (Ella aceptó la oferta de $193,000, pero habría ganado $500,000 si hubiera continuado el juego y rechazado todas las demás ofertas).
5. *a)* 1.2 centavos
   b) 1.2 centavos menos el costo de la estampilla postal.
6. No, porque $\Sigma P(x) = 0.9686$, pero la suma debe ser 1. (Existe cierta libertad para los errores de redondeo, pero la suma de 0.9686 es mucho menor que 1).
7. *a)* 1/10,000 o 0.0001
   b)

x	$P(x)$
−$1	0.9999
$4999	0.0001

   c) 0.0365
   d) 0.0352
   e) −50¢

8. *a)* 0.00361
   b) Parece que esta compañía es muy diferente, ya que el evento de al menos cuatro despidos es muy improbable, con una probabilidad de solo 0.00361.
9. *a)* 236.0
   b) $\mu = 236.0$ y $\sigma = 12.8$
   c) De 210.4 a 261.6
   d) Sí, porque 0 se aleja mucho del rango de valores comunes.
10. *a)* $535/576 = 0.929$
    b) 0.395
    c) 227.5 regiones
    d) El resultado real de 229 es muy cercano al resultado calculado de 227.5.

Ejercicios de repaso acumulativo del capítulo 5

1. *a)* $159.674
   b) $142.94
   c) $102.60
   d) $41.985
   e) 1762.700 dólares^2
   f) $75.704 a $243.644
   g) No, porque todos los valores muestrales están dentro del rango de valores comunes.
   h) De razón
   i) Discretos
   j) De conveniencia
   k) $21,396.32
2. *a)* 0.026
   b) 0.992 (o 0.994)
   c) $\mu = 8.0$ y $\sigma = 1.3$.
   d) De 5.4 a 10.6
3. *a)* $\mu = 15.0$, $\sigma = 3.7$
   b) 12 casos positivos caen dentro del rango de valores comunes (de 7.6 a 22.4), de manera que 12 no es inusualmente bajo. Como 12 casos positivos podrían ocurrir fácilmente con un programa ineficaz, no tenemos una justificación suficiente para afirmar que el programa es eficaz.
4. *a)* $706/2223 = 0.318$
   b) 0.101
   c) 0.466
5. No. La media debería tomar en cuenta las poblaciones estatales. Los 50 valores deben ponderarse, utilizando las poblaciones estatales como pesos.

Respuestas del capítulo 6

Sección 6-2

1. El término "normal" tiene un significado especial en estadística. Se refiere a una distribución específica con forma de campana que se puede describir con la fórmula 6-1.
3. La media y la desviación estándar tienen los valores de $\mu = 0$ y $\sigma = 1$.
5. 0.5
7. 0.75
9. 0.7734
11. 0.6106 (con herramienta tecnológica: 0.6107)
13. 2.05
15. 1.24
17. 0.0668
19. 0.8907
21. 0.0132
23. 0.9599
25. 0.1498 (con herramienta tecnológica: 0.1499)
27. 0.1574 (con herramienta tecnológica: 0.1573)
29. 0.8593
31. 0.9937 (con herramienta tecnológica: 0.9938)
33. 0.9999 (con herramienta tecnológica: 0.9998)
35. 0.5000
37. 68.26% (con herramienta tecnológica: 68.27%)
39. 99.74 %(con herramienta tecnológica: 99.73%)
41. 1.645
43. 1.28
45. 0.9500
47. 0.0100
49. 1.645
51. −1.96, 1.96
53. *a)* 95.44% (con herramienta tecnológica: 95.45%)
    b) 31.74% (con herramienta tecnológica: 31.73%)
    c) 5.00%
    d) 99.74% (con herramienta tecnológica: 99.73%)
    e) 0.26% (con herramienta tecnológica: 0.27%)
55. *a)* 1.75
    b) −2.00
    c) 1.50
    d) 0.82
    e) 0.12

Sección 6-3

1. La distribución normal estándar tiene una media de 0 y una desviación estándar de 1, pero una distribución que no es estándar tiene valores diferentes para uno o ambos parámetros.
3. La media es 0 y la desviación estándar es 1.
5. 0.9082 (con herramienta tecnológica: 0.9088)
7. 0.5899 (con herramienta tecnológica: 0.5889)
9. 103.8
11. 75.3
13. 0.8413
15. 0.4972 (con herramienta tecnológica: 0.4950)
17. 92.2 (con herramienta tecnológica: 92.1)
19. 110.0 (con herramienta tecnológica: 110.1)
21. *a)* 85.77% (con herramienta tecnológica: 85.80%)
    b) 99.96%
    c) La estatura no es la adecuada porque el 14% de los hombres adultos necesitarían agacharse; por lo tanto, sería mejor tener entradas más altas, aunque es probable que esto resulte poco práctico debido a otras consideraciones de diseño.
    d) 74.7 pulgadas (con herramienta tecnológica: 74.8 pulgadas)
23. *a)* 3.67% (con herramienta tecnológica: 3.71%)
    b) 0.52%
    c) No. El porcentaje de hombres elegibles es mayor que el porcentaje de mujeres elegibles.
25. *a)* 98.74% (con herramienta tecnológica: 98.75%). No, solo alrededor del 1% de las mujeres no son elegibles.
    b) Mínimo: 57.8 pulgadas; máximo: 68.7 pulgadas.

27. *a*) 4.09%
 b) 2630 g
 c) Sin un punto de corte específico del peso al nacer, no habría manera de saber si un bebé forma parte del 3% con menor peso sino hasta que todos los bebés hayan nacido, pero el hecho de esperar negaría el tratamiento a los bebés que necesitan una atención especial.
29. *a*) 0.01%; sí
 b) 99.22°
31. *a*) 0.0038; ocurrió un evento muy inusual o el esposo no es el padre.
 b) 242 días
33. *a*) $\bar{x} = 118.9$, $s = 10.5$, el histograma se aproxima a una forma de campana.
 b) 101.6, 136.2
35. *a*) Las puntuaciones *z* son números reales sin unidades de medida.
 b) $\mu = 0$; $\sigma = 1$; la distribución es normal.
37. *a*) 75; 5
 b) No, la conversión también debe explicar la variación.
 c) 31.4, 27.6, 22.4, 18.6
 d) El inciso *c*), ya que la variación está incluida en la conversión.
39. 0.0074 (con herramienta tecnológica: 0.0070)

Sección 6-4

1. La distribución de muestreo de un estadístico es la distribución de todos los valores de dicho estadístico cuando se eligen todas las muestras posibles del mismo tamaño a partir de la misma población.
3. La media de todas las medias muestrales es igual a la media poblacional.
5. No se trata de una muestra aleatoria simple obtenida de la población de todos los estudiantes universitarios estadounidenses. Es probable que los estudiantes de la Universidad de Nueva York no reflejen con precisión el comportamiento de todos los estudiantes estadounidenses.
7. Normal (aproximadamente)
9. *a*)

Mediana muestral	Probabilidad
2	1/9
2.5	2/9
3	1/9
6	2/9
6.5	2/9
10	1/9

 b) La mediana poblacional es 3, pero la media de las medianas muestrales es 5. Los valores no son iguales.
 c) Las medianas muestrales no coinciden con la mediana poblacional de 3, de manera que las medianas muestrales no son buenos estimadores de las medianas poblacionales.
11. *a*)

s^2	Probabilidad
0	3/9
0.5	2/9
24.5	2/9
32	2/9

 b) La varianza poblacional es 12.667 y la media de las varianzas muestrales también es 12.667. Los valores son iguales.
 c) Las varianzas muestrales coinciden con la varianza poblacional de 12.667, de manera que las varianzas muestrales son buenos estimadores de la varianza poblacional.
13. *a*) (56, 56), (56, 49), (56, 58), (56, 46), (49, 56), (49, 49), (49, 58), (49, 46), (58, 56), (58, 49), (58, 58), (58, 46), (46, 56), (46, 49), (46, 58), (46, 46)
 b)

$\bar{x}$	Probabilidad
46	1/16
47.5	2/16
49	1/16
51	2/16
52	2/16
52.5	2/16
53.5	2/16
56	1/16
57	2/16
58	1/16

 c) La media de la población es 52.25 y la media de las medias muestrales también es 52.25.
 d) Las medias muestrales coinciden con la media poblacional. Las medias muestrales son buenos estimadores de las medias poblacionales porque coinciden con el valor de la media poblacional en lugar de subestimarla o sobrestimarla de manera sistemática.
15. *a*) Lo mismo que el ejercicio 13, inciso *a*).
 b)

Rango	Probabilidad
0	4/16
2	2/16
3	2/16
7	2/16
9	2/16
10	2/16
12	2/16

 c) El rango de la población es 12, pero la media de los rangos muestrales es 5.375. Dichos valores no son iguales.
 d) Los rangos muestrales no coinciden con el rango poblacional de 12, de manera que los rangos muestrales no son buenos estimadores de los rangos poblacionales.
17.

Proporción de números impares	Probabilidad
0	4/9
0.5	4/9
1	1/9

Sí. La proporción de números impares en la población es 1/3, y las proporciones muestrales también tienen una media de 1/3, de manera que las proporciones muestrales coinciden con el valor de la proporción poblacional. La proporción muestral es un buen estimador de la proporción poblacional.
19. *a*) Las proporciones de 0, 0.5, 1 tienen las probabilidades correspondientes de 1/16, 6/16, 9/16.
 b) 0.75
 c) Sí; sí
21. La fórmula produce $P(0) = 0.25$, $P(0.5) = 0.5$ y $P(1) = 0.25$, lo que describe la distribución muestral de las proporciones. La fórmula es solo una manera diferente de presentar la misma información en la tabla que describe la distribución muestral.

Sección 6-5

1. Es la desviación estándar de las medias muestrales, que se denotan por $\sigma_{\bar{x}}$ o $\sigma/\sqrt{n}$.
3. La notación $\mu_{\bar{x}}$ representa la media de la población que consiste en todas las medias muestrales. La notación $\sigma_{\bar{x}}$ representa la desviación estándar de la población que consiste en todas las medias muestrales.
5. *a)* 0.4761 (con herramienta tecnológica: 0.4779)
   b) 0.2912 (con herramienta tecnológica: 0.2898)
7. *a)* 0.0316 (con herramienta tecnológica: 0.0304)
   b) 0.1227 (con herramienta tecnológica: 0.1210)
   c) Si la población original se distribuye de manera normal, entonces la distribución de las medias muestrales se distribuye normalmente para *cualquier* tamaño de muestra.
9. *a)* 0.3897 (con herramienta tecnológica: 0.3913)
   b) 0.1093 (0.1087)
   c) Sí. La probabilidad de exceder la capacidad segura de 3500 libras es de 0.1093, que es demasiado elevada.
11. *a)* 0.5675 (con herramienta tecnológica: 0.5684)
    b) 0.7257 (con herramienta tecnológica: 0.7248)
    c) Tal vez la góndola esté diseñada para soportar con seguridad una carga un poco mayor que 2004 libras, pero los operadores deberían evitar una carga de 12 hombres, especialmente si parecen ser pesados.
13. *a)* 0.0274 (con herramienta tecnológica: 0.0272) *b)* 0.0001
    c) Como la población original se distribuye normalmente, la distribución muestral de las medias muestrales tendrá una distribución normal para cualquier tamaño de muestra.
    d) No, la media puede ser menor que 140, mientras que los valores individuales son mayores de 140.
15. *a)* 0.8577 (con herramienta tecnológica: 0.8580)
    b) 0.9999 (con herramienta tecnológica: la mayoría da un resultado de 1, pero la probabilidad real es un poco menor que 1).
    c) La probabilidad del inciso a) es más importante, ya que indica que el 85.77% de los pasajeros hombres no necesitarán agacharse. El resultado del inciso *b)* nos brindda información acerca de la media para un grupo de 100 hombres, pero no nos da información útil acerca de la comodidad y la seguridad de los pasajeros hombres.
    d) Como los hombres suelen ser más altos que las mujeres, un diseño que se ajusta a una proporción adecuada de hombres necesariamente se ajustará a una proporción mayor de mujeres.
17. *a)* 0.5302 (con herramienta tecnológica: 0.5317)
    b) 0.7323 (con herramienta tecnológica: 0.7326)
    c) El inciso *a)*, porque los asientos serán ocupados por mujeres individuales y no por grupos de mujeres.
19. 0.0001 (con herramienta tecnológica: 0.0000). Los resultados sugieren que las latas de Pepsi se llenaron con una cantidad mayor a 12.00 onzas.
21. *a)* 73.6 pulgadas *b)* 69.5 pulgadas
    c) El resultado del inciso a) es más importante porque indica que una altura de la entrada de 73.6 pulgadas es adecuada para el 95% de los hombres. Al diseñar la altura de la entrada, se debe tomar en cuenta la distribución de las estaturas de los hombres y no la distribución muestral de las estaturas medias de los hombres.
23. *a)* Sí. El muestreo se realiza sin reemplazo (porque los 12 pasajeros son personas diferentes) y el tamaño de la muestra de 12 es mayor que el 5% de la población finita de tamaño 210.
    b) 175 libras
    c) 0.0918 (con herramienta tecnológica: 0.0910). Esta probabilidad es demasiado alta; el elevador podría estar sobrecargado aproximadamente el 9% del tiempo.
    d) 10 pasajeros.

Sección 6-6

1. El histograma debe ser aproximadamente normal o con forma de campana, ya que las proporciones muestrales tienden a aproximarse a una distribución normal.
3. No. Con $n = 4$ y $p = 0.5$, no se satisfacen los requisitos de $np \geq 5$ y $nq \geq 5$, de manera que la distribución normal no es una buena aproximación.
5. El área a la derecha de 8.5
7. El área a la izquierda de 4.5
9. El área a la izquierda de 15.5
11. El área entre 4.5 y 9.5
13. 0.117; la distribución normal como aproximación: 0.1140 (con herramienta tecnológica: 0.1145)
15. 0.962; la distribución normal no es una aproximación adecuada
17. 0.0018 (con herramienta tecnológica y utilizando la binomial: 0.0020). Como la probabilidad es muy baja, no es probable que se alcance la meta de al menos 1300.
19. 0.0001 (con herramienta tecnológica: 0.0000). Parece que el método es eficaz, ya que la probabilidad de obtener al menos 525 niñas por azar es muy baja.
21. *a)* 0.0318 (0.0318 (con herramienta tecnológica y utilizando la distribución normal como aproximación: 0.0305; con tecnología y utilizando la binomial: 0.0301)
    b) 0.2676 (con herramienta tecnológica y utilizando la distribución normal como aproximación: 0.2665; con herramienta tecnológica y utilizando la binomial: 0.2650)
    c) El inciso *b)*
    d) No, los resultados podrían ocurrir fácilmente por azar con una tasa del 25%.
23. 0.2709 (con herramienta tecnológica y utilizando la distribución normal como aproximación: 0.2697; con herramienta tecnológica y utilizando la binomial: 0.2726). Parece que los reportes de los medios son incorrectos.
25. 0.7704 (con herramienta tecnológica y utilizando la distribución normal como aproximación: 0.7717; con herramienta tecnológica y utilizando la binomial: 0.7657). Existe una probabilidad de 0.7704 de que el grupo de 200 voluntarios sea suficiente. Como los bancos de sangre son tan importantes, probablemente sería mucho mejor conseguir más donadores para aumentar la probabilidad de alcanzar la meta de al menos 10 donadores universales.
27. 0.2776 (con herramienta tecnológica y utilizando la binomial: 0.2748). No, 27 dulces M&M azules no es inusualmente alto, ya que la probabilidad de obtener 27 o más dulces azules es de 0.2776, que no es baja.
29. 0.3015 (con herramienta tecnológica y utilizando la distribución normal como aproximación: 0.3000; con tecnología y utilizando la binomial: 0.2900). Parece que los usuarios de Lipitor no tienen más probabilidades de sufrir síntomas de gripe.
31. 0.4168 (con herramienta tecnológica y utilizando la distribución normal como aproximación: 0.4153; con herramienta tecnológica y utilizando la binomial: 0.4264). No, la probabilidad es demasiado alta, por lo que no sería adecuado aceptar 236 reservaciones.
33. *a)* 6; 0.4602 (con herramienta tecnológica y utilizando la distribución normal como aproximación: 0.4583; con herramienta tecnológica y utilizando la binomial: 0.4307)
    b) 101; 0.3936 (con herramienta tecnológica y utilizando la distribución normal como aproximación: 0.3933; con herramienta tecnológica y utilizando la binomial: 0.3932)
    c) El juego de la ruleta ofrece una mayor probabilidad de obtener una ganancia.
35. *a)* 0.821
    b) 0.9993 (con herramienta tecnológica y utilizando la binomial: 0.9995)
    c) 0.0000165 *d)* 0.552

Sección 6-7

1. Se puede utilizar una gráfica cuantilar normal para determinar si los datos muestrales provienen de una población con distribución normal.
3. Como es probable que los pesos tengan una distribución normal, el patrón de puntos debe aproximarse al patrón de una recta.
5. No es normal. Los puntos no se aproximan de manera razonable al patrón de una recta.
7. Normal. Los puntos se aproximan de manera razonable al patrón de una recta y no se observa otro patrón diferente.
9. Normal
11. No es normal
13. Normal

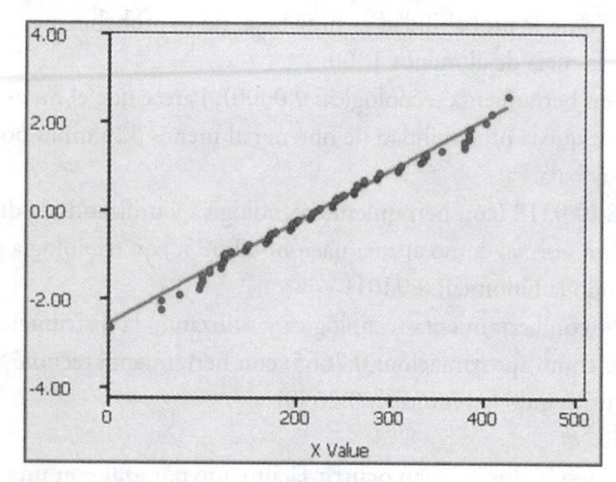

15. No es normal

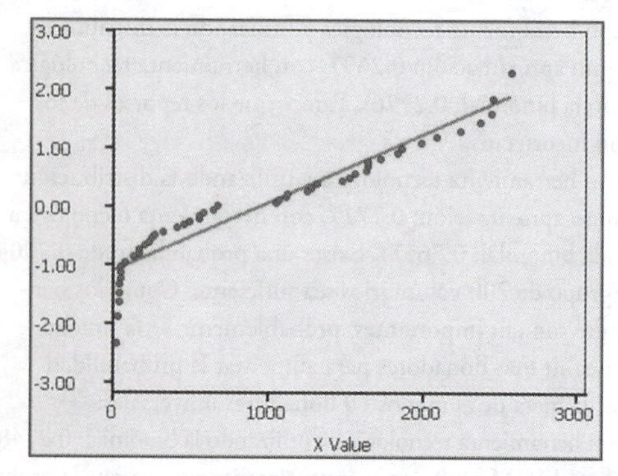

17. Parece que las estaturas son normales, pero los niveles de colesterol no. Los niveles de colesterol se ven muy afectados por la dieta, y las dietas pueden variar de formas tan diferentes que no suelen producir resultados distribuidos de manera normal.
19. Normal; −1.28, −0.52, 0, 0.52, 1.28.

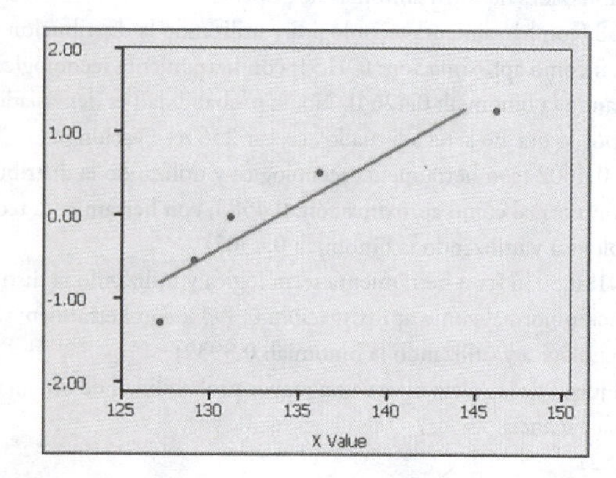

21. *a*) Sí
    b) Sí
    c) No

Conocimientos estadísticos y pensamiento crítico, capítulo 6

1. Una distribución normal es la distribución de probabilidad de una variable aleatoria continua; una gráfica de la distribución es simétrica y en forma de campana, y puede describirse por medio de la fórmula 6-1. Una distribución normal estándar es una distribución normal con una media de 0 y una desviación estándar de 1.
2. No. El término distribución "normal" tiene un significado especial en estadística, el cual difiere del uso que se acostumbra dar a la palabra "normal". Una propiedad de la distribución normal es que tiene forma de campana y es simétrica, de manera que la distribución sesgada del ingreso no es una distribución normal.
3. Las medias muestrales tenderán a presentar una distribución normal.
4. No. La muestra podría estar sesgada. Se trata de una muestra de conveniencia y no de una muestra aleatoria simple. Las personas con opiniones firmes acerca de los temas estarán más inclinadas a responder, y es probable que ese grupo difiera mucho de la población general.

Examen rápido del capítulo 6

1. 1.88
2. Normal
3. $\mu = 0$ y $\sigma = 1$.
4. 0.1587
5. 0.9270
6. 0.8413
7. 0.1151
8. 0.5762 (con herramienta tecnológica: 0.5763)
9. 0.8413
10. 0.0228

Ejercicios de repaso del capítulo 6

1. *a*) 1.62% (con herramienta tecnológica: 1.61%)
   b) 0.01% (con herramienta tecnológica: 0.00%)
   c) La longitud del sofá-cama parece ser adecuada, ya que muy pocos hombres o mujeres tienen estaturas que la excedan.
2. 73.6 pulgadas
3. *a*) Hombres: 0.07%; mujeres: 0.01% (con herramienta tecnológica: 0.00%)
   b) 75.5 pulgadas
4. 12.22%. Sí, porque la estatura mínima aceptable es mayor que la estatura media de todas las mujeres. Todas las Rockette rebasan la estatura media de todas las mujeres.
5. 0.2296 (con herramienta tecnológica y utilizando la distribución normal como aproximación: 0.2286; con herramienta tecnológica y utilizando la binomial: 0.2278). La ocurrencia de 787 vástagos con tallos largos no es inusualmente baja, ya que su probabilidad no es baja. Los resultados son congruentes con la proporción de 3/4 establecida por Mendel.
6. Los incisos *a*), *b*), *c*) son verdaderos.
7. *a*) 0.0222 (con herramienta tecnológica: 0.0221)
   b) 0.2847 (con herramienta tecnológica: 0.2836)
   c) 0.6720 (con herramienta tecnológica: 0.6715)
   d) 254.6 mg/100 mL
8. 0.0778 (con herramienta tecnológica y utilizando la distribución normal como aproximación: 0.0774; con herramienta tecnológica y utilizando la binomial: 0.0769). Como la probabilidad no es muy baja, como menor que 0.05, los resultados podrían ocurrir fácil-

mente por azar. No existen evidencias para acusar a la Newport Temp Agency de discriminar a las mujeres.

9. *a*) 0.44
   b) −2.65
   c) 1.96
10. *a*) Normal
    b) 3420 g
    c) 53.7 g
11. *a*) 0.4602 (con herramienta tecnológica: 0.4588)
    b) 0.0655 (con herramienta tecnológica: 0.0656). Sí, porque el límite de peso se excedería aproximadamente el 7% del tiempo, aproximadamente en 1 de cada 15 vuelos.
12. Sí. Un histograma tiene aproximadamente la forma de campana, y una gráfica cuantilar normal revela puntos que se acercan de manera razonable al patrón de una recta, sin revelar cualquier otro patrón sistemático.

Ejercicios de repaso acumulativo

1. *a*) $327,900
   b) $223,500
   c) $250,307
   d) 62,653,600,000 dólares cuadrados (con herramienta tecnológica: 62,653,655,570 dólares cuadrados)
   e) −0.37
   f) De razón
   g) Discretos
2. *a*) Una muestra aleatoria simple es aquella que se selecciona de forma que cualquier muestra posible del mismo tamaño tiene las mismas probabilidades de ser elegida.
   b) La muestra de respuesta voluntaria es aquella que se obtiene de forma que los propios participantes deciden si se les incluye o no. Puesto que ellos lo deciden, es común que los individuos con un interés especial en el tema sean más proclives a responder, de manera que la muestra está sesgada y no es representativa de la población.
3. *a*) 0.0000412
   b) 0.1401 (con herramienta tecnológica y utilizando la distribución normal como aproximación: 0.1399; con herramienta tecnológica y utilizando la binomial: 0.1406)
   c) No. La probabilidad de 40 o más infecciones virales no es baja, como menor que 0.05, por lo que el hecho de que se presenten 40 o más casos de infecciones virales podría ocurrir con facilidad y no es inusualmente alto.
   d) No. Necesitaríamos evidencias para demostrar que la tasa de infecciones virales entre los usuarios de Nasonex es significativamente mayor que la tasa de infecciones virales entre las personas que no fueron tratadas con el medicamento, pero esa información no se proporcionó en este caso.
4. Al utilizar una escala vertical que no inicia en 0, la gráfica distorsiona los datos al exagerar las diferencias.
5. *a*) 0.001
   b) 0.271
   c) No se satisface el requisito de que $np \geq 5$, lo que indica que la distribución normal como aproximación produciría errores demasiado grandes.
   d) 5.0
   e) 2.1
   f) No, 8 está dentro de dos desviaciones estándar de la media y dentro del rango de valores que podrían ocurrir fácilmente debido al azar.

Respuestas del capítulo 7

Sección 7-2

1. No se proporcionó el nivel de confianza (por ejemplo, 95%).
3. La estimación puntual del 43% o 0.43 no revela ninguna información acerca de la exactitud de la estimación. Al proporcionar un rango de valores asociados con una probabilidad (nivel de confianza), un intervalo de confianza revela información importante acerca de la exactitud.
5. 2.575 (con herramienta tecnológica: 2.5758293)
7. 1.645 (con herramienta tecnológica: 1.6448536)
9. 0.350 ± 0.150
11. 0.483 ± 0.046
13. 0.370; 0.050
15. 0.480; 0.047
17. 0.0304
19. 0.0325
21. $0.145 < p < 0.255$
23. $0.0674 < p < 0.109$
25. 475
27. 1996 (con herramienta tecnológica: 1998)
29. *a*) 0.915
    b) $0.892 < p < 0.937$
    c) Sí. La verdadera proporción de niñas con el método XSORT es sustancialmente mayor que la proporción de (aproximadamente) 0.5 que se esperaría sin el uso de un método para la selección del género.
31. *a*) 0.505
    b) $0.496 < p < 0.514$
    c) No, porque la proporción podría fácilmente ser igual a 0.5. La proporción no es sustancialmente menor que 0.5 la semana previa al Día de Acción de Gracias.
33. *a*) $0.226 < p < 0.298$
    b) No, el intervalo de confianza incluye 0.25, de manera que el porcentaje verdadero podría fácilmente ser igual al 25%.
35. *a*) $0.0267\% < p < 0.0376\%$
    b) No, porque el 0.0340% está incluido en el intervalo de confianza.
37. $0.714 < p < 0.746$. Aunque los límites del intervalo de confianza no incluyen el valor de 3/4 o 0.75, el enunciado proporciona el valor de 3/4, que probablemente no sea incorrecto por mucho.
39. $0.615 < p < 0.625$. No. Se trata de una muestra de respuesta voluntaria que podría no ser representativa de la población.
41. *a*) 4145 (con herramienta tecnológica: 4147)
    b) 3268 (con herramienta tecnológica: 3270)
43. 1068
45. $11.3\% < p < 26.7\%$. Sí. Como los límites del intervalo de confianza incluyen el porcentaje establecido del 16%, el porcentaje verdadero de dulces M&M verdes podría ser igual al 16%.
47. Miércoles: $0.178 < p < 0.425$; domingo: $0.165 < p < 0.412$. Los intervalos de confianza no son demasiado diferentes. Parece que no hay más precipitación en alguno de esos días.
49. 985; el tamaño de muestra no es mucho más pequeño que la muestra de 1068 que se podría requerir para una población muy grande.
51. $0.0395 < p < 0.710$; no
53. *a*) No se satisface el requisito de al menos 5 éxitos y de al menos 5 fracasos, de manera que no se puede utilizar la distribución normal.
    b) 0.15

Sección 7-3

1. Una estimación puntual es un solo valor que se utiliza para estimar el parámetro poblacional. La mejor estimación puntual de la media poblacional se obtiene al calcular el valor de la media muestral $\bar{x}$.
3. Suponiendo que la desviación estándar de las estaturas de todas las mujeres es 2.5 pulgadas, se estima que la estatura media de todas las mujeres es de 63.20 pulgadas, con un margen de error de 0.78 pulgadas. En teoría, en el 95% de los estudios de este tipo, la media no debería diferir en más de 0.78 pulgadas, hacia cualquier dirección a partir de la media, de lo que se obtendría al utilizar las estaturas de todas las mujeres.
5. 1.645 (con herramienta tecnológica: 1.6448536)
7. 1.28 (con herramienta tecnológica: 1.2815516)
9. $E = 18.8$; $658.2 < \mu < 695.8$
11. El margen de error y el intervalo de confianza no se pueden calcular utilizando los métodos de esta sección.
13. 1974
15. 2981 (con herramienta tecnológica: 2982)
17. 21.120 mg
19. 21.120 mg ± 1.267 mg
21. *a)* 146.22 lb
    b) 136.55 lb $< \mu <$ 155.78 lb
23. *a)* 58.3 segundos
    b) 55.4 segundos $< \mu <$ 61.2 segundos
    c) Sí, porque los límites del intervalo de confianza incluyen 60 segundos.
25. *a)* $1464 < \mu < 1580$
    b) $1445 < \mu < 1599$
    c) El intervalo de confianza del 99% es más amplio. Necesitamos un rango más amplio de valores para tener mayor confianza de que el intervalo contiene a la media poblacional.
27. $128.7 < \mu < 139.2$; de manera ideal, todas las mediciones serían las mismas, por lo que no habría una estimación del intervalo.
29. \$89.9 millones $< \mu <$ \$156.1 millones
31. 35
33. 6907. El tamaño de muestra es demasiado grande para ser práctico.
35. 38,416
37. $1486 < \mu < 1558$. El intervalo de confianza se vuelve mucho más estrecho debido a que la muestra es un segmento grande de la población.

Sección 7-4

1. La cantidad se refiere a un promedio, que probablemente sea la media o la mediana, pero el margen de error es adecuado para una proporción y no para una media o una mediana. El margen de error debería ser una cantidad en dólares y no en puntos porcentuales.
3. No. La muestra aleatoria simple se obtuvo de californianos, por lo que no necesariamente daría una buena estimación para la población de adultos estadounidenses. Es muy probable que los californianos no sean representativos de Estados Unidos. Se requiere de una muestra aleatoria simple de la población.
5. $t_{\alpha/2} = 2.074$
7. No se aplica la distribución normal ni la distribución *t*.
9. $z_{\alpha/2} = 1.645$
11. $t_{\alpha/2} = 3.106$
13. $E = \$266$; $\$8738 < \mu < \$9270$
15. 8.0518 g $< \mu <$ 8.0903 g. Existe una confianza del 95% de que los límites de 8.0518 g y 8.0903 g contengan el peso medio de la población de todas las monedas de un dólar.
17. *a)* 3.2
    b) $-2.3 < \mu < 8.7$. Como los límites del intervalo de confianza contienen a 0, es muy posible que la media de los cambios en el colesterol de baja densidad sea igual a 0, lo que sugiere que el tratamiento con Garlicin no afectó los niveles de colesterol de baja densidad. Parece que el tratamiento con Garlicin no es eficaz para reducir dichos niveles.
19. *a)* 98.20°F
    b) 98.04°F $< \mu <$ 98.36°F; como los límites del intervalo de confianza no contienen a 98.6°F, los resultados sugieren que la media es menor que 98.6°F.
21. *a)* 5.8 días $< \mu <$ 6.2 días
    b) 5.9 días $< \mu <$ 6.3 días
    c) Los dos intervalos de confianza son muy similares. No parece que el grupo tratado con equinácea esté mejor que el grupo al que se suministró un placebo, por lo que parece que dicho tratamiento no es eficaz.
23. *a)* $3.9 < \mu < 6.1$
    b) $3.3 < \mu < 6.1$
    c) Los intervalos de confianza no son muy diferentes, por lo que parece que el tratamiento con imanes y el tratamiento simulado producen resultados similares. Parece que el tratamiento con imanes no es eficaz.
25. $-0.471 < \mu < 3.547$; es probable que el intervalo de confianza sea una estimación inadecuada, ya que el valor de 5.40 parece ser un valor atípico, lo que sugiere que la suposición de una población distribuida normalmente es incorrecta.
27. *a)* \$11.7 millones $< \mu <$ \$29.1 millones
    b) No.
    c) Algunas respuestas razonables para la población son los salarios de todas las personalidades de televisión o los 10 salarios más altos de la televisión de diferentes años, pero la muestra dada no es representativa de ninguna de esas poblaciones.
    d) No. La naturaleza de la muestra hace que el intervalo de confianza no tenga ningún significado como estimación de la media de alguna población más grande.
29. Una gráfica cuantilar normal indica que los datos parecen provenir de una población con distribución normal. 4092.2 segundos $< \mu <$ 4594.1 segundos (con herramienta tecnológica: 4092.3 segundos $< \mu <$ 4594.1 segundos)
31. *a)* $1.16 < \mu < 1.35$
    b) $0.81 < \mu < 1.02$
    c) Los cigarrillos con filtro dan como resultado un intervalo de confianza mucho más bajo que el intervalo de confianza para los cigarrillos sin filtro. Suponiendo que los cigarrillos tamaño grande y que los cigarrillos de 100 mm contienen aproximadamente la misma cantidad de tabaco, parece que los filtros son eficaces para reducir la cantidad de nicotina.
33. (40.5 años $< \mu <$ 86.9 años (con recurso tecnológico: 40.5 años $< \mu <$ 86.8 años). Este resultado difiere mucho del intervalo de confianza de 52.3 años $< \mu <$ 57.4 años que se obtuvo en el ejercicio 30. Los intervalos de confianza son muy sensibles a los valores atípicos. Es necesario examinar de manera cuidadosa los valores atípicos, y descartarlos en caso de descubrir que son errores. Si un valor atípico es un dato correcto, sería muy útil determinar sus efectos al construir el intervalo de confianza incluyendo y excluyendo el valor atípico.
35. $0.8462 < \mu < 0.8668$ g; 0.8474 g $< \mu <$ 0.8656 g; el segundo intervalo de confianza es más estrecho, lo que indica que tenemos

una estimación más exacta cuando la muestra relativamente grande proviene de una población finita relativamente pequeña.

Sección 7-5

1. Hay una confianza del 95% de que los límites de 0.0455 g y 0.0602 g contienen el valor verdadero de la desviación estándar de la población de todos los dulces M&M.
3. No. Los resultados son igualmente probables y tienen una distribución uniforme, en lugar de una distribución normal como se requiere. Como el requisito de normalidad no se satisface, no se puede esperar que el intervalo de confianza resultante dé una buena estimación.
5. 2.180, 17.535
7. 51.172, 116.321
9. $265 < \sigma < 448$
11. $1.148 < \sigma < 6.015$ (con herramienta tecnológica: $1.148 < \sigma < 6.016$)
13. 19,205; no, el tamaño de muestra es excesivamente grande para la mayoría de las aplicaciones.
15. 101; sí, el tamaño de muestra es suficientemente pequeño para ser práctico.
17. $586 \text{ g} < \sigma < 717 \text{ g}$; no, porque los límites del intervalo de confianza contienen a 696 g.
19. *a)* $17.7 \text{ min} < \sigma < 32.4 \text{ min}$
    b) $14.7 \text{ min} < \sigma < 35.3 \text{ min}$
    c) Los dos intervalos de confianza no son muy diferentes. Parece que no existe una diferencia entre la desviación estándar de la duración de las películas con clasificaciones PG o PG-13 y la duración de las películas con clasificación R.
21. $253.2 \text{ segundos} < \sigma < 811.8 \text{ segundos}$
23. $1.195 < \sigma < 4.695$; sí, es probable que el intervalo de confianza sea una estimación inadecuada porque el valor de 5.40 parece ser un valor atípico, lo que sugiere que la suposición de una población con distribución normal no es correcta.
25. $80.6 < \sigma < 106.5$ (con herramienta tecnológica: $81.0 < \sigma < 107.1$)
27. 152.3644 y 228.4771 se aproximan a los valores de STATDISK.

Conocimientos estadísticos y pensamiento crítico, capítulo 7

1. Una estimación puntual es el valor único de la proporción muestral, y es la mejor estimación de la proporción poblacional. Un intervalo de confianza es un rango de valores asociado a un nivel de confianza, y consiste en el rango de valores que probablemente incluya el valor de la proporción poblacional. Al incluir un rango de valores con un nivel de confianza asociado, el intervalo de confianza tiene la ventaja de brindar información significativa acerca de qué tan exacta puede ser la estimación de la proporción poblacional.
2. Hay una confianza del 95% de que los límites de 0.0262 y 0.0499 contienen el valor verdadero de la proporción poblacional.
3. El intervalo de confianza tiene un nivel de confianza del 95% o 0.95. En general, el nivel de confianza es la proporción de veces que el intervalo de confianza contiene en realidad el valor del parámetro poblacional, suponiendo que el proceso de muestreo y la creación del intervalo de confianza se repiten muchas veces.
4. Como la encuesta utiliza una muestra de respuesta voluntaria, es muy posible que los participantes no sean representativos de la población general, de manera que el intervalo de confianza no debe utilizarse para sacar conclusiones acerca de la población general.

Examen rápido del capítulo 7

1. Hay una confianza del 95% de que los límites de 10.0 y 20.0 contienen el valor verdadero de la media poblacional μ. Esto significa que si el procedimiento de muestreo se repitiera muchas veces, a la larga, el 95% de los límites del intervalo de confianza resultantes incluirían el valor verdadero de la media poblacional μ.
2. (2) La elección está demasiado cerrada para saberlo.
3. 2.093
4. 1.645
5. 2401
6. 0.4
7. $0.361 < p < 0.439$
8. $36.6 \text{ años} < \mu < 43.4 \text{ años}$
9. $36.7 \text{ años} < \mu < 43.3 \text{ años}$
10. 2213

Ejercicios de repaso del capítulo 7

1. $76.1\% < p < 82.0\%$. Hay una confianza del 95% de que los límites de 76.1% y 82.0% contienen el valor verdadero del porcentaje de todos los adultos que creen que es moralmente incorrecto no informar la totalidad de los ingresos en las declaraciones de impuestos.
2. 4145 (con herramienta tecnológica: 4147)
3. 21,976 (con herramienta tecnológica: 21,991). El tamaño de la muestra es demasiado grande para ser práctico, a menos que los datos se puedan procesar de forma automática.
4. $2{,}492 \text{ g} < \mu < 2.506 \text{ g}$. El intervalo de confianza contiene el valor medio requerido de 2.5 g, de manera que parece que el proceso de fabricación es adecuado.
5. $368.4 < \mu < 969.2$
6. $145.0 < \sigma < 695.6$ (con herramienta tecnológica: $145.0 < \sigma < 695.3$)
7. *a)* 0.890
   b) $0.871 < p < 0.910$
   c) Sí. Como hay una confianza del 95% de que los límites de 0.871 y 0.910 contienen el valor verdadero de la proporción poblacional, parece que existen evidencias de que la proporción poblacional es mayor que 0.5.
8. *a)* 601
   b) 1383
   c) 1383
9. *a)* 3.840 lb
   b) $1.786 \text{ lb} < \mu < 5.894 \text{ lb}$
   c) $1.686 \text{ lb} < \mu < 5.994 \text{ lb}$
10. *a)* $1.624 \text{ lb} < \sigma < 5.000 \text{ lb}$
    b) $2.639 \text{ lb}^2 < \sigma^2 < 25.002 \text{ lb}^2$ (con herramienta tecnológica: $2.639 \text{ lb}^2 < \sigma^2 < 25.004 \text{ lb}^2$)

Ejercicios de repaso acumulativo del capítulo 7

1. 118.4 lb, 121.0 lb, 9.2 lb
2. De razón
3. $111.8 \text{ lb} < \mu < 125.0 \text{ lb}$
4. 55
5. *a)* 0.962
   b) 0.00144
   c) 0.4522 (con herramienta tecnológica y utilizando la distribución normal como aproximación: 0.4534; con tecnología y utilizando la distribución de probabilidad binomial: 0.4394)

6. *a*) 0.5910 (con herramienta tecnológica: 0.5906)
   b) 0.8749 (con herramienta tecnológica: 0.8741)
   c) 27.2 (con herramienta tecnológica: 27.3)
7. Una muestra de n elementos es una muestra aleatoria simple si todas las muestras del mismo tamaño tienen la misma probabilidad de ser elegidas. En una muestra de respuesta voluntaria los propios sujetos deciden si se les incluye.
8. 1
9. Con conjeturas al azar, la probabilidad de obtener 12 respuestas correctas en 12 preguntas de verdadero y falso es de 1/4096 o 0.000244. Es posible que se hayan hecho conjeturas, pero es altamente improbable.
10. Se trata de una muestra de conveniencia, y no es probable que sea representativa de la población.

Respuestas del capítulo 8

Sección 8-2

1. Considerando el gran tamaño de muestra y el porcentaje muestral del 20%, parece que los datos muestrales apoyan la afirmación de que menos del 50% de las personas creen que los jefes son buenos comunicadores. Puesto que los sujetos de la encuesta constituyen una muestra de respuesta voluntaria y no una muestra aleatoria simple, los resultados muestrales no deben utilizarse para sacar conclusiones acerca de la población general.
3. La afirmación de que la media es igual a 325 mg se convierte en la hipótesis nula. El procedimiento de la prueba de hipótesis nos permite rechazar o no rechazar esa hipótesis nula, pero nunca es posible sustentar una hipótesis nula. La prueba de hipótesis no se debe utilizar para sustentar la afirmación de que un parámetro es igual a algún valor en particular.
5. Existe evidencia suficiente para sustentar la afirmación de que la moneda favorece las caras (porque es muy poco probable que el resultado de 90 caras en 100 lanzamientos ocurra por azar si se utiliza una moneda legal).
7. No existe evidencia suficiente para sustentar la afirmación de que el pulso medio es menor que 75.
9. H_0: $\mu = \$60,000$. H_1: $\mu > \$60,000$.
11. H_0: $\sigma = 0.62°F$. H_1: $\sigma \neq 0.62°F$.
13. H_0: $\sigma = 40$ segundos. H_1: $\sigma < 40$ segundos.
15. H_0: $p = 0.80$. H_1: $p \neq 0.80$.
17. $z = \pm 2.575$ (con herramienta tecnológica: ± 2.5758)
19. $z = 2.05$
21. $z = \pm 1.96$
23. $z = -2.575$ (con herramienta tecnológica: -2.5758)
25. $z = 0.67$
27. $z = 2.31$
29. 0.1056; no rechace la hipótesis nula.
31. 0.0802 (con herramienta tecnológica: 0.0801); no rechace la hipótesis nula.
33. 0.0060; rechace la hipótesis nula.
35. 0.0107; rechace la hipótesis nula.
37. No existe evidencia suficiente para sustentar la afirmación de que el porcentaje de dulces M&M azules es mayor que el 5%.
39. No existe evidencia suficiente para justificar el rechazo de la afirmación de que el porcentaje de estadounidenses que conocen su calificación de crédito es igual al 20%.
41. Error tipo I: Rechace la afirmación de que el porcentaje de no fumadores expuestos al tabaquismo pasivo es igual al 41%, cuando el porcentaje en realidad es del 41%. El error tipo II: No rechace la afirmación de que el porcentaje de no fumadores expuestos al tabaquismo pasivo es igual al 41% cuando el porcentaje realmente difiere del 41%.
43. Error tipo I: Rechace la afirmación de que el porcentaje de estudiantes universitarios que consumen alcohol es igual al 70% cuando ese porcentaje en realidad es del 70%. Error tipo II: No rechace la afirmación de que el porcentaje de estudiantes universitarios que consumen alcohol es igual al 70% cuando ese porcentaje en realidad es mayor que el 70%.
45. *a*) No, porque un rechazo al nivel de significancia de 0.01 requiere de un estadístico muestral que difiera del valor establecido del parámetro por una cantidad que sea más extrema que la diferencia requerida para un rechazo al nivel de significancia de 0.05. Si H_0 se rechaza al nivel de 0.05, podría no rechazarse al nivel de 0.01.
   b) Sí, porque un rechazo al nivel de significancia de 0.01 requiere de un estadístico muestral que difiera del valor establecido del parámetro por una cantidad que sea más extrema que la diferencia requerida para un rechazo a nivel de significancia de 0.05, de manera que el rechazo de H_0 al nivel de 0.01 requiere que H_0 también sea rechazada al nivel de 0.05.
47. *a*) 0.7852 (con herramienta tecnológica: 0.7857)
   b) Suponiendo que $p = 0.5$, como la hipótesis nula, el valor crítico de $z = 1.645$ corresponde a $\hat{p} = 0.6028125$, de modo que cualquier proporción muestral mayor que 0.6028125 causa que se rechace la hipótesis nula, como se muestra en la región crítica sombreada de la gráfica superior. Si p es en realidad 0.65, entonces la hipótesis nula de $p = 0.5$ es falsa, y la probabilidad real de rechazar la hipótesis nula se obtiene al calcular el área mayor que $\hat{p} = 0.6028125$ en la gráfica inferior, la cual corresponde al área sombreada de dicha gráfica. Es decir, el área sombreada en la gráfica inferior representa la probabilidad de rechazar la hipótesis nula falsa.

Sección 8-3

1. $\hat{p} = 0.230$. El símbolo $\hat{p}$ se utiliza para representar una proporción muestral.
3. La proporción muestral es $\hat{p} = 0.439$. Como el valor P de 0.9789 es alto, no debemos rechazar la hipótesis nula de $p = 0.5$. Debemos concluir que no existe evidencia suficiente para sustentar la afirmación de que $p > 0.5$.
5. *a*) $z = 1.90$
   b) $z = \pm 2.575$ (con herramienta tecnológica: ± 2.576)
   c) 0.0574 (con herramienta tecnológica: 0.0578)
   d) No existe suficiente evidencia para rechazar la hipótesis nula de que el porcentaje de solicitudes de ingreso a la universidad enviadas por Internet es igual al 50%.
   e) No, no se puede utilizar una prueba de hipótesis para demostrar que una proporción poblacional es igual a cierto valor establecido.
7. H_0: $p = 0.75$. H_1: $p \neq 0.75$. Estadístico de prueba: $z = -2.17$. Valor $P = 0.0301$. Rechace H_0. Existe suficiente evidencia para justificar el rechazo de la afirmación de que la proporción de adultos que utilizan teléfonos celulares mientras conducen es igual al 75%.
9. H_0: $p = 0.75$. H_1: $p \neq 0.75$. Estadístico de prueba: $z = 2.56$. Valores críticos: $z = \pm 2.575$. Valor $P = 0.0104$ (con herramienta tecnológica: 0.0105). No rechace H_0. No existe evidencia suficiente para justificar el rechazo de la afirmación de que el 75% de los adultos afirman que es moralmente incorrecto no reportar todos los ingresos en las declaraciones de impuestos.
11. H_0: $p = 1/3$. H_1: $p > 1/3$. Estadístico de prueba: $z = 3.47$. Valor crítico: $z = 2.33$. Valor P: 0.0003. Rechace H_0. Existe suficiente evidencia para sustentar la afirmación de que la proporción de cuestionamientos exitosos es mayor que 1/3. Al evaluar la calidad de las

decisiones de los árbitros, se debe señalar que solo las decisiones dudosas tienden a cuestionarse, y 327 cuestionamientos exitosos en miles de casos es una proporción muy pequeña de decisiones incorrectas, de manera que la calidad del arbitraje es bastante buena, aunque no perfecta.

13. H_0: $p = 0.06$. H_1: $p > 0.06$. Estadístico de prueba: $z = 4.47$. Valor crítico: $z = 1.645$. Valor *P*: 0.0001 (con herramienta tecnológica: 0.000004). Rechace H_0. Existe suficiente evidencia para sustentar la afirmación de que la tasa de náuseas es mayor que la tasa del 6% experimentada por los pacientes con gripe que recibieron un placebo. Parece que la tasa de náuseas con el tratamiento de Tamiflu es mayor que la tasa que se registra entre los individuos que recibieron un placebo, y la proporción muestral de 0.0994 sugiere que alrededor del 10% de los pacientes tratados sintieron náuseas, de manera que las náuseas constituyeron un problema para los que recibieron el tratamiento.
15. H_0: $p = 0.000340$. H_1: $p \neq 0.000340$. Estadístico de prueba: $z = -0.66$. Valores críticos: $z = \pm 2.81$. Valor *P*: 0.5092 (con herramienta tecnológica: 0.5122). No rechace H_0. No existe suficiente evidencia para sustentar la afirmación de que la tasa difiere del 0.0340%. Los usuarios de teléfonos celulares no deben preocuparse por el cáncer cerebral o del sistema nervioso.
17. H_0: $p = 0.20$. H_1: $p < 0.20$. Estadístico de prueba: $z = -2.93$. Valor crítico: $z = -2.33$. Valor *P*: 0.0017. Rechace H_0. Existe suficiente evidencia para sustentar la afirmación de que menos del 20% de las bombas de gasolina de Michigan son inexactas. El porcentaje de bombas inexactas debería ser muy bajo, pero esta prueba de hipótesis solo indica que parece ser menor al 20%. La proporción muestral de 0.186 sugiere que demasiadas bombas no son exactas.
19. H_0: $p = 0.80$. H_1: $p < 0.80$. Estadístico de prueba: $z = -1.11$. Valor crítico: $z = -1.645$. Valor *P*: 0.1335 (con herramienta tecnológica: 0.1332). No rechace H_0. No existe suficiente evidencia para sustentar la afirmación de que los resultados del polígrafo son correctos menos del 80% de las veces. Con base en la proporción muestral de resultados correctos en el 75.5% de los 98 casos, parece que los resultados del polígrafo no tienen el alto grado de confiabilidad que justificaría su uso en los tribunales, de modo que los resultados de las pruebas del polígrafo deben prohibirse como evidencia en los juicios.
21. H_0: $p = 0.20$. H_1: $p < 0.20$. Estadístico de prueba: $z = -8.84$. Valor crítico: $z = -2.33$. Valor *P*: 0.0001 (con herramienta tecnológica: 0.0000). Rechace H_0. Existe suficiente evidencia para sustentar la afirmación de que menos del 20% de los televisores encendidos estaban sintonizando *60 Minutes*.
23. H_0: $p = 0.5$. H_1: $p \neq 0.5$. Estadístico de prueba: $z = -0.66$ (utilizando $\hat{p} = 0.473$) o $z = -0.65$ (utilizando $x = 71$). Valores críticos: $z = \pm 1.96$ (suponiendo un nivel de significancia de 0.05). Valor *P*: 0.5092 o 0.5156 (con herramienta tecnológica: 0.5136). No rechace H_0. No existe suficiente evidencia para sustentar la afirmación de que, entre los altos ejecutivos, el 50% dice que el error más común en una entrevista de trabajo consiste en saber muy poco o nada acerca de la compañía. La lección importante es prepararse siempre para una entrevista de trabajo indagando tanto como sea posible acerca de la compañía.
25. H_0: $p = 3/4$. H_1: $p \neq 3/4$. Estadístico de prueba: $z = -2.53$ (utilizando $\hat{p} = 0.73$) o $z = -2.54$ (utilizando $x = 2198$). Valores críticos: $z = \pm 1.96$ (suponiendo un nivel de significancia de 0.05). Valor *P*: 0.0114 o 0.0110 (con herramienta tecnológica: 0.0112). Rechace H_0. Existe suficiente evidencia para justificar el rechazo de la afirmación de que 3/4 de todos los adultos utilizan Internet. Parece que la proporción es diferente de 3/4 o 0.75. El reportero no debería escribir que 3/4 de todos los adultos utilizan Internet.
27. H_0: $p = 0.5$. H_1: $p \neq 0.5$. Estadístico de prueba: $z = -1.08$ (utilizando $\hat{p} = 0.43$) o $z = -1.17$ (utilizando $x = 25$). Valores críticos: $z = \pm 1.96$. Valor *P*: 0.2802 o 0.2420 (con herramienta tecnológica: 0.2413). No rechace H_0. No existe suficiente evidencia para justificar el rechazo de la afirmación de que estas mujeres no tienen la capacidad de predecir el género de su bebé. Los resultados para las mujeres con 12 años de escolaridad o menos sugieren que su porcentaje de predicciones correctas no difiere mucho de los resultados esperados con conjeturas al azar.
29. H_0: $p = 1/4$. H_1: $p > 1/4$. Estadístico de prueba: $z = 5.73$. Valor crítico: $z = 1.645$. Valor *P*: 0.0001 (con herramienta tecnológica: 0.0000). Rechace H_0. Existe evidencia suficiente para sustentar la afirmación de que más de 1/4 de las personas dicen que los jefes les gritan a los empleados. Si se trata de una muestra de respuesta voluntaria, las conclusiones acerca de la población podrían no ser válidas.
31. H_0: $p = 0.5$. H_1: $p > 0.5$. Estadístico de prueba: $z = 5.83$ (utilizando $\hat{p} = 0.61$) o $z = 5.85$ (utilizando $x = 429$). Valor crítico: $z = 1.645$. Valor *P*: 0.0001 (con herramienta tecnológica: 0.0000). Rechace H_0. Existe evidencia suficiente para sustentar la afirmación de que la mayoría de los trabajadores consiguen empleo por medio de su red de conocidos.
33. H_0: $p = 0.20$. H_1: $p \neq 0.020$. Estadístico de prueba: $z = -1.75$. Valores críticos: $z = \pm 1.96$ (suponiendo un nivel de significancia de 0.05). Valor *P*: 0.0802 (con herramienta tecnológica: 0.0801). No rechace H_0. No existe evidencia suficiente para justificar el rechazo de la afirmación de que el 20% de los dulces sencillos M&M son rojos.
35. H_0: $p = 0.5$. H_1: $p \neq 0.5$. Estadístico de prueba: $z = 2.18$. Valores críticos: $z = \pm 1.96$. Valor *P*: 0.0292 (con herramienta tecnológica: 0.0295). Rechace H_0. Existe evidencia suficiente para justificar el rechazo de la afirmación de que el porcentaje de hombres en la población es igual al 50%.
37. H_0: $p = 0.55$. H_1: $p \neq 0.55$. Utilizando la distribución de probabilidad binomial con un valor supuesto de $p = 0.55$ y con $n = 35$, la probabilidad de 12 o menos películas con clasificación R es de 0.0109367, de manera que el valor *P* es 0.02187. Como el valor *P* es mayor que el nivel de significancia de 0.01, no rechace H_0. No existe suficiente evidencia para justificar el rechazo de la afirmación de que las películas del conjunto de datos 9 provienen de una población en la que el 55% de las películas tienen una clasificación R.
39. H_0: $p = 0.10$. H_1: $p \neq 0.10$. Estadístico de prueba: $z = -2.36$. Valores críticos: $z = \pm 2.575$. Valor *P*: 0.0182 (con herramienta tecnológica: 0.0184). No rechace H_0. Aunque no se obtuvieron dulces azules, no existe evidencia suficiente para justificar el rechazo de la afirmación de que el 10% de los dulces son azules.

Sección 8-4

1. Se debe utilizar una muestra aleatoria simple, con desviación estándar poblacional conocida y población distribuida normalmente (debido a que el tamaño de muestra no es mayor que 30).
3. 98% o 0.98
5. H_0: $\mu = 5$ cm. H_1: $\mu \neq 5$ cm. Estadístico de prueba: $z = 1.34$. Valores críticos: $z = \pm 1.96$ (suponiendo un nivel de significancia de 0.05). Valor *P*: 0.1797. No rechace H_0. No existe evidencia suficiente para justificar el rechazo de la afirmación de que las mujeres tienen una anchura media de muñeca igual a 5 cm.
7. H_0: $\mu = 210$ seg. H_1: $\mu > 210$ seg. Estadístico de prueba: $z = 4.93$. Valor crítico: $z = 1.645$. Valor *P*: 0.0001 (con herramienta tecnológica: 0.0000). Rechace H_0. Existe suficiente evidencia para sustentar la afirmación de que la muestra proviene de una población de canciones con una duración media mayor que 210 segundos. Los resul-

tados sugieren que el consejo de escribir una canción que no dure más de 210 segundos no es adecuado.

9. H_0: $\mu = 0.8535$ g. H_1: $\mu \neq 0.8535$ g. Estadístico de prueba: $z = 0.77$. Valores críticos: $z = \pm 1.96$. Valor *P*: 0.4412 (con herramienta tecnológica: 0.4404). No rechace H_0. No existe suficiente evidencia para justificar el rechazo de la afirmación de que los dulces M&M verdes tienen un peso medio de 0.8535 g. Parece que los dulces M&M verdes tienen pesos que son congruentes con la etiqueta del empaque.
11. H_0: $\mu = 0$ lb. H_1: $\mu > 0$ lb. Estadístico de prueba: $z = 3.87$. Valor crítico: $z = 2.33$. Valor *P*: 0.0001. Rechace H_0. Existe evidencia suficiente para sustentar la afirmación de que la pérdida media de peso es mayor que 0. Aunque parece que la dieta tiene significancia estadística, no tiene significancia práctica, ya que no vale la pena el esfuerzo y el costo por una pérdida media de peso de solo 3.0 libras.
13. H_0: $\mu = 91.4$ cm. H_1: $\mu \neq 91.4$ cm. Estadístico de prueba: $z = 2.33$. Valores críticos: $z = \pm 1.96$. Valor *P*: 0.0198 (con herramienta tecnológica: 0.0196). Rechace H_0. Existe evidencia suficiente para sustentar la afirmación de que los hombres de su universidad tienen una estatura media al estar sentados diferente de 91.4 cm. Como el estudiante seleccionó a sus amigos hombres, utilizó una muestra de conveniencia que podría tener características diferentes a las de la población de hombres de su universidad. Como el requisito de una muestra aleatoria simple no se satisface, no se puede aplicar el método de prueba de hipótesis descrito en esta sección, de manera que los resultados no son necesariamente válidos.
15. H_0: $\mu = \$500,000$. H_1: $\mu < \$500,000$. Estadístico de prueba: $z = -1.15$. Valor crítico: $z = -1.645$. Valor *P*: 0.1251 (con herramienta tecnológica: 0.1257). No rechace H_0. No existe evidencia suficiente para sustentar la afirmación de que el salario medio de un entrenador de futbol de la NCAA es menor que $500,000.
17. H_0: $\mu = 235.8$ cm. H_1: $\mu \neq 235.8$ cm. Estadístico de prueba: $z = -0.56$. Valores críticos: $z = \pm 1.96$. Valor *P*: 0.5754 (con herramienta tecnológica: 0.5740). No rechace H_0. No existe suficiente evidencia para justificar el rechazo de la afirmación de que las nuevas pelotas tengan una altura media de rebote de 235.8 cm. Parece que las nuevas pelotas no son diferentes.
19. H_0: $\mu = 678$. H_1: $\mu \neq 678$. Estadístico de prueba: $z = 4.93$. Valores críticos: $z = \pm 1.96$. Valor *P*: 0.0002 (con herramienta tecnológica: 0.0000). Rechace H_0. Existe suficiente evidencia para justificar el rechazo de la afirmación de que estas calificaciones FICO muestrales provienen de una población con una calificación FICO media igual a 678.
21. H_0: $\mu = 3/4$ pulgadas. H_1: $\mu \neq 3/4$ pulgadas. Estadístico de prueba: $z = -1.87$. Valores críticos: $z = \pm 1.96$. Valor *P*: 0.0614 (con herramienta tecnológica: 0.0610). No rechace H_0. No existe suficiente evidencia para justificar el rechazo de la afirmación de que la longitud media es igual a 0.75 pulgadas o 3/4 de pulgada. Parece que las longitudes son congruentes con la etiqueta del empaque.
23. *a*) La potencia de 0.2296 indica que existe una probabilidad del 22.96% de sustentar la afirmación de que $\mu > 166.3$ libras, cuando la media verdadera es de 170 libras. Este valor de la potencia no es muy alto, y demuestra que la prueba de hipótesis no es muy efectiva para reconocer que la media es mayor que 166.3 libras cuando la media real es de 170 libras.
    b) $\beta = 0.7704$ (con herramienta tecnológica: 0.7719). La probabilidad de un error tipo II es 0.7704. Es decir, existe una probabilidad de 0.7704 de cometer el error de no sustentar la afirmación de que $\mu > 166.3$ libras, cuando en realidad la media poblacional es de 170 libras.

Sección 8-5

1. Como el tamaño de muestra no es mayor que 30, los datos muestrales deben provenir de una población con una distribución normal. Para determinar si el requisito de una distribución normal se satisface, examine un histograma y determine si es aproximadamente normal, verifique que no haya valores atípicos (o que a lo sumo haya un valor atípico), o bien, examine una gráfica cuantilar normal o utilice alguna prueba formal de normalidad, como la prueba de Ryan-Joiner que se describió en la sección 6-7.
3. Una prueba *t* es una prueba de hipótesis que utiliza la distribución *t* de Student. Se le llama prueba *t* porque implica el uso de una distribución *t* de Student.
5. *t* de Student.
7. No es normal ni *t* de Student
9. Tabla A-3: valor $P > 0.10$; con herramienta tecnológica: valor $P = 0.3355$.
11. Tabla A-3: $0.05 <$ valor $P < 0.10$; con herramienta tecnológica: valor $P = 0.0932$.
13. H_0: $\mu = 210$ seg. H_1: $\mu > 210$ seg. Estadístico de prueba: $t = 4.93$. Valor *P*: 0.000. Rechace H_0. Existe suficiente evidencia para sustentar la afirmación de que la muestra proviene de una población de canciones con una duración media mayor que 210 segundos. Estos resultados sugieren que el consejo de escribir una canción que no dure más de 210 segundos no es adecuado.
15. H_0: $\mu = 21.1$ mg. H_1: $\mu < 21.1$ mg. Estadístico de prueba: $t = -10.676$. Valor crítico: $t = -1.711$. Valor $P < 0.005$ (con herramienta tecnológica: 0.0000). Rechace H_0. Existe suficiente evidencia para sustentar la afirmación de que los cigarrillos de 100 mm con filtro tienen una cantidad media de alquitrán menor que 21.1 mg. Los resultados sugieren que los filtros son eficaces para reducir la cantidad de alquitrán.
17. H_0: $\mu = 2.5$ g. H_1: $\mu \neq 2.5$ g. Estadístico de prueba: $t = -0.332$. Valor crítico: $t = \pm 2.028$. Valor $P > 0.20$ (con herramienta tecnológica: 0.7417). No rechace H_0. No existe suficiente evidencia para justificar el rechazo de la afirmación de que las monedas de un centavo tienen un peso medio igual a 2.5 g. Parece que las monedas de un centavo se ajustan a las especificaciones de la Casa de Moneda estadounidense.
19. H_0: $\mu = 4.5$ años. H_1: $\mu > 4.5$ años. Estadístico de prueba: $t = 1.227$. Valor crítico: $t = 1.664$. Valor $P > 0.10$ (con herramienta tecnológica: 0.1117). No rechace H_0. No existe suficiente evidencia para sustentar la afirmación de que el tiempo medio es mayor que 4.5 años.
21. H_0: $\mu = 49.5$ centavos. H_1: $\mu < 49.5$ centavos. Estadístico de prueba: $t = -8.031$. Valor crítico: $t = -2.364$ (aproximadamente). Valor $P < 0.01$ (con herramienta tecnológica: 0.0000). Rechace H_0. Existe suficiente evidencia para sustentar la afirmación de que la media es menor que 49.5 centavos. Los resultados sugieren que los centavos en los montos de los cheques son tales que los valores de 0 a 99 centavos no son igualmente probables.
23. H_0: $\mu = 8.00$ toneladas. H_1: $\mu \neq 8.00$ toneladas. Estadístico de prueba: $t = -1.152$. Valores críticos: $t = \pm 2.040$. Valor $P > 0.20$ (con herramienta tecnológica: 0.2580). No rechace H_0. No existe suficiente evidencia para justificar el rechazo de la afirmación de que los automóviles tienen una emisión media de gases de invernadero de 8.00 toneladas.
25. H_0: $\mu = 1000$ hics. H_1: $\mu < 1000$ hics. Estadístico de prueba: $t = -2.661$. Valor crítico: $t = -3.365$. El valor *P* se encuentra entre 0.01 y 0.025 (con herramienta tecnológica: 0.0224). No rechace H_0. No existe suficiente evidencia para sustentar la afirmación de que la media poblacional es menor que 1000 hics. No existe fuerte evidencia de que la media sea menor que 1000 hics, y uno de los asientos de seguridad tiene una medición de 1210 hics, lo cual no satisface los requisitos especificados de ser menor que 1000 hics.

27. H_0: $\mu = \$5000$. H_1: $\mu \neq \$5000$. Estadístico de prueba: $t = 1.639$. Valores críticos: $t = \pm 2.776$. El valor P está entre 0.10 y 0.20 (con herramienta tecnológica: 0.1766). No rechace H_0. No existe suficiente evidencia para rechazar la afirmación de que el costo medio de los daños es de $5000.
29. H_0: $\mu = 3/4$ pulgadas. H_1: $\mu \neq 3/4$ pulgadas. Estadístico de prueba: $t = -1.825$. Valores críticos: $t = \pm 2.009$ (aproximadamente). El valor P está entre 0.05 y 0.10 (con herramienta tecnológica: 0.0741). No rechace H_0. No existe suficiente evidencia para justificar el rechazo de la afirmación de que la longitud media es igual a 0.75 pulgadas o 3/4 de pulgada. Parece que las longitudes concuerdan con la etiqueta del empaque.
31. H_0: $\mu = 98.6°F$. H_1: $\mu \neq 98.6°F$. Estadístico de prueba: $t = -6.611$. Valores críticos: $t = \pm 1.984$ (aproximadamente, suponiendo un nivel de significancia de 0.05). Valor $P < 0.01$ (con herramienta tecnológica: 0.0077). Rechace H_0. Existe suficiente evidencia para justificar el rechazo de la afirmación de que la muestra proviene de una población con una media igual a 98.6°F. Parece que la creencia común es incorrecta.
33. H_0: $\mu = 100$. H_1: $\mu \neq 100$. Estadístico de prueba: $t = 1.999$. Valores críticos: $t = \pm 2.040$. $0.05 <$ valor $P < 0.10$ (con herramienta tecnológica: 0.0545). No rechace H_0. No existe suficiente evidencia para justificar el rechazo de la afirmación de que la media es igual a 100. Utilizando el método alternativo con $\sigma = 15.0$, obtenemos el estadístico de prueba $z = 2.00$, los valores críticos $z = \pm 1.96$, el valor $P = 0.0456$, por lo que rechazamos H_0 y concluimos que existe evidencia suficiente para justificar el rechazo de la afirmación de que la media es igual a 100. Las conclusiones son diferentes. El método alternativo no siempre produce la misma conclusión que la prueba t.
35. Se obtiene el mismo valor de 1.666.
37. Con la tabla A-3, la potencia está entre 0.90 y 0.95 (con herramienta tecnológica: 0.9440). β está entre 0.05 y 0.10 (con herramienta tecnológica: 0.0560). Como la potencia es alta, la prueba es muy efectiva para sustentar la afirmación de que $\mu > 166.3$ libras, cuando la media poblacional verdadera es de 180 libras.

Sección 8-6

1. El requisito de normalidad para la prueba de hipótesis de la afirmación acerca de una desviación estándar es mucho más estricto, lo que significa que la distribución de la población debe acercarse más a una distribución normal.
3. No. A diferencia de la situación con medias muestrales, el uso de muestras grandes no compensa la falta de normalidad. No es posible utilizar los métodos de esta sección con datos muestrales que provienen de una población con una distribución alejada de la normalidad.
5. $\chi^2 = 20.612$. Valores críticos: $\chi^2 = 12.401$ y 39.364. Valor $P > 0.20$ (y también menor que 0.80). No existe suficiente evidencia para sustentar la hipótesis alternativa.
7. $\chi^2 = 26.331$. Valor crítico: $\chi^2 = 29.141$. $0.01 <$ valor $P < 0.025$. No existe suficiente evidencia para sustentar la hipótesis alternativa.
9. H_0: $\sigma = 0.0230$ g. H_1: $\sigma > 0.0230$ g. Estadístico de prueba: $\chi^2 = 98.260$. El valor crítico de χ^2 está entre 43.773 y 55.758. Valor P: 0.0000. Rechace H_0. Existe suficiente evidencia para sustentar la afirmación de que las monedas de un centavo acuñadas antes de 1983 tienen una desviación estándar mayor que 0.0230 g. Los pesos de las monedas de un centavo acuñadas antes de 1983 parecen variar más que los de las monedas acuñadas después de 1983.
11. H_0: $\sigma = 3.2$ mg. H_1: $\sigma \neq 3.2$ mg. Estadístico de prueba: $\chi^2 = 32.086$. Valores críticos: $\chi^2 = 12.401$ y $\chi^2 = 39.364$. Valor P: 0.2498. No rechace H_0. No existe suficiente evidencia para sustentar la afirmación de que el contenido de alquitrán de los cigarrillos de 100 mm con filtro tiene una desviación estándar diferente de 3.2 mg.
13. H_0: $\sigma = 2.5$ pulgadas. H_1: $\sigma < 2.5$ púlgadas. Estadístico de prueba: $\chi^2 = 2.880$. Valor crítico: $\chi^2 = 2.733$. Valor P: 0.0583. No rechace H_0. No existe suficiente evidencia para sustentar la afirmación de que las supermodelos tienen estaturas que varían menos que las mujeres de la población general. Las supermodelos bien podrían tener estaturas que varían menos que las mujeres en general, pero la evidencia muestral no es lo suficientemente firme para justificar esta conclusión.
15. H_0: $\sigma = 10$. H_1: $\sigma \neq 10$. Estadístico de prueba: $\chi^2 = 60.938$. Valores críticos: $\chi^2 = 24.433$ (aproximadamente) y 59.342 (aproximadamente). Valor P: 0.0277. Rechace H_0. Existe suficiente evidencia para justificar el rechazo de la afirmación de que los pulsos de las mujeres tienen una desviación estándar igual a 10.
17. H_0: $\sigma = 1.34$. H_1: $\sigma \neq 1.34$. Estadístico de prueba: $\chi^2 = 7.053$. Valores críticos: $\chi^2 = 1.735$ y 23.589. Valor P: 0.7368. No rechace H_0. No existe suficiente evidencia para sustentar la afirmación de que las ganadoras recientes tienen valores del IMC con una variación que difiere de los valores de las décadas de 1920 y 1930.
19. H_0: $\sigma = 32.2$ pies. H_1: $\sigma > 32.2$ pies. Estadístico de prueba: $\chi^2 = 29.176$. Valor crítico: $\chi^2 = 19.675$. Valor P: 0.0021. Rechace H_0. Existe suficiente evidencia para sustentar la afirmación de que el nuevo método de producción tiene errores con una desviación estándar mayor que 32.2 pies. Parece que la variación es mayor que en el pasado, por lo que el nuevo método resulta peor y resultarán más altímetros con errores más grandes. La compañía debería de tomar medidas de inmediato para reducir la variación.
21. 65.673 y 137.957

Conocimientos estadísticos y pensamiento crítico, capítulo 8

1. Existe suficiente evidencia para sustentar la afirmación de que la media es mayor que 0 pulgadas. En general, un valor P bajo indica que la hipótesis nula debe rechazarse. Si el valor P es alto (por ejemplo, mayor que 0.05), no existe evidencia suficiente para rechazar la hipótesis nula.
2. El valor P bajo indica que existe evidencia suficiente para sustentar la afirmación enunciada, de manera que hay significancia estadística. No hay significancia práctica porque la diferencia media es de únicamente 0.019 pulgadas, que corresponde aproximadamente a un cincuentavo de pulgada. Esta cantidad tan pequeña no tiene una significancia práctica.
3. Una muestra de respuesta voluntaria (o muestra autoseleccionada) es aquella en que los propios participantes deciden si se les incluye. En general, una muestra de respuesta voluntaria no puede utilizarse con una prueba de hipótesis para sacar una conclusión válida acerca de poblaciones más grandes.
4. Una prueba es robusta frente a desviaciones respecto de la normalidad si funciona bien aun cuando los datos muestrales provengan de una población con una distribución que difiere ligeramente de la distribución normal. La prueba t es robusta frente a desviaciones respecto de la normalidad, pero no así la prueba χ^2.

Examen rápido del capítulo 8

1. H_0: $p = 0.5$. H_1: $p > 0.5$.
2. Distribución t
3. Distribución chi cuadrada

4. Verdadero
5. 0.1336
6. $z = -2.04$
7. $t = -2.093$ y $t = 2.093$
8. 0.2302 (con herramienta tecnológica: 0.2301)
9. No existe evidencia suficiente para sustentar la afirmación de que la proporción poblacional es mayor que 0.25.
10. Falso

Ejercicios de repaso del capítulo 8

1. H_0: $p = 1/4$. H_1: $p < 1/4$. Estadístico de prueba: $z = -0.77$. Valor crítico: $z = -1.645$. Valor *P*: 0.2206. No rechace H_0. No existe suficiente evidencia para sustentar la afirmación de que menos de 1/4 de los adultos entre 18 y 44 años fuman.
2. H_0: $p = 0.5$. H_1: $p > 0.5$. Estadístico de prueba: $z = 3.06$. Valor crítico: $z = 2.33$. Valor *P*: 0.0011. Rechace H_0. Existe suficiente evidencia para sustentar la afirmación de que, de todos los estudiantes universitarios que quieren obtener un título universitario, la mayoría lo logra en cinco años.
3. H_0: $\mu = 3700$ libras. H_1: $\mu < 3700$ libras. Estadístico de prueba: $t = -1.068$. Valor crítico: $t = -2.453$. Valor $P > 0.10$ (con herramienta tecnológica: 0.1469). No rechace H_0. No existe suficiente evidencia para sustentar la afirmación de que el peso medio de los automóviles es menor que 3700 libras. Al considerar los pesos de los automóviles con el propósito de construir un camino lo suficientemente resistente, el peso del automóvil más pesado es más importante que el peso medio de todos los automóviles.
4. H_0: $\mu = 3700$ libras. H_1: $\mu < 3700$ libras. Estadístico de prueba: $z = -1.03$. Valor crítico: $z = -2.33$. Valor $P = 0.1515$. No rechace H_0. No existe suficiente evidencia para sustentar la afirmación de que el peso medio de los automóviles es menor que 3700 libras.
5. H_0: $p = 0.20$. H_1: $p < 0.20$. Estadístico de prueba: $z = -4.81$. Valor crítico: $z = -2.33$. Valor *P*: 0.0001 (con herramienta tecnológica: 0.0000). Rechace H_0. Existe suficiente evidencia para sustentar la afirmación de que menos del 20% de los adultos consumieron hierbas durante los últimos 12 meses.
6. H_0: $\mu = 281.8$ libras. H_1: $\mu < 281.8$ libras. Estadístico de prueba: $t = -8.799$. Valor crítico: $t = -2.345$ (aproximadamente). Valor $P < 0.005$ (con herramienta tecnológica: 0.0000). Rechace H_0. Existe suficiente evidencia para sustentar la afirmación de que las latas más delgadas tienen una carga axial media menor que 281.8 libras. Considerando los valores de la media muestral y la desviación estándar, parece que las latas más delgadas tienen cargas axiales que pueden soportar fácilmente una presión de 158 a 165 libras de la tapa superior.
7. H_0: $\mu = 74$. H_1: $\mu \neq 74$. Estadístico de prueba: $z = 0.32$. Valores críticos: $z = \pm 1.96$. Valor *P*: 0.7490. No rechace H_0. No existe suficiente evidencia para justificar el rechazo de la afirmación de que la media es igual a 74. Parece que la calculadora funciona correctamente.
8. H_0: $\mu = 74$. H_1: $\mu \neq 74$. Estadístico de prueba: $t = 0.342$. Valores críticos: $t = \pm 1.984$ (aproximadamente). Valor $P > 0.20$ (con herramienta tecnológica: 0.7332). No rechace H_0. No existe suficiente evidencia para justificar el rechazo de la afirmación de que la media es igual a 74. Parece que la calculadora funciona correctamente.
9. H_0: $\sigma = 12.5$. H_1: $\sigma \neq 12.5$. Estadístico de prueba: $\chi^2 = 86.734$. Valores críticos: $\chi^2 = 74.222$ y 129.561 (aproximadamente). Valor *P*: 0.3883. No rechace H_0. No existe suficiente evidencia para justificar el rechazo de la afirmación de que la desviación estándar de este tipo de valores generados es igual a 12.5.
10. H_0: $\sigma = 520$ libras. H_1: $\sigma < 520$ libras. Estadístico de prueba: $\chi^2 = 28.856$. Valor crítico: $\chi^2 = 14.954$ (aproximadamente). Valor *P*: 0.4233. No rechace H_0. No existe suficiente evidencia para sustentar la afirmación de que la desviación estándar de los pesos de los automóviles es menor que 520 libras.

Ejercicios de repaso acumulativo del capítulo 8

1. *a)* 10.907 seg
   b) 10.940 seg
   c) 0.178 seg
   d) 0.032 seg^2
   e) 0.540 seg
2. *a)* De razón
   b) Continuos
   c) No
   d) El patrón de cambio con el tiempo
   e) Gráfica de series de tiempo
3. 10.770 seg $< \mu <$ 11.043 seg. El intervalo de confianza no debe utilizarse para estimar los tiempos ganadores, ya que los valores listados exhiben un patrón de tiempos decrecientes, por lo que no existe una media poblacional fija.
4. H_0: $\mu = 11$ seg. H_1: $\mu < 11$ seg. Estadístico de prueba: $t = -1.576$. Valor crítico: $t = -1.860$. $0.05 <$ valor $P < 0.10$ (con herramienta tecnológica: 0.0768). No rechace H_0. No existe suficiente evidencia para sustentar la afirmación de que el tiempo ganador medio es menor que 11 segundos. Debido al patrón de cambio con el tiempo, que exhibe una tendencia decreciente, es probable que los tiempos ganadores futuros sean menores que 11 segundos.
5. *a)* Sí
   b) 100
   c) 0.02 g
   d) 0.86 g
   e) No
6. Al utilizar una escala vertical que no inicia en 0, las diferencias entre los resultados se exageran.
7. La media es 3.47.

Resultado	Frecuencia
1	16
2	13
3	22
4	21
5	13
6	15

8. 0.0025
9. *a)* 0.1190 (con herramienta tecnológica: 0.1186)
   b) 37.07% (con herramienta tecnológica: 36.94%)
   c) 0.0268 (con herramienta tecnológica: 0.0269)
   d) 781.2 mm (con herramienta tecnológica: 781.3 mm)
10. Parece que la muestra proviene de una población distribuida normalmente. La forma del histograma se aproxima a una campana. La gráfica cuantilar normal tiene 20 puntos que se acercan al patrón de una recta, y no se observa ningún otro patrón. No hay valores atípicos.

Respuestas del capítulo 9

Sección 9-2

1. Se trata de una muestra de conveniencia y no de una muestra aleatoria simple. Para la muestra de hombres, no se satisface el requisito de al menos 5 éxitos y al menos 5 fracasos.
3. $\hat{p}_1 = 15/1583$ o 0.00948; $\hat{p}_2 = 8/157$ o 0.0510; $\bar{p} = 23/1740$ o 0.0132. El símbolo p_1 denota la proporción de todos los usuarios de Zocor que experimentan dolores de cabeza. El símbolo p_2 representa la proporción de dolores de cabeza entre todas las personas tratadas con un placebo.
5. 1396
7. *a*) $\bar{p} = 27/63 = 0.429$
   b) $z = -1.25$
   c) ± 1.96
   d) 0.2112 (con herramienta tecnológica: 0.2115)
9. $E = 0.245$; $-0.403 < p_1 - p_2 < 0.0878$
11. H_0: $p_1 = p_2$. H_1: $p_1 \neq p_2$. Estadístico de prueba: $z = -0.73$. Valores críticos: $z = \pm 1.96$. Valor *P*: 0.4638. No rechace H_0. No existe suficiente evidencia para justificar el rechazo de la afirmación de que la tasa de infecciones es la misma para los individuos tratados con Lipitor y para los que recibieron un placebo.
13. H_0: $p_1 = p_2$. H_1: $p_1 < p_2$. Estadístico de prueba: $z = -2.25$. Valor crítico: $z = -1.645$. Valor *P*: 0.0122 (con herramienta tecnológica: 0.0123). Rechace H_0. Existe evidencia suficiente para sustentar la afirmación de que la proporción de estudiantes universitarios que consumían drogas ilícitas en 1993 era menor que ahora.
15. $0.00558 < p_1 - p_2 < 0.0123$. Como los límites del intervalo de confianza no incluyen a 0, parece que las dos tasas de mortalidad no son iguales. Como los límites del intervalo de confianza solo incluyen valores positivos, parece que la tasa de mortalidad es más alta en los individuos que no utilizan cinturones de seguridad. Parece que el uso del cinturón de seguridad sirve para salvar vidas.
17. H_0: $p_1 = p_2$. H_1: $p_1 \neq p_2$. Estadístico de prueba: $z = 2.04$. Valores críticos: $z = \pm 1.96$. Valor *P*: 0.0414 (con herramienta tecnológica: 0.0416). Rechace H_0. Existe evidencia suficiente para sustentar la afirmación de que el porcentaje de mujeres que estuvieron de acuerdo difiere del porcentaje de los hombres que estuvieron de acuerdo. Parece que hay una diferencia en la opinión de hombres y mujeres acerca del tema.
19. H_0: $p_1 = p_2$. H_1: $p_1 > p_2$. Estadístico de prueba: $z = 0.89$. Valor crítico: $z = 1.645$. Valor *P*: 0.1867 (con herramienta tecnológica: 0.1858). No rechace H_0. No existe suficiente evidencia para sustentar la afirmación de que la proporción de triunfos en casa es más alta con el techo cerrado que con el techo abierto. Parece que el techo cerrado no brinda una ventaja significativa. (Aunque Houston perdió esta Serie Mundial).
21. $-0.0798 < p_1 - p_2 < 0.149$. Como los límites del intervalo de confianza contienen a 0, no existe una diferencia significativa entre las dos proporciones. Parece que la equinácea no tiene un efecto significativo.
23. H_0: $p_1 = p_2$. H_1: $p_1 < p_2$. Estadístico de prueba: $z = -8.47$. Valor crítico: $z = -2.33$. Valor *P*: 0.0001 (con herramienta tecnológica: 0.0000). Rechace H_0. Existe suficiente evidencia para sustentar la afirmación de que la tasa de enfermedad de norovirus en el barco Freedom of the Seas es menor que la tasa en el barco *Queen Elizabeth II*. Cuando ocurre un brote de norovirus en los cruceros, las proporciones de pasajeros infectados pueden variar de manera considerable.
25. $-0.0364 < p_1 - p_2 < 0.138$ (con herramienta tecnológica: $-0.0364 < p_1 - p_2 < 0.139$). Como los límites del intervalo de confianza contienen a 0, no existe una diferencia significativa entre las dos proporciones. Parece que no hay una diferencia significativa entre las tasas de éxito de hombres y mujeres.
27. H_0: $p_1 = p_2$. H_1: $p_1 \neq p_2$. Estadístico de prueba: $z = 11.35$. Valores críticos: $z = \pm 2.575$. Valor *P*: 0.0002 (con herramienta tecnológica: 0.0000). Rechace H_0. Existe evidencia suficiente para sustentar la afirmación de que las mujeres y los hombres sobrevivientes tienen diferentes tasas de enfermedades tiroideas.
29. Si se utiliza $x_1 = 504$ y $x_2 = 539$: $-0.0497 < p_1 - p_2 < 0.0286$. Si se utiliza $\hat{p}_1 = 0.69$ y $\hat{p}_2 = 0.70$: $-0.0491 < p_1 - p_2 < 0.0291$. Como los límites del intervalo de confianza contienen a 0, no existe una diferencia significativa entre las dos proporciones. Parece que los hombres y las mujeres coinciden.
31. Si se utiliza $x_1 = 69$ y $x_2 = 22$: H_0: $p_1 = p_2$. H_1: $p_1 > p_2$. Estadístico de prueba: $z = 6.37$. Valor crítico: $z = 2.33$. Valor *P*: 0.0001 (con herramienta tecnológica: 0.0000). Rechace H_0. Existe suficiente evidencia para sustentar la afirmación de que el porcentaje de devoluciones que designan \$3 para la campaña fue mayor en 1976 que ahora.
33. Si se utiliza $x_1 = 117$ y $x_2 = 29$: H_0: $p_1 = p_2$. H_1: $p_1 > p_2$. Estadístico de prueba: $z = 7.60$. Valor crítico: $z = 2.33$. Valor *P*: 0.0001 (con herramienta tecnológica: 0.0000). Rechace H_0. Existe suficiente evidencia para sustentar la afirmación de que la proporción de dolores de cabeza es mayor en las personas tratadas con Viagra. Parece que los dolores de cabeza constituyen un problema para quienes consumen Viagra.
35. $0.0131 < p_1 - p_2 < 0.0269$. Como los límites del intervalo de confianza no contienen a 0, existe una diferencia significativa entre las dos proporciones. Puesto que el intervalo de confianza solo incluye valores positivos, parece que la proporción de mujeres es mayor que la proporción de hombres. Como se trata de una muestra de respuesta voluntaria, el intervalo de confianza no es necesariamente una buena estimación de la población general.
37. *a*) $0.0227 < p_1 - p_2 < 0.217$; como los límites del intervalo de confianza no contienen a 0, parece que se puede rechazar $p_1 = p_2$.
   b) $0.491 < p_1 < 0.629$; $0.371 < p_2 < 0.509$; como los intervalos de confianza se traslapan, parece que no se puede rechazar $p_1 = p_2$.
   c) H_0: $p_1 = p_2$. H_1: $p_1 \neq p_2$. Estadístico de prueba: $z = 2.40$. Valor *P*: 0.0164. Valores críticos: $z = \pm 1.96$. Rechace H_0. Existe suficiente evidencia para rechazar $p_1 = p_2$.
   d) Rechace $p_1 = p_2$. Menos eficaz: utilizar el traslape entre los intervalos de confianza individuales.
39. H_0: $p_1 - p_2 = 0.15$. H_1: $p_1 - p_2 \neq 0.15$. Estadístico de prueba: $z = 2.36$. Valores críticos: $z = \pm 2.575$. Valor *P*: 0.0182. No rechace H_0. No existe suficiente evidencia para justificar el rechazo de la afirmación de que la tasa de enfermedades de tiroides entre las mujeres sobrevivientes a la bomba atómica es igual a 15 puntos porcentuales más que la de los hombres sobrevivientes a la bomba atómica.

Sección 9-3

1. $1.6 < \mu_1 - \mu_2 < 12.2$
3. 98%
5. Independientes
7. Dependientes

9. H_0: $\mu_1 = \mu_2$. H_1: $\mu_1 \neq \mu_2$. Estadístico de prueba: $t = -0.452$. Valores críticos: $t = \pm 2.014$ (con herramienta tecnológica: $t = \pm 1.987$). Valor $P > 0.20$ (con herramienta tecnológica: 0.6521). No rechace H_0. No existe suficiente evidencia para justificar el rechazo de la afirmación de que los dos grupos provienen de poblaciones con la misma media. Este resultado sugiere que una mayor humedad no ayuda al tratamiento de enfermedades respiratorias.
11. 6.2 mg $< \mu_1 - \mu_2 <$ 9.6 mg (con herramienta tecnológica: 6.3 mg 6 $\mu_1 - \mu_2 <$ 9.5 mg). Los límites del intervalo de confianza no incluyen a 0, lo que sugiere que el contenido medio de alquitrán en los cigarrillos tamaño grande sin filtro es mayor que la media de los cigarrillos de 100 mm con filtro.
13. H_0: $\mu_1 = \mu_2$. H_1: $\mu_1 < \mu_2$. Estadístico de prueba: $t = -5.137$. Valor crítico: $t = -1.660$ aproximadamente (con herramienta tecnológica: $t = -1.653$). Valor $P < 0.005$ (con herramienta tecnológica: 0.0000). Rechace H_0. Existe suficiente evidencia para sustentar la afirmación de que los centavos de los montos de los cheques tienen una media menor que la media de los centavos de los cobros con tarjeta de crédito. Una razón de esta diferencia podría ser que muchos montos de cheques se asignan a pagos redondeados al entero más cercano, así que, de manera desproporcionada, existen más cantidades que consisten en 0 centavos.
15. H_0: $\mu_1 = \mu_2$. H_1: $\mu_1 > \mu_2$. Estadístico de prueba: $t = 10.343$. Valor crítico: $t = 2.896$ (con herramienta tecnológica: $t = 2.512$). Valor $P < 0.005$ (con herramienta tecnológica: 0.0000). Rechace H_0. Existe suficiente evidencia para sustentar la afirmación de que las supermodelos tienen estaturas con una media mayor que la media de las mujeres que no son supermodelos.
17. -4.6 pies $< \mu_1 - \mu_2 <$ 7.0 pies (con herramienta tecnológica: -4.4 pies $< \mu_1 - \mu_2 <$ 6.8 pies). El intervalo de confianza incluye 0 pies, lo que sugiere que las dos medias poblacionales podrían ser iguales. Parece que no existe una diferencia significativa entre las dos medias.
19. H_0: $\mu_1 = \mu_2$. H_1: $\mu_1 \neq \mu_2$. Estadístico de prueba: $t = -0.721$. Valores críticos: $t = \pm 2.064$ (con herramienta tecnológica: $t = \pm 2.011$). Valor $P > 0.20$ (con herramienta tecnológica: 0.4742). No rechace H_0. No existe evidencia suficiente para sustentar la afirmación de que los cigarrillos mentolados y los no mentolados contienen diferentes cantidades de nicotina. El contenido de mentol no parece tener un efecto sobre el contenido de nicotina.
21. H_0: $\mu_1 = \mu_2$. H_1: $\mu_1 < \mu_2$. Estadístico de prueba: $t = -59.145$. Valor crítico: $t = -2.426$ (con herramienta tecnológica: $t = -2.379$). Valor $P < 0.005$ (con herramienta tecnológica: 0.0000). Rechace H_0. Existe evidencia suficiente para sustentar la afirmación de que la calificación media FICO de los prestatarios de hipotecas con intereses altos es menor que la calificación FICO media de los prestatarios de hipotecas con intereses bajos. Parece que las puntuaciones de crédito FICO más altas están asociadas con hipotecas con menores tasas de interés.
23. H_0: $\mu_1 = \mu_2$. H_1: $\mu_1 > \mu_2$. Estadístico de prueba: $t = 1.678$. Valor crítico: $t = 1.717$ (con herramienta tecnológica: $t = 1.682$). Valor $P > 0.05$, pero menor que 0.10 (con herramienta tecnológica: 0.0504). No rechace H_0. No existe suficiente evidencia para sustentar la afirmación de que los aspirantes sin éxito provienen de una población con una edad media mayor que los aspirantes con éxito. Con base en el resultado, no parece haber discriminación por la edad.
25. H_0: $\mu_1 = \mu_2$. H_1: $\mu_1 > \mu_2$. Estadístico de prueba: $t = 2.790$. Valor crítico: $t = 2.390$ (aproximadamente). El valor P es menor que 0.005 (con herramienta tecnológica: 0.0031). Rechace H_0. Existe suficiente evidencia para sustentar la afirmación de que los consumidores frecuentes tienen una media más baja que los consumidores ocasionales. Como parece que la mariguana afecta de forma adversa las habilidades mentales, debe considerarse un problema serio.
27. H_0: $\mu_1 = \mu_2$. H_1: $\mu_1 > \mu_2$. Estadístico de prueba: $t = 0.132$. Valor crítico: $t = 1.729$. Valor $P > 0.10$ (con herramienta tecnológica: 0.4480). No rechace H_0. No existe suficiente evidencia para sustentar la afirmación de que los imanes son eficaces para reducir el dolor. Es válido argumentar que los imanes podrían ser eficaces si se utilizan tamaños de muestra más grandes.
29. *a)* H_0: $\mu_1 = \mu_2$. H_1: $\mu_1 < \mu_2$. Estadístico de prueba: $t = -2.335$. Valor crítico: $t = -1.833$ (con herramienta tecnológica: $t = -1.738$). El valor P está entre 0.01 y 0.025 (con herramienta tecnológica: 0.0160). Rechace H_0. Existe suficiente evidencia para sustentar la afirmación de que las ganadoras recientes tienen un IMC medio menor que el IMC medio de las décadas de 1920 y 1930.
    b) $-2.50 < \mu_1 - \mu_2 < -0.30$ (con herramienta tecnológica: $-2.44 < \mu_1 - \mu_2 < -0.36$). El intervalo de confianza solo incluye valores negativos, lo que sugiere que las ganadoras recientes tienen un IMC medio más bajo que el IMC de las décadas de 1920 y 1930.
31. *a)* H_0: $\mu_1 = \mu_2$. H_1: $\mu_1 < \mu_2$. Estadístico de prueba: $t = -1.812$. Valor crítico: $t = -2.650$ (con herramienta tecnológica: $t = -2.574$). Valor $P > 0.025$, pero menor que 0.05 (con herramienta tecnológica: 0.0441). No rechace H_0. No existe suficiente evidencia para sustentar la afirmación de que la longevidad media de los Papas después de su elección es menor que la longevidad media de los monarcas británicos después de su coronación.
    b) -23.6 años $< \mu_1 - \mu_2 <$ 4.4 años (con herramienta tecnológica: -23.2 años $< \mu_1 - \mu_2 <$ 4.0 años). El intervalo de confianza incluye 0 años, lo que sugiere que las dos medias poblacionales podrían ser iguales.
33. *a)* H_0: $\mu_1 = \mu_2$. H_1: $\mu_1 > \mu_2$. Estadístico de prueba: $t = 2.746$. Valor crítico: $t = 2.718$ (con herramienta tecnológica: $t = 2.445$). Valor $P < 0.01$ (con herramienta tecnológica: 0.0049). Rechace H_0. Existe suficiente evidencia para sustentar la afirmación de que las películas con clasificación PG o PG-13 tienen una ganancia media bruta mayor que las películas con clasificación R.
    b) 0.8 millones de dólares $< \mu_1 - \mu_2 <$ 153.2 millones de dólares (con herramienta tecnológica: 8.4 millones de dólares $< \mu_1 - \mu_2 <$ 145.5 millones de dólares). El intervalo de confianza solo incluye valores positivos, lo que sugiere que las películas con clasificación PG o PG-13 tienen una ganancia media bruta mayor que las películas con clasificación R. El intervalo de confianza sugiere que las películas PG y PG-13 tienen mucho más ganancias que las películas R.
35. H_0: $\mu_1 = \mu_2$. H_1: $\mu_1 \neq \mu_2$. Estadístico de prueba: $t = -16.830$. Valores críticos: $t = \pm 2.023$ (con herramienta tecnológica: $t = \pm 1.992$). Valor $P < 0.01$ (con herramienta tecnológica: 0.0000). Rechace H_0. Existe evidencia suficiente para justificar el rechazo de la afirmación de que la población de voltajes domésticos tiene la misma media que la población de voltajes del generador. Aunque existe una diferencia estadísticamente significativa, las medias muestrales de 123.66 y 124.66 volts sugieren que la diferencia no tiene una significancia práctica. El generador se podría utilizar como sustituto cuando sea necesario.
37. H_0: $\mu_1 = \mu_2$. H_1: $\mu_1 \neq \mu_2$. Estadístico de prueba: $t = -0.452$. Valores críticos: $t = \pm 1.987$. Valor $P > 0.20$ (con herramienta tecnológica: 0.6521). No rechace H_0. No existe suficiente evidencia para justificar el rechazo de la afirmación de que los dos grupos provienen de poblaciones con medias iguales. Este resultado sugiere que una mayor humedad no sirve para tratar los problemas respiratorios. En este caso, los resultados son básicamente iguales a los del ejercicio 9.
39. 6.3 mg $< \mu_1 - \mu_2 <$ 9.5 mg. Los límites del intervalo de confianza se aproximan más aquí que en el ejercicio 11, de manera que el intervalo de confianza brinda una estimación con un rango más pequeño de valores.

41. En la prueba de hipótesis, el estadístico de prueba cambia de -1.812 a -1.083, lo cual es un cambio drástico. El valor P cambia de un valor entre 0.025 y 0.05 a un valor mayor que 0.10, lo cual es un cambio drástico. (Con el uso de la tecnología, el valor P cambia de 0.0441 a 0.1493, que es un cambio drástico). En este caso, la conclusión es la misma, pero la introducción de un valor atípico podría causar una modificación en la conclusión. Los límites del intervalo de confianza cambian a -447.5 años y 187.9 años, y son drásticamente diferentes de los límites originales. El valor atípico provoca un gran incremento en la variación, y esto se refleja en el hecho de que el intervalo de confianza se vuelve mucho más ancho.
43. H_0: $\mu_1 = \mu_2$. H_1: $\mu_1 \neq \mu_2$. Estadístico de prueba: $t = 15.322$. Valores críticos: $t = \pm 2.080$. Valor $P < 0.01$ (con herramienta tecnológica: 0.0000). Rechace H_0. Existe suficiente evidencia para justificar el rechazo de la afirmación de que las dos poblaciones tienen medias iguales.

Sección 9-4

1. $\bar{d} = -0.2$ min; $s_d = 8.0$ min. μ_d representa la media de las diferencias de los datos pareados en la población.
3. Los métodos de esta sección producirán resultados numéricos, pero no tendrán ningún sentido. Las diferencias entre los pulsos y los niveles de colesterol carecen de sentido, ya que son diferentes tipos de cantidades. No se deben utilizar los métodos de esta sección.
5. *a)* -8.3
   b) 0.5
   c) -33.000
   d) ± 3.182
7. $-9.0 < \mu_d < -7.5$
9. H_0: $\mu_d = 0$. H_1: $\mu_d \neq 0$. Estadístico de prueba: $t = 0.029$. Valores críticos: $t = \pm 2.776$. Valor $P > 0.20$ (con herramienta tecnológica: 0.9783). No rechace H_0. No existe suficiente evidencia para justificar el rechazo de la afirmación de que, durante el primer año de la universidad, el cambio medio del IMC que experimentan los estudiantes es igual a 0. Parece que el IMC no cambia durante el primer año de estudios.
11. H_0: $\mu_d = 0$. H_1: $\mu_d < 0$. Estadístico de prueba: $t = -4.712$. Valor crítico: $t = -1.761$. Valor $P < 0.005$ (con herramienta tecnológica: 0.0002). Rechace H_0. Existe suficiente evidencia para sustentar la afirmación de que las mejores actrices son más jóvenes que los mejores actores. Sí.
13. $-2.32°F < \mu_d < 0.52°F$. El intervalo de confianza incluye a 0°F, lo que sugiere que la media de las diferencias podría ser 0. Con base en los datos disponibles, parece que las temperaturas corporales son aproximadamente iguales en los dos momentos.
15. H_0: $\mu_d = 0$. H_1: $\mu_d \neq 0$. Estadístico de prueba: $t = -2.712$. Valores críticos: $t = \pm 2.571$. El valor P está entre 0.02 y 0.05 (con herramienta tecnológica: 0.0422). Rechace H_0. Existe suficiente evidencia para justificar el rechazo de la afirmación de ningún efecto. Parece que las admisiones hospitalarias se ven afectadas.
17. $-\$647.9 < \mu_d < \$2327.0$. El intervalo de confianza incluye a \$0, lo que sugiere que la media de las diferencias podría ser 0, de manera que no parece existir una diferencia significativa entre los costos de reparación de la parte frontal y de la parte trasera.
19. H_0: $\mu_d = 0$. H_1: $\mu_d > 0$. Estadístico de prueba: $t = 14.104$. Valor crítico: $t = 2.539$. Valor $P < 0.005$ (con herramienta tecnológica: 0.0000). Rechace H_0. Existe suficiente evidencia para sustentar la afirmación de que las antiguas calificaciones eran más elevadas que las nuevas calificaciones.
21. *a)* H_0: $\mu_d = 0$. H_1: $\mu_d \neq 0$. Estadístico de prueba: $t = 1.054$. Valores críticos: $t = \pm 2.023$. Valor $P > 0.20$ (con herramienta tecnológica: 0.2983). No rechace H_0. No existe suficiente evidencia para sustentar la afirmación de que dichos valores muestrales pareados tengan diferencias que provienen de una población con una media de 0 volts. Parece que el voltaje doméstico y el voltaje del UPS son casi iguales.
   b) El generador a gasolina es completamente independiente del voltaje que suministra la compañía a la casa, de manera que las cantidades de voltaje doméstico y las cantidades de voltaje del generador son dos muestras independientes.
23. 6.610 libras $< \mu_d <$ 8.424 libras (con herramienta tecnológica: 6.611 libras $< \mu_d <$ 8.424 libras). Parece que el papel desechado pesa más.
25. Los cinco pares de datos son (97, 171), (116, 196), (116, 191), (165, 207), (191, 224). Las respuestas pueden variar un poco debido a la exactitud que proporciona la gráfica. H_0: $\mu_d = 0$. H_1: $\mu_d \neq 0$. Estadístico de prueba: $t = -6.286$. Valores críticos: $t = \pm 2.776$. Valor $P < 0.01$ (con herramienta tecnológica: 0.0033). Rechace H_0. Existe evidencia suficiente para justificar el rechazo de la afirmación de que no hay diferencia entre los tiempos de reacción de la mano izquierda y de la mano derecha. Parece que sí existe una diferencia.

Sección 9-5

1. Como F es tan cercana a 1, las dos desviaciones estándar muestrales tienen un valor muy cercano.
3. La prueba F es muy sensible a desviaciones respecto de la distribución normal, lo que significa que tiene un desempeño inadecuado al proporcionar resultados incorrectos cuando una o ambas poblaciones no se distribuyen de manera normal. Las alternativas son la prueba del conteo de cinco y la prueba de Levene-Brown-Forsyth.
5. H_0: $\sigma_1 = \sigma_2$. H_1: $\sigma_1 > \sigma_2$. Estadístico de prueba: $F = 1.1842$. Valor crítico F: 2.4034. Valor P: 0.3738. No rechace H_0. No existe suficiente evidencia para sustentar la afirmación de que los pesos de los bebés de madres que recibieron placebo varían más que los pesos de los bebés de madres que recibieron suplementos con cinc.
7. H_0: $\sigma_1 = \sigma_2$. H_1: $\sigma_1 \neq \sigma_2$. Estadístico de prueba: $F = 1.5777$. Valor $P = 0.0028$, que es menor que el nivel de significancia de 0.01, de manera que se rechaza H_0. Existe suficiente evidencia para justificar el rechazo de la afirmación de que las dos muestras provienen de poblaciones con desviaciones estándar iguales.
9. H_0: $\sigma_1 = \sigma_2$. H_1: $\sigma_1 \neq \sigma_2$. Estadístico de prueba: $F = 1.7778$. El valor crítico F superior está entre 1.8752 y 2.0739 (con herramienta tecnológica: 1.8907). Valor P: 0.0762. No rechace H_0. No existe suficiente evidencia para justificar el rechazo de la afirmación de que los sujetos de ambos grupos de tratamiento tienen edades con la misma cantidad de variación. Si los grupos de tratamiento tienen características diferentes, la comparación entre los tratamientos se vuelve poco clara, ya que las diferencias podrían deberse a los tratamientos o a las diferentes características de los grupos.
11. H_0: $\sigma_1 = \sigma_2$. H_1: $\sigma_1 > \sigma_2$. Estadístico de prueba: $F = 9.3364$. El valor crítico F está entre 2.0540 y 2.0960 (con herramienta tecnológica: 2.0842). Valor P: 0.0000. Rechace H_0. Existe suficiente evidencia para sustentar la afirmación de que el grupo de tratamiento tiene puntuaciones que varían más que las puntuaciones del grupo de placebo.
13. H_0: $\sigma_1^2 = \sigma_2^2$. H_1: $\sigma_1^2 > \sigma_2^2$. Estadístico de prueba: $F = 2.1267$. El valor crítico F está entre 2.1555 y 2.2341 (con herramienta tecnológica: Valor $P = 0.0543$). No rechace H_0. No existe suficiente

evidencia para sustentar la afirmación de que la disminución del dolor en el grupo que recibió tratamiento simulado varía más que la disminución del dolor en el grupo de tratamiento con imanes.

15. H_0: $\sigma_1 = \sigma_2$. H_1: $\sigma_1 > \sigma_2$. Estadístico de prueba: $F = 4.1648$. El valor crítico F está entre 2.7876 y 2.8536 (con herramienta tecnológica: 2.8179). Valor P: 0.0130. Rechace H_0. Existe suficiente evidencia para sustentar la afirmación de que las cantidades de estroncio-90 de Pensilvania varían más que las cantidades de Nueva York.
17. H_0: $\sigma_1 = \sigma_2$. H_1: $\sigma_1 \neq \sigma_2$. Estadístico de prueba: $F = 1.5061$. El valor crítico F superior está entre 2.1540 y 2.2131 (con herramienta tecnológica: 2.1812). Valor P: 0.2990. No rechace H_0. No existe suficiente evidencia para justificar el rechazo de la afirmación de que ambas muestras provienen de poblaciones con desviaciones estándar iguales.
19. H_0: $\sigma_1 = \sigma_2$. H_1: $\sigma_1 > \sigma_2$. Estadístico de prueba: $F = 3.4381$. El valor crítico F está entre 1.6928 y 1.8409 (con herramienta tecnológica: 1.7890). Valor P: 0.0003. Rechace H_0. Existe suficiente evidencia para sustentar la afirmación de que casi al final del primer año de estudios, los pesos de los estudiantes universitarios varones varían más que los pesos de las estudiantes universitarias.
21. $c_1 = 4$, $c_2 = 0$, el valor crítico es 5. No rechace $\sigma_1^2 = \sigma_2^2$.
23. 0.2727, 2.8365

Conocimientos estadísticos y pensamiento crítico, capítulo 9

1. Un método es robusto si el requisito de poblaciones distribuidas de manera normal es poco estricto en el sentido de que funciona bien incluso con poblaciones que no tienen distribuciones normales, siempre y cuando la distribución no se aleje de manera radical de la normalidad. La prueba F para comparar dos desviaciones estándar o varianzas poblacionales no es robusta frente a desviaciones respecto de las distribuciones normales.
2. Nada. Los resultados provienen de una muestra de respuesta voluntaria (o autoseleccionada), de manera que los resultados solo se aplican a los individuos que decidieron responder. Los resultados pueden o no ser representativos de la población general, por lo que no se deben utilizar los métodos estadísticos para hacer inferencias acerca de la población general. Hacer esto sería un error descomunal.
3. Las muestras son independientes. El pareamiento de las latas es arbitrario, de manera que una lata de bebida de cola dentro de un par en particular no está relacionada de ninguna forma con la otra lata.
4. Los diferentes estados tienen distintos tamaños poblacionales, por lo que deben utilizarse medias ponderadas.

Examen rápido del capítulo 9

1. H_0: $p_1 = p_2$. H_1: $p_1 > p_2$.
2. 0.5
3. $z = -1.73$
4. 0.0404
5. Existe suficiente evidencia para sustentar la afirmación de que $\mu_1 > \mu_2$.
6. H_0: $\mu_d = 0$. H_1: $\mu_d \neq 0$.
7. H_0: $\mu_1 = \mu_2$. H_1: $\mu_1 < \mu_2$.
8. Distribución F
9. Existe suficiente evidencia para sustentar la afirmación de que las dos poblaciones tienen medias diferentes.
10. Verdadero

Ejercicios de repaso del capítulo 9

1. H_0: $p_1 = p_2$. H_1: $p_1 > p_2$. Estadístico de prueba: $z = 3.12$. Valor crítico: $z = 2.33$. Valor P: 0.0009. Rechace H_0. Existe suficiente evidencia para sustentar la afirmación de que la proporción de éxitos con cirugía es mayor que la proporción de éxitos con entablillado. Al tratar el síndrome del túnel carpiano, por lo general se debería recomendar la cirugía en lugar del entablillado.
2. H_0: $\mu_1 = \mu_2$. H_1: $\mu_1 < \mu_2$. Estadístico de prueba: $t = -2.908$. Valor crítico: $t = -1.653$ (aproximadamente). Valor $P < 0.005$ (con herramienta tecnológica: 0.0019). Rechace H_0. Existe suficiente evidencia para sustentar la afirmación de que los niños expuestos a la cocaína tienen una puntuación media más baja.
3. *a)* H_0: $\mu_d = 0$. H_1: $\mu_d \neq 0$. Estadístico de prueba: $t = -1.532$. Valores críticos: $t = \pm 2.228$. El valor P está entre 0.10 y 0.20 (con herramienta tecnológica: 0.1565). No rechace H_0. No existe suficiente evidencia para justificar el rechazo de la afirmación de que no hay diferencia. Parece que no hay diferencia.
   b) $-2.7 < \mu_d < 0.5$
   c) No, no existe una diferencia significativa.
4. H_0: $p_1 = p_2$. H_1: $p_1 \neq p_2$. Estadístico de prueba: $z = -4.20$. Valores críticos: $z = \pm 2.575$. Valor P: 0.0002 (con herramienta tecnológica: 0.000). Rechace H_0. Existe suficiente evidencia para justificar el rechazo de la afirmación de que la tasa de aceptación es la misma con o sin evaluación ciega. Sin evaluación ciega, los revisores conocen los nombres y las instituciones de los autores de los resúmenes, y podrían verse influidos por dicho conocimiento.
5. H_0: $\mu_1 = \mu_2$. H_1: $\mu_1 > \mu_2$. Estadístico de prueba: $t = 5.529$. Valor crítico: $t = 1.796$. Valor $P < 0.005$ (con herramienta tecnológica: 0.0000). Rechace H_0. Existe suficiente evidencia para sustentar la afirmación de que es más fácil leer *Harry Potter* que *La guerra y la paz*. Este es el resultado que se esperaba, ya que *Harry Potter* fue escrito para los niños, pero *La guerra y la paz* fue escrita para adultos.
6. *a)* $9.5 < \mu_d < 27.6$
   b) H_0: $\mu_d = 0$. H_1: $\mu_d > 0$. Estadístico de prueba: $t = 6.371$. Valor crítico: $t = 2.718$ (suponiendo un nivel de significancia de 0.01). Valor $P < 0.005$ (con herramienta tecnológica: 0.0000). Rechace H_0. Existe suficiente evidencia para sustentar la afirmación de que los niveles de presión sanguínea son más bajos después de tomar captopril.
7. H_0: $p_1 = p_2$. H_1: $p_1 > p_2$. Estadístico de prueba: $z = 1.59$. Valor crítico: $z = 1.645$. Valor P: 0.0559 (con herramienta tecnológica: 0.0557). No rechace H_0. No existe suficiente evidencia para sustentar la afirmación de que la proporción de hombres que fuman es mayor que la proporción de mujeres que fuman.
8. H_0: $\mu_1 = \mu_2$. H_1: $\mu_1 < \mu_2$. Estadístico de prueba: $t = -9.567$. Valor crítico: $t = -2.429$. Valor $P < 0.005$ (con herramienta tecnológica: 0.0000). Rechace H_0. Existe suficiente evidencia para sustentar la afirmación de que los empleados con certificado de preparatoria tienen un ingreso anual medio más bajo que los empleados con título universitario. La solución de este ejercicio contribuye a la obtención de un título universitario y de un ingreso más alto.
9. Si se utiliza la muestra de ingresos de empleados con título universitario como muestra 1: H_0: $\sigma_1 = \sigma_2$. H_1: $\sigma_1 \neq \sigma_2$. Estadístico de prueba: $F = 2.9460$. El valor crítico F superior está entre 1.6141 y 1.8152 (con herramienta tecnológica: 1.6935). Valor P: 0.0001. Rechace H_0. Existe suficiente evidencia para justificar el rechazo de la afirmación de que las dos muestras provienen de poblaciones con desviaciones estándar iguales.
10. H_0: $\sigma_1 = \sigma_2$. H_1: $\sigma_1 \neq \sigma_2$. Estadístico de prueba: $F = 1.2874$. El valor crítico F superior está entre 1.4327 y 1.6668 (con herramienta tecnológica: 1.5874). Valor P: 0.2825. No rechace H_0. No existe

suficiente evidencia para justificar el rechazo de la afirmación de que las dos muestras provienen de poblaciones con la misma cantidad de variación.

Ejercicios de repaso acumulativo del capítulo 9

1. *a)* Las muestras son dependientes, ya que los datos provienen de parejas.
   b) $\bar{x} = 14.9$ palabras, mediana: 14,500 palabras, moda: 8000 y 14,000 palabras, rango: 17,000 palabras, $s = 5700$ palabras.
   c) De razón
2. H_0: $\mu_d = 0$. H_1: $\mu_d < 0$. Estadístico de prueba: $t = -2.163$. Valor crítico: $t = \pm 1.833$. El valor P está entre 0.025 y 0.05, pero es menor que 0.05 (con herramienta tecnológica: 0.0294). Rechace H_0. Existe suficiente evidencia para sustentar la afirmación de que, entre las parejas, las mujeres hablan más que los hombres.
3. H_0: $\mu_1 = \mu_2$. H_1: $\mu_1 \neq \mu_2$. Estadístico de prueba: $t = -1.990$. Valores críticos: $t = \pm 2.262$ (con herramienta tecnológica: $t = \pm 2.132$). Valor $P > 0.05$, pero menor que 0.10 (con herramienta tecnológica: 0.0652). No rechace H_0. No existe suficiente evidencia para rechazar la afirmación de que las dos muestras provienen de poblaciones con medias iguales.
4. 10,800 palabras $< \mu <$ 19,000 palabras.
5.

Conteo de palabras	Frecuencia
6 – 9	3
10 – 13	0
14 – 17	4
18 – 21	2
22 – 25	1

6. *a)* 0.3707 (con herramienta tecnológica: 0.3694)
   b) 0.1587
   c) 22,680 (con herramienta tecnológica: 22,689)
7. 1083
8. 32.8% $< p <$ 43.3%
9. *a)* 25.0
   b) 3.5
   c) 0.9406 (con herramienta tecnológica y utilizando la distribución normal como aproximación: 0.9401; con tecnología y utilizando la binomial: 0.9405).
10. $0.984^{20} = 0.724$. Un evento como este no es inusual, ya que la probabilidad no es baja (como menor que 0.05).

Respuestas del capítulo 10

Sección 10-2

1. r representa el valor del coeficiente de correlación lineal calculado utilizando datos muestrales pareados. ρ representa el valor del coeficiente de correlación lineal que se calcularía utilizando todos los datos pareados en la población. Se estima que el valor de r es 0 (porque no hay correlación entre los puntos anotados en un juego de futbol y el número de automóviles nuevos vendidos).
3. No. La presencia de una correlación lineal entre dos variables no implica que una de las variables sea causa de la otra.
5. Sí. El valor de $|0.758|$ es mayor que el valor crítico de 0.254 (aproximadamente).
7. No. El valor de $|0.202|$ es menor que el valor crítico de 0.312.
9. *a)*

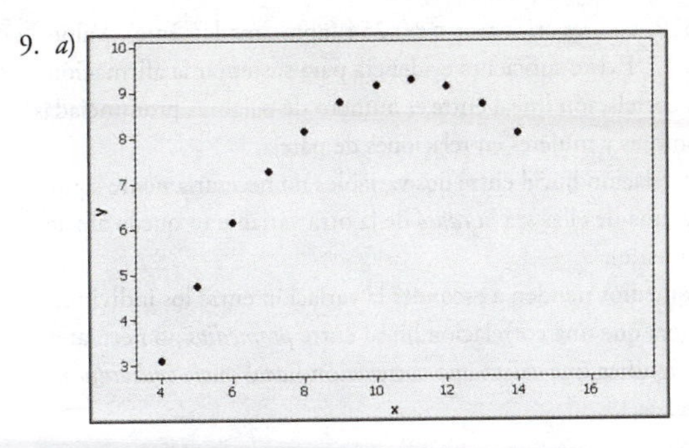

   b) $r = 0.816$. Valores críticos: $r = \pm 0.602$. Valor $P = 0.002$. Existe suficiente evidencia para sustentar la afirmación de una correlación lineal entre las dos variables.
   c) El diagrama de dispersión revela un patrón distintivo, que no es el de una recta.
11. *a)* Parece que hay una correlación lineal.
   b) $r = 0.906$. Valores críticos: $r = \pm 0.632$ (para un nivel de significancia de 0.05). Existe una correlación lineal.
   c) $r = 0$. Valores críticos: $r = \pm 0.666$ (para un nivel de significancia de 0.05). Parece que no hay una correlación lineal.
   d) El efecto de un solo par de valores puede ser muy grande, y podría modificar la conclusión.
13. $r = 0.985$. Valores críticos: $r = \pm 0.811$. Valor $P = 0.000$. Existe suficiente evidencia para sustentar la afirmación de una correlación lineal entre el IPC y el precio de una rebanada de pizza.
15. $r = 0.867$. Valores críticos: $r = \pm 0.878$. Valor $P = 0.057$. No existe suficiente evidencia para sustentar la afirmación de una correlación lineal entre las mediciones de la presión sanguínea sistólica del brazo derecho y del brazo izquierdo.
17. $r = 0.948$. Valores críticos: $r = \pm 0.811$. Valor $P = 0.004$. Existe suficiente evidencia para sustentar la afirmación de una correlación lineal entre la anchura de la cabeza de una foca en una fotografía y el peso de una foca.
19. $r = 0.709$. Valores críticos: $r = \pm 0.754$. Valor $P = 0.075$. No existe suficiente evidencia para sustentar la afirmación de una correlación lineal entre los costos de los boletos comprados con 30 días de anticipación y los comprados con un día de anticipación.
21. $r = -0.283$. Valores críticos: $r = \pm 0.754$. Valor $P = 0.539$. No existe suficiente evidencia para sustentar la afirmación de una correlación lineal entre los costos de reparación por choques frontales y choques traseros.
23. $r = 0.892$. Valores críticos: $r = \pm 0.632$. Valor $P = 0.001$. Existe suficiente evidencia para sustentar la afirmación de una correlación lineal entre la temperatura global y la concentración de CO_2.
25. $r = 0.872$. Valores críticos: $r = \pm 0.754$. Valor $P = 0.011$. Existe evidencia suficiente para sustentar la afirmación de una correlación lineal entre las diferencias dadas (entre las carreras anotadas y las carreras permitidas) y las proporciones de triunfos.
27. $r = 0.179$. Valores críticos: $r = \pm 0.632$. Valor $P = 0.620$. No existe suficiente evidencia para sustentar la afirmación de una correlación lineal entre el tamaño del cerebro y la inteligencia. No parece que las personas con cerebros más grandes sean más inteligentes.
29. $r = 0.744$. Valores críticos: $r = \pm 0.335$. Valor $P = 0.000$. Existe suficiente evidencia para sustentar la afirmación de una correlación lineal entre los presupuestos de películas y las ganancias que generan.

31. $r = 0.319$. Valores críticos: $r = \pm 0.254$ (aproximadamente). Valor $P = 0.017$. Existe suficiente evidencia para sustentar la afirmación de una correlación lineal entre el número de palabras pronunciadas por hombres y mujeres en relaciones de pareja.
33. Una correlación lineal entre dos variables no necesariamente significa que una de ellas sea la *causa* de la otra variable (o que la afecte directamente).
35. Los promedios tienden a esconder la variación entre los individuos, de manera que una correlación lineal entre *promedios* no necesariamente significa que exista una correlación lineal entre *individuos*.
37. *a)* 0.942
    b) 0.839
    c) 0.9995 (el más grande)
    d) 0.983
    e) -0.958

Sección 10-3

1. $\hat{y}$ representa el valor predicho del colesterol. La variable de predicción representa el peso. La variable de respuesta representa el nivel de colesterol.
3. Si r es positiva, la recta de regresión tiene una pendiente positiva y sube de izquierda a derecha. Si r es negativa, la pendiente de la recta de regresión es negativa y baja de izquierda a derecha.
5. 6.40 personas
7. 76.3 latidos por minuto
9. $\hat{y} = 3.00 + 0.500x$. Los datos tienen un patrón diferente al de una recta.
11. *a)* $\hat{y} = 0.264 + 0.906x$
    b) $\hat{y} = 2 + 0x$ (o $\hat{y} = 2$)
    c) Los resultados son muy diferentes, lo que indica que un punto puede afectar drásticamente a la ecuación de regresión.
13. $\hat{y} = -0.162 + 0.0101x$; \$1.68 (que podría redondearse hacia arriba al valor más conveniente de \$1.75)
15. $\hat{y} = 43.6 + 1.31x$; 163.2 mm Hg
17. $\hat{y} = -157 + 40.2x$; 205 kg
19. $\hat{y} = -1240 + 7.07x$; \$690
21. $\hat{y} = 2060 - 0.186x$; \$1615. El costo predicho de \$1615 difiere mucho del costo real de \$982.
23. $\hat{y} = 10.5 + 0.0109x$; 14.5°. Sí, la temperatura predicha es la misma que la temperatura real.
25. $\hat{y} = 0.494 + 0.000490x$; 0.519. La proporción predicha de triunfos se acerca de manera razonable a la proporción real de 0.543.
27. $\hat{y} = 71.8 + 0.0286x$; 103 (o la puntuación media del CI conocida de 100)
29. $\hat{y} = 20.6 + 1.38x$; \$186 millones
31. $\hat{y} = 13{,}400 + 0.302x$; 15,200 palabras en un día
33. Con $\beta_1 = 0$, la recta de regresión es horizontal, de modo que los diferentes valores de x dan como resultado el mismo valor y, y no hay una correlación entre x y y.
35. La gráfica de residuos no sugiere que la ecuación de regresión sea un modelo inadecuado, ya que no existe un patrón evidente y la gráfica de residuos no se vuelve más gruesa (o más delgada). El diagrama de dispersión sugiere que la ecuación de regresión es un modelo inadecuado porque los puntos no se ajustan muy bien al patrón de una recta.

GRÁFICA RESIDUAL

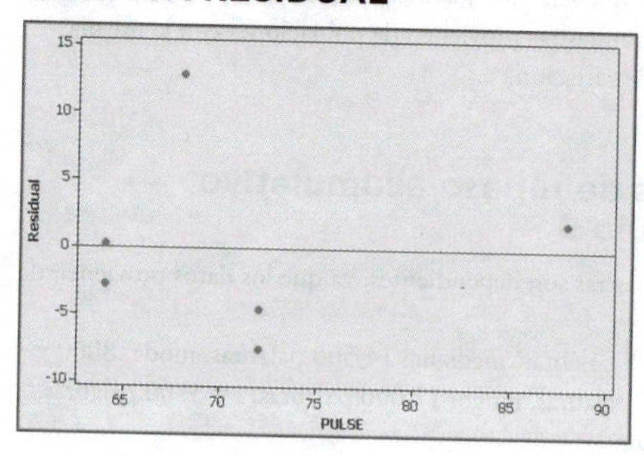

Sección 10-4

1. Es el error estándar de estimación, que es una medida de las diferencias entre los pesos observados y los pesos predichos a partir de la ecuación de regresión.
3. A diferencia del valor predicho de 180 libras, el intervalo de predicción nos da un rango de posibles pesos, de manera que podemos tener una idea de qué tan exacta podría ser la predicción. El término *intervalo de predicción* se utiliza para una estimación del intervalo de una variable, mientras que el término *intervalo de confianza* se utiliza para una estimación del intervalo de un parámetro.
5. 0.762; 76.2%
7. 0.748; 74.8%
9. $r = -0.806$ (r es negativa porque las cantidades de consumo de combustible en carretera disminuyen conforme el peso del automóvil aumenta, como lo demuestra el hecho de que la pendiente de la recta de regresión sea negativa). El valor crítico de r está entre 0.361 y 0.335 (suponiendo un nivel de significancia de 0.05). Valor $P = 0.000$. Existe suficiente evidencia para sustentar la afirmación de una correlación lineal entre los pesos de los automóviles y sus cantidades de consumo de combustible en carretera.
11. 27.028 mi/gal
13. *a)* 2.64829
    b) 0.0800433
    c) 2.728333
    d) 0.9706622
    e) 0.1414596
15. *a)* 8880.182
    b) 991.1515
    c) 9871.333
    d) 0.8995929
    e) 15.74128
17. *a)* \$1.72
    b) $\$1.27 < y < \$2.17$
19. *a)* 205 kg
    b) $157 \text{ kg} < y < 253 \text{ kg}$
21. $\$1.32 < y < \$2.72$
23. $\$0.12 < y < \$0.90$
25. $-0.229 < \beta_0 < 0.298$; $0.738 < \beta_1 < 1.15$

Sección 10-5

1. b_1 es el coeficiente de x_1 y β_1 es el coeficiente de x_1, pero β_1 es un parámetro poblacional obtenido al utilizar todos los datos de la población, mientras que b_1 es un estadístico muestral que es una estimación de β_1. El valor de b_1 se obtiene a partir de los datos muestrales disponibles.

3. No, porque los datos son categóricos (o cualitativos). Los métodos de esta sección requieren datos cuantitativos. (Existen excepciones con la regresión logística).
5. Nicotina = 1.59 + 0.0231 Tar − 0.0525 CO, o $\hat{y} = 1.59 + 0.0231x_1 - 0.0525x_2$, donde $\hat{y}$ representa la cantidad predicha de nicotina, x_1 representa la cantidad de alquitrán, y x_2 representa la cantidad de monóxido de carbono.
7. No. La R^2 ajustada de 0.017 es demasiado pequeña y el valor P de 0.317 es demasiado alto. La ecuación de regresión múltiple no es un buen modelo para predecir la cantidad de nicotina.
9. PL (precio de lista), ya que tiene la mejor combinación del valor P más bajo (0.000) y la R^2 ajustada más alta (0.990).
11. $\hat{y} = 99.2 + 0.979$ PL, ya que tiene el valor P más bajo de 0.000 y la R^2 ajustada más alta de 0.990.
13. La mejor ecuación de regresión es $\hat{y} = 0.127 + 0.0878x_1 - 0.0250x_2$, donde x_1 representa el alquitrán y x_2 representa el monóxido de carbono. Es la mejor porque tiene el valor más alto de la R^2 ajustada de 0.927 y el valor P más bajo de 0.000. Es una buena ecuación de regresión para predecir el contenido de nicotina debido a que tiene un alto valor de R^2 ajustada y un valor P bajo.
15. La ecuación de regresión $\hat{y} = 47.9 - 0.00440x_1 - 0.823x_2$ (donde x_1 = peso y x_2 = desplazamiento o capacidad volumétrica o cilindrada) tiene el valor más alto de R^2 ajustada de 0.644 y el valor P más bajo de 0.000. Sería mejor utilizar la ecuación de regresión $\hat{y} = 50.5 - 0.00587x$ (donde x representa el peso), ya que también tiene un valor P de 0.000 y su valor de R^2 ajustada de 0.639 es solo un poco menor que 0.644, pero es mejor utilizar una ecuación de regresión con menos variables de predicción.
17. Para H_0: $\beta_1 = 0$, el estadístico de prueba es $t = 5.486$, el valor P es 0.000 y los valores críticos son $t = \pm 2.110$, por lo que rechazamos H_0 y concluimos que se debe conservar el coeficiente de regresión de $b_1 = 0.707$. Para H_0: $\beta_2 = 0$, el estadístico de prueba es $t = -1.292$, el valor P es 0.213 y los valores críticos son $t = \pm 2.110$, por lo que no rechazamos H_0 y concluimos que se debe omitir el coeficiente de regresión de $b_2 = 0.164$. Parece que la ecuación de regresión debe incluir la estatura de la madre como variable de predicción, pero que se debe omitir la estatura del padre.
19. $\hat{y} = 3.06 + 82.4x_1 + 2.91x_2$, donde x_1 representa el sexo y x_2 representa la edad. Hembra: 61 libras; macho: 144 libras. Parece que el sexo del oso tiene un efecto sobre su peso. La ecuación de regresión indica que el peso predicho de un oso macho es aproximadamente 82 libras mayor que el peso predicho de un oso hembra, si las demás características permanecen igual.

Sección 10-6

1. El valor de $R^2 = 1$ indica que el modelo se ajusta perfectamente a los datos. Dada la variación inherente y las condiciones económicas cambiantes, es muy poco probable que el modelo se ajuste a los datos de manera perfecta, por lo que es probable que la afirmación sea incorrecta.
3. El 8.2% de la variación en los marcadores del Súper Bowl puede explicarse por medio del modelo cuadrático que relaciona la variable del año y la variable de los puntos anotados. Como un porcentaje tan pequeño de dicha variación está explicado por el modelo, concluimos que este último no es muy útil.
5. Lineal: $y = 8 + 2x$
7. Cuadrático: $d = -16t^2 + 500$
9. Exponencial: $y = 0.158270(1.05935^x)$, donde 1960 se codifica como 1. Con el alto valor de R^2 de 0.970, parece que el modelo es bueno. El valor proyectado para 2020 es $5.33.
11. Cuadrático: $y = 0.00802808x^2 + 2.45538x + 15.3223$, donde 1980 se codifica como 1. El modelo cuadrático no es mucho mejor que los modelos lineal, exponencial y de potencia. El número proyectado de 87 no se aleja mucho del número real de 92.
13. Cuadrático: $y = 4.90x^2 - 0.0286x + 0.00476$. El modelo produce una distancia de 705 m, pero el edificio solo mide 50 m de alto, de manera que la distancia no puede exceder los 50 m.
15. Cuadrático: $y = 0.00447053x^2 + 0.0198551x + 13.8205$, donde 1950 se codifica como 1, 1955 se codifica como 2, y así sucesivamente. La temperatura predicha para 2010 es 14.8°C.
17. *a)* Exponencial: $y = 2^{\frac{2}{3}(x-1)}$ (o $y = (0.629961)(1.587401)^x$ para un valor inicial de 1 que se duplica cada 1.5 años)
    b) Exponencial: $y = (1.33197)(1.43035)^x$, donde 1971 se codifica como 1.
    c) Parece que la ley de Moore está funcionando razonablemente bien. Con $R^2 = 0.988$, parece que el modelo es muy bueno.
19. *a)* 6641.8
    b) 73.2
    c) La suma cuadrática de los cuadrados de los residuos (73.2) es menor que la suma de cuadrados de los residuos del modelo lineal (6641.8).

Conocimientos estadísticos y pensamiento crítico, capítulo 10

1. Con el método de correlación que se presentó en la sección 10-2, el objetivo consiste en determinar si existe una asociación entre dos variables. Con los métodos que se presentaron en la sección 9-4, el objetivo consiste en hacer inferencias acerca de la media de las diferencias entre los valores en la población de datos pareados.
2. Existe suficiente evidencia para sustentar la afirmación de una correlación lineal entre el tamaño del pecho y el peso. Aunque existe una correlación lineal, no podemos concluir que un pecho más grande sea la *causa* de un mayor peso.
3. El joyero está equivocado. El valor de $r = 1$ indica que existe suficiente evidencia para sustentar la afirmación de una correlación lineal entre los dos conjuntos de precios, pero eso no necesariamente significa que ambos conjuntos de precios sean iguales. Por ejemplo, si cada argolla en la tienda de descuento se vende a un 50% del precio de Tiffany, el valor de r será 1, pero los precios correspondientes son muy diferentes.
4. La conclusión no es necesariamente correcta. El valor de $r = 0$ sugiere que no existe una correlación lineal entre las dos variables, aunque podría haber alguna otra correlación no lineal.

Examen rápido del capítulo 10

1. Se cometió un error en los cálculos, ya que r siempre debe tener un valor entre −1 y 1.
2. Existe suficiente evidencia para sustentar la afirmación de una correlación lineal entre las dos variables.
3. Verdadero
4. No existe suficiente evidencia para sustentar la afirmación de una correlación lineal entre las dos variables.

5. Falso. Podría haber una relación no lineal entre las dos variables.
6. ±0.514
7. $r = -1$
8. 15
9. 0.160
10. Falso

Ejercicios de repaso del capítulo 10

1. *a*) El diagrama de dispersión sugiere que no existe una correlación lineal entre las dos variables.

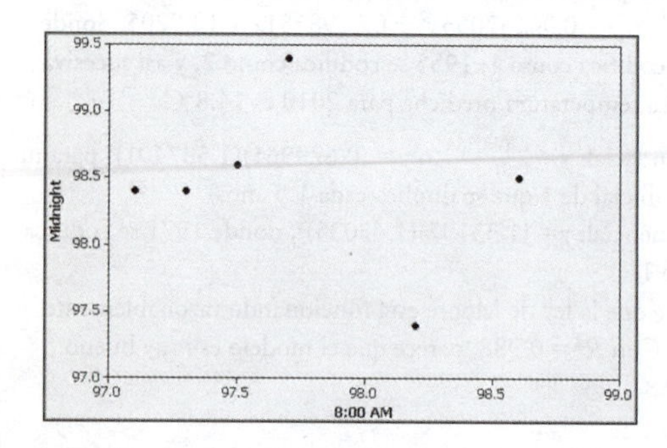

b) $r = -0.254$. Valores críticos: $r = \pm 0.811$ (suponiendo un nivel de significancia de 0.05). Valor $P = 0.627$. No existe evidencia suficiente para sustentar la afirmación de una correlación lineal entre las temperaturas de las 8:00 AM y las temperaturas de la medianoche.

c) $\hat{y} = 126 - 0.285x$

d) 98.45ºF (el valor de $\bar{y}$)

2. *a*) $r = 0.522$, los valores críticos son $r = \pm 0.312$ (suponiendo un nivel de significancia de 0.05) y el valor P es 0.001, de manera que existe suficiente evidencia para sustentar la afirmación de una correlación lineal entre la estatura y el peso de los hombres.

b) 27.2%

c) $\hat{y} = -139 + 4.55x$

d) 189 lb

3. *a*) El diagrama de dispersión indica que, conforme la altura aumenta, el peso también aumenta, por lo que parece que existe una correlación entre la altura y el peso.

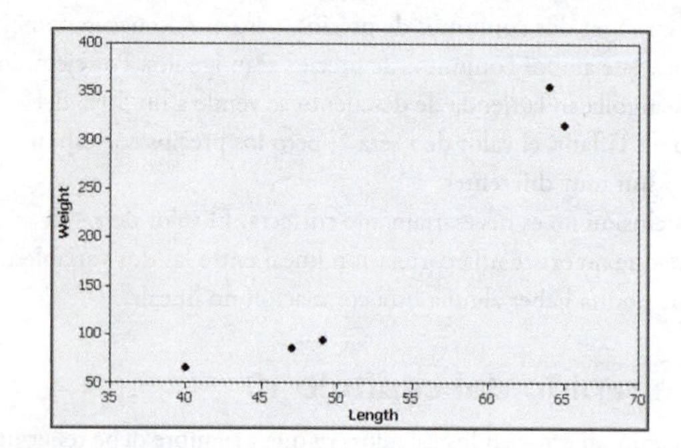

b) $r = 0.964$. Valores críticos: $r = \pm 0.878$ (suponiendo un nivel de significancia de 0.05). Valor $P = 0.008$. Existe suficiente evidencia para sustentar la afirmación de una correlación lineal entre la altura y el peso de los osos.

c) $\hat{y} = -468 + 12.3x$

d) 418 lb

4. *a*) El diagrama de dispersión sugiere que no existe una correlación lineal entre la longitud del muslo y la estatura de los hombres.

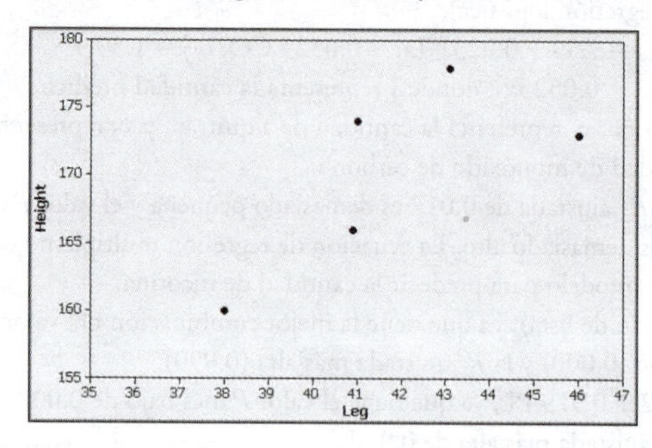

b) $r = 0.723$. Valores críticos: $r = \pm 0.878$ (suponiendo un nivel de significancia de 0.05). Valor $P = 0.168$. No existe suficiente evidencia para sustentar la afirmación de una correlación lineal entre la longitud del muslo y la estatura de los hombres.

c) $\hat{y} = 97.3 + 1.74x$

d) 170.2 cm (el valor de $\bar{y}$)

5. $\hat{y} = 140 + 2.50x_1 - 2.27x_2$; $R^2 = 0.977$; R^2 ajustada $= 0.954$; valor $P = 0.023$. Con un nivel de significancia de 0.05, la ecuación de regresión múltiple es un buen modelo y se puede utilizar para predecir la estatura de un hombre, a partir de la longitud de su muslo y la circunferencia de su brazo.

Ejercicios de repaso acumulativo del capítulo 10

1. De 1877: $\bar{x} = 66.2$ pulgadas; mediana: 66 pulgadas; $s = 2.5$ pulgadas. De los resultados recientes: $\bar{x} = 68.1$ pulgadas; mediana: 68.5 pulgadas; $s = 3.6$ pulgadas.
2. H_0: $\mu_1 = \mu_2$. H_1: $\mu_1 < \mu_2$. Estadístico de prueba: $t = -1.372$. Valor crítico: $t = -1.833$. Valor $P > 0.05$ (con herramienta tecnológica: 0.094). No rechace H_0. No existe suficiente evidencia para sustentar la afirmación de que los hombres en 1877 tenían una estatura media menor que la estatura media actual.
3. H_0: $\mu = 69.1$. H_1: $\mu < 69.1$. Estadístico de prueba: $t = -3.690$. Valor crítico: $t = -1.833$. Valor $P < 0.005$ (con herramienta tecnológica: 0.0025). Existe suficiente evidencia para sustentar la afirmación de que las estaturas de los hombres de 1877 tienen una media menor que 69.1 pulgadas.
4. $64.4 \text{ in} < \mu < 68.0 \text{ in}$.
5. $-1.2 \text{ in} < \mu_1 - \mu_2 < 5.0 \text{ in}$ (con herramienta tecnológica: $-1.0 \text{ in} < \mu_1 - \mu_2 < 4.8 \text{ in}$). Los límites del intervalo de confianza no incluyen 0, lo que indica que las dos medias poblacionales podrían ser iguales; por lo tanto, no hay una diferencia significativa entre las dos medias poblacionales.
6. Los dos conjuntos de datos muestrales no están pareados, como se requiere, de manera que el valor del coeficiente de correlación lineal no tiene significado alguno en esta situación.
7. *a*) Un estadístico es una medición numérica que describe alguna característica de una *muestra*, pero un parámetro es una medición numérica que describe alguna característica de una *población*.

b) Una muestra aleatoria simple es aquella que se elige de manera que cualquier muestra posible del mismo tamaño tiene la misma probabilidad de ser elegida.

c) Una muestra de respuesta voluntaria es aquella en la que los propios sujetos deciden ser incluidos. Los resultados de este tipo de muestras suelen ser inadecuados, ya que las personas con más interés en el tema son las más proclives a responder, lo que da como resultado una muestra que no es representativa de la población.

8. Sí. Existen diferentes explicaciones posibles, incluyendo las siguientes: 40 está a más de dos desviaciones estándar de la media; solo el 0.26% de los valores del IMC son de 40 o mayores; 40 se convierte en una puntuación z de 2.8, lo que indica que se encuentra a 2.8 desviaciones estándar por arriba de la media.
9. *a*) 0.3446
   b) 0.0548
10. 0.000207. Como la probabilidad de obtener cuatro sujetos con ojos verdes es tan baja, es probable que el investigador no haya elegido a los sujetos de manera aleatoria.

Respuestas del capítulo 11

Sección 11-2

1. Los dígitos aleatorios deben ser igualmente probables, de manera que la distribución es uniforme. La prueba de bondad de ajuste es una prueba de hipótesis de que los datos muestrales coinciden o se ajustan a la distribución uniforme, donde todos los dígitos son igualmente probables.
3. O representa las frecuencias observadas, que son 5, 8, 7, 9, 13, 17, 11, 10, 10, 12, 8, 10. E representa las frecuencias esperadas, y cada una de las doce frecuencias esperadas es de 10.
5. Valor crítico: $\chi^2 = 16.919$. Valor $P > 0.10$ (con herramienta tecnológica: 0.516). No existe suficiente evidencia para justificar el rechazo de la afirmación de que los resultados observados coinciden con las frecuencias esperadas. Parece que la máquina tragamonedas funciona tal como se esperaba.
7. Estadístico de prueba: $\chi^2 = 70.160$. Valor crítico: $\chi^2 = 7.815$. Valor $P < 0.005$ (con herramienta tecnológica: 0.000). Existe suficiente evidencia para justificar el rechazo de la afirmación de que las cuatro categorías son igualmente probables. Parece que los resultados apoyan la expectativa de que la frecuencia para la primera categoría es desproporcionadamente alta.
9. Estadístico de prueba: $\chi^2 = 6.320$. Valor crítico: $\chi^2 = 7.815$. Valor $P > 0.05$ (con herramienta tecnológica: 0.097). No existe suficiente evidencia para justificar el rechazo de la afirmación de que las cuatro categorías son igualmente probables. Los resultados no apoyan la expectativa de que la frecuencia para la primera categoría es desproporcionadamente alta.
11. Estadístico de prueba: $\chi^2 = 5.860$. Valor crítico: $\chi^2 = 11.071$. (Con herramienta tecnológica: valor $P = 0.3201$). No existe suficiente evidencia para sustentar la afirmación de que los resultados no son igualmente probables. Parece que los resultados son igualmente probables, de manera que no parece que el dado cargado se comporte de forma diferente a un dado legal.
13. Estadístico de prueba: $\chi^2 = 13.193$. Valor crítico: $\chi^2 = 16.919$. Valor $P > 0.10$ (con herramienta tecnológica: 0.154). No existe suficiente evidencia para justificar el rechazo de la afirmación de que la probabilidad de ganar es la misma para los diferentes puestos de salida. Con base en esos resultados, no se deben tomar en cuenta los puestos de salida al apostar en las carreras del Derby de Kentucky.
15. Estadístico de prueba: $\chi^2 = 1159.820$. Valor crítico: $\chi^2 = 19.675$. Valor $P < 0.005$ (con herramienta tecnológica: 0.000). Existe suficiente evidencia para justificar el rechazo de la afirmación de que el avistamiento de OVNIS ocurre con la misma frecuencia en meses diferentes. Julio y agosto tienen las frecuencias más altas, y estos meses de verano las personas están al aire libre más tiempo que durante otros meses.
17. Estadístico de prueba: $\chi^2 = 15.822$. Valor crítico: $\chi^2 = 7.815$. Valor $P < 0.005$ (con herramienta tecnológica: 0.001). Existe suficiente evidencia para justificar el rechazo de la afirmación de que las frecuencias observadas coinciden con las proporciones que se esperaban según los principios de la genética.
19. Estadístico de prueba: $\chi^2 = 6.682$. Valor crítico: $\chi^2 = 11.071$ (suponiendo un nivel de significancia de 0.05). Valor $P > 0.10$ (con herramienta tecnológica: 0.245). No existe suficiente evidencia para justificar el rechazo de la afirmación de que la distribución del color sea como se afirmó.
21. Estadístico de prueba: $\chi^2 = 3650.251$. Valor crítico: $\chi^2 = 20.090$. Valor $P < 0.005$ (con herramienta tecnológica: 0.000). Existe suficiente evidencia para justificar el rechazo de la afirmación de que los primeros dígitos provienen de una población con una distribución que se ajusta a la ley de Benford. Parece que los cheques son el resultado de un fraude.
23. Estadístico de prueba: $\chi^2 = 49.689$. Valor crítico: $\chi^2 = 20.090$. Valor $P < 0.005$ (con herramienta tecnológica: 0.000). Existe suficiente evidencia para justificar el rechazo de la afirmación de que los primeros dígitos provienen de una población con una distribución que se ajusta a la ley de Benford. Parece que los montos de las aportaciones no son legítimos.
25. El estadístico de prueba cambia de 11.250 a 247.280. (Con herramienta tecnológica: el valor P cambia de 0.259 a 0.000). El efecto del valor atípico es drástico.

Sección 11-3

1. Valor $P = 0.0000000000173$. Como el valor P es muy bajo, debemos rechazar la afirmación de que contraer poliomielitis paralítica es independiente de si el niño fue tratado con la vacuna de Salk o recibió un placebo. Parece que la vacuna de Salk es eficaz.
3. El valor P de 0.0000000000173 es la probabilidad de obtener resultados muestrales al menos tan extremos como los que se presentan en la tabla de contingencia, suponiendo que contraer poliomielitis paralítica es independiente de si el niño fue tratado con la vacuna de Salk o recibió un placebo.
5. No rechace la hipótesis nula de que los triunfos del equipo local y del equipo visitante son independientes del deporte. Parece que la ventaja de jugar como local no depende del deporte.
7. Estadístico de prueba: $\chi^2 = 2.235$. Valor crítico: $\chi^2 = 3.841$. Valor $P > 0.10$ (con tecnología: 0.135). No existe suficiente evidencia para justificar el rechazo de la afirmación de independencia entre el éxito en los cuestionamientos y el género del jugador. Ninguno de los géneros parece tener más éxito.
9. Estadístico de prueba: $\chi^2 = 25.571$. Valor crítico: $\chi^2 = 3.841$. Valor $P < 0.005$ (con herramienta tecnológica: 0.000). Existe suficiente evidencia para justificar el rechazo de la afirmación de que el hecho de que un sujeto mienta es independiente de la indicación en la prueba del polígrafo. Los resultados sugieren que los polígrafos son eficaces al distinguir entre verdades y mentiras, pero existen muchos falsos positivos y falsos negativos, por lo que no son muy confiables.
11. Estadístico de prueba: $\chi^2 = 0.751$. Valor crítico: $\chi^2 = 3.841$. Valor $P > 0.10$ (con herramienta tecnológica: 0.386). No existe suficiente evidencia para justificar el rechazo de la afirmación de independencia entre el tipo de restauración y situaciones adversas de salud. Parece que la restauración de amalgamas no afecta las condiciones de salud.
13. Estadístico de prueba: $\chi^2 = 42.557$. Valor crítico: $\chi^2 = 3.841$. Valor $P < 0.005$ (con herramienta tecnológica: 0.000). Existe suficiente evidencia para justificar el rechazo de la afirmación de que la sentencia es independiente de la declaración. Los resultados animan a los acusados a declararse culpables.
15. Estadístico de prueba: $\chi^2 = 9.750$. Valor crítico: $\chi^2 = 6.635$. Valor $P < 0.005$ (con herramienta tecnológica: 0.002). Existe suficiente evidencia para justificar el rechazo de la afirmación de que el éxito es independiente del tipo de tratamiento. Los resultados sugieren que el tratamiento con cirugía es mejor.

17. Estadístico de prueba: $\chi^2 = 0.792$. Valor crítico: $\chi^2 = 5.991$. Valor $P > 0.10$ (con herramienta tecnológica: 0.673). No existe suficiente evidencia para justificar el rechazo de la afirmación de que el género del participante es independiente de la opción elegida como causa del calentamiento global. Parece que los hombres y las mujeres en general coinciden.
19. Estadístico de prueba: $\chi^2 = 42.568$. Valor crítico: $\chi^2 = 9.210$. Valor $P < 0.005$ (con herramienta tecnológica: 0.000). Existe suficiente evidencia para justificar el rechazo de la afirmación de que la experimentación de una reacción adversa en el aparato digestivo es independiente del grupo de tratamiento. Parece que los tratamientos con Campral están asociados con una disminución en los efectos adversos sobre el aparato digestivo.
21. Estadístico de prueba: $\chi^2 = 0.773$. Valor crítico: $\chi^2 = 7.815$. Valor $P > 0.10$ (con herramienta tecnológica: 0.856). No existe suficiente evidencia para justificar el rechazo de la afirmación de que contraer una infección es independiente del tratamiento. Parece que el tratamiento con atorvastatina no tiene un efecto sobre las infecciones.
23. Estadístico de prueba: $\chi^2 = 51.458$. Valor crítico: $\chi^2 = 6.635$. Valor $P < 0.005$ (con herramienta tecnológica: 0.000). Existe suficiente evidencia para justificar el rechazo de la afirmación de que la proporción de respuestas de acuerdo/en desacuerdo son iguales para los sujetos entrevistados por hombres y para los sujetos entrevistados por mujeres. Parece que el género del entrevistador afectó las respuestas de las mujeres.
25. Estadísticos de prueba: $\chi^2 = 00.000$ y $z = 1.494845462$, de modo que $z^2 = \chi^2$. Valores críticos: $\chi^2 = 3.841$ y $z = \pm 1.96$, de manera que $z^2 = \chi^2$ (aproximadamente).

Sección 11-4

1. Ninguno de los formatos parece ser mejor. Considerando los resultados de los casos discordantes, observamos que las frecuencias de 31 y 33 son muy cercanas, lo que indica que los estudiantes tuvieron un desempeño muy similar con ambos formatos.
3. Cuando tratamos de determinar si existe una *diferencia* significativa entre los dos formatos diferentes, no son útiles los sujetos que tienen los mismos resultados en los dos formatos, como en los casos de dominio/dominio y sin dominio/sin dominio. Es posible detectar una diferencia al analizar los casos donde uno de los formatos dio un resultado de dominio y el otro formato no, como en los pares discordantes.
5. 1017
7. 652
9. *b*, *c*
11. 6.635
13. Estadístico de prueba: $\chi^2 = 0{,}237$. Valor crítico: $\chi^2 = 3{,}841$. Valor $P > 0.10$ (con herramienta tecnológica: 0.626). No existe suficiente evidencia para justificar el rechazo de la afirmación de que las siguientes dos proporciones son iguales: 1. La proporción de sujetos sin fractura en la cadera protegida, y con fractura en la cadera no protegida; 2. la proporción de sujetos con fractura en la cadera protegida y sin fractura en la cadera no protegida. Parece que los protectores no son eficaces.
15. Estadístico de prueba: $\chi^2 = 2{,}382$. Valor crítico: $\chi^2 = 3{,}841$. (Con herramienta tecnológica: valor $P = 0.123$). No existe evidencia suficiente para justificar el rechazo de la hipótesis nula de que las siguientes dos proporciones son iguales: 1. La proporción de sujetos sin cura en el pie tratado con el fungicida y con cura en el pie tratado con un placebo; 2. la proporción de sujetos con cura en el pie tratado con el fungicida y sin cura en el pie tratado con un placebo. Parece que el tratamiento con el fungicida no es eficaz.
17. Estadístico de prueba: $\chi^2 = 6{,}750$. Valor crítico: $\chi^2 = 3{,}841$ (suponiendo un nivel de significancia de 0.05). (Con herramienta tecnológica: valor $P = 0.009$). Rechace la hipótesis nula de que las siguientes dos proporciones son iguales: 1. La proporción de tumores con determinación incorrecta de la etapa con IRM y determinación correcta de la etapa con TEP/TC; 2. la proporción de tumores con determinación correcta de la etapa con IRM y determinación incorrecta de la etapa con TEP/TC. Parece que la tecnología TEP/TC es más precisa.
19. El estadístico de prueba sin corrección es 11.267. El valor sin corrección es mayor que el valor corregido de 9.600. La conclusión es la misma en este caso. Podría haber casos en que el estadístico de prueba sin corrección conduzca al rechazo de la hipótesis nula y el estadístico de prueba corregido no.
21. Cuando se redondea a tres posiciones decimales, se obtiene el mismo valor P de 0.289. Con un valor P de 0.289, no rechace la hipótesis nula de que las siguientes dos proporciones son iguales: 1. La proporción de sujetos con un pie curado al utilizar el tratamiento de Pedacream y el otro pie sin cura al utilizar el tratamiento de Fungacream; 2. la proporción de sujetos con un pie sin cura al utilizar el tratamiento de Pedacream y el otro pie curado al utilizar el tratamiento de Fungacream. Parece que no hay una diferencia significativa entre los dos tratamientos.

Conocimientos estadísticos y pensamiento crítico, capítulo 11

1. Los números son conteos de frecuencias para las seis categorías diferentes correspondientes a las seis celdillas de la tabla. Las categorías son náuseas con Celebrex, náuseas con Ibuprofeno, etcétera.
2. Los conteos de frecuencias se categorizan de acuerdo con dos variables diferentes: 1. Si el sujeto experimentó náuseas; 2. si el sujeto fue tratado con Celebrex, Ibuprofeno o un placebo.
3. No, solo podemos concluir que las náuseas están asociadas con el tratamiento, pero no podemos atribuir la causa de las náuseas al tratamiento.
4. Si suponemos que experimentar náuseas o no experimentarlas es independiente del tratamiento (Celebrex, Ibuprofeno, placebo), el número esperado de sujetos que sufren náuseas con el tratamiento de Celebrex es 160.490.

Examen rápido del capítulo 11

1. H_0: $p_1 = p_2 = p_3 = p_4 = p_5 = p_6 = p_7$. H_1: Al menos una de las proporciones es diferente de las demás.
2. Observadas: 40; esperadas: 30.857
3. $\chi^2 = 12.592$
4. No existe suficiente evidencia para justificar el rechazo de la afirmación de que los choques fatales por conducción en estado de ebriedad ocurren con igual frecuencia los diferentes días de la semana.
5. De cola derecha
6. Chi cuadrada
7. H_0: La respuesta es independiente de si la persona es empleado o jefe.
   H_1: La respuesta y el hecho de que la persona sea empleado o jefe son dependientes.
8. $\chi^2 = 3.841$

9. Existe suficiente evidencia para justificar el rechazo de la afirmación de que la respuesta es independiente de si la persona es empleado o jefe. Parece que la respuesta está asociada hasta cierto punto con el hecho de que la persona sea empleado o jefe.
10. No existe suficiente evidencia para justificar el rechazo de la afirmación de que la respuesta es independiente de si la persona es empleado o jefe. Parece que la respuesta y el hecho de que la persona sea empleado o jefe son independientes entre sí.

Ejercicios de repaso del capítulo 11

1. Estadístico de prueba: $\chi^2 = 9.294$. Valor crítico: $\chi^2 = 5.991$. Valor $P < 0.01$ (con herramienta tecnológica: 0.0096). Existe suficiente evidencia para justificar el rechazo de la afirmación de independencia entre el hecho de experimentar náuseas y el tipo de tratamiento. La reacción adversa de las náuseas no parece ser la misma para los diferentes tratamientos.
2. Estadístico de prueba: $\chi^2 = 36.366$. Valor crítico: $\chi^2 = 16.812$. Valor $P < 0.005$ (con herramienta tecnológica: 0.000). Existe suficiente evidencia para justificar el rechazo de la afirmación de que las muertes por relámpagos ocurren con la misma frecuencia los diferentes días de la semana. Parece que los domingos ocurren, de manera desproporcionada, más muertes por relámpagos, lo cual podría explicarse por el hecho de que muchas personas realizan actividades recreativas al aire libre los domingos.
3. Estadístico de prueba: $\chi^2 = 51.270$. Valor crítico: $\chi^2 = 9.488$. Valor $P < 0.005$ (con herramienta tecnológica: 0.000). Existe suficiente evidencia para justificar el rechazo de la afirmación de que los participantes se ajustan a la distribución de la población estadounidense. Si los participantes del estudio no son representativos de la población, los resultados podrían ser engañosos debido a que algunos grupos podrían tener tasas de cáncer diferentes de los demás, lo cual sesgaría los resultados.
4. Estadístico de prueba: $\chi^2 = 10.732$. Valor crítico: $\chi^2 = 3.841$. Valor $P < 0.005$ (con herramienta tecnológica: 0.001). Existe suficiente evidencia para justificar el rechazo de la afirmación de que el hecho de que un sujeto fume es independiente de que haya sido tratado con bupropión hidrocloruro o un placebo. Parece que el tratamiento con bupropión hidrocloruro es eficaz en el sentido de que es mejor que un placebo, pero no es muy eficaz porque muchos de los miembros del grupo de tratamiento continuaron fumando.
5. Estadístico de prueba: $\chi^2 = 16.264$. Valor crítico: $\chi^2 = 3.841$. Valor $P < 0.005$ (con herramienta tecnológica: 0.000). Existe suficiente evidencia para justificar el rechazo de la afirmación de que las dos proporciones dadas son iguales. Los resultados indican que al reportar la tos de los niños, existe un desacuerdo sustancial entre los niños y sus padres.

Ejercicios de repaso acumulativo del capítulo 11

1. *a*) Estudio observacional
   b) Discretos
   c) Estadísticos
   d) Las organizaciones que revelan los datos tienen un interés especial en el tema, y es probable que quienes realizaron la investigación hayan recibido influencia de ellos.
2. H_0: $p_1 = p_2$. H_1: $p_1 \neq p_2$. Estadístico de prueba: $z = -20.35$. Valores críticos: $z = \pm 1.96$. Valor P: 0.0002 (con herramienta tecnológica: 0.000). Rechace H_0. Existe suficiente evidencia para justificar el rechazo de la afirmación de que la proporción de hombres que se lavan las manos es igual a la proporción de mujeres que se lavan las manos. Hay una diferencia significativa entre hombres y mujeres.
3. Estadístico de prueba: $\chi^2 = 414.230$. Valor crítico: $\chi^2 = 3.841$. Valor $P < 0.005$ (con herramienta tecnológica: 0.000). Existe suficiente evidencia para justificar el rechazo de la afirmación de que el lavado de las manos es independiente del género. Parece que el hecho de que una persona se lave las manos está relacionado con su género.
4. Primera ronda: $\bar{x} = 71.2$, mediana: 71.5, rango = 8.0, $s = 3.2$. Cuarta ronda: $\bar{x} = 70.3$, mediana: 69.5, rango = 4.0, $s = 1.8$. Las puntuaciones de la cuarta ronda son ligeramente más bajas y más cercanas entre sí.
5. $r = -0.406$. Valores críticos: $r = \pm 0.811$. Valor $P = 0.425$. No existe evidencia suficiente para sustentar la afirmación de que hay una correlación lineal entre las puntuaciones de la primera ronda y las puntuaciones de la cuarta ronda.
6. $67.8 < \mu < 74.5$. Tenemos una confianza del 95% de que los límites de 67.8 y 74.5 contienen el valor verdadero de la puntuación media de la primera ronda de golf. Esto significa que si se repitiera la primera ronda en las mismas condiciones y se construyera el intervalo de confianza del 95% de las seis puntuaciones, el 95% de los intervalos de confianza incluirían la puntuación media verdadera de la población.
7. $0.828 < p < 0.932$. Puesto que un porcentaje tan alto de altos ejecutivos creen que una nota de agradecimiento es útil, sería inteligente enviar una nota de agradecimiento después de cada entrevista de trabajo.
8. H_0: $p = 0.75$. H_1: $p > 0.75$. Estadístico de prueba: $z = 3.68$. Valor crítico: $z = 2.33$. Valor P: 0.0001. Rechace H_0. Existe suficiente evidencia para sustentar la afirmación de que más del 75% de los altos ejecutivos creen que enviar una nota de agradecimiento después de una entrevista de trabajo aumenta las probabilidades del aspirante de ser contratado.
9. *a*) 0.2033 (con herramienta tecnológica: 0.2040)
   b) 0.0005
   c) El resultado del inciso *a*) es más relevante. Los diseñadores deben considerar la longitud del muslo de los hombres individuales que ocuparán la cabina; una cabina nunca será ocupada por un grupo de 16 hombres.
10. 0.677. No es inusual, ya que la probabilidad no es baja, como 0.05 o menor.

Respuestas del capítulo 12

Sección 12-2

1. *a*) Los datos están ordenados de acuerdo con la característica o el factor de la época.
   b) El término *análisis de varianza* se refiere al método que se utiliza para someter a prueba la igualdad de las tres medias. El método se basa en dos estimaciones diferentes de la varianza poblacional.
3. Debemos rechazar la hipótesis nula de que las tres épocas tienen la misma anchura media del cráneo. Existe suficiente evidencia para concluir que al menos una de las medias difiere de las otras.
5. Estadístico de prueba: $F = 9.4695$. El valor crítico de F es aproximadamente 3.3158 (con herramienta tecnológica: 3.2849). Valor P: 0.000562. Rechace H_0: $\mu_1 = \mu_2 = \mu_3$. Existe suficiente evidencia para justificar el rechazo de la afirmación de que los tres libros tienen la misma puntuación media de facilidad de lectura de Flesch.
7. Estadístico de prueba: $F = 0.3521$. Valor crítico: $F = 2.6626$. Valor P: 0.7877. No rechace H_0: $\mu_1 = \mu_2 = \mu_3 = \mu_4$. No existe suficiente evidencia para justificar el rechazo de la afirmación de que la pérdida media de peso es la misma para todas las dietas. Parece que las dietas no son muy eficaces.

9. Estadístico de prueba: $F = 5.313$. El valor crítico de F es aproximadamente 3.0718 (con herramienta tecnológica: 3.0738). Valor P: 0.010. Rechace H_0: $\mu_1 = \mu_2 = \mu_3$. Existe suficiente evidencia para justificar el rechazo de la afirmación de que las películas con clasificaciones PG, PG-13 y R tienen la misma ganancia media.
11. Estadístico de prueba: $F = 0.3974$. Valor crítico: $F = 3.3541$. Valor P: 0.6759. No rechace H_0: $\mu_1 = \mu_2 = \mu_3$. No existe suficiente evidencia para justificar el rechazo de la afirmación de que las diferentes categorías de automóviles tienen la misma media. Estos datos no sugieren que los automóviles más grandes sean más seguros.
13. Estadístico de prueba: $F = 27.2488$. Valor crítico: $F = 3.8853$. Valor P: 0.0000. Rechace H_0: $\mu_1 = \mu_2 = \mu_3$. Existe suficiente evidencia para justificar el rechazo de la afirmación de que las tres millas diferentes tienen el mismo tiempo medio. Los datos sugieren que la tercera milla toma más tiempo, y una explicación razonable es que la tercera vuelta incluye una pendiente.
15. Estadístico de prueba: $F = 18.9931$. El valor crítico de F es aproximadamente 3.1504 (con herramienta tecnológica: 3.1239). Valor P: 0.0000. Rechace H_0: $\mu_1 = \mu_2 = \mu_3$. Existe suficiente evidencia para justificar el rechazo de la afirmación de que los tres tipos diferentes de cigarrillos tienen la misma cantidad media de nicotina. Puesto que los cigarrillos tamaño grande tienen la media más grande de 1.26 mg por cigarrillo, en comparación con las otras medias de 0.87 mg y 0.92 mg por cigarrillo, parece que los filtros marcan una diferencia (aunque esta conclusión no está justificada por los resultados del análisis de varianza).
17. Los resultados de la prueba de Tukey indican que la media de todos los automóviles compactos difiere significativamente de la media de los automóviles grandes. Se concluye lo mismo que con los resultados de la prueba de Bonferroni.

Sección 12-3

1. Los datos se clasificaron utilizando las *dos* variables diferentes del género y el grupo de edad.
3. Como cada celda contiene el mismo número de valores muestrales (cinco), se trata de un diseño balanceado.
5. Estadístico de prueba: $F = 0.24$. Valor P: 0.625. No rechace la hipótesis nula de la ausencia de un efecto de interacción. No existe evidencia suficiente para justificar el rechazo de la afirmación de que las estaturas no se ven afectadas por una interacción entre el género y el grupo de edad. Parece que no hay un efecto de interacción entre el género y el grupo de edad.
7. Estadístico de prueba: $F = 2.95$. Valor P: 0.091. No rechace la hipótesis nula de la ausencia de un efecto del grupo de edad. No existe suficiente evidencia para sustentar la afirmación de que el grupo de edad (menos de 30 años, más de 30 años) tenga un efecto sobre la estatura.
9. Estadístico de prueba: $F = 2.25$. Valor P: 0.159. No rechace la hipótesis nula de la ausencia de un efecto de acuerdo al tipo de automóvil. No existe suficiente evidencia para sustentar la afirmación de que el hecho de que el automóvil sea extranjero o nacional tenga un efecto sobre las mediciones de las lesiones en la cabeza.
11. Estadístico de prueba: $F = 3.73$. Valor P: 0.0291. Rechace la hipótesis nula de ausencia de un efecto de interacción. Existe suficiente evidencia para justificar el rechazo de la afirmación de que las mediciones de la autoestima no se ven afectadas por una interacción entre la autoestima del sujeto y de la otra persona. Al parecer, hay un efecto de interacción entre la autoestima del sujeto y la percepción de la autoestima de la otra persona.
13. Estadístico de prueba: $F = 1.5824$. Valor P: 0.2132. No rechace la hipótesis nula de ausencia de un efecto de la autoestima del sujeto. No existe suficiente evidencia para sustentar la afirmación de que la autoestima del sujeto (baja, media, alta) tenga un efecto sobre las mediciones de la autoestima.
15. Para la interacción, el estadístico de prueba es $F = 41.38$ y el valor P es 0.000, de manera que hay un efecto de interacción significativo. Parece que la calificación se ve afectada por una interacción entre el uso del ingrediente adicional y la cantidad de suero de leche.
17. Factor de renglón: el estadístico de prueba es $F = 0.10$ y el valor $P = 0.771$, de manera que no rechace la hipótesis nula de la ausencia de un efecto del factor de renglón del ingrediente adicional; no existe suficiente evidencia para sustentar la afirmación de que las calificaciones se ven afectadas por el uso del ingrediente adicional. Factor de columna: el estadístico de prueba es $F = 1.23$ y el valor $P = 0.434$, de manera que no rechace la hipótesis nula de la ausencia de un efecto del factor de columna de la cantidad de suero de leche; no existe suficiente evidencia para sustentar la afirmación de que las calificaciones se ven afectadas por la cantidad de suero de leche.

Conocimientos estadísticos y pensamiento crítico, capítulo 12

1. Como las dos muestras provienen de la misma fuente y en el mismo momento, no son independientes. No se debe utilizar el análisis de varianza de un factor porque tiene un estricto requisito de conjuntos de datos independientes.
2. El análisis de varianza de un factor se utiliza con datos muestrales ordenados según un factor, pero el análisis de varianza de dos factores se utiliza con datos muestrales clasificados según dos factores diferentes.
3. No, porque las clasificaciones de PG, PG-13 y R de la MPAA son datos cualitativos, pero los métodos del análisis de varianza de un factor y del análisis de varianza de dos factores requieren de datos cuantitativos.
4. El uso de los automóviles menos costosos podría dar fácilmente como resultado muestras sesgadas consistentes en automóviles que incluyen menos características de seguridad y que no están tan bien construidos, y este tipo de muestras sesgadas no se deberían utilizar para hacer inferencias acerca de todos los automóviles.

Examen rápido del capítulo 12

1. Para someter a prueba la hipótesis nula de que tres o más muestras provienen de poblaciones con medias iguales.
2. De cola derecha
3. Valores P más pequeños
4. $F = 8.98$
5. Existe suficiente evidencia para rechazar la hipótesis nula de que las tres poblaciones de puntuaciones medidas del nivel de lectura tienen medias iguales.
6. Parece que al menos uno de los libros tiene una puntuación media poblacional del nivel de lectura que difiere de las otras medias poblacionales.
7. Con un análisis de varianza de un factor, las diferentes muestras se ordenan según un solo factor, pero con un análisis de varianza de dos factores, los datos muestrales se ordenan en celdas diferentes, determinadas por dos factores diferentes.
8. No rechace la hipótesis nula de ausencia de interacción. Parece que no hay un efecto debido a la interacción entre el género y el área de estudios.

9. No existe suficiente evidencia para sustentar la afirmación de que las estimaciones de largo del salón se vean afectadas por el género de los sujetos.
10. No existe suficiente evidencia para sustentar la afirmación de que las estimaciones de largo del salón se vean afectadas por el área de estudios de los alumnos.

Ejercicios de repaso del capítulo 12

1. *a)* Una (tipo de dieta)
   b) Análisis de varianza de un factor
   c) Dado que el valor P es alto, parece que las cuatro muestras tienen medias que no difieren en cantidades significativas. Parece que las medias de las edades de los cuatro grupos de tratamiento son muy similares.
   d) Un valor P muy pequeño indicaría que al menos uno de los grupos de tratamiento tiene una edad media que difiere significativamente de las otras, por lo que no sabríamos si las diferencias entre los tratamientos se deben a las dietas o a las diferencias en la edad. Un valor P pequeño socavaría la eficacia del experimento.
2. Estadístico de prueba: $F = 54.70$. Valor P: 0.000. Rechace H_0: $\mu_1 = \mu_2 = \mu_3$. Existe suficiente evidencia para justificar el rechazo de la afirmación de que las diferentes categorías de automóviles tienen el mismo peso medio. Como las medias muestrales son 3095.0 libras (4 cilindros), 3835.0 libras (seis cilindros) y 4159.3 (ocho cilindros), parece que los automóviles con más cilindros pesan más.
3. Estadístico de prueba: $F = 0.37$. Valor P: 0.698. No rechace la hipótesis nula de ausencia de efecto de interacción. No existe evidencia suficiente para justificar el rechazo de la afirmación de que las cargas sobre el fémur izquierdo no estén afectadas por una interacción entre el tipo de automóvil (extranjero, nacional) y su tamaño (compacto, mediano, grande). Parece que no hay un efecto de interacción.
4. Estadístico de prueba: $F = 1.82$. Valor P: 0.202. No rechace la hipótesis nula de la ausencia de un efecto de tipo de automóvil. No existe suficiente evidencia para sustentar la afirmación de que el hecho de que el automóvil sea extranjero o nacional tenga un efecto sobre las mediciones de las cargas sobre el fémur izquierdo.
5. Estadístico de prueba: $F = 0.48$. Valor P: 0.632. No rechace la hipótesis nula de la ausencia de un efecto del tamaño del automóvil. No existe suficiente evidencia para sustentar la afirmación de que el hecho de que el automóvil sea compacto, mediano o grande tenga un efecto sobre las mediciones de las cargas sobre el fémur izquierdo.
6. Estadístico de prueba: $F = 0.5010$. El valor crítico de F es aproximadamente 3.1504 (con herramienta tecnológica: 3.1239). Valor P: 0.6080. No rechace H_0: $\mu_1 = \mu_2 = \mu_3$. No existe suficiente evidencia para justificar el rechazo de la afirmación de que los tres tipos diferentes de cigarrillos tienen la misma cantidad media de monóxido de carbono. Parece que los filtros no marcan una diferencia en la cantidad de monóxido de carbono.
7. Para la interacción, el estadístico de prueba es $F = 0.8733$ y el valor P es 0.3685, de manera que no hay un efecto significativo de interacción. Para el género, el estadístico de prueba es $F = 0.0178$ y el valor P es 0.8960, de manera que no hay un efecto significativo del género. Para la variable del tabaquismo, el estadístico de prueba es $F = 3.0119$ y el valor P es 0.1082, de manera que no hay un efecto significativo del tabaquismo.
8. Estadístico de prueba: $F = 3.1095$. Valor P: 0.0506. Con un nivel de significancia de 0.05, no rechace H_0: $\mu_1 = \mu_2 = \mu_3$. No existe suficiente evidencia para justificar el rechazo de la afirmación de que los tres grupos tienen la misma longevidad media. Parece que los tiempos de supervivencia tienen medias iguales.

Ejercicios de repaso acumulativo del capítulo 12

1. *a)* 15.5, 13.1, 22.7
   b) 9.7, 9.0, 18.6
2. Estadístico de prueba: $t = -1.383$. Valores críticos: $t = \pm 2.160$ (suponiendo un nivel de significancia de 0.05). (Con herramienta tecnológica: valor $P = 0.1860$). No rechace H_0: $\mu_1 = \mu_2 = \mu_3$. No existe suficiente evidencia para sustentar la afirmación de que hay una diferencia entre las medias de los dos grupos.
3. Normal, porque el histograma se aproxima a una forma de campana.
4. 12.3 años $< \mu <$ 18.7 años
5. *a)* De intervalo
   b) Continuos
   c) 97.8°F
   d) 98.00°F
   e) 2.40°F
   f) 0.71°F
   g) 0.50 grados^2
6.

Calificación	Frecuencia
1.0-1.9	1
2.0-2.9	4
3.0-3.9	0
4.0-4.9	1
5.0-5.9	4
6.0-6.9	9
7.0-7.9	9
8.0-8.9	7

7. No, la forma del histograma no se acerca de manera razonable a la forma de campana de una distribución normal.

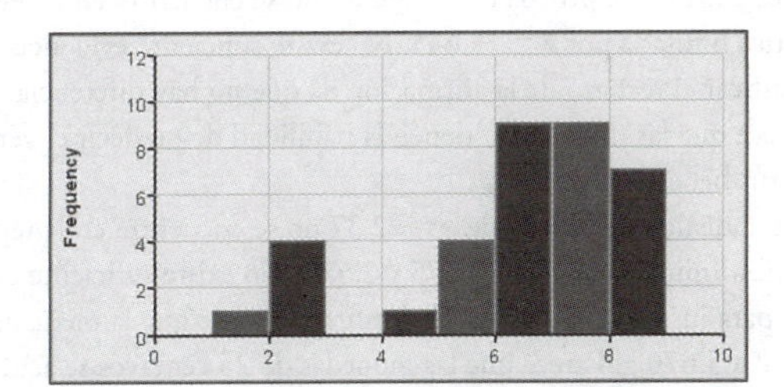

8. Las medias muestrales de 6.63, 6.43 y 6.18 no parecen ser muy diferentes. Prueba de análisis de varianza: El estadístico de prueba es $F = 0.0886$ y el valor P es 0.915, de manera que no rechazamos H_0: $\mu_1 = \mu_2 = \mu_3$ y concluimos que no existe suficiente evidencia para justificar el rechazo de la afirmación de que las películas con clasificaciones PG, PG-13 y R tengan la misma calificación media de los espectadores.
9. *a)* $r = 0.603$. Valores críticos: $r = \pm 0.878$ (suponiendo un nivel de significancia de 0.05). Valor P: 0.282. No existe suficiente evidencia para sustentar la afirmación de que hay una correlación lineal entre las cantidades de papel y plástico desechados.
   b) $\hat{y} = -2.17 + 0.405x$
   c) No. Como no hay una correlación lineal entre las cantidades de papel y plástico desechados, la recta de regresión no se ajusta suficientemente bien a los datos.
10. Estadístico de prueba: $\chi^2 = 2.909$. Valor crítico: $\chi^2 = 5.991$. Valor $P > 0.10$ (con herramienta tecnológica: 0.2335). No existe suficiente evidencia para justificar el rechazo de la afirmación de independencia entre la categoría de la lesión y si el arma es una pistola, un rifle o una escopeta.

Respuestas del capítulo 13

Sección 13-2

1. La prueba del signo no requiere que los datos muestrales provengan de una población con una distribución en particular.
3. La hipótesis alternativa sostiene que la proporción de niñas es mayor que 0.5, pero la proporción muestral de niñas es 39/211, que es menor que 0.5. La prueba no es necesaria porque no hay forma de que una proporción muestral de 39/211 (o 0.185) sustente la afirmación de que la proporción poblacional es mayor que 0.5.
5. El estadístico de prueba de $x = 1$ es menor que o igual al valor crítico de 2. Existe suficiente evidencia para justificar el rechazo de la afirmación de que no hay diferencia. Parece que sí hay una diferencia.
7. El estadístico de prueba $z = -0.48$ no se encuentra en la región crítica limitada por $z = -1.96$ y 1.96. No existe suficiente evidencia para justificar el rechazo de la afirmación de que no hay diferencia. Parece que no hay una diferencia.
9. El estadístico de prueba de $x = 2$ es menor que o igual al valor crítico de 3. Existe suficiente evidencia para rechazar la afirmación de que no hay diferencia. Con base en los datos muestrales, parece que en la entrega de los premios existe una diferencia entre la edad de la mejor actriz y la del mejor actor.
11. El estadístico de prueba de $x = 3$ no es menor o igual al valor crítico de 1. No existe suficiente evidencia para rechazar la afirmación de que no hay diferencia. No existe evidencia suficiente para sustentar la afirmación de que el tiempo que se exhibe el consumo de alcohol es menor que el tiempo en que se exhibe el consumo de tabaco.
13. El estadístico de prueba de $z = -9.09$ se encuentra en la región crítica limitada por $z = -2.33$. Existe suficiente evidencia para justificar el rechazo de la afirmación de que no hay diferencia. Parece que el método YSORT es eficaz al aumentar la probabilidad de que nazca un niño.
15. El estadístico de prueba de $z = -0.88$ no se encuentra en la región crítica limitada por $z = -1.645$. No existe suficiente evidencia para justificar el rechazo de la afirmación de que no hay diferencia. Parece que las mujeres no tienen la habilidad de predecir el género de sus bebés.
17. El estadístico de prueba de $z = -2.37$ no se encuentra en la región crítica limitada por $z = -2.575$ y 2.575. No existe suficiente evidencia para justificar el rechazo de la afirmación de que la mediana es igual a 5.670 g. Parece que las monedas de 25 centavos se acuñaron de acuerdo con las especificaciones.
19. El estadístico de prueba de $z = -5.32$ se encuentra en la región crítica limitada por $z = -1.96$ y 1.96. Existe suficiente evidencia para justificar el rechazo de la afirmación de que la cantidad mediana de Coca-Cola es igual a 12 onzas. Los consumidores no sufrieron engaño porque, por lo general, reciben más de 12 onzas de Coca-Cola y no menos.
21. Segundo método: El estadístico de prueba de $z = -4.29$ se encuentra en la región crítica limitada por $z = -1.645$, de manera que se plantean las mismas conclusiones que en el ejemplo 4. Tercer método: El estadístico de prueba de $z = -2.82$ se encuentra en la región crítica limitada por $z = -1.645$, de manera que se plantean las mismas conclusiones que en el ejemplo 4. Los distintos métodos pueden conducir a resultados muy diferentes; observe los estadísticos de prueba de -4.61, -4.29, -2.82. En este caso, las conclusiones son las mismas, pero en otros casos podrían ser diferentes.

Sección 13-3

1. La prueba del signo convierte los datos muestrales en signos positivos y negativos, mientras que la prueba de rangos con signo de Wilcoxon utiliza rangos, de manera que en ocasiones conducen a conclusiones diferentes. Como la prueba de rangos con signo de Wilcoxon utiliza más información acerca de los datos, es probable que produzca mejores resultados.
3. $n = 10$. El valor crítico es $T = 8$.
5. Estadístico de prueba: $T = 1.5$. Valor crítico: $T = 1$. No rechace la hipótesis nula de que la población de las diferencias tiene una mediana de 0. Con base en los datos muestrales, parece que cuando un viernes cae en día 13, el número de admisiones hospitalarias no se ve afectado.
7. Estadístico de prueba: $T = 3$. Valor crítico: $T = 25$. Rechace la hipótesis nula de que la población de las diferencias tiene una mediana de 0. Con base en los datos muestrales, parece que cuando se entregan los premios, hay una diferencia entre la edad de la mejor actriz y la del mejor actor. Rechace la hipótesis nula de que la población de las diferencias tiene una mediana de 0. Con base en los datos muestrales, parece que cuando se entregan los premios, hay una diferencia entre la edad de la mejor actriz y la del mejor actor.
9. Estadístico de prueba: $T = 13.5$. Valor crítico: $T = 8$. No rechace la hipótesis nula de que la población de las diferencias tiene una mediana de 0. No existe suficiente evidencia para sustentar la afirmación de que el tiempo que se exhibe el consumo de alcohol es menor que el tiempo en que se exhibe el consumo de tabaco.
11. $T = 196$ se convierte en el estadístico de prueba $z = -2.88$. Valores críticos: $z = \pm 2.575$ (con herramienta tecnológica: valor $P = 0.004$). Existe suficiente evidencia para justificar el rechazo de la afirmación de que la mediana es igual a 5.670 g. Al parecer, las monedas de 25 centavos no se acuñaron de acuerdo con las especificaciones.
13. $T = 15.5$ se convierte en el estadístico de prueba $z = -4.82$. Valores críticos: $z = \pm 1.96$ (con herramienta tecnológica: valor $P = 0.000$). Existe suficiente evidencia para justificar el rechazo de la afirmación de que la cantidad mediana de Coca-Cola es igual a 12 onzas. Los consumidores no sufrieron engaño porque, por lo general, obtienen más de 12 onzas de Coca-Cola y no menos.
15. *a)* 975
    b) $\frac{n(n+1)}{2} - k$

Sección 13-4

1. Como las muestras son pequeñas y se obtuvieron de poblaciones que no tienen distribuciones normales, no se debe utilizar la prueba *t* paramétrica.
3. *a)* 500.5
   b) No, estamos sometiendo a prueba la hipótesis nula de que las dos poblaciones tienen la misma mediana, lo que no está especificado.
5. $R_1 = 692$, $R_2 = 739$, $\mu_R = 621$, $\sigma_R = 55.723$, estadístico de prueba: $z = 1.27$. Valores críticos: $z = \pm 1.96$. (Con herramienta tecnológica: valor $P = 0.2026$). No rechace la hipótesis nula de que las poblaciones tienen medianas iguales.
7. $R_1 = 416$, $R_2 = 325$, $\mu_R = 468$, $\sigma_R = 33.045$, estadístico de prueba: $z = -1.57$. Valores críticos: $z = \pm 1.96$. (Con herramienta tecnológica: valor $P = 0.1156$). No rechace la hipótesis nula de que las poblaciones tienen medianas iguales.
9. $R_1 = 863$, $R_2 = 412$, $\mu_R = 637.5$, $\sigma_R = 51.539$, estadístico de prueba: $z = 4.38$. Valor crítico: $z = 2.33$. (Con herramienta tecnológica: valor $P = 0.0000$). Rechace la hipótesis nula de que las poblaciones tienen medianas iguales. Existe suficiente evidencia para sustentar la afirmación de que los cigarrillos tamaño grande sin filtro tienen una cantidad mediana de nicotina que es mayor

que la cantidad mediana de nicotina en los cigarrillos de 100 mm con filtro.

11. $R_1 = 487.5$, $R_2 = 142.5$, $\mu_R = 414$, $\sigma_R = 28.775$, estadístico de prueba: $z = 2.55$. Valor crítico: $z = 1.645$. (Con herramienta tecnológica: valor $P = 0.0053$). Rechace la hipótesis nula de que las poblaciones tienen medianas iguales. Existe suficiente evidencia para sustentar la afirmación de que las películas con clasificación PG o PG-13 tienen una ganancia mediana mayor que las películas con clasificación R.
13. $z = -0.63$. El estadístico de prueba es el mismo valor, pero con el signo opuesto.

Sección 13-5

1. Como los valores de cada muestra no corresponden de ninguna forma a los valores de las otras muestras, las muestras son independientes.
3. $1 + 4 + 6 + 7.5 + 7.5 + 10 + 12 + 21.5 + 21.5 = 91$
5. Estadístico de prueba: $H = 6.6305$. Valor crítico: $\chi^2 = 5.991$. (Con herramienta tecnológica: valor $P = 0.0363$). Rechace la hipótesis nula de medianas iguales. Los datos sugieren mestizaje.
7. Estadístico de prueba: $H = 1.2239$. Valor crítico: $\chi^2 = 5.991$. (Con herramienta tecnológica: valor $P = 0.5423$). No rechace la hipótesis nula de medianas iguales. Los datos disponibles no proporcionan evidencia suficiente que sugiera que los automóviles más grandes sean más seguros.
9. Estadístico de prueba: $H = 20.9247$. Valor crítico: $\chi^2 = 5.991$. (Con herramienta tecnológica: valor $P = 0.000$). Rechace la hipótesis nula de medianas iguales. Parece que los automóviles con más cilindros producen mayores cantidades de gases de invernadero.
11. Estadístico de prueba: $H = 27.9098$. Valor crítico: $\chi^2 = 5.991$. (Con herramienta tecnológica: valor $P = 0.000$). Rechace la hipótesis nula de medianas iguales. Existe suficiente evidencia para justificar el rechazo de la afirmación de que los tres tipos diferentes de cigarrillos tienen la misma cantidad mediana de nicotina. Parece que el filtro marca una diferencia.
13. La H corregida es 5.835 (utilizando $\Sigma T = 282$ y $N = 30$), que no difiere mucho de la H sin corregir de 5.774.

Sección 13-6

1. No se deben utilizar los métodos de la sección 10-3 para hacer predicciones. La ecuación de regresión se basa en una correlación *lineal* entre las dos variables, pero los métodos de esta sección no requieren de una relación lineal. Dichos métodos podrían sugerir que existe una correlación con datos pareados asociados por alguna relación no lineal, de manera que la ecuación de regresión no sería un método adecuado para realizar predicciones.
3. El símbolo r_s se utiliza para representar el coeficiente de correlación de rangos calculado a partir de datos muestrales, y el símbolo ρ_s representa el coeficiente de correlación de rangos de los datos pareados para toda la población. El subíndice s se utiliza para que el coeficiente de correlación de rangos pueda distinguirse del coeficiente de correlación lineal r. El subíndice no representa la desviación estándar s, sino que se utiliza en honor de Charles Spearman, quien introdujo el método de correlación de rangos.
5. $r_s = 1$. Los valores críticos son -0.886 y 0.886. Rechace la hipótesis nula de $\rho_s = 0$. Existe suficiente evidencia para sustentar la afirmación de una correlación entre la distancia y el tiempo.
7. *a)* ± 0.521
   b) ± 0.521
   c) ± 0.197
   d) ± 0.322
9. $r_s = -0.929$. Valores críticos: -0.786, 0.786. Rechace la hipótesis nula de $\rho_s = 0$. Existe suficiente evidencia para sustentar la afirmación de una correlación entre los dos jueces. Un examen de los resultados indica que el primer juez y el tercero otorgan calificaciones opuestas.
11. $r_s = -0.007$. Valores críticos: -0.587, 0.587. No rechace la hipótesis nula de $\rho_s = 0$. No existe suficiente evidencia para sustentar la afirmación de una correlación entre el índice de condenas dictadas y el índice de reincidencia. Parece que los índices de condenas dictadas no están relacionados con los índices de reincidencia.
13. $r_s = 0.0664$. Valores críticos: -0.618, 0.618. Rechace la hipótesis nula de $\rho_s = 0$. Existe suficiente evidencia para sustentar la afirmación de una correlación entre las puntuaciones de calidad y el costo. Parece que una mayor calidad está asociada con un mayor costo, de manera que se puede esperar una mayor calidad al comprar un televisor LCD más costoso.
15. $r_s = 1$. Valores críticos: -0.886, 0.886. Rechace la hipótesis nula de $\rho_s = 0$. Existe suficiente evidencia para concluir que hay una relación entre la anchura de la cabeza de las focas a partir de fotografías y el peso de las focas.
17. $r_s = 0.231$. Valores críticos: -0.264, 0.264. No rechace la hipótesis nula de $\rho_s = 0$. No existe suficiente evidencia para concluir que hay una correlación entre el número de palabras pronunciadas por los hombres y por las mujeres que están en una relación de pareja.
19. Con base en la fórmula 10-1 para el caso de empates entre rangos, $r_s = 0.109$. Con base en la fórmula para el caso de que no hay empates entre rangos (aunque sí haya empates), $r_s = 0.385$. Existe una diferencia sustancial entre los dos resultados. El primer resultado es mejor porque es exacto (excepto por el redondeo), mientras que 0.385 no es exacto. Con un nivel de significancia de 0.05, los valores críticos son -0.274 y 0.274, de manera que los dos resultados conducen a conclusiones diferentes.

Sección 13-7

1. No. La prueba de rachas se puede utilizar para determinar si la secuencia de triunfos en la Serie Mundial para los equipos de la Liga Americana y los equipos de la Liga Nacional es aleatoria, pero la prueba de rachas no indica si la proporción de triunfos para la Liga Americana es significativamente mayor que 0.5.
3. No, tal vez haya otros problemas con el proceso de la selección de datos. Por ejemplo, una muestra de respuesta voluntaria podría parecer aleatoria, pero no sería adecuada para la mayoría de los propósitos estadísticos.
5. $n_1 = 9$, $n_2 = 7$, $G = 4$, valores críticos: 4, 14. Rechace la aleatoriedad. Existe suficiente evidencia para rechazar la afirmación de que el género de los ganadores más jóvenes ocurre por azar.
7. $n_1 = 19$, $n_2 = 14$, $G = 15$, valores críticos: 11, 23. No rechace la aleatoriedad. No existe suficiente evidencia para justificar el rechazo de la afirmación de que se elige a los demócratas y a los republicanos en una secuencia aleatoria.
9. $n_1 = 20$, $n_2 = 10$, $G = 16$, valores críticos: 9, 20. No rechace la aleatoriedad. No existe suficiente evidencia para rechazar la afirmación de que las fechas anteriores y posteriores al 1 de julio se eligieron al azar.

11. $n_1 = 23$, $n_2 = 18$, $G = 16$, $\mu_G = 21.1951$, $\sigma_G = 3.11307$. Estadístico de prueba: $z = -1.67$. Valores críticos: $z = \pm 1.96$. (Con herramienta tecnológica: valor $P = 0.0952$). No rechace la aleatoriedad. Parece que la secuencia es aleatoria. La prueba de rachas sugiere que la secuencia parece ser aleatoria, pero no evalúa la mayor ocurrencia desproporcionada de una de las dos categorías, por lo que la prueba de rachas no sugiere que alguna de las conferencias sea mejor.
13. La mediana es 1956, y el valor de 1956 se elimina para producir $n_1 = 21$, $n_2 = 21$, $G = 2$, $\mu_G = 22$, $\sigma_G = 3.20061$. Estadístico de prueba: $z = -6.25$. Valores críticos: $z = \pm 1.96$. (Con herramienta tecnológica: valor $P = 0.0000$). Rechace la aleatoriedad. Parece que la secuencia no es aleatoria al considerar valores por arriba y por debajo de la mediana. Al parecer, hay una tendencia ascendente, por lo que la bolsa de valores parece ser una buena opción para invertir.
15. *b*) Las 84 secuencias producen 2 rachas de 2, 7 rachas de 3, 20 rachas de 4, 25 rachas de 5, 20 rachas de 6, y 10 rachas de 7.
    c) Con $P(\text{2 rachas}) = 2/84$, $P(\text{3 rachas}) = 7/84$, $P(\text{4 rachas}) = 20/84$, $P(\text{5 rachas}) = 25/84$, $P(\text{6 rachas}) = 20/84$ y $P(\text{7 rachas}) = 10/84$, cada uno de los valores G de 3, 4, 5, 6, 7 puede ocurrir fácilmente por azar, mientras que $G = 2$ es improbable porque $P(\text{2 rachas})$ es menor que 0.025. Por lo tanto, el valor crítico más bajo de G es 2, y no existe un valor crítico superior que pueda igualarse o excederse.
    d) El valor crítico de $G = 2$ coincide con la tabla A-10. La tabla lista 8 como el valor crítico superior, pero es imposible obtener 8 rachas utilizando los elementos dados.

Conocimientos estadísticos y pensamiento crítico, capítulo 13

1. Una prueba no paramétrica es una prueba de hipótesis que no requiere que los datos muestrales provengan de una población con distribución normal o cualquier otra distribución específica. Una prueba paramétrica es una prueba de hipótesis que requiere que los datos muestrales provengan de una población con una distribución específica, y la distribución normal es la más común.
2. No hay diferencia. Son diferentes nombres para la misma categoría de pruebas de hipótesis que no requieren que las poblaciones tengan distribuciones normales o cualquier otra distribución en particular.
3. Un rango es un número que se asigna a un elemento muestral individual dependiendo de su orden en la lista. Al primer elemento se le asigna un rango de 1, al segundo elemento se le asigna un rango de 2, y así sucesivamente. Los valores dados tienen los rangos de 1.5, 1.5, 5, 4 y 3, respectivamente.
4. La eficiencia es una medida de qué tan fuerte debe ser la evidencia muestral para que la prueba no paramétrica produzca los mismos resultados que la prueba paramétrica correspondiente. Por ejemplo, la prueba del signo tiene una eficiencia de 0.63, lo que significa que, en las mismas condiciones, la prueba del signo requiere de 100 observaciones muestrales para lograr el mismo resultado que 63 observaciones muestrales analizadas con una prueba paramétrica correspondiente. Se debe utilizar una prueba no paramétrica cuando los requisitos de la prueba paramétrica correspondiente (como el requisito de una población distribuida normalmente) no se satisfacen.

Examen rápido del capítulo 13

1. 2, 1, 3.5, 3.5, 5
2. La prueba de rachas para aleatoriedad se utiliza para someter a prueba la hipótesis nula de que los datos muestrales en una secuencia están en un orden aleatorio. Esta prueba se basa en datos muestrales que tienen dos características.
3. La correlación de rango se puede utilizar en más situaciones que el método paramétrico de la correlación lineal. La correlación de rangos *no* requiere de una distribución normal para cualquier población, y se puede utilizar para detectar algunas relaciones (no todas) que no son lineales.
4. Comparada con la prueba paramétrica, la prueba no paramétrica requiere de evidencias más firmes, como una muestra más grande o mayores diferencias, para poder rechazar una hipótesis nula.
5. La prueba de distribución libre
6. Falso
7. Cuatro muestras independientes
8. Dos muestras independientes
9. Datos pareados
10. Cuatro muestras independientes

Ejercicios de repaso del capítulo 13

1. El estadístico de prueba de $z = -1.77$ no es menor que ni igual al valor crítico de $z = -1.96$. No rechace la hipótesis nula de $p = 0.5$. No existe suficiente evidencia para justificar el rechazo de la afirmación de que en cada Serie Mundial, el equipo de la Liga Americana tiene una probabilidad de 0.5 de ganar.
2. El estadístico de prueba de $x = 1$ es menor que o igual al valor crítico de 1. Rechace la hipótesis nula de que la mediana es igual a 98.6°F. Existe suficiente evidencia para justificar el rechazo de la afirmación de que las temperaturas corporales tienen una mediana igual a 98.6°F.
3. El estadístico de prueba de $T = 1.5$ es menor que o igual al valor crítico de 6. Rechace la hipótesis nula de que la mediana es igual a 98.6°F. Existe suficiente evidencia para justificar el rechazo de la afirmación de que las temperaturas corporales tienen una mediana igual a 98.6°F.
4. $n_1 = 8$, $n_2 = 2$, y el número de rachas es $G = 5$. Los valores críticos son 1 y 6. No rechace la hipótesis nula de aleatoriedad. No existe suficiente evidencia para justificar el rechazo de la afirmación de que la secuencia de dígitos pares e impares es aleatoria.
5. $r_s = 0.714$. Valores críticos: -0.738, 0.738. No rechace la hipótesis nula de $\rho_s = 0$. No existe suficiente evidencia para sustentar la afirmación de que hay una correlación entre la clasificación de los estudiantes y la de la revista. Al clasificar a las universidades, parece que los estudiantes y las revistas no coinciden.
6. El estadístico de prueba $x = 2$ no es menor que ni igual al valor crítico de 1. No rechace la hipótesis nula de que la población de las diferencias tiene una mediana de 0. Con base en los datos muestrales, parece que los pronósticos son razonablemente exactos, ya que no parece haber una diferencia entre las temperaturas máximas reales y las temperaturas máximas pronosticadas.
7. El estadístico de prueba de $T = 11.5$ no es menor que ni igual al valor crítico de 6. No rechace la hipótesis nula de que la población de las diferencias tiene una mediana de 0. Con base en los datos muestrales, parece que los pronósticos son razonablemente exactos, ya que no parece haber una diferencia entre las temperaturas máximas reales y las temperaturas máximas pronosticadas.

8. Estadístico de prueba: $H = 0.559$. Valor crítico: $\chi^2 = 5.991$. (Con herramienta tecnológica: valor $P = 0.756$). No rechace la hipótesis nula de medianas iguales. Los datos disponibles no ofrecen evidencia suficiente para sugerir que los automóviles más grandes sean más seguros.
9. $R_1 = 273$, $R_2 = 192$, $\mu_R = 232.5$, $\sigma_R = 24.1091$, estadístico de prueba: $z = 1.68$. Valores críticos: $z = \pm 1.96$. (Con herramienta tecnológica: valor $P = 0.0930$). No rechace la hipótesis nula de que las poblaciones tienen medianas iguales. No existe evidencia suficiente para sustentar la afirmación de que la región se va enfriando conforme avanza el otoño.
10. $n_1 = 17$, $n_2 = 13$, y el número de rachas es $G = 12$. Los valores críticos son 10 y 22. No rechace la hipótesis nula de aleatoriedad. No existe suficiente evidencia para justificar el rechazo de la afirmación de que la secuencia de temperaturas pares e impares sea aleatoria.

Ejercicios de repaso acumulativo del capítulo 13

1. Media: 213.2 mg; mediana: 155.5 mg; rango: 469.0 mg; desviación estándar: 150.1 mg; varianza: 22,529.5 mg^2.
2. 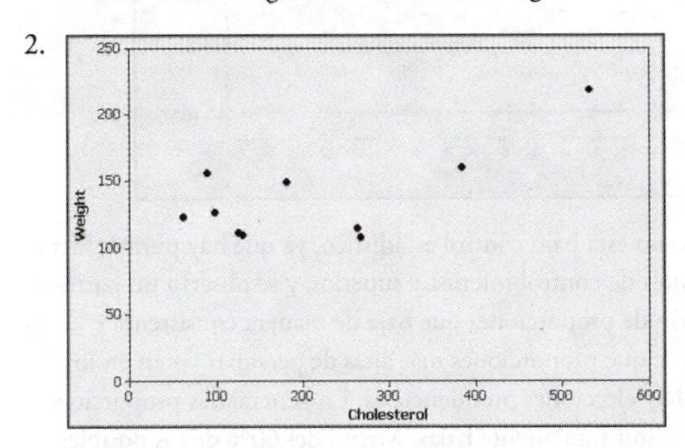

3. $r = 0.689$. Valores críticos: $r = \pm 0.632$. Valor $P = 0.0277$. Existe suficiente evidencia para sustentar la afirmación de una correlación lineal entre el colesterol y el peso.
4. $\hat{y} = 104 + 0.158x$; 120 lb
5. $r_s = 0.212$. Valores críticos: -0.648, 0.648. No rechace la hipótesis nula de $\rho_s = 0$. No existe suficiente evidencia para sustentar la afirmación de que hay una correlación entre el colesterol y el peso.
6. Estadístico de prueba: $F = 8.9785$. El valor crítico de F está entre 3.2317 y 3.3158 (con herramienta tecnológica: 3.2849). Valor P: 0.0008. Rechace la hipótesis nula de medias poblacionales iguales. Existe suficiente evidencia para justificar el rechazo de la afirmación de que los tres libros tienen el mismo nivel medio de lectura de Flesch-Kincaid. Parece que los tres libros no fueron escritos para el mismo nivel de lectura.
7. Estadístico de prueba: $H = 13.218$. Valor crítico: $\chi^2 = 5.991$. (Con herramienta tecnológica: valor $P = 0.0013$). Rechace la hipótesis nula de medianas iguales. Los datos disponibles brindan evidencia suficiente para justificar el rechazo de la afirmación de que los tres libros tienen la misma mediana del nivel de lectura de Flesch-Kincaid. Parece que los tres libros no fueron escritos para el mismo nivel de lectura.
8. H_0: $\mu_1 = \mu_2$. H_1: $\mu_1 \neq \mu_2$. Estadístico de prueba: $t = 1.820$. Valores críticos: $t = \pm 2.201$ (con herramienta tecnológica: $t = \pm 2.123$). Valor $P > 0.05$ (con herramienta tecnológica: 0.0878). No rechace H_0. No existe suficiente evidencia para rechazar la afirmación de que las muestras de puntuaciones del nivel de lectura de Flesch-Kincaid para Clancy y Rowling tienen medias iguales.
9. $R_1 = 175.5$, $R_2 = 124.5$, $\mu_R = 150$, $\sigma_R = 17.32051$, estadístico de prueba: $z = 1.47$. Valores críticos: $z = \pm 1.96$. (Con herramienta tecnológica: valor $P = 0.1410$). No rechace la hipótesis nula de que las muestras de puntuaciones de nivel de lectura de Flesch-Kincaid para Clancy y Rowling provienen de poblaciones con medianas iguales.
10. Debe haber un error, ya que las tasas del 13.7 y 10.6% no son posibles con muestras de tamaño 100.

Respuestas del capítulo 14

Sección 14-2

1. No. Si el proceso está bajo control estadístico, sabemos que las latas se llenan de manera tal que la media y el rango no varían mucho, pero el hecho de estar bajo control estadístico no indica si se cumplen las especificaciones del producto. Es posible estar bajo control estadístico y, al mismo tiempo, llenar de forma insuficiente las latas por una cantidad sustancial.
3. La variación aleatoria es el tipo de variación inherente al proceso que no logra llenar cada lata de Coca-Cola con 12 onzas exactamente. Existen diferentes ejemplos de variación asignable, por lo que las respuestas variarán, pero un ejemplo son las cantidades cambiantes de Coca-Cola que resultan de maquinaria que se desgasta por un uso intensivo.
5. *a*) Bajo control estadístico
   b) No es aplicable
   c) La variación es demasiado grande, de manera que algunas latas se llenan en exceso, mientras que otras se llenan de forma insuficiente.
7. *a*) Fuera de control estadístico.
   b) Hay 8 puntos consecutivos por debajo de la línea central. También hay 8 puntos consecutivos por arriba de la línea central.
   c) Parece que el proceso no se comporta como debería hacerlo. Parece que hay un cambio en los valores del proceso, ya que todos los valores bajos se presentan al principio.
9. $\bar{\bar{x}} = 319.26$, $\bar{R} = 6.69$. Gráfica R: LCI = 1.49, LCS = 11.89. Gráfica $\bar{x}$: LCI: 317.20, LCS: 321.32.
11. La variación del proceso está fuera de control estadístico. Se violan los tres criterios para la estabilidad estadística. Existe un patrón de valores crecientes que no es aleatorio, existen puntos fuera de los límites de control, y hay 8 puntos por debajo de la línea central.

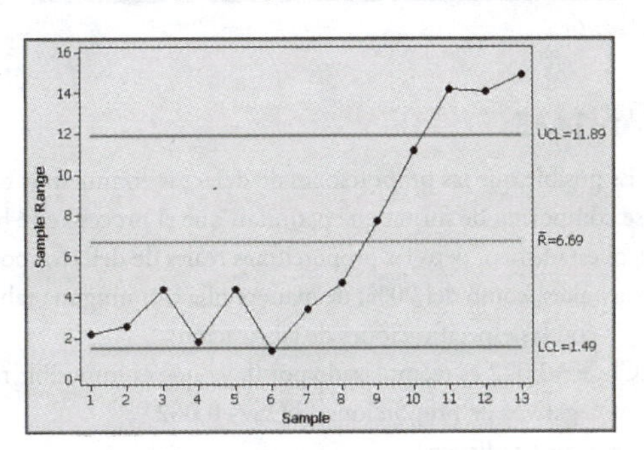

13. $\bar{\bar{x}} = 2781.71$, $\bar{R} = 1729.38$. Gráfica R: LCI = 0, LCS = 3465.67. Gráfica $\bar{x}$: LCI: 1946.42, LCS: 3617.00.

15. La media del proceso está bajo control estadístico.

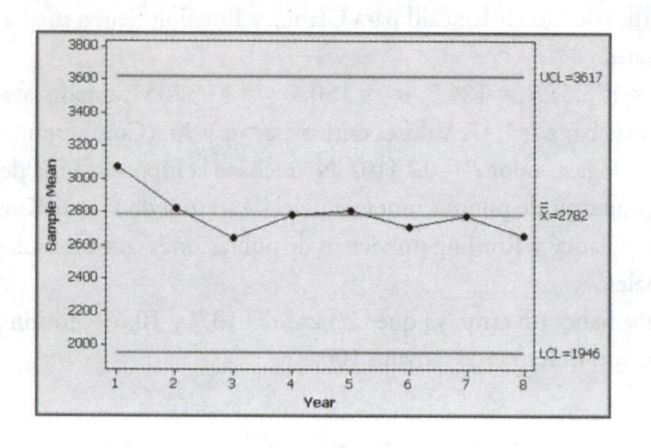

17. $\bar{\bar{x}} = 123.66$, $\bar{R} = 0.375$. Gráfica R: LCI = 0, LCS = 0.79. Gráfica $\bar{x}$: LCI: 123.45, LCS: 123.88.
19. No hay un patrón que sugiera que el proceso no está bajo control estadístico. Con base en la gráfica de rachas, parece que el proceso está bajo control estadístico.

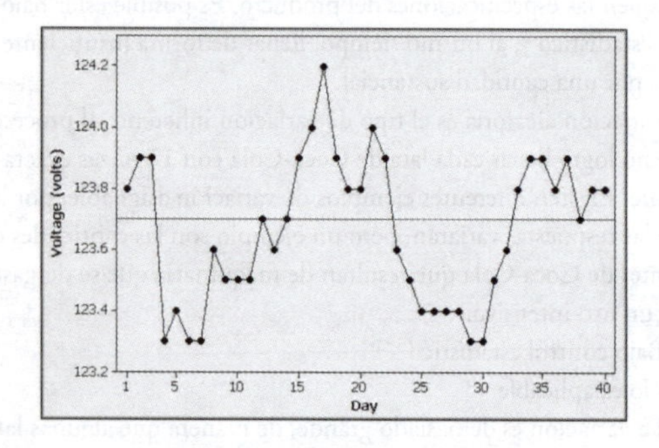

21. La gráfica s es muy similar a la gráfica R. Como la gráfica s utiliza desviaciones estándar muestrales en lugar de rangos, es mucho más difícil su construcción que la gráfica R.

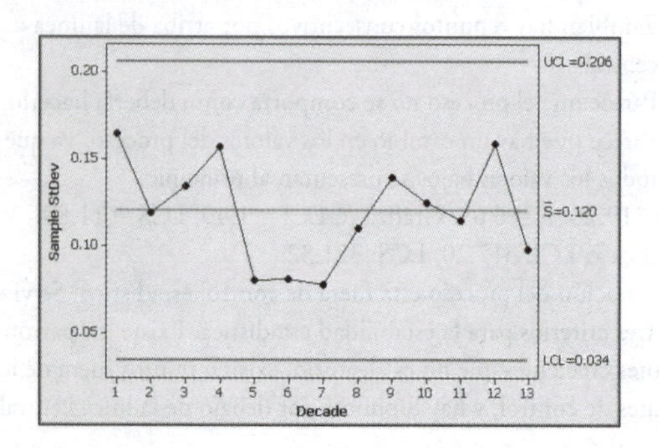

Sección 14-3

1. No. Es posible que las proporciones de defectos en muestras repetidas se comporten de forma que permitan que el proceso esté bajo control estadístico, pero las proporciones reales de defectos podrían ser muy altas, como del 90%, de manera que casi ninguna tableta cumpla con las especificaciones de fabricación.
3. El LCI de −0.022 es reemplazado por 0, ya que es imposible tener valores negativos de proporciones. LCS = 0.062.
5. Bajo control estadístico
7. Parece que el proceso está fuera de control porque se observa un patrón de tendencia creciente, hay un punto fuera del límite de control superior, y hay 8 puntos consecutivos que están por arriba de la línea central.
9. Parece que el proceso está bajo control estadístico.

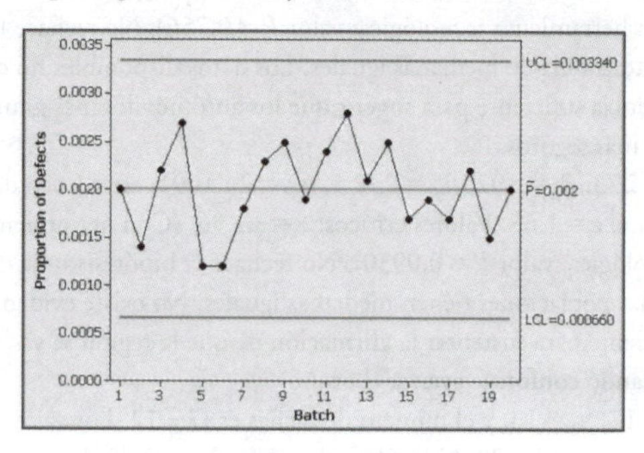

11. El proceso está bajo control estadístico. Las inscripciones universitarias fluctúan entre 60 y 68%; de manera ideal, la tasa de inscripciones universitarias sería mucho más alta.

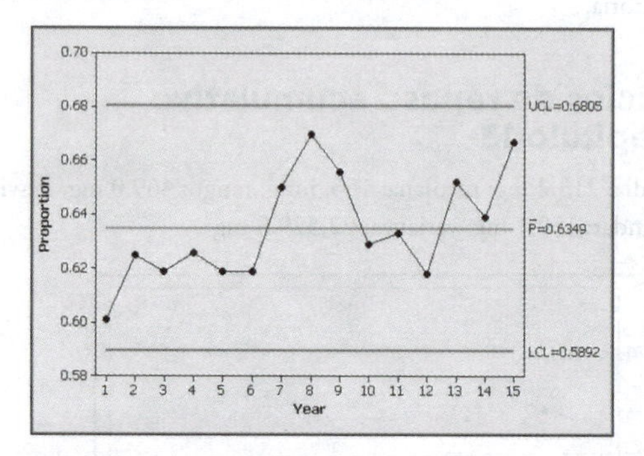

13. El proceso no está bajo control estadístico, ya que hay puntos fuera de los límites de control inferior y superior, y se observa un patrón no aleatorio de proporciones que baja de manera consistente y luego sube. Parece que proporciones más altas de personas votan en los años que hay elecciones presidenciales. En general, las proporciones de votantes son sumamente bajas. Menos del 60% de los posibles votantes realmente votan, y dicho porcentaje debería ser mucho más alto.

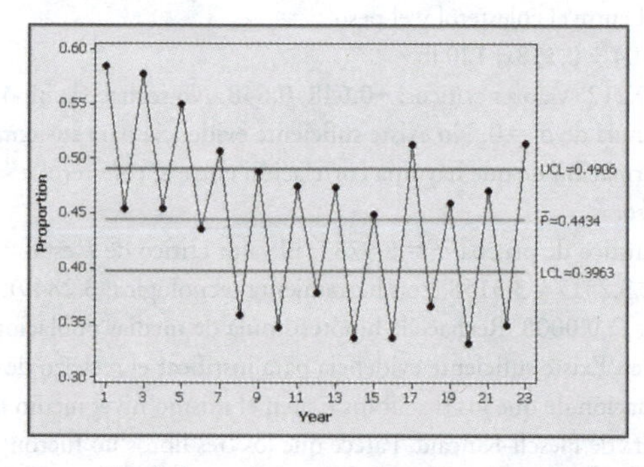

15. Con excepción de la escala vertical, la gráfica de control es idéntica a la que se incluye en el ejemplo 1.

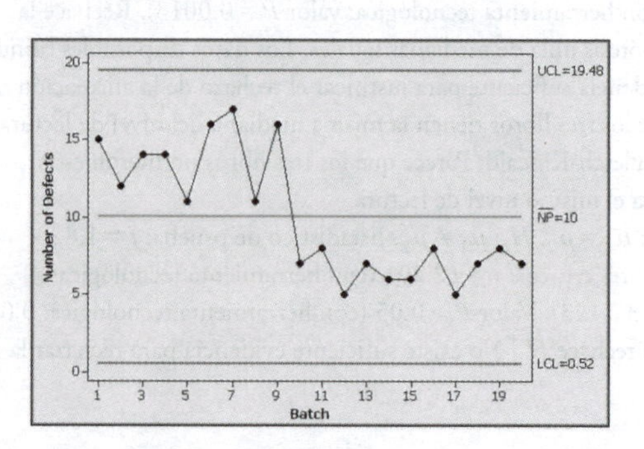

Conocimientos estadísticos y pensamiento crítico, capítulo 14

1. El control estadístico de procesos consiste en métodos que se utilizan para monitorear los datos con el paso del tiempo y para asegurarse de que estos no se salgan de control estadístico al cumplir con cualquiera de los criterios específicos que se utilizan para determinar un estado fuera de control.
2. Debido a diversas causas, como a la rotación de empleados y al desgaste de la maquinaria, es posible que el proceso de manufactura dé como resultado demasiadas tabletas defectuosas, con una cantidad excesivamente alta o baja del fármaco atorvastatina. De no monitorear el proceso, el fabricante Pfizer sería obligado a detener la producción de Lipitor, y con esto la compañía perdería parte o el total de los $13,000 millones que gana cada año con ese medicamento.
3. El proceso podría salirse de control estadístico debido a una media cambiante, a una mayor variación o a ambas circunstancias.
4. No. Los límites de 9.5 mg y 10.5 mg son especificaciones independientes de los límites de control superior e inferior que se utilizan para las gráficas $\bar{x}$ y R. Es posible que el proceso de fabricación esté bajo control y que casi todas las tabletas contengan una cantidad inaceptable de atorvastatina, como 2 mg en lugar de algún valor cercano al nivel deseado de 10 mg.

Examen rápido del capítulo 14

1. Los datos de proceso se ordenan de acuerdo con alguna secuencia de tiempo. Se trata de mediciones de una característica de bienes o servicios, que son el resultado de alguna combinación de equipo, personal, materiales, métodos y condiciones.
2. La variación aleatoria se debe al azar, pero la variación asignable resulta de causas que pueden identificarse, como maquinaria defectuosa o empleados sin capacitación.
3. Existe un patrón, tendencia o ciclo que evidentemente no es aleatorio. Hay un punto fuera de la región entre los límites de control superior e inferior. Hay ocho puntos consecutivos por arriba o por debajo de la línea central.
4. Una gráfica R utiliza rangos para monitorear la variación, pero una gráfica $\bar{x}$ utiliza medias muestrales para monitorear el centro (la media) de un proceso.
5. No. La gráfica R muestra un punto fuera del límite de control superior.
6. $\bar{R} = 21.2$. En general, un valor de $\bar{R}$ se obtiene al calcular primero el rango de valores dentro de cada subgrupo individual; la media de dichos rangos es el valor de $\bar{R}$.
7. La media del proceso está bajo control estadístico.
8. $\bar{\bar{x}} = 6.45$. En general, un valor de $\bar{\bar{x}}$ se obtiene al calcular primero la media de los valores dentro de cada subgrupo individual; la media de dichas medias subgrupales es el valor de $\bar{\bar{x}}$.
9. Una gráfica p es una gráfica de control de las proporciones de algún atributo, como los artículos defectuosos.
10. Falso.

Ejercicios de repaso del capítulo 14

1. Con base en la gráfica de rachas de las primeras 21 cargas axiales, parece que no hay un patrón que sugiera que el proceso está fuera de control estadístico.

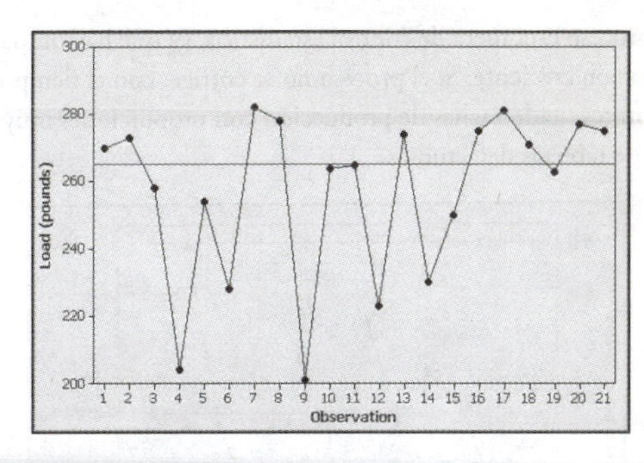

2. $\bar{R} = 62$; LCI = 4.7; LCS = 119.3
3. La variación del proceso está bajo control estadístico porque no se cumple ninguna de las tres condiciones para determinar un proceso fuera de control.

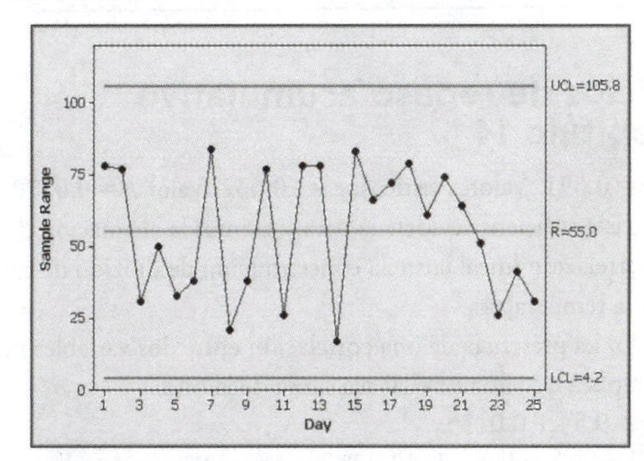

4. $\bar{\bar{x}} = 256.95$; LCI = 230.97; LCS = 282.93
5. La media del proceso está bajo control estadístico porque no se cumple ninguna de las tres condiciones para determinar un proceso fuera de control.

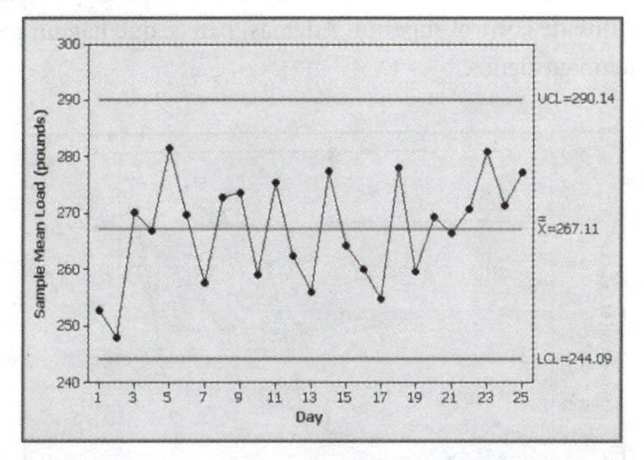

6. Parece que las proporciones no están bajo control estadístico, porque hay un patrón de proporciones decrecientes. La gráfica sugiere que en años recientes, la tasa de homicidios ha disminuido, lo que es bueno, pero se ha estabilizado en los últimos cuatro años.

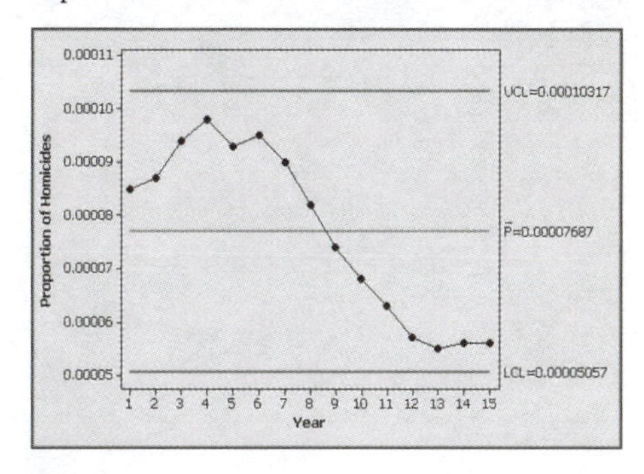

7. El proceso está fuera de control estadístico, ya que hay un patrón de variación creciente. Si el proceso no se corrige, con el tiempo, dará como resultado rachas de producción con proporciones muy elevadas de tabletas defectuosas.

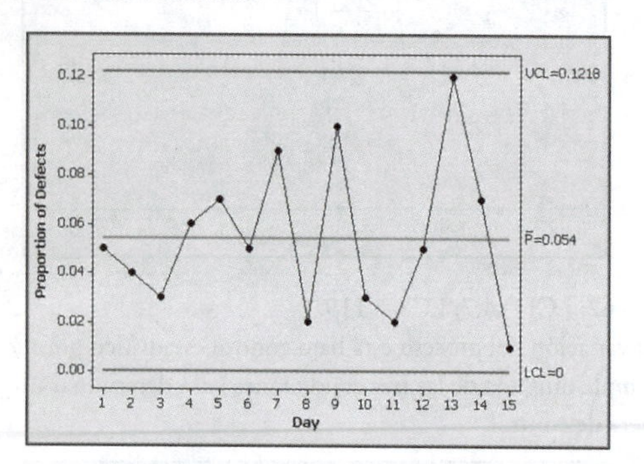

Ejercicios de repaso acumulativo del capítulo 14

1. *a*) $r = 0.691$. Valores críticos: $r = \pm 0.632$. Valor $P = 0.0270$. Existe suficiente evidencia para sustentar la afirmación de una correlación lineal entre la concentración de dióxido de carbono y la temperatura.
   b) No. La presencia de una correlación entre dos variables no implica que una de ellas sea causa de la otra.
   c) $\hat{y} = 9.54 + 0.0135x$
   d) El valor predicho de 13.47°C se acerca hasta cierto punto a la temperatura real de 13.88°C. Como $r = 0.691$ no es extremadamente alto, es probable que los valores predichos no sean muy precisos.
2. El proceso está fuera de control estadístico porque hay puntos fuera del límite de control superior. Además, parece que hay un patrón de variación creciente.

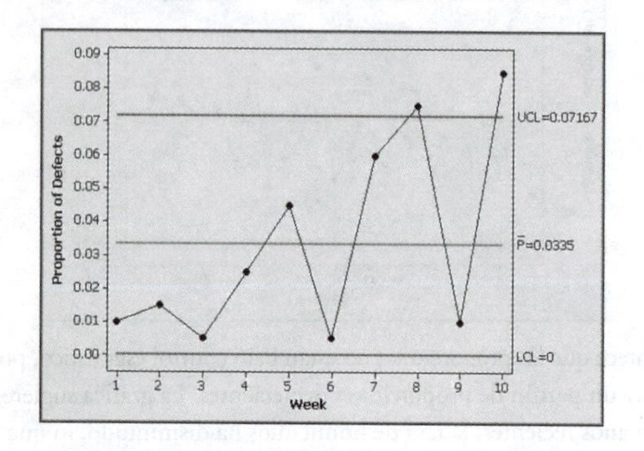

3. $0.0256 < p < 0.0414$
4. H_0: $p = 0.03$. H_1: $p > 0.03$. Estadístico de prueba: $z = 0.92$. Valor crítico: $z = 1.645$. Valor *P*: 0.1794. No rechace H_0. No existe suficiente evidencia para sustentar la afirmación de que la tasa de defectos es mayor que el 3%.
5. *a*) 1/256
   b) 1/256
   c) 1/128
6. *a*) 15.87%
   b) 4.4 y 7.6 pulgadas
7. No. La encuesta en línea dio como resultado una muestra de respuesta voluntaria que solo representa a los individuos que respondieron. Es probable que los individuos que decidieron responder no sean representativos de la población general.
8. Parece que los valores provienen de una población con una distribución que no es normal. La presencia de 12 ceros entre los 30 valores produce un histograma sesgado a la derecha y no con forma de campana. Una gráfica cuantilar normal revela un patrón de puntos que no se acerca de manera razonable al patrón de una recta.
9. $\bar{x} = 66.0$ centavos; mediana $= 21.5$ centavos; $s = 108.1$ centavos
10. H_0: $p = 0.5$. H_1: $p > 0.5$. Estadístico de prueba: $z = 1.10$ (utilizando $\hat{p} = 18/30 = 0.6$). Valor crítico: $z = 1.645$. Valor *P*: 0.1357 (con herramienta tecnológica: 0.1367). No rechace H_0. No existe suficiente evidencia para sustentar la afirmación de que la mayoría de los estudiantes llevan consigo cierta cantidad de cambio.

Créditos

FOTOGRAFÍAS

Capítulo 1

Página 2, Time & Life Pictures/Getty Images.
Página 4, PhotoDisc.
Página 5, Jeff Greenberg/PhotoEdit.
Página 6, Shutterstock.
Página 8, Shutterstock.
Página 12, PhotoDisc.
Página 13, Shutterstock.
Página 13 (margen) Shutterstock.
Página 18, Shutterstock.
Página 19, Shutterstock.
Página 20, PhotoDisc (PP).
Página 27, Getty RF.
Página 28, Shutterstock.
Página 30, PhotoDisc Red.

Capítulo 2

Página 44, AP Wideworld Photos.
Página 46, Shutterstock.
Página 48, U.S. Mint.
Página 49, Image Source/Getty Royalty Free.
Página 50, Kelly/Mooney Photography/Corbis.
Página 56, Brand X Pictures.
Página 61, Stockbyte Gold RF.
Página 62, AKG Images/The Image Works.

Capítulo 3

Página 82, Blend Images/Getty Royalty Free.
Página 85, Shutterstock.
Página 89, Shutterstock.
Página 90, Shutterstock.
Página 99, Shutterstock.
Página 100, AP Wideworld Photo.
Página 114, Shutterstock.
Página 115, Shutterstock.
Página 119, Shutterstock.

Capítulo 4

Página 136, Everett Collection.
Página 139, Shutterstock.
Página 140 (figura 4.1a) Shutterstock.
Página 140 (figura 4.1b) Shutterstock.
Página 140 (figura 4.1c) NASA/John F. Kennedy Space Center.
Página 142, PhotoDisc.
Página 144, Shutterstock.
Página 156, Shutterstock.
Página 163, Shutterstock.
Página 166, Shutterstock.
Página 167, Shutterstock.
Página 171, Dorling Kindersley.
Página 172 (margen) The Everett Collection.
Página 172, Shutterstock.
Página 174, Corbis.
Página 179, Shutterstock.
Página 181, Shutterstock.
Página 184, Shutterstock.
Página 186 (margen) PhotoDisc.
Página 186, Shutterstock.
Página 188, PhotoDisc.

Capítulo 5

Página 202, Shutterstock.
Página 207, Shutterstock.
Página 213, Shutterstock.
Página 220, Shutterstock.
Página 234, Shutterstock.
Página 235, Shutterstock.

Capítulo 6

Página 251, Shutterstock.
Página 252, Shutterstock.
Página 266, Blend Images/Getty Royalty Free.
Página 289, Image Source/Getty Royalty Free.
Página 301, Shutterstock.

Capítulo 7

Página 326, Photographer's Choice/Getty RF.
Página 332, Shutterstock.
Página 336, Shutterstock.
Página 348, Shutterstock.
Página 356, Shutterstock.
Página 358, Shutterstock.
Página 359, Shutterstock.
Página 361, AP Wideworld Photo.
Página 371, Shutterstock.

Capítulo 8

Página 390, Shutterstock.
Página 393, Shutterstock.
Página 397, Shutterstock.
Página 426, Photodisc/Getty RF.
Página 459, Shutterstock.
Página 434, Beth Anderson.
Página 444, Shutterstock.
Página 446, Shutterstock.

Capítulo 9

Página 460, Blend Images/Getty Royalty Free.
Página 464, PhotoDisc.
Página 467, Shutterstock.
Página 473 (margen) PhotoDisc.
Página 476, Shutterstock.
Página 478, Comstock RF.
Página 479, Shutterstock.
Página 487, Shutterstock.
Página 489, Shutterstock.

Capítulo 10

Página 516, Digital Vision.
Página 519, Shutterstock.
Página 525, Shutterstock.
Página 536, Digital Vision.
Página 542, PhotoDisc.
Página 563, Shutterstock.

Capítulo 11

Página 584, Image Source/Getty RF.
Página 589, Shutterstock.
Página 590, Shutterstock.
Página 601, Shutterstock.
Página 604, Shutterstock.
Página 613, Shutterstock.

Capítulo 12

Página 626, Shutterstock.
Página 631, Shutterstock.

Capítulo 13

Página 665, Shutterstock.
Página 668, Shutterstock.
Página 677, Shutterstock.
Página 686, PhotoDisc.
Página 694, Shutterstock.
Página 700, Rubberball/Getty RF.
Página 703, Shutterstock.

Capítulo 14

Página 714, Getty Royalty Free.
Página 717, US Army.
Página 718, NASA.
Página 730, Stockbyte/Getty RF.
Página 728, Shutterstock.
Página 732, Getty Editorial.

ILUSTRACIONES

Capítulo 2

Página 66, figura 2.8 “Datos sobre confiabilidad de los automóviles”: Copyright © 2003 por Consumers Union of U.S., Inc. Yonkers NY 10703-1057, una organización no lucrativa. Se reproduce con autorización del número de abril de 2003 de Consumer Reports® únicamente para fines académicos. No se autoriza su reproducción o uso comercial. www.ConsumerReports.org

Índice

Tabla de símbolos

$\bar{A}$	complemento del suceso A
H_0	hipótesis nula
H_1	hipótesis alternativa
α	alfa; probabilidad de un error tipo I o el área de la región crítica
β	beta; probabilidad de un error tipo II
r	coeficiente de correlación lineal muestral
ρ	rho; coeficiente de correlación lineal poblacional
r^2	coeficiente de determinación
R^2	coeficiente de determinación múltiple
r_s	coeficiente de correlación de rangos de Spearman
b_1	estimación puntual de la pendiente de la recta de regresión
b_0	estimación puntual de la intersección en y de la recta de regresión
$\hat{y}$	valor predicho de y
d	diferencia entre dos valores pareados
$\bar{d}$	media de las diferencias d calculada a partir de datos muestrales pareados
s_d	desviación estándar de las diferencias d calculada a partir de datos muestrales pareados
s_e	error estándar de una estimación
T	suma de rangos; se utiliza en la prueba de rangos con signo de Wilcoxon
H	estadístico de prueba Kruskal-Wallis
R	suma de rangos para una muestra; se utiliza en la prueba de suma de rangos de Wilcoxon
μ_R	rango medio esperado; se utiliza en la prueba de suma de rangos de Wilcoxon
σ_R	desviación estándar de rangos esperada; se utiliza en la prueba de suma de rangos de Wilcoxon
G	número de rachas en la prueba de rachas para detectar aleatoriedad
μ_G	media esperada del número de rachas; se utiliza en la prueba de rachas para detectar aleatoriedad
σ_G	desviación estándar esperada para el número de rachas; se utiliza en la prueba de rachas para detectar aleatoriedad
$\mu_{\bar{x}}$	media poblacional de todas las medias muestrales $\bar{x}$ posibles
$\sigma_{\bar{x}}$	desviación estándar poblacional de todas las medias muestrales $\bar{x}$ posibles
E	margen de error de la estimación de un parámetro poblacional, o valor esperado
Q_1, Q_2, Q_3	cuartiles
$D_1, D_2, \ldots, D_9$	deciles
$P_1, P_2, \ldots, P_{99}$	percentiles
x	valor de un dato

Tabla de símbolos

Símbolo	Significado
f	frecuencia con la que ocurre un valor
Σ	sigma mayúscula; suma
Σx	suma de los valores
Σx^2	suma de los cuadrados de los valores
$(\Sigma x)^2$	cuadrado de la suma de todos los valores
Σxy	suma de los productos de cada valor x multiplicado por el valor y correspondiente
n	número de valores en una muestra
$n!$	n factorial
N	número de valores en una población finita; también se utiliza como el tamaño de todas las muestras combinadas
k	número de muestras o poblaciones o categorías
$\bar{x}$	media de los valores en una muestra
$\bar{R}$	media de los rangos muestrales
μ	mi; media de todos los valores en una población
s	desviación estándar de un conjunto de valores muestrales
σ	sigma minúscula; desviación estándar de todos los valores en una población
s^2	varianza de un conjunto de datos muestrales
σ^2	varianza de todos los valores de una población
z	puntuación estándar
$z_{\alpha/2}$	valor crítico de z
t	distribución t
$t_{\alpha/2}$	valor crítico de t
gl	número de grados de libertad
F	distribución F
χ^2	distribución chi cuadrada
χ^2_D	valor crítico de cola derecha de chi cuadrada
χ^2_I	valor crítico de cola izquierda de chi cuadrada
p	probabilidad de un evento o la proporción poblacional
q	probabilidad o proporción igual a $1 - p$
$\hat{p}$	proporción muestral
$\hat{q}$	proporción muestral igual a $1 - \hat{p}$
$\bar{p}$	proporción obtenida al agrupar dos muestras
$\bar{q}$	proporción o probabilidad igual a $1 - \bar{p}$
$P(A)$	probabilidad del evento A
$P(A\|B)$	probabilidad del evento A, suponiendo que el evento B ya ocurrió
${}_nP_r$	número de permutaciones de n elementos seleccionando r a la vez
${}_nC_r$	número de combinaciones de n elementos seleccionando r a la vez